Nikolli Stefani e. de Lima.

12090210 VEREDA DIGITAL BIO EM CONTEXTO

Acesse
www.moderna.com.br/ac/livro
e siga as instruções para fazer o *download* do **livro digital**.

CÓDIGO DE ACESSO:

A 00046 VEREBIO U 05839

MODERNA

Vereda Digital

Biologia em contexto

Volume único

José Mariano Amabis

Licenciado em Ciências Biológicas pelo Instituto de Biociências — Faculdade de Educação da Universidade de São Paulo.
Doutor e Mestre em Ciências, na área de Biologia (Genética) pelo Instituto de Biociências da Universidade de São Paulo.
Professor do Instituto de Biociências da Universidade de São Paulo (1972-2004).
Coordenador de Atividades Educacionais e de Difusão do Centro de Estudos do Genoma Humano da Universidade de São Paulo (2000-2004).

Gilberto Rodrigues Martho

Licenciado em Ciências Biológicas pelo Instituto de Biociências — Faculdade de Educação da Universidade de São Paulo.
Lecionou Biologia em escolas de ensino médio e cursos pré-vestibulares.

Livro acompanhado por um DVD.

1ª edição

MODERNA

Coordenação editorial: Rita Helena Bröckelmann, Flávio Gomes-Silva, Marcelo Dias Pulido
Edição de texto: Edna Emiko Nomura, Flávio Gomes-Silva, Luciana Keler, Nathália Azevedo, Roberta Bueno, Thiago Hortencio
Preparação de texto: Silvana Cobucci Leite
Coordenação de *design* e projetos visuais: Sandra Botelho de Carvalho Homma
Projeto gráfico: Everson de Paula, Marta Cerqueira Leite
Capa: Everson de Paula
Foto da capa: Montagem fotográfica de borboleta-ninfa (*Idea leuconoe*) sobre placa de circuito eletrônico. © Darroch Donald/Alamy/Glow Images
Coordenação de produção gráfica: André Monteiro, Maria de Lourdes Rodrigues
Coordenação de arte: Maria Lucia F. Couto, Wilson Gazzoni Agostinho
Edição de arte: Renato Neves
Editoração eletrônica: Setup Bureau Editoração Eletrônica
Edição de infografias: William Taciro, Mauro César Brosso, Fernanda Fencz
Ilustrações: Jurandir Ribeiro, Osvaldo Sequetin, Adilson Secco, Paulo Manzi,Luiz Rubio, Cecília Iwashita, Edilson Antonio da Silva, Osni de Oliveira, Paulo Nilson, André Vazzios, Carlos Estevão Simonka, Fernando José Ferreira, Levi Ciobotarin, Daniela Weil, Jorge Vanderlei Ribeiro
Cartografia: Anderson de Andrade Pimentel, Fernando José Ferreira, Ericson Guilherme luciano
Coordenação de revisão: Elaine C. del Nero
Revisão: Sandra Cortés, Rita Sam, Dirce Yamamoto
Coordenação de pesquisa iconográfica: Luciano Baneza Gabarron
Pesquisa iconográfica: Flávia Aline de Morais, Luciana Vieira, Camila D´Angelo, Maria Magalhães, Vera Lucia Barrionuevo.
Coordenação de *bureau*: Américo Jesus
Tratamento de imagens: Arleth Rodrigues, Fabio N. Precendo, Marina M. Buzzinaro, Rubens M. Rodrigues
Pré-impressão: Alexandre Petreca, Everton L. de Oliveira, Fabio N. Precendo, Helio P. de Souza, Marcio H. Kamoto, Rubens M. Rodrigues, Vitoria Souza
Coordenação de produção industrial: Wilson Aparecido Troque
Impressão e acabamento: Prol Editora Gráfica
Lote: 207041

Dados Internacionais de Catalogação na Publicação (CIP)
(Câmara Brasileira do Livro, SP, Brasil)

Amabis, José Mariano
Biologia em contexto / José Mariano Amabis, Gilberto Rodrigues Martho. – 1. ed. – São Paulo : Moderna, 2013.

Bibliografia.

1. Biologia (Ensino médio) I. Martho, Gilberto Rodrigues. II. Título.

13-09613 CDD-574.07

Índices para catálogo sistemático:
1. Biologia : Ensino médio 574.07

ISBN 978-85-16-09021-0 (LA)
ISBN 978-85-16-09022-7 (LP)

EDITORA MODERNA LTDA.
Rua Padre Adelino, 758 – Belenzinho
São Paulo – SP – Brasil – CEP 03303-904
Vendas e Atendimento: Tel. (0_ _11) 2602-5510
Fax (0_ _11) 2790-1501
www.moderna.com.br
2017
Impresso no Brasil

1 3 5 7 9 10 8 6 4 2

Apresentação

Prezado estudante

A ciência está em todas as mídias — TV, jornais e revistas, sem falar da Internet — quase diariamente. Os conhecimentos científicos saem dos laboratórios de pesquisa e geram tecnologias cada vez mais surpreendentes. Hoje todo cidadão bem informado e participante dos avanços sociais de sua época precisa compreender os fundamentos do pensamento científico.

A Biologia é o ramo da ciência dedicado ao estudo e ao entendimento do intrincado fenômeno da vida, em seus mais diversos níveis e manifestações. O que é vida? Quais são suas características fundamentais? De que é feito um ser vivo? Como os seres vivos surgiram e evoluíram? Como a vida se mantém no organismo e se perpetua no tempo? Essas são algumas das perguntas que esta obra se propõe a analisar e responder, sob o ponto de vista da ciência atual. Além disso, queremos integrar essas questões centrais da Biologia com suas aplicações em nosso contexto social.

Como encarar esta obra didática de Biologia? Acima de tudo, como uma aliada em sua busca de conhecimento. Folheie o livro, familiarize-se com ele: percorra cada página, veja as imagens, procure nele temas que despertam sua curiosidade, antecipe respostas. Temos certeza de que muitos dos assuntos aqui tratados são de seu interesse. Não deixe de ler as apresentações de cada capítulo, que dão mais contexto ao seu estudo. Aceite os desafios das atividades. Percorra seu próprio caminho no conhecimento da Biologia; esta obra quer acompanhar você nessa tarefa.

Outra coisa: procure sempre ampliar seus horizontes. Estabeleça relações, mesmo que ousadas e inusitadas, entre o que você aprende em Biologia e o conteúdo de outros ramos do conhecimento. Converse com seus professores; troque ideias com colegas. Quanto mais você utilizar seus conhecimentos, em diferentes contextos, mais eles serão proveitosos.

Desejamos que esta obra ajude você a compreender e a valorizar a ciência, dentro dos limites e das possibilidades que ela oferece; que desperte seu interesse por temas científicos e, quem sabe, o incentive a participar dessa grande aventura que é a construção do conhecimento.

Os autores

Organização do livro

O livro *Biologia em contexto*, da coleção *Vereda Digital*, está dividido em 12 módulos temáticos; em cada um deles, os assuntos são desenvolvidos em 2, 3 ou 4 capítulos, acompanhados de atividades que reforçam a aprendizagem. Conteúdos digitais, indicados ao longo dos capítulos por ícones, complementam o conteúdo do livro. Conheça detalhadamente a organização interna desta obra.

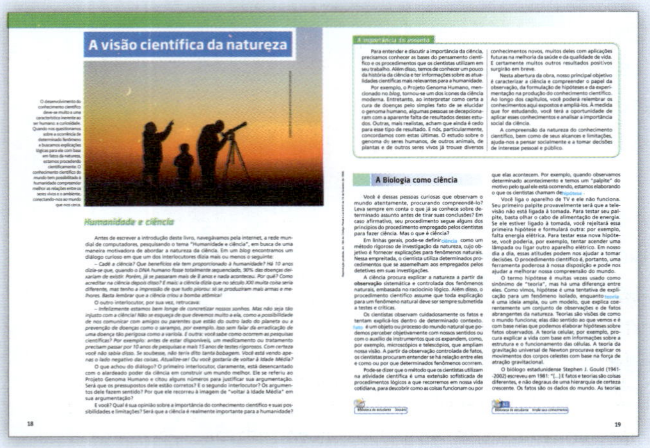

A visão científica da natureza
O capítulo especial de abertura, intitulado *A visão científica da natureza*, trata de métodos e procedimentos em ciência. Ao longo da obra serão retomadas várias ideias desenvolvidas nesse capítulo inicial, o que faz dele um material de consulta constante.

Aberturas dos módulos
As duas páginas de abertura de cada módulo trazem informações importantes, em imagens e textos, sobre os assuntos em pauta. Habitue-se a explorar essas páginas iniciais para se inteirar dos temas que serão desenvolvidos em cada capítulo.

Apresentações dos capítulos
O que os assuntos tratados no capítulo têm a ver com nossa vida? As *Apresentações* discutem justamente as relações entre os conteúdos e questões cotidianas, sociais e de cidadania. Confira os temas de cada capítulo no item *A importância do assunto*.

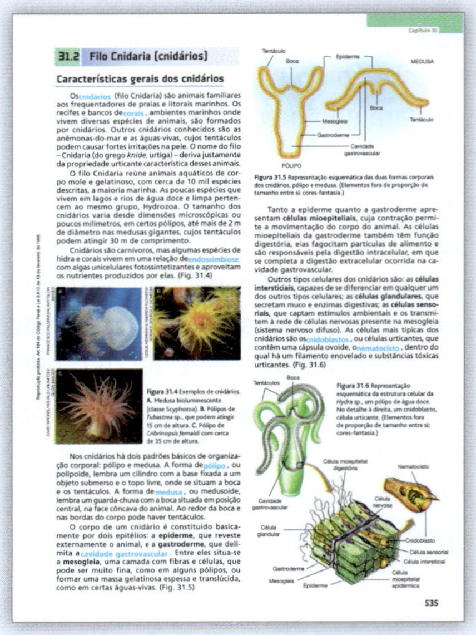

Textos e imagens
O texto do capítulo é dividido em itens e subitens que organizam os assuntos tratados. Os conceitos mais relevantes estão destacados em azul (seus significados estão no *Glossário* presente no DVD), e outros conceitos importantes estão destacados em preto. As imagens complementam e ilustram o texto; em seus estudos, explore o "diálogo" entre textos, imagens e legendas explicativas.

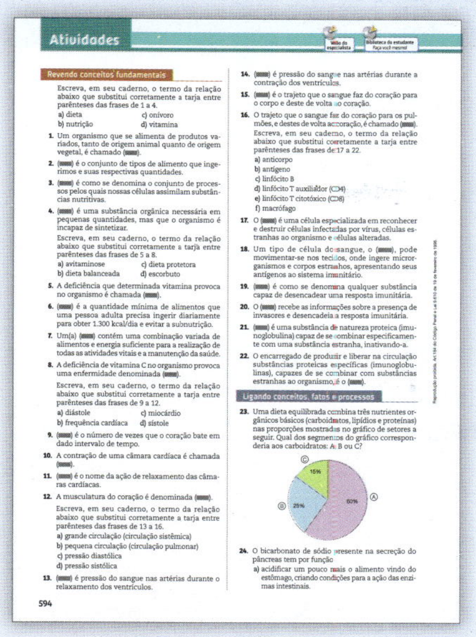

Atividades básicas de revisão

Esse elenco das *Atividades* contém questões de múltipla escolha organizadas em dois blocos: *Revendo conceitos fundamentais* e *Ligando conceitos, fatos e processos*. No primeiro bloco são repassados conceitos fundamentais do capítulo e, no segundo, eles são relacionados a diferentes fatos e situações que ampliam seu significado. Não deixe de explorar essas atividades, anotando as respostas em seu caderno.

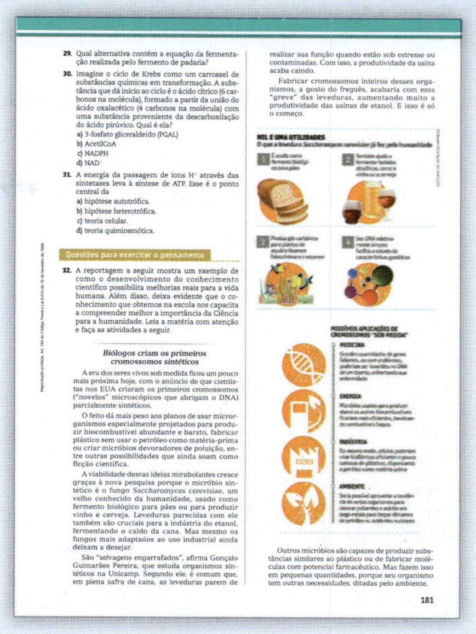

Questões para exercitar o pensamento

O elenco de atividades denominado *Questões para exercitar o pensamento* traz desafios e orientações para aplicar em situações-problema os conhecimentos aprendidos no capítulo. As diversas sugestões desse bloco quase sempre demandam respostas que devem ser escritas no caderno. Exercite seu pensamento e aceite os desafios propostos por elas.

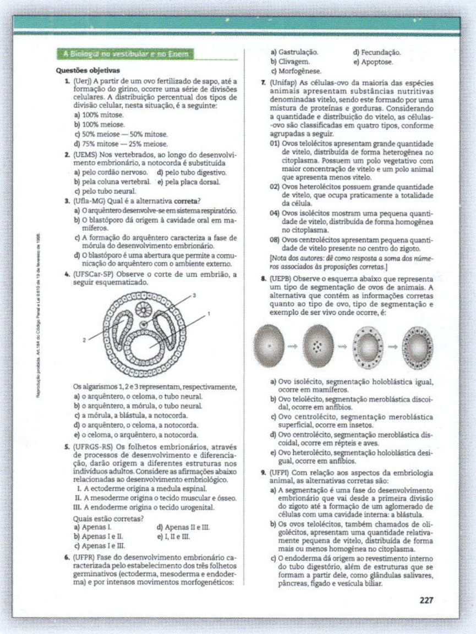

A Biologia no vestibular e no Enem

Esse bloco de atividades traz questões selecionadas de exames de ingresso a universidades de diversos estados brasileiros, além de questões do Exame Nacional do Ensino Médio (Enem) relacionadas aos temas do capítulo.

Como encontrar um objeto digital indicado na remissão:

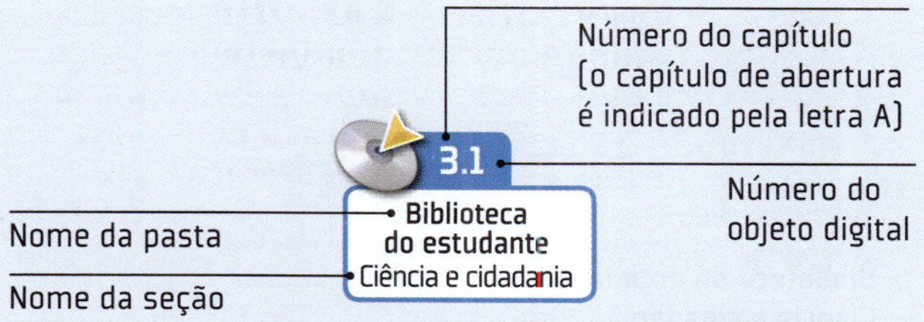

O ícone indica a pasta do objeto digital no DVD: **Visão do especialista, Biblioteca do estudante, Conteúdo multimídia e Listas de exercícios.**

Estes são os ícones que você encontrará no seu livro:

Veja os conteúdos relacionados a cada um desses ícones nas páginas a seguir.

Organização do DVD

O conteúdo digital disponível no DVD está organizado em pastas que facilitam a sua navegação:

Biologia em contexto DVD-ROM

- Visão do Especialista
- Biblioteca do Estudante
  - Ferramentas digitais: como usar
  - Glossário
  - Ciência e cidadania
  - Amplie seus conhecimentos
  - Sugestões de livros, *sites* e vídeos
  - Faça você mesmo!
- Conteúdo Multimídia
  - Animações
  - Vídeos
- Listas de exercícios

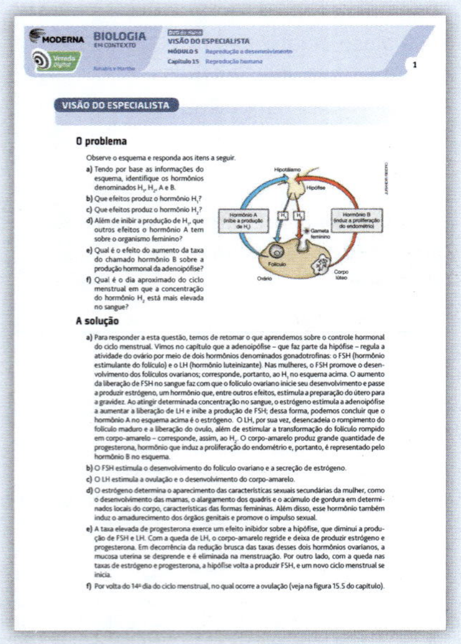

Visão do especialista

Análise comentada de questões selecionadas para desenvolver o raciocínio analítico e ajudar na resolução de problemas.

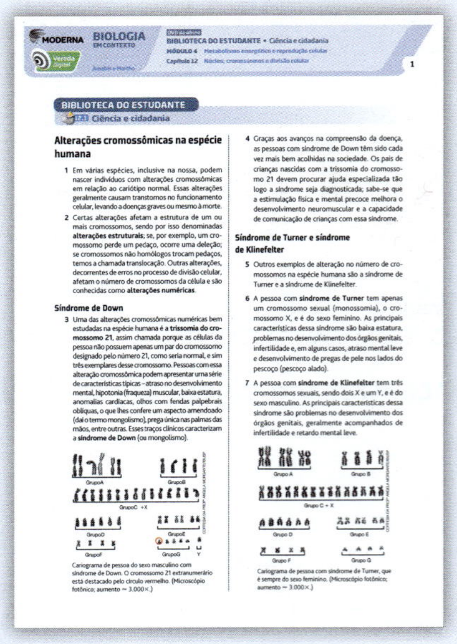

Biblioteca do estudante

Ciência e cidadania

Textos que abordam assuntos diretamente ligados a questões cotidianas ou de cidadania, que se destinam a complementar ou a ampliar temas discutidos na *Apresentação* do capítulo. Os parágrafos do texto são numerados em sequência, e um *Guia de leitura* ajuda a explorar em profundidade o tema central de cada um deles.

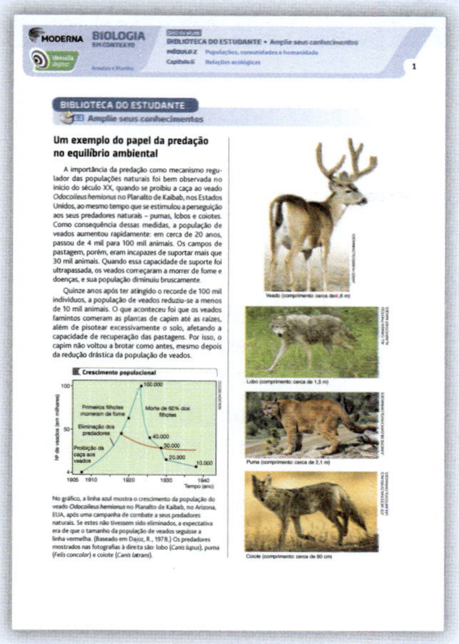

Biblioteca do estudante
Amplie seus conhecimentos
Textos nos quais se aprofundam alguns temas ou apresentam-se detalhes ou curiosidades relativas ao assunto em pauta.

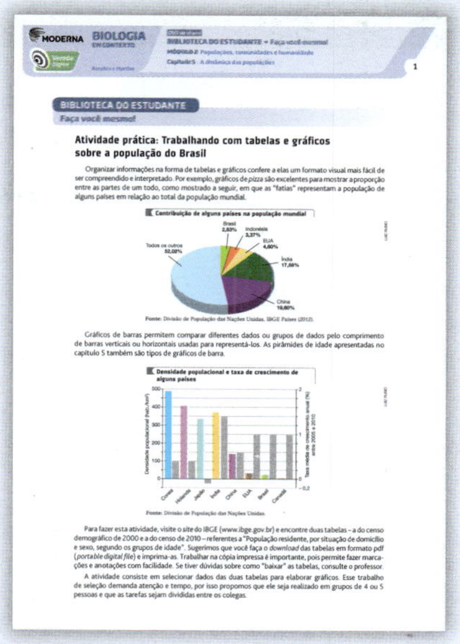

Biblioteca do estudante
Faça você mesmo!
Convite para realizar alguns "fazeres", como experimentos, a produção de murais, de matérias jornalísticas ilustradas ou de infográficos, entre outros. Muitas dessas atividades destinam-se ao trabalho em grupo. Forme sua equipe.

Conteúdo multimídia
Vídeos e animações com assuntos complementares ao conteúdo do capítulo.

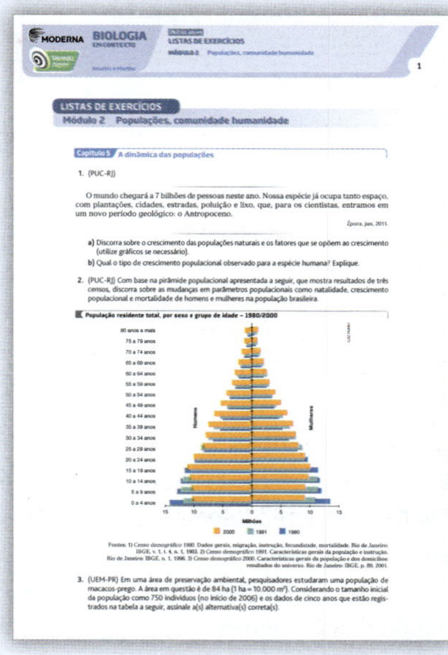

Listas de exercícios
Questões extras de vestibulares e do Enem, organizadas por módulo para facilitar a revisão dos conteúdos.

Conteúdo do DVD

Visão do especialista

Abertura e capítulos 1 a 35

Biblioteca do estudante

Ferramentas digitais: como usar

Excel 2010
Firefox
Google
Google Earth
Google Maps
iGeom
Internet Explorer
Power Point 2010
Win Plot
Word 2010

Glossário

Ciência e cidadania

- **Capítulo 4**
  4.1 Água: um recurso cada vez mais precioso
- **Capítulo 12**
  12.1 Alterações cromossômicas na espécie humana
- **Capítulo 25**
  25.1 A importância das bactérias para a humanidade
- **Capítulo 31**
  31.1 Doenças provocadas por vermes nematódeos
- **Capítulo 33**
  33.1 Cuidando do sistema digestório
  33.2 Cuidando do sistema respiratório
  33.3 Cuidando do sistema cardiovascular

Amplie seus conhecimentos

- **Abertura**
  A comunicação em ciência
- **Capítulo 1**
  1.1 O experimento de Stanley Miller
- **Capítulo 2**
  2.1 Vírus: vivos ou não vivos?
- **Capítulo 4**
  4.1 Combustíveis fósseis
- **Capítulo 5**
  5.1 O experimento de Gause com *Tribolium confusum*
- **Capítulo 6**
  6.1 Um exemplo do papel da predação no equilíbrio ambiental
- **Capítulo 8**
  8.1 Alternativas energéticas
- **Capítulo 9**
  9.1 Técnicas básicas em Citologia
- **Capítulo 10**
  10.1 A diversidade dos lipídios
  10.2 No mundo das proteínas
  10.3 A diversidade dos glicídios
- **Capítulo 12**
  12.1 Moléculas-mestras da vida: ácidos nucleicos
- **Capítulo 14**
  14.1 A embriologia do anfioxo como exemplo
- **Capítulo 22**
  22.1 Um exemplo de especiação simpátrica
  22.2 A movimentação dos continentes da Terra
- **Capítulo 23**
  23.1 Estudos moleculares de hominídeos fósseis
- **Capítulo 29**
  29.1 A importância da osmose para as plantas
- **Capítulo 30**
  30.1 Principais filos animais
- **Capítulo 33**
  33.1 A síndrome da imunodeficiência adquirida: aids

Sugestões de livros, *sites* e vídeos

Faça você mesmo

Abertura e capítulos 1 a 5, 7 a 14, 16, 17 e 19 a 35.

Conteúdo Multimídia

Vídeos

- **Capítulo 1**
  Fonte hidrotermal submarina
- **Capítulo 10**
  Osmose
  Ação de um macrófago
- **Capítulo 15**
  Fecundação *in vitro*
- **Capítulo 27**
  Liberação de pólen pelo vento
- **Capítulo 28**
  Germinação de uma semente
- **Capítulo 31**
  Reprodução e desenvolvimento de equinodermos
- **Capítulo 33**
  A digestão de proteínas
- **Capítulo 34**
  O efeito McGurk

Animações

- **Abertura**
  O procedimento hipotético-dedutivo
- **Capítulo 3**
  Fluxo de energia na cadeia alimentar
- **Capítulo 4**
  Ciclo do carbono e aquecimento global
- **Capítulo 6**
  Relações ecológicas
- **Capítulo 7**
  Sucessão secundária
- **Capítulo 8**
  Desequilíbrio ambiental decorrente de interferências na cadeia alimentar
- **Capítulo 10**
  Formação dos lisossomos
  Transporte passivo e transporte ativo pela membrana plasmática
- **Capítulo 11**
  Fotossíntese
- **Capítulo 12**
  Interfase
- **Capítulo 13**
  Gametogênese humana
- **Capítulo 16**
  Lei da segregação dos fatores
  Dominância, dominância incompleta e codominância de genes
- **Capítulo 18**
  Hemofilia: uma herança ligada ao sexo
- **Capítulo 19**
  Síntese de proteínas
  Clonagem molecular
- **Capítulo 20**
  Formação de um organismo transgênico
  Genética na atualidade
- **Capítulo 21**
  Adaptação: coloração de advertência
  Teorias da evolução
- **Capítulo 22**
  Especiação
- **Capítulo 25**
  Ciclo do vírus da gripe
- **Capítulo 27**
  Reprodução das briófitas
- **Capítulo 28**
  Das flores aos frutos
- **Capítulo 31**
  Ciclo da filariose
  Teníase e cisticercose
- **Capítulo 33**
  Enzimas da digestão
  Regulação da função renal
  Imunidade humoral e imunidade celular
- **Capítulo 34**
  Sentido da audição
  Hormônios

Listas de exercícios

Módulos 1 a 12

Sumário

A visão científica da natureza

CHRISTOPHE LEHENAFF/PHOTONONSTOP/DIOMEDIA

O desenvolvimento do conhecimento científico deve-se muito a uma característica inerente ao ser humano: a curiosidade. Quando nos questionamos sobre a ocorrência de determinado fenômeno e buscamos explicações lógicas para ele com base em fatos da natureza, estamos procedendo cientificamente. O conhecimento científico do mundo tem possibilitado à humanidade compreender melhor as relações entre os seres vivos e o ambiente, conectando-nos ao mundo que nos cerca.

Humanidade e ciência

Antes de escrever a introdução deste livro, navegávamos pela internet, a rede mundial de computadores, pesquisando o tema "Humanidade e ciência", em busca de uma maneira motivadora de abordar a natureza da ciência. Em um *blog* encontramos um diálogo curioso em que um dos interlocutores dizia mais ou menos o seguinte:

– *Cadê a ciência? Que benefícios ela tem proporcionado à humanidade? Há 10 anos dizia-se que, quando o DNA humano fosse totalmente sequenciado, 90% das doenças deixariam de existir. Porém, já se passaram mais de 8 anos e nada aconteceu. Por quê? Como acreditar na ciência depois disso? E mais: a ciência dizia que no século XXI muita coisa seria diferente, mas tenho a impressão de que tudo piorou: só se produziram mais armas e melhores. Basta lembrar que a ciência criou a bomba atômica!*

O outro interlocutor, por sua vez, retrucava:

– *Infelizmente estamos bem longe de concretizar nossos sonhos. Mas não seja tão injusto com a ciência! Não se esqueça de que devemos muito a ela, como a possibilidade de nos comunicar com amigos ou parentes que estão do outro lado do planeta ou a prevenção de doenças como o sarampo, por exemplo. Isso sem falar da erradicação de uma doença tão perigosa como a varíola. E outra: você sabe como ocorrem as pesquisas científicas? Por exemplo: antes de estar disponíveis, um medicamento ou tratamento precisam passar por 10 anos de pesquisas e mais 15 anos de testes rigorosos. Com certeza você não sabia disso. Se soubesse, não teria dito tanta bobagem. Você está vendo apenas o lado negativo das coisas. Atualize-se! Ou você gostaria de voltar à Idade Média?*

O que achou do diálogo? O primeiro interlocutor, claramente, está desencantado com o alardeado poder da ciência em construir um mundo melhor. Ele se referiu ao Projeto Genoma Humano e citou alguns números para justificar sua argumentação. Será que os pressupostos dele estão corretos? E o segundo interlocutor? Os argumentos dele fazem sentido? Por que ele recorreu à imagem de "voltar à Idade Média" em sua argumentação?

E você? Qual é sua opinião sobre a importância do conhecimento científico e suas possibilidades e limitações? Será que a ciência é realmente importante para a humanidade?

A importância do assunto

Para entender e discutir a importância da ciência, precisamos conhecer as bases do pensamento científico e os procedimentos que os cientistas utilizam em seu trabalho. Além disso, temos de conhecer um pouco da história da ciência e ter informações sobre as atualidades científicas mais relevantes para a humanidade.

Por exemplo, o Projeto Genoma Humano, mencionado no *blog*, tornou-se um dos ícones da ciência moderna. Entretanto, ao interpretar como certa a cura de doenças pelo simples fato de se elucidar o genoma humano, algumas pessoas se decepcionaram com a aparente falta de resultados desses estudos. Outras, mais realistas, acham que ainda é cedo para esse tipo de resultado. E nós, particularmente, concordamos com estas últimas. O estudo sobre o genoma de seres humanos, de outros animais, de plantas e de outros seres vivos já trouxe diversos conhecimentos novos, muitos deles com aplicações futuras na melhoria da saúde e da qualidade de vida. E certamente muitos outros resultados positivos surgirão em breve.

Nesta abertura da obra, nosso principal objetivo é caracterizar a ciência e compreender o papel da observação, da formulação de hipóteses e da experimentação na produção do conhecimento científico. Ao longo dos capítulos, você poderá relembrar os conhecimentos aqui expostos e ampliá-los. À medida que for estudando, você terá a oportunidade de aplicar esses conhecimentos e analisar a importância social da ciência.

A compreensão da natureza do conhecimento científico, bem como de seus alcances e limitações, ajuda-nos a pensar socialmente e a tomar decisões de interesse pessoal e público.

A Biologia como ciência

Você é dessas pessoas curiosas que observam o mundo atentamente, procurando compreendê-lo? Leva sempre em conta o que já se conhece sobre determinado assunto antes de tirar suas conclusões? Em caso afirmativo, seu procedimento segue alguns dos princípios do procedimento empregado pelos cientistas para fazer ciência. Mas o que é ciência?

Em linhas gerais, pode-se definir **ciência** como um método rigoroso de investigação da natureza, cujo objetivo é fornecer explicações para fenômenos naturais. Nessa empreitada, o cientista utiliza determinados procedimentos que se assemelham aos empregados pelos detetives em suas investigações.

A ciência procura explicar a natureza a partir da **observação** sistemática e controlada dos fenômenos naturais, embasada no raciocínio lógico. Além disso, o procedimento científico assume que toda explicação para um fenômeno natural deve ser sempre submetida a testes e críticas.

Os cientistas observam cuidadosamente os fatos e tentam explicá-los dentro de determinado contexto. **Fato** é um objeto ou processo do mundo natural que podemos perceber objetivamente com nossos sentidos ou com o auxílio de instrumentos que os expandem, como, por exemplo, microscópios e telescópios, que ampliam nossa visão. A partir da observação controlada de fatos, os cientistas procuram entender se há relação entre eles e como ou por que determinados fenômenos ocorrem.

Pode-se dizer que o método que os cientistas utilizam na atividade científica é uma extensão sofisticada de procedimentos lógicos a que recorremos em nossa vida cotidiana, para descobrir como as coisas funcionam ou por que elas acontecem. Por exemplo, quando observamos determinado acontecimento e temos um "palpite" do motivo pelo qual ele está ocorrendo, estamos elaborando o que os cientistas chamam de **hipótese**.

Você liga o aparelho de TV e ele não funciona. Seu primeiro palpite provavelmente será que a televisão não está ligada à tomada. Para testar seu palpite, basta olhar o cabo de alimentação de energia. Se ele estiver ligado à tomada, você rejeitará essa primeira hipótese e formulará outra: por exemplo, falta energia elétrica. Para testar essa nova hipótese, você poderia, por exemplo, tentar acender uma lâmpada ou ligar outro aparelho elétrico. Em nosso dia a dia, essas atitudes podem nos ajudar a tomar decisões. O procedimento científico é, portanto, uma ferramenta poderosa à nossa disposição e pode nos ajudar a melhorar nossa compreensão do mundo.

O termo hipótese é muitas vezes usado como sinônimo de "teoria", mas há uma diferença entre eles. Como vimos, hipótese é uma tentativa de explicação para um fenômeno isolado, enquanto **teoria** é uma ideia ampla, ou um modelo, que explica coerentemente um conjunto de observações e de fatos abrangentes da natureza. Teorias são visões de como o mundo funciona; elas dão sentido ao que vemos e é com base nelas que podemos elaborar hipóteses sobre fatos observados. A teoria celular, por exemplo, procura explicar a vida com base em informações sobre a estrutura e o funcionamento das células. A teoria da gravitação universal de Newton procurava explicar os movimentos dos corpos celestes com base na força de atração gravitacional.

O biólogo estadunidense Stephen J. Gould (1941-2002) escreveu em 1981: "[...] E fatos e teorias são coisas diferentes, e não degraus de uma hierarquia de certeza crescente. Os fatos são os dados do mundo. As teorias

Biblioteca do estudante Glossário

A.1 Biblioteca do estudante Amplie seus conhecimentos

são estruturas de ideias que explicam e interpretam os fatos. Os fatos não se afastam enquanto os cientistas debatem teorias rivais. A teoria da gravitação de Einstein tomou o lugar da de Newton, mas as maçãs não ficaram suspensas no ar, aguardando o resultado [...]".[1]

ULF ANDERSEN/GETTY IMAGES

O biólogo evolucionista Stephen Jay Gould foi reconhecidamente um dos maiores divulgadores de ciência dos últimos tempos. Autor de livros de títulos instigantes e curiosos, como *O polegar do panda* e *Quando as galinhas tiverem dentes*, Gould trouxe a público grandes questões da ciência, em particular aquelas relacionadas à evolução biológica. Seu humor e a fina ironia transparecem no texto reproduzido acima: o que será que ele quis dizer ao mencionar as maçãs suspensas no ar?

As origens da ciência

As raízes da ciência remontam à Grécia Antiga, há cerca de 2.500 anos, quando alguns sábios deram um passo fundamental ao fazer uma distinção entre o estudo da natureza e o misticismo. Nasceu assim o pensamento naturalista, que tentava explicar os fenômenos naturais com base em fatos e processos da própria natureza, e não em termos místicos e sobrenaturais, como se costumava fazer nas sociedades mais antigas.

O pensamento naturalista desenvolveu-se entre os séculos VII e IV a.C., na Jônia, conjunto de colônias gregas situadas nas ilhas e no litoral asiático do mar Egeu, na atual Turquia. Os filósofos jônicos (ou iônios) foram os primeiros a reconhecer o valor de explicações naturais para os fenômenos físicos, tendo como base a observação dos fatos e o pensamento racional. Admite-se que Tales de Mileto (624-548 a.C.) foi um dos fundadores desse tipo de filosofia da natureza, que ficou conhecida como ciência grega.

Tales e seus seguidores assumiam a existência da causalidade, afirmando que todo evento possui uma causa natural que inevitavelmente produz um efeito, o qual não é alterado por forças sobrenaturais. Desse modo, surgia a ideia de que há uma ordem natural no universo, com princípios e leis inerentes à própria natureza.

Os filósofos jônicos também admitiam que a mente humana é capaz de compreender os princípios e as leis da natureza, deduzindo-os a partir da observação dos fatos e do raciocínio. Essa maneira de pensar, segundo a qual o funcionamento do universo deve ser compreendido pela observação e pela razão, e não por revelação divina, originou, cerca de dois mil anos mais tarde, a ciência moderna.

Com a decadência da civilização grega e a ascensão do Império Romano, houve grande declínio no estudo da natureza. A maioria dos estudiosos romanos limitou-se a coletar e preservar as descobertas do passado, com pouca contribuição original para o estudo dos fenômenos naturais.

No final do século IV, o Império Romano Ocidental encontrava-se em franco declínio, e a Igreja Católica era a única instituição estável e poderosa na Europa. Com isso, o interesse pelo estudo da natureza praticamente desapareceu, pois, na visão cristã da época, o importante não era o mundo dos sentidos, mas sim o mundo divino, que só podia ser alcançado por revelação bíblica. A ideia dos antigos filósofos gregos de que havia leis naturais, que podiam ser desvendadas pela observação e pela razão, foi substituída pela visão de um mundo constantemente sujeito à intervenção milagrosa de Deus e dos santos.

A revolução científica

A revolução científica que deu origem à chamada ciência moderna está associada ao Renascimento, amplo movimento intelectual europeu que procurou recuperar valores e modelos da Antiguidade greco-romana, renovando as artes plásticas, a arquitetura, as letras e a organização política e econômica da sociedade. O Renascimento começou na Itália, por volta do século XIV, e intensificou-se com a tomada da cidade de Constantinopla pelos turcos otomanos em 1453. Esse evento pôs fim a 1.100 anos de existência do Império Romano Bizantino e provocou o êxodo de estudiosos de Constantinopla para o oeste europeu, particularmente a Itália. Essa migração de intelectuais bizantinos propiciou a reintrodução de muitos textos greco-romanos na Europa ocidental.

Durante os séculos XV e XVI, a intelectualidade europeia ficou deslumbrada com a restauração do antigo conhecimento sobre a natureza e com a facilidade de disseminação das novas ideias por meio da forma de impressão inventada em 1440 pelo gráfico alemão Johann Gensfleisch Gutenberg (1397[?]-1468). Os textos clássicos passaram a representar, então, a mais importante fonte de conhecimento; as especulações que eles traziam sobre fenômenos naturais muitas vezes foram aceitas dogmaticamente, como se denotassem verdades incontestáveis. Entretanto, essa idolatria à autoridade dos antigos logo foi questionada pelos novos estudiosos da natureza.

GUERIN, GABRIEL CHRISTOPHE/THE BRIDGEMAN ART LIBRARY/GRUPO KEYSTONE - COLEÇÃO PARTICULAR

O surgimento da impressão, no século XV, facilitou a difusão das novas ideias. Na imagem, Gutenberg aparece segurando um papel impresso. (*The Invention of Printing*, 1827, de Gabriel C. Guerin. Litografia, 46 × 61 cm. França, coleção particular.)

1 GOULD, S. J., 1981. Disponível em: <www.stephenjaygould.org/library/gould_fact-and-theory.html>. Acesso em: ago. 2013. (Tradução dos autores.)

A ruptura com a interpretação da natureza com base em escritos clássicos e teológicos marcou o início da ciência moderna, que se consolidou no decorrer do século XVII. Sua principal característica foi a elaboração de novos procedimentos de estudo da natureza.

Descartando explicações baseadas nos textos clássicos e na Bíblia, esses novos procedimentos fundamentavam-se na evidência empírica, ou seja, naquilo que pode ser percebido por nossos sentidos, aliada à descrição e interpretação dos fenômenos naturais com o uso da Matemática. Entre os proponentes e divulgadores das novas ideias, destacaram-se o filósofo inglês Francis Bacon (1561-1626) e o físico italiano Galileu Galilei (1564-1642).

Uma preocupação central de Francis Bacon foi a elaboração de procedimentos padronizados que permitissem chegar a explicações válidas para os fenômenos naturais. Ele admitia que, partindo de casos particulares, era possível chegar a causas ou explicações gerais para determinado fenômeno, método conhecido como indução. Bacon é considerado o introdutor do procedimento indutivo na pesquisa científica.

Galileu Galilei combateu a física aristotélica defendida pela Igreja Cristã da época. Ele discordava de alguns procedimentos utilizados por Aristóteles na interpretação dos fenômenos naturais e afirmava que tais fenômenos deveriam ser compreendidos com base na experimentação e na abordagem matemática. Além disso, Galileu foi um grande defensor da ideia de que era preciso submeter a testes as explicações para os fenômenos naturais. A ideia de testar hipóteses aparece em diversos momentos na história da ciência; um dos primeiros a sugeri-la parece ter sido Francis Bacon, mas foi Galileu quem a expôs com clareza.

A natureza do conhecimento científico

O procedimento hipotético-dedutivo em ciência

O conhecimento científico em geral começa com uma pergunta: "Por que tal fenômeno ocorre?" ou "Que relação determinado fenômeno tem com outro?". Quando formulam essas perguntas, os cientistas geralmente já têm uma hipótese para respondê-las, apoiando-se em informações existentes sobre o assunto e em teorias científicas, que são modelos e ideias de como o mundo funciona. Para formular uma hipótese, o cientista analisa, interpreta e reúne o maior número possível de informações disponíveis sobre o assunto estudado.

Para ser válida, uma hipótese científica tem de ser testável. O **teste da hipótese** consiste em imaginar uma situação em que determinados fatos e consequências só ocorrerão se a hipótese em teste for verdadeira. Ou seja, a partir da hipótese, o cientista faz **deduções**, prevendo o que ocorrerá na situação imaginada caso a hipótese seja verdadeira. Essa metodologia, denominada **hipotético-dedutiva**, é a base da maioria dos procedimentos científicos.

Em certos casos, os cientistas elaboram situações especiais para testar suas hipóteses, o que se denomina **experimentação**. As situações experimentais, ou **experimentos**, permitem confirmar ou refutar as deduções elaboradas com base nas hipóteses. Se os resultados de experimentos, de observações controladas e mesmo de simulações matemáticas mostram que as deduções são incorretas, o cientista retrocede e modifica a hipótese inicial, ou a substitui por outra. Se as deduções se confirmam, a hipótese ganha credibilidade e passa a ser aceita, enquanto não houver motivos para duvidar dela.

De forma resumida e simplificada, o procedimento adotado pelos cientistas para investigar a natureza geralmente segue estes passos lógicos: **1.** proposição de uma pergunta sobre determinado assunto; **2.** formulação de uma hipótese; **3.** levantamento de deduções com base na hipótese; **4.** teste das deduções por meio de novas observações ou de experimentos; **5.** conclusões sobre a validade ou não da hipótese.

Conheça um caso de teste de hipótese envolvendo salmões-do-atlântico (*Salmo salar*). O objetivo era testar a hipótese de que indivíduos transgênicos têm o crescimento acelerado pela produção contínua de hormônio do crescimento, o que não ocorre com indivíduos normais:

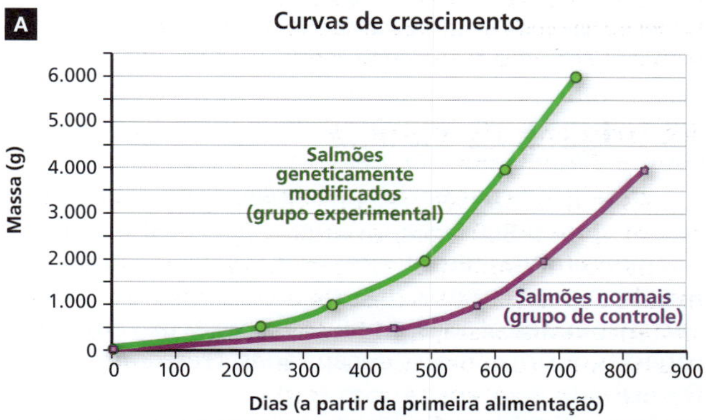

AQUABOUNTY TECHNOLOGIES

A. O gráfico mostra os resultados de um experimento para testar a hipótese de que salmões geneticamente modificados (transgênicos) teriam seu crescimento acelerado pela produção contínua de hormônio do crescimento, o que não acontece com salmões normais. Confirmou-se a hipótese pela comparação entre as taxas de crescimento de um grupo experimental (salmões transgênicos) e de um grupo de controle (salmões normais). **B.** A foto mostra um salmão do grupo de controle, em primeiro plano, comparado a um salmão de mesma idade do grupo experimental. O salmão-do-atlântico normal pode atingir 1,5 m de comprimento. Fonte dos dados: <www.aquabounty.com/products/aquadvantage-295.aspx>. Acesso em: ago. 2013.

Conteúdo multimídia O procedimento hipotético-dedutivo

Exemplos de procedimentos científicos

Você já deve ter notado que plantas cultivadas dentro de casa crescem em direção à janela; se você girar o vaso, as folhas das plantas, depois de alguns dias, estarão novamente voltadas para o local de onde vem a luz.

Esse comportamento da planta mostra que ela percebe a fonte da luz e cresce em direção a ela. Uma pergunta que se pode fazer sobre esse fato é: que parte da planta percebe de onde vem a luz?

Há mais de 100 anos, o naturalista inglês Charles Darwin e seu filho Francis Darwin fizeram-se essa pergunta. Com base em uma série de observações, formularam a seguinte hipótese: a luz é percebida pela extremidade do caule das plantas.

A partir dessa hipótese, eles fizeram a seguinte dedução: se é realmente a extremidade do caule que percebe a luz, plantas com as extremidades eliminadas – decapitadas – ou que tiverem suas extremidades cobertas com uma proteção à prova de luz perdem a capacidade de se curvar em direção à fonte luminosa.

Para testar essa hipótese, Charles e Francis Darwin cortaram as extremidades de algumas plantas e as colocaram perto de uma fonte de luz; ao lado, plantas intactas serviam de comparação. Alguns dias depois, verificaram que as plantas intactas haviam se curvado em direção à luz, enquanto as plantas decapitadas continuavam eretas, sem se curvar.

Em outra experiência, os dois cientistas cobriram as extremidades de plantas com papel preto à prova de luz e compararam o crescimento delas com o de plantas que tiveram o papel preto colocado sobre outras partes que não suas extremidades. As plantas com as extremidades cobertas, assim como as decapitadas, cresceram eretas. O resultado das experiências confirmou a previsão, e a hipótese adquiriu validade e consistência.

Diversas outras perguntas podem ter ocorrido aos Darwin durante o experimento, por exemplo: "De que modo a planta percebe a luz?" ou "Que mecanismo faz a planta se curvar?". Questões como essas ilustram algo que ocorre com frequência em ciência: os experimentos, além de testar hipóteses, acabam por levantar novas questões, para as quais serão elaboradas outras hipóteses, acompanhadas de novos experimentos para testá-las; e é assim que o conhecimento científico progride.

Quando se testa uma hipótese por meio da experimentação, comparam-se os resultados de **grupos experimentais** – aqueles em que se provoca uma alteração – com os de **grupos de controle**, nos quais a alteração não foi feita. Nos experimentos de Charles e Francis Darwin, por exemplo, os grupos experimentais eram as plantas decapitadas ou com a extremidade coberta com papel à prova de luz. As plantas intactas (sem as extremidades cortadas ou com a cobertura de papel preto em outro local que não as extremidades) constituíam os grupos de controle, que permitiram aos pesquisadores avaliar os resultados de sua intervenção e validar ou não suas hipóteses.

Um exemplo corriqueiro de procedimento científico pode ser verificado na prática de proteger frutos com saquinhos, para evitar a presença de "bichos". Com base em duas observações – goiabas podem ter "bichos" e moscas pousam nas goiabas – e levando em conta a teoria de que todo ser vivo surge pela reprodução de outros seres de sua espécie, pode-se elaborar a seguinte hipótese: os "bichos" da goiaba são larvas de moscas que depositaram seus ovos nos frutos.

Com base nessa hipótese, pode-se fazer a seguinte dedução: se as goiabas forem protegidas das moscas com saquinhos de papel, nelas não se desenvolverão "bichos".

O experimento consiste em envolver algumas goiabas com saquinhos, deixando desprotegidas outras, que servem como grupo de controle. Nesse experimento, os resultados confirmam a hipótese: os "bichos" da goiaba são, de fato, larvas de certas espécies de mosca que põem ovos nos frutos.

CATHLYN MELLOAN/GETTY IMAGES

A planta percebe o estímulo luminoso e cresce em direção a ele. Mas que parte da planta percebe a luz? Na foto, planta do gênero *Oxalis*.

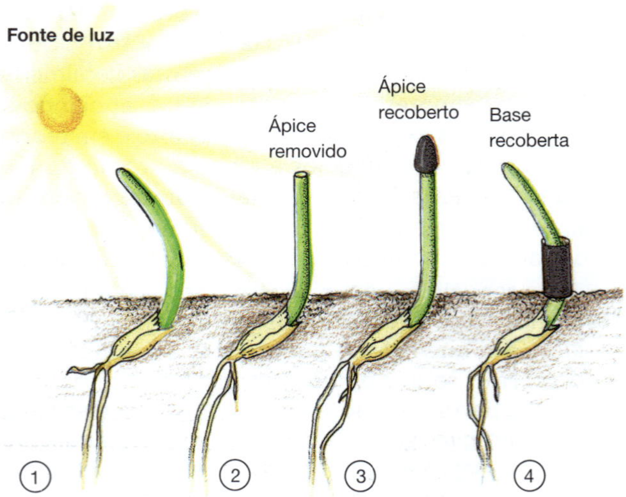

Representação de um experimento sobre o efeito da luz na curvatura de plantas jovens de alpiste. As ilustrações 1 e 4 referem-se a grupos de controle, e as 2 e 3 representam grupos experimentais. O controle 4 permite descartar a possibilidade de que o papel à prova de luz, independentemente de sua posição, seja o responsável pelo crescimento curvado da planta. (Elementos fora de proporção de tamanho entre si; cores-fantasia.)

Grupo de controle (goiabas sem proteção)

Grupo experimental (goiabas protegidas por saquinhos)

Representação de um experimento para testar a hipótese de que os bichos de goiaba são, na verdade, larvas de moscas. (Elementos fora de proporção de tamanho entre si; cores-fantasia.)

A ciência da vida: Biologia

Até o século XVIII, os seres da natureza eram classificados em três grandes grupos, ou reinos: animal, vegetal e mineral. Os avanços do conhecimento permitiram concluir que animais e vegetais compartilham características únicas, que os distinguem totalmente dos minerais. Essas características são, principalmente, a organização corporal complexa e a capacidade de crescer, de se reproduzir e de morrer. Desde então, animais e plantas passaram a ser chamados de **seres vivos**. O termo Biologia (do grego *bios*, vida, e *logos*, estudo) surgiu em seguida, designando o ramo das Ciências Naturais que estuda os seres vivos.

A partir do século XIX, a Biologia tornou-se um campo de pesquisa reconhecido e independente dentro das Ciências Naturais, passando a empregar os procedimentos que caracterizam a ciência moderna. No século XXI, a Biologia tem ocupado um papel de destaque entre as ciências na busca de soluções para grandes desafios da humanidade. O principal deles é, sem dúvida, manter a harmonia entre a nossa espécie e os recursos do planeta, de modo a garantir a sobrevivência e o bem-estar das gerações futuras.

Conhecer melhor a trama da vida é fundamental para que possamos atuar, como cidadãos conscientes, na busca de soluções para a preservação dos ambientes naturais da Terra.

Novos campos de pesquisa biológica, como a Biotecnologia e a Engenharia Genética, têm proporcionado à humanidade certo poder de modificar a natureza. Hoje é possível, por exemplo, criar variedades de organismos antes inexistentes, produzir cópias idênticas de um organismo adulto ou mesmo prever doenças antes que elas se manifestem. Cabe à sociedade decidir se esses conhecimentos devem ser utilizados ou não, e esse é um dos motivos pelos quais você, como cidadão, precisa conhecer os fundamentos das ciências biológicas. Além disso, ao estudar Biologia, você entrará em contato com o modo científico de pensar e de proceder, o que poderá provocar mudanças positivas em sua vida.

Ciência e cidadania

Biblioteca do estudante
Sugestões de livros, *sites* e vídeos

Ciência e tecnologia

1 Vivemos em um mundo admirável, que se transforma a cada dia. As principais forças responsáveis por essa transformação são as tecnologias advindas do saber científico.

2 Ciência é um modo de obter conhecimento sobre a natureza; tecnologia é o uso de conhecimentos, científicos ou não, para a obtenção de resultados práticos. Por exemplo, a descoberta de que micróbios patogênicos presentes no leite morrem ao serem submetidos a temperaturas superiores a 65 °C — um conhecimento sobre a natureza — permitiu o desenvolvimento da técnica de pasteurização, uma tecnologia de tratamento por calor que livra o leite de eventuais germes causadores de doenças.

3 A tecnologia é quase tão antiga quanto a própria humanidade. O conhecimento de que objetos de borda afiada eram cortantes permitiu aos nossos antepassados lascar pedras e produzir diversas ferramentas primitivas, como pontas de flecha, facas e raspadores; essa tecnologia foi fundamental para a sobrevivência da espécie humana. A produção de objetos de pedra lascada, principal evidência do início da cultura humana, mostra que a capacidade tecnológica está presente desde os primórdios da humanidade.

4 Veja o exemplo interessante de uma antiga tecnologia que algumas tribos indígenas do Brasil ainda utilizam para pescar. Conhecendo as propriedades anestésicas de cer-

tas plantas, os índios as esmagam e fazem com elas uma preparação, que é jogada no rio. Quando os peixes ficam atordoados e começam a flutuar, são então capturados.

5 Ao longo da história, a tecnologia modelou a civilização e permitiu, entre outras coisas, a construção de uma infinidade de aparelhos mecânicos, elétricos e eletrônicos. No mundo contemporâneo, ciência e tecnologia estão fortemente relacionadas: conhecimentos produzidos por cientistas são amplamente aplicados em diversas áreas, como a indústria, a agricultura e a medicina. Pense, por exemplo, na quantidade de conhecimento científico envolvido na tecnologia da tomografia computadorizada, que permite observar detalhes internos do corpo de uma pessoa e fazer apurados diagnósticos médicos.

6 No entanto, a construção de armas como a bomba de nêutrons, capaz de eliminar populações inteiras sem danificar um só edifício, também exigiu o emprego de inúmeros conhecimentos científicos. Esse é um exemplo de péssima aplicação do conhecimento científico.

7 Em princípio, a humanidade utiliza a tecnologia para construir um mundo melhor. Entretanto, os resultados do emprego do conhecimento tecnológico são complexos e nem sempre previsíveis. Apesar dos benefícios da tecnologia, ela também comporta custos e riscos. A poluição e os desequilíbrios ecológicos do mundo contemporâneo são exemplos de subprodutos negativos do desenvolvimento de sociedades tecnológicas.

Biologia, presente e futuro

8 Um dos maiores desafios enfrentados atualmente pela humanidade é a preservação do ambiente terrestre. O crescimento acelerado das populações humanas tem levado à destruição de ambientes naturais, à poluição e à extinção de inúmeras espécies. Isso afeta a qualidade dos ambientes e se reflete diretamente no bem-estar humano. Não é por acaso que a Ecologia, ramo do conhecimento que estuda a interação dos seres vivos com o ambiente, tem conquistado cada vez mais espaço.

9 Os problemas ambientais têm causas complexas, mas resultam, basicamente, do grande aumento populacional e do mau uso dos recursos naturais. Em novembro de 2011, estimativa das Nações Unidas apontava que a Terra havia alcançado os 7 bilhões de habitantes, e a tendência é que a população continue a crescer em ritmo acelerado. Os resíduos produzidos pela atividade humana vêm se acumulando e degradando o ambiente natural, fazendo com que os recursos se tornem mais escassos e mais caros. A discussão sobre os problemas ecológicos envolve não apenas aspectos científicos, mas também questões econômicas, políticas, filosóficas e religiosas. A Biologia tem muito a oferecer nessas discussões; ela pode, por exemplo, auxiliar no controle da explosão populacional, tanto pelo desenvolvimento de novos métodos anticoncepcionais como pela compreensão dos mecanismos que regulam o crescimento das populações humanas.

10 Juntamente com a Química e a Física, a Biologia também deve participar do controle da poluição ambiental. A conservação do solo, o manejo dos ambientes naturais e a preservação das espécies são pontos em que a participação das ciências biológicas tem se mostrado decisiva.

11 Você provavelmente já ouviu falar da Engenharia Genética, campo de pesquisa biológica recente que consiste em um conjunto de técnicas e métodos para manipular o material genético. É possível, por exemplo, isolar genes de uma espécie e introduzi-los em outras espécies, que desse modo adquirem propriedades hereditárias novas, ausentes em seus ancestrais. Organismos produzidos dessa forma são denominados transgênicos, ou organismos geneticamente modificados (OGM).

12 A primeira aplicação comercial dos organismos transgênicos começou em 1982, com a produção de insulina por bactérias geneticamente modificadas. Com essa tecnologia, genes humanos são implantados nas bactérias, que passam a produzir proteínas humanas de interesse médico. Com isso, aproveita-se a capacidade de multiplicação das bactérias para transformá-las em verdadeiras fábricas de substâncias que nos interessam, como a insulina e o hormônio do crescimento.

13 As modernas tecnologias de Engenharia Genética têm permitido obter com relativa facilidade organismos geneticamente modificados, sobretudo plantas. O cultivo em larga escala de plantas transgênicas, no entanto, tem sido alvo de discussões acaloradas entre defensores e opositores dessa tecnologia, como você já deve ter acompanhado pela imprensa. Os defensores acreditam que a inovação tecnológica poderá causar uma verdadeira revolução na agricultura, com aumento da produção de alimentos e todas as consequências benéficas daí derivadas. Os que se opõem ao uso de organismos transgênicos reclamam dos possíveis riscos para o ambiente e para a saúde humana.

14 Em nossa opinião, é preciso ter certo grau de segurança quanto ao emprego dos organismos transgênicos, levando em conta seus potenciais riscos para o ambiente e para a saúde. Entretanto, também não se pode simplesmente abrir mão de uma tecnologia capaz de propiciar melhorias substanciais à qualidade de vida das pessoas. Não deixe de acompanhar essas discussões e formar sua opinião a respeito. Exercite sua cidadania.

DORLING KINDERSLEY/GETTY IMAGES

NEWSCOM/GLOWIMAGES

A. O melhoramento de plantas e animais, que atualmente já emprega recursos de Engenharia Genética, permite alterar características dos seres vivos, como o tamanho de frutos como a maçã. **B.** Bezerros geneticamente modificados para produzir hormônio do crescimento humano.

Guia de leitura

1 Leia os dois primeiros parágrafos do quadro; certifique-se de que compreendeu claramente a diferença entre ciência e tecnologia. Responda: a tecnologia surgiu antes ou depois da ciência? Destaque os conceitos importantes do parágrafo e elabore uma lista com os conceitos-chave no caderno.

2 Leia o terceiro e o quarto parágrafos, que comentam o quão antiga é a capacidade tecnológica dos seres humanos. Na cultura indígena brasileira há outros exemplos interessantes de desenvolvimento tecnológico. Pense nisso como uma sugestão de pesquisa.

3 Leia o quinto parágrafo do quadro. Qual é a ideia central? Em outras palavras, como o texto relaciona, contemporaneamente, ciência e tecnologia?

4 Nos parágrafos 6 e 7 afirma-se que as aplicações tecnológicas do conhecimento científico não são necessariamente boas. Além dos exemplos do texto, você conhece outras aplicações tecnológicas eventualmente perigosas? Considere esse tema como outra boa sugestão de pesquisa.

5 Os parágrafos 8, 9 e 10 comentam os desafios e as possíveis contribuições da Biologia para o futuro da humanidade, o que mostra a importância de seu estudo. Em sua opinião, qual a ideia ou informação mais importante que pode ser sintetizada desses três parágrafos? Verifique se há conceitos-chave a destacar nesse trecho e contemple-os em sua lista.

6 Os parágrafos 11 e 12 apresentam informações sobre os organismos geneticamente modificados, ou transgênicos. Em sua opinião, essas informações melhoraram sua compreensão sobre os transgênicos? Destaque os conceitos importantes do parágrafo.

7 Os dois parágrafos finais (13 e 14) comentam as polêmicas sobre as modernas tecnologias de produção de organismos geneticamente modificados, ou transgênicos. Esse assunto tem sido bastante veiculado na imprensa, envolvendo até mesmo a obrigatoriedade de identificar no rótulo que um produto (como o milho, por exemplo) é geneticamente modificado. O que você já conhece a respeito? Procure acompanhar esse assunto na próxima oportunidade em que ele surgir.

Atividades

Visão do especialista

Biblioteca do estudante
Faça você mesmo!

Revendo conceitos fundamentais

Escreva, em seu caderno, o termo abaixo que substitui corretamente a tarja entre parênteses das frases de 1 a 5.

a) ciência
b) experimentação
c) hipótese científica
d) grupo de controle
e) tecnologia

1. (▬) é uma situação criada artificialmente pelos pesquisadores para testar hipóteses científicas.

2. A busca de explicações para fenômenos naturais com base na observação da natureza, no raciocínio lógico, na experimentação e no teste de hipóteses caracteriza o(a) (▬).

3. (▬) é uma explicação prévia, a ser testada, sobre os motivos que levam à ocorrência de determinado fenômeno natural.

4. (▬) é a aplicação de conhecimentos sobre a natureza com o objetivo de modificá-la.

5. No experimento científico, o(a) (▬) representa a situação normal, empregado(a) para compará-la à situação experimental, artificialmente criada pelo pesquisador.

Escreva, em seu caderno, o termo abaixo que substitui corretamente a tarja entre parênteses das frases de 6 a 9.

a) dedução
b) fato
c) observação
d) teoria científica

6. (▬) é um fenômeno natural, que pode ser observado com ou sem o auxílio de instrumentos.

7. Uma explicação abrangente sobre a natureza que engloba fatos e hipóteses e constitui um modelo de como o mundo funciona é um(a) (▬).

8. A partir de uma hipótese, os cientistas fazem uma previsão do que ocorrerá em determinada situação, se aquela hipótese for verdadeira. Isso constitui um(a) (▬).

9. Um dos primeiros passos do procedimento científico é, em geral, o(a) (▬), que consiste no exame acurado da natureza.

Ligando conceitos, fatos e processos

10. Com o objetivo de testar a eficácia de uma nova vacina contra a doença chamada febre aftosa, vacinou-se um lote de 20 vacas, deixando outras 20 sem vacinar. Após algum tempo, injetou-se em todas as vacas o vírus causador da febre aftosa. O lote não vacinado constitui

a) o grupo de controle.
b) o grupo experimental.
c) a hipótese.
d) a observação.

11. A utilização de organismos fermentadores para a produção de bebidas alcoólicas é um exemplo de

a) experimento científico.
b) conhecimento científico.
c) tecnologia.
d) Engenharia Genética.

12. "(1) Se os bichos da goiaba surgem de ovos de moscas colocados nos frutos, (2) goiabas embrulhadas não devem ficar bichadas."

As partes (1) e (2) dessa frase correspondem, respectivamente, a

a) previsão e hipótese.
b) hipótese e previsão.
c) hipóteses.
d) previsões.

13. Há cerca de 2.500 anos, os chineses descobriram que alguns tipos de infecções na pele curavam-se com a aplicação de molho de soja mofado. O uso desse método no combate a infecções é um exemplo de

a) ciência.
b) hipótese.
c) observação.
d) tecnologia.

14. (1) "Salgar a carne para evitar que ela se estrague é uma prática muito antiga, desenvolvida centenas de anos antes de se conhecerem os micróbios e seu papel na deterioração dos alimentos."

(2) "A descoberta de que certos fungos produzem substâncias que matam bactérias (antibióticos) permitiu o emprego dessas substâncias no combate a infecções."

As frases (1) e (2) são exemplos de tecnologia, sendo que

a) (1) tem por base conhecimentos científicos, e (2) tem por base o senso comum.
b) (1) tem por base o senso comum, e (2) tem por base conhecimentos científicos.
c) ambas têm por base o senso comum.
d) ambas têm por base conhecimentos científicos.

Questões para exercitar o pensamento

15. Pesquise definições de senso comum, ciência e tecnologia em dicionários, enciclopédias etc. Pergunte a pessoas ligadas aos meios científico e tecnológico (professores, médicos, biólogos, físicos, químicos, engenheiros etc.) quais são suas concepções de ciência e de tecnologia (não se esqueça de gravar as respostas ou de anotá-las imediatamente). Elabore uma lista com as definições que julgar mais claras, precisas e interessantes. Eleja as melhores definições entre as pesquisadas ou elabore a sua reunindo os melhores pontos de vista de cada definição encontrada.

16. A busca de conhecimentos sobre o mundo natural ocorre em diversas frentes, principalmente na Filosofia e na Ciência. Nesta atividade, a proposta é pesquisar dois conceitos: **empirismo** e **racionalismo**. O que eles significam e em que época e contexto social se desenvolveram? O desafio é investigar a relação entre eles e a ciência. Esse trabalho ficará mais interessante e completo se for realizado em grupos de até 4 pessoas. Combine com os colegas a consulta de diferentes fontes de pesquisa, pois isso enriquecerá os resultados e possibilitará melhores discussões. Ao final, produza com seu grupo um texto que desenvolva os principais verbetes tratados (empirismo, racionalismo, ciência etc.), relacionando-os entre si.

17. Os termos "fato", "teoria" e "hipótese" são utilizados com significados diferentes nas linguagens do senso comum e das ciências. Primeiro, localize no livro o item que trata desses termos. Em seguida, analise o texto do quadro; ele traz considerações interessantes a respeito desses conceitos.

> Na visão científica da natureza, o fato é sempre superior à ideia. Além disso, um fato pode invalidar uma ideia científica. Como uma teoria é formada por hipóteses (ideias) testáveis, a qualquer momento pode-se descobrir um fato que provoque sua anulação. Desse modo, uma teoria nunca pode ser provada, pois não há garantia de que não se descobrirá um fato que contradiga alguma de suas ideias. Embora algumas teorias sejam sustentadas por tantos fatos que fica difícil crer que possam ser falseadas, a possibilidade de invalidação é inerente a qualquer teoria científica.

Pesquise os pontos centrais de algumas teorias científicas bem conhecidas, como a teoria atômica, a teoria da gravitação universal, a teoria do *big bang* e a teoria da evolução biológica. Além de pesquisar em livros, enciclopédias e na internet, converse com seus professores sobre fatos e hipóteses que compõem essas teorias.

A Biologia no vestibular e no Enem

Questões objetivas

1. (Cesmac/Fejal-AL) Aquele tipo de conhecimento que, quando fundamentado na objetividade e na evidência de fatos demonstrados experimentalmente, adquire um caráter de validade geral, denomina-se

a) científico.
b) empírico.
c) intuitivo.
d) filosófico.

2. (UGF-RJ) Ao criar uma hipótese científica, o cientista procura

a) levantar uma questão ou problema.
b) explicar um fato e prever outros.
c) testar variantes.
d) comprovar teorias estabelecidas.
e) confirmar observações.

3. (UFSC) Ao examinar um fenômeno biológico, o cientista sugere uma explicação para o seu mecanismo, baseando-se na causa e no efeito observados. Esse procedimento

01) faz parte do método científico.
02) é denominado formulação de hipóteses.
04) poderá ser seguido de uma experimentação.
08) deve ser precedido de uma conclusão.

Dê como resposta a soma dos números associados às alternativas corretas.

4. (Uerj) Até o século XVII, o papel dos espermatozoides na fertilização do óvulo não era reconhecido. O cientista italiano Lazzaro Spallanzani, em 1785, questionou se seria o próprio sêmen, ou simplesmente o vapor dele derivado, a causa do desenvolvimento do óvulo.

Do relatório que escreveu a partir de seus estudos sobre a fertilização, foi retirado o seguinte trecho:

"[...] para decidir a questão, é importante empregar um meio conveniente que permita separar o vapor da parte figurada do sêmen e fazê-lo de tal modo que os embriões sejam mais ou menos envolvidos pelo vapor".

Dentre as etapas que constituem o método científico, esse trecho do relatório é um exemplo de

a) análise de dados.

b) coleta de material.

c) elaboração da hipótese.

d) planejamento do experimento.

5. (UFRGS-RS) Numa experiência controlada o grupo controle tem por objeto

a) testar outras variantes do resultado previsto.

b) confirmar as conclusões obtidas com o grupo experimental.

c) desmentir as conclusões obtidas com o grupo experimental.

d) servir de referência padrão em face dos resultados fornecidos pelo grupo experimental.

e) testar a eficiência dos equipamentos usados na experiência.

6. (Fuvest-SP) Observando plantas de milho com folhas amareladas, um estudante de Agronomia considerou que essa aparência poderia ser devida à deficiência mineral do solo. Sabendo que a clorofila contém magnésio, ele formulou a seguinte hipótese: "As folhas amareladas aparecem quando há deficiência de sais de magnésio no solo". Qual das alternativas descreve um experimento correto para testar tal hipótese?

a) Fornecimento de sais de magnésio ao solo em que as plantas estão crescendo e observação dos resultados alguns dias depois.

b) Fornecimento de uma mistura de diversos sais minerais, inclusive sais de magnésio, ao solo em que as plantas estão crescendo e observação dos resultados dias depois.

c) Cultivo de um novo lote de plantas, em solo suplementado com uma mistura completa de sais minerais, incluindo sais de magnésio.

d) Cultivo de novos lotes de plantas, fornecendo à metade deles mistura completa de sais minerais, inclusive sais de magnésio, e à outra metade, apenas sais de magnésio.

e) Cultivo de novos lotes de plantas, fornecendo à metade deles mistura completa de sais minerais, inclusive sais de magnésio, e à outra metade, uma mistura com os mesmos sais, menos os de magnésio.

7. (Enem-MEC)

Diferente do que o senso comum acredita, as lagartas de borboletas não possuem voracidade generalizada. Um estudo mostrou que as borboletas de asas transparentes da família Ithomiinae, comuns na Floresta Amazônica e na Mata Atlântica, consomem, sobretudo, plantas da família Solanaceae, a mesma do tomate. Contudo, os ancestrais dessas borboletas consumiam espécies vegetais da família Apocinaceae, mas a quantidade dessas plantas parece não ter sido suficiente para garantir o suprimento alimentar dessas borboletas. Dessa forma, as solanáceas tornaram-se uma opção de alimento, pois são abundantes na Mata Atlântica e na Floresta Amazônica.

Cores ao vento. Genes e fósseis revelam origem e diversidade de borboletas sul-americanas. Revista Pesquisa Fapesp, n. 170, 2010 (adaptado).

Nesse texto, a ideia do senso comum é confrontada com os conhecimentos científicos, ao se entender que as larvas das borboletas Ithomiinae encontradas atualmente na Mata Atlântica e na Floresta Amazônica apresentam

a) facilidade em digerir todas as plantas desses locais.

b) interação com as plantas hospedeiras da família Apocinaceae.

c) adaptação para se alimentar de todas as plantas desses locais.

d) voracidade indiscriminada por todas as plantas existentes nesses locais.

e) especificidade pelas plantas da família Solanaceae existentes nesses locais.

8. (Unifor-CE) Um estudante presenciou o desenvolvimento das gemas laterais numa planta de seu jardim após a poda apical feita por um jardineiro. Atribuiu o fato à interrupção do transporte de substâncias da gema apical para as gemas laterais. Então, em outra planta, cortou a gema apical e colocou um macerado de seu material sobre o corte, esperando pelo resultado. De acordo com o relato acima, as etapas do método científico realizadas pelo estudante foram

01) observação de um fato.

02) formulação de uma hipótese.

04) realização de um experimento.

08) elaboração de uma teoria.

Nota dos autores: dê como resposta a soma dos números associados às alternativas corretas.

9. (Mackenzie-SP) Durante uma pesquisa científica, seguimos alguns passos importantes para o bom andamento da investigação. A(s) hipótese(s) levantada(s) sobre o que se pesquisa

a) devem ser várias para que possamos, descartando uma a uma, chegar à comprovação do fato e à explicação do mesmo.

b) é (são) uma fase que sucede à teoria ou à lei sobre o assunto da investigação científica em questão.

c) deve(m) ser em número mínimo, de preferência apenas uma.

d) é (são) argumento(s) que levantamos sempre e somente depois de exaustiva fase de experimentação.

e) é (são) sempre ponto de partida da investigação, em cima do qual criaremos o fato.

Questão discursiva

10. (UFMT) Cite e explique quatro aspectos que demonstram ser o conhecimento da Biologia importante para o homem contemporâneo.

Módulo 1 A biosfera

NASA/CORBIS/LATINSTOCK

Capítulo 1

Como a vida surgiu?

Itens principais:

A origem do universo e do Sistema Solar

Como surgiu a vida na Terra?

TRACY FRANKEL/GETTY IMAGES

Capítulo 2

O que caracteriza a vida?

Itens principais:

Características dos seres vivos

Hierarquia da organização biológica

DR KEN MACDONALD/SCIENCE PHOTO LIBRARY/LATINSTOCK

Comunidade biológica que vive em total escuridão, a mais de 2.500 m de profundidade no oceano, ao redor de fontes termais. Os produtores dessa comunidade são bactérias quimiossintetizantes, que obtêm energia a partir de reações inorgânicas. Na fotografia, pode-se ver um peixe nadando entre vermes tubulares gigantes da espécie *Raftia packyptila*, que chegam a medir 1,5 m de comprimento. A descoberta dessa comunidade, em 1977, reforçou a hipótese de que as primeiras formas de vida podem ter sido seres autotróficos, que obtinham energia de reações químicas inorgânicas, como as que ocorrem em fontes termais.

BLICKWINKEL/ALAMY/GLOW IMAGES

Capítulo 3

O fluxo de energia na natureza

Itens principais:

Energia para a vida
Transferências de energia entre seres vivos

LOTHAR STEINER/IMAGEBROKER/DIOMEDIA

Capítulo 4

Os ciclos da matéria

Itens principais:

O conceito de ciclo biogeoquímico
Ciclo da água
Ciclo do carbono
Ciclo do nitrogênio

Conheça os capítulos deste módulo

Quem somos? De onde viemos? São perguntas que a humanidade se faz desde a Antiguidade. Neste módulo, começamos a analisar esses questionamentos do ponto de vista da Ciência.

Capítulo 1 Aqui fazemos a primeira aproximação com o objeto de estudo do livro: a vida no planeta Terra. A proposta é apresentar um resumo articulado da visão científica atual sobre as origens do universo, da Terra e dos seres vivos. A maioria dos estudiosos acredita que as substâncias precursoras da vida se formaram na Terra primitiva há mais de 4 bilhões de anos, por um longo processo de evolução molecular.

Capítulo 2 Com os maiores estudiosos do assunto, neste capítulo nos deparamos com as dificuldades em definir "vida". Como a vida apresenta vários aspectos característicos em diferentes níveis, ao relacionar todas as suas propriedades em uma única explicação, acabam-se criando definições longas e complexas. Confira.

Capítulo 3 As transferências de energia entre os seres vivos ocorrem por meio das relações alimentares, como veremos neste capítulo. Quanto maior for o nosso conhecimento sobre as teias de relações dos seres vivos no ambiente, mais condições teremos de enfrentar um dos grandes desafios do século XXI: preservar os ecossistemas para as gerações futuras.

Capítulo 4 Abordamos, aqui, as etapas fundamentais dos ciclos da água, do carbono e do nitrogênio. Em cada ciclo, seguimos os principais caminhos percorridos por esses elementos químicos nos ecossistemas. Um átomo de carbono que hoje constitui nosso corpo, por exemplo, pode ter feito parte de uma alga microscópica oceânica que morreu e se precipitou no fundo do mar há mais de 350 milhões de anos.

Capítulo 1

Como a vida surgiu?

NASA/CORBIS/LATINSTOCK

"A Terra é azul e eu não vi Deus!". Quem disse essa frase foi o cosmonauta russo Yuri Gagarin (1934--1968), em 1961, o primeiro ser humano a ver nosso planeta do espaço. Em 20 de julho de 1969, o norte-americano Neil Armstrong (1930-2012) pisou na Lua, de onde se descortina uma bela visão do planeta azul. Como a vida surgiu aqui? Existe vida em outros planetas? Será que há outro planeta tão azul como a Terra?

Origem da vida, religiões e ciência

Saiu no jornal *O Estado de S. Paulo*, em 24 de abril de 2011: "Se o homem fosse apenas um produto casual da evolução num lugar marginal do universo, então a sua vida seria sem sentido. Mas não! No início, está a Razão, a Razão criadora, divina"[1]. A afirmação foi feita pelo então papa Bento XVI, em sua pregação de Páscoa aos católicos.

Segundo o jornal, "o ensinamento católico admite a teoria da evolução, desde que não sirva como fundamento para visões de mundo ateias ou hostis à religião. [...] Ao mesmo tempo, a Igreja rejeita o criacionismo baseado em interpretações literais da Escritura".

Achou complicado? Realmente, as origens do universo e dos seres vivos são assuntos complexos e altamente polêmicos. Religiões e ciência tentam responder, cada qual à sua maneira, a uma das mais antigas questões da humanidade: como tudo começou?

Curiosamente, na tentativa de estabelecer uma "ponte" entre religião e ciência, o padre jesuíta e astrônomo José Gabriel Funes, diretor do Observatório Astronômico do Vaticano, admite a teoria do *big bang* (que será estudada neste capítulo) como a melhor explicação atual para a origem do universo, em uma perspectiva científica. Diz ele, em uma entrevista[2] ao jornal *L'Osservatore Romano*, em 2008: "[...] A Bíblia não é, fundamentalmente, um livro de ciência. [...] Na época [em que foi escrita, dois ou três mil anos atrás], obviamente, era totalmente estranho um conceito como o *big bang*. Então você não pode pedir à Bíblia uma resposta científica. [...]"

1 Ser humano não é fruto do acaso, diz Bento XVI. *O Estado de S.Paulo*, 24 abr. 2011. Disponível em: <http://www.estadao.com.br/noticias/impresso,ser-humano-nao-e-fruto-do-acaso-diz-bento-xvi,710052,0.htm>. Acesso em: ago. 2013.

2 Leia a íntegra da entrevista: Francis M. Valiante. O extraterrestre é meu irmão. *L'Osservatore Romano*, 14 maio 2008. Disponível em: <www.farlei.net/extraterrestre.html>. Acesso em: ago. 2013.

A importância do assunto

Neste capítulo, a proposta é apresentar um resumo articulado da visão científica atual para as origens do universo, da Terra e dos seres vivos. Depois de estudar esses assuntos, você compreenderá melhor os contextos e as palavras do então papa Bento XVI e do padre José Gabriel Funes. Além disso, com esses conhecimentos, você terá mais opções para refletir sobre si mesmo e sobre a humanidade, no cenário deste imenso universo em que vivemos.

Embora ainda existam muitas lacunas no conhecimento sobre a história da vida em nosso planeta, os cientistas já conseguiram relacionar momentos importantes da história geológica da Terra à evolução dos seres vivos.

A ciência, como já comentamos em "A visão científica da natureza", busca explicações apenas para os fenômenos do mundo natural, isto é, aquele que podemos perceber pelos sentidos e pela extensão deles, por meio de instrumentos diversos.

A maioria dos estudiosos acredita que as substâncias precursoras da vida formaram-se na Terra primitiva por meio de um longo processo de evolução molecular. Mas há também os que defendem a panspermia, segundo a qual as substâncias precursoras, ou mesmo os seres vivos, teriam vindo do espaço a bordo de asteroides ou cometas. Esses são os principais assuntos tratados neste capítulo. Estude-os e prepare-se para entender e debater esses temas.

1.1 A origem do universo e do Sistema Solar

Como surgiu o **universo**, a imensidão que abrange espaço, tempo, matéria e energia? Nestes milhares de anos de cultura humana, essa pergunta já recebeu muitas respostas, principalmente por parte das religiões. O grande desenvolvimento das ciências naturais no século XX permitiu que a origem do universo também pudesse ser explicada com base no conhecimento científico.

Teoria do *big bang*, ou teoria da grande explosão

Os avanços da Cosmologia e da Física, no início do século XX, possibilitaram a elaboração de uma explicação científica para a origem do universo: a **teoria do *big bang*** ou, traduzindo a expressão em inglês, **teoria da grande explosão**.

Amplamente aceita pela comunidade científica, essa teoria propõe que o universo se originou de um grão extremamente compacto, de densidade infinita, que, por razões ainda desconhecidas, se expandiu de modo violento há cerca de 13,7 bilhões de anos. Essa "explosão" primordial, denominada *big bang*, teria originado o espaço e o tempo e tudo mais que existe no universo.

Os principais fundamentos da teoria do *big bang* são observações astronômicas de que o universo inteiro encontra-se em expansão, com as galáxias afastando-se umas das outras. O raciocínio é: se hoje as galáxias estão se afastando, no passado elas deviam estar mais próximas. Levando esse pensamento ao extremo, os cientistas estimaram há quanto tempo todos os componentes do universo estariam condensados no suposto ponto primordial.

Calcula-se que, imediatamente após o *big bang*, a temperatura no universo era tão elevada que impossibilitava a existência da matéria na forma em que hoje a conhecemos. Entretanto, a rápida expansão do universo fez a temperatura diminuir e, ao fim do primeiro minuto, surgiram núcleos atômicos do elemento químico mais simples, o hidrogênio, além de núcleos de hélio e pequenas quantidades de núcleos de lítio. Átomos propriamente ditos só se formariam mais tarde, quase 400 mil anos depois do *big bang*.

Quando o universo completou algumas centenas de milhões de anos de idade, começaram a surgir as primeiras **estrelas**, corpos celestes de grandes dimensões, formados basicamente por átomos de hidrogênio e de hélio. Ao mesmo tempo, formaram-se conjuntos de estrelas e de matéria cósmica atraídos pela força gravitacional, isto é, as primeiras **galáxias**.

A origem do Sistema Solar

Os cientistas estimam que o **Sistema Solar** – o conjunto formado pelo Sol, planetas, satélites e por outros corpos celestes – surgiu há cerca de 4,6 bilhões de anos, a partir de uma **nebulosa** – um aglomerado de gases e de fragmentos microscópicos de silicatos e grãos de carbono – presente na galáxia denominada **Via Láctea**. Os gases da nebulosa que originou o Sistema Solar eram predominantemente gás hidrogênio (H_2) e gás hélio (He). Os grânulos microscópicos de matéria, por sua vez, constituem o que os astrônomos denominam poeira cósmica ou poeira interestelar. (Fig. 1.1)

NASA

Figura 1.1 Foto de uma galáxia espiral parecida com a Via Láctea. Segundo os astrônomos, esse seria o aspecto de nossa galáxia, se pudéssemos contemplá-la do espaço.

Após alguns milhões de anos de compactação, a temperatura no centro dessa nebulosa teria atingido cerca de 10 milhões de graus Celsius (10.000.000 °C), o que teria provocado reações de fusão nuclear em cadeia, com liberação de muita energia. Ao se aquecer e se iluminar, a massa central compactada teria originado uma nova estrela – o **Sol** –, uma entre os mais de 100 milhões de estrelas presentes na Via Láctea. (Fig. 1.2)

MARK GARLICK/SCIENCE PHOTO LIBRARY/LATINSTOCK

Figura 1.2 Representação artística da formação do Sol a partir da compactação de uma nebulosa da Via Láctea.

A origem dos planetas

Os cientistas acreditam que, ao mesmo tempo que o Sol se formava no centro da nebulosa, também ocorriam condensações em vários pontos periféricos, originando os **planetas** e outros corpos celestes do Sistema Solar, como satélites, asteroides e cometas.

Técnicas recentes de observação astronômica já mostraram a presença de planetas ao redor de inúmeras outras estrelas. Se pensarmos que há dezenas de bilhões de galáxias no universo, cada uma com centenas de bilhões de estrelas, é possível e mesmo provável que existam sistemas planetários semelhantes ao Sistema Solar. (Fig. 1.3)

ORLA/SHUTTERSTOCK

Figura 1.3 Representação artística do Sistema Solar. A Terra é o terceiro planeta a contar do Sol. (Elementos fora de proporção de tamanho entre si; cores-fantasia.)

A formação da Terra

Evidências científicas sugerem que o planeta **Terra** surgiu entre 4,6 e 4,5 bilhões de anos, a partir da aglomeração de rochas, poeira cósmica e gases presentes no disco de matéria que orbitava o Sol em formação.

A agregação progressiva desse material gerou grande pressão no interior da Terra em formação, causando aumento de temperatura e derretimento dos materiais rochosos mais internos, que escapavam para a superfície do aglomerado em forma de lava incandescente. Além dessa intensa atividade interna, a jovem Terra era continuamente bombardeada por corpos provenientes do espaço.

Nenhum tipo de vida, como hoje a conhecemos, poderia ter existido em condições tão adversas quanto as da Terra em seus primeiros 700 milhões de anos de existência. (Fig. 1.4)

STEVE MUNSINGER/PHOTORESEARCHERS/LATINSTOCK

Figura 1.4 Representação artística das condições que teriam ocorrido na Terra primitiva, antes do surgimento da vida.

1.2 Como surgiu a vida na Terra?

A queda da teoria da geração espontânea

Até meados do século XVII, era muito difundida a crença de que entidades divinas haviam criado os seres vivos, doutrina denominada **criacionismo**. Admitia-se também que alguns tipos de seres vivos podiam ser gerados espontaneamente a partir da matéria sem vida, ou mesmo pela transformação de outros seres vivos. Essa era a base da **teoria da geração espontânea**, também chamada de **teoria da abiogênese**. (Fig. 1.5)

REPRODUÇÃO /UNA WOODRUFF

Figura 1.5 A ilustração da artista Una Woodruff (1979), inspirada em relatos atribuídos ao naturalista romano Plínio (23-79 d.C.), mostra insetos tricópteros surgindo de gotas de orvalho. A crença de que a matéria inanimada poderia dar origem a seres vivos ficou conhecida como abiogênese. (*Insects generated from dew*, de Una Woodruff, retirada de *Inventorum natura*: The expedition journal of Pliny the Elder, prancha LII, 1979.)

A crença na abiogênese, entretanto, não resistiu à expansão do conhecimento científico e aos rigorosos testes realizados por cientistas criteriosos como Redi, Spallanzani e Pasteur, entre outros. Esses pesquisadores forneceram evidências irrefutáveis de que os seres vivos surgem somente pela reprodução de seres de sua espécie. Essa é a essência da teoria da **biogênese**.

O experimento de Redi

Um dos primeiros experimentos científicos sobre a origem de seres vivos foi realizado em meados do século XVII, pelo médico italianto Francesco Redi (1626-1697). Na época, muitos acreditavam que os seres vermiformes que surgem nos cadáveres de pessoas e de outros animais resultavam da transformação espontânea da carne em putrefação. Redi não aceitava essa ideia e formulou a hipótese de que tais "vermes" eram estágios imaturos (larvas) do ciclo de vida de moscas. Ele afirmava que as larvas nasciam de ovos colocados por moscas na carne e não por geração espontânea.

Em seu livro intitulado *Experimentos sobre a geração de insetos* (em latim, *Experimenta circa generationem insectorum*), Redi conta como teve a ideia de que os "vermes" dos cadáveres eram parte do ciclo de vida de moscas. Ao ler o poema épico *Ilíada*, datado do século IX ou VIII a.C. e cuja autoria é atribuída ao grego Homero, o médico italiano se perguntou por que, no canto XIX da *Ilíada*, Aquiles teme que o corpo de Pátrocles se torne presa das moscas, e por que ele pede a Tétis que proteja o corpo contra os insetos que poderiam dar origem a vermes e assim corromper a carne do morto. Redi concluiu que os antigos gregos já sabiam que as larvas encontradas nos cadáveres se originavam de moscas que pousavam sobre eles e ali depositavam seus ovos. (Fig. 1.6)

THE BRIDGEMAN ART LIBRARY KEYSTONE BRASIL - MUSEE MUNICIPAL, SOISSONS, FRANCE

Figura 1.6 Obra de arte que retrata a cena do poema épico *Ilíada*, de Homero, em que Aquiles pede a Tétis que proteja o corpo de Pátrocles contra as moscas. Essa passagem serviu de inspiração para Redi idealizar seu experimento. (*Aquiles contemplando o corpo de Pátrocles*, c. 1700, de Giovanni Antonio Pellegrini. Óleo sobre tela, 152,5 × 195,5 cm. Museu Municipal de Soissons, França.)

Seguindo os procedimentos da ciência moderna, Redi fez o seguinte raciocínio: se os "vermes" (larvas) surgem a partir de ovos colocados por moscas – essa é a hipótese –, então eles não aparecerão se impedirmos que moscas pousem na carne – essa é uma dedução a partir da hipótese.

Para testar a hipótese, Redi realizou o seguinte experimento: colocou animais mortos em frascos de boca larga, vedou alguns deles com uma gaze muito fina e deixou os outros abertos. Nestes últimos, onde as moscas podiam entrar e sair livremente, logo surgiram "vermes". Nos frascos tapados com gaze, que impedia a entrada das moscas, não apareceu nenhum "verme", mesmo depois de muitos dias. Desse modo, a dedução feita a partir da hipótese foi confirmada e a hipótese foi aceita. (Fig. 1.7)

Figura 1.7 Representação do experimento de Redi, que descartou a hipótese da geração espontânea dos "vermes" (larvas) da carne em putrefação. No frasco à esquerda, tapado com gaze, não surgiram larvas. No frasco à direita, onde as moscas puderam entrar, apareceram larvas que se alimentavam da carne.

Needham *versus* Spallanzani

A teoria da geração espontânea, que perdera credibilidade com o experimento de Redi, voltou a ser utilizada para explicar a origem dos seres microscópicos, ou **microrganismos**, descobertos em meados do século XVII pelo holandês Antonie van Leeuwenhoek (1632-1723).

Em 1745, o inglês John Needham (1713-1781) distribuiu um caldo nutritivo em diversos frascos, que foram fervidos por 30 minutos e imediatamente fechados com rolhas de cortiça. Depois de alguns dias, os caldos estavam repletos de seres microscópicos. Assumindo que a fervura eliminara todos os seres eventualmente existentes no caldo original e que nenhum ser vivo poderia ter penetrado através das rolhas, Needham argumentou que só havia uma explicação para a presença de microrganismos nos frascos: eles haviam surgido por geração espontânea.

O padre e pesquisador italiano Lazzaro Spallanzani (1729-1799) refez os experimentos de Needham. Ele preparou oito frascos com caldos nutritivos previamente fervidos: quatro deles foram fechados com rolhas de cortiça, como fizera Needham, e os outros quatro tiveram os gargalos derretidos no fogo, de forma a adquirirem uma vedação hermética; além disso, estes últimos frascos foram fervidos por longo tempo. Após alguns dias, microrganismos haviam surgido nos frascos arrolhados com cortiça, mas não nos frascos cujos gargalos tinham sido hermeticamente fechados no fogo. Spallanzani concluiu que a vedação e/ou o tempo de fervura utilizados por Needham haviam sido ineficientes para impedir a contaminação do caldo.

Em resposta, Needham alegou que, devido à fervura prolongada, o caldo poderia ter perdido sua "força vital", um princípio imaterial que seria indispensável ao surgimento de vida. Spallanzani, então, quebrou os gargalos fundidos de alguns frascos, que se mantinham livres de microrganismos, expondo seu conteúdo ao ar. Em pouco tempo, eles ficaram repletos de microrganismos, mostrando que a fervura prolongada não havia destruído a "força vital" do caldo.

Needham contra-argumentou mais uma vez, sugerindo a hipótese de que o princípio ativo, embora deteriorado pelo longo tempo de fervura, se restabelecera com a entrada de ar fresco, permitindo que os microrganismos surgissem espontaneamente. Dessa vez, Spallanzani não conseguiu elaborar um experimento para descartar o contra-argumento de Needham e a controvérsia não foi resolvida.

Pasteur e a derrubada da abiogênese

No início da década de 1860, a Academia Francesa de Ciências ofereceu um prêmio em dinheiro para quem realizasse um experimento definitivo sobre a origem dos microrganismos. Estimulado pelo desafio, o pesquisador francês Louis Pasteur (1822-1895) começou a trabalhar no assunto. Em um experimento, ele preparou quatro frascos de vidro com caldos nutritivos e amoleceu seus gargalos no fogo, esticando-os e curvando-os em forma de um pescoço de cisne. Em seguida, aqueceu os frascos com caldo até que saísse vapor pelas extremidades dos gargalos e deixou que resfriassem. O objetivo de Pasteur, ao curvar os gargalos dos frascos, era permitir a entrada do ar e fazer com que as partículas em suspensão ficassem retidas nas paredes do gargalo curvo, que funcionava como um filtro. (Fig. 1.8)

Apesar de o caldo estar em contato direto com o ar, em nenhum dos quatro frascos com "pescoço de cisne" surgiram microrganismos. Os microrganismos do ar ficavam retidos nas curvas do gargalo e não conseguiam chegar ao líquido do frasco. Então Pasteur quebrou o gargalo de alguns frascos e verificou que, em poucos dias, seus conteúdos ficaram repletos de microrganismos. Esse experimento demonstrou irrefutavelmente que o surgimento de microrganismos em caldos nutritivos se dá pela contaminação por germes provenientes do ambiente externo e não por geração espontânea.

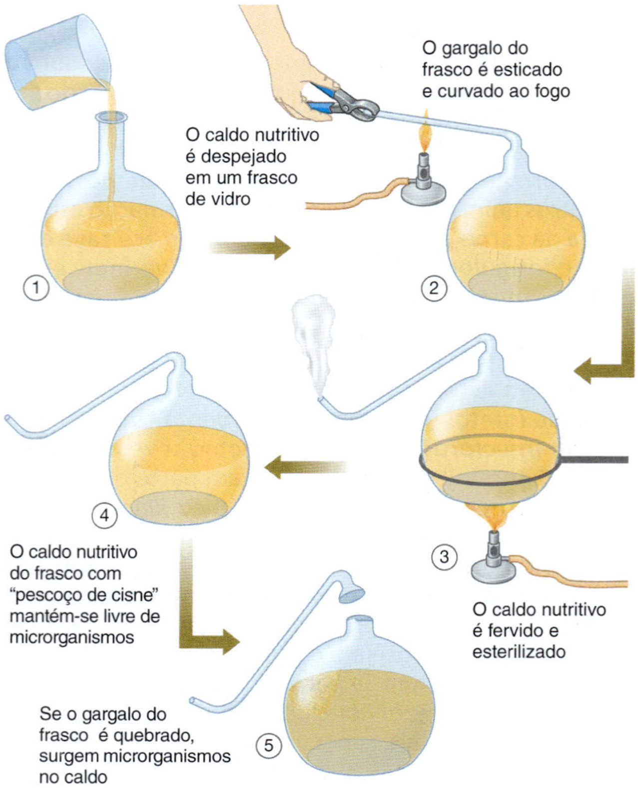

Figura 1.8 Representação da sequência de etapas do experimento realizado por Pasteur, que sepultou definitivamente a teoria da geração espontânea.

Ciência e cidadania

Pesquisas sobre geração espontânea levam a novas tecnologias

1 É interessante pensar que os experimentos feitos por Spallanzani sobre geração espontânea abriram caminho para o desenvolvimento da indústria de alimentos enlatados. Ao saber das pesquisas e controvérsias sobre a origem dos microrganismos, o confeiteiro francês Nicholas Appert (1749-1841) suspeitou que eles realmente poderiam ser responsáveis pela deterioração dos alimentos, problema então enfrentado pelos fabricantes de produtos alimentícios. Partindo do princípio de que caldos nutritivos previamente fervidos podiam ser guardados sob vedação hermética sem estragar, como Spallanzani havia demonstrado, Appert desenvolveu uma tecnologia para produzir alimentos em conserva, os quais poderiam ser armazenados por longo tempo sem sofrer deterioração.

2 A história da fermentação remonta à década de 1850. Naquela época, Louis Pasteur, já famoso por seus estudos sobre os microrganismos, interessou-se por um problema de deterioração do vinho, que afetava a indústria vinícola de Arbois (França), sua terra natal. Em experimentos anteriores, ele próprio já demonstrara que a transformação do suco de uvas em vinho resulta da atividade de microrganismos denominados leveduras, ou fermentos. Sua hipótese, agora, era que a deterioração do vinho decorria da contaminação por algum outro tipo de microrganismo.

3 Ao observar ao microscópio amostras de vinhos estragados, Pasteur encontrou outros microrganismos além das leveduras, o que reforçava sua hipótese. A questão era: como se livrar desses invasores indesejáveis sem alterar o sabor do vinho? Este não podia ser fervido, pois perderia totalmente suas qualidades.

4 Pasteur descobriu que o aquecimento do vinho por apenas alguns minutos, a 57 °C, era suficiente para eliminar os microrganismos indesejáveis sem alterar o sabor da

bebida; com isso, estava inventado o processo que em sua homenagem recebeu o nome de pasteurização.

5 A pasteurização, tecnologia para a eliminação seletiva de microrganismos pelo aquecimento brando, é largamente empregada na indústria de alimentos nos dias atuais. Em diversos países, inclusive no Brasil, é obrigatório pasteurizar o leite e seus derivados antes de comercializá-los. Nesse processo, o leite é mantido a 62 °C por 30 minutos, o que elimina a bactéria *Mycobacterium tuberculosis*, um microrganismo frequentemente presente no gado bovino e que pode causar tuberculose no ser humano. A pasteurização elimina também outros microrganismos responsáveis pela deterioração do leite, prolongando sua vida útil.

SCIENCE PHOTO LIBRARY/LATINSTOCK

A

THE BRIDGEMAN ART LIBRARY/KEYSTONE BRASIL - COLEÇÃO PARTICULAR, FRANÇA

B

A. Retrato do confeiteiro francês Nicholas Appert, inventor dos alimentos em conserva. **B.** Retrato de Louis Pasteur, que desenvolveu uma tecnologia de conservação de bebidas e alimentos que leva seu nome (pasteurização) e que contribuiu para o desenvolvimento da teoria microbiana das doenças.

6 Em 1865, Pasteur foi chamado ao sul da França para ajudar a combater uma doença que atacava as lagartas de bicho-da-seda e causava enormes prejuízos à indústria têxtil de seda. Embora conhecesse pouco esses animais, o cientista francês aceitou o novo desafio.

7 Depois de várias experiências malsucedidas, Pasteur e seus colaboradores descobriram que as lagartas sadias ficavam doentes depois de comer fezes ou cadáveres de lagartas afetadas pela doença. Nesse caso, no corpo das lagartas apareciam glóbulos microscópicos, que aumentavam em número à medida que a enfermidade progredia. Os pesquisadores concluíram que esses glóbulos microscópicos eram microrganismos parasitas, responsáveis pela doença. Os criadores foram então orientados a eliminar as lagartas doentes e a realizar um exame microscópico nas fêmeas após a postura, utilizando apenas os ovos daquelas comprovadamente sadias. Com isso, a praga foi controlada.

8 Entusiasmado com o sucesso obtido na erradicação da doença das lagartas, Pasteur concluiu que doenças humanas também poderiam ser causadas por microrganismos.

9 Influenciado pelas ideias de Pasteur, o médico escocês Joseph Lister (1827-1912) imaginou que a grande mortalidade de pessoas submetidas a cirurgias podia ser provocada por microrganismos infecciosos vindos do ar. Lister passou a usar substâncias desinfetantes nos instrumentos, no ambiente e nas ataduras que recobriam os cortes cirúrgicos. Graças a essa prática, a mortalidade entre os pacientes operados em seu hospital caiu de 45% para 15%, de 1865 a 1869.

10 Enquanto Pasteur fazia pesquisas com vinhos, cervejas e doenças das lagartas, o jovem médico alemão Robert Koch (1843-1910), sem formação em pesquisa e munido apenas de um microscópio, estava prestes a demonstrar que certos microrganismos realmente podiam causar doenças e morte. Koch encontrou microrganismos no sangue de ovelhas mortas pela doença conhecida como antraz, que afeta animais herbívoros e eventualmente seres humanos, podendo levar à morte. Ele isolou esses microrganismos e transferiu-os para o humor aquoso de olho de vaca, utilizado como meio nutritivo. Depois que os microrganismos se multiplicaram, injetou-os em ratos sadios, que logo contraíram a doença.

ALBUM/AKG-IMAGES/LATINSTOCK

Retrato de Robert Koch, o primeiro a demonstrar que microrganismos podem causar doenças contagiosas.

11 Koch também descobriu que os microrganismos transmissores do antraz produziam esporos resistentes, que podiam ficar dormentes no capim dos pastos por longo tempo até serem ingeridos por um herbívoro e causar a doença. Essa foi a primeira demonstração irrefutável de que microrganismos podiam provocar doenças contagiosas. Em sua incessante caça aos microrganismos "assassinos", Koch acabou descobrindo os causadores da tuberculose e da cólera, entre outros.

12 Ao tomar conhecimento das descobertas de Koch, Pasteur resolveu aprofundar o estudo dos microrganismos causadores do antraz. Ele e seus colaboradores isolaram linhagens atenuadas desses micróbios, que produziam sintomas brandos de antraz quando injetadas em ovelhas. Após se restabelecerem, os animais injetados tornavam-se imunes à doença, mesmo quando reinjetados com as linhagens microbianas mais contagiosas. Surgia, assim, a primeira forma de vacinação contra o antraz.

13 Pasteur voltou-se, então, para outra terrível doença, a raiva, que provocava a morte dolorosa de animais, inclusive de pessoas. Apesar de não ter conseguido identificar microscopicamente o agente causador da raiva (o que o levou a concluir que se tratava de um ser muito pequeno), Pasteur conseguiu cultivá-lo no sistema nervoso de coelhos vivos. Com esses micróbios, ele desenvolveu uma das primeiras formas de tratamento contra essa doença.

Guia de leitura

1 Leia o primeiro parágrafo do quadro e responda: que conhecimentos científicos foram utilizados para gerar a tecnologia referida no texto?

2 Leia os parágrafos 2, 3 e 4, que se referem à invenção da pasteurização pelo francês Louis Pasteur.

3 Leia o parágrafo 5 e descreva resumidamente em que consiste o processo de pasteurização. Por que usar temperaturas relativamente baixas e não simplesmente ferver o leite? Escreva um pequeno texto que relacione, resumidamente, os conhecimentos

científicos que estão na base da tecnologia da pasteurização. Verifique se há conceitos importantes a destacar no parágrafo.

4 Leia os parágrafos 6 e 7. De acordo com Pasteur, qual era a origem e a disseminação da doença das lagartas?

5 Leia o oitavo e nono parágrafos e responda: como Lister testou a hipótese de que muitas doenças eram causadas por microrganismos? Que resultados deram suporte a essa hipótese?

6 O décimo parágrafo descreve o procedimento científico adotado por Robert Koch para demonstrar que o antraz é causado por um agente infeccioso. A partir da leitura, responda resumidamente:

a) qual era sua hipótese para a causa do antraz?

b) como Koch testou essa hipótese?

7 Com relação ao parágrafo 11, que descoberta levou a uma nova hipótese sobre a disseminação do antraz?

8 Leia o parágrafo 12, que apresenta a criação pioneira, por Pasteur, de uma vacina contra o antraz. Com base no texto e em seus conhecimentos sobre o assunto, como você definiria vacinação?

9 Leia o último parágrafo do quadro, que trata da descoberta da transmissão infecciosa da raiva. Pasteur não identificou microscopicamente o agente causador da raiva, embora tenha conseguido cultivá-lo. Pesquise: o agente causador do antraz é um vírus ou uma bactéria? E o agente causador da raiva? Com base nessas pesquisas, é possível explicar por que Pasteur não conseguiu visualizar este último?

Ideias modernas sobre a origem da vida

Com o descrédito da teoria da geração espontânea e sua substituição pela teoria da biogênese, os estudiosos da vida foram despertados para uma nova questão: se os seres vivos não surgem da matéria inanimada, mas apenas pela reprodução de outros seres vivos, como estes apareceram na Terra pela primeira vez?

Atualmente, a maioria dos cientistas defende a chamada **teoria da evolução molecular**, segundo a qual a vida surgiu após um longo processo de transformações químicas. Durante essa "evolução molecular", compostos inorgânicos presentes na Terra primitiva reagiram entre si, originando moléculas orgânicas, como aminoácidos, pequenos açúcares, bases nitrogenadas, ácidos graxos etc.

Mais tarde, ao encontrar condições adequadas, essas primeiras moléculas orgânicas teriam se recombinado de várias maneiras, produzindo moléculas mais complexas, como pequenos polipeptídios, lipídios e ácidos nucleicos. Finalmente, essas moléculas orgânicas teriam originado "estruturas" capazes de controlar suas próprias reações químicas e de se autoduplicar. Tais atributos seriam os primeiros esboços do metabolismo e da reprodução, duas características fundamentais dos seres vivos.

HENRY BORTMAN/ZUMA PRESS/KEYSTONE BRASIL

Figura 1.9 Astrobióloga coletando amostras no Lago Mono, Califórnia, EUA (2010). Nesse lago foram encontrados microrganismos vivendo em condições até então consideradas impróprias para a existência de vida. Essa descoberta pode sugerir a existência de vida em outros lugares do cosmo, apoiando a hipótese da panspermia.

Há cientistas que defendem a ideia de que a vida na Terra surgiu pela colonização do planeta por substâncias precursoras de vida (ou mesmo seres vivos), provenientes de outros locais do cosmo. Essa é a base da **hipótese da panspermia**, que voltou a ganhar força nos últimos anos com a descoberta de substâncias orgânicas em meteoritos, asteroides e cometas. Esses assuntos serão retomados mais adiante, após discutirmos quais eram as possíveis condições reinantes na Terra quando a vida se estabeleceu no planeta. (Fig. 1.9)

A Terra primitiva

Acredita-se que o início da existência do planeta Terra tenha sido bastante turbulento. A temperatura atingia níveis altíssimos, a ponto de derreter as rochas. Além disso, o jovem planeta era continuamente bombardeado por asteroides vindos do espaço. Estes se chocavam com a superfície terrestre em eventos catastróficos, contribuindo para o aumento da temperatura e da massa do planeta.

Em determinado momento de sua história, a Terra em formação provavelmente estava envolta por uma atmosfera constituída principalmente por gás carbônico (CO_2), gás metano (CH_4), monóxido de carbono (CO) e gás nitrogênio (N_2), além de vapor-d'água (H_2O).

A maioria dos cientistas concorda com essa suposta composição da atmosfera da Terra primitiva, mas ainda há discordância sobre a origem dos gases atmosféricos. Uma corrente científica atualmente dominante acredita que a água e os gases da atmosfera terrestre originaram-se no interior do próprio planeta. Outra corrente científica, porém, defende a hipótese de que a maior parte da água e dos gases atmosféricos teria sido trazida por cometas e asteroides.

Independentemente da origem dos gases atmosféricos terrestres, acredita-se que, com o passar do tempo, a superfície da Terra primitiva foi esfriando por causa da contínua perda de calor para o espaço. O resfriamento possibilitou a formação de uma fina camada de material rochoso sólido, que originou a crosta terrestre. Entretanto, a superfície do planeta ainda era quente demais para permitir a existência de água no estado líquido. Ao atingir as camadas superiores da atmosfera, mais frias, o vapor-d'água se condensava, produzindo nuvens que se precipitavam em forma de chuva. Devido às altas temperaturas da superfície, toda a água voltava a evaporar e o processo se repetia. Foi necessário muito tempo até que esse quadro mudasse. Acredita-se que, na Terra de pouco mais de 500 milhões de anos de idade, tempestades torrenciais caíram sem intervalos, durante milhões de anos.

A partir de determinado momento, a superfície da Terra já havia esfriado o bastante para que água líquida se acumulasse em depressões da crosta terrestre, formando imensas áreas alagadas, precursoras dos oceanos. Provavelmente foi em um cenário como esse que surgiram os primeiros seres vivos, dos quais descendem todas as formas de vida. (Fig. 1.10)

CHRISTIAN JEGOU PUBLIPHOTO DIFFUSION/ SCIENCE PHOTO LIBRARY/LATINSTOCK

Figura 1.10 O início do ciclo das chuvas ajudou a resfriar a Terra e criou condições para o aparecimento da vida. Na representação artística, aspecto hipotético da superfície terrestre durante a formação dos primeiros oceanos.

A origem pré-biológica de compostos orgânicos

Como surgiram as moléculas orgânicas que originaram os primeiros seres vivos? Esse é um tema que ainda motiva grandes discussões entre os cientistas. Evidências experimentais sugerem que teria sido possível a formação de moléculas orgânicas a partir dos gases presentes na atmosfera da Terra primitiva. A primeira experiência nessa direção foi idealizada na década de 1950 pelo químico estadunidense Stanley Lloyd Miller (1930-2007), que estabeleceu as bases experimentais da evolução molecular para a origem da vida.

Seguindo os passos de Miller, outros cientistas realizaram experimentos em que simularam as condições supostamente existentes na Terra primitiva. Nesses experimentos já foram produzidas diversas substâncias orgânicas encontradas nos seres vivos, o que dá sustentação à hipótese de que, nas condições reinantes nos primórdios do nosso planeta, a matéria precursora da vida poderia ter surgido por um processo de evolução molecular.

Algumas substâncias químicas presentes nos seres vivos já foram detectadas em corpos celestes, como cometas e asteroides. Por um lado, essas descobertas fortalecem a ideia de que os ingredientes básicos para a formação de vida poderiam ter vindo do espaço, como defende a hipótese da panspermia. Por outro, se compostos precursores da vida se formaram em diversos corpos celestes, por que não também no planeta Terra?

A maioria dos cientistas concorda que, para a vida surgir, substâncias precursoras deveriam estar disponíveis na Terra primitiva. Entretanto, uma questão que ainda desafia os cientistas é: como esses ingredientes precursores puderam originar complexos moleculares dotados de metabolismo e de reprodução – em outras palavras, os primeiros seres vivos?

1.1
Biblioteca do estudante Amplie seus conhecimentos

A origem das primeiras células vivas

Nos seres vivos atuais, os processos químicos que caracterizam a vida ocorrem no interior de **células**, compartimentos isolados do ambiente externo por uma finíssima película, a **membrana plasmática**. Esta permite a manutenção de um ambiente celular interno diferenciado e adequado aos processos e às reações químicas essenciais à vida. A ruptura da membrana leva à desorganização da estrutura celular e à morte da célula.

A importância da membrana para a célula viva levou os cientistas a imaginar que uma etapa fundamental na origem da vida foi o aparecimento de sistemas químicos delimitados por membranas, que os separavam do meio externo. Tais sistemas podem ter sido aglomerados de moléculas orgânicas precursoras originadas na própria Terra, como acreditam os defensores da hipótese da evolução molecular, ou vindas do espaço, como sugerem os defensores da panspermia. Levadas pelas chuvas torrenciais, as moléculas precursoras da vida teriam se acumulado em charcos, lagos e oceanos em formação.

Experimentos de laboratório sugerem o que pode ter ocorrido com as moléculas precursoras da vida acumuladas em massas de água, na Terra primitiva. Quando se adicionam experimentalmente proteínas a soluções aquosas com certo grau de acidez e salinidade, podem-se obter aglomerados proteicos microscópicos, em alguns casos bastante estáveis, graças à formação de uma película de moléculas de água ao redor das proteínas. Também se observou que, em certas condições especiais, as próprias proteínas podem se organizar, formando películas ao redor de aglomerados de moléculas orgânicas.

Esses fatos levaram os cientistas a pensar que, nas condições da Terra primitiva, moléculas orgânicas podem ter se isolado e se organizado, formando glóbulos microscópicos estáveis, precursores da vida.

O salto definitivo rumo aos seres vivos teria ocorrido há pelo menos 3,5 bilhões de anos, no momento em que esses glóbulos microscópicos adquiriram maior estabilidade e a capacidade de produzir seus próprios componentes, podendo crescer e se reproduzir. Como se deu o passo crucial na evolução da vida? Essa é uma pergunta para a qual os pesquisadores ainda não têm resposta.

As hipóteses heterotrófica e autotrófica

Embora não se saiba exatamente que caminhos levaram das moléculas orgânicas aos seres vivos, acredita-se que as primeiras formas de vida eram microscópicas e delimitadas por uma membrana. Em seu interior, reações químicas ordenadas e controladas forneciam energia para transformar moléculas de alimento em componentes de seu próprio corpo, possibilitando o crescimento e a reprodução.

De que se alimentavam esses primeiros seres vivos? Para tentar responder a essa pergunta, vamos analisar a alimentação dos seres atuais. Nos dias de hoje, os seres vivos têm duas estratégias alimentares básicas: ou eles mesmos produzem seu alimento ou o obtêm do meio onde vivem.

No primeiro caso, fala-se em seres **autotróficos** (do grego *autós*, próprio, e *trophos*, alimento), capazes de produzir substâncias orgânicas a partir de gás carbônico (CO_2) e de energia do ambiente. São autotróficos alguns tipos de bactérias, todas as algas e todas as plantas atuais, com exceção de algumas plantas parasitas.

No segundo caso, fala-se em seres **heterotróficos** (do grego *heteros*, diferente); incapazes de produzir seu próprio alimento, eles têm de obtê-lo do meio externo na forma de moléculas orgânicas. São heterotróficos os fungos, diversas bactérias, a quase totalidade dos protozoários e todos os animais.

Durante muito tempo predominou a ideia de que os primeiros seres vivos deviam ser heterotróficos. Os defensores dessa ideia, conhecida como **hipótese heterotrófica**, acreditavam que as mesmas substâncias que originaram os primeiros seres vivos também poderiam servir-lhes de alimento. A obtenção de energia a partir dessas substâncias ocorreria por um processo semelhante à fermentação, como a realizada por certos fungos e bactérias que conhecemos hoje.

Atualmente, a hipótese mais aceita sobre a nutrição dos primeiros seres vivos é a **hipótese autotrófica**. Seus defensores argumentam que na Terra primitiva não havia moléculas orgânicas em quantidade suficiente para sustentar a multiplicação dos primeiros seres vivos. De acordo com os conhecimentos atuais, os primeiros habitantes da Terra deviam ser seres **quimiolitoautotróficos** (do grego *litós*, rocha), capazes de produzir suas próprias substâncias alimentares a partir da energia liberada em reações químicas entre componentes inorgânicos presentes nas rochas. Acredita-se, por exemplo, que os primeiros seres vivos podiam obter energia a partir de compostos inorgânicos de ferro e de enxofre (FeS e H_2S).

A hipótese autotrófica vem se consolidando graças à descoberta de microrganismos que vivem em ambientes inóspitos, como fontes de água quente e vulcões submarinos. Como certos microrganismos quimiolitoautotróficos atuais podem viver ao redor de fendas vulcânicas submersas, onde há liberação de gás sulfídrico (H_2S), supõe-se que os primeiros seres vivos poderiam ter surgido nesses ambientes, tão abundantes na Terra primitiva. (Fig. 1.11)

Segundo a hipótese autotrófica, a partir da evolução dos primeiros seres quimiolitoautotróficos teriam surgido os outros tipos de seres vivos; inicialmente, os que realizam fermentação, depois os fotossintetizantes e, finalmente, os que respiram gás oxigênio (aeróbios).

WOODS HOLE OCEANOGRAPHIC INSTITUTION/ VISUALS UNLIMITED/GLOWIMAGES

Figura 1.11 Fenda vulcânica submersa (Antártida, maio 2011). A descoberta de seres vivos capazes de viver nesses ambientes deu respaldo à hipótese de que as primeiras formas de vida deviam ser seres quimiolitoautotróficos, capazes de obter energia a partir dos compostos expelidos pelos vulcões submarinos.

Conteúdo multimídia Fonte hidrotermal submarina

Atividades

Visão do especialista

Biblioteca do estudante Faça você mesmo!

Revendo conceitos fundamentais

Escreva, em seu caderno, o termo abaixo que substitui corretamente a tarja entre parênteses das frases de 1 a 5.

a) criacionismo
b) pasteurização
c) reprodução
d) teoria da geração espontânea (abiogênese)
e) teoria da biogênese

1. Microrganismos indesejáveis em bebidas ou alimentos podem ser eliminados por (▬), processo desenvolvido em meados do século XIX e utilizado até hoje.

2. As constatações de que os seres vivos originam-se apenas a partir de seres semelhantes levaram à formulação do(a) (▬).

3. A crença de que a vida pode surgir a partir de substâncias não vivas constitui a base do(a) (▬).

4. O processo pelo qual os seres vivos originam seres semelhantes a si, perpetuando a espécie, é denominado (▬).

5. Explicações não científicas de que a vida surgiu pela ação de entidades divinas, não pertencentes ao mundo natural, estão na base do(a) (▬).

Escreva, em seu caderno, o termo a seguir que substitui corretamente a tarja entre parênteses das frases de 6 a 11.

a) célula
b) hipótese autotrófica
c) hipótese da panspermia
d) hipótese heterotrófica
e) quimiolitoautotrófico
f) teoria da evolução molecular

6. A denominação (▬) aplica-se a organismos capazes de obter energia a partir de reações químicas entre componentes minerais.

7. (▬) é considerada a unidade dos seres vivos, onde ocorrem as reações químicas essenciais à vida.

8. A frase "A Terra foi colonizada por vida proveniente do espaço" resume o(a) (▬).

9. Bactérias recentemente descobertas, capazes de obter energia a partir de componentes inorgânicos da crosta terrestre, reforçam o(a) (▬).

10. A ideia de que substâncias originalmente presentes na Terra primitiva formaram substâncias precursoras da vida e os primeiros seres vivos resume o(a) (▬).

11. Os primeiros seres vivos obtinham alimento a partir de substâncias orgânicas presentes no meio em que tinham surgido. Essa frase resume o(a) (▬).

Ligando conceitos, fatos e processos

12. A teoria do *big bang*, também chamada de teoria da grande explosão, explica como
a) surgiu a vida na Terra.
b) se formam as estrelas.
c) surgiu o planeta Terra.
d) surgiu o universo.

13. A principal evidência do *big bang* é:
a) a fusão nuclear que ocorre no centro das estrelas.
b) a presença de nebulosas nas galáxias.
c) o contínuo afastamento das galáxias entre si.
d) a formação de novas estrelas a partir de nebulosas.

Escreva, em seu caderno, o termo abaixo que substitui corretamente a tarja entre parênteses das frases 14 e 15.
a) entre 4,5 e 5 milhões de anos
b) entre 13,5 e 14 milhões de anos
c) cerca de 5 bilhões de anos
d) mais de 13 bilhões de anos

14. Estima-se que a idade do universo seja da ordem de (▬).

15. A idade do Sol é estimada em cerca de (▬).

16. A explosão de estrelas origina nuvens de gases e poeira que podem fornecer matéria-prima para a formação de novos astros. Uma nuvem como essa, presente nas galáxias, recebe o nome de:
a) planeta.
b) nebulosa.
c) Via Láctea.
d) universo.

17. Há mais de 13 bilhões de anos, tudo se resumia a um pequeno ponto. Uma explosão deu início a um processo de expansão que continua até hoje.

O texto refere-se à:
a) formação da Terra.
b) origem do Sistema Solar.
c) teoria do *big bang*.
d) formação das nebulosas.

18. Os cientistas acreditam que a vida na Terra surgiu aproximadamente há
a) 10 mil anos.
b) 5 milhões de anos.
c) 65 milhões de anos.
d) 3,5 bilhões de anos.

19. No aparelho idealizado por Miller, que simulava as condições da Terra primitiva, a mistura de gases e o líquido avermelhado que se acumulou corresponderiam, respectivamente,
a) à atmosfera primitiva e às nuvens de chuva.
b) às tempestades elétricas e às chuvas.
c) às nebulosas e aos mares primitivos.
d) à atmosfera primitiva e aos mares e lagos primitivos.
e) ao ciclo das chuvas e ao metabolismo celular.

20. A importância do trabalho de Miller foi ter demonstrado, pela primeira vez, que
a) os primeiros seres vivos vieram do espaço.
b) a vida surgiu nos mares primitivos.
c) moléculas orgânicas poderiam ter-se formado a partir de gases da atmosfera primitiva.
d) os primeiros seres vivos eram heterotróficos.

21. A descoberta de microrganismos quimiossintetizantes capazes de viver em locais inóspitos, obtendo energia das rochas, constitui uma evidência a favor da
a) hipótese autotrófica.
b) hipótese da panspermia.
c) hipótese heterotrófica.
d) teoria da evolução molecular.
e) teoria do *big bang*.

Questões para exercitar o pensamento

22. O médico belga Jan Baptist van Helmont afirmava que, se camisas sujas fossem deixadas em um canto sossegado e com pouca iluminação e sobre elas fossem jogados alguns grãos de trigo, em vinte e um dias surgiriam ratos.
a) Qual era a hipótese de van Helmont?
b) Planeje um experimento para testar essa hipótese, lembrando-se do controle experimental. Considerando os conhecimentos atuais sobre a origem dos seres vivos, que resultados deveríamos esperar?

23. Desenhe uma "linha do tempo" na qual serão representados, em escala, alguns eventos ocorridos desde o *big bang* até os dias de hoje. Sugerimos que utilize uma folha grande de papel quadriculado ou milimetrado, ou uma folha de cartolina na qual serão medidas as divisões do tempo com uma régua. Desenhe uma linha horizontal e marque, na extremidade à esquerda, "15 bilhões de anos atrás". Na extremidade à direita da linha, marque "zero", que corresponde ao tempo atual. Divida a linha em 15 partes, cada uma delas correspondendo a 1 bilhão de anos. Pesquise, no capítulo, a época aproximada em que ocorreram os seguintes eventos: a) *big bang* (grande explosão); b) origem do elemento hidrogênio; c) origem das primeiras estrelas; d) origem do Sistema Solar; e) origem da Terra; f) surgimento dos primeiros oceanos; g) surgimento dos primeiros seres vivos. Marque cada um desses acontecimentos na sua linha do tempo. Lembre-se de que é importante distribuir os eventos em escala, o que nos ajuda a concretizar as diferenças temporais entre eles. Utilize sua criatividade para ilustrar a linha do tempo com imagens representativas, no estilo dos infográficos usados em jornais e revistas.

24. O Lago Diamante localiza-se na Argentina, no centro de uma cratera vulcânica, a 4.700 m de altitude; tem pouco gás oxigênio, 20 mil vezes mais arsênico do que o normal e 5 vezes mais sal que os oceanos. Apesar disso, nesse ambiente vivem microrganismos adaptados a essas condições extremas, daí serem chamados de organismos poliextremófilos. Veja o que disse sobre o assunto a pesquisadora Maria Eugênia de Farías, que estuda o Lago Diamante, em entrevista para a BBC Mundo: "É como um fóssil vivo: estamos encontrando o ecossistema mais antigo da Terra, vivo e se desenvolvendo nas condições mais semelhantes possíveis às da Terra primitiva". Se tiver acesso à internet, leia a reportagem na íntegra, disponível no *link*:

<www.bbc.co.uk/portuguese/ciencia/ 2010/08/100817_bacterias_lago_pu.shtml> (acesso em: ago. 2013).

Escreva um texto que desenvolva o seguinte argumento: a descoberta, na Terra, de microrganismos capazes de viver em condições extremas constitui evidência favorável, contrária ou neutra em relação à hipótese da panspermia?

25. Escreva um texto dissertativo interligando fatos e afirmações para defender um ponto de vista sobre a seguinte questão:

- A descoberta de microrganismos terrestres capazes de viver em condições extremas constitui evidência favorável à hipótese da panspermia?

O texto deve conter uma pequena introdução, alguns parágrafos explorando argumentos contra e a favor e uma conclusão que leve em consideração os argumentos expostos.

A Biologia no vestibular e no Enem

Questões objetivas

1. (Fuvest-SP) Qual das alternativas distingue organismos heterotróficos de organismos autotróficos?

a) Somente organismos heterotróficos necessitam de substâncias químicas do ambiente.

b) Somente organismos heterotróficos fazem respiração celular.

c) Somente organismos heterotróficos possuem mitocôndrias.

d) Somente organismos autotróficos podem viver com nutrientes inteiramente inorgânicos.

e) Somente organismos autotróficos não requerem gás oxigênio.

2. (Unifal-MG) Do início da vida na Terra até o aparecimento dos seres vivos atuais, aconteceram vários eventos, como, por exemplo:

I. formação das primeiras células;

II. formação de moléculas orgânicas complexas;

III. aparecimento de organismos capazes de produzir alimentos pela fotossíntese.

IV. surgimento dos primeiros organismos aeróbios.

Determine a alternativa que indica a ordem mais **aceita atualmente**, para o acontecimento desses eventos.

a) I; II; IV; III.
b) II; III; IV; I.
c) I; IV; III; II.
d) II; I; III; IV.

3. (Cesgranrio-RJ) Em 1995 — cem anos da morte de Pasteur —, o prédio do antigo Correio, no Rio de Janeiro, abrigou uma exposição comemorativa: Vida. Estava lá representada a conhecida experiência dos frascos com pescoço de cisne, contendo líquidos nutritivos que, após fervura, não apresentavam microrganismos. Com essa experiência, Pasteur conseguiu

a) incentivar a geração espontânea.

b) incentivar a teoria do fixismo.

c) derrubar a hipótese heterotrófica.

d) derrubar a abiogênese.

e) destruir a lei do uso e desuso.

4. (UFMG) Recentes pesquisas espaciais constataram a existência, na Via Láctea, de sistemas solares com planetas cuja atmosfera é semelhante à atmosfera primitiva da Terra. Essa atmosfera primitiva caracteriza-se pela ausência de

a) amônia.
b) gás carbônico.
c) metano.
d) oxigênio.
e) vapor-d'água.

5. (Fesp/Ilhéus/Itabuna-BA) A figura seguinte representa a experiência de Redi.

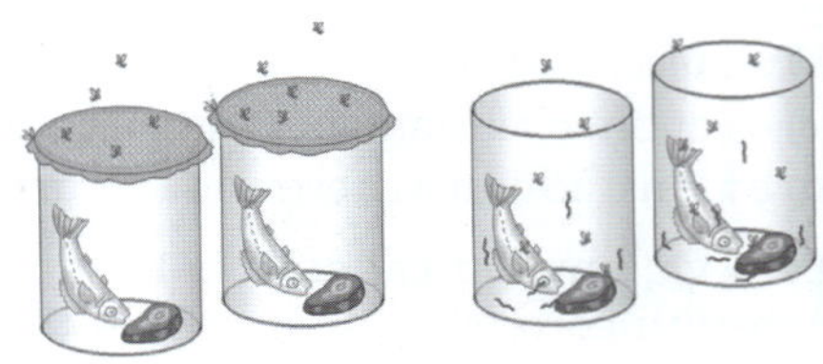

Redi colocou, dentro de recipientes, substâncias orgânicas para que entrassem em decomposição. Alguns dos recipientes (à esquerda) foram cobertos com uma gaze e os outros [foram]deixados descobertos. Ele demonstrou que as larvas da carne podre desenvolveram-se de ovos de moscas e não da transformação da carne. Os resultados desta experiência fortaleceram a teoria sobre a origem da vida, denominada

a) hipótese autotrófica.
b) hipótese heterotrófica.
c) geração espontânea.
d) abiogênese.
e) biogênese.

6. (UEL-PR) Considere as frases a seguir:

A "Afinal, o que é o homem dentro da natureza? [...] é-lhe impossível ver o nada de onde saiu e o infinito que o envolve. [...] O autor destas maravilhas conhece-as; e ninguém mais." (Blaise Pascal)

B "A antiga aliança rompeu-se. O homem sabe, finalmente, que está só na imensidade indiferente do universo, donde emergiu por acaso. Nem o seu destino nem o seu dever estão escritos em parte alguma." (Jacques Monod)

C "[...] a vida foi aqui lançada com microrganismos que teriam vindo nalguma forma de nave espacial enviada por uma civilização superior." (Francis Crick)

A alternativa que indica, corretamente, as frases que expressam, respectivamente, as posições em defesa de criacionismo, panspermia e evolucionismo é:

a) A, B, C.
b) A, C, B.
c) B, A, C.
d) B, C, A.
e) C, A, B.

7. (PUC-SP) Considere os seguintes eventos relativos à origem da vida:

I. Aparecimento do processo de fermentação.
II. Formação de coacervados.
III. Aparecimento dos processos de fotossíntese e respiração aeróbia.
IV. Estabelecimento do equilíbrio entre heterótrofos e autótrofos.

A ordem lógica em que esses eventos ocorrem é

a) I; II; III; IV.
b) I; II; IV; III.
c) II; I; III; IV.
d) II; III; IV; I.
e) IV; III; II; I.

8. (Enem) As áreas numeradas no gráfico mostram a composição em volume, aproximada, dos gases na atmosfera terrestre, desde a sua formação até os dias atuais.

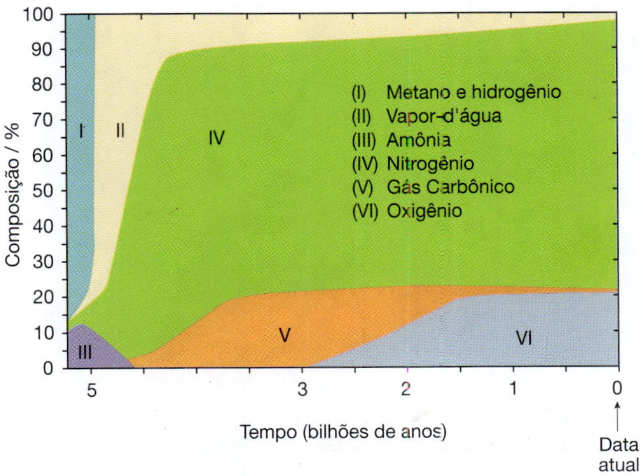

Adaptado de *The Random House Encyclopedia*, 3. ed., 1990.

Considerando apenas a composição atmosférica, isolando outros fatores, pode-se afirmar que:

I. não podem ser detectados fósseis de seres aeróbicos anteriores a 2,9 bilhões de anos.
II. as grandes florestas poderiam ter existido há aproximadamente 3,5 bilhões de anos.
III. o ser humano poderia existir há aproximadamente 2,5 bilhões de anos.

É correto o que se afirma em

a) I, apenas.
b) II, apenas.
c) I e II, apenas.
d) II e III, apenas.
e) I, II e III.

9. (UEL-PR) Charles Darwin, além de postular que os organismos vivos evoluíam pela ação da seleção natural, também considerou a possibilidade de as primeiras formas de vida terem surgido em algum lago tépido do nosso planeta. Entretanto, existem outras teorias que tentam explicar como e onde a vida surgiu. Uma delas, a panspermia, sustenta que

a) as primeiras formas de vida podem ter surgido nas regiões mais inóspitas da Terra, como as fontes hidrotermais do fundo dos oceanos.
b) compostos orgânicos simples, como os aminoácidos, podem ter sido produzidos de maneira abiótica em vários pontos do planeta Terra.
c) bactérias ancestrais podem ter surgido por toda a Terra, em função dos requisitos mínimos necessários para a sua formação e subsistência.
d) a capacidade de replicação das primeiras moléculas orgânicas foi o que permitiu que elas se difundissem pelos oceanos primitivos da Terra.
e) a vida se originou fora do planeta Terra, tendo sido trazida por meteoritos, cometas ou então pela poeira espacial.

Questões discursivas

10. (Unicamp-SP) Em 1953, Miller e Urey realizaram experimentos simulando as condições da Terra primitiva: supostamente altas temperaturas e atmosfera composta pelos gases metano, amônia, hidrogênio e vapor-d'água, sujeita a descargas elétricas intensas. A figura a seguir representa o aparato utilizado por Miller e Urey em seus experimentos.

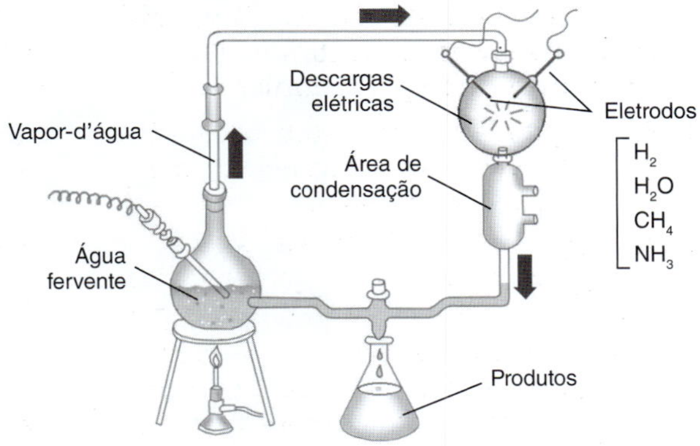

a) Qual a hipótese testada por Miller e Urey neste experimento?
b) Cite um produto obtido que confirmou a hipótese.
c) Como se explica que o O_2 tenha surgido posteriormente na atmosfera?

11. (Uerj) A procura de formas de vida em nosso Sistema Solar tem dirigido o interesse de cientistas para Io, um dos satélites de Júpiter, que é coberto por grandes oceanos congelados. As condições na superfície são extremamente agressivas, mas supõe-se que, em grandes profundidades, a água esteja em estado líquido e a atividade vulcânica submarina seja frequente. Considerando que tais condições são similares às do bioma abissal da Terra, aponte o tipo de bactéria que poderia ter se desenvolvido em Io, e indique como esse tipo de bactéria obtém energia para a síntese de matéria orgânica.

Capítulo 2

O que caracteriza a vida?

Você sabe definir vida?

Rita Helena tinha passado no vestibular e ingressado em Ciências Biológicas. Estava adorando o curso: Biologia, o estudo da vida!

Não fazia nem um mês que estava na faculdade quando encontrou antigos colegas do ensino médio. Um deles disse: "E aí, Rita, ouvi dizer que você entrou em Biologia!". "Pois é, e estou adorando estudar a vida!", respondeu ela, com orgulho. Outro colega, que cursava Engenharia, perguntou: "Escuta, tá aí uma coisa que eu sempre quis saber direito. O que é, assim, exatamente, essa tal de vida?". Ao tentar responder, Rita engasgou. "Bom, vida... vida... é o que os seres vivos têm, né?" A turma brincou: "Ê, Rita, isso lá é definição de vida?". "Ah, pessoal, pega leve, que eu acabei de entrar na faculdade!"

A história é fictícia, mas responder a essa questão aparentemente simples – o que é vida? – continua a ser um dos grandes desafios de biólogos e filósofos. Cientistas eminentes, como o zoólogo Ernst Mayr (1904-2005), consideram impossível ou mesmo inútil definir claramente vida. Sobre isso, Mayr opinou, em 1982: "Fizeram-se repetidas tentativas para definir 'vida'. Esses esforços são um tanto fúteis, visto que agora está inteiramente claro que não há uma substância, um objeto ou uma força especial que possam ser identificados à vida"[1]. Por outro lado, Mayr admitia que os seres vivos têm certos atributos não encontrados em objetos não vivos. Que atributos são esses? Que características estão intrinsecamente associadas a todos os seres vivos?

TRACY FRANKEL/GETTY IMAGES

Praticar esportes demanda muita energia, que é fornecida pelos alimentos que ingerimos. Dentro de nossas células, depois de inúmeras transformações químicas, as substâncias orgânicas do alimento liberam sua energia, que utilizamos para viver.

1 MAYR, E. *The growth of biological thought*: diversity, evolution, and inheritance. Cambridge: Cambridge University Press/The Belknap Press, 1982. (Tradução dos autores.)

Entre as contribuições importantes para caracterizar a vida destaca-se a dos biólogos chilenos Francisco Varela e Humberto Maturana, que definem ser vivo como um sistema autopoiético, isto é, que se autoconstrói e se automantém. Além disso, segundo a definição deles, esse sistema tem base aquosa, limites lipoproteicos, metabolismo de carbono, replicação por meio de ácidos nucleicos e regulação proteica.

O que você acha que aconteceria se Rita Helena apresentasse aos seus ex-colegas de ensino médio essa definição de vida? Será que eles entenderiam tudo imediatamente ou pediriam explicações adicionais? Desafiamos você a imaginar um final para essa história depois de estudar o capítulo.

A importância do assunto

A dificuldade em definir *vida* de maneira sintética deve-se à própria complexidade do fenômeno vida, que se manifesta de muitas formas, na diversidade de espécies biológicas da natureza.

Como a vida não tem um traço distintivo único, e sim vários, em diferentes níveis, isso acaba criando definições longas e complexas, que tentam abranger todas, ou a maioria, das características fundamentais da vida.

Para entender essas definições, é preciso examinar, um a um, os diferentes conhecimentos envolvidos. Ao longo do capítulo, você verá que já conhece muitos dos conceitos e ideias apresentados no texto. Pouco a pouco, será capaz de identificar as principais características dos seres vivos. Verá, então, que a definição de vida de Varela e Maturana, comentada anteriormente, parecerá muito mais clara, assim como outros questionamentos e definições presentes no texto. Caso se sinta desafiado pelo assunto, arrisque-se a escolher ou a combinar definições de vida, elaborando uma que lhe pareça mais completa e adequada.

A procura por vida extraterrestre tem levado muitos pesquisadores a se perguntar: o que realmente caracteriza a vida? Como poderemos eventualmente reconhecer um ser vivo se o encontrarmos em outros corpos celestes?

No item final do capítulo, integraremos os conhecimentos anteriores para compreender os diversos níveis de organização da vida, desde os átomos que compõem os seres vivos até a biosfera, que é o conjunto de regiões do planeta onde pode ser encontrada vida. Assim, nos preparamos para estudar os conhecimentos básicos de Ecologia, desenvolvidos nos capítulos seguintes.

2.1 Características dos seres vivos

Os seres vivos apresentam uma série de características típicas que permitem distingui-los dos seres não vivos. Entre elas destacam-se: a composição química peculiar; a organização celular; o metabolismo; as capacidades de reação e de movimentação; o crescimento; a reprodução; a hereditariedade; e a evolução biológica. A seguir, vamos analisar cada um desses aspectos.

Composição química da matéria viva

Do ponto de vista químico, de que são constituídos os seres vivos? Em que eles se diferenciam dos seres não vivos ou inanimados?

Assim como os objetos não vivos do mundo natural, a matéria que constitui os seres vivos também é formada por átomos de diversos elementos químicos.

Entretanto, uma diferença marcante entre a matéria inanimada e a dos seres vivos é em relação aos tipos e às frequências dos elementos químicos presentes. Nos seres vivos predominam **carbono** (C), **hidrogênio** (H), **oxigênio** (O), **nitrogênio** (N), **fósforo** (P) e **enxofre** (S), além de serem encontrados outros elementos menos frequentes. Esse tipo de composição elementar, típica da matéria viva, não está presente na matéria inanimada.

Na matéria que compõe os seres vivos, os átomos dos diferentes elementos mencionados unem-se quimicamente em diversos tipos de combinações específicas, constituindo uma grande variedade de **moléculas orgânicas**. (Fig. 2.1)

SHAWN HEMPEL/ALAMY/GLOW IMAGES

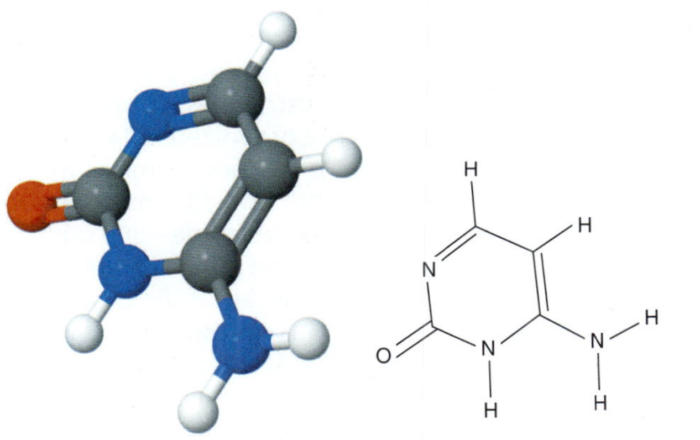

Figura 2.1 Modelo de uma molécula orgânica. Os átomos de carbono (C) estão representados em cinza; os de hidrogênio (H), em branco; o de oxigênio (O), em vermelho; e os de nitrogênio (N), em azul. As ligações químicas estão representadas por pinos que unem as esferas. À direita, a fórmula estrutural dessa molécula. (Os átomos foram representados fora de proporção de tamanho e distância entre si e com cores-fantasia.)

O carbono é a base estrutural das moléculas orgânicas. Estas são geralmente constituídas por longas sequências de átomos de carbono interligados, aos quais estão unidos os átomos dos outros elementos componentes da molécula.

Os principais tipos de moléculas orgânicas dos organismos vivos são: **proteínas, glicídios, lipídios** e **ácidos nucleicos.** Ao longo deste livro, a estrutura e a função dessas moléculas serão estudadas em diversos contextos e níveis de aprofundamento.

Organização celular e metabolismo

Os seres vivos apresentam elevado grau de organização, não encontrada em seres não vivos. O nível mais básico de organização vital é o das **células**, consideradas as unidades fundamentais da vida. Estudos microscópicos têm mostrado que desde os organismos relativamente mais simples, como as bactérias, até os mais complexos, como as plantas e os animais, são constituídos por células. (Fig. 2.2)

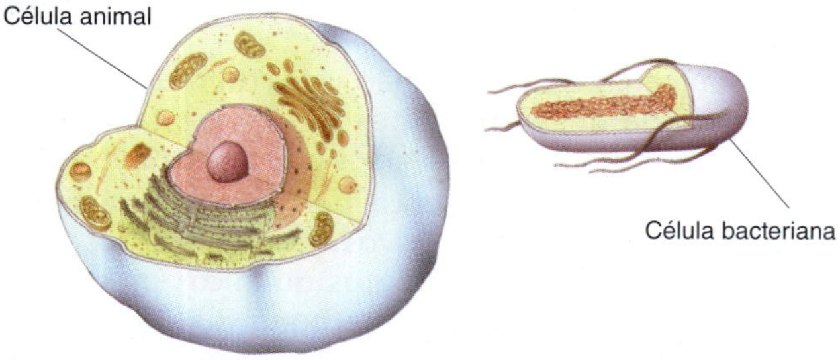

Figura 2.2 Representações esquemáticas de uma célula animal e de uma célula bacteriana. Ambas foram representadas sem uma parte para que seu interior pudesse ser visualizado. (Elementos fora de proporção de tamanho entre si; cores-fantasia.)

O que têm em comum as células de seres tão distintos como bactérias e seres humanos? Em primeiro lugar, ambas são compartimentos aquosos, em sua maioria de tamanho microscópico, isolados do meio exterior por uma finíssima película envoltória, a membrana plasmática. Esta atua como uma "fronteira", selecionando o que entra na célula e o que sai dela, de modo a manter o meio intracelular adequado à vida.

O interior da célula é preenchido por um fluido aquoso e contém diferentes estruturas, formadas por moléculas orgânicas altamente organizadas. No interior da célula ocorrem processos e reações químicas fundamentais à vida, que, em conjunto, constituem o **metabolismo**, palavra de origem grega – *metabole* – que significa mudança ou transformação. A cada segundo, bilhões de moléculas são quebradas e outras tantas são produzidas ou transformadas, atendendo às necessidades celulares de obter energia e de recompor partes desgastadas da própria célula ou do organismo ao qual ela pertence.

As células regeneram continuamente seus componentes. A maioria das moléculas orgânicas celulares é constantemente degradada e substituída por moléculas recém-sintetizadas. Essa atividade intensa de montagem e desmontagem molecular, característica do metabolismo, requer energia, que a célula obtém da degradação de certos tipos de moléculas orgânicas, genericamente chamadas de nutrientes. Além da energia necessária à manutenção da vida, os nutrientes fornecem matéria-prima para a célula produzir suas novas moléculas.

O centro de controle das atividades celulares é desempenhado por uma classe especial de moléculas: o ácido desoxirribonucleico, ou DNA. As moléculas de DNA constituem os cromossomos e têm inscritas, em um código químico, as informações necessárias para o funcionamento da célula. Quando a célula se reproduz, essas informações são passadas às células-filhas. O estudo das células, dos cromossomos e do papel do DNA no metabolismo e na hereditariedade será assunto de vários capítulos desta obra.

Reação, movimentação e crescimento

Muitos seres vivos, principalmente os animais, são capazes de perceber o que se passa ao seu redor e reagir a diferentes tipos de estímulo. Essa reação quase sempre envolve movimentos.

A maioria das plantas também reage a estímulos, embora essa reação geralmente seja bem mais lenta que a dos animais. Muitas plantas, por exemplo, alteram a posição das folhas no decorrer do dia, o que lhes possibilita aproveitar melhor a luminosidade. Entre os seres microscópicos, muitos são capazes de perceber as condições ambientais, movimentando-se ativamente em resposta a certos estímulos. (Fig. 2.3)

Figura 2.3 A reação das folhas da sensitiva (*Mimosa pudica*) ao toque é um exemplo extremo da resposta das plantas a estímulos. As folhas abertas (A), ao serem tocadas (B), fecham-se em segundos (C).

Entretanto, há formas de vida que não reagem a estímulos nem são capazes de se movimentar ativamente. É o caso de certos tipos de bactéria, por exemplo, que só se deslocam transportadas passivamente pela água, pelo ar ou por outros seres vivos.

Todos os organismos vivos crescem, isto é, aumentam em tamanho e em quantidade de matéria viva. Esse crescimento sempre ocorre por meio da produção de novas moléculas orgânicas pelo metabolismo celular. Embora existam alguns minerais que também "crescem", esse aumento de tamanho ocorre por agregação de mais matéria constituinte do mineral.

Organismos unicelulares, isto é, formados por uma só célula, crescem pelo aumento do tamanho celular. Organismos multicelulares (ou pluricelulares), isto é, constituídos por mais de uma célula, crescem principalmente pelo aumento do número de células de seu corpo.

Reprodução

Uma das características mais marcantes dos seres vivos e que garante a continuidade da vida é a **reprodução**, processo que consiste em produzir descendentes semelhantes ao genitor (ou genitores), perpetuando assim a espécie.

No caso dos seres unicelulares, em que a célula é o próprio organismo, a reprodução quase sempre ocorre por divisão da célula em duas, que crescem e reconstituem o tamanho característico da espécie. Fala-se, nesse caso, em **reprodução assexuada**.

Em certas espécies multicelulares também ocorre reprodução assexuada; em geral, grupos de células separam-se do corpo de um indivíduo e originam, assexuadamente, um novo organismo independente.

Na maioria dos organismos multicelulares, um novo organismo surge pela multiplicação de uma célula precursora inicial, o zigoto ou célula-ovo, que é resultado da fusão de duas células sexuais denominadas gametas. Nesse caso, fala-se em **reprodução sexuada**. (Fig. 2.4)

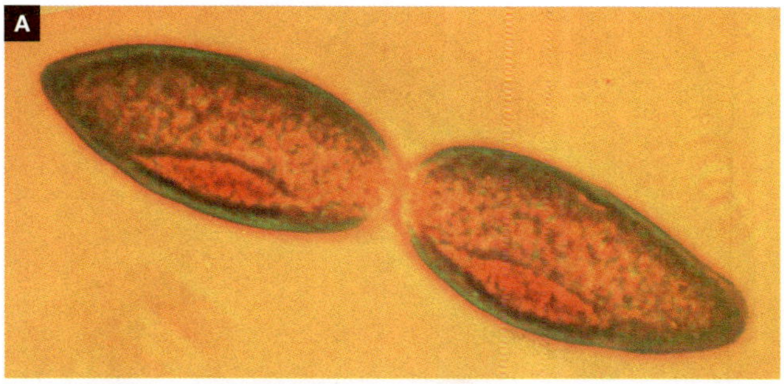

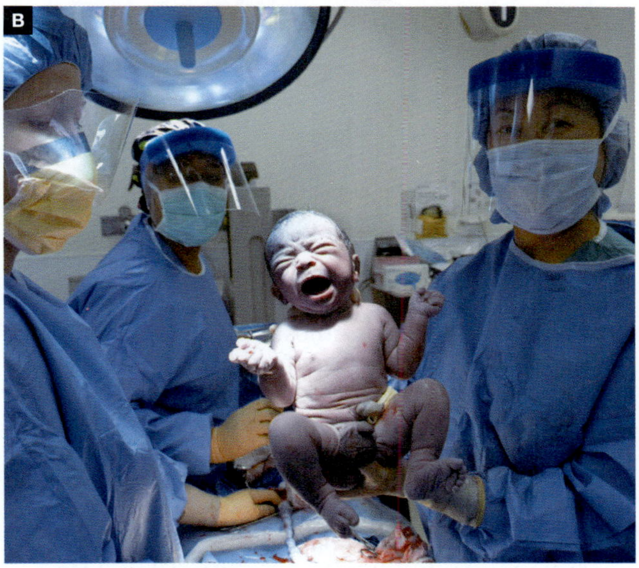

Figura 2.4 A capacidade de se reproduzir é uma das características fundamentais dos seres vivos. **A.** Fotomicrografia de um organismo unicelular (protozoário do gênero *Paramecium*) dividindo-se. (Microscópio fotônico; aumento ≈ 280x.) **B.** Nascimento de um ser humano, produto da fusão de duas células sexuais, os gametas, uma proveniente da mãe e outra, do pai.

Hereditariedade

Na reprodução, o genitor ou genitores transmitem aos descendentes "informações codificadas" sobre as características típicas da espécie. A transmissão dessas informações de geração para geração constitui a **hereditariedade**.

Nas células, as informações hereditárias, genericamente denominadas genes, estão codificadas em moléculas de ácido desoxirribonucleico (DNA). Assim, os genes controlam o metabolismo e, consequentemente, as características das células e dos indivíduos. (Fig. 2.5)

Figura 2.5 Uma característica fundamental da vida é a hereditariedade, isto é, a transmissão de características de pais para filhos. Na foto, porca (*Sus scrofa*) amamentando seus filhotes. Observe as semelhanças entre eles. A porca mede aproximadamente 1,3 m de comprimento.

Evolução biológica

A partir de meados do século XIX, principalmente graças aos trabalhos de Charles Darwin (1809-1882), ganhou força entre os cientistas a ideia de que os seres vivos evoluem, isto é, de que as espécies vivas se modificam ao longo do tempo, adaptando-se e originando novas espécies. Essa é a essência da teoria da **evolução biológica**.

De acordo com a teoria evolucionista, graças à sua capacidade de se reproduzir e de se modificar, os seres vivos vêm se adaptando aos diferentes hábitats, diversificando-se e colonizando quase todos os ambientes da Terra. (Fig. 2.6)

Figura 2.6 De acordo com os cientistas, a adaptação dos seres vivos a seu modo particular de vida é resultado da evolução biológica pela seleção natural. Na foto, beija-flor *Amazilia versicolor* coletando néctar de uma flor. Note que o formato do bico da ave é uma adaptação à sua forma de alimentação. Esse animal mede cerca de 8 cm de comprimento.

Discutindo definições de vida

Analise a definição de vida a seguir, encontrada em um dicionário de Língua Portuguesa:

"**vida** [Do lat. *vita*.]. ***S. f.* 1.** *Biol.* Conjunto de propriedades e qualidades graças às quais animais e plantas, ao contrário dos organismos mortos ou da matéria bruta, se mantêm em contínua atividade, manifestada em funções orgânicas como o metabolismo, o crescimento, a reação a estímulos, a adaptação ao meio, a reprodução, e outras [...]."[2]

Exceto por considerar que apenas os animais e as plantas são seres vivos, essa definição é abrangente e precisa. Nela estão ressaltadas características essenciais à vida, como o metabolismo, a reprodução e a adaptação.

2 FERREIRA, Aurélio Buarque de Holanda. *Dicionário Aurélio da Língua Portuguesa*: Curitiba: Positivo, 2010. p. 2156.

Entretanto, não aparece a ideia de célula como a unidade da vida, como na definição de Varela e Maturana.

O que uma definição de vida deveria incluir? Com certeza, os traços ou as características mínimos inequivocamente encontrados em qualquer ser vivo. Por exemplo, embora alguns seres vivos não apresentem nenhuma reação ou movimentação ativa visível, essas propriedades estão sempre presentes no interior das células vivas.

Presença da célula como unidade da vida, metabolismo, capacidade de se reproduzir, de se adaptar e de evoluir são atributos encontrados em todo ser vivo, com exceção dos vírus.

2.1 Biblioteca do estudante Amplie seus conhecimentos

2.2 Hierarquia da organização biológica

O estudo dos seres vivos permite distinguir níveis hierárquicos na organização biológica, que vão desde o patamar submicroscópico até o planetário.

Começando no nível submicroscópico, constatamos que a matéria viva é constituída por **átomos**, que se reúnem quimicamente formando **moléculas orgânicas**. Proteínas presentes na carne e na clara de ovo, por exemplo, são moléculas orgânicas formadas por centenas, milhares ou mesmo milhões de átomos, principalmente dos elementos carbono (C), hidrogênio (H), oxigênio (O) e nitrogênio (N), como já mencionamos.

Continuando a "subir" na hierarquia da organização biológica, percebemos que as moléculas orgânicas estão altamente organizadas, formando diversos tipos de estruturas componentes das células, as **organelas celulares**; estas equivalem, estrutural e funcionalmente, a "órgãos" celulares. Por exemplo, as mitocôndrias são organelas celulares responsáveis pela produção de energia para suprir os gastos metabólicos; nas células de plantas, há organelas denominadas cloroplastos, nos quais ocorre o processo de fotossíntese. (Fig. 2.7)

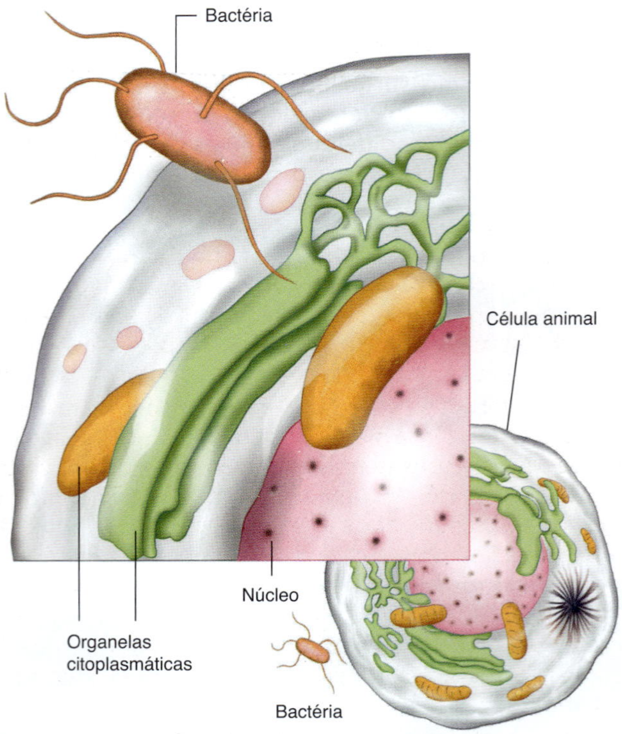

Figura 2.7 Representação esquemática em que se comparam a célula de um animal e a célula de uma bactéria. A célula animal é maior e mais complexa, apresentando núcleo e organelas citoplasmáticas. (Elementos fora de proporção de tamanho entre si; cores-fantasia.)

Do nível celular passamos a um patamar superior de organização, presente apenas em plantas e animais. Nesses organismos, grupos de células especializam-se e reúnem-se em conjuntos funcionais denominados **tecidos**. O tecido muscular, por exemplo, é formado por células especializadas em se contrair e produzir movimentos. Já o tecido nervoso tem células especializadas na condução de impulsos nervosos.

Nos seres multicelulares mais complexos, observa-se um nível de organização superior ao tecidual: o nível dos **órgãos** corporais. Geralmente, um órgão é

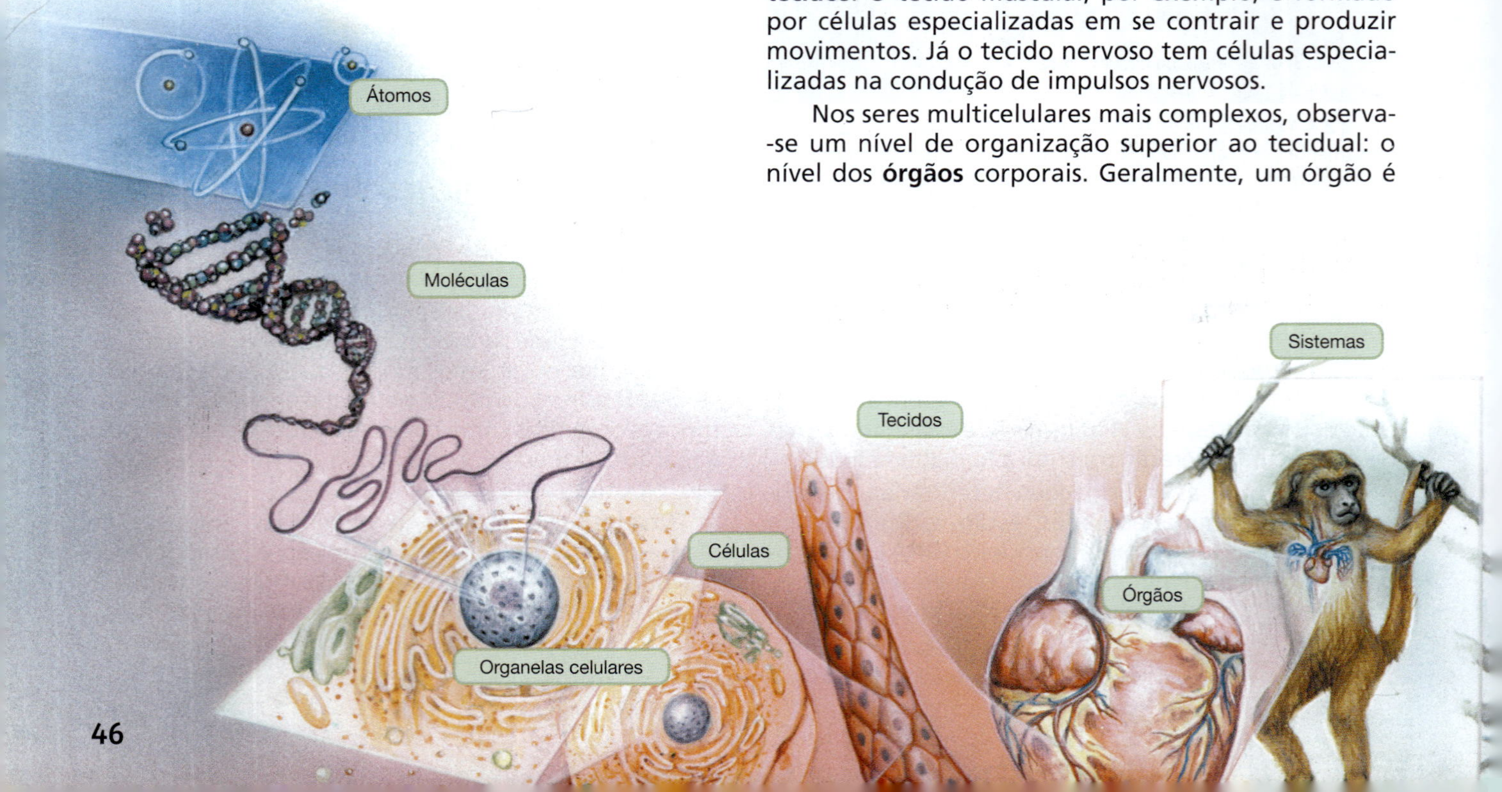

constituído por dois ou mais tipos de tecido reunidos. O coração, por exemplo, além dos tecidos de revestimento (epiteliais) e fibrosos (conjuntivos), é formado predominantemente por tecido muscular cardíaco. O estômago, por sua vez, é um órgão que apresenta, entre outros tecidos, grande quantidade de tecido muscular liso, responsável por sua movimentação.

Um conjunto de órgãos que funcionam integradamente no desempenho de determinadas funções corporais constitui um **sistema corporal**. Um exemplo é o sistema digestório, formado por órgãos como a boca, o esôfago, o estômago, os intestinos e diversas glândulas que atuam na digestão. Outro exemplo é o sistema cardiovascular, formado pelo coração e pelos vasos sanguíneos, responsável pela circulação do sangue. Em seu conjunto, os sistemas corporais compõem o **organismo**.

A hierarquia da organização biológica continua além do nível de organismo. O conjunto de indivíduos de uma mesma espécie que habitam determinada região geográfica constitui o patamar acima de organismo: o de **população biológica**. Exemplos são as populações humanas dos diversos países ou uma população de bugios (um tipo de macaco), entre tantos outros.

Os membros de uma população interagem com membros de outras espécies que habitam a mesma região geográfica. Ao conjunto de populações diferentes que coexistem e interagem direta ou indiretamente em determinada região dá-se o nome de **comunidade biológica**, ou **biocenose**. Por exemplo, a comunidade da qual faz parte uma população de bugios inclui as populações de plantas e de animais que coabitam com esses macacos.

As comunidades biológicas interagem com os componentes não vivos (abióticos) do ambiente, que constituem o que os biólogos chamam de **biótopo**. Desse modo, elas são influenciadas pelos fatores abióticos, tais como a composição química e a temperatura da água dos rios, a umidade do ar e o grau de luminosidade.

Por outro lado, os seres vivos da biocenose também influenciam e modificam os fatores do biótopo. As plantas de uma comunidade, por exemplo, podem contribuir para o estabelecimento de um microclima mais úmido do que o proporcionado pelo clima regional. Ao longo do tempo, plantas e animais alteram a composição química do solo, enriquecendo-o em matéria orgânica. O conjunto resultante da interação constante entre biocenose e biótopo é o **ecossistema**. (Fig. 2.8)

Figura 2.8 Representação esquemática dos níveis de organização da vida, do nível atômico ao planetário. (Elementos fora de proporção de tamanho entre si; cores-fantasia.)

A biosfera

O mais alto patamar biológico, que reúne todos os ecossistemas da Terra, é a **biosfera**. O termo foi introduzido em 1875 pelo geólogo austríaco Eduard Suess (1831-1914) e seu emprego se generalizou a partir da década de 1920, por analogia a outros conceitos utilizados para designar partes do planeta, como litosfera, a camada rochosa que constitui a superfície terrestre, e atmosfera, a camada de ar que circunda o planeta. A biosfera é constituída pelos seres vivos da Terra e pelos ambientes onde eles vivem, ou seja, é o conjunto de ecossistemas do planeta.

A biosfera teve origem com os primeiros seres vivos, há mais de 3,5 bilhões de anos. Desde então, a evolução tem levado à diversificação da vida, com o surgimento das dezenas de milhões de espécies de seres vivos que ocupam quase todos os ambientes da superfície da Terra.

O estudo da biosfera está a cargo do ramo das ciências denominado **Ecologia**, do grego *oikos* (lê-se ecos), que significa casa, e *logos*, que significa estudo. Esse termo foi originalmente empregado em 1866 pelo zoólogo alemão Ernst Haeckel (1834-1919), mas só começou a ganhar relevância a partir de 1930, quando surgiram os princípios da Ecologia moderna, disciplina que tem como objetivo estudar as relações dos seres vivos entre si e com o ambiente em que vivem.

A Ecologia é uma ciência abrangente, que utiliza conceitos da Biologia, da Física e da Química, entre outros. Com as Ciências Econômicas e Sociais, ela procura entender a complexidade das relações entre a humanidade, os outros seres vivos e o planeta.

Nas últimas décadas, a sociedade tem se conscientizado dos problemas ambientais causados pelo aumento crescente na exploração dos recursos naturais. Assim, a Ecologia vem adquirindo destaque e importância social, e estudar seus fundamentos faz parte da educação para a cidadania. É o que faremos nos próximos capítulos.

Ciência e cidadania

O significado biológico da morte

1 Uma reflexão profunda sobre a vida tem necessariamente de levar em conta a morte; afinal, todo ser vivo está sujeito a morrer. A qualquer instante, pelos mais diferentes motivos, o processo vital pode ser interrompido.

2 O que é vida? O que é morte? Do ponto de vista biológico, vida é sinônimo de alta organização, mantida à custa de dispêndio de energia, e a morte é o processo irreversível de perda da atividade altamente organizada que caracteriza a vida.

3 Vamos imaginar os primórdios de nosso planeta, na época em que a vida surgiu na Terra. Podemos dizer que a vida realmente nasceu com o aparecimento da reprodução; foi esta capacidade que garantiu sua perpetuação, contrapondo-se à inevitabilidade da morte. Graças à reprodução, a vida tem vencido a morte, pelo menos por enquanto. Indivíduos morrem, espécies se extinguem, mas a vida, como fenômeno planetário, continua a existir ininterruptamente desde sua origem, graças à reprodução.

4 Há seres vivos que, salvo acidente, não morrem, embora deixem de existir como entes individuais. Por exemplo, uma célula que se reproduz por divisão binária não morre; apesar de desaparecer, sua existência adquire nova forma, perpetuando-se em suas células-filhas. Certos seres multicelulares, como as esponjas e alguns celenterados e vermes, são capazes de se reproduzir por fragmentação, continuando a viver em seus descendentes. Apenas seres multicelulares relativamente simples, todavia, têm essa capacidade.

5 Os seres mais complexos desenvolveram uma maneira peculiar de vencer a morte: a reprodução sexuada. Dois indivíduos de sexos diferentes, ou mesmo um indivíduo com os dois sexos, produzem células especializadas, os gametas, que se unem para originar o zigoto, a primeira célula do novo ser, na qual se misturam as receitas genéticas de cada genitor.

6 Ao longo do desenvolvimento embrionário, as receitas genéticas dos pais – os genes – vão sendo duplicadas e transmitidas a cada nova célula que surge. Assim, de certa forma, os pais permanecem vivos no novo ser que geraram.

7 Os seres humanos talvez sejam os únicos seres que têm consciência de que sua vida individual chegará ao fim. E poucas pessoas conseguem encarar com naturalidade o fenômeno absolutamente inevitável que porá fim à sua existência individual. A humanidade tem enfrentado inúmeras causas de morte: moléstias na infância, acidentes na adolescência, infecções virais e bacterianas na idade adulta e doenças degenerativas na velhice.

8 Apesar das dificuldades, seria bom se conseguíssemos nos preparar para a morte. Um dia, toda a incrível organização que nos faz viver será desfeita. O interior de nossas células, outrora formado por um monumental aparato molecular funcionante, se transformará gradualmente em uma sopa de moléculas orgânicas caoticamente reunidas. Muitos outros seres vivos – vermes, larvas, bactérias e fungos decompositores – irão se banquetear com nossas substâncias orgânicas, para eles altamente nutritivas. E a vida continuará a existir. Resta-nos pelo menos um consolo: nossa morte, com certeza, criará vida.

Guia de leitura

1 Leia os dois parágrafos iniciais do texto. Analise a definição de vida apresentada e comente, em um texto curto, a quais características dos seres vivos ela está relacionada. Verifique se há conceitos importantes a serem destacados e elabore uma lista com os conceitos-chave no caderno.

2 Leia o terceiro parágrafo, em que destacamos uma característica considerada um "divisor de águas" na origem da vida. Que característica é essa? Que conceito importante está presente no parágrafo?

3 O parágrafo 4 continua a desenvolver a ideia iniciada no parágrafo anterior de como, até hoje, a vida venceu a morte. Que ideia é essa?

4 A que assunto tratado no capítulo refere-se o quinto parágrafo? Continue a eleger conceitos-chave para incluir em sua lista.

5 Leia o sexto parágrafo do texto e explique a que processos biológicos ele se refere. Destaque os conceitos que julgar importantes e complete sua lista.

6 Nos dois parágrafos finais, são feitas considerações sobre algumas causas de morte e uma importante consideração sobre a vida: "O interior de nossas células, outrora formado por um monumental aparato molecular funcionante, se transformará gradualmente em uma sopa de moléculas orgânicas caoticamente reunidas". Qual é a ideia central dessa frase? Que característica importante dos seres vivos ela ressalta?

7 O último parágrafo se encerra com a frase: "[...] nossa morte, com certeza, criará vida". O que isso quer dizer no contexto do parágrafo?

Atividades

Visão do especialista

Biblioteca do estudante
Faça você mesmo!

Revendo conceitos fundamentais

Escreva, em seu caderno, o termo abaixo que substitui corretamente a tarja entre parênteses das frases de 1 a 6.

a) célula
b) evolução biológica
c) hereditariedade
d) metabolismo
e) molécula orgânica
f) reprodução

1. (▬) é o conjunto altamente organizado de transformações químicas que ocorrem nas unidades de um ser vivo e envolvem moléculas orgânicas e energia.

2. A capacidade dos seres vivos de originar seres semelhantes a si mesmos é chamada (▬).

3. (▬) é um compartimento membranoso, geralmente microscópico, onde ocorrem as transformações químicas fundamentais à vida.

4. Desde que surgiram na Terra, os seres vivos vêm passando por processos que levam à sua adaptação aos ambientes em que vivem. Esses processos constituem o(a) (▬).

5. A transmissão de informações codificadas de geração para geração, em moléculas de ácido nucleico, constitui o(a) (▬).

6. O(A) (▬) tem estrutura básica de átomos de carbono, combinados quimicamente a outros elementos predominantes na matéria viva.

Escreva, em seu caderno, o termo abaixo que substitui corretamente a tarja entre parênteses das frases de 7 a 17.

a) átomo
b) biosfera
c) comunidade biológica
d) ecossistema
e) molécula
f) organela
g) organismo
h) órgão
i) população biológica
j) sistema corporal
k) tecido

7. Um ser vivo é um(a) (▬).

8. O conjunto formado por todos os ambientes da Terra em que há condições para existir vida é o(a) (▬).

9. Um conjunto de átomos unidos entre si por ligações químicas é um(a) (▬).

10. O termo (▬) refere-se a um grupo de indivíduos de mesma espécie que habita determinada região.

11. Um conjunto celular funcional que desempenha um papel específico no ser multicelular é um(a) (▬).

12. Uma estrutura geralmente composta por diferentes tipos de tecidos e que desempenha uma função especializada no organismo é um(a) (▬).

13. Espécies diferentes de seres vivos que convivem e interagem em uma mesma região constituem um(a) (▬).

14. O conjunto formado pela interação entre os seres vivos e o ambiente não vivo constitui um(a) (▬).

15. Um conjunto de órgãos que cooperam para desempenhar determinada função no organismo é um(a) (▬).

16. (▬) é a unidade constituinte da matéria, inclusive dos seres vivos.

17. Estrutura celular constituída por moléculas orgânicas altamente organizadas é (▬).

Ligando conceitos, fatos e processos

18. O que garante a continuidade da vida em nosso planeta é a capacidade que os seres vivos têm de:
a) crescimento.
b) metabolização.
c) movimentação.
d) reação a estímulos.
e) reprodução.

19. Venenos como o cianureto matam porque bloqueiam reações químicas intracelulares. Pode-se dizer, assim, que o cianureto atua diretamente sobre o(a):
a) reprodução.
b) evolução.
c) metabolismo.
d) crescimento.
e) reação a estímulos.

20. O açúcar de cana, nome popular da sacarose, é constituído por átomos de carbono, hidrogênio e oxigênio unidos entre si; esse açúcar é um exemplo de:
a) célula.
b) elemento químico.
c) molécula inorgânica.
d) molécula orgânica.
e) tecido.

Escreva, em seu caderno, o termo abaixo que substitui corretamente a tarja entre parênteses das frases de 21 a 23.
a) comunidade biológica
b) ecossistema
c) organismo
d) população biológica

21. Os micos-leões-dourados que habitam a Reserva Biológica Poço das Antas no Rio de Janeiro constituem um(a) (▬).

22. Um lago com seus habitantes em interação com os fatores físicos e químicos ambientais é um exemplo de (▬).

23. O conjunto de seres vivos que habita um lago constitui um(a) (▬).

Questões para exercitar o pensamento

24. Imagine que você está à frente de uma associação que defende a importância da Ecologia para o futuro da humanidade e foi encarregado de elaborar um discurso de abertura para um evento. Você precisa envolver profissionais de formações diversas, como geólogos, físicos, químicos, geógrafos e biólogos, na defesa de temas ecológicos. Por isso, o título proposto para sua fala é: "A Ecologia é uma ciência multidisciplinar". Pesquise sobre o tema e escreva um discurso curto, objetivo e convincente.

A Biologia no vestibular e no Enem

Questões objetivas

1. (F. Visconde de Cairu-BA)

As perguntas sobre a origem da vida são tão velhas quanto o Gênesis e tão jovens como cada manhã.

Para os cientistas ainda não existem respostas definitivas. Contudo, apesar das divergências, os cientistas podem concordar, quando se considera que seria fundamental, para o estabelecimento da vida, que as primeiras formas vivas fossem capazes de
a) reconhecer o ambiente e realizar movimentos.
b) realizar a síntese do seu próprio alimento.
c) crescer e manter a sua organização.
d) reproduzir-se e transmitir informações.
e) obter energia das moléculas orgânicas, usando o oxigênio.

2. (Uece) Indique a opção que contém a sequência lógica dos níveis de organização dos seres vivos.
a) Organismo → população → comunidade → ecossistema.
b) Organismo → comunidade → população → ecossistema.
c) População → comunidade → organismo → ecossistema.
d) População → comunidade → ecossistema → organismo.

3. (Vunesp) Das alternativas abaixo, a única que permite um estudo completo de um ecossistema é
a) examinar as condições físicas e químicas do ambiente.
b) estudar as relações entre as populações nele existentes.
c) relacionar o meio abiótico à comunidade de organismos nele existente.
d) estabelecer a densidade das populações nele existentes.
e) verificar o tipo de cadeia alimentar existente no sistema.

4. (UFMS) A biologia é constituída por diversos níveis organizacionais, o que facilita a compreensão de seu estudo. Com base nessa afirmação, adote o homem como ponto de partida e assinale a(s) alternativa(s) que completa(m) as lacunas do texto a seguir.

Quando um organismo é analisado em detalhe, é possível observar a existência de vários sistemas que permitem sua sobrevivência. Um sistema é constituído por um conjunto de (▬) que, se vistos em detalhe, revelam camadas sucessivas, sendo cada uma delas correspondente a um (▬). Os mesmos, quando observados ao microscópio, demonstram a existência de pequenas unidades que se assemelham na forma e na função: as (▬). Estas, por sua vez, possuem no seu interior uma certa quantidade de (▬) que, analisados bioquimicamente, mostram em sua composição (▬), que nada mais são que a reunião de átomos, comuns a todos os seres vivos.

Nota dos autores: dê como resposta a soma dos números associados às proposições corretas.

001) moléculas - tecido - células - átomos - moléculas
002) tecido - órgão - moléculas - átomos - organoides
004) órgãos - tecido - células - organoides - moléculas

008) células - tecido - moléculas - organismo - sistemas

016) organoides - células - moléculas - átomos - sistemas

032) órgãos - organoides - moléculas - tecido - células

5. (FGV-SP)

Pesquisadores descobrem novo ecossistema em lago antártico

Um lago com água sete vezes mais salgada que a do mar, soterrado por vários metros de gelo numa região desértica do continente antártico, abriga um ecossistema composto por criaturas hoje totalmente desconhecidas. [...] O melhor ainda está por vir, quando os pesquisadores estudarem a porção líquida e os organismos nesse hábitat isolado. [...] O líder do grupo afirmou que "pretendem voltar ao lago em dois anos para atingir a água e caracterizar a vida lá. Ainda não o fizemos porque queríamos ter certeza de que estaríamos fazendo do jeito mais limpo e menos perturbador possível". A grande preocupação é não contaminar o lago com organismos do mundo exterior.

Folha de S.Paulo, 17.12.2002.

No texto, o emprego do termo ecossistema será adequado apenas se

a) as "criaturas desconhecidas" forem descritas pela ciência.

b) o lago abrigar espécies animais e vegetais.

c) o gelo for eliminado, permitindo que uma comunidade ali se estabeleça.

d) no lago houver uma comunidade interagindo com o ambiente físico.

e) não houver contaminação do lago com organismos do mundo exterior.

6. (Vunesp) A sequência indica os crescentes níveis de organização biológica:

célula → I → II → III → população → IV → V → → biosfera.

Os níveis I, III e IV correspondem, respectivamente, a

a) órgão, organismo e comunidade.

b) tecido, organismo e comunidade.

c) órgão, tecido e ecossistema.

d) tecido, órgão e bioma.

e) tecido, comunidade e ecossistema.

7. (Unigranrio-RJ) A interação dos componentes de uma comunidade biológica entre si e com os fatores abióticos forma um(a)

a) ecossistema.

b) população.

c) espécie animal ou vegetal.

d) conjunto de organismos da mesma espécie.

8. (Uece) Analise as seguintes afirmativas sobre os níveis de organização dos seres vivos:

I. O nível atômico surgiu no centro da terra com a formação de átomos, como o Hidrogênio e o Enxofre, que se combinaram para formar H2S, fonte de energia para as Arqueobactérias, seres de origem mais primitiva dentre toda a diversidade de seres vivos.

II. O esqueleto interno é uma estrutura mais primitiva que o exoesqueleto, já que estava presente nos primeiros seres multicelulares.

III. Os sistemas fotossintetizantes mais primitivos foram originados nas cianobactérias, organismos cuja origem remonta a cerca de 3,5 bilhões de anos e é, possivelmente, evidenciada por fósseis denominados estromatólitos (fósseis de estruturas biossedimentares litificadas, secretadas pelas cianobactérias). Estas evidências não são amplamente aceitas, sendo assunto considerado controvertido.

Assinale o correto.

a) Apenas a afirmação I é verdadeira.

b) Apenas a afirmação II é verdadeira.

c) Apenas a afirmação III é verdadeira.

d) As três afirmações são verdadeiras.

9. (Uepg) A Biologia é a ciência que se ocupa do estudo dos seres vivos, em vários níveis de organização, desde o molecular até o das relações entre os seres vivos e entre eles e o mundo não-vivo. Sobre este assunto, analise as seguintes afirmações.

(01) O pâncreas é um órgão e a insulina é uma molécula.

(02) O sangue é um tecido conjuntivo líquido.

(04) As mitocôndrias são células.

(08) A membrana plasmática é um orgânulo celular.

[Dê como resposta a soma dos números associados às proposições corretas.]

Questões discursivas

10. (Vunesp) Considere a afirmação: "As populações daquele ambiente pertencem a diferentes espécies de animais e vegetais". Que conceitos estão implícitos nessa frase, se levarmos em consideração:

a) somente o conjunto de populações?

b) o conjunto de populações mais o ambiente abiótico?

11. (Unicamp-SP) Sobre uma mesa há dois ratinhos semelhantes, em tamanho, forma e cor. Um deles goteja um pouco de líquido, desloca-se em linha reta até cair da mesa e emite um ruído como de engrenagens, que logo cessa. O outro ratinho percorre a mesa em linha sinuosa, vai até a borda e volta. Anda para lá e para cá, parecendo indeciso, como à procura de algo. De repente, dirige-se para um punhado de grãos, dos quais alguns são mordiscados e ingeridos. Em seguida esse ratinho urina e defeca e, depois disso, volta para junto de seus filhotes numa caixinha em cima da mesa. Descreva pelo menos três características, percebidas a partir da descrição acima, que permitam concluir que um dos ratinhos é um ser vivo.

Capítulo 3

O fluxo de energia na natureza

O Sol é a principal fonte de energia para a vida na Terra. Além do calor, que faz as temperaturas terrestres serem confortáveis para os seres vivos, a energia da luz solar captada pelas plantas movimenta praticamente todos os seres vivos. Não é exagero dizer que é a energia do Sol que está "iluminando" seu pensamento neste momento.

Pode-se dizer que vivemos de luz?

É verdade! Vivemos de luz. Não é à toa que muitas civilizações antigas viam o Sol como um deus. Os assírios personificavam o nosso conhecido astro-rei como o deus Shamash e os egípcios o chamavam de Rá. Na visão mítica egípcia, Rá desfilava diariamente pelo céu em sua carruagem dourada e brilhante, espalhando a vida sobre a Terra e marcando o ciclo do dia e da noite.

O Sol é uma presença tão cotidiana em nossa vida que às vezes nem nos lembramos de sua importância: ele supre de energia quase a totalidade da biosfera terrestre. Sem a energia solar, a vida em nosso planeta, caso existisse, se restringiria a poucas espécies de bactérias quimiolitoautotróficas, capazes de literalmente tirar energia "das pedras".

Se você é daqueles que só pensa no Sol na hora de se bronzear, saiba que é o astro-rei que fornece energia, entre outras coisas, para levá-lo à praia. Se você vai de ônibus ou de carro, pode estar utilizando a energia de derivados do petróleo, combustível fóssil que se formou a partir da matéria orgânica de seres vivos microscópicos que viveram há milhões de anos, nos mares da Terra primitiva. De onde esses seres obtinham energia para viver? Em última análise, por meio da fotossíntese, processo em que são produzidas moléculas orgânicas tendo como fonte de energia a luz solar.

E se eu utilizasse um veículo movido a álcool?, perguntaria alguém. A resposta seria a mesma. O álcool é formado por moléculas orgânicas provenientes da fermentação de açúcares, que as plantas produzem por meio da fotossíntese. De novo, a luz solar!

E se eu fosse a pé?, questionaria outro. A energia metabólica para andar e para tudo o que fazemos vem do que comemos. Vegetais como a alface de sua salada obtêm energia diretamente do Sol pela fotossíntese; a carne, por sua vez, tem moléculas ricas em energia provenientes de animais que se alimentaram de plantas; sua energia, portanto, veio indiretamente do Sol.

Vivemos de luz, sim, mas indiretamente. Não acredite se alguém disser que parou de se alimentar e passou a viver diretamente de luz solar; a ciência contesta essa ideia. É melhor deixar isso com os especialistas: os seres fotossintetizantes.

A importância do assunto

Tomar consciência de que nossa vida depende da energia do Sol acrescenta um laço de união entre nós e o cosmo, contribuindo para uma visão mais integrada da natureza.

O estudo das transferências de energia tem revelado detalhes sobre a teia da vida na Terra. Quanto maior o nosso conhecimento da rede de relações entre os seres vivos e o ambiente, mais condições teremos de preservar os ecossistemas do nosso planeta, um dos grandes desafios do século XXI.

Neste capítulo discutimos como a energia da luz solar é captada pelos seres fotossintetizantes e transferida para o sistema vivo, quando os organismos se alimentam uns dos outros. Do ponto de vista da energética alimentar na natureza, há os que produzem e os que consomem. E é por meio dessas relações alimentares que a energia flui no sistema vivo.

Um dos grandes objetivos do capítulo é esclarecer por que a energia flui unidirecionalmente na parte viva da natureza, dissipando-se pouco a pouco na forma de calor. Além disso, discute-se o que isso tem a ver com as representações gráficas denominadas pirâmides ecológicas.

Outros aspectos importantes tratados no capítulo são os gastos energéticos nas transferências alimentares e o que é produtividade. Parecem apenas conceitos teóricos, mas esses temas têm a ver com muitas coisas, como o preço dos alimentos que comemos. Estude o capítulo e descubra por quê.

3.1 Energia para a vida

O Sol é a estrela amarela localizada no centro do Sistema Solar, como vimos no capítulo 1. Cerca de 74% da massa solar deve-se ao gás hidrogênio (H_2) e 24% ao gás hélio (He); os 2% restantes distribuem-se entre elementos como o oxigênio, o carbono, o ferro, o enxofre e o níquel, entre outros.

A energia emitida pelo Sol, principalmente nas formas de luz e calor, é proveniente de reações de fusão nuclear, em que núcleos de hidrogênio fundem-se, transformando-se em hélio. É essa energia que possibilita a existência de vida na Terra. Por um lado, certos componentes da radiação solar aquecem o solo, as massas de água e o ar, propiciando um ambiente favorável à vida. Por outro, a vida na Terra depende da luz solar captada pelos seres fotossintetizantes para sintetizar moléculas orgânicas.

Relembre que a fotossíntese é o processo biológico em que, graças à energia proveniente da luz, dois tipos de moléculas inorgânicas bastante comuns na Terra – o gás carbônico (CO_2) e a água (H_2O) – combinam-se, produzindo moléculas orgânicas ricas em energia (principalmente açúcares) e gás oxigênio (O_2). Açúcares, ou glicídios, como são mais apropriadamente chamados, são moléculas orgânicas altamente energéticas: a energia luminosa utilizada em sua produção é convertida em energia química e permanece nelas armazenada. (Fig. 3.1)

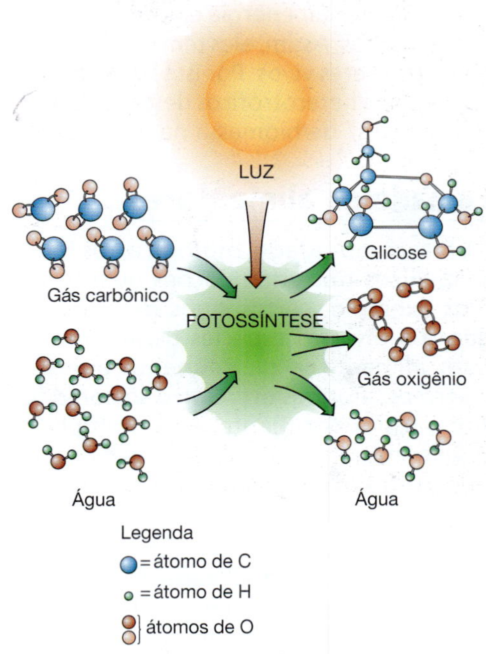

Figura 3.1 Representação esquemática, por meio de modelos de esferas, do processo geral da fotossíntese. Os átomos de oxigênio das moléculas de água à esquerda foram coloridos em um tom vermelho mais escuro para mostrar que são eles que formam todo o gás oxigênio gerado no processo. (Os átomos foram representados fora de proporção de tamanho e distância entre si e com cores-fantasia.)

Os glicídios produzidos na fotossíntese são utilizados pelo próprio organismo fotossintetizante de duas maneiras: a) para obter a energia necessária ao metabolismo; b) como matéria-prima para a síntese dos diversos tipos de moléculas que constituem seu corpo.

Quando seres fotossintetizantes servem de alimento a herbívoros, estes ingerem moléculas orgânicas ricas em energia originalmente captada da luz solar.

Concluindo, a porta de entrada da energia solar nos sistemas vivos é a fotossíntese. A absoluta maioria dos organismos da Terra obtém energia para sua vida, direta ou indiretamente, do Sol.

3.2 Transferências de energia entre seres vivos

A massa da matéria orgânica que constitui um ser vivo é chamada de **biomassa**. Uma vez que as moléculas orgânicas são altamente energéticas, a quantidade de biomassa reflete diretamente a quantidade de energia química potencial presente naquela matéria orgânica.

Como já comentamos, a energia entra na biosfera por meio dos seres autotróficos: algas, plantas e bactérias autotróficas. A maioria dos seres autotróficos é fotossintetizante, produzindo moléculas orgânicas a partir de compostos inorgânicos (H_2O e CO_2) e energia luminosa do Sol. Os seres autotróficos são os únicos capazes de produzir moléculas orgânicas, isto é, biomassa, a partir de moléculas inorgânicas; por isso, eles são os únicos "produtores" de biomassa na natureza.

Os seres heterotróficos (bactérias heterotróficas, fungos, protozoários, animais e umas poucas plantas parasitas) têm de obter moléculas orgânicas prontas para, a partir delas, conseguir energia e produzir suas próprias moléculas orgânicas. Assim, eles têm necessariamente de consumir outros seres vivos. Por isso, quanto ao aspecto alimentar, os seres heterotróficos desempenham o papel de "consumidores" de biomassa na natureza.

Teias e cadeias alimentares

Em uma comunidade biológica, os seres vivos mantêm diversos tipos de relações quanto à alimentação. Por exemplo, certos tipos de plantas servem de alimento a diversas espécies de animais. Um tipo de pássaro alimenta-se de pequenos animais, como insetos, vermes, aranhas etc. Outro só come sementes de capim; e assim por diante. Essa multiplicidade de relações alimentares constitui a **teia alimentar**, ou **teia trófica** (do grego *trophé*, alimentar, nutrir).

Para facilitar o entendimento, costuma-se destacar, nas teias alimentares, determinadas sequências lineares de organismos, denominadas **cadeias alimentares**, ou **cadeias tróficas**. Vejamos um exemplo: plantas de capim, gafanhotos que se alimentam do capim, pássaros que se alimentam dos gafanhotos e serpentes que se alimentam dos pássaros.

Os primeiros componentes da cadeia alimentar são os **produtores**, seres autotróficos fotossintetizantes ou quimiossintetizantes que produzem a biomassa que alimenta os demais componentes da cadeia.

Seres heterotróficos, ou seja, aqueles que se alimentam de outros seres vivos, são os **consumidores**. Os que se alimentam diretamente dos produtores são denominados **consumidores primários**; os que se alimentam dos consumidores primários são denominados **consumidores secundários**; e assim por diante. (Fig. 3.2)

Na cadeia alimentar de nosso exemplo, distinguimos quatro níveis tróficos: o primeiro — produtores — é representado pelas plantas; o segundo — consumidores primários — é representado pelos gafanhotos; o terceiro — consumidores secundários — corresponde aos pássaros insetívoros; o quarto — consumidores terciários — é representado pelas serpentes.

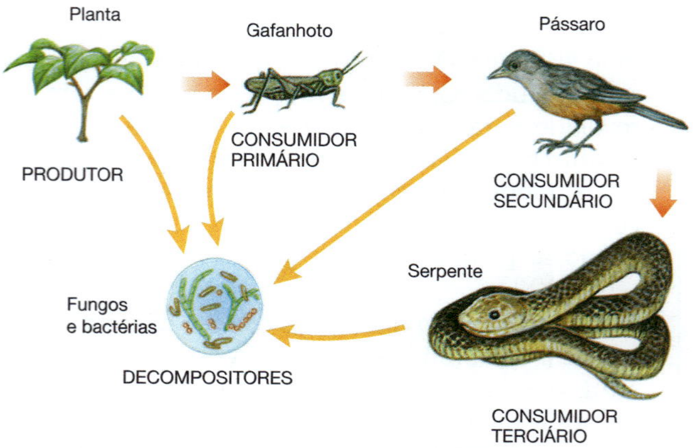

Figura 3.2 Em cima, representação esquemática de uma teia alimentar que ocorre em um ecossistema de terra firme hipotético. Os decompositores não foram representados. Embaixo, representação de uma sequência que constitui uma cadeia alimentar. As setas amarelas indicam que os decompositores atuam em todos os níveis tróficos. (Elementos fora de proporção de tamanho entre si; cores-fantasia.)

Em uma comunidade biológica, o mesmo organismo pode ocupar níveis tróficos diferentes. Por exemplo, um animal com alimentação variada, constituída por plantas e por animais, desempenha simultaneamente o papel de consumidor primário e de consumidor secundário ou terciário. Organismos com alimentação desse tipo são chamados **onívoros** (do latim *omnis*, tudo, e *vorare*, comer, devorar). Diversas espécies de animais são onívoras, inclusive a nossa.

Após a morte, a biomassa dos produtores e dos diversos níveis de consumidores serve de alimento para certos fungos e bactérias, que obtêm nutrientes e energia por meio da decomposição a compostos inorgânicos da matéria de cadáveres e de resíduos orgânicos, como fezes e excreções; por isso, eles são chamados de **decompositores**.

A decomposição é extremamente importante na natureza porque permite a reciclagem dos átomos dos diversos elementos químicos que compõem as moléculas orgânicas. Por meio desse processo, os átomos tornam-se novamente disponíveis no ambiente e podem voltar a fazer parte de outros seres vivos.

Em ambientes aquáticos, os produtores são principalmente seres microscópicos, como bactérias autotróficas e algas que flutuam próximo à superfície, constituindo o **fitoplâncton** (do grego *phyton*, planta, e *plankton*, errante), ou plâncton **fotossintetizante**.

Os consumidores primários são principalmente protozoários, pequenos crustáceos, vermes, moluscos e larvas de diversas espécies, constituindo o **zooplâncton** (do grego *zoon*, animal), ou **plâncton não fotossintetizante**. Os consumidores secundários e terciários são principalmente peixes. (Fig. 3.3)

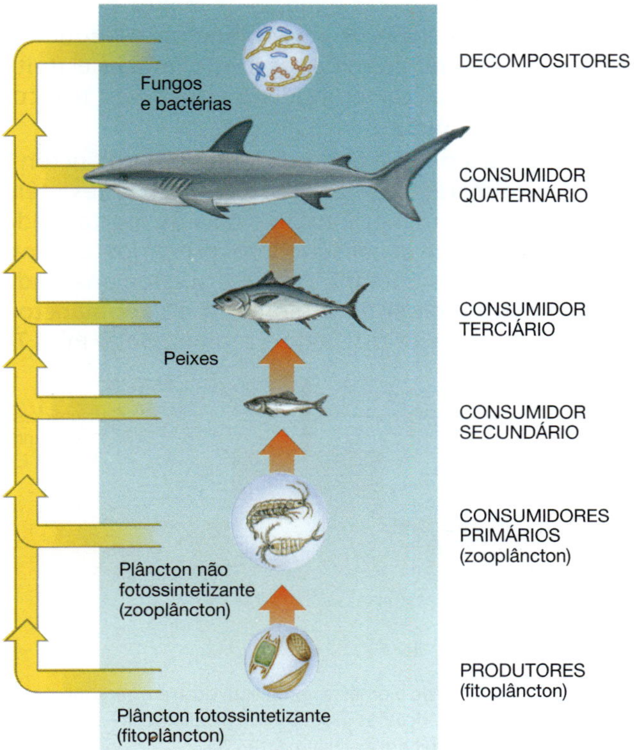

Figura 3.3 Representação esquemática de uma cadeia alimentar marinha. Nos ecossistemas marinhos, os produtores são representados principalmente pelo fitoplâncton. Há peixes em diferentes níveis tróficos, dependendo de seu tipo de alimentação. As setas amarelas representam a atuação dos decompositores em todos os níveis tróficos da cadeia. (Elementos fora de proporção de tamanho entre si; cores-fantasia.)

Dissipação de energia na teia alimentar

Imagine um coelho. O animal se alimenta diariamente com muitas (e muitas!) plantas. Ele utiliza a biomassa dos vegetais como fonte de energia e de matéria-prima para produzir sua biomassa e crescer.

Ao fazer as contas, pode-se concluir que a biomassa vegetal que alimentou o coelho é muito maior que a biomassa que ele ganhou com o crescimento. Como explicar essa aparente "perda"?

Em primeiro lugar, um animal como o coelho consome muita energia para manter sua atividade metabólica, que lhe permite saltar, correr, procurar alimento etc. Em toda essa atividade, energia vai sendo dissipada na forma de calor. A fonte de energia para o metabolismo do animal provém do processamento de moléculas orgânicas de alimento dentro de suas células, em um processo denominado **respiração celular**.

Na respiração celular, moléculas orgânicas com alta energia (principalmente glicídios e lipídios) reagem com gás oxigênio (O_2), produzindo gás carbônico (CO_2) e água (H_2O). Esse processo permite aos animais (e também aos vegetais) liberar a energia contida nas moléculas orgânicas e utilizá-la nas diversas atividades metabólicas vitais. Assim, apenas para manter suas atividades normais, o coelho dissipa boa parte da energia do alimento que ingere. (Fig. 3.4)

Além disso, o coelho produz diariamente certa quantidade de urina e fezes. Estas últimas contêm parte do alimento que o animal ingeriu, mas não conseguiu aproveitar completamente.

Para ganhar biomassa e crescer, o coelho precisa comer mais do que gasta com suas atividades metabólicas básicas e do que elimina nas fezes; tem de haver sobra energética para o animal produzir a matéria orgânica dos músculos, ossos e todos os demais tecidos e órgãos corporais.

O exemplo mostra que, nas cadeias alimentares, a quantidade de energia presente em um nível trófico – o dos produtores, representado pelos vegetais ingeridos pelo coelho – é muito maior que a energia efetivamente transferida ao nível seguinte, neste caso, a um consumidor primário – o coelho.

Como comentamos, isso ocorre por dois motivos: primeiro, porque os seres vivos não aproveitam totalmente o alimento que ingerem: parte da biomassa ingerida é eliminada, inaproveitada, nas fezes; segundo, os seres vivos consomem boa parte das moléculas nutritivas na respiração celular, para manter sua própria vida.

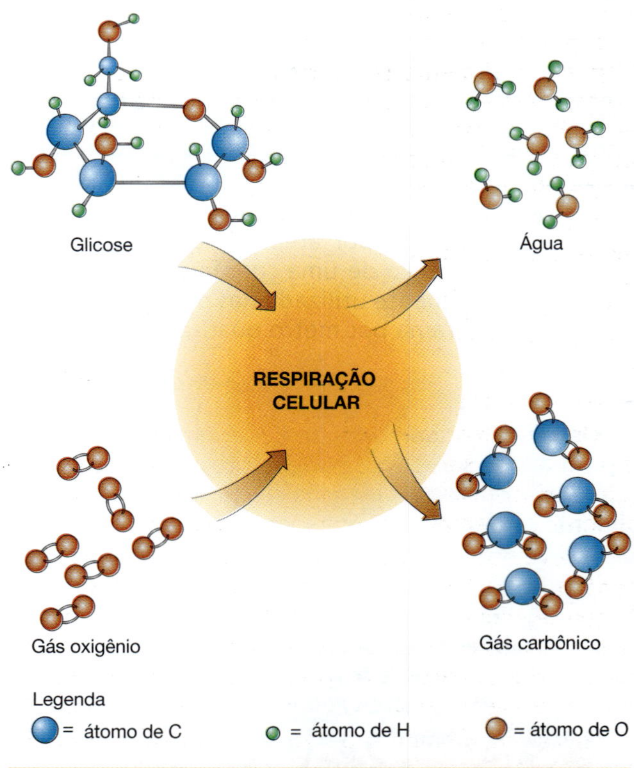

$$C_6H_{12}O_6 + 6O_2 \longrightarrow 6CO_2 + 6H_2O$$

Figura 3.4 Representação esquemática da respiração aeróbica, processo de obtenção de energia que ocorre nas células da grande maioria dos seres vivos. (Os átomos foram representados fora de proporção de tamanho e distância entre si e com cores-fantasia.)

Pirâmides ecológicas

A porcentagem de energia efetivamente transferida de um nível trófico para o seguinte varia de acordo com os tipos de organismos envolvidos na cadeia trófica, situando-se entre 5% e 20%. Assim, entre 80% e 95% da energia potencialmente presente em um nível trófico não é transferida para o seguinte. No exemplo do coelho, que se alimenta de vegetais, a eficiência situa-se perto do limite inferior, uma vez que os alimentos vegetais contêm grande quantidade de fibras; estas, apesar de conter energia em potencial, são inaproveitadas e eliminadas nas fezes. (Fig. 3.5)

Em uma teia alimentar, a quantidade de energia (em kcal = quilocaloria) ou seu equivalente em biomassa (em g = grama), nos diferentes níveis tróficos, costuma ser representada por retângulos horizontais sobrepostos, resultando em um gráfico denominado **pirâmide ecológica**, ou **pirâmide trófica**. (Fig. 3.6)

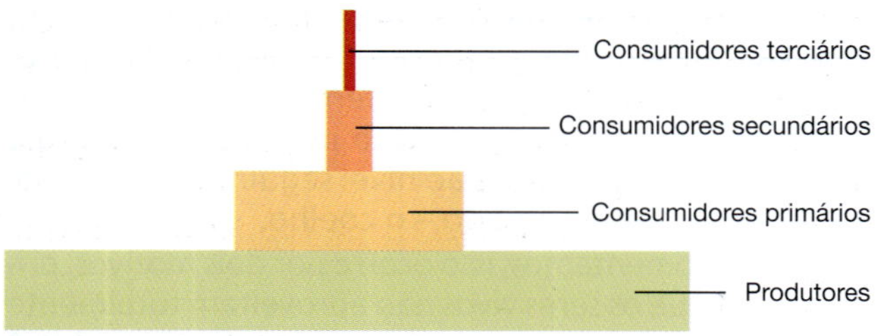

Figura 3.6 Gráficos em forma de pirâmide são utilizados para representar a energia e a biomassa disponíveis em cada nível trófico.

Pirâmides de biomassa e de energia

Nas pirâmides ecológicas, a base corresponde ao nível trófico dos produtores; em sequência, são representados os níveis dos consumidores primários, dos consumidores secundários, e assim por diante. A largura relativa de cada nível, no diagrama, representa a quantidade de energia ou de biomassa presente.

As **pirâmides de biomassa** representam a massa de matéria orgânica, por área ou volume, presente em cada nível trófico de uma comunidade biológica. A unidade geralmente utilizada nas pirâmides de biomassa é g/m^2 (grama por metro quadrado).

Em comunidades de terra firme, nas quais os produtores são geralmente plantas de ciclo relativamente longo, a pirâmide de biomassa assume o aspecto convencional, com base larga e ápice mais estreito. É o que acontece na cadeia alimentar representada na figura 3.2, em que a biomassa total das plantas é maior que a dos gafanhotos, que, por sua vez, é maior que a dos pássaros, e assim por diante.

Nas comunidades aquáticas, entretanto, quando se quantifica a biomassa de cada nível trófico, chega-se a uma aparente contradição: a biomassa dos produtores – bactérias autotróficas e algas – é menor que a dos consumidores primários – zooplâncton e pequenos peixes. A base da pirâmide, portanto, é mais estreita que os retângulos correspondentes aos níveis tróficos superiores. Por quê?

A explicação é que os produtores do fitoplâncton – algas unicelulares e bactérias fotossintetizantes – têm reprodução muito mais rápida e taxa de mortalidade bem mais alta que os consumidores primários (os constituintes do zooplâncton). Por isso, quando analisada em um dado momento, a biomassa do zooplâncton é geralmente maior que a do fitoplâncton. (Fig. 3.7)

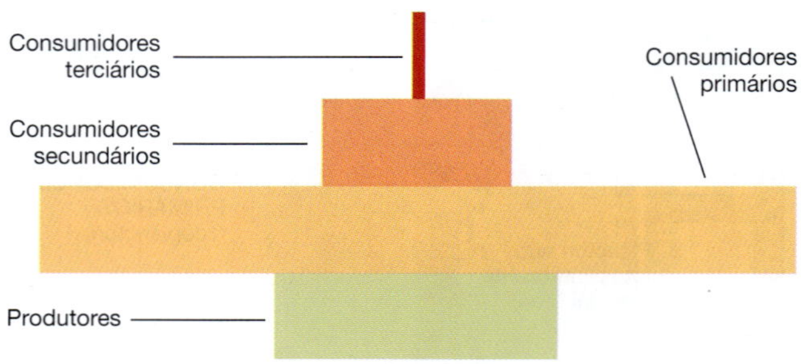

Figura 3.7 Pirâmides de biomassa como esta ocorrem geralmente em comunidades aquáticas: os produtores – fitoplâncton – retêm pouca biomassa, reciclando-a rapidamente.

As **pirâmides de energia** representam a energia presente em cada nível trófico, por área ou volume, em determinado intervalo de tempo. A unidade utilizada é geralmente kcal/m^2/ano (quilocaloria por metro quadrado por ano). O princípio das pirâmides

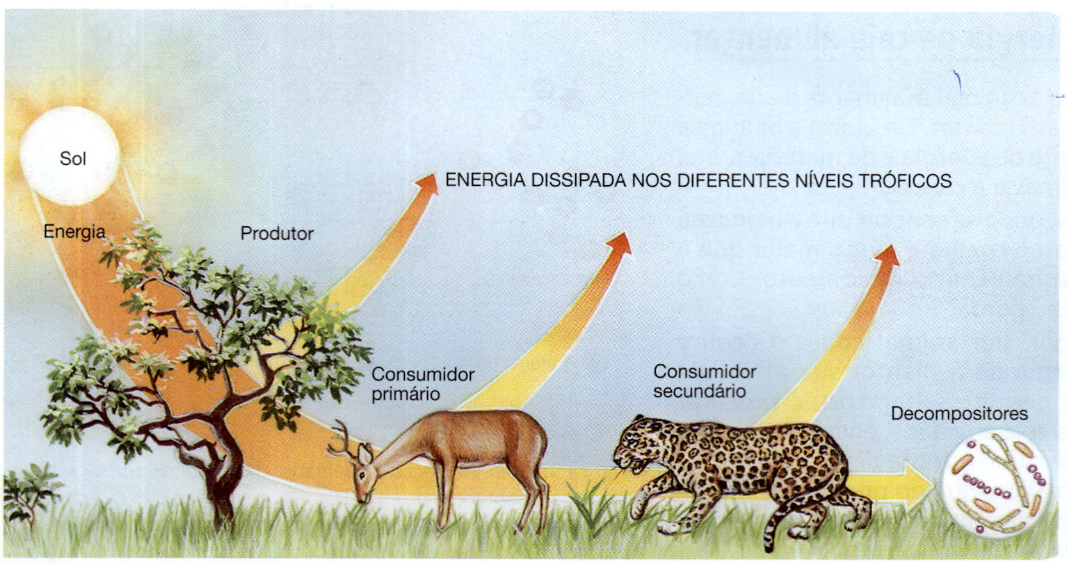

Figura 3.5 Representação esquemática da transferência de energia ao longo de uma cadeia alimentar. A energia é gradualmente dissipada ao passar pelos níveis tróficos, em um processo unidirecional. Os decompositores atuam em todos os níveis tróficos. (Elementos fora de proporção de tamanho entre si; cores-fantasia.)

de energia é registrar com realismo a quantidade de energia nos níveis tróficos de uma comunidade ao longo do tempo. As pirâmides de energia sempre têm aspecto convencional, revelando o fluxo unidirecional de energia e sua progressiva dissipação ao longo das cadeias alimentares. (Fig. 3.8)

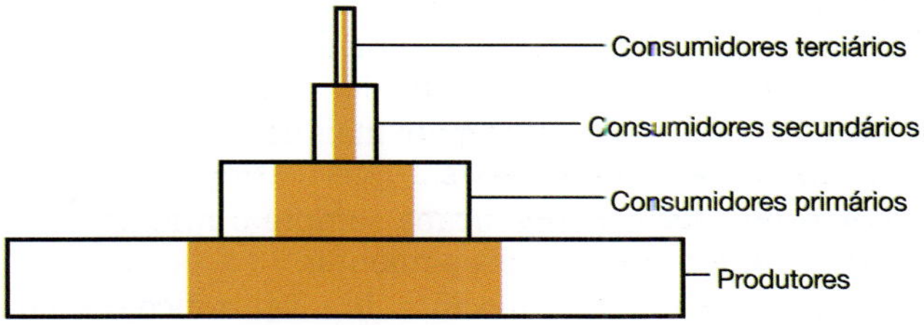

Figura 3.8 Pirâmide de energia hipotética que mostra a energia disponível (kcal/m²/ano) em cada nível trófico (largura das barras) e a energia transferida para o nível trófico seguinte (porção da barra indicada em laranja).

Pirâmides de números

Além das pirâmides de biomassa e de energia, também se costuma representar o número de indivíduos de cada nível trófico necessários para sustentar o nível seguinte. São as **pirâmides de números**.

Por exemplo, são necessárias 10.000 algas microscópicas do fitoplâncton – produtores – para alimentar 1.000 microcrustáceos do zooplâncton – consumidores primários –, que servem de alimento para 50 pequenos peixes – consumidores secundários –, que, por fim, alimentam um grande peixe carnívoro.

As pirâmides de números podem assumir forma invertida quando o produtor é uma grande árvore, por exemplo, cujas folhas são devoradas por 300 lagartas de borboleta, as quais fornecem alimento a 20 pássaros. (Fig. 3.9)

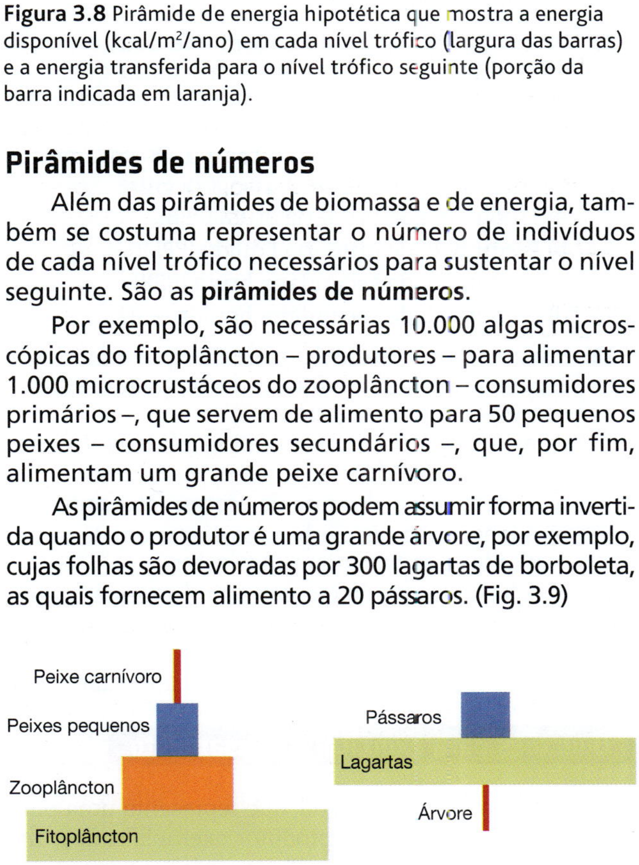

Figura 3.9 Exemplos de pirâmides de números: à esquerda, em um ecossistema aquático; à direita, em uma árvore.

O conceito de produtividade

A capacidade dos organismos de um nível trófico de aproveitar a energia recebida para produzir biomassa denomina-se **produtividade**. Esta é geralmente expressa em quilocaloria de biomassa produzida por m² por ano (kcal/m²/ano).

No nível dos produtores, fala-se em **produtividade primária bruta (PPB)** como a quantidade de matéria orgânica que um organismo autotrófico consegue produzir na fotossíntese, por unidade de tempo.

Como já comentamos, parte da matéria orgânica sintetizada pelo organismo autotrófico é consumida por ele na respiração celular, para suprir suas necessidades energéticas básicas de sobrevivência. Apenas o que sobra pode ser efetivamente armazenado em forma de biomassa.

Quando se descontam da produtividade primária bruta os gastos com a respiração (R), obtém-se a **produtividade primária líquida** (PPB − R = PPL). A energia correspondente à PPL é a que está realmente disponível para o nível trófico seguinte.

No nível dos consumidores, fala-se em **produtividade secundária bruta (PSB)** como a quantidade total de biomassa que um herbívoro efetivamente consegue absorver dos alimentos que ingere, pois um animal elimina, nas fezes, muito material orgânico potencialmente energético, porém não aproveitável por ele.

Quando se descontam da produtividade secundária bruta os gastos com a respiração (R), obtém-se a **produtividade secundária líquida** (PSB − R = PSL). A PSL corresponde ao que o herbívoro acumula efetivamente de biomassa em determinado intervalo de tempo; essa energia é a que está realmente disponível para o nível trófico seguinte.

Quanto menos níveis tróficos uma cadeia alimentar tem, menor é a dissipação energética que ocorre nela, uma vez que as maiores perdas de energia ocorrem quando a matéria orgânica é transferida de um nível trófico para outro. Por essa razão, é menos dispendioso, embora nem sempre adequado ao paladar humano, consumir diretamente vegetais como alimento, evitando a perda energética que acontece na transferência para o nível trófico dos herbívoros.

Conteúdo multimídia Fluxo de energia na cadeia alimentar

Atividades

Visão do especialista

Biblioteca do estudante Faça você mesmo!

Revendo conceitos fundamentais

Escreva, em seu caderno, o termo abaixo que substitui corretamente a tarja entre parênteses das frases de 1 a 4.

a) consumidores
b) decompositores
c) níveis tróficos
d) produtores

1. (▬▬) são organismos autotróficos, capazes de produzir seu próprio alimento a partir de moléculas inorgânicas e energia do meio.

2. (▬▬) são organismos especializados em degradar a matéria orgânica de cadáveres e resíduos orgânicos.

3. Organismos heterotróficos, que necessitam obter substâncias orgânicas de outros seres vivos, são genericamente denominados (▬▬).

4. Os diferentes papéis desempenhados por seres autotróficos e heterotróficos em uma cadeia alimentar são (▬▬).

Escreva, em seu caderno, o termo abaixo que substitui corretamente a tarja entre parênteses das frases de 5 a 8.

a) biomassa
b) cadeia alimentar
c) pirâmide ecológica
d) teia alimentar

5. A quantidade de matéria orgânica presente em um organismo ou em um nível trófico constitui a (▬).

6. (▬) refere-se à rede de interações alimentares em uma comunidade biológica.

7. Uma sequência linear de organismos, isolada de seu conjunto por questões didáticas, e que tem em sua base os produtores é uma (▬).

8. (▬) é uma representação gráfica que destaca a dissipação energética nos diversos níveis tróficos.

Escreva, em seu caderno, o termo abaixo que substitui corretamente a tarja entre parênteses das frases de 9 a 12.

a) fotossíntese
b) fitoplâncton
c) respiração celular
d) zooplâncton

9. (▬) é o nome do processo pelo qual seres vivos como plantas e animais extraem, intracelularmente, a energia de moléculas orgânicas.

10. A síntese de moléculas orgânicas a partir de substâncias inorgânicas, utilizando energia luminosa, constitui o que se denomina (▬).

11. (▬) é o nome que se dá a um conjunto de organismos autotróficos que constitui a base das cadeias alimentares aquáticas.

12. Nas comunidades aquáticas, o que se denomina (▬) é representado por seres heterotróficos que se alimentam de seres autotróficos microscópicos.

13. Copie a alternativa que contém a melhor conceituação de produtividade.

a) Capacidade de um ser autotrófico produzir matéria orgânica por meio da fotossíntese.
b) Capacidade de se nutrir a partir da matéria orgânica não aproveitada das fezes.
c) Capacidade dos organismos de aproveitar a energia recebida para produzir biomassa.
d) Capacidade de consumir alta quantidade de biomassa durante o metabolismo.

Ligando conceitos, fatos e processos

14. Uma teia alimentar é constituída por árvores frutíferas, bactérias e fungos do solo, coelhos, capim, serpentes, gafanhotos, gaviões e insetos frutívoros (isto é, que comem frutos). Nessa teia, são consumidores secundários:

a) árvores frutíferas, bactérias e fungos.
b) bactérias e fungos.
c) coelhos, serpentes e gaviões.
d) serpentes e gaviões.
e) insetos frutívoros e gafanhotos.

15. Pernilongos machos sugam seiva de plantas, enquanto pernilongos fêmeas sugam sangue de animais. Pode-se dizer que eles são:

a) consumidores primários, ambos.
b) consumidores secundários, ambos.
c) consumidor primário e consumidor secundário ou superior, respectivamente.
d) produtor e consumidor secundário ou superior, respectivamente.
e) consumidor secundário e consumidor quaternário, respectivamente.

16. O conceito de onívoro refere-se a:

a) qualquer espécie que tenha alimentação diferente da alimentação humana.
b) organismos que ocupam mais de um nível trófico nas teias alimentares.
c) uma espécie que ocupa sempre o mesmo nível trófico em uma teia alimentar.
d) denominação específica do nível trófico dos decompositores.

17. Ao avaliar os custos de engorda de duas espécies de herbívoro, um fazendeiro descobriu que, com os mesmos tipos e quantidades de alimento, os representantes de uma das espécies ganhavam mais biomassa no mesmo tempo. Os parâmetros em questão referem-se a que conceito?

a) Produtividade primária bruta (PPB).
b) Produtividade primária líquida (PPL).
c) Produtividade secundária bruta (PSB).
d) Produtividade secundária líquida (PSL).

18. Imaginemos, a título de exercício, que uma classe especial de consumidor, os decompositores, deixasse de atuar na natureza.
Qual seria uma consequência plausível desse evento imaginário?

a) A curto prazo, deixaria de ocorrer fotossíntese.
b) A longo prazo, os herbívoros deixariam de comer plantas e se tornariam carnívoros.
c) A longo prazo, elementos químicos essenciais à vida deixariam de estar disponíveis.
d) As consequências seriam mínimas, uma vez que os decompositores ocupam o fim da cadeia alimentar.

Questões para exercitar o pensamento

Analise o gráfico a seguir, que representa uma pirâmide de energia. P é o produtor, exemplificado como capim; C1 é um consumidor primário, representado pelo coelho. O desafio, nas questões de 19 a 21, é identificar o significado das cores do gráfico e refazer a pirâmide no caderno, aplicando legendas para cada cor.

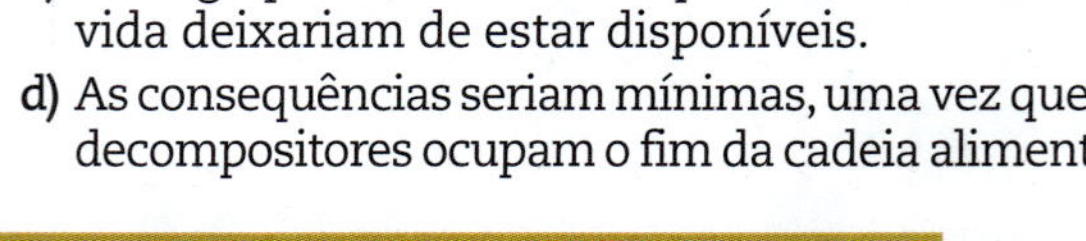

19. A base da pirâmide representa o nível dos produtores (P). Ela tem uma área em verde mais escuro, que corresponde à energia que pode efetivamente ser transmitida ao nível trófico seguinte. Tendo em mente essa afirmação, responda:

a) O que representam as áreas da base da pirâmide em verde mais claro? Justifique sua resposta.
b) Analisando a pirâmide do ponto de vista da produtividade, o que representariam, respectivamente, as áreas em verde mais escuro e mais claro? Por quê?

20. No retângulo superior da pirâmide, correspondente ao nível dos consumidores primários (C1), há duas áreas coloridas em azul mais claro e outra em azul mais escuro. Por analogia ao que se discutiu para o nível trófico dos produtores, responda:

a) Se o coelho se exercitasse muito, que parte azul do gráfico aumentaria: as mais claras ou a mais escura? Por quê?

b) Analisando a pirâmide do ponto de vista da produtividade, o que representariam, respectivamente, as áreas em azul mais claro e aquela em azul mais escuro? Por quê?

21. Note as partes do gráfico coloridas em amarelo. Tendo em vista o que foi discutido nas questões anteriores, o que elas representam? Explique.

A Biologia no vestibular e no Enem

Questões objetivas

1. (Fuvest-SP) O cogumelo *shitake* é cultivado em troncos, onde suas hifas nutrem-se das moléculas orgânicas componentes da madeira. Uma pessoa, ao comer cogumelos *shitake*, está se comportando como

a) produtor.
b) consumidor primário.
c) consumidor secundário.
d) consumidor terciário.
e) decompositor.

2. (UFSCar-SP) No aparelho digestório de um boi, o estômago é dividido em 4 compartimentos. Os dois primeiros, rúmen e barrete (ou retículo), contêm rica quantidade de bactérias e protozoários que secretam enzimas que decompõem a celulose do material vegetal ingerido pelo animal. O alimento semidigerido volta à boca, onde é remastigado (ruminação) e novamente deglutido. Os dois outros compartimentos, ômaso e abômaso, recebem o alimento ruminado e secretam enzimas que quebram as proteínas das bactérias e dos protozoários que chegam continuamente dos compartimentos anteriores. Considerando apenas o aproveitamento das proteínas bacterianas na nutrição do boi, é **correto** afirmar que o boi e os microrganismos são, respectivamente,

a) consumidor primário e decompositores.
b) consumidor secundário e decompositores.
c) consumidor primário e produtores.
d) consumidor primário e consumidores secundários.
e) consumidor secundário e consumidores primários.

3. (UFPA) Os organismos fotossintetizantes formam a base de todas as cadeias alimentares, pois conseguem captar a energia da luz solar e convertê-la em energia química. Ao longo de uma cadeia alimentar,

a) a energia química armazenada nos compostos orgânicos dos seus produtores é transferida para os demais componentes da cadeia e permanece estável.
b) a cada nível trófico, parte da energia que ingressou na cadeia alimentar é dissipada nas atividades vitais.
c) a quantidade de energia aumenta devido à produção de energia realizada pelos consumidores.
d) a energia é transferida de um nível trófico para outro e retorna integralmente ao ecossistema pela ação dos organismos decompositores.
e) há concentração da energia química nos níveis tróficos superiores.

4. (Fuvest-SP) No esquema abaixo, as setas numeradas de I a IV indicam transferências de moléculas ou energia entre seres vivos e entre eles e o ambiente.

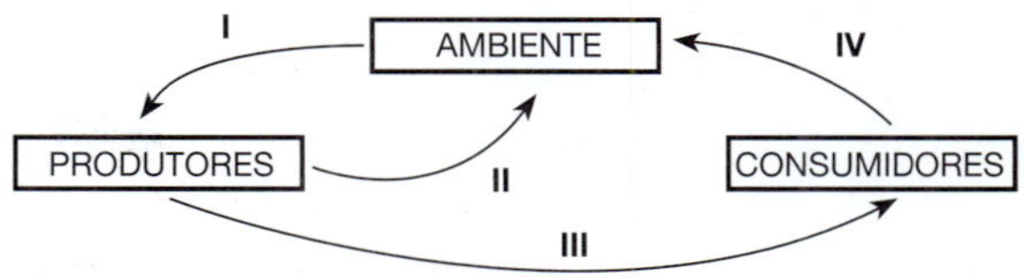

A alternativa do quadro abaixo que mostra, corretamente, as passagens em que há transferência de gás carbônico, de moléculas orgânicas ou de energia é:

	Transferência de		
	gás carbônico	moléculas orgânicas	energia
a)	I e II	I e IV	I e III
b)	I e IV	II	I, III e IV
c)	I, II e IV	III	I, II, III e IV
d)	I, II e III	III e IV	I, II, III e IV
e)	II, III e IV	II e III	I e III

Questões discursivas

5. (UFV-MG) Na maioria dos ecossistemas naturais encontramos vários tipos de produtores e de consumidores. A existência de várias opções alimentares interliga as cadeias em uma teia alimentar, como exemplificado abaixo.

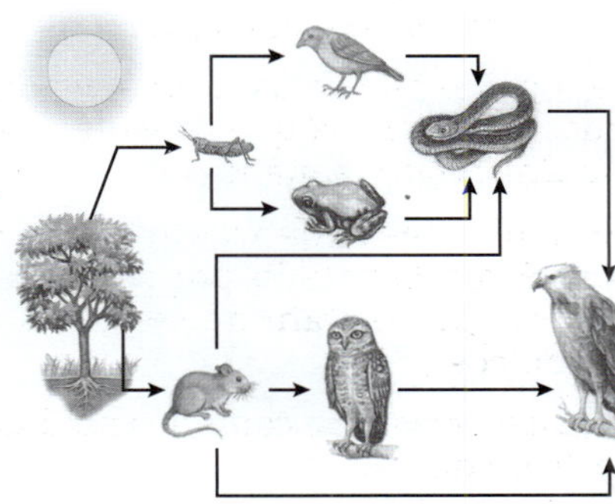

Com base na figura e nos conceitos ecológicos, resolva, em seu caderno, os itens:

a) A qual(is) ordem(ns) de consumidor(es) pertence a cobra?
b) Independentemente da ordem que ocupam, quantos consumidores pertencem a um único nível trófico?
c) Explique como o gavião poderia ocupar o nível trófico inferior ao da cobra.

6. (Fuvest-SP) A tabela a seguir mostra medidas, em massa seca por metro quadrado (g/m2), dos componentes de diversos níveis tróficos em um dado ecossistema.

Níveis tróficos	Massa seca (g/m²)
Produtores	809
Consumidores primários	37
Consumidores secundários	11
Consumidores terciários	1,5

a) Por que se usa a massa seca por unidade de área (g/m²), e não a massa fresca, para comparar os organismos encontrados nos diversos níveis tróficos?
b) Explique por que a massa seca diminui progressivamente em cada nível trófico.
c) Nesse ecossistema, identifique os níveis tróficos ocupados por cobras, gafanhotos, musgos e sapos.

Capítulo 4

Os ciclos da matéria

Na natureza ocorre contínua reciclagem de átomos entre os organismos e a parte não viva do ambiente, constituindo os chamados ciclos biogeoquímicos. Os átomos que hoje compõem a água que faz parte do nosso corpo, bem como os átomos de carbono do nosso DNA, podem ter feito parte de um animal ou de uma planta que viveu há milhões de anos. Na foto, o ciclo da água em ação: chuva sobre o rio Elba, na Alemanha (jun. 2009).

Ciclando na natureza

Talvez você conheça uma antiga história infantil que conta a viagem de uma gotinha de chuva. Depois de chegar ao solo durante uma tempestade, a gotinha percorreu riachos, rios e chegou ao mar. De repente, estava novamente nas nuvens! Quem não conhece essa história? Para os que não conhecem, ou para quem não se lembra dela, apresentamos nossa versão adaptada a seguir.

Era uma vez uma molécula de água. Como todas as suas companheiras, ela era formada por um átomo de oxigênio ligado a dois de hidrogênio. Seu apelido: H_2O.

A história começa com H_2O nas altas camadas da atmosfera. Quando chegou ali, a molécula de H_2O tinha muita energia cinética, isto é, apresentava aquela vibração típica das moléculas que captaram bastante energia térmica, transformando-a em energia de movimento. Nesse caso, como dizem os especialistas, a água encontra-se em estado gasoso.

As baixas temperaturas da alta atmosfera fizeram H_2O irradiar boa parte da energia; seu movimento foi diminuindo. Logo ela estava agregada a trilhões de companheiras, formando microscópicas gotículas de água líquida. É isso que são as nuvens.

Eventualmente algumas nuvens se desfazem, mas isso não ocorreu com aquela em que H_2O estava. A condensação da água só aumentou, até que grandes gotas de chuva se precipitaram sobre o solo. E lá se foi H_2O numa delas.

Onde teria ido parar nossa molécula de H_2O? Teria caído em um rio, em um lago ou no mar? Ou se infiltrado no solo, sendo absorvida pelas raízes de alguma planta que a utilizou na fotossíntese?

Imagine os caminhos e o tempo que uma molécula de H_2O pode demorar para retornar à atmosfera, fechando o ciclo da água na natureza. Isso se ela não for decomposta no interior de um ser vivo, tendo seus componentes utilizados na formação de outras moléculas, como uma proteína do músculo de um animal, por exemplo.

A história e os caminhos dos átomos de carbono que hoje constituem seu corpo podem ser ainda mais fantásticos. Alguns desses átomos podem, por exemplo, ter integrado algas do fitoplâncton que morreram e se precipitaram no fundo do mar há centenas de milhões de anos. Depois de milhões de anos de processamento, aquelas algas, acompanhadas de incontáveis trilhões de outros componentes do plâncton, passaram a constituir o petróleo, do qual se extraiu óleo *diesel* e gasolina. Ao serem queimados em um motor, esses combustíveis liberaram átomos de carbono em moléculas de gás carbônico (CO_2). Tempos depois, uma alface em crescimento incorporou algumas dessas moléculas de gás carbônico do ar por meio da fotossíntese. Por fim, você comeu aquela alface no almoço e adquiriu os tais átomos de carbono.

A "moral" dessas duas histórias é o comportamento dinâmico e cíclico dos átomos e moléculas que compõem os seres vivos. Uma molécula de água que hoje faz parte de uma de nossas células amanhã estará de volta ao ambiente e depois de amanhã poderá estar em outro ser vivo.

A importância do assunto

A história da gotinha de água, contada e recontada por vários autores, mostra a importância de conhecer o comportamento cíclico em vários aspectos da natureza.

O fato de fazermos parte dos ciclos da natureza nos torna mais próximos dela. Além disso, o estudo dos ciclos naturais contém aspectos práticos e até mesmo de sobrevivência.

A população humana mundial é hoje suficientemente grande para causar impactos significativos nos ecossistemas. Por isso, a aquisição de noções básicas sobre a ciclagem de certos elementos químicos pode ajudar a reduzir a interferência destrutiva dos seres humanos no ambiente natural. Um exemplo disso é o ciclo do carbono, inseparavelmente ligado a combustíveis fósseis como o carvão mineral e o petróleo. Esses recursos não são renováveis e seu uso é altamente poluidor. O que fazer?

Antes de tudo, utilizar nossa capacidade intelectual para conhecer a natureza. Neste capítulo, abordamos as etapas fundamentais dos ciclos da água, do carbono e do nitrogênio. Em cada ciclo, acompanhamos os principais caminhos que esses elementos químicos podem percorrer nos ecossistemas.

Com essas informações, você poderá detalhar ainda mais as histórias que esboçamos na introdução. A compreensão e a transmissão desses conhecimentos constituem uma ação em prol da cidadania, pois eles podem contribuir para a preservação da natureza.

4.1 O conceito de ciclo biogeoquímico

As moléculas e os átomos dos diversos elementos químicos que constituem os corpos dos seres vivos retornam ao ambiente após a morte. Isso ocorre principalmente graças à atividade de seres detritívoros, assim como de bactérias e fungos genericamente denominados agentes decompositores ou, simplesmente, decompositores.

Os seres detritívoros, também chamados de saprófagos ou necrófagos, têm grande importância ecológica, pois alimentam-se de cadáveres e resíduos orgânicos, fragmentando-os e facilitando a ação dos agentes decompositores. Exemplos de animais detritívoros são minhocas, urubus e larvas de certos insetos, entre outros.

Ao se nutrir dos cadáveres, das fezes e de outros resíduos produzidos por seres vivos, os agentes decompositores promovem a degradação da matéria orgânica, transformando moléculas complexas em outras mais simples, em geral inorgânicas. Estas retornam à parte não viva do ambiente e podem ser reaproveitadas por outros organismos como matéria-prima para a construção de suas próprias moléculas orgânicas. (Fig. 4.1)

ALEKSANDR HUNTA/SHUTTERSTOCK

FABIO COLOMBINI

Figura 4.1 A. Cadáveres são rapidamente degradados pela ação de seres detritívoros e decompositores. **B.** A existência de florestas densas em regiões tropicais é garantida por uma eficiente reciclagem de nutrientes, realizada por animais detritívoros, como minhocas e certos insetos, e por agentes decompositores.

A circulação de elementos químicos constituintes de moléculas orgânicas entre os organismos e a parte não viva do planeta (atmosfera, hidrosfera e litosfera) é denominada **ciclo biogeoquímico** (do grego *bios*, vida, e *geo*, Terra). A constante reciclagem da matéria orgânica devolve ao ambiente, na forma de substâncias inorgânicas, os elementos químicos que a constituíam, possibilitando a utilização desses elementos por outros seres vivos. Por exemplo, a existência de uma floresta exuberante em solos pobres da região amazônica é possível graças à rápida decomposição de folhas, galhos, frutos e animais mortos, o que proporciona a devolução ao solo de quantidades significativas de elementos químicos essenciais à floresta, como nitrogênio, cálcio, enxofre, potássio, magnésio, sódio e fósforo, entre outros.

4.2 Ciclo da água

A água (H_2O) é a única substância que, nas condições normais de nosso planeta, se apresenta nos três estados: líquido, cobrindo cerca de 3/4 da superfície terrestre; gasoso, na forma de vapor-d'água atmosférico; e sólido, na forma de gelo, nas regiões próximas aos polos e no topo das altas montanhas.

Pela evaporação, a água de oceanos, lagos, rios, geleiras e mesmo a embebida no solo passa à forma gasosa, acumulando-se na atmosfera. Nas grandes altitudes, o vapor-d'água condensa-se e volta à forma líquida, originando as nuvens e precipitando-se como chuvas sobre a superfície terrestre. Esse processo contínuo de evaporação e condensação, conhecido como **ciclo da água**, ou **ciclo hidrológico**, contribui decisivamente para tornar o ambiente da Terra favorável à existência de seres vivos.

Parte do caminho da água na natureza passa pelos seres vivos, uma vez que a água é essencial à vida. As moléculas de água fazem parte do citoplasma das células e dos diversos fluidos corporais dos seres vivos (sangue, seiva, urina etc.). Nas células vivas, as moléculas de água participam de diversos processos vitais, como veremos ao longo deste livro.

A maioria das plantas obtém água do ambiente por meio das raízes. Os animais obtêm água ingerindo-a na forma líquida ou comendo alimentos ricos em água. Parte da água absorvida pelos seres vivos constitui o citoplasma das células e os diversos fluidos do corpo.

A água presente em plantas e animais retorna continuamente ao ambiente por meio da transpiração, processo que consiste na eliminação de vapor-d'água pela superfície corporal. Muitos animais também eliminam água na urina e nas fezes. Finalmente, com a morte dos organismos, a água que estava em seus corpos acaba sendo devolvida ao ambiente, processo em que ocorre participação dos decompositores.

Praticamente toda a matéria orgânica terrestre provém, originalmente, de moléculas produzidas na fotossíntese, processo metabólico cujos reagentes básicos são água e gás carbônico. Na fotossíntese, os átomos de hidrogênio das moléculas de água são utilizados para a produção de moléculas orgânicas, juntamente com átomos de carbono e de oxigênio do gás carbônico (CO_2). Os átomos de oxigênio da água utilizada na fotossíntese são eliminados para o ambiente na forma de gás oxigênio (O_2).

Parte da água absorvida ou mesmo produzida por um organismo é utilizada na síntese dos diversos tipos de moléculas orgânicas características de cada espécie.

Moléculas de água e de gás carbônico são produzidas durante a **respiração celular**. Nesse processo, moléculas orgânicas nutritivas são degradadas, na presença de gás oxigênio, para obtenção de energia metabólica. Note a multiplicidade de processos e as associações e reassociações de que a água participa na natureza. (Fig. 4.2)

4.3 Ciclo do carbono

O carbono forma a estrutura básica de todas as moléculas orgânicas. Os átomos desse elemento químico circulam entre o ambiente e os seres vivos, o que constitui o **ciclo do carbono**.

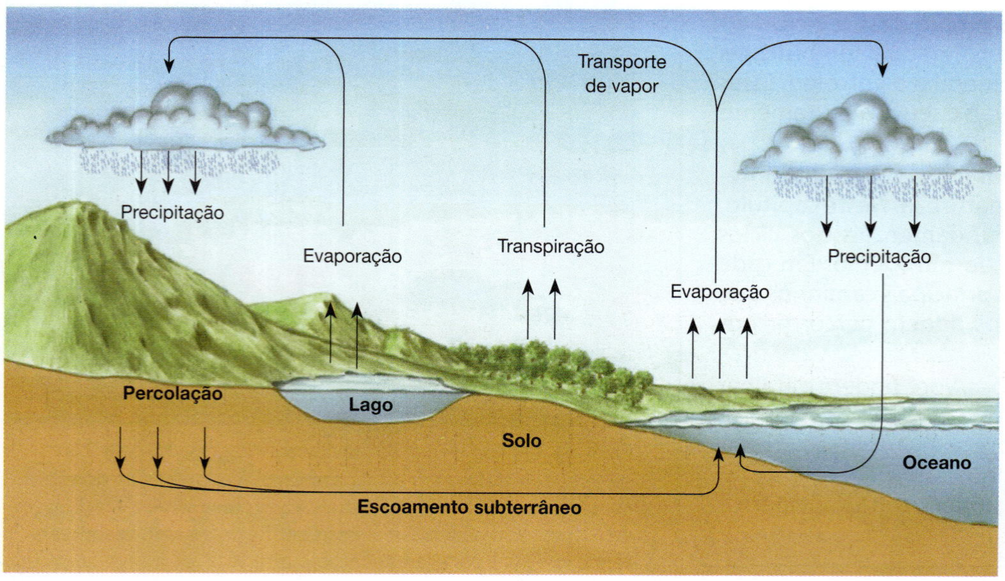

Figura 4.2 O ciclo hidrológico envolve os movimentos da água em estado gasoso, na atmosfera, e em estado líquido (e eventualmente sólido), na superfície terrestre. Os seres vivos participam desse ciclo, uma vez que a água é fundamental à vida. Note que no esquema aparece o termo "percolação". Essa etapa se relaciona com a passagem da água do solo para o aquífero (reservatório subterrâneo).

4.1 Biblioteca do estudante
Ciência e cidadania

Podemos acompanhar esse ciclo a partir da incorporação de átomos de carbono do gás carbônico em moléculas orgânicas de seres autotróficos. Essa incorporação ocorre por meio da fotossíntese e, em escala bem menor, pela quimiossíntese.

Parte substancial das moléculas orgânicas produzidas na fotossíntese ou na quimiossíntese é degradada logo em seguida pelo próprio organismo autotrófico, para obtenção da energia necessária ao metabolismo. Nesses processos de degradação – principalmente a respiração celular e a fermentação –, o carbono que constituía as moléculas orgânicas degradadas é devolvido ao ambiente na forma de CO_2. O restante da matéria orgânica permanece integrado ao corpo do organismo autotrófico, constituindo sua biomassa (relembre no capítulo 3).

O carbono da biomassa dos produtores pode seguir dois caminhos: a) é restituído ao ambiente na forma de CO_2, quando o organismo autotrófico morre e sua matéria orgânica é degradada pelos decompositores; b) é transferido para os animais herbívoros, quando estes se alimentam dos produtores.

Como vimos no capítulo anterior, boa parte da energia potencialmente presente nas substâncias orgânicas ingeridas pelo herbívoro não é aproveitada, sendo eliminada nas fezes. Estas, por sua vez, sofrem a ação dos decompositores, que vivem da energia que restou na matéria orgânica eliminada.

Parte das moléculas orgânicas realmente incorporadas por um animal herbívoro é degradada na respiração celular, fornecendo energia para o metabolismo das células; o carbono dessas moléculas degradadas é liberado para o ambiente na forma de CO_2. O restante das moléculas orgânicas incorporadas pelo herbívoro é empregado na síntese de novas substâncias orgânicas, passando a constituir sua biomassa.

Ao se alimentar de um herbívoro, um animal carnívoro também deixa de aproveitar parte significativa do potencial energético do alimento, eliminando-a nas fezes. Assim como nos herbívoros, parte das moléculas orgânicas realmente incorporadas pelo carnívoro é degradada na respiração celular, fornecendo energia para as células. Na respiração, o carbono das moléculas degradadas é liberado na forma de CO_2. O restante das moléculas orgânicas incorporadas pelo carnívoro é empregado na síntese de novas substâncias orgânicas, passando a integrar sua biomassa. E assim por diante.

Portanto, o carbono originalmente captado pelos produtores na fotossíntese passa de um nível trófico para outro, ao mesmo tempo que retorna aos poucos à atmosfera durante os processos metabólicos dos organismos e pela ação dos decompositores, que atuam em todos os níveis tróficos. (Fig. 4.3)

4.4 Ciclo do nitrogênio

O **ciclo do nitrogênio** consiste na circulação de átomos de nitrogênio entre os seres vivos e a parte não viva do ambiente. O nitrogênio faz parte de diversas moléculas orgânicas importantes, entre elas as proteínas e os ácidos nucleicos.

O maior "reservatório" de nitrogênio do planeta é a atmosfera, onde esse elemento químico se encontra na forma de gás nitrogênio, ou nitrogênio molecular (N_2), perfazendo cerca de 79% do volume do ar. Apesar dessa quantidade disponível no ar, a grande maioria dos seres vivos não consegue utilizar diretamente N_2. Apenas algumas poucas espécies de bactérias, genericamente chamadas bactérias fixadoras de nitrogênio, são capazes de incorporar os átomos de nitrogênio do N_2 em suas moléculas orgânicas, fenômeno denominado **fixação do nitrogênio**.

A maioria das bactérias fixadoras de nitrogênio vive no solo. Quando morrem e se decompõem, elas têm suas moléculas nitrogenadas transformadas em

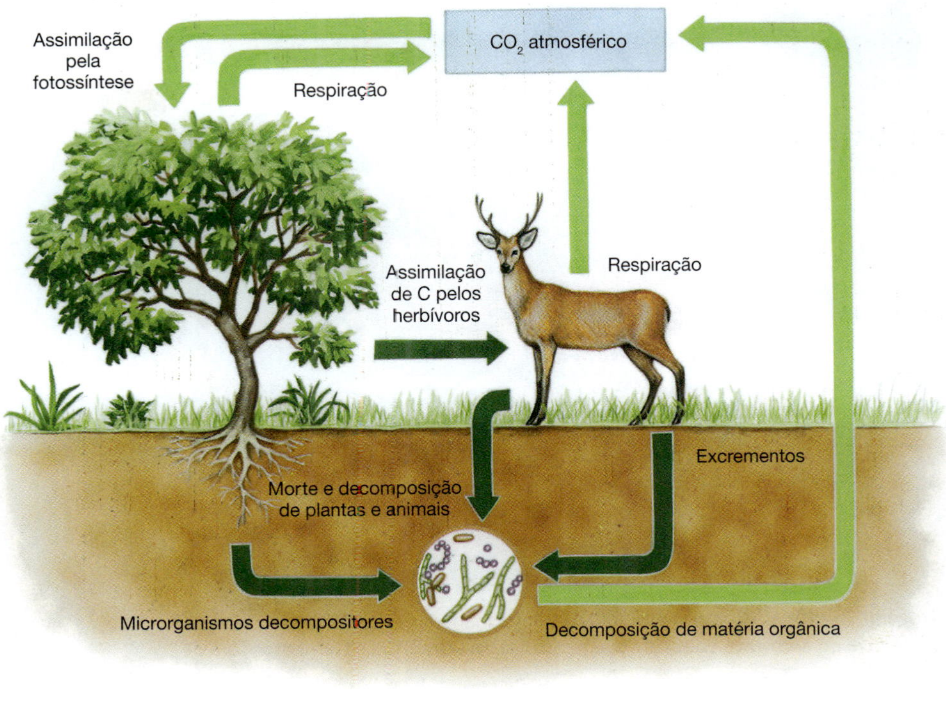

Figura 4.3 O carbono é o constituinte de todas as moléculas orgânicas. Os átomos desse elemento químico ingressam nas comunidades biológicas por meio da fotossíntese ou da quimiossíntese. (Elementos fora de proporção de tamanho entre si; cores-fantasia.)

Conteúdo multimídia
Ciclo do carbono e aquecimento global

4.1
Biblioteca do estudante
Amplie seus conhecimentos

amônia (NH_3). Algumas espécies de plantas conseguem aproveitar diretamente a amônia e utilizá-la como fonte de nitrogênio para seu metabolismo.

A amônia disponível no solo é amplamente aproveitada por um grupo de bactérias pertencentes ao gênero *Nitrosomonas*, capazes de utilizar amônia em seus processos de obtenção de energia. Em contrapartida, elas eliminam no solo compostos nitrogenados denominados **nitritos** (NO_2^-).

Os nitritos são então utilizados por outras bactérias presentes no solo, pertencentes ao gênero *Nitrobacter*, que metabolizam os nitritos eliminando compostos nitrogenados denominados **nitratos** (NO_3^-). Estes, por sua vez, são amplamente utilizados pelas plantas, constituindo sua principal fonte de nitrogênio.

Em resumo, é pela ação conjunta e sequencial de três tipos de bactérias – fixadoras, nitrossomonas e nitrobactérias – que o nitrogênio entra nas cadeias alimentares de terra firme. O processo que abrange a transformação da amônia em nitritos e, depois, de nitritos em nitratos, é denominado **nitrificação**. Por isso, nitrossomonas e nitrobactérias são genericamente chamadas de **bactérias nitrificantes**.

Um grupo particular de bactérias fixadoras de nitrogênio, pertencentes ao gênero *Rhizobium*, pode viver associado a plantas leguminosas, transferindo-lhes diretamente os compostos nitrogenados que produzem a partir do N_2.

Com o nitrogênio que absorvem, as plantas produzem moléculas orgânicas constituintes de seu corpo, como as proteínas e os ácidos nucleicos.

As moléculas nitrogenadas das plantas, por sua vez, constituem a fonte de nitrogênio para os animais herbívoros que se alimentam delas. O mesmo processo ocorre nos níveis tróficos superiores ao longo da teia alimentar.

No metabolismo animal, proteínas e ácidos nucleicos sofrem constante degradação, com produção de diversos tipos de compostos nitrogenados genericamente denominados **excreções**, ou **excretas**, que são eliminados para o ambiente. Os principais produtos nitrogenados excretados pelos animais são a amônia, a ureia e o ácido úrico.

Com a ação dos organismos decompositores sobre plantas e animais mortos e sobre as excreções e as fezes animais, o nitrogênio constituinte de moléculas orgânicas retorna ao solo na forma de amônia, que pode novamente passar por processos de nitrificação e originar nitratos.

Enquanto uma parte dos compostos nitrogenados presentes no solo sofre nitrificação, outra parte sofre **desnitrificação**, processo realizado por bactérias do solo genericamente denominadas **bactérias desnitrificantes**. Estas degradam compostos nitrogenados para obter energia, liberando gás nitrogênio (N_2) para a atmosfera. (Fig. 4.4)

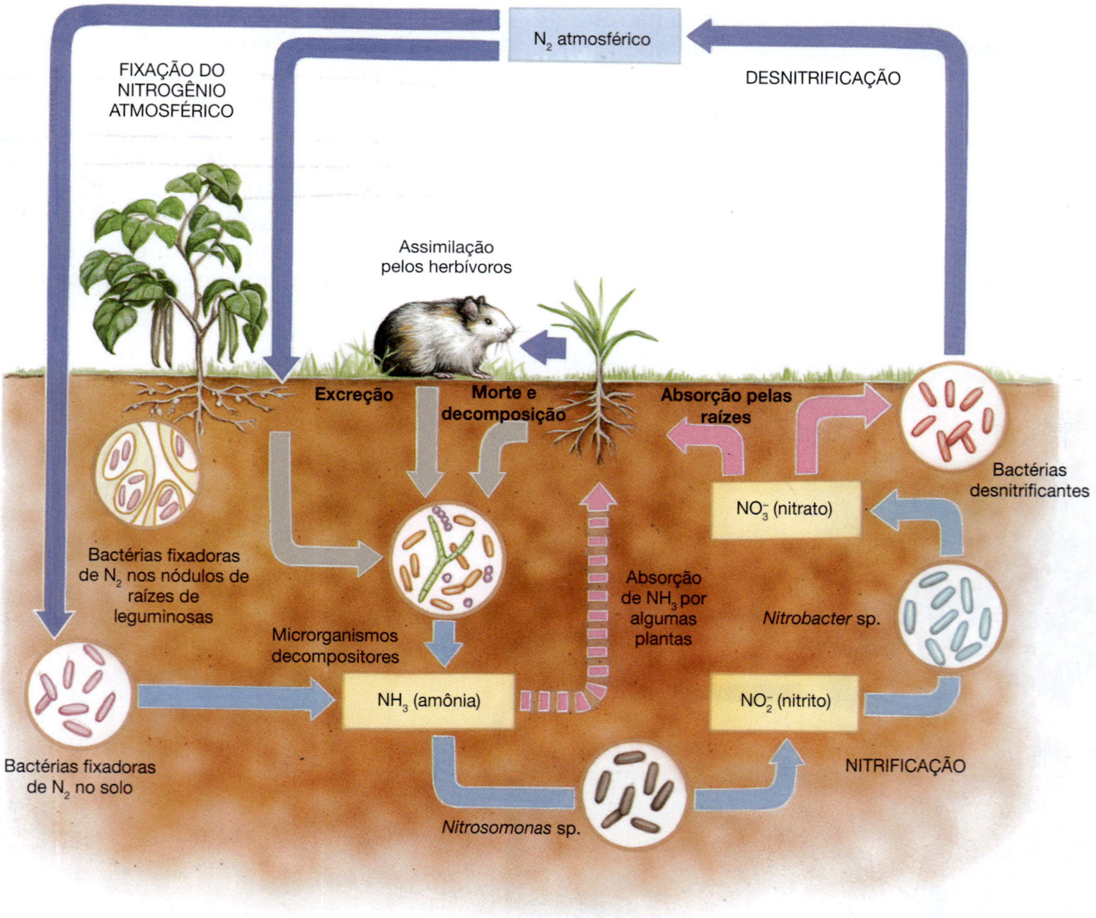

Figura 4.4 No ciclo do nitrogênio, bactérias de várias espécies desempenham papel fundamental, tanto na entrada do nitrogênio na parte viva do ambiente como em sua restituição à atmosfera. (Elementos fora de proporção de tamanho entre si; cores-fantasia.)

Ciência e cidadania

Adubação verde, leguminosas e rizóbios

1 Às vezes, progredir pode ser simplesmente resgatar práticas antigas, esquecidas durante a caminhada rumo à modernidade. Isso tem ocorrido recentemente na agricultura, com a nova ênfase na adubação verde, técnica milenar empregada por chineses, gregos e romanos há mais de 2 mil anos.

2 A adubação verde consiste em preparar campos de cultivo por meio do plantio de leguminosas (soja, alfafa, feijão, ervilha etc.), plantas que abrigam em suas raízes bactérias fixadoras de nitrogênio do gênero *Rhizobium*. Após a decomposição dessa biomassa vegetal cultivada, os nutrientes tornam-se disponíveis no solo, fertilizando-o para o cultivo de espécies não leguminosas.

3 O plantio de leguminosas e não leguminosas em períodos alternados em um campo de cultivo costuma ser chamado de rotação de culturas. O cultivo de leguminosas juntamente com plantas não leguminosas no mesmo campo constitui as plantações consorciadas. No Brasil, é comum plantar feijão em fileiras alternadas com milho.

4 A adubação verde tem diversos benefícios, como o aumento da matéria orgânica no solo e a melhora da textura e da densidade da terra. Entretanto, o principal benefício da técnica é o aumento da quantidade de nitrogênio disponível para as plantas. Pesquisas indicam que, em campos experimentais plantados com alfafa e soja, a quantidade de nitrogênio fixado aumenta até 100 vezes em relação a um ecossistema natural.

5 Entre as muitas bactérias que vivem no solo estão as do gênero *Rhizobium* – o rizóbio –, com forma de bastonete, menos de 3 milésimos de milímetro de comprimento e tufos de "pelinhos" microscópicos, os flagelos, utilizados na locomoção. Em solos pobres em nitrogênio, os rizóbios são atraídos por substâncias eliminadas pelas raízes de certas plantas leguminosas, invadindo-as. Em resposta, as células das raízes sofrem transformações e multiplicam-se, originando dilatações em forma de nódulos nesses órgãos.

GERSON SOBREIRA/TERRASTOCK

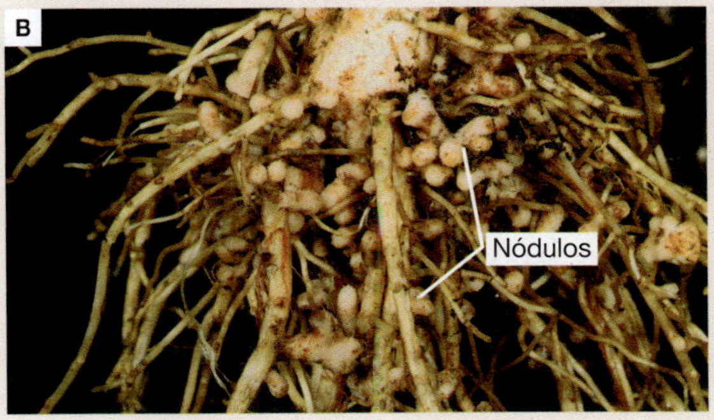

NIGEL CATTLIN/VISUALS UNLIMITED/CORBIS/LATINSTOCK

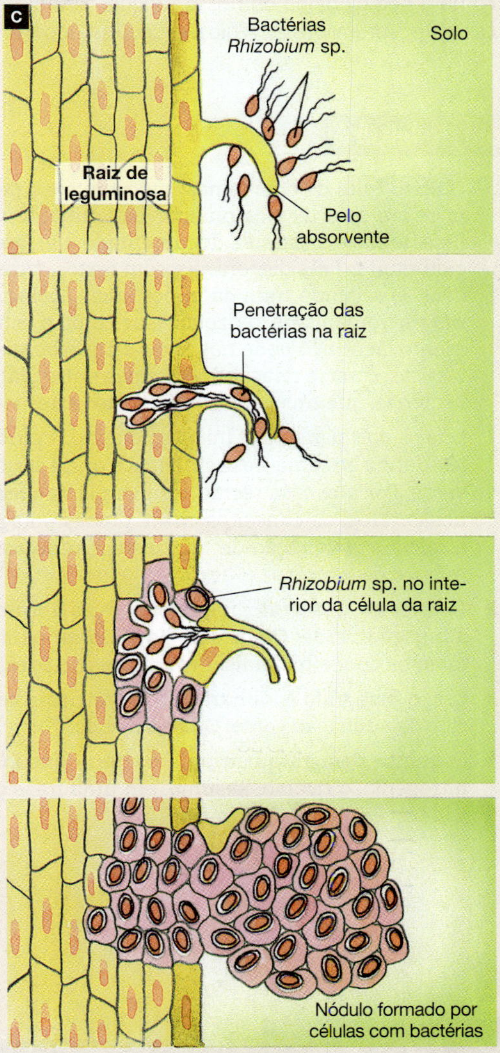

6 As células dos nódulos das raízes passam a abrigar, no citoplasma, dezenas de rizóbios invasores, agora maiores e sem flagelos, que passam a ser chamados de bacteroides. Eles se alimentam das moléculas orgânicas produzidas pelas células hospedeiras, que também disponibilizam aos invasores um ambiente rico em gás oxigênio, essencial à respiração dessas bactérias.

7 Rizóbios são capazes de converter gás nitrogênio atmosférico (N_2) em amônia (NH_3). Além de constituir fonte de nitrogênio para a bactéria, a amônia também é utilizada pelas células infectadas da leguminosa. Portanto, é uma vantagem para a planta ter em suas raízes os rizóbios, que atuam como fornecedores microscópicos de fertilizante nitrogenado.

8 Ainda há muito a ser descoberto sobre a troca de benefícios entre rizóbios e leguminosas, tipo de relação que os biólogos denominam endossimbiose. Já se sabe, porém, que as células da planta tornam-se participantes ativas na respiração do bacteroide. Quanto maior a quantidade de gás oxigênio disponível, maior a eficiência da bactéria em converter N_2 em NH_3, ou seja, em fixar nitrogênio atmosférico. E isso beneficia a planta.

9 Entre as características da planta que permitem a seus hóspedes respirar mais e melhor está a produção da proteína leghemoglobina pelas células infectadas. Assim como a hemoglobina de nosso sangue, essa proteína é capaz de capturar gás oxigênio. Segundo estudos recentes, a leghemoglobina garante aos bacteroides a afluência de gás oxigênio suficiente para que mantenham altas taxas de respiração celular e, consequentemente, muita fixação de nitrogênio. Quanto mais nitrogênio excedente sobrar para a leguminosa, melhor para ela. E também para nós!

Biblioteca do estudante
Sugestões de livros, *sites* e vídeos

Guia de leitura

O texto trata de dois temas importantes: o primeiro refere-se à técnica milenar da adubação verde. Esse tema é bastante documentado na internet, com muitos *links* disponíveis, com textos, fotos e vídeos. O segundo trata da importância ecológica de um microrganismo, o rizóbio, e de como o conhecimento científico pode nos levar a descobertas fantásticas, como a relação cooperativa entre plantas e bactérias, que traz benefícios a tantos seres vivos.

1 Leia os dois parágrafos iniciais do texto. A partir deles, defina em uma frase sintética o que é adubação verde. Por que essa técnica utiliza plantas leguminosas? Eleja os conceitos-chave desses parágrafos e inicie a elaboração de uma listagem desses termos no caderno.

2 O terceiro parágrafo menciona duas formas de adubação verde. Quais são elas? Continue a destacar os conceitos mais importantes do parágrafo.

3 Leia o parágrafo 4, que trata dos principais benefícios da adubação verde. Quais são eles?

4 O quinto parágrafo cita uma bactéria fixadora de nitrogênio, o rizóbio. Resuma, em uma frase curta, a ideia central do parágrafo.

5 No sexto parágrafo aparece o conceito de bacteroide. Defina-o objetivamente. Avalie se esse conceito deve figurar em sua lista.

6 Leia os parágrafos 7 e 8. Eles tratam das trocas de benefícios entre o rizóbio e a leguminosa. Qual é a vantagem de cada um deles na associação?

7 No oitavo parágrafo aparece o conceito de endossimbiose, que merece ser destacado e fazer parte de sua lista. Pesquise esse termo em outras fontes, ampliando seu significado. Pesquise também o conceito de simbiose. Por fim, escreva um texto curto caracterizando endossimbiose.

8 No último parágrafo comenta-se como certa característica das leguminosas garante sua obtenção de nitrogênio a partir do "excedente" produzido pelos rizóbios. Certifique-se de ter compreendido que característica é essa. Será que tal "característica da leguminosa" traz benefícios à nossa espécie? Utilize o que estudou no capítulo e leu neste texto para refletir sobre essa questão. Avalie se há mais algum conceito-chave para destacar e finalize a lista feita no caderno.

Atividades

Biblioteca do estudante
Faça você mesmo!

Visão do especialista

Listas de exercícios

Revendo conceitos fundamentais

Escreva, em seu caderno, o termo abaixo que substitui corretamente a tarja entre parênteses das frases de 1 a 5.

a) ciclo biogeoquímico
b) desnitrificação
c) fixação de nitrogênio
d) nitrificação
e) transpiração

1. (▬) é um processo realizado por bactérias em que amônia é transformada em nitritos, e estes, em nitratos.

2. Realizado por bactérias, o processo de (▬) possibilita o retorno do elemento nitrogênio à atmosfera na forma de N_2.

3. A ciclagem de moléculas e átomos de elementos químicos entre o ambiente e os seres vivos constitui o que se denomina (▬).

4. A produção de compostos nitrogenados a partir de gás nitrogênio, realizada por certas bactérias, é denominada (▬).

5. (▬) é um processo realizado por plantas e animais que leva à eliminação de vapor-d'água para a atmosfera.

Escreva, em seu caderno, o termo abaixo que substitui corretamente a tarja entre parênteses das frases de 6 a 9.

a) bactérias desnitrificantes
b) bactérias fixadoras de nitrogênio
c) nitrossomonas
d) nitrobactérias

6. As (▬) são responsáveis, no ciclo do nitrogênio, pela formação de nitratos (NO_3^-) a partir de nitritos (NO_2^-).

7. (▬) possibilitam que o nitrogênio presente na amônia do solo retorne à atmosfera.

8. No ciclo do nitrogênio, as (▬) oxidam amônia, transformando-a em nitritos (NO_2^-).

9. As (▬) possibilitam a captura e a incorporação do elemento nitrogênio no mundo vivo.

10. Combustíveis fósseis são:
   a) moléculas inorgânicas ricas em energia, formadas no fundo dos mares primitivos.
   b) moléculas orgânicas ricas em energia, formadas a partir de seres que viveram no passado.
   c) moléculas orgânicas ricas em energia, formadas a partir da fotossíntese de seres atuais.
   d) misturas de diversos tipos de moléculas inorgânicas ricas em energia, extraídas de rochas fósseis submersas.

Ligando conceitos, fatos e processos

Escreva, em seu caderno, o termo abaixo que substitui corretamente a tarja entre parênteses das frases de 11 a 13.

a) água b) carbono c) nitrogênio d) hidrogênio

11. A formação de combustíveis fósseis, como o petróleo e o carvão mineral, está diretamente relacionada ao ciclo do(a) (▬).

12. A ação de bactérias capazes de transformar amônia em nitritos e estes em nitratos está diretamente relacionada ao ciclo do(a) (▬).

13. A rotação de culturas e a plantação consorciada são técnicas relacionadas diretamente ao ciclo do(a) (▬).

14. A capacidade que as leguminosas têm de enriquecer o solo com compostos nitrogenados deve-se à ação de bactérias:
   a) desnitrificantes que vivem no solo.
   b) fixadoras de N_2 que vivem em suas raízes.
   c) nitrificantes que vivem em suas folhas.
   d) nitrificantes que vivem no solo.

Questões para exercitar o pensamento

15. Ao organizar tabelas podemos comparar dados e conhecimentos, facilitando sua compreensão. Nesta atividade, seu desafio é organizar tabelas relativas aos ciclos biogeoquímicos estudados no capítulo.
   Para o ciclo da água sugerimos a seguinte organização:
   a) formas de obtenção de água por plantas e animais;
   b) principais funções da água no metabolismo vegetal e animal;
   c) formas pelas quais a água é devolvida ao ambiente por plantas e animais.
   Para os ciclos do carbono e do nitrogênio, organize tabelas semelhantes, que comparem plantas e animais quanto aos seguintes aspectos do ciclo:
   a) maneira(s) de obter o elemento químico;
   b) importância do elemento no organismo;
   c) maneiras de devolver o elemento ao ambiente.

16. Eventualmente você poderá encontrar, na literatura e em exames vestibulares, uma distinção no ciclo da água entre o que se denominaria "ciclo curto", devido à ciclagem relativamente mais rápida da substância, e "ciclo longo", em que a ciclagem é mais demorada. Como você correlacionaria essas distinções com um ciclo abiológico da água, do qual não participam seres vivos, e um ciclo em que ocorre a participação de seres vivos? Escreva um texto curto a esse respeito.

17. Na introdução do capítulo, afirmamos que compreender e transmitir conhecimentos sobre os ciclos da natureza podem representar ações em prol da cidadania. Você concorda com essa afirmação? Escreva suas conclusões no caderno. A seguir, coloque-se no papel de um divulgador do conhecimento e descreva como você explicaria a ocorrência dos ciclos naturais a uma criança.

18. Além do carbono e do nitrogênio, estudados neste capítulo, outros elementos importantes para a vida transitam pela natureza de maneira cíclica, como é o caso do fósforo (P). Em certos aspectos, o ciclo do fósforo é mais simples que os ciclos do carbono e do nitrogênio: como não há muitos compostos gasosos de fósforo à temperatura ambiente, não há passagem significativa de átomos desse elemento pela atmosfera. Outra razão para a simplicidade do ciclo do fósforo é a existência de apenas um composto de fósforo realmente importante para os seres vivos: o íon fosfato (PO_4^{3-}).
   Seu desafio nesta atividade é elaborar um esquema que represente o ciclo do fósforo na natureza, em estilo semelhante aos esquemas utilizados no livro. Para tanto, você deverá pesquisar como plantas e animais obtêm fosfatos do meio e como o fósforo presente na matéria orgânica retorna ao ambiente. Acrescente ao seu esquema informações básicas sobre como o fósforo é utilizado no metabolismo de plantas e animais.

A Biologia no vestibular e no Enem

Questões objetivas

1. (UFRR) O ciclo do carbono está representado de forma simplificada no esquema abaixo. Analise-o e, a seguir, determine a alternativa que indica respectivamente os nomes dos processos I, II, III e IV.

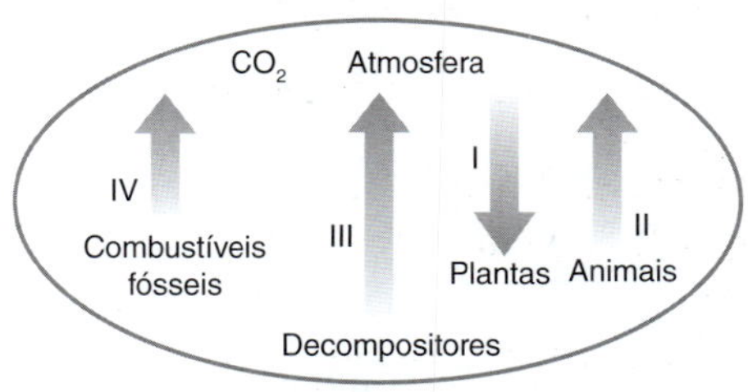

   a) fotossíntese – respiração – decomposição – combustão
   b) respiração – fotossíntese – combustão – decomposição
   c) fotossíntese – decomposição – respiração – combustão
   d) combustão – respiração – decomposição – fotossíntese
   e) decomposição – combustão – fotossíntese – respiração

2. (Enem-MEC) A falta de água doce no planeta será, possivelmente, um dos mais graves problemas deste século. Prevê-se que, nos próximos vinte anos, a quantidade de água doce disponível para cada habitante será drasticamente reduzida. Por meio de seus diferentes usos e consumos, as atividades humanas interferem no ciclo da água, alterando

a) a quantidade total, mas não a qualidade da água disponível no planeta.
b) a qualidade da água e sua quantidade disponível para o consumo das populações.
c) a qualidade da água disponível, apenas no subsolo terrestre.
d) apenas a disponibilidade de água superficial existente nos rios e lagos.
e) o regime de chuvas, mas não a quantidade de água disponível no planeta.

3. (UFPA) Durante o ciclo do nitrogênio, esse elemento pode ser depositado no solo na forma de amônia, a partir de diversas fontes. A amônia no solo pode

a) ser absorvida e assimilada diretamente pelas plantas ou fixada simbioticamente por bactérias fixadoras do nitrogênio, como as *Nitrosomonas*.
b) sofrer a desnitrificação por bactérias nitrificantes e ser assimilada diretamente pelas plantas, após ser transformada em N_2.
c) sofrer a ação de bactérias desnitrificantes, o que gera nitrogênio molecular, ou ser transformada em nitrato a partir do processo de nitrificação.
d) ser assimilada diretamente pelas plantas a partir da relação simbiótica com bactérias *Nitrosomonas*.
e) ser convertida em nitrato ou em nitrogênio molecular por bactérias do gênero *Rhizobium*.

4. (UFV-MG) Observe as indicações I, II, III, IV e V, que completam o ciclo biogeoquímico representado abaixo.

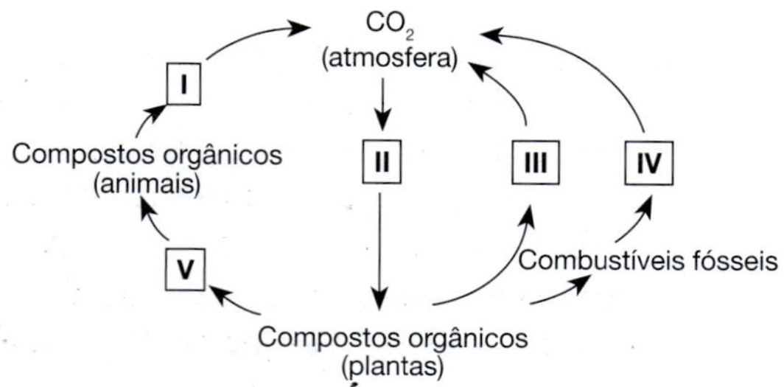

Após observação, a alternativa que contém duas indicações **corretas** é:

a) (II) fotossíntese (IV) nutrição
b) (II) fotossíntese (V) fotossíntese
c) (III) nutrição (IV) combustão
d) (I) respiração (III) respiração

5. (UFC) O aquecimento global está ameaçando os vinhos franceses. Segundo relatório do Greenpeace, uma das consequências do efeito estufa é o aumento na concentração de açúcar nas uvas, o que acaba deixando os vinhos com gosto e textura diferentes de sua "personalidade original". Os altos níveis de açúcar mencionados no relatório estão relacionados:

a) ao aumento da concentração de gás metano (CH_4), proveniente do acúmulo de lixo orgânico.
b) ao aumento da concentração de dióxido de nitrogênio (NO_2) no solo das áreas dos vinhedos.
c) à diminuição da taxa de respiração celular das plantas em função da elevação da temperatura.
d) à diminuição do teor de umidade nas regiões temperadas, que concentra a sacarose nos frutos.
e) ao aumento da taxa de fotossíntese devido à elevação do teor do dióxido de carbono (CO_2) atmosférico.

6. (Udesc) Com relação aos ciclos biogeoquímicos, analise as seguintes afirmativas:

I. No ciclo do carbono: as cadeias de carbono formam as moléculas orgânicas através dos seres autotróficos por meio da fotossíntese, na qual o gás carbônico é absorvido, fixado e transformado em matéria orgânica pelos produtores. O carbono volta ao ambiente através do gás carbônico por meio da respiração.

II. No ciclo do oxigênio: o gás oxigênio é produzido durante a construção de moléculas orgânicas pela respiração e consumido quando essas moléculas são oxidadas na fotossíntese.

III. No ciclo da água: a energia solar possui um papel importante, pois ela permite que a água em estado líquido sofra evaporação. O vapor de água, nas camadas mais altas e frias, condensa-se e forma nuvens que, posteriormente, precipitam-se na forma de chuva, e a água dessa chuva retorna ao solo formando rios, lagos, oceanos ou ainda se infiltrando no solo e formando os lençóis freáticos.

IV. No ciclo do nitrogênio: uma das etapas é a de fixação do nitrogênio, na qual algumas bactérias utilizam o nitrogênio atmosférico e fazem-no reagir com oxigênio para produzir nitrito, que será transformado em amônia no processo de nitrificação.

Assinale a alternativa correta.

a) Somente as afirmativas II e IV são verdadeiras.
b) Somente as afirmativas I e II são verdadeiras.
c) Somente as afirmativas I, III e IV são verdadeiras.
d) Somente as afirmativas II, III e IV são verdadeiras.
e) Somente as afirmativas I e III são verdadeiras.

7. (Fuvest-SP) No esquema abaixo, as setas numeradas de I a IV indicam transferências de moléculas ou energia entre seres vivos e entre eles e o ambiente.

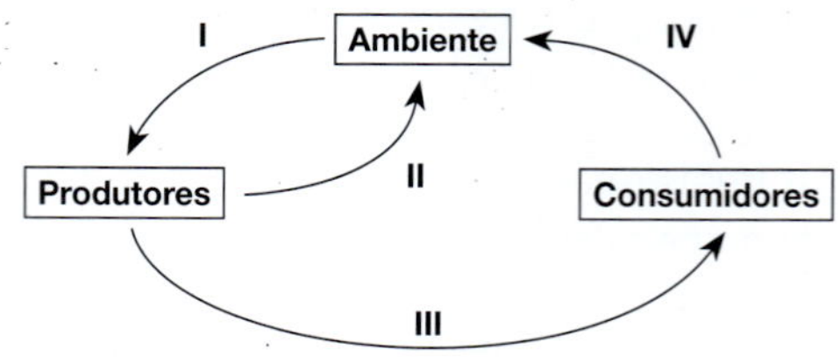

Assinale a alternativa do quadro abaixo que mostra, corretamente, as passagens em que há transferência de gás carbônico, de moléculas orgânicas ou de energia.

	TRANSFERÊNCIA DE		
	Gás carbônico	**Moléculas orgânicas**	**Energia**
a)	I e II	I e IV	I e III
b)	I e IV	II	I, III e IV
c)	I, II e IV	III	I, II, III e IV
d)	I, II e III	III e IV	I, II, III e IV
e)	II, III e IV	II e III	I e III

8. (FCC) Considere o seguinte diagrama:

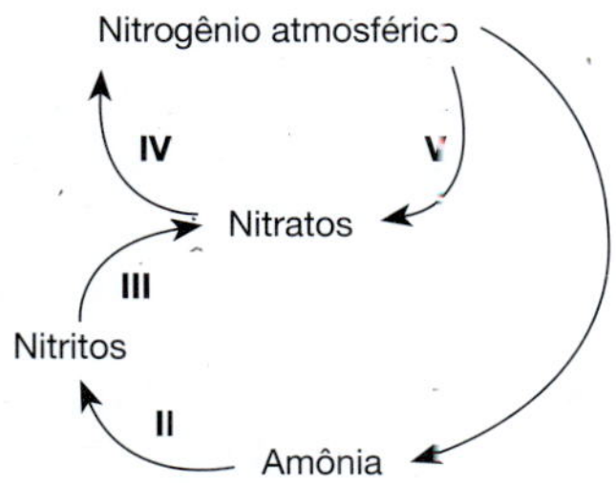

A importância das bactérias que vivem em simbiose com leguminosas decorre principalmente de sua ação em:

a) I.
b) II.
c) III.
d) IV.
e) V.

9. (FCMSC-SP) Que letra da tabela abaixo indica as substâncias que os microrganismos decompositores eliminam para o meio ambiente nos ciclos do nitrogênio e do CO_2?

	CICLO DO N_2	CICLO DO CO_2
a)	NH_3	$CaCO_3$
b)	NH_3	CO_2
c)	N_2	$CaCO_3$
d)	N_2	CO_2
e)	$Ca(NO_3)_2$	$CaCO_3$

10. (UEA) O esquema abaixo representa parte do ciclo do nitrogênio, onde os processos indicados por I e II correspondem, respectivamente, a:

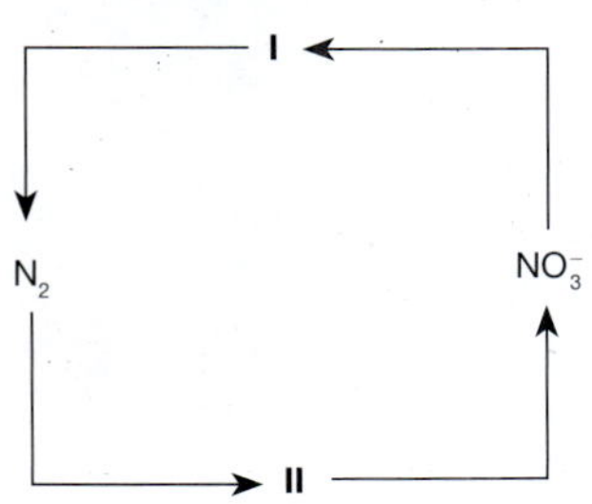

a) Desnitrificação e fotossíntese.
b) Fotossíntese e nitrificação.
c) Nitrificação e respiração.
d) Desnitrificação e nitrificação.
e) Decomposição e nitrosação.

Questões discursivas

11. (Fuvest-SP) Resultados de uma pesquisa publicada na revista *Nature*, em 29 de julho de 2010, mostram que a quantidade média de fitoplâncton dos oceanos diminuiu cerca de 1% ao ano, nos últimos 100 anos. Explique como a redução do fitoplâncton afeta:

a) os níveis de carbono na atmosfera.
b) a biomassa de decompositores do ecossistema marinho.

12. (Fuvest-SP) Após alguns meses de monitoramento de uma região de floresta temperada (de julho a dezembro de 1965), a vegetação de uma área foi derrubada e impediu-se o crescimento de novas plantas. Tanto a área de floresta intacta quanto a área desmatada continuaram a ser monitoradas durante os dois anos e meio seguintes (de janeiro de 1966 a junho de 1968). O gráfico a seguir mostra as concentrações de nitratos presentes nas águas de chuva drenadas das duas áreas para córregos próximos.

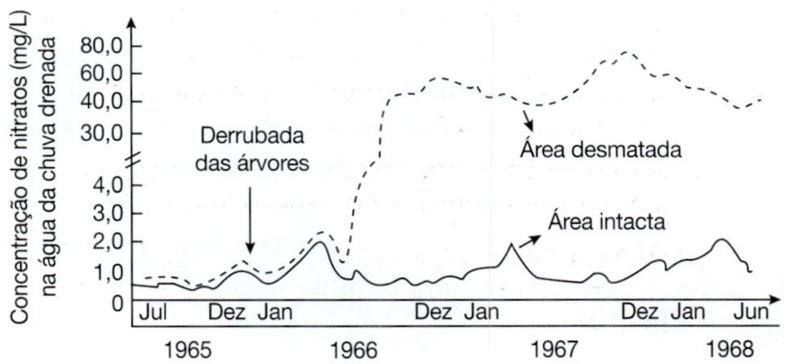

a) Se, em 1968, a vegetação da área intacta tivesse sido removida e ambas as áreas tivessem sido imediatamente usadas para cultivo de cereais, era de se esperar que houvesse maior produtividade de grãos em uma delas? Por quê?
b) Qual elemento químico do nitrato é fundamental para a manutenção de um ecossistema? Por quê?

13. (UFRRJ)

Os sul-africanos estão atravessando uma grave crise na alimentação, causada pelo esgotamento do solo na região. Para minimizar o problema, a Universidade da Califórnia desenvolveu uma técnica para recuperar os solos esgotados, que consiste em plantar árvores de leguminosas em meio a lavouras de alimentos.

(Adaptado de *Ciência Hoje*, SBPC, v. 33, n. 193, maio 2003, p. 51.)

De que maneira essa técnica ajuda na recuperação do solo?

Módulo 2 Populações, comunidade e humanidade

ALEXANDRE TOKITAKA/PULSAR IMAGENS

Capítulo 5

A dinâmica das populações

Itens principais:

- O que é uma espécie biológica?
- Características das populações
- Fatores que regulam o tamanho populacional

DONALD M. JONES/ MINDEN PICTURES/LATINSTOCK

Capítulo 6

Relações ecológicas

Itens principais:

- Hábitat e nicho ecológico
- Relações ecológicas intraespecíficas
- Relações ecológicas interespecíficas

MICHAEL PATRICK O'NEILL/ALAMY/OTHER IMAGES

Os bancos de corais são comunidades de alta diversidade biológica, onde se pode observar a multiplicidade de relações entre os seres vivos.

ANIMALS ANIMALS/GRUPO KEYSTONE

Capítulo 7

Sucessão ecológica e biomas

Itens principais:

Sucessão ecológica
Grandes biomas do mundo
Domínios morfoclimáticos e biomas do Brasil
Ecossistemas aquáticos

JOÃO WAINER/FOLHAPRESS

Capítulo 8

A humanidade e o ambiente

Itens principais:

O conceito de desenvolvimento sustentável
Poluição e desequilíbrios ambientais
Alternativas para o futuro

Conheça os capítulos deste módulo

Neste século, a humanidade tem enfrentado e continuará a enfrentar problemas decorrentes de causas diversas, entre elas o crescimento demográfico, políticas inadequadas de distribuição de recursos e visões equivocadas de progresso. Nesse novo cenário, será fundamental que a sociedade valorize a Ecologia, ramo da ciência dedicado ao estudo das intrincadas relações funcionais da natureza, estabelecidas ao longo de mais de 3,5 bilhões de anos de evolução.

Capítulo 5 Abordamos aqui as características e a dinâmica das populações biológicas, com ênfase na população humana mundial. Estima-se que esta já tenha ultrapassado a marca de 7 bilhões de pessoas, o dobro do que havia em 1965. Projeções da ONU estimam que o mundo terá 10 bilhões de pessoas em 2050! Embora ainda existam muitas divergências sobre o tamanho populacional que a Terra suportaria, não há dúvida de que estamos atingindo limites extremos e que os alarmes de crises iminentes estão começando a disparar.

Capítulo 6 Certas espécies alimentam-se de outras, algumas competem entre si e há também aquelas que convivem harmoniosamente, trocando benefícios. Neste capítulo tratamos da diversidade de interações entre os seres vivos. A vida e a evolução das espécies biológicas, inclusive a nossa, dependem dessa teia de relações estabelecida ao longo do processo evolutivo.

Capítulo 7 Aqui estudamos o desenvolvimento das comunidades naturais e os diferentes biomas da Terra. Este capítulo e o anterior nos mostram que a vida é um empreendimento coletivo em que diferentes espécies contribuem para o surgimento de ecossistemas complexos. Quanto maior for a nossa compreensão da trama da vida na natureza, maiores chances teremos de conviver harmoniosamente com ela.

Capítulo 8 Discutimos neste capítulo alguns problemas ambientais da atualidade. Se a humanidade deseja desfrutar de uma longa existência na Terra, terá de encontrar formas equilibradas de convívio com a natureza e explorar mais racionalmente os recursos naturais. Esses são os princípios básicos da sustentabilidade. Não podemos nos esquecer de que cuidar do planeta é uma responsabilidade de todos os cidadãos.

Capítulo 5 A dinâmica das populações

ALEXANDRE TOKITAKA/PULSAR IMAGENS

Multidão reunida para acompanhar uma partida de futebol, no Estádio do Morumbi (São Paulo, 2009).

Bilhões de pessoas!

[...] Pense na maior multidão com a qual você já esteve – talvez 50 mil pessoas em um estádio [em dia de clássico]. Em apenas 6 horas a partir de agora, haverá mais este número de pessoas no mundo, e outras 50 mil nas próximas 6 horas, e assim por diante. Não é de admirar que o aumento da população humana é visto, muitas vezes, como um dos maiores problemas do nosso mundo.

[Em 2011 foi ultrapassado o número de 7 bilhões de pessoas no mundo], o dobro do que havia em 1965 [...]. Projeções da ONU dizem que pode haver um adicional entre 2 e 4 bilhões [de novos seres humanos] até 2050. [Isso significa atingir algo em torno de 10 bilhões de pessoas até a metade do século!] O planeta jamais passou por algo semelhante.

O mundo consegue sustentar este crescimento populacional? [...] a história está repleta com terríveis, mas falhas, previsões de fome e morte resultantes da superpopulação. A mais famosa delas é a de Thomas Malthus, que alertou, há mais de dois séculos, que a população seria mantida "sob controle" pela elevação da mortalidade. O que ele não previu foi a capacidade das sociedades recém-industrializadas para suportar um grande número de pessoas. [A evolução tecnológica, por exemplo, possibilitou à humanidade aumentar em grande escala a capacidade de produzir alimentos.]

[No entanto, isso não significa que não haja fome no mundo. Segundo um relatório de 2010 da Organização das Nações Unidas para a Agricultura e Alimentação (FAO), cerca de 5 milhões de crianças morrem de fome todo ano. O problema da fome mundial, porém, deve-se mais à má distribuição dos recursos do que à falta deles.]

Hoje, o "problema populacional" está de volta à agenda. No começo [de 2009], o conselheiro científico do governo britânico John Beddington projetou uma população sob crise global em 2030.

Mais: um grupo de bilionários influentes, incluindo Bill Gates e George Soros, identificou a superpopulação como a maior ameaça que a humanidade enfrenta. [...]

As estatísticas populacionais são, de fato, impressionantes. Números brutos, contudo, escondem uma infinidade de complexidades. Olhando atentamente, fica claro que a suposição [...] de que a população é a raiz de todos os males é simplista.

Por exemplo, enquanto a população está crescendo em números absolutos, a taxa de crescimento (média) está reduzindo a velocidade – de um máximo de 2% nos anos 1960 para 1% hoje. No Japão, Rússia e muitos dos países europeus, mulheres estão tendo poucos filhos, o que está diminuindo a população, ou vai diminuir, em breve. Ao mesmo tempo, as populações de muitas das nações menos desenvolvidas estão explodindo, com mulheres em alguns países dando origem a mais de cinco filhos, em média. [...]

"Estamos muito pesados para o mundo, os recursos são escassos para nós. A natureza já não nos sustenta." Assim escreveu Tertuliano, um dos primeiros cristãos, no século III. Naquela época, a população mundial era de cerca de 200 milhões. Dezoito séculos depois, e com 34 vezes mais pessoas no planeta, o debate continua.

Fonte: *Folha Online*, 23 set. 2009. Disponível em: <http://www1.folha.uol.com.br/folha/ciencia/ult306u628157.shtml>. Acesso em: set. 2013.

5.1 O que é uma espécie biológica?

Desde a infância, desenvolvemos um conceito informal de espécie. Quando uma criança identifica um gato ou um cavalo, ela está reconhecendo nesses animais uma série de características típicas das espécies às quais eles pertencem.

Curiosamente, logo após a publicação de seu livro *A origem das espécies*, em 1859, o naturalista inglês Charles Darwin foi questionado por Thomas Henry Huxley, também naturalista, quanto ao título da obra: o que seria uma espécie? Darwin respondeu que, embora ainda não houvesse uma definição de espécie que satisfizesse plenamente os naturalistas, todos eles tinham certa noção do que se queria dizer quando se falava em espécie.

A resposta de Darwin continua válida, mesmo tendo sido dada há mais de 150 anos. Até hoje, não se tem uma definição satisfatória para o conceito de espécie biológica. Alguns chegam a questionar se realmente há espécies na natureza ou se elas não seriam apenas "invenções" arbitrárias dos biólogos, em sua desafiadora tarefa de conceituar e organizar o conhecimento.

A maioria dos estudiosos, entretanto, admite que o conceito de espécie é importante para a Biologia. O que ainda não se conseguiu foi elaborar um conceito realmente operacional, isto é, que permita distinguir inequivocamente cada uma das espécies biológicas.

O conceito de espécie ganhou destaque a partir dos trabalhos do botânico sueco Lineu (Carl von Linné, 1707-1778), que lançou as bases da moderna classificação biológica. Na primeira edição de seu livro *Systema Naturae* (*Sistema da natureza*), de 1735, Lineu assumiu a espécie como a categoria mais básica da classificação, conceituando-a como um grupo de indivíduos com grandes semelhanças estruturais e fisiológicas.

A importância do assunto

O texto que você acabou de ler é de um artigo da revista *New Scientist*, traduzido e publicado no jornal *Folha Online* em setembro de 2009. Ele discute um tema cada vez mais importante para o futuro da humanidade: quais são os limites para o crescimento da população mundial?

A população biológica – conjunto de indivíduos de mesma espécie que habita determinada região – é uma importante unidade ecológica, como veremos neste capítulo. O estudo de certas características da população, ao longo do tempo, informa se ela está em expansão, em declínio ou estável, o que permite estabelecer correlações com fatores como disponibilidade de alimento, clima etc.

Ainda há muita divergência quanto ao crescimento da população humana; alguns acham que se trata de um problema secundário, uma vez que a miséria e a fome no mundo estão mais relacionadas com as más políticas de distribuição de renda do que com a superpopulação. Entretanto, não resta dúvida de que muitos problemas da humanidade se agravam quando o ambiente natural é degradado, e isso é decorrência direta da quantidade de pessoas que o exploram. Vale a pena discutir a diversidade de pontos de vista sobre esse assunto, que tende a se tornar cada vez mais relevante. Se possível, visite o *site* do Instituto Brasileiro de Geografia e Estatística (IBGE), www.ibge.gov.br, que traz diversos dados sobre a população do Brasil e do mundo.

Estar informado sobre os debates a respeito do crescimento da população humana é uma ação pela cidadania. Se você ainda não acompanhava de perto esse tema, comece conosco neste capítulo.

Nas décadas de 1930 e 1940, dois eminentes biólogos e divulgadores da teoria evolucionista, Theodosius Dobzhansky (1900-1975) e Ernst Mayr (1904-2005), propuseram uma definição para **espécie biológica** que ficou conhecida como conceito "biológico" de espécie. Segundo esse conceito, largamente utilizado até hoje, espécies são grupos de populações naturais que cruzam entre si e que estão reprodutivamente isoladas de outros grupos semelhantes. (Fig. 5.1)

SCIENCE PHOTO LIBRARY/LATINSTOCK

AKG-IMAGES/BRUNI MEYA/NEWSCOM/GLOW IMAGES

Figura 5.1 O geneticista ucraniano Theodosius Dobzhansky (**A**) e o zoólogo alemão Ernst W. Mayr (**B**) foram dois importantes artífices da teoria sintética da evolução, na qual conhecimentos genéticos, desconhecidos na época de Darwin, foram integrados e articulados à teoria darwinista da seleção natural. Deles é a autoria do conhecido conceito biológico de espécie.

Observe que o conceito biológico de espécie não menciona a semelhança estrutural dos indivíduos, mas sua capacidade de cruzar com indivíduos de mesma espécie. Mesmo que pertençam a populações geograficamente separadas, os membros de uma espécie são capazes de cruzar entre si e produzir descendência fértil, se puderem se reunir em condições naturais.

Embora teoricamente bem fundamentado, o conceito de espécie de Dobzhansky e Mayr tem limitações: primeiro, ele não se aplica a espécies sem reprodução sexuada, como as de bactérias e arqueas; segundo, o conceito biológico de espécie é pouco operacional; é difícil testar se os membros de duas supostas espécies cruzam ou não entre si em condições naturais; cruzamentos em cativeiro não constituem prova, uma vez que a condição de cativeiro altera o comportamento natural dos indivíduos.

Na prática, os biólogos continuam a utilizar como critério de classificação diversas características cuidadosamente escolhidas entre aspectos morfológicos, fisiológicos, bioquímicos e genéticos. A ideia é que, ao longo do processo evolutivo, cada espécie desenvolveu características típicas, que não foram compartilhadas com outras espécies devido ao isolamento reprodutivo. Portanto, "novidades" evolutivas surgidas em cada espécie, decorrentes do isolamento, permaneceram como exclusividades da espécie. Assim, a escolha de características realmente exclusivas e relevantes torna a classificação mais adequada.

Um nome para cada espécie

Há mais de três séculos, Lineu elaborou um sistema revolucionário de denominação para as espécies – a **nomenclatura binomial** –, segundo o qual o nome científico de uma espécie deve ser composto de duas palavras escritas em latim ou devidamente latinizadas. Se você conhece nomes como *Homo sapiens*, *Canis familiaris*, *Eqqus cabalus* etc., já teve contato com o sistema binomial de Lineu.

A primeira palavra do nome científico refere-se ao gênero, que reúne espécies com características semelhantes. A segunda palavra do nome refere-se à espécie. Por exemplo, o nome científico do lobo é *Canis lupus* e o do coiote é *Canis latrans*. Ou seja, pertencem ao gênero *Canis*. Além de uniformizar a grafia, o nome científico fornece informações sobre a semelhança de uma espécie com outras. Mesmo que nunca tivéssemos visto um coiote, saberíamos que ele tem semelhanças com o lobo pela simples leitura de seus nomes científicos. (Fig. 5.2)

BRUCE CORBETT/STOCK CONNECTION/GLOW IMAGES

TOM WALKER/VISUALS UNLIMITED, INC./GLOW IMAGES

Figura 5.2 Dois representantes do gênero *Canis*. Em **A**, o lobo, pertencente à espécie *Canis lupus*; em **B**, o coiote, pertencente à espécie *Canis latrans*. A notável semelhança entre as espécies justifica classificá-las no mesmo gênero. O lobo e o coiote adultos medem, respectivamente, cerca de 140 cm e 80 cm de comprimento.

5.2 Características das populações

O conceito de população

Considere duas espécies distintas, uma de pássaros e outra de ratos, encontradas nas ilhas de um arquipélago. Os pássaros, capazes de voar livremente entre as ilhas, podem se encontrar e cruzar entre si; de acordo com os biólogos, eles formariam uma única população distribuída pelas ilhas do arquipélago. Os ratos não conseguem nadar entre as ilhas e, consequentemente, o grupo presente em uma ilha não tem oportunidade de cruzar com grupos de ilhas vizinhas; cada ilha, portanto, teria sua própria população de ratos. A partir desse exemplo, concluímos que **população biológica** é um conjunto de indivíduos de mesma espécie que convivem em determinada área e que podem cruzar entre si de forma natural.

Aplicando esse critério à espécie humana, pode-se dizer que a humanidade constitui uma única população biológica, que se distribui pelos diversos continentes do planeta. As migrações, facilitadas principalmente pela revolução nos transportes e nas comunicações, transformaram a humanidade em uma verdadeira "aldeia global". Na linguagem cotidiana, entretanto, é comum a referência à "população" de um município, de um estado, de um país etc. O mais preciso, nesse caso, seria utilizar o termo subpopulação, mas, a favor da simplicidade, emprega-se a palavra população.

Densidade populacional

Uma informação importante a respeito de qualquer população é sua **densidade populacional**, que pode ser definida como a relação entre o número de indivíduos da espécie e a área ou o volume (no caso de hábitats aquáticos, por exemplo) que eles habitam. Essa definição está representada a seguir:

$$\text{Densidade populacional} = \frac{\text{Número de indivíduos}}{\text{Área ou volume}}$$

Na população humana, o estudo matemático-estatístico do tamanho populacional e de sua composição em idade e sexo, entre outros aspectos, constitui a **demografia** (do grego *demos*, povo, e *graphe*, descrição).

A densidade de uma (sub)população humana é denominada **densidade demográfica** e calculada com base em levantamentos periódicos, conhecidos como **censos demográficos**. Por exemplo, o censo realizado em 1990 estimou a população brasileira em aproximadamente 150 milhões de pessoas, distribuídas pelos 8,5 milhões de quilômetros quadrados de superfície do território nacional. Assim, a densidade demográfica do Brasil em 1990 era de aproximadamente 17,6 hab./km^2 (habitantes por quilômetro quadrado).

No ano 2000, o censo mostrou que a população brasileira tinha aumentado para 169 milhões de pessoas; como o território permaneceu o mesmo, a densidade demográfica brasileira cresceu para 19,8 hab./km^2. Em 2006, o IBGE estimou a população brasileira em 186 milhões e, em 2010, em 190.732.694 pessoas, o que indica uma densidade demográfica de aproximadamente 22,4 hab./km^2.

Em outras palavras, na área hipotética de um quilômetro quadrado, em que havia aproximadamente 20 pessoas (19,8 hab./km^2) em 2000, passaram a viver quase três pessoas a mais em 2010 (22,4 hab./km^2). (Fig. 5.3)

A

JUCA MARTINS/OLHAR IMAGEM

B

ZÉ ZUPPANI/PULSAR IMAGENS

Figura 5.3 No Brasil, há desde centros urbanos superpovoados até áreas rurais pouco ocupadas. Em **A**, foto da Rua 15 de Novembro, na cidade de São Paulo, SP, em 2008. Em **B**, fotografia de casas de uma comunidade de pescadores na foz do Rio Japaratuba, na cidade de Pirambu, SE, em 2007.

Taxas populacionais

Nos estudos populacionais, um aspecto importante é saber como uma população cresce. Para isso, estima-se a **taxa de crescimento populacional**, que é a variação (aumento ou diminuição) do número de indivíduos em determinado intervalo de tempo. Vamos concretizar essa definição analisando os dados a seguir, relativos a duas populações hipotéticas de bactérias:

Tempo	Número de bactérias/mL de meio de cultura	
	População A	População B
Início	10.000	200.000
Após 3 h	40.000	500.000

Para determinar a taxa de crescimento, primeiramente calculamos a variação do número de indivíduos no intervalo de tempo considerado. Para isso, tomamos o número de indivíduos da população no tempo final (*Nf*) e dele subtraímos o número de indivíduos no tempo inicial (*Ni*). Essa variação "bruta" é então dividida pelo número de indivíduos que havia na população no tempo inicial (*Ni*). Finalmente, esse número é dividido pela duração do período considerado (*t*). Veja a fórmula empregada no cálculo:

$$\text{Taxa de crescimento} = \frac{\frac{Nf - Ni}{Ni}}{t}$$

Você pode estar se perguntando o porquê de todos esses cálculos. Note que, ao dividirmos a variação "bruta" pelo tamanho inicial da população, estamos "relativizando-a". Isso é necessário porque, em números "brutos", a população A teve um acréscimo de apenas 30 mil indivíduos, enquanto a população B teve um acréscimo de 300 mil indivíduos no tempo considerado.

Isso indica que a população B cresceu mais que a A? Levando em conta o tamanho inicial da população, concluímos que não; pelo contrário, a população A teve o dobro da taxa de crescimento da população B. Pela variação bruta não é possível saber se o tamanho inicial da população A era muito menor que o da população B.

Por considerar o tamanho inicial da população, a taxa de crescimento é também chamada de **taxa de crescimento relativo** (**TCR**) da população.

Aplicando a fórmula, as taxas de crescimento relativo (TCR) para as duas populações de bactérias são:

- $\text{TCR de A} = \frac{\frac{40.000 - 10.000}{10.000}}{3} = $ 1 população por hora

- $\text{TCR de B} = \frac{\frac{500.000 - 200.000}{200.000}}{3} = $ 0,5 população por hora

As taxas mostram que a população A cresce em ritmo mais acelerado que a população B. Em A, uma nova população foi acrescentada à antiga a cada hora, ou seja, a população dobrou de tamanho (cresceu 100%) a cada hora. Em B, a taxa de crescimento foi metade da ocorrida em A, ou seja, em uma hora a população cresceu 50% em relação à população inicial.

Taxas de natalidade e de mortalidade

O crescimento de uma população é determinado, fundamentalmente, por dois fenômenos de efeitos opostos: a **natalidade**, isto é, o número de indivíduos que nascem, e a **mortalidade**, o número de indivíduos que morrem.

Outros fatores que também afetam o tamanho de uma população são a **imigração**, que é a chegada de novos indivíduos, e a **emigração**, a saída de indivíduos. (Fig. 5.4)

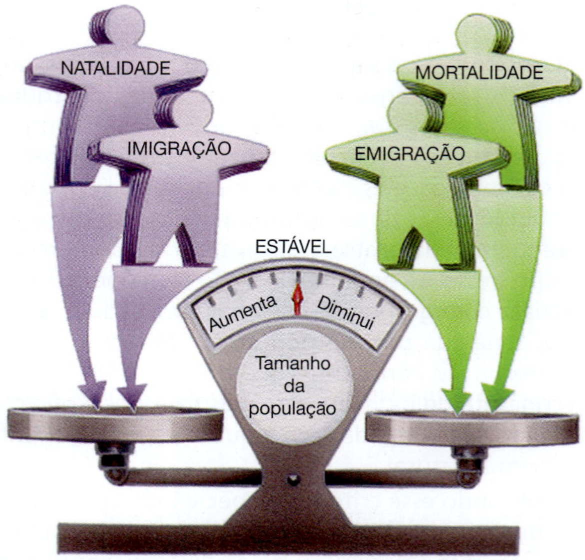

Figura 5.4 O crescimento de uma população resulta da interação de quatro fatores: natalidade, mortalidade, imigração e emigração.

Na espécie humana, costuma-se expressar a **taxa de natalidade** como o número de crianças nascidas, no período de um ano, para cada 1.000 habitantes da população. Analogamente, a **taxa de mortalidade** é o número de óbitos (mortes) ocorridos no período de um ano para cada 1.000 habitantes da população.

Por que expressar o número de nascimentos para cada 1.000 habitantes, isto é, dividido por 1.000? Pelo mesmo motivo que dividimos um número por 100 ao expressar porcentagens: "relativizamos" os números brutos, ou seja, fazemos com que se tornem comparáveis aos de outras populações. Por exemplo, se ocorreram dois nascimentos por ano em uma população de 1.000 habitantes, a taxa de natalidade é igual a 2/1.000 ou 0,002. Em outra população, de 4.000 habitantes, na qual tenham nascido 4 pessoas no mesmo ano, a taxa de natalidade é 4/4.000 ou 0,001, a metade da primeira população.

$$\text{Taxa de natalidade} = \frac{\text{Número de nascimentos no ano}}{\text{1.000 pessoas}}$$

$$\text{Taxa de mortalidade} = \frac{\text{Número de mortes no ano}}{\text{1.000 pessoas}}$$

As taxas de mortalidade também podem ser detalhadas por faixa de idade. Quando se fala em **taxa de mortalidade infantil**, por exemplo, divide-se o número de óbitos de crianças com menos de 1 ano por 1.000 nascidos vivos, no período de 1 ano.

Índice de fertilidade

Uma informação importante sobre certos tipos de população é seu **índice de fertilidade**, definido como o número médio de descendentes produzidos por uma fêmea durante seu período reprodutivo.

No caso da espécie humana, se um país tem índice de fertilidade igual a 2, ou seja, se o número médio de filhos por mulher é 2, então se espera que os filhos de cada geração substituam seus pais. Isso sugere que a população tende a manter seu tamanho estável. Se o índice de fertilidade é superior a 2, há uma tendência ao crescimento populacional; se é inferior a 2, há uma tendência à diminuição do tamanho da população, o que às vezes é chamado de crescimento negativo.

Crescimento populacional

Em princípio, toda população tem potencial para crescer. Se a mortalidade fosse zero, uma única bactéria, reproduzindo-se a cada 20 minutos, produziria descendência suficiente para cobrir a Terra em apenas 36 horas! Um único paramécio poderia gerar, em alguns dias, uma massa de indivíduos correspondente a 10 mil vezes a massa planetária. Um único casal de pássaros e seus descendentes, chocando de 5 a 6 ovos por ano, produziria 10 milhões de descendentes em 15 anos. Essa capacidade teórica de crescimento de uma população biológica denomina-se **taxa de crescimento intrínseco**, ou **potencial biótico**. (Fig. 5.5)

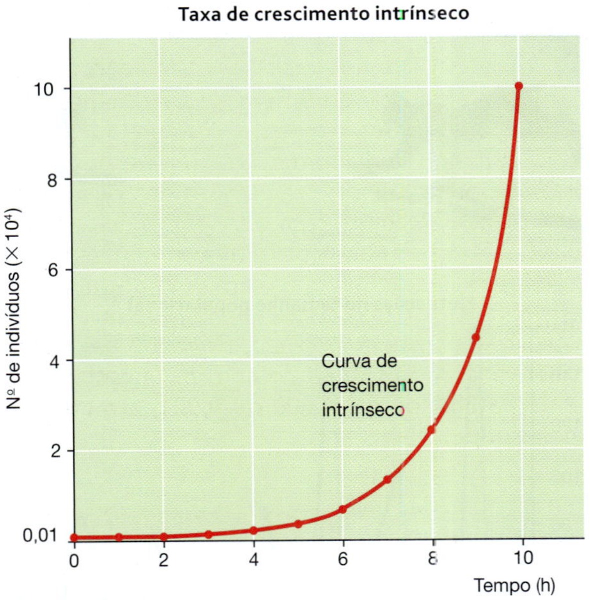

Tempo (h)	Nº de indivíduos
0	100
1	200
2	400
3	800
4	1.600
5	3.200
6	6.400
7	12.800
8	25.600
9	51.200
10	102.400

Figura 5.5 Gráfico que mostra a taxa de crescimento intrínseco para uma população de microrganismos com índice de mortalidade zero, no período considerado, e que duplica a cada hora. Gráficos com curva semelhante são esperados para qualquer população biológica. Esse tipo de curva é característico de um crescimento em progressão geométrica, em que, a intervalos iguais de tempo, o número de indivíduos da população dobra.

Em condições naturais, o potencial de crescimento de uma população é limitado pela disponibilidade de recursos do meio, tais como alimento, espaço, abrigo etc., e também pela ação de predadores, parasitas e populações competidoras. A ação desses fatores, que em conjunto formam a chamada **resistência do meio**, é diretamente proporcional à densidade populacional, de forma que as taxas de natalidade e de mortalidade tendem a se equivaler e o número de indivíduos da população tende a permanecer mais ou menos constante ao longo do tempo. O limite máximo de indivíduos de uma população que o ambiente consegue suportar é a **capacidade de suporte**, ou **carga biótica máxima**, do meio.

Em uma representação gráfica, o crescimento de uma população a partir de uns poucos indivíduos descreve uma curva ascendente em forma de letra S, estabilizando-se em determinado ponto, quando é atingida a capacidade de suporte do meio. O aspecto da **curva de crescimento populacional** resulta da interação entre a taxa de crescimento intrínseco – o potencial para crescer – e a resistência do meio – o conjunto de fatores ambientais que limitam o crescimento da população. (Fig. 5.6)

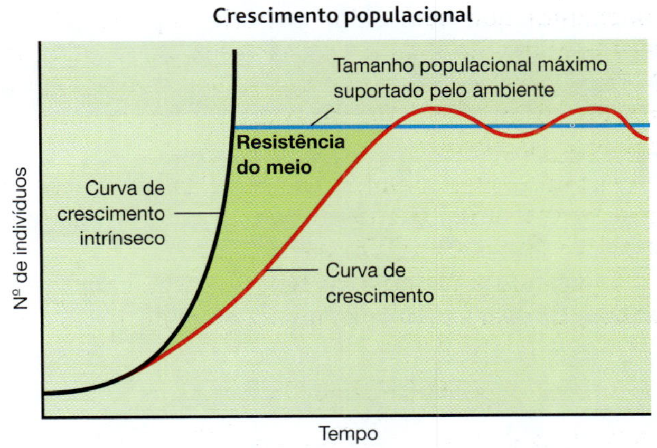

Figura 5.6 Gráfico que representa a curva de crescimento de uma população a partir de um pequeno número de indivíduos.

5.1 Biblioteca do estudante — Amplie seus conhecimentos

5.3 Fatores que regulam o tamanho populacional

O crescimento de uma população biológica é limitado, entre outros fatores, pela densidade populacional, pela disponibilidade de alimentos, pela competição com indivíduos de outras espécies (competição interespecífica), pela predação e pelo parasitismo.

Em certas populações estudadas, quando a densidade populacional aumenta além de certo limite, a natalidade tende a diminuir. Isso geralmente se deve ao aumento da competição alimentar entre os membros da população e da competição entre os casais por locais de procriação (competição intraespecífica).

Na espécie de pássaros *Parus major*, por exemplo, o número médio de filhotes por ninho é 14 quando a densidade da população é inferior a um casal por hectare e 8 quando a densidade é de 18 casais por hectare.

Em experimentos com ratos, verificou-se que, quando as gaiolas de criação se tornavam superpovoadas, mesmo com alimento em abundância, a taxa de natalidade caía a zero. Muitos filhotes chegavam mesmo a morrer antes do nascimento, ainda no útero materno. A conclusão foi que essas mortes deviam estar relacionadas ao estresse e à tensão emocional decorrentes do superpovoamento. (Fig. 5.7)

FABIO COLOMBINI

POPPERFOTO/GETTY IMAGES

Figura 5.7 Em **A**, ninhal de jaburus (*Jabiru mycteria*), ave de grande porte típica do Pantanal Mato-grossense. Acima de determinada densidade populacional, fatores como o aumento da competição e o estresse causam redução da natalidade. O jaburu pode chegar a 1,40 m de comprimento. Em **B**, coelhos da espécie *Oryngtolagus cuniculus* à beira de um olho-d'água, na Austrália, em 1940. Após a introdução deliberada de alguns casais desses animais, em 1879, a falta de inimigos naturais levou a uma explosão populacional sem precedentes, acarretando graves prejuízos ao ecossistema e à economia australiana. Esse coelho mede cerca de 45 cm de comprimento.

Quanto mais intensos são os fatores limitantes do crescimento, menor é o crescimento populacional. Em contrapartida, o abrandamento de um ou mais fatores limitantes pode levar a uma maior taxa de crescimento da população. Como a intensidade dos fatores limitantes geralmente varia ao longo do tempo, o tamanho das populações sofre flutuações periódicas. (Fig. 5.8)

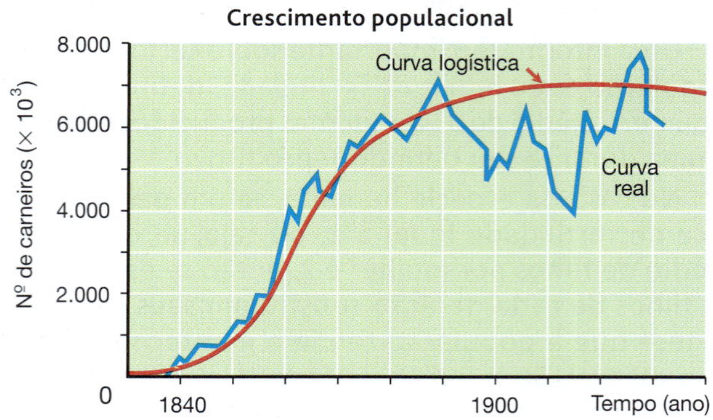

Figura 5.8 Gráfico que mostra a curva de crescimento da população de carneiros na Austrália, estimada com base em dados coletados entre 1845 e 1935. A linha azul representa a população real, que oscila em decorrência das variações dos fatores ambientais que regulam o crescimento. A linha vermelha é a curva logística, representativa de uma população que se estabiliza ao ser atingida a capacidade de suporte do meio (seta). (Baseado em Dajoz, R., 1978.)

Um exemplo clássico da regulação do tamanho populacional por meio da predação foi estudado em populações de linces e lebres da região ártica do Canadá. Os dados referentes ao comportamento dessas duas populações foram coletados durante 80 anos (de 1855 a 1935) pela Companhia da Baía de Hudson, que registrava o número de peles comercializadas pelos caçadores da região. Como o número de caçadores era conhecido e mudava pouco de um ano para outro, concluiu-se que as variações da quantidade de peles refletiam as variações do tamanho relativo das populações das espécies caçadas. (Fig. 5.9)

JOE MCDONALD/CORBIS/LATINSTOCK

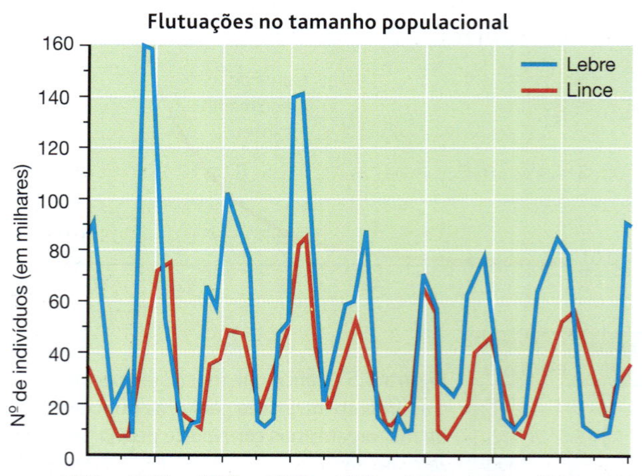

Figura 5.9 Gráfico que mostra as flutuações no tamanho das populações de lebres (em azul) e de linces (em vermelho) no Canadá, entre 1855 e 1935. (Baseado em Dajoz, R., 1978.) Na fotografia, lince (*Lynx* sp.) perseguindo uma lebre branca (*Lepus* sp.) na neve. O lince e a lebre medem, respectivamente, cerca de 1 m e 50 cm de comprimento.

Traçando no mesmo gráfico as curvas de densidade das populações de lebres e de linces, verifica-se que a população de linces sempre alcançava seu desenvolvimento máximo 1 a 2 anos após a população de lebres ter atingido o seu. Uma interpretação plausível é que o tamanho das populações de lebres e de linces depende da relação de predação existente entre essas duas espécies.

Quando a população de lebres aumenta, a de linces também cresce, graças à maior quantidade de alimento disponível. A maior quantidade de linces, por sua vez, intensifica a predação, o que causa diminuição da população de lebres. Agora, com menor quantidade de alimento disponível, a população de linces novamente diminui, o que permite a retomada do crescimento da população de lebres, e assim por diante.

Apesar da comodidade dessa explicação, outras hipóteses podem ser aventadas para explicar a correlação entre as flutuações das duas populações. O aumento da população de lebres pode fazer com que outros fatores atuem de modo mais drástico; por exemplo, a transmissão de doenças infecciosas ou, em condições de alta densidade populacional, o alimento disponível para as lebres pode ser insuficiente e as doenças podem se espalhar com maior rapidez, o que também pode causar a diminuição correlata da população de linces.

Outro exemplo de correlação entre a predação e a flutuação populacional foi obtido por Gause em experimentos realizados com uma espécie de paramécio (*Paramecium* sp.) e seu predador, o também protozoário ciliado didínio (*Didinium* sp.).

Ao se colocar alguns exemplares de didínios em uma cultura de paramécios, a população destes últimos diminuía devido à predação, enquanto a população de didínios aumentava. Após algum tempo, os paramécios desapareciam e, logo depois, os didínios morriam de fome.

Gause imaginou que, se os paramécios tivessem um local para se esconder dos predadores, pelo menos alguns poderiam sobreviver. Para testar essa hipótese, utilizou tubos de cultura com partículas e resíduos no fundo, onde os paramécios poderiam se abrigar.

A previsão foi confirmada: a população de paramécios não desapareceu nos tubos em que havia esconderijos. A população de didínios, porém, extinguiu-se, depois de apresentar um crescimento expressivo no início. A explicação mais plausível para a extinção é que, após a fácil predação inicial dos paramécios, ficou cada vez mais difícil para os didínios encontrar alimento.

Com a extinção dos didínios predadores, a população de paramécios pôde crescer novamente até atingir o tamanho máximo permitido pelas condições do meio, isto é, sua capacidade de suporte. (Fig. 5.10)

Apesar das condições ecológicas muito simplificadas do tubo de cultura, o experimento de Gause evidenciou as relações de interdependência entre populações de presas e predadores. A extinção dos didínios só ocorreu porque eles não tinham outro tipo de presa para substituir os paramécios. Pode-se imaginar que em uma comunidade biológica natural, com diferentes tipos de presa para os didínios e locais para os paramécios se esconderem, as duas populações poderiam apresentar flutuações relacionadas uma à outra, mas não se extinguiriam.

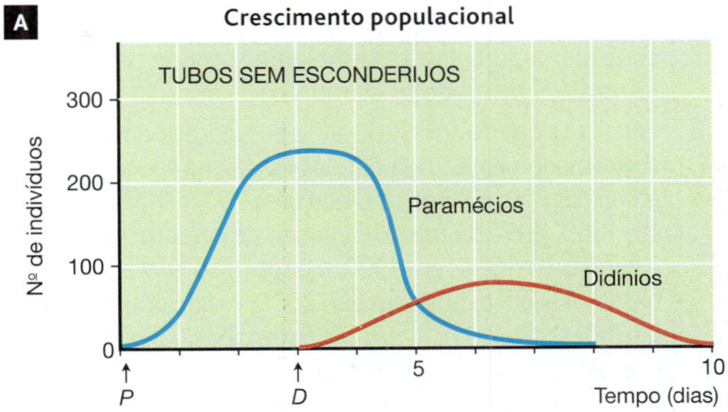

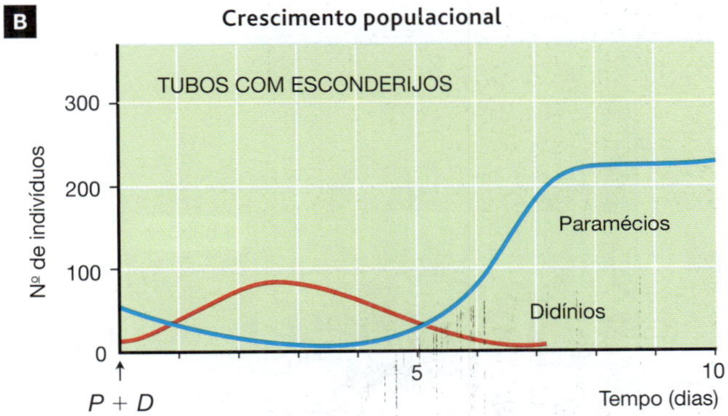

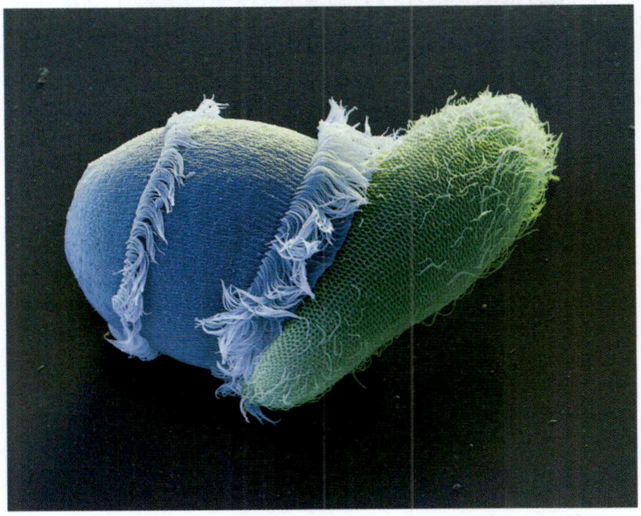

EYE OF SCIENCE/SCIENCE PHOTO LIBRARY/LATINSTOCK

Figura 5.10 Na fotomicrografia, protozoário ciliado didínio (*Didinium* sp.), à esquerda, atacando um paramécio (*Paramecium* sp.). (Microscópio eletrônico de varredura; aumento ≈ 900×; cores artificiais.) Os gráficos mostram as curvas de crescimento de populações de paramécio (em azul) e de didínio (em vermelho) criadas em um mesmo tubo de cultura, em duas situações: **A.** em tubos sem esconderijos para os paramécios; **B.** em tubos com detritos no fundo, onde os paramécios podiam se esconder. As setas indicam os momentos em que foram introduzidos os paramécios (*P*) e os didínios (*D*) nas culturas. (Baseados em Dajoz, R., 1978.)

Ciência e cidadania

A população humana

Quando o crescimento da população humana vai parar?

1 Uma população humana é semelhante a qualquer população biológica e está sujeita aos mesmos fatores gerais que regulam e limitam o crescimento populacional de outras espécies. Entretanto, a humanidade tem conseguido controlar alguns fatores ambientais, o que permite um formidável ritmo de crescimento.

2 Calcula-se que no ano 8000 a.C. a população humana era de aproximadamente 5 milhões de pessoas; na época de Cristo, atingiu os 200 milhões, saltando para 500 milhões em 1650; em 1850, já era de mais de 1 bilhão de pessoas, passando a 2 bilhões em 1930; em 1990, a população humana já havia ultrapassado 5 bilhões; no ano 2000, era de pouco mais de 6 bilhões de pessoas e, em 2009, cerca de 6,9 bilhões. Se o ritmo de crescimento atual for mantido, ultrapassaremos a marca dos 10 bilhões até a metade do século XXI.

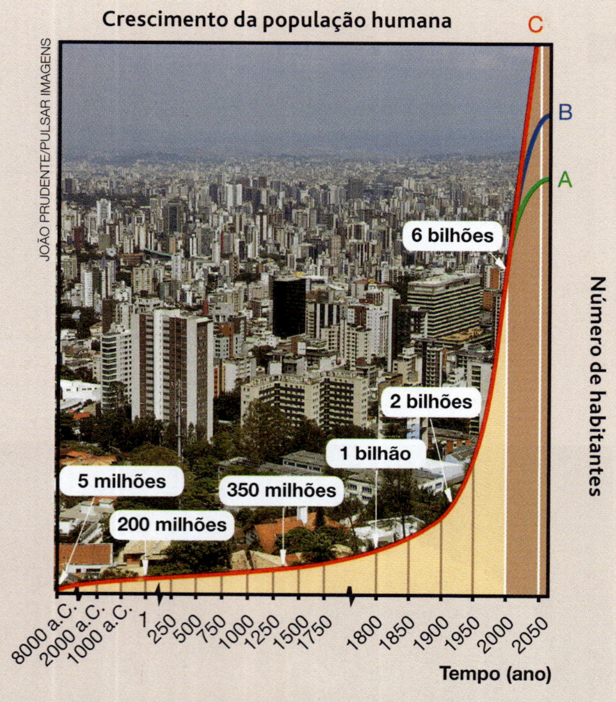

O crescimento da população humana tem se acelerado nas últimas décadas e os cientistas têm feito projeções sobre as possíveis curvas de crescimento (A, B ou C, mostradas no gráfico). (Baseado em *The New Encyclopaedia Britannica*. 15. ed. Chicago: Encyclopaedia Britannica, 1993. v. 25, p. 1.041.) Na fotografia, a cidade de Belo Horizonte, MG, em 2011.

3 O crescimento acelerado da população humana deve-se principalmente à diminuição da taxa de mortalidade, decorrente tanto dos avanços agrícolas e tecnológicos, que aumentaram a produção de alimentos, como dos progressos médicos e sanitários, que prolongaram a expectativa de vida.

4 Nossa espécie tem sido muito bem-sucedida em sua capacidade de crescer e de colonizar diversos hábitats da Terra. Esse sucesso tem, porém, aspectos negativos. Vivemos em um planeta finito, que está sendo rapidamente degradado pela superexploração dos recursos naturais. A superpopulação nos grandes centros urbanos gera desconfortos e favorece a propagação de doenças, em decorrência tanto da alta densidade demográfica como da dificuldade de se adotarem medidas sanitárias adequadas.

5 Um problema inerente à expansão demográfica ilimitada é a necessidade de uma produção maior de alimentos. Como alimentar um número cada vez maior de pessoas? Não é possível ampliar indefinidamente as áreas de terra cultivada. As terras férteis já estão sendo cultivadas e muitas delas já tiveram seus recursos esgotados; certas áreas demandariam tanto empenho para se tornar produtivas que, pelo menos por enquanto, não há interesse em explorá-las.

6 Por outro lado, os ecossistemas naturais que ainda restam, como os da Amazônia, dos Cerrados e do Pantanal Mato-grossense, não podem ser explorados de forma predatória. É preciso manter áreas preservadas para não se perder a diversidade biológica (biodiversidade) produzida ao longo de bilhões de anos de evolução.

7 Novas tecnologias agrícolas têm permitido aumentar a produtividade dos campos cultivados; excedentes de safras poderiam ser transferidos para países onde há falta de alimentos; é possível recuperar solos desgastados ou impróprios para o cultivo e promover o uso mais racional e eficiente das fontes de energia.

8 Entretanto, isso não basta para preservar o ambiente terrestre a curto prazo. É preciso frear o crescimento da população humana por meio do planejamento familiar e do controle deliberado da natalidade.

Planejamento familiar e controle da natalidade

9 Até a década de 1970, em certos países considerava-se o controle de nascimentos uma tese racista, reacionária ou imperialista. Hoje, os cidadãos da maioria das nações consideram importante realizar o controle da natalidade e o planejamento familiar para manter a qualidade de vida da população.

10 A maioria dos países desenvolvidos já conseguiu frear seu crescimento populacional. O mesmo tem ocorrido em alguns países em desenvolvimento, como a Tailândia, a Colômbia e a Costa Rica, que já alcançaram reduções substanciais de suas taxas de natalidade. Outros, porém, apesar das tentativas, ainda não alcançaram o sucesso desejado.

11 Embora os problemas da humanidade sejam decorrentes de vários fatores, imagina-se que, se o crescimento da população for freado, será possível ganhar tempo para resolver problemas como a fome, as desigualdades econômicas, a degradação ambiental e várias doenças, que seriam agravados num quadro de superpopulação.

12 O escritor Lester R. Brown iniciou um de seus livros, *O vigésimo nono dia*, publicado em 1980 (Editora da FGV), com uma pequena história: "Para ensinar às crianças a noção de crescimento exponencial, os professores franceses se valem de uma charada. Em uma lagoa flutua uma folha de árvore. A cada dia que passa, o número de folhas dobra: duas folhas no segundo dia, quatro no terceiro, oito no quarto, e assim por diante. Se a lagoa ficar inteiramente coberta de folhas no trigésimo dia, quando ela ficou coberta pela metade? Resposta: No vigésimo nono dia".

13 A lagoa corresponde ao nosso planeta, e as folhas, às pessoas da população. Talvez o planeta já esteja coberto pela metade e logo se tornará repleto de gente. O risco maior é ignorar os sinais da iminente saturação ou interpretá-los de modo errôneo. Como o trigésimo dia poderá não oferecer possibilidades de sobrevivência, é importante não chegar a ele; um dos caminhos para isso é limitar o crescimento demográfico.

14 Paradoxalmente, o aumento demográfico também está ligado ao grau de desenvolvimento no campo da saúde pública. A população cresce não apenas porque há mais nascimentos, mas também porque a duração média da vida humana tem aumentado. A expectativa de vida em 1650 era de 30 anos; hoje, a média mundial é de mais de 50 anos e, em países desenvolvidos, ultrapassa os 70 anos. Os dados do Censo 2010, realizado pelo IBGE, permitem concluir que a expectativa de vida média no Brasil já passa dos 70 anos.

Pirâmides de idade

15 Uma análise importante da população humana refere-se à sua composição em idades, ou seja, o número de pessoas em cada faixa etária, por exemplo, de 0 a 14 anos, de 15 a 39, de 40 a 64 e acima de 65 anos.

16 A distribuição dos indivíduos de uma população por faixas de idade é expressa em gráficos conhecidos como pirâmides de idade, ou pirâmides etárias.

17 Populações jovens, com alta taxa de crescimento, são representadas por gráficos que têm realmente forma de pirâmide, com a base mais larga que o ápice, o que indica elevada taxa de natalidade. Em populações que controlam a natalidade, o gráfico pode perder a forma de pirâmide, com a base, em certos casos, mais estreita que as faixas superiores. Essa forma, no entanto, não se mantém por muito tempo; se as baixas taxas de natalidade são mantidas, com o tempo a forma volta a ser de pirâmide, menos acentuada, mas com a base mais larga.

18 A análise de pirâmides de idade revela tendências do tipo de crescimento da população. Por exemplo, em uma população com muitas pessoas na faixa etária entre 0 e 14 anos (pirâmide com base larga) haverá, nos anos seguintes, um grande número de pessoas na idade reprodutiva. Isso permite prever o crescimento da população num futuro próximo.

A

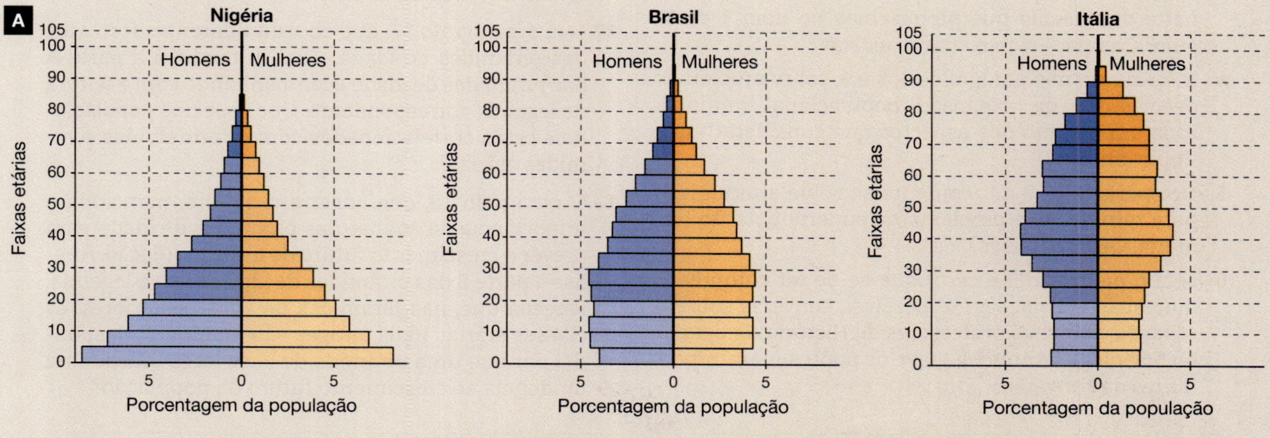

B

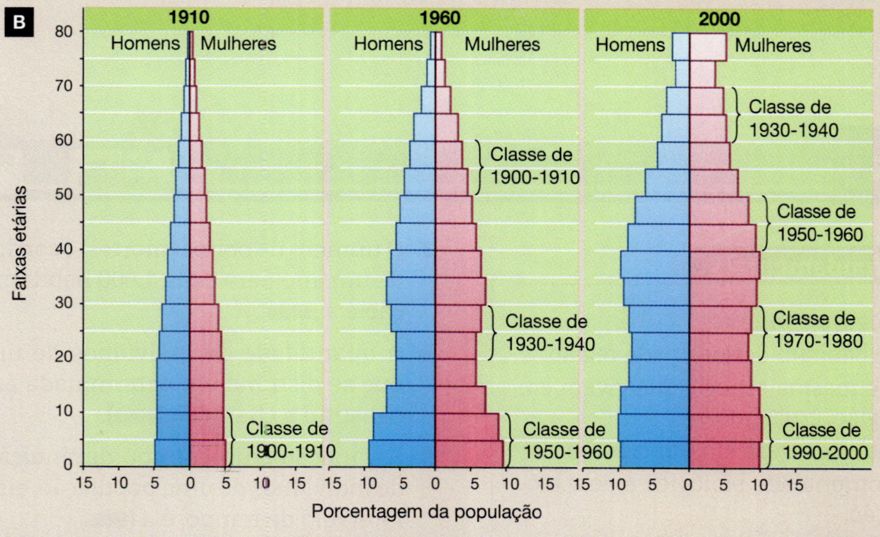

A. Pirâmides de idade da Nigéria, do Brasil e da Itália para dados de 2010. (Baseadas em: <http://esa.un.org/wpp/population-pyramids/population-pyramids_percentage.htm>. Acesso em: ago. 2012.) A base larga e o ápice estreito da pirâmide da Nigéria indicam, respectivamente, alta taxa de natalidade e alta taxa de mortalidade nas idades mais avançadas, o que dá um aspecto bem triangular ao gráfico. Na pirâmide da Itália, típica de países desenvolvidos, o gráfico tem base mais estreita e ápice mais largo, indicando, respectivamente, controle da natalidade e expectativa de vida elevada. **B.** Pirâmides de idade dos EUA nos anos 1910, 1960 e 2000. (Baseadas em Mader, S. S., 1998.) Além de diversas classes de idade, a pirâmide também representa o número de homens e o de mulheres. Observe que as classes mais antigas vão "subindo" na pirâmide (acompanhe as classes de idade marcadas nos três casos). A análise dessas pirâmides permite fazer projeções sobre o crescimento futuro das populações.

Guia de leitura

1 Leia o primeiro parágrafo, que compara determinados aspectos da população humana com os de outras populações. A última frase revela fatores responsáveis pela expansão populacional da humanidade. Você consegue imaginar que fatores seriam esses? Confira, ao longo do texto, se esses pontos são esclarecidos.

2 O segundo parágrafo apresenta dados estimados sobre o crescimento da população humana mundial a partir do ano 8000 a.C. Confira os números no gráfico de crescimento da população humana entre 8000 a.C. e 2050 e observe a forma da curva de crescimento. Se for o caso, mostre o gráfico ao seu professor de Matemática e peça a ele que comente aspectos matemáticos que julgar relevantes. Note três diferentes projeções (curvas coloridas à direita no gráfico) para o crescimento da população humana até a metade do século XXI. Lembre-se de acompanhar na mídia as discussões sobre esse assunto, que possivelmente assumirá cada vez mais importância nas próximas décadas.

3 Leia o terceiro parágrafo e responda: ele responde à parte da questão que propusemos no item 1 deste guia? Compare-o com suas respostas.

4 Informe-se, nos parágrafos 4, 5 e 6, sobre problemas decorrentes da expansão populacional humana. Faça um resumo dos aspectos que considerar mais importantes.

5 Nos parágrafos 7 e 8, comenta-se sobre alternativas para minimizar o problema da superpopulação humana. Quais são elas?

6 Leia o parágrafo 9 e certifique-se de ter compreendido suas afirmações. Se possível, converse sobre o assunto com seus professores de História, Geografia ou Sociologia. Anote ou grave os pontos mais importantes da conversa.

7 Informe-se, no parágrafo 10, sobre alguns países que já conseguiram reduzir suas taxas de natalidade. Considere esse tema para uma pesquisa posterior.

8 Leia o parágrafo 11 e responda: qual é a importância, segundo o texto, de frear o crescimento da população humana?

9 Os parágrafos 12 e 13 apresentam um texto do ambientalista e escritor estadunidense Lester Russel Brown. Informe-se sobre outras obras desse autor, que esteve no Brasil em 2009 para o lançamento de seu livro *Plano B 4.0 – Mobilização para salvar a civilização*, em que propõe uma alternativa para tirar o mundo da situação insustentável em que se encontra. Comente o argumento de Lester Brown exposto naqueles parágrafos.

10 O parágrafo 14 menciona outro fator, além do aumento da natalidade, para explicar a expansão demográfica. Qual é ele?

11 Leia os parágrafos 15 e 16 e responda: o que são pirâmides de idade ou pirâmides etárias?

12 Leia o parágrafo 17, que aborda diferentes formatos das pirâmides de idade. Analise também a parte A das pirâmides de idade acompanhando com a leitura da legenda correspondente. Que aspectos populacionais estão correlacionados com o formato das pirâmides etárias?

13 O parágrafo 18, que encerra o quadro, menciona a importância da análise das pirâmides de idade para prever o crescimento futuro de uma população. Analise a parte B das pirâmides de idade e leia a legenda. Perceba que, nas pirâmides de anos posteriores, as classes etárias mais antigas vão "subindo". Responda: por que uma pirâmide de base larga indica uma tendência ao crescimento futuro da população?

Atividades

Visão do especialista

Biblioteca do estudante
Faça você mesmo!

Revendo conceitos fundamentais

1. População biológica é o conjunto
a) de espécies que habitam determinada região.
b) de indivíduos de mesma espécie que vivem em determinada região, cruzando-se.
c) de comunidades que vivem em um biótopo.
d) formado pela comunidade biológica e pelo biótopo em interação.

Escreva, em seu caderno, o termo abaixo que substitui corretamente a tarja entre parênteses das frases de 2 a 5.

a) densidade populacional
b) taxa de crescimento
c) taxa de mortalidade
d) taxa de natalidade

2. O número de crianças nascidas, no período de um ano, para cada 1.000 habitantes da população é a (▬).

3. O número de óbitos (mortes) ocorridos no período de um ano para cada 1.000 habitantes da população é a (▬).

4. A quantidade de indivíduos de uma população que se distribui em determinada área ou volume constitui a chamada (▬).

5. A variação (aumento ou diminuição) do número de indivíduos de uma população, em determinado intervalo de tempo, é a (▬).

Escreva, em seu caderno, o termo abaixo que substitui corretamente a tarja entre parênteses das frases 6 e 7.

a) curva de crescimento
b) pirâmide etária
c) taxa de crescimento intrínseco (potencial biótico)
d) resistência do meio

6. A capacidade que uma população tem de crescer, expressa graficamente em uma curva exponencial, é o que se denomina (▬).

7. O conjunto de fatores ambientais que limitam o crescimento exponencial de uma população é chamado (▬).

8. Gráficos que representam a quantidade relativa de indivíduos em cada faixa de idade em uma população são denominados
   a) curvas de crescimento.
   b) curvas de potencial biótico.
   c) pirâmides etárias.
   d) pirâmides de números.

9. Define-se capacidade de suporte como
   a) a capacidade de uma espécie dar suporte a outra semelhante.
   b) o tamanho máximo da população que o ambiente comporta.
   c) o número mínimo de indivíduos de uma espécie admitido pelo ambiente.
   d) o potencial da população de gerar descendentes como suporte do crescimento.

Escreva, em seu caderno, o termo abaixo que substitui corretamente a tarja entre parênteses das frases de 10 a 13.
   a) curva de crescimento populacional
   b) espécie biológica
   c) índice de fertilidade
   d) taxa de crescimento relativo

10. (▬) é o número médio de descendentes gerados por uma fêmea durante o período reprodutivo.

11. Grupos de populações capazes de cruzar entre si pertencem ao(à) mesmo(a) (▬).

12. O(A) (▬) é assim chamado(a) porque leva em conta o tamanho inicial da população.

13. (▬) é uma representação gráfica do número de indivíduos de uma população ao longo do tempo.

Ligando conceitos, fatos e processos

14. Determinado país tem 1,3 bilhão de pessoas em um território de 9,597 milhões de quilômetros quadrados. Pode-se dizer que a densidade demográfica desse país é da ordem de
   a) 18 habitantes por km^2.
   b) 135 habitantes por km^2.
   c) 463 habitantes por km^2.
   d) impossível calcular com os dados disponíveis.

15. A taxa de crescimento (TC) de uma população é também chamada taxa de crescimento relativo (TCR), uma vez que leva em conta o(a)
   a) resistência do meio.
   b) tamanho do território.
   c) tamanho inicial da população.
   d) taxa de mortalidade infantil.

Considere os seguintes fatores relativos a uma população biológica para responder às questões 16 e 17.
   a) Emigração
   b) Imigração
   c) Mortalidade
   d) Natalidade

16. Qual ou quais fatores contribuem para o aumento da densidade populacional?

17. Qual ou quais fatores contribuem para a redução do tamanho populacional?

18. O fato de existirem organismos – bactérias, por exemplo – em que não há reprodução sexuada como parte do ciclo vital constitui
   a) evidência a favor do isolamento reprodutivo.
   b) prova de que o conceito de espécie é uma "invenção" da ciência.
   c) um fator limitante do tamanho da população.
   d) uma limitação do conceito biológico de espécie.

19. Considere duas áreas geográficas, A e B, separadas por um penhasco profundo. Essas áreas são habitadas por duas espécies: uma de pássaros e outra de caracóis. Os pássaros voam sobre o penhasco, mas os caracóis são incapazes de cruzá-lo. Nessas áreas, considerando essas duas espécies, estamos falando de quantas populações distintas?
   a) 1
   b) 2
   c) 3
   d) 4

20. Uma população humana A teve 50 nascimentos e 25 mortes em um ano; no mesmo período, a população B teve 49 nascimentos e 20 mortes. Em qual delas a taxa de natalidade é maior?
   a) Em A.
   b) Em B.
   c) As taxas são praticamente equivalentes em A e em B.
   d) Faltam dados sobre as populações para calcular as taxas.

Questões para exercitar o pensamento

21. Analise o gráfico a seguir, em que são representadas, para dada população, a curva de crescimento (CC) e a curva de crescimento intrínseco (CCI). A resistência do meio (R) está representada pela área entre as duas curvas.

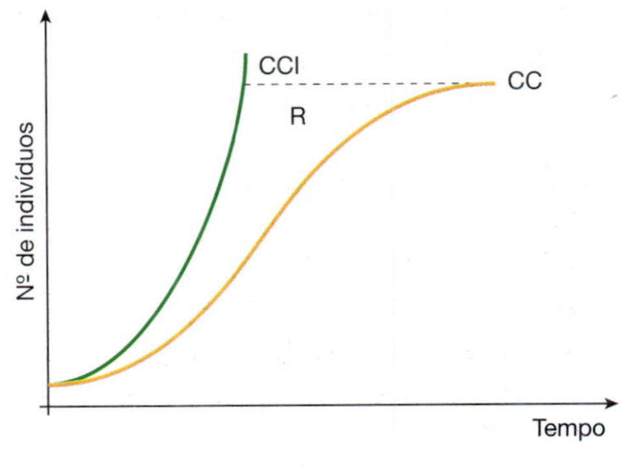

a) Explique a forma da curva de crescimento como resultado da interação entre a curva de crescimento intrínseco e a resistência do meio. Faça isso em apenas três frases curtas, uma referente à CCI, outra à R e outra à CC.

b) Note, no gráfico, uma linha horizontal tracejada e alinhada com o patamar da curva de crescimento. Que conceito essa linha representa?

22. A tabela a seguir refere-se a uma população experimental constituída, no tempo zero, por 100 indivíduos, metade machos e metade fêmeas, analisada por um período de seis anos. Utilize os dados da tabela para responder às questões.

Variação do número de indivíduos causada por	Tempo (em anos)					
	1	2	3	4	5	6
Nascimento	48	65	102	149	128	110
Imigração	4	19	21	10	2	1
Morte	10	12	20	35	65	75
Emigração	2	1	2	3	45	40

a) Calcule, ano a ano, o tamanho da população, considerando os dados de nascimento, morte, imigração e emigração (lembre-se de que a população inicial era de 100 indivíduos). No caderno, construa uma quinta linha da tabela, totalizando o número de indivíduos em cada ano. Em seguida, construa um gráfico para representar o crescimento da população, relacionando o número de indivíduos (no eixo das ordenadas) e o tempo decorrido (no eixo das abscissas).

b) Considere que a população ocupe a área de 1 km^2 em uma floresta. Acrescente mais uma linha à sua tabela, calculando, ano a ano, a densidade populacional. A seguir, construa um gráfico de barras verticais, em que o comprimento de cada barra represente o valor da densidade populacional. Consulte seu professor sobre a melhor maneira de fazer um gráfico como esse.

c) Com base na análise dos dados e dos gráficos construídos, redija um texto curto para descrever a dinâmica dessa população em termos dos fatores analisados (natalidade, mortalidade, imigração, emigração, crescimento populacional e densidade).

23. Utilize os dados a seguir para construir as pirâmides de idade de dois países, identificados como A e B. Em caso de dúvida, consulte o professor sobre a melhor maneira de fazer gráficos como esses. Em seguida, compare as pirâmides dos países. Pode-se chegar a alguma conclusão quanto à natalidade e à expectativa de vida? Explique por quê.

País A	
Faixa etária	**Porcentagem**
0-14 anos	40,6
15-39 anos	39,2
40-64 anos	16,4
Acima de 65 anos	3,8

País B	
Faixa etária	**Porcentagem**
0-14 anos	18,8
15-39 anos	33,3
40-64 anos	30,6
Acima de 65 anos	17,3

A Biologia no vestibular e no Enem

Questões objetivas

1. (UFSM-RS) Escolha a alternativa que completa a frase a seguir:

(▬) e (▬) aumentam o tamanho de uma população.

a) Natalidade — emigração
b) Mortalidade — emigração
c) Mortalidade — imigração
d) Emigração — imigração
e) Natalidade — imigração

2. (Unioeste-PR) No estudo da dinâmica das populações naturais, entre os fatores demográficos que regulam o crescimento populacional, podemos citar natalidade, mortalidade, imigração e emigração.

Considerando as associações abaixo,

I. natalidade + imigração = mortalidade + + emigração,
II. natalidade + imigração > mortalidade + + emigração,
III. natalidade + imigração < mortalidade + + emigração,

determine a alternativa cuja(s) associação(ões) leva(m) ao crescimento populacional.

a) Apenas I.
b) Apenas II.
c) Apenas III.
d) I e II.
e) I, II e III.

3. (UEL-PR) Sobre uma população ecológica em declínio, é correto afirmar que

a) ou a taxa de mortalidade ou de emigração, ou ambas, devem estar suplantando a soma das taxas de natalidade e de imigração.

b) ou a taxa de natalidade ou a de imigração devem estar suplantando a soma das taxas de mortalidade e de emigração.

c) a soma das taxas de natalidade e imigração deve estar suplantando a soma das taxas de mortalidade e de emigração.

d) o declínio é resultado de uma emigração menor.

e) as taxas de emigração e imigração não influenciam o tamanho populacional.

4. (Enem-MEC) Ao longo do século XX, a taxa de variação na população do Brasil foi sempre positiva (crescimento). Essa taxa leva em consideração o número de nascimentos (N), o número de mortes (M), o de emigrantes (E) e o de imigrantes (I) por unidade de tempo.

É correto afirmar que, no século XX,

a) $M > I + E + N$.

b) $N + I > M + E$.

c) $N + E > M + I$.

d) $M + N < E + I$.

e) $N < M - I + E$.

5. (Unifor-CE) Analise os quatro diagramas, a seguir representados, mostrando a estrutura etária das populações humanas de quatro países diferentes.

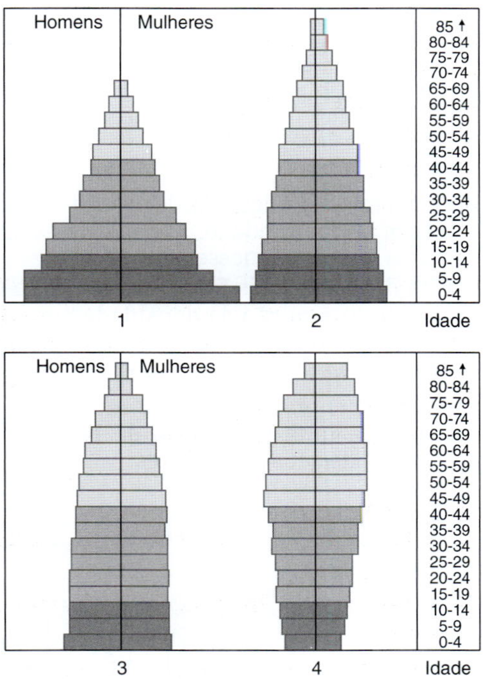

(Adaptado de C. F. *Starr*, R. *Taggart*. Biology. 11. ed. Austrália: Thomson, 2006. p. 815).

Sobre eles fizeram-se as seguintes afirmações:

I. Os diagramas apresentam exemplos de disparidade demográfica nos diferentes países.

II. As taxas de crescimento populacional nos países 1, 2, 3 e 4 são, respectivamente, rápida, lenta, zero e negativa.

III. Se cada casal em idade reprodutiva da população 1 decidir ter apenas um filho, a taxa de crescimento populacional será imediatamente revertida.

Está correto o que se afirmou em

a) I somente.

b) II somente.

c) III somente.

d) I e II somente.

e) I, II e III.

6. (Fuvest-SP) Os gráficos a seguir representam diferentes estruturas etárias de populações humanas. O eixo vertical indica idade e o eixo horizontal, número de indivíduos.

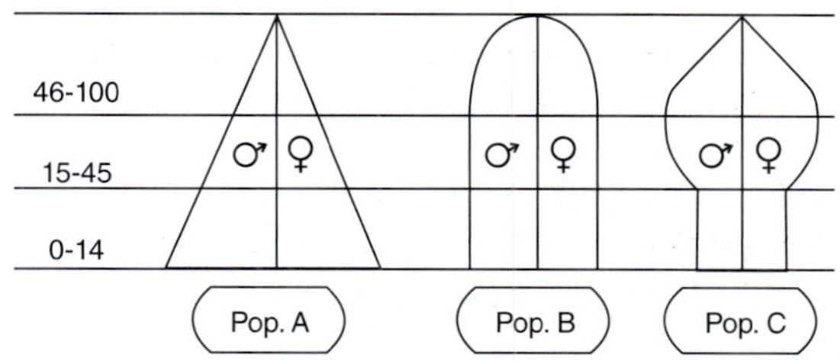

A população em expansão é

a) A, já que os adultos em idade reprodutiva e os idosos são mais numerosos do que as crianças.

b) A, já que o número de crianças é maior do que o de adultos em idade reprodutiva.

c) B, já que o número de adultos em idade reprodutiva e de crianças é praticamente igual.

d) C, já que os adultos em idade reprodutiva são mais numerosos do que as crianças.

e) C, já que o número de pessoas idosas é maior do que o de adultos em idade reprodutiva.

7. (Fuvest-SP) Uma pequena quantidade da levedura *Saccharomyces cerevisiae* foi inoculada em um tubo de ensaio, contendo meio apropriado. O desenvolvimento dessa cultura está representado no gráfico.

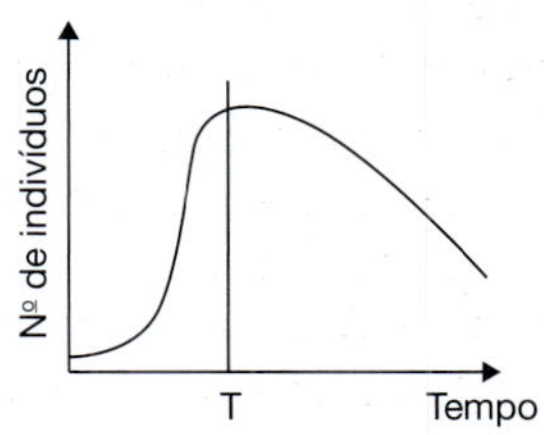

Para explicar o comportamento da população de leveduras, após o tempo T, foram levantadas três hipóteses:

1. A cultura foi contaminada por outro tipo de microrganismo originando competição, pois o esperado seria o crescimento contínuo da população de leveduras.
2. O aumento no número de indivíduos provocou diminuição do alimento disponível, afetando a sobrevivência.
3. O acúmulo dos produtos excretados alterou a composição química do meio, causando a morte das leveduras.

Entre as três hipóteses, podemos considerar plausível(eis) apenas

a) 1. b) 2. c) 3. d) 1 e 2. e) 2 e 3.

8. (Uerj) Traíras são predadoras naturais dos lambaris. Acompanhou-se, em uma pequena lagoa, a evolução da densidade populacional dessas duas espécies de peixes. Tais populações, inicialmente em equilíbrio, sofreram notáveis alterações após o início da pesca predatória da traíra, na mesma lagoa. Esse fato pode ser observado no gráfico abaixo, em que a curva 1 representa a variação da densidade populacional da traíra.

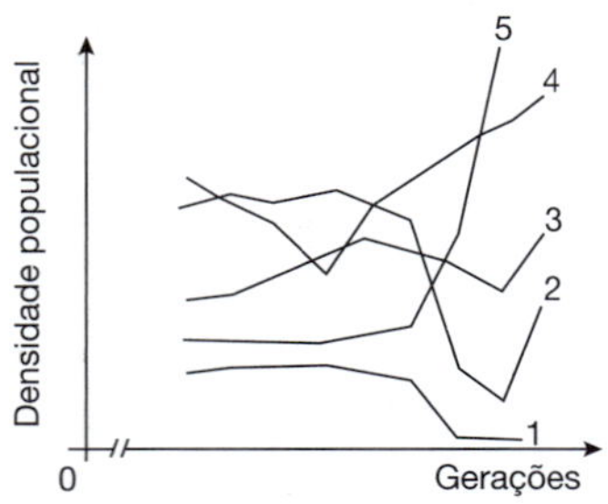

A curva que representa a variação da densidade populacional de lambaris é a de número

a) 2.
b) 3.
c) 4.
d) 5.

9. (Enem-MEC) Um produtor de larvas aquáticas para alimentação de peixes ornamentais usou veneno para combater parasitas, mas suspendeu o uso do produto quando os custos se revelaram antieconômicos.

O gráfico registra a evolução das populações de larvas e parasitas.

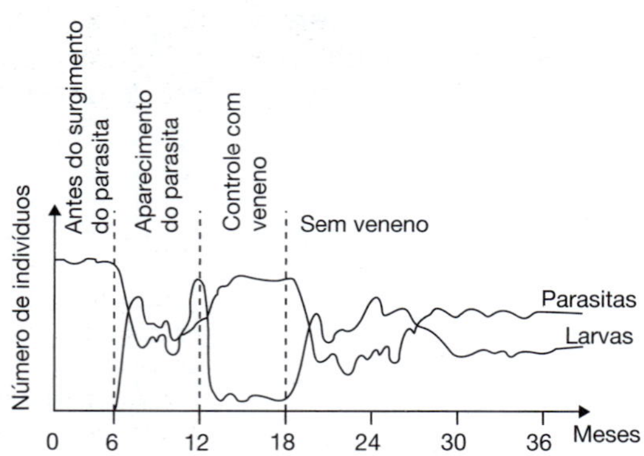

O aspecto biológico, ressaltado a partir da leitura do gráfico, que pode ser considerado o melhor argumento para que o produtor não retome o uso do veneno é:

a) A densidade populacional das larvas e dos parasitas não é afetada pelo uso do veneno.
b) A população de larvas não consegue se estabilizar durante o uso do veneno.
c) As populações mudam o tipo de interação estabelecida ao longo do tempo.
d) As populações associadas mantêm um comportamento estável durante todo o período.
e) Os efeitos das interações negativas diminuem ao longo do tempo, estabilizando as populações.

10. (PUC-Campinas-SP) Nos gráficos a seguir, a variável tempo está indicada no eixo x e o número de drosófilas, no eixo y. Qual das alternativas corresponde ao gráfico que representa corretamente o crescimento de uma população de drosófilas mantidas em meio de cultura adequado, sem restrições de nutrição, aeração e espaço?

a)
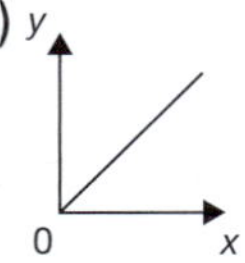

c)
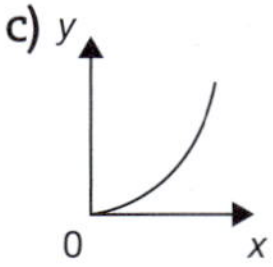

e)
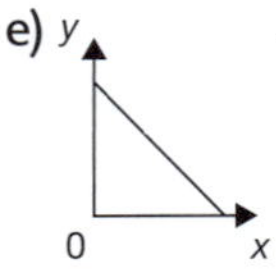

b)
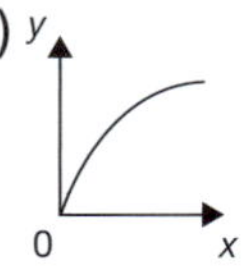

d)
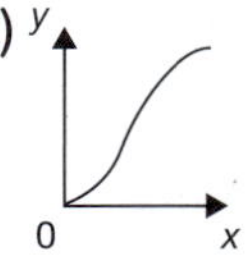

Questões discursivas

11. (UFSCar-SP) Um estudante anotou as alterações ocorridas em uma população de camundongos, no período de maio de um ano a abril do ano seguinte, numa área rural, e obteve o gráfico seguinte.

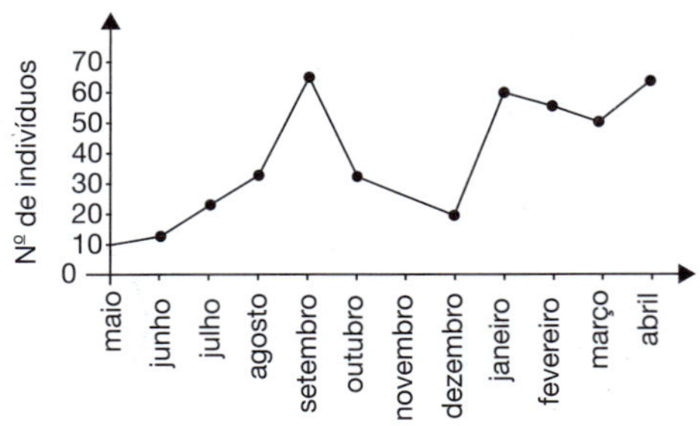

a) Qual período indica taxa de natalidade maior que a taxa de mortalidade? O que está acontecendo com a população nesse período?
b) Cite dois prováveis fatores que podem ter causado a diminuição da densidade nessa população de camundongos, no período de setembro a dezembro.

12. (Fuvest-SP) O gráfico a seguir representa o crescimento de uma população de herbívoros e da população de seus predadores.

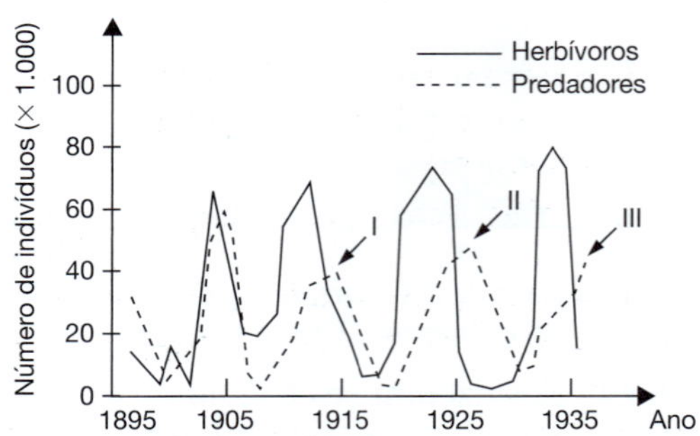

a) Pela análise do gráfico, como se explica o elevado número de predadores nos pontos I, II e III? Justifique sua resposta.
b) Se, a partir de 1935, os predadores tivessem sido retirados da região, o que se esperaria que acontecesse com a população de herbívoros? Justifique sua resposta.

Capítulo 6 Relações ecológicas

DONALD M. JONES/MINDEN PICTURES/LATINSTOCK

Predadores, como os lobos, sofreram perseguição no passado e suas populações foram quase extintas. Hoje, no entanto, os cientistas reconhecem o importante papel dos grandes predadores nas teias alimentares. Na fotografia, lobos (*Canis lupus*) aproximam-se de um veado-vermelho (*Cervus elaphus*) no Parque Nacional de Yellowstone (EUA, 2009). O lobo e o veado-vermelho medem cerca de 1,5 m e 2 m de comprimento, respectivamente.

Novas razões para amar os superpredadores

De tempos em tempos, eles voltam a ser astros de livros e filmes. Despertam nas pessoas sentimentos de temor e admiração. Estão no topo da cadeia alimentar: eles são os superpredadores!

Tigres, leões, leopardos e lobos; tubarões de olhos frios e assassinos; estes são alguns dos predadores que escritores e cineastas mais utilizam para estimular nossa imaginação, apelando talvez para sentimentos ancestrais, da época em que os antepassados dos seres humanos viviam nas florestas e savanas povoadas por grandes carnívoros.

Agora, os grandes predadores estão de volta à cena, mas em artigos científicos que apontam o impacto ambiental causado pela crescente redução de suas populações. Um estudo internacional publicado recentemente pela revista científica *Science*[1] indicou o acentuado declínio nas populações de grandes predadores. De acordo com o estudo, a perda de espécies no topo da cadeia alimentar, devido à ação humana, pode produzir grande impacto nos ecossistemas terrestres.

1 ESTES, J. A. e cols. Trophic Downgrading of Planet Earth. *Science*, v. 333, n. 6.040, p. 301-306, 15 jul. 2011. (DOI:10.1126/science.1205106). O artigo pode ser lido por assinantes da *Science* em: <www.sciencemag.org>.

Segundo a agência Fapesp[2], que comentou o artigo da revista *Science*, a diminuição das populações de predadores é muito maior que a estimada e afeta diversos outros processos ecológicos, num efeito que os cientistas chamam de "cascata trófica", no qual as perdas ocorridas no topo das cadeias alimentares causam forte impacto em muitas outras espécies de animais e de plantas. De acordo com a agência, William Ripple, da Universidade Estadual do Oregon, um dos autores do estudo, afirmou: "Temos agora evidências extensivas de que os grandes predadores são altamente importantes na função da natureza, dos oceanos mais profundos às montanhas mais altas, dos trópicos ao Ártico".

Entre os exemplos citados no artigo, a remoção dos lobos no Parque Nacional Yellowstone, nos Estados Unidos, levou à rápida alteração na população e no comportamento dos alces, que passaram a se alimentar em locais antes não frequentados, onde podiam ser atacados por lobos. Com isso, o crescimento de certos arbustos e gramíneas diminuiu, o que resultou numa menor disponibilidade de alimentos para os castores, provocando redução de sua população. A reintrodução de lobos no parque, no entanto, possibilitou a recuperação do ecossistema.

O estudo afirma que o declínio dos superpredadores afeta os mais variados aspectos do ecossistema global, assim como o clima, o número de hábitats, a poluição, a fixação de carbono e até mesmo a propagação de doenças. Por muito tempo pensou-se que os grandes predadores, no topo da pirâmide trófica, pouco influenciavam as espécies dos níveis tróficos inferiores. Os autores do estudo reiteram que essa é uma compreensão fundamentalmente equivocada da Ecologia.

A importância do assunto

As comunidades de seres vivos são constituídas por populações de diferentes espécies, que se relacionam de diversas maneiras entre si e com o ambiente. Certas espécies alimentam-se de outras; algumas competem entre si; há também aquelas que convivem harmoniosamente, trocando benefícios. A vida e a evolução das espécies biológicas, inclusive da nossa, dependem precisamente da variedade dessas relações, estabelecida passo a passo ao longo do processo evolutivo.

Neste capítulo trataremos dos variados tipos de relação entre os seres vivos. Conhecer as relações que as populações de seres vivos mantêm entre si e com o ambiente é dar um passo importante para preservá-las, em benefício de toda a humanidade.

6.1 Hábitat e nicho ecológico

O local em que vive determinada espécie ou comunidade biológica, incluídas as condições ambientais, constitui seu **hábitat**. Por exemplo, quando dizemos que certa espécie de peixe vive em riachos de água fria e bem oxigenada, ou que uma espécie de macaco vive na copa das árvores de uma floresta tropical, estamos nos referindo aos hábitats dessas espécies.

Cada espécie de ser vivo apresenta um modo de vida único e peculiar no hábitat, representado por atividades que vão desde os tipos de alimento que utiliza até as condições de reprodução, moradia, hábitos, inimigos naturais, estratégias de sobrevivência etc. Esse conjunto de atividades que a espécie realiza no hábitat constitui seu **nicho ecológico**. (Fig. 6.1)

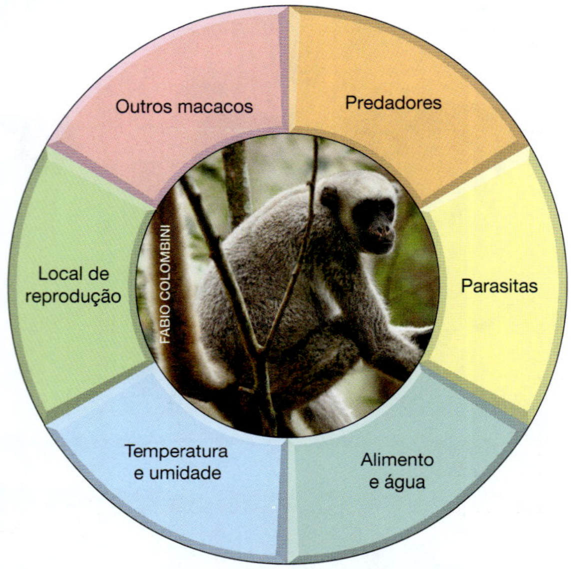

Figura 6.1 O nicho ecológico designa a posição funcional de um organismo em seu ambiente, compreendendo seu hábitat, suas atividades e os recursos que ele obtém, ou seja, todas as ações típicas de uma espécie no ambiente em que vive. Na fotografia, um mono-carvoeiro (*Brachyteles hypoxanthus*), que pode chegar a 1,5 m de comprimento. (Não há relação de proporção entre os setores do esquema.)

O princípio da exclusão competitiva de Gause

Imagine que duas espécies de uma comunidade executem atividades semelhantes no hábitat. Por exemplo, gafanhotos e roedores que vivem em um campo comem capim; ou plantas de duas espécies que vivem próximas têm raízes na mesma região do solo. O que se pode esperar nesses casos?

A conclusão é que poderá haver competição entre essas espécies, principalmente se os recursos disputados forem escassos. Em um experimento clássico, o cientista russo Georgyi F. Gause (1910-1986)

2 A falta dos grandes predadores. *Fapesp*: revistas científicas, 19 jul. 2011. Disponível em: <http://agencia.fapesp.br/14195>. Acesso em: maio 2012.

criou, em um mesmo tubo de cultivo, paramécios (protozoários) de duas espécies: *Paramecium aurelia* e *Paramecium caudatum*. Gause verificou que a competição entre as duas espécies era tão intensa que levava *P. caudatum* à extinção. (Fig. 6.2)

A

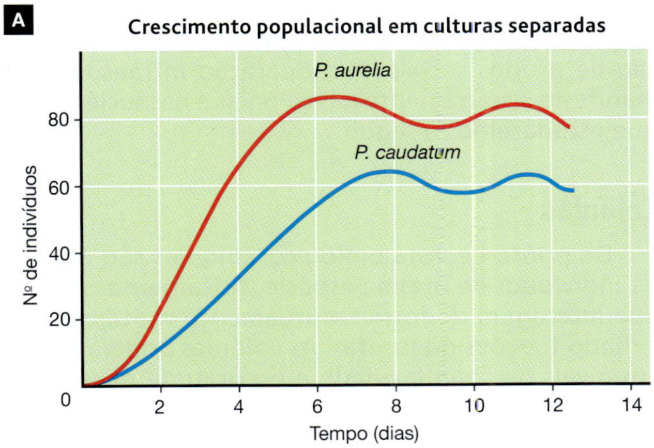

B

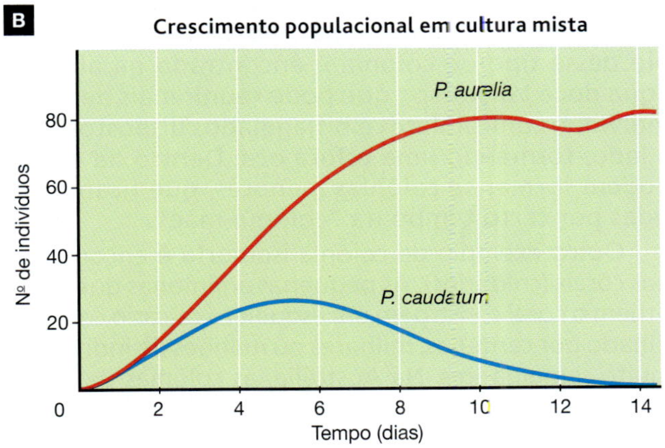

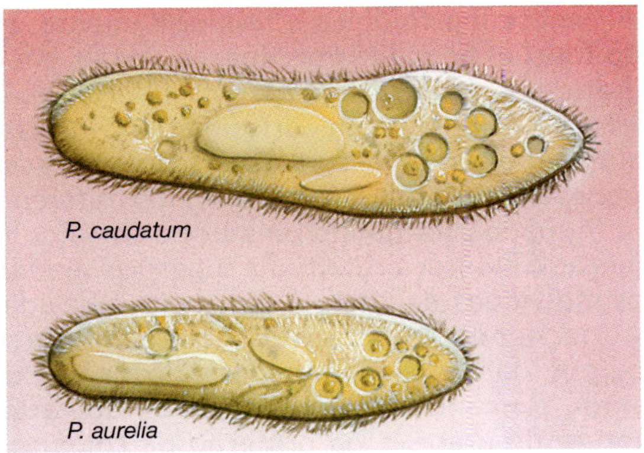

Figura 6.2 Gráficos de crescimento das espécies *Paramecium caudatum* e *Paramecium aurelia*, que medem cerca de 0,25 mm e 0,20 mm, respectivamente, representados em cores-fantasia. **A.** Curvas obtidas quando as duas espécies foram cultivadas separadamente. Os meios de cultura apresentavam o mesmo nível de acidez e ambas as populações foram alimentadas periodicamente com a mesma quantidade de bactérias. **B.** Curvas obtidas quando as duas espécies foram cultivadas juntas, no mesmo frasco. Gause concluiu que a diferença mostrada nos gráficos resulta da competição entre as duas espécies. (Baseado em: Dajoz, R., 1978.)

Gause notou, entretanto, que *P. caudatum* podia conviver perfeitamente no mesmo tubo de cultivo com outra espécie de paramécio, *Paramecium bursaria*. Ele concluiu que os nichos ecológicos desses paramécios eram distintos o suficiente para evitar uma competição mais intensa, que poderia levar à extinção de uma ou outra espécie. Segundo Gause, a convivência é possível porque as duas espécies exploram diferentes nichos ecológicos, embora se encontrem no mesmo tubo de cultivo: *P. caudatum* vive livre no meio líquido, enquanto *P. bursaria* vive aderido às paredes do tubo.

Se duas espécies têm nichos ecológicos muito semelhantes, pensou Gause, elas não conseguirão conviver em um mesmo hábitat por causa da severa competição que se estabelecerá entre elas: uma espécie tenderá a excluir a outra. Essa premissa ficou conhecida como **princípio da exclusão competitiva** ou **princípio de Gause**.

Diversos estudos dão suporte às conclusões de Gause. Por exemplo, os cientistas se perguntavam por que duas espécies de cormorões (cormorão-negro e cormorão-de-poupa), aves marinhas que fazem ninhos nas mesmas regiões da Inglaterra e se alimentam nas mesmas águas, conviviam perfeitamente no mesmo hábitat. Estudos mostraram que o cormorão-negro mergulha mais profundamente no mar, alimentando-se de peixes e camarões, enquanto o cormorão-de-poupa pesca em águas mais superficiais, alimentando-se de pequenos organismos do plâncton. Essas espécies conseguem compartilhar o mesmo hábitat porque seus nichos ecológicos são suficientemente distintos: no caso, elas não competem por alimento, um dos principais recursos que afetam o crescimento populacional. (Fig. 6.3)

Figura 6.3 O cormorão-de-poupa (*Phalacrocorax aristotelis*) e o cormorão-negro (*Phalacrocorax carbo*) utilizam diferentes estratégias alimentares em seu hábitat aquático. (Elementos fora de proporção de tamanho entre si; cores-fantasia.) Essas aves medem de 70 cm a 90 cm de comprimento por 1 m a 1,5 m de envergadura.

6.2 Relações ecológicas intraespecíficas

Em uma comunidade biológica, cada organismo mantém relações tanto com seres de sua própria espécie quanto com os de outras espécies. Essas interações, genericamente denominadas relações ecológicas, podem ser classificadas em **relações intraespecíficas**, quando ocorrem entre indivíduos de mesma espécie, e **relações interespecíficas**, quando ocorrem entre indivíduos de espécies diferentes.

Organismos de mesma espécie, por terem as mesmas necessidades fundamentais, quase sempre disputam recursos do meio, fenômeno denominado competição intraespecífica. Há situações, entretanto, em que seres da mesma espécie auxiliam-se mutuamente, trocando benefícios, o que se denomina cooperação intraespecífica.

Competição intraespecífica

Competição intraespecífica é a disputa entre indivíduos de mesma espécie por um ou mais recursos do ambiente. Dependendo da espécie, a competição pode ser por água, alimento, luz, locais para construir ninhos, parceiros para reprodução etc.

Além da luta física por alimento ou por parceiros de reprodução, a competição também se manifesta de outras maneiras. Por exemplo, se um animal é muito eficiente na obtenção de alimento, ele tende a levar vantagem competitiva sobre outro menos eficiente, sobretudo se o alimento for escasso. Plantas com sistemas radiculares desenvolvidos e eficientes, em determinado tipo de ambiente, podem levar vantagem sobre outras plantas na competição por água, por nutrientes disponíveis no solo e por locais onde a luminosidade é mais adequada. (Fig. 6.4)

FLPA/ALAMY/GLOW IMAGES

Figura 6.4 A competição entre plantas do deserto por água leva à distribuição espaçada dos indivíduos da população. Na fotografia, plantas esparsas no Deserto do Saara (Marrocos, 2011).

Cooperação intraespecífica

Em certas espécies, os indivíduos apresentam uma relação cooperativa denominada cooperação intraespecífica. A cooperação tem desempenhado papel importante no sucesso evolutivo de muitas espécies. Entre as relações cooperativas intraespecíficas destacam-se o cuidado com a prole e a formação de grupos sociais. A cooperação intraespecífica manifesta-se claramente nas colônias e nas sociedades, que estudaremos a seguir.

Colônias

Do ponto de vista biológico, colônias são grupos de indivíduos de mesma espécie, fisicamente unidos, que interagem de forma mutuamente vantajosa, dividindo funções ou tarefas. As colônias podem variar em níveis de complexidade e no grau de divisão de tarefas entre os indivíduos.

Algumas colônias são constituídas por indivíduos morfológica e funcionalmente semelhantes, sendo por isso denominadas **colônias isomorfas** (do grego *isos*, igual, semelhante, e *morpho*, forma). Um exemplo desse tipo de colônia é encontrado na alga de água doce *Volvox* sp., que pode reunir mais de 1.000 indivíduos unicelulares e biflagelados dispostos lado a lado, formando uma esfera oca. Dentro da esfera podem formar-se colônias menores, que ficam contidas por certo tempo na "colônia-mãe".

Outro exemplo de colônia isomorfa é encontrado nos corais (cnidários). As pequenas anêmonas que constituem o coral constroem um esqueleto calcário compartilhado por centenas, milhares ou milhões de indivíduos muito semelhantes. Na Austrália, as colônias de corais formam um imenso recife chamado de Grande Barreira de Corais, com mais de 2.000 quilômetros de extensão.

Em certos casos, os indivíduos de uma colônia diferenciam-se morfológica e fisiologicamente, realizando funções bem distintas; fala-se, então, em **colônia heteromorfa** (do grego *heteros*, diferente). Um exemplo é a colônia de cnidários marinhos *Physalia physalis*, popularmente conhecida como caravela-portuguesa. Na colônia, um dos indivíduos diferencia-se em flutuador, formando uma bolsa cheia de gás cuja função é manter a colônia na superfície marinha. Outros indivíduos da colônia têm boca e cavidade digestória, sendo responsáveis pela alimentação. Outros, por sua vez, são alongados e ricos em células urticantes, formando longos tentáculos, que atuam na captura de presas e na proteção da colônia; há também indivíduos responsáveis pela reprodução, os gonozoides. Na fisália, os indivíduos da colônia apresentam tal especialização e divisão de funções que, em conjunto, acabam se comportando como órgãos de um único organismo. (Fig. 6.5)

Sociedades

Sociedades são agrupamentos de organismos de mesma espécie em que os indivíduos manifestam algum grau de cooperação, de comunicação e de divisão de

6.1 Biblioteca do estudante
Amplie seus conhecimentos

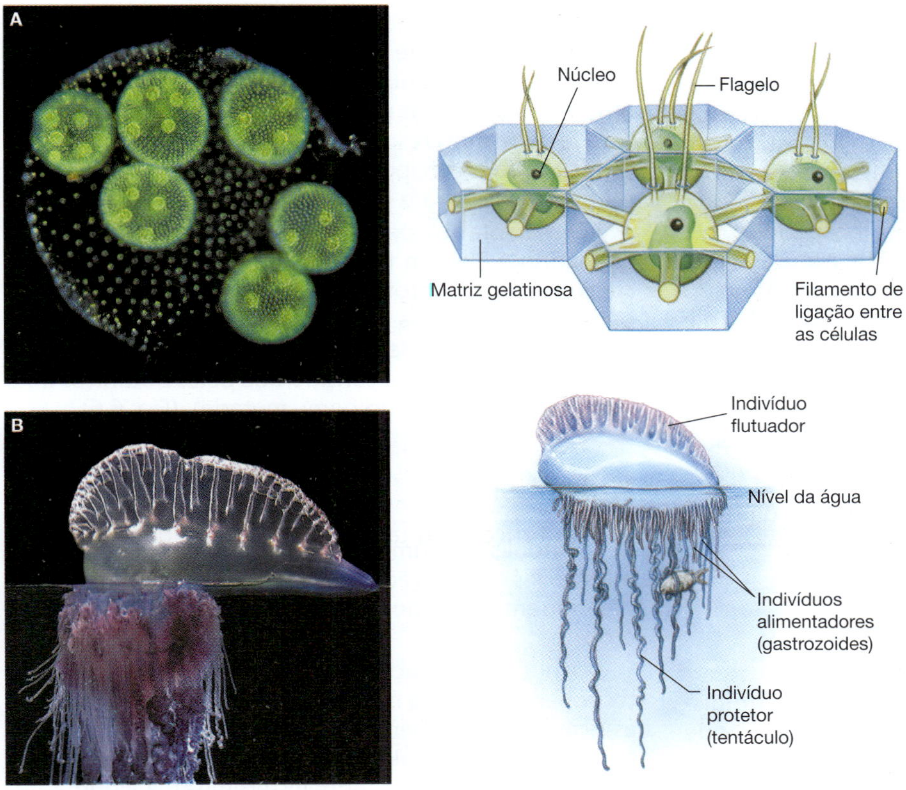

Figura 6.5 Exemplos de organismos coloniais. **A.** Fotomicrografia de colônias da alga verde *Volvox* sp. (Microscópio fotônico; aumento ≈ 175×.)
Ao lado, representação esquemática dos indivíduos biflagelados que formam a porção periférica da colônia. (Elementos fora de proporção de tamanho entre si; cores-fantasia.)
B. Cnidário colonial *Physalia physalis*, que é constituído por indivíduos altamente integrados, como mostra a ilustração ao lado. Na fotografia, o animal que atua como flutuador mede cerca de 10 cm de comprimento.

trabalho, conservando, porém, relativa independência e mobilidade. É isso o que distingue sociedade de colônia, na qual os indivíduos são fisicamente unidos. Diversas espécies, inclusive a nossa, vivem em sociedade.

6.3 Relações ecológicas interespecíficas

Nas comunidades, há grande variedade de relações ecológicas entre espécies diferentes, desde interações em que indivíduos de uma espécie alimentam-se dos de outra, até a troca de benefícios entre indivíduos de espécies diferentes.

Os especialistas costumam classificar as relações ecológicas interespecíficas em alguns tipos básicos: competição, interações tróficas, mutualismo, comensalismo e inquilinismo. Essas relações são tratadas a seguir e resumidas na Tabela 6.1, no fim do capítulo.

Competição interespecífica

Como vimos, Gause observou que, quando duas espécies de uma comunidade disputam os mesmos recursos do ambiente, seus nichos ecológicos se "sobrepõem" parcialmente e ocorre **competição interespecífica**. Quanto mais os nichos ecológicos das espécies se assemelham, ou seja, quanto mais sobrepostos eles são, mais intensa é a competição; isso pode levar uma das espécies à extinção ou forçá-la a migrar em busca de uma área disponível, livre de espécies competidoras.

Interações tróficas

Herbivoria

Herbivoria é a relação que se estabelece entre plantas e animais que se alimentam delas. Certos animais comem apenas partes das plantas, não chegando a matá-las. É o que ocorre, por exemplo, com mamíferos que se alimentam de grama e com larvas de insetos que comem folhas. Quando os animais se alimentam de sementes, porém, a planta é morta ainda na fase embrionária. Em qualquer dessas situações, do ponto de vista individual, há prejuízo para as plantas e benefício para os animais que as consomem.

A herbivoria é uma das mais importantes relações ecológicas da natureza, uma vez que, ao comer plantas, os animais assimilam a energia captada da luz solar, que pode então ser transferida para outros níveis tróficos das cadeias alimentares (relembre no capítulo 3).

Predação

Predação ou **predatismo** é a relação em que uma espécie predadora mata e come indivíduos de outra espécie, sua **presa**. Do ponto de vista individual, a espécie predadora beneficia-se, enquanto a espécie predada é prejudicada. Do ponto de vista ecológico, entretanto, a predação é um importante mecanismo regulador da densidade populacional, tanto de presas como de predadores. A estreita correlação entre as flutuações no tamanho das populações de predadores e presas é importante para a sobrevivência de ambas (relembre o exemplo da flutuação populacional de lebres e linces do Ártico, no capítulo 5).

Parasitismo

Parasitismo é uma relação ecológica em que uma espécie **parasita** associa-se a outra, a espécie **hospedeira**, causando-lhe prejuízos por se alimentar à sua custa. Em geral, as espécies parasitas e hospedeiras estão bem adaptadas umas às outras, de modo que a relação causa prejuízos relativamente pequenos ao parasitado. Basta pensar que, se um parasita matar seu hospedeiro, ele também morrerá; portanto, a tendência natural é que a relação parasitária se torne equilibrada ao longo do tempo, com o parasita adaptando-se ao hospedeiro e vice-versa, fenômeno denominado **coadaptação**.

Organismos parasitas podem viver na superfície externa do hospedeiro, sendo chamados **ectoparasitas** (do grego *ectos*, fora), ou no interior do hospedeiro, sendo denominados **endoparasitas** (do grego *endos*, dentro). Exemplos de ectoparasitas são os piolhos e os carrapatos; exemplos de endoparasitas são as lombrigas, as solitárias, certas bactérias e os vírus.

Parasitoidismo: parasitismo ou predação de longo prazo?

Um caso particular de parasitismo é o **parasitoidismo**, termo utilizado para designar a relação em que um organismo vive boa parte de sua vida em um hospedeiro, parasitando-o. Em determinado momento, o hospedeiro é morto e consumido, como na predação.

Um exemplo bem conhecido de parasitoide são as vespas que põem os ovos dentro de hospedeiros como aranhas e larvas de insetos. Após a eclosão dos ovos, as larvas da vespa passam a devorar lentamente os tecidos corporais vivos do hospedeiro, até que ele seja consumido totalmente. Ao final do processo a larva transforma-se em uma vespa adulta.

Plantas parasitas

Há plantas que parasitam outras plantas. Um exemplo é o cipó-chumbo, uma planta parasita de cor amarela, sem folhas nem clorofila e com aparência de fios de ovos, que cresce sobre outras plantas. Com raízes especializadas, o cipó-chumbo penetra no floema da planta hospedeira e dali extrai seiva orgânica.

Outra planta parasita de plantas é a erva-de-passarinho. Ela tem folhas clorofiladas e produz moléculas orgânicas por fotossíntese, retirando da planta hospedeira apenas água e sais minerais dos vasos lenhosos. Por extrair da hospedeira apenas substâncias inorgânicas, a erva-de-passarinho é considerada pelos botânicos uma **hemiparasita** (do grego *hemi*, metade). (Fig. 6.6)

Mutualismo

Mutualismo é uma relação ecológica em que ambas as espécies em interação obtêm benefícios. Os biólogos distinguem dois tipos de mutualismo: o facultativo e o obrigatório.

O **mutualismo facultativo**, também chamado de **protocooperação**, é uma relação ecológica em que as espécies associadas trocam benefícios, mas também podem viver sozinhas. Um exemplo é a relação entre crustáceos do gênero *Pagurus*, os caranguejos-eremitas, e algumas espécies de anêmona-do-mar (cnidários). Esses animais não vivem necessariamente juntos, mas é frequente encontrá-los em associação, o que é vantajoso para ambos.

O caranguejo-eremita ocupa conchas vazias de caramujos, nas quais protege seu abdome delicado, pois, ao contrário de outros caranguejos, o eremita não tem carapaça rígida nessa região do corpo. Uma vez instalado em sua concha-moradia, o caranguejo-eremita a arrasta

MARK PLONSKY/ VISUALS UNLIMITED/GLOW IMAGES — FABIO COLOMBINI — FABIO COLOMBINI

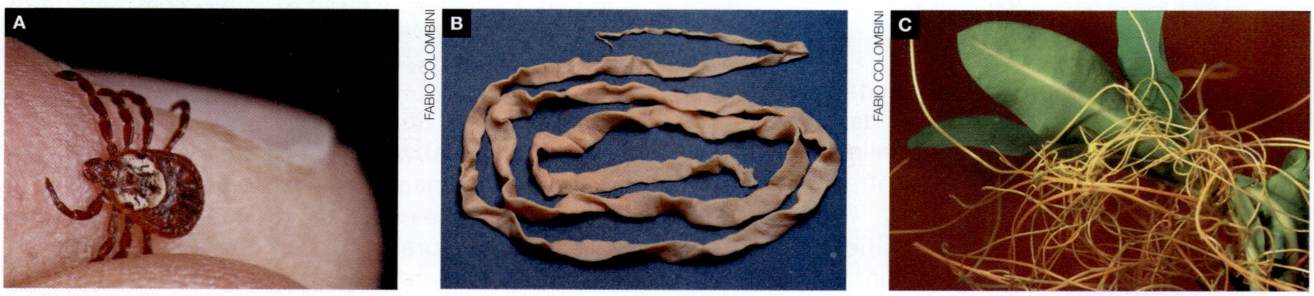

FABIO COLOMBINI

Figura 6.6 Exemplos de parasitismo. **A.** Carrapato da espécie *Dermacentor variabilis*, ectoparasita de animais. Seu comprimento é de mais ou menos 4 mm. **B.** Solitária (*Taenia* sp.), verme endoparasita da espécie humana que pode atingir alguns metros de comprimento. **C.** Cipó-chumbo (*Cuscuta* sp.), planta parasita de outras plantas, das quais extrai seiva orgânica por meio de raízes sugadoras, os haustórios. **D.** Erva-de-passarinho (*Struthanthus flenicaulis*), planta considerada "hemiparasita", pois extrai das hospedeiras apenas substâncias inorgânicas. Ela pode ser identificada na fotografia por sua folhagem mais escura em relação à copa de um jacarandá-mimoso (*Jacaranda mimosaefolia*), do qual extrai a seiva mineral.

consigo aonde quer que vá, abandonando-a apenas ao trocá-la por outra maior. Sobre as conchas ocupadas pelo eremita é frequente encontrar uma ou mais anêmonas--do-mar; esses cnidários beneficiam-se da associação com o eremita por ganharem mobilidade e aproveitarem suas eventuais sobras de alimento. Já o caranguejo se beneficia da capacidade defensiva das anêmonas-do--mar, cujos tentáculos têm células urticantes, capazes de provocar queimaduras em eventuais inimigos.

Outro exemplo de protocooperação é a relação entre alguns mamíferos – capivaras, búfalos, rinocerontes etc. – e aves que comem os carrapatos que os infestam. Há vantagens tanto para o mamífero, que se livra dos incômodos ectoparasitas, quanto para o pássaro, que obtém alimento com relativa facilidade. (Fig. 6.7)

Mutualismo obrigatório é um tipo de relação permanente e indispensável à sobrevivência dos indivíduos associados. Um exemplo de mutualismo obrigatório é a interação de certas espécies de cupim com microrganismos – bactérias e protozoários – que habitam o intestino desses insetos. Os cupins alimentam-se de madeira, mas são incapazes de digerir seu principal componente, a celulose. A digestão desse carboidrato é realizada pelos microrganismos que vivem exclusivamente no tubo digestório dos cupins.

Outro exemplo de mutualismo obrigatório são os **liquens**, formados pela associação de certas espécies de algas verdes ou bactérias fotossintetizantes com determinadas espécies de fungos. (Fig. 6.8)

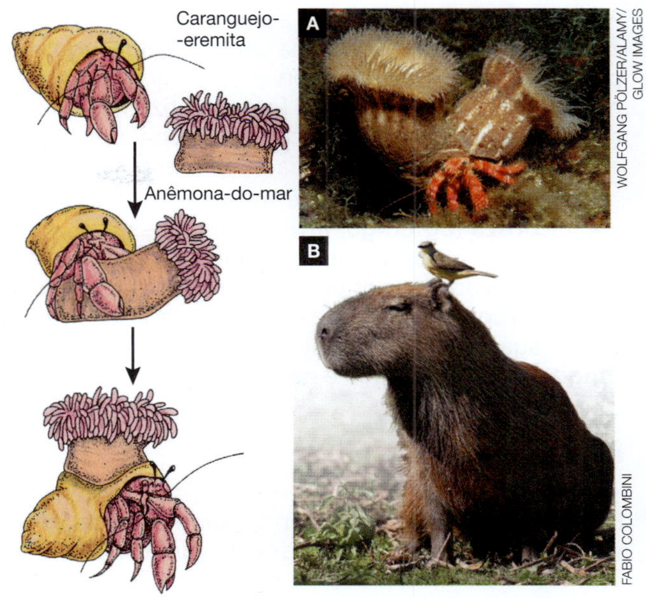

Figura 6.7 Exemplos de protocooperação. **A.** Caranguejo-eremita (*Dardanus calidus*) dentro da concha que lhe serve de abrigo, sobre a qual vivem anêmonas-do-mar (*Calliactis parasitica*). O caranguejo e a anêmona medem cerca de 12 cm e 10 cm, respectivamente. À esquerda, representação esquemática de um eremita colocando uma anêmona sobre a concha onde mora. (Cores-fantasia). **B.** Capivara (*Hydrochoerus hydrochaeris*) com a ave suiriri-cavaleiro (*Machetornis roxisus*), que se alimenta de carrapatos. A capivara adulta pode chegar a 1,4 m de comprimento; o suiriri-cavaleiro mede cerca de 18 cm de comprimento.

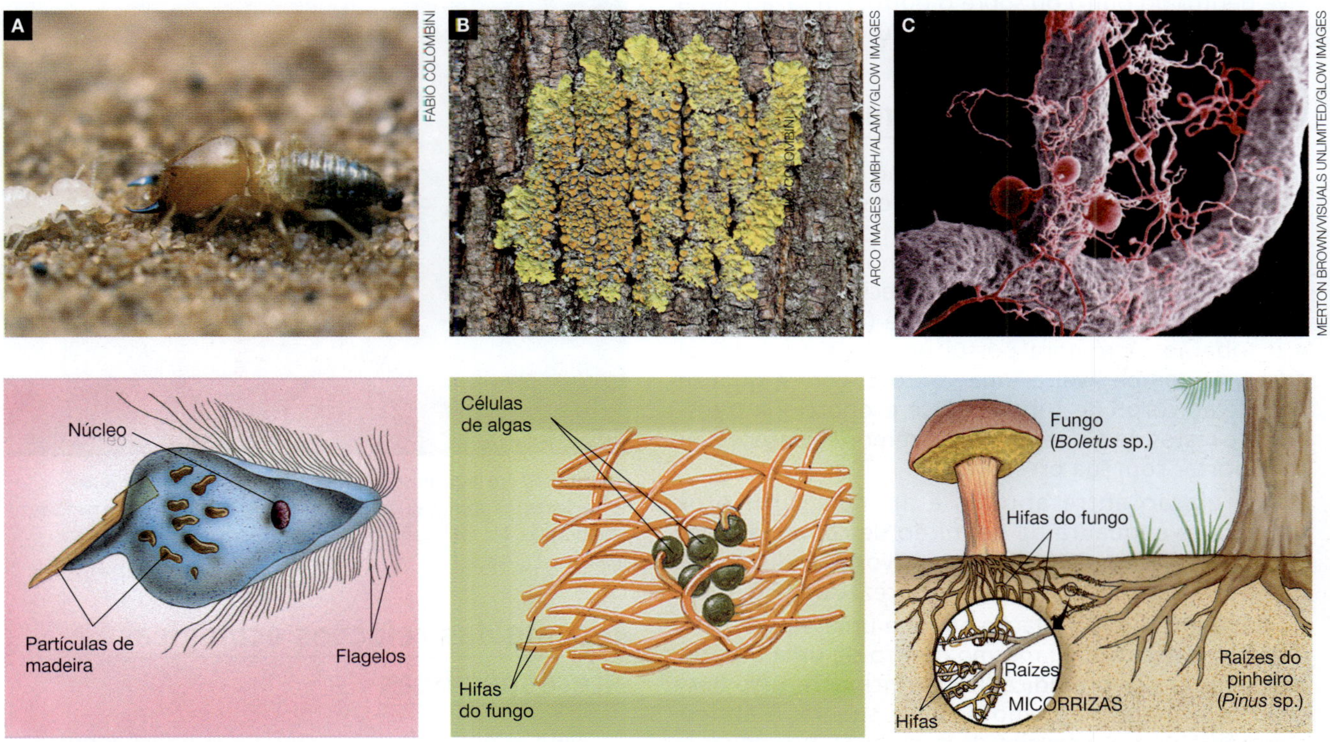

Figura 6.8 Exemplos de mutualismo. **A.** Certas espécies de cupim, como a da foto (*Cornitermes* sp.), cujos adultos medem cerca de 1 cm de comprimento, abrigam em seu tubo digestório bactérias e protozoários flagelados. Abaixo, representação esquemática de protozoário do gênero *Trichonympha*, que vive no intestino do cupim-de-madeira. **B.** Liquens da espécie *Xanthoria parietina* sobre o tronco de uma árvore. Esse líquen atinge até 8 cm de diâmetro. Abaixo, representação esquemática da relação entre a alga verde e o fungo, no líquen. **C.** Fotomicrografia de raízes de soja (*Glycine max*) envoltas por fungos formando micorrizas. (Microscópio eletrônico de varredura; aumento $\approx 120\times$; cores artificiais.) Abaixo, representação esquemática da associação de um fungo com as raízes de uma planta. Esta recebe água e sais minerais que o fungo extrai do solo; o fungo utiliza substâncias orgânicas produzidas pela planta. (Nas ilustrações, os elementos foram representados fora de proporção de tamanho entre si e com cores-fantasia.)

Por meio da fotossíntese, a alga ou a bactéria produzem matéria orgânica, utilizada também pelo fungo; este, por sua vez, é capaz de absorver com eficiência água e nutrientes, que seus parceiros fotossintetizantes aproveitam. O líquen sobrevive em locais onde nenhuma das duas espécies que o formam poderia sobreviver isoladamente.

Um terceiro exemplo de mutualismo obrigatório é a **micorriza** (do grego, *mycos*, fungo, e *rhizos*, raiz), associação entre determinados fungos e raízes de plantas. As hifas dos fungos penetram nas raízes, das quais obtêm carboidratos como a glicose e a sacarose. A planta, por sua vez, beneficia-se da grande capacidade do fungo de absorver água e nutrientes minerais do solo.

O conceito de simbiose

Em 1879, o biólogo alemão Heinrich Anton de Bary (1831-1888) criou o termo **simbiose** (do grego *syn*, juntos, e *bios*, vida) para designar associações íntimas entre indivíduos de espécies diferentes com consequências vantajosas ou desvantajosas para pelo menos uma das partes.

Segundo a definição original, quatro das relações tratadas neste livro se enquadram no conceito de simbiose: inquilinismo, comensalismo, mutualismo e parasitismo. No entanto, o termo simbiose tem sido utilizado muitas vezes como sinônimo de mutualismo e não raro refere-se exclusivamente a mutualismo obrigatório. Além disso, alguns autores definem simbiose como uma associação íntima entre indivíduos de espécies diferentes, em que um vive dentro do outro ou sobre o outro. Em razão dessa controvérsia, optamos por não fazer uso desse conceito.

Comensalismo e inquilinismo

Comensalismo é o tipo de relação em que uma das espécies associadas é beneficiada, enquanto a outra não tem nem prejuízos nem benefícios. O principal recurso buscado pelo comensal, como o nome sugere, é alimento. Um exemplo bem conhecido de comensalismo é a associação entre a rêmora (ou peixe-piloto) e o tubarão. A rêmora possui uma estrutura dorsal aderente comparável a uma ventosa, com a qual se prende ao corpo do tubarão. Este proporciona transporte e restos de alimento para a rêmora e parece não se importar com sua presença.

A relação entre abutres e animais carnívoros também se enquadra na definição de comensalismo. Os abutres acompanham os carnívoros a distância, servindo-se dos restos da caça desprezados. (Fig. 6.9)

Inquilinismo é a relação em que uma espécie "inquilina" vive sobre ou mesmo dentro de uma espécie hospedeira, sem prejudicá-la. O principal recurso buscado pelo inquilino, como o nome sugere, é abrigo e moradia. Várias espécies de orquídeas, bromélias e samambaias vivem sobre outras plantas maiores, que lhes servem de suporte. Nesses casos, as espécies inquilinas são denominadas **epífitas** (do grego *epi*, sobre, e *phytos*, planta). A vantagem das epífitas em crescer sobre plantas altas é obter maior suprimento de luz para a fotossíntese, principalmente no ambiente pouco iluminado do interior das florestas. (Fig. 6.10)

PACIFIC STOCK/DIOMEDIA

JOHN WARBURTON-LEE PHOTOGRAPHY/NIGEL PAVITT/DIOMEDIA

Figura 6.9 Exemplos de comensalismo. **A.** Rêmoras (*Remora remora*) "pegam carona" em um tubarão-limão (*Negaprion brevirostris*). O tubarão-limão pode chegar a 3 m de comprimento. **B.** Abutres-de-costas-brancas (*Gyps africanus*) são comensais habituais de felinos como os guepardos (*Acinonyx jubatus*) e outros carnívoros africanos. O guepardo mede cerca de 1,3 m de comprimento.

MURRAY COOPER/MINDEN PICTURES/LATINSTOCK

Figura 6.10 No inquilinismo das plantas epífitas sobre árvores hospedeiras, as primeiras obtêm vantagens, mas as árvores não são prejudicadas. Na fotografia, bromélias *Tillandsia* sp. apoiadas em árvore no Equador.

Resumo das relações ecológicas interespecíficas

Nem sempre é fácil caracterizar as relações entre os seres vivos. Na verdade, tentamos utilizar determinados critérios lógicos para facilitar o estudo, mas eles nem sempre correspondem à diversidade da natureza. Por exemplo, em certos casos é difícil estabelecer a diferença entre inquilinismo e comensalismo. Certas espécies de peixe-palhaço encontram abrigo e proteção entre os tentáculos de anêmonas-do-mar. Essa relação seria caracterizada, em princípio, como inquilinismo. Entretanto, se os peixes-palhaço se aproveitarem de restos da alimentação da anêmona, além de utilizá-la como abrigo, não seria mais apropriado classificar a relação como comensalismo?

Na tabela a seguir resumimos as relações interespecíficas estudadas neste capítulo. Os efeitos da relação entre os indivíduos das espécies relacionadas são representados pelo sinal (+) quando há ganho ou vantagem, pelo sinal (−) quando há perda ou desvantagem e pelo número (0) quando não há vantagem nem desvantagem. Lembre-se de que esse critério visa apenas caracterizar a relação em termos de perdas ou ganhos individuais. Como enfatizamos no capítulo, relações como a predação, a competição e o parasitismo, em que há prejuízos para os indivíduos, podem trazer benefícios para as populações, as comunidades e os ecossistemas. (Tab. 6.1)

Tabela 6.1 ▪ **Tipos básicos de relações ecológicas interespecíficas**

Conteúdo multimídia
Relações ecológicas

Tipos de relação	Efeitos sobre os indivíduos participantes	
	Espécie A	**Espécie B**
Competição	−	−
Interações tróficas	+	−
Mutualismo	+	+
Comensalismo	+	0
Inquilinismo	+	0

Atividades

Visão do especialista

Revendo conceitos fundamentais

1. As interações de vários tipos que ocorrem entre os seres vivos de uma comunidade biológica são genericamente denominadas:

a) biomas.
b) comunidades clímax.
c) relações ecológicas.
d) sucessão ecológica.

Escreva, em seu caderno, o termo abaixo que substitui corretamente a tarja entre parênteses das frases de 2 a 5.

a) colônia
b) hábitat
c) competição intraespecífica
d) nicho ecológico
e) sociedade

2. (▬) é o conjunto de atividades realizadas por um organismo ou uma espécie no ambiente onde vivem.

3. O local onde vive um organismo ou uma comunidade biológica, incluindo as condições ambientais locais, é designado como (▬).

4. (▬) é um conjunto de indivíduos de mesma espécie que vivem juntos em alto grau de interdependência, compartilhando tarefas.

5. (▬) é um conjunto de indivíduos de mesma espécie que cooperam e mantêm certo grau de dependência.

Escreva, em seu caderno, o termo abaixo que substitui corretamente a tarja entre parênteses das frases de 6 a 14.

a) comensalismo
b) competição interespecífica
c) competição intraespecífica
d) herbivoria
e) inquilinismo
f) mutualismo facultativo (protocooperação)
g) mutualismo obrigatório
h) parasitismo
i) predação

6. (▬) é uma relação ecológica interespecífica não obrigatória em que ambas as espécies envolvidas obtêm benefícios.

7. (▬) é a relação ecológica interespecífica em que uma das espécies envolvidas é heterotrófica e se alimenta da outra espécie, que é autotrófica.

8. Na relação ecológica interespecífica denominada (▬), uma espécie, geralmente uma planta, cresce sobre outra sem lhe causar prejuízo.

9. (▬) é uma relação ecológica interespecífica em que as espécies envolvidas vivem necessariamente associadas, trocando benefícios.

10. Na relação ecológica interespecífica denominada (▬), apenas uma das espécies envolvidas é beneficiada em termos alimentares, enquanto a outra não sofre prejuízo.

11. O(A) (▬) caracteriza-se por ocorrer entre seres de diferentes espécies que disputam os mesmos recursos do meio.

12. (▬) é a relação ecológica interespecífica em que os indivíduos de uma espécie heterotrófica matam e comem indivíduos de outra espécie, também heterotrófica.

13. (▬) é a relação que se estabelece entre espécies diferentes, sendo que uma delas se alimenta de outra, causando-lhe prejuízos, mas geralmente não a morte.

14. (▬) é uma relação em que há disputa entre os indivíduos de mesma espécie por recursos escassos do meio.

Utilize os termos a seguir para responder às questões 15 e 16.

a) hospedeira
b) parasita
c) predadora
d) presa

15. Na relação parasitária, a espécie que se beneficia é chamada (▬), enquanto a prejudicada é chamada (▬).

16. Na predação, a espécie que mata e come outra é chamada (▬), enquanto a espécie devorada é chamada (▬).

17. Nicho ecológico é:
a) a parte da comunidade biológica representada por seres vivos.
b) o conjunto de relações de uma espécie no hábitat.
c) o local do biótopo em que vive a espécie.
d) o mesmo que biocenose.
e) o mesmo que hábitat.

18. O princípio da exclusão competitiva de Gause refere-se a que relação ecológica?
a) Comensalismo.
b) Competição interespecífica.
c) Competição intraespecífica.
d) Mutualismo.
e) Protocooperação.

Utilize os termos a seguir para responder às questões 19 e 20.

a) comensalismo
b) ectoparasitismo
c) endoparasitismo
d) hemiparasitismo

19. (▬) é um termo utilizado para designar certo tipo de vegetal que obtém da planta hospedeira apenas nutrientes minerais.

20. A relação em que uma das espécies associada vive sobre o corpo de outra, causando-lhe prejuízos, é denominada (▬).

Ligando conceitos, fatos e processos

Identifique, nas questões de 21 a 30, o tipo de relação ecológica existente entre as duas espécies citadas, escolhendo a alternativa correta da lista a seguir.

a) colônia
b) comensalismo
c) competição interespecífica
d) competição intraespecífica
e) herbivoria
f) inquilinismo
g) mutualismo obrigatório
h) parasitismo
i) predação
j) mutualismo facultativo (protocooperação)

21. Planta/Fungo (na micorriza)

22. Alga/Fungo (no líquen)

23. Bromélia epífita/Palmeira

24. Boi/Ovelha

25. Capim/Zebra

26. Caranguejo-eremita/Anêmona-do-mar

27. Abutre/Leão

28. Lombriga/Ser humano

29. Gavião/Pardal

30. Rêmora/Tubarão

31. "Um pequeno pássaro, conhecido por paliteiro, entra sem medo na boca do crocodilo do Rio Ganges, removendo sanguessugas e detritos das gengivas do réptil. O crocodilo não come o pássaro e parece abrir a boca propositalmente para a atuação da ave."
De acordo com a descrição anterior, a relação ecológica entre o pássaro e o crocodilo pode ser classificada como:
a) comensalismo.
b) competição interespecífica.
c) inquilinismo.
d) mutualismo facultativo (protocooperação).
e) mutualismo obrigatório.

32. "Em locais onde há certa espécie de anêmona-do-mar, o peixe-palhaço vive entre os tentáculos desse cnidário, protegido por suas células urticantes. Restos de alimento do peixe-palhaço podem ser aproveitados pela anêmona." A denominação da relação ecológica que melhor se aplica a essa associação é:
a) comensalismo, porque ocorre benefício para apenas uma das partes.
b) competição interespecífica, porque ambos utilizam o mesmo tipo de alimento.
c) inquilinismo, porque o peixe-palhaço usa a anêmona como casa.
d) protocooperação, porque se trata de uma associação não obrigatória.
e) mutualismo, porque se trata de uma associação obrigatória.

33. Suponha que a descrição da questão anterior foi modificada, substituindo-se a última frase por: "A anêmona-do-mar não tem nenhum benefício ou prejuízo com a presença do peixe-palhaço entre seus tentáculos".
Se isso realmente ocorresse, a relação entre o peixe-palhaço e a anêmona teria de ser reclassificada como:
a) inquilinismo.
b) parasitismo.
c) predação.
d) protocooperação.
e) mutualismo.

34. Térmitas são organismos que vivem em grandes cidadelas construídas de barro, chamadas popularmente de "cupinzeiros". Os indivíduos de um cupinzeiro repartem funções e todos cooperam para o bem-estar do grupo. Qual das relações ecológicas melhor se aplica à associação que ocorre entre as térmitas?
a) Colônia.
b) Nicho ecológico.
c) Protocooperação.
d) Mutualismo.
e) Sociedade.

35. Analise a tabela a seguir, que apresenta cinco relações ecológicas. Em algumas células, os símbolos que caracterizam as relações (+, − ou 0) foram substituídos por números.

Tipos de relação	Efeitos sobre os indivíduos participantes	
	Espécie A	Espécie B
Competição	−	(1)
Herbivoria	−	(2)
Mutualismo	(3)	+
Comensalismo	0	(4)
Parasitismo	−	(5)

Qual das alternativas a seguir apresenta a correspondência correta entre cada número e o símbolo que ele substitui na tabela?

a) 1 = (+); 2 = (0); 3 = (+); 4 = (−); 5 = (+).
b) 1 = (−); 2 = (+); 3 = (+); 4 = (+); 5 = (+).
c) 1 = (−); 2 = (−); 3 = (−); 4 = (+); 5 = (+).
d) 1 = (0); 2 = (+); 3 = (−); 4 = (+); 5 = (−).

Questões para exercitar o pensamento

36. Certos insetos, entre os quais se destacam abelhas e vespas, visitam flores coletando pólen e néctar, utilizados como alimento para as colmeias. Ao visitar diversas flores durante seu trabalho, os insetos transportam pólen de uma flor para outra, atuando como agentes polinizadores que auxiliam a reprodução das plantas. Certas espécies de planta são altamente adaptadas a determinadas espécies de inseto polinizador e dependem exclusivamente delas para se reproduzir. Em outras plantas, a polinização pode ser feita por diversas espécies de inseto e até mesmo pelo vento. Como você classificaria o tipo de interação entre os insetos polinizadores e as plantas por eles polinizadas? Considere, em sua análise, tanto os casos em que o agente polinizador é altamente específico para a espécie vegetal, com alta interdependência, como os casos em que não há essa especificidade.

37. As aves conhecidas como pica-paus têm a língua alongada com um gancho na ponta. Para se alimentar, eles introduzem esse órgão nas cavidades de troncos de árvores (essas cavidades são causadas por larvas de insetos brocas), retirando dali larvas que lhes servem de alimento. Sabendo que as brocas são extremamente prejudiciais à saúde das plantas, classifique o tipo de relação que existe entre:

a) as brocas e as árvores onde elas vivem;
b) os pica-paus e as brocas;
c) os pica-paus e as árvores.

38. Certas espécies de formigas cortam folhas, levam-nas para os formigueiros e nelas cultivam fungos específicos, dos quais se alimentam. A relação entre essas formigas e fungos é altamente específica e interdependente: não poderiam viver uns sem os outros. Pesquise sobre essa relação e elabore um resumo com as informações mais relevantes.

39. A linguagem matemática é útil em diversos ramos da ciência. Apresentar variáveis em forma de gráfico, por exemplo, facilita a análise e a interpretação de muitos fenômenos. A seguir, em cada um dos quadros identificados por um algarismo romano, há dois gráficos: o da esquerda (1) representa as curvas de crescimento de duas espécies quando separadas, e o da direita (2), quando elas estão juntas. Em todos os casos, as condições do meio são ótimas para as espécies.

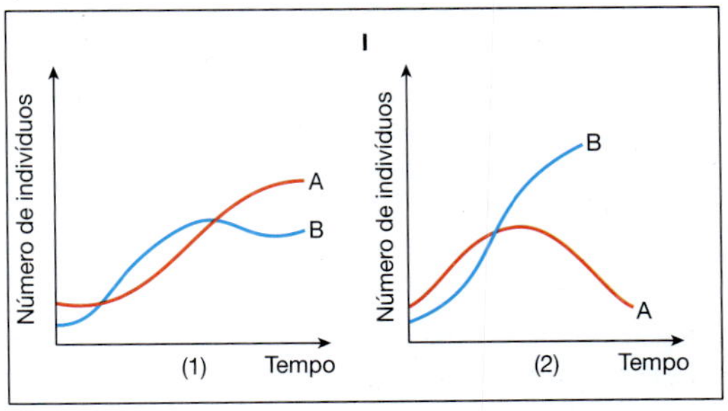

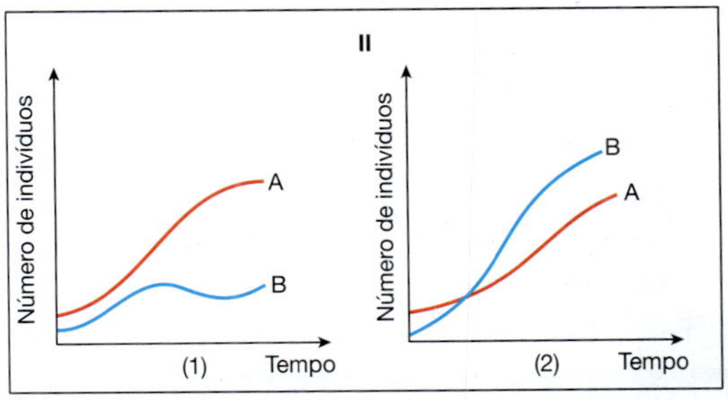

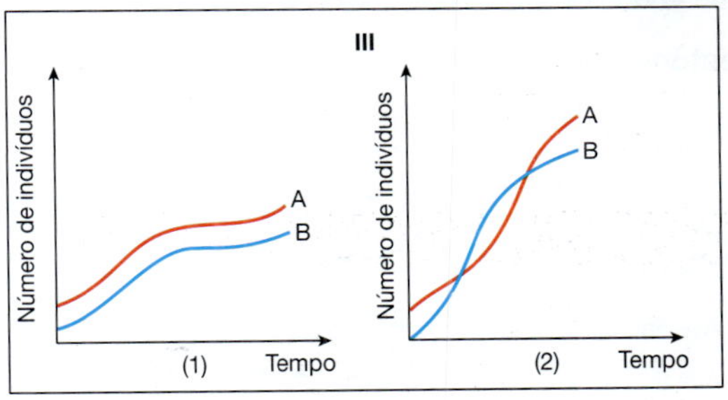

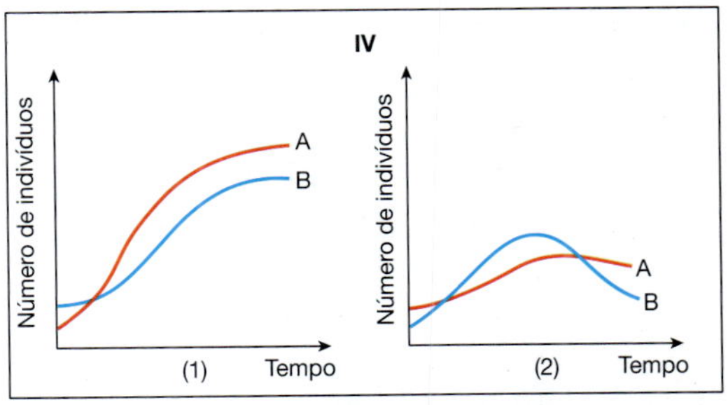

Qual dos quadros – I, II, III ou IV – corresponde a cada relação ecológica mencionada a seguir? Justifique as escolhas em frases curtas.

a) Comensalismo.
b) Predação.
c) Competição.
d) Protocooperação.

40. Leia o trecho a seguir, retirado do capítulo: "Em geral, as espécies parasitas e hospedeiras estão bem adaptadas umas às outras, de modo que a relação causa prejuízos relativamente pequenos ao parasitado. Basta pensar que, se um parasita matar seu hospedeiro, ele também morrerá; portanto, a tendência natural é que a relação parasitária se torne equilibrada ao longo do tempo, com o parasita adaptando-se ao hospedeiro e vice-versa, fenômeno denominado coadaptação". Vamos imaginar que essa tendência da relação parasitária fosse levada ao extremo durante a coevolução hospedeiro-parasita. A que tipo de relação isso levaria, em hipótese?

41. Certos conceitos são empregados de maneiras distintas dependendo do contexto considerado. É o caso, por exemplo, dos termos população, colônia e sociedade, que estudamos neste capítulo. Forme grupo com dois ou três colegas e divida com eles a tarefa de pesquisar esses três conceitos no âmbito das disciplinas de Matemática, Geografia, Sociologia, História e outras. Utilize livros, revistas e a internet como fontes de pesquisa; eventualmente o grupo poderá pedir referências de pesquisa aos respectivos professores. Os resultados da pesquisa poderão ser sumarizados em uma tabela.

42. Algumas espécies de formigas defendem pulgões de seus predadores naturais. Esse comportamento aparentemente inusitado tem uma explicação: se devidamente estimulados, os pulgões produzem gotículas ricas em açúcares extraídos da seiva vegetal, que servem de alimento às formigas. Alguns cientistas denominam essa relação de esclavagismo, argumentando que formigas transformam pulgões em seus "escravos". Analisando essa relação pelo aspecto da reciprocidade, como ela poderia ser classificada? Pesquise a respeito e escreva suas considerações no caderno.

A Biologia no vestibular e no Enem

Questões objetivas

1. (Enem-MEC) O esquema a seguir representa os diversos meios em que se alimentam aves, de diferentes espécies, que fazem ninho na mesma região.

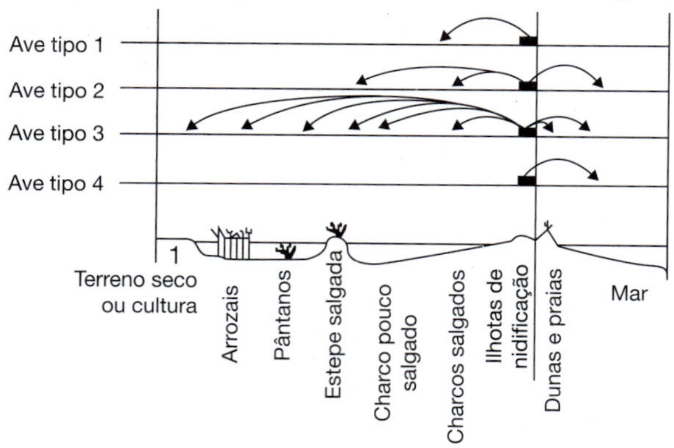

Com base no esquema, uma classe de alunos procurou identificar a possível existência de competição alimentar entre essas aves e concluiu que

a) não há competição entre os quatro tipos de aves porque nem todas elas se alimentam nos mesmos locais.
b) não há competição apenas entre as aves dos tipos 1, 2 e 4 porque retiram alimentos de locais exclusivos.
c) há competição porque a ave do tipo 3 se alimenta em todos os lugares e, portanto, compete com todas as demais.
d) há competição apenas entre as aves 2 e 4 porque retiram grande quantidade de alimentos de um mesmo local.
e) não se pode afirmar se há competição entre as aves que se alimentam em uma mesma região sem conhecer os tipos de alimento que consomem.

2. (Unifesp) A raflésia é uma planta asiática que não possui clorofila e apresenta a maior flor conhecida, chegando a 1,5 metro de diâmetro. O caule e a raiz, no entanto, são muito pequenos e ficam ocultos no interior de outra planta em que a raflésia se instala, absorvendo a água e os nutrientes de que necessita. Quando suas flores se abrem, exalam um forte odor de carne em decomposição, que atrai muitas moscas em busca de alimento. As moscas, ao detectarem o engano, saem da flor, mas logo pousam em outra, transportando e depositando no estigma desta os grãos de pólen trazidos da primeira flor. O texto descreve duas interações biológicas e um processo, que podem ser identificados, respectivamente, como

a) inquilinismo, mutualismo e polinização.
b) inquilinismo, comensalismo e fecundação.
c) parasitismo, mutualismo e polinização.
d) parasitismo, comensalismo e fecundação.
e) parasitismo, comensalismo e polinização.

Questões discursivas

3. (UFPR) Competição é um processo que envolve duas ou mais espécies que utilizam os mesmos recursos. Nicho, hábitat e nível trófico são conceitos utilizados para se descrever a associação de uma espécie com o meio (biótico e abiótico) em que vive. Esses conceitos são fundamentais para a compreensão do ecossistema. Considerando os conceitos de nicho, hábitat e nível trófico, defina qual deles é o mais eficiente na detecção de processos de competição entre duas espécies, justificando por que ele é superior aos outros dois.

4. (Fuvest-SP)

a) Apesar de o predatismo ser descrito como uma interação positiva para o predador e negativa para a presa, pode-se afirmar que os predadores têm um efeito positivo sobre a população de presas. Explique como uma população de presas pode ser beneficiada por seus predadores.
b) Alguns ecologistas consideram os herbívoros comedores de sementes como predadores das populações de plantas que lhes fornecem alimento. Já os herbívoros que se alimentam apenas de folhas são considerados parasitas das plantas que comem. Justifique essas classificações.

5. (UFRRJ) Muitas leguminosas apresentam, em suas raízes, nódulos causados por bactérias fixadoras de nitrogênio em células vegetais.

a) Como denominamos esta relação ecológica?
b) Descreva o que ocorre nessa relação ecológica, destacando as vantagens para os organismos envolvidos.

6. (Unifesp) *Copaifera langsdorffii* é uma árvore de grande porte, amplamente distribuída pelo Brasil e conhecida popularmente como copaíba. A dispersão das sementes da copaíba é feita por aves frugívoras.

a) Indique e explique objetivamente a relação ecológica que se estabelece entre a copaíba e as aves frugívoras.
b) Considerando que as sementes poderiam germinar ao redor da planta-mãe, por que a dispersão é importante para a espécie vegetal?

Capítulo 7 Sucessão ecológica e biomas

Ilha de Rakata (Indonésia, 2012), que foi totalmente devastada por uma erupção vulcânica em 1883 e hoje está novamente coberta de vegetação.

Catástrofe e renascimento em Krakatoa

Quem navega hoje pelo arquipélago localizado entre as ilhas de Sumatra e Java pode ver Rakata, uma ilha coberta por densas florestas verdes. É difícil imaginar que em 1883 ocorreu ali um dos mais violentos eventos vulcânicos de que se tem notícia. Da ilha vulcânica Krakatau (ou Krakatoa, como é mais conhecida), restou apenas a extremidade sul – Rakata –, coberta por uma camada de cinza vulcânica incandescente, com temperaturas entre 300 °C e 850 °C e mais de 40 metros de espessura. Depois de esfriar, a cinza transformou-se em rocha vulcânica porosa de baixa densidade, a pedra-pome. Esse evento catastrófico extinguiu todas as formas de vida em terra firme daquela ilha.

Uma expedição biológica realizada em maio de 1884 encontrou no local apenas uma pequena aranha, provavelmente trazida pelo vento de alguma ilha situada a pelo menos 44 quilômetros de distância. Em outubro do mesmo ano, foram encontradas duas espécies de gramínea crescendo sobre as rochas vulcânicas. Em 1886, entre gramíneas e arbustos, havia 15 espécies estabelecidas na ilha. Onze anos depois, em 1897, já eram 49 espécies.

Em 1919, 36 anos após a catástrofe, Rakata estava coberta por pradarias e alguns pequenos trechos de floresta. Na década de 1930, apresentava amplas áreas de floresta em substituição às pradarias. Hoje, a ilha está coberta por uma floresta tropical, típica da região.

Em 1997, o professor Ian Thornton, da Universidade Latrobe, na Austrália, fez o seguinte comentário a respeito da recolonização de Rakata: "Uma lição otimista: o ecossistema de floresta tropical é capaz de se recuperar de danos traumáticos extremos, se deixado sem interferência por tempo suficiente. Em um século, o que restou de Krakatau [...] está agora coberto por uma floresta tropical, desde a praia até seu pico de 800 metros de altura. [...] existem agora mais de 400 espécies de plantas vasculares, milhares de espécies de artrópodes, inclusive 54 espécies de borboletas, mais de 30 espécies de aves, 18 espécies de moluscos terrestres, 17 espécies de morcegos e 9 de répteis.E esses componentes do sistema tiveram de atravessar 44 quilômetros de oceano para atingir as ilhas!"[1]

1 O comentário do prof. Ian Thornton foi obtido de: <http://whyfiles.org/031volcano/6.html>. Acesso em: set. 2013. (Tradução dos autores.)

A importância do assunto

A natureza viva não é imune à destruição, mas é capaz de superar desastres. Esse é o ponto central do texto de abertura, sobre a recuperação do ecossistema em Rakata, porção remanescente da ilha Krakatau (Indonésia) após a violenta erupção vulcânica de 1883.

A recolonização de Rakata é um exemplo do que os biólogos denominam sucessão ecológica, assunto tratado no primeiro item deste capítulo. Ao estudar esse tema, você poderá constatar o quanto os seres vivos dependem uns dos outros. A vida em nosso planeta é um empreendimento coletivo, em que diferentes espécies contribuem para a construção de ecossistemas complexos. Quanto maior for a nossa compreensão da trama da vida na natureza, maiores serão as nossas chances de conviver harmoniosamente com ela.

O estudo da sucessão ecológica abre caminho para conhecer os diferentes tipos de comunidades que atingem seu clímax em cada local do planeta: cerrados, savanas, florestas, desertos etc. A valorização e a preservação desses ambientes naturais são desafios para a humanidade. Reconhecer as feições características de cada ambiente é mais que cultura: é um exercício de cidadania.

7.1 Sucessão ecológica

A colonização de um ambiente por novas comunidades biológicas denomina-se **sucessão ecológica**; no início, o ambiente em processo de colonização pode ser totalmente desprovido de vida ou ter sido parcialmente destruído por catástrofes naturais ou antrópicas (do grego *antropos*, ser humano). No decorrer do processo de sucessão, as espécies que compõem a comunidade biológica se alteram gradualmente, de forma ordenada e progressiva.

Quando a sucessão se passa em ambientes inicialmente desprovidos de vida, onde as condições de clima e de solo são pouco favoráveis ao estabelecimento de seres vivos, tais como superfícies de lavas vulcânicas recém-solidificadas, de rochas, dunas de areia etc., fala-se em **sucessão primária**. É o caso da recolonização da ilha de Rakata, na Indonésia, comentado na abertura deste capítulo.

Apesar das condições iniciais altamente desfavoráveis, certas espécies de organismos – as **espécies pioneiras** – conseguem se instalar nesses lugares inóspitos e abrir caminho para a chegada de outras espécies.

Dunas de areia, por exemplo, são geralmente colonizadas por certas espécies de gramínea, cujas sementes chegam trazidas pelo vento. Essas plantas conseguem suportar o calor, a escassez de água e o solo pouco estável e dão início à colonização. Os liquens também são importantes na colonização de locais inicialmente desfavoráveis à existência de seres vivos, como a superfície de rochas. Os biólogos utilizam o termo **ecese** para designar a comunidade inicial de uma sucessão ecológica. (Fig. 7.1)

Conteúdo multimídia Sucessão secundária

A

JOÃO PRUDENTE/PULSAR IMAGENS

B

ANDREW CROWHURST/ALAMY/GLOW IMAGES

Figura 7.1 A. Dunas em Piaçabuçu (AL), em 2009. Dunas de areia, cujo solo é movediço e incapaz de reter água e nutrientes, podem ser colonizadas por gramíneas; estas, pouco a pouco, criam condições para a chegada de outras espécies de seres vivos. **B.** Plantas da espécie *Armeria maritima*, que medem cerca de 15 cm de altura, e liquens sobre rochas. Certos liquens conseguem viver sobre rochas nuas, liberando substâncias que as decompõem parcialmente. Forma-se assim uma fina camada de solo, que favorece a instalação de outros seres vivos.

Quando a sucessão ocorre em locais parcialmente destruídos, mas anteriormente ocupados por comunidades biológicas, fala-se em **sucessão secundária**. Nesse caso, as mudanças geralmente são mais rápidas, pois as condições iniciais costumam ser mais favoráveis ao estabelecimento de seres vivos do que na sucessão primária. Exemplos de sucessão secundária são a recolonização de campos de cultivo abandonados, de regiões desflorestadas, de áreas destruídas por queimadas ou de lagos recém-formados.

À medida que é colonizado pelas espécies pioneiras, o ambiente gradualmente se modifica. As variações na temperatura do solo tornam-se menos bruscas e o grau de umidade aumenta. Material orgânico resultante da decomposição dos cadáveres das espécies pioneiras acumula-se no solo, disponibilizando nutrientes e aumentando a capacidade de reter água. No caso das dunas de areia, por exemplo, as raízes das plantas pioneiras ajudam a estabilizar o solo, evitando que as partículas arenosas sejam facilmente carregadas pelo vento. Com as novas condições criadas pelas espécies pioneiras, outras plantas e animais podem se estabelecer no local. As espécies recém-chegadas competem com as pioneiras e pouco a pouco tomam o lugar delas.

As sucessivas gerações de plantas e animais que nascem, crescem, morrem e se decompõem tornam o solo cada vez mais rico em matéria orgânica e umidade. Um local antes desabitado passa a abrigar uma comunidade biológica. A complexidade da comunidade depende de alguns fatores, como o tempo que se passou desde o início da colonização, as condições climáticas locais e as espécies colonizadoras. (Fig. 7.2)

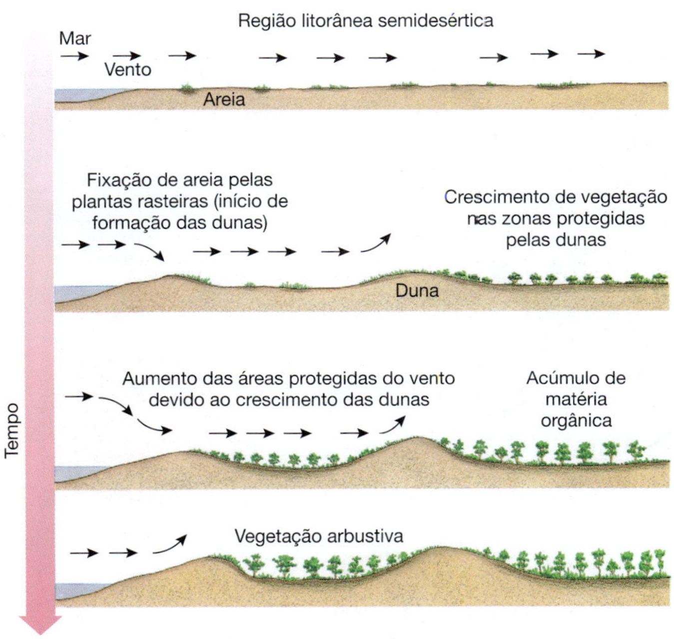

Figura 7.2 Representação esquemática de sucessão ecológica em dunas de areia. Nesse caso, a vegetação pioneira contribui para a fixação das dunas, o que modifica a ação dos ventos e provoca alterações climáticas. O clima local torna-se cada vez mais propício ao estabelecimento de seres vivos. (Elementos fora de proporção de tamanho entre si; cores-fantasia.)

A cada estágio do processo de sucessão, a comunidade altera a estrutura do ambiente e as condições climáticas locais, isto é, o **microclima**, criando novas possibilidades de colonização por outras espécies. Com isso, as espécies mais antigas são gradualmente substituídas pelas que chegam. Nas comunidades que se sucedem, a **biodiversidade** em espécies torna-se cada vez maior. A biomassa e a estabilidade da comunidade também aumentam durante a sucessão.

O processo de sucessão leva ao estabelecimento de uma comunidade biológica relativamente estável e bem adaptada às condições locais. A estabilidade é garantida pela ampla rede de interações construídas durante a sucessão de comunidades. A comunidade do estágio final de sucessão, em que a biodiversidade, a biomassa e as condições microclimáticas tendem a se estabilizar ao longo do tempo, é denominada **comunidade clímax**. A comunidade intermediária em um processo de sucessão ecológica é chamada **sere**, ou estágio seral da sucessão.

7.2 Grandes biomas do mundo

O conceito de bioma

Pode-se definir **bioma** (do grego *bio*, vida, e *oma*, grupo ou massa) como uma área geográfica de ambiente uniforme, caracterizado pelo clima, pelo solo e pela fisionomia de sua vegetação.

Regiões da Terra com latitudes coincidentes, em que prevalecem condições climáticas parecidas, geralmente têm formações vegetais com aparência semelhante, apresentando o mesmo tipo de bioma. Por exemplo, o bioma denominado floresta tropical predomina na faixa equatorial do planeta, tanto na América do Sul quanto na África, no sudeste da Ásia e na Oceania, embora em cada um desses locais haja espécies vegetais (e animais) distintas. Outro exemplo, o cerrado brasileiro, é um tipo de savana, bioma presente em latitudes coincidentes da América do Sul, da África e da Austrália. A figura a seguir mostra a relação entre os principais biomas da América do Norte quanto a dois fatores climáticos: a temperatura e a pluviosidade (índice de chuvas). (Fig. 7.3)

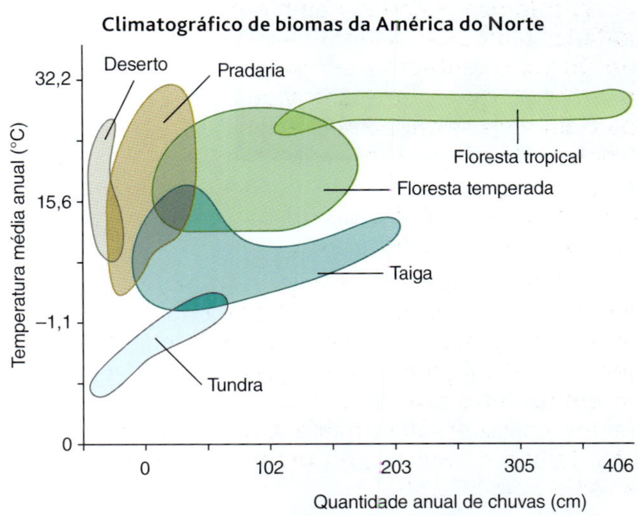

Figura 7.3 Climográfico dos principais biomas da América do Norte. As áreas coloridas do gráfico mostram as condições de temperatura média e pluviosidade de determinado bioma. Por exemplo, as florestas tropicais ocorrem em áreas com temperatura média anual superior a 24 °C e pluviosidade entre 150 e 450 cm anuais. O fato de haver áreas de sobreposição no gráfico mostra que temperatura e pluviosidade, embora sejam fatores muito importantes, não são os únicos a determinar o tipo de bioma que se desenvolve em determinado local. (Baseado em Campbell, N. A. e cols., 1999.)

Distribuição dos grandes biomas do mundo

Neste capítulo estudaremos a distribuição mundial dos biomas mais representativos: tundras, taigas (florestas de coníferas), florestas temperadas, savanas, pradarias, florestas tropicais e desertos. (Fig. 7.4)

JAMES HAGER/ROBERT HARDING/GLOWIMAGES

Tundra
Monte Mcinsey, no Alasca (Estados Unidos, 2011)

JEAN MICHEL LABAT/ARDEA/DIOMEDIA

Savana
Reserva Nacional Maasai Mara, no Quênia (2009)

JOSEPH SOHM/VISIONS OF AMERICA/CORBIS/LATINSTOCK

Floresta temperada
Parque Estadual de Porcupine Mountains, nos Estados Unidos (2001)

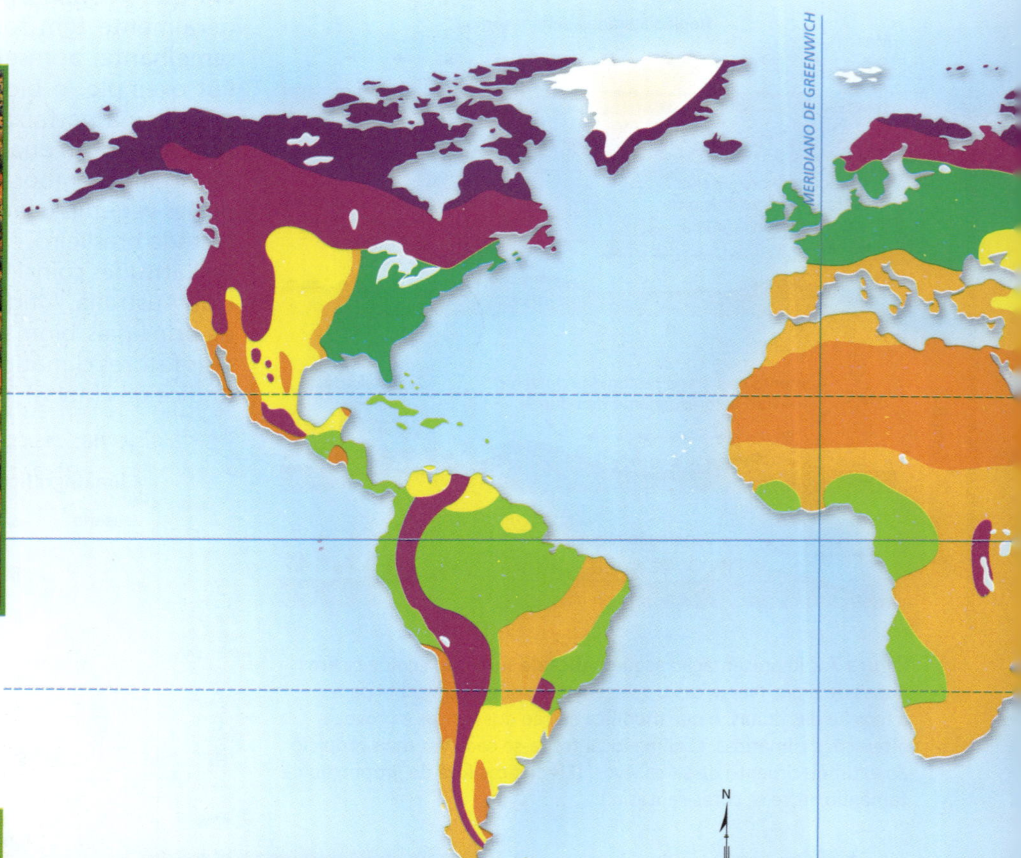

FABIO COLOMBINI

Floresta tropical
Parque Estadual Carlos Botelho, em São Paulo (2010)

ALE RUARO/PULSAR IMAGENS

Pradaria
Fazenda no Rio Grande do Sul (2010)

Figura 7.4 O mapa apresenta a distribuição dos principais biomas do mundo, cuja fisionomia pode ser vista nas fotografias. (Baseado em Campbell, N. A. e cols., 1999.)

ANDREY PODKORYTOV/ALAMY/OTHER IMAGES

Taiga
Parque Nacional Yugyd-Va, na Rússia (2011)

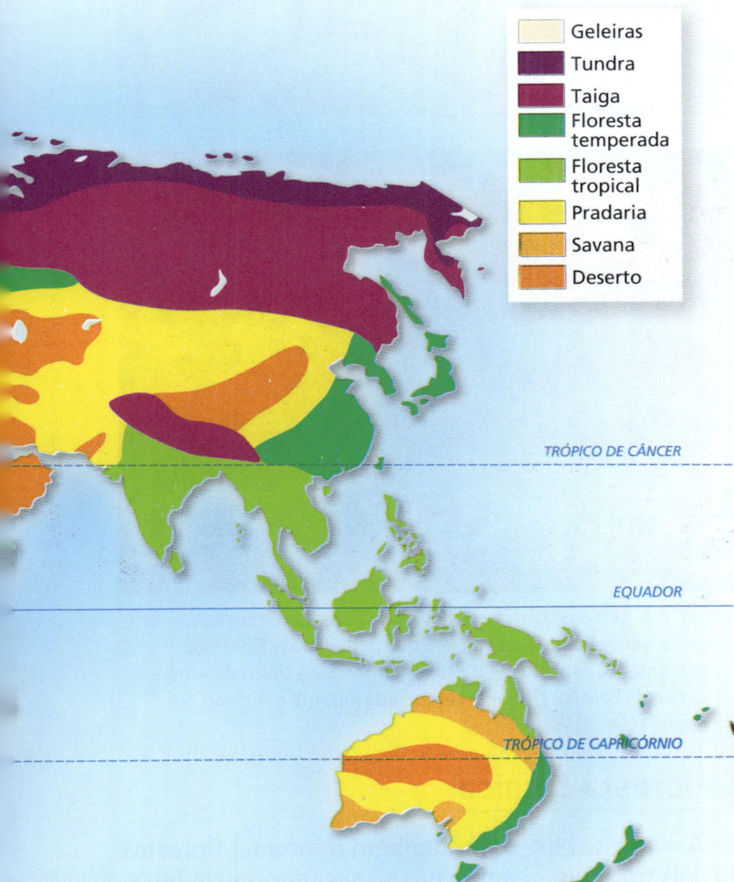

IMAGEBROKER/ALAMY/GLOW IMAGES

Deserto
Deserto do Saara (2007)

Conheça a seguir um pouco mais sobre os grandes biomas do mundo. Ao lado de cada título há um ícone com a cor referente ao bioma no mapa.

Tundra

As **tundras** situam-se nas regiões próximas ao Polo Ártico, no norte do Canadá, da Europa e da Ásia. Nesses locais, a neve cobre o solo durante quase todo o ano, exceto nos três meses de verão, quando a temperatura chega no máximo a 10 °C. Nessa estação, uma fina camada superficial do solo se descongela; poucos centímetros abaixo da superfície, porém, o solo permanece congelado, o que impede a drenagem da água do degelo e leva à formação de áreas pantanosas.

Embora não falte água no solo da tundra, as plantas não conseguem absorvê-la eficientemente devido à baixa temperatura. Desse modo, apesar de se encontrarem em solo encharcado, os vegetais sofrem falta de água, fenômeno que os biólogos denominam "seca fisiológica".

Na tundra situada mais ao norte, a flora é constituída basicamente por musgos e liquens; mais ao sul, onde a temperatura média é mais elevada, há também gramíneas e pequenos arbustos.

Com relação à fauna de mamíferos, na tundra vivem a rena e o boi-almiscarado, entre outros. A pelagem densa desses animais os protege do frio, e eles conseguem sobreviver comendo apenas liquens, que procuram revolvendo a neve com os cascos. As aves da tundra, em sua maioria aves aquáticas pernaltas, migram para regiões mais quentes durante os meses de inverno. Há ainda algumas espécies de inseto, que hibernam durante o inverno e entram em atividade logo que o degelo se inicia. (Fig. 7.5)

BLICKWINKEL/ALAMY/GLOW IMAGES
J.A. KRAULIS/ALL CANADAS PHOTOS/GLOW IMAGES

Figura 7.5 A tundra é um bioma típico da região circumpolar ártica. As fotografias mostram a vegetação da tundra no outono (Canadá, 2007) e a rena ou caribu (*Rangifer tarandus*), mamífero típico desse bioma e que pode passar dos 2 m de comprimento.

Taiga

As taigas situam-se no Hemisfério Norte, ao sul das tundras. O clima é frio, com invernos quase tão rigorosos quanto os da tundra, embora o período quente seja um pouco mais longo e ameno. A taiga é também chamada **floresta de coníferas**, por ser constituída basicamente por árvores desse grupo de gimnospermas, tais como pinheiros e abetos. As coníferas têm folhas estreitas e afiladas (folhas aciculadas), adaptadas para resistir às baixas temperaturas. Na taiga também estão presentes musgos e liquens.

A fauna de mamíferos da taiga é composta de alces, ursos, lobos, raposas, *visons*, martas e esquilos, entre outros. A maioria das aves da taiga migra para o sul no inverno. (Fig. 7.6)

Figura 7.6 A. O urso-pardo (*Ursus arctos*) é um mamífero de grande porte encontrado na taiga. Ele pode atingir 2,8 m de comprimento. **B.** Aspecto geral da vegetação desse bioma, que é típico de regiões subárticas, e um alce (*Alces alces*), mamífero que vive nas taigas do Hemisfério Norte e chega a 3,2 m de comprimento. (Parque Nacional Denali, Alasca, EUA, 2008.)

Floresta temperada

As florestas temperadas são bem desenvolvidas na América do Norte e na Europa, ocorrendo também na Rússia, na China, no Japão e na Austrália. Trata-se de um bioma típico de regiões de clima temperado, em que as quatro estações do ano são bem definidas.

Na floresta temperada predominam árvores que perdem as folhas no fim do outono e as readquirem na primavera, sendo por isso chamadas plantas decíduas (do latim *deciduus*, que cai), ou caducifólias (do latim *caducus*, que cai). A perda das folhas constitui uma adaptação ao inverno rigoroso, pois possibilita que a planta reduza sua atividade metabólica e suporte as baixas temperaturas.

Na Europa, as árvores mais típicas da floresta temperada são os carvalhos e as faias. Na América do Norte, predominam os bordos e algumas espécies de carvalhos e faias. Além dessas árvores, tanto na Europa quanto na América do Norte, há arbustos, plantas herbáceas e musgos.

Com relação à fauna de mamíferos, a floresta temperada é o hábitat de muitas espécies de javali, veado, raposa e doninha, além de espécies arborícolas de esquilo e arganaz (pequenos roedores arborícolas que lembram esquilos). Há também vários tipos de pássaros e corujas e dezenas de espécies de inseto. (Fig. 7.7)

Figura 7.7 A. Um dos mamíferos típicos da floresta temperada é a raposa-vermelha (*Vulpes vulpes*), que pode ter até 90 cm de comprimento. **B.** Aspecto geral desse bioma, que é típico da América do Norte e da Europa. (Floresta temperada durante o outono no Tennessee, EUA, 2011.)

Floresta tropical

As florestas tropicais, também chamadas **florestas pluviais tropicais**, ocorrem na faixa equatorial da Terra, em regiões de clima quente, com alto índice de chuvas e com estações do ano menos definidas que as das regiões temperadas. Há florestas pluviais tropicais no norte da América do Sul (Bacia Amazônica), na América Central, na África, na Austrália e na Ásia.

A vegetação da floresta tropical é exuberante, com árvores de grande porte e folhas perenifólias (do latim *perennis*, perpétuo, duradouro), que perduram ao longo das estações do ano. As folhas de muitas espécies são largas e delicadas, sendo por isso denominadas latifoliadas (do latim *latus*, largo, amplo, e *folia*, folha).

As copas das árvores mais altas formam um "teto" ou "dossel" de vegetação, sob o qual existe um "andar" inferior, constituído pelas copas de árvores mais baixas. Em áreas da floresta pode haver andares gradativamente inferiores, até chegar ao nível dos arbustos e das plantas rasteiras. Essa estrutura em camadas, ou estratificação (do latim *stratum*, camada), origina diversos microclimas em cada nível, com diferentes graus de luminosidade e umidade. Os troncos das árvores são ocupados por muitas plantas epífitas, tais como bromélias e samambaias, que disputam por melhores condições de luminosidade.

Nas florestas tropicais, a reciclagem da matéria orgânica é rápida: cadáveres de plantas e animais, fezes e folhas que caem são rapidamente decompostos e seus elementos químicos são reciclados. Forma-se, no solo, uma camada fértil de cor escura – o **húmus** –, resultante da decomposição da matéria orgânica. A derrubada de uma floresta leva ao rápido empobrecimento do solo em nutrientes; isso porque, sem a cobertura vegetal e a constante reciclagem de elementos químicos, os nutrientes minerais do solo são carregados pelas chuvas, processo denominado **lixiviação**.

A grande quantidade de ambientes internos nas florestas tropicais possibilita a existência de fauna rica e variada. As árvores são habitadas por muitos animais vertebrados, como mamíferos (macacos e esquilos), répteis (serpentes e lagartos) e anfíbios (sapos e pererecas). No solo também há anfíbios, répteis, mamíferos herbívoros (veados, antas etc.) e mamíferos carnívoros (onças, gatos-do-mato etc.), além de inúmeros invertebrados, principalmente insetos (mosquitos, besouros, formigas etc.). (Fig. 7.8)

FABIO COLOMBINI

RICARDO AZOURY/PULSAR IMAGENS

Figura 7.8 A floresta tropical é o bioma que apresenta a maior reserva de biodiversidade do planteta. **A.** O macaco-barrigudo (*Lagothrix lagotricha*) pode ser encontrado nesse bioma. Um adulto dessa espécie pode chegar a 55 cm de comprimento (sem contar a cauda). **B.** Aspecto geral da vegetação de uma floresta tropical. (Arquipélago de Anavilhanas, Novo Airão, Amazonas, 2012.)

Savana

As **savanas** caracterizam-se pela presença de arbustos e árvores de pequeno porte, além de gramíneas. São encontradas na África, na Ásia, na Europa, na Austrália e nas Américas. Na savana africana, por exemplo, a fauna compõe-se de herbívoros de grande porte (antílopes, zebras, girafas, elefantes e rinocerontes) e de grandes carnívoros (leões, leopardos, guepardos, hienas etc.). Há diversas espécies de pássaros, gaviões e aves corredoras, entre elas o avestruz. No Brasil, um tipo de savana é o cerrado, que será estudado mais adiante. (Fig. 7.9)

MARCOS ISSA/ARGOSFOTO

M. WATSON/ARDEA/DIOMEDIA

Figura 7.9 A. Na savana africana vivem grandes carnívoros, como os guepardos (*Acinonyx jubatus*), que podem atingir 1,5 m de comprimento. **B.** Aspecto geral da savana. A vegetação desse bioma é constituída por arbustos, pequenas árvores e gramíneas. (Parque Nacional Samburu, Quênia, 2009.)

Pradaria

As **pradarias**, ou **campos**, apresentam vegetação constituída predominantemente por gramíneas. Esse bioma é encontrado em regiões marcadas por períodos de seca, como certas áreas da América do Norte e da América do Sul. Os pampas, que ocorrem no sul do Brasil e que serão vistos adiante, são um tipo de pradaria.

A fauna da pradaria é constituída por roedores (pequenos mamíferos como *hamsters* e marmotas) e carnívoros (lobos, coiotes e raposas). Também são abundantes os insetos. (Fig. 7.10)

Figura 7.10 A pradaria é um bioma em que predominam as gramíneas. As fotografias mostram a vegetação da pradaria em Montana (Estados Unidos, 2009) e um cão-da-pradaria (*Cynomys ludovicianus*), roedor típico desse bioma que mede cerca de 40 cm de comprimento.

Deserto

Os **desertos** localizam-se em regiões de pouca umidade. A vegetação desse bioma, constituída por gramíneas e pequenos arbustos, é rala e espaçada, presente apenas em locais mais úmidos, como fendas no solo ou debaixo de rochas. As maiores regiões desérticas do globo situam-se na África (deserto do Saara) e na Ásia (deserto de Gobi).

A fauna predominante no deserto é composta principalmente de animais roedores (ratos-cangurus e marmotas), répteis (serpentes e lagartos) e insetos. Animais e plantas do deserto apresentam adaptações marcantes à escassez de água. Nos cactos, por exemplo, as folhas foram substituídas por espinhos, adaptação que reduz a área da planta que perde água por transpiração. Muitos animais do deserto também exibem adaptações marcantes, como o comportamento de sair das tocas somente à noite ou passar a vida inteira sem beber água, extraindo-a exclusivamente do alimento quase seco que ingerem. (Fig. 7.11)

Figura 7.11 **A.** O rato-canguru (*Dipodomys ordii*), roedor que mede aproximadamente 8 cm de comprimento (sem a cauda), pode ser encontrado nos desertos da América do Norte. Ele pode passar a vida toda sem beber água, obtendo-a dos alimentos e de reações químicas intracelulares, como as envolvidas na degradação de gorduras. **B.** Aspecto geral de um deserto no Texas (EUA, 2012).

7.3 Domínios morfoclimáticos e biomas do Brasil

Domínios morfoclimáticos brasileiros

Considerando características climáticas, botânicas, hidrológicas, fitogeográficas e edáficas (relativas ao solo), o geógrafo brasileiro Aziz Ab'Sáber (1924-2012) considerou a existência de seis grandes **domínios morfoclimáticos** em nosso país. Cada um desses domínios é caracterizado por um bioma típico, podendo apresentar outros tipos de bioma em áreas específicas. No **Domínio Amazônico**, por exemplo, encontramos o bioma de floresta tropical de terra firme, um dos mais típicos, bem como os biomas de floresta de igapó inundável e das caatingas do Rio Negro, entre outros.

Além do Domínio Amazônico, os outros domínios propostos por Ab'Sáber são:

- **Domínio dos Mares de Morros** (ou Domínio Atlântico), cujo bioma mais típico é a floresta pluvial costeira; nesse domínio também estão incluídos os biomas de restinga e os manguezais;
- **Domínio dos Cerrados**, em que predomina uma vegetação típica conhecida como cerrado;

- **Domínio das Caatingas**, em que predomina um bioma de savana semiárido, incluindo também os carnaubais;
- **Domínio das Araucárias**, em que predominam as florestas de araucária;
- **Domínio das Pradarias**, em que predominam os campos sulinos.

Outro domínio a ser considerado é o Pantanal Mato-grossense, uma região de transição, constituída por um conjunto de diferentes biomas, entre os quais se destacam vastas planícies inundáveis. (Fig. 7.12)

Principais biomas do Brasil

O território do Brasil, que se estende de pouco acima do equador até abaixo do trópico de Capricórnio, propicia a existência de diversos biomas. Os mais importantes, tanto pela área que ocupam quanto pela biodiversidade, são: floresta amazônica (hileia); floresta pluvial costeira (floresta atlântica); floresta de araucárias; cerrado; pampa; caatinga; floresta de cocais (babaçual); manguezal; e os que compõem o Pantanal Mato-grossense.

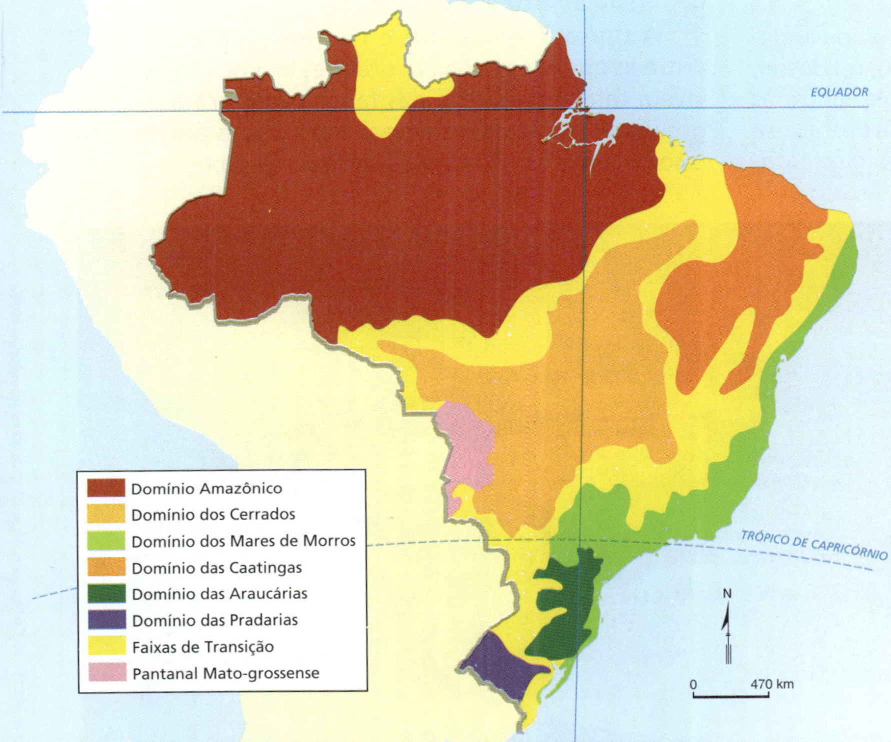

EDSON SATO/PULSAR IMAGENS

Domínio Amazônico
Santa Isabel do Rio Negro, Amazonas, 2011

RUBENS CHAVES/ARGOSFOTO

Pantanal Mato-grossense
Corumbá, Mato Grosso do Sul, 2008

FABIO COLOMBINI

Domínio das Araucárias
São Joaquim, Santa Catarina, 2009

ROGERIO REIS/TYBA

Domínio das Pradarias
Campos de Cima da Serra, Rio Grande do Sul, 2010

PALÊ ZUPPANI/PULSAR IMAGENS

Domínio dos Cerrados
Parque Nacional da Chapada das Mesas, Maranhão, 2010

MARCOS ISSA/ARGOSFOTO

Domínio das Caatingas
Olho D'Água do Casado, Alagoas, 2007

FLÁVIO VELOSO/OPÇÃO BRASIL IMAGENS

Domínio dos Mares de Morros
Ubatuba, São Paulo, 2011

Figura 7.12 O mapa apresenta a distribuição dos domínios morfoclimáticos brasileiros. Nas fotografias pode-se ver a fisionomia de cada domínio. A distribuição geográfica dos principais biomas brasileiros é apresentada em mapas individuais no decorrer deste capítulo. (Baseado em Ab'Saber, A. N., 2003.)

Floresta amazônica

A **floresta amazônica**, também conhecida por **hileia amazônica**, localiza-se na região Norte do Brasil, nos estados do Acre, Amazonas, Pará, Rondônia, Tocantins, Amapá e Roraima, além da parte norte de Mato Grosso e da parte oeste do Maranhão.

O clima da região amazônica reúne condições propícias ao desenvolvimento de um exuberante bioma do tipo floresta pluvial tropical, em que as precipitações pluviométricas anuais geralmente ultrapassam 1.800 mm, e a temperatura é estável no decorrer do ano, situando-se entre 25 °C e 28 °C.

Na floresta amazônica há diversos estratos, ou andares, formados pelas copas das árvores; o teto, ou dossel, localiza-se entre 30 m e 40 m acima do solo. Entre as árvores de grande porte da hileia amazônica destaca-se a castanheira-do-pará (*Bertholletia excelsa*), cujo tronco pode atingir até 4 m de diâmetro e 45 m de altura. Muitos gêneros de árvores, como *Virola* e *Pterocapus*, têm raízes tabulares, capazes de fornecer maior apoio aos seus troncos gigantescos.

Uma das árvores mais típicas da região amazônica é a seringueira (*Hevea brasiliensis*), que pode atingir até 30 m de altura, com tronco de mais de 1 m de diâmetro. É da seringueira que se extrai o látex, do qual é fabricada a borracha natural. Embora a borracha sintética venha sendo cada vez mais utilizada, a exploração da borracha natural ainda é importante para a economia da região amazônica. (Fig. 7.13)

A floresta amazônica é rica em plantas epífitas, entre as quais se destacam grandes bromeliáceas. Nela vivem também epífitas das famílias das aráceas e begoniáceas, cujas raízes aéreas descem das árvores até o solo, constituindo densas cortinas de cipós.

Figura 7.13 À direita, ilustração de um perfil de floresta tropical, mostrando os diversos estratos (andares) arbóreos, formados pelas copas das árvores de diversas alturas. As fotografias mostram aspectos da região amazônica. **A.** Extração de látex. **B.** Lago com vitórias-régias (*Victoria amazonica*), que podem atingir 2,5 m de diâmetro. **C.** Uacari-vermelho (*Cacajao calvus*), primata que atinge 55 cm de comprimento (sem contar a cauda).

Floresta pluvial costeira

A **floresta pluvial costeira**, ou **floresta atlântica** (ou ainda **mata atlântica**), situa-se nas montanhas e planícies costeiras desde o Rio Grande do Norte até o Rio Grande do Sul. A região sul do Espírito Santo e de Cabo Frio, no Rio de Janeiro, são as únicas áreas onde esse bioma não se desenvolveu originalmente.

A floresta pluvial costeira tem árvores com folhas largas (latifoliadas) e perenes (perenifólias), como as da floresta amazônica. A altura média do andar superior oscila entre 30 m e 35 m, mas a vegetação é mais densa no andar arbustivo. Há grande diversidade de epífitas, como bromélias e orquídeas.

A floresta pluvial costeira é um dos biomas mais devastados pela exploração humana; calcula-se que restem apenas 5% da floresta original existente por ocasião da chegada dos primeiros colonizadores europeus. Extensas áreas de florestas pluviais costeiras foram totalmente destruídas, em muitos casos para dar lugar a plantações de cana-de-açúcar, cacau e banana. (Fig. 7.14)

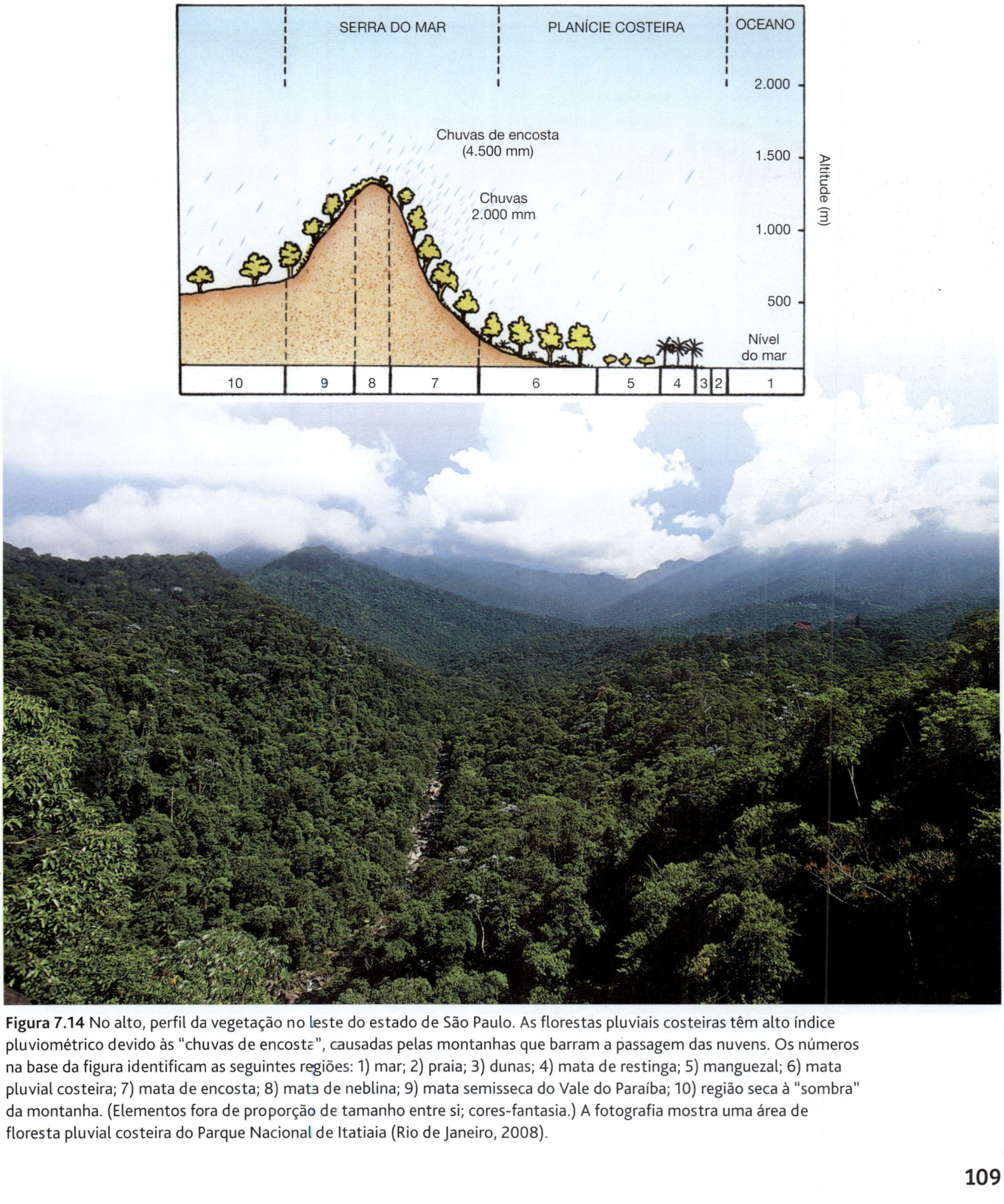

Figura 7.14 No alto, perfil da vegetação no leste do estado de São Paulo. As florestas pluviais costeiras têm alto índice pluviométrico devido às "chuvas de encosta", causadas pelas montanhas que barram a passagem das nuvens. Os números na base da figura identificam as seguintes regiões: 1) mar; 2) praia; 3) dunas; 4) mata de restinga; 5) manguezal; 6) mata pluvial costeira; 7) mata de encosta; 8) mata de neblina; 9) mata semisseca do Vale do Paraíba; 10) região seca à "sombra" da montanha. (Elementos fora de proporção de tamanho entre si; cores-fantasia.) A fotografia mostra uma área de floresta pluvial costeira do Parque Nacional de Itatiaia (Rio de Janeiro, 2008).

Floresta de araucárias

A **floresta de araucárias**, ou **mata de araucárias**, situa-se principalmente nos estados do Rio Grande do Sul, Santa Catarina e Paraná, em regiões com índices pluviométricos em torno de 1.400 mm anuais e temperaturas moderadas, com baixas significativas no inverno. Alguns autores referem-se a esse bioma como floresta subtropical mista.

A floresta de araucárias apresenta três andares vegetais bem definidos. O andar arbóreo é constituído principalmente pelas copas do pinheiro-do-paraná, também chamado de pinheiro-brasileiro (*Araucaria angustifolia*), e de pinheiros do gênero *Podocarpus*. O pinheiro-do-paraná, a popular araucária, é a árvore mais característica desse bioma e chega a atingir 25 m de altura e troncos de até 1,5 m de diâmetro.

O andar arbustivo é muito denso, com diversos tipos de arbusto e samambaias arborescentes do gênero *Dicksonia*. As raízes dessas samambaias formam uma estrutura seca e compacta parecida com um tronco e constituem o xaxim, muito usado na fabricação de vasos. Apesar de ilegal, a exploração de xaxim continua acontecendo.

No andar herbáceo há epífitas como orquídeas e bromélias, bem como gramíneas que formam uma vegetação rasteira. (Fig. 7.15)

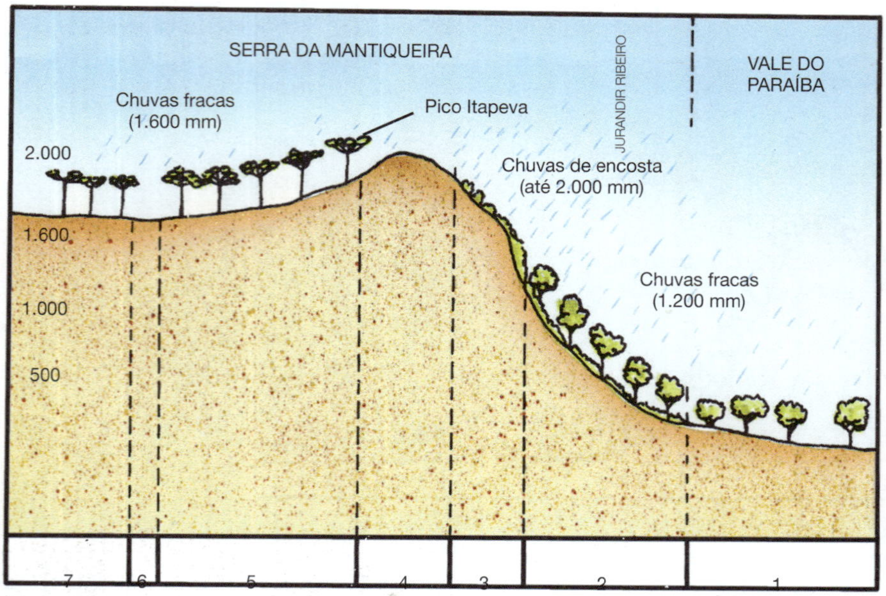

Figura 7.15 No alto, perfil da vegetação na região do Vale do Paraíba e Serra da Mantiqueira. Os números na base da figura identificam as seguintes regiões: 1) mata semisseca do Vale do Paraíba; 2) mata pluvial costeira; 3) mata de neblina; 4) campos de altitude; 5) mata de araucárias; 6) mata de podocarpos; 7) mata de araucárias. (Elementos fora de proporção de tamanho entre si; cores-fantasia.) As fotografias mostram aspectos da floresta de araucárias. **A.** Vista geral, evidenciando a abundância de pinheiros-do-paraná (*Araucaria angustifolia*), que podem chegar a 35 m de altura (Santa Catarina, 2009). **B.** Pinha (estróbilo feminino das araucárias) parcialmente rompida; os pinhões soltos são as sementes comestíveis.

Cerrado

O cerrado situa-se nos estados de Minas Gerais, Goiás, Tocantins, Mato Grosso, Mato Grosso do Sul, Bahia, Piauí, Maranhão, São Paulo e Paraná. Há também algumas "ilhas" dessa formação na região amazônica.

Cobrindo uma área de aproximadamente 2 milhões de km^2, o cerrado é o segundo maior bioma brasileiro. Sua fisionomia varia nas diferentes regiões, apresentando desde formas campestres bem abertas, como os campos limpos, até formas relativamente densas, florestais, como os cerradões, havendo entre esses dois extremos uma variedade de aspectos fisionômicos. O cerrado também é um dos biomas brasileiros bastante ameaçados pela ação antrópica; quase 40% de sua área original foi desmatada para exploração de recursos naturais, principalmente na segunda metade do século XX. A vegetação do cerrado deu lugar a pastagens para a criação de gado bovino e a culturas agrícolas, sobretudo de soja.

O cerrado é um tipo de savana, com vegetação arbórea formada por pequenas árvores e arbustos, muitos deles com troncos retorcidos e cascas espessas. O clima desse bioma é relativamente quente, com temperatura média anual por volta de 26 °C e índices pluviométricos entre 1.100 mm e 2.000 mm por ano, com chuvas concentradas no verão.

Na estação das chuvas, o solo do cerrado é relativamente rico em gramíneas, que desaparecem na época de estiagem. As árvores mais comuns são o ipê (*Tabebuia* sp.), a peroba-do-campo (*Aspidosperma tomentosum*) e a caviúna (*Dalbergia* sp.).

Diversos estudos indicam que a fisionomia típica da vegetação do cerrado parece ser fortemente influenciada pelas características minerais do solo e por incêndios naturais periódicos. Estes explicam o fato de diversas espécies de plantas do cerrado apresentarem adaptações ao fogo, como gemas subterrâneas, troncos revestidos por grossa periderme, sementes com germinação induzida pelo calor etc. (Fig. 7.16).

FABIO COLOMBINI

Figura 7.16 Vegetação típica do cerrado, na Serra de Maracaju (Mato Grosso do Sul, 2011).

Pampa

O pampa, ou **campo**, localiza-se principalmente no sul do Rio Grande do Sul e é um tipo de pradaria. A palavra "pampa" significa planície na língua indígena quíchua, ainda falada por povos da Cordilheira dos Andes. Os pampas ocupam áreas de planície e caracterizam-se pela predominância de gramíneas. Eventualmente podem abrigar pequenos bosques de arbustos, mas são formações isoladas, que não chegam a quebrar a homogeneidade do bioma.

O índice de chuvas no pampa encontra-se geralmente entre 500 mm e 1.000 mm anuais. A temperatura varia de acordo com a estação: no inverno situa-se entre 10 °C e 14 °C; no verão, entre 20 °C e 23 °C. A maior parte da vegetação original do pampa foi destruída para dar lugar a áreas cultiváveis. (Fig. 7.17)

GERSON GERLOFF/PULSAR IMAGENS

Figura 7.17 Ema (*Rhea americana*), ave que atinge 1,5 m de altura, em área do pampa utilizada na criação de ovelhas, em São Borja (Rio Grande do Sul, 2011).

Caatinga

A caatinga é um bioma que ocupa cerca de 10% do território brasileiro, estendendo-se pelos estados de Piauí, Ceará, Rio Grande do Norte, Paraíba, Pernambuco, Sergipe, Alagoas, Bahia e pelo norte de Minas Gerais.

Os índices pluviométricos da caatinga são baixos, em torno de 500 mm a 700 mm anuais. Em certas regiões do Ceará, por exemplo, a média para os anos chuvosos é de 1.000 mm, mas pode chegar a chover apenas 200 mm nos anos secos. A temperatura situa-se entre 24 °C e 26 °C, variando pouco ao longo do ano. Além das condições climáticas rigorosas, a região da caatinga apresenta ventos fortes e secos, que contribuem para a aridez da paisagem nos meses de seca.

A vegetação da caatinga é composta de plantas com adaptações marcantes ao clima seco, como folhas modificadas em espinhos, revestimentos altamente impermeáveis, caules que armazenam água etc. Essas adaptações compõem o aspecto característico das plantas da caatinga, o que se denomina **xeromorfismo** (do grego *xeros*, seco, e *morphos*, forma, aspecto).

Entre as plantas cactáceas, as mais expressivas são o mandacaru (*Cereus* sp.) e o xiquexique (*Pilocereus* sp.). Há também arbustos e árvores baixas como mimosas, acácias e amburanas (leguminosas); a maioria delas perde as folhas na estação das secas (são caducifólias), o que confere à caatinga seu aspecto típico, espinhoso e agreste. Entre as poucas espécies da caatinga que não perdem as folhas na época da seca destaca-se o juazeiro (*Zizyphus joazeiro*), uma das plantas mais típicas desse bioma. (Fig. 7.18)

FABIO COLOMBINI

Figura 7.18 Vegetação típica da caatinga na região de Nova Canudos (Bahia, 2008).

Floresta de cocais

A **floresta de cocais**, ou **mata de cocais** ou, ainda, **babaçual**, localiza-se principalmente em certas áreas dos estados do Maranhão e Piauí; sua espécie vegetal típica é a palmeira *Orbignya martiana*, o babaçu.

A região onde ocorre a mata de cocais tem índice elevado de chuvas, entre 1.500 e 2.200 mm por ano, e temperatura média anual de 26 °C. Um aspecto interessante desse bioma é que o solo permanece úmido o ano todo porque o lençol freático é pouco profundo.

O babaçu tem importância econômica para as populações locais; das sementes da palmeira extrai-se óleo, e as folhas são utilizadas para a cobertura de casas e para a fabricação de utensílios domésticos. (Fig. 7.19)

Manguezal

O **manguezal**, ou **mangue**, é um bioma litorâneo presente em regiões de solo lodoso e salgado. É encontrado nas desembocaduras de rios e em áreas protegidas da ação direta do mar, como baías de águas paradas ou litorais guarnecidos por diques de areia. Durante a maré cheia, o solo do mangue fica coberto por água salobra.

Os manguezais estendem-se por toda a costa brasileira, exceto nas regiões de litoral rochoso. Há mangues bem desenvolvidos no Pará, Amazonas, Maranhão, Bahia, Rio de Janeiro, São Paulo e Paraná.

Na maioria dos mangues há três tipos de vegetação arbórea: *Rhizophora mangle*, popularmente conhecida como "mangue-bravo", *Laguncularia racemosa*, popularmente chamada "mangue-manso", e espécies do gênero *Avicennia*. (Fig. 7.20)

PALÊ ZUPPANI/PULSAR IMAGENS

Figura 7.19 Palmeiras encontradas numa floresta de cocais, na Reserva Extrativista Extremo do Tocantins (2010). Das sementes dos frutos de uma palmeira adulta podem-se extrair, anualmente, cerca de 20 L de óleo, que é utilizado na culinária e na indústria.

ALESSANDRO VIANA/TYBA

FABIO COLOMBINI

Figura 7.20 Os manguezais são biomas litorâneos amplamente distribuídos pela costa brasileira; suas características dependem mais do solo alagado e salgado (fatores edáficos) do que do clima. **A.** Mangue-bravo (*Rhizophora mangle*) que possui rizóforos, ramos caulinares que funcionam como escoras, adaptações à sustentação no solo mole do manguezal (Porto de Galinhas, Pernambuco, 2011). **B.** Plantas do gênero *Avicennia*, dotadas de raízes especiais denominadas pneumatóforos, que crescem eretas e emergem do solo alagado, garantindo a obtenção de gás oxigênio necessário à sua respiração (Ilha Grande, RJ, 2009).

Manguezais são regiões altamente produtivas e economicamente importantes para as populações caiçaras que vivem em suas proximidades. A alta disponibilidade de nutrientes minerais e de matéria orgânica faz do mangue um local para alimentação de diversas espécies de animais marinhos e para a espécie humana. Grande número de peixes, moluscos e crustáceos, além de aves, obtém alimento, direta ou indiretamente, dos manguezais.

Pantanal Mato-grossense

O Pantanal Mato-grossense, ou **Complexo do Pantanal,** é um mosaico de diferentes biomas, sendo considerado uma das principais zonas de transição entre os domínios morfoclimáticos brasileiros. É uma grande planície com partes mais elevadas denominadas impropriamente de "cordilheiras". As partes mais baixas são inundadas durante as cheias periódicas dos rios que cortam a região. Na estação entre as cheias restam lagoas de água doce, onde se concentram jacarés, diversas espécies de peixes e outros animais de hábitos aquáticos. (Fig. 7.21)

Poucos locais no mundo têm uma comunidade biológica tão exuberante quanto a do Pantanal Mato-grossense. Essa vasta planície inundável abriga uma das mais ricas reservas de vida selvagem do planeta. A fauna aquática é muito variada, com moluscos, crustáceos e centenas de espécies de peixes, entre eles o dourado, o pacu, o jaú, o pintado, o surubim, os lambaris e as piranhas.

Em território brasileiro, o Pantanal ocupa a parte oeste dos estados de Mato Grosso e Mato Grosso do Sul, estendendo-se pelo Paraguai, Bolívia e Argentina.

A caça e a pesca predatórias colocam em risco os biomas do Pantanal. O mercado de peles, especialmente de jacarés, onças, jaguatiricas, ariranhas e lontras, além da captura de aves raras, coloca diversas espécies em risco de extinção. Além da destruição causada pelo garimpo ilegal, há também grande pressão econômica para transformar regiões florestais do Pantanal em propriedades agrícolas.

RICARDO AZOURY/OLHAR IMAGEM

Figura 7.21 Vista aérea do Pantanal (Poconé, Mato Grosso, 2009).

7.4 Ecossistemas aquáticos

Ecossistemas marinhos

Os mares e oceanos cobrem mais de 75% da superfície de nosso planeta, com profundidades que variam de alguns metros, nas regiões litorâneas, a mais de 11 km, nas zonas mais profundas. Um dos aspectos mais marcantes do ambiente marinho é sua grande estabilidade e homogeneidade no que se refere à composição química e temperatura. A salinidade dos mares é de cerca de 3,5 g/L de sais, com predominância de cloreto de sódio (NaCℓ).

É possível distinguir dois grandes domínios marinhos: um relativo ao assoalho, ou seja, ao fundo dos mares, o **domínio bentônico**, e outro relativo às massas de água, o **domínio pelágico**.

A luz consegue penetrar na água do mar até a profundidade máxima de aproximadamente 200 m, estabelecendo o que se denomina **zona fótica** (do grego *photos*, luz). Abaixo dos 200 m de profundidade não há luz e essa região escura é denominada **zona afótica**. Na metade superior da zona fótica vive o fitoplâncton marinho, formado por algas fotossintetizantes que produzem praticamente todo o alimento necessário à manutenção da vida nos mares. Há também plâncton não fotossintetizante e grandes cardumes.

A região que se estende dos 200 m aos 2.000 m de profundidade é a **região batial**. Suas águas são frias e pobres em fauna. Os peixes, moluscos e alguns outros animais que aí vivem são sustentados pela matéria orgânica proveniente da superfície. Mais abaixo encontra-se a **região abissal**, que se estende dos 2.000 m aos 6.000 m de profundidade. Nela são conhecidas poucas espécies de organismos, que chamam atenção por suas características exóticas, como peixes bioluminescentes e lulas-gigantes.

A região mais profunda dos oceanos, abaixo de 6.000 m, é a **região hadal**. Sua fauna ainda é pouco conhecida e, pelo que se sabe, constituída principalmente por esponjas e moluscos. (Fig. 7.22)

Os organismos que habitam os mares podem ser classificados em três grandes grupos: plâncton, bentos e nécton.

O **plâncton** (do grego *plankton*, errante) é constituído por seres flutuantes, isto é, que flutuam ao sabor das correntezas. Embora haja organismos planctônicos capazes de executar movimentos próprios, nadando ativamente, eles não conseguem superar a força das correntes, sendo carregados por elas.

Como já foi comentado, o plâncton é subdividido em plâncton fotossintetizante (fitoplâncton) e plâncton não fotossintetizante (zooplâncton). O primeiro é representado por organismos produtores, principalmente algas microscópicas (em sua maioria diatomáceas e dinoflagelados) e bactérias fotossintetizantes. O plâncton não fotossintetizante é representado por organismos consumidores como foraminíferos (protozoários), crustáceos e cnidários, além de larvas de moluscos, equinodermos, anelídeos e peixes.

O **bentos** (do grego *benthos*, fundo do mar) é constituído de organismos relacionados ao fundo marinho. Os organismos bentônicos podem ser sésseis, denominação que se aplica aos seres que vivem fixados ao fundo, ou errantes, denominação dos seres bentônicos que se deslocam sobre o fundo. O bentos séssil é representado por algas macroscópicas e por animais como esponjas, cnidários e anelídeos. O bentos errante é representado principalmente por crustáceos (camarões, caranguejos e lagostas), equinodermos (ouriços-do-mar, holotúrias e estrelas-do-mar) e também por moluscos (caramujos e polvos). Os animais bentônicos geralmente se alimentam de cadáveres e detritos orgânicos, embora haja representantes carnívoros que caçam ativamente suas presas.

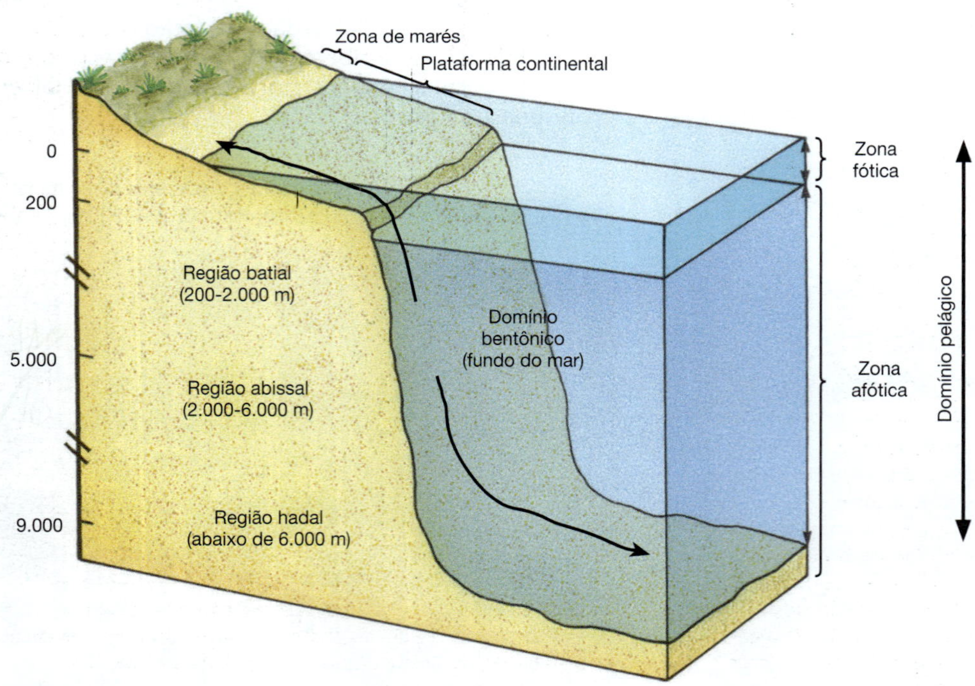

Figura 7.22 Representação esquemática das principais regiões marinhas. (Elementos fora de proporção de tamanho entre si; cores-fantasia.)

O **nécton** (do grego *nektos*, apto a nadar) é constituído por organismos que se deslocam ativamente na água e não estão à mercê das correntezas. Fazem parte desse grupo a maioria dos peixes, as baleias, os golfinhos, certos crustáceos (camarões) e alguns moluscos (lulas e sépias). (Fig. 7.23)

Figura 7.23 A. Fotomicrografia de fitoplâncton, ou plâncton fotossintetizante. (Microscópio fotônico; aumento ≈ 1.000×.) **B.** Fotomicrografia de zooplâncton, ou plâncton não fotossintetizante. (Microscópio fotônico; aumento ≈ 5×.) **C.** Estrelas-do-mar e anêmonas (Canadá, 2007); exemplos de animais associados ao fundo do mar, componentes do bentos. **D.** Cardume de cocorocas (*Haemulon chrysargyreum*), que medem aproximadamente 20 cm, em Fernando de Noronha (Pernambuco, 2007); os peixes são os representantes mais típicos do nécton, constituído por animais que se deslocam ativamente na água.

Ecossistemas de água doce

Uma característica importante que distingue os dois tipos de ecossistemas de água doce é se a água é parada, como ocorre nos lagos, lagoas e charcos, ou se está em movimento, como nos rios, riachos e corredeiras. Lagos, lagoas e charcos geralmente apresentam maior biodiversidade que os ecossistemas de águas em movimento. Nas águas paradas, os produtores são organismos fotossintetizantes representados tanto por plantas que vivem parcial ou totalmente submersas quanto pelo plâncton fotossintetizante, ou fitoplâncton, constituído por uma diversidade de seres microscópicos como algas verdes, cianobactérias e diatomáceas, que flutuam próximo à superfície.

O fitoplâncton serve de alimento ao plâncton não fotossintetizante, ou zooplâncton, constituído por microcrustáceos, protozoários e larvas de diversos organismos. Os habitantes de maior porte dos ecossistemas de águas paradas são os peixes. Os maiores ecossistemas lacustres do mundo são o Lago Baikal, localizado na Sibéria, e o Lago Tanganica, na África.

Os ecossistemas de águas em movimento apresentam pouco plâncton. Seus habitantes são principalmente algas fixadas a rochas e também moluscos, insetos e peixes, que dependem de alimento proveniente das margens. (Fig. 7.24)

Figura 7.24 Um lago é um ecossistema de água doce sem correnteza, e um rio é um ecossistema de água doce em movimento. **A.** Lago Baikal, na Sibéria (Rússia, 2009). **B.** Rio na Chapada Diamantina (Bahia, 2012).

Atividades

Visão do especialista

Biblioteca do estudante
Faça você mesmo!

Revendo conceitos fundamentais

1. A sucessão ecológica caracteriza-se

a) pela introdução, em uma comunidade, de uma espécie bem-sucedida em outro ecossistema.

b) pela colonização de um ambiente com sucessivas mudanças nas comunidades biológicas.

c) pelo fim do processo evolutivo da comunidade biológica, com extinção da maioria das espécies, incluindo as pioneiras.

d) pelo grande sucesso ecológico de uma espécie na comunidade.

2. O termo "espécie pioneira"

a) aplica-se apenas a espécies que colonizam ambientes antes ocupados por seres vivos.

b) aplica-se às espécies capazes de iniciar a colonização de um local desabitado.

c) não se aplica a espécies vegetais, mas apenas a liquens e fungos.

d) refere-se àquelas espécies que se extinguem primeiro na comunidade biológica.

3. Uma comunidade estável que se estabelece em uma região após um processo de sucessão é

a) sempre uma floresta.

b) sempre uma savana.

c) sempre uma comunidade clímax.

d) uma sucessão primária.

e) uma sucessão secundária.

Escreva, em seu caderno, o termo abaixo que substitui corretamente a tarja entre parênteses das frases de 4 a 6.

a) biodiversidade b) bioma c) microclima

4. (■■■) é uma comunidade estável e homogênea, cujas características são determinadas predominantemente pelo clima da região.

5. As condições internas e particulares de um ambiente com relação a umidade, temperatura, ventos etc. constituem um(a) (■■■).

6. (■■■) é a variedade de formas de vida existente em determinada comunidade.

Escreva, em seu caderno, o termo abaixo que substitui corretamente a tarja entre parênteses das frases de 7 a 13.

a) deserto

b) pradaria

c) floresta pluvial tropical

d) floresta temperada

e) savana

f) taiga

g) tundra

7. (■■■) é um bioma localizado na região ártica que se caracteriza por sua flora de musgos e liquens.

8. O bioma conhecido como (■■■) é um tipo de campo em que, além de gramíneas, há arbustos e pequenas árvores esparsas.

9. Um bioma com baixa umidade, em que predominam cactáceas e outras plantas adaptadas à seca, é chamado (■■■).

10. O bioma conhecido como (■■■) situa-se em regiões de clima temperado e a maioria de suas árvores perde as folhas no inverno.

11. (■■■) é um bioma do tipo campo, com vastas extensões de gramíneas.

12. O bioma conhecido como (■■■) localiza-se em regiões equatoriais, de clima quente e com alto índice pluviométrico, o que determina uma vegetação de folhas largas e perenes.

13. (■■■) é um bioma situado em regiões frias, em que predominam árvores coníferas, como os pinheiros.

Escreva, em seu caderno, o termo abaixo que substitui corretamente a tarja entre parênteses das frases de 14 a 22.

a) caatinga

b) cerrado

c) floresta amazônica

d) floresta pluvial costeira (mata atlântica)

e) floresta (ou mata) de araucárias

f) manguezal

g) mata de cocais

h) pampa

i) pantanal

14. Um bioma do tipo campo com predomínio de gramíneas, localizado principalmente no estado do Rio Grande do Sul (RS), é conhecido como (■■■).

15. (■■■) é um bioma litorâneo cujas características são fortemente determinadas pelo solo encharcado e salgado.

16. (■■■) é um bioma do tipo deserto, presente em alguns estados do Nordeste brasileiro, em que predominam cactáceas e outras plantas xeromórficas.

17. Um bioma de floresta, com árvores de grande porte, localizado em diversos estados da Região Norte brasileira, é o(a) (■■■).

18. No Brasil central há um bioma do tipo savana chamado (■■■), composto de gramíneas, arbustos e pequenas árvores de casca grossa e troncos retorcidos.

19. O bioma localizado em alguns estados nordestinos no qual predomina a palmeira *Orbygnia martiana*, o babaçu, é chamado (■■■).

20. Um mosaico de diversos biomas com alta biodiversidade e que ocupa áreas alagáveis nos estados de Mato Grosso (MT) e Mato Grosso do Sul (MS) é o(a) (■■■).

21. O(A) (■■■) lembra uma floresta temperada e ocorre na Região Sul do Brasil, tendo como espécie predominante a conífera *Araucaria angustifolia* (pinheiro-do-paraná).

22. Originalmente distribuído nas montanhas da Serra do Mar, em vários estados brasileiros, o bioma conhecido como (■■■) é um tipo de floresta latifoliada.

Escreva, em seu caderno, o termo abaixo que substitui corretamente a tarja entre parênteses das frases de 23 a 26.

a) bentos
b) nécton
c) fitoplâncton
d) zooplâncton

23. Os organismos flutuantes da comunidade aquática responsáveis pela fotossíntese constituem o (■■■).

24. (■■■) refere-se aos organismos da comunidade aquática que mantêm forte relação com o fundo submerso.

25. Organismos que flutuam livremente na superfície de lagos e mares, alimentando-se de seres fotossintetizantes flutuantes, constituem o (■■■).

26. (■■■) refere-se aos organismos da comunidade aquática que nadam ativamente, deslocando-se por conta própria no meio aquático.

Ligando conceitos, fatos e processos

27. Qual das alternativas a seguir traz uma associação **incorreta**?
a) Pradaria – Plantas epífitas.
b) Deserto – Xeromorfismo.
c) Floresta temperada – Árvores caducifólias.
d) Tundra – Seca fisiológica.

28. Apenas uma das alternativas a seguir é **falsa** com relação às características da tundra. Qual é ela?
a) Baixa biodiversidade.
b) Bioma aquático.
c) Solo encharcado no verão.
d) Vegetação rasteira.

29. Apenas uma das alternativas a seguir é **falsa** com relação à floresta pluvial tropical. Qual é ela?
a) Alta biodiversidade.
b) Maioria das árvores caducifólias.
c) Solo rico em nutrientes.
d) Vegetação em andares.

30. Exemplos de espécies pioneiras, capazes de colonizar ambientes inóspitos, são
a) coníferas e musgos.
b) fungos e mamíferos.
c) gramíneas e liquens.
d) musgos e insetos.

31. Uma diferença entre sucessão primária e sucessão secundária é
a) o tipo de ambiente existente no início da sucessão.
b) o tipo de comunidade clímax que se estabelece em cada caso.
c) o tempo de duração da sucessão, mais rápido na sucessão primária.
d) o fato de a sucessão secundária levar a menor biodiversidade.

32. Zebras pastavam gramíneas quando foram atacadas por um bando de leões. Em que bioma isso deve ter ocorrido?
a) Deserto.
b) Floresta tropical.
c) Floresta temperada.
d) Savana.
e) Tundra.

33. A popular seringueira *Hevea brasiliensis* é típica de qual bioma?
a) Caatinga.
b) Cerrado.
c) Floresta amazônica.
d) Mata atlântica.
e) Mata de cocais.

34. Qual dos biomas a seguir tem maiores semelhanças com a floresta pluvial costeira?
a) Caatinga.
b) Cerrado.
c) Floresta amazônica.
d) Mata de araucárias.
e) Mata de cocais.

35. Um bioma brasileiro do tipo savana tem aspecto ressecado e pequenas árvores e arbustos retorcidos. Essas características são mais influenciadas pela composição do solo do que pela falta de chuvas. Está-se falando de
a) caatinga.
b) cerrado.
c) floresta amazônica.
d) mata atlântica.
e) mata de cocais.

36. O xeromorfismo constitui uma série de adaptações das plantas à seca. Plantas altamente xeromórficas são encontradas no bioma denominado
a) caatinga.
b) cerrado.
c) floresta amazônica.
d) mata atlântica.
e) mata de cocais.

37. Raízes-escora e raízes respiratórias (pneumatóforos) são adaptações ao solo encharcado, salgado e pouco consistente do bioma conhecido como
a) caatinga.
b) cerrado.
c) mata atlântica.
d) floresta amazônica.
e) manguezal.

38. Lampião, o rei do cangaço, era cego de um olho, perfurado por um espinho da vegetação do bioma onde nasceu e criou sua lenda de cangaceiro. A partir desses dados, escolha a alternativa que associa corretamente o bioma e o estado brasileiro em que nasceu Lampião.
a) Caatinga; AM.
b) Caatinga; PE.
c) Caatinga; ES.
d) Cerrado; CE.
e) Cerrado; AL.

Associe cada uma das alternativas a seguir às questões de 39 a 42.

a) bentos
b) nécton
c) fitoplâncton
d) zooplâncton

39. Larvas de ostras e microcrustáceos pertencem ao (■■■).

40. Diatomáceas, dinoflagelados e algas verdes pertencem ao (■■■).

41. Estrelas-do-mar e vermes poliquetos pertencem ao (▬).

42. O tubarão é um representante do (▬).

Questões para exercitar o pensamento

43. Durante a sucessão ecológica rumo ao clímax, ocorrem modificações expressivas em relação aos seguintes fatores:

a) biomassa das comunidades que se sucedem;
b) diversidade em espécies;
c) número de nichos ecológicos disponíveis;
d) dependência do microclima em relação ao clima regional.

Sua tarefa é retomar o texto de abertura sobre a sucessão na ilha de Rakata, analisando-o agora quanto aos fatores que se alteram na sucessão, mencionados acima. Sua produção final poderá ser um texto que analise a sucessão na ilha ou mesmo um diagrama ilustrado que interligue o caso particular de Rakata a conceitos e princípios gerais da sucessão ecológica.

44. Como foi mostrado no capítulo, o Brasil apresenta uma das maiores biodiversidades do mundo, distribuída em grande variedade de biomas. Estamos próximos ou fazemos parte de algum bioma natural, visitamos outros ao viajar, mas, na maioria das vezes, nem pensamos nisso. Nesta atividade, a proposta é pensar nos biomas que conhecemos pessoalmente. Por exemplo, você mora em Cuiabá, em Mato Grosso, e visita um primo em Quixeramobim, no Ceará. Com quais biomas naturais tem contato? Repasse os biomas brasileiros estudados no capítulo e tente lembrar de algo que já vivenciou em relação a plantas, animais, ambiente etc. em cada local que conhece pessoalmente. Faça anotações sobre isso.

45. Muitos ecossistemas têm sofrido agressões em função da superexploração econômica e da ignorância a respeito da importância de sua preservação. Preocupadas com esse problema, existem atualmente diversas entidades que se dedicam à educação ambiental e à recuperação de ecossistemas ameaçados, como é o caso dos manguezais. Pesquise a importância dos mangues para organismos diversos e a relação das populações humanas com esses ecossistemas, levantando os impactos causados e as ações que têm sido adotadas para sua preservação e ocupação sustentável. Resuma as informações coletadas e apresente-as para a classe na forma de um cartaz ilustrado de forma a evidenciar a importância da preservação dos mangues.

A Biologia no vestibular e no Enem

Questões objetivas

1. (PUC-PR) Considere as assertivas.

I. Como sucessão ecológica entende-se o processo gradual de substituição de espécies em uma comunidade através do tempo e com aumento de complexidade.
II. Durante a sucessão ocorre o aumento da biodiversidade, do número de nichos ecológicos e da biomassa total.
III. Quando a estabilidade estrutural em uma sucessão é atingida, diz-se que a comunidade está em seu clímax.
IV. As primeiras espécies a se estabelecerem em uma sucessão são chamadas pioneiras.

a) Todas as assertivas estão incorretas.
b) Apenas as assertivas I e IV estão corretas.
c) Apenas a assertiva II está incorreta.
d) Apenas a assertiva IV está incorreta.
e) Todas as assertivas estão corretas.

2. (UFRGS-RS) Considere as seguintes afirmações sobre sucessão ecológica.

I. Quando uma comunidade atinge o estágio clímax, a teia alimentar torna-se mais complexa.
II. A composição das espécies tende a permanecer constante ao longo da sucessão.
III. Os diferentes organismos dos estágios seriais ocasionam modificações nas condições ambientais locais.

Quais estão corretas?

a) Apenas I.
b) Apenas II.
c) Apenas I e III.
d) Apenas II e III.
e) I, II e III.

3. (FGV-SP) Com a construção de uma barragem, as águas de um rio foram represadas e um grande lago se formou. Uma área de grande extensão, anteriormente utilizada como pasto, ficou submersa. As regiões mais altas desse antigo pasto deram origem a várias ilhas. Pouco tempo após a formação da barragem, algumas ilhas já contavam com vegetação herbácea e alguns poucos arbustos. Após alguns anos, a vegetação arbustiva predominava, havia algumas árvores de pequeno porte e grande variedade de insetos. Um pouco mais de tempo e, nas ilhas maiores, já eram encontrados pássaros nidificando, pequenos roedores e alguns lagartos. Esse relato exemplifica uma situação de

a) evolução das espécies.
b) convergência adaptativa.
c) sucessão ecológica.
d) irradiação adaptativa.
e) isolamento geográfico.

4. (UFPI) No Brasil encontramos diversos tipos de bioma. A localização geográfica desses biomas é condicionada, predominantemente, por fatores climáticos, temperatura, pluviosidade, umidade relativa, e, em menor escala, pelo tipo de substrato. Determine a alternativa a seguir onde estão listados os tipos de biomas que ocorrem na Região Nordeste do Brasil.

a) Floresta atlântica, caatinga, pantanal, cerrado, manguezal.
b) Manguezal, pampa, floresta atlântica, caatinga, floresta de cocais.
c) Floresta atlântica, cerrado, caatinga, manguezal, floresta de cocais.

d) Floresta atlântica, caatinga, pampa, cerrado, manguezal.

e) Floresta atlântica, caatinga, floresta de araucária, cerrado, manguezal.

5. (UFG-GO) A figura a seguir apresenta a precipitação (mm) e a temperatura média (°C) de um bioma brasileiro, ao longo de um ano.

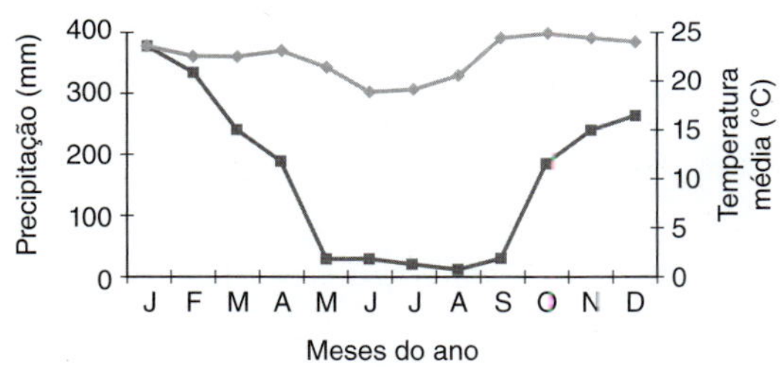

Precipitação (mm) e temperatura média (°C) ao longo de um ano, em um bioma brasileiro.

Fonte: EAEA/2004. (Adaptado.)

De acordo com a figura acima, qual bioma está relacionado às condições climáticas apresentadas?

a) Mata de araucárias.

b) Floresta amazônica.

c) Caatinga.

d) Mata atlântica.

e) Cerrado.

6. (UFSC) Sobre as formações fitogeográficas ou biomas existentes no Brasil, identifique a(s) proposição(ões) **correta(s)**.

01) O cerrado é uma formação fitogeográfica caracterizada por uma floresta tropical que cobre cerca de 40% do território brasileiro, ocorrendo na Região Norte.

02) O mangue ocorre desde o Amapá até Santa Catarina e desenvolve-se em estuários, sendo utilizado por vários animais marinhos para reprodução.

04) A caatinga é caracterizada por ser uma floresta úmida da região litorânea do Brasil, hoje muito devastada.

08) O pampa ocorre na Região Centro-Oeste onde o clima é quente e seco. A flora e a fauna dessa região são extremamente diversificadas.

16) A floresta amazônica está localizada nos estados do Maranhão e do Piauí e as árvores típicas dessa formação são as palmeiras e os pinheiros.

32) O Pantanal ocorre nos estados do Mato Grosso do Sul e do Mato Grosso, caracterizando-se como uma região plana que é alagada nos meses de cheias dos rios.

64) A mata atlântica é uma formação que se estende de São Paulo ao sul do país, onde predominam árvores como o babaçu e a carnaúba, e está muito bem preservada.

Nota dos autores: dê como resposta a soma dos números associados às proposições corretas.

7. (Uem-PR) Considerando os diferentes biomas e ecossistemas, assinale o que for **correto**.

01) No deserto, como o Saara, a vegetação é pouco abundante e várias plantas se desenvolvem apenas nos curtos períodos de disponibilidade de água. A fauna é pobre, sendo constituída basicamente por alguns artrópodes, répteis e mamíferos.

02) No cerrado brasileiro, as árvores são de tronco liso, formam agrupamentos densos, compactos e alcançam grandes alturas. O lobo-guará e o tamanduá-bandeira não são encontrados nesse bioma.

04) Na tundra, que ocorre próxima à calota polar do hemisfério Norte, o clima é muito frio e seco, e as plantas herbáceas dividem o ambiente com musgos e liquens, que servem de alimento para o boi almiscarado.

08) Nas florestas temperadas, com árvores caducifólias, como o carvalho, o clima é caracterizado por quatro estações bem definidas, o solo é rico em matéria orgânica e, enquanto muitas aves migram no inverno, os ursos hibernam.

16) O pantanal apresenta fauna muito rica e grande número de indivíduos por espécie. O material orgânico trazido pelas inundações periódicas ocasionadas pelas águas que extravasam dos rios da bacia do rio Paraguai contribui para a fertilidade do solo.

Nota dos autores: dê como resposta a soma dos números associados às proposições corretas.

Questões discursivas

8. (Fuvest-SP) Considere dois estágios, X e Y, de um processo de sucessão ecológica. No estágio X, há maior biomassa e maior variedade de nichos ecológicos. No estágio Y, há maior concentração de espécies pioneiras e a comunidade está sujeita a variações mais intensas.

a) Qual dos dois estágios representa uma comunidade clímax?

b) Em qual dos estágios há maior biodiversidade? Justifique sua resposta.

c) Descreva o balanço entre a incorporação e a liberação de carbono nos estágios X e Y.

9. (Unicamp-SP) Um botânico estudou intensivamente a vegetação nativa do Nordeste brasileiro e descobriu duas espécies novas (W e Z). A espécie W é uma árvore perenifólia, com pouco mais de 25 m de altura, tronco com casca lisa e folhas com ápice longo e agudo. A espécie Z tem caule achatado e verde (clorofilado), folhas reduzidas a espinhos e altura máxima de 3 m.

a) Com base nessas informações, indique em que tipo de formação vegetal o botânico encontrou cada uma das espécies novas.

b) Indique uma característica ambiental específica de cada uma das formações vegetais onde ocorrem as espécies W e Z.

A humanidade e o ambiente

JOÃO WAINER/FOLHAPRESS

"Ecotelhado" no prédio da prefeitura da cidade de São Paulo (SP, 2004): uma pequena ação pela sustentabilidade.

Por uma humanidade sustentável

A humanidade agride a natureza e, por isso, está a caminho da autodestruição? Nos meios de comunicação, as opiniões a esse respeito são contraditórias. A maioria dos estudiosos consultados acredita que nossa espécie tem causado danos irreparáveis ao planeta. Entretanto, para alguns (geralmente ligados a interesses econômicos), os alertas dos ambientalistas são exagerados e a humanidade saberá solucionar os problemas que surgirem. Quem tem razão? Haverá riscos reais de catástrofes provocadas pela poluição, pela degradação ambiental ou pelo esgotamento de recursos naturais?

Vamos aos fatos: nos dois últimos séculos, o desenvolvimento da sociedade industrial e o crescimento da população humana têm causado impactos ambientais sem precedentes. Eis algumas das principais ameaças ao planeta: poluição; aumento da temperatura global; destruição da camada de ozônio; esgotamento de fontes de energia e de outros recursos naturais; extinção de espécies. Isso se deve principalmente à explosão populacional humana e aos modelos vigentes de desenvolvimento industrial e tecnológico, implementados pelo progresso científico.

Devemos lembrar que nossa espécie, assim como as outras espécies animais, necessita explorar os recursos do ambiente: temos de comer outros seres vivos para obter energia e matérias-primas, sem as quais não poderíamos sobreviver. Além disso, precisamos combater as espécies que nos causam doenças (bactérias, fungos, vermes, insetos etc.) e também as que disputam conosco o alimento, como parasitas e pragas que atingem nossas lavouras.

Entretanto, para poder desfrutar de uma longa vida na Terra, a humanidade precisa encontrar formas equilibradas de convívio com a natureza e de exploração dos recursos naturais. O grande desafio do século XXI é considerar os limites da capacidade de suporte do ambiente (relembre esse conceito no capítulo 5) e ter consciência de nossa relação com a natureza, principalmente no que diz respeito aos recursos que utilizamos e ao destino que damos aos resíduos produzidos. Só assim poderemos amenizar o impacto sobre o ambiente e garantir um mundo habitável para as próximas gerações. Esse é o princípio básico do desenvolvimento sustentável, que estudaremos neste capítulo.

A importância do assunto

Nas últimas décadas, cada vez mais pessoas têm percebido a necessidade do uso racional dos recursos naturais, de maneira a garantir um mundo habitável para as próximas gerações.

Neste capítulo, tratamos de alguns aspectos problemáticos da relação entre seres humanos e natureza. Aprendendo mais sobre esses temas, damos um passo importante para nosso futuro. É importante refletir sobre a proteção e a conservação ambiental, e contribuir para a construção de uma sociedade mais equilibrada. A proteção e a restauração dos ecossistemas naturais devem ser prioridade de todos os povos da Terra.

Nesse contexto, a Ecologia torna-se imprescindível, uma vez que, para desenvolver estratégias globais de utilização dos recursos naturais, é fundamental conhecer a composição e o funcionamento dos ecossistemas. Cuidar do planeta é, hoje, uma responsabilidade de todos os cidadãos do mundo.

8.1 O conceito de desenvolvimento sustentável

A constatação dos danos ambientais resultantes do crescimento populacional e do desenvolvimento econômico tem levado a humanidade a repensar seu modo de vida. Como veremos no último item do capítulo, autoridades de muitos países têm se reunido em fóruns mundiais dedicados a tratar globalmente dos problemas ambientais e das possíveis soluções.

Em 1987, uma comissão de estudos ambientais enfatizou um conceito que amadureceu ao longo da década de 1970: o **desenvolvimento sustentável**. Segundo a comissão, desenvolvimento sustentável é aquele que leva em conta as necessidades atuais da humanidade sem comprometer a capacidade das futuras gerações de obter o necessário à sua vida. Em outras palavras, cada geração tem o compromisso de deixar para as gerações seguintes um ambiente equivalente ou melhor do que o recebido de seus antecessores. Esse deveria ser o princípio norteador das ações e das atividades humanas em relação ao ambiente.

O princípio do desenvolvimento sustentável pode (e deve) ser aplicado a diversos aspectos do relacionamento da humanidade com o ambiente. Por exemplo, ao explorar os recursos de florestas e de outros ambientes naturais, é preciso garantir o replantio das espécies nativas para permitir sua perpetuação. Outra ação importante para o desenvolvimento sustentável é investir no estudo de fontes de energia renováveis – biocombustíveis, energia eólica e energia hidrelétrica –, substituindo gradativamente os combustíveis fósseis como o petróleo e o carvão mineral. Economizar água em casa, evitando os desperdícios, também é uma atitude coerente com os princípios do desenvolvimento sustentável, uma vez que ajuda a garantir a disponibilidade desse precioso recurso natural a nossos filhos e netos.

A ideia central do desenvolvimento sustentável é simples, mas sua aplicação é complexa e requer a parceria ativa de diversos setores da sociedade: governo, iniciativa privada, instituições de ensino e de pesquisa, mídia (TV, internet, imprensa), educadores e estudantes.

Apresentamos, a seguir, alguns princípios para uma sociedade sustentável segundo o Programa das Nações Unidas para o Meio Ambiente (Pnuma). Reflita sobre eles antes de iniciar a leitura do item seguinte.

- **Respeitar e cuidar da comunidade dos seres vivos** [...]. Trata-se de um princípio ético que "reflete o dever de nos preocuparmos com as outras pessoas e outras formas de vida, agora e no futuro".
- **Melhorar a qualidade da vida humana** [...]. Esse é o verdadeiro objetivo do desenvolvimento, ao qual o crescimento econômico deve estar sujeito: permitir aos seres humanos "perceber o seu potencial, obter autoconfiança e uma vida plena de dignidade e satisfação".
- **Conservar a vitalidade e a diversidade do planeta Terra** [...]. O desenvolvimento deve ser tal que garanta a proteção "da estrutura, das funções e da diversidade dos sistemas naturais do planeta, dos quais temos absoluta dependência".
- **Minimizar o esgotamento de recursos não renováveis** [...]. São recursos como os minérios, petróleo, gás [natural], carvão mineral. Não podem ser usados de maneira "sustentável" porque não são renováveis, pelo menos na escala de tempo humana. Mas podem ser retirados de modo a reduzir perdas e principalmente minimizar o impacto ambiental. Devem ser usados de modo a "ter sua vida prolongada como, por exemplo, por meio de reciclagem, pela utilização de menor quantidade na obtenção de produtos, ou pela substituição por recursos renováveis, quando possível".
- **Permanecer nos limites de capacidade de suporte do planeta Terra** [...]. Não se pode ter uma definição exata, por enquanto, mas sem dúvida há limites para os impactos que os ecossistemas e a biosfera como um todo podem suportar sem provocar uma destruição arriscada. Isso varia de região para região. Poucas pessoas consumindo muito podem causar tanta destruição quanto muitas pessoas consumindo pouco. Devem-se adotar políticas que desenvolvam técnicas adequadas e tragam equilíbrio entre a capacidade da natureza e as necessidades de uso pelas pessoas.

- **Modificar atitudes e práticas pessoais** [...]. "Para adotar a ética de se viver sustentavelmente, as pessoas devem reexaminar os seus valores e alterar o seu comportamento. A sociedade deve promover atitudes que apoiem a nova ética e desfavoreçam aqueles que não se coadunem com o modo de vida sustentável."
- **Permitir que as comunidades cuidem de seu próprio ambiente** [...]. É nas comunidades que os indivíduos desenvolvem a maioria das atividades produtivas e criativas. E constituem o meio mais acessível para a manifestação de opiniões e tomada de decisões sobre iniciativas e situações que as afetam.
- **Gerar uma estrutura nacional para a integração de desenvolvimento e conservação** [...]. A estrutura deve garantir "uma base de informação e de conhecimento, leis e instituições, políticas econômicas e sociais coerentes". A estrutura deve ser flexível e regionalizável, considerando cada região de modo integrado, centrado nas pessoas e nos fatores sociais, econômicos, técnicos e políticos que influem na sustentabilidade dos processos de geração e distribuição de riqueza e bem-estar.
- **Constituir uma aliança global** [...]. Hoje, mais do que antes, a sustentabilidade do planeta depende da confluência das ações de todos os países, de todos os povos. As grandes desigualdades entre ricos e pobres são prejudiciais a todos. "A ética do cuidado com a Terra aplica-se em todos os níveis, internacional, nacional e individual. Todas as nações só têm a ganhar com a sustentabilidade mundial e todas estão ameaçadas caso não consigamos essa sustentabilidade."

Fonte: *Parâmetros Curriculares Nacionais, Temas transversais para 5ª a 8ª séries*. Brasília, 1998. p. 239-241.

8.2 Poluição e desequilíbrios ambientais

Poluição ambiental

Poluição (do latim *poluere*, manchar, poluir) é a presença concentrada no ambiente de determinadas substâncias ou agentes físicos, genericamente denominados poluentes. Em geral, os poluentes são produzidos direta ou indiretamente por ação humana e podem afetar a vida de uma ou mais espécies de uma comunidade biológica.

As atividades humanas, principalmente nas sociedades industrializadas, geram diversos tipos de materiais poluentes: lixo dos mais diversos tipos, fumaça, resíduos industriais, gases liberados pelo escapamento de veículos motorizados etc., além de grande quantidade de resíduos orgânicos, como excrementos e urina.

A poluição ambiental decorrente do desenvolvimento industrial já provocou grandes tragédias. Em Londres, no inverno de 1952, as condições climáticas não permitiram a dispersão dos poluentes liberados pelos automóveis, pelas fábricas e pelos sistemas de aquecimento das residências, o que produziu efeitos dramáticos: mais de 4 mil pessoas morreram em poucos dias, em virtude de problemas respiratórios causados pelos poluentes que se concentraram na baixa atmosfera. Nos dois meses seguintes, mais de 8 mil pessoas morreram de enfermidades motivadas ou agravadas pela poluição atmosférica.

Outra catástrofe ambiental de grandes proporções ocorreu em Chernobyl, na então União Soviética, em 1986. Uma falha na refrigeração de um reator nuclear fez com que ele explodisse, lançando poluentes radioativos responsáveis pela morte imediata de dezenas de pessoas e doenças em milhares de outras. (Fig. 8.1)

ANATOLIY RASSKAZOV/ASSOCIATED PRESS/ESTADÃO CONTEÚDO

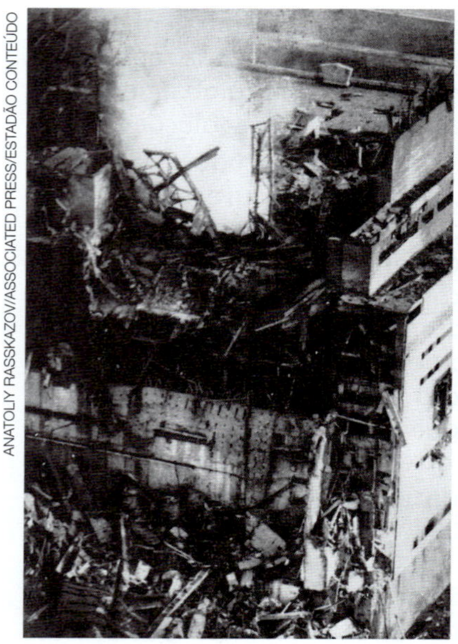

Figura 8.1 Em 26 abril de 1986, ocorreu um dos maiores acidentes nucleares da história na usina atômica de Chernobyl, na então União Soviética, atual território da Ucrânia. Os arredores da usina são hoje uma cidade-fantasma. Muitos sobreviventes do desastre carregam a lembrança desse episódio em seus corpos, vítimas de câncer.

8.1 Biblioteca do estudante Amplie seus conhecimentos

O esclarecimento e a educação da população podem contribuir para o controle da poluição. Somente uma sociedade civil amplamente organizada e informada será capaz de manter atitudes sustentáveis e de exercer uma fiscalização ambiental sistemática, exigindo a criação e principalmente o cumprimento de leis ecológicas eficientes.

Poluição atmosférica

As principais fontes geradoras da **poluição atmosférica** são os motores de veículos, as indústrias (siderúrgicas, fábricas de cimento e de papel, refinarias etc.), a incineração de lixo doméstico e as queimadas de campos e florestas.

As ações humanas, denominadas atividades antrópicas (do grego *antropos*, ser humano), são responsáveis pela liberação, na atmosfera, de milhões de toneladas anuais de gases tóxicos como o monóxido de carbono, o ozônio, o dióxido de enxofre, o dióxido de nitrogênio e diversos tipos de hidrocarbonetos, além de gás carbônico e do chamado material particulado, constituído por partículas de poeira, fumaça e materiais sólidos e líquidos suspensos no ar. (Fig. 8.2)

Distribuição de poluentes em São Paulo

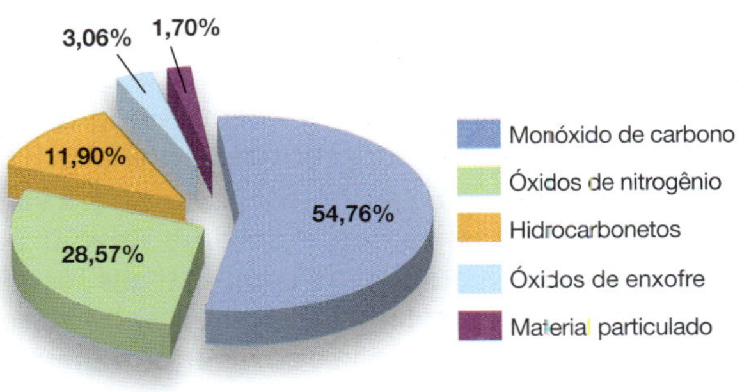

Figura 8.2 Gráfico que mostra a distribuição aproximada dos principais poluentes do ar na cidade de São Paulo em 2010. (Baseado em dados da Companhia Ambiental do Estado de São Paulo – Cetesb.)

Um dos poluentes mais perigosos para os habitantes das grandes metrópoles é o **monóxido de carbono (CO)**, um gás incolor, inodoro, menos denso que outros gases do ar e extremamente tóxico para os seres humanos. Esse gás é produzido pela queima incompleta de moléculas orgânicas e sua principal fonte de emissão são os motores a combustão de veículos como automóveis, motocicletas, ônibus, caminhões etc. (Fig. 8.3)

MAURICIO SIMONETTI/TYBA

Figura 8.3 Os motores a combustão são as principais fontes de emissão de monóxido de carbono. Na foto, congestionamento em Salvador (BA), em 2011.

O monóxido de carbono combina-se irreversivelmente com a hemoglobina do sangue, inutilizando-a para o transporte de gás oxigênio. A exposição prolongada de uma pessoa ao monóxido de carbono pode levar à perda de consciência e à morte; a intoxicação por esse gás causa sintomas de asfixia e aumento dos ritmos respiratório e cardíaco.

O **ozônio** (O_3), apesar de reter parte das radiações solares e ser importante para a proteção dos seres vivos quando presente na estratosfera, é um gás poluente quando concentrado próximo ao solo, provocando irritação nos olhos e problemas respiratórios, além de danos à vegetação. Nas grandes cidades, poluentes liberados pelos veículos motorizados potencializam a reação de formação de ozônio na baixa atmosfera; nos meses de inverno, o problema é agravado pela ocorrência de inversões térmicas.

Outro poluente atmosférico perigoso é o **dióxido de enxofre** (SO_2), gás proveniente da queima industrial de combustíveis como o carvão mineral e o óleo *diesel*, que contêm enxofre como impureza. O dióxido de enxofre, e também o **dióxido de nitrogênio** (NO_2), podem provocar bronquite, asma e enfisema pulmonar.

Ao reagir com vapor d'água presente na atmosfera, esses óxidos podem levar à formação de ácido sulfúrico (H_2SO_4) e ácido nítrico (HNO_3), que se dissolvem nas nuvens, precipitando-se na forma de chuvas ácidas. Em países como os do Leste Europeu, em que a produção de energia é baseada na queima de carvão mineral e óleo *diesel*, as chuvas ácidas têm provocado grandes danos à vegetação, além de corroer construções e monumentos. (Fig. 8.4)

A
BLICKWINKEL/ALAMY/GLOW IMAGES
B
JOHN WATKINS/FLPA/DIOMEDIA

Figura 8.4 **A.** Floresta danificada por chuva ácida na Alemanha (2008). **B.** Escultura danificada pela chuva ácida, na Inglaterra (2010).

A matéria particulada poluente suspensa no ar, presente em grande quantidade nas cidades modernas, consiste de partículas produzidas principalmente por desgaste de pneus e de freios de automóveis e pela combustão de óleo *diesel*. Outras fontes de partículas poluidoras da atmosfera são as usinas siderúrgicas e as fábricas de cimento, estas últimas também responsáveis pela liberação de sílica (SiO_2). A sílica e o amianto, quando se encontram na forma de partículas em suspensão no ar, podem causar doenças pulmonares, como fibrose e enfisema.

Inversão térmica

Em condições normais, as camadas mais baixas da atmosfera são mais quentes porque absorvem calor irradiado pela superfície terrestre. Por ser menos denso, o ar quente tende a subir, carregando consigo poluentes eventualmente presentes em suspensão. O ar quente que sobe é substituído por ar frio que desce e este, ao se aquecer, volta a subir. O movimento ascendente e descendente de ar, denominado corrente de convecção, é responsável pela dispersão dos poluentes atmosféricos continuamente produzidos em uma cidade.

Nos meses de inverno, devido ao resfriamento do solo, a camada baixa de ar atmosférico pode esfriar mais que a camada imediatamente superior, fenômeno denominado **inversão térmica**. Com isso, os movimentos de convecção são interrompidos e os poluentes deixam de se dispersar para as camadas mais altas da atmosfera, concentrando-se na camada de ar frio aprisionada entre a superfície e a camada de ar quente. Nessas ocasiões, é comum ocorrer aumento dos casos de irritação das mucosas e de problemas respiratórios nos habitantes dos grandes centros urbanos. (Fig. 8.5)

Aumento do efeito estufa

Parte da radiação solar que chega à Terra é refletida pelas nuvens e pela superfície terrestre; outra parte é absorvida principalmente pelo solo e reirradiada para a atmosfera na forma de calor (radiação infravermelha). Esse fenômeno natural é denominado **efeito estufa** e contribui para manter aquecida a superfície terrestre, impedindo a perda muito rápida de calor para o espaço. Graças ao efeito estufa, a Terra mantém uma temperatura média que possibilita a existência de vida.

O efeito estufa resulta principalmente da presença na atmosfera de vapor d'água, gás carbônico (CO_2), metano (CH_4) e dióxido de nitrogênio (NO_2), cujas moléculas têm capacidade de absorver calor. O aumento de alguns desses gases na atmosfera, em consequência da atividade humana, vem provocando a intensificação do efeito estufa. Estima-se que, nos próximos anos, isso levará a um aumento significativo da temperatura média na superfície terrestre. (Fig. 8.6)

A quantidade de gás carbônico na atmosfera vem aumentando progressivamente desde a Revolução Industrial, quando a queima de combustíveis fósseis (carvão mineral e petróleo) começou a ser empregada em larga escala para produzir energia. Hoje, a concentração de gás carbônico no ar corresponde a mais de 0,0375% da composição atmosférica (375 partes por milhão, ou ppm), um aumento superior a 30% em relação ao período pré-industrial.

Estima-se que a concentração de gás metano (CH_4) na atmosfera também aumentou mais de 150% no mesmo período. O metano resulta principalmente da decomposição da matéria orgânica. O aumento da população humana contribui para a maior produção de lixo e esgotos, o que está diretamente relacionado com a elevação da concentração de gás metano na atmosfera; o aumento das áreas alagadas para o cultivo de arroz, onde ocorre muita decomposição de matéria orgânica, também tem elevado a concentração de metano atmosférico. Outras fontes emissoras de metano são os rebanhos de gado bovino e caprino. Nos tubos digestórios desses animais ruminantes há grande quantidade de microrganismos produtores de gás metano.

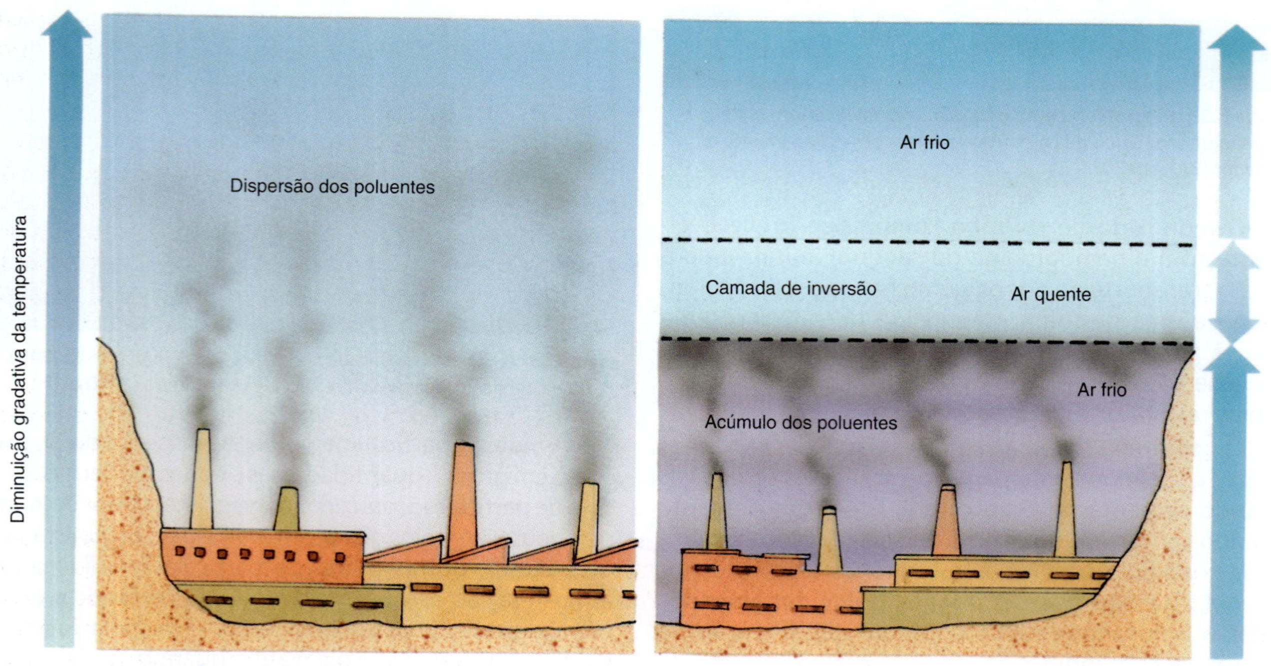

Figura 8.5 Representação esquemática da dispersão de poluentes do ar em situação normal (à esquerda) e em situação de inversão térmica (à direita). (Elementos fora de proporção de tamanho entre si; cores-fantasia.)

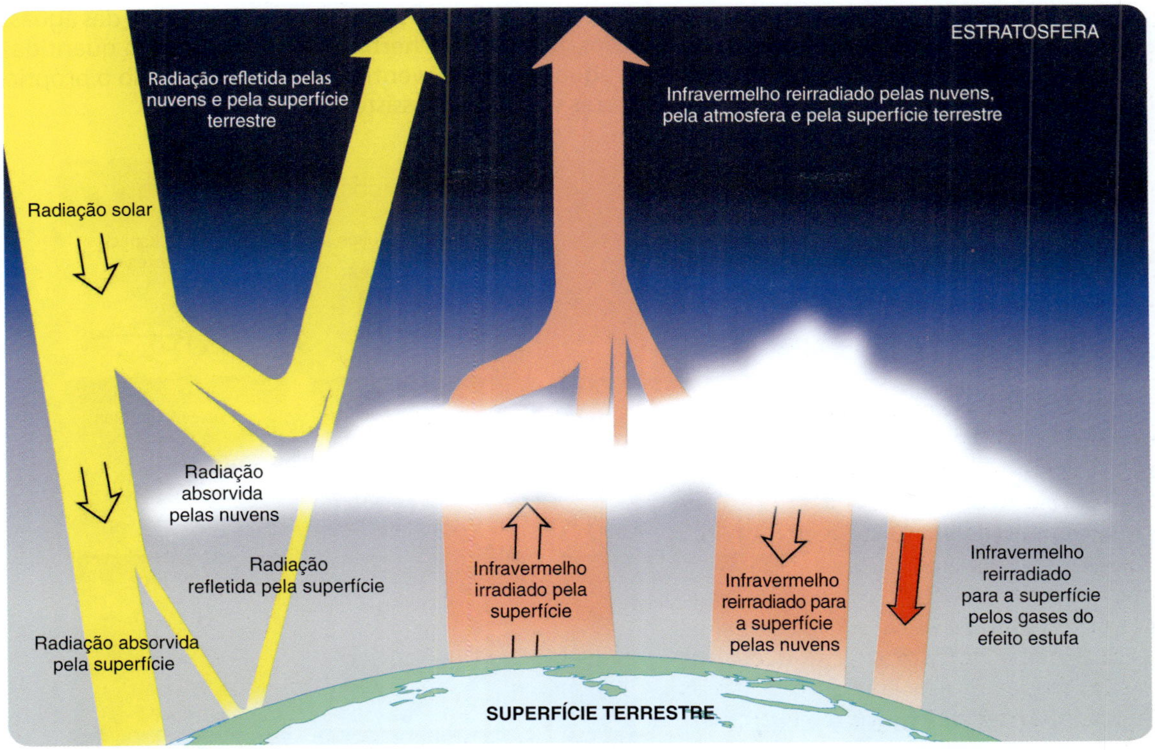

Figura 8.6 Representação esquemática do efeito estufa atmosférico. Analise a figura acompanhando as explicações no texto. (Elementos fora de proporção de tamanho entre si; cores-fantasia.)

O ano de 2010 foi o mais quente da história (o segundo mais quente foi 2005), desde que as temperaturas médias anuais no globo terrestre começaram a ser registradas, em 1861. Durante o século XX, a temperatura global da superfície terrestre aumentou mais de 0,6 °C e, de acordo com estudos da ONU, o planeta deverá estar 2 °C mais quente até o ano de 2100.

Alguns cientistas acham conservadoras essas estimativas da ONU e acreditam que, se os gases responsáveis pelo efeito estufa continuarem a se acumular na atmosfera, devemos esperar uma elevação de até 4 °C na temperatura média mundial nos próximos 50 anos.

O aumento significativo da temperatura global pode trazer grandes mudanças no clima da Terra, algumas presumivelmente de efeitos catastróficos.

Nas regiões tropicais, ocorreriam tempestades torrenciais; nas regiões temperadas, o clima ficaria mais quente e mais seco; nas regiões polares, parte do gelo derreteria (o que parece já estar acontecendo), causando a elevação do nível dos mares e inundação de cidades litorâneas e de planícies.

Poluição das águas e do solo

A forma mais comum e talvez a mais antiga de poluir as águas é por meio do lançamento de dejetos de humanos e animais domésticos em rios, lagos e mares. Por serem constituídos de material orgânico, esses dejetos aumentam a quantidade de nitratos e fosfatos, bem como de outros nutrientes disponíveis no ambiente aquático, fenômeno denominado **eutrofização**, ou eutroficação (do grego *eu*, bem, bom, e *trofos*, nutrição).

A eutrofização geralmente leva à multiplicação intensa de bactérias aeróbias, que utilizam gás oxigênio em sua respiração. A proliferação dessas bactérias acaba por consumir rapidamente o gás oxigênio dissolvido na água, causando a morte por asfixia da maioria das formas de vida aquática, inclusive delas próprias.

A eutrofização de ambientes marinhos pode levar à grande proliferação de certos dinoflagelados (protoctistas fotossintetizantes), provocando o fenômeno conhecido por **maré vermelha**, em virtude da coloração que esses organismos conferem à água. As marés vermelhas produzem grande mortandade de peixes, principalmente porque, além de liberar substâncias tóxicas na água, os dinoflagelados competem com eles pelo gás oxigênio.

Por causa da eutrofização por esgotos humanos, muitos rios que banham grandes cidades pelo mundo tiveram sua flora e sua fauna destruídas, tornando-se esgotos a céu aberto. O lançamento de esgotos nos rios sem tratamento prévio acarreta, ainda, a propagação de doenças como a hepatite A, a amebíase e a cólera, entre outras.

A melhor solução para o problema é o tratamento e o reaproveitamento de esgotos. Atualmente já existem tecnologias para purificar a água proveniente de esgotos e utilizar os resíduos semissólidos na produção de fertilizantes. O gás metano gerado no processo é usado como combustível.

As águas utilizadas para diversos fins nas casas e depois descartadas – conhecidas como águas servidas – e os resíduos industriais também podem trazer graves problemas ambientais. Substâncias poluentes, como detergentes, ácido sulfúrico e amônia, envenenam os rios e causam a morte de muitas espécies da comunidade aquática.

O desenvolvimento da agricultura também tem contribuído para a poluição do solo e das águas. Fertilizantes sintéticos e agrotóxicos (inseticidas, fungicidas e herbicidas), utilizados em quantidades abusivas nas lavouras, poluem o solo e as águas dos rios, eventualmente intoxicando o próprio agricultor e sua família e matando diversos seres vivos dos ecossistemas. (Fig. 8.7)

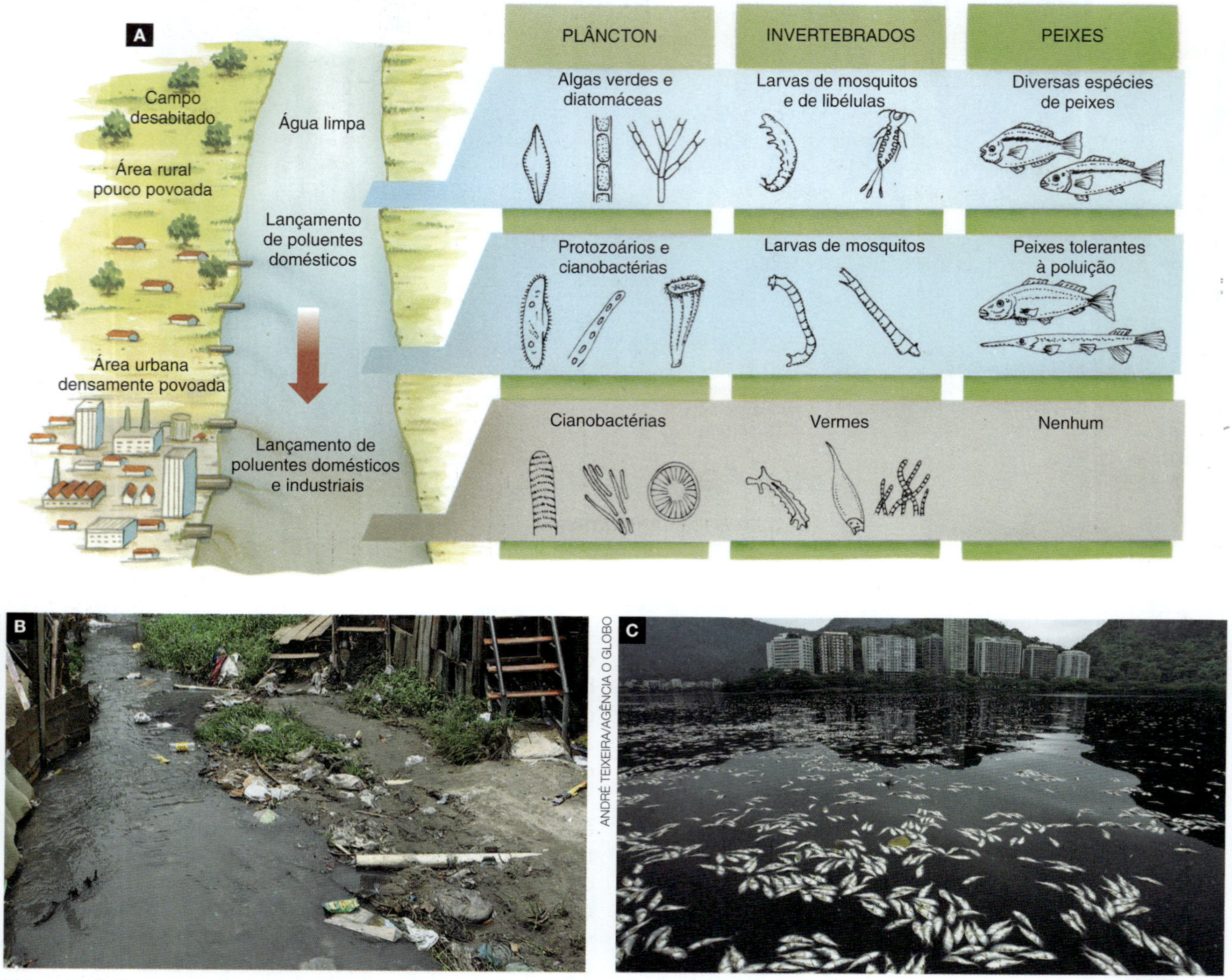

ALBERTO CÉSAR ARAÚJO/FOLHAPRESS

ANDRÉ TEIXEIRA/AGÊNCIA O GLOBO

Figura 8.7 **A.** Representação esquemática da poluição de um rio ao longo de seu curso; o lançamento de esgotos e de resíduos industriais nos rios é uma das principais formas de poluição. O aumento da concentração de poluentes causa a alteração da comunidade biológica que habita o rio, o que pode levar à sua eliminação. (Elementos fora de proporção de tamanho entre si; cores-fantasia.) **B.** Esgoto doméstico sendo lançado em córrego em Manaus (AM), em 2006. **C.** Grande quantidade de peixes mortos por conta da poluição na Lagoa Rodrigo de Freitas, no Rio de Janeiro (RJ), em 2010.

Ciência e cidadania

O escudo atmosférico de gás ozônio

1 Novos conhecimentos revelaram que a atmosfera terrestre não é um simples invólucro gasoso, mas parte integrante da biosfera, contribuindo para a manutenção da vida e sendo por ela influenciada. Graças a sua capacidade de reter calor – o efeito estufa –, a atmosfera permite manter as temperaturas terrestres favoráveis à existência de seres vivos. Além disso, ela filtra a maior parte das radiações solares nocivas aos organismos, principalmente as radiações ultravioleta (UV) de alta energia. Os sistemas de ventos e correntes atmosféricas também são responsáveis pela distribuição de calor e umidade e, em última análise, pelo clima do planeta.

2 Os cientistas acreditam que, entre 4 e 3,5 bilhões de anos atrás, a atmosfera terrestre era constituída por 80% de gás carbônico (CO_2), 10% de metano (CH_4), 5% de monóxido de carbono (CO) e 5% de gás nitrogênio (N_2) (relembre no capítulo 1). Hoje, ela é composta de 78% de N_2, 21% de gás oxigênio (O_2), 0,9% de argônio (Ar) e 0,04% de gás carbônico (CO_2), além de pequenas quantidades de outros gases.

3 O que teria levado a essa alteração na composição atmosférica do passado até hoje? Tudo indica que foi o aparecimento e a proliferação dos seres fotossintetizantes, entre 2,5 e 2 bilhões de anos atrás. O processo de fotossíntese, como sabemos, libera O_2 para o ambiente. A capacidade de utilizar substâncias simples (CO_2 e H_2O) e energia da luz solar permitiu que bactérias fotossintetizantes primitivas invadissem os mares e todos os ambientes úmidos do planeta. A quantidade de O_2 liberado por elas foi tal que alterou significativamente a composição da atmosfera terrestre: a concentração de O_2, de quase zero, aumentou progressivamente até atingir a porcentagem atual, em torno de 21%.

Gás oxigênio na atmosfera terrestre

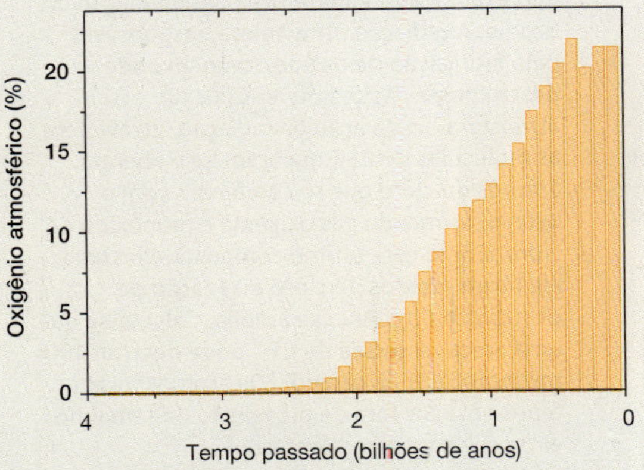

Gráfico da variação da porcentagem de gás oxigênio (O_2) na atmosfera da Terra desde sua formação. No início, a atmosfera terrestre tinha pouco O_2, que era produzido principalmente pela decomposição de moléculas de água sob ação da radiação ultravioleta do Sol. Com o aparecimento dos seres fotossintetizantes, a quantidade de O_2 atmosférico aumentou exponencialmente. (Fonte: Vieyra, A. e Souza--Barros, F., 2000.)

4 Há cerca de 2 bilhões de anos surgiram seres vivos que utilizam o O_2 na respiração aeróbia, liberando CO_2 e H_2O como produtos. Desse modo, começou a se estabelecer na Terra um equilíbrio dinâmico entre fotossíntese e respiração aeróbia, e esse equilíbrio perdura até hoje. Na fotossíntese, CO_2 e H_2O são utilizados como reagentes e originam, como produtos, moléculas orgânicas e O_2; na respiração aeróbia, moléculas orgânicas reagem com moléculas de O_2 e originam, como produtos, H_2O e CO_2.

5 Uma consequência da presença maciça de O_2 na atmosfera terrestre foi a formação de uma camada de gás ozônio (O_3) entre 12 e 50 quilômetros de altitude. O ozônio origina-se do próprio gás oxigênio (O_2) e bloqueia a passagem da maior parte da radiação ultravioleta (UV) proveniente do Sol, que teria efeito letal sobre os seres vivos. Antes do surgimento da camada de ozônio, a vida estava restrita aos ambientes de lagos e mares, onde a penetração do UV é bem menor. Acredita-se que a filtração de radiação ultravioleta pela camada de ozônio tenha permitido aos seres vivos a possibilidade de colonizar ambientes de terra firme, expostos à luz solar.

6 Quando uma forma de radiação ultravioleta (UV) proveniente do Sol (a radiação ultravioleta curta) atinge a atmosfera rica em O_2, causa ruptura de certa quantidade de moléculas desse gás, com liberação de átomos de oxigênio isolados altamente reativos (O). Parte deles volta a formar O_2 e parte reage com moléculas de O_2, formando gás ozônio (O_3). Além de O_2 e de oxigênio atômico (O), a reação necessita de um terceiro participante, genericamente denominado "terceiro corpo" (T), que permite liberar a energia da reação na forma de calor. Esse papel é desempenhado principalmente pelas moléculas de N_2, devido à sua abundância na atmosfera. Parte do O_3 formado logo se decompõe em decorrência da radiação UV, gerando componentes reativos que podem originar tanto O_2 como O_3. Assim, a camada de ozônio mantém-se em equilíbrio dinâmico. Observe, na figura a seguir, a constituição básica da atmosfera terrestre, com destaque para a camada de ozônio.

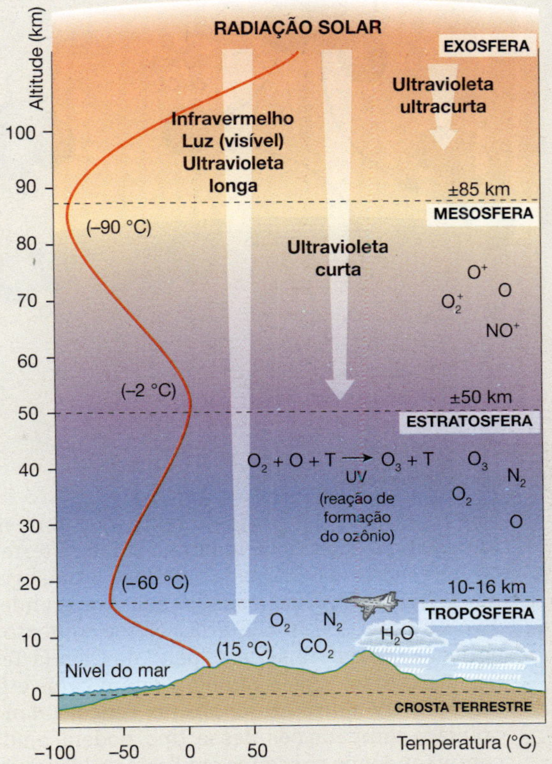

Gráfico da constituição básica da atmosfera terrestre. Note, na curva representada em vermelho na parte esquerda do gráfico, que a temperatura atmosférica varia de acordo com a altitude, o que levou à classificação em faixas: troposfera, estratosfera, mesosfera e exosfera. A formação de ozônio, que libera calor, é responsável pelo aumento de temperatura na estratosfera. A camada de ozônio impede a penetração de radiação ultravioleta curta, potencialmente perigosa aos seres vivos. (Elementos fora de proporção de tamanho entre si; cores-fantasia.) (Baseado em Mozeto, A. A., 2001.)

7 Dados obtidos por satélites orbitais mostraram, ao longo da década de 1980, uma diminuição significativa (mais de 50%) na camada de ozônio sobre o continente antártico, no Polo Sul. Nessa região, em certas épocas do ano, a camada de ozônio torna-se anormalmente fina e rarefeita, possibilitando maior passagem de radiação ultravioleta, com os consequentes riscos para os seres vivos do local. No ano 2000, a destruição na camada de ozônio chegou a formar sobre a Antártida um "buraco" com área de 25 milhões de km², aproximadamente.

8 Entre outros agentes, descobriu-se que a principal causa da destruição da camada de ozônio é a liberação, na atmosfera, de gases do grupo dos clorofluorcarbonetos, abreviadamente chamados de CFCs. Estes são gases sintéticos (isto é, produzidos em laboratórios e indústrias) utilizados em aerossóis, em compressores de geladeiras e também liberados durante a fabricação de certos tipos de plástico de embalagens. Os CFCs acumulam-se nas altas camadas da atmosfera, onde o cloro de suas moléculas reage com moléculas de ozônio, quebrando-as.

9 Os alertas de cientistas e ambientalistas levaram os governos a proibir a liberação industrial de uma lista de substâncias, entre elas os CFCs, que causam a destruição do ozônio estratosférico. Relatórios da Agência Espacial Americana, a Nasa, de 2006 sugerem que o problema está sendo controlado. Os mais otimistas acreditam que na metade da década atual os níveis de ozônio terão voltado ao normal. Para outros, mesmo com a recuperação, os danos causados são irreversíveis.

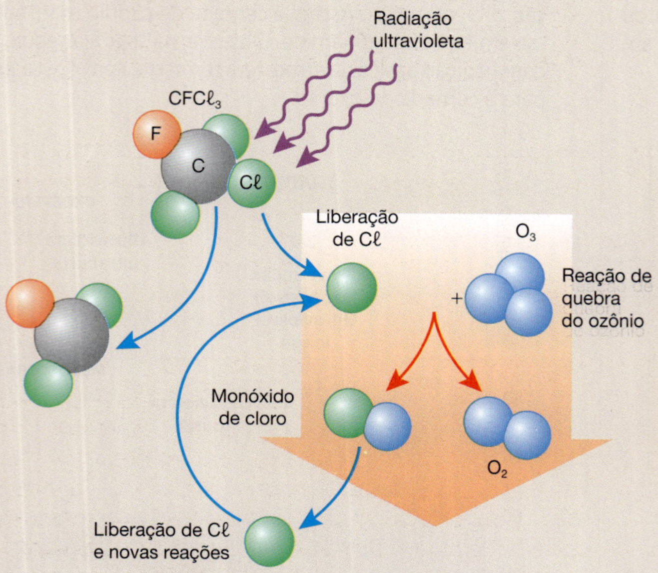

Representação esquemática da degradação do ozônio. A radiação ultravioleta, responsável pela fabricação de ozônio, também pode destruir esse gás se houver CFCs na atmosfera. Sob a ação da radiação ultravioleta, as moléculas de CFC quebram-se e liberam átomos de cloro que se combinam com o ozônio, formando gás oxigênio e monóxido de cloro. Como este último composto é instável, ele libera átomos de cloro e a reação de destruição do ozônio se amplia. Calcula-se que uma única molécula de CFC pode destruir 100 mil moléculas de ozônio. (Os átomos foram representados fora de proporção de tamanho entre si e com cores-fantasia.)

Guia de leitura

1 Leia o primeiro parágrafo do texto, que comenta a importância da atmosfera para a biosfera terrestre. Os defensores da chamada Hipótese Gaia sugerem que a Terra deve ser considerada um grande ser vivo de dimensões planetárias. Nesse contexto alegórico, a atmosfera seria a "pele" de Gaia (a Terra); no nosso caso, a pele também retém calor e filtra radiação UV, entre tantas outras funções. Em sua opinião, comparações desse tipo podem ajudar a compreender os conceitos em Ecologia? Escreva um texto sobre isso.

2 Leia os parágrafos 2 e 3, acompanhando-os com a análise do gráfico (e respectiva legenda) da variação da porcentagem de gás oxigênio (O_2) na atmosfera da Terra desde sua formação. Certifique-se de que compreendeu a explicação para o aumento explosivo do teor de gás oxigênio na atmosfera, de 2,5 bilhões de anos atrás até hoje. Resuma essa ideia em uma frase explicativa sintética.

3 O parágrafo 4 refere-se ao equilíbrio atual entre fotossíntese e respiração aeróbia em relação aos gases O_2 e CO_2. Escreva um texto que exponha essa ideia com palavras e frases simples, como se estivesse explicando a um irmão mais novo. Atente para que os conceitos sejam apresentados de forma simples, mas correta.

4 Leia o parágrafo 5. Ele relaciona os seguintes conceitos: radiação ultravioleta (UV), gás oxigênio (O_2) e gás ozônio (O_3). Elabore um pequeno mapa conceitual unindo esses três conceitos por meio de proposições. O desafio seguinte é acrescentar no diagrama o conceito **fotossíntese**. Como você faria essa relação?

5 O sexto parágrafo deve ser lido mais de uma vez, com diversas consultas e comparações com o gráfico que representa a constituição básica da atmosfera terrestre. Leia a legenda utilizando-a para compreender e complementar informações. Observe que esse gráfico representa a altitude a partir do nível do mar, no eixo das ordenadas, e a temperatura, no eixo das abscissas. Note como a temperatura varia nas diferentes faixas atmosféricas. Na estratosfera, a temperatura sobe devido à formação de ozônio. Localize o trecho que permite deduzir essa informação. Certifique-se de que compreendeu como o ozônio se forma e o que significa dizer que a camada de ozônio é dinâmica. Explique esta última ideia em uma frase curta.

6 Leia os parágrafos 7, 8 e 9, que se referem às ameaças à camada de ozônio. Quais são os principais causadores da sua destruição? Acompanhe, na representação esquemática da degradação do ozônio, como agem esses "inimigos" do ozônio atmosférico. Para os seres vivos, qual seria a consequência da destruição da camada de ozônio? Retome as reflexões sobre esse assunto ao ler o último item do capítulo, que cita algumas das providências mundiais para conter a destruição do ozônio. E, sempre que possível, acompanhe na imprensa a situação da camada de ozônio (para alguns, a "pele" de Gaia).

Concentração de poluentes ao longo das cadeias alimentares

Desde a década de 1940, o diclorodifeniltricloroetano (DDT) e outros inseticidas do grupo dos organoclorados vêm sendo utilizados nas lavouras por sua alta eficiência contra diversos insetos. Entretanto, se absorvido pela pele ou se contaminar alimentos, o DDT pode causar doenças no fígado, como a cirrose e o câncer, tanto em seres humanos quanto em outros animais. Por ser muito nocivo, o emprego desse produto está proibido em diversos países, inclusive no Brasil.

O DDT, além de outros inseticidas e poluentes, possui a capacidade de se concentrar no corpo dos organismos que o absorvem. Animais como os moluscos bivalves, por exemplo, que obtêm alimento filtrando a água circundante, podem acumular grandes quantidades do inseticida no corpo, em concentração até 70 mil vezes maior que a da água contaminada onde vivem. Se consumidos como alimento por pessoas ou por animais, os moluscos contaminados podem provocar graves intoxicações.

Poluentes como o DDT são absorvidos pelos produtores e passados sucessivamente para os consumidores primários, consumidores secundários e assim por diante. Como cada organismo de um nível trófico superior alimenta-se, proporcionalmente, de grande quantidade de material do nível inferior, esses poluentes, por não serem degradados no metabolismo, tendem a se concentrar nos níveis tróficos superiores. (Fig. 8.8)

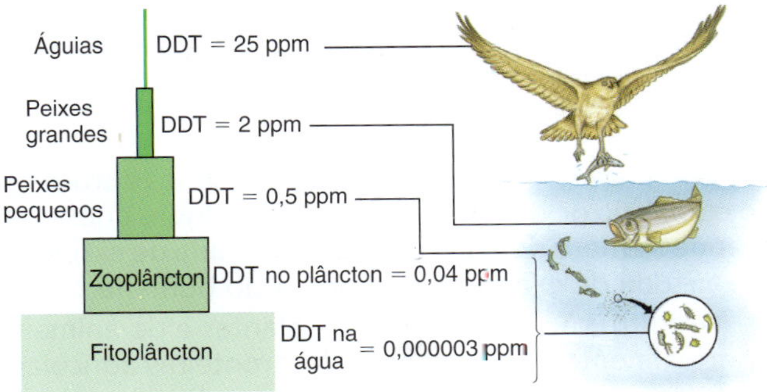

Figura 8.8 Representação esquemática das etapas de aumento de concentração do inseticida DDT, em partes por milhão (ppm), nos diversos níveis de uma cadeia alimentar. (Baseado em Campbell, N. A. e cols., 1999.) (Elementos fora de proporção de tamanho entre si; cores-fantasia.)

Para minimizar a poluição provocada por resíduos industriais e agrícolas, é preciso recorrer simultaneamente a várias ações, entre elas: maior controle governamental sobre as indústrias de fertilizantes e agrotóxicos; realização de campanhas educativas junto aos agricultores sobre o emprego correto e não abusivo de defensivos agrícolas e fertilizantes; proibição de produtos comprovadamente tóxicos e perigosos, como o DDT; redução drástica do uso de agrotóxicos na agricultura.

A biotecnologia pode contribuir para a redução do emprego de agrotóxicos, ao desenvolver variedades de plantas resistentes a pragas. Outra solução alternativa aos inseticidas é o controle biológico, em que certas espécies podem ser utilizadas para combater pragas. Pulgões de plantas, por exemplo, responsáveis por grandes prejuízos em determinadas lavouras, podem ser combatidos pela introdução controlada de joaninhas, que se alimentam deles e de outros insetos, sem provocar desequilíbrios na teia alimentar. (Fig. 8.9)

JEF MEUL/FOTO NATURA/LATINSTOCK

Figura 8.9 Joaninha da espécie *Coccinella septempunctata* comendo pulgão da espécie *Microlophium carnosum*. Relações ecológicas como essa têm sido utilizadas para enfrentar as pragas por meio do controle biológico. A joaninha e o pulgão medem cerca de 8,5 mm e 4 mm de comprimento, respectivamente.

Conteúdo multimídia
Desequilíbrio ambiental decorrente de interferências na cadeia alimentar

O problema do lixo urbano

Nos países desenvolvidos, uma pessoa produz, em média, cerca de 2,5 kg de lixo por dia. Com o crescimento demográfico das cidades, em breve não haverá mais áreas para depositar tanto lixo. Enterrá-lo não é a solução, pois pode haver contaminação de reservatórios de água subterrânea utilizados pela própria população produtora de lixo. Queimá-lo contribui para agravar ainda mais a poluição atmosférica, além de representar um desperdício de recursos, tendo em vista que grande parte do material descartado poderia ser reaproveitada.

Soluções para o problema dos resíduos sólidos envolvem a redução do desperdício de materiais e a **reciclagem do lixo**, isto é, o reaproveitamento dos componentes dos resíduos. Para isso, é fundamental separar seus diversos componentes, processo conhecido como triagem do lixo. Latas, por exemplo, podem ter seu metal reaproveitado; o Brasil é um dos maiores recicladores de latas de alumínio do mundo. Plásticos e papel também podem ser reciclados. Calcula-se que, se os EUA reciclassem 50% do papel que utilizam, em vez dos 20% que reciclam atualmente, poderiam deixar de cortar cerca de 100 milhões de árvores por ano. (Fig. 8.10)

ROGÉRIO REIS/OLHAR IMAGEM

Figura 8.10 A reciclagem dos materiais descartados como lixo, além de ajudar a minimizar o problema da poluição ambiental, pode ser fonte de renda para muitas famílias. Na foto, trabalhadores de uma cooperativa de reciclagem, no Rio de Janeiro (RJ), em 2006.

Após a separação, a parte orgânica do lixo pode ser degradada por microrganismos em tanques chamados biodigestores. Na **biodigestão**, forma-se o metano (CH_4), que pode ser aproveitado como combustível residencial, industrial ou em veículos motorizados. Os resíduos sólidos da biodigestão podem ser usados como fertilizantes do solo.

Atualmente, a reciclagem ainda é um processo caro, sendo mais fácil e barato utilizar matéria-prima natural do que matéria reciclada. Nesse cálculo, no entanto, não se leva em conta a degradação ambiental, que poderá representar um custo altíssimo para as gerações futuras. Com o progressivo esgotamento dos recursos naturais e o avanço das tecnologias de reciclagem, o reaproveitamento do lixo logo deverá ser superior a 50%.

É cada vez mais urgente educar a população acerca do problema do lixo. Mais cedo ou mais tarde o poder público e a população terão de conjugar esforços para resolvê-lo, não só por meios tecnológicos de reciclagem, mas também pela intensificação de ações educativas e de campanhas de conscientização, estimulando as pessoas a desperdiçar menos e a produzir menos lixo.

Desmatamento, espécies exóticas e extinção de espécies

Além de interferir nos ambientes naturais e produzir resíduos e poluentes, a humanidade altera o equilíbrio dos ecossistemas pela introdução de espécies exóticas e também pela extinção de espécies nativas. A interferência em comunidades naturais equilibradas pode colocar em risco toda a intricada trama de relações que levou milhares ou milhões de anos para se estabelecer.

A expansão das terras cultivadas e o crescimento das cidades têm causado a destruição dos ambientes naturais. As florestas são derrubadas ou, pior ainda, queimadas, o que prejudica o solo e polui a atmosfera. Essa remoção indiscriminada da vegetação nativa, popularmente chamada **desmatamento**, além de levar comunidades biológicas e espécies à extinção, acarreta a erosão e o empobrecimento do solo.

A erosão é causada principalmente pelas chuvas e pelo vento. Sem a proteção da cobertura vegetal, o solo perde rapidamente suas camadas férteis e tem muitos de seus componentes levados pelas chuvas, tornando-se pobre e acidentado. (Fig. 8.11)

FABIO COLOMBINI

Figura 8.11 Os desmatamentos indiscriminados têm como consequências a erosão e o empobrecimento do solo. Na foto, solo erodido em São João del Rei (MG), em 2012.

A **introdução de espécies exóticas** tem causado desequilíbrios ambientais em diversas regiões, afetando os ecossistemas nativos. Em seus deslocamentos pelas diversas regiões da Terra, os viajantes humanos transportam, deliberadamente ou não, espécies biológicas de um local para outro. Dessa forma, espécies nativas de uma região podem ser introduzidas em locais onde não existiam anteriormente. (Fig. 8.12)

AGE FOTOSTOCK/KEYSTONE BRASIL

Figura 8.12 O aguapé (gênero *Eichhornia*), também conhecido por jacinto-d'água, produz belas flores de cor lilás e é utilizado como planta ornamental. Em certos casos, porém, prolifera descontroladamente e pode tornar-se uma praga. Na imagem, um canal em Bangladesh totalmente tomado por aguapés (jul. 2008). Os botes, normalmente usados no transporte pela água, em certas épocas têm de ser enfileirados para formar uma ponte sobre os aguapés, por onde as pessoas atravessam.

A **extinção de espécies** pode causar sérios distúrbios ao equilíbrio de um ecossistema. Já faz alguns anos que grande número de espécies está ameaçada de extinção em virtude da expansão da população humana.

A destruição dos hábitats de plantas e de animais, principalmente pela expansão das fronteiras agrícolas, além da caça e da pesca excessivas – "predatórias", como são chamadas –, tem levado inúmeras espécies à extinção. (Fig. 8.13)

ACERVO DO MINISTÉRIO DO MEIO AMBIENTE

Figura 8.13 Propaganda do governo brasileiro contra o comércio ilegal de animais silvestres. Não comprar e não ter em casa animais protegidos por lei, como o mico-leão-dourado do cartaz, são atitudes de cidadania consciente, em prol da preservação de nossas espécies nativas.

8.3 Alternativas para o futuro

Quem começa a se interessar por Ecologia e conservação da natureza corre o risco de ficar desanimado diante da extensa lista de ameaças ambientais, como vimos no item anterior deste capítulo. Por isso, é importante ter em mente perspectivas e ações positivas, que nos permitam construir um futuro melhor para o ambiente em que vivemos.

O desenvolvimento e a aplicação da ideia de sustentabilidade ambiental são importantes para uma visão moderna, comprometida e atuante da Ecologia. Como vimos, a noção de desenvolvimento sustentável, ou sustentabilidade, baseia-se no fato de que nossa sobrevivência e bem-estar dependem, direta ou indiretamente, do ambiente natural. Este, portanto, tem de ser preservado; cada geração tem obrigação de garantir às gerações seguintes um ambiente que atenda a todas as necessidades humanas básicas. A aceitação e a implementação desse princípio por um número cada vez maior de países é o que poderá garantir que interesses econômicos imediatistas não se sobreponham às expectativas sociais de um mundo melhor para as gerações vindouras.

A seguir, apresentamos um breve histórico da evolução das ideias de preservação dos ambientes e dos recursos naturais.

Décadas de 1960 e 1970

Na década de 1960 começaram a surgir atitudes governamentais de diversos países visando proteger e conservar os ambientes e os recursos naturais.

A primeira lei ambiental para o controle da poluição foi promulgada em 1967, no Japão. Em decorrência do grande desenvolvimento econômico japonês no período pós-guerra, nas décadas de 1950 e 1960, a poluição atingiu níveis recordes, obrigando o governo a punir as empresas poluidoras.

Em 1970, foram promulgadas leis específicas de controle da poluição das águas e do lançamento de resíduos no ambiente. Nesse mesmo ano, os EUA criaram sua Agência de Proteção Ambiental (EPA, *Environment Protection Agency*).

Em 1972, ocorreu a Conferência das Nações Unidas para o Ambiente Humano, em Estocolmo (Suécia). Ela contou com a participação de 113 países, com reuniões preparatórias entre diversos especialistas desde o ano anterior. O ponto alto do encontro foi o reconhecimento da natureza global dos problemas ambientais e da necessidade de todos os países buscarem uma solução conjunta para eles.

Em 1973 e em 1979 ocorreram delicados momentos de crise internacional, envolvendo os principais países exportadores de petróleo (Arábia Saudita, Irã, Iraque, Kuwait e Venezuela) e as grandes empresas petrolíferas controladas pelos grandes consumidores, os EUA e a Europa. A crise do petróleo expôs ao mundo uma realidade já conhecida, mas ainda pouco enfatizada na época: as reservas de combustíveis fósseis, como petróleo e carvão mineral, um dia chegarão ao fim. Quando isso ocorrerá? A resposta é: depende de quanto economizarmos. Entre os resultados positivos da crise do petróleo estão a racionalização do consumo de combustíveis e a busca por fontes alternativas de energia.

Década de 1980

Na década de 1980 houve avanços significativos na proteção ambiental. As observações e análises científicas mostraram que a camada de ozônio atmosférica, que filtra a radiação ultravioleta proveniente do Sol, estava sendo destruída pela liberação industrial de certos gases, principalmente os CFCs.

Em resposta a esse novo desafio, em 1985 realizou-se em Viena (Áustria) um fórum de debates em que foi criada a Convenção de Proteção à Camada de Ozônio; em 1987, em Montreal (Canadá), uma comissão publicou a lista das substâncias responsáveis pela diminuição (ou depleção, como dizem os cientistas) da camada de ozônio. Essas substâncias passaram a ser proibidas por diversos governos e, hoje, segundo dados da Nasa, a depleção da camada de ozônio está sob controle.

Outro avanço significativo ocorrido em 1987 foi a publicação de um relatório pela Comissão Mundial sobre Meio Ambiente e Desenvolvimento (Comissão Brundtland), em que se apresentou o conceito de **desenvolvimento sustentável**, depois chamado de **sustentabilidade** (mais informações no item final deste capítulo). A principal conclusão da comissão foi que os antigos conceitos de desenvolvimento e progresso deviam ser repensados, agora sob o ponto de vista da conservação dos ambientes naturais.

A visão da Comissão Brundtland é muito otimista, pois vislumbra um crescimento econômico com base em políticas que garantam a conservação e a expansão dos recursos ambientais.

Década de 1990

Em 1992, após dois anos de preparação, ocorreu no Rio de Janeiro uma nova Conferência das Nações Unidas sobre Meio Ambiente e Desenvolvimento, conhecida como **ECO-92** ou **Rio-92**. Esse encontro ampliou ideias e resoluções da Conferência de Estocolmo, realizada 20 anos antes.

A ECO-92 lançou a chamada "Convenção-Quadro sobre Mudança do Clima", que entrou em vigor em 1994 e até 1997 foi ratificada por 165 países. Seu objetivo era estabilizar as concentrações de gases causadores do aumento do efeito estufa, de modo a impedir alterações no sistema climático planetário. Segundo o compromisso acertado, que ficou conhecido como **Agenda 21**, os países desenvolvidos teriam de reduzir, até o ano 2000, suas emissões de gases de efeito estufa aos níveis de 1990.

Em 1997, foi aprovado um documento chamado **Protocolo de Kyoto**. De acordo com esse protocolo, até o período entre 2008 e 2012, os países industrializados se comprometiam a reduzir em pelo menos 5% as emissões de gases do efeito estufa (em relação aos níveis de 1990). O gás carbônico representa mais de 85% dos gases do efeito estufa liberados na atmosfera. Se a meta fosse atingida, haveria uma reversão da tendência histórica de crescimento das emissões, iniciada há cerca de 150 anos, como resultado da Revolução Industrial. O Protocolo de Kyoto contém orientações para que os governos dos países industrializados possam colaborar de modo a garantir um planeta saudável para as futuras gerações.

Década de 2000

Em 2001 e 2002 foram feitos complementos ao Protocolo de Kyoto e ele foi ratificado por muitos países. Cumpre lembrar que um dos maiores emissores de gases do efeito estufa, os EUA, não assinaram o protocolo.

Também em 2002 ocorreu, em Joanesburgo (África do Sul), a Conferência das Nações Unidas sobre Ambiente e Desenvolvimento Sustentável, encontro que ficou conhecido como **Rio+10**. Seu principal objetivo foi tentar acelerar a aplicação da agenda ecológica mundial (Agenda 21) definida na ECO-92, ocorrida dez anos antes no Rio de Janeiro.

Em 2005, o Protocolo de Kyoto tentou adquirir força de lei internacional. Ao longo de toda a década, a agenda ambiental tornou-se cada vez mais extensa, o que indica a preocupação cada vez maior dos governos com a preservação do ambiente terrestre. Entre os diversos projetos, em 2009, foi inaugurada em Osaka (Japão) a *Eco Ideas House* (Casa das Ecoideias), com o objetivo de demonstrar que é possível adotar um estilo de vida em que a emissão de CO_2 seja próxima de zero. Logo depois, diversos países da Ásia, da África e das Américas adotaram iniciativas semelhantes.

Caminhos e perspectivas para esta década

Para esta década de 2011 a 2020, podemos esperar avanços na compreensão de muitos problemas ambientais e em suas soluções. A poluição do ar, relacionada principalmente à queima de combustíveis fósseis, tenderá a diminuir à medida que a humanidade desenvolver fontes de energia mais "limpas". Entre elas, a energia geotérmica (obtida do calor da Terra), a energia solar e a energia eólica são alternativas bastante promissoras.

O controle das emissões de gases do efeito estufa é um dos importantes desafios desta década e talvez das próximas. Se a temperatura na superfície da Terra se elevar acima dos limites razoáveis, o que parece estar acontecendo, podem-se esperar mudanças climáticas consideráveis e possíveis transtornos às populações humanas, não apenas em cidades litorâneas.

No início da década, o "clima" não é otimista quanto ao aumento do efeito estufa e da temperatura média global. O Protocolo de Kyoto, ainda não assinado pelos EUA e cada vez menos respeitado pelos signatários, perde força e importância.

Um relatório das Nações Unidas prevê que, na melhor das hipóteses, em 2020 o planeta terá 6 bilhões de toneladas de CO_2 além do limite para evitar aquecimento atmosférico menor que 2 °C.

O problema do aquecimento atmosférico preocupa; embora ainda haja otimismo, terá de haver muito empenho para que a Terra não chegue em 2100 com 5 °C a mais na temperatura média global, o que certamente traria grandes transtornos à humanidade.

Outro desafio a ser enfrentado é a conservação dos ecossistemas naturais e dos mananciais de água potável. A conservação da água depende, entre outros fatores, de não poluir e não desmatar áreas relacionadas aos mananciais, além de tratar e reaproveitar a água utilizada por pessoas e indústrias. A própria mentora do conceito de desenvolvimento sustentável, a norueguesa Gro H. Brundtland, já não parece tão otimista quanto estava no fim da década de 1980. Em entrevista[1] ao jornal *Folha de S.Paulo*, em 2012, Brundtland comenta que o desenvolvimento sustentável ainda não foi implantado em nenhum lugar do mundo e critica o abuso da noção de sustentabilidade. Entretanto, afirma que isso não é motivo para deixar de lado os ideais da sustentabilidade ambiental.

TAMARA SARÉ/FUTURA PRESS

Figura 8.14 O Brasil sediou, em 2012, a Conferência das Nações Unidas sobre o Desenvolvimento Sustentável, que reuniu 193 países e ficou conhecida como Rio+20, por ocorrer vinte anos após a ECO-92. Muitos consideram que a conferência foi importante por expandir e consolidar o conceito de desenvolvimento sustentável e mostrar que os recursos do planeta têm limites dos quais, em muitos casos, estamos perigosamente nos aproximando.

Biblioteca do estudante
Sugestões de livros, *sites* e vídeos

1 Leia a entrevista em: <http://folha.com/no1065497>. Acesso em: jan. 2013.

Atividades

Visão do especialista | Biblioteca do estudante Faça você mesmo! | Listas de exercícios

Revendo conceitos fundamentais

1. A noção de desenvolvimento sustentável, ou sustentabilidade, refere-se

a) à capacidade inesgotável dos recursos que sustentam a humanidade.

b) à utilização dos recursos do ambiente tendo em mente sua preservação para gerações futuras.

c) à reivindicação dos países em desenvolvimento de serem sustentados pelos países ricos.

d) à ideia de que países ricos vêm sendo sustentados pelos recursos obtidos dos países pobres.

2. Lançar no ambiente substâncias ou agentes físicos perigosos à saúde humana e de outros organismos é o que se denomina

a) efeito estufa. c) inversão térmica.

b) eutrofização. d) poluição.

Escreva, em seu caderno, o termo abaixo que substitui corretamente a tarja entre parênteses das frases de 3 a 6.

a) aumento do efeito estufa

b) chuva ácida

c) destruição da camada de ozônio

d) eutrofização

e) inversão térmica

3. (▬) é o aquecimento da superfície terrestre devido à retenção de calor por certos gases atmosféricos, como o gás carbônico e o metano, por exemplo.

4. O fenômeno denominado (▬) ocorre quando uma camada de ar quente aprisiona uma camada de ar frio junto ao solo, impedindo a convecção e a dispersão dos poluentes.

5. Certos tipos de poluente provenientes da queima de *diesel* e carvão mineral liberam dióxido de enxofre (SO_2), com formação de compostos corrosivos na atmosfera, fenômeno responsável pelo(a) (▬).

6. O acúmulo de matéria orgânica em rios e lagos, causado principalmente pelo lançamento de esgotos, é denominado (▬).

7. Um dos principais poluentes atmosféricos nas metrópoles, que afeta a hemoglobina do sangue e cuja principal fonte emissora são os automóveis, é o:

a) dióxido de carbono (CO_2).

b) dióxido de enxofre (SO_2).

c) metano (CH_4).

d) monóxido de carbono (CO).

Ligando conceitos, fatos e processos

8. Na Europa, principalmente em áreas intensamente industrializadas, tem-se observado destruição de florestas e corrosão de construções e monumentos devido à formação de ácido sulfúrico na atmosfera, derivado do (1) industrial. Esse fenômeno é denominado (2).

Os termos que correspondem aos números 1 e 2 de modo a completar corretamente a frase são:

a) 1 = ácido nítrico; 2 = inversão térmica.

b) 1 = gás ozônio; 2 = efeito estufa.

c) 1 = dióxido de enxofre; 2 = chuva ácida.

d) 1 = monóxido de carbono; 2 = saturação da hemoglobina.

Escreva, em seu caderno, o termo abaixo que substitui corretamente a tarja entre parênteses das frases de 9 a 11.

a) aumento do efeito estufa

b) chuva ácida

c) destruição da camada de ozônio

d) eutrofização

e) inversão térmica

f) maré vermelha

9. A grande proliferação de bactérias aeróbias na água de rios e lagos poluídos por matéria orgânica leva ao consumo total do gás oxigênio (O_2) disponível, causando a morte de peixes e outros organismos aquáticos por asfixia. Esse fenômeno é denominado (▬).

10. Teme-se que o fenômeno denominado (▬) possa causar mudanças climáticas globais e a elevação do nível dos mares.

11. O acúmulo de gases como o dióxido de carbono (CO_2) e o metano (CH_4) na atmosfera, capazes de absorver energia e irradiar calor, contribui para a ocorrência de (▬).

Utilize as alternativas a seguir para responder às questões 12 e 13.

a) Construção de usinas hidrelétricas.

b) Construção de usinas nucleares.

c) Liberação de clorofluorcarbonetos (CFCs).

d) Queima de combustíveis fósseis, como petróleo e carvão.

12. Qual das atividades humanas mais tem contribuído para o agravamento do efeito estufa?

13. Qual dessas atividades mais tem contribuído para a destruição da camada de ozônio na estratosfera?

14. Das alternativas a seguir, apenas uma não é consequência direta do desmatamento. Qual é ela?

a) Chuva ácida.

b) Diminuição da biodiversidade.

c) Empobrecimento do solo em minerais.

d) Erosão.

15. Tem-se observado aumento no número de casos de câncer de pele por causa do maior índice de radiação ultravioleta que atinge a superfície terrestre. Que fenômeno tem relação mais direta com esse aumento?

a) Chuva ácida.

b) Destruição da camada de ozônio.

c) Efeito estufa.

d) Inversão térmica.

16. Um lago com uma cadeia alimentar constituída de plâncton, plantas aquáticas, caramujos, pequenos peixes e aves aquáticas carnívoras teve suas águas contaminadas pelo inseticida DDT, que tem a característica de se acumular no corpo dos seres vivos. Em qual dos constituintes da cadeia alimentar espera-se encontrar a maior concentração desse inseticida?

a) Aves aquáticas.
b) Caramujos.
c) Peixes.
d) Plâncton.

Questões para exercitar o pensamento

17. Redija um texto que correlacione: sociedade industrial; superpopulação; e efeito estufa. Tente desenvolver uma argumentação lógica, que mostre relações de causa e efeito. Por exemplo, sociedade industrializada implica aumento no uso de combustíveis? Se sim, de que tipo? O que isso tem a ver com o efeito estufa? Por quê? E assim por diante. Procure neste livro (ou em outras fontes) dados para justificar sua análise.

18. A emissão de poluentes por automóveis e indústrias é mais ou menos constante ao longo do ano; entretanto, nos grandes centros industriais brasileiros, têm-se verificado níveis alarmantes de poluentes atmosféricos junto ao solo, principalmente nos meses mais frios. Explique detalhadamente a razão disso.

19. Suponha que um lago receba grande volume de esgotos domésticos, constituídos basicamente por resíduos orgânicos. Que efeito positivo teria um grande motor de pás que movimentasse a água, causando sua oxigenação?

A Biologia no vestibular e no Enem

Questões objetivas

1. (Unesp) Muitas espécies no mundo estão ameaçadas de extinção. Esse fato também se deve

I. à destruição dos hábitats naturais pelos homens.
II. à poluição das águas doces e marinhas.
III. à elevação da temperatura das águas oceânicas.
IV. ao aumento da acidez das águas oceânicas pela elevação dos níveis de CO_2.
V. à localização de ilhas de calor sobre áreas agricultáveis.

Estão corretas apenas as afirmações:

a) I, II, III e IV.
b) I, II, IV e V.
c) III e IV.
d) II, III e V.
e) I, IV e V.

2. (Enem-MEC)

"A atmosfera terrestre é composta pelos gases nitrogênio (N_2) e oxigênio (O_2), que somam cerca de 99%, e por gases traços, entre eles o gás carbônico (CO_2), vapor de água (H_2O), metano (CH_4), ozônio (O_3) e o óxido nitroso (N_2O), que compõem o restante 1% do ar que respiramos. Os gases traços, por serem constituídos por pelo menos três átomos, conseguem absorver o calor irradiado pela Terra, aquecendo o planeta. Esse fenômeno, que acontece há bilhões de anos, é chamado de efeito estufa. A partir da Revolução Industrial (século XIX), a concentração de gases traços na atmosfera, em particular o CO_2, tem aumentado significativamente, o que resultou no aumento da temperatura em escala global. Mais recentemente, outro fator tornou-se diretamente envolvido no aumento da concentração de CO_2 na atmosfera: o desmatamento."

BROWN, I. F.; ALECHANDRE, A. S. Conceitos básicos sobre clima, carbono, florestas e comunidades. In: MOREIRA, A. G.; SCHWARTZMAN, S. *As mudanças climáticas globais e os ecossistemas brasileiros.* Brasília: Instituto de Pesquisa Ambiental da Amazônia, 2000 (adaptado).

Considerando o texto, uma alternativa viável para combater o efeito estufa é

a) reduzir o calor irradiado pela Terra mediante a substituição da produção primária pela industrialização refrigerada.
b) promover a queima da biomassa vegetal, responsável pelo aumento do efeito estufa devido à produção de CH_4.
c) reduzir o desmatamento, mantendo-se, assim, o potencial da vegetação em absorver o CO_2 da atmosfera.
d) aumentar a concentração atmosférica de H_2O, molécula capaz de absorver grande quantidade de calor.
e) remover moléculas orgânicas polares da atmosfera, diminuindo a capacidade delas de reter calor.

3. (Ufal) O dióxido de enxofre (SO_2), produto tóxico liberado na atmosfera a partir da queima industrial de combustíveis, está relacionado diretamente com

a) a destruição da camada de ozônio.
b) a formação da chuva ácida.
c) a inversão térmica.
d) o efeito estufa.
e) a eutrofização.

4. (UEPB) Considerando a poluição de um ecossistema aquático por produtos clorados, a exemplo do DDT, o componente biótico da cadeia que deverá apresentar maior concentração do produto será

a) o fitoplâncton.
b) o zooplâncton.
c) os peixes planctófagos.
d) os peixes carnívoros.
e) as aves piscívoras.

5. (Fuvest-SP) Considere as seguintes atividades humanas:

I. Uso de equipamento ligado à rede de energia gerada em usinas hidrelétricas.

II. Preparação de alimentos em fogões a gás combustível.

III. Uso de equipamento rural movido por tração animal.

IV. Transporte urbano movido a álcool combustível.

As transformações de energia solar, por ação direta ou indireta de organismos fotossintetizantes, ocorrem exclusivamente em

a) I.
b) II.
c) II, III e IV.
d) III e IV.
e) IV.

6. (UFPE) No inverno, uma espécie de "manto" de partículas poluentes pode ser formada sobre as cidades, o que dificulta a entrada da luz solar e retarda o aquecimento do solo e do ar. Sendo diminuída a movimentação ascendente do ar, a camada de poluentes permanece por mais tempo sobre essas cidades, fato conhecido por inversão térmica, ilustrado na figura a seguir. Nessa figura, 1, 2 e 3 representam, respectivamente:

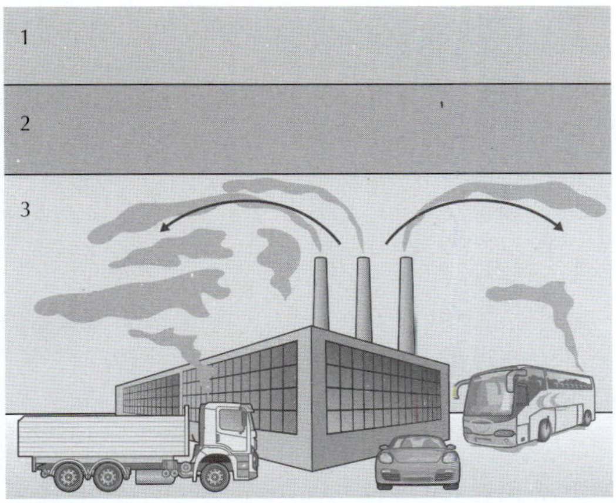

a) ar frio, ar quente (camada de inversão térmica) e ar frio.
b) ar quente, ar frio (camada de inversão térmica) e ar quente.
c) ar muito frio, ar frio e ar muito quente (camada de inversão térmica).
d) ar muito quente, ar quente (camada de inversão térmica) e ar frio.
e) ar muito quente, ar frio e ar quente (camada de inversão térmica).

7. (UFSM-RS)

"Não basta ser alto ou bonito: os melhores prédios do mundo precisam agora ser ecológicos. É a tecnologia a serviço da vida — arranha-céus inteligentes projetados para aproveitar vento, água da chuva e luz solar diminuem a poluição e os custos. A sede da Kyocera, em Tóquio, tem painéis solares que geram energia e poupam a atmosfera de 97 toneladas de CO_2/ano!"

Revista *Superinteressante*, maio 2006, p. 26 (adaptado).

O CO_2 é o principal causador do fenômeno conhecido como

a) eutroficação.
b) chuva ácida.
c) inversão térmica.
d) buraco na camada de ozônio.
e) efeito estufa.

Questões discursivas

8. (UFRJ) Estudos recentes sugerem que o reflorestamento e o plantio de árvores em áreas sem vegetação podem contribuir para minimizar o aquecimento global. A redução do aquecimento global ocorreria em função da diminuição do efeito estufa.

Explique por que o aumento das áreas florestadas pode contribuir para reduzir efetivamente o efeito estufa.

9. (Unicamp-SP) Desde o início do crescimento habitacional desordenado às margens de uma represa, suas águas vêm sendo analisadas periodicamente em relação aos teores de nitrato, fosfato, clorofila e oxigênio dissolvido, em virtude do crescente despejo de esgotos sem tratamento. Após a ocorrência da morte de um grande número de peixes, a comunidade ribeirinha pediu às autoridades que fossem instaladas tanto a rede de esgotos quanto uma estação de tratamento dos resíduos. Os resultados obtidos em relação aos fatores citados, antes e após a instalação da rede e estação de tratamento de esgotos, estão representados na figura abaixo. A instalação da estação de tratamento ocorreu em A.

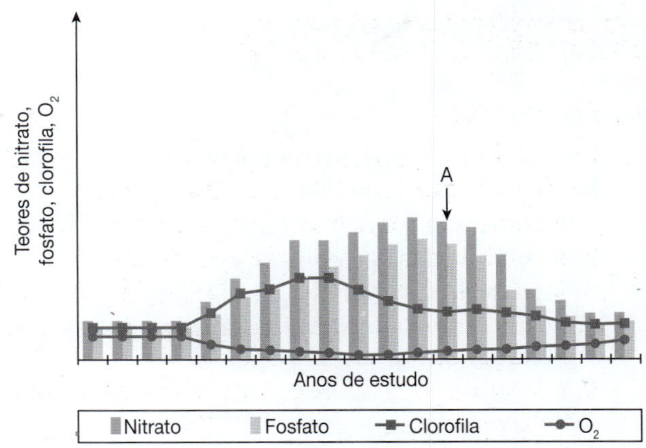

a) Que relação existe entre as análises realizadas e a poluição das águas por esgotos domésticos? De que forma os fatores analisados (mostrados na figura) estão relacionados com a mortalidade de peixes?

b) As autoridades garantiram à população ribeirinha que a instalação da estação de tratamento de esgotos permitiria que as águas da represa voltassem a ser consideradas de boa qualidade. Com base nos resultados mostrados na figura, justifique a afirmação das autoridades.

Módulo 3 A arquitetura das células

Capítulo 9

A descoberta das células

Itens principais:

A invenção do microscópio
As partes fundamentais da célula
A teoria celular
O desenvolvimento da Citologia
Células procarióticas e eucarióticas

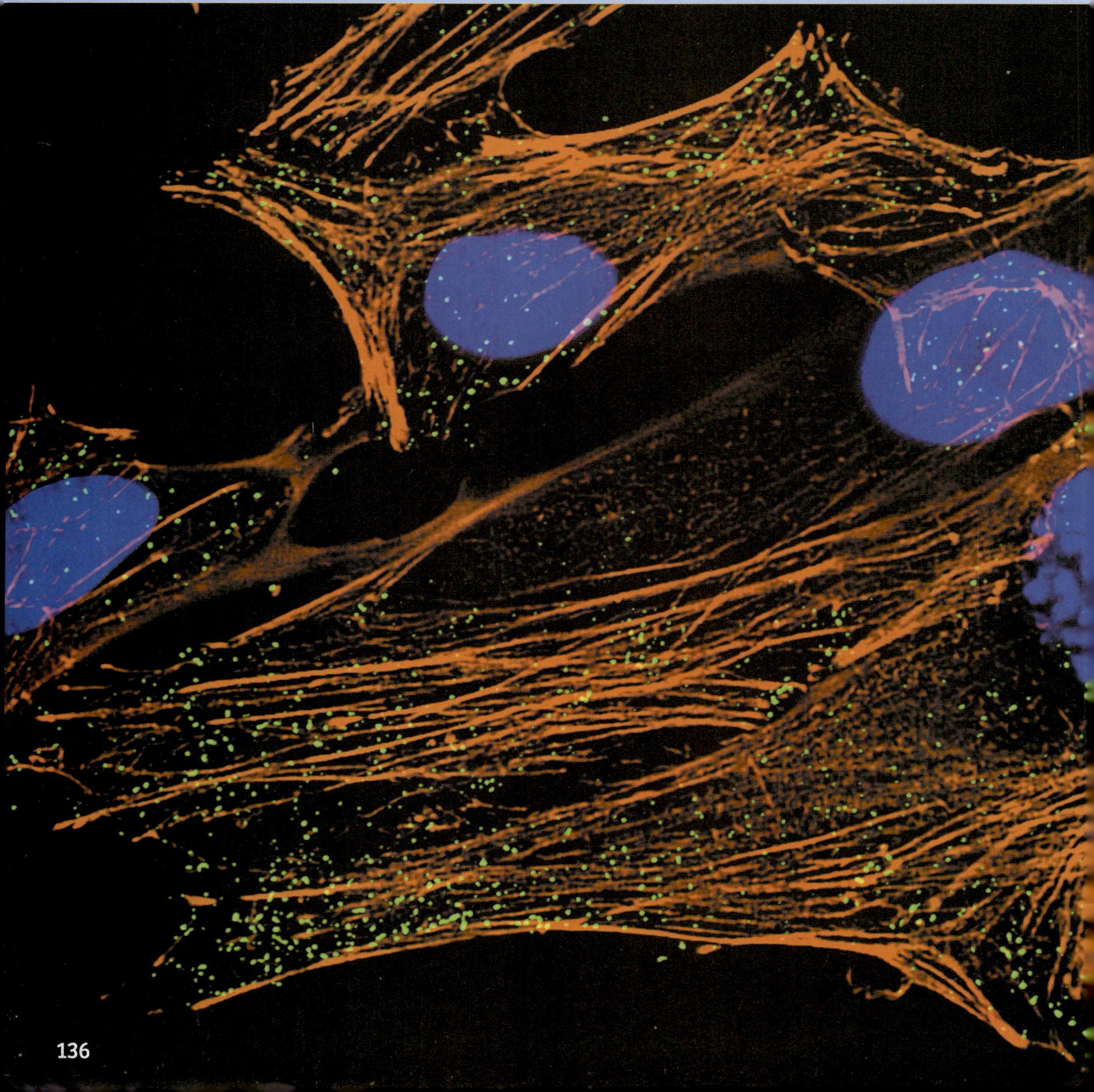

EYE OF SCIENCE/SCIENCE PHOTO LIBRARY/LATINSTOCK

Capítulo 10

A arquitetura da célula eucariótica

Itens principais:

Construindo o modelo atual de célula
Membranas biológicas (biomembranas)
Retículo endoplasmático
Complexo golgiense
Lisossomos e digestão intracelular
Sustentação celular: paredes e citoesqueleto

TOMASZ SZUL/VISUALS UNLIMITED, INC./GLOW IMAGES

Novas técnicas de preparação e de observação microscópica revelam que as células são sustentadas por um citoesqueleto constituído de fibras de proteínas. Nesta micrografia de células humanas, as fibras aparecem em vermelho. Em azul, os núcleos celulares. (Microscópio fotônico iluminado com ultravioleta; aumento ≈ 8.000×; cores artificiais)

Conheça os capítulos deste módulo

Seres humanos, minhocas, cogumelos, alfaces e bactérias: todos são constituídos pelo mesmo "tijolo" biológico básico, a célula. Esse incrível grau de semelhança, em um nível de organização tão fundamental, é considerado uma forte evidência de que todos os seres vivos partilham um ancestral comum. Há quase dois séculos, o médico alemão Rudolf Virchow, um dos grandes divulgadores da teoria celular, afirmou que, para se compreender plenamente o fenômeno vida, seria preciso conhecer as células; e isso continua valendo atualmente.

Capítulo 9 Apresentamos aqui os microscopistas pioneiros e como ocorreu a descoberta da célula. À medida que a qualidade dos microscópios melhorava e as técnicas citológicas avançavam, ficava cada vez mais evidente que muitos dos segredos da vida só poderiam ser desvendados no plano microscópico. Essa é a essência da teoria celular, tratada neste capítulo: a célula é a unidade da vida.

Capítulo 10 Iniciamos, neste capítulo, uma viagem ao interior da célula eucariótica, lembrando que nosso corpo é constituído por trilhões delas. O pensamento, a imaginação e as técnicas microscópicas e bioquímicas nos conduzirão nessa viagem investigativa. Como vamos lidar com elementos microscópicos e nanoscópicos, será preciso ficarmos sempre atentos às escalas de tamanho.

Capítulo 9 A descoberta das células

JOHN READER/SCIENCE PHOTO LIBRARY/LATINSTOCK

Antonie van Leeuwenhoek (no canto inferior esquerdo) foi o primeiro a usar a microscopia para observar material biológico. Hooke (autor da ilustração ao centro) batizou a célula, e Schwann (no canto superior direito) universalizou o termo. Desde então, o mundo microscópico da célula viva vem sendo modelado cada vez com mais detalhes pelas descobertas dos cientistas.

De que são feitos os seres vivos?

Pense rápido numa resposta para a pergunta do título!

Diversas respostas podem ter lhe ocorrido. Por exemplo, eles são feitos de átomos. Embora um tanto genérica, essa é uma resposta correta; toda matéria, inclusive a matéria viva, é constituída de átomos, uma unidade que se repete (com variações) em todos os materiais da natureza.

Outra resposta correta seria: os seres vivos são feitos de moléculas. Essa resposta é menos genérica, mas, ainda assim, correta: muitos componentes do universo são constituídos por moléculas, resultantes da união química entre átomos. A água, por exemplo, compõe-se de moléculas de H_2O. O gás carbônico, de moléculas de CO_2. A matéria que constitui os seres vivos também se compõe de milhares de tipos de moléculas diferentes, entre elas a própria água. Mas, de fato, há moléculas encontradas somente nos seres vivos, como as proteínas e os ácidos nucleicos, já referidas neste livro. Se você tivesse respondido que os seres vivos são feitos "de moléculas orgânicas", sua resposta, além de correta, levaria a uma boa discussão, como veremos adiante.

A resposta considerada mais adequada pela maioria dos biólogos seria: os seres vivos são constituídos por células. Se essa foi a sua resposta, parabéns! Entretanto, há um ponto polêmico a considerar: os vírus não são constituídos por células, embora sejam feitos de dois tipos de moléculas orgânicas características de todos os seres vivos – proteína e ácido nucleico. Além disso, os vírus somente se reproduzem no interior de células vivas. E agora? Vírus são seres vivos? Ou não? Relembre essas questões no capítulo 2.

Só mais uma pergunta: em sua opinião, a célula foi "descoberta" em 1665, quando Hooke visualizou pela primeira vez as cavidades da cortiça, ou quando Schleiden e Schwann propuseram a teoria celular, em 1838-1839? Pense nisso quando estudar o capítulo.

A importância do assunto

A invenção do microscópio foi uma condição necessária à descoberta do mundo das células vivas, mas não suficiente. Na verdade, o mundo microscópico intracelular foi "construído" mentalmente, passo a passo, pelas descobertas e contribuições de muitos cientistas. Por exemplo, em 1665, Robert Hooke observou ao microscópio que a cortiça era porosa e denominou "célula" cada orifício microscópico do material. Logo essa denominação passou a ser empregada para designar o conteúdo fluido das cavidades constituintes das partes vivas das plantas. As cavidades da cortiça são, na verdade, células que morreram e perderam o conteúdo, restando apenas a parede celular.

Entretanto, passou-se cerca de um século e meio até que o conceito de célula fizesse sentido para a Biologia: só no início do século XIX é que foi reconhecido que as células são os constituintes fundamentais dos seres vivos. Assim nascia a teoria celular.

Este capítulo é a porta de entrada para o mundo microscópico. Você verá que, para descobrir a realidade invisível a olho nu, os cientistas têm recorrido a diversas ferramentas. A mais importante de todas, certamente, é a imaginação.

9.1 A invenção do microscópio

A invenção do **microscópio**, instrumento capaz de ampliar a imagem de objetos pequenos, possibilitou a descoberta das células, unidades microscópicas que constituem os seres vivos. Acredita-se que o primeiro microscópio tenha sido construído por volta de 1591 por Zacharias Janssen e seu pai Hans, dois holandeses fabricantes de óculos. Entretanto, os primeiros registros de observações microscópicas de materiais biológicos foram realizados pelo comerciante holandês Antonie van Leeuwenhoek (1632-1723).

Leeuwenhoek fabricou dezenas de microscópios dotados de uma só lente, pequena e quase esférica. Com eles, observou diversos materiais biológicos, como embriões de plantas, glóbulos vermelhos do sangue e espermatozoides de animais. Leeuwenhoek também é considerado o descobridor dos "micróbios", denominação antiga dos seres microscópicos, hoje conhecidos como microrganismos. (Fig. 9.1)

Influenciado pelas descobertas de Leeuwenhoek, o físico inglês Robert Hooke (1635-1703) idealizou e construiu um microscópio de duas lentes, ajustadas às extremidades de um tubo de metal. O observador olhava por uma lente, a **ocular**, enquanto aproximava do objeto a outra lente – a **objetiva** –, até obter foco. Por apresentar duas lentes,o microscópio idealizado por Hooke é denominado **microscópio composto**, enquanto microscópios como os feitos por Leeuwenhoek, com uma só lente, são chamados **microscópios simples**.

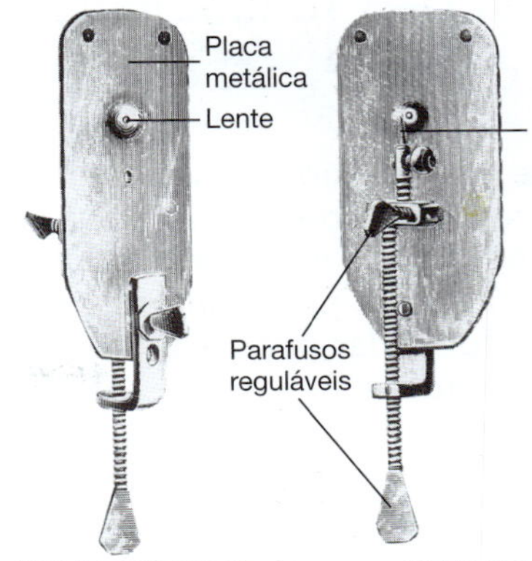

Figura 9.1 Os microscópios construídos por Leeuwenhoek consistiam em uma pequena lente de vidro inserida em uma placa de metal conectada a parafusos reguláveis com suporte para o material observado. O observador mantinha a lente próxima ao olho, de modo a examinar através dela objetos mantidos na ponta do suporte.

Um dos materiais observados por Hooke foi a cortiça, extraída da casca de certas árvores e utilizada na fabricação de rolhas. Ele verificou que esse material tinha baixa densidade por apresentar inúmeros poros microscópicos. Hooke denominou *cell* (do inglês, cela ou cavidade) cada buraquinho microscópico da cortiça. Daí surgiu o termo **célula**, diminutivo de cela, hoje consagrado para designar a unidade constituinte dos seres vivos. (Fig. 9.2)

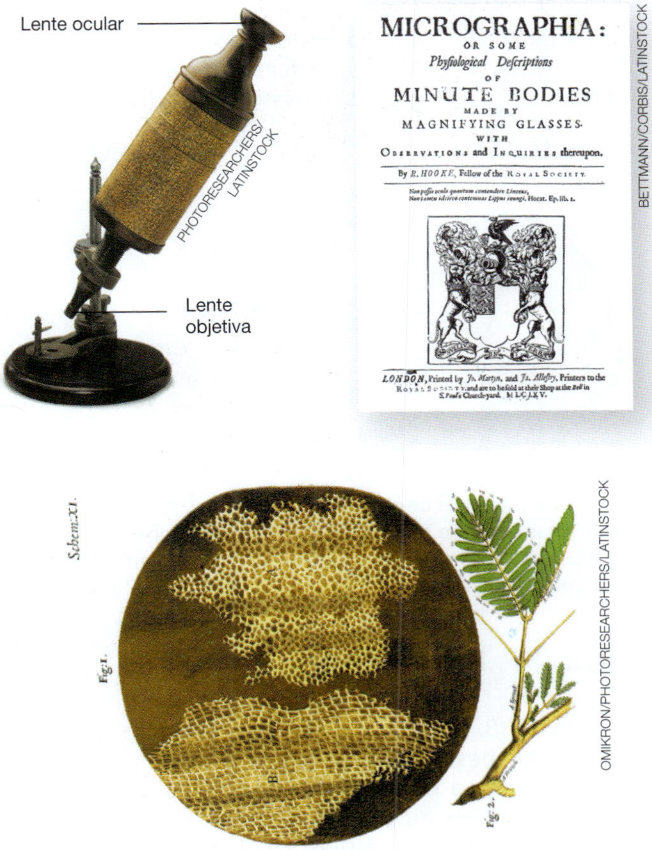

Figura 9.2 Réplica do microscópio composto de Robert Hooke e imagem da capa do livro *Micrographia*, no qual ele descreve suas observações microscópicas. Esse livro traz o desenho das fatias de cortiça (em detalhe, no círculo), cujas cavidades foram denominadas células.

9.2 As partes fundamentais da célula

O interesse pelo mundo invisível recém-descoberto levou muitos pesquisadores a investigar a constituição microscópica de grande variedade de plantas e animais. Descobriu-se que partes internas e suculentas de plantas são formadas por estruturas semelhantes às descritas por Hooke na cortiça, mas preenchidas por um fluido gelatinoso semitransparente, a célula propriamente dita. Logo se descobriu que os animais são constituídos por bolsas gelatinosas – células – semelhantes às das plantas, mas sem o envoltório espesso característico das células vegetais.

A observação de células em diversas condições levou os cientistas a concluir que células animais e vegetais eram delimitadas por uma finíssima película, a **membrana plasmática**, invisível mesmo nos melhores microscópios ópticos. No caso das células vegetais, há ainda um envoltório externo mais espesso e bem visível, a **parede celular**.

Em 1833, o botânico escocês Robert Brown (1773-1858) verificou que a maioria das células, tanto animais como vegetais, tem em seu interior um corpo esférico ou ovoide, que ele denominou **núcleo**. O restante do fluido celular passou a ser chamado de **citoplasma**.

No século XIX, além dessas três partes fundamentais das células, descobriu-se que o citoplasma contém estruturas presumivelmente equivalentes a pequenos "órgãos" celulares, por isso denominadas **organelas** (ou orgânulos) celulares. No interior do núcleo das células foram observadas estruturas filamentosas, os **cromossomos**, e estruturas globosas, os **nucléolos**. (Fig. 9.3)

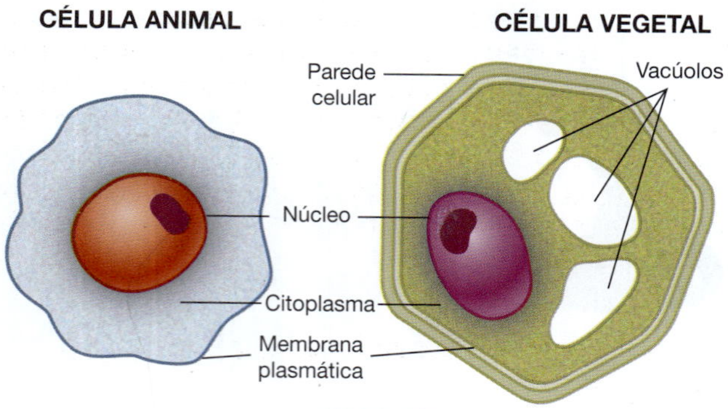

Figura 9.3 Esquemas de células animal e vegetal, na concepção dos citologistas do século XIX. Os vacúolos — bolsas contendo solução aquosa — são organelas típicas de células vegetais. (Elementos fora de proporção de tamanho entre si; cores-fantasia.)

9.3 A teoria celular

Em 1838, reunindo estudos próprios e de diversos outros pesquisadores sobre a estrutura celular dos vegetais, o botânico alemão Mathias Schleiden (1804-1881) lançou a ideia de que todas as plantas são constituídas por células. Em 1839, o zoólogo alemão Theodor Schwann (1810-1882) chegou à mesma conclusão para os animais. Começava a se estruturar, assim, a **teoria celular**, segundo a qual as células são as unidades constituintes de todos os seres vivos.

As três premissas fundamentais da teoria celular, que se consolidou ao longo do século XIX, são:

1. Todos os seres vivos são formados por células e por estruturas que elas produzem; as células são,portanto, as **unidades morfológicas** dos seres vivos.
2. As atividades essenciais que caracterizam a vida ocorrem sempre no interior de células; elas são, assim, as **unidades funcionais**, ou fisiológicas, dos seres vivos.
3. Novas células formam-se apenas por reprodução de células preexistentes, em um processo denominado **divisão celular**.

A formulação da teoria celular foi revolucionária para a Biologia. Pense um pouco: não é notável que seres tão distintos como uma ameba e uma pessoa sejam constituídos pelo mesmo "tijolo" básico, a célula? A ameba é **unicelular**, isto é, formada por uma única célula, e os seres humanos são **multicelulares** (ou pluricelulares), constituídos por muitas células; uma pessoa adulta tem nada menos que 10 trilhões (10^{13}) de células!

A teoria celular é uma das mais importantes generalizações da Biologia. Ela propõe que os seres vivos, apesar das diferenças, têm em comum o fato de serem constituídos por células. Isso permite pensar que há um parentesco evolutivo entre todos os seres vivos. E é no nível microscópico e molecular que esse parentesco se revela com toda a clareza. O médico alemão Rudolph Virchow (1821-1902) já apontava para a necessidade de se conhecer as células para compreender o fenômeno vida.

A descoberta da célula e o desenvolvimento da teoria celular abriram um novo campo de estudo na área de Biologia: a **Citologia** (do grego *kytos*, célula, e *logos*, estudo), que se dedica à compreensão da estrutura e do funcionamento das células vivas.

9.4 O desenvolvimento da Citologia

A microscopia fotônica (óptica)

O avanço da microscopia resultou tanto do interesse de médicos e biólogos em estudar as células quanto do desenvolvimento paralelo da indústria óptica. Entre os séculos XIX e XX, o microscópio óptico, mais recentemente chamado **microscópio fotônico** (do grego *photos*, luz), chegava próximo a seus limites de ampliação e de qualidade óptica.

Os microscópios fotônicos modernos possuem três conjuntos principais de lentes fabricadas em vidro ou cristal. Um desses conjuntos é o **condensador**, cujas lentes têm a função de concentrar os raios luminosos que vão atravessar o objeto observado. Outro conjunto compõe as **lentes objetivas**, responsáveis pela formação da imagem. O terceiro conjunto óptico é o das **lentes oculares**, pelas quais o observador olha o objeto.

A luz é concentrada pelas lentes condensadoras e transmitida através do objeto; passa, então, pelas lentes da objetiva e da ocular e chega ao olho do observador, que vê a imagem ampliada do objeto. Com base na multiplicação entre o aumento fornecido pela objetiva e o aumento da ocular, calcula-se o valor final da ampliação. Se empregarmos, por exemplo, uma objetiva de 50 vezes e uma ocular de 10 vezes, o valor final da ampliação será de 500 vezes.

Os microscópios fotônicos modernos trabalham com aumentos médios entre 100 e 1.500 vezes. Dessa forma, um objeto de 0,01 mm de diâmetro, invisível a olho nu, ao ter sua imagem ampliada 1.000 vezes, pode ser visualizado como se tivesse 1 cm. (Fig. 9.4)

WAVEBREAKMEDIA/SHUTTERSTOCK

A

B

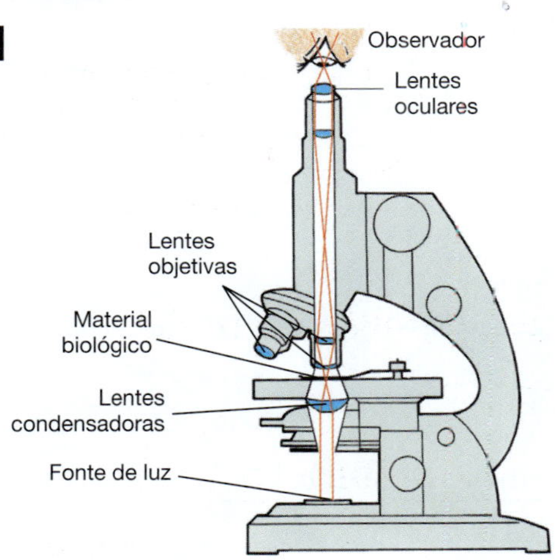

Figura 9.4 A. Cientista observando material ao microscópio fotônico moderno. **B.** Representação esquemática das partes fundamentais de um microscópio fotônico, mostrando o caminho percorrido pela luz (em laranja) no interior do aparelho. (Elementos fora de proporção de tamanho entre si; cores-fantasia.)

A qualidade dos microscópios

Quando observamos, com uma lente de aumento, fotos coloridas impressas em livros e revistas, percebemos que as imagens são compostas de pequenos pontos de três cores primárias (amarela, azul e vermelha), além de pontinhos pretos. Como esses pontos são muito pequenos e próximos, a olho nu "misturamos" suas cores e temos a sensação visual das diversas cores secundárias das fotos.

Por exemplo, a área verde-escura de uma foto é formada predominantemente por pontinhos azuis, amarelos e pretos quando observada com uma lente de aumento. A lente "resolve" os pontos da imagem, o que nos permite vê-los como pontos separados. O termo "resolver" vem do latim e significa "separar".

A olho nu conseguimos resolver, isto é, distinguir pontos que estejam até o máximo de um décimo de milímetro (0,1 mm) de distância um do outro. Pontos mais próximos que essa distância limite são vistos sem distinção. Portanto, o **limite de resolução** do olho humano "desarmado" é da ordem de 0,1 mm. Essa é a menor distância entre dois pontos em que eles ainda são percebidos como pontos separados a olho nu.

As lentes, no processo de formação da imagem, aumentam a capacidade do olho em distinguir pontos muito próximos. A qualidade de um microscópio fotônico depende, em grande parte, da qualidade óptica das lentes, responsável por imagens nítidas e bem detalhadas, com alto **poder de resolução** e, consequentemente, limite de resolução baixo.

Microscópios fotônicos de boa qualidade têm limite de resolução em torno de 0,00025 mm, ou seja, permitem distinguir pontos separados por até essa distância. Assim, o limite de resolução desses microscópios é cerca de 400 vezes menor que o do olho nu (0,1 mm ÷ 0,00025 mm = 400). Isso significa que o microscópio fotônico pode aumentar o poder de resolução do olho humano cerca de 400 vezes.

Quando trabalhamos com dimensões do mundo microscópico, utilizamos unidades de medida menores que as normalmente presentes em nosso cotidiano. Uma delas é o **micrômetro (μm)**, correspondente à milésima parte do metro. Com essa unidade, as grandezas mencionadas no parágrafo anterior seriam: 100 μm ÷ 0,25 μm = 400. Para dimensões ainda menores, costuma-se usar o **nanômetro (nm)**, que corresponde a um milésimo do micrômetro (10^{-3} μm, ou 10^{-6} mm, ou 10^{-9} m). Os físicos e os químicos também utilizam o **angstrom (Å)**, 10 vezes menor que o nanômetro e que corresponde a 10^{-10} m.

Preparação de materiais para observação microscópica

Paralelamente ao desenvolvimento dos microscópios, os citologistas criaram novas metodologias para o preparo do material biológico, de modo a obter a máxima qualidade possível nas observações microscópicas.

Em primeiro lugar, é preciso cortar o material biológico em fatias finíssimas, pois a formação de imagens nos microscópios fotônicos demanda que a luz atravesse o objeto observado.

Alguns tecidos vegetais permitem a obtenção de cortes manuais de espessura razoável, feitos com navalhas ou lâminas de barbear. Entretanto, a maioria dos materiais vegetais e animais tem de ser previamente tratada e endurecida, antes de ser cortada em aparelhos especiais – os micrótomos –, que permitem a obtenção de fatias finas o suficiente para a observação.

Os tratamentos prévios dos materiais biológicos consistem, inicialmente, em imergi-los em soluções de certas substâncias, denominadas **fixadores** (álcool, formaldeído, ácido pícrico etc.), que matam rapidamente as células, mas conservam sua estrutura com poucas alterações.

O tecido fixado é então colocado em um recipiente que contém parafina derretida pelo calor. Depois que esfria e endurece, a parafina forma um bloco sólido, que é tirado do recipiente. No interior desse bloco de parafina está o material biológico; por isso, o método é chamado **inclusão em parafina**. Em seguida, o bloco é cortado em fatias bem finas pela lâmina de aço do micrótomo.

As finas fatias de tecidos fixados, chamadas **cortes histológicos**, precisam ainda passar por outros tratamentos antes da observação. Em geral, as estruturas celulares apresentam pouco contraste óptico. Para aumentá-lo, os citologistas utilizam **corantes**, substâncias capazes de colorir diferencialmente as estruturas celulares. Por exemplo, uma solução diluída de carmim, corante extraído de um inseto conhecido como cochonilha-do-carmim (*Coccus cacti*), colore intensamente o núcleo das células, mas não o citoplasma. A hematoxilina, corante extraído do tronco de uma árvore, o campeche (*Haematoxylon campechianum*), também colore o núcleo celular.

Na segunda metade do século XIX, anilinas empregadas na indústria têxtil mostraram-se úteis para colorir partes específicas das células. Uma delas, a eosina, revelou grande afinidade por proteínas citoplasmáticas. (Fig. 9.5)

CAROLINA BIOLOGICAL SUPPLY, CO/ VISUALS UNLIMITED/GLOW IMAGES

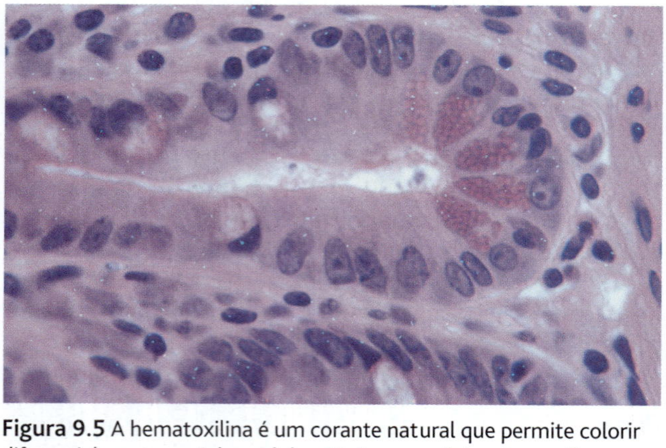

Figura 9.5 A hematoxilina é um corante natural que permite colorir diferencialmente o núcleo celular. Na imagem, fotomicrografia de células do intestino delgado humano. (Microscópio fotônico; aumento ≈ 450×; cores artificiais.)

O emprego de corantes possibilitou a descoberta de diversas estruturas celulares. Entretanto, as limitações do microscópio fotônico impediam que os citologistas visualizassem detalhadamente o intrincado meio intracelular. Isso só veio a ocorrer com a invenção dos microscópios eletrônicos, como veremos na sequência.

9.1 Biblioteca do estudante — Amplie seus conhecimentos

A microscopia eletrônica

O primeiro **microscópio eletrônico** foi construído no início da década de 1930, mas seu emprego no estudo das células começou mais tarde, na década de 1950. Nesse meio-tempo, os citologistas desenvolveram novas técnicas de fixação, de coloração e de corte apropriadas para o microscópio eletrônico.

A microscopia eletrônica revolucionou a Citologia, pois possibilitou estudos bastante detalhados da estrutura interna das células. Para se ter ideia, enquanto microscópios fotônicos fornecem aumentos máximos de 1.500 vezes, microscópios eletrônicos operam com aumentos entre 5 mil e 100 mil vezes ou mais.

Além disso, o fato de os microscópios eletrônicos utilizarem feixes de elétrons, em vez de luz, possibilita obter baixos limites de resolução, bem menores que os dos microscópios fotônicos; enquanto nestes últimos o limite de resolução é de 0,25 μm, nos microscópios eletrônicos o limite é de 0,001 μm (1 nm). Fazendo os cálculos, concluímos que o limite de resolução do microscópio eletrônico é cerca de 250 vezes menor que o do microscópio fotônico; seu poder de resolução, portanto, é 250 vezes maior. Em relação ao olho nu, o poder de resolução do microscópio eletrônico é cerca de 100 mil vezes maior ($100\ \mu m \div 0{,}001\ \mu m = 100.000$).

Ao microscópio eletrônico, o citoplasma celular revelou sua grande complexidade estrutural, com sistemas de canais, bolsas membranosas, grânulos, fibras etc. O grande desafio dos microscopistas eletrônicos foi descobrir o papel de cada uma dessas partes no funcionamento celular. Esses assuntos serão estudados nos capítulos seguintes. (Fig. 9.6)

INGA SPENCE/VISUALS UNLIMITED/GLOW IMAGES

A

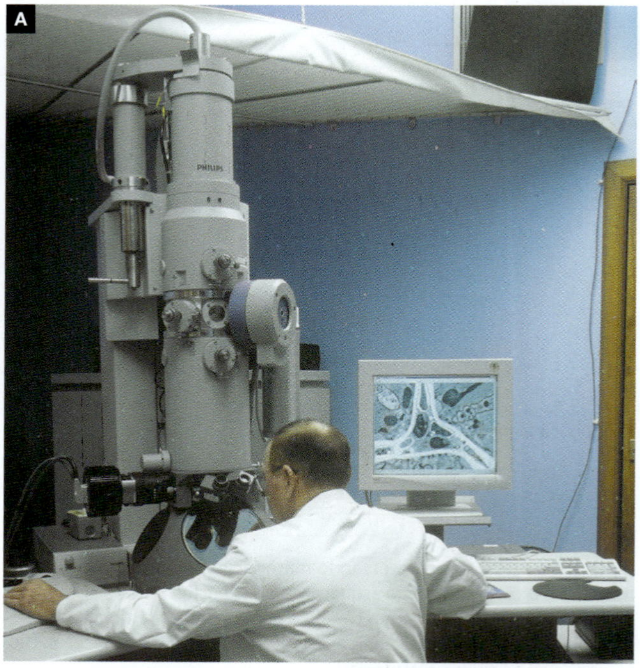

DR. DONALD FAWCETT/VISUALS UNLIMITED/GLOW IMAGES

B

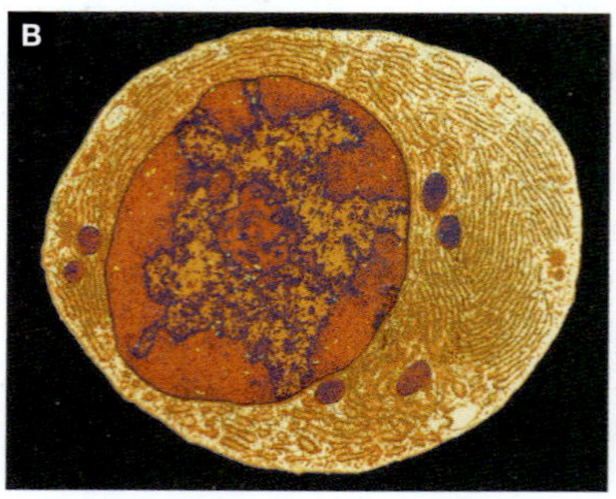

Figura 9.6 A. Cientista manipulando um microscópio eletrônico de transmissão e monitores para visualizar a imagem. **B.** Fotomicrografia de um corte de um linfócito. (Microscópio eletrônico de transmissão; aumento ≈ 3.000×; cores artificiais.)

9.5 Células procarióticas e eucarióticas

O microscópio eletrônico revelou a existência de dois tipos básicos de célula: procarióticas, típicas de bactérias e de organismos denominados arqueas, e eucarióticas, presentes em todos os demais seres vivos (protozoários, fungos, algas, plantas e animais). Organismos constituídos por células procarióticas são chamados procariontes e os que apresentam células eucarióticas, eucariontes.

Células procarióticas (do grego *protos*, primitivo, e *karyon*, núcleo) são mais simples que as eucarióticas; seu citoplasma não tem estruturas membranosas nem núcleo; o "cromossomo" bacteriano concentra-se em uma região da célula chamada nucleoide.

Células eucarióticas (do grego *eu*, verdadeiro, e *karyon*, núcleo) têm o citoplasma repleto de canais, bolsas e outras estruturas membranosas, sendo uma delas o núcleo, onde se localizam os cromossomos.

A estrutura interna de células procarióticas e eucarióticas será estudada com mais detalhes nos próximos capítulos. (Fig. 9.7)

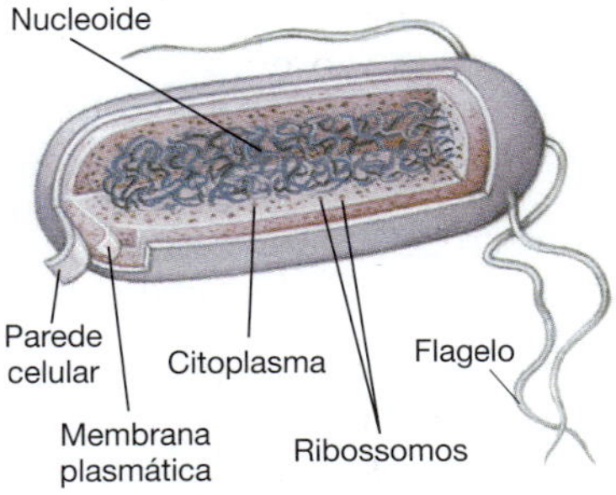

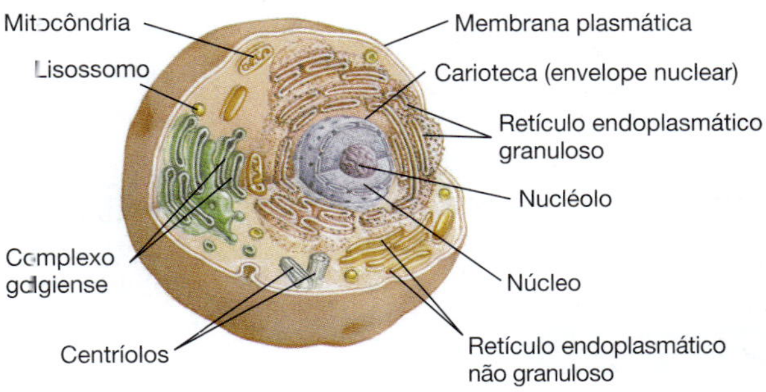

Figura 9.7 Esquemas de uma célula procariótica de bactéria (esquerda) e de uma célula eucariótica animal (direita). O tamanho da célula procariótica equivale ao de uma mitocôndria na célula animal. (Elementos fora de proporção de tamanho entre si; cores-fantasia.)

Atividades

Visão do especialista | Biblioteca do estudante Faça você mesmo!

Revendo conceitos fundamentais

Escreva, em seu caderno, o termo abaixo que substitui corretamente a tarja entre parênteses das frases de 1 a 3.

a) microscópio composto
b) microscópio eletrônico
c) microscópio simples

1. O (▬) não utiliza luz, mas feixes de elétrons.

2. O (▬) possui uma única lente.

3. O (▬) é dotado de duas lentes ou de dois ou mais conjuntos de lentes.

Escreva, em seu caderno, o termo abaixo que substitui corretamente a tarja entre parênteses das frases de 4 a 8.

a) citoplasma
b) Citologia
c) membrana plasmática
d) núcleo celular
e) parede celular

4. O(A) (▬) é um envoltório invisível ao microscópio fotônico que envolve toda a célula.

5. Uma estrutura geralmente esférica presente no interior das células animais e vegetais e ausente em células de bactérias é o(a) (▬).

6. A região interna das células, ocupada por um fluido gelatinoso semitransparente, foi denominada (▬) pelos primeiros citologistas.

7. (▬) é um envoltório bem definido, facilmente observável ao microscópio fotônico, presente, por exemplo, em células vegetais.

8. O estudo das células é chamado (▬).

Escreva, em seu caderno, o termo abaixo que substitui corretamente a tarja entre parênteses das frases de 9 a 15.

a) coloração
b) corte histológico
c) fixação
d) inclusão
e) limite de resolução
f) micrótomo
g) poder de resolução

9. O aparelho com o qual se obtêm cortes finos para observação microscópica chama-se (▬).

10. O procedimento de matar as células rapidamente, de modo a causar pouca alteração estrutural e permitir sua observação ao microscópio, é conhecido como (▬).

11. A técnica de (▬) consiste em tingir diferencialmente as estruturas celulares com determinadas substâncias químicas, o que realça o contraste entre elas.

12. A técnica de (▬) consiste em retirar fatias muito finas do material biológico para observação ao microscópio.

13. A técnica de impregnar uma peça de material biológico com substâncias que a endurecem, como a parafina, permitindo a obtenção de finíssimas fatias, recebe o nome de (▬).

14. (▬) é a capacidade de um microscópio fornecer imagens nítidas e detalhadas da estrutura de objetos.

15. A menor distância entre dois pontos em que ainda é possível perceber a separação entre eles é chamada (▬).

Copie as frases 16 e 17 substituindo a tarja por um dos termos a seguir.

a) procariótica b) eucariótica

16. A célula (▬) apresenta o citoplasma repleto de canais, bolsas e outras estruturas membranosas, uma das quais é o núcleo.

17. Uma célula sem núcleo e organelas membranosas no citoplasma, característica de bactérias e arqueas, é chamada (▬).

Escreva, em seu caderno, o termo abaixo que substitui corretamente a tarja entre parênteses das frases de 18 a 20.

a) acelular b) multicelular c) unicelular

18. Um organismo que não é formado por células, como os vírus, é (▬).

19. Um organismo formado por uma só célula, como uma ameba, é (▬).

20. Um organismo (▬) é aquele formado por mais de uma célula, como uma pessoa, que apresenta cerca de 10 trilhões delas.

Ligando conceitos, fatos e processos

21. "A descoberta do mundo microscópico é atribuída a (1), cujas observações eram feitas em um (2). Quem denominou a célula foi (3), ao observar a cortiça em um (4)." Escolha a alternativa em que os números completam corretamente a frase.
    a) 1 = Leeuwenhoek; 2 = microscópio composto; 3 = Hooke; 4 = microscópio simples.
    b) 1 = Hooke; 2 = microscópio simples; 3 = Leeuwenhoek; 4 = microscópio composto.
    c) 1 = Leeuwenhoek; 2 = microscópio simples; 3 = Hooke; 4 = microscópio composto.
    d) 1 = Hooke; 2 = microscópio simples; 3 = Leeuwenhoek; 4 = microscópio simples.

22. De acordo com a teoria celular, apesar das diferenças no nível macroscópico, todos os seres vivos são semelhantes em sua constituição fundamental, uma vez que:
    a) contêm moléculas orgânicas.
    b) originam-se de gametas.
    c) são capazes de se reproduzir sexualmente.
    d) são constituídos por células.

23. "Os vírus, apesar de serem (1), não abalam os fundamentos da teoria celular porque (2)." Escolha a alternativa que contém os termos que substituem corretamente os números da frase.
    a) 1 = acelulares; 2 = não são formados por células.
    b) 1 = acelulares; 2 = reproduzem-se apenas no interior de células.
    c) 1 = unicelulares; 2 = são organismos vivos.
    d) 1 = multicelulares; 2 = reproduzem-se assexuadamente.

24. Ao microscópio fotônico pode-se observar:
    a) apenas a parede celular.
    b) apenas o citoplasma.
    c) o citoplasma, o núcleo e a parede celular.
    d) o citoplasma, o núcleo e a membrana plasmática.

25. A membrana das células, pelo fato de ter cerca de 5 nm (0,000005 mm) de espessura, pode ser observada:
    a) ao microscópio fotônico ou óptico.
    b) ao microscópio eletrônico.
    c) ao microscópio simples.
    d) a olho nu.

26. Em uma fotomicrografia obtida com um microscópio eletrônico, o núcleo de uma célula mediu 5,5 cm de diâmetro. Sabendo que a ampliação da imagem foi de 11.000 vezes, qual é o diâmetro real desse núcleo?
    a) 5 cm.
    b) 5 mm.
    c) 5 μm ou 0,005 mm.
    d) 5 nm ou 0,000005 mm.

27. Uma célula com diâmetro de 10 μm (0,01 mm) foi fotografada ao microscópio fotônico. Qual será o diâmetro dessa célula em uma fotomicrografia ampliada 1.000 vezes?
    a) 1 mm. b) 1 cm. c) 10 cm. d) 100 cm.

28. "Um pesquisador estudou a célula de um organismo, verificando ausência de núcleo e de compartimentos membranosos. Com base nessas observações, ele concluiu que a célula é (1) e pertence a (2)." Escolha a alternativa que contém os termos que substituem corretamente os números na frase.
    a) 1 = procariótica; 2 = um fungo.
    b) 1 = eucariótica; 2 = um animal.
    c) 1 = eucariótica; 2 = uma planta.
    d) 1 = procariótica; 2 = uma bactéria.

Questões para exercitar o pensamento

29. Suponhamos que você tenha recebido uma fotografia de uma célula ampliada. Medidos com uma régua, os diâmetros da imagem da célula e de seu núcleo na fotografia eram, respectivamente, 17,5 cm e 4,25 cm. A ocular e a objetiva usadas no microscópio eram de, respectivamente, 10× e 40× de aumento. A ampliação fotográfica para o papel foi de 5×, além do que foi ampliado e registrado no negativo do filme. Quanto medem, em micrômetro, a célula e seu núcleo?

30. A Biologia moderna costuma dividir os seres vivos em procariontes e eucariontes. Justifique por que essa divisão foi possível apenas após a introdução do microscópio eletrônico na Citologia.

31. Construa uma tabela que compare os microscópios fotônico e eletrônico quanto aos seguintes aspectos:
    1. tipo de lente utilizada;
    2. aumentos usuais;
    3. espessura dos cortes requeridos para observação;
    4. limite de resolução;
    5. possibilidade de observar material vivo (sim/não).

A Biologia no vestibular e no Enem

Questões objetivas

1. (UFPA) A descoberta da célula foi feita em 1665 por (▬). Em 1838 e 1839, (▬) e (▬), através de observações de estruturas de muitas plantas e animais, concluíram que os seres vivos são constituídos por células. A alternativa que completa corretamente as frases é:

a) Hooke, Weismann, Schwann.
b) Virchow, Schleiden, Schwann.
c) Schleiden, Hooke, Schwann.
d) Hooke, Schleiden, Schwann.
e) Virchow, Weismann, Hooke.

2. (UnB-DF) Quando se usa o microscópio, é importante saber de quanto o instrumento ampliou a imagem do objeto. Se, por exemplo, na ocular estiver marcado 5× e na objetiva 12×, a ampliação é de

a) 17 diâmetros (12× + 5×).
b) 7 diâmetros (12× − 5×).
c) 60 diâmetros (12× · 5×).
d) 2,4 diâmetros (12× ÷ 5×).

3. (Unigranrio-RJ) Os seres vivos, exceto um, são constituídos por unidades biológicas identificadas como células. As exceções são

a) as algas.
b) os vírus, considerados seres vivos pela maioria dos cientistas modernos.
c) os vermes.
d) as bactérias, ainda que consideradas seres vivos por uma minoria de pesquisadores.

4. (Vunesp) Os procariontes diferenciam-se dos eucariontes porque os primeiros, entre outras características,

a) não possuem material genético.
b) possuem material genético como os eucariontes, mas são anucleados.
c) possuem núcleo, mas o material genético encontra-se disperso no citoplasma.
d) possuem material genético disperso no núcleo, mas não em estruturas organizadas denominadas cromossomos.
e) possuem núcleo e material genético organizado nos cromossomos.

5. (FMU/Fiam-Faam/Fisp-SP) Preparou-se, rapidamente, uma lâmina a ser examinada ao microscópio óptico; para identificar se o material é de origem animal ou vegetal, convém observar se as células possuem

a) núcleo.
b) membrana celular.
c) parede celular.
d) mitocôndrias.
e) nucléolos.

6. (UEM-PR) Considerando as características gerais dos seres vivos, identifique o que for **correto**.

01) Nos seres vivos, além das substâncias orgânicas, existem as inorgânicas, representadas principalmente por água e sais minerais.
02) A célula, unidade morfológica e funcional dos seres vivos, possui quatro componentes básicos: membrana plasmática, citoplasma, ribossomos e material genético (DNA), podendo ser classificada como procariótica ou eucariótica.
04) Outra característica dos seres vivos é o metabolismo, conjunto de reações químicas que ocorrem nos seres vivos e que são responsáveis pela transformação e utilização da matéria e da energia.
08) O processo de crescimento dos seres vivos pode ocorrer por aumento em peso de sua única célula, nos organismos unicelulares, e por aumento de volume e peso das células, nos multicelulares.
16) Todos os seres vivos têm capacidade de percepção de estímulos do meio, mas não têm capacidade de reagir a eles.

Nota dos autores: dê como resposta a soma dos números associados às proposições corretas.

7. (UMC-SP) A membrana plasmática, apesar de invisível ao microscópio óptico, está presente

a) em todas as células, seja ela procariótica ou eucariótica.
b) apenas nas células animais.
c) apenas nas células vegetais.
d) apenas nas células dos eucariontes.
e) apenas nas células dos procariontes.

8. (PUC-Rio) As células animais diferem das células vegetais porque estas contêm várias estruturas e organelas características. Na lista abaixo, qual é a organela ou estrutura comum às células animais e vegetais?

a) Vacúolo.
b) Parede celular.
c) Cloroplastos.
d) Membrana celular.
e) Centríolo.

9. (UFPB) A descoberta dos microscópios de luz (óptico) e eletrônico permitiu muitos avanços nas diversas áreas da Biologia. Um microscópio de luz pode apresentar um poder de resolução 1.200 vezes maior que o do olho humano e o eletrônico, 250 mil vezes. Utilizando-se um microscópio de luz, é correto afirmar que é possível observar os seguintes níveis de organização da vida:

a) Populações, tecidos e átomos.
b) Populações, moléculas e órgãos.
c) Moléculas, átomos e órgãos.
d) Moléculas, organismos e células.
e) Células, tecidos e organismos.

Questão discursiva

10. (Fuvest-SP)

a) Quais as diferenças existentes entre células procariontes e eucariontes, quanto a núcleo e citoplasma?
b) Em que grupos de organismos são encontradas células procariontes?

Capítulo 10

A arquitetura da célula eucariótica

EYE OF SCIENCE/SCIENCE PHOTO LIBRARY/LATINSTOCK

A Ciência conta com uma nova aliada: a nanotecnologia. O desenvolvimento de nanomateriais e de nanopartículas tem dado grande contribuição para a Medicina e a Ecologia, entre outras áreas do conhecimento. Técnicas de nanotecnologia têm sido usadas no tratamento de doenças e na preservação ambiental. Na imagem, fibras de algodão (em amarelo) recobertas por nanopartículas que as protegem de água e sujeira. (Microscópio eletrônico; aumento ≈ 11.200×; cores artificiais.)

O mundo nanoscópico

Em 1981, trabalhando em Zurique, na Suíça, os físicos Heinrich Rohrer (n. 1933) e Gerd Binnig (n. 1947) desenvolveram os princípios de um novo e revolucionário aparelho: o microscópio de tunelamento por varredura. Com esse microscópio é possível detectar o tamanho e a aparência tridimensional dos átomos. Pela invenção, a dupla de cientistas recebeu o Prêmio Nobel de Física em 1986.

Para ter uma ideia do poder de ampliação do novo microscópio, seria como ampliar a imagem de uma bolinha de pingue-pongue ao tamanho da Terra. Você consegue calcular esse aumento? (Considere que o diâmetro da Terra é de aproximadamente 12.000 km e que o de uma bolinha de pingue-pongue é de 40 mm.)

Com a nova geração de microscópios, ultrapassamos os limites do mundo microscópico e chegamos ao mundo "nanoscópico", onde lidamos com objetos de poucos nanômetros de tamanho. Lembre-se de que 1 nanômetro equivale à bilionésima parte do metro (1 nm $= 10^{-12}$ m).

Em uma memorável palestra proferida em 1959, o físico estadunidense Richard Feynman (1918-1988), Prêmio Nobel de Física em 1965, sugeriu que os cientistas dedicassem mais esforços ao mundo nanoscópico, realizando experimentos e intervenções no nível dos átomos e das moléculas. Alguns anos mais tarde, surgiu a nanotecnologia, que trabalha com a criação de aplicações tecnológicas em uma escala que vai de 1 nm a 100 nm, em média.

A nanotecnologia já tem diversas aplicações industriais e também parece promissora nas áreas da Biologia e da Medicina. Por exemplo, em meados dos anos 1990, o farmacologista estadunidense Volkmar Weissig descobriu que era possível produzir artificialmente pequenas bolsas membranosas de 50 nm de diâmetro, capazes de levar DNA (e outras substâncias) diretamente às mitocôndrias, as organelas responsáveis pela produção de energia nas células vivas. Ele talvez tenha pensado: E daí? O que alguém poderia fazer com isso? Poucos anos depois, pesquisas começaram a relacionar diversas doenças humanas a distúrbios dessas organelas. Hoje, um dos desafios da pesquisa farmacológica é levar drogas terapêuticas diretamente às mitocôndrias celulares.

A importância do assunto

Por conta da grande evolução das técnicas de microscopia, aliada a diversas descobertas no campo da bioquímica celular, os cientistas podem "visualizar" a célula viva em um novo patamar: o nível nanoscópico. Essa visualização, no entanto, não é feita com os olhos, e sim com a mente. No nanoambiente intracelular há diversas estruturas – as organelas celulares – que criam condições para as interações moleculares necessárias à existência da vida. O conjunto dessas interações constitui o metabolismo, como vimos anteriormente.

Graças à nossa vasta capacidade imaginativa, podemos nos transportar – no papel de "nanobservadores" – para o interior da célula eucariótica, onde nos deparamos com um intrincado labirinto de membranas pelo qual se deslocam partículas, fibras, túbulos, bolsas membranosas e moléculas de diversos tipos. Ao analisar a estrutura e a função de cada componente celular, certamente podemos compreender melhor por que o metabolismo é um conjunto de interações moleculares que se passa no interior da célula. Neste capítulo e nos dois próximos, vamos explorar esse universo nanoscópico.

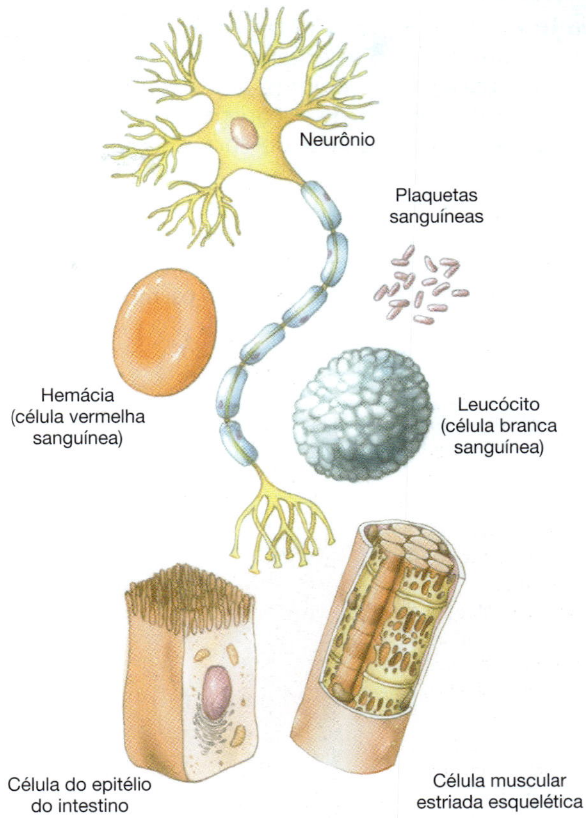

Figura 10.1 Um exame das características mais evidentes das células, como tamanho, forma, padrões de movimento etc., revela a grande diversidade de tipos celulares existentes em um mesmo organismo. (Elementos fora de proporção de tamanho entre si; cores-fantasia.)

10.1 Construindo o modelo atual de célula

O conceito de célula como unidade básica da vida começou a ser construído a partir da década de 1840, quando foram aceitos os fundamentos da teoria celular.

A teoria celular parece-nos hoje tão óbvia que às vezes subestimamos sua importância para a Biologia. Pessoas, minhocas, cogumelos, alfaces e bactérias, por exemplo, são todos constituídos pelo mesmo "tijolo" biológico básico – a célula.

É verdade que há diferenças entre as células dos diversos organismos e também entre células de um mesmo organismo. As maiores diferenças são encontradas entre as bactérias, que apresentam célula procariótica, destituída de núcleo e de organelas membranosas e os demais seres vivos, que têm células eucarióticas. A presença de **plastos** no citoplasma das células vegetais as diferencia das células animais. Como veremos adiante, as células vegetais também são dotadas de uma parede celular, ausente nas células animais.

Apesar das diferenças, uma análise dos aspectos celulares essenciais mostra que todas as células eucarióticas partilham a mesma estrutura básica e funcionam de modo muito parecido. Neste e nos dois próximos capítulos estudaremos justamente esses aspectos fundamentais da estrutura e do metabolismo dessas células. (Fig. 10.1)

A tridimensionalidade da célula viva

Quem já teve a oportunidade de observar cortes de células ao microscópio fotônico pode ter ficado um pouco decepcionado. O que se vê na lâmina de microscopia está bem distante das belas ilustrações coloridas e tridimensionais das células dos livros didáticos. Por quê?

Em primeiro lugar, essa diferença ocorre por limitações das técnicas e dos aparelhos de observação microscópica. Como vimos no capítulo anterior, antes de observar as células temos de matá-las e fixá-las, tentando preservar ao máximo suas estruturas. Em seguida, precisamos obter fatias celulares muito finas – os **cortes histológicos** – que permitam a passagem da luz através deles, nos microscópios fotônicos, ou de feixes eletrônicos, nos microscópios eletrônicos de transmissão. Em muitos casos, antes ou depois do corte, o material a ser observado passa por tratamentos com substâncias corantes, que aumentam os contrastes entre as partes celulares, permitindo distingui-las. Com tantos tratamentos e intervenções, não é de admirar que a reconstituição da imagem do que seria a célula viva e funcionante exija muita imaginação.

A visão que temos da arquitetura celular foi basicamente elaborada a partir de estudos em microscópios eletrônicos de transmissão. Esses aparelhos trabalham com o material biológico cortado em finíssimas fatias entre 30 nm a 60 nm de espessura, o que equivale a cortar uma célula em aproximadamente 200 fatias.

A microscopia eletrônica produz imagens em branco e preto e bidimensionais (2-D). Assim, para imaginar como são as células e as organelas em três dimensões (3-D), os citologistas tiveram (e ainda têm) de realizar um paciente trabalho de reconstrução da tridimensionalidade celular a partir de cortes sequenciais em diferentes planos.

O pensamento e a imaginação, aliados às técnicas microscópicas e bioquímicas de investigação, são as principais ferramentas utilizadas nos estudos das células, que nos permitem compor os modelos tridimensionais. (Fig. 10.2)

A

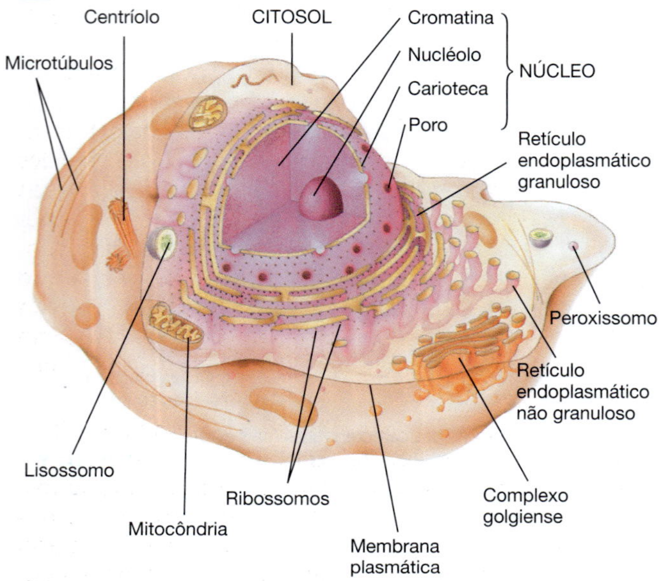

B

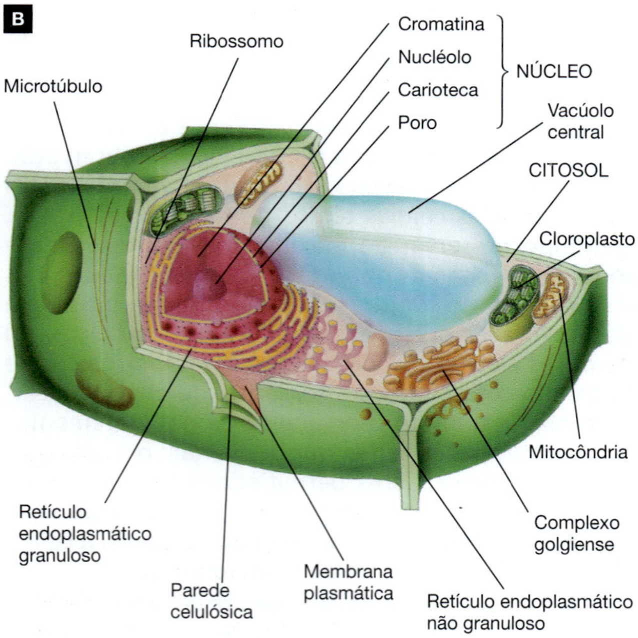

Figura 10.2 Representação esquemática de célula animal **(A)** e de célula vegetal **(B)** parcialmente cortadas para mostrar seus diversos componentes. (Elementos fora de proporção de tamanho entre si; cores-fantasia.)

O nível nanoscópico: na fronteira de células e de moléculas

Uma viagem ao mundo nanoscópico, como era de esperar, não é isenta de riscos. O primeiro deles: acreditar, erroneamente, que cenários celulares e eventos moleculares, como os que estudaremos mais adiante, foram visualizados diretamente, tais como estão representados nos esquemas didáticos. Lembre-se do que discutimos antes: para construir os modelos de células, os cientistas reúnem diversas evidências, imaginando cenários que não podem ser visualizados diretamente, mas que podem ser testados e validados por meio de experimentos.

Um segundo risco é não dar a devida atenção às escalas de tamanho de células, organelas e moléculas, principalmente ao observar representações e esquemas que modelam estruturas e processos. Durante uma viagem ao interior de uma célula, precisamos estar sempre atentos e comparar as escalas de tamanho, para não nos perdermos. Por exemplo, se uma célula cúbica com 30 μm de lado fosse ampliada 100.000 vezes, ela teria aproximadamente o tamanho de um quarto de uma casa (3 m $\times$ 3 m $\times$ 3 m). Qual seria, em escala, a espessura de sua membrana plasmática?

Vamos calcular: a espessura real da membrana situa-se em torno de 5 nm; com uma ampliação de 100.000 vezes, ela passaria a ter aproximadamente 0,5 mm de espessura. Pegue uma régua e visualize esse tamanho. Imagine agora aquele quarto de 27 metros cúbicos delimitado por uma película plástica transparente e flexível, de meio milímetro de espessura! Essa comparação nos dá uma ideia de como a membrana plasmática é fina.

Mais um alerta: não se engane com as cores utilizadas nas ilustrações; elas não correspondem à realidade, ou seja, são cores-fantasia, empregadas com o propósito didático de distinguir melhor as partes celulares. Em muitos casos, a própria fotografia obtida ao microscópio eletrônico é colorizada artificialmente. Procure sempre, nas legendas, indicações sobre a escala e a coloração para interpretar corretamente as indicações dos mundos microscópico e nanoscópico.

10.2 Membranas biológicas (biomembranas)

A partir do comportamento das células em diversas situações – inchar, murchar, estourar –, os primeiros citologistas logo perceberam que elas eram delimitadas por algum tipo de película muito fina, invisível até nos mais poderosos microscópios fotônicos modernos; essa película hipotética foi denominada **membrana plasmática**.

Com o progresso da microscopia eletrônica, a membrana plasmática foi finalmente visualizada. Nos cortes transversais observados ao microscópio eletrônico, ela aparece como duas linhas escuras entremeadas por uma região central mais clara, e sua espessura situa-se em torno de 5 nm.

A microscopia eletrônica e as análises bioquímicas revelaram também que o citoplasma de uma célula eucariótica é repleto de membranas, com espessura e composição química semelhantes às da membrana plasmática. Esse sistema membranoso citoplasmático forma um labirinto de tubos e bolsas, cercado por um fluido aquoso onde há túbulos e filamentos proteicos finíssimos, além de partículas de diversos formatos e tamanhos.

Atualmente, o termo **biomembrana** designa tanto a membrana plasmática como as membranas que dividem o interior da célula em compartimentos. (Fig. 10.3)

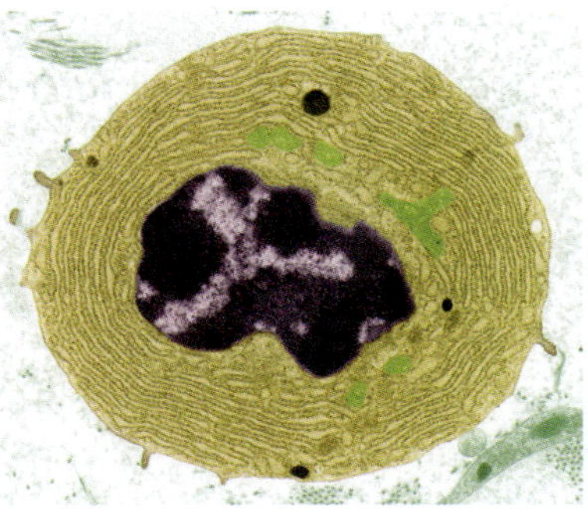

STEVE GSCHMEISSNER/SCIENCE PHOTO LIBRARY/LATINSTOCK

Figura 10.3 Fotomicrografia de um corte de célula animal, mostrando a profusão de estruturas membranosas citoplasmáticas. (Microscópio eletrônico; aumento ≈ 3.000×; cores artificiais.)

Estrutura molecular das biomembranas

Análises bioquímicas de biomembranas isoladas mostraram que os fosfolipídios são seus principais componentes. As membranas plasmáticas das células animais apresentam também colesterol, um tipo de **lipídio** ausente em células vegetais.

As moléculas de **fosfolipídios** podem ser descritas como tendo uma "cabeça" eletricamente carregada, representada pelo grupo fosfato, e duas "caudas" apolares, representadas pelo **glicerídio**.

As cabeças eletricamente carregadas dos fosfolipídios tendem a atrair moléculas de água (que também têm cargas), sendo por isso denominadas hidrofílicas (do grego *hydro*, água, e *phylos*, amigo). As caudas, sem carga elétrica, tendem a repelir moléculas de água, sendo por isso denominadas hidrofóbicas (do grego *hydro*, água, e *phobos*, medo, aversão). (Fig. 10.4)

Em 1972, os pesquisadores estadunidenses Jonathan Singer e Garth Nicolson, com base na constituição química e no comportamento das biomembranas, elaboraram um modelo molecular para explicar sua estrutura altamente dinâmica. Para entendê-lo, vamos adotar uma escala de ampliação mais próxima, que nos permita "visualizar" as moléculas de fosfolipídio, seu principal componente.

Você se lembra do exemplo da célula com 30 μm de lado que, ampliada 100 mil vezes, atingia o tamanho de um quarto com 3 m de lado? Nessa escala de ampliação, a biomembrana teria 0,5 mm de espessura, como comentamos.

Imagine agora se ampliássemos aquela célula não apenas 100 mil vezes, mas 20 milhões de vezes. Ela passaria a medir cerca de 600 m em cada lado, o equivalente a seis campos de futebol, e sua membrana teria cerca de 10 cm de espessura. Imagine a biomembrana, formada por duas camadas de fosfolipídios, comparáveis a palitos de fósforos, organizados lado a lado. Já pensou quantas moléculas de fosfolipídio seriam necessárias para compor a membrana dessa célula ampliada?

Os fosfolipídios da biomembrana, no modelo de Singer e Nicolson, estão com as cabeças, eletricamente carregadas, voltadas para as faces externas da membrana, em contato com a água sempre presente nas soluções internas e externas à célula. Com isso, "escondem" suas caudas sem carga elétrica da água circundante, voltando-as para o interior da bicamada molecular da membrana. Segundo o modelo, é essa estrutura em bicamada que confere às membranas biológicas grande estabilidade e dinamismo. Embora se desloquem continuamente no plano da membrana, as moléculas de fosfolipídios nunca perdem o contato umas com as outras.

O modelo de Singer e Nicolson completa-se com a presença de moléculas globulares de **proteínas**, incrustadas na bicamada de fosfolipídios como se fossem peças de um mosaico. Algumas dessas proteínas encontram-se em posição superficial na bicamada lipídica, enquanto outras a atravessam de lado a lado. A movimentação das proteínas na biomembrana permite o desempenho de diversas funções importantes e levou Singer e Nicolson a dar a seu modelo o nome de modelo do mosaico fluido. (Fig. 10.5)

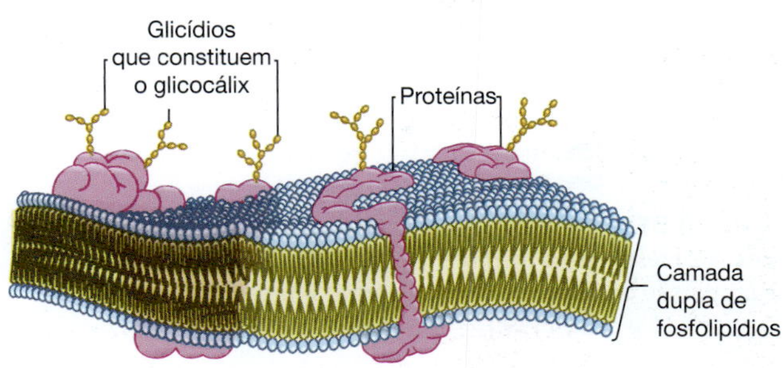

Figura 10.5 Representação esquemática da membrana plasmática de acordo com o modelo do mosaico fluido (Elementos fora de proporção de tamanho entre si; cores-fantasia.)

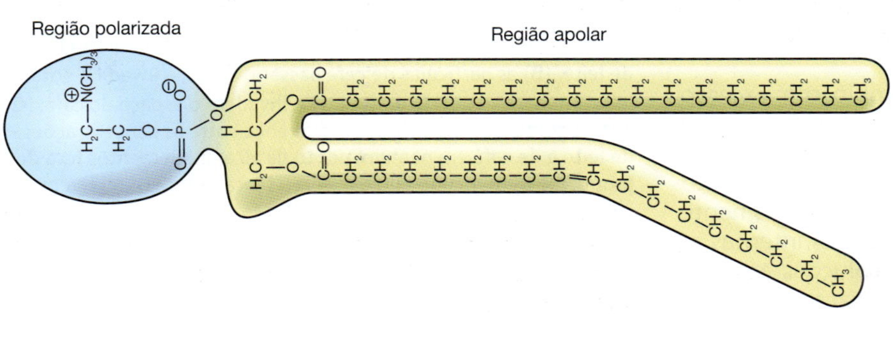

Figura 10.4 Estrutura molecular da fosfatidilcolina (lecitina), fosfolipídio fundamental na composição das membranas das células vivas. (Elementos fora de proporção de tamanho entre si; cores-fantasia.)

10.1 Biblioteca do estudante Amplie seus conhecimentos

Já foram identificadas dezenas de tipos distintos de proteína nas membranas celulares. Algumas formam poros, que permitem a passagem de moléculas de água e íons. Outras capturam substâncias fora ou dentro da célula, transportando-as através da membrana e soltando-as do lado oposto. Certas proteínas da membrana plasmática atuam no reconhecimento de fatores físicos e químicos do meio, estimulando a reação da célula. (Fig. 10.6)

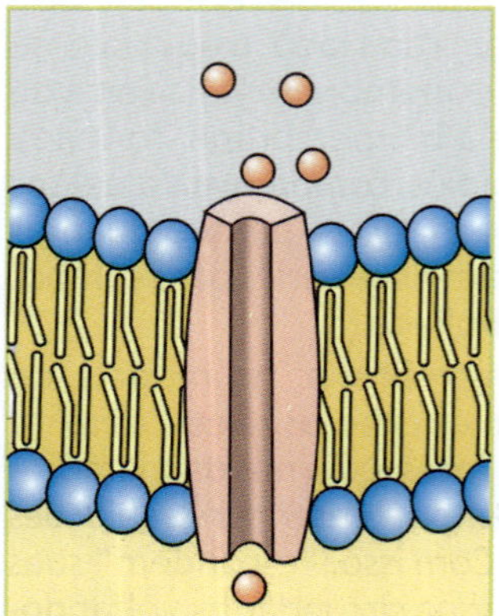

Canal de proteína

Permite que certas moléculas e íons atravessem a membrana plasmática livremente.

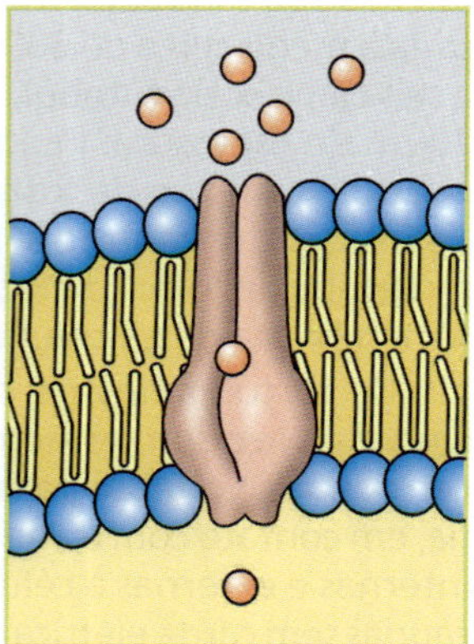

Proteína carregadora

Interage especificamente com certas moléculas e certos íons carregando-os através da membrana plasmática.

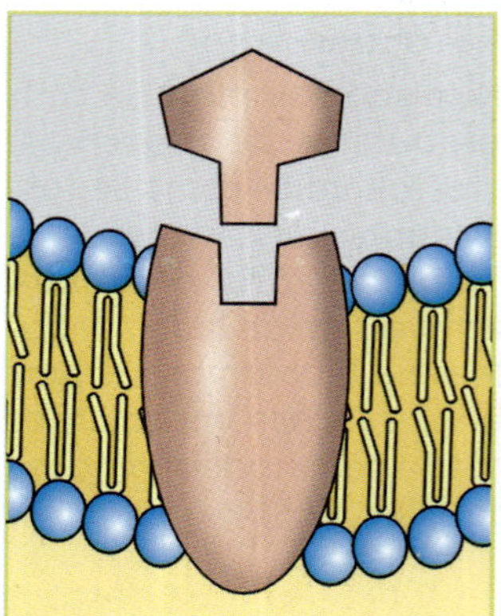

Proteína receptora

Permite a ligação com certas moléculas sinalizadoras, que desencadeiam processos celulares.

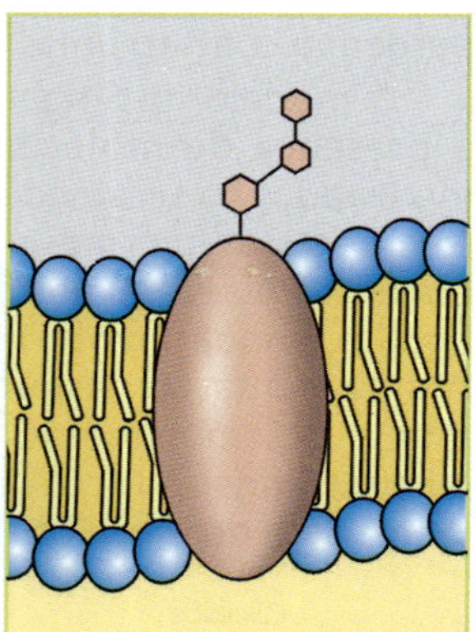

Proteína de reconhecimento

Permite que uma célula reconheça outra e interaja com ela.

Figura 10.6 Representação esquemática de algumas funções de proteínas presentes na membrana plasmática. (Elementos fora de proporção de tamanho entre si; cores-fantasia.) (Baseado em Campbell, N. e cols., 1999.)

Biomembranas e a permeabilidade celular

Toda célula é um compartimento aquoso que vive mergulhado em ambientes também aquosos; a separação entre os ambientes intracelular e extracelular é feita pela membrana plasmática.

As células de nosso corpo, por exemplo, com exceção das presentes nas camadas mais externas da pele, que são células mortas, são banhadas por líquidos provenientes do sangue. Nas plantas a situação é semelhante. O tronco de uma árvore, por exemplo, é revestido externamente por células mortas (a casca), mas nas partes internas as células vivas estão em contato com soluções aquosas provenientes da seiva absorvida pelas raízes.

As células são altamente dependentes de ambientes aquosos porque as biomembranas somente conseguem manter sua organização molecular em contato direto com a água, como podemos deduzir do modelo de Singer e Nicolson.

A manutenção da vida depende do contínuo intercâmbio de substâncias entre o meio extracelular e o citoplasma através da membrana plasmática. A entrada e a saída de substâncias nas células constituem a **permeabilidade celular**, também conhecida como **permeabilidade seletiva**.

Certas substâncias atravessam a membrana plasmática espontaneamente, sem gasto de energia pela célula, o que se denomina transporte passivo. Outras substâncias, no entanto, precisam ser "bombeadas" para dentro ou para fora da célula em processos que consomem energia e, por isso, classificados como **transporte ativo**.

Transporte passivo: difusão e osmose

Difusão

Moléculas de água, certos tipos de íons e pequenas moléculas hidrossolúveis passam facilmente através de poros proteicos presentes na membrana celular sem que haja gasto de energia pela célula. Esse processo espontâneo de passagem, conhecido como **difusão**, depende apenas da diferença de concentração de moléculas ou íons difusíveis dentro e fora da célula.

Na difusão, o deslocamento de uma substância ocorre sempre em maior fluxo da região em que suas moléculas estão mais concentradas para a região em que a concentração é menor. Assim, se uma substância capaz de se difundir está muito mais concentrada fora da célula do que dentro, ela tende a entrar em maior quantidade do que sai, e vice-versa. (Fig. 10.7)

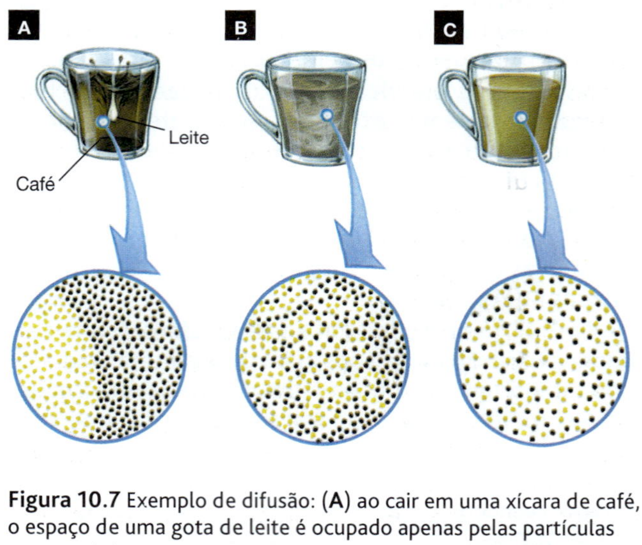

Figura 10.7 Exemplo de difusão: (**A**) ao cair em uma xícara de café, o espaço de uma gota de leite é ocupado apenas pelas partículas de leite; (**B**) as partículas de café passam, então, a invadir a gota de leite, enquanto as partículas de leite invadem o espaço do café; (**C**) após algum tempo, não há mais diferença entre as concentrações de leite e de café em nenhum ponto da xícara. (Elementos fora de proporção de tamanho entre si; cores-fantasia.)

Conteúdo multimídia Transporte passivo e transporte ativo pela membrana plasmática

Algumas proteínas presentes na membrana plasmática, chamadas genericamente de permeases, são capazes de facilitar o ingresso de certas moléculas na célula. Elas atuam como transportadoras, capturando substâncias na face externa da membrana e liberando-as na face oposta. Esse transporte pelas permeases obedece às mesmas regras da difusão.

Se determinada substância está mais concentrada no meio externo, sua tendência natural é entrar na célula, onde sua concentração é menor. Como as proteínas transportadoras apenas facilitam esse ingresso e a célula não gasta energia com isso, esse processo passivo de transporte é denominado **difusão facilitada**.

Um exemplo de difusão facilitada é a absorção da glicose do sangue pelas células de nosso corpo. Apesar de estar em alta concentração no sangue que banha as células, a glicose, por si só, não consegue atravessar a membrana plasmática. As permeases da membrana, portanto, facilitam a entrada desse nutriente celular essencial.

Assim que penetra no citoplasma, a glicose é imediatamente convertida em outros compostos, utilizados na obtenção de energia e na produção de diversas substâncias de que a célula necessita. Devido ao consumo constante pelas células, a concentração interna de glicose é sempre menor que a do sangue, condição suficiente para que a difusão facilitada cumpra eficientemente seu papel de abastecer as células com esse nutriente.

Osmose

O citoplasma é uma solução aquosa, ou seja, uma solução em que o solvente é a água. Moléculas solúveis em água presentes no citosol e nas bolsas citoplasmáticas (glicídios, proteínas, sais etc.) são os solutos celulares.

Quando uma célula é mergulhada em água pura, a concentração externa desse solvente é sempre maior que a encontrada no interior da célula, onde a água divide espaço com as moléculas de soluto. Consequentemente, a água tende a se difundir em maior quantidade para dentro da célula, fazendo-a inchar. As moléculas de água são capazes de atravessar a membrana com facilidade, o que não ocorre com a maioria dos solutos.

E se uma célula é colocada em um meio concentrado em solutos? A tendência é que ocorra maior difusão da água para fora da célula. Com isso, a célula murcha.

Esse fenômeno, em que há difusão de água através de uma membrana semipermeável que separa duas soluções com diferentes concentrações em solutos, é denominado **osmose**. **Membrana semipermeável** é aquela que deixa passar apenas (ou predominantemente) as moléculas de solvente, mas não as de soluto.

Na terminologia química, quando se comparam duas soluções quanto à concentração em solutos, diz-se que a mais concentrada é **hipertônica** (do grego *hyper*, superior) em relação à outra; esta, por sua vez, é **hipotônica** (do grego *hypo*, inferior) em relação à primeira. Duas soluções com concentrações equivalentes em solutos são chamadas **isotônicas** (do grego *iso*, igual, semelhante). (Fig. 10.8)

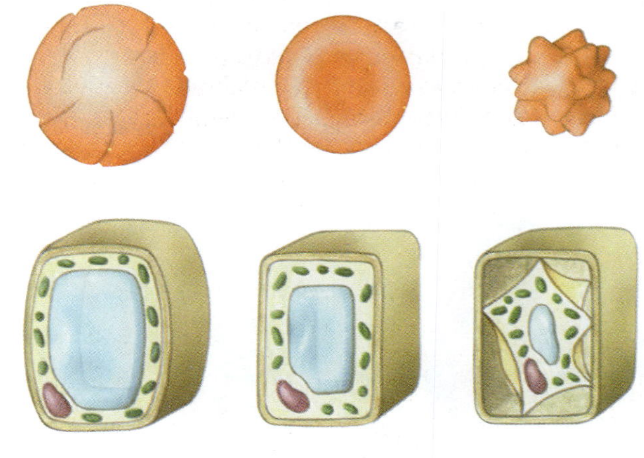

Figura 10.8 Comportamento de uma célula animal (acima) e de uma célula vegetal (abaixo) em soluções de diferentes concentrações. Em solução isotônica (coluna central), não ocorre alteração de volume. Em solução hipertônica (coluna da direita), as células perdem água e murcham (em células vegetais o processo é chamado plasmólise). Em solução hipotônica (coluna da esquerda), as células absorvem água e incham, podendo se romper (lise celular) se não houver a proteção da parede celular. (Elementos fora de proporção de tamanho entre si; cores-fantasia.)

Conteúdo multimídia Osmose

10.2 Biblioteca do estudante Amplie seus conhecimentos

Transporte ativo

Células humanas e de diversos organismos mantêm concentrações internas de íons e outras substâncias diferenciadas em relação ao meio extracelular. O íon de potássio (K^+), por exemplo, mantém-se em alta concentração dentro de nossas células, enquanto a concentração intracelular do íon de sódio (Na^+) mantém-se bem inferior em relação ao meio extracelular.

Essa manutenção de diferenças iônicas entre a célula e o meio externo gera um potencial elétrico nas membranas celulares. É graças a esse potencial, por exemplo, que as células nervosas conseguem transmitir os impulsos nervosos.

De que maneira as células conseguem manter diferenciadas as concentrações iônicas em seu interior se a tendência da difusão é igualar concentrações de substâncias difusíveis dentro e fora da célula? Isso se deve a mecanismos ativos do transporte realizado por proteínas da membrana plasmática, denominadas genericamente **bombas iônicas**.

Uma bomba iônica bem estudada é a que transporta acopladamente íons de Na^+ e de K^+, sendo por isso chamada **bomba de sódio-potássio**. Nesse processo, proteínas transportadoras presentes na membrana plasmática capturam íons de Na^+ no citoplasma, transportando-os para fora da célula. Na face externa da membrana, as proteínas transportadoras capturam íons de K^+ do meio extracelular, transportando-os para o citoplasma, e assim sucessivamente, de forma ininterrupta, compensando a difusão espontânea desses íons e mantendo suas concentrações diferenciadas dentro e fora da célula. (Fig. 10.9)

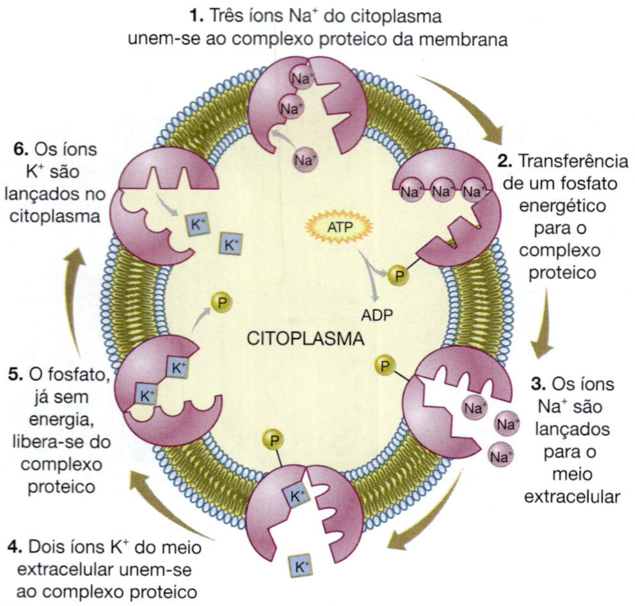

Figura 10.9 Representação esquemática do funcionamento da bomba de sódio-potássio, um processo de transporte ativo. Um complexo proteico incrustado na membrana plasmática transporta, em cada ciclo de atividade, três íons de sódio (Na^+) para fora da célula e dois íons de potássio (K^+) para o citoplasma. A energia para o processo provém das moléculas altamente energéticas do ATP, que transferem um fosfato energético (P) para o complexo proteico. (Baseado em Campbell, N. e cols., 1999.)

Transporte em bolsas membranosas

Certas partículas e substâncias podem entrar ou sair da célula por meio de bolsas membranosas que se formam a partir da membrana plasmática. Quando esse transporte ocorre para dentro da célula, fala-se em **endocitose** (do grego *endos*, dentro, e *kytos*, célula); quando bolsas membranosas citoplasmáticas fundem-se à membrana plasmática e eliminam seu conteúdo para fora da célula, fala-se em **exocitose** (do grego *exos*, fora, e *kytos*, célula).

Endocitose: pinocitose e fagocitose

Um dos tipos de endocitose é a **pinocitose** (do grego *pinein*, beber, e *kytos*, célula), processo realizado por praticamente todos os tipos de células e que permite capturar líquidos e pequenas partículas. É por meio da pinocitose, por exemplo, que as células do revestimento interno do intestino capturam gotículas de lipídios do alimento digerido.

No processo de pinocitose, a membrana plasmática aprofunda-se no citoplasma e forma um canal que se estrangula nas bordas, liberando pequenas bolsas membranosas para o interior da célula. Essas bolsas membranosas com o material englobado por pinocitose são os **pinossomos** (do grego *pinein*, beber, e *soma*, corpo). (Fig. 10.10)

Outra forma de endocitose é a **fagocitose** (do grego *phagein*, comer, e *kytos*, célula). Nesse processo, a célula emite expansões citoplasmáticas denominadas **pseudópodes**, que envolvem uma partícula do meio externo e a englobam totalmente em uma bolsa membranosa. Essa bolsa se desprende da membrana e passa a circular livremente no citoplasma, recebendo o nome de **fagossomo** (do grego *phagein*, comer, e *soma*, corpo), termo que literalmente significa "corpo comido". Os protozoários, organismos unicelulares, utilizam o processo de fagocitose em sua alimentação.

Em animais pluricelulares há células que realizam fagocitose para combater a invasão do corpo por microrganismos. Por exemplo, quando bactérias conseguem penetrar em nosso corpo, as primeiras linhas de defesa são certas células do sangue – os macrófagos e os neutrófilos – capazes de se "espremer" entre as células da parede dos capilares sanguíneos e sair da corrente sanguínea, em um processo chamado diapedese. Essas células se deslocam por meio de movimentos ameboides até o local da infecção, onde passam a fagocitar ativamente os invasores, digerindo-os em seu citoplasma, no interior de bolsas membranosas chamadas vacúolos digestivos. (Fig. 10.11)

Exocitose

Certas substâncias citoplasmáticas permanecem temporariamente armazenadas no interior de bolsas membranosas antes de ser eliminadas para o meio externo. Em determinado momento, as bolsas aproximam-se da membrana plasmática e fundem-se a ela, eliminando seu conteúdo para fora da célula. Esse processo é denominado **exocitose**.

A exocitose é utilizada por certos tipos de células para eliminar restos da digestão intracelular. É também por esse processo que as células glandulares secretam seus produtos.

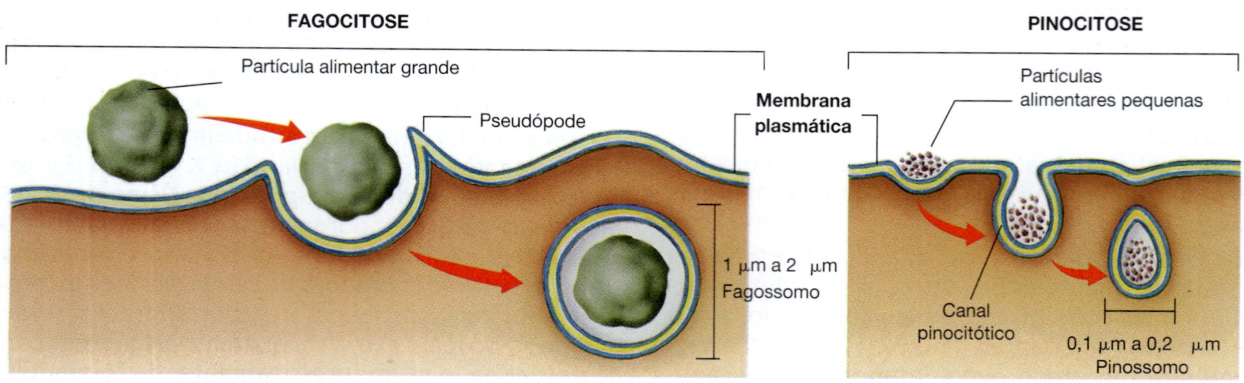

Figura 10.10 Representação esquemática de cortes na borda de uma célula, mostrando a fagocitose e a pinocitose. As principais diferenças entre os dois processos são o modo de captura e o tamanho das partículas capturadas. (Elementos fora de proporção de tamanho entre si; cores-fantasia.)

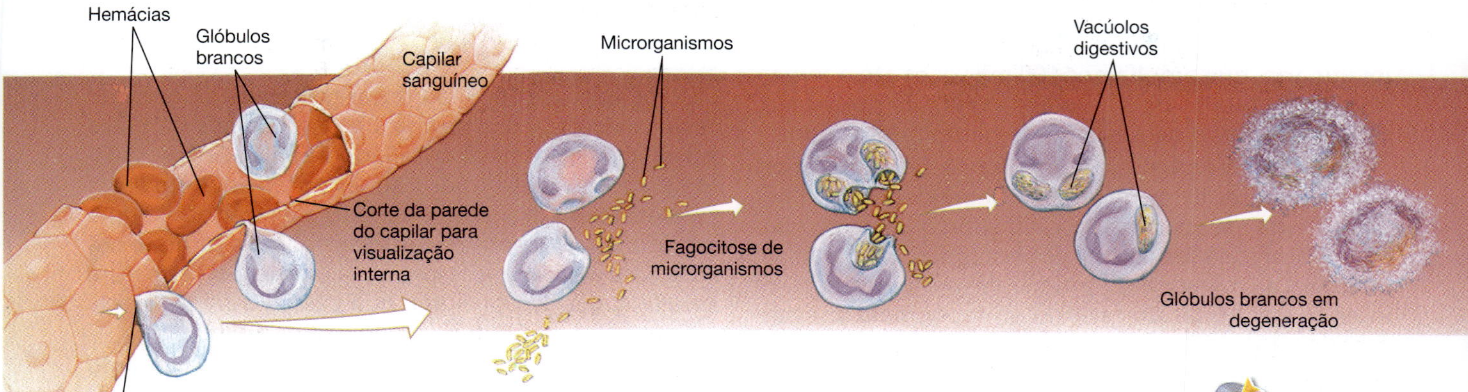

Figura 10.11 Representação esquemática do papel da fagocitose na proteção corporal. Quando há uma infecção bacteriana em nosso corpo, certos tipos de células do sangue saem dos capilares sanguíneos (diapedese) e se deslocam até o local infectado, onde fagocitam ativamente os agentes invasores.

Conteúdo multimídia
Ação de um macrófago

10.3 Retículo endoplasmático

Nas primeiras observações ao microscópio fotônico, a célula parecia ser preenchida por um fluido aparentemente homogêneo e viscoso, contido pela membrana plasmática. À medida que a Citologia foi se desenvolvendo, os cientistas descobriram o núcleo celular e as regiões citoplasmáticas diferenciadas.

Os citologistas notaram, por exemplo, que algumas regiões citoplasmáticas coravam-se intensamente quando tratadas com corantes básicos, revelando que elas eram diferentes do restante do citoplasma. Como essas regiões eram particularmente abundantes em células de glândulas, os cientistas imaginaram que ali seria o local de produção das secreções.

A microscopia eletrônica mostrou que certas estruturas identificadas no microscópio fotônico por suas afinidades por corantes básicos eram regiões diferenciadas de um desenvolvido sistema membranoso de canais e bolsas intracelulares: o **retículo endoplasmático**.

O **retículo endoplasmático**, presente em todos os tipos de células eucarióticas, é uma rede membranosa de bolsas achatadas e canais tubulares interligados, cercados pelo **citosol**, a solução aquosa que preenche o citoplasma. Nas cavidades internas do retículo circulam diversos tipos de moléculas, a maioria delas produzida na própria organela.

Distinguem-se dois tipos de retículo, um deles constituído por canais de membranas "lisas" – o **retículo endoplasmático não granuloso** ou **liso** – e outro em que a face da membrana voltada para o citosol tem aderidos grânulos chamados ribossomos, sendo por isso denominado **retículo endoplasmático granuloso** ou **rugoso**. O grau de desenvolvimento de cada tipo de retículo varia de acordo com as funções desempenhadas pela célula.

O retículo endoplasmático liso é responsável pela síntese de ácidos graxos, de fosfolipídios e de esteroides. A maioria das células apresenta pouco retículo endoplasmático liso, mas ele é abundante nas células do fígado, que atuam sobre toxinas, álcool e outras drogas, inativando-as e facilitando sua eliminação.

O retículo endoplasmático rugoso tem por função a síntese de proteínas, que ocorre nos ribossomos aderidos à sua superfície externa. (Fig. 10.12)

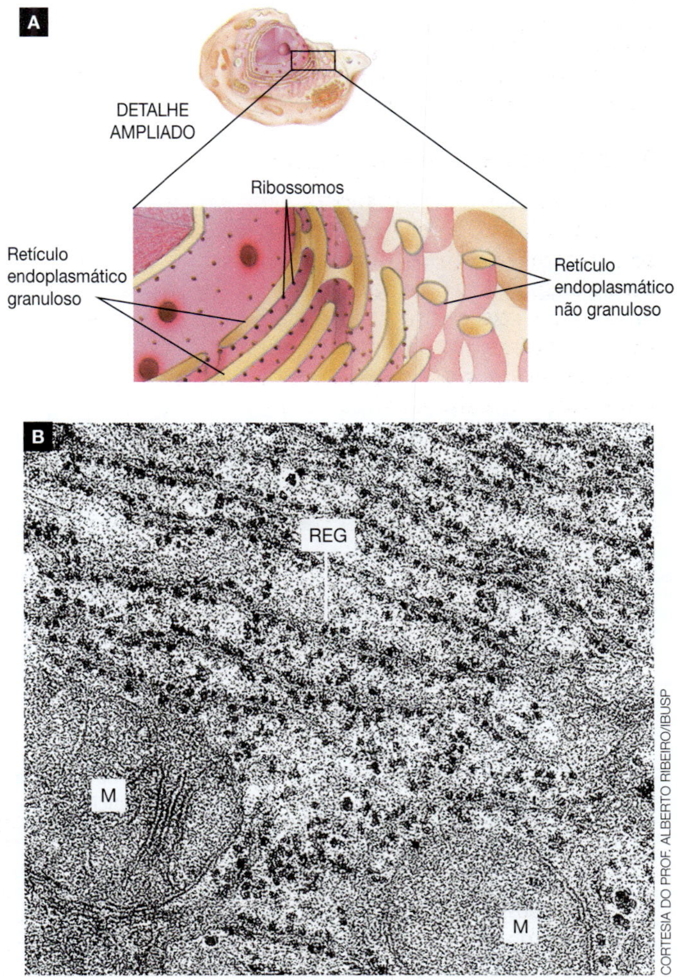

Figura 10.12 A. Representação tridimensional do retículo endoplasmático granuloso e do retículo endoplasmático não granuloso. (Elementos fora de proporção de tamanho entre si; cores-fantasia.) **B.** Fotomicrografia de corte de célula animal mostrando retículo endoplasmático granuloso (REG) e mitocôndrias (M). (Microscópio eletrônico de transmissão; aumento ≈ 52.000×.)

Ribossomos são grânulos constituídos por moléculas de RNA associadas a proteínas. Os ribossomos medem cerca de 30 nm de diâmetro. Em nossa célula imaginária, que ampliamos 100 mil vezes até o tamanho de um quarto de 3 m × 3 m × 3 m, um ribossomo teria a dimensão de um grão de pimenta-do-reino.

A síntese de qualquer proteína na célula inicia-se em ribossomos livres no citosol. Dependendo do tipo de proteína a ser produzida, o ribossomo adere ou não à membrana do retículo endoplasmático. Ribossomos aderidos às membranas produzem proteínas para o interior das bolsas do retículo endoplasmático; essas proteínas são utilizadas na constituição das membranas celulares ou exportadas da célula na forma de secreções. Ribossomos que permanecem livres no citosol produzem proteínas utilizadas no interior da própria célula. (Fig. 10.13)

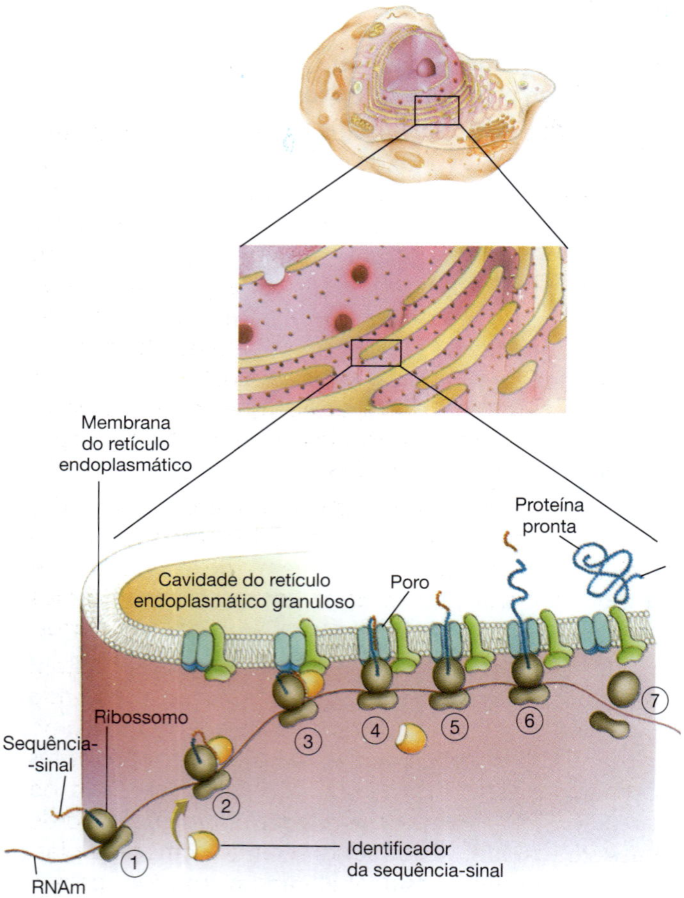

Figura 10.13 Representação esquemática da síntese de uma proteína que se destina à exportação pela célula. **1.** A síntese tem início com o ribossomo ainda livre no citosol. **2.** A sequência-sinal, que identifica a proteína sendo sintetizada como de exportação, é reconhecida por uma proteína (identificador da sequência-sinal), que se prende a ela. **3.** O ribossomo com a sequência-sinal identificada prende-se à membrana do retículo endoplasmático. **4.** A proteína em processo de síntese atravessa um poro que se abre na membrana e penetra na cavidade do retículo endoplasmático; o identificador da sequência-sinal solta-se do ribossomo. **5 e 6.** A sequência-sinal é eliminada da proteína. **7.** Ao final de sua síntese, a proteína solta-se no interior da bolsa do retículo, enquanto o ribossomo desprende-se da superfície externa e separa-se em suas duas subunidades. (Elementos fora de proporção de tamanho entre si; cores-fantasia.) (Baseado em Lodish, H. e cols., 2005.)

10.4 Complexo golgiense

Por volta de 1898, ao tratar cortes histológicos de tecido nervoso com corantes à base de sais de prata ou de ósmio, o médico italiano Camillo Golgi (1843-1926) notou que a coloração se concentrava em áreas celulares bem definidas e sugeriu a existência de uma estrutura subjacente no citoplasma. Mais tarde, a microscopia eletrônica comprovou a presença da estrutura celular sugerida por Golgi, que passou a ser chamada de aparelho de Golgi ou complexo de Golgi.

O **complexo de Golgi**, atualmente denominado **complexo golgiense**, é geralmente constituído por 6 a 20 bolsas membranosas achatadas, empilhadas umas sobre as outras. No interior dessas bolsas, proteínas provenientes do retículo endoplasmático granuloso são modificadas, selecionadas e "empacotadas" em bolsas membranosas. O destino dessas bolsas pode ser o próprio citoplasma, quando elas contêm proteínas da membrana ou enzimas para a digestão intracelular, ou o meio externo, se a vesícula contiver proteínas a serem secretadas. (Fig. 10.14)

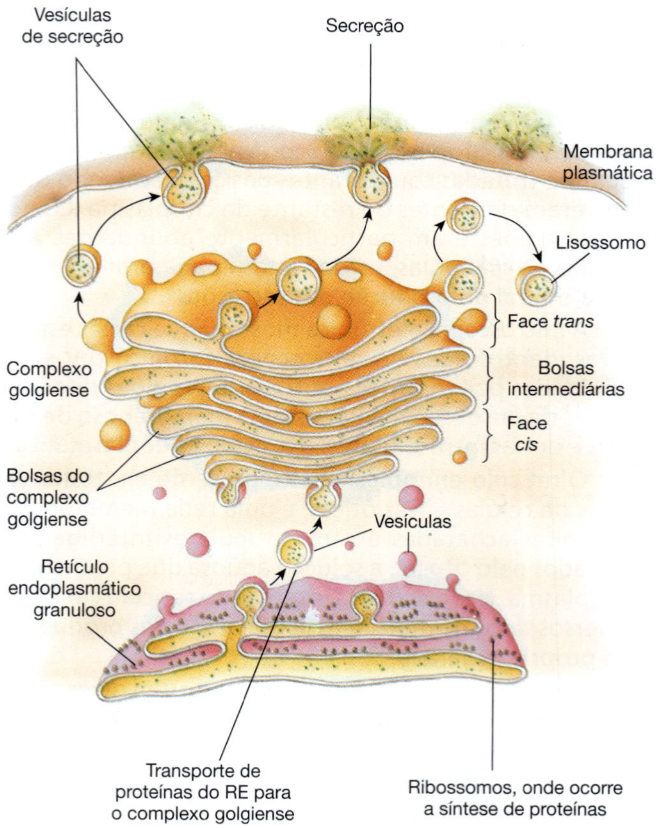

Figura 10.14 Representação esquemática da estrutura do complexo golgiense parcialmente cortado para mostrar sua organização. Note a face *cis*, por onde proteínas provenientes do retículo endoplasmático penetram no complexo golgiense, e a face *trans*, por onde as proteínas modificadas e "empacotadas" deixam o complexo. A ilustração mostra um instante congelado do processo; vesículas são continuamente liberadas pelo retículo e se fundem à face *cis* do complexo; as cisternas, por sua vez, liberam continuamente mais vesículas de transição. (Elementos fora de proporção de tamanho entre si; cores-fantasia.) (Baseado em Lodish, H. e cols., 2005.)

Muitas das substâncias que passam pelo complexo golgiense saem da célula e atuam em diferentes locais do organismo. É o que ocorre, por exemplo, com enzimas produzidas e eliminadas pelas células do pâncreas e que atuam na digestão. Substâncias de natureza proteica, como certos hormônios e muco, também são "empacotadas" e "despachadas" para o meio extracelular pelo complexo golgiense. Nessa função, o complexo golgiense elimina substâncias celulares úteis ao organismo, processo denominado **secreção celular**. (Fig. 10.15)

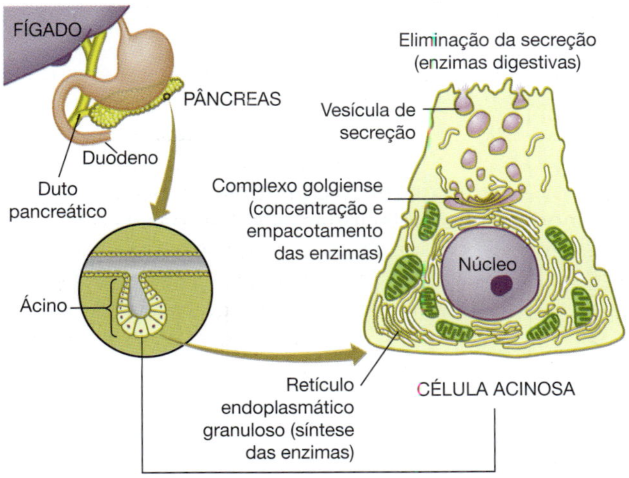

Figura 10.15 Representação esquemática da localização e da estrutura de uma célula secretora de enzimas digestivas do pâncreas (célula acinosa). O pâncreas contém inúmeras bolsas, denominadas ácinos pancreáticos, cujas paredes são constituídas por células acinosas. (Elementos fora de proporção de tamanho entre si; cores-fantasia.)

O complexo golgiense também desempenha papel importante na formação dos espermatozoides, dando origem ao **acrossomo** (do grego *acros*, topo, e *somatos*, corpo), uma grande bolsa repleta de enzimas digestivas que ocupa o topo da cabeça do gameta masculino. As enzimas acrossômicas têm por função perfurar as membranas que envolvem o gameta feminino, permitindo a penetração do espermatozoide no momento da fecundação. (Fig. 10.16)

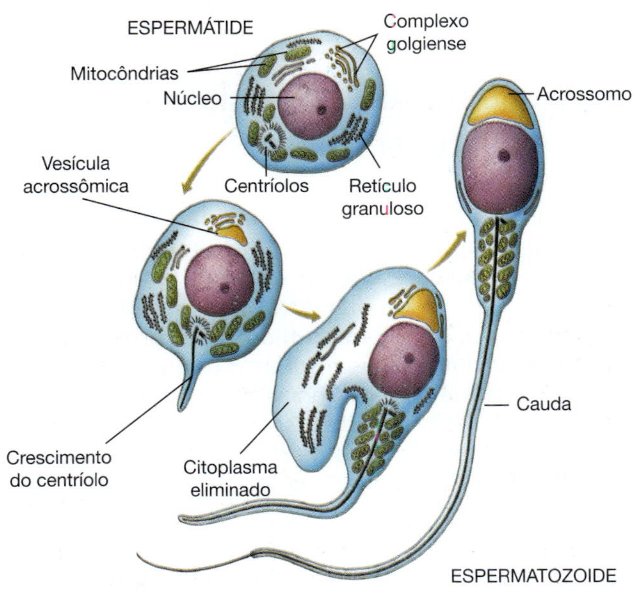

10.5 Lisossomos e digestão intracelular

Além do "empacotamento" e da "remessa" corretos das secreções celulares, outra importante função do complexo golgiense é a produção de **lisossomos** (do grego *lise*, quebra, e *somatos*, corpo), bolsas membranosas intracelulares que contêm enzimas capazes de digerir grande variedade de substâncias orgânicas. As enzimas lisossômicas são sintetizadas no retículo endoplasmático granuloso, de onde migram para o complexo golgiense. Aí, são "empacotadas" em bolsas membranosas liberadas para o citosol e passam a constituir os **lisossomos primários**. Uma célula animal pode conter dezenas ou centenas dessas organelas.

Função heterofágica

A função dos lisossomos é promover a **digestão intracelular**. A atividade lisossômica é grande em células que capturam partículas ou substâncias do meio externo por fagocitose ou pinocitose. Esse é o caso de protozoários como a ameba, que capturam alimentos e os digerem dentro de grandes bolsas membranosas, comparáveis a pequenos "estômagos" intracelulares. Outras células em que há grande atividade lisossômica são os macrófagos e certos tipos de glóbulo branco do sangue, que capturam bactérias e outros agentes invasores de nosso corpo, defendendo-o de infecções.

As bolsas membranosas com o material ingerido, sejam fagossomos ou pinossomos, fundem-se a lisossomos e originam bolsas maiores, em cujo interior ocorre a digestão intracelular. Essas bolsas são os **vacúolos digestivos**, também chamados **lisossomos secundários**.

Substâncias úteis originadas da digestão atravessam a membrana do vacúolo e passam para o citosol, onde podem ser utilizadas como fonte de energia ou como matéria-prima para a produção de novos componentes celulares. Restos não aproveitáveis permanecem no vacúolo digestivo, que passa a ser então chamado de **vacúolo residual**. Ao se fundir com a membrana plasmática, o vacúolo residual elimina os resíduos para o meio extracelular, processo denominado **clasmocitose** ou defecação celular.

A atuação dos lisossomos na digestão de partículas e substâncias vindas de fora da célula é denominada **função heterofágica** (do grego, *hetero*, diferente, e *fagos*, comer) dos lisossomos. (Fig. 10.17)

Figura 10.16 Representação esquemática da diferenciação de um espermatozoide. À medida que a espermátide se transforma em espermatozoide, as cisternas do complexo golgiense acumulam enzimas; estas se fundem e originam a vesícula acrossômica, localizada na extremidade da cabeça do gameta masculino. (Elementos fora de proporção de tamanho entre si; cores-fantasia.)

A

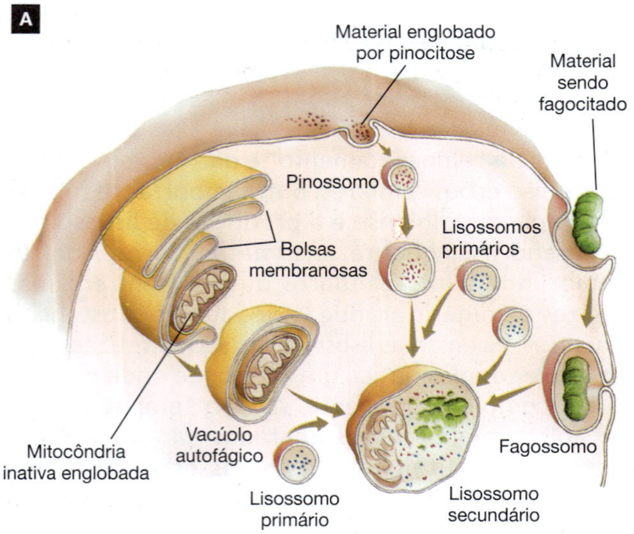

B

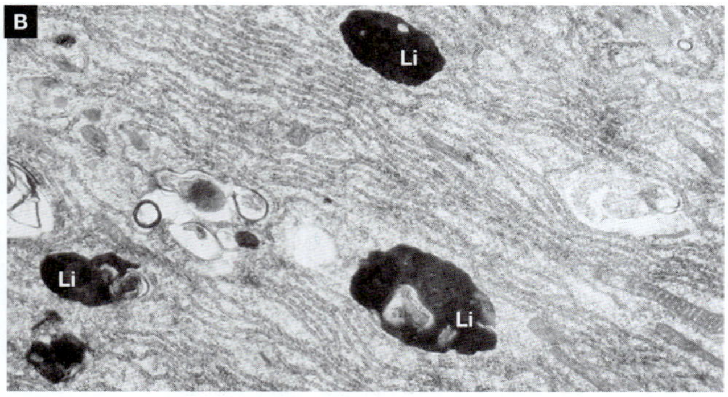

Figura 10.17 A. Representação esquemática das funções heterofágica e autofágica dos lisossomos. (Elementos fora de proporção de tamanho entre si; cores-fantasia.) (Baseado em Campbell, N. e cols., 1999.)
B. Fotomicrografia de um corte de célula animal em que se veem lisossomos secundários (Li), alguns deles digerindo partes da própria célula. (Microscópio eletrônico de transmissão; aumento ≈ 10.500×.)

Conteúdo multimídia Formação dos lisossomos

Função autofágica

Os lisossomos também atuam na digestão de partes da própria célula em que se encontram, o que é denominado **função autofágica** (do grego *autos*, próprio, e *phagein*, comer). Por exemplo, quando um organismo é privado de alimento e suas reservas se esgotam, as células podem realizar autofagia e digerir partes de si mesmas como estratégia de sobrevivência.

Células eucarióticas utilizam normalmente a autofagia para eliminar partes desgastadas e reaproveitar alguns de seus componentes. Células nervosas do cérebro, por exemplo, que se formam na fase embrionária e podem durar por toda a nossa vida, têm todos os seus componentes (exceto os genes) digeridos e reciclados a cada mês. Nesse contexto, a autofagia é um processo que permite às células manter sua "juventude".

A estrutura celular que vai ser digerida é inicialmente cercada e envolvida por membranas do retículo endoplasmático, que formam em torno dela uma bolsa membranosa, o **autofagossomo**. Este se funde a um ou mais lisossomos, originando um **vacúolo autofágico**. Este, como o vacúolo heterofágico, é um lisossomo secundário, pois em seu interior está ocorrendo a digestão.

Células vegetais reciclam seus componentes por meio da autofagia, mas não formam vacúolos autofágicos como as células animais. Os componentes celulares desgastados penetram no vacúolo celular central, onde há enzimas digestivas semelhantes às enzimas lisossômicas.

Um caso particular de autofagia ocorre durante a metamorfose dos anfíbios, em que a cauda do girino regride em decorrência da digestão de suas células pelas enzimas lisossômicas. (Fig. 10.18)

Regressão da cauda de girinos

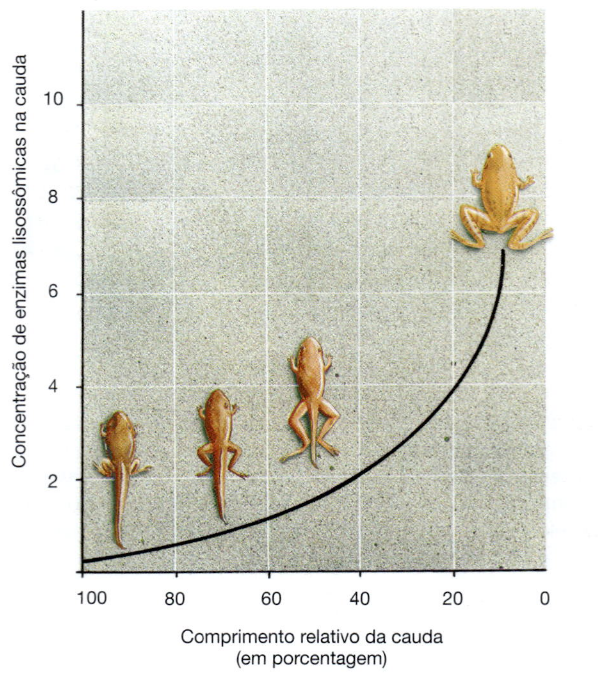

Figura 10.18 Gráfico que mostra o aumento da concentração relativa de enzimas lisossômicas (no eixo das ordenadas) nas células da cauda de girinos durante o desenvolvimento. A regressão da cauda dos girinos ocorre devido à digestão de células por enzimas lisossômicas; o material resultante dessa autofagia entra na circulação sanguínea e é utilizado no crescimento do corpo do animal. (Dados de De Duve, C., 1969.)

10.6 Sustentação celular: paredes e citoesqueleto

Vamos relembrar a célula imaginária que ampliamos ao tamanho de um quarto de 3 m de lado. Nela, o núcleo seria representado por uma grande esfera com cerca de 1 m de diâmetro, delimitada por duas biomembranas e repleta de filamentos grossos como barbantes. Imagine o nosso "quarto-célula" preenchido por uma gelatina de consistência fluida (o citosol), onde estão mergulhadas as diversas organelas celulares. Tudo isso delimitado pela membrana plasmática, que comparamos a uma película plástica flexível com meio milímetro de espessura, em nosso modelo imaginário. A pergunta é: como uma célula consegue manter sua forma e estruturação interna, sem "desmoronar"?

Parede celular

As células de bactérias, fungos, algas, plantas e alguns protozoários têm parede celular, um envoltório externo rígido ao qual se adere, internamente, a membrana plasmática. Seria como se nossa célula imaginária do tamanho de um quarto estivesse envolvida por uma parede grossa, com resistência semelhante à do concreto, na qual a película que representa a membrana plasmática está aderida.

A estrutura e a composição química da parede celular variam muito. Nas células de plantas e de algas, por exemplo, a parede é constituída basicamente por celulose e, por isso, é chamada parede celulósica. A espessura da parede celulósica das plantas também é bastante variável; em células vegetais jovens, a parede celulósica é fina e elástica, medindo entre 0,1 μm e 0,2 μm de espessura. Em células vegetais maduras, ela pode ter entre 1 μm e 10 μm de espessura. Se nossa célula imaginária tivesse uma parede celular com 1 μm de espessura, ao ser ampliada 100 mil vezes, ela passaria a medir 10 cm, pouco menos que a espessura de uma parede de tijolos comum.

Do ponto de vista químico, a celulose é um polissacarídio, um tipo de glicídio, classe de substâncias à qual pertencem também os açúcares.

As moléculas de celulose organizam-se em feixes resistentes – as microfibrilas – que se mantêm unidos graças a uma matriz formada por glicoproteínas (proteínas ligadas a açúcares) e polissacarídios (hemicelulose e pectina). Em células vegetais jovens, as microfibrilas de celulose da parede formam um arranjo cruzado, que alia resistência à elasticidade e possibilita o crescimento da célula. (Fig. 10.19)

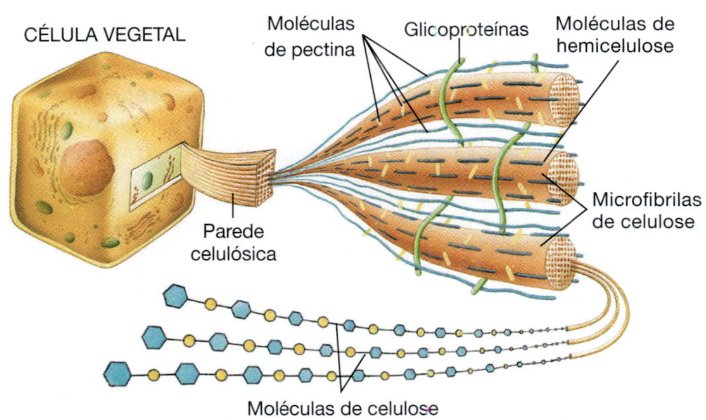

Figura 10.19 Representação esquemática da estrutura molecular da parede celulósica. (Elementos fora de proporção de tamanho entre si; cores-fantasia.) (Baseado em Alberts, B. e cols., 2004.)

Citoesqueleto

As células eucarióticas apresentam um complexo estrutural de túbulos e filamentos proteicos mergulhados no citosol: o citoesqueleto. Este desempenha diversas funções: a) define a forma da célula e organiza sua estrutura interna; b) permite a adesão de uma célula às suas vizinhas e a superfícies extracelulares; c) promove o deslocamento de materiais no citoplasma. O citoesqueleto também participa de movimentos celulares, da contração muscular, da movimentação dos cromossomos durante as divisões celulares e dos movimentos de cílios e de flagelos.

Os finíssimos túbulos proteicos do citoesqueleto, chamados **microtúbulos**, medem cerca de 25 nm de diâmetro e podem atingir até alguns micrômetros de comprimento. Suas paredes são constituídas por moléculas da proteína **tubulina**. Em nossa célula imaginária aumentada 100 mil vezes, um microtúbulo teria cerca de 2,5 mm de espessura, comparável ao tubo de tinta de uma caneta esferográfica, com até 50 cm de comprimento.

Outros componentes do citoesqueleto são os **microfilamentos** de actina, uma proteína abundante nos organismos eucarióticos. Esses filamentos têm cerca de 7 nm de espessura e dispõem-se no citoplasma de duas maneiras principais: lado a lado, formando feixes, ou entrelaçados, formando redes.

A proteína queratina, presente em nossa pele, unhas e cabelos, também é um componente do citoesqueleto. Ela pertence ao grupo dos chamados **filamentos intermediários**, com aproximadamente 10 nm de espessura. (Fig. 10.20)

O citoesqueleto é uma estrutura dinâmica. Microtúbulos surgem e se desfazem continuamente, pela respectiva organização e desorganização das proteínas que os compõem. Os microfilamentos de actina aumentam e diminuem em comprimento e seus feixes e redes modificam-se sempre. Filamentos da proteína miosina deslizam sobre filamentos de actina, levando a célula a mudar de forma, a criar pseudópodes e a expulsar as secreções, entre outros movimentos. Imagine tudo isso ocorrendo na nossa célula-modelo.

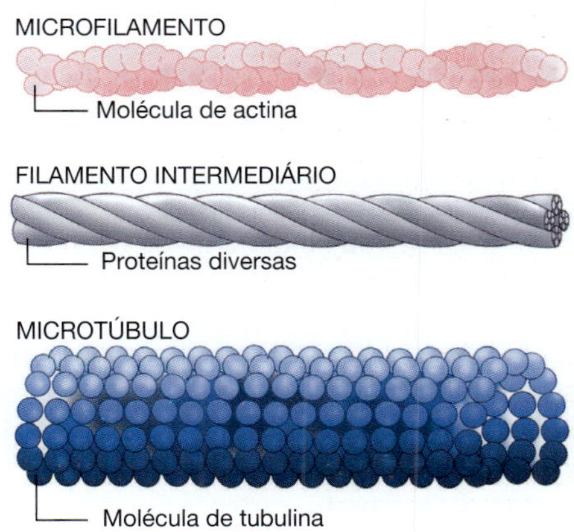

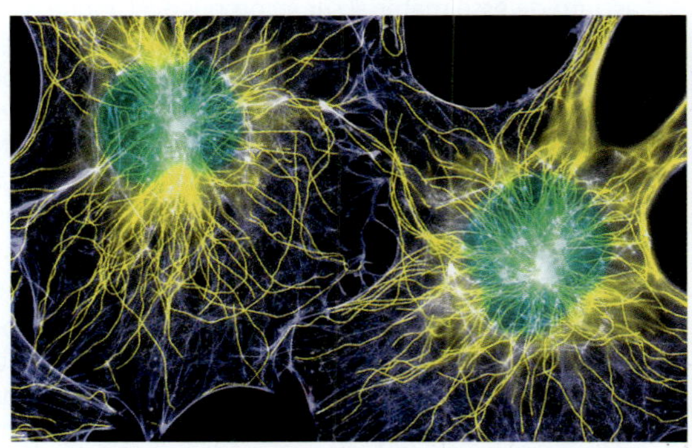

DR TORSTEN WITTMANN/ SCIENCE PHOTO LIBRARY/LATINSTOCK

Figura 10.20 Acima, representação esquemática de três tipos de componentes do citoesqueleto. (Elementos fora de proporção de tamanho entre si; cores-fantasia.) (Baseado em Lodish, H. e cols., 2005.) A fotomicrografia ao lado mostra o citoesqueleto de dois fibroblastos cujos componentes foram evidenciados em amarelo (tubulina) e roxo (actina), por uma técnica denominada imunofluorescência; o núcleo está evidenciado em verde. (Microscópio fotônico iluminado com luz ultravioleta; aumento ≈ 800×; cores artificiais.)

Ciência e cidadania

Os pequenos lisossomos e seus grandes efeitos

1 O estudo aprofundado das células tem permitido entender os intrincados caminhos que levam a determinadas doenças humanas, possibilitando eventualmente sua cura, tratamento e prevenção. Você sabia, por exemplo, que já se conhecem mais de 25 doenças resultantes de distúrbios digestivos das células?

Doença de Tay-Sachs

2 A doença de Tay-Sachs (DTS) resulta de um defeito na enzima que atua em uma das etapas da digestão intracelular de um gangliosídio, substância normalmente presente nas membranas das células nervosas, mas que precisa ser continuamente reciclada por meio da digestão dos lisossomos. As autópsias mostram que as células nervosas dos doentes estão aumentadas devido ao inchaço dos lisossomos, que ficam repletos de gangliosídios não digeridos. Os sintomas da DTS começam a se manifestar no primeiro ano de vida; por volta dos dois anos, a criança já apresenta sinais de demência e geralmente morre antes de completar três anos de idade.

Silicose e asbestose

3 Duas outras doenças relacionadas aos lisossomos são a silicose e a asbestose, que afetam os pulmões.

4 A **silicose** é comum em pessoas constantemente expostas a pó de sílica, como os trabalhadores de marmorarias e os ceramistas, entre outros. Os minúsculos cristais dessa substância ficam em suspensão no ar inalado e atingem os pulmões, onde são ingeridos por fagocitose pelos macrófagos, células de defesa que "patrulham" os alvéolos pulmonares. As partículas de sílica acumulam-se no interior dos lisossomos dos macrófagos e acabam por perfurá-los, levando ao derrame de enzimas ativas e a prejuízos às células pulmonares.

5 A **asbestose** é uma doença relacionada à inalação prolongada de poeira com alta concentração de fibras de amianto. À semelhança do que ocorre com a sílica, o amianto inalado acumula-se nos lisossomos das células dos alvéolos pulmonares e altera seu funcionamento.

6 O amianto, ou asbesto, pertence ao grupo dos silicatos cristalinos hidratados. Ambas as denominações referem-se ao fato de esse material ser incombustível, o que difundiu seu emprego na produção de materiais antichamas. Além da incombustibilidade, a estrutura fibrosa do amianto possui alta resistência mecânica, durabilidade e flexibilidade. Por isso, esse material é empregado na indústria, principalmente para a fabricação de telhas e caixas-d'água, de autopeças de veículos, entre outras aplicações. O amianto já foi largamente utilizado como isolante térmico e proteção antichama nas décadas de 1940 e 1950.

7 O uso do amianto vem sendo proibido em vários países do mundo; embora ainda utilizado no Brasil, sua proibição é questão de tempo, segundo a auditora fiscal Fernanda Giannasi, do Ministério do Trabalho e Emprego, em entrevista à Agência Brasil, em 13 de janeiro de 2007[1]. Fundadora da Associação Brasileira dos Expostos ao Amianto (Abrea), ela diz que o risco de contrair doenças como câncer de pulmão ou asbestose é 57 vezes maior entre os trabalhadores do setor que são fumantes, se comparados a pessoas que não trabalham no setor e não fumam.

8 Embora para muitos essas precauções pareçam exageradas, Fernanda Giannasi sugere aos que têm um telhado de amianto que procurem instalar um forro ou alguma proteção para evitar o contato com o farelo das telhas, que se desprende principalmente com a umidade e o bolor. Ela recomenda também cuidados com a caixa-d'água, evitando o uso de escova de aço na limpeza e principalmente produtos agressivos, como a água sanitária. Deve-se tampar a caixa-d'água para impedir que ela se suje muito. O ideal, com o tempo, é substituí-la.

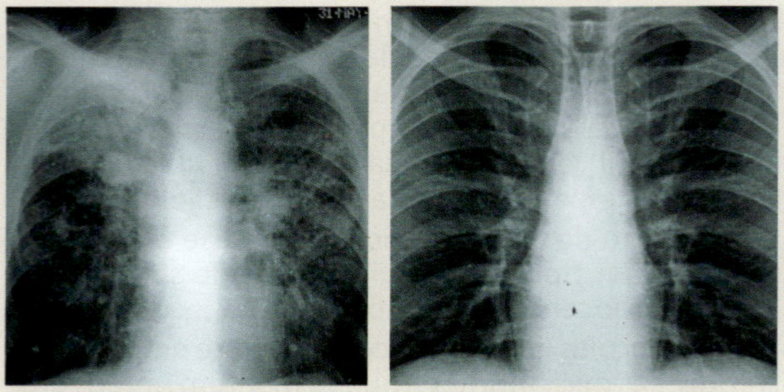

STEVE ALLEN/SCIENCE PHOTO LIBRARY/LATINSTOCK

SIMON BELCHER/ALAMY/OTHER IMAGES

À esquerda, radiografia da caixa torácica de uma pessoa cujos pulmões estão fibrosados em decorrência da asbestose. À direita, pulmões sadios.

Encefalopatias espongiformes transmissíveis

9 Os lisossomos estão implicados em uma série de doenças conhecidas como encefalopatias espongiformes transmissíveis ou TSE (do inglês, *transmissible spongiform encephalopathies*). A mais conhecida delas é a **doença da vaca louca** ou BSE (do inglês, ***b****ovine* ***s****pongiform* ***e****ncephalopathy*); sua correspondente humana é a nova variante da doença de Creutzfeldt-Jakob, mais conhecida pela sigla nvCJD.

10 Essas doenças caracterizam-se por uma degeneração lenta do sistema nervoso central decorrente do acúmulo de uma proteína fibrosa infectante conhecida como **príon**, geralmente adquirida pela ingestão de carne contaminada. O aspecto esponjoso do cérebro dos doentes deve-se ao acúmulo de fibras dessa proteína.

11 Os surtos da doença da vaca louca no gado bovino da Inglaterra e de alguns outros países, nas décadas de 1980 e 1990, foram provavelmente causados pela prática de enriquecer a ração dos rebanhos com proteína animal derivada de carcaças. Animais eventualmente contaminados por príons tiveram suas carcaças reduzidas a pó e serviram de alimento a animais sadios, contaminando-os. Casos de nvCJD, principalmente em pessoas na Inglaterra, foram relacionados à ingestão de carne proveniente de animais infectados por príons. O Brasil está aparentemente livre da doença porque em nossa pecuária o gado é alimentado quase exclusivamente com produtos de origem vegetal.

12 O **kuru** é uma doença neurológica causada por príon, endêmica entre nativos da Nova Guiné, e cuja transmissão está ligada a rituais de canibalismo. Nessas populações, costuma-se macerar o cérebro do cadáver e utilizá-lo no preparo de uma sopa, ingerida pelos familiares do morto.

1 Disponível em: <http://www.midiaindependente.org/pt/red/2007/01/370653.shtml>. Acesso em: set. 2012.

Se este era portador da encefalopatia transmissível, os familiares correm o risco de contrair a doença. Como os sintomas levam anos para se manifestar, foi difícil estabelecer a relação entre os rituais e a aquisição da enfermidade.

13 Supõe-se que, quando uma pessoa ou um animal ingerem carne contaminada por príons, estes não são digeridos no tubo digestório e penetram intactos na circulação sanguínea. Pelo sangue, os príons chegam aos nervos e aos corpos celulares dos neurônios, onde começam a fazer com que proteínas normais similares a eles se transformem em novos príons. Estes, sendo resistentes à digestão, acumulam-se nos lisossomos e acabam por causar a morte das células nervosas. A lenta destruição dos neurônios afeta o funcionamento do sistema nervoso, levando ao aparecimento dos sintomas típicos da doença: perda gradativa da memória recente e de orientação espacial, incontinência urinária, demência e morte.

Guia de leitura

1 Leia o primeiro parágrafo do quadro. Como você responderia a alguém que não considere importante conhecer os distúrbios digestivos das células?

2 O segundo parágrafo apresenta a doença de Tay-Sachs. Qual é a relação dessa doença com os lisossomos?

3 Leia os parágrafos 3, 4 e 5 do quadro, que descrevem duas outras doenças: a silicose e a asbestose. Qual é a relação de cada uma delas com os lisossomos?

4 Nos parágrafos 6, 7 e 8 fala-se do uso de materiais que contêm amianto (caixas-d'água, telhas etc.) e de grupos sociais que defendem a proibição desse produto, já adotada em alguns países. Você já ouviu falar nesse assunto? Pesquise a situação do uso do amianto no Brasil e informe-se sobre os riscos do uso desse material para a saúde das pessoas.

5 Com base na leitura do nono e do décimo parágrafos do quadro, responda: o que é a "doença da vaca louca"?

6 Leia o parágrafo de número 11, que comenta sobre a disseminação da "doença da vaca louca" na Inglaterra. Por que, segundo o texto, o Brasil está aparentemente livre da doença?

7 No décimo segundo parágrafo, é apresentado o *kuru*, doença também causada por um príon (proteína infectante). De acordo com o texto, qual é a maneira de disseminação dessa doença?

8 No último parágrafo do quadro (13º), é estabelecida a relação entre doenças causadas por príons ("doença da vaca louca" e *kuru*) e os lisossomos. Qual é ela?

Centríolos, flagelos e cílios

A maioria das células eucarióticas, com exceção das de fungos e de plantas com sementes (gimnospermas e angiospermas), apresenta pelo menos um par de **centríolos**, pequenos cilindros ocos, cada qual constituído por nove conjuntos de três microtúbulos unidos por proteínas adesivas. O par de centríolos localiza-se na região celular denominada **centrossomo** ou **centro celular**, local para onde convergem os microtúbulos do citoesqueleto.

Os centrossomos têm papel importante no processo de divisão celular. Como veremos mais adiante, os microtúbulos que convergem para os centrossomos puxam os cromossomos, separando-os corretamente para as células-filhas. (Fig. 10.21)

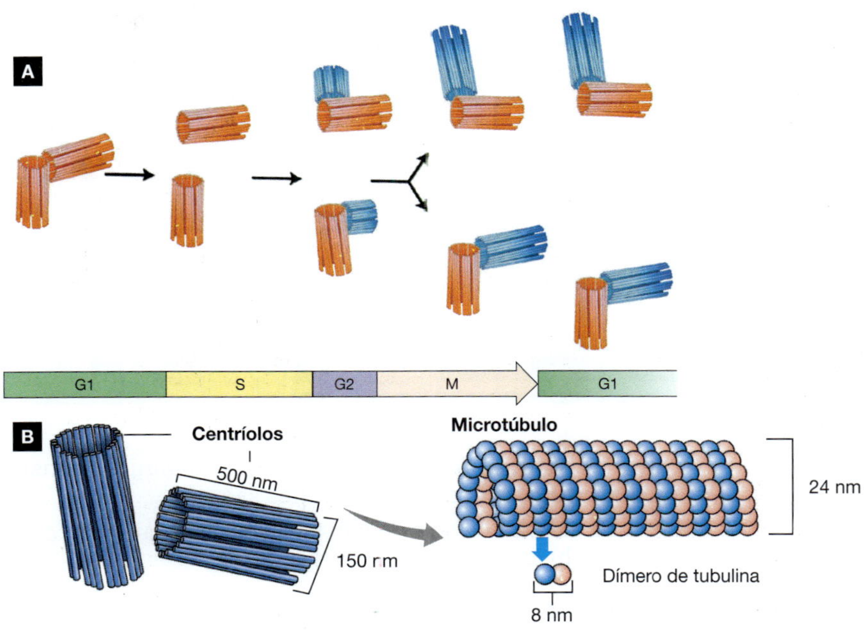

Figura 10.21 A. Comportamento dos centríolos no ciclo celular. Eles se duplicam na fase S da interfase, período em que também está ocorrendo a duplicação dos cromossomos (síntese de DNA) no núcleo (G1 e G2 são as outras fases da interfase, antes e depois de S). Na mitose (M), ou divisão celular propriamente dita, os pares de centríolos migram para polos opostos; cada par ficará em uma célula-filha. O processo detalhado da divisão celular será estudado no capítulo 12 deste livro. (Elementos fora de proporção de tamanho entre si; cores-fantasia.) **B.** Representação esquemática de um par de centríolos e detalhe de um pedaço de microtúbulo, mostrando as moléculas de tubulina que o constituem. (Esquemas baseados em Lodish, H. e cols., 2005.)

Certas células têm estruturas filamentosas móveis que se projetam da superfície celular como pelos microscópicos. Dependendo do tamanho e do tipo de movimentação, esses filamentos são classificados em flagelos ou cílios.

Os **flagelos** são geralmente mais longos que os cílios e ocorrem em menor número por célula; o espermatozoide humano, por exemplo, cuja cabeça mede 5 μm de comprimento por 3 μm de largura, tem um único flagelo de aproximadamente 41 μm de comprimento. Os gametas de certas plantas possuem dois, quatro ou mais flagelos. Os movimentos flagelares são ondulações que se propagam da base para a extremidade livre do filamento.

Os **cílios** são mais curtos que os flagelos e ocorrem em número relativamente maior por célula, da ordem de dezenas ou centenas. Seus movimentos assemelham-se aos de um chicote, com frequência de 10 a 40 batimentos por segundo!

As funções de flagelos e cílios compreendem a movimentação da célula em meios líquidos, como ocorre com gametas e certos protozoários, ou a movimentação de líquidos em relação à célula, como ocorre com certos protozoários e animais, cujos cílios criam correntes que trazem partículas alimentares. Nossa traqueia é internamente revestida por células ciliadas, que "varrem" para fora o muco que lubrifica as vias respiratórias, livrando-nos assim de bactérias e partículas inaladas com o ar.

Tanto os flagelos quanto os cílios originam-se a partir de centríolos, que migram para a periferia da célula e crescem pelo alongamento de seus microtúbulos. A membrana plasmática acompanha esse crescimento e passa a envolvê-los, como se fosse uma luva.

A estrutura interna de flagelos e cílios é idêntica: eles apresentam nove duplas de microtúbulos periféricos, além de um par de microtúbulos centrais. (Fig. 10.22)

Outras importantes organelas celulares são as **mitocôndrias** e os **plastos**, que serão estudadas no próximo capítulo.

DR. GOPAL MURTI/SCIENCE PHOTO LIBRARY/LATINSTOCK

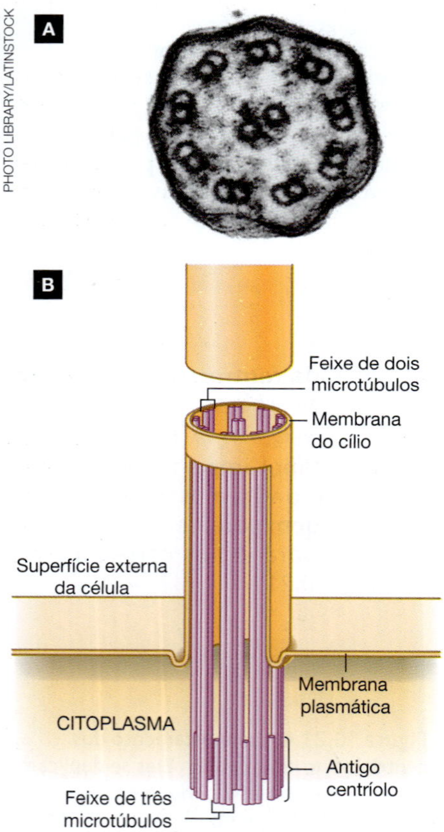

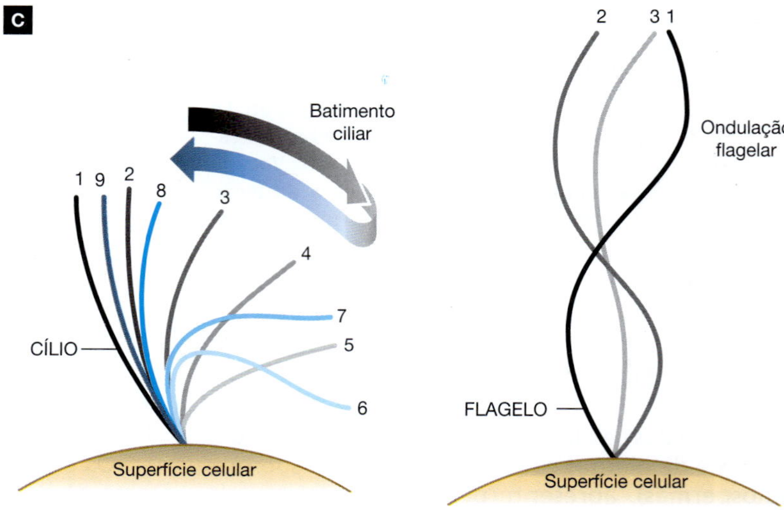

Figura 10.22 A. Fotomicrografia de cílio cortado transversalmente. (Microscópio eletrônico de transmissão; aumento ≈ 170.000×.) **B.** Representação tridimensional esquemática de um cílio parcialmente cortado para mostrar sua organização interna. **C.** Representação esquemática da movimentação de um cílio e de um flagelo, como seriam vistos em uma fotografia de múltipla exposição. O cílio movimenta-se como um chicote, executando entre 10 e 40 "chicotadas" por segundo. Os flagelos, mais longos que os cílios, movimentam-se por ondulações. (Em **B** e **C**, elementos fora de proporção de tamanho entre si; cores-fantasia.)

10.3 Biblioteca do estudante — Amplie seus conhecimentos

Biblioteca do estudante — Sugestões de livros, *sites* e vídeos

Atividades

Visão do especialista | Biblioteca do estudante — Faça você mesmo! | Listas de exercícios

Revendo conceitos fundamentais

1. A película que separa o conteúdo celular interno do ambiente ao redor é denominada

a) carioteca.
b) fosfolipídio.
c) membrana plasmática.
d) parede celular.

2. As duas principais substâncias orgânicas constituintes das biomembranas são

a) glicídios e ácidos nucleicos.
b) lipídios e proteínas.
c) glicídios (polissacarídios) e proteínas.
d) lipídios e ácidos nucleicos.

Escreva, em seu caderno, o termo abaixo que substitui corretamente a tarja entre parênteses das frases de 3 a 6.

a) aminoácido
b) citoplasma
c) citosol
d) organela citoplasmática

3. A região da célula situada entre o envoltório nuclear e a membrana plasmática é o(a) (▬▬).

4. (▬▬) é a denominação que recebe o fluido viscoso que preenche o espaço entre o núcleo celular e a membrana plasmática.

5. Uma estrutura membranosa presente no espaço interno das células eucarióticas e que desempenha funções específicas no metabolismo celular é genericamente chamada (▬▬).

6. A unidade que compõe a molécula de proteína é o(a) (▬▬).

Escreva, em seu caderno, o termo abaixo que substitui corretamente a tarja entre parênteses das frases de 7 a 10.

a) difusão
b) difusão facilitada
c) osmose
d) permeabilidade seletiva

7. (▬▬) é a propriedade da membrana plasmática em deixar passar certas substâncias e impedir a passagem de outras.

8. (▬▬) é um processo físico-químico em que partículas de substâncias movem-se em maior quantidade das regiões em que sua concentração é maior para aquelas em que a concentração é menor.

9. A passagem de substâncias através da membrana plasmática com o auxílio de proteínas transportadoras e sem gasto de energia é denominada (▬▬).

10. (▬▬) é a passagem de água através de uma membrana semipermeável, em direção ao local de maior concentração de soluto.

Escreva, em seu caderno, o termo abaixo que substitui corretamente a tarja entre parênteses das frases de 11 a 14.

a) hipertônica
b) hipotônica
c) isotônica
d) transporte ativo
e) transporte passivo

11. Quando uma substância passa através da membrana plasmática sem gasto de energia por parte da célula fala-se em (▬▬).

12. Processos de passagem de substâncias através da membrana plasmática que dependem da energia celular são genericamente chamados (▬▬).

13. Quando comparamos duas soluções, dizemos que a menos concentrada em solutos é (▬▬) e que a mais concentrada em solutos é (▬▬).

14. Uma solução com mesma concentração em solutos que outra é (▬▬) em relação a ela.

15. O mecanismo de transporte ativo de íons de Na^+ e de K^+ através da membrana plasmática com gasto de energia é chamado

a) bomba iônica.
b) difusão facilitada.
c) fagocitose.
d) osmose.

Escreva, em seu caderno, o termo abaixo que substitui corretamente a tarja entre parênteses das frases de 16 a 18.

a) clasmocitose
b) exocitose
c) fagocitose
d) pinocitose

16. (▬▬) é um processo pelo qual certos tipos de célula englobam partículas relativamente grandes com o auxílio de pseudópodes.

17. A captura de pequenas partículas ou de gotículas de líquido por meio de canais que se formam na membrana das células é a (▬▬).

18. (▬▬) é um processo pelo qual certas células eliminam resíduos ou materiais úteis (secreções) por meio de bolsas membranosas que se fundem com a membrana plasmática.

Escreva, em seu caderno, o termo abaixo que substitui corretamente a tarja entre parênteses das frases de 19 a 24.

a) acrossomo
b) complexo golgiense
c) lisossomo
d) retículo endoplasmático não granuloso
e) retículo endoplasmático granuloso
f) ribossomo

19. O conjunto de bolsas membranosas com grânulos aderidos à face voltada para o citosol, presente nas células eucarióticas, é o (▬▬).

20. O (▬▬) é uma bolsa membranosa citoplasmática que contém enzimas capazes de digerir diversos tipos de substâncias orgânicas.

21. O (▬▬) é constituído por um conjunto de bolsas membranosas achatadas e empilhadas, cuja função é “empacotar” e “despachar” substâncias produzidas pela célula.

22. O (▬▬) é um grânulo constituído por proteínas e RNA, cuja função é sintetizar proteínas.

23. A bolsa repleta de enzimas digestivas que os espermatozoides apresentam na “cabeça” é chamada (▬▬) e tem origem no (▬▬).

24. (▬▬) é o sistema formado por tubos e bolsas membranosos, interligados e sem grânulos aderidos, presente no interior das células eucarióticas.

Escreva, em seu caderno, o termo abaixo que substitui corretamente a tarja entre parênteses das frases de 25 a 29.

a) centríolo
b) centrossomo
c) cílio
d) citoesqueleto
e) flagelo

25. O sistema de tubos proteicos e de fibras citoplasmáticas responsáveis pela forma da célula e por muitos de seus movimentos constitui o (▬▬).

26. (▬▬) é um filamento curto e móvel, presente geralmente em grande número na superfície celular, cujos batimentos permitem à célula nadar ou movimentar líquidos ao redor.

27. (▬▬) é um filamento longo e móvel que se projeta da superfície celular e cujas ondulações permitem a natação ou movimentação de líquidos ao redor da célula.

28. (▬▬) é uma estrutura citoplasmática cilíndrica formada por nove feixes de três microtúbulos, presente na maioria das células eucarióticas, com exceção de fungos e de plantas com sementes.

29. A região do citoplasma de uma célula eucariótica para onde convergem microtúbulos é chamada (▬▬).

Ligando conceitos, fatos e processos

30. A espessura média das biomembranas é da ordem de

a) 0,5 μm. b) 5,0 μm. c) 5,0 nm. d) 500 nm.

31. Durante o fenômeno de osmose, ocorre passagem de água preferencialmente da solução menos concentrada em solutos para a solução

a) hipertônica.
b) hipotônica.
c) isotônica.
d) osmótica.

32. Uma condição necessária para que ocorra osmose é que

a) as concentrações de soluto dentro e fora da célula sejam iguais.
b) as concentrações de soluto dentro e fora da célula sejam diferentes.
c) haja energia para o transporte de moléculas de água.
d) haja um vacúolo, no interior da célula, onde o excesso de água pode ser acumulado.

33. Células mergulhadas em solução (I) incham; entretanto, células vegetais não estouram devido à presença de (II). Qual alternativa contém os termos que substituem corretamente os números entre parênteses?

a) (I) = hipotônica; (II) = parede celulósica.
b) (I) = hipotônica; (II) = vacúolo.
c) (I) = hipertônica; (II) = parede celulósica.
d) (I) = hipertônica; (II) = vacúolo.

Associe cada organela citoplasmática, das alternativas a seguir, com a respectiva função apresentada nos itens 34 a 37.

a) Complexo golgiense.
b) Lisossomo.
c) Retículo endoplasmático não granuloso.
d) Retículo endoplasmático granuloso.

34. Secreção celular.

35. Digestão intracelular.

36. Síntese de proteínas.

37. Síntese de lipídios.

38. Certas células presentes no revestimento interno de nossa traqueia produzem e eliminam, por exocitose, substâncias mucosas que lubrificam e protegem a superfície traqueal. Qual organela citoplasmática é diretamente responsável pelo "empacotamento" e eliminação do muco?

a) Acrossomo.
b) Complexo golgiense.
c) Ribossomo.
d) Vacúolo digestivo.
e) Vacúolo residual.

Questões para exercitar o pensamento

39. Do terceiro parágrafo do item *Biomembranas e a permeabilidade celular*, consta o trecho: "As células são altamente dependentes de ambientes aquosos porque as biomembranas somente conseguem manter sua organização molecular em contato direto com água, como podemos deduzir do modelo de Singer e Nicolson". Elabore um texto que explique claramente essa relação.

40. Entre as diversas maneiras de verificar a difusão, mencionamos a seguir uma que pode ser realizada com materiais simples. Ponha água em um recipiente largo de vidro transparente (uma placa de Petri ou um "pirex", desses usados na cozinha) e mantenha-o sobre uma superfície branca, em um local bem iluminado. Espere até que a água pare de se agitar e, então, pingue uma gota de tinta nanquim preta (ou tinta à base de látex) bem perto da superfície da água. Observe a difusão das partículas de tinta pelo líquido. Teste o efeito da temperatura da água sobre a velocidade com que a difusão ocorre, pingando a tinta em um recipiente com água bem gelada e em outro com água quente. Em qual deles você espera que a difusão ocorra mais rapidamente? Por quê?

41. Três tubos de vidro têm, na extremidade inferior, membranas semipermeáveis (isto é, permeáveis à água, mas impermeáveis ao soluto) e foram mergulhados em um recipiente contendo uma solução aquosa de sacarose de concentração C = 10 g/L. Os tubos apresentavam, inicialmente, volumes iguais de soluções de sacarose de diferentes concentrações: C1 = 20 g/L (tubo 1); C2 = 10 g/L (tubo 2); C3 = 5 g/L (tubo 3). O que se espera que ocorra com o nível de líquido em cada um dos tubos após algum tempo? Por quê?

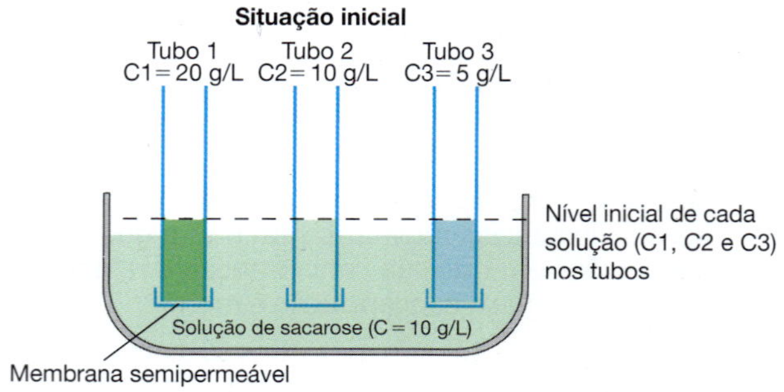

42. Um pesquisador verificou que a concentração de certa substância dentro da célula era vinte vezes maior do que fora dela. Sabendo que a substância em questão é capaz de se difundir facilmente através da membrana plasmática, como pode ser explicado o fato de não ser atingido o equilíbrio entre as concentrações interna e externa?

A Biologia no vestibular e no Enem

Questões objetivas

1. (Unesp)

"Devido à sua composição química – a membrana é formada por lipídios e proteínas – ela é permeável a muitas substâncias de natureza semelhante. Alguns íons também entram e saem da membrana com facilidade, devido ao seu tamanho. [...] No entanto, certas moléculas grandes precisam de uma ajudinha extra para entrar na célula. Essa ajudinha envolve uma espécie de porteiro, que examina o que está fora e o ajuda a entrar."

Solange Soares de Camargo, in *Biologia, Ensino Médio*. 1ª série, v. 1, SEE/SP, 2009.

No texto, e na ordem em que aparecem, a autora se refere

a) ao modelo mosaico-fluido da membrana plasmática, à difusão e ao transporte ativo.
b) ao modelo mosaico-fluido da membrana plasmática, à osmose e ao transporte passivo.
c) à permeabilidade seletiva da membrana plasmática, ao transporte ativo e ao transporte passivo.

d) aos poros da membrana plasmática, à osmose e à difusão facilitada.

e) aos poros da membrana plasmática, à difusão e à permeabilidade seletiva da membrana.

2. (UFMS) Hemácias humanas foram imersas em três tubos de ensaio, denominados A, B e C, contendo líquidos diferentes. Foram observados: redução de volume das hemácias no tubo A; aumento do volume das hemácias no tubo B; e nenhuma modificação de volume nas hemácias do tubo C. Determine a alternativa que indica a tonicidade das soluções A, B e C, respectivamente.

a) Isotônica, hipertônica e hipotônica.

b) Hipertônica, hipotônica e isotônica.

c) Hipotônica, hipertônica e isotônica.

d) Hipertônica, isotônica e hipotônica.

e) Hipotônica, isotônica e hipertônica.

3. (Uerj) Em um experimento realizado em um laboratório escolar, duas tiras de batata foram mergulhadas por 10 minutos, uma na solução A e a outra na solução B. Os resultados, após este tempo, estão resumidos na tabela abaixo.

Solução	Condição da tira de batata
A	Amolecida
B	Rígida

Em relação à tonicidade do citoplasma das células de batata, as soluções A e B são, respectivamente, classificadas como

a) hipotônica e isotônica.

b) isotônica e hipertônica.

c) hipertônica e hipotônica.

d) hipotônica e hipertônica.

4. (UFPel-RS)

Atenção na cozinha: não é aconselhável temperar, com sal e vinagre, uma salada de verduras, ou um pedaço de carne, muito tempo antes de consumir. Provavelmente as folhas da verdura ficarão murchas, e a carne vai começar a liberar muito líquido.

Baseado no texto e em seus conhecimentos, é correto afirmar que em ambos os casos ocorrerá

a) a difusão do solvente do meio hipertônico para o hipotônico, por isso a carne e as verduras perderão água.

b) a lise celular e por isso as células liberarão água, pois foram submetidas a um meio hipotônico.

c) a deplasmólise, processo em que há perda de água para o ambiente e consequentemente a diminuição do volume celular.

d) um processo de osmose, em que as células perderão água por serem submetidas a um meio hipertônico.

e) um processo de transporte ativo, em que as células secretarão água para ocorrer a entrada de sal nas próprias células.

5. (UFC-CE) Células animais com função secretora apresentam abundância de retículo endoplasmático granuloso (rugoso) e complexo golgiense, estruturas que se localizam próximas uma à outra e que trabalham em conjunto. Nesse trabalho em parceria, o retículo endoplasmático granuloso

a) libera proteínas digestivas em vesículas denominadas lisossomos, que atuarão em conjunto com os tilacoides do complexo golgiense.

b) produz fosfolipídios de membrana que serão processados no complexo golgiense e liberados no citoplasma para formação de novos ribossomos.

c) sintetiza proteínas e as transfere para o complexo golgiense, que as concentra e as libera em vesículas, que terão diferentes destinos na célula.

d) funde-se ao complexo golgiense para formar o acrossomo dos espermatozoides, responsável pela digestão da parede do óvulo e pela penetração nesse.

e) acumula os polissacarídios de parede celular, produzidos no complexo golgiense, e os processa, antes de liberar as vesículas que se fundirão com a membrana plasmática.

6. (UFC-CE) Suponha que você esteja trabalhando com uma suspensão de células animais, a partir da qual você deseje isolar uma proteína. Durante a preparação, vários lisossomos sofrem ruptura. Como consequência disso, ocorreria

a) liberação de ácidos nucleicos, que dificultariam o isolamento da macromolécula que você está tentando obter.

b) liberação de ATP, que facilitaria o processo de isolamento da macromolécula de seu interesse.

c) liberação de enzimas, que poderiam digerir a macromolécula que você está tentando isolar.

d) liberação de macromoléculas proteicas recém-sintetizadas nos lisossomos, o que aumentaria a quantidade da proteína a ser obtida.

e) interrupção da síntese de proteínas enzimáticas nos lisossomos, diminuindo a quantidade da proteína a ser obtida.

7. (Vunesp) No homem, o revestimento interno da traqueia apresenta células secretoras de muco que a lubrificam e a umedecem. A informação sobre a natureza secretora destas células permite inferir que elas são especialmente ricas em estruturas citoplasmáticas do tipo

a) mitocôndrias e retículo endoplasmático liso.

b) retículo endoplasmático granular e aparelho de Golgi.

c) mitocôndrias e aparelho de Golgi.

d) lisossomos e aparelho de Golgi.

e) retículo endoplasmático granular e mitocôndrias.

Questões discursivas

8. (Unifesp) O esquema representa parte da membrana plasmática de uma célula eucariótica. (Elementos representados fora de proporção de tamanho entre si.)

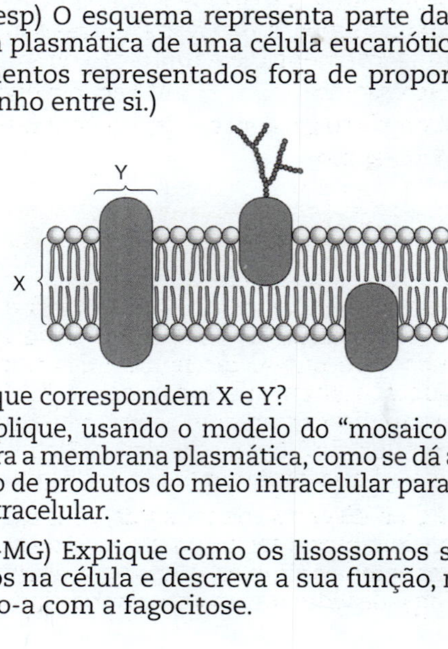

a) A que correspondem X e Y?

b) Explique, usando o modelo do "mosaico fluido" para a membrana plasmática, como se dá a secreção de produtos do meio intracelular para o meio extracelular.

9. (UFU-MG) Explique como os lisossomos são formados na célula e descreva a sua função, relacionando-a com a fagocitose.

Módulo 4

Metabolismo energético e reprodução celular

Capítulo 11

ED BOCK/CORBIS/LATINSTOCK

Processos energéticos celulares

Itens principais:

Energia para a vida
O processo da fotossíntese
Fermentação como forma de obter energia
A respiração aeróbica

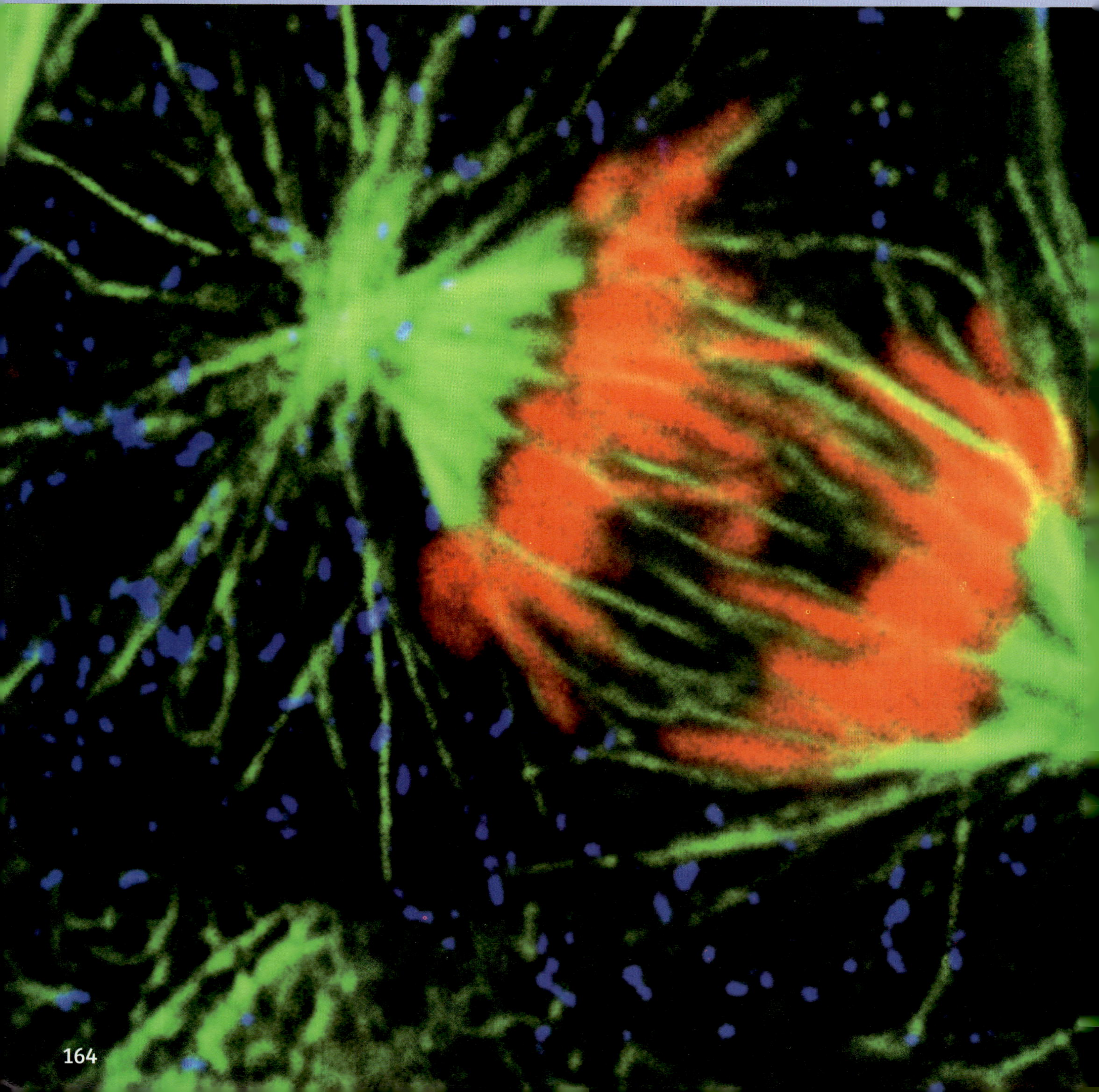

Capítulo 12

LATINSTOCK

Núcleo, cromossomos e divisão celular

Itens principais:

O núcleo celular
Características gerais dos cromossomos
Dividir para multiplicar: a divisão celular

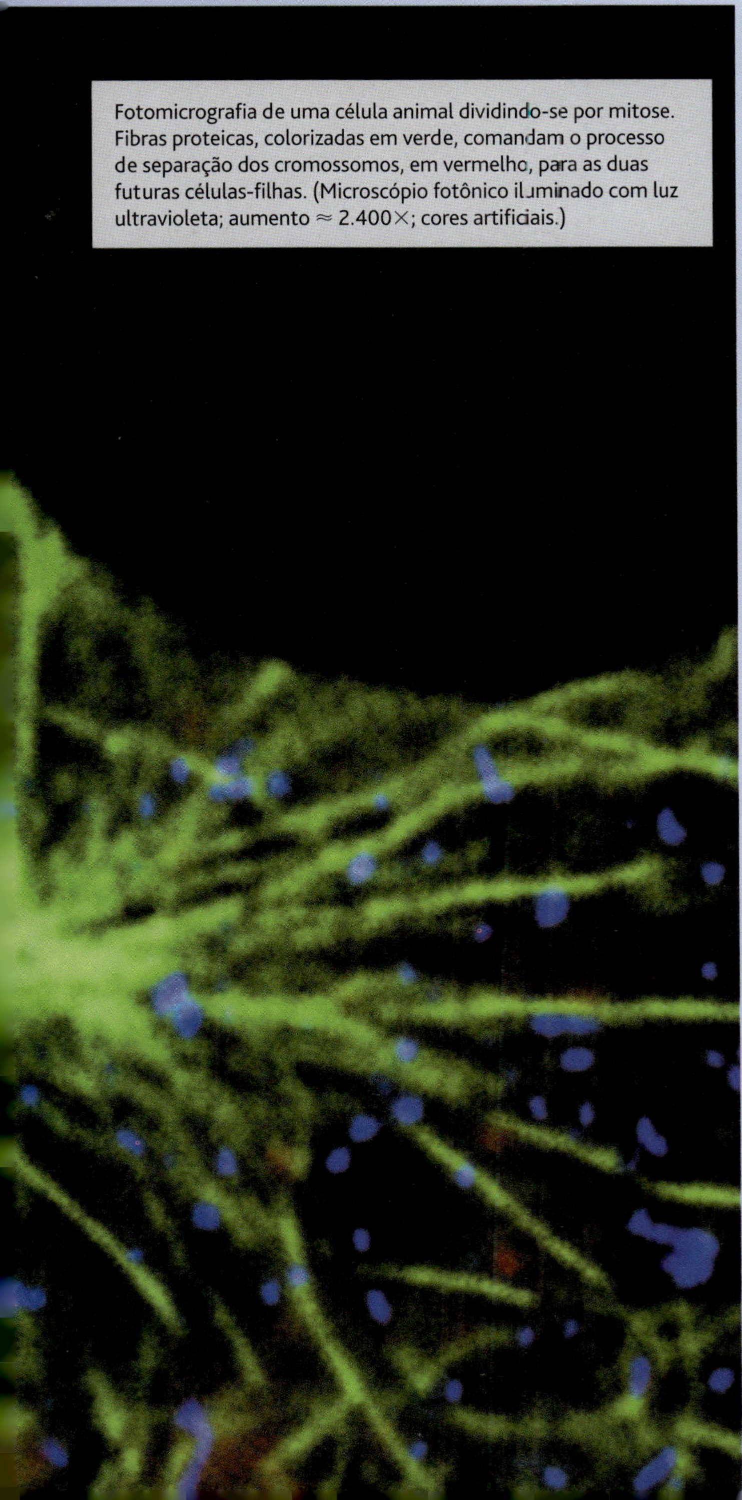

Fotomicrografia de uma célula animal dividindo-se por mitose. Fibras proteicas, colorizadas em verde, comandam o processo de separação dos cromossomos, em vermelho, para as duas futuras células-filhas. (Microscópio fotônico iluminado com luz ultravioleta; aumento ≈ 2.400×; cores artificiais.)

THOMAS DEERINCK, NCMIR/SCIENCE PHOTO LIBRARY/LATINSTOCK

Conheça os capítulos deste módulo

Neste módulo, abordamos dois temas fundamentais para a vida na Terra: energia e reprodução celular. Como já estudamos na parte de Ecologia, os sistemas biológicos demandam a injeção contínua de energia, que é transformada e dissipada como calor nos processos metabólicos. Trata-se de um assunto de alto valor estratégico atualmente, em virtude da busca de fontes alternativas de energia. O outro tema a que nos referimos é a perpetuação da célula eucariótica por meio da mitose.

Capítulo 11 O Sol é a fonte de energia para quase todos os seres vivos da Terra. A energia luminosa entra nos sistemas vivos através da fotossíntese, reconhecidamente o processo mais eficiente de conversão de energia luminosa em energia química nas substâncias orgânicas. Veremos que todos os seres vivos compartilham da mesma "moeda energética": o ATP, substância orgânica especializada na transferência de energia entre as reações químicas. Por meio dos processos de fermentação e respiração celular, os seres heterotróficos podem aproveitar a energia armazenada nas substâncias orgânicas.

Capítulo 12 Aqui, nossa viagem ao interior da célula chega ao centro de controle das atividades celulares: o núcleo. Ele contém uma massa filamentosa, a cromatina, que é um conjunto de filamentos denominados cromossomos. Nestes se localizam os genes, que controlam o funcionamento da célula e, por extensão, do organismo multicelular como um todo. Fechando o módulo, tratamos da mitose, processo de divisão celular em que uma célula origina duas células-filhas, transmitindo-lhes o conjunto de informações genéticas fundamentais para sua vida.

Capítulo 11 Processos energéticos celulares

ED BOOK/CORBIS/LATINSTOCK

Sabe-se atualmente que as plantas produzem seu próprio alimento a partir de energia luminosa e de substâncias simples obtidas no ambiente: gás carbônico e água. Essas substâncias originam moléculas orgânicas ricas em energia, que sustentam as atividades vitais das plantas e dos outros seres vivos. Na foto, plantação de milho (*Zea mays*) em fazenda dos EUA (Minnesota, 1996).

Luzes sobre a fotossíntese

— Pai, o que a planta come?

— Planta não come, filho!

— E como ela cresce? Você sempre diz que se eu não comer não cresço...

— Bom, ela tira tudo o que precisa do solo.

O que você acha da resposta dada pelo pai à dúvida do filho? No século XVII, Jan Baptista van Helmont (1579-1644), médico e fisiologista flamengo, por meio de um experimento, descobriu que as plantas tiram do solo apenas quantidades mínimas de substâncias minerais, que não correspondem ao aumento de massa durante o desenvolvimento do vegetal. Naquela ocasião, Van Helmont atribuiu o crescimento das plantas principalmente à água que elas absorvem do ambiente.

Hoje sabemos que as plantas realmente extraem do solo não apenas a água, mas também pequeníssimas quantidades de nutrientes minerais. O conhecimento científico sobre esse tema permitiu desenvolver um método de cultivo que tem sido amplamente empregado em todo o mundo: a hidroponia. É possível cultivar plantas sem solo, desde que as raízes estejam mergulhadas em uma solução com nutrientes minerais essenciais.

Na segunda metade do século XVIII, descobriu-se que, além da água, as plantas utilizam gás carbônico atmosférico como matéria-prima para sintetizar as substâncias orgânicas necessárias ao seu desenvolvimento. A energia para isso vem da luz solar. Assim, surgiu e se desenvolveu o conceito de fotossíntese, processo pelo qual certas bactérias, algas e plantas produzem substâncias orgânicas a partir de moléculas de água e de gás carbônico, liberando gás oxigênio como subproduto. Talvez você já conheça a equação geral que resume a fotossíntese:

$$\underbrace{\underset{\text{Gás carbônico}}{6\,CO_2} + \underset{\text{Água}}{6\,H_2O}}_{\text{Reagentes}} \xrightarrow[\text{PLANTAS}]{\text{LUZ}} \underbrace{\underset{\text{Glicídio}}{C_6H_{12}O_6} + \underset{\text{Gás oxigênio}}{6\,O_2}}_{\text{Produtos}}$$

A equação pode dar a falsa impressão de que a fotossíntese consiste em juntar diretamente gás carbônico e água, em presença de luz, para obter glicose e gás oxigênio. Esse processo, porém, não é tão simples assim; como você aprenderá neste capítulo, ocorrem dezenas de reações intermediárias até a formação de glicídios ricos em energia como produtos finais. Uma das etapas-chave da fotossíntese consiste em aproveitar a energia da luz para movimentar nanogeradores proteicos localizados nas membranas internas dos cloroplastos e produzir moléculas ricas em energia.

A fotossíntese é um método altamente eficiente de conversão de energia luminosa em energia química; esta, por sua vez, supre o metabolismo de praticamente todos os seres vivos do planeta. Nestes tempos em que se buscam fontes alternativas de energia, esse é um assunto de alto valor estratégico. Os maiores especialistas nessa área continuam sendo os seres fotossintetizantes. E aqui estamos nós, tentando aprender um pouco com eles.

A importância do assunto

Como vimos nos primeiros capítulos deste livro, o Sol é a fonte primária de energia para praticamente todo o mundo vivo. Com exceção de certos microrganismos quimiossintetizantes, capazes de obter energia a partir de reações entre substâncias inorgânicas, todos os seres vivos dependem, direta ou indiretamente, da luz solar (relembre as cadeias alimentares no capítulo 3).

Neste capítulo, estudaremos novamente os processos de obtenção de energia para a vida, agora nos níveis celular e molecular. Entre outras coisas, veremos que todos os seres vivos compartilham a mesma "moeda energética" – o ATP –, uma substância orgânica especializada na transferência de energia entre as reações químicas celulares. Não é curioso pensar que seres tão distintos como uma alga marinha e um canário utilizam exatamente a mesma substância em seus metabolismos energéticos? Para os biólogos, essa é uma forte evidência do parentesco evolutivo entre todos os seres vivos do planeta.

Como fizemos no capítulo anterior, vamos viajar ao interior da célula viva e analisar seus processos de obtenção de energia sob o aspecto molecular. Uma atividade corriqueira das plantas, que começa ao nascer do Sol e pode continuar noite adentro – a fotossíntese –, é um jogo molecular de transferências de energia das quais depende a nossa vida.

Outros assuntos importantes deste capítulo são a fermentação e a respiração aeróbica, processos a partir dos quais os seres vivos "extraem" a energia das substâncias orgânicas produzidas na fotossíntese.

A eficiência dos seres vivos em lidar com a energia surpreende os tecnólogos, que alimentam a esperança de um dia poder construir máquinas capazes de gerenciar a energia com eficiência próxima à do sistema vivo.

Ao aprender mais sobre esses temas, você poderá responder corretamente à pergunta da abertura: "O que a planta come?". Pense na resposta enquanto estuda o capítulo.

11.1 Energia para a vida

A fonte primária de energia utilizada pelos seres vivos é a luz solar. Como vimos no capítulo 3, os seres fotossintetizantes (certas bactérias, algas e plantas) captam a energia luminosa do Sol e, a partir dela, produzem glicídios, um grupo de **substâncias orgânicas** capazes de armazenar grandes quantidades de energia potencial química.

Em uma visão simplificada, é como se a energia luminosa empregada na síntese da molécula de glicídio permanecesse "armazenada" nas ligações químicas dessa substância. O rearranjo das ligações, quando as células decompõem os glicídios em substâncias mais simples, permite que a energia seja disponibilizada para as atividades vitais. Como veremos a seguir, esses processos de transferência de energia que ocorrem nas células vivas são intermediados por um importante composto químico, conhecido pela sigla ATP.

ATP, a "moeda energética" do mundo vivo

Praticamente todos os processos celulares demandam energia, que as células obtêm a partir de moléculas orgânicas que lhes servem de alimento. Nesse contexto, podemos perguntar: como as células conseguem captar a energia proveniente do alimento, armazená-la temporariamente e disponibilizá-la prontamente para os processos metabólicos? Para responder a essas questões, temos que nos transportar ao mundo molecular.

A estratégia consiste em transferir a energia liberada na quebra do alimento para moléculas armazenadoras, capazes de circular livremente pela célula e de fornecer com eficiência energia aos processos que necessitem dela. O principal responsável por essa função é o **trifosfato de adenosina**, substância conhecida pela sigla **ATP** (do inglês, *adenosine triphosphate*). Muitos cientistas costumam comparar o ATP a uma "moeda energética", que circula dentro da célula e custeia os gastos metabólicos.

Uma molécula de ATP resulta da união química de três componentes: uma base nitrogenada, a **adenina**, um glicídio de cinco carbonos, a **ribose**, e três grupamentos **fosfato**. A dupla molecular formada por uma base nitrogenada e um glicídio é chamada de nucleosídio; este, unido a um ou mais fosfatos, constitui um **nucleotídio**. Assim, o ATP é um nucleotídio trifosfatado.

Os grupos fosfatos do ATP são unidos por ligações covalentes que liberam grande quantidade de energia ao se desfazer e por esse motivo são denominadas ligações de alta energia e representadas pelo símbolo ~.

Quando o grupo fosfato terminal separa-se do ATP, este se transforma em **ADP** (difosfato de adenosina), um nucleotídio com dois fosfatos. Por sua vez, ao ter seu grupo fosfato terminal separado, o ADP transforma-se em **AMP** (monofosfato de adenosina). (Fig. 11.1)

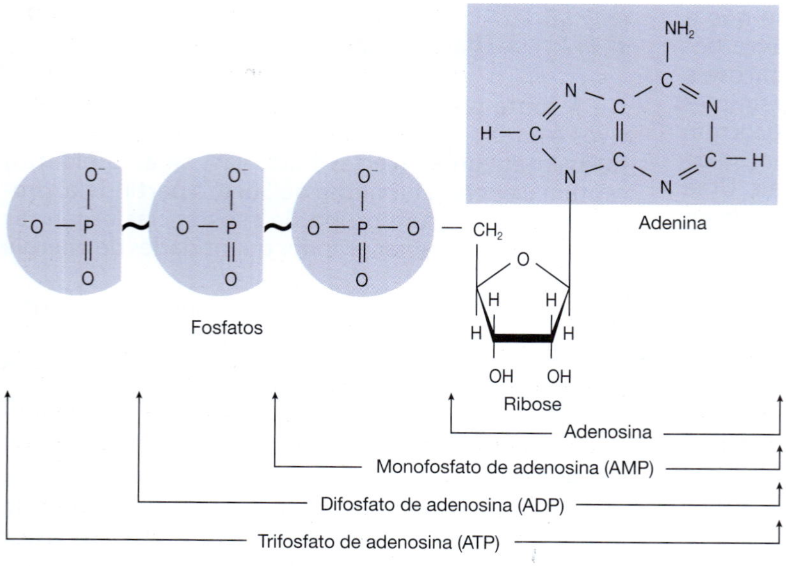

Figura 11.1 Fórmula estrutural do ATP. A parte da molécula formada pela adenina e pela ribose é chamada adenosina. A adição de um fosfato à adenosina origina o monofosfato de adenosina (AMP). A adição de um segundo fosfato dá origem ao difosfato de adenosina (ADP), e a de um terceiro fosfato origina o trifosfato de adenosina (ATP).

O ATP é o principal fornecedor de energia para a realização de trabalho celular, tais como movimentos, síntese de substâncias orgânicas, entre outros. Por exemplo, é ele que fornece energia para o trabalho das proteínas transportadoras da membrana, responsáveis pelo transporte ativo – como é o caso da bomba de sódio-potássio (relembre o capítulo anterior). Nas células musculares, por sua vez, o ATP fornece energia para o deslizamento de filamentos proteicos, responsável pela contração muscular. O ATP também transfere energia para cílios e flagelos, possibilitando os movimentos dessas estruturas.

Outra importante função do ATP é fornecer energia para as reações de síntese das milhares de substâncias presentes nos seres vivos. Essas reações são comandadas por enzimas, que removem um fosfato terminal do ATP, transformando-o em ADP. A ligação desfeita libera energia, que é transferida para a reação química em questão.

Onde e como o ATP é produzido

Nas células eucarióticas, a maior parte do ATP é sintetizada no interior de mitocôndrias e decloroplastos, embora ocorra uma pequena produção de ATP no citosol. A mitocôndria, em especial, é a organela onde acontece a respiração celular, processo em que moléculas provenientes do alimento reagem com oxigênio molecular (O_2), liberando energia para a formação de grande quantidade de ATP. Esse processo será estudado mais adiante, ainda neste capítulo.

Moléculas de ATP são sintetizadas a partir de moléculas precursoras de ADP. Essa síntese ocorre pela adição ao ADP de um grupamento fosfato (simbolizado por **Pi**, fosfato inorgânico), reação que consome energia e está sempre acoplada a reações que a liberam. É como se o ADP recebesse um Pi e uma "carga energética" para uni-lo, transformando-se em ATP. Na reação inversa, o ATP libera um fosfato e transfere a energia armazenada para um processo metabólico qualquer. (Fig. 11.2)

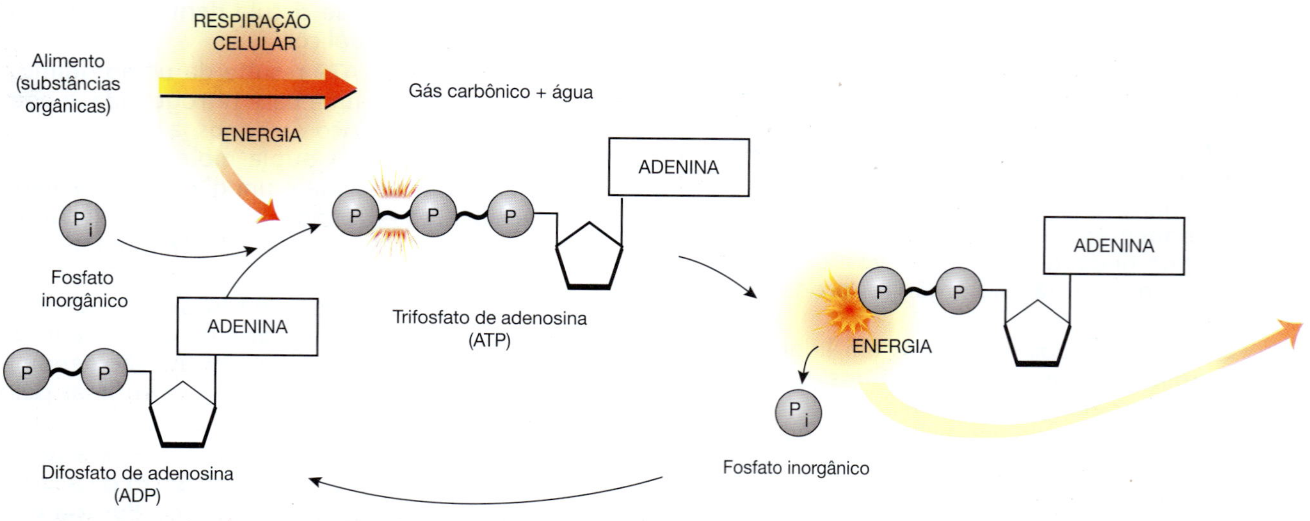

Figura 11.2 Esquema que representa o papel do ATP como "moeda energética" do metabolismo celular. Reações em que moléculas orgânicas do alimento são degradadas, como as da respiração celular, transferem energia para a síntese de moléculas de ATP. Estas, ao serem degradadas, fornecem energia para trabalhos celulares diversos.

11.2 O processo da fotossíntese

Relembre a equação geral da **fotossíntese** apresentada anteriormente: de um lado, gás carbônico (CO_2) e água (H_2O), os reagentes do processo; de outro, glicídios $(CH_2O)_n$ e gás oxigênio (O_2), os produtos. Como fonte de energia, a luz.

Nas células vegetais, a fotossíntese ocorre no interior dos cloroplastos, organelas citoplasmáticas onde se localizam a clorofila e pigmentos acessórios responsáveis pela captação da energia da luz, além de todos os outros participantes do processo fotossintético: enzimas, coenzimas, cofatores etc., como veremos adiante. Nas bactérias fotossintetizantes, a clorofila e outros pigmentos fotossintetizantes ficam em estruturas especiais no citoplasma.

Cloroplasto, a sede da fotossíntese

Os **cloroplastos** estão presentes apenas em células de algas e de plantas. Essas organelas têm geralmente forma alongada e achatada, com cerca de 4 µm de comprimento por 1 a 2 µm de espessura. Se estivéssemos em nossa célula imaginária que, aumentada 100 mil vezes, teria 3 m de lado, um cloroplasto seria equivalente a uma melancia alongada e achatada. Como uma única célula de uma folha pode conter entre 40 e 50 cloroplastos, imagine a concentração dessas organelas no citoplasma de nossa célula imaginária de 27 m³, cuja região central é ainda ocupada por um grande vacúolo equivalente a uma enorme caixa-d'água de parede transparente e membranosa.

Os cloroplastos das plantas são delimitados externamente por duas membranas lipoproteicas; em seu interior há um complexo membranoso formado por bolsas discoidais achatadas e empilhadas, os **tilacoides**, onde se localizam as moléculas do pigmento **clorofila** (do grego *chloros*, verde). As moléculas de clorofila dispõem-se de modo muito bem organizado nas membranas do tilacoide, formando os chamados **complexos de antena**, altamente eficientes na captação de energia luminosa.

A membrana do tilacoide apresenta inúmeras dobras, formando tubos e bolsas achatadas, que geralmente se organizam em conjuntos de pilhas denominadas *grana* (plural do latim *granum*, grão). As cavidades internas dos *grana* estão em comunicação direta, constituindo um compartimento único, o **lúmen do tilacoide**. O espaço interno dos tilacoides é preenchido por um fluido denominado **estroma**: uma solução aquosa que contém DNA, RNA e ribossomos semelhantes aos das células bacterianas, além de vários tipos de enzimas. (Fig.11.3)

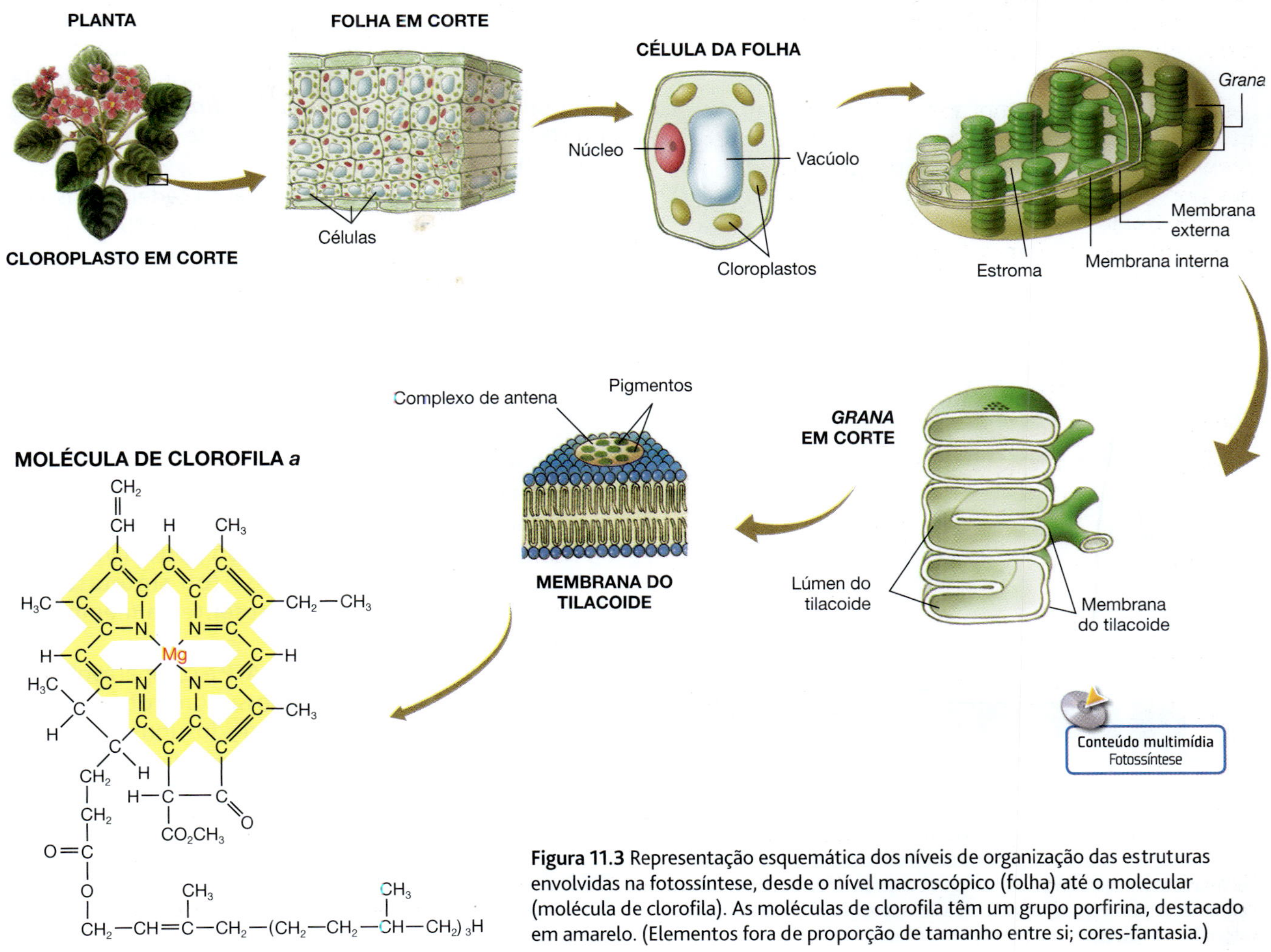

Figura 11.3 Representação esquemática dos níveis de organização das estruturas envolvidas na fotossíntese, desde o nível macroscópico (folha) até o molecular (molécula de clorofila). As moléculas de clorofila têm um grupo porfirina, destacado em amarelo. (Elementos fora de proporção de tamanho entre si; cores-fantasia.)

Conteúdo multimídia
Fotossíntese

A síntese de ATP no cloroplasto: fotofosforilação

As emissões solares que atingem a Terra contêm uma ampla gama de radiações (ou ondas) eletromagnéticas. As radiações se distinguem por uma característica vibratória de suas ondas, o **comprimento de onda**. Radiações ultravioleta, por exemplo, têm comprimentos de onda mais curtos que radiações infravermelhas. Entre a gama de radiações, há uma faixa de comprimentos de onda que nossos olhos conseguem captar: são as radiações visíveis, que denominamos **luz**.

A clorofila presente nos cloroplastos de algas e de plantas é capaz de absorver energia da luz, principalmente as das radiações luminosas vermelha e violeta, refletindo quase todo o verde, daí a cor do pigmento. (Fig.11.4)

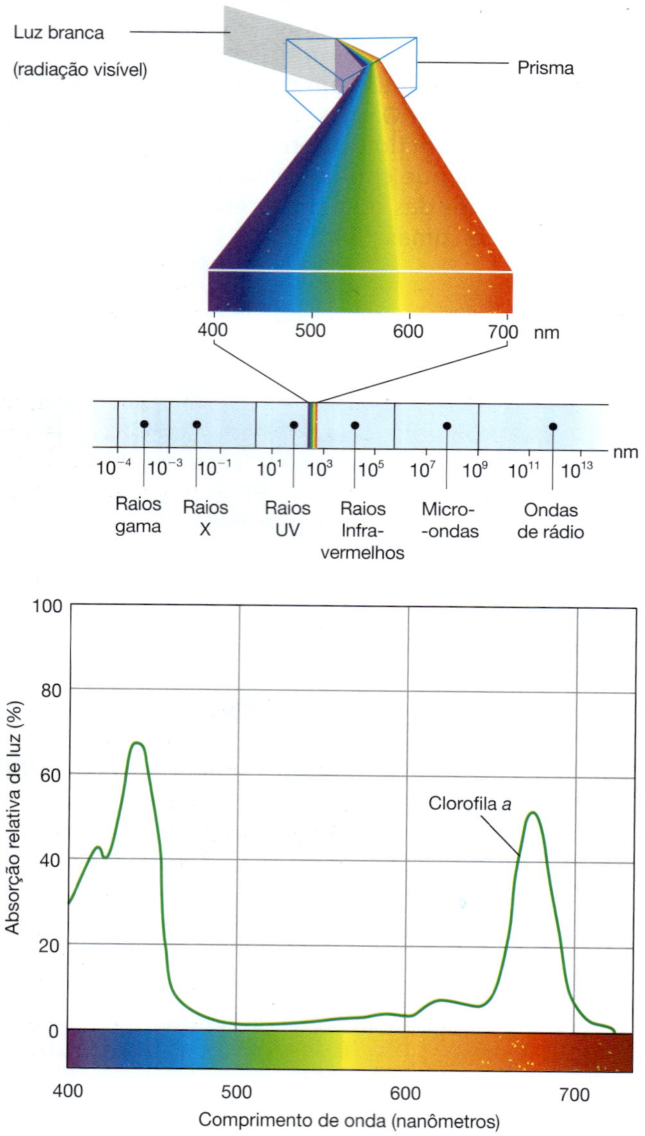

Figura 11.4 Acima, representação da decomposição da luz branca pela passagem através de um prisma de vidro (note que a luz visível é uma estreita faixa entre os comprimentos de onda que constituem as radiações eletromagnéticas). Abaixo, espectro de absorção pela clorofila dos diversos comprimentos de onda da luz visível.

Ao ser atingida pela luz, a molécula de clorofila capta a energia luminosa. Ocorre então o que os químicos denominam "excitação eletrônica": alguns elétrons absorvem energia da luz e tornam-se "excitados", o que faz com que eles "saltem" para fora da molécula de clorofila!

Elétrons excitados são instáveis, tendendo a eliminar a energia adicional e voltar ao estado energético original. Entretanto, estrategicamente dispostas ao redor das moléculas de clorofila, há substâncias especializadas em captar esses elétrons energizados antes que eles liberem seu "excesso" energético na forma de luz ou calor e voltem à clorofila. Essas substâncias são chamadas **aceptores de elétrons**.

A excitação eletrônica da clorofila pela luz e a captura dos elétrons energizados pelos aceptores marcam o momento em que ocorre a transformação de energia luminosa em energia química.

A energia de parte dos elétrons excitados é então liberada controladamente, à medida que eles são transferidos do primeiro aceptor para um segundo, para um terceiro, e assim por diante, naquilo que os cientistas denominam **cadeia transportadora de elétrons**. Lembre-se de que o termo cadeia refere-se a uma sequência, como os elos de uma corrente. No cloroplasto, os diversos aceptores intermediários da cadeia transportadora dispõem-se organizadamente na membrana do tilacoide, maximizando a eficiência das transferências eletrônicas. O último aceptor da cadeia é a substância conhecida por **NADP** (sigla do inglês ***n**icotinamide **a**denine **d**inucleotide **p**hosphate*: fosfato de dinucleotídio de nicotinamida--adenina).

Ao receber os elétrons no final da cadeia transportadora da qual faz parte, a molécula de NADP passa do estado oxidado ($NADP^+$) em que se encontrava para um estado reduzido (NADPH). Voltaremos a falar dessa substância um pouco mais adiante.

Com a energia liberada pelos elétrons nas cadeias transportadoras, prótons (íons de hidrogênio, representados por H^+) são "forçados" a passar do estroma para o interior dos tilacoides, onde se acumulam.

À medida que se concentram, os íons H^+ tendem a retornar ao estroma, mas a membrana do tilacoide é impermeável à sua saída. Eles só podem voltar ao estroma atravessando a **sintase (ou sintetase) do ATP**, um complexo proteico presente na membrana do tilacoide.

A constituição da sintase do ATP é comparável a um nanogerador molecular: ela possui um rotor interno que gira, movido pela passagem dos íons H^+. Nessa atividade, a energia da difusão do H^+ é utilizada para sintetizar ATP, pela união de ADP e Pi.

A reação de adição de Pi ao ADP levando à síntese de ATP é denominada fosforilação. Como a energia para essa reação provém originalmente da luz, o processo todo é denominado **fotofosforilação**. (Fig. 11.5)

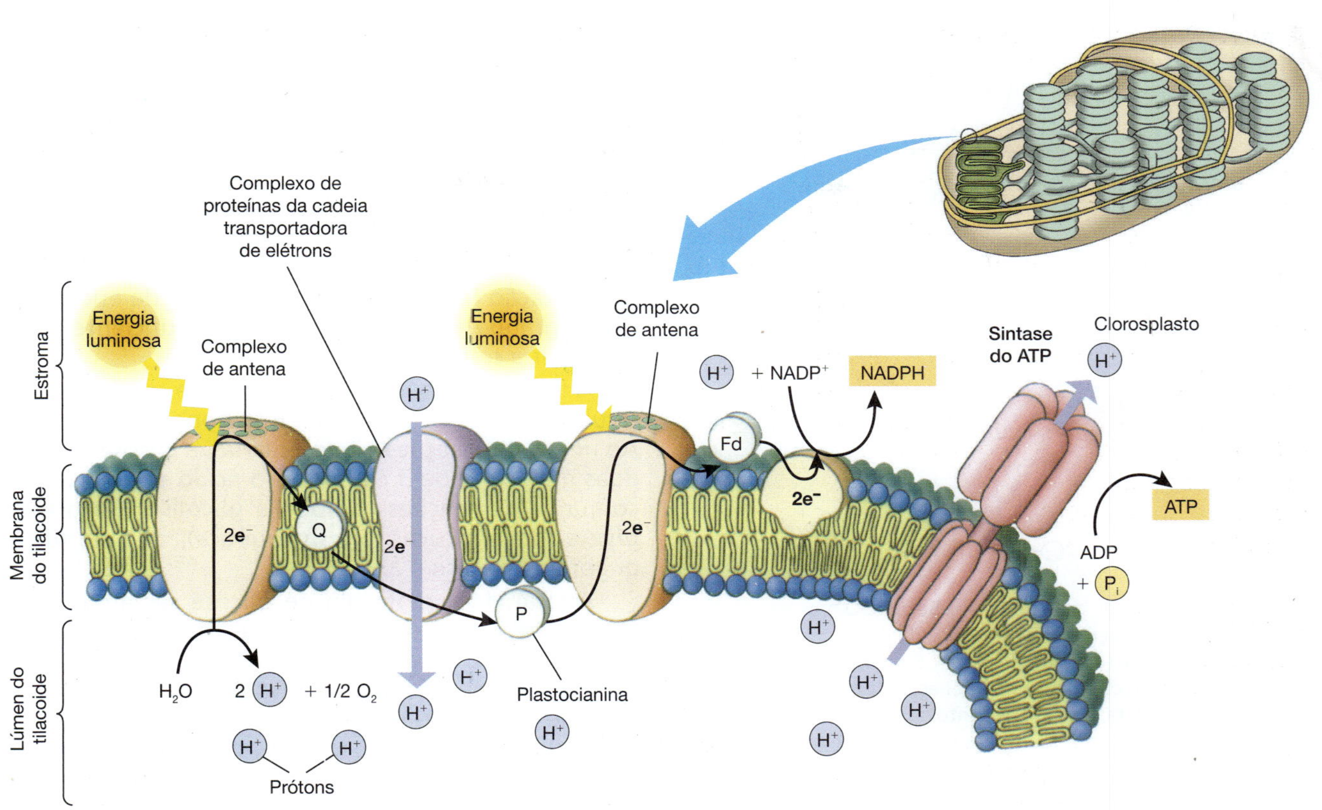

Figura 11.5 No alto, à direita, representação esquemática de um cloroplasto parcialmente cortado para mostrar o sistema interno de membranas. Abaixo, em maior detalhe, organização das cadeias transportadoras de elétrons e da sintase do ATP na membrana do tilacoide. Q e Fd são siglas das substâncias quinona e ferredoxina, que, como a plastocianina (P), são proteínas carregadoras de elétrons. (Baseado em Raven, P. e cols., 1999.) (Elementos fora de proporção de tamanho entre si; cores-fantasia.)

Fotólise da água

Você pode estar se perguntando: como a clorofila recupera os elétrons que perdeu com a excitação luminosa? A resposta é: a partir da quebra de moléculas de água. Essa reação, denominada **fotólise da água** (do grego *photos*, luz, e *lyse*, quebra), ou **reação de Hill**, ocorre acoplada à fotofosforilação. Cada molécula de água decompõe-se em dois elétrons (e^-), dois prótons de hidrogênio (íons H^+) e um átomo de oxigênio. Os átomos de oxigênio unem-se imediatamente dois a dois, formando moléculas de gás oxigênio (O_2).

A fotólise da água pode ser escrita, em termos químicos, da seguinte maneira:

$$\underset{\text{Água}}{2\,H_2O} \xrightarrow{\text{LUZ}} \underset{\text{Gás oxigênio}}{O_2} + \underset{\text{Íons de hidrogênio}}{4\,H^+} + \underset{\text{Elétrons}}{4\,e^-}$$

Observe que são formados três produtos:

a) **gás oxigênio**, que é liberado para o ambiente, o ar ou a água circundante. Os átomos do gás oxigênio provêm da quebra das moléculas de água na fotólise;

b) **íons H^+**, que serão capturados pelo NADP; como veremos adiante, esses hidrogênios serão disponibilizados para a fase seguinte da fotossíntese e passarão a fazer parte das moléculas de glicídio produzidas;

c) **elétrons** com baixa energia, que repõem os que foram perdidos pela clorofila na excitação eletrônica; ao recuperar seus elétrons, as moléculas de clorofila conseguem passar por novos ciclos de excitação eletrônica.

O ciclo das pentoses e a síntese de glicídios

O último conjunto de reações da fotossíntese, denominado **ciclo das pentoses**, ou **ciclo de Calvin-Benson**, resulta na formação de moléculas de glicídios com três átomos de carbono – o 3-fosfato gliceraldeído, ou PGAL (do inglês *phosphoglyceraldehyde*). Nesse processo, moléculas de CO_2 reagem, ao longo de uma série de transformações, com íons de hidrogênio liberados pela água na fotólise e com elétrons de alta energia liberados pela clorofila excitada, ambos transportados pelas moléculas de NADPH, produzindo o PGAL. O processo demanda ainda certa quantidade de energia adicional, que é fornecida pelo ATP produzido na fotofosforilação. (Fig. 11.6)

É costume representar a glicose, uma hexose de fórmula $C_6H_{12}O_6$, como o glicídio formado na fotossíntese. Entretanto, hoje se sabe que o produto direto do ciclo das pentoses é uma substância denominada **3-fosfato gliceraldeído (PGAL)**, que possui três átomos de carbono na molécula.

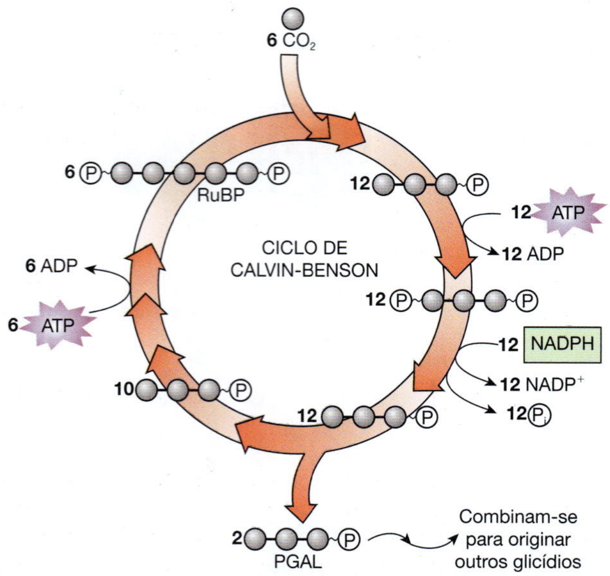

Figura 11.6 Esquema do ciclo de Calvin-Benson. O processo tem início com a incorporação de 6 moléculas de gás carbônico a 6 moléculas de RuBP (do inglês *ribulose 1,5-bisphosphate*; 1,5 bifosfato de ribulose), sob a coordenação da enzima rubisco. A cada volta completa, o ciclo das pentoses produz 2 moléculas de glicídio com 3 carbonos (3-fosfato gliceraldeido, ou PGAL; do inglês *phosphoglyceraldehyde*) e 6 moléculas de RuBP, prontas para incorporar novamente CO_2 e reiniciar outro ciclo. (Baseado em Campbell, N. e cols., 1999.)

Destino dos produtos da fotossíntese

O PGAL formado no ciclo das pentoses pode seguir dois caminhos; a maioria sai do cloroplasto para o citosol, onde as moléculas se unem para formar sacarose. Moléculas de PGAL que permanecem no cloroplasto são convertidas em amido e armazenadas. À noite, o amido é transformado em sacarose e sai para o citosol, de onde é exportado para as demais partes da planta.

Parte dos glicídios produzidos na fotossíntese é utilizada imediatamente nas mitocôndrias da própria célula vegetal, no processo de respiração celular. Parte é transformada nas diversas substâncias orgânicas de que a planta necessita, como aminoácidos, açúcares, gorduras, celulose etc. Outra parte, ainda, é armazenada na forma de amido dentro de **amiloplastos**, organelas presentes em células do caule e da raiz.

Concluindo: a fotossíntese garante às algas, às plantas e às bactérias fotossintetizantes total independência em relação a outros organismos vivos, no que se refere à obtenção de nutrientes orgânicos. Por outro lado, praticamente todos os seres heterotróficos da Terra dependem dos seres fotossintetizantes para viver.

11.3 Fermentação como forma de obter energia

Certos fungos e bactérias adaptados a ambientes pobres em gás oxigênio obtêm energia por meio da **fermentação**, processo em que substâncias orgânicas são degradadas parcialmente, originando moléculas orgânicas menores.

O fungo *Saccharomyces cerevisiae*, uma levedura conhecida popularmente como fermento de padaria, ou levedo de cerveja, recorre à fermentação para obter energia quando o gás oxigênio é escasso no ambiente. Nesse processo, o levedo produz álcool etílico (etanol) e gás carbônico como subprodutos. Os lactobacilos, bactérias que fermentam o leite, utilizam a lactose do leite para obter energia e produzem ácido lático como subproduto. Em células musculares humanas ocorre fermentação lática, quando a demanda de energia é muito grande e não há gás oxigênio suficiente para sustentar a respiração celular.

A fermentação inicia-se geralmente com uma molécula de glicose, formada por 6 carbonos encadeados. Ao fim de dez reações intermediárias, a glicose origina duas moléculas de 3 carbonos, o **ácido pirúvico**. Esse conjunto de reações compõe a **glicólise** (do grego *glykys*, doce, açúcar, e *lysis*, quebra), que significa quebra da glicose.

Apesar de a molécula de glicose ser altamente energética, ela é também bastante estável. Por isso, as reações iniciais da glicólise têm por função "ativar" a glicose, levando-a a reagir. A ativação ocorre pela transferência de dois grupos fosfato de alta energia para a molécula de glicose – os fosfatos são provenientes de dois ATPs. Em outras palavras, a célula precisa "investir" o equivalente a 2 ATPs por molécula de glicose para que a glicólise possa ocorrer.

Nas reações seguintes da glicólise, a célula recupera "com juros" o investimento energético inicial, pois consegue sintetizar 4 moléculas de ATP com a energia liberada na quebra da glicose. Portanto, o rendimento energético líquido da glicólise na fermentação é de 2 moléculas de ATP por molécula de glicose metabolizada. (Fig. 11.7)

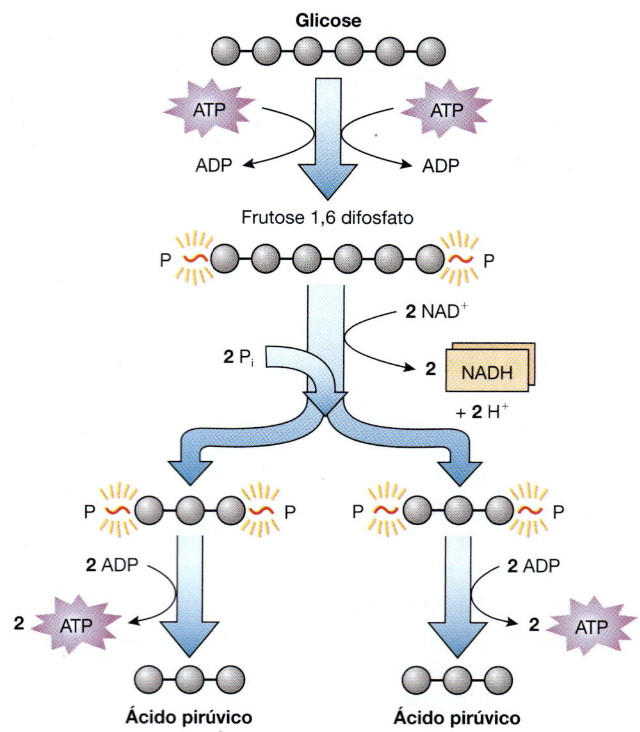

Figura 11.7 Esquema das etapas da glicólise.

Tipos de fermentação

Dependendo do tipo de organismo fermentador, o ácido pirúvico produzido na glicólise segue diferentes caminhos. Por exemplo, na fermentação alcoólica realizada por leveduras, o ácido pirúvico transforma-se em álcool etílico e gás carbônico. Na fermentação lática realizada pelos lactobacilos, o ácido pirúvico transforma-se em ácido lático. Confira as equações gerais dessas fermentações:

Fermentação alcoólica

$$\underset{\text{Glicose}}{C_6H_{12}O_6} \rightarrow \underset{\text{Ácido pirúvico}}{2\ CH_3 - CO - COOH} + 4\ H^+ + 4\ e^- \rightarrow$$

$$\rightarrow \underset{\text{Etanol}}{2\ CH_3 - CH_2OH} + \underset{\text{Gás carbônico}}{2\ CO_2}$$

Fermentação lática

$$\underset{\text{Glicose}}{C_6H_{12}O_6} \rightarrow \underset{\text{Ácido pirúvico}}{2\ CH_3 - CO - COOH} + 4\ H^+ + 4\ e^- \rightarrow$$

$$\rightarrow \underset{\text{Ácido lático}}{2\ CH_3 - CHOH - COOH}$$

Note que na glicólise, além do ácido pirúvico, são liberados 4 íons de hidrogênio (4 H^+) e 4 elétrons com alta energia (4 e^-). Estes dois produtos são capturados por um aceptor de hidrogênio (ou de elétrons) que participa da fermentação: o **NAD^+** (do inglês, ***n**icotinamide **a**denine **d**inucleotide*: dinucleotídio de nicotinamida-adenina).

O NAD^+ é um aceptor de elétrons com função semelhante aos aceptores estudados na fotossíntese: receber elétrons e íons de hidrogênio, transferindo-os posteriormente para moléculas que serão sintetizadas.

Em uma das etapas da glicólise, duas moléculas de NAD^+ recebem elétrons e íons H^+, transformando-se em NADH. Veja na equação a seguir.

$$2\ H^+ + 4\ e^- + 2\ NAD^+ \rightarrow 2\ NADH$$

Na fase final da fermentação, os elétrons e os íons de hidrogênio capturados pelo NAD^+ são transferidos para o ácido pirúvico. Nessa reação, o ácido pirúvico transforma-se em álcool etílico e gás carbônico (na fermentação alcoólica) ou em ácido lático (na fermentação lática). (Fig. 11.8)

11.4 A respiração aeróbica

A **respiração aeróbica** é um processo em que moléculas orgânicas provenientes do alimento são degradadas com a participação de gás oxigênio (O_2), levando à formação de gás carbônico (CO_2) e água (H_2O); nesse processo, é liberada energia para a síntese de moléculas de ATP.

Relembre a equação geral da respiração aeróbica, que já comentamos nos capítulos iniciais deste livro:

$$\underset{\text{Glicose}}{C_6H_{12}O_6} + \underset{\text{Gás oxigênio}}{6\ O_2} \longrightarrow \underset{\text{Gás carbônico}}{6\ CO_2} + \underset{\text{Água}}{6\ H_2O} + \text{Energia no ATP}$$

Note que essa equação corresponde, quanto a reagentes e produtos, ao inverso da fotossíntese. Além disso, ela representa também a combustão total da glicose, com a diferença de que a energia liberada na combustão ocorre na forma de calor e luz, enquanto na respiração aeróbica grande parte dessa energia é armazenada no ATP.

A equação geral apresenta um resumo muito simplificado da respiração aeróbica. Na verdade, esta se compõe de diversas etapas enzimaticamente controladas, durante as quais a energia potencial química da glicose é liberada aos poucos e armazenada no ATP.

A respiração aeróbica tem rendimento 15 vezes maior que a fermentação: enquanto esta leva à produção de 2 moléculas de ATP por molécula de glicose, na respiração uma única molécula de glicose libera energia para a síntese de 30 moléculas de ATP.

A que se pode atribuir tal diferença de rendimento energético entre os dois processos? A resposta está no grau em que a glicose é degradada.

Na fermentação, isso ocorre apenas parcialmente, e os produtos, como o álcool etílico, por exemplo, ainda têm muita energia acumulada.

Na respiração aeróbica, a cadeia carbônica da glicose é totalmente degradada em gás carbônico e água, substâncias inorgânicas com pouca energia potencial química para liberar.

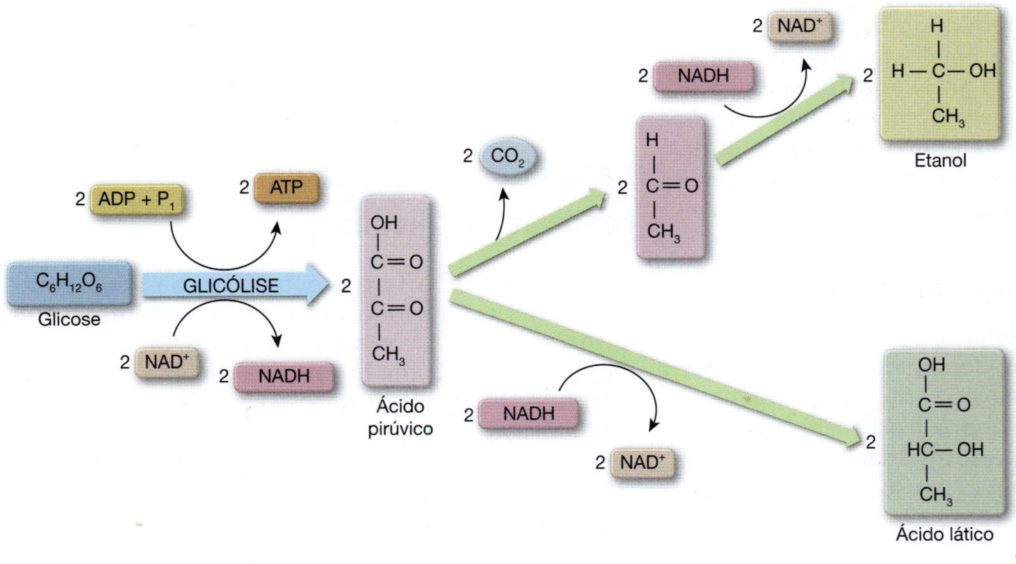

Figura 11.8 Esquema das principais etapas da fermentação lática e da fermentação alcoólica.

O alto rendimento da respiração aeróbica, associado à abundância de gás oxigênio na atmosfera terrestre, fez com que esse processo de obtenção de energia fosse adotado quase universalmente pelos seres da biosfera: algas, plantas, protozoários, animais e muitos fungos e bactérias.

Mitocôndrias: sede da respiração aeróbica

A respiração aeróbica da glicose compõe-se de três etapas: **glicólise, ciclo de Krebs** e **fosforilação oxidativa.** A glicólise ocorre no citosol; em células eucarióticas, o ciclo de Krebs e a fosforilação oxidativa ocorrem no interior das mitocôndrias. (Fig. 11.9)

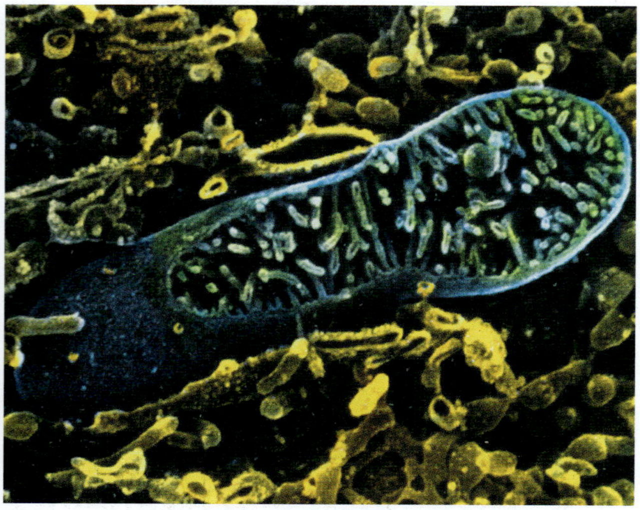

PROFESSORS P. MOTTA & T. NAGURO/SCIENCE PHOTO LIBRARY/LATINSTOCK

Figura 11.9 Fotomicrografia de uma mitocôndria parcialmente cortada, entre tubos e bolsas membranosos do citoplasma. (Microscópio eletrônico de varredura; aumento ≈ 16.400×; cores artificiais.)

Com exceção de um pequeno grupo de protozoários, todos os organismos eucarióticos apresentam **mitocôndrias**, organelas membranosas com cerca de 2 µm de comprimento por 0,5 µm de diâmetro. O número de mitocôndrias em uma célula varia de dezenas a centenas, dependendo do tipo de célula e do seu grau de atividade. Em nossa célula imaginária de 3 m de lado quando ampliada 100 mil vezes, uma mitocôndria típica seria comparável a uma abobrinha ou a uma berinjela! Imagine centenas de mitocôndrias distribuídas no citosol, entre as bolsas e os canais do sistema membranoso do retículo endoplasmático.

A mitocôndria é delimitada por duas membranas lipoproteicas; a membrana externa é lisa e semelhante às demais membranas celulares; a membrana interna apresenta dobras e pregas, denominadas **cristas mitocondriais**, que se projetam para o interior da organela. O espaço interno da mitocôndria é preenchido por um fluido viscoso — a **matriz mitocondrial** — que contém diversas enzimas, DNA, RNA e ribossomos semelhantes aos das bactérias. (Fig. 11.10)

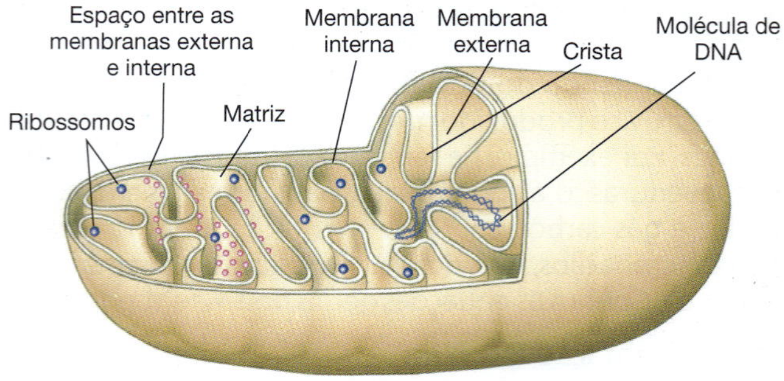

Figura 11.10 Representação esquemática de uma mitocôndria com uma parte removida para visualizar seus componentes internos.

A membrana mitocondrial interna é altamente organizada. Nela se dispõem, em posições estratégicas, substâncias aceptoras e complexos proteicos, entre eles a sintase do ATP. Como vimos no item sobre a fotossíntese, a sintase do ATP é comparável a um nanomotor molecular, capaz de produzir ATP (relembre a fotofosforilação).

Autonomia das mitocôndrias

Mitocôndrias surgem exclusivamente por autoduplicação de mitocôndrias preexistentes. Quando a célula se divide por mitose e origina duas células-filhas, cada uma recebe aproximadamente metade das mitocôndrias da célula-mãe. À medida que as duas células crescem, suas mitocôndrias se autoduplicam, restabelecendo o número original.

A complexidade das mitocôndrias, sua capacidade de autoduplicação e a semelhança com certas bactérias levaram os cientistas a imaginar que essas organelas tenham se originado de seres procarióticos primitivos, que no passado se instalaram no citoplasma de primitivas células eucarióticas. Essa explicação para a origem das mitocôndrias, válida também para os plastos, é conhecida como **hipótese endossimbiótica**, ou simbiogênese.

Um fato interessante sobre as mitocôndrias é que, em animais com reprodução sexuada, essas organelas têm sempre origem materna. Apesar de os gametas masculinos possuírem mitocôndrias, elas degeneram logo após a fecundação, de modo que todas as mitocôndrias do zigoto, e consequentemente as de todas as células do novo indivíduo, descendem das que estavam presentes no gameta feminino.

Fase citoplasmática da respiração: glicólise

A glicólise é a fase preparatória da degradação da glicose, produzindo substâncias que entrarão na mitocôndria para as reações seguintes, que envolvem o gás oxigênio. Como já vimos, a glicólise consiste na quebra da molécula de glicose em duas moléculas de ácido pirúvico[1], com saldo líquido de duas moléculas de ATP. Na glicólise formam-se também duas moléculas de NADH, a partir do NAD^+, elétrons e íons H^+ liberados ao longo da via glicolítica.

A glicólise não necessita de gás oxigênio para ocorrer. As etapas seguintes da respiração, porém, só ocorrem se houver disponibilidade de gás oxigênio. Na falta deste, o ácido pirúvico é transformado, ainda no citosol, em ácido lático ou em etanol e gás carbônico, dependendo do tipo de organismo.

Fase mitocondrial da respiração aeróbica

Se há gás oxigênio disponível na célula, o ácido pirúvico produzido na glicólise é transportado para dentro da mitocôndria e, na matriz mitocondrial, reage com uma substância denominada **coenzima A** (CoA); nessa reação, formam-se **acetilcoenzima A** (acetilCoA, uma molécula com dois átomos de carbono) e gás carbônico (CO_2). Participa do processo uma molécula de NAD^+, que se transforma em NADH ao capturar dois elétrons de alta energia e um dos dois íons H^+ liberados na reação:

$$\text{Ácido pirúvico} + \text{CoA} + NAD^+ \rightarrow$$
$$\rightarrow \text{AcetilCoA} + NADH + CO_2 + H^+$$

Ciclo de Krebs ou ciclo do ácido cítrico

A acetilCoA é o ponto de partida para um conjunto de reações que compõem o **ciclo de Krebs**, também conhecido por **ciclo do ácido cítrico**. A primeira denominação homenageia seu descobridor, o médico e bioquímico alemão Hans Adolf Krebs (1900-1981); a segunda refere-se à primeira substância formada no ciclo, o ácido cítrico.

Assim que se forma na mitocôndria, cada molécula de acetilCoA reage com uma molécula de ácido oxalacético. Nessa reação, a coenzima A é liberada e forma-se uma molécula de ácido cítrico, o primeiro reagente do ciclo. Ao longo de oito reações subsequentes são liberadas duas moléculas de gás carbônico, elétrons de alta energia e íons H^+. Ao final, forma-se novamente ácido oxalacético, que pode se combinar a outra acetilCoA e reiniciar o ciclo.

Ao longo das reações do ciclo de Krebs, elétrons de alta energia e íons H^+ são capturados por moléculas de NAD^+, que se transformam em NADH. Também participa do ciclo de Krebs outro aceptor de elétrons, o **FAD** (do inglês *flavine adenine dinucleotide*: dinucleotídio de flavina-adenina), que se transforma em **$FADH_2$**. Ao longo de cada ciclo de Krebs são formados 3 NADH e 1 $FADH_2$.

Em uma das etapas do ciclo, a energia liberada permite a formação direta de uma molécula de trifosfato de guanosina, ou GTP (do inglês *guanosine triphosphate*), a partir de GDP (difosfato de guanosina) e Pi. O GTP é muito semelhante ao ATP, diferindo deste apenas por apresentar a base nitrogenada guanina em vez de adenina. O GTP fornece energia para alguns processos celulares, como a síntese de proteínas. Ele também pode ser convertido em ATP pela transferência de seu fosfato energético para um ADP. De forma similar, o GTP pode também se formar pela transferência do fosfato do ATP para um GDP.

Em resumo, no ciclo de Krebs são formados: 2 CO_2 + + 3 NADH + 1 $FADH_2$ + 1 GTP (equivalente a 1 ATP). (Fig. 11.11)

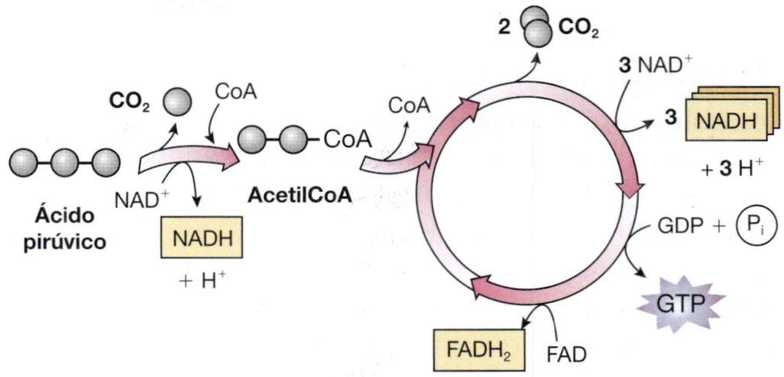

Figura 11.11 Esquema das transformações do ácido pirúvico. No interior da mitocôndria, o ácido pirúvico origina acetilCoA, que participa da sequência de reações químicas do ciclo de Krebs (ou ciclo do ácido cítrico).

Fosforilação oxidativa

A síntese da maior parte do ATP produzido na respiração aeróbica ocorre na transferência de elétrons e de íons de hidrogênio das moléculas de NADH e $FADH_2$ para átomos provenientes do gás oxigênio; essa reação leva à formação de moléculas de água, como está resumido nas equações a seguir:

$$2\ NADH + 2H^+ + O_2 \rightarrow 2\ NAD^+ + 2\ H_2O$$

$$2\ FADH_2 + O_2 \rightarrow 2\ FAD + 2\ H_2O$$

A energia liberada pelos elétrons durante sua transferência até o gás oxigênio é utilizada para produzir ATP. O termo **fosforilação oxidativa** refere-se exatamente à adição de fosfato ao ADP para formar ATP, uma reação de fosforilação. Ela é denominada oxidativa porque ocorre em diversas reações de oxidação sequenciais, sendo o gás oxigênio (O_2) o último agente oxidante.

A cadeia transportadora de elétrons

O processo de transferência de elétrons e de íons de hidrogênio do NADH e do $FADH_2$ para o gás oxigênio é realizado por quatro grandes complexos de proteína, dispostos em sequência na membrana interna da mitocôndria. Entre os componentes desses complexos destacam-se os citocromos, proteínas transferidoras de elétrons que têm ferro em sua composição. Cada conjunto sequencial de transferidores de elétrons é denominado **cadeia transportadora de elétrons**, que nesse caso também recebe o nome de **cadeia respiratória**.

Durante a passagem pela cadeia respiratória, os elétrons liberam gradativamente energia, a qual é utilizada para bombear íons H^+ da matriz mitocondrial para o espaço existente entre as duas membranas da organela. Os íons H^+ acumulados "à força" no espaço entre as membranas mitocondriais tendem a se difundir de volta à matriz mitocondrial, mas só podem fazê-lo passando pela sintase do ATP, presente na membrana interna da mitocôndria.

1 Por conveniência, sempre nos referimos aos ácidos em sua forma não dissociada. Entretanto, nas condições do meio intracelular, os ácidos estão em sua maior parte dissociados em íons H^+ e íons negativos, no caso, o piruvato ($C_3H_3O_3^-$).

O mecanismo é o mesmo que ocorre nos tilacoides dos cloroplastos. Como vimos, a sintase do ATP é comparável a um nanogerador molecular que se movimenta pela passagem dos íons H^+, produzindo moléculas de ATP a partir de ADP e Pi. Esse mecanismo de produção de ATP, comprovado em diversos experimentos, é conhecido por **teoria quimiosmótica** para a síntese de ATP. (Fig. 11.12)

Ao retornar à matriz mitocondrial, os íons H^+ combinam-se a elétrons "desenergizados" ao longo da cadeia respiratória e a átomos de oxigênio provenientes do O_2, com formação de moléculas de água (H_2O). (Fig. 11.13)

Na respiração de uma molécula de glicose, a energia liberada pelos elétrons na cadeia respiratória é suficiente para formar até 26 moléculas de ATP. Somando-se a esse número as duas moléculas de ATP formadas na glicólise e os 2 GTP (1 para cada acetilCoA) formados no ciclo de Krebs, obtêm-se 30 moléculas de ATP por molécula de glicose metabolizada, considerado atualmente o rendimento máximo da respiração aeróbica. (Fig. 11.14)

Outras substâncias capazes de fornecer energia por meio da respiração aeróbica são os lipídios. Antes de ser utilizadas, as moléculas de ácido graxo são transportadas para o interior das mitocôndrias, onde se transformam em moléculas de acetilCoA, que entram no ciclo de Krebs.

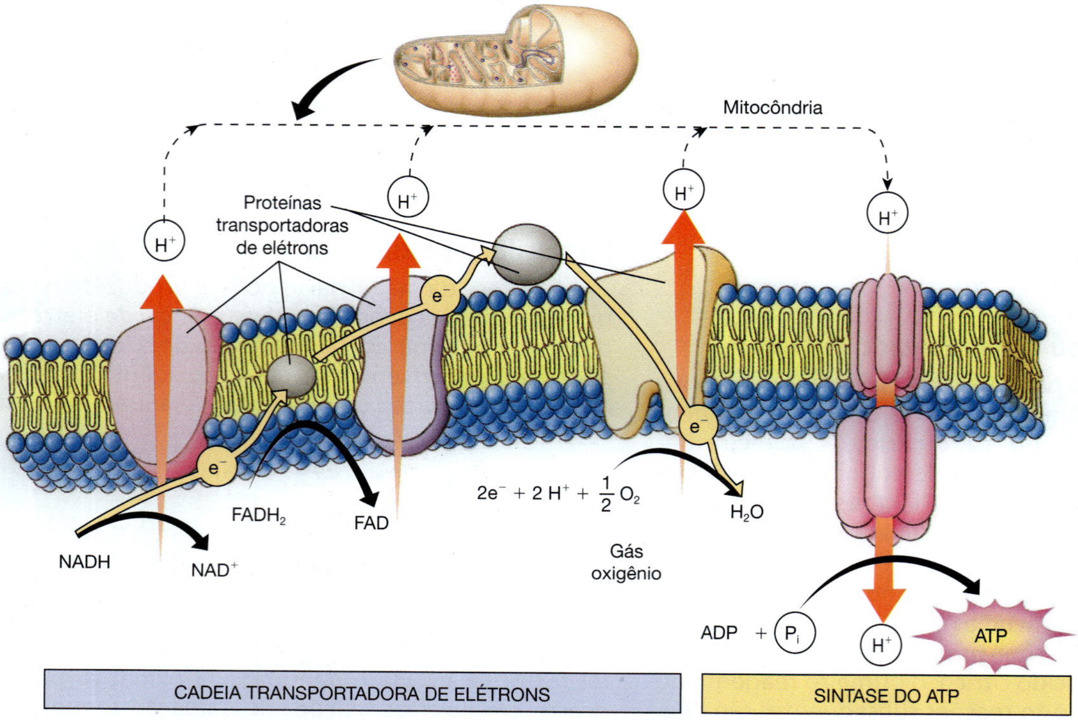

Figura 11.12 Representação esquemática mostrando detalhe dos conjuntos transportadores da cadeia respiratória e da sintase do ATP. (Elementos fora de proporção de tamanho entre si; cores-fantasia.) (Baseado em Campbell, N. e cols., 1999.)

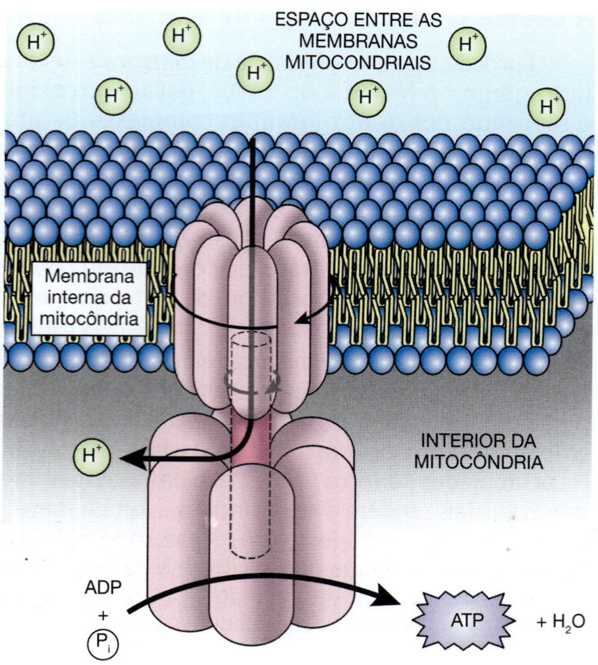

Figura 11.13 Representação esquemática da enzima sintase do ATP, de acordo com a teoria quimiosmótica. Essa enzima utiliza o potencial de difusão dos íons H^+ que haviam sido forçados a se acumular no espaço entre as membranas mitocondriais, durante a cadeia respiratória, para produzir ATP. (Elementos fora de proporção de tamanho entre si; cores-fantasia.) (Baseado em Campbell, N. e cols., 1999.)

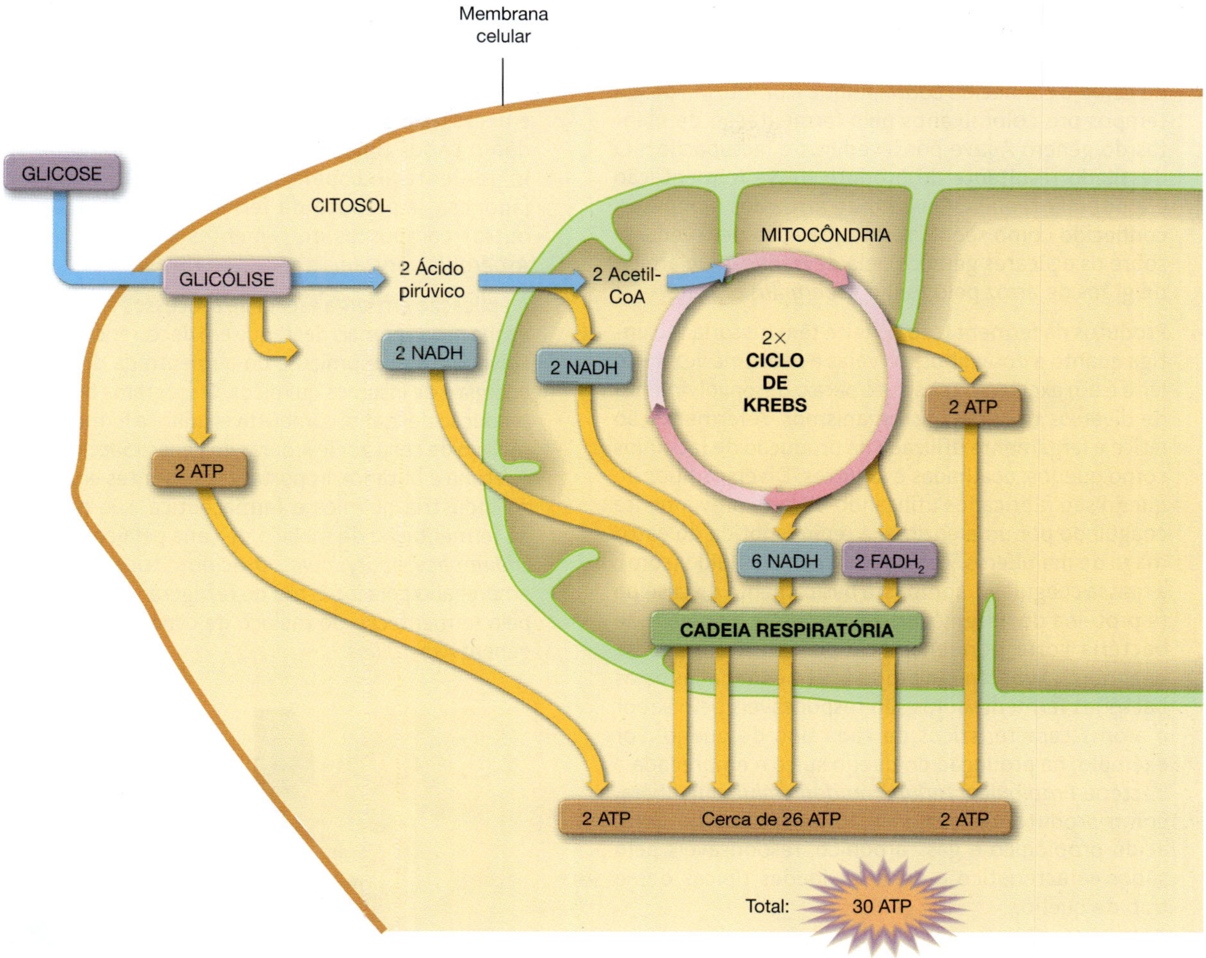

Figura 11.14 Representação esquemática das etapas do metabolismo aeróbico da glicose com produção de ATP. A glicólise ocorre no citosol, enquanto o ciclo de Krebs e a cadeia respiratória ocorrem no interior da mitocôndria. Cada molécula de glicose metabolizada pode produzir até 30 ATP. (Elementos fora de proporção de tamanho entre si; cores-fantasia.)

Ciência e cidadania

A importância da fermentação para a humanidade

1 A "domesticação" e a utilização de microrganismos fermentadores pela espécie humana datam de milhares de anos. O pão e o vinho, os mais tradicionais alimentos da humanidade, são produtos da fermentação realizada por leveduras do gênero *Saccharomyces*. Diversas espécies de fungos e de bactérias podem fermentar vários tipos de substratos, gerando produtos finais que dependem tanto do organismo que realiza o processo quanto das substâncias fermentadas.

2 Na panificação, a levedura *S. cerevisiae*, misturada à farinha, fermenta açúcares nela presentes, produzindo etanol (álcool etílico) e gás carbônico. Esse gás é liberado na forma de minúsculas bolhas que se dilatam durante o cozimento, tornando a massa macia e leve. Algumas receitas de pães e bolos utilizam, em vez de leveduras, bicarbonato de sódio. Esse composto, conhecido como fermento químico, produz bolhas de gás carbônico que também tornam a massa macia e leve, mas sem o valor nutricional conferido pelas leveduras.

3 As bebidas alcoólicas resultam da fermentação dos açúcares de frutos ou de sementes por leveduras, que liberam etanol e gás carbônico no processo. A produção de cerveja, por exemplo, utiliza a fermentação de açúcares provenientes da degradação do amido presente nas sementes de cevada. Os agentes fermentadores, nesse caso, são leveduras das espécies *Saccharomyces cerevisiae* ou *Saccharomyces carlsbergensis*. Na produção do vinho, o substrato

é suco de uvas e o agente fermentador, a levedura *Saccharomyces ellipsoideus*, presente naturalmente na superfície das uvas maduras. No México, um tipo de cerveja conhecida como pulque é produzida desde tempos pré-colombianos pela fermentação de plantas do gênero *Agave* por leveduras e lactobacilos. O destilado resultante do produto dessa fermentação é a popular tequila. O vinho de arroz dos japoneses, conhecido como saquê, resulta da ação de leveduras sobre os açúcares gerados pela degradação do amido de grãos de arroz pelo fungo *Aspergillus oryzae*.

4 Produtos da fermentação do leite têm história tão antiga quanto a dos vinhos, cervejas e pão, uma vez que o leite é um excelente substrato para o desenvolvimento de diversos tipos de microrganismos. A fermentação lática é largamente utilizada na produção de laticínios como queijos, coalhadas e iogurtes. Diversos tipos de queijo são fabricados utilizando-se leite previamente coagulado por uma enzima, a renina, obtida do estômago de mamíferos. Após a drenagem do fluido (soro), a massa coagulada, composta basicamente de caseína (a proteína do leite), é inoculada com a linhagem de bactéria correspondente ao tipo de queijo que se quer obter. Substâncias produzidas e eliminadas pelas bactérias fermentadoras são responsáveis pelo sabor e aroma característicos de cada tipo de queijo. Por exemplo, na produção do queijo suíço é empregada a bactéria *Propionibacterium freudenreichii*, que libera, como produto da fermentação da lactose do leite, ácido propiônico e gás carbônico, responsáveis pelo sabor característico e pelas cavidades típicas desse tipo de queijo.

5 Iogurtes comerciais são produzidos a partir de leite desnatado concentrado, obtido por evaporação a vácuo. O leite é inoculado com uma mistura das bactérias *Streptococcus thermophilus* e *Lactobacillus bulgaricus* e incubado a 45 °C por várias horas. Durante esse tempo, o estreptococo produz ácido lático a partir da fermentação da lactose do leite; o lactobacilo, por sua vez, produz a maior parte das substâncias que conferem cremosidade, sabor e aroma característicos do iogurte. Um dos segredos da fabricação de um bom iogurte é o equilíbrio entre a multiplicação dessas duas espécies de bactéria; em certos casos, leveduras também podem participar do processo.

6 O sabor característico da manteiga resulta da atividade de uma espécie de estreptococo, que libera uma substância chamada acetoína, presente também em alguns iogurtes. A produção de certos embutidos de carne, como o salame, demanda a ação fermentativa de bactérias do gênero *Pediococcus*, cuja produção de ácido lático contribui para o sabor e para a elevada capacidade de conservação desses alimentos. Vinagres são, em geral, produzidos por ação de bactérias fermentadoras, principalmente dos gêneros *Acetobacter* e *Acetomonas*, que convertem etanol em ácido acético, processo conhecido como fermentação acética.

7 A fermentação também está envolvida na produção de outros tipos de alimentos, como o chocolate, por exemplo. As sementes de frutos do cacau recém-colhidos têm seus carboidratos fermentados primeiramente por leveduras e, em seguida, por bactérias láticas e acéticas. Em seguida, as sementes são secadas, torradas e processadas. A fermentação é necessária para que se formem as substâncias que dão o sabor típico do chocolate. O molho de soja, ingrediente indispensável na culinária chinesa e japonesa, é produto da fermentação de açúcares e outros compostos de sementes de soja pelo fungo *Aspergillus oryzae*.

8 A aplicação em larga escala de processos fermentativos ganha cada vez mais destaque em decorrência do desenvolvimento econômico e do aumento da demanda de energia e de insumos químicos. O programa brasileiro de produção de etanol combustível utiliza a fermentação do melaço de cana por leveduras do gênero *Saccharomyces*. Acetona e butanol, importantes solventes empregados na indústria química e farmacêutica, são produzidos na fermentação de melaço de cana pela bactéria *Clostridium acetobutylicum*. O ácido cítrico, largamente empregado pela indústria de refrigerantes, é produzido pela fermentação do melaço de cana por bactérias do gênero *Aspergillus*.

STUDIO SCHIERMANN/STOCKFOOD/GLOWIMAGES

O fungo *Saccharomyces cerevisiae* constitui o chamado fermento biológico, que produz gás carbônico em sua fermentação; é esse gás que faz a massa do pão crescer.

OWEN FRANKEN/CORBIS/LATINSTOCK

A fermentação das sementes de frutos do cacau (*Theobroma cacao*) é um processo necessário na produção do chocolate.

Guia de leitura

1. Leia o primeiro e o segundo parágrafos do quadro, que se referem à panificação. Sobre a produção de pão, responda:
   a) qual é o agente fermentador?
   b) trata-se de um fungo ou de uma bactéria?
   c) qual é o substrato fermentado?
   d) qual ou quais são os produtos de interesse, nesse caso?
2. Leia o terceiro parágrafo, que trata da fabricação de bebidas alcoólicas. Utilize os mesmos critérios da questão anterior, itens de a) a d), para fazer uma tabela que relacione os seguintes produtos da fermentação tratados no texto: cerveja, vinho, tequila, saquê. Atenção: você continuará a completar essa tabela nos itens a seguir; deixe espaço disponível para mais cinco linhas.
3. Leia o quarto e o quinto parágrafos do quadro, que se referem à fermentação na produção de laticínios. Responda:
   a) qual é a função da enzima renina na fabricação de queijos?
   b) continue a completar a tabela que você fez na questão anterior, acrescentando os seguintes produtos da fermentação: queijo suíço, iogurte.
4. Leia o sexto parágrafo e continue a completar a tabela, acrescentando mais um produto: vinagre.
5. No sétimo parágrafo, encontre mais informações para completar sua tabela com os seguintes produtos da fermentação: chocolate, molho de soja.
6. Leia o oitavo e último parágrafo do quadro, que comenta a importância da fermentação na indústria de álcool combustível e de outras substâncias produzidas em larga escala. Você está informado sobre a produção de etanol combustível no Brasil? Considere esse tema em uma futura pesquisa.

Atividades

Visão do especialista

Biblioteca do estudante
Faça você mesmo!

Revendo conceitos fundamentais

1. A substância química que fornece energia para praticamente todos os processos celulares é o
   a) trifosfato de adenosina (ATP).
   b) ácido desoxirribonucleico (DNA).
   c) fosfato inorgânico (Pi).
   d) fosfato de dinucleotídio de nicotinamida-adenina (NADP).

Escreva, em seu caderno, o termo abaixo que substitui corretamente a tarja entre parênteses das frases de 2 a 4.

a) ciclo das pentoses
b) fotofosforilação
c) fotólise da água

2. O(A) (▬) é um conjunto de reações químicas que ocorrem no estroma do cloroplasto, nas quais moléculas de gás carbônico combinam-se a hidrogênios fornecidos pelo NADPH, produzindo PGAL (3-fosfato gliceraldeído).
3. A reação de quebra de moléculas de água com produção de gás oxigênio, elétrons e íons H^+ é chamado(a) (▬).
4. O processo denominado (▬) utiliza energia dos elétrons liberados pela clorofila excitada pela luz para a produção de ATP no cloroplasto.

Escreva, em seu caderno, o termo a seguir que substitui corretamente a tarja entre parênteses das frases de 5 a 11.

a) cadeia respiratória
b) ciclo de Krebs
c) fermentação
d) fosforilação oxidativa
e) fotossíntese
f) glicólise
g) respiração aeróbica

5. (▬) é o processo de síntese de substâncias orgânicas a partir de água, gás carbônico e energia luminosa.
6. (▬) é um processo de obtenção de energia em que as moléculas orgânicas são parcialmente degradadas, com rendimento energético relativamente baixo.
7. (▬) é um conjunto de reações sequenciais que ocorrem nas mitocôndrias e cujo primeiro participante é o ácido cítrico.
8. O processo de produção de ATP na mitocôndria, denominado (▬), utiliza energia dos elétrons provenientes da degradação de moléculas orgânicas.
9. (▬) corresponde a um conjunto de substâncias presentes na membrana interna das mitocôndrias, por onde passam sequencialmente elétrons energizados provenientes das moléculas orgânicas degradadas.
10. Realizado pela ampla maioria dos seres vivos, o(a) (▬) é um processo de obtenção de energia em que moléculas orgânicas ricas em energia são totalmente degradadas em gás carbônico e água.
11. O(A) (▬) é um conjunto sequencial de reações que ocorrem no citosol, em que uma molécula de glicose é degradada em duas moléculas de ácido pirúvico.

Copie as frases de 12 a 17 substituindo a tarja por um dos termos a seguir.

a) 3-fosfato gliceraldeído (PGAL)
b) fosfato de dinucleotídio de nicotinamida-adenina (NADP)
c) difosfato de adenosina (ADP)
d) ácido pirúvico
e) complexo de antena
f) sintase do ATP

12. O(A) (▬) é o precursor do ATP, transformando-se neste ao receber um fosfato inorgânico, com investimento de energia.

13. Um complexo proteico comparável a um nanomotor, localizado nas membranas do tilacoide – o(a) (▬) –, é responsável pela síntese de moléculas energéticas de ATP.

14. O(A) (▬) é o produto final das reações da glicólise.

15. No ciclo das pentoses forma-se o(a) (▬), precursor(a) dos açúcares e de outras substâncias orgânicas vegetais.

16. Localizado(a) nas membranas dos tilacoides, o(a) (▬) contém um conjunto altamente organizado de moléculas de clorofila, responsável pela captação de energia da luz solar.

17. O(A) (▬) é um aceptor de elétrons e de íons de hidrogênio da cadeia transportadora do cloroplasto.

Ligando conceitos, fatos e processos

18. Pelo fato de ser formado por uma base nitrogenada unida a um glicídio (ribose) que, por sua vez, está unido a três fosfatos, o ATP é considerado um(a)

a) aceptor de elétrons.
b) enzima.
c) nucleosídio.
d) nucleotídio.

19. Os átomos de oxigênio das moléculas de gás oxigênio liberadas na fotossíntese provêm

a) da água, apenas.
b) da glicose, apenas.
c) da água e da glicose, apenas.
d) da água, da glicose e do ATP.

20. A molécula de clorofila, ao ser atingida pela luz, perde elétrons, repostos em seguida pela

a) degradação de moléculas de ATP.
b) fixação de moléculas de gás carbônico.
c) quebra de moléculas de água.
d) degradação de moléculas de glicose.

21. Qual das seguintes sequências indica corretamente o fluxo de elétrons entre as substâncias que participam da fotossíntese, até a formação do PGAL (3-fosfato gliceraldeído)?

a) $H_2O \rightarrow NADPH \rightarrow PGAL$
b) $H_2O \rightarrow O_2 \rightarrow PGAL$
c) $NADPH \rightarrow ATP \rightarrow PGAL$
d) $O_2 \rightarrow NADPH \rightarrow PGAL$

22. As reações da etapa fotoquímica da fotossíntese fornecem ao ciclo das pentoses

a) energia luminosa.
b) CO_2 e ATP.
c) H_2O e CO_2.
d) NADPH e ATP.

23. Qual das alternativas indica corretamente os compartimentos celulares em que ocorrem as diversas etapas da respiração celular?

Ciclo de Krebs	Glicólise	Fosforilação oxidativa
a) Citosol	Mitocôndria	Citosol
b) Mitocôndria	Mitocôndria	Mitocôndria
c) Mitocôndria	Citosol	Citosol
d) Mitocôndria	Citosol	Mitocôndria

24. Qual conjunto de reações é responsável pela produção da maior parte do CO_2 liberado no metabolismo das células musculares, em uma atividade leve e com suprimento de O_2 adequado?

a) Glicólise.
b) Ciclo de Krebs.
c) Fermentação lática.
d) Fosforilação oxidativa.

25. Qual etapa metabólica ocorre tanto na respiração aeróbica quanto na fermentação?

a) Transformação do ácido pirúvico em ácido lático.
b) Produção de ATP por fosforilação oxidativa.
c) Ciclo de Krebs.
d) Glicólise.

26. Fisiologistas esportivos de um centro de treinamento olímpico desejam determinar a partir de que ponto os músculos dos atletas deixam de receber a quantidade necessária de gás oxigênio e começam a suplementar a energia pela fermentação. Eles podem fazer isso investigando, nos músculos, o aumento de qual substância?

a) ATP.
b) ADP.
c) Gás carbônico.
d) Ácido lático.

Utilize as alternativas a seguir para responder às questões de 27 a 29.

a) $C_6H_{12}O_6$ (glicose) + 6 O_2 (gás oxigênio) →
→ 6 CO_2 (gás carbônico) + 6 H_2O (água)

b) 6 CO_2 (gás carbônico) + 12 H_2O (água) →
→ $C_6H_{12}O_6$ (glicose) + 6 O_2 (gás oxigênio) +
+ 6 H_2O (água)

c) $C_6H_{12}O_6$ (glicose) → 2 H_5C_2OH (etanol) +
+ 2 CO_2 (gás carbônico)

27. Qual alternativa representa a equação da respiração celular?

28. Qual alternativa representa a equação da fotossíntese realizada por algas e plantas?

29. Qual alternativa contém a equação da fermentação realizada pelo fermento de padaria?

30. Imagine o ciclo de Krebs como um carrossel de substâncias químicas em transformação. A substância que dá início ao ciclo é o ácido cítrico (6 carbonos na molécula), formado a partir da união do ácido oxalacético (4 carbonos na molécula) com uma substância proveniente da descarboxilação do ácido pirúvico. Qual é ela?

a) 3-fosfato gliceraldeído (PGAL)

b) AcetilCoA

c) NADPH

d) NAD^+

31. A energia da passagem de íons H^+ através das sintetases leva à síntese de ATP. Esse é o ponto central da

a) hipótese autotrófica.

b) hipótese heterotrófica.

c) teoria celular.

d) teoria quimiosmótica.

Questões para exercitar o pensamento

32. A reportagem a seguir mostra um exemplo de como o desenvolvimento do conhecimento científico possibilita melhorias reais para a vida humana. Além disso, deixa evidente que o conhecimento que obtemos na escola nos capacita a compreender melhor a importância da Ciência para a humanidade. Leia a matéria com atenção e faça as atividades a seguir.

Biólogos criam os primeiros cromossomos sintéticos

A era dos seres vivos sob medida ficou um pouco mais próxima hoje, com o anúncio de que cientistas nos EUA criaram os primeiros cromossomos ("novelos" microscópicos que abrigam o DNA) parcialmente sintéticos.

O feito dá mais peso aos planos de usar microrganismos especialmente projetados para produzir biocombustível abundante e barato, fabricar plástico sem usar o petróleo como matéria-prima ou criar micróbios devoradores de poluição, entre outras possibilidades que ainda soam como ficção científica.

A viabilidade dessas ideias mirabolantes cresce graças à nova pesquisa porque o micróbio sintético é o fungo *Saccharomyces cerevisiae*, um velho conhecido da humanidade, usado como fermento biológico para pães ou para produzir vinho e cerveja. Leveduras parecidas com ele também são cruciais para a indústria do etanol, fermentando o caldo da cana. Mas mesmo os fungos mais adaptados ao uso industrial ainda deixam a desejar.

São "selvagens engarrafados", afirma Gonçalo Guimarães Pereira, que estuda organismos sintéticos na Unicamp. Segundo ele, é comum que, em plena safra de cana, as leveduras parem de realizar sua função quando estão sob estresse ou contaminadas. Com isso, a produtividade da usina acaba caindo.

Fabricar cromossomos inteiros desses organismos, a gosto do freguês, acabaria com essa "greve" das leveduras, aumentando muito a produtividade das usinas de etanol. E isso é só o começo.

MIL E UMA UTILIDADES

O que a levedura *Saccharomyces cerevisiae* já fez pela humanidade

1 É usada como fermento biológico para pães

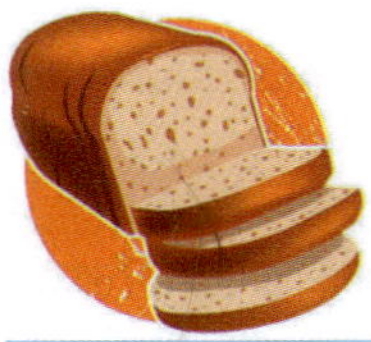

2 Também ajuda a fermentar bebidas alcoólicas, como o vinho ou a cerveja

3 Produz gás carbônico para plantas de aquário fazerem fotossíntese e crescerem

4 Seu DNA relativamente simples facilita o estudo de características genéticas

EDITORIA DE ARTE/FOLHAPRESS

POSSÍVEIS APLICAÇÕES DE CROMOSSOMOS "SOB MEDIDA"

MEDICINA

Grandes quantidades de genes faltantes, ou com problemas, poderiam ser inseridos no DNA de um doente, enfrentando sua enfermidade

ENERGIA

Micróbios usados para produzir etanol ou outros biocombustíveis ficariam mais eficientes, barateando combustíveis limpos

INDÚSTRIA

Do mesmo modo, células poderiam virar biofábricas eficientes e pouco custosas de plásticos, dispensando o petróleo como matéria-prima

AMBIENTE

Seria possível aproveitar a tendência de certos organismos para devorar poluentes e usá-los em larga escala para limpar derrames de petróleo ou acidentes nucleares

Outros micróbios são capazes de produzir substâncias similares ao plástico ou de fabricar moléculas com potencial farmacêutico. Mas fazem isso em pequenas quantidades, porque seu organismo tem outras necessidades, ditadas pelo ambiente.

Um cromossomo artificial com os genes responsáveis por essas características vantajosas, inserido numa levedura industrial, poderia revolucionar a produção de matérias-primas.

Essa é a meta dos criadores dos cromossomos sintéticos, cuja existência foi revelada na edição eletrônica da revista científica *Nature*.

Jef Boeke e seus colegas da Universidade Johns Hopkins querem criar uma levedura 2.0, com genoma totalmente sintético. Ainda estão longe de fazer isso: criaram artificialmente apenas pedaços de dois dos 16 cromossomos que o microrganismo possui.

Eles também embutiram nos micróbios um sistema controlado de mutações, capaz de gerar novas variedades das criaturas apenas quando os cientistas fornecem um hormônio a elas.

Fonte: *Folha de S.Paulo*, 15 set. 2011, Ciência.
Disponível em: <http://folha.com/no975620>.
Acesso em: mar. 2013.

a) Note as pequenas ilustrações com legendas numeradas, na parte superior da figura. O conteúdo das legendas 1 e 2 é explorado neste capítulo, enquanto o capítulo 12 traz informações que o ajudarão a compreender a legenda 4. Quanto à legenda de número 3, o que você pode dizer? Faça uma pesquisa na internet sobre o tema e elabore um texto explicando essa forma de utilização das leveduras.

b) Localize na matéria, parágrafo por parágrafo, os conceitos científicos que você já conhece. Escreva-os no caderno e defina cada um, eventualmente contando com a ajuda do índice remissivo presente no final do livro. Identifique e resuma a ideia central de cada parágrafo.

c) Por fim, escreva sua opinião sobre a utilização dos "cromossomos sob medida". Procure discutir os prós e contras que você percebe nessa técnica e comente como o conhecimento que adquiriu neste capítulo influenciou suas impressões sobre o assunto.

33. Que argumentos você usaria para convencer uma amiga ou um amigo de que os seres humanos dependem de luz solar para viver? Se preferir, faça um esquema que ilustre essa ideia.

34. Observe duas equações válidas para resumir a fotossíntese, apresentadas a seguir:

- $6\ CO_2$ (gás carbônico) + $6\ H_2O$ (água) → → $C_6H_{12}O_6$ (glicose) + $6\ O_2$ (gás oxigênio)
- $6\ CO_2$ (gás carbônico) + $12\ H_2O$ (água) → → $C_6H_{12}O_6$ (glicose) + $6\ O_2$ (gás oxigênio) + $6\ H_2O$

Qual das equações permite mostrar que todo o gás oxigênio liberado no processo provém da fotólise da água? Por quê?

A Biologia no vestibular e no Enem

Questões objetivas

1. (Unesp) Sobre o processo de fotossíntese, é correto afirmar que

a) o CO_2 é fonte de carbono para a síntese de matéria orgânica e fonte de O_2 para a atmosfera.
b) a água é fonte de H^+ para a síntese de NADPH e de O_2 para a atmosfera.
c) o NADPH é fonte de energia para a conversão do CO_2 em matéria orgânica.
d) o ATP é doador de energia para a quebra da molécula de água, que por sua vez fornece O_2 para a atmosfera.
e) a conversão do CO_2 em matéria orgânica produz energia que é acumulada pelo ATP.

2. (Ufac) A maioria dos seres vivos atuais obtém energia por meio da respiração celular, também chamada respiração aeróbia por utilizar o oxigênio atmosférico. Esse tipo de respiração compõe-se de três etapas: glicólise, ciclo de Krebs e cadeia respiratória. Indique corretamente em quais compartimentos da célula ocorrem as diferentes etapas da respiração.

a) Citosol, mitocôndria, mitocôndria.
b) Citosol, citosol, mitocôndria.
c) Mitocôndria, mitocôndria, citosol.
d) Mitocôndria, citosol, mitocôndria.
e) Citosol, mitocôndria, citosol.

3. (UFRGS-RS) As células animais para a produção de energia necessitam de oxigênio, enzimas e substrato. Em relação ao processo de produção de energia, considere as afirmações abaixo.

I. A fosforilação oxidativa ocorre nas mitocôndrias.
II. Na fase aeróbia, ocorre alta produção de ATP.
III. A glicólise possui uma fase aeróbia e outra anaeróbia.

Quais estão corretas?

a) Apenas I.
b) Apenas II.
c) Apenas I e II.
d) Apenas II e III.
e) I, II e III.

4. (Udesc) A fotossíntese é um processo de transformação de energia luminosa em energia química, realizada por organismos autotróficos. Sobre a fotossíntese, é correto afirmar:

a) Ao final da fotossíntese, são produzidos 38 mols de ATP.
b) Os organismos autotróficos crescem mais sob a luz verde, porque a clorofila é verde.
c) A fotossíntese é um processo dependente de luz e ocorre na ausência da água.
d) Somente plantas vasculares são capazes de realizar a fotossíntese.
e) A unidade fotossintética da planta localiza-se nos tilacoides dos cloroplastos.

5. (Uespi) O cloroplasto é uma "fábrica" que produz um combustível valioso para as células vivas, a partir de substâncias simples, aqui chamadas de "matérias-primas". Determine a alternativa que indica corretamente as matérias-primas e as substâncias produzidas no processo em consideração, nesta ordem
a) H_2O, CO_2, glicose e O_2.
b) CO_2, O_2, glicose e proteína.
c) H_2O, O_2, glicose e proteína.
d) O_2, CO_2, proteína e H_2O.
e) proteína, CO_2, H_2O e O_2.

6. (Cesgranrio-RJ)

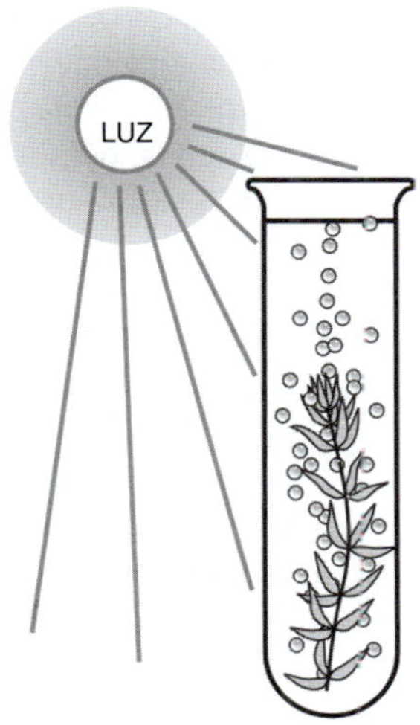

No experimento com elódea num tubo iluminado, o que são as bolhas?
a) O_2 resultante de fotólise da água.
b) O_2 resultante da quebra da molécula de CO_2.
c) CO_2 resultante do ciclo de Krebs.
d) CO_2 proveniente do ciclo de Calvin.
e) O_2 proveniente da fotofosforilação.

7. (Unifor-CE) A reação química a seguir esquematiza o processo da fermentação alcoólica.

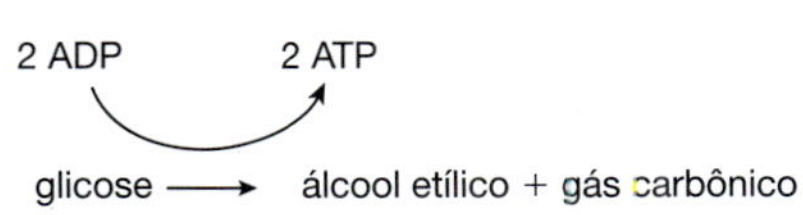

A indústria utiliza esse processo na fabricação de
a) vinho.
b) iogurte.
c) coalhada.
d) vinagre.
e) picles.

8. (UFPI) A atmosfera terrestre contém uma grande quantidade de oxigênio e, na presença do oxigênio, a forma de carbono mais estável energeticamente é o CO_2; o mesmo ocorre com o hidrogênio e com a água. Assim, a célula é capaz de obter energia de açúcares e de outras moléculas orgânicas pela combinação dos átomos de carbono e de hidrogênio com oxigênio, para produzir CO_2 e H_2O, respectivamente, em um processo chamado de
a) fotossíntese.
b) fotofosforilação.
c) respiração.
d) catálise.
e) fixação de carbono.

9. (Unifor-CE) O esquema seguinte mostra de modo simplificado um tipo de reação celular metabólica.

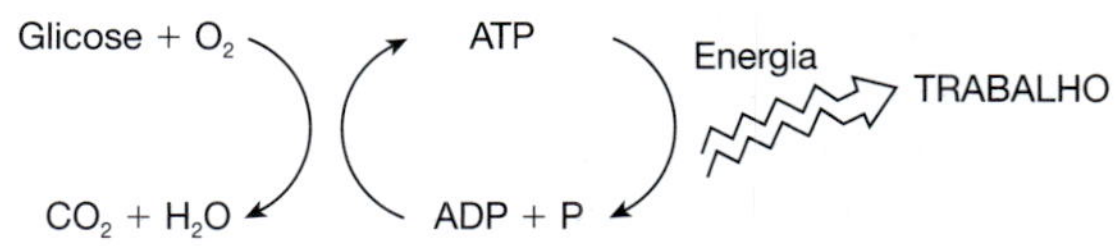

O processo representado é
a) respiração anaeróbia.
b) respiração aeróbia.
c) quimiossíntese.
d) fotossíntese.
e) glicólise.

10. (UPF-RS) As mitocôndrias são estruturas citoplasmáticas responsáveis pela respiração celular. Analise a figura a seguir, que representa uma mitocôndria, considerando que I = crista mitocondrial, II = matriz mitocondrial, III = membrana interna e IV = membrana externa.

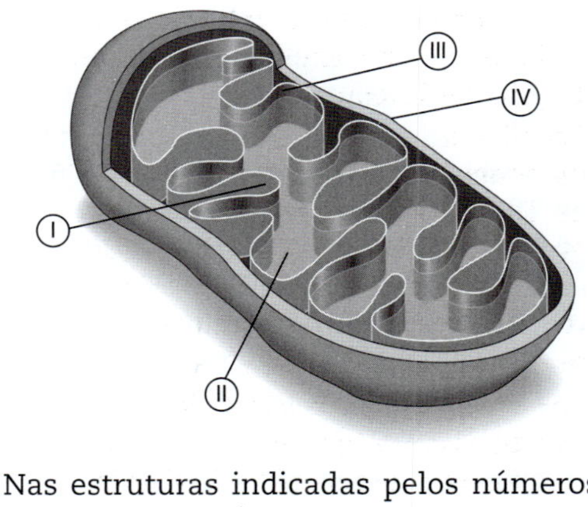

Nas estruturas indicadas pelos números I e II, ocorrem, respectivamente,
a) o ciclo de Krebs e a cadeia transportadora de elétrons.
b) a glicólise e o ciclo de Krebs.
c) a cadeia transportadora de elétrons e a glicólise.
d) a cadeia transportadora de elétrons e o ciclo de Krebs.
e) a glicólise e a cadeia transportadora de elétrons.

11. (UECE) Todos os seres vivos necessitam de energia para viver e para isso realizam processos metabólicos variados. Enquanto organismos mais complexos realizam respiração aeróbica para obter energia, alguns microrganismos, como bactérias e fungos, utilizam a fermentação. Com relação aos processos existentes no mundo vivo para a obtenção de energia, analise as afirmativas a seguir.
I. A glicose é o combustível inicial tanto da respiração quanto da fermentação.

II. Os vegetais fazem fotossíntese durante o dia e respiram apenas à noite.

III. As leveduras fermentam açúcares para produzir ácido lático.

IV. Como os microrganismos precisam se multiplicar com rapidez, realizam fermentação, processo mais eficiente com relação ao balanço energético do que a respiração aeróbia, pois é mais rápido.

É correto o que se afirma em

a) I, II e IV.
b) I, apenas.
c) I, II e III.
d) III, apenas.

12. (Unioeste-PR) O processo fotossintético pode ser dividido em quatro etapas:

I. Absorção de luz;

II. Transporte de elétrons que leva à redução do NADP+ a NADPH;

III. Produção de ATP;

IV. Fixação de carbono, que é a conversão de CO_2 em glicídios.

Determine a alternativa que corresponde à(s) etapa(s) que é(são) catalisada(s) por enzimas que fazem parte da membrana do tilacoide do cloroplasto.

a) I, II e IV.
b) I, II e III.
c) I, II, III e IV.
d) Apenas II.
e) Apenas IV.

13. (Unifor-CE) Considere as afirmações abaixo referentes ao processo de fotossíntese.

I. A etapa fotoquímica ocorre nos tilacoides e a etapa química ocorre no estroma dos cloroplastos.

II. O CO_2 utilizado participa ativamente da produção de carboidrato durante a etapa fotoquímica.

III. Na fotólise da água, ocorre quebra da molécula de H_2O sob ação da luz.

IV. A etapa química ocorre sem necessidade direta de luz.

É correto o que se afirma em

a) I e II somente.
b) I, III e IV somente.
c) II e III somente.
d) III e IV somente.
e) I, II, III e IV.

14. (Mackenzie-SP) O processo de fotossíntese é considerado em duas etapas: a fotoquímica ou fase de claro e a química ou fase de escuro. Na primeira fase, não ocorre

a) produção de ATP.
b) produção de NADPH.
c) produção de O_2.
d) fotólise da água.
e) redução do CO_2.

15. (Udesc) Determine a alternativa que indica corretamente a principal função da fotólise da água.

a) Fornecer hidrogênio para ativar o complexo ATP sintetase e repor elétrons perdidos pelas moléculas de clorofila.
b) Quebrar glicose, produzindo oxigênio e ATP, para os seres aeróbios.
c) Produzir oxigênio, para ativar o sistema ATP sintetase.
d) Garantir a estabilidade molecular da água que circula nos vasos do xilema e do floema.
e) Garantir a oxidação da glicose.

Questões discursivas

16. (Fuvest-SP) No processo de fabricação do pão, um ingrediente indispensável é o fermento, constituído por organismos anaeróbios facultativos.

a) Qual a diferença entre o metabolismo energético das células que ficam na superfície da massa e o metabolismo energético das células que ficam no seu interior?
b) Por que o fermento faz o pão crescer?

17. (Unicamp-SP) O processo de fermentação foi inicialmente observado no fungo *Saccharomyces*. Posteriormente, verificou-se que os mamíferos também podem fazer fermentação.

a) Em que circunstância esse processo ocorre nos mamíferos?
b) Dê dois exemplos da importância do processo de fermentação para a obtenção de alimentos.

18. (UFMA) O esquema abaixo representa a primeira etapa da respiração aeróbia (glicólise). Após analisá-lo, responda:

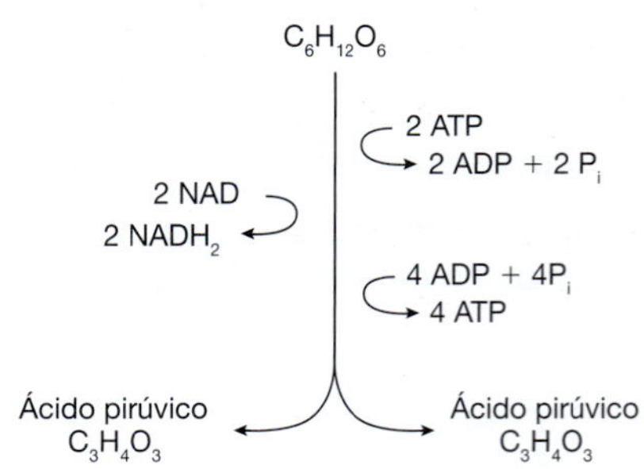

a) Em que local da célula ela ocorre?
b) Qual é o gasto energético dessa fase e qual é o saldo em ATPs?

19. (Fuvest-SP) Há um século, Louis Pasteur, investigando o metabolismo do levedo, um organismo anaeróbio facultativo, observou que, em solução de água e açúcar, esse microrganismo se multiplicava. Observou também que a multiplicação era maior quando a solução era aerada.

a) Explique a importância do açúcar para o levedo.
b) Justifique a diferença do crescimento nas condições aeróbia e anaeróbia.

Capítulo 12

Núcleo, cromossomos e divisão celular

NAJLAH FEANNY/CORBIS SABA/CORBIS/LATINSTOCK

A ovelha Dolly – o clone animal mais famoso do mundo – e Ian Wilmut, um de seus criadores.

Clones e a importância do núcleo celular

Belinda era uma ovelha de 6 anos de idade da raça Finnish-Dorset, de cor clara e uniforme. Em um experimento inédito, ela foi a doadora do núcleo de uma célula de sua glândula mamária. Fluffy, ovelha da raça Scottish Blackface (cara-preta), foi a doadora de um óvulo cujo núcleo foi eliminado e substituído pelo núcleo da célula da glândula mamária de Belinda. Após um pequeno choque elétrico, o núcleo transplantado incorporou-se ao citoplasma do óvulo de Fluffy, que iniciou o desenvolvimento embrionário. O embrião clonado foi implantado no útero de uma terceira ovelha Scottish Blackface – Lassie – e ali se desenvolveu. Em 5 de julho de 1996 nasceu Dolly, um clone de Belinda. O nome, dizem, foi uma duvidosa homenagem a uma exuberante cantora estadunidense, aludindo ao fato de Dolly ter sido clonada a partir do núcleo de uma célula de glândula mamária!

Esse incrível feito científico foi realizado pela equipe liderada pelo biólogo escocês Ian Wilmut, do Instituto Rosling, na Escócia. Como era de esperar, a experiência suscitou grande polêmica. Abriam-se as portas para a clonagem humana, defendida por uns e criticada por outros.

Nossa atenção, agora, volta-se para o núcleo das células. Bastou um único núcleo celular de Belinda, convenientemente instalado no citoplasma do óvulo de Fluffy, para originar Dolly, uma réplica de Belinda. A experiência confirmou o que se esperava: um núcleo de uma célula somática contém as informações necessárias para originar um organismo completo, no caso, uma ovelha Finnish-Dorset semelhante a Belinda.

Em média, um núcleo mede entre 5 e 15 μm de diâmetro, algo em torno de 0,01 mm! Não é formidável pensar que um único núcleo de uma célula qualquer de nosso corpo, com seu tamanho microscópico, possui todas as informações necessárias para originar um organismo completo, como uma ovelha ou uma pessoa? E que os núcleos de todas as nossas células têm informações idênticas, por serem a reprodução fiel do núcleo da célula-ovo que nos originou?

A importância do assunto

Nossa viagem ao interior das células chega, neste capítulo, a um ponto culminante: o núcleo celular. Como vimos no texto sobre a clonagem da ovelha Dolly, o núcleo contém as informações necessárias para o desenvolvimento e o metabolismo da célula.

Neste capítulo você aprenderá diversos conceitos importantes sobre o núcleo e seus principais componentes, os cromossomos, onde se localizam os genes. Exercite sua imaginação para visualizar a transição da estrutura nanométrica do cromossomo, constituído por uma única molécula de DNA associada a moléculas de proteínas, até o nível do cromossomo condensado, estrutura visível ao microscópio fotônico.

O estudo do papel dos cromossomos esclarece algumas das incríveis adaptações da célula para se reproduzir com perfeição e transmitir todos os genes nucleares às células-filhas. Ao conhecer e compreender a mitose, o processo pelo qual uma célula origina duas células idênticas, podemos entender melhor a continuidade da vida.

12.1 O núcleo celular

Em um desenho do microscopista pioneiro Antonie van Leeuwenhoek (1632-1723), do século XVII, há uma célula de salmão com uma estrutura central identificada por *lúmen*, termo que significa cavidade. Essa é a mais antiga referência científica ao núcleo celular, embora Leeuwenhoek não o identificasse como tal. No início do século XIX, o microscopista e botânico austríaco Franz Bauer (1758-1840) notou a presença do núcleo em células vegetais, mas foi apenas em 1831 que o botânico escocês Robert Brown (1773-1858) o descreveu com mais detalhes, caracterizando-o como uma estrutura típica das células. (Fig. 12.1)

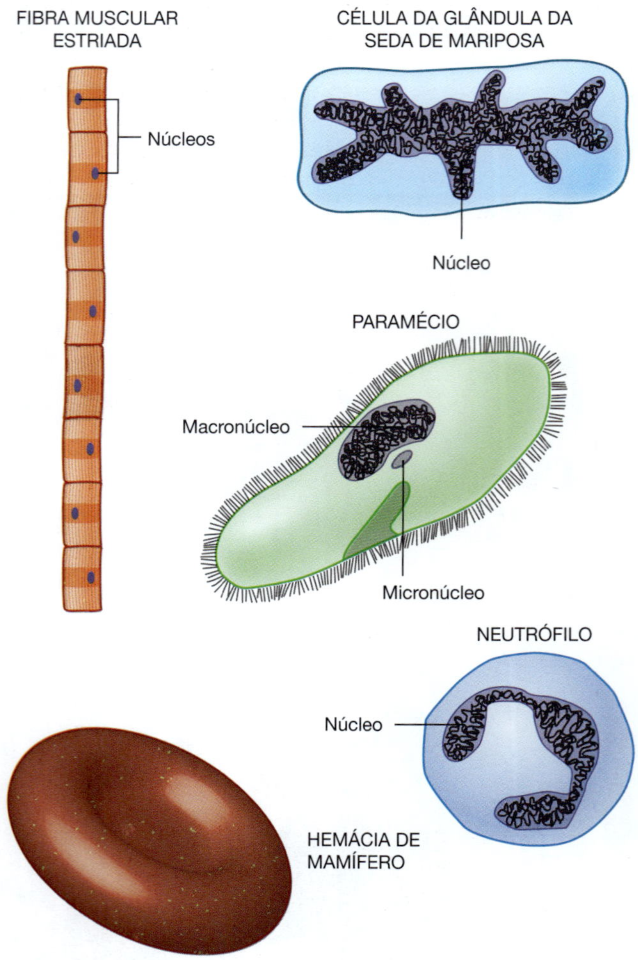

Figura 12.1 Representação esquemática de células mostrando diversos tipos de núcleos. Os glóbulos vermelhos maduros (hemácias) do sangue de mamíferos não possuem núcleo, que é eliminado no decorrer da diferenciação celular. (Elementos fora de proporção de tamanho entre si; cores-fantasia.)

O **núcleo celular** é uma estrutura característica das células eucarióticas; cada célula quase sempre contém um núcleo, cujo tamanho e forma variam com o tipo celular. Entretanto, há células com dois ou mais núcleos: protozoários ciliados, por exemplo, possuem um núcleo pequeno, o micronúcleo, e outro maior, o macronúcleo. As fibras musculares estriadas de nosso corpo, resultantes da fusão de várias células precursoras, têm dezenas ou centenas de núcleos. Por outro lado, nas **hemácias** (células vermelhas do sangue) dos mamíferos, o núcleo se degenera no decorrer do amadurecimento celular.

Envelope nuclear (carioteca)

O núcleo é delimitado pelo **envelope nuclear**, ou **carioteca**, constituído por duas membranas lipoproteicas justapostas e muito bem ajustadas uma à outra. A face interna da membrana, voltada para o interior do núcleo, é reforçada por uma camada de filamentos proteicos (a lâmina nuclear). Em diversos pontos do envelope nuclear, as membranas externa e interna fundem-se em torno de um **poro**, pelo qual ocorre a troca de substâncias entre o núcleo e o citoplasma.

Os poros do envelope nuclear atuam como válvulas, abrindo-se para dar passagem a determinados materiais e fechando-se em seguida. No poro há uma estrutura complexa, conhecida como **complexo de poro**, formada por dezenas de tipos diferentes de proteínas. O complexo de poro é capaz de controlar ativamente o trânsito de partículas e de substâncias entre o núcleo e o citoplasma. (Fig. 12.2)

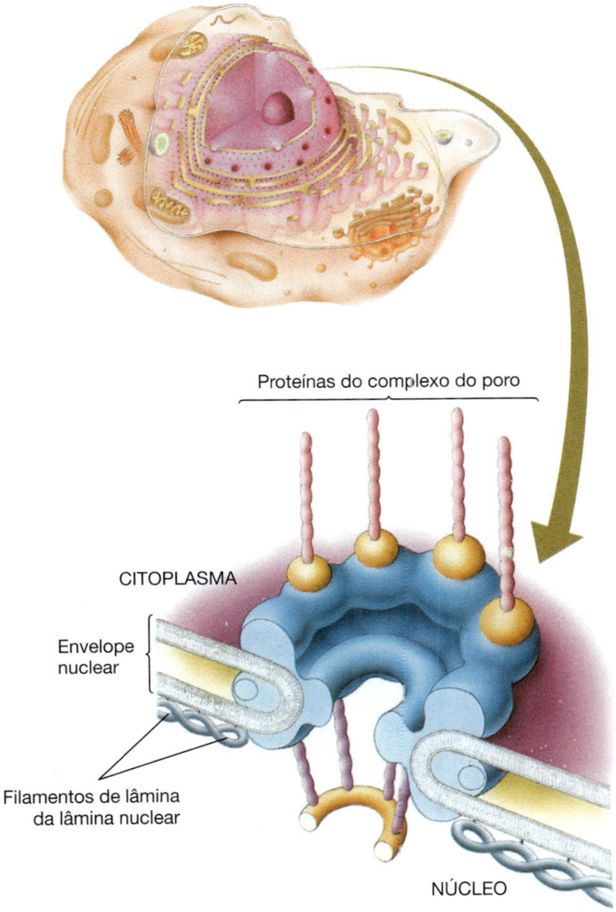

Figura 12.2 Modelo tridimensional de um poro da carioteca em corte longitudinal, elaborado com base em estudos ao microscópio eletrônico. Note as duas membranas lipoproteicas e os filamentos de lamina, a proteína que forma a lâmina nuclear. (Elementos fora de proporção de tamanho entre si; cores-fantasia.) (Baseado em Cooper, G., 2000.)

Cromatina e nucléolo

Ao tratar células com certos corantes, os primeiros citologistas descobriram que o material contido no núcleo celular tinha capacidade de se corar intensamente, destacando-se das outras partes da célula. Em meados do século XIX, passou a ser empregado o termo **cromatina** (do grego *chromatos*, cor) para designar o material altamente corável presente no núcleo celular. Hoje se sabe que a cromatina é formada por um emaranhado de fios finíssimos, os cromossomos. Em nossa célula imaginária, ampliada 100 mil vezes até 3 m de lado, o núcleo seria equivalente a uma esfera de 1 m de diâmetro, delimitada por uma dupla membrana transparente e porosa. Em seu interior, os cromossomos seriam comparáveis a muitos metros de finos barbantes, longos e emaranhados como um novelo.

No interior do núcleo há geralmente uma ou mais estruturas globulares densas, os **nucléolos**. O nucléolo é constituído pela aglomeração de ribossomos em formação e não apresenta membrana envolvente. A principal substância constituinte dos ribossomos e, portanto, dos nucléolos é o **RNA ribossômico**, produzido por certas regiões de determinados cromossomos.

O nucléolo é uma estrutura dinâmica: ao mesmo tempo que o material ribossômico sai do núcleo para o citoplasma, onde constitui os ribossomos, a região cromossômica que forma o nucléolo produz mais material ribossômico, que repõe o que vai para o citoplasma.

A cromatina, que se apresenta mais densamente condensada na periferia nuclear e mais frouxa na região central, e os nucléolos encontram-se mergulhados em uma solução aquosa que preenche o núcleo, o **nucleoplasma**, ou cariolinfa, pela qual circulam íons e substâncias como moléculas de ATP, nucleotídios e enzimas, apenas para citar as mais importantes. (Fig. 12.3)

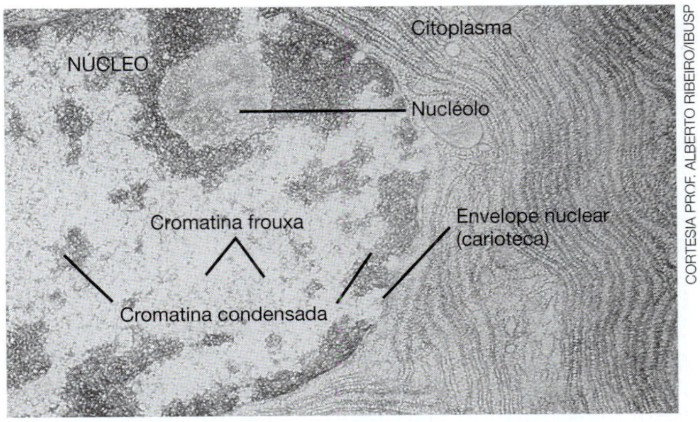

Figura 12.3 Fotomicrografia de um corte de célula animal, mostrando os principais constituintes do núcleo. (Microscópio eletrônico de transmissão; aumento ≈ 11.000×.)

12.2 Características gerais dos cromossomos

Praticamente todas as informações para o funcionamento das células eucarióticas e, consequentemente, do organismo, estão inscritas nos **cromossomos**, estruturas filamentosas intranucleares constituídas por uma longa molécula de DNA associada a proteínas. As informações a que nos referimos, codificadas no DNA cromossômico, são os **genes**.

No núcleo celular há geralmente vários cromossomos, que diferem quanto aos tipos de genes que possuem. O número de cromossomos varia entre as espécies. Por exemplo, na espécie humana (*Homo sapiens*) as células corporais, denominadas células somáticas, têm 46 cromossomos no núcleo; os gametas (ovócito secundário e espermatozoide) possuem metade desse número, 23. As células somáticas do chimpanzé (*Pan troglodytes*) têm 48 cromossomos (24 nos gametas), ao passo que as da mosca drosófila (*Drosophila melanogaster*) têm 8 cromossomos (4 nos gametas). Carneiros da espécie *Ovis aries*, a que pertencia Dolly, têm 54 cromossomos em suas células somáticas (27 nos gametas). (Tab. 12.1)

Tabela 12.1 ■ **Número de cromossomos de algumas espécies animais e vegetais**		
Nome popular	**Espécie**	**Número de cromossomos nas células**
Galinha	*Gallus gallus*	78
Gato	*Felis catus*	38
Boi	*Bos taurus, B. indicus*	60
Cachorro	*Canis lupus familiaris*	78
Cavalo	*Equus caballus*	64
Porco	*Sus scrofa*	38
Alface	*Lactuca sativa*	18
Maçã	*Malus domestica*	34
Soja	*Glycine max*	40
Milho	*Zea mays*	20

12.1 Biblioteca do estudante Amplie seus conhecimentos

A arquitetura do cromossomo

Nas células eucarióticas, o cromossomo é constituído por uma longa molécula de DNA que, a espaços regulares, dá duas voltas sobre um grânulo de proteínas denominadas **histonas**. Cada grânulo de histona com seu DNA enrolado ao redor constitui uma unidade estrutural – o **nucleossomo** –, que se repete ao longo do filamento cromossômico.

A associação entre nucleossomos vizinhos faz o filamento cromossômico enrolar-se como uma mola helicoidal compacta, originando um fio mais grosso, com cerca de 30 nm de espessura. Esse fio apresenta, ao longo do comprimento, outras proteínas que fornecem sustentação esquelética ao cromossomo. A espessura do fio cromossômico associado ao esqueleto proteico é da ordem de 300 nm. E quando a célula se divide para originar duas células-filhas, o cromossomo enrola-se sobre si mesmo, assumindo um estado ainda mais condensado, com cerca de 700 nm de espessura. (Fig. 12.4)

Cromátides-irmãs e centrômero

Quando uma célula não está se dividindo, diz-se que ela está em **interfase**. É nesse período que ocorrem os preparativos para uma futura divisão celular. Um dos principais eventos preparatórios para a divisão da célula é a duplicação dos cromossomos, condição necessária para sua posterior distribuição entre as células-filhas.

Ao se duplicar, cada cromossomo produz outro idêntico e ambos permanecem juntos, aderidos por meio de proteínas especiais, as **coesinas**, e fundidos em um ponto denominado **centrômero**. Enquanto estão unidas, as cópias de um cromossomo duplicado são denominadas **cromátides-irmãs**. Sua separação ocorre em uma fase específica da divisão celular, durante a qual o centrômero se divide e as coesinas se desagregam.

Durante a divisão celular, cada cromátide condensa-se independentemente de sua irmã, apesar de ambas continuarem unidas pelas coesinas. Com a condensação, os cromossomos encurtam e tornam-se mais grossos, assumindo o aspecto de bastonetes duplos.

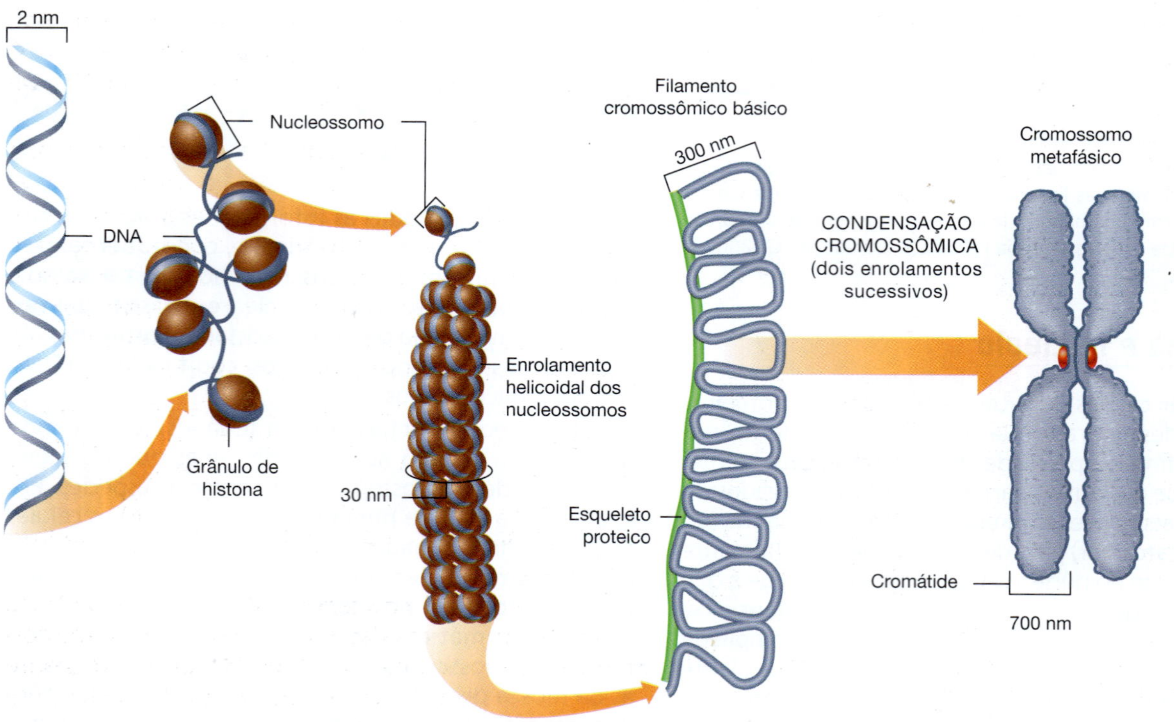

Figura 12.4 Representação esquemática dos níveis de organização do cromossomo em organismos eucarióticos. (Cores-fantasia.) (Baseado em Campbell, N. e cols., 1999.)

A região do centrômero associa-se a microtúbulos presentes no citoplasma e tem papel fundamental na separação das cromátides-irmãs na divisão celular, como veremos adiante. (Fig. 12.5A)

Os pesquisadores costumam classificar os cromossomos pela posição do centrômero, facilmente reconhecida pela presença de um estrangulamento que divide o cromossomo condensado em dois "braços".

De acordo com esse critério, os cromossomos são classificados em quatro tipos: a) **metacêntrico**, em que o centrômero divide o cromossomo em dois braços de mesmo tamanho; b) **submetacêntrico**, em que o centrômero é deslocado da região mediana, definindo dois braços de tamanho desigual; c) **acrocêntrico**, em que o centrômero localiza-se perto de uma das extremidades, definindo um braço bem maior que o outro; e d) **telocêntrico**, em que o centrômero localiza-se na extremidade do cromossomo, que tem apenas um braço. (Fig. 12.5B)

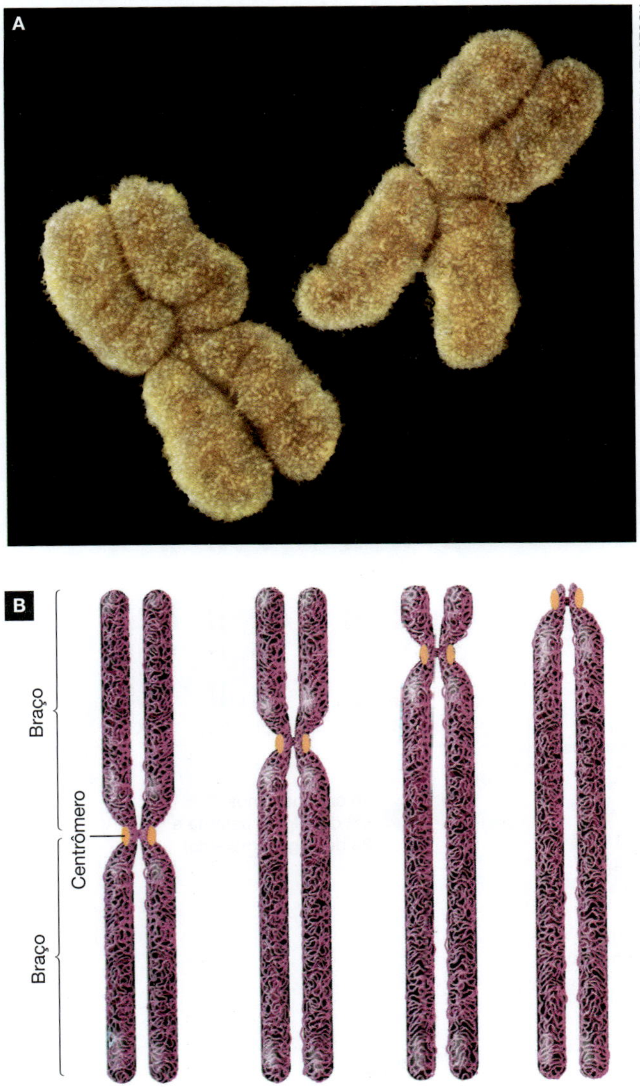

POWER AND SYRED/SCIENCE PHOTO LIBRARY/LATINSTOCK

Figura 12.5 A. Fotomicrografia de cromossomos humanos condensados. (Microscópio eletrônico de varredura; aumento ≈ 8.600×; cores artificiais.) **B**. Tipos de cromossomo de acordo com a posição do centrômero. (Elementos fora de proporção de tamanho entre si; cores-fantasia.)

As extremidades de um cromossomo possuem organização especial e são denominadas **telômeros**. Para sintetizar as extremidades da molécula de DNA que constitui o telômero é necessária uma enzima especial, a telomerase.

Cromossomos e genes

Em uma definição simplificada, cada trecho da molécula de DNA que contém a informação para a produção de uma proteína constitui um **gene**. O conjunto total de moléculas de DNA de uma espécie, incluindo os genes e os trechos de DNA sem informação genética, constitui o **genoma**.

Como vimos, as proteínas não são apenas constituintes arquitetônicos da célula, mas muitas delas são enzimas. As proteínas enzimáticas controlam praticamente todas as reações fundamentais do metabolismo. Os genes se manifestam por meio das proteínas; eles contêm a informação, a "receita" para a produção das proteínas.

Cromossomos homólogos

Na espécie humana, há 24 tipos de cromossomos: 22 deles são denominados autossomos e identificados por números de 1 a 22; os outros dois tipos, chamados cromossomos sexuais, são identificados pelas letras X e Y. **Autossomos** são os tipos de cromossomos presentes igualmente em células de ambos os sexos. **Cromossomos sexuais** são os que variam entre os sexos e diferenciam células masculinas e femininas.

Cada célula do corpo de uma pessoa, com exceção dos gametas, possui um par de cada tipo de autossomo e um par de cromossomos sexuais. Nas células femininas, o par sexual é composto por dois cromossomos X; nas células masculinas existe um cromossomo X e um cromossomo Y.

Os óvulos humanos têm 23 cromossomos, sendo 22 autossomos (um de cada par) e um cromossomo X. Os espermatozoides humanos também têm 23 cromossomos, sendo 22 autossomos e um cromossomo sexual, que pode ser tanto o **cromossomo X** quanto o **cromossomo Y**. Cerca de metade dos espermatozoides produzidos por um homem possui um cromossomo X e a outra metade possui um cromossomo Y.

Quando um espermatozoide se une ao óvulo na fecundação, os dois conjuntos de cromossomos dos gametas juntam-se na primeira célula do novo organismo, o **zigoto**. Na espécie humana, o zigoto tem 23 cromossomos provenientes da mãe e 23 provenientes do pai.

A determinação do sexo do novo indivíduo ocorre no momento da fecundação: se um espermatozoide portador de um cromossomo X fecundar um óvulo (sempre portador de um X), o zigoto será do sexo feminino (XX); se o espermatozoide apresentar um cromossomo Y, o zigoto será do sexo masculino (XY).

Pouco antes de se dividir, o zigoto duplica os cromossomos recebidos dos gametas; ao final da primeira divisão celular, cada célula-filha receberá réplicas exatas dos 46 cromossomos recebidos dos dois genitores.

Os representantes de cada tipo de cromossomo de uma célula originada do zigoto, um herdado do pai e outro da mãe, são chamados **cromossomos homólogos** (do grego *homoios*, igual, semelhante). (Fig. 12.6)

Células diploides e células haploides

O zigoto e as células somáticas que descendem dele têm pares de cromossomos homólogos e por esse motivo recebem o nome de **células diploides** (do grego *diplos*, duplo), representadas por **2*n***. Células que apresentam apenas um lote de cromossomos, como os gametas humanos, são chamadas de **células haploides** (do grego *haplos*, simples) e representadas por ***n***.

Os cromossomos de um par de homólogos são morfologicamente indistinguíveis: têm mesmo tamanho, mesma forma e genes equivalentes, localizados nas mesmas posições relativas no filamento cromossômico. Por exemplo, se em determinado local de um cromossomo houver um gene com a informação para produzir determinada proteína, em seu homólogo, no local correspondente, haverá um gene com uma informação idêntica ou muito parecida.

Citogenética humana

A Citogenética humana, ramo da Biologia que estuda os cromossomos humanos, é uma especialidade relativamente nova. Para se ter ideia, apenas em 1956 ficou definitivamente demonstrado que tanto homens quanto mulheres têm 46 cromossomos nas células. Atualmente, os cientistas têm condições de identificar pessoas com problemas cromossômicos e prever o risco de seus filhos virem a ser afetados por certas doenças hereditárias. Esses procedimentos fazem parte de um ramo da Genética denominado **aconselhamento genético**.

A técnica mais empregada para o estudo dos cromossomos humanos baseia-se no cultivo, em tubo de ensaio, de linfócitos, um tipo de glóbulo branco do sangue. Os linfócitos são isolados do sangue e colocados em um frasco com solução nutritiva, à qual se adiciona fitoemaglutinina, uma substância de origem vegetal que induz os linfócitos a se dividirem.

Depois de alguns dias, junta-se ao frasco colchicina, substância que bloqueia a divisão celular no estágio em que os cromossomos estão mais condensados, o que facilita a observação. Algumas horas depois da adição de colchicina, acrescenta-se ao frasco uma solução hipotônica (relembre o conceito de osmose no capítulo 10), que faz as células incharem.

Quando se pingam gotas dessa solução sobre lâminas de vidro para microscopia, as células inchadas arrebentam e liberam os cromossomos. Estes aderem à lâmina e podem ser corados e examinados ao microscópio fotônico.

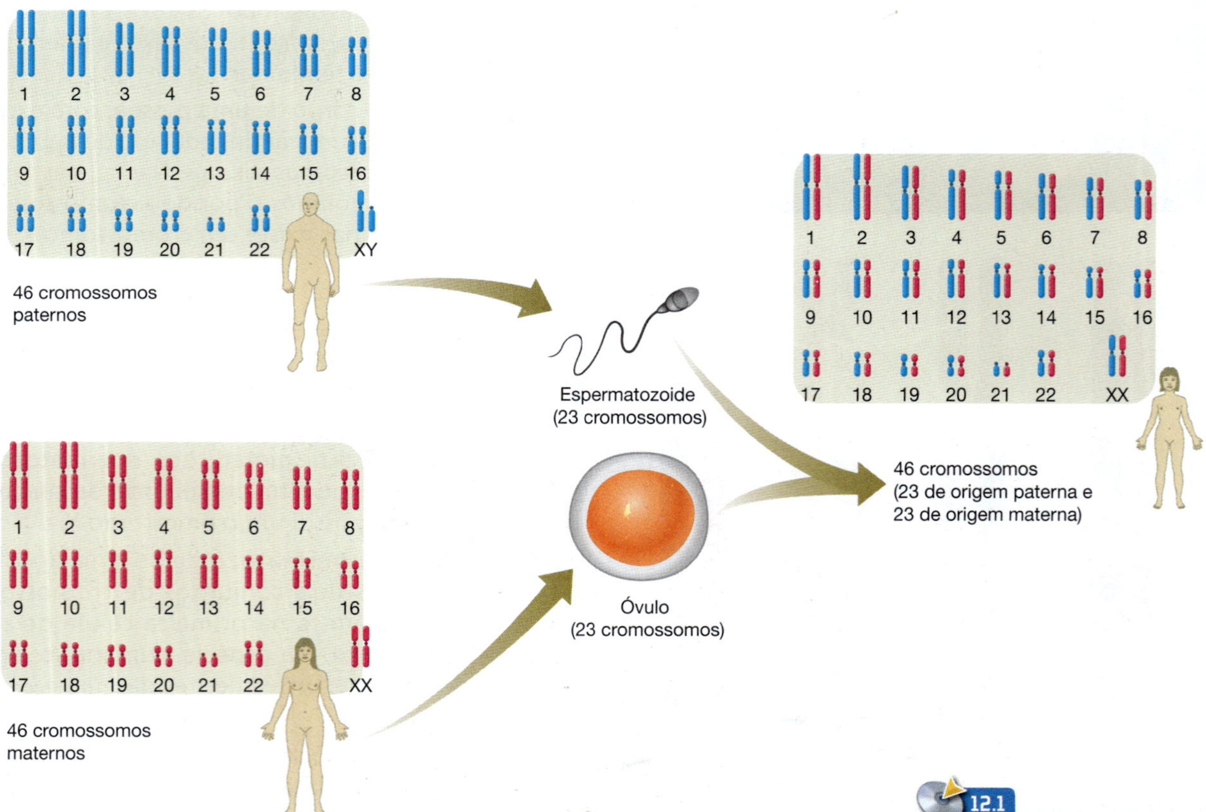

12.1 Biblioteca do estudante Ciência e cidadania

Figura 12.6 Cada pessoa herda dois conjuntos de 23 cromossomos, um proveniente da mãe e outro proveniente do pai. (Elementos fora de proporção de tamanho entre si; cores-fantasia.)

Ao observar a lâmina, o pesquisador escolhe um conjunto completo de cromossomos e o fotografa. Os cromossomos são organizados por ordem decrescente de tamanho e de acordo com a posição dos centrômeros. Essa montagem é chamada **cariograma**. (Fig. 12.7)

O cariótipo humano

O conjunto de cromossomos de uma célula constitui seu **cariótipo** (do grego *karyon*, núcleo, e *typos*, forma). Na espécie humana, por exemplo, os cariótipos de homens e de mulheres diferem quanto ao par de cromossomos sexuais. Como vimos, nas mulheres esse par é composto por dois cromossomos morfologicamente idênticos, os cromossomos X. Nos homens, o par de cromossomos sexuais é composto por um cromossomo X e um cromossomo Y. Os cariótipos normais de homem e de mulher costumam ser escritos assim:

Cariótipo da mulher: 22AA + XX, ou 46, XX

Cariótipo do homem: 22AA + XY, ou 46, XY

Alguns cromossomos humanos são facilmente identificados pelo tamanho e pela forma; outros são muito parecidos entre si, sendo praticamente indistinguíveis quanto à morfologia. Entretanto, quando os cientistas submetem preparações citológicas de cromossomos a certos tratamentos especiais, são geradas faixas transversais típicas de cada tipo cromossômico. Esses tratamentos permitem identificar, pelo padrão de faixas, cada um dos 23 pares de cromossomos do cariótipo humano. (Fig. 12.8)

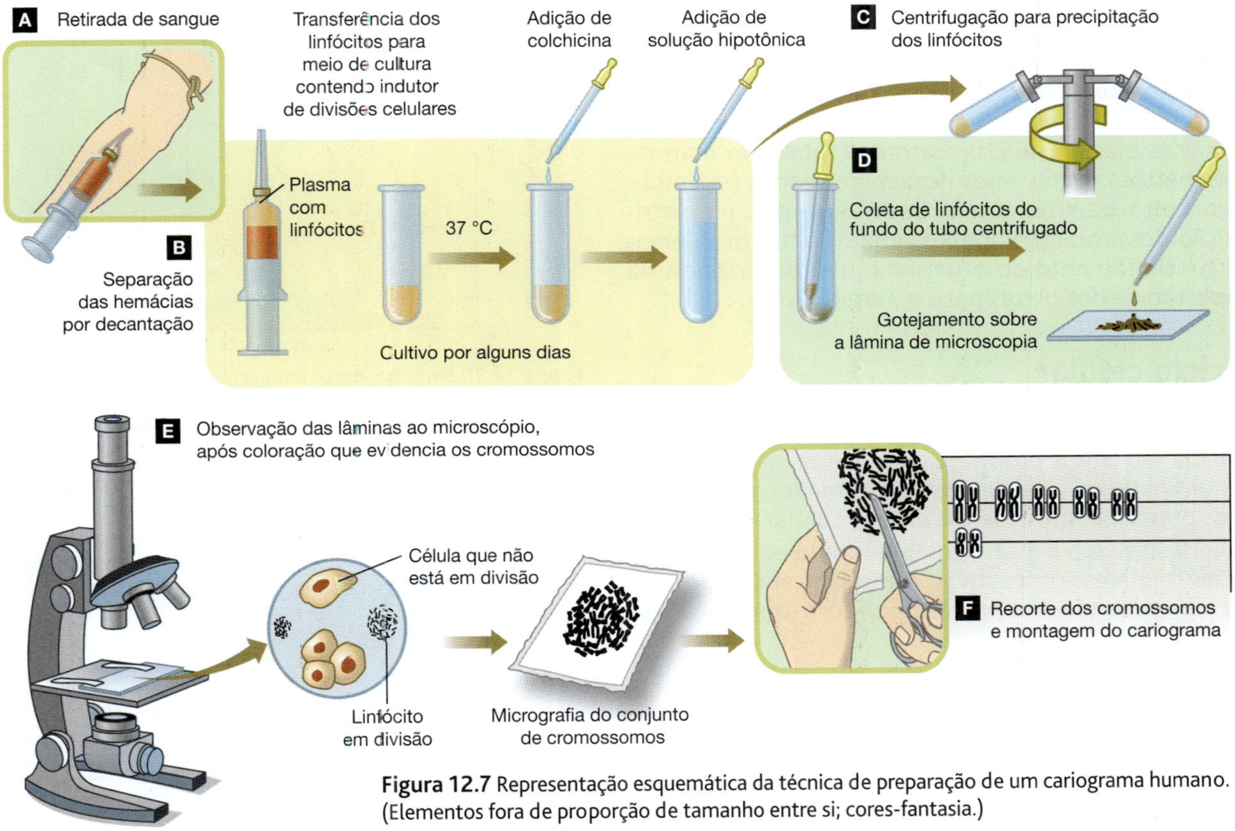

Figura 12.7 Representação esquemática da técnica de preparação de um cariograma humano. (Elementos fora de proporção de tamanho entre si; cores-fantasia.)

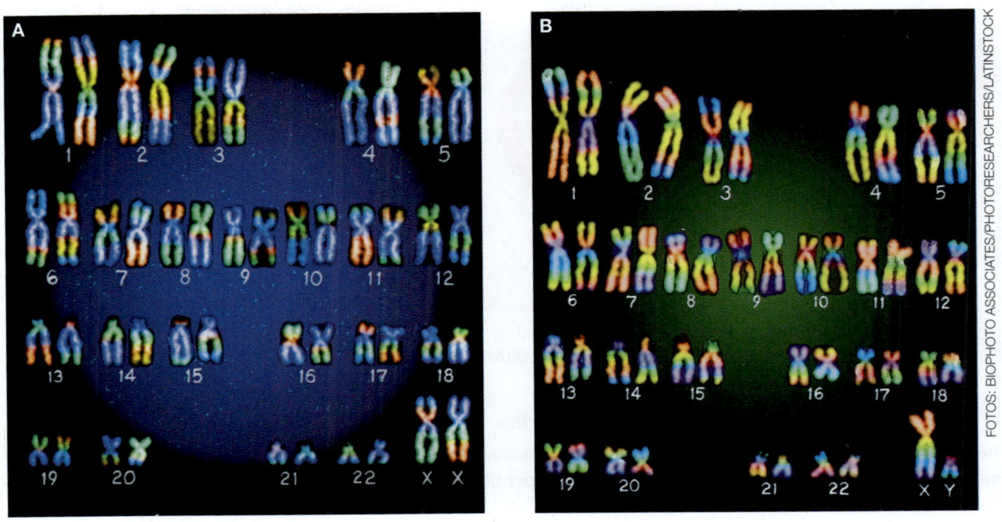

Figura 12.8 Cariogramas obtidos de micrografias de cariótipos humanos normais. (Microscópio fotônico; aumento ≈ 3.000×; cores artificiais.)
A. Cariograma feminino.
B. Cariograma masculino.
As faixas transversais, típicas de cada cromossomo, são obtidas com um tratamento químico especial. O padrão de faixas ajuda a identificar os tipos cromossômicos, permitindo encontrar seu homólogo para a montagem do cariograma.

12.3 Dividir para multiplicar: a divisão celular

No momento em que você lê este texto, milhões de células de seu corpo estão se reproduzindo. Sob a superfície da pele, células multiplicam-se continuamente, substituindo as mais externas, que vão morrendo e descamando. No interior de certos ossos há células em contínua multiplicação, originando glóbulos brancos e hemácias do sangue. Cabelos e unhas crescem pela incessante multiplicação de células presentes no folículo piloso e na base ungueal, respectivamente.

A reprodução celular, apesar de corriqueira, é uma empreitada fantástica, quando analisada nos níveis nanoscópico e microscópico. Primeiro, cada uma das longas moléculas de DNA que constituem os cromossomos precisa passar por uma rigorosa duplicação. Depois de duplicados, os cromossomos devem separar-se e distribuir-se corretamente para as células-filhas. Imagine só os desafios desse empreendimento: em nossas células, os 46 cromossomos totalizam mais de dois metros de finíssimos fios emaranhados (relembre o conceito de cromatina). Eventuais erros na distribuição dos cromossomos costumam causar problemas no funcionamento do organismo, em decorrência da importância dos genes para o metabolismo.

O ciclo celular

O período que vai do surgimento de uma célula por divisão até a própria célula dividir-se em duas é denominado **ciclo celular**. Este costuma ser dividido em duas etapas: a interfase e a divisão celular. (Fig. 12.9)

Interfase é o período compreendido entre duas divisões celulares consecutivas. A **divisão celular**, por sua vez, compreende dois processos: mitose (duplicação do núcleo) e citocinese (divisão do citoplasma). Em geral, a mitose e a citocinese duram menos de 1 hora, o que corresponde a cerca de 5% da duração total do ciclo celular. Nos outros 95% do tempo, a célula está em interfase.

O período de interfase é subdividido em três fases: **G1**, **S** e **G2**. A sigla S deriva da palavra inglesa ***synthesis***, em referência à síntese de DNA, que ocorre durante a fase S, quando a quantidade de DNA do núcleo é duplicada. As siglas G1 e G2 derivam da palavra inglesa ***gap*** (intervalo) e designam os momentos anterior (G1) e posterior (G2) à duplicação do DNA. (Fig. 12.10)

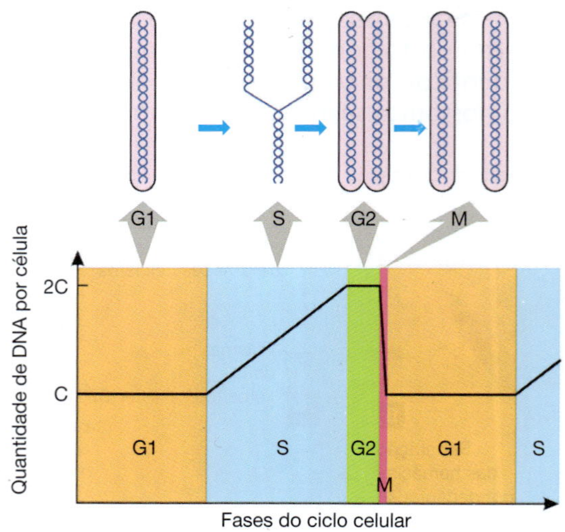

Figura 12.10 Em cima, representação esquemática da relação entre DNA e cromossomos nas diversas fases do ciclo celular. Em G1 cada cromossomo contém apenas uma molécula de DNA; em S ocorre a duplicação do DNA; em G2, o cromossomo está constituído por duas cromátides-irmãs, cada uma contendo uma molécula de DNA; as cromátides-irmãs separam-se na mitose (M). (Elementos fora de proporção de tamanho entre si; cores-fantasia.) Embaixo, gráfico da variação da quantidade de DNA em uma célula durante o ciclo celular. Embaixo, gráfico da variação da quantidade de DNA em uma célula durante o ciclo celular.

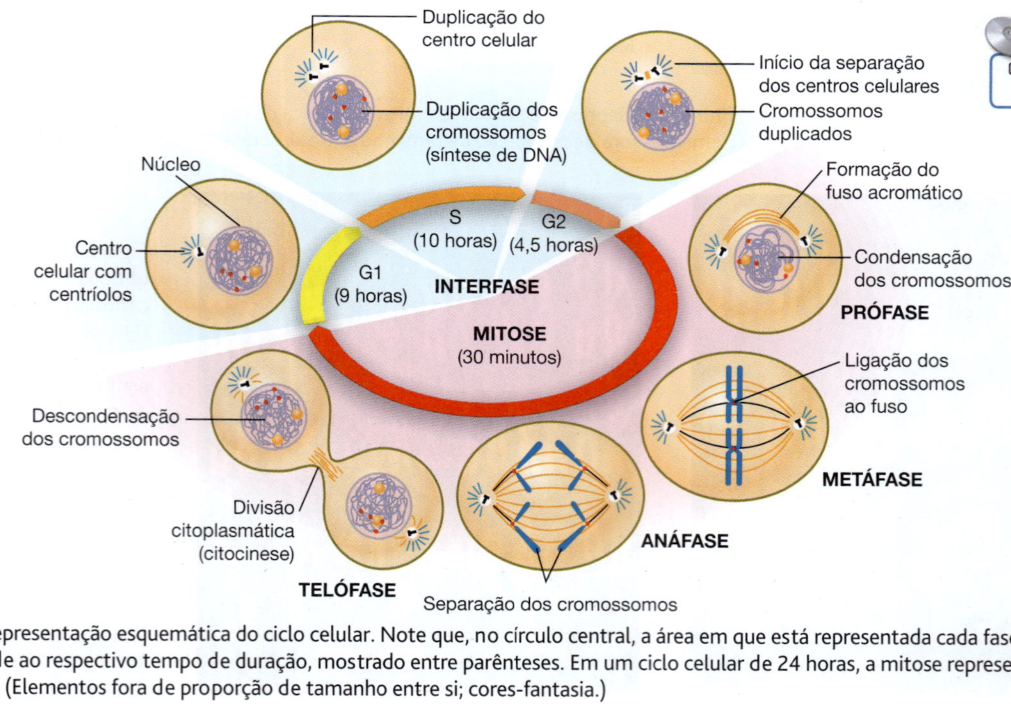

Conteúdo Multimídia
Interfase

Figura 12.9 Representação esquemática do ciclo celular. Note que, no círculo central, a área em que está representada cada fase do ciclo celular não corresponde ao respectivo tempo de duração, mostrado entre parênteses. Em um ciclo celular de 24 horas, a mitose representa pouco mais de 30 minutos. (Elementos fora de proporção de tamanho entre si; cores-fantasia.)

Mitose

Em um aparente paradoxo, na "matemática" celular dividir é igual a multiplicar. Por quê? Quando uma célula se divide, ela origina duas células-filhas geralmente com metade do tamanho da célula genitora. Entretanto, cada nova célula tem potencial para crescer e originar uma célula típica da linhagem a que pertence, uma vez que recebeu um conjunto completo de genes. Isso é possível porque os cromossomos e os genes duplicam-se antes de a célula se dividir.

Como vimos, a duplicação dos cromossomos ocorre no período S da interfase. Depois que a duplicação se completa, há a fase G2 e a célula inicia a mitose.

O termo **mitose** deriva da palavra grega *mitos*, que significa "filamento", referindo-se ao fato de os cromossomos, durante o processo, se tornarem cada vez mais espessos, como se estivessem sendo "tecidos" com cromatina.

A mitose de uma célula humana costuma durar de 30 a 60 minutos, desde o início da condensação cromossômica até a formação dos dois núcleos-filhos. Ao longo da mitose ocorrem eventos marcantes, escolhidos pelos cientistas para dividir esse processo em quatro fases: prófase, metáfase, anáfase e telófase.

Prófase

Durante a interfase, os cromossomos estão descondensados e são tão finos que não podem ser visualizados individualmente, mesmo com os melhores microscópios fotônicos. Foi exatamente por isso que se empregou, originalmente, o termo cromatina para designar o conjunto filamentoso do núcleo interfásico; não se sabia, na época, que a cromatina correspondia a um conjunto de filamentos individualizados.

A **prófase** (do grego *pro*, antes, em frente) caracteriza-se pela condensação dos cromossomos, que se tornam mais curtos e grossos, podendo ser visualizados individualmente ao microscópio fotônico. Ao se condensar, os cromossomos encurtam e, desse modo, podem separar-se mais facilmente e distribuir-se para as células-filhas.

O cromossomo condensado torna-se inativo, pois a compactação em geral impede a produção de moléculas de RNA pelo DNA. Isso explica por que os nucléolos desaparecem durante a prófase: ao se condensar, a região cromossômica que organiza o nucléolo deixa de produzir RNA ribossômico, seu principal componente.

Outro evento característico da prófase é a formação do **fuso mitótico** ou **fuso acromático**, um conjunto de microtúbulos orientados de um polo a outro da célula e cuja função é capturar e distribuir os cromossomos para as células-filhas.

A formação do fuso mitótico inicia-se com a separação dos centrossomos, duplicados na fase S da interfase, para polos opostos da célula. Em sua migração, os centrossomos vão orientando a organização de microtúbulos entre os dois polos celulares, formando fibras. Nas células animais, os microtúbulos se organizam também ao redor de cada centrossomo, originando uma estrutura denominada **áster**. (Fig. 12.11)

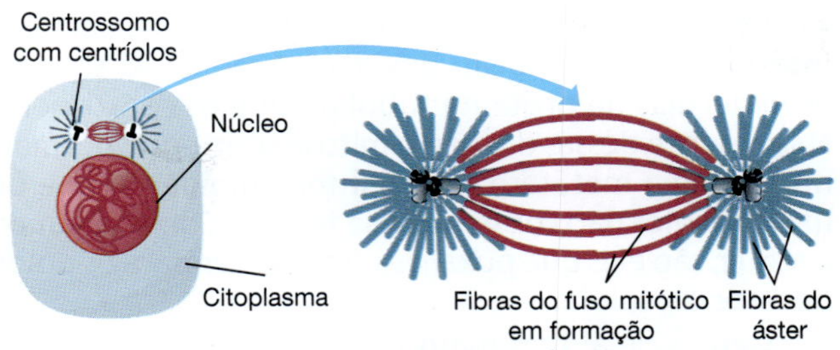

Figura 12.11 À esquerda, representação esquemática de uma célula animal em início de prófase, com o fuso mitótico em formação. Em maior aumento, organização geral do fuso, com fibras entre os centros celulares e fibras do áster ao redor de cada um deles. (Elementos fora de proporção de tamanho entre si; cores-fantasia.)

Ao final da prófase, a carioteca se fragmenta em pequenas vesículas e os cromossomos, já em grau avançado de condensação, espalham-se pelo citoplasma.

Metáfase

A **metáfase** (do grego *meta*, meio) sucede a prófase e é marcada pelo posicionamento dos cromossomos na região equatorial do fuso acromático. Microtúbulos provenientes dos centrossomos crescem e "fisgam" os cromossomos, capturando-os pelo **cinetócoro**, estrutura proteica presente na região do centrômero. Quando o cinetócoro de uma cromátide é capturado por microtúbulos ligados a um dos polos celulares, o cinetócoro da cromátide-irmã fica automaticamente voltado para o polo oposto, sendo capturado por microtúbulos provenientes desse polo. Assim, as cromátides-irmãs de cada cromossomo prendem-se a polos celulares opostos.

Os cromossomos presos às fibras do fuso posicionam-se na região mediana da célula, constituindo a chamada **placa metafásica** ou placa equatorial. O termo metáfase refere-se justamente ao fato de os cromossomos se alinharem na região mediana da célula. (Fig. 12.12)

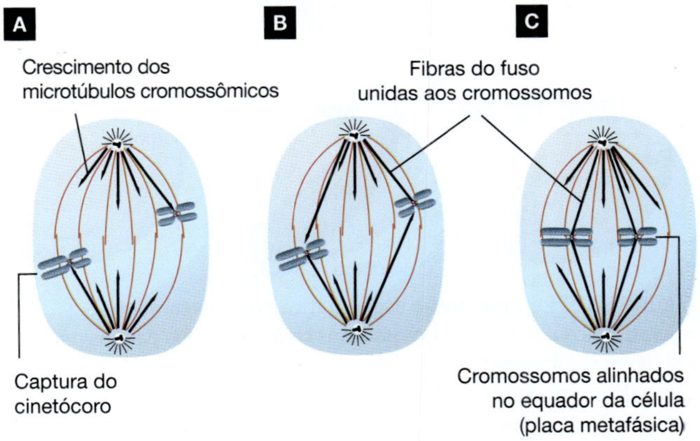

Figura 12.12 Representação esquemática do processo de união dos cromossomos ao fuso mitótico, com formação da placa metafásica. **A.** Captura dos cromossomos por microtúbulos de um dos polos. **B.** Ligação de microtúbulos do outro polo ao cinetócoro da cromátide-irmã. **C.** Alinhamento dos cromossomos, formando a placa metafásica. (Elementos fora de proporção de tamanho entre si; cores-fantasia.)

Alguns autores denominam **prometáfase** o período que vai da ruptura da carioteca à formação completa da placa metafásica. Nesse caso, a metáfase corresponderia ao período que vai do alinhamento dos cromossomos no equador da célula até o início de sua migração para polos opostos.

Certas drogas, como a colchicina e o colcemide, interferem na formação dos microtúbulos ao se ligar às moléculas da proteína tubulina que os constituem. Na presença dessas drogas, a mitose prossegue normalmente até a metáfase, mas é interrompida porque os microtúbulos não conseguem se formar. Como veremos a seguir, são eles que puxam as cromátides para os polos opostos da célula.

Depois de algum tempo em contato com a droga, os cromossomos se descondensam e a carioteca se recompõe. O novo núcleo assim formado tem o dobro do número de cromossomos originalmente presentes na célula, pois houve duplicação cromossômica da interfase, mas não ocorreu separação das cromátides-irmãs para núcleos-filhos.

Anáfase

A prófase e a metáfase preparam um evento culminante da divisão celular: a separação das cromátides-irmãs, puxadas para polos opostos pelo encurtamento dos microtúbulos do fuso. Por isso, essa fase denomina-se **anáfase** (do grego *ana*, separação).

O encurtamento dos microtúbulos ligados aos cromossomos ocorre pela desagregação controlada das moléculas constituintes dos microtúbulos, junto à região dos cinetócoros. Progressivamente, cada cromossomo é arrastado pelo centrômero em direção ao polo ao qual está ligado. A densidade do citoplasma celular pode ser percebida pelo formato flexionado dos cromossomos na anáfase, quando são arrastados pelos microtúbulos do fuso no citoplasma denso. Quando as cromátides-irmãs, agora chamadas de cromossomos-irmãos, chegam aos polos da célula, termina a anáfase. (Fig. 12.13)

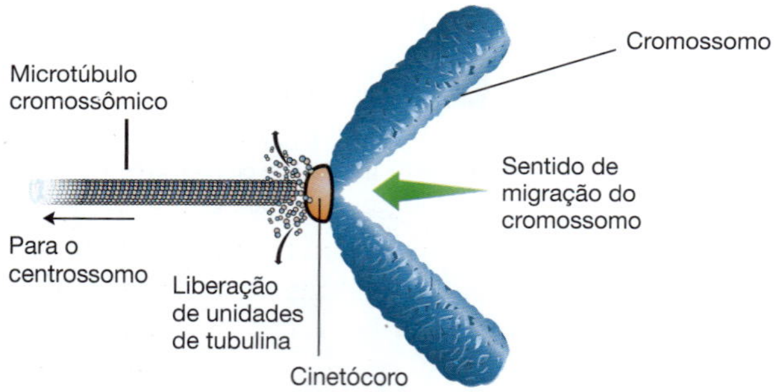

Figura 12.13 Representação esquemática do encurtamento dos microtúbulos que faz os cromossomos serem puxados para os polos. Foi representado apenas um microtúbulo, em ampliação muito maior que a do cromossomo. (Elementos fora de proporção de tamanho entre si; cores-fantasia.)

Muito raramente, ambas as cromátides de um cromossomo podem ligar-se por engano a microtúbulos de um mesmo polo, migrando juntas. Esse fenômeno, conhecido como **não disjunção cromossômica**, acarreta um erro na distribuição dos cromossomos: uma das células-filhas fica com um cromossomo a mais e a outra, com um cromossomo a menos.

Quando ocorre nas células germinativas, que dão origem aos gametas, ou no início do desenvolvimento embrionário, a não disjunção cromossômica pode acarretar malformações em um organismo.

Telófase

Quando os cromossomos chegam aos polos celulares, tem início a **telófase** (do grego *telos*, fim), última fase da mitose. Na telófase, os cromossomos se descondensam e novas cariotecas reorganizam-se ao redor de cada conjunto cromossômico separado, reconstituindo dois novos núcleos.

À medida que os cromossomos se descondensam, eles são envolvidos pelas vesículas membranosas resultantes da fragmentação da carioteca antiga, reconstituindo duas novas cariotecas. Com a descondensação, os cromossomos voltam progressivamente à atividade e retomam a produção de RNA ribossômico; consequentemente, os nucléolos reaparecem.

A divisão por mitose origina núcleos-filhos com mesmo número e mesmos tipos de cromossomos da célula-mãe. Células diploides ($2n$) originam, por mitose, duas células diploides. Células haploides (n) originam, por mitose, duas células haploides. (Fig. 12.14)

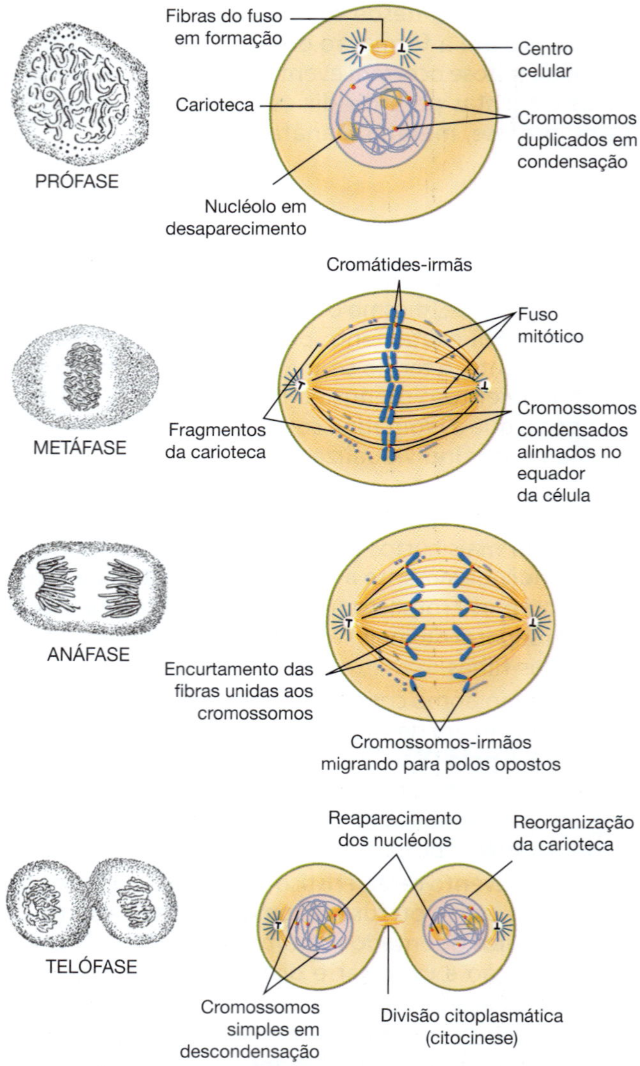

Figura 12.14 De cima para baixo, representação esquemática da sequência das fases da mitose. Os esquemas à direita representam fenômenos descobertos apenas com o emprego da microscopia eletrônica e de técnicas especiais de coloração. À esquerda são reproduzidos os desenhos publicados em 1882 pelo citologista alemão Walther Flemming (1843-1905), considerado o descobridor da mitose. (Elementos fora de proporção de tamanho entre si; cores-fantasia.)

Citocinese

Durante a reorganização dos núcleos-filhos, os microtúbulos do fuso desagregam-se e inicia-se a **citocinese**, processo de divisão do citoplasma que leva à formação das duas células-filhas.

Em células animais e de protozoários, a citocinese ocorre por um estrangulamento na região equatorial, causado por um anel de filamentos contráteis constituído pelas proteínas actina e miosina. Por se iniciar na periferia da célula e avançar para o centro, esse tipo de divisão citoplasmática é chamado **citocinese centrípeta**.

Nas células das plantas, ao final da telófase, bolsas membranosas que contêm o polissacarídio pectina depositam-se na região equatorial da célula. Essas bolsas fundem-se umas às outras originando o **fragmoplasto**, uma placa que cresce do centro da célula para a periferia, até encostar na parede celulósica e separar as células-filhas. Por ocorrer do centro para a periferia, a divisão do citoplasma nas células vegetais recebe o nome de **citocinese centrífuga**. (Fig. 12.15)

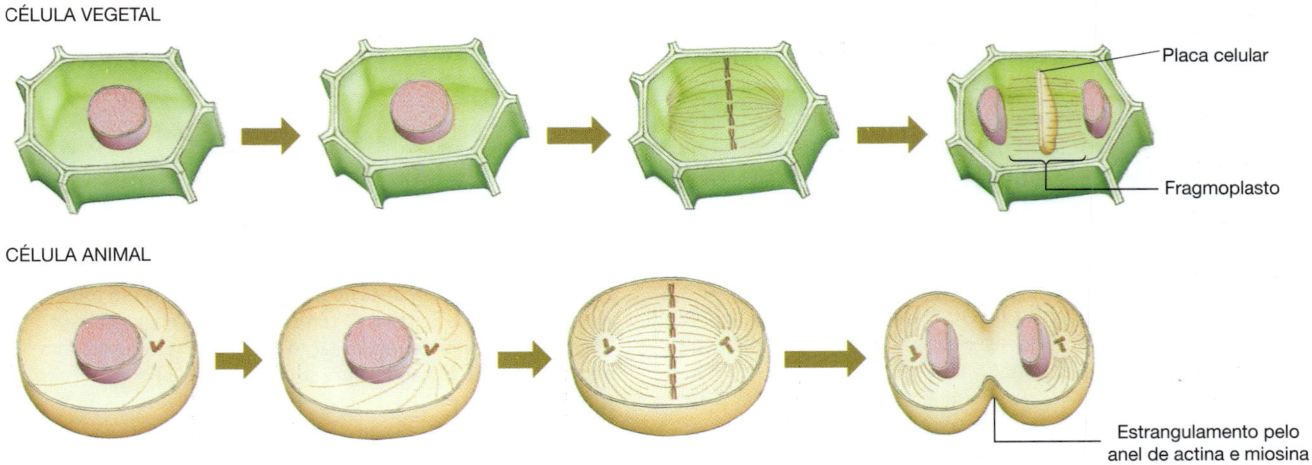

Figura 12.15 Representação esquemática em que se compara a divisão de uma célula animal com a de uma célula vegetal. (Elementos fora de proporção de tamanho entre si; cores-fantasia.) (Baseado em Lodish, H. e cols., 2005.)

Ciência e cidadania

Biblioteca do estudante
Sugestões de livros, *sites* e vídeos

O que é câncer?

1 Durante a vida de um animal, as divisões celulares são rigorosamente controladas, de modo a garantir o bom funcionamento do organismo. Ao longo do desenvolvimento embrionário e das fases jovens da vida, as divisões celulares são intensas e os diversos órgãos se formam e crescem até atingir seu tamanho definitivo. Na fase adulta, o ritmo das divisões celulares diminui e elas passam a ocorrer apenas quando é necessário repor as células que morrem naturalmente ou em consequência de acidentes.

2 Entretanto, certas alterações genéticas podem danificar o sistema de controle da divisão celular, levando a célula a crescer e se multiplicar sem necessidade. Caso essa tendência de multiplicação incontrolada seja transmitida às células-filhas, surgirá um clone de células com propensão a se expandir indefinidamente: um **tumor**.

3 Um tumor pode ser constituído por células sem mobilidade, que ficam restritas ao local onde surgiram. Nesse caso, geralmente causa poucos problemas ao organismo e por isso é denominado **tumor benigno**. Por outro lado, alguns tipos de tumor têm células capazes de migrar e invadir tecidos vizinhos sadios: são os **tumores malignos** ou **cânceres**. Pelas circulações sanguínea e linfática, as células cancerígenas atingem diversas regiões do corpo, onde podem originar novos tumores. O processo de disseminação de um tumor é denominado **metástase**. Tumores malignos geralmente são prejudiciais ao organismo e, se não são tratados adequadamente, podem levar à morte.

4 Costuma-se classificar os tumores malignos em dois grupos: sarcomas e carcinomas. **Sarcomas** são provenientes de células originárias do mesoderma embrionário, enquanto **carcinomas** provêm de células originárias do ectoderma ou do endoderma. A leucemia é um tipo especial de sarcoma, que atinge os glóbulos brancos do sangue.

5 Com exceção da leucemia, em que as células tumorais estão livres no sangue, os tumores são estruturas sólidas. Um tumor pode crescer até atingir cerca de 1 milhão de células, produzindo uma estrutura mais ou menos esférica com cerca de 2 milímetros de diâmetro. Nesse ponto, as células mais internas do tumor começam a ter um problema de nutrição, pois os nutrientes trazidos pelo sangue não chegam até elas.

O esperado seria que essas células morressem e o tumor deixasse de crescer. Entretanto, a maioria dos tumores tem a capacidade de induzir a **angiogênese**, que é a formação de novos vasos sanguíneos. A descoberta de substâncias que bloqueiam a angiogênese tem sido motivo de otimismo entre os médicos, pois pode levar ao desenvolvimento de novos agentes terapêuticos para o combate ao câncer.

6 Mutações gênicas, perdas e duplicações de cromossomos (inteiros ou pedaços) ou quebras cromossômicas, entre outros tipos de alteração genética, podem levar uma célula normal a se transformar em uma célula cancerosa.

7 A teoria mais conservadora para a origem do câncer admite que, dependendo do tipo de tumor, uma célula se torna maligna depois de 3 a 20 mutações em uma sequência definida. Essas alterações ocorrem em duas classes principais de genes, denominadas: **genes supressores de tumor** e **oncogenes**. Os primeiros produzem proteínas que impedem a progressão do ciclo celular quando há problemas. Os oncogenes estimulam as divisões celulares. Mutações nos genes supressores de tumor podem permitir a reprodução de células alteradas. Modificações nos oncogenes podem levar à divisão descontrolada das células.

8 Como exige diversas alterações, a formação de tumores é mais frequente em pessoas idosas. Uma pessoa de 70 anos de idade tem 100 vezes mais risco de ter um câncer que uma pessoa de 19 anos. Algumas vezes, a pessoa herda dos pais certas alterações genéticas que a tornam mais propensa a desenvolver tumores. Nesse caso, a manifestação da doença requer menos mutações na própria pessoa. Essa é uma das razões de certas famílias apresentarem maior incidência de alguns tipos de câncer.

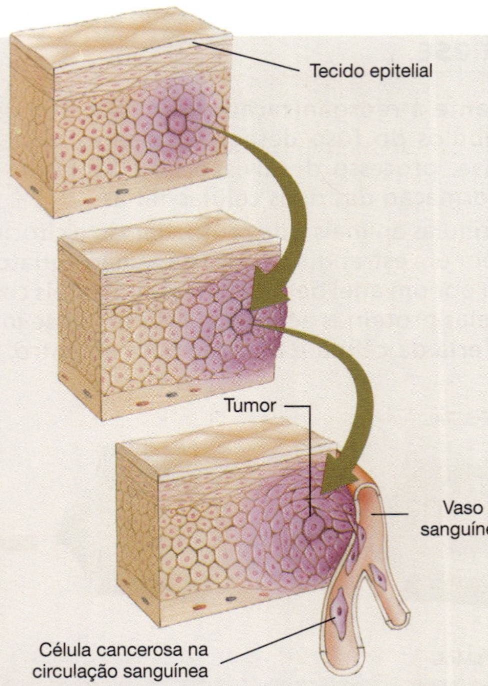

Representação esquemática do desenvolvimento de um tumor malígno no tecido epitelial. O tumor estimula a angiogênese e libera células invasivas na circulação sanguínea. (Elementos fora de proporção de tamanho entre si; cores-fantasia.)

Incidência de tipos de câncer em homens

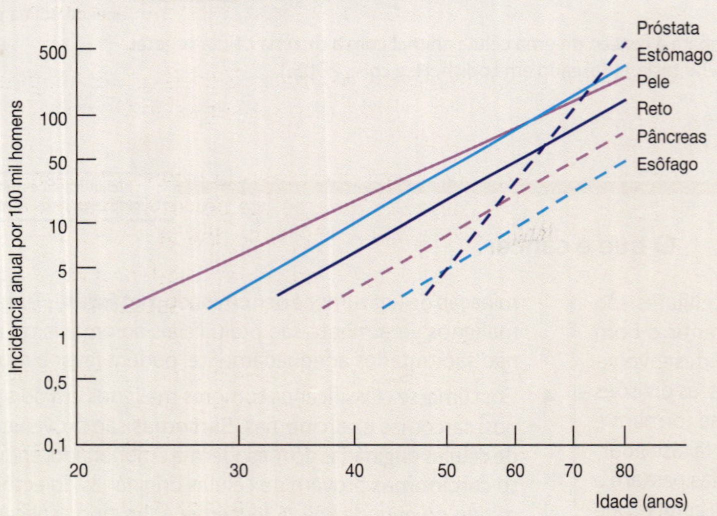

Gráfico que mostra a incidência de diversos tipos de câncer em homens em função da idade. Note que as taxas de incidência, assim como as idades, estão expressas em escala logarítmica; isso é necessário para representar o aumento drástico da incidência de câncer com o avanço da idade; por exemplo, a taxa de incidência do câncer de próstata é 500 vezes maior em homens com 80 anos do que em homens com 45 anos de idade. (Baseado em Volgelstein, B. e Kinzler, K., 1993.)

Guia de leitura

1. Leia o primeiro parágrafo e resuma a ideia central.
2. Leia o segundo parágrafo e explique o que é um tumor.
3. Com base na leitura do terceiro parágrafo, diferencie tumor benigno de tumor maligno e defina metástase.
4. Leia o quarto parágrafo. Que critério é utilizado para distinguir sarcoma de carcinoma?
5. No quinto parágrafo é apresentada uma "estratégia" dos tumores que atingem tamanho relativamente grande: a angiogênese. Explique o que isso significa.
6. Leia os parágrafos 6 e 7, que comentam as origens do câncer. Quais são os principais tipos de genes cujas mutações podem causar câncer?
7. Leia o oitavo e último parágrafo. Analise o gráfico que relaciona diversos tipos de câncer à idade. Alguns oncologistas costumam dizer que, se todas as outras doenças fossem curadas, todos morreriam de câncer. Como você analisaria essa afirmação baseando-se no que leu e na análise do gráfico?
8. Estratégias bem-sucedidas na abordagem contra o câncer envolvem sua detecção e tratamento prematuros. Pesquise na internet sobre campanhas preventivas contra o câncer de mama ou de próstata. Informe-se e organize, em grupo, uma campanha de divulgação a respeito disso; lembre-se de que esses assuntos são de grande interesse para toda a comunidade.

Atividades

Visão do especialista | Biblioteca do estudante Faça você mesmo! | Listas de exercícios

Revendo conceitos fundamentais

1. A estrutura membranosa que delimita dois espaços intracelulares distintos – citoplasma e núcleo – em células eucarióticas é o(a):

a) cariolinfa.
b) cariograma.
c) envelope nuclear.
d) nucleossomo.

Escreva, em seu caderno, o termo abaixo que substitui corretamente a tarja entre parênteses das frases de 2 a 8.

a) centrômero
b) cromátide
c) cromatina
d) cromossomo
e) interfase
f) nucléolo
g) nucleossomo

2. O material filamentoso e emaranhado que preenche o núcleo celular quando a célula não está em divisão é o(a) (▬)

3. O(A) (▬) é um corpo denso no núcleo celular, formado por ribossomos em processo de maturação.

4. Um filamento constituído por DNA e proteínas, presente no interior do núcleo, é denominado (▬).

5. O período em que uma célula não está se dividindo é chamado (▬).

6. O(A) (▬) é cada um dos filamentos idênticos, unidos pelo centrômero, resultantes da duplicação do DNA na fase S.

7. A região cromossômica onde se localiza o cinetócoro, estrutura que permite a união do cromossomo às fibras do fuso mitótico, é denominada (▬).

8. O(A) (▬) é a denominação de um grânulo constituído pelo segmento de DNA enrolado sobre proteínas (histonas), que se repete ao longo da estrutura cromossômica.

Escreva, em seu caderno, o termo abaixo que substitui corretamente a tarja entre parênteses das frases de 9 a 12.

a) célula diploide
b) célula haploide
c) gene
d) genoma

9. O conjunto total de moléculas de DNA característico de uma espécie, incluindo os trechos sem informação genética, constitui o(a) (▬).

10. A presença de pares de cromossomos homólogos caracteriza um(a) (▬).

11. O(A) (▬) apresenta apenas um representante de cada tipo cromossômico.

12. O segmento de DNA denominado (▬) contém informação para a síntese de uma proteína.

Copie as frases de 13 a 17 substituindo a tarja por um dos termos a seguir.

a) autossomo
b) cariograma
c) cariótipo
d) cromossomo X
e) cromossomo Y

13. (▬) é um cromossomo presente em igual número em células femininas e células masculinas.

14. O (▬) está representado em dose dupla no sexo feminino e em dose simples no masculino.

15. O (▬) ocorre exclusivamente nos machos de algumas espécies.

16. Os cromossomos de uma célula, depois de fotografados e ordenados pelo tamanho e forma, constituem um (▬).

17. O número, o tamanho e a forma dos cromossomos de uma célula constituem seu (▬).

18. Cromossomos homólogos são aqueles que

a) diferem entre os sexos.
b) estão presentes tanto em machos quanto em fêmeas.
c) apresentam genes equivalentes, localizados nas mesmas posições relativas.
d) distinguem células somáticas de gametas.

Escreva, em seu caderno, o termo abaixo que substitui corretamente a tarja entre parênteses das frases de 19 a 23.

a) ciclo celular
b) cinetócoro
c) mitose
d) citocinese
e) telômero

19. A denominação (▬) refere-se à extremidade do cromossomo.

20. O(A) (▬) refere-se à divisão do citoplasma de uma célula que se segue à divisão do núcleo celular.

21. O(A) (▬) compreende o período desde o surgimento de uma célula por divisão até o momento em que ela própria se divide.

22. Localizado(a) na região centromérica, o(a) (▬) estabelece a ligação cromossômica com os microtúbulos do fuso.

23. O(A) (▬) é o processo de duplicação do núcleo que ocorre na divisão celular.

24. O evento denominado fase S da interfase é definido pelo(a)

a) condensação dos cromossomos.
b) desaparecimento dos nucléolos.
c) duplicação do DNA cromossômico.
d) síntese de RNA ribossômico.

Ligando conceitos, fatos e processos

25. No intercâmbio de substâncias entre o núcleo e o citoplasma estão diretamente envolvidos os:

a) nucléolos.
b) nucleossomos.
c) poros da carioteca.
d) ribossomos.

Associe cada uma das fases do ciclo celular, listadas a seguir, a um evento característico, apresentado nas questões 26 a 32.

a) anáfase
b) fase S da interfase
c) metáfase
d) prófase
e) telófase

26. Um dos eventos típicos da (■) é a reconstituição das cariotecas, com formação dos núcleos-filhos.

27. A (■) tem início com a condensação dos cromossomos.

28. O evento que caracteriza a (■) da mitose é a separação das cromátides-irmãs para polos celulares opostos.

29. O desaparecimento dos nucléolos ocorre na (■).

30. A placa equatorial, em que os cromossomos estão alinhados na região mediana da célula, é característica da (■).

31. O que caracteriza a (■) é a duplicação do DNA dos cromossomos.

32. Os nucléolos, que desaparecem no início da mitose, reaparecem na (■).

33. O cariótipo humano normal apresenta
   a) 23 pares de autossomos e 1 par de cromossomos sexuais.
   b) 22 pares de autossomos e 1 par de cromossomos sexuais.
   c) 45 pares de autossomos e 1 par de cromossomos sexuais.
   d) 44 pares de autossomos e 2 pares de cromossomos sexuais.

34. “Os cromossomos se condensam e o citoesqueleto se reorganiza, formando um feixe de microtúbulos que percorre a célula de polo a polo.” A frase descreve a formação do (1) e fenômenos que acontecem na (2). Qual das alternativas substitui corretamente os números (1) e (2)?
   a) 1 = áster; 2 = anáfase.
   b) 1 = centríolo; 2 = prófase.
   c) 1 = flagelo; 2 = interfase.
   d) 1 = fuso acromático; 2 = prófase.

35. A divisão celular em organismos unicelulares e em organismos multicelulares promove:
   a) apenas crescimento corporal, em ambos os casos.
   b) crescimento corporal, nos primeiros, e reprodução, nos segundos.
   c) reprodução, nos primeiros, e crescimento e reprodução, nos segundos.
   d) apenas reprodução, em ambos os casos.

36. Em qual das fases da mitose ocorrem fenômenos praticamente opostos aos da prófase?
   a) Anáfase.
   b) Metáfase.
   c) Interfase.
   d) Telófase.

37. Quantas cromátides se espera encontrar em cada núcleo celular humano na prófase e na telófase da mitose, respectivamente?
   a) 46 cromátides; 23 cromátides.
   b) 46 cromátides; 46 cromátides.
   c) 92 cromátides; 46 cromátides.
   d) 92 cromátides; 92 cromátides.

Utilize as alternativas a seguir para responder às questões 38 e 39.
   a) célula animal
   b) célula procariótica
   c) célula vegetal

38. Observou-se uma placa formando-se do centro para a periferia celular, entre os núcleos de uma célula em telófase. O mais provável é tratar-se de uma (■).

39. Observou-se um estrangulamento na região mediana de célula eucariótica em telófase. O mais provável é tratar-se de uma (■).

Questões para exercitar o pensamento

40. Justifique ou conteste a seguinte afirmação: “Células procarióticas não têm núcleo; como as hemácias humanas não têm núcleo, elas são, portanto, células procarióticas”.

41. Releia a abertura do capítulo, que trata da clonagem da ovelha Dolly. É possível que você tenha notado que os pesquisadores do Instituto Rosling escolheram ovelhas de características bem distintas como doadoras do núcleo – Belinda = Finnish-Dorset – e do citoplasma – Fluffy = Scottish Blackface. O que será que eles pretendiam com isso? Troque ideias com colegas e professores a respeito.

42. O gráfico a seguir representa a variação do conteúdo de DNA por núcleo no decorrer do ciclo celular de uma célula eucariótica. Analise-o e identifique o significado das siglas T1, T2, T3 e T4 do gráfico.

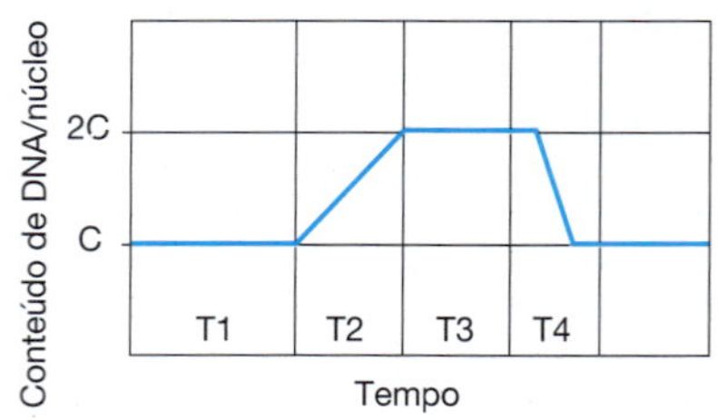

A Biologia no vestibular e no Enem

Questões objetivas

1. (Unir-RO) Qual das seguintes estruturas celulares é responsável pela formação dos ribossomos?
   a) Retículo endoplasmático.
   b) Complexo de Golgi.
   c) Centríolo.
   d) Nucléolo.
   e) Lisossomo.

2. (UFRGS-RS) O desenho abaixo representa um cromossomo da espécie humana.

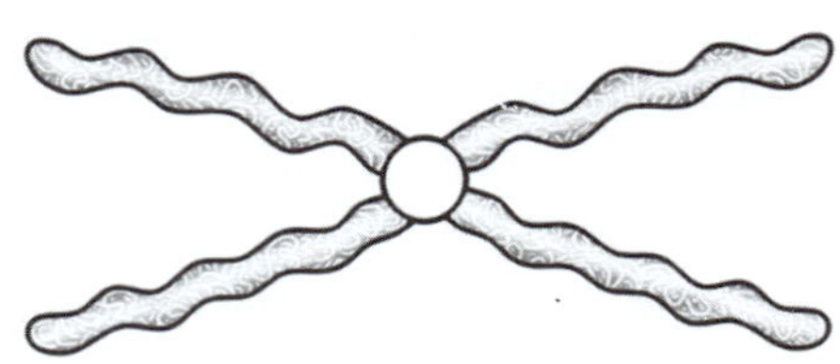

Como se chama a região indicada pela seta? De que substância ela é formada?
   a) cromátide — DNA.
   b) centrômero — RNA.
   c) cromátide — RNA.
   d) cromossomos — RNA.
   e) centrômero — DNA.

3. (Fuvest-SP) Em determinada espécie animal, o número diploide de cromossomos é 22. Nos espermatozoides, nos óvulos e nas células epidérmicas dessa espécie serão encontrados, respectivamente

a) 22, 22 e 44 cromossomos.
b) 22, 22 e 22 cromossomos.
c) 11, 11 e 22 cromossomos.
d) 44, 44 e 22 cromossomos.
e) 11, 22 e 22 cromossomos.

4. (Fuvest-SP) No processo de divisão celular, por mitose, chamamos de célula-mãe aquela que entra em divisão e de células-filhas as que se formam como resultado do processo. Ao final da mitose de uma célula, têm-se

a) duas células, cada uma portadora de metade do material genético que a célula-mãe recebeu de sua genitora e a outra metade, recém-sintetizada.
b) duas células, uma delas com material genético que a célula-mãe recebeu de sua genitora e a outra célula com material genético recém-sintetizado.
c) três células, ou seja, a célula-mãe e duas células-filhas, estas últimas com metade do material genético que a célula-mãe recebeu de sua genitora e a outra metade, recém-sintetizada.
d) três células, ou seja, a célula-mãe e duas células-filhas, estas últimas contendo material genético recém-sintetizado.
e) quatro células, duas com material genético recém-sintetizado e duas com material genético que a célula-mãe recebeu de sua genitora.

5. (UFF-RJ) O cariótipo humano é constituído pelo conjunto completo dos cromossomos ordenados de um indivíduo. No exame pré-natal de um casal cuja futura mãe tenha mais de 35 anos de idade e apresente casos de doenças genéticas na família, o médico deve indicar uma avaliação do cariótipo fetal.

O cariótipo humano esquematizado acima é referente a um indivíduo com certas características apontadas em uma das opções. Indique-a.

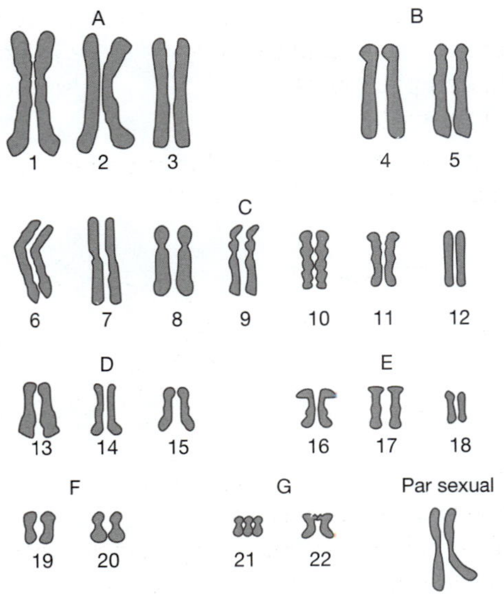

a) normal e do sexo masculino
b) com síndrome de Klinefelter e do sexo masculino
c) com síndrome de Down e do sexo masculino
d) com síndrome de Klinefelter e do sexo feminino
e) com síndrome de Down e do sexo feminino

6. (UFPA) O período que precede a mitose é denominado de interfase. Nessa fase ocorre a duplicação do DNA, evento que garante a transmissão das informações existentes na célula original para cada uma das células-filhas. A duplicação do DNA origina a formação de pares de

a) cromátides-irmãs presas uma à outra pelo centrômero.
b) cromossomos homólogos ligados pelos quiasmas.
c) nucléolos portadores de genes alelos.
d) cromossomos duplos, cada um com uma cromátide.
e) cromatinas diploides dispersas no nucléolo.

7. (FGV-SP) Um cromossomo funcional eucariótico pode ser dividido em três regiões essenciais: a região do centrômero, a região do telômero e as regiões que apresentam as origens da replicação. Em relação ao centrômero, pode-se dizer que sua função principal é

a) sintetizar códons de RNA a partir de códons de iniciação do DNA.
b) ligar-se às fibras do fuso e movimentar de forma adequada os cromossomos.
c) impedir a descondensação cromossômica durante o processo de divisão celular.
d) estabilizar as histonas, permitindo a manutenção da condensação cromossômica.
e) estabilizar as pontas dos cromossomos, impedindo seu encurtamento a cada divisão.

Questões discursivas

8. (UFRJ) Num laboratório, o núcleo de uma célula da espécie A foi retirado e implantado numa célula-ovo da espécie B, cujo núcleo havia sido previamente removido. Caso essa célula-ovo se desenvolvesse até a formação de um novo indivíduo, ele teria as características da espécie A ou da espécie B? Justifique sua resposta.

9. (Unicamp-SP) O esquema abaixo representa três fases do ciclo celular de uma célula somática de um organismo diploide.

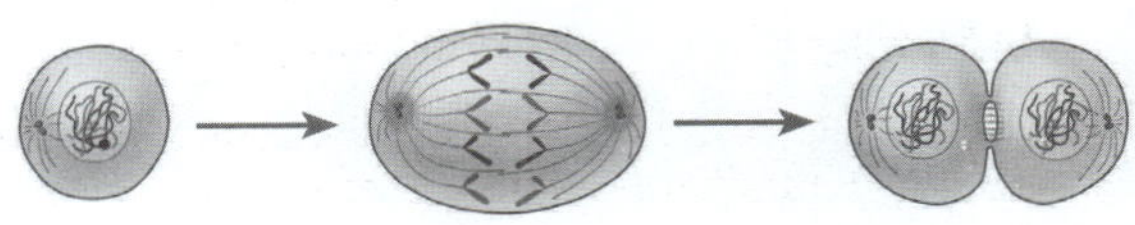

Adaptado de Hernandes Faustino de Carvalho e Shirlei Maria Recco-Pimentel, *A célula*. Manole, 2007, p. 380.

a) Qual é o número de cromossomos em uma célula haploide do organismo em questão? Justifique sua resposta.
b) Identifique se a célula representada é de um animal ou de uma planta. Aponte duas características que permitam fazer sua identificação. Justifique.

Módulo 5 Reprodução e desenvolvimento

WIM VAN EGMOND/VISUALS UNLIMITED/CORBIS/LATINSTOCK

Capítulo 13

Tipos de reprodução, meiose e fecundação

Itens principais:

IMAGEBROKER RF/KURT MÖBUS/DIOMEDIA

Casal de borboletas *Polyommatus icarus* em cópula. O macho apresenta uma coloração lilás--azulada na borda das asas, enquanto a fêmea tem cor marrom-clara. Esses insetos têm uma envergadura de aproximadamente 3 cm.

Capítulo 14

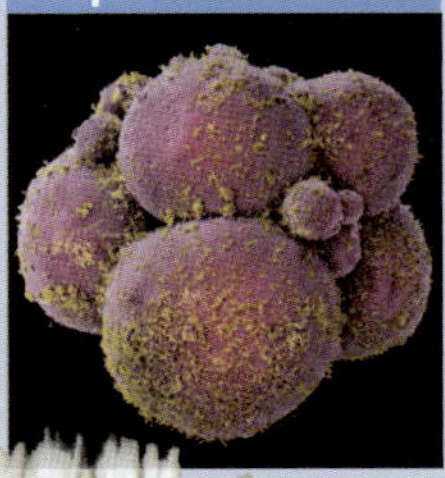

DR YORGOS NIKAS/SCIENCE PHOTO LIBRARY/LATINSTOCK

Desenvolvimento embrionário animal

Itens principais:

Segmentação e formação da blástula
Gastrulação
Organogênese
Os anexos embrionários

Capítulo 15

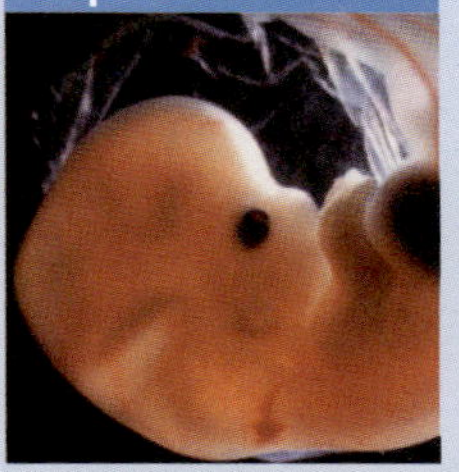

EDELMANN/SCIENCE PHOTO LIBRARY/LATINSTOCK

Reprodução humana

Itens principais:

Sistema genital feminino
Sistema genital masculino
Hormônios relacionados à reprodução
Gravidez e parto

Conheça os capítulos deste módulo

A "invenção" do sexo pelos seres vivos possibilitou combinar características de dois indivíduos no descendente, com chances de as novas combinações serem bem-sucedidas na luta pela vida. Tudo começa pelo encontro de um par de gametas. Confira, nos capítulos deste módulo, como começa uma nova vida na espécie humana.

Capítulo 13 Na reprodução sexuada, ocorre a união de um par de gametas, cada um transportando um conjunto de cromossomos típico da espécie. O zigoto, a célula formada pela união dos gametas, tem dois conjuntos de cromossomos, um materno e outro paterno. Uma vez que todas as células de nosso corpo são originadas por mitoses do zigoto, todas elas também terão dois conjuntos de cromossomos em seus núcleos. Na maturidade, uma linhagem celular especial torna-se capaz de realizar meiose e formar gametas, células portadoras de apenas um conjunto de cromossomos. Conhecer o processo de meiose é essencial para compreender a reprodução e a Genética, como veremos mais adiante neste livro.

Capítulo 14 O desenvolvimento de um embrião animal é um fantástico empreendimento celular. Trata-se da construção de um organismo altamente complexo a partir de uma única célula, o zigoto. Um empreendimento como esse requer um elevado grau de organização e planos genéticos precisos, com uma rigorosa sucessão de etapas no espaço corporal e no tempo. Como isso ocorre? Embora já se conheça o passo a passo celular desse processo, seus mecanismos de controle até hoje desafiam a compreensão dos cientistas.

Capítulo 15 Abordamos aqui aspectos básicos da reprodução em nossa espécie. O conhecimento científico sobre o tema e sua recente popularização têm levado cada vez mais pessoas a compreender os fundamentos da reprodução humana. Trata-se de um exercício de cidadania não apenas por favorecer a liberdade de escolha de cada um, mas também por possibilitar reflexões mais aprofundadas sobre o crescimento populacional humano em um mundo já tão intensamente povoado.

Capítulo 13

Tipos de reprodução, meiose e fecundação

WIM VAN EGMOND/VISUALS UNLIMITED/CORBIS/LATINSTOCK

Fotomicrografia de um par de filamentos da alga do gênero *Spirogyra* em processo de conjugação. Note células já vazias no filamento superior e uma célula em processo de transferência de material para o filamento inferior pelo canal de conjugação estabelecido entre as células. (Microscópio fotônico; aumento ≈ 550×.)

Sexo e reprodução

Por que a sexualidade ocupa espaço tão expressivo em todas as sociedades? Em alguns países, sexo faz parte dos negócios, do *show business*. Em outros, é tratado como assunto proibido, envolto em tabus e preconceitos. Ambas as visões revelam a mesma coisa, que percebemos desde a infância: sexo é *realmente* importante!

É natural que você possa estar pensando agora na importância do sexo em sua própria vida: prazer, emoções, amor, talvez filhos, quem sabe? Entretanto, neste capítulo trataremos o assunto de um ponto de vista mais abrangente: por que a reprodução por meio do sexo é tão disseminada no mundo vivo?

Com exceção dos seres procarióticos (bactérias e arqueas), que não têm reprodução sexuada propriamente dita, há pouquíssimos organismos eucarióticos em que o sexo não está presente; algumas espécies de plantas cultivadas, como o alho e a banana, por exemplo, perderam os processos sexuais e passaram a se reproduzir exclusivamente por brotamento. Em certas espécies de animais, como alguns lagartos, os machos foram eliminados: os óvulos das fêmeas desenvolvem-se sem necessidade de fecundação por um processo denominado partenogênese.

A universalidade do sexo sugere que ele surgiu há muito tempo na história evolutiva da vida, possivelmente em antigos organismos unicelulares dos quais descendemos nós e todos os seres eucarióticos atuais. Quais seriam as vantagens da reprodução sexuada, se há organismos como as bactérias, por exemplo, que se reproduzem assexuadamente com grande sucesso há mais de 3 bilhões de anos? Acompanhe essa questão em seus aspectos moleculares e cromossômicos e descubra por que o sexo, como forma de reprodução, faz tanto sucesso.

A importância do assunto

Os assuntos tratados neste capítulo são de grande importância tanto para a Biologia como para a compreensão de nossa vida. Temas como a sexualidade, com suas implicações comportamentais e morais, adquirem maior consistência se também forem considerados os aspectos biológicos da questão. A sexualidade é importante em nosso cotidiano por estar diretamente relacionada a nossa sobrevivência na Terra.

O ponto central do capítulo é a meiose, processo pelo qual os animais formam gametas e as plantas formam esporos. O assunto é relativamente complexo, mas está longe de ser difícil ou mera "decoreba". Tendo em vista a importância da meiose para a continuidade da vida, os detalhes passam a ter função mais ilustrativa, exemplificando a nomenclatura utilizada pelos cientistas.

Os assuntos deste capítulo são pré-requisitos para a compreensão da Genética e dos ciclos de vida de plantas e animais, estudados mais adiante. Por isso, vale a pena entender os aspectos cromossômicos da meiose e seu papel nos ciclos de vida.

13.1 Tipos de reprodução

A **reprodução** – processo pelo qual os seres vivos originam descendentes – é a maneira como a vida tem se perpetuado em nosso planeta desde sua origem. Se retrocedêssemos ao tempo de nossos ancestrais unicelulares mais antigos, chegaríamos ao momento em que surgiu a primeira forma de reprodução: a capacidade de se dividir em dois, crescer e novamente se dividir, perpetuando nos descendentes os processos vitais.

Processos assexuados de reprodução

Quando um único genitor dá origem a descendentes geneticamente idênticos a si, fala-se em **reprodução assexuada**. Como veremos a seguir, esse tipo de reprodução pode ocorrer de diversas maneiras.

A maioria dos organismos unicelulares – bactérias, protozoários e algas unicelulares – reproduz-se por **divisão binária**, também conhecida como **cissiparidade**, processo assexuado que consiste na divisão do indivíduo genitor em dois novos indivíduos.

Certas algas e fungos multicelulares formam células reprodutivas especiais denominadas **esporos**; estes são liberados no ambiente e, se as condições forem favoráveis, desenvolvem-se em novos indivíduos. A reprodução por meio de esporos é denominada **esporulação**. (Fig. 13.1)

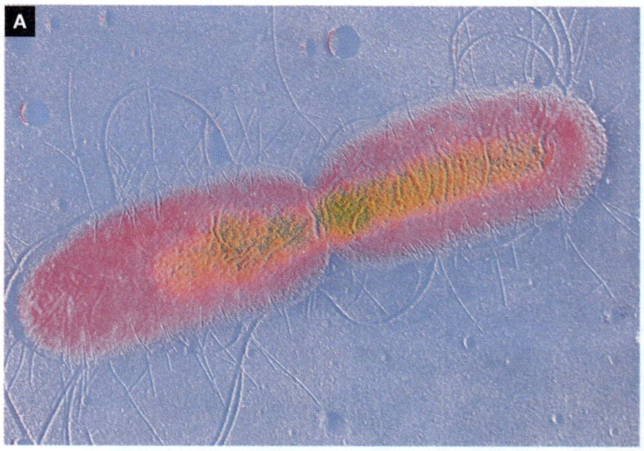

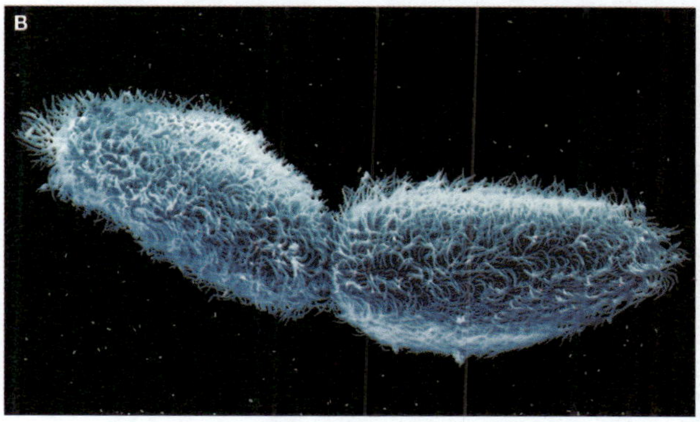

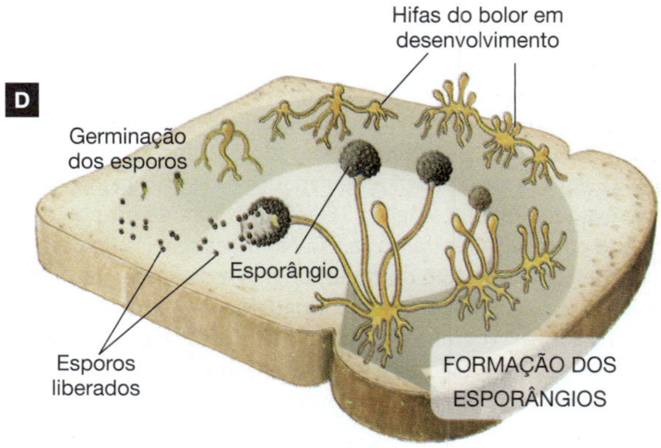

Figura 13.1 Reprodução assexuada por divisão binária: **A.** Fotomicrografia da bactéria *Escherichia coli* em divisão. (Microscópio eletrônico de transmissão; aumento ≈ 10.700×; cores artificiais.) **B.** Fotomicrografia de paramécio (*Paramecium* sp.) em divisão binária. (Microscópio eletrônico de varredura; aumento ≈ 1.800×; cores artificiais.) **C.** Os diferentes tipos de bolor que surgem no pão provêm, na maioria das vezes, de esporos assexuais de fungos presentes no ar. **D.** Representação esquemática da esporulação do bolor negro do pão, o fungo *Rhizopus* sp. (Elementos fora de proporção de tamanho entre si; cores-fantasia.)

Certas algas, plantas, fungos e alguns animais invertebrados reproduzem-se assexuadamente por **brotamento**. Nesse processo, um indivíduo forma expansões corporais, os brotos, que depois se separam do genitor e passam a ter vida independente.

Algumas algas, plantas e animais invertebrados reproduzem-se assexuadamente por simples **fragmentação**: partes que se destacam do corpo do genitor regeneram-se e originam novos indivíduos. (Fig. 13.2)

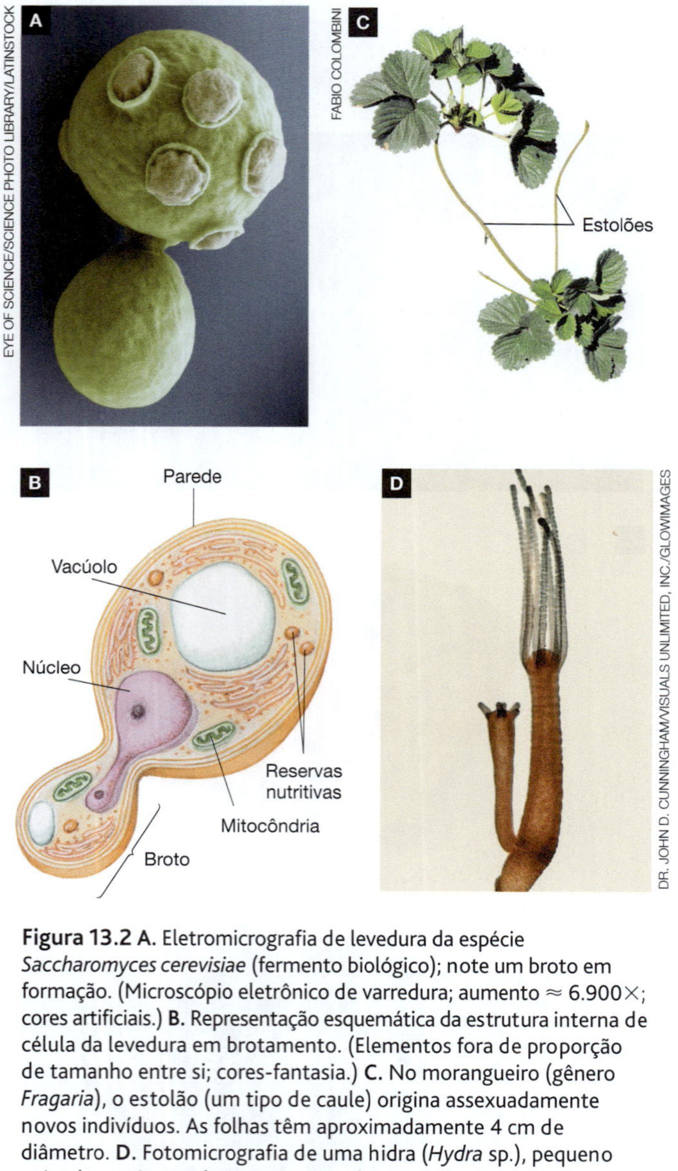

Figura 13.2 A. Eletromicrografia de levedura da espécie *Saccharomyces cerevisiae* (fermento biológico); note um broto em formação. (Microscópio eletrônico de varredura; aumento ≈ 6.900×; cores artificiais.) **B.** Representação esquemática da estrutura interna de célula da levedura em brotamento. (Elementos fora de proporção de tamanho entre si; cores-fantasia.) **C.** No morangueiro (gênero *Fragaria*), o estolão (um tipo de caule) origina assexuadamente novos indivíduos. As folhas têm aproximadamente 4 cm de diâmetro. **D.** Fotomicrografia de uma hidra (*Hydra* sp.), pequeno animal que vive em lagos e rios e pode se reproduzir por brotamento. (Microscópio fotônico; aumento ≈ 80×.)

Certas plantas, certos animais invertebrados e algumas espécies de vertebrados reproduzem-se por meio da **partenogênese**, processo em que o gameta feminino desenvolve-se sem fecundação. Abelhas, por exemplo, têm partenogênese: os machos originam-se pelo desenvolvimento de óvulos não fecundados. A rainha, única fêmea fértil da colmeia, é capaz de controlar a fecundação: depois de copular com diversos zangões e armazenar seu sêmen, ela pode pôr ovos (fecundados) e óvulos (não fecundados). Os ovos, diploides, originam fêmeas, que poderão ser rainhas ou operárias, dependendo da alimentação. Os óvulos, haploides, desenvolvem-se por partenogênese, originando apenas machos, os zangões. (Fig. 13.3)

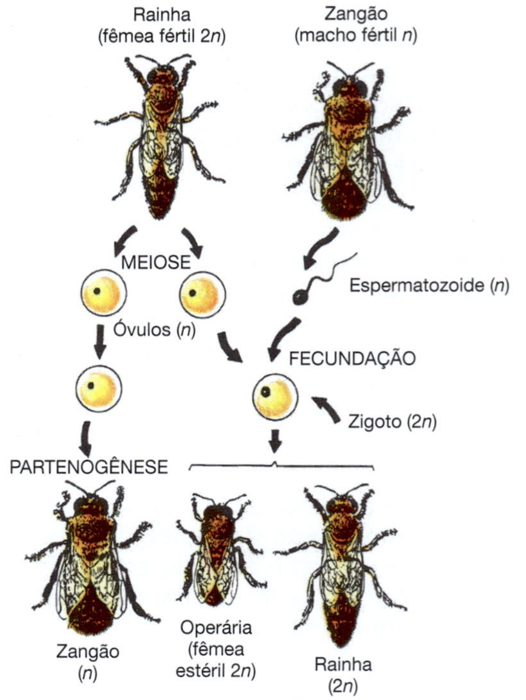

Figura 13.3 Partenogênese em abelhas (gênero *Apis*). (Elementos fora de proporção de tamanho entre si; cores-fantasia.)

A importância da reprodução sexuada

Um passo importante na história da vida em nosso planeta foi o aparecimento da **reprodução sexuada**, em que duas células especializadas – os **gametas** – fundem-se e originam uma célula única, o **zigoto** ou **célula-ovo,** que reúne material genético dos dois gametas.

Os gametas que se combinam são, na maioria dos casos, bem diferentes um do outro, morfológica e funcionalmente. Em geral, um deles é relativamente muito grande e não tem mobilidade própria, enquanto o outro é bem pequeno e move-se ativamente. Por convenção, o gameta imóvel é denominado **feminino**, e o gameta móvel, **masculino**.

Qual seria a vantagem de indivíduos diferentes misturarem, em uma única célula, suas informações hereditárias?

De acordo com o evolucionismo, a reprodução sexuada é importante porque leva à formação de descendentes de vários tipos, em contraste com a reprodução assexuada, em que toda a descendência é geneticamente idêntica. A geração de descendência variável, que os cientistas denominam **variabilidade genética**, constitui uma vantagem evolutiva, pois aumenta a chance de surgimento de indivíduos capazes de sobreviver e de se adaptar a diferentes condições ambientais. Esse tema faz parte da evolução biológica e será tratado detalhadamente em capítulos futuros. Recomendamos que você sempre tente olhar a Biologia sob o ponto de vista evolucionista.

13.2 As divisões da meiose

Seres humanos têm 46 cromossomos nas células corporais (células somáticas) e apenas 23 cromossomos nos gametas (células germinativas). Pela fecundação, um par de gametas se une e forma o zigoto, com 46 cromossomos. O zigoto se multiplica por mitose, processo que conserva o número de cromossomos, originando um ser humano completo com células cromossomicamente idênticas, isto é, com 46 cromossomos. Mas como se formam, então, células com 23 cromossomos que originam os gametas?

No ciclo de vida das espécies diploides, as células haploides se formam por um processo especial de divisão celular, a meiose, em que o número de cromossomos das células-filhas é reduzido à metade. A redução do número de cromossomos na meiose contrabalança a soma dos cromossomos maternos e paternos que ocorre na fecundação.

O que é meiose?

O termo meiose deriva da palavra grega *meiosis*, que significa diminuição, referindo-se ao fato de o número de cromossomos ser reduzido à metade nas células-filhas. A redução ocorre porque há apenas uma duplicação cromossômica, seguida de duas divisões celulares consecutivas, a **meiose I** e a **meiose II**. Formam-se, assim, quatro células-filhas, cada uma com metade do número de cromossomos originalmente presente na célula-mãe. (Fig. 13.4)

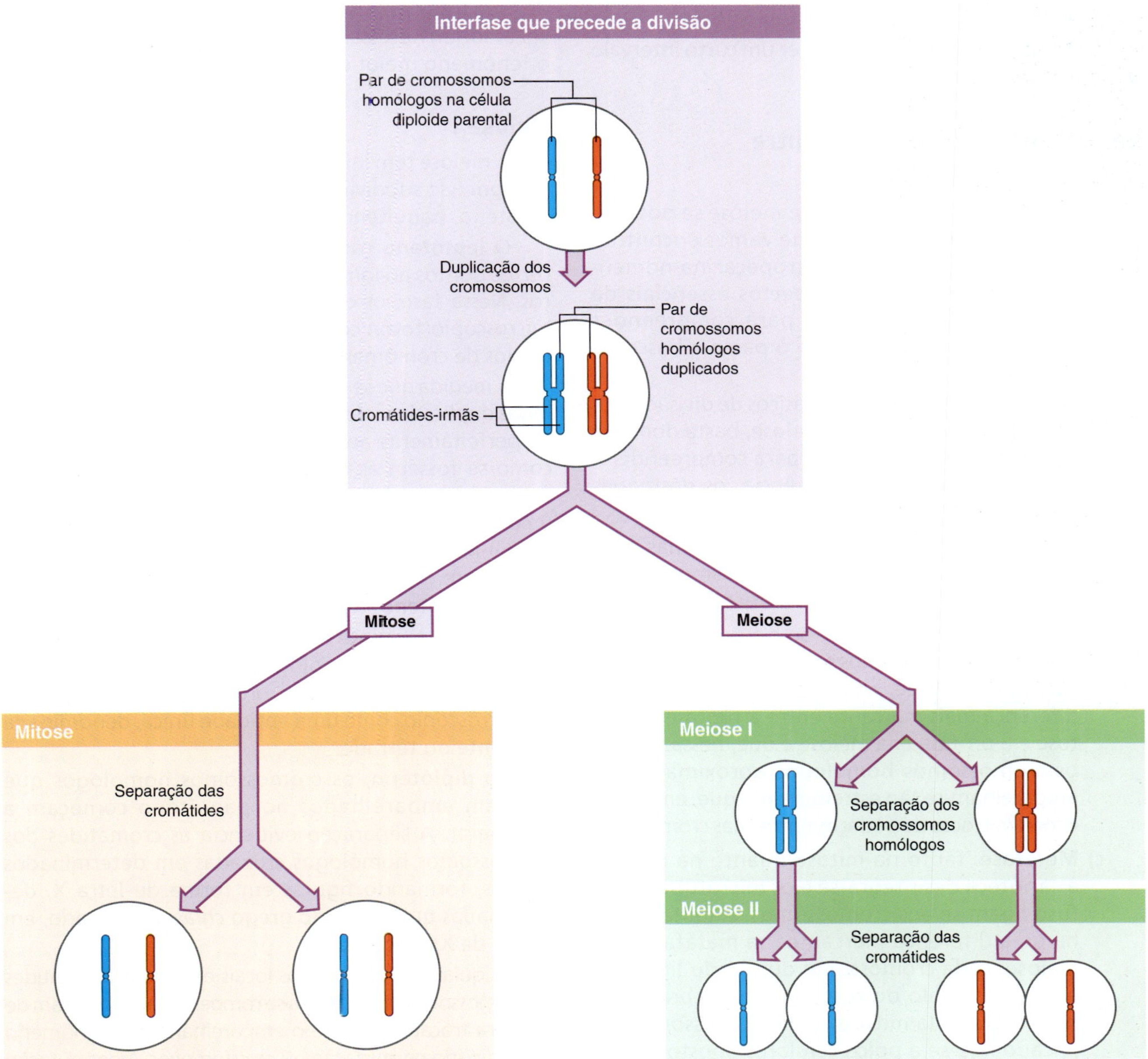

Figura 13.4 Representação esquemática da distribuição de um par de cromossomos homólogos às células-filhas na mitose e na meiose. A mitose é um processo equacional de divisão celular, pois o número de cromossomos é conservado nas células-filhas. A meiose é um processo reducional de divisão: após duas divisões sucessivas, a meiose I e a meiose II, formam-se quatro células-filhas, cada uma com metade do número de cromossomos originalmente presente na célula-mãe. (Elementos fora de proporção de tamanho entre si; cores-fantasia.)

Etapas da meiose

Na interfase que antecede a meiose ocorre a **duplicação dos cromossomos**, que passam a ser constituídos por duas cromátides. A célula executa a primeira divisão meiótica (meiose I), originando duas células-filhas que iniciam rapidamente a segunda divisão (meiose II), sem que haja nova duplicação cromossômica. A "mecânica" básica das duas divisões é semelhante à da mitose. Esse é um dos argumentos para a hipótese de que a meiose surgiu, evolutivamente, a partir da mitose.

As divisões I e II da meiose compreendem quatro fases cada uma, com os mesmos nomes das fases da mitose:

- meiose I: prófase I, metáfase I, anáfase I e telófase I;
- meiose II: prófase II, metáfase II, anáfase II e telófase II.

Entre as divisões I e II pode haver um curto intervalo denominado intercinese.

Semelhanças e diferenças entre mitose e meiose

Torna-se mais fácil entender a meiose se nos prepararmos previamente para o que vamos encontrar. Estudantes desavisados podem tropeçar na nomenclatura e perder de vista os aspectos essenciais da meiose, que são fundamentais para compreender a Genética. Por isso, acompanhe o passo a passo da divisão celular.

Uma vez que os mecanismos básicos de divisão celular são similares na mitose e na meiose, basta dominar certas particularidades da mitose para compreender a meiose. Relembraremos, na sequência, os destaques de cada fase da mitose.

a) **Interfase**: não faz parte da mitose, mas nela acontece a duplicação dos cromossomos; o mesmo ocorre na interfase que antecede a meiose.

b) **Prófase**: na mitose, forma-se o fuso de microtúbulos e os cromossomos se condensam; o mesmo ocorre na meiose, com algumas diferenças. A diferença mais marcante entre a prófase da mitose e a prófase I da meiose é que, nessa última, os cromossomos homólogos aproximam-se e emparelham-se tão estreitamente que, em geral, ocorrem trocas de pedaços entre suas cromátides.

c) **Metáfase**: tanto na mitose quanto na meiose a carioteca desintegra-se e os microtúbulos do fuso ligam-se aos cromossomos. Aqui também há uma diferença marcante: na metáfase I da meiose, cada cromossomo duplicado liga-se a apenas um polo do fuso; vale relembrar que, na metáfase da mitose, cada cromossomo duplicado liga-se a polos celulares opostos.

d) **Anáfase**: o encurtamento dos microtúbulos do fuso ocorre de maneira similar na mitose e na meiose. A grande diferença, porém, é que na mitose são separadas as cromátides-irmãs, enquanto na anáfase I separam-se os cromossomos homólogos duplicados, embora alguns deles carreguem pedaços de cromátides dos parceiros, trocados durante seu emparelhamento na prófase I.

e) **Telófase**: na mitose e na meiose, as cariotecas se organizam em torno dos cromossomos que chegaram aos polos e estão se descondensando, reconstituindo dois novos núcleos. Entretanto, nos núcleos formados na telófase I já ocorreu a **redução cromossômica**. Por quê? Embora cada cromossomo esteja duplicado, não há pares de homólogos no mesmo núcleo, pois eles se separaram na anáfase I. Ou seja, cada célula formada na telófase I tem apenas um representante de cada tipo cromossômico, embora duplicado.

Prepare-se agora para um estudo mais detalhado de cada fase da meiose. Retorne ao texto acima quantas vezes forem necessárias para compreender plenamente o fenômeno meiótico.

Meiose I

A meiose tem início com a **prófase I**, a fase mais longa e por isso subdividida em cinco subfases: leptóteno, zigóteno, paquíteno, diplóteno e diacinese.

O **leptóteno** caracteriza-se pela condensação de certos pontos ao longo dos cromossomos, os cromômeros. Nessa fase, os cromossomos tornam-se visíveis ao microscópio fotônico como fios longos e finos, pontilhados de cromômeros.

À medida que se condensam, os cromossomos homólogos duplicados colocam-se lado a lado, emparelhando-se perfeitamente ao longo de todo o seu comprimento, como se fossem as duas partes de um "zíper" sendo fechado. O emparelhamento dá-se pela formação de uma estrutura proteica entre os cromossomos homólogos, denominada complexo sinaptonêmico. Essa etapa, em que ocorre o emparelhamento cromossômico, é denominada **zigóteno**.

A etapa seguinte é o **paquíteno**, em que cada par de cromossomos homólogos está tão estreitamente emparelhado e enrolado sobre si mesmo que aparece ao microscópio como uma entidade única, denominada **bivalente** ou **tétrade**.

No **diplóteno**, os cromossomos homólogos que estavam emparelhados no paquíteno começam a se separar. A separação evidencia as cromátides dos cromossomos homólogos cruzadas em determinados pontos, formando figuras em forma de letra X, denominadas **quiasmas** (do grego *chiasma*, cruzado, em forma de X). (Fig. 13.5)

Os quiasmas surgem nos locais em que as cromátides de cromossomos homólogos se romperam e se soldaram de maneira trocada durante o emparelhamento, fenômeno denominado **permutação** ou *crossing-over*. A permutação cromossômica permite reunir em um mesmo cromossomo genes provenientes da mãe, presentes em um dos homólogos, e genes provenientes do pai, presentes no outro homólogo. (Fig. 13.6)

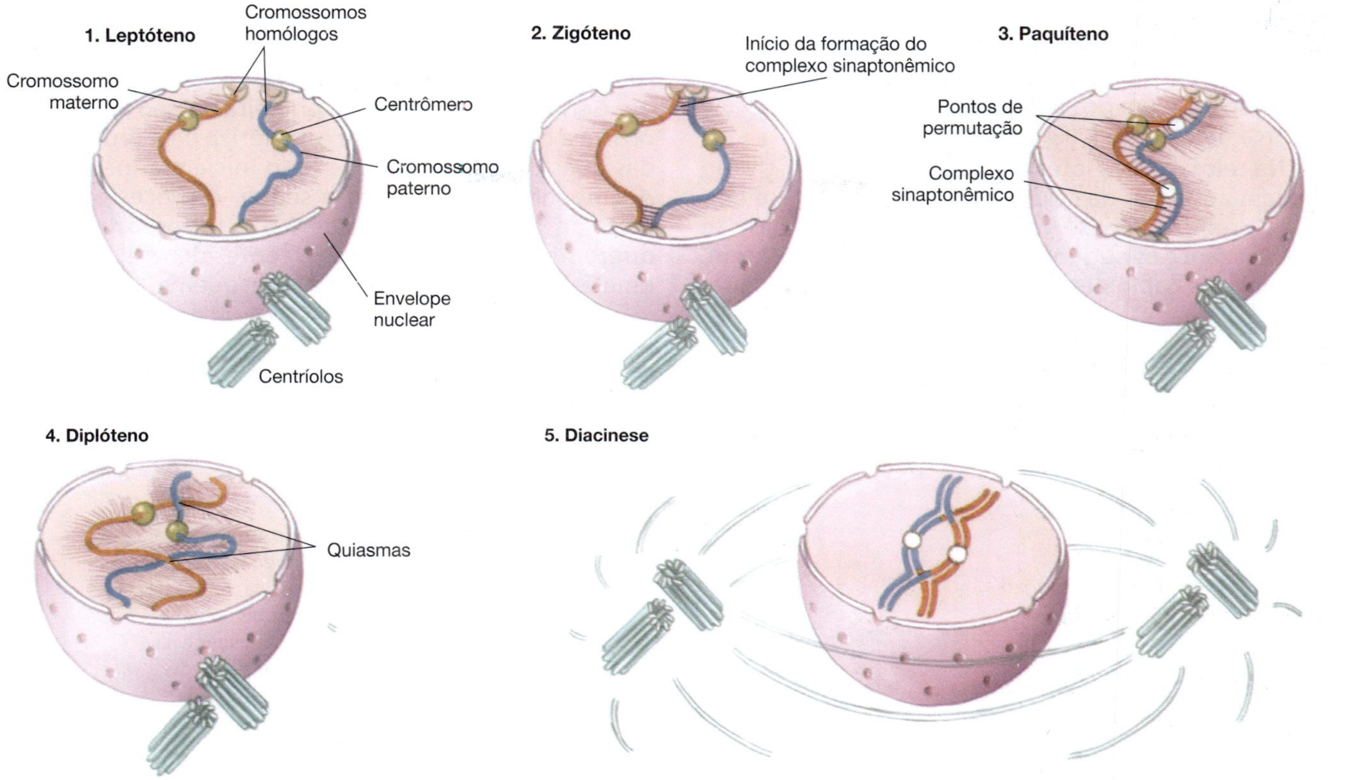

Figura 13.5 Representação esquemática do comportamento de um par de cromossomos homólogos durante a prófase I. (Elementos fora de proporção de tamanho entre si; cores-fantasia.)

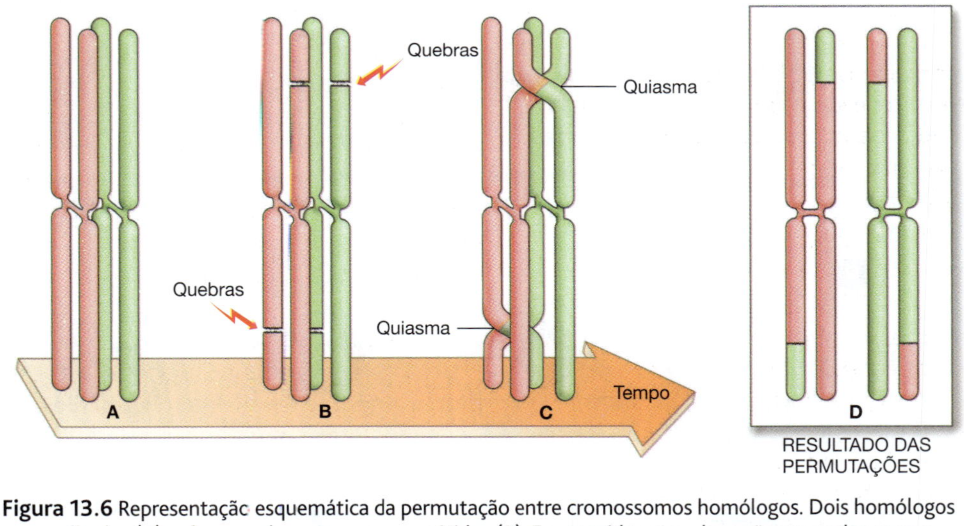

Figura 13.6 Representação esquemática da permutação entre cromossomos homólogos. Dois homólogos emparelhados (**A**) sofrem quebras em suas cromátides (**B**). Em seguida, as quebras são reparadas, mas o fragmento da cromátide de um cromossomo pode soldar-se à cromátide de seu homólogo e vice-versa, originando quiasmas (**C**). Em **D**, os cromossomos estão representados lado a lado para mostrar o resultado das permutações. (Elementos fora de proporção de tamanho entre si; cores-fantasia.)

Na **diacinese**, a última etapa da prófase I, os cromossomos homólogos permanecem unidos apenas pelos quiasmas, que deslizam progressivamente para as extremidades cromossômicas, fenômeno conhecido como **terminalização dos quiasmas**.

Nessa fase, que marca o final da prófase I, os quiasmas vão se desfazendo e a carioteca se desintegra. Consequentemente, os pares de cromossomos homólogos se distribuem livremente pelo citoplasma.

Na **metáfase I**, os cromossomos completamente condensados ligam-se aos microtúbulos do fuso. Aqui reside a chave do processo meiótico. Enquanto um homólogo duplicado prende-se a microtúbulos de um dos polos, seu parceiro, também duplicado, prende-se a microtúbulos do polo oposto. Nessa fase, os homólogos ainda estão associados pelos quiasmas. Na metáfase da mitose, como vimos, cada cromossomo prende-se a microtúbulos de ambos os polos, de modo que as cromátides-irmãs ficam unidas a polos opostos.

Como consequência da ligação cromossômica na metáfase I, cada cromossomo de um par de homólogos, constituído por duas cromátides unidas pelo centrômero, é puxado para um dos polos da célula. Essa migração é a marca da **anáfase I**. (Fig. 13.7)

Na **telófase I**, os lotes cromossômicos em migração chegam aos polos da célula. O fuso acromático se desfaz, os cromossomos se descondensam, as cariotecas se reorganizam e os nucléolos reaparecem. Surgem, assim, dois núcleos haploides, uma vez que há apenas um representante de cada par de cromossomos homólogos em cada núcleo. No entanto, cada cromossomo ainda está constituído por duas cromátides unidas pelo centrômero.

Geralmente, logo após a primeira divisão meiótica, ocorre a **citocinese I**, que se caracteriza pela separação das duas células-filhas, que logo iniciam a meiose II. Acompanhe, no esquema a seguir, o processo completo da meiose. As letras de A a N correspondem às diferentes fases do processo; tente identificar cada uma e confira com a legenda do esquema. (Fig. 13.8)

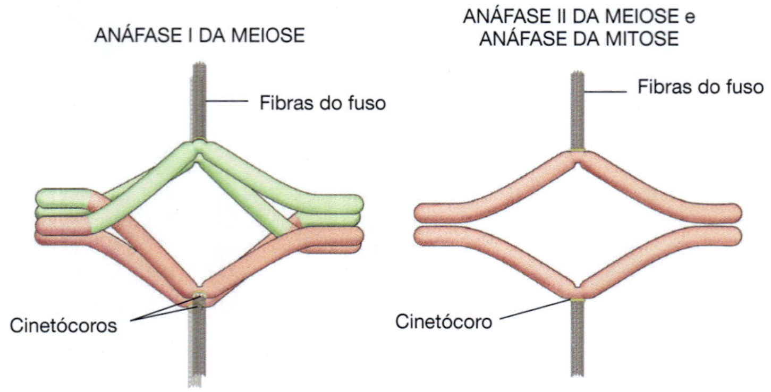

Figura 13.7 Representação esquemática da união dos microtúbulos do fuso aos cromossomos. Na anáfase I da meiose há separação de cromossomos homólogos duplicados. Na anáfase II da meiose e na anáfase da mitose ocorre separação de cromátides-irmãs. (Elementos fora de proporção de tamanho entre si; cores-fantasia.)

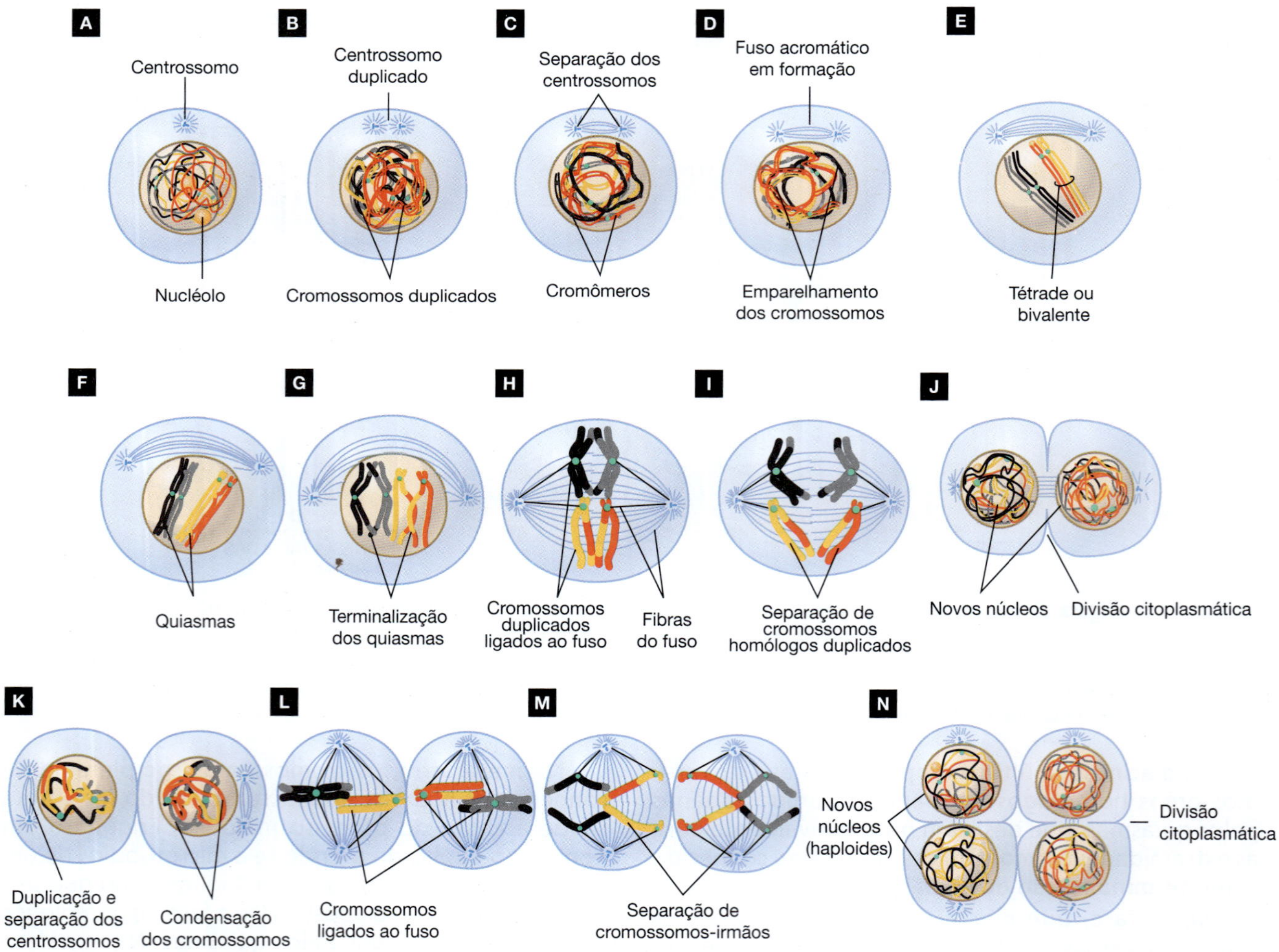

Figura 13.8 Representação esquemática das fases da meiose. **A** – Interfase (G1). **B** – Interfase (G2). **C** – Prófase I (leptóteno). **D** – Prófase I (zigóteno). **E** – Prófase I (paquíteno). **F** – Prófase I (diplóteno). **G** – Prófase I (diacinese). **H** – Metáfase I. **I** – Anáfase I. **J** – Telófase I. **K** – Prófase II. **L** – Metáfase II. **M** – Anáfase II. **N** – Telófase II. (Elementos fora de proporção de tamanho entre si; cores-fantasia.)

Meiose II

As duas células resultantes da meiose I entram em meiose II, processo praticamente idêntico a uma mitose.

Na **prófase II**, forma-se o fuso de microtúbulos, os cromossomos se condensam, os nucléolos desaparecem e a carioteca se desintegra.

Na **metáfase II**, cada cromossomo, constituído por duas cromátides, associa-se a microtúbulos de polos opostos do fuso e alinha-se no plano equatorial da célula. Os centrômeros dividem-se e os microtúbulos começam a puxar as cromátides-irmãs para polos opostos, marcando o início da **anáfase II**.

Quando as cromátides-irmãs, agora chamadas de cromossomos-irmãos, chegam aos polos da célula, termina a anáfase e tem início a **telófase II**. Nessa fase, os cromossomos se descondensam, os nucléolos reaparecem e as cariotecas se reorganizam. Em seguida, o citoplasma se divide e são formadas duas células-filhas a partir de cada célula que iniciou a segunda divisão meiótica.

No final da meiose, para cada célula diploide que iniciou o processo, formam-se quatro células haploides.

Ciência e cidadania

Falhas na meiose e alterações cromossômicas

1 Na meiose, assim como na mitose, também pode ocorrer não disjunção cromossômica, isto é, cromossomos que deveriam separar-se migram juntos para o mesmo polo celular. Se a não disjunção ocorrer na meiose I, uma das células receberá os dois cromossomos homólogos que não se separaram. Se a não disjunção ocorrer na meiose II, uma das células receberá dois cromossomos-irmãos que não se separaram.

2 O resultado de não disjunções na meiose é a produção de gametas com falta ou excesso de cromossomos. Quando um gameta com um cromossomo a mais ou a menos se une por fecundação a um gameta normal, o zigoto formado é portador de uma alteração no número de cromossomos. Na espécie humana, a maior parte das alterações numéricas causa a morte ainda na fase embrionária, mas, dependendo dos cromossomos afetados, algumas alterações cromossômicas são compatíveis com a vida. Exemplos disso são as síndromes de Down, de Turner e de Klinefelter.

3 Um aspecto importante a ser considerado é que a frequência de não disjunções cromossômicas durante a meiose aumenta drasticamente em mulheres com mais de 35 anos de idade. Isso eleva o risco de serem geradas crianças portadoras de alterações cromossômicas. Mulheres com idade superior a 40 anos e que queiram engravidar devem procurar um serviço de aconselhamento genético para se inteirarem dos riscos de virem a ter crianças portadoras de síndromes decorrentes de não disjunções cromossômicas.

Idade materna e síndrome de Down

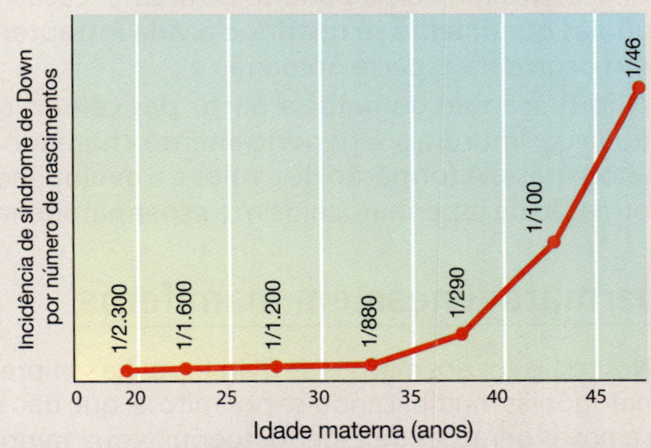

Gráfico que mostra a relação entre a idade materna e a geração de crianças com síndrome de Down. As frações em cada ponto do gráfico correspondem às frequências de nascimentos de portadores da síndrome. (Baseado em Penrose, L. S. e Smith, G. F., 1966.)

Guia de leitura

1 Leia o primeiro parágrafo. Certifique-se de ter compreendido o que é "não disjunção cromossômica". Para operacionalizar esse conceito, represente esquematicamente a divisão meiótica de uma célula com $2n = 4$. Represente a célula na metáfase I com dois pares de cromossomos emparelhados. Escolha um deles e desenhe a fibra do fuso apenas de um dos polos; isso simulará a não disjunção de um par de homólogos. Continue a representar a meiose normalmente, o que resultará em quatro células haploides: duas delas desprovidas de um dos tipos cromossômicos e as outras duas com esse cromossomo em dose dupla. Desenhe, a seguir, a divisão meiótica com a não disjunção cromossômica ocorrendo na meiose II.

2 O segundo parágrafo comenta os resultados das não disjunções cromossômicas que ocorrem na meiose humana. Quais são eles?

3 Leia o terceiro e último parágrafo do quadro, que se refere ao aumento da frequência de não disjunções cromossômicas à medida que aumenta a idade da mulher. Uma das hipóteses para isso é que as células germinativas femininas iniciam simultaneamente a meiose na fase embrionária de vida da mulher e permanecem estacionadas em prófase I até serem ativadas pelos hormônios sexuais. A cada ciclo menstrual, uma das células germinativas é ativada de forma a dar prosseguimento a sua meiose. Em outras palavras, em uma gravidez tardia, a célula que originou o óvulo estava há muito tempo estacionada em prófase I da meiose, o que parece aumentar a probabilidade de ocorrência de não disjunções cromossômicas.

4 Analise o gráfico apresentado neste quadro. Inicialmente, note a curva vermelha que cresce acentuadamente. Confira o que indicam as ordenadas e as abscissas. Interrompa agora a análise do gráfico e leia a legenda da figura. Retorne ao gráfico à medida que lê, complementando as informações. Calcule: quantas vezes o risco de uma mulher com mais de 45 anos de idade ter uma criança portadora de síndrome de Down é maior que o de uma mulher de 20 anos?

13.3 Meiose e formação de gametas

Agora que conhecemos o significado principal da meiose – reduzir o número de cromossomos e contrabalançar sua duplicação pela fecundação –, podemos entender melhor seu papel na formação dos gametas de animais, que estudaremos a seguir.

Nos animais, os gametas formam-se a partir de células especiais – as **células germinativas** –, destinadas a passar por meiose desde as fases iniciais do desenvolvimento embrionário. Nos machos, as células germinativas localizam-se nos testículos e são chamadas de **espermatogônias**. Nas fêmeas, elas se situam nos ovários e são denominadas **ovogônias**. Tanto as espermatogônias como as ovogônias são células diploides (2*n*) e multiplicam-se por mitose.

Nos machos de mamíferos, a multiplicação das espermatogônias tem início na vida embrionária e se intensifica após a maturidade sexual, continuando praticamente por toda a vida, com declínio acentuado na velhice. Nas fêmeas, o período de multiplicação das ovogônias geralmente se restringe à vida intrauterina – como ocorre na espécie humana.

A formação de gametas a partir das células germinativas primordiais é genericamente chamado de **gametogênese**. A formação de óvulos é a **ovulogênese**; e a formação de espermatozoides é a **espermatogênese**.

Espermatogênese em mamíferos

Nos testículos dos machos de mamíferos há sempre espermatogônias multiplicando-se por mitose, que dão origem a novas gerações de espermatogônias que também poderão se dividir e assim sucessivamente. Enquanto isso, certos grupos de espermatogônias crescem e diferenciam-se, passando a ser denominadas **espermatócitos primários** (ou **espermatócitos I**). Eles duplicam os cromossomos no período S da interfase e iniciam a divisão meiótica.

Ao fim da meiose I, são formadas duas células-filhas de tamanho equivalente, denominadas **espermatócitos secundários** (ou **espermatócitos II**). Cada um deles, por sua vez, inicia a meiose II e origina duas células de tamanhos equivalentes, denominadas **espermátides**. Assim, após as divisões I e II, cada espermatócito I, diploide, que inicia a meiose produz quatro espermátides haploides.

Cada espermátide passa por um processo de especialização denominado espermiogênese, durante o qual se transforma em **espermatozoide**. Na espermiogênese um centríolo transforma-se em um longo flagelo, a cauda do gameta masculino, e parte do citoplasma é eliminada, o que torna o gameta masculino mais leve e ágil.

Ovulogênese em mamíferos

Nos ovários das fêmeas de mamíferos, em fases muito jovens da vida ou mesmo ainda na vida intrauterina, ocorre o início da formação dos gametas femininos, a ovulogênese (ou ovogênese ou, ainda, oogênese). As células germinativas femininas, as ovogônias, multiplicam-se rapidamente por mitose, atingem determinado número e as divisões cessam. Em virtude do grande acúmulo de substâncias nutritivas no citoplasma – o vitelo –, as ovogônias crescem e se transformam em **ovócitos primários** (ou **ovócitos I**).

Cada ovócito I executa a meiose I, originando duas células de tamanho bastante desigual: uma delas, o **ovócito secundário** (ou **ovócito II**), recebe quase todo o citoplasma e o vitelo, enquanto a outra célula reduz-se ao núcleo, constituindo um pequeno glóbulo aderido a um dos polos do ovócito II, daí sua denominação **glóbulo** (ou corpúsculo) **polar I**. Embora algumas vezes continue a meiose, o glóbulo polar não desempenha papel algum na reprodução e se degenera.

O ovócito II inicia imediatamente a meiose II, que resultará também em duas células-filhas de tamanho bastante desigual. A célula grande, com praticamente todo o citoplasma e vitelo, é o **óvulo**. A célula pequena e desprovida de citoplasma é o **glóbulo** (ou corpúsculo) **polar II**, que também se degenera.

Nos animais mamíferos, a meiose feminina estaciona em metáfase II e só continua se houver penetração de um espermatozoide no citoplasma do ovócito II, como veremos mais adiante.

Você pode estar se perguntando qual é a vantagem de a citocinese ser tão desigual na meiose das fêmeas, como vimos anteriormente. A explicação é que o vitelo constituído por substâncias para nutrir o futuro embrião se concentra numa única célula. Desse modo, a partir de um ovócito I, diploide, que inicia a meiose forma-se apenas uma célula funcional haploide, o óvulo. (Fig. 13.9)

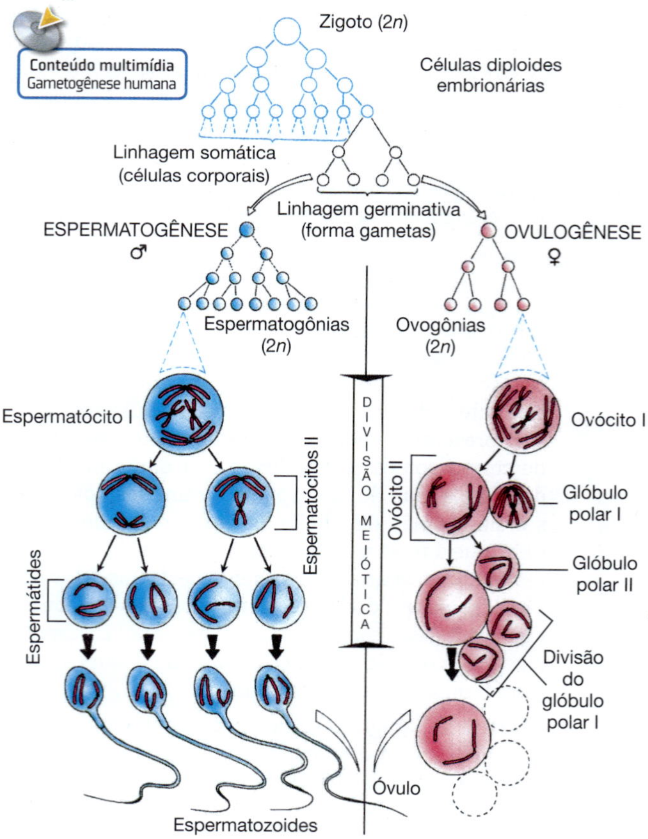

Figura 13.9 Representação esquemática em que se compara a espermatogênese (à esquerda) e a ovulogênese (à direita) nos animais vertebrados. (Elementos fora de proporção de tamanho entre si; cores-fantasia.)

13.4 A fecundação nos animais

O processo de fusão de dois gametas, com formação de um zigoto diploide, é denominado **fecundação** (ou **fertilização**). Quando os gametas que se unem provêm de dois indivíduos distintos, fala-se em **fecundação cruzada**. Quando os gametas que se unem foram produzidos pelo mesmo indivíduo, fala-se em **autofecundação**. Nos animais, o encontro dos gametas masculino e feminino pode ocorrer no ambiente externo ou dentro do corpo da fêmea. No primeiro caso, fala-se em **fecundação externa**; no segundo, em **fecundação interna**.

A membrana de fecundação

Experiências com diversos animais mostram que os gametas femininos liberam substâncias capazes de atrair os espermatozoides. Ao se aproximar do óvulo e tocar nele, os espermatozoides são imediatamente estimulados a liberar as enzimas contidas no acrossomo, que digerem os envoltórios ovulares e permitem a penetração de um deles no citoplasma ovular.

O primeiro espermatozoide a tocar a superfície exposta do óvulo, após a digestão dos envoltórios ovulares, provoca uma reação imediata: a formação de uma barreira físico-química em torno do citoplasma ovular, a chamada **membrana de fecundação**. Esta impede a penetração de outros espermatozoides e garante que a fecundação seja realizada pelo único gameta masculino pioneiro.

A membrana plasmática do óvulo funde-se então à do espermatozoide e o conteúdo deste – núcleo, mitocôndrias e flagelo – é praticamente sugado para dentro do gameta feminino. No citoplasma ovular, os corpos basais do flagelo do espermatozoide originam os centríolos, que orientam a formação do fuso de microtúbulos para a mitose do zigoto; restos da cauda e mitocôndrias masculinas se degeneram.

Nos mamíferos, a penetração do espermatozoide induz o gameta feminino, então estacionado em fase de ovócito II, a completar a segunda divisão meiótica, formando o segundo glóbulo polar e o óvulo propriamente dito. Com isso, o cenário intraovular está preparado para o ápice dos acontecimentos da fecundação.

Cariogamia, o ponto alto da fecundação

O núcleo do óvulo, haploide e pronto para se encontrar com o núcleo do espermatozoide, é o **pronúcleo feminino**. O núcleo também haploide do espermatozoide fecundante aumenta de volume e passa a ser chamado de **pronúcleo masculino**.

Algumas horas após a penetração do espermatozoide no óvulo, os pronúcleos masculino e feminino aproximam-se: seus cromossomos duplicam-se e iniciam a condensação, preparando-se para a primeira divisão mitótica do zigoto. Os pronúcleos feminino e masculino geralmente não se fundem: eles permanecem próximos e, em determinado momento, seus envoltórios se degeneram, liberando os cromossomos maternos e paternos, já duplicados e condensados, no citoplasma ovular.

A união do conteúdo dos pronúcleos é a **cariogamia** (do grego *karyon*, núcleo, e *gamos*, casamento, união) ou **anfimixia** (do grego *anfi*, dois, e *mixos*, misturar); trata-se do ponto alto da fecundação, pois marca a formação do zigoto, a primeira célula de um novo ser.

Os cromossomos maternos e paternos duplicados ligam-se às fibras do fuso e inicia-se a separação das cromátides-irmãs para polos opostos, isto é, a anáfase da primeira mitose do zigoto. Cada polo celular recebe um lote de cromossomos maternos e um lote de cromossomos paternos. Formam-se então dois novos núcleos e a citocinese origina as duas primeiras células diploides do novo indivíduo, genética e cromossomicamente idênticas ao zigoto. (Fig. 13.10)

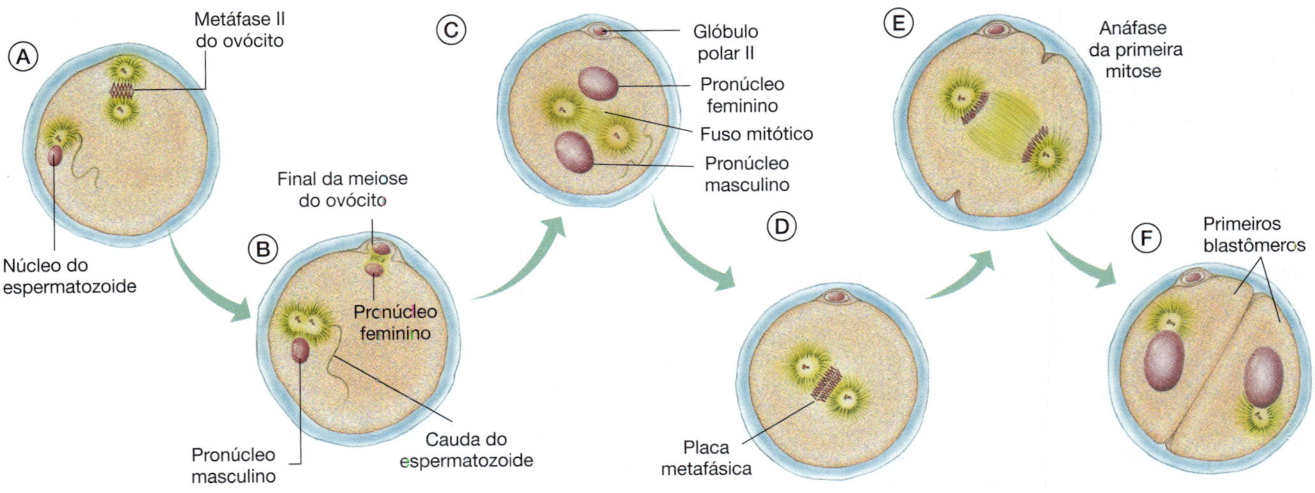

Figura 13.10 Representação esquemática das etapas da formação de um zigoto humano e de sua primeira mitose. **A.** Espermatozoide no interior do ovócito secundário. **B.** Fim da meiose do ovócito, com formação do segundo glóbulo polar e do pronúcleo feminino. **C.** Os pronúcleos masculino e feminino dispõem-se próximos ao fuso mitótico com os cromossomos já bem condensados. **D.** As cariotecas dos dois pronúcleos se desfazem e os cromossomos condensados espalham-se nas proximidades do fuso, unindo-se às fibras. **E.** Separação de cromátides-irmãs para polos opostos do fuso, onde se originam dois núcleos-filhos, cada um com dois conjuntos de cromossomos (um materno e outro paterno). **F.** Citocinese e formação das duas primeiras células, ou blastômeros, do embrião. (Elementos fora de proporção de tamanho entre si; cores-fantasia.) (Baseado em Gilbert, S. F., 2006.)

13.5 Meiose e ciclos de vida

Ciclo haplobionte diplonte

Em nossa espécie, o **ciclo de vida** tem início com a união de um óvulo haploide (produzido por nossa mãe) e um espermatozoide haploide (produzido por nosso pai), originando um zigoto diploide, nossa primeira célula. A multiplicação do zigoto e o desenvolvimento embrionário levam à formação de todas as células e tecidos corporais. Na maturidade sexual, a pessoa forma gametas haploides que, ao se unirem a gametas de parceiros do sexo oposto, originam zigotos diploides, dando início a outro ciclo.

Nesse tipo de ciclo de vida, que também ocorre na maioria dos animais, a meiose leva à formação de gametas, sendo por isso denominada **meiose gamética**. Os biólogos, em sua zelosa tarefa nomenclatural, denominam esse tipo de ciclo de vida como **haplobionte diplonte**. Haplobionte (do gregro *haplós*, simples, um, e *bionte*, ser vivo) porque no ciclo há apenas um tipo de indivíduo, cuja constituição é diploide. Daí o nome do ciclo ser complementado por "diplonte", relativo a diploide.

Ciclo haplobionte haplonte

Em alguns organismos, a meiose não leva à formação de gametas, como em nosso ciclo de vida. Por exemplo, em algas unicelulares do gênero *Chlamydomonas* (clamidomonas), os indivíduos maduros são haploides. Em certas condições, eles se comportam como gametas, fundindo-se dois a dois e originando zigotos diploides. Em geral, a meiose ocorre imediatamente após essa fusão e dá origem a quatro células haploides. Estas se desenvolvem em indivíduos haploides, que mais tarde podem se comportar como gametas, dando início a outro ciclo.

Uma vez que a meiose ocorre no zigoto, em geral logo após sua formação, fala-se em **meiose zigótica**. O ciclo, por sua vez, é denominado **haplobionte haplonte**. Haplobionte porque há apenas um tipo de indivíduo no ciclo (no caso, as clamidomonas) e haplonte porque elas são haploides. Nos fungos, as células originadas na meiose zigótica são denominadas esporos.

Ciclo diplobionte

Em certas espécies de algas e nas plantas, o indivíduo que é gerado pelo encontro dos gametas e pelo desenvolvimento do zigoto diploide não produz gametas. Quando maduro, algumas de suas células executam meiose, originando células haploides denominadas **esporos**. Estes, ao se multiplicar por mitose, produzem indivíduos haploides. Na maturidade sexual, esses organismos haploides formam gametas haploides sem ocorrência de meiose, pois suas células já são haploides. Pares de gametas unem-se e originam zigotos diploides; estes se desenvolvem e originam indivíduos diploides, completando o ciclo.

Por exemplo, nas samambaias, o indivíduo diploide originado do zigoto é a planta com folhagem exuberante que utilizamos na ornamentação de casas. Entretanto, essa planta não produz gametas e sim esporos; podemos ver os locais de formação de esporos, os esporângios, como pontos ou linhas de cor marrom ou amarela sob as folhas. É nesses locais que ocorre a meiose. Quando os esporos haploides, microscópicos, libertam-se dos esporângios e caem em locais adequados, germinam e originam pequenas plantas haploides com formato de coração, os prótalos, que produzem gametas cuja união gera novos indivíduos diploides, fechando o ciclo.

Ciclos como esse são denominados **diplobiontes** (do grego *diplos*, duplo) ou **alternantes**, porque ocorre alternância entre organismos haploides produtores de gametas – os gametófitos – e organismos diploides produtores de esporos – os esporófitos. Responda: na samambaia, quais são os esporófitos e quais são os gametófitos?

No **ciclo diplobionte**, a meiose que ocorre nos indivíduos diploides origina esporos, que, ao germinar, originam indivíduos haploides; por isso fala-se em **meiose espórica**. (Fig. 13.11)

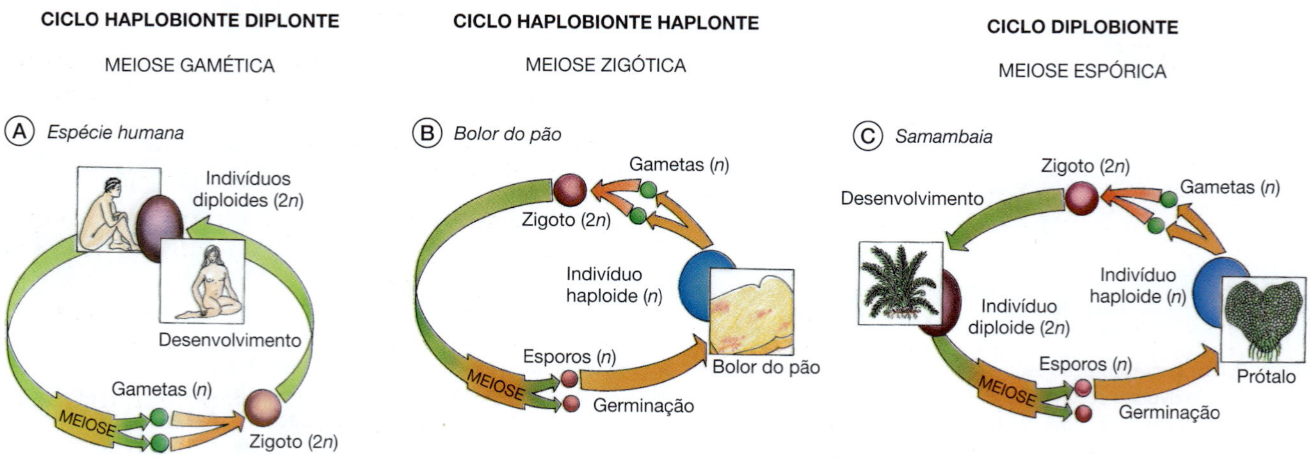

Figura 13.11 Representação esquemática de tipos de ciclo de vida, mostrando em qual fase ocorre a meiose.

Atividades

Visão do especialista

Biblioteca do estudante
Faça você mesmo!

Revendo conceitos fundamentais

1. A capacidade de deixar descendência, uma característica essencial da vida, é a:

a) anisogamia ou heterogamia.
b) evolução biológica.
c) recombinação genética.
d) reprodução.

Escreva, em seu caderno, o termo abaixo que substitui corretamente a tarja entre parênteses das frases de 2 a 6.

a) brotamento
b) divisão binária
c) esporulação
d) fragmentação
e) partenogênese

2. A formação assexuada de unidades reprodutivas unicelulares que germinam e se desenvolvem em um novo organismo multicelular é o(a) (▬).

3. O(A) (▬) é uma forma de reprodução assexuada em que a célula única de certos organismos unicelulares origina duas, que crescem e reconstituem o tamanho típico da espécie.

4. A formação de uma expansão corporal bem estruturada que se destaca do corpo do organismo e passa a ter vida independente é uma forma assexuada de reprodução denominada (▬).

5. O(A) (▬) consiste na capacidade de simples pedaços isolados de um organismo originarem novos organismos.

6. Quando um gameta feminino se desenvolve sem fecundação, originando um organismo completo, fala-se em (▬).

7. O que caracteriza a reprodução assexuada é a:

a) autofecundação.
b) ausência de permutação cromossômica.
c) descendência variada.
d) ausência de fecundação.

Escreva, em seu caderno, o termo abaixo que substitui corretamente a tarja entre parênteses das frases de 8 a 13.

a) cariogamia
b) espermatozoide
c) fecundação
d) gameta
e) óvulo
f) zigoto

8. O(A) (▬) é a célula diploide que resulta da união sexual de duas células haploides.

9. A união sexual de um par de células haploides, que origina a primeira célula de um novo indivíduo, é denominada (▬).

10. O(A) (▬) é uma célula haploide grande e imóvel, geralmente com vitelo, que se une sexualmente a outra célula, originando a primeira célula diploide de um novo ser.

11. O(A) (▬) é uma célula haploide pequena, que se move ativamente pelo batimento de um flagelo e se une sexualmente a outra célula haploide, originando a primeira célula diploide de um novo ser.

12. Cada membro do par de células haploides que se fundem para formar um novo ser recebe a denominação de (▬).

13. A união dos conjuntos cromossômicos materno e paterno na primeira célula de um novo ser é denominada (▬).

14. Um processo celular de redução cromossômica associado aos ciclos de vida sexuados é a:

a) isogamia.
b) permutação.
c) meiose.
d) mitose.

15. A troca de pedaços entre cromátides homólogas que ocorre durante a prófase I da meiose denomina-se:

a) diacinese.
b) diplóteno.
c) paquíteno.
d) permutação.
e) quiasma.

Escreva, em seu caderno, o termo abaixo que substitui corretamente a tarja entre parênteses das frases 16 e 17.

a) anáfase I da meiose
b) anáfase II da meiose
c) prófase I da meiose
d) prófase II da meiose

16. Na (▬) ocorre separação de cromossomos homólogos duplicados para polos opostos da célula em divisão.

17. Na (▬) ocorre separação de cromátides-irmãs para polos opostos da célula em divisão.

As frases de 18 a 21 referem-se à gametogênese em mamíferos. Escreva, em seu caderno, o termo abaixo que substitui corretamente a tarja entre parênteses dessas frases.

a) célula germinativa
b) espermatogônia
c) glóbulo polar
d) ovogônia

18. O(A) (▬) é uma célula praticamente sem citoplasma formada ao final de cada uma das divisões da meiose.

19. O(A) (▬) é uma célula destinada, desde a fase embrionária, a passar por meiose e formar gametas.

20. A célula que acumula vitelo, cresce e inicia a divisão I da meiose é denominada (▬).

21. A célula que inicia a primeira divisão meiótica na gametogênese masculina é chamada de (▬).

Ligando conceitos, fatos e processos

Escreva, em seu caderno, o termo abaixo que substitui corretamente a tarja entre parênteses das frases 22 e 23.

a) mitose, apenas.
b) meiose I, apenas.
c) meiose I e meiose II.
d) mitose e meiose II.

22. Os cromossomos homólogos migram para polos opostos da célula na (▬).

23. As cromátides-irmãs migram para polos opostos da célula na (▬).

Escreva, em seu caderno, o termo abaixo que substitui corretamente a tarja entre parênteses das frases 24 e 25.

a) células haploides, apenas.

b) células diploides, apenas.

c) células haploides e células diploides.

d) células procarióticas e células eucarióticas.

24. A mitose pode ocorrer em (▬).

25. A meiose pode ocorrer em (▬).

Utilize as alternativas a seguir para responder às questões de 26 a 30.

a) Os cromossomos estão emparelhados dentro do núcleo, com cruzamentos entre cromátides de cromossomos homólogos.

b) Os cromossomos apresentam duas cromátides migrando juntas para cada polo da célula.

c) Os cromossomos são constituídos por um único fio, em separação, para polos opostos da célula.

d) Os cromossomos homólogos ainda estão unidos por quiasmas, dispostos na região mediana do fuso acromático.

26. Qual alternativa descreve um evento que ocorre na prófase I da meiose?

27. Qual alternativa descreve um evento que ocorre na metáfase I da meiose?

28. Qual alternativa descreve um evento que ocorre na anáfase I da meiose?

29. Qual alternativa descreve um evento que ocorre na anáfase II da meiose?

30. Qual alternativa traz a descrição de um evento que ocorre tanto na meiose como na mitose?

Questões para exercitar o pensamento

31. Um pesquisador desenhou células de um animal em diversas fases do processo de meiose. Com base nos desenhos mostrados a seguir, identifique o número de cromossomos presentes em células haploides e diploides (n e $2n$) desse animal e a fase em que se encontra cada uma das células esquematizadas. Explique suas conclusões.

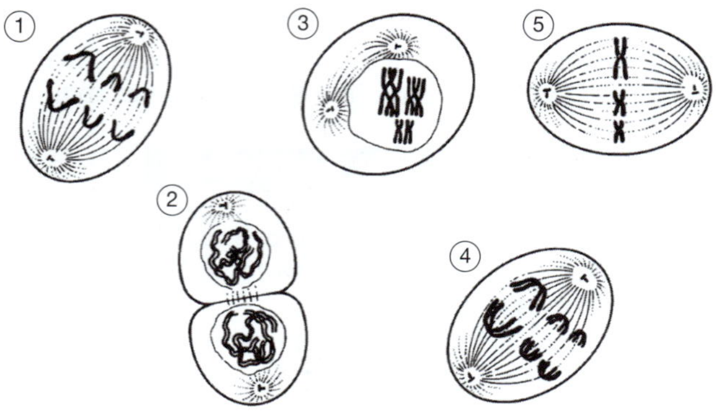

32. Produza um infográfico simples para responder à seguinte questão:

• Qual é o exato momento em que as células se tornam haploides na meiose: telófase I ou telófase II?

Você pode obter algumas ideias sobre a confecção de infográficos nas atividades 35 e 36. Produza um esboço inicial e discuta com seus colegas e o professor sobre isso. Em seguida, incorpore na versão final as melhorias que foram sugeridas e exponha seu infográfico no mural da escola.

33. A educação sexual e o controle da natalidade são encarados atualmente pela nossa sociedade de maneira bem distinta do que ocorria há algumas décadas. Para aprofundar seu conhecimento sobre esse assunto, forme um grupo com seus colegas e entreviste pessoas mais velhas, como seus avós, bisavós, tios, pais etc., perguntando-lhes sobre como era tratada a sexualidade humana na época em que elas eram adolescentes. Sua primeira tarefa é elaborar uma lista de perguntas – o roteiro da entrevista. A seguir, você encontra algumas sugestões de perguntas:

• Qual era o nível de informação sobre sexo, reprodução e métodos anticoncepcionais que você tinha aos 15 anos de idade?

• Qual é a visão que você tem hoje sobre esses assuntos?

• Qual é sua opinião sobre as mudanças na maneira como a sociedade trata esses assuntos?

Registre a idade, o sexo e o grau de instrução de cada pessoa entrevistada; anote também os pontos principais das entrevistas. Ao final, produza um texto no formato reportagem de revista, traçando um panorama cronológico de como os assuntos relacionados à sexualidade humana eram tratados pela sociedade. Inclua também a opinião de colegas da sua idade.

A Biologia no vestibular e no Enem

Questões objetivas

1. (UPF-RS) A figura abaixo mostra uma ameba em divisão. A alternativa que apresenta o tipo de reprodução desse protista é:

FERNANDO GONSALES

a) Divisão múltipla.
b) Conjugação.
c) Esporogonia.
d) Fissão binária.
e) Brotamento.

2. (UFRRJ) Da fusão dos gametas masculino e feminino, ambos haploides, surge a célula-ovo ou zigoto, em que se restabelece o número diploide. Comparando a quantidade de DNA encontrada no núcleo das células somáticas de um camundongo, podemos afirmar que é igual:
   a) à quantidade de DNA encontrada no núcleo dos espermatozoides desse animal.
   b) a duas vezes a quantidade de DNA encontrada no núcleo dos espermatozoides desse animal.
   c) à metade da quantidade de DNA encontrada no núcleo dos espermatozoides desse animal.
   d) a quatro vezes a quantidade de DNA encontrada no núcleo dos espermatozoides desse animal.
   e) à quarta parte da quantidade de DNA encontrada no núcleo dos espermatozoides desse animal.

3. (UFSC) Um pesquisador verificou que o núcleo celular dos óvulos de uma certa espécie de formiga tem 4 cromossomos e uma quantidade x de DNA. Considerando que os machos de formiga desenvolvem-se por partenogênese e são haploides, que quantidade de DNA e de cromossomos se espera encontrar no núcleo dos espermatozoides dessa espécie?
   a) 2x de DNA e 8 cromossomos.
   b) 2x de DNA e 4 cromossomos.
   c) x de DNA e 4 cromossomos.
   d) x de DNA e 2 cromossomos.
   e) x de DNA e 2 cromossomos.

4. (UFSCar-SP) Sessenta células de um animal, com a constituição representada na figura, sofrem meiose.
   São esperados, apresentando a constituição ABC:

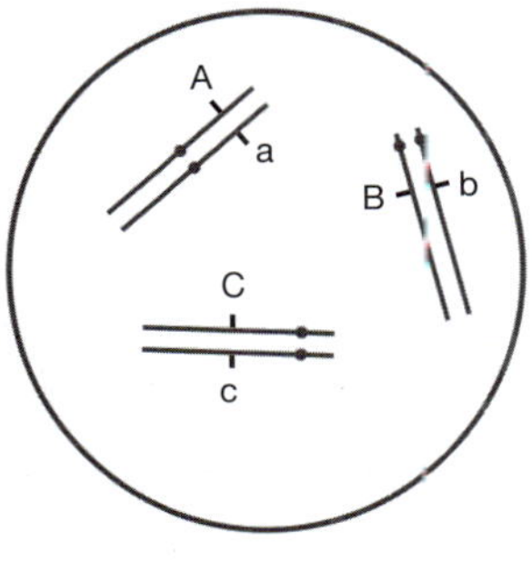

   a) 30 espermatozoides.
   b) 60 espermatozoides.
   c) 90 espermatozoides.
   d) 120 espermatozoides.
   e) 180 espermatozoides.

5. (Unir-RO) Comparando a ovulogênese (I) com a espermatogênese (II), todas as alternativas abaixo estão corretas, exceto:
   a) Nos dois processos ocorre meiose.
   b) Ambos são importantes para manter constante o número de cromossomos típicos de cada espécie.
   c) I ocorre nos ovários e II, nos testículos.
   d) Há maior produção de gametas em II do que em I.
   e) Em I e II, as células formadas são diploides.

6. (UFMA) Com relação à gametogênese humana, é correto afirmar que:
   a) cada ovócito I produz 4 ovócitos II.
   b) ovogônias e ovócitos primários são formados durante toda a vida da mulher.
   c) espermatogônias são formadas apenas durante a vida intrauterina.
   d) cada espermatócito I produz um espermatozoide.
   e) a ovulogênese só é concluída se o ovócito II for fecundado.

7. (UEL-PR) Abaixo estão esquematizados núcleos de um gametócito de primeira ordem, de um gametócito de segunda ordem e de uma tide (ovótide ou espermátide), de uma mesma espécie animal. Durante a gametogênese, as fases esquematizadas ocorrem na seguinte ordem:

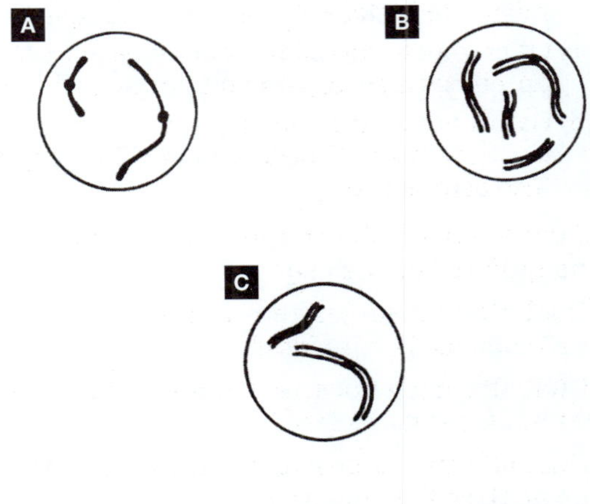

   a) A B C
   b) A C B
   c) B C A
   d) B A C
   e) C A B

Questões discursivas

8. (Fuvest-SP) Considere os processos de mitose e meiose.
   a) Qual o número de cromossomos das células originadas, respectivamente, pelos dois processos na espécie humana?
   b) Qual a importância biológica da meiose?

9. (Unicamp-SP) Os esquemas A, B e C abaixo representam fases do ciclo de uma célula que possui $2n = 4$ cromossomos.

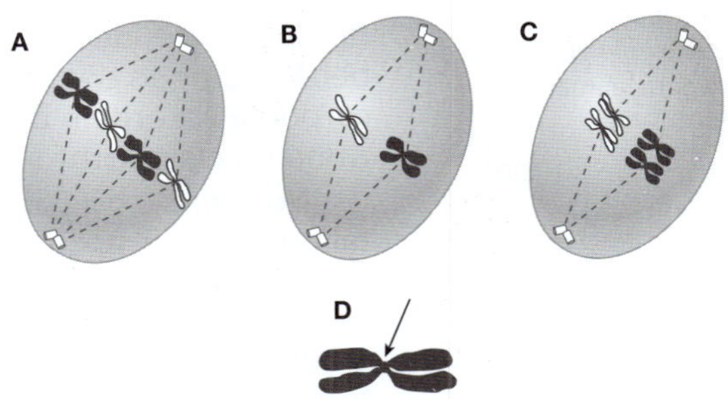

   a) A que fases correspondem as figuras A, B e C? Justifique.
   b) Qual é a função da estrutura cromossômica indicada pela seta na figura D?

Capítulo 14

Desenvolvimento embrionário animal

DR YORGOS NIKAS/SCIENCE PHOTO LIBRARY/LATINSTOCK

Da fecundação resulta o zigoto, primeira célula do novo ser, que começa a se dividir para dar origem ao embrião. Na imagem, fotomicrografia colorizada artificialmente de embrião humano no estágio de mórula, com três dias de desenvolvimento. (Microscópio eletrônico de varredura; aumento ≈ 3.000×.)

O empreendimento embrionário

Nos primeiros anos de vida, uma criança passa de aproximadamente 3 kg ao nascer para cerca de 30 kg aos sete anos de idade, o que mostra um aumento de dez vezes da massa corpórea inicial!

Achou muito? Pois saiba que um zigoto humano tem cerca 3 milionésimos de grama (0,000003 g) e, depois de cerca de 9 meses de desenvolvimento intrauterino, origina um bebê que pode chegar a mais de 3 kg (3.000 g). Isso representa um aumento de massa corpórea da ordem de 1 bilhão de vezes em menos de um ano e mostra o fantástico ritmo do crescimento embrionário.

No começo do desenvolvimento embrionário, as divisões celulares se sucedem com tal rapidez que as células do embrião não têm tempo de crescer. É por isso que um embrião com 128 células é pouco maior que o zigoto que o originou. Entretanto, depois de algum tempo, o ritmo das divisões diminui e as células crescem entre uma divisão e outra. Os efeitos combinados da multiplicação e do crescimento celular explicam o formidável aumento de massa do embrião durante seu desenvolvimento intrauterino.

A partir do zigoto são originados os mais de 10 trilhões de células que compõem o corpo de uma pessoa adulta. O que realmente impressiona é que são centenas de tipos de células, especializadas nas mais diversas funções: revestimento, contração, percepção, secreção, armazenamento e mais algumas centenas de especialidades. Todas funcionando nos locais corretos do corpo!

Imagine o desenvolvimento de um embrião como um fantástico empreendimento celular. Trata-se nada menos que "construir" um organismo altamente complexo a partir da "pedra fundamental", o zigoto. Um empreendimento desse porte não seria possível sem um alto grau de organização, com etapas se sucedendo rigorosamente dentro do prazo. Como isso ocorre? Embora já se conheça o "passo a passo celular" desse empreendimento, seus mecanismos de controle ainda hoje desafiam a compreensão dos estudiosos.

A importância do assunto

Pense nisso: o encontro de um par de gametas conduz à maravilhosa organização de um ser humano. Essa organização é rigorosamente "construída", célula por célula, durante o desenvolvimento embrionário.

Neste capítulo, estudaremos as linhas gerais da embriogênese, nome dado ao processo de desenvolvimento dos embriões. Vamos nos concentrar apenas em seus aspectos básicos, uma vez que há grande variedade de detalhes na embriogênese nos diversos grupos animais.

Não se desestimule com a nomenclatura e concentre-se na apreensão das linhas gerais das etapas do desenvolvimento embrionário. Além disso, não se surpreenda se o capítulo parece trazer mais perguntas que respostas: é assim que o conhecimento progride!

14.1 Segmentação e formação da blástula

Na reprodução sexuada dos animais multicelulares, a partir da fusão das células sexuais materna e paterna é formada a primeira célula do novo ser, o **zigoto**. Imediatamente após a fecundação, o zigoto inicia o desenvolvimento e origina o **embrião**, um conjunto celular que se transforma gradualmente em um novo organismo. O processo de desenvolvimento embrionário é chamado **embriogênese** (do grego *genese*, origem, criação). Embora o tipo de desenvolvimento embrionário varie entre as espécies de animais, em todos eles é possível distinguir três etapas principais: segmentação, gastrulação e organogênese.

Na etapa de **segmentação**, como o próprio nome sugere, o zigoto divide-se rápida e seguidamente por mitose, originando duas células, depois quatro, oito, dezesseis e assim por diante. As células resultantes da divisão do zigoto são os **blastômeros**; as segmentações podem também receber o nome de **clivagens**.

Ao atingir o estágio de 32 ou 64 células, o embrião é um aglomerado maciço de blastômeros, pouco maior que o zigoto; em alguns animais, ele lembra uma amora microscópica, sendo por isso chamado **mórula** (do latim *morula*, amora).

À medida que o desenvolvimento prossegue, começa a haver acúmulo de líquido entre as células embrionárias, levando ao aparecimento de uma cavidade central. Nesse estágio, o embrião é chamado **blástula** e a cavidade central cheia de líquido é a **blastocela** (do latim *cella*, pequeno quarto, cavidade).

Na fase inicial do desenvolvimento, do zigoto à blástula plenamente formada, as divisões celulares sucedem-se com grande rapidez; na mosca drosófila, por exemplo, apenas 12 horas após a primeira clivagem, o embrião tem mais de 50 mil células; um embrião de rã com apenas 43 horas de vida é constituído por cerca de 37 mil células!

Tipos de ovos e segmentação

Durante o desenvolvimento, as células embrionárias nutrem-se exclusivamente de substâncias que foram acumuladas no citoplasma do gameta feminino enquanto este se desenvolvia no organismo materno. Por exemplo, nos ovos de galinha, a gema é uma célula-ovo extremamente desenvolvida, repleta de material nutritivo que será utilizado durante o desenvolvimento do futuro pintinho.

As substâncias nutritivas, constituídas predominantemente por gorduras e proteínas, estão armazenadas no citoplasma dos ovos na forma de grânulos de **vitelo**. Dependendo da espécie, a quantidade e distribuição dos grãos de vitelo no ovo variam. Por esses critérios, os ovos podem ser classificados em quatro tipos básicos: oligolécitos, mesolécitos, megalécitos e centrolécitos. Os estudos embriológicos mostraram que há uma nítida relação entre o tipo de ovo e o que ocorre na segmentação, como veremos adiante.

Ovos oligolécitos (do grego *oligos*, pouco), também chamados isolécitos (do grego *isos*, igual), têm quantidade relativamente pequena de vitelo, distribuída de forma mais ou menos homogênea no citoplasma. Esse tipo de ovo está presente em cordados, equinodermos, moluscos, anelídeos, nematódeos e platelmintos. Em muitos mamíferos, entre eles a espécie humana, a quantidade de vitelo nos ovos é tão pequena que eles são chamados **alécitos** (do grego *a*, negação, isto é, sem vitelo).

Ovos mesolécitos (do grego *mesos*, intermediário), também chamados ovos heterolécitos (do grego *heteros*, diferente, desigual), têm quantidade relativamente grande de vitelo, distribuída de forma desigual no citoplasma. Um dos polos do ovo, onde se localiza o núcleo, tem menos vitelo e é denominado **polo animal**. O polo oposto tem maior quantidade de grãos de vitelo e é denominado **polo vegetativo**. Esse tipo de ovo é característico dos anfíbios.

Ovos megalécitos (do grego *mega*, grande), também chamados ovos telolécitos (do grego *telos*, extremidade), têm muito vitelo acumulado no citoplasma. O vitelo ocupa quase toda a célula-ovo, que em algumas espécies chega a medir alguns centímetros de diâmetro. Esse tipo de ovo está presente em aves, répteis, certos peixes e nos moluscos cefalópodes (polvos e lulas).

Ovos centrolécitos (do grego *centro*, meio, centro) têm quantidade relativamente grande de vitelo, concentrada na região central. Esse tipo de ovo ocorre na maioria dos artrópodes. (Fig. 14.1)

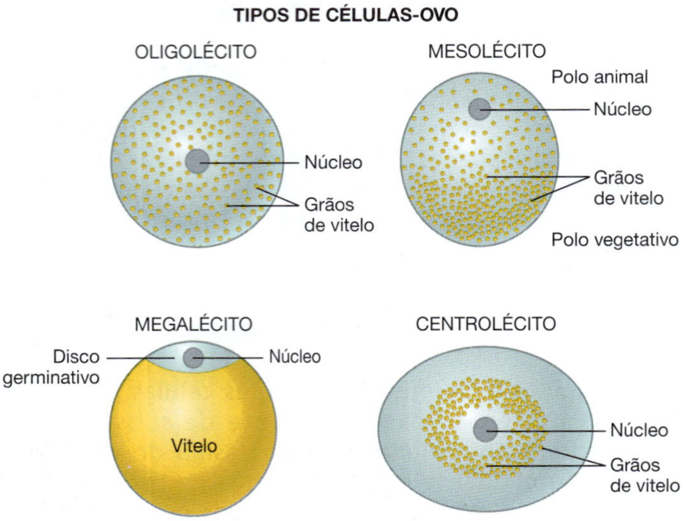

Figura 14.1 Representação esquemática dos tipos de ovo em relação à distribuição do vitelo no citoplasma. (Elementos fora de proporção de tamanho entre si; cores-fantasia.)

Como mencionamos anteriormente, há relação entre a quantidade e distribuição de vitelo no ovo e o que ocorre na segmentação, uma vez que a presença de vitelo interfere na citocinese. Em geral, em ovos com pouco vitelo, as duas primeiras segmentações "cortam" totalmente o citoplasma, enquanto ovos com muito vitelo têm segmentações incompletas, que não o dividem totalmente.

Com base nesse critério, a segmentação dos ovos pode ser de dois tipos: holoblástica ou meroblástica. A segmentação **holoblástica** (do grego *holos*, inteiro) ou **total** ocorre quando os blastômeros separam-se completamente; a segmentação **meroblástica** (do grego *meros*, parte) ou **parcial** acontece quando as células-filhas são separadas de forma incompleta na citocinese.

Dependendo da distribuição de vitelo no ovo, as segmentações podem resultar em blastômeros aproximadamente do mesmo tamanho ou em blastômeros desiguais, os maiores com mais vitelo que os menores. Por exemplo, em ovos oligolécitos e alécitos, que têm pouco vitelo distribuído homogeneamente no citoplasma, a segmentação é holoblástica e resulta em blastômeros de mesmo tamanho aproximado.

Ovos mesolécitos, apesar de sua quantidade razoável de vitelo, também têm segmentação holoblástica. Entretanto, o vitelo acumulado no polo vegetativo determina a segmentação desigual do ovo: os blastômeros do polo vegetativo são maiores e mais ricos em vitelo que os formados no polo animal. Os blastômeros maiores são denominados **macrômeros** e os menores, **micrômeros**.

Os ovos megalécitos, por sua vez, têm quantidades tão grandes de vitelo que as estruturas citoplasmáticas e o núcleo ficam limitados a uma pequena área do polo animal, formando um disco superficial de 2 a 3 milímetros de diâmetro, o **disco germinativo**. Nesse tipo de ovo, as mitoses ocorrem apenas na região do disco germinativo, enquanto a parte do ovo repleta de vitelo não se divide. Nesse caso, a segmentação é meroblástica discoidal.

Nos ovos centrolécitos, inicialmente apenas os núcleos se dividem, sem formação de células individualizadas. Após certo número de mitoses, os núcleos migram para a periferia do ovo e dispõem-se embaixo da membrana plasmática. A seguir, formam-se membranas entre os núcleos individualizando células, que se dispõem em uma camada em torno do embrião. Nesse caso, a segmentação é superficial. (Fig. 14.2)

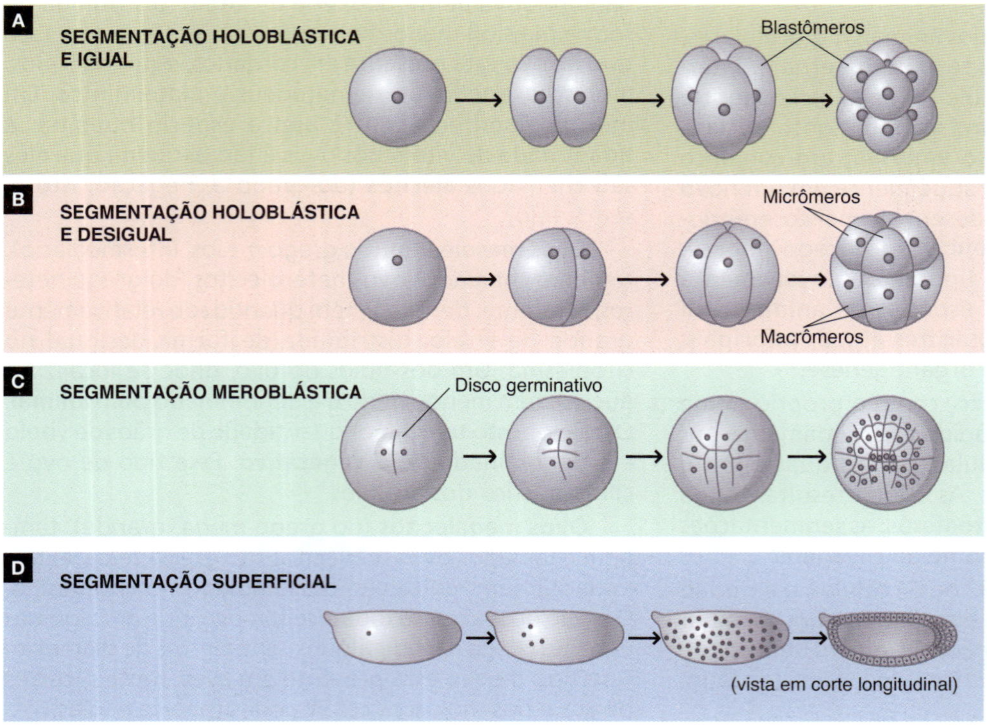

Figura 14.2 Alguns tipos de segmentação de ovos. **A.** Segmentação holoblástica e igual (anfioxo). **B.** Segmentação holoblástica e desigual (anfíbios). **C.** Segmentação meroblástica e discoidal (répteis e aves). **D.** Segmentação superficial (insetos). (Elementos fora de proporção de tamanho entre si; cores-fantasia.) (Baseado em Gilbert, S., 2000.)

A blástula que se origina de ovos oligolécitos é, em geral, uma bola de células com uma grande cavidade central cheia de líquido. Na blástula proveniente de ovos mesolécitos, a blastocela é relativamente pequena e restrita à região do polo animal. Por sua vez, a blástula que se origina de ovos megalécitos resume-se a uma pequena calota de células, o **blastodisco**, composto de duas camadas celulares, o epiblasto e o hipoblasto. A blastocela é um espaço cheio de líquido que surge entre essas duas camadas celulares. (Fig. 14.3)

14.2 Gastrulação

O estágio embrionário que se sucede à blástula é chamado **gástrula**, e seu processo de formação é a **gastrulação**. Durante essa etapa da embriogênese, as células embrionárias passam por grandes alterações, que definem o plano corporal básico do futuro animal.

Na gastrulação, células que darão origem a músculos e órgãos internos migram para o interior do embrião, enquanto células precursoras da pele e do sistema nervoso dispõem-se na superfície. A migração de células para dentro do embrião faz com que a blastocela desapareça, dando lugar a uma nova cavidade, o **arquêntero** (do grego *archeos*, primitivo, e *enteron*, intestino) ou **gastrocela** (do grego *gastros*, estômago, e *cela*, cavidade). Esses nomes indicam que a cavidade interna da gástrula é o "esboço" do tubo digestório do futuro organismo. O arquêntero comunica-se com o meio externo através de uma abertura denominada **blastóporo**.

Nos cordados (grupo ao qual pertencem os vertebrados) e nos equinodermos (ouriços-do-mar e estrelas-do-mar, por exemplo), o blastóporo origina o ânus do futuro animal. A boca forma-se em momento posterior do desenvolvimento, no lado oposto do arquêntero. Por isso, esses animais são chamados **deuterostômios** (do grego *deuteros*, segundo, e *stoma*, boca).

Em todos os outros grupos de animais que têm tubo digestório completo (nematódeos, moluscos, anelídeos e artrópodes), o blastóporo origina a boca e o ânus surge posteriormente. Por isso, esses animais são chamados **protostômios** (do grego *protos*, primeiro, e *stoma*, boca).

Formação dos folhetos germinativos

Na maioria das espécies animais, durante o estágio de gástrula originam-se três conjuntos de células dos quais derivam todos os futuros tecidos corporais: os **folhetos germinativos**.

O folheto germinativo mais externo, que reveste o embrião, é denominado **ectoderma** (do grego *ecto*, fora). Desse folheto originam-se a epiderme — a camada externa da pele — e diversas estruturas associadas a ela, como pelos, unhas, garras, glândulas sebáceas e glândulas sudoríparas. Do ectoderma surge também o sistema nervoso, composto pelo cérebro, nervos e gânglios nervosos.

O folheto germinativo mais interno, que delimita a cavidade do arquêntero, é o **endoderma** (do grego *endo*, dentro). Esse folheto origina o revestimento interno do tubo digestório e forma as diversas estruturas glandulares associadas à digestão, tais como glândulas salivares, glândulas mucosas, pâncreas, fígado e glândulas estomacais. O endoderma também origina o sistema respiratório (brânquias ou pulmões).

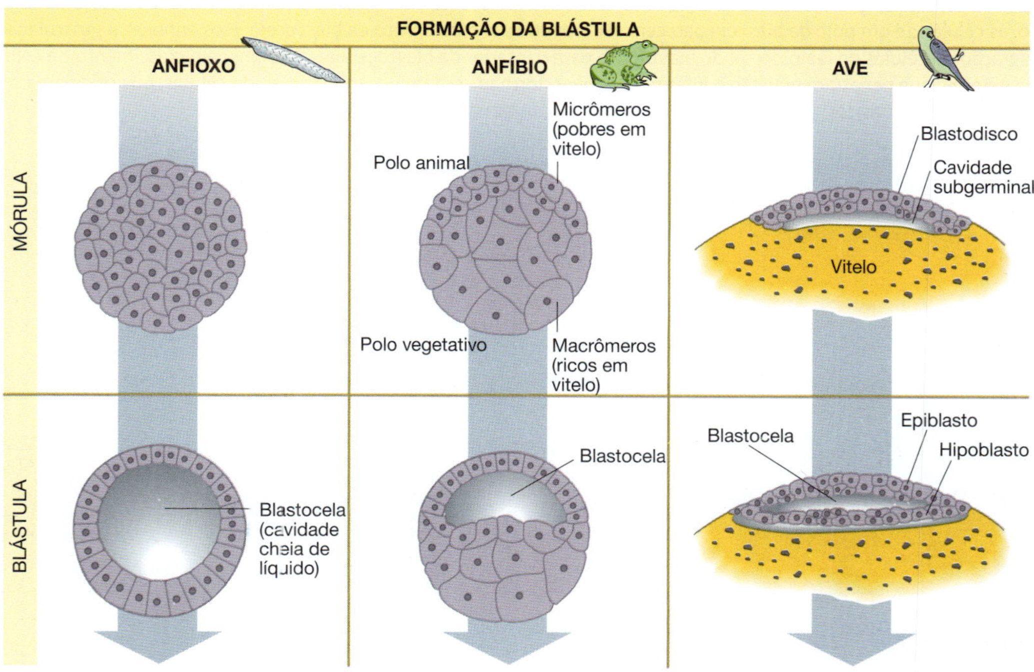

Figura 14.3 Representação esquemática, em corte, de tipos de blástula. No anfioxo (ovo oligolécito e segmentação total e igual), a blástula apresenta uma blastocela grande e central. Nos anfíbios (ovo mesolécito e segmentação total e desigual), a blástula é mais maciça, com a blastocela deslocada para o polo animal. Nas aves (ovo megalécito), a segmentação é meroblástica e discoidal. (Elementos fora de proporção de tamanho entre si; cores-fantasia.)

O folheto germinativo situado entre o ectoderma e o endoderma é o **mesoderma** (do grego *meso*, meio). Esse folheto origina músculos, ossos, sistema cardiovascular (coração, vasos sanguíneos e sangue) e sistema urinário (rins, bexiga e vias urinárias) e sistema genital. (Fig. 14.4)

A linhagem celular que se diferencia no início do desenvolvimento embrionário é chamada linhagem germinativa, cujas células migram para os primórdios das gônadas (sistema genital) e originarão os gametas nos animais adultos. Todas as demais células do embrião constituem a chamada linhagem somática. (Fig. 14.5)

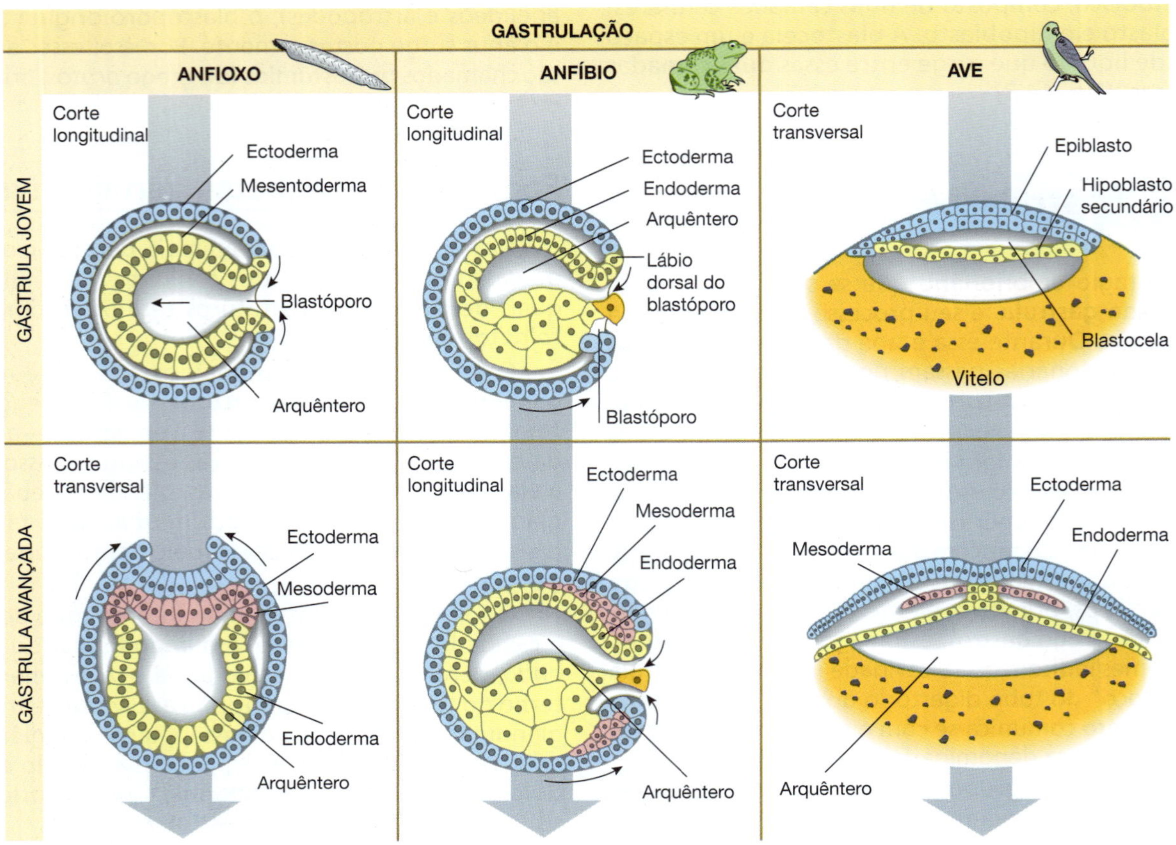

Figura 14.4 Representação esquemática em que se comparam os processos de gastrulação de anfioxos, anfíbios e aves. No anfioxo, as células de um polo da blástula parecem ser empurradas para dentro da blastocela. Nos anfíbios, a gastrulação ocorre pela migração de células do lábio dorsal do blastóporo para o interior da blastocela e, também, pelo crescimento de células da camada externa, que penetram pelo lábio inferior. Nas aves, formam-se lâminas transversais de células, que originam os três tecidos embrionários básicos. (Elementos fora de proporção de tamanho entre si; cores-fantasia.)

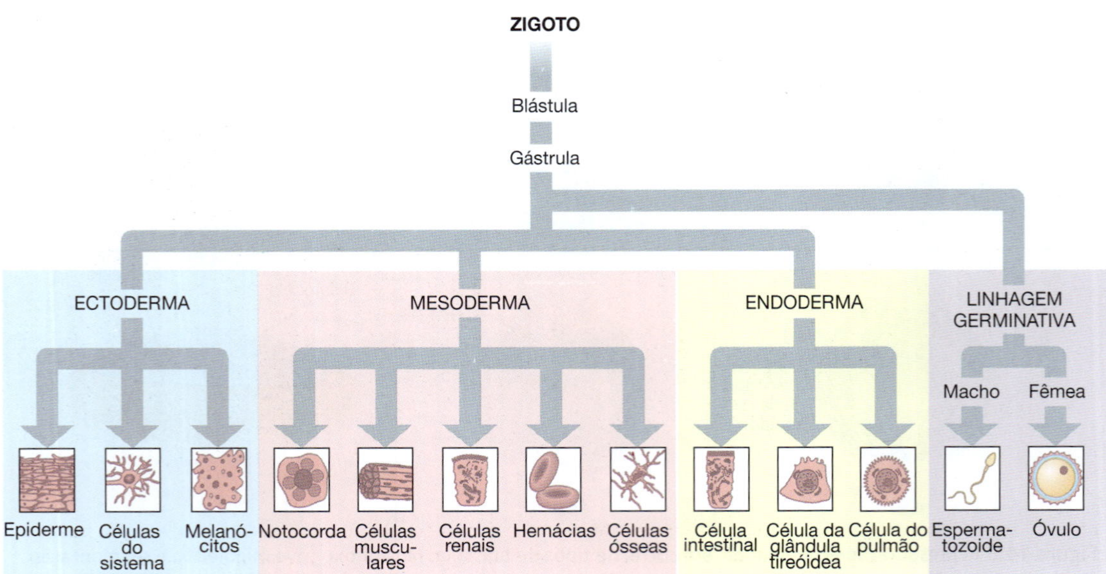

Figura 14.5 Os folhetos germinativos formam todos os tecidos corporais. A figura mostra alguns tipos de células originadas de cada folheto.

Entre os animais, as esponjas são os únicos que não apresentam folhetos germinativos em seus embriões. Nos cnidários (águas-vivas, anêmonas e corais, por exemplo), os embriões têm apenas dois folhetos germinativos, o ectoderma e o endoderma, e por isso eles são chamados animais **diblásticos**. Em todos os outros grupos de animais, os embriões formam três folhetos germinativos, sendo denominados animais **triblásticos**.

14.3 Organogênese

O estágio de nêurula

Durante o desenvolvimento dos animais cordados, ao final do estágio de gástrula, células embrionárias localizadas ao longo do dorso do embrião começam a se diferenciar, originando uma estrutura tubular oca, o **tubo nervoso**, ou **tubo neural**, e um cordão maciço de células, a **notocorda**. Nesse estágio de desenvolvimento embrionário, o embrião é denominado **nêurula** (do grego *neuron*, nervo), uma vez que aí começa a ser esboçado o sistema nervoso.

Tubo nervoso

A formação do **tubo nervoso** é induzida por substâncias liberadas por células do mesoderma e da região anterior do endoderma. A diferenciação das células ectodérmicas dorsais leva à formação de uma placa achatada no dorso embrionário, a **placa neural**.

A placa neural forma-se da região anterior em direção à extremidade posterior do embrião. No decorrer de sua formação, a placa neural se dobra e assume progressivamente o aspecto de uma calha (sulco ou goteira neural) ao longo do dorso do embrião.

O dobramento da placa neural prossegue até que suas bordas laterais se fundem, isolando-se um tubo de células ao longo do dorso do embrião – o tubo nervoso – com regeneração do revestimento ectodérmico dorsal. (Fig. 14.6)

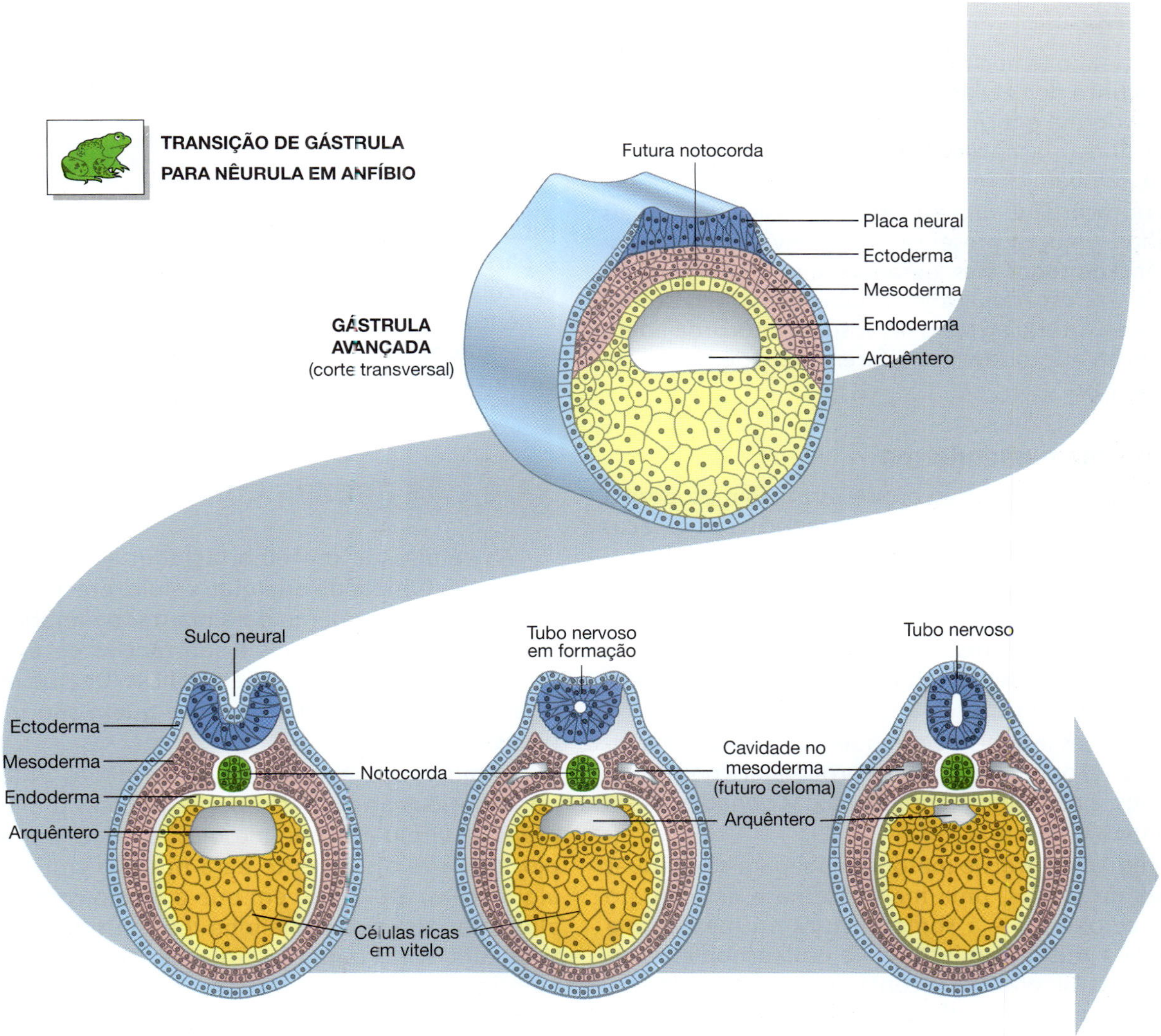

Figura 14.6 Representação esquemática de embrião de anfíbio em transição de gástrula para nêurula. Acima, gástrula avançada em que se vê a placa neural, formada pela especialização do ectoderma dorsal, que dá origem ao tubo nervoso. Abaixo, representação de três estágios da formação do tubo nervoso; simultaneamente, o mesoderma se diferencia, constituindo a notocorda e dois blocos mesodérmicos, um de cada lado do corpo. (Elementos fora de proporção de tamanho entre si; cores-fantasia.) (Baseado em Gilbert, S., 2006.)

A formação do tubo nervoso é diferente nos diversos grupos de animais. Nas aves, por exemplo, o fechamento do tubo nervoso progride desde a cabeça até a cauda. Nos mamíferos, o fechamento inicia-se em diversos pontos ao longo da placa neural e vai progredindo. Alguns tipos de malformação congênita neurológica devem-se exatamente a falhas no fechamento de uma ou de outra parte do tubo nervoso, que dará origem ao sistema nervoso central, composto pelo encéfalo e pela medula espinal.

Na espécie humana, uma falha do fechamento na região anterior do tubo nervoso causa a anencefalia, que leva à morte. Uma condição patológica conhecida como espinha bífida, cuja gravidade depende do local e do grau de comprometimento da medula espinal, é decorrente de uma falha de fechamento na região posterior do tubo nervoso, em torno do 27º dia de vida do embrião. Defeitos de formação do tubo nervoso na espécie humana, considerados em conjunto, são relativamente frequentes, da ordem de 1 caso para cada 500 nascimentos.

Notocorda

Ao mesmo tempo que o tubo nervoso se diferencia, um conjunto de células situado embaixo dele se isola do mesoderma e forma um bastão sólido ao longo da região dorsal: a **notocorda** (do grego *notos*, dorso, costas), também chamada **corda dorsal**.

A notocorda é uma estrutura exclusiva de animais cordados. Embora presente no desenvolvimento embrionário de todos eles, desaparece na fase adulta da maioria das espécies. Hoje se sabe que, além de dar suporte estrutural ao tubo nervoso, a notocorda libera substâncias que induzem a diferenciação de células do tubo nervoso.

Mesoderma e endoderma

Enquanto o tubo nervoso se forma, o mesoderma desenvolve-se muito, passando a preencher os espaços entre o ectoderma e o endoderma embrionários.

Ao longo do dorso do embrião, o mesoderma (mesoderma paraxial) divide-se em blocos transversais denominados **somitos**. A partir deles formam-se a derme, a coluna vertebral, as costelas e os músculos estriados esqueléticos.

As regiões laterais do mesoderma (mesoderma intermediário) originam o sistema urogenital, constituído pelos rins, a parte não germinativa das gônadas e seus respectivos canais (ductos).

A região ventral do mesoderma separa-se em duas lâminas de células, uma mais externa e em contato com o ectoderma – a **somatopleura** ou mesoderma parietal – e outra mais interna – a **esplancnopleura** ou mesoderma visceral –, em contato com o endoderma. O espaço entre essas duas camadas mesodérmicas, preenchido por líquido, é denominado **celoma**. A partir dessas lâminas mesodérmicas surgem o sistema cardiovascular (coração e vasos sanguíneos), a musculatura lisa e o esqueleto dos membros, entre outras estruturas corporais. (Fig. 14.7)

NÊURULA (corte transversal)

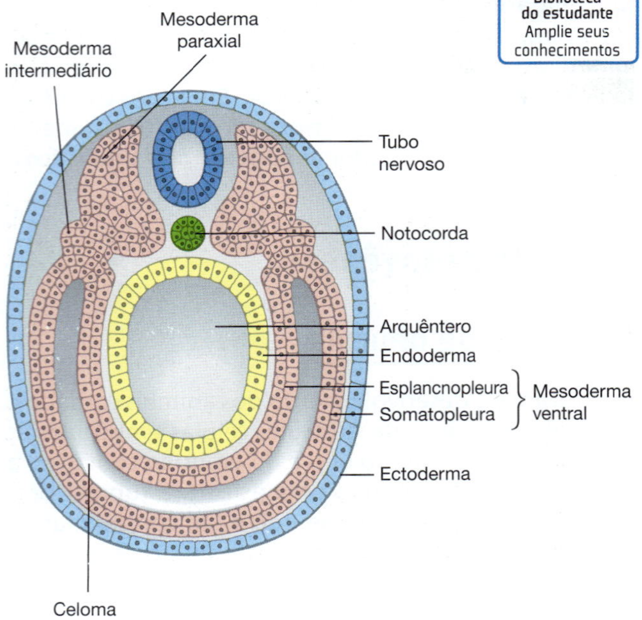

14.1 Biblioteca do estudante. Amplie seus conhecimentos

Figura 14.7 Representação esquemática de um embrião de cordado em estágio de nêurula. Note o celoma, cavidade no mesoderma que surge nesse estágio. (Elementos fora de proporção de tamanho entre si; cores-fantasia.) (Baseado em Gilbert, S., 2006.)

O endoderma origina o revestimento interno do tubo digestório, além das estruturas que se formam a partir dele: glândulas salivares, pâncreas, fígado e vesícula biliar. O endoderma também origina o revestimento das brânquias de peixes e anfíbios jovens, e o revestimento dos condutos respiratórios e dos pulmões em anfíbios, répteis, aves e mamíferos.

14.4 Os anexos embrionários

As células de um embrião têm as mesmas necessidades básicas de qualquer célula: precisam obter alimento e gás oxigênio para manter o metabolismo; têm de eliminar resíduos e substâncias de excreção formados nas atividades metabólicas. De que maneira as células embrionárias conse-guem suprir essas necessidades?

Como vimos, as substâncias nutritivas utilizadas por embriões de muitas espécies animais provêm de grãos de vitelo. Um ovo mesolécito de rã, por exemplo, tem vitelo suficiente para nutrir o embrião por alguns dias, até a fase em que o girino começa a se alimentar; um ovo de galinha tem substâncias nutritivas suficientes para os 21 dias de desenvolvimento embrionário, até a eclosão do pintinho. (Fig. 14.8) Entretanto, em algumas espécies, incluindo a nossa, os ovos têm pouquíssimo vitelo acumulado. Fica, então, uma questão a ser respondida mais adiante: como se alimentam as células de um embrião de mamífero durante o período de desenvolvimento embrionário, que é geralmente longo?

Figura 14.8 Radiografias colorizadas artificialmente de ovo de galinha em desenvolvimento (**A**, **B** e **C**) e foto de um pinto recém-nascido (**D**). Em **A**, ovo com 6 dias de incubação; em **B**, com 12 dias de incubação, mostrando o início da formação dos ossos; em **C**, com 18 dias de incubação, faltando 3 dias para o nascimento. O albume, constituído principalmente pela proteína albumina, é a clara do ovo.

Vamos analisar agora de que maneiras os embriões obtêm gás oxigênio para respirar e como se livram do gás carbônico que surge como subproduto da respiração. O embrião de rã, que completa seu desenvolvimento na água, utiliza-se da difusão para realizar todas as trocas gasosas necessárias à sua vida. Entretanto, um embrião de ave, que se desenvolve no ambiente seco em um ovo com casca, enfrenta uma situação diferente. Será que ocorre difusão de gases do ar através da casca do ovo? E um embrião de mamífero, cujo desenvolvimento ocorre no útero materno, como respira? Essas questões também serão respondidas mais adiante.

Um último ponto a considerar é o que fazer com as excreções produzidas pelas células embrionárias. O embrião de rã, para eliminar suas excreções nitrogenadas, não tem muitos problemas: as substâncias a serem excretadas saem das células embrionárias para a água circundante, por difusão. Mas o processo de excreção é bem diferente para um embrião de ave ou de réptil, que completa o desenvolvimento "lacrado" dentro de um ovo com casca, que se desenvolve em terra firme. Como aves e répteis mantêm as excreções potencialmente tóxicas longe do embrião, se ele se encontra confinado no ovo?

As respostas a todas essas questões envolvem os chamados anexos embrionários. Em répteis, aves e mamíferos, paralelamente ao desenvolvimento dos tecidos e órgãos, formam-se estruturas externas ao embrião, os **anexos embrionários**, encarregadas de obter nutrientes, armazenar excreções, manter um ambiente aquoso e protegido para o embrião e realizar trocas gasosas. Essas estruturas anexas são o saco vitelínico, o alantoide, o âmnio e o cório. (Fig. 14.9)

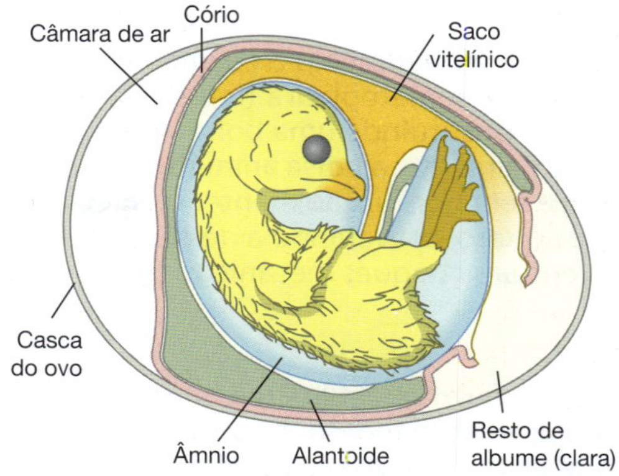

Figura 14.9 Representação esquemática de um embrião de galinha com 13 dias de incubação (a 8 dias do nascimento), mostrando a localização dos anexos embrionários. (Elementos fora de proporção de tamanho entre si; cores-fantasia.)

Finalmente, uma última pergunta, entre tantas: por que os anexos embrionários estão presentes apenas em répteis, aves e mamíferos, essencialmente animais de terra firme? A resposta está no passado, quando ancestrais dos répteis estavam conquistando os ambientes de terra firme, há mais de 360 milhões de anos. Antes disso, não havia animais vertebrados nesses ambientes.

Entre as diversas adaptações realizadas pelos ancestrais dos répteis na conquista da terra firme, uma das mais importantes foi o desenvolvimento de um ovo dotado de casca impermeável à dessecação. Entretanto, tal desenvolvimento exigiu novas adaptações, como o surgimento e a evolução dos anexos embrionários.

Saco vitelínico

O **saco vitelínico** é o primeiro anexo embrionário a se formar. Essa estrutura surge pelo crescimento conjunto do endoderma e da esplancnopleura (mesoderma) sobre o vitelo. O saco vitelínico é uma bolsa membranosa que envolve completamente a massa vitelínica. Assim, o embrião passa a ter o saco de vitelo estrategicamente ligado ao seu futuro intestino.

A parte mesodérmica do saco vitelínico desenvolve vasos sanguíneos e torna-se ricamente vascularizada. Enzimas produzidas por células endodérmicas digerem os grãos de vitelo, cujos nutrientes passam para os vasos sanguíneos e são distribuídos para todas as células do embrião.

Alantoide

O **alantoide** é uma projeção da parede do arquêntero, formada pelo crescimento conjunto do endoderma e da esplancnopleura. Esse anexo embrionário tem, portanto, a mesma constituição do saco vitelínico. A principal função do alantoide é armazenar substâncias ricas em nitrogênio excretadas pelos rins do embrião, basicamente o ácido úrico.

Excretar ácido úrico, uma substância pouco solúvel em água, é uma adaptação de aves e de répteis. Como as excreções acumuladas no alantoide não se difundem pelo ovo, o embrião não corre o risco de se intoxicar durante o desenvolvimento.

Outra função do alantoide é participar da respiração do embrião, em parceria com outro anexo embrionário, o cório, como veremos a seguir.

Âmnio

O **âmnio** é formado pelo crescimento conjunto do ectoderma e da somatopleura (mesoderma) ao redor do embrião, constituindo uma bolsa membranosa que o envolve totalmente: a **bolsa amniótica**. Esta é repleta de líquido e tem por função manter o embrião em um ambiente aquoso, prevenindo a dessecação e amortecendo eventuais choques mecânicos.

Cório

O **cório** é formado pelo crescimento conjunto da somatopleura e do ectoderma, constituindo uma membrana que envolve todos os outros anexos embrionários, inclusive a bolsa amniótica que contém o embrião.

Nos ovos de répteis e de aves, o cório se desenvolve bem embaixo da casca. O alantoide também se desenvolve e sua face externa encosta-se no cório, junto à casca. O conjunto formado pela associação entre o cório e o alantoide, denominado **alantocório**, ou corioalantoide, é ricamente vascularizado, o que permite uma eficiente troca de gases entre os tecidos embrionários e o ar ao redor da casca. (Fig. 14.10)

Como se explica a presença de anexos embrionários em mamíferos?

Na maioria dos mamíferos, os embriões se desenvolvem no interior do útero materno. Esse assunto será tratado com mais detalhes no próximo capítulo.

Nesses animais, o embrião e a mãe desenvolvem, em conjunto, uma estrutura denominada **placenta**, pela qual estabelecem o intercâmbio de nutrientes, gases e excreções.

Entretanto, embriões dos mamíferos "placentários" também apresentam os mesmos anexos embrionários que répteis e aves – saco vitelínico, alantoide, âmnio e cório –, embora sua função original tenha sido substituída pela placenta.

Segundo os biólogos, a presença dos anexos embrionários nos mamíferos placentários é um "resquício" de seu passado evolutivo: os mamíferos evoluíram a partir de um grupo antigo de répteis. Mesmo com a evolução da placenta, os anexos embrionários persistiram como uma herança de nossa ancestralidade reptiliana.

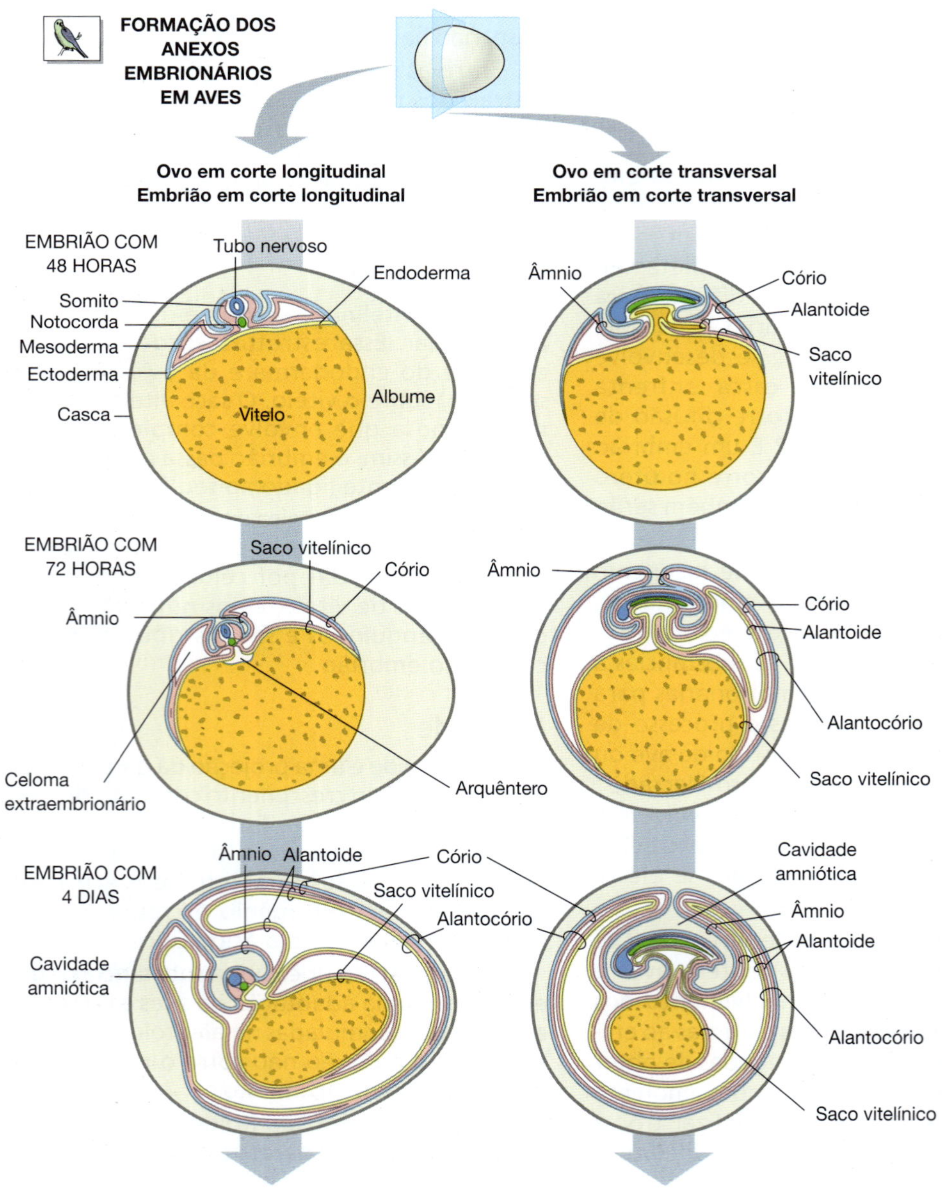

Figura 14.10 Representação esquemática do desenvolvimento dos anexos embrionários em galinha. À esquerda, três estágios do desenvolvimento de um ovo, em corte longitudinal; o embrião aparece cortado transversalmente. À direita, estágios correspondentes do ovo em corte transversal; o embrião aparece cortado longitudinalmente. Analise a figura acompanhando as explicações no texto. (Elementos fora de proporção de tamanho entre si; cores-fantasia.) (Baseado em Houillon, C., 1972.)

Atividades

Visão do especialista

Biblioteca do estudante
Faça você mesmo!

Revendo conceitos fundamentais

1. O conjunto de transformações que vão desde a fase de zigoto até a formação de um jovem animal é denominado

a) blastulação.
b) embriogênese.
c) gastrulação.
d) neurulação.

Escreva, em seu caderno, o termo abaixo que substitui corretamente a tarja entre parênteses das frases de 2 a 7.

a) arquêntero
b) blastômero
c) blástula
d) clivagem (segmentação)
e) gastrulação
f) mórula

2. Cada uma das primeiras células embrionárias é um(a) (▬▬▬).

3. Cada divisão celular que ocorre no início do desenvolvimento embrionário é denominada(o) (▬▬▬).

4. O(A) (▬▬▬) é a cavidade interna da gástrula, a partir da qual se formará o tubo digestório.

5. Um dos estágios iniciais do desenvolvimento é o(a) (▬▬▬), quando o embrião é constituído por uma massa de células que delimitam uma cavidade interna repleta de líquido.

6. O processo em que se formam o futuro tubo digestório e os folhetos germinativos, devido à migração de células para o interior do embrião, é o(a) (▬▬▬).

7. O estágio inicial do desenvolvimento é o de (▬▬▬), quando o embrião é uma esfera compacta de células.

Escreva, em seu caderno, o termo abaixo que substitui corretamente a tarja entre parênteses das frases de 8 a 11.

a) ectoderma
b) endoderma
c) mesoderma
d) nêurula

8. (▬▬▬) é a camada celular que reveste internamente a cavidade da gástrula.

9. Ao fim da gastrulação, o embrião encontra-se revestido externamente por (▬▬▬).

10. O estágio do desenvolvimento embrionário em que o tubo nervoso é formado recebe o nome de (▬▬▬).

11. (▬▬▬) é uma camada celular situada entre o revestimento externo e a camada interna que reveste o arquêntero do embrião.

Escreva, em seu caderno, o termo abaixo que substitui corretamente a tarja entre parênteses das frases de 12 a 18.

a) blastóporo
b) celoma
c) folheto germinativo
d) notocorda
e) somito
f) tubo nervoso
g) vitelo

12. Cada um dos blocos maciços de mesoderma localizados ao longo da região dorsal do embrião é chamado (▬▬▬).

13. O(A) (▬▬▬) é a cavidade existente entre as lâminas mesodérmicas da região ventral do embrião.

14. O bastão celular semirrígido que atua como eixo de sustentação do corpo dos embriões de vertebrados é denominado (▬▬▬).

15. O(A) (▬▬▬) é um tubo de origem ectodérmica situado ao longo do dorso do embrião.

16. As substâncias nutritivas armazenadas no gameta feminino constituem o(a) (▬▬▬).

17. (▬▬▬) é cada uma das três camadas de células que se formam durante a gastrulação.

18. Um orifício presente na gástrula, denominado (▬▬▬), estabelece comunicação entre o arquêntero e o ambiente externo.

19. Como são chamadas as estruturas externas aos embriões de aves, répteis e mamíferos, que desempenham importantes funções no desenvolvimento embrionário?

a) anexos embrionários.
b) blastodiscos.
c) folhetos germinativos.
d) somitos.

Escreva, em seu caderno, o termo abaixo que substitui corretamente a tarja entre parênteses das frases de 20 a 23.

a) alantoide
b) âmnio
c) cório
d) saco vitelínico

20. O anexo embrionário denominado (▬▬▬) envolve totalmente todos os outros anexos.

21. O (▬▬▬) é uma bolsa cheia de líquido que envolve o embrião.

22. O (▬▬▬) liga-se ao futuro intestino e armazena excreções embrionárias.

23. O anexo embrionário denominado (▬▬▬) contém as substâncias nutritivas que estavam armazenadas no ovo.

Escreva, em seu caderno, o termo abaixo que substitui corretamente a tarja entre parênteses das frases de 24 a 27.

a) centrolécito
b) megalécito
c) mesolécito
d) oligolécito

24. O ovo com quantidade mediana de vitelo, mais concentrada no polo vegetativo, recebe o nome de ovo (▬▬▬).

25. É chamado de (▬▬▬) o ovo que apresenta pouco ou quase nenhum vitelo no citoplasma.

26. O ovo cujo vitelo concentra-se na região central é denominado (▬▬▬).

27. Denomina-se (▬▬▬) o ovo com quantidade tão grande de vitelo que este se isola totalmente no polo vegetativo.

Escreva, em seu caderno, o termo abaixo que substitui corretamente a tarja entre parênteses das frases de 28 a 31.

a) diblástico
b) deuterostômio
c) protostômio
d) triblástico

28. Um animal cujo embrião tem dois folhetos germinativos é denominado (▬▬▬).

29. (▬) é um animal em que o blastóporo origina o ânus.

30. (▬) é um animal em que o blastóporo origina a boca.

31. Um embrião que apresenta ectoderma, mesoderma e endoderma é denominado (▬).

Ligando conceitos, fatos e processos

Escreva, em seu caderno, o termo abaixo que substitui corretamente a tarja entre parênteses das frases de 32 e 33.

a) blástula
b) gástrula
c) mórula
d) nêurula

32. O desenvolvimento embrionário inicia-se com uma série de divisões rápidas do zigoto, o que leva à formação de uma bola maciça de células chamada (▬).

33. O estágio do desenvolvimento embrionário dos vertebrados em que se formam os somitos é a (▬).

34. Quais estruturas apresenta um embrião de vertebrado em fase de nêurula, do dorso para o ventre?

a) tubo nervoso, arquêntero e notocorda.
b) tubo nervoso, notocorda e arquêntero.
c) notocorda, tubo nervoso e arquêntero.
d) notocorda, arquêntero e tubo nervoso.

35. Qual é a estrutura que estimula o desenvolvimento do sistema nervoso, além de fornecer um eixo de sustentação esquelética aos embriões de animais vertebrados?

a) esplancnopleura.
b) notocorda.
c) placa neural.
d) somatopleura.

36. "Em determinado momento do desenvolvimento, ocorre remodelação total do embrião, com intensa migração de células e formação dos três folhetos germinativos."

O processo descreve qual estágio de desenvolvimento embrionário?

a) Blástula. b) Gástrula. c) Mórula. d) Nêurula.

37. "Em embriões de aves, o citoplasma e o núcleo restringem-se à região da(o) (1), onde ocorrem as segmentações meroblásticas que levam à formação da(o) (2)."

Que alternativa apresenta os conceitos que substituem corretamente os números 1 e 2?

a) 1 = blastocela; 2 = blastóporo.
b) 1 = blastodisco; 2 = gástrula.
c) 1 = disco germinativo; 2 = blastodisco.
d) 1 = disco germinativo; 2 = nêurula.

Escreva, em seu caderno, o termo abaixo que substitui corretamente a tarja entre parênteses das frases de 38 a 42.

a) alantocório
b) alantoide
c) âmnio
d) cório
e) saco vitelínico

38. O anexo embrionário denominado (▬) é responsável pelo armazenamento de ácido úrico em répteis e aves.

39. O(A) (▬) mantém um ambiente aquoso em torno do embrião, protegendo-o da dessecação e de choques mecânicos.

40. Formado pela justaposição de dois anexos embrionários, o(a) (▬) é responsável pelas trocas respiratórias entre o embrião e o ar circundante.

41. Um dos primeiros anexos embrionários a se formar, o(a) (▬) tem por função mobilizar as substâncias nutritivas do vitelo para o embrião.

42. O(A) (▬), além de envolver e proteger todos os anexos embrionários e o embrião, participa, com outro anexo, nos processos de trocas gasosas para a respiração.

Questões para exercitar o pensamento

43. As sequências de figuras abaixo representam estágios do desenvolvimento inicial de anfioxo (A) e de anfíbio (B).

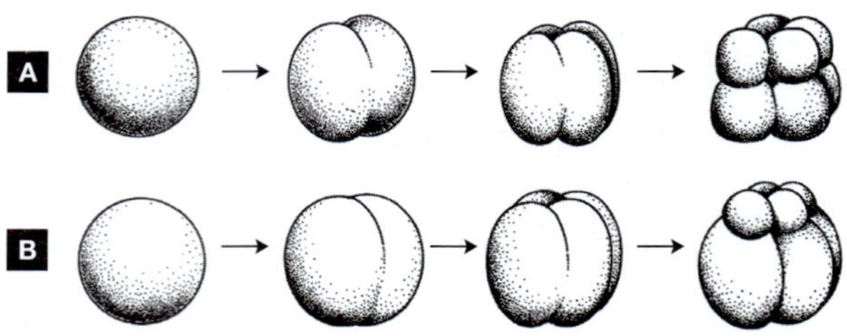

Em que diferem os processos que ocorrem em A e B? Como se explica a diferença?

44. Localize no capítulo, no item "Os anexos embrionários", as diversas questões apresentadas nos parágrafos do texto. São elas:

1) De que maneira as células embrionárias conseguem suprir as necessidades de obter alimento e gás oxigênio e eliminar resíduos e substâncias de excreção formados nas atividades metabólicas? (1º parágrafo)

2) [...] como se alimentam as células de um embrião de mamífero durante o período de desenvolvimento embrionário geralmente longo? (2º parágrafo)

3) Será que ocorre difusão de gases do ar através da casca do ovo? (3º parágrafo)

4) E um embrião de mamífero, cujo desenvolvimento ocorre no útero materno, como respira? (3º parágrafo)

5) Como aves e répteis mantêm as excreções potencialmente tóxicas longe do embrião, se ele se encontra confinado no ovo? (4º parágrafo)

6) [...] por que os anexos embrionários estão presentes apenas em répteis, aves e mamíferos, essencialmente animais de terra firme? (6º parágrafo)

Certifique-se de que conhece a resposta para cada uma dessas importantes questões levantadas no texto. Dê a cada pergunta uma resposta concisa para ajudar no entendimento.

A Biologia no vestibular e no Enem

Questões objetivas

1. (Uerj) A partir de um ovo fertilizado de sapo, até a formação do girino, ocorre uma série de divisões celulares. A distribuição percentual dos tipos de divisão celular, nesta situação, é a seguinte:

a) 100% mitose.
b) 100% meiose.
c) 50% meiose — 50% mitose.
d) 75% mitose — 25% meiose.

2. (UEMS) Nos vertebrados, ao longo do desenvolvimento embrionário, a notocorda é substituída

a) pelo cordão nervoso.
b) pela coluna vertebral.
c) pelo tubo neural.
d) pelo tubo digestivo.
e) pela placa dorsal.

3. (Ufla-MG) Qual é a alternativa **correta**?

a) O arquêntero desenvolve-se em sistema respiratório.
b) O blastóporo dá origem à cavidade oral em mamíferos.
c) A formação do arquêntero caracteriza a fase de mórula do desenvolvimento embrionário.
d) O blastóporo é uma abertura que permite a comunicação do arquêntero com o ambiente externo.

4. (UFSCar-SP) Observe o corte de um embrião, a seguir esquematizado.

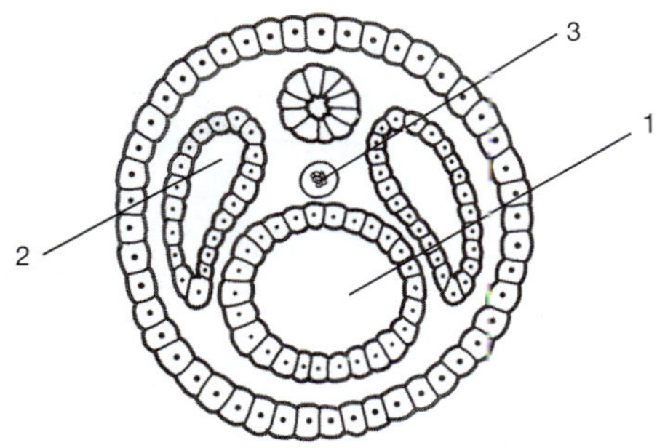

Os algarismos 1, 2 e 3 representam, respectivamente,

a) o arquêntero, o celoma, o tubo neural.
b) o arquêntero, a mórula, o tubo neural.
c) a mórula, a blástula, a notocorda.
d) o arquêntero, o celoma, a notocorda.
e) o celoma, o arquêntero, a notocorda.

5. (UFRGS-RS) Os folhetos embrionários, através de processos de desenvolvimento e diferenciação, darão origem a diferentes estruturas nos indivíduos adultos. Considere as afirmações abaixo relacionadas ao desenvolvimento embriológico.

I. A ectoderme origina a medula espinal.
II. A mesoderme origina o tecido muscular e ósseo.
III. A endoderme origina o tecido urogenital.

Quais estão corretas?

a) Apenas I.
b) Apenas I e II.
c) Apenas I e III.
d) Apenas II e III.
e) I, II e III.

6. (UFPR) Fase do desenvolvimento embrionário caracterizada pelo estabelecimento dos três folhetos germinativos (ectoderma, mesoderma e endoderma) e por intensos movimentos morfogenéticos:

a) Gastrulação.
b) Clivagem.
c) Morfogênese.
d) Fecundação.
e) Apoptose.

7. (Unifap) As células-ovo da maioria das espécies animais apresentam substâncias nutritivas denominadas vitelo, sendo este formado por uma mistura de proteínas e gorduras. Considerando a quantidade e distribuição do vitelo, as células-ovo são classificadas em quatro tipos, conforme agrupadas a seguir.

01) Ovos telolécitos apresentam grande quantidade de vitelo, distribuída de forma heterogênea no citoplasma. Possuem um polo vegetativo com maior concentração de vitelo e um polo animal que apresenta menos vitelo.
02) Ovos heterolécitos possuem grande quantidade de vitelo, que ocupa praticamente a totalidade da célula.
04) Ovos isolécitos mostram uma pequena quantidade de vitelo, distribuída de forma homogênea no citoplasma.
08) Ovos centrolécitos apresentam pequena quantidade de vitelo presente no centro do zigoto.

[*Nota dos autores: dê como resposta a soma dos números associados às proposições corretas.*]

8. (UEPB) Observe o esquema abaixo que representa um tipo de segmentação de ovos de animais. A alternativa que contém as informações corretas quanto ao tipo de ovo, tipo de segmentação e exemplo de ser vivo onde ocorre, é:

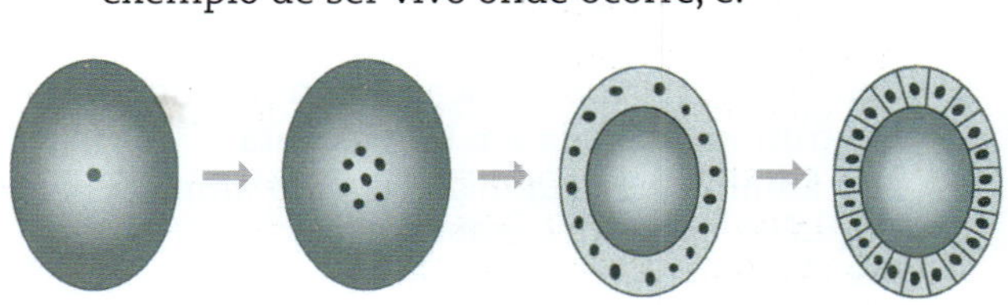

a) Ovo isolécito, segmentação holoblástica igual, ocorre em mamíferos.
b) Ovo telolécito, segmentação meroblástica discoidal, ocorre em anfíbios.
c) Ovo centrolécito, segmentação meroblástica superficial, ocorre em insetos.
d) Ovo centrolécito, segmentação meroblástica discoidal, ocorre em répteis e aves.
e) Ovo heterolécito, segmentação holoblástica desigual, ocorre em anfíbios.

9. (UFPI) Com relação aos aspectos da embriologia animal, as alternativas corretas são:

a) A segmentação é uma fase do desenvolvimento embrionário que vai desde a primeira divisão do zigoto até a formação de um aglomerado de células com uma cavidade interna: a blástula.
b) Os ovos telolécitos, também chamados de oligolécitos, apresentam uma quantidade relativamente pequena de vitelo, distribuída de forma mais ou menos homogênea no citoplasma.
c) O endoderma dá origem ao revestimento interno do tubo digestório, além de estruturas que se formam a partir dele, como glândulas salivares, pâncreas, fígado e vesícula biliar.

d) Na fase embrionária da Classe Mammalia, à medida que o desenvolvimento progride, o embrião é gradativamente envolvido pela bolsa amniótica, que o mantém hidratado e protegido de eventuais choques mecânicos.

10. (Unifal-MG) Durante o desenvolvimento embrionário dos vertebrados, o conjunto de células que se diferenciam dos blastômeros forma os folhetos germinativos e, posteriormente, as diversas células do corpo. Com relação a esse processo, analise as afirmativas a seguir.

I. O mesoderma origina as fibras musculares.
II. O ectoderma origina as células nervosas.
III. O endoderma origina as células do epitélio intestinal.

É correto o que se afirma em

a) I e II apenas.
b) II e III apenas.
c) I e III apenas.
d) I apenas.
e) I, II, e III.

11. (UFVJM-MG) Observe o desenho abaixo, que representa um ovo de ave em desenvolvimento embrionário.

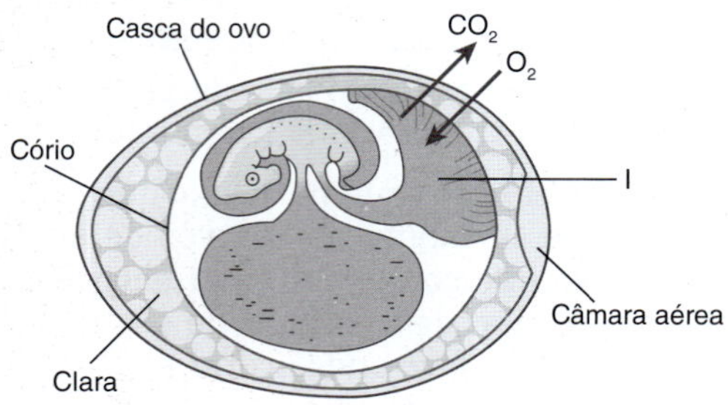

Com base nessa observação, é correto afirmar que a estrutura indicada em I representa

a) o âmnio, que acumula o líquido amniótico, no qual se encontra o embrião.
b) o saco vitelínico, que é uma estrutura que impede a desidratação do embrião.
c) o âmnio, que armazena as substâncias nutritivas para o embrião.
d) o alantoide, onde são armazenados os produtos nitrogenados da excreção.

Questões discursivas

12. (Unicamp-SP) As fases iniciais do desenvolvimento embrionário do anfioxo estão representadas nas figuras abaixo.

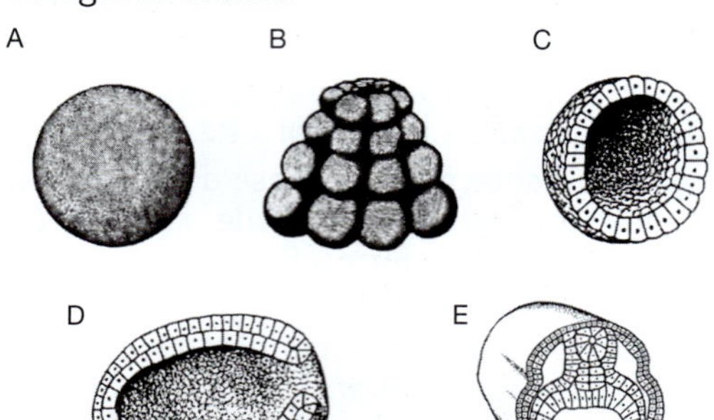

a) Identifique essas fases.
b) Descreva as diferenças de cada uma delas em relação à fase anterior.

13. (UFSCar-SP)

As mais versáteis são as células-tronco embrionárias (TE) isoladas pela primeira vez em camundongos, há mais de 20 anos. As células TE vêm da região de um embrião muito jovem que, no desenvolvimento normal, forma as três camadas germinativas distintas de um embrião mais maduro e, em última análise, todos os diferentes tecidos do corpo.

Scientific American Brasil, jul. 2004.

a) Quais são as três camadas germinativas a que o texto se refere?
b) Ossos, encéfalo e pulmão têm, respectivamente, origem em quais dessas camadas germinativas?

14. (Fuvest-SP)

a) Qual a função desempenhada pelo âmnio no desenvolvimento embrionário?
b) Quais os grupos de vertebrados que apresentam essa estrutura?

15. (Unicamp-SP) Os primeiros vertebrados a ocupar o ambiente terrestre foram os anfíbios, que, porém, ainda necessitam retornar à água para a reprodução. A independência da água foi conseguida posteriormente através de novidades evolutivas, como as relacionadas ao ovo.

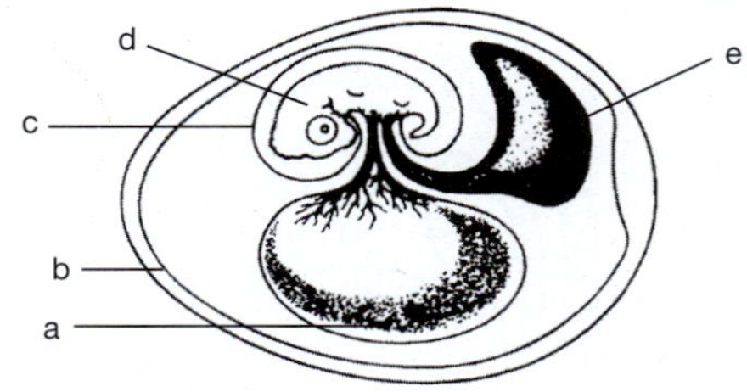

a) Indique as letras do esquema que correspondem às estruturas que aparecem só a partir desse tipo de ovo. Identifique as estruturas indicadas.
b) Cite outra adaptação reprodutiva para a vida animal em ambiente terrestre.

16. (Unesp) A figura representa o esquema de um corte transversal de um embrião de cordado na fase de nêurula.

Observe o esquema e responda.

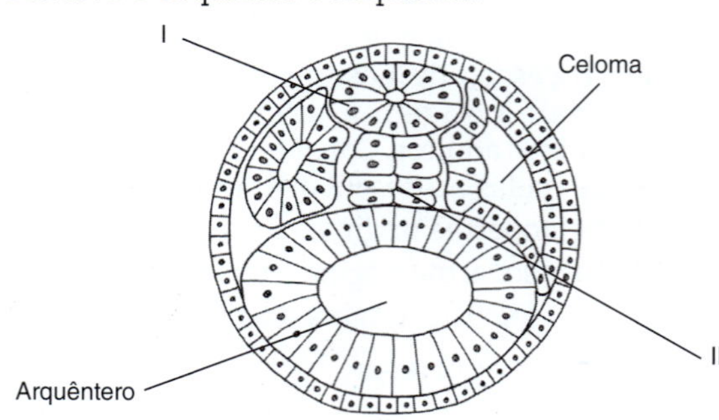

a) Que estrutura se originará da porção embrionária apontada pela seta I, e que denominação receberá, nos mamíferos adultos, a estrutura indicada na seta II?
b) Quais as fases da embriogênese que antecedem a fase de nêurula?

Capítulo 15 Reprodução humana

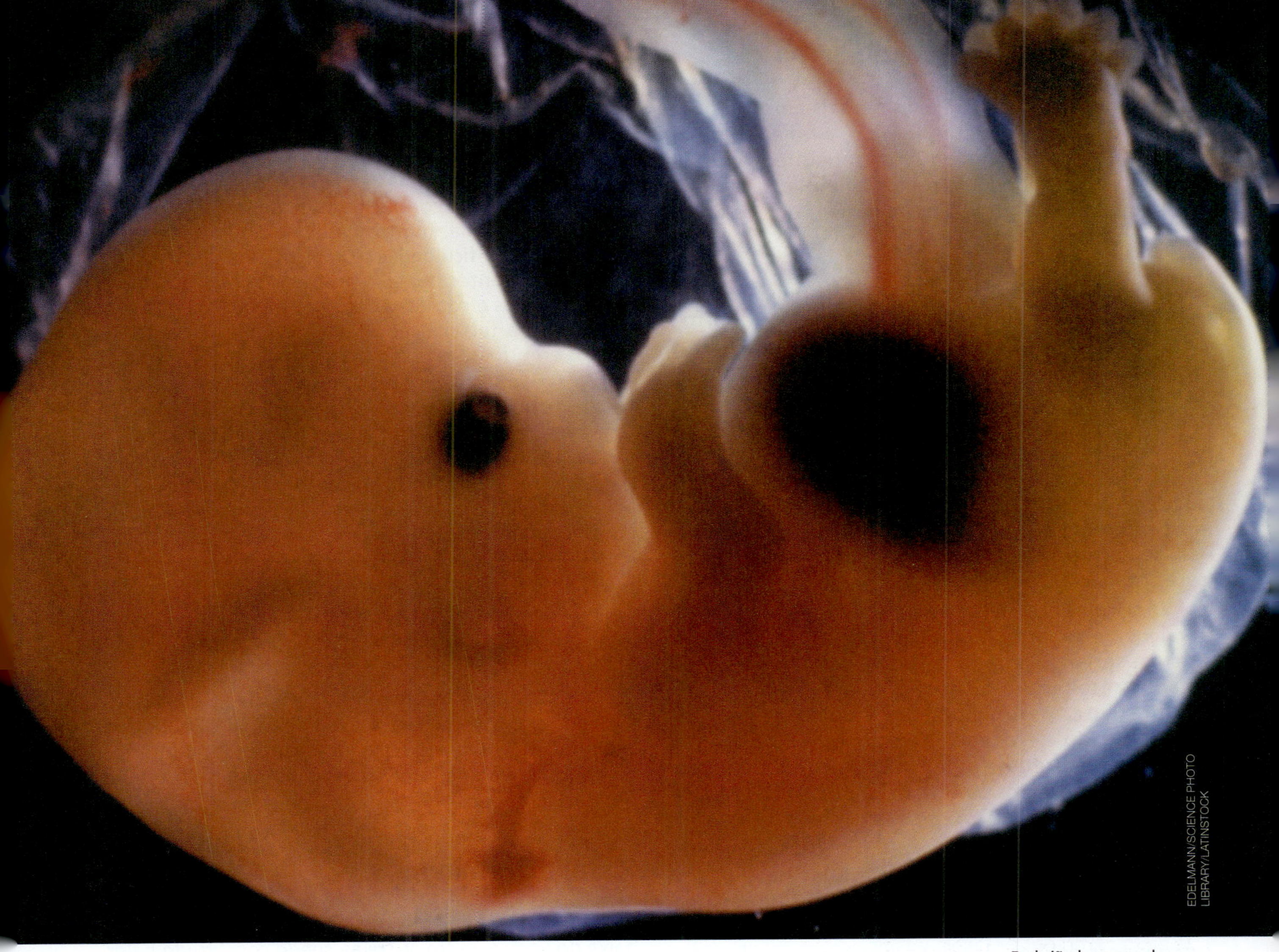

Embrião humano de aproximadamente 7 semanas, medindo cerca de 3 cm de comprimento.

Bebês de proveta e clonagem humana

Londres, 25 de julho de 1978: nasce Louise Joy Brown, o primeiro "bebê de proveta" da história da humanidade.

Leslie Brown, mãe de Louise, tinha as tubas uterinas obstruídas e não conseguia engravidar. Em um procedimento até então inédito, os ginecologistas Patrick Steptoe (1913-1988) e Robert Edwards (1925-2013) (Prêmio Nobel de Medicina e Fisiologia em 2010) aplicaram injeções de hormônios em Leslie, o que induziu o amadurecimento de óvulos em seus ovários e preparou o útero para a gravidez. Em seguida, os médicos retiraram cirurgicamente alguns gametas dos ovários de Leslie, passando-os para um frasco com meio nutritivo; aí eles foram fecundados por espermatozoides do marido, John Brown, originando zigotos que começaram a se desenvolver em embriões. Com seis dias de vida, alguns embriões foram implantados no útero de Leslie Brown, onde um deles se desenvolveu e gerou Louise, hoje uma mulher com quase 40 anos de idade.

O sucesso na concepção de Louise levou milhares de mulheres com problemas de infertilidade a implantar em seus úteros embriões concebidos *in vitro*, isto é, em frascos de laboratório.

Atualmente a fertilização *in vitro* é cada vez mais utilizada, porém ainda desperta polêmicas. Em cada tratamento, geralmente são fecundados entre 10 e 15 óvulos, a maioria dos quais se desenvolve e origina embriões. Alguns dias depois, até quatro embriões selecionados são implantados no útero da mulher, uma vez que a chance de sucesso nessa etapa é da ordem de 25%. Os demais embriões são congelados em nitrogênio líquido, a uma temperatura de quase 196 °C negativos, podendo eventualmente ser utilizados se a primeira implantação não for bem-sucedida ou se o casal desejar outros filhos mais tarde.

O que fazer com os embriões congelados? Guardá-los indefinidamente? Descartá-los? Essa última hipótese poderia ser considerada um aborto? Seria ético doar ou vender os embriões para outras pessoas? Utilizá-los em pesquisas científicas que visam à obtenção de células-tronco? Essas são apenas algumas das questões que surgem quando o assunto é reprodução humana.

As polêmicas aumentaram ainda mais com o sucesso da clonagem da ovelha Dolly, originada a partir de uma célula de uma ovelha adulta. Abriu-se, assim, a possibilidade de se fazer o mesmo com seres humanos.

Teoricamente, uma pessoa poderia contratar os serviços de uma mulher que doasse óvulos, cujos núcleos seriam eliminados; um desses gametas anucleados receberia o núcleo (e os genes) da pessoa "contratante", formando-se o zigoto. O embrião resultante do desenvolvimento desse zigoto, implantado no útero de uma "mãe de aluguel" ou da própria doadora dos óvulos, originaria uma criança geneticamente idêntica à pessoa que doou o núcleo – seu próprio clone.

A principal crítica à clonagem humana é que a pessoa clonada seria privada do direito de possuir uma identidade genética única e original, por ter seu genoma deliberadamente escolhido por alguém. Alguns temem também a possibilidade de clonar um número ilimitado de determinadas pessoas, criando assim "exércitos" de operários, soldados, artistas, professores etc. Pensa-se, ainda, em usar a clonagem para produzir tecidos e órgãos humanos em laboratório, o que supriria a enorme necessidade de órgãos para transplantes.

A ciência e a tecnologia abrem possibilidades práticas antes inimagináveis. Com isso, é preciso repensar antigos valores éticos e morais. E você, o que acha de tudo isso? As discussões prosseguem e ninguém pode ficar fora delas.

Conteúdo multimídia Fecundação *in vitro*

A importância do assunto

Neste capítulo apresentamos os aspectos básicos da reprodução humana. O conhecimento científico sobre o tema tem levado as pessoas a ter mais consciência de sua própria reprodução. Além do método natural de controle, que requer apenas o conhecimento do ciclo reprodutivo (e muita disciplina, é claro!), há diversos métodos anticoncepcionais eficazes, como a pílula, a camisinha, o diafragma, o DIU (dispositivo intrauterino), entre outros. Em uma sociedade democrática, espera-se que cada um possa escolher livremente a utilização ou não de métodos anticoncepcionais, de acordo com seus valores e crenças.

Graças aos conhecimentos sobre a reprodução humana, muitos casais também podem solucionar dificuldades biológicas para ter filhos. Os tratamentos podem variar desde injeções de hormônios e correção cirúrgica de órgãos genitais até a fertilização *in vitro* e a implantação dos embriões no útero materno.

O conhecimento dos fundamentos da reprodução humana é um exercício de cidadania, não apenas por possibilitar a cada pessoa o controle da própria reprodução, mas também por levar a reflexões mais aprofundadas sobre o crescimento populacional humano, em um mundo já tão intensamente povoado.

15.1 Sistema genital feminino

O **sistema genital feminino** compõe-se de órgãos situados externamente ao corpo da mulher (pudendo feminino ou vulva) e de órgãos localizados no interior do abdome (vagina, útero, um par de tubas uterinas e um par de ovários).

Pudendo feminino

O **pudendo feminino**, ou **vulva**, localiza-se na região baixa do ventre, entre as coxas, sendo constituído pelos lábios maiores, lábios menores, clitóris e vestíbulo vaginal.

Os **lábios maiores** são duas saliências que se estendem paralelamente da região inferior do púbis até as proximidades do ânus. Mais internamente há um par de **lábios menores**, que delimitam a entrada da vagina, região denominada **vestíbulo vaginal**.

Na região vulvar anterior, perto da junção entre os lábios menores, localiza-se o **clitóris**, órgão com cerca de 1 cm de comprimento dotado de grande sensibilidade tátil. O clitóris é constituído por tecido erétil: durante a excitação sexual, recebe grande afluxo de sangue e fica intumescido. Ele se origina da mesma estrutura embrionária que o pênis (são órgãos homólogos), mas, diferentemente deste, o clitóris não é percorrido pela uretra; a uretra feminina abre-se em uma pequena fenda no vestíbulo vaginal, entre o clitóris e a abertura da vagina.

No vestíbulo vaginal desembocam condutos provenientes de um par de glândulas vestibulares maiores (ou glândulas de Bartholin), produtoras de uma secreção lubrificante que facilita a penetração do pênis durante o ato sexual. Na maioria das mulheres virgens, a entrada da vagina é parcialmente recoberta por uma membrana denominada **hímen**, que geralmente se rompe no primeiro ato sexual. (Fig. 15.1)

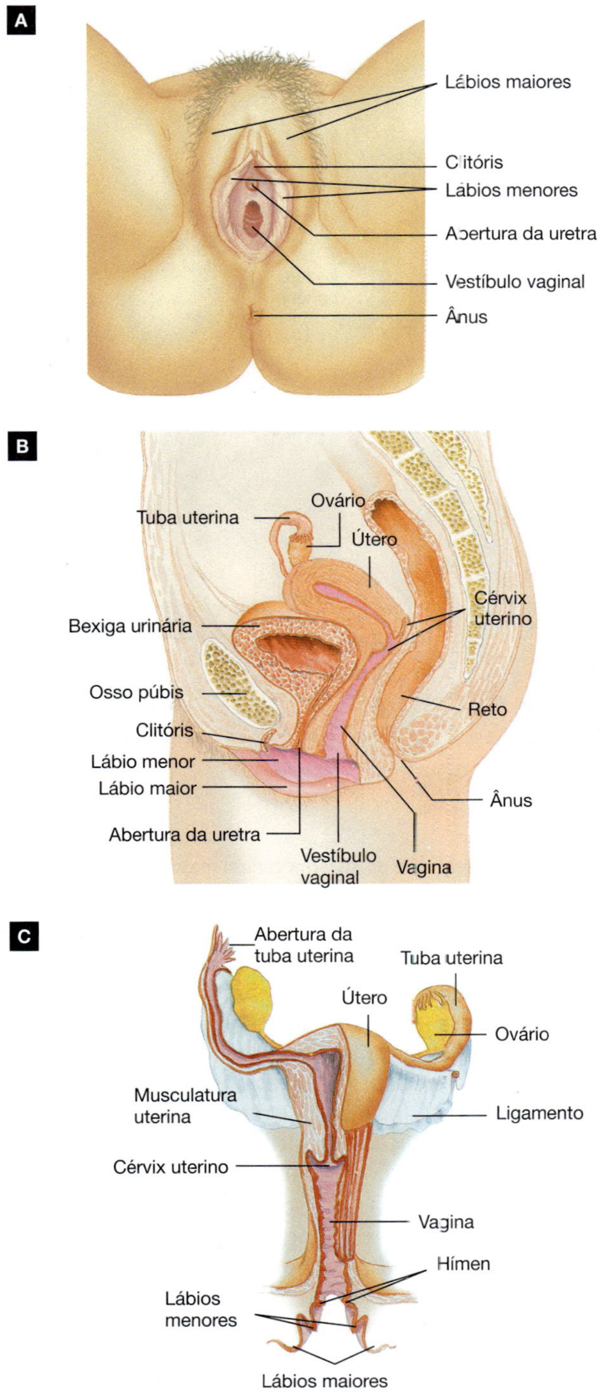

Figura 15.1 Representação do sistema genital feminino humano. **A.** Pudendo feminino. **B.** Vista lateral e em corte da região pélvica mostrando o sistema genital feminino. **C.** Vista frontal e em corte dos órgãos genitais internos e do pudendo feminino. A tuba direita (à esquerda na ilustração) está representada fora de sua posição normal, para melhor visualização. A bexiga urinária, o reto e o ânus, apesar de indicados nas figuras, não fazem parte do sistema genital.

Vagina e útero

A **vagina** é um tubo de paredes fibromusculares, com cerca de 10 cm de comprimento, que vai do vestíbulo vaginal à base do útero, com o qual se comunica. Durante a excitação sexual, as paredes da vagina se dilatam e as glândulas vestibulares secretam substâncias lubrificantes que facilitam a penetração do pênis.

O **útero** é um órgão muscular oco, de tamanho e forma parecidos com os de uma pera. Em mulheres que nunca engravidaram, ele mede cerca de 7,5 cm de comprimento por 5 cm de largura. A porção superior do útero, mais arredondada, conecta-se às tubas uterinas. A porção inferior, mais afilada, é o colo uterino.

A parede do útero, com cerca de 2,5 cm de espessura, é constituída por músculos e capaz de enorme dilatação durante a gravidez. Internamente, o útero é revestido pelo **endométrio**, um tecido rico em glândulas, vasos sanguíneos e vasos linfáticos.

O colo uterino projeta-se para o interior da vagina, comunicando-se com ela por meio de uma pequena abertura com menos de 0,5 mm de diâmetro. Durante o parto, essa abertura se alarga, permitindo a saída do bebê.

Tubas uterinas e ovários

As **tubas uterinas**, ou **ovidutos**, são dois tubos curvos, com cerca de 10 cm de comprimento, ligados à parte superior do útero. A extremidade livre de cada tuba uterina é alargada e franjada e situa-se próximo de um dos ovários. O interior das tubas é revestido por células dotadas de cílios, cujos batimentos contribuem para o deslocamento do óvulo liberado pelo ovário em direção ao útero.

Os **ovários** são duas estruturas ovoides com cerca de 3 cm de comprimento, localizados na cavidade abdominal, na região da virilha. Na porção ovariana mais externa, chamada córtex ovariano, localizam-se as células que originam os gametas femininos.

O processo de formação dos gametas femininos – a **ovulogênese** – inicia-se antes do nascimento da mulher, em torno do terceiro mês de sua vida intrauterina. As células diploides precursoras dos óvulos, as **ovogônias**, param de se multiplicar, crescem e iniciam a meiose, passando a ser chamadas **ovócitos primários** (ou ovócitos I). A meiose, entretanto, é interrompida ainda na prófase I. Os ovócitos primários permanecem estacionados nessa fase da meiose até ser ativados por um hormônio produzido pela parte anterior da glândula hipófise (adenoipófise), o FSH (em português, hormônio estimulante do folículo).

Cada ovócito primário está envolto por algumas camadas de células especializadas (células foliculares), constituindo um **folículo ovariano**. Ao nascer, a mulher tem cerca de 500 mil folículos em cada ovário; mais da metade, porém, degenera antes da adolescência.

A partir da puberdade, aproximadamente a cada 28 dias, a adenoipófise aumenta a liberação do hormônio FSH, o que estimula o desenvolvimento de alguns folículos. No entanto, geralmente apenas um deles amadurece. O folículo em amadurecimento acumula líquido e cresce, formando uma saliência na superfície do ovário. O ovócito primário conclui a primeira divisão da meiose e origina um **ovócito secundário** (ou ovócito II) e um glóbulo polar (primeiro glóbulo polar ou glóbulo polar I), praticamente sem citoplasma, que logo degenera (relembre no capítulo 13).

O ovócito secundário prossegue a segunda divisão meiótica até a metáfase II, quando o folículo se rompe, fenômeno denominado **ovulação**. Note que a célula sexual feminina liberada na ovulação humana, assim como nos demais mamíferos, é um ovócito secundário estacionado em metáfase II da meiose e que somente completará a divisão se houver fecundação. Essa célula é considerada o óvulo dos mamíferos, apesar de a meiose ainda não haver se completado; caso seja fecundada por um espermatozoide, forma-se o segundo glóbulo polar e, em seguida, surge o zigoto. Se a fecundação não ocorre dentro de aproximadamente 24 horas após a ovulação, o óvulo degenera sem terminar a meiose.

No ovário, as células do folículo rompido na ovulação desenvolvem-se, originando o **corpo-amarelo**, ou **corpo-lúteo**, uma "cicatriz" amarelada no ovário devido ao acúmulo de carotenoides pelas células foliculares.

15.2 Sistema genital masculino

O **sistema genital masculino** compõe-se de órgãos externos, o pênis e a bolsa escrotal ou escroto, e de órgãos internos, entre os quais se destacam os ductos deferentes, as glândulas seminais e a próstata.

Pênis, escroto e testículos

O **pênis** é o órgão copulador masculino. Ao longo de seu comprimento, há três massas de tecido erétil, sendo dois corpos cavernosos laterais e um corpo esponjoso ao redor da uretra. Esses tecidos recebem grande afluxo de sangue durante a excitação sexual, intumescendo-se e levando à ereção do pênis, o que possibilita o ato sexual. Perto da extremidade do pênis, o corpo esponjoso expande-se e forma a **glande**, que apresenta grande sensibilidade tátil, sendo protegida por uma dobra de pele chamada **prepúcio**.

O pênis é percorrido longitudinalmente pela uretra, um canal que pertence tanto ao sistema urinário quanto ao sistema genital masculino, por onde são eliminados a urina e o esperma.

O **escroto**, ou bolsa escrotal, é uma bolsa musculocutânea situada entre as coxas, na base do pênis; em seu interior alojam-se dois testículos, as gônadas masculinas.

Cada **testículo** é constituído por milhares de tubos finos e enovelados, os **túbulos seminíferos**, e envolto por diversas camadas de tecido conjuntivo. Nos túbulos seminíferos são produzidos os espermatozoides, os gametas masculinos. Entre os túbulos seminíferos situam-se as células intersticiais, responsáveis pela produção de **testosterona**, o hormônio sexual masculino. (Fig. 15.2)

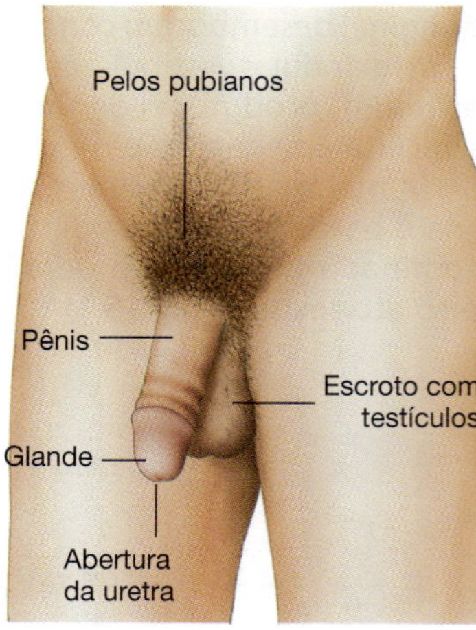

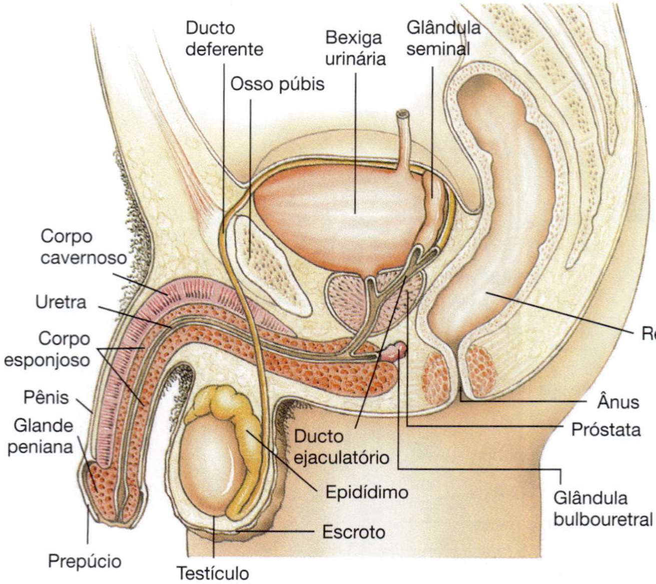

Figura 15.2 Representação do sistema genital masculino humano. Em cima, vista externa. Embaixo, vista lateral e em corte mostrando órgãos internos. A bexiga urinária, o reto e o ânus, apesar de indicados na figura, não fazem parte do sistema genital.

O processo de formação dos gametas masculinos – a **espermatogênese** – inicia-se ainda na vida embrionária, mas se acentua e se completa apenas depois da puberdade. As células diploides precursoras dos espermatozoides, as **espermatogônias**, localizam-se nas paredes dos túbulos seminíferos e multiplicam-se durante praticamente toda a vida do homem, declinando apenas na velhice.

Enquanto a maioria das espermatogônias continua a se multiplicar por mitose, algumas crescem e iniciam a meiose, passando a ser chamadas **espermatócitos primários**. Ao fim da primeira divisão meiótica, as duas células que surgem são denominadas **espermatócitos secundários**. Ambos executam a segunda divisão meiótica, produzindo quatro **espermátides** haploides. Cada espermátide diferencia-se em um **espermatozoide** (relembre no capítulo 13).

Os espermatozoides recém-formados são transportados para o **epidídimo**, um tubo enovelado com cerca de 6 cm de comprimento, localizado sobre o testículo. Aí, eles completam seu amadurecimento e ficam armazenados até ser eliminados na ejaculação.

Ductos deferentes e glândulas acessórias

Dos epidídimos, os espermatozoides passam por dois tubos finos, com cerca de 45 cm de comprimento, os **ductos deferentes**. Estes sobem pelo abdome, contornam a bexiga urinária e unem-se no **ducto ejaculatório**, que desemboca na uretra.

Glândulas localizadas atrás da bexiga urinária, as **glândulas seminais**, ou **vesículas seminais**, produzem e eliminam sua secreção no ducto ejaculatório, no clímax da excitação sexual, o orgasmo. Essa secreção constitui a maior parte do volume do **esperma**, ou **sêmen**, como é chamado o fluido formado por espermatozoides e líquidos nutritivos.

A **próstata**, localizada embaixo da bexiga urinária, é uma glândula com cerca de 4 cm de diâmetro que envolve a porção inicial da uretra. A secreção prostática é lançada na uretra e no ducto ejaculatório por meio de diversos canais.

Embaixo da próstata, desembocando na uretra, há um par de **glândulas bulbouretrais**. Durante a excitação sexual, essas glândulas liberam um líquido que contribui para a limpeza do canal da uretra, antes da passagem do esperma.

No clímax da excitação sexual masculina, quase sempre ocorre **ejaculação**, processo de eliminação do esperma através da uretra. O volume de esperma eliminado em cada ejaculação é de aproximadamente 5 mL e contém cerca de 350 milhões de espermatozoides. (Fig. 15.3)

15.3 Hormônios relacionados à reprodução

A puberdade humana é marcada por grandes transformações no corpo e na mente dos adolescentes. O desenvolvimento físico e mental acelera-se e começam a se definir as características sexuais secundárias, típicas de fêmeas e machos de nossa espécie. Nas meninas, os seios desenvolvem-se, as curvas corporais se acentuam e surgem pelos axilares e pubianos. Nos meninos, além dos pelos axilares e pubianos, desenvolve-se barba, a voz engrossa e a musculatura torna-se mais densa. Isso para citar apenas algumas das muitas transformações que ocorrem nessa fase da vida humana.

As mudanças exteriorizadas da adolescência sinalizam importantes mudanças internas; o organismo torna-se capaz de cumprir a principal tarefa de todo ser vivo: reproduzir-se.

Como veremos a seguir, todas essas mudanças são desencadeadas pelos **hormônios sexuais**. Essas substâncias são lançadas no sangue em pequenas quantidades por certas glândulas endócrinas. Ainda durante o desenvolvimento embrionário, os hormônios influenciam a formação dos órgãos genitais; a partir da puberdade, eles acentuam as diferenças entre machos e fêmeas, induzem a formação dos gametas e promovem o impulso sexual, além de ser os principais responsáveis pelas modificações do organismo feminino durante a gravidez e a amamentação do bebê.

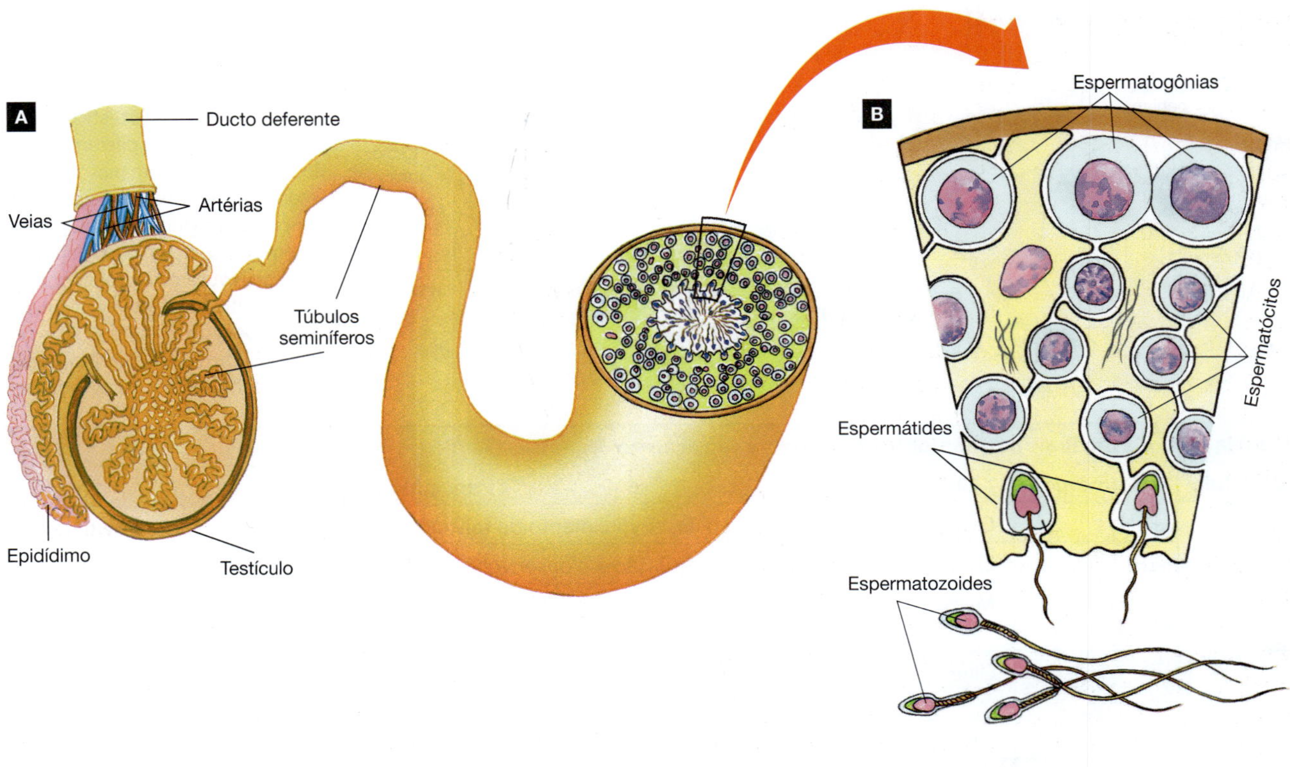

Figura 15.3 A. Representação esquemática de um testículo humano, em corte, mostrando um túbulo seminífero em detalhe.
B. Parede do túbulo seminífero, em corte transversal, mostrando os diversos estágios de formação dos espermatozoides.
(Elementos fora de proporção de tamanho entre si; cores-fantasia.)

Gonadotrofinas: FSH e LH

As mudanças fisiológicas que ocorrem aproximadamente entre os 11 e 14 anos de idade, caracterizando a puberdade, são controladas por dois hormônios produzidos pela adenoipófise: o **hormônio estimulante do folículo** (**FSH**) e o **hormônio luteinizante** (**LH**). Esses hormônios são chamados **gonadotrofinas** (do grego *trophos*, nutrição, desenvolvimento), pois atuam sobre as gônadas.

Nos meninos, o FSH e o LH agem sobre os testículos, estimulando a produção da testosterona. Nas meninas, o FSH atua sobre os ovários, promovendo o desenvolvimento dos folículos ovarianos, enquanto o LH é responsável pelo rompimento do folículo maduro e pela liberação do óvulo. O LH também atua sobre o folículo rompido, estimulando sua transformação em corpo-amarelo, ou corpo-lúteo, que produz o hormônio progesterona, como veremos a seguir.

Estrógeno e progesterona

O **estrógeno** é produzido principalmente pelas células do folículo ovariano em desenvolvimento e determina o aparecimento das características sexuais secundárias da mulher, tais como o desenvolvimento das mamas, o alargamento dos quadris e o acúmulo de gordura em determinados locais do corpo, características das formas femininas. O estrógeno também induz o amadurecimento dos órgãos genitais e promove o impulso sexual.

A **progesterona**, produzida principalmente pelo corpo-amarelo ovariano, tem importância fundamental no processo reprodutivo, pois, juntamente com o estrógeno, atua na preparação da parede uterina para receber o embrião. (Tab. 15.1)

Testosterona

A **testosterona** é um hormônio produzido pelas células intersticiais dos testículos, sendo responsável pelo aparecimento das características sexuais secundárias masculinas, tais como barba, espessamento das pregas vocais, que torna a voz mais grave, e maior desenvolvimento da musculatura corporal em relação às mulheres. Esse hormônio induz o amadurecimento dos órgãos genitais, promove o impulso sexual e, juntamente com o FSH e o LH, estimula a produção de espermatozoides.

A testosterona começa a ser produzida ainda na fase embrionária; é sua presença no embrião que determina o desenvolvimento dos órgãos genitais masculinos. A ausência de testosterona ou a falta de receptores para esse hormônio nas células do embrião fazem com que ele desenvolva o sexo feminino. (Fig. 15.4)

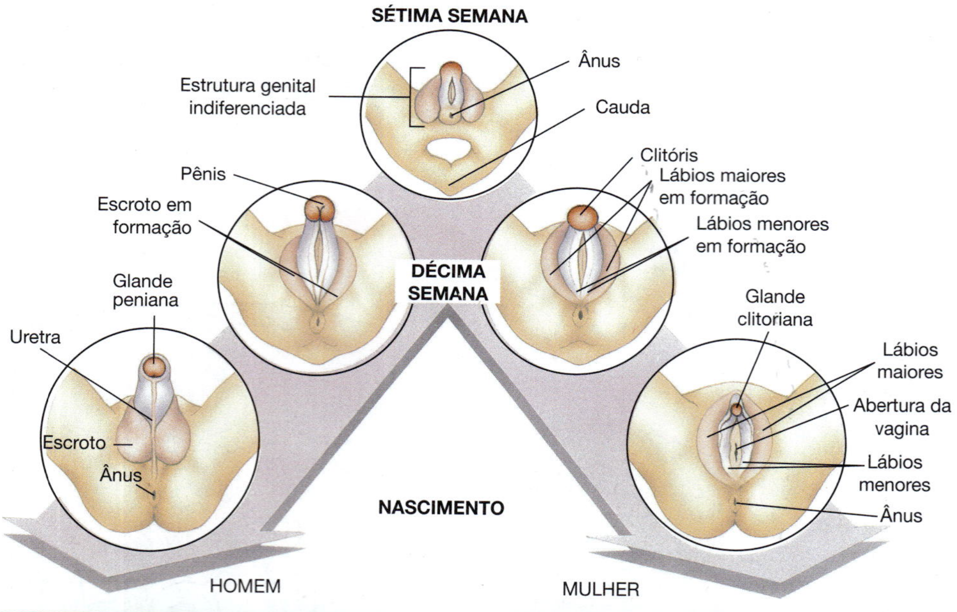

Figura 15.4 Representação da diferenciação dos órgãos genitais humanos. Até a sétima semana de vida intrauterina, a estrutura genital humana externa ainda é indiferenciada; os órgãos genitais internos e externos de uma pessoa ainda não se diferenciaram em feminino ou masculino. A produção de testosterona pelos testículos embrionários induz a diferenciação do sistema genital em masculino (esquerda); na ausência desse hormônio, o sistema genital desenvolve-se no sexo feminino (direita). Note a correspondência de origem entre os lábios vaginais e o escroto bem como entre o clitóris e o pênis. (Elementos fora de proporção de tamanho entre si; cores-fantasia.)

Tabela 15.1 ▪ Principais hormônios reprodutivos e sua ação no organismo feminino

Glândula	Hormônio	Órgão-alvo	Principais ações
Hipófise	FSH	Ovário	Estimula o desenvolvimento do folículo, a secreção de estrógeno e a ovulação.
	LH	Ovário	Estimula a ovulação e o desenvolvimento do corpo-amarelo.
	Prolactina	Mamas	Estimula a produção de leite (após estimulação prévia das glândulas mamárias por estrógeno e progesterona).
Ovário	Estrógeno	Diversos	Atua no crescimento do corpo e dos órgãos genitais; estimula o desenvolvimento das características sexuais secundárias.
		Sistema genital	Estimula a maturação dos órgãos genitais e a preparação do útero para a gravidez.
	Progesterona	Útero	Completa a preparação da mucosa uterina, mantendo-a pronta para a gravidez.
		Mamas	Estimula o desenvolvimento das glândulas mamárias.

Controle hormonal do ciclo menstrual

A partir da puberdade, a mulher entra na fase reprodutiva, que vai, aproximadamente, até os 50 anos de idade. Nesse período, a cada 28 dias, em média, o organismo feminino prepara-se para uma possível gravidez, produzindo óvulos e desenvolvendo o revestimento da parede uterina, o endométrio, para a eventualidade de receber um embrião.

Se a fecundação não ocorre, o revestimento da parede uterina sofre uma descamação e é eliminado pela vagina, fenômeno denominado **menstruação**. O período menstrual dura entre 3 e 7 dias e ocorre todo mês, a cada 28 dias, em média, dependendo da mulher e de suas condições fisiológicas. O intervalo entre o início de uma menstruação e o da menstruação seguinte é chamado **ciclo menstrual**.

Durante o ciclo menstrual, as taxas dos hormônios sexuais sofrem variações expressivas. A menstruação ocorre, precisamente, quando as taxas de todos esses hormônios tornam-se muito baixas no sangue da mulher.

Durante o período de menstruação, a adenoipófise começa gradativamente a aumentar a produção do hormônio FSH, cuja taxa eleva-se no sangue.

O FSH promove o desenvolvimento de alguns folículos ovarianos, que passam a produzir o hormônio estrógeno. A elevação da taxa de estrógeno na circulação sanguínea induz o espessamento do endométrio, que se torna rico em vasos sanguíneos e em glândulas.

Quando a taxa de estrógeno no sangue atinge determinado nível, a adenoipófise é estimulada a liberar LH. A ação desses hormônios induz a ovulação, que ocorre geralmente por volta do décimo quarto dia a partir do início do ciclo menstrual.

O LH, presente em taxas elevadas a partir da ovulação, induz as células do folículo ovariano rompido a formar o corpo-amarelo, que produz pequena quantidade de estrógeno e grande quantidade de progesterona.

O corpo-amarelo atinge seu desenvolvimento máximo cerca de 8 a 10 dias após a ovulação. Caso não ocorra fecundação, o corpo-amarelo regride como veremos a seguir.

O estrógeno e a progesterona atuam em conjunto no útero, que continua a se preparar para uma eventual gravidez. Entretanto, a taxa elevada desses hormônios passa a exercer um efeito inibidor sobre a adenoipófise, que diminui a produção de FSH e LH.

A queda na taxa de LH tem como consequência direta a regressão do corpo-amarelo, que deixa de produzir estrógeno e progesterona. A redução brusca nas taxas desses dois hormônios ovarianos leva ao desprendimento da mucosa uterina, que é eliminada na menstruação. Caso haja fecundação, o corpo-amarelo mantém-se em atividade por ação do hormônio gonadotrofina coriônica, como será explicado no próximo item.

Por outro lado, a queda nas taxas de estrógeno e de progesterona faz com que a adenoipófise volte a produzir FSH, reiniciando-se assim um novo ciclo menstrual. (Fig. 15.5)

A produção dos hormônios sexuais femininos declina acentuadamente a partir dos 50 anos de idade da mulher, em média. Os ciclos menstruais tornam-se irregulares, até cessarem por completo. Essa fase, que marca o fim da fase reprodutiva feminina, é chamada **climatério**. Embora o termo menopausa seja popularmente empregado para denominar esse período, **menopausa** é o nome dado à última menstruação na vida da mulher.

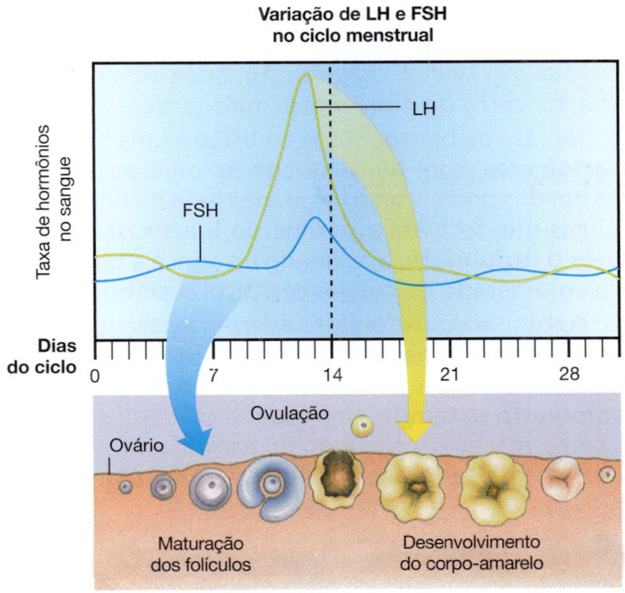

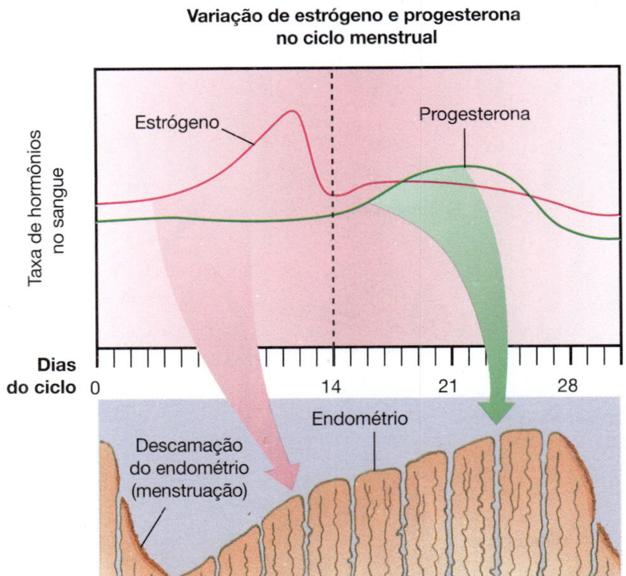

Figura 15.5 Gráficos mostrando a variação das taxas dos hormônios hipofisários FSH e LH e dos hormônios sexuais estrógeno e progesterona durante o ciclo menstrual. A variação desses hormônios está relacionada com as alterações do folículo ovariano e do endométrio. Analise a figura, acompanhando as explicações no texto. (Elementos fora de proporção de tamanho entre si; cores-fantasia.) (Baseado em Campbell, N. A. e cols., 1999.)

15.4 Gravidez e parto

Fecundação e nidação

A fecundação ocorre no terço inicial da tuba uterina e, em geral, nas primeiras 24 horas após a ovulação. Ao se deslocar pelo oviduto, em direção ao útero, o zigoto passa pelas primeiras clivagens, originando a mórula, que chega ao útero cerca de 3 dias após a fecundação.

O embrião continua a se desenvolver e, por volta do 7º dia após a fecundação, encontra-se no estágio de blástula, que nos mamíferos é denominada **blastocisto**. O blastocisto implanta-se na mucosa uterina, fenômeno que recebe o nome de **nidação**. Com isso, inicia-se a **gravidez**, ou gestação, que se encerra com o parto, cerca de nove meses mais tarde.

Na fase de blastocisto, o embrião é uma esfera de blastômeros, com um pequeno aglomerado celular em um dos polos e uma cavidade cheia de líquido. As células que formam a parede do blastocisto constituem o **trofoblasto**; a cavidade interna é a **blastocela** e o aglomerado de células constitui o **embrioblasto**.

As células do trofoblasto aderem à parede uterina e secretam enzimas que digerem porções do endométrio, por onde o embrião se infiltra e cresce. O trofoblasto se ramifica e ocupa as cavidades abertas e, como reação à infiltração do trofoblasto, a parede uterina sofre alterações celulares e vasculares, com grande desenvolvimento de vasos sanguíneos na região, originando uma estrutura altamente vascularizada. (Fig. 15.6)

As enzimas secretadas pelo trofoblasto digerem as paredes dos vasos sanguíneos, formando ao seu redor lacunas de sangue, por onde passa a circular sangue materno. As projeções do trofoblasto que se ramificam dentro da parede uterina são as **vilosidades coriônicas**.

As vilosidades coriônicas do embrião recém-implantado na parede uterina secretam um hormônio, a **gonadotrofina coriônica**. Esse hormônio no organismo materno sinaliza a presença do embrião e estimula a atividade do corpo-amarelo, mantendo as taxas de estrógeno e de progesterona elevadas no sangue da mulher. Consequentemente, a menstruação não ocorre, o que constitui um dos primeiros sinais de gravidez.

No início da gestação, a concentração de gonadotrofina coriônica é tão elevada no sangue da mulher que seu excesso é eliminado na urina. Diversos testes de gravidez disponíveis nas farmácias e drogarias detectam a presença de gonadotrofina coriônica na urina da mulher, o que indica a gravidez.

A partir do quarto mês de gestação, o corpo-amarelo começa a regredir. A mucosa uterina, mantida até então pelos hormônios do corpo-amarelo, continua a se desenvolver graças à produção de estrógeno e progesterona pela placenta, como veremos adiante.

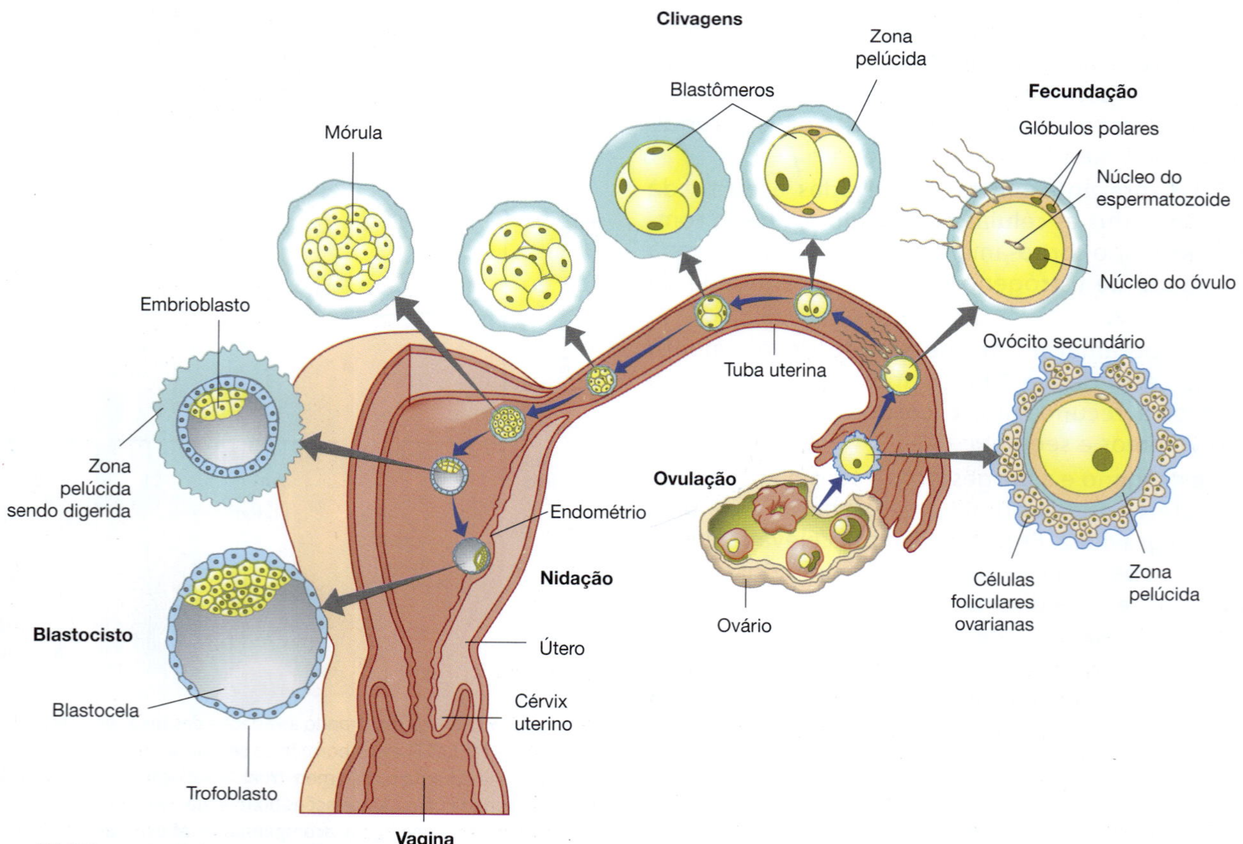

Figura 15.6 Representação esquemática de parte do sistema genital feminino, mostrando a sequência de desenvolvimento, desde a ovulação até a nidação do embrião. (Elementos fora de proporção de tamanho entre si; cores-fantasia.)

A placenta

A **placenta** é um órgão formado pelo desenvolvimento conjunto da parede uterina e das vilosidades coriônicas do embrião. É por meio da placenta que ocorrem trocas de substâncias entre mãe e filho durante o desenvolvimento. Alimento e gás oxigênio passam do sangue da mãe para o do filho, enquanto excreções e gás carbônico fazem o caminho inverso. O sangue da mãe e o do embrião não se misturam na placenta. As trocas ocorrem através das paredes dos vasos sanguíneos que separam as circulações embrionária e materna.

A placenta comunica-se com o embrião pelo **cordão umbilical**, uma estrutura tubular originada a partir de mesoderma e ectoderma extraembrionários. O cordão umbilical tem em seu interior duas artérias e uma veia, por meio das quais o sangue do embrião vai e volta da placenta. (Fig. 15.7)

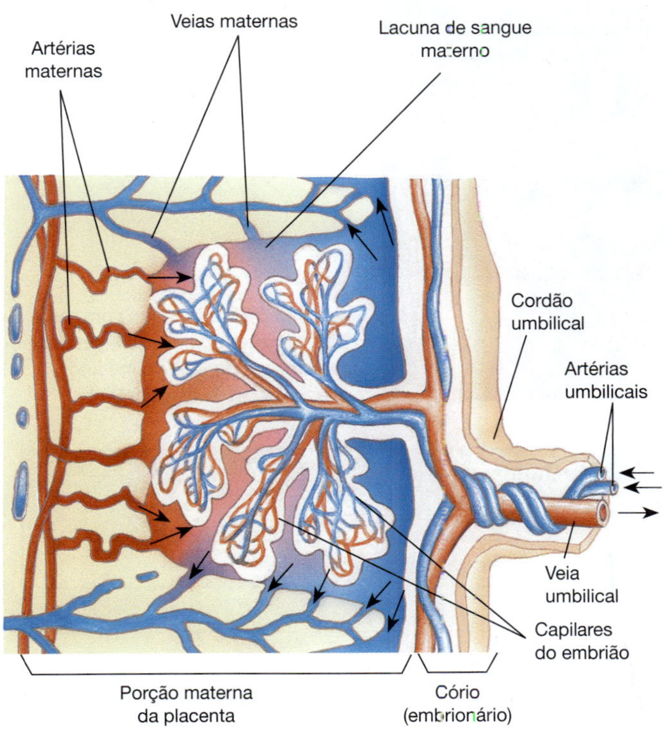

Figura 15.7 Representação esquemática da circulação sanguínea na placenta, um órgão compartilhado entre mãe e embrião. (Elementos fora de proporção de tamanho entre si; cores-fantasia.) (Baseado em Campbell, N. e cols., 1999.)

Fase fetal

Cerca de cinco semanas após a fecundação, os braços e as pernas do embrião humano tornam-se bem definidos e começam a apresentar contrações musculares. Na nona semana de vida (final do segundo mês), o embrião tem cerca de 2,5 cm de comprimento e aparência tipicamente humana. Nessa época também se inicia a formação dos ossos, e o embrião passa a ser chamado **feto**. (Fig. 15.8)

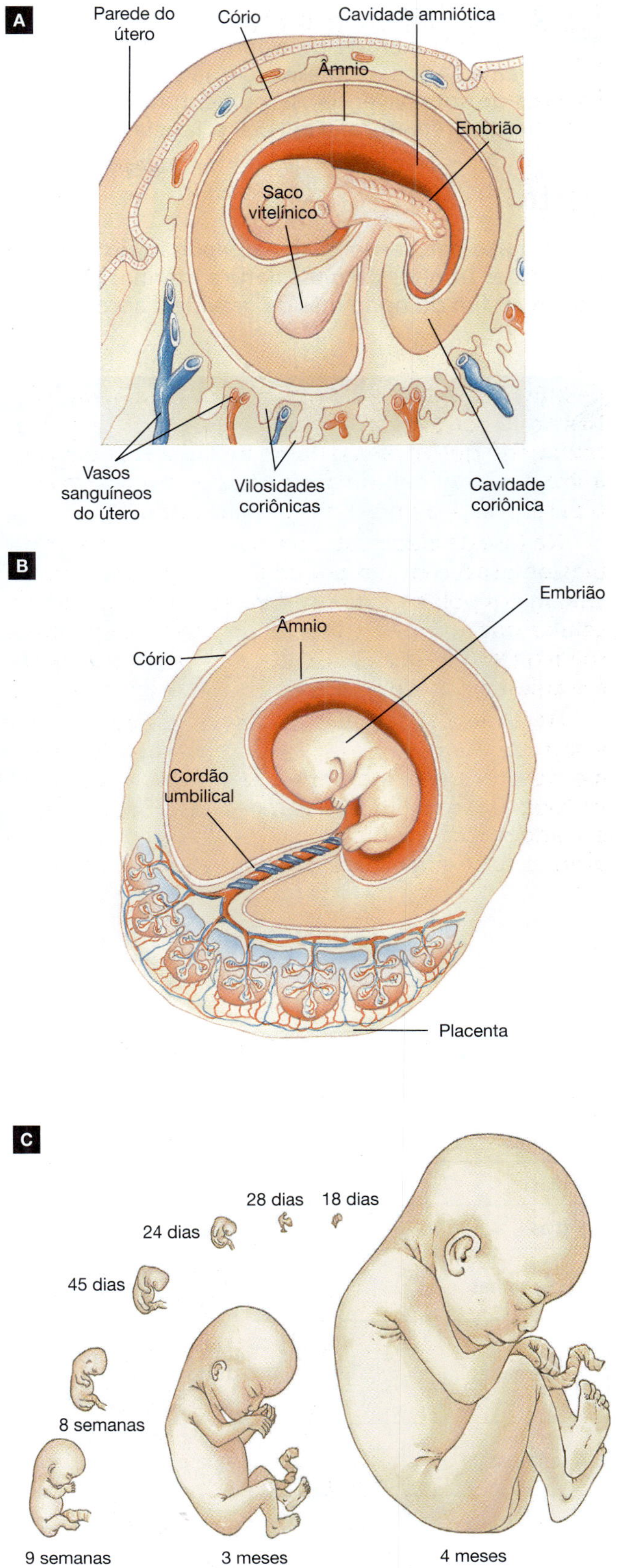

Figura 15.8 A. Representação esquemática de corte de um embrião humano com cerca de 27 dias e seus anexos embrionários. **B.** Representação esquemática de corte de um embrião de 45 dias, com a placenta e o cordão umbilical formados. **C.** Representação esquemática em que se compara o tamanho relativo de embriões humanos de diferentes idades. (Elementos fora de proporção de tamanho entre si; cores-fantasia.)

Aos cinco meses, o feto humano tem cerca de 20 cm de comprimento e pesa aproximadamente meio quilograma. Aos sete meses, ele já apresenta boas chances de sobrevivência, se porventura ocorrer seu nascimento prematuro. (Fig. 15.9 e Tabela 15.2)

Parto

O **parto** natural consiste na expulsão do feto por contrações rítmicas da musculatura uterina; em geral ocorre ao fim do nono mês de gravidez, aproximadamente 266 dias após a fecundação. Nessa época, o feto humano mede aproximadamente 50 cm de comprimento e pesa, em média, entre 3 kg e 3,5 kg.

No momento do parto, o colo do útero se dilata e a musculatura uterina se contrai ritmicamente induzida pelo hormônio oxitocina, liberado pela porção posterior da hipófise (neuroipófise). A bolsa amniótica se rompe e o líquido nela contido extravasa pela vagina. O feto é gradualmente empurrado para fora do útero por contrações vigorosas da musculatura uterina. A vagina se dilata e permite a saída do bebê.

NEIL BROMHALL/SCIENCE PHOTO LIBRARY/LATINSTOCK

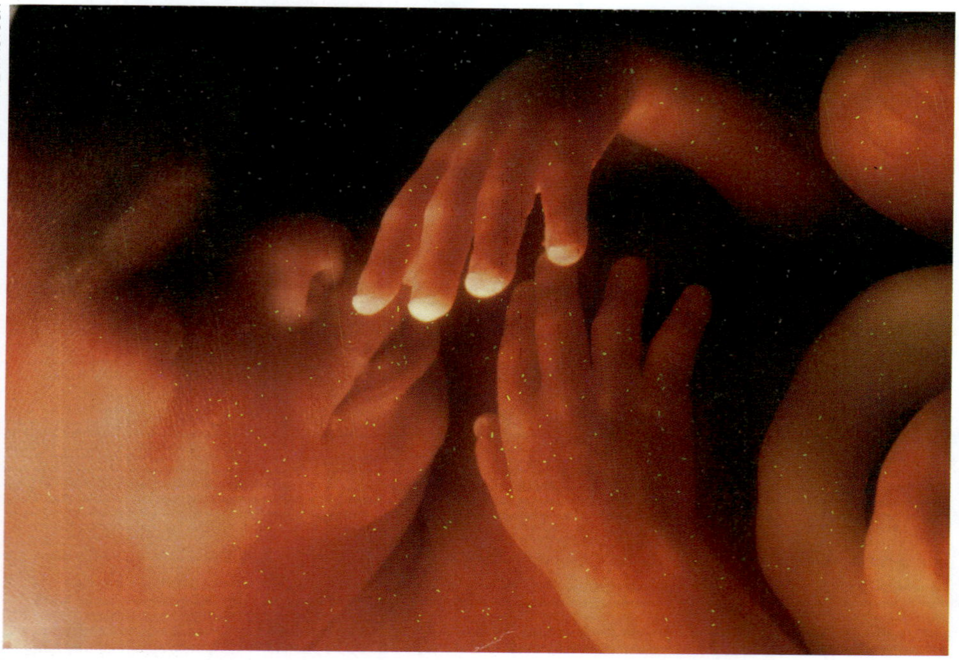

Figura 15.9 Feto humano com cerca de 20 semanas de gestação, pesando pouco menos de 500 g e medindo cerca de 19 cm de comprimento.

Tabela 15.2 ▪ Ocorrências marcantes no desenvolvimento embrionário humano

Idade do embrião	Evento
24 horas	Primeira divisão do zigoto, com formação de duas células.
3 dias	Chegada do embrião à cavidade uterina.
7 dias	Implantação do embrião no útero.
2,5 semanas	Organogênese em curso. Início da formação da notocorda e do músculo cardíaco; formação das primeiras células sanguíneas, do saco vitelínico e do cório.
3,5 semanas	Formação do tubo nervoso. Primórdios de olhos e orelhas já são visíveis; diferenciação do tubo digestório, com formação das fendas na faringe e início de desenvolvimento do fígado e do sistema respiratório; o coração começa a bater.
4 semanas	Aparecimento de brotos dos braços e das pernas; formação das três partes básicas do encéfalo.
2 meses	Início dos movimentos. Já é possível identificar a presença de testículos ou ovários; tem início a ossificação; os principais vasos sanguíneos assumem sua posição definitiva.
3 meses	O sexo já pode ser identificado externamente; a notocorda degenera.
4 meses	A face do embrião assume aparência humana.
3º trimestre	Os neurônios tornam-se mielinizados; ocorre grande crescimento do corpo.
266º dia	Nascimento.

A placenta desprende-se da parede uterina e é expulsa pela vagina juntamente com sangue proveniente dos vasos sanguíneos maternos rompidos. Nesse momento, no parto assistido, o cordão umbilical que liga o feto à placenta é cortado e amarrado. (Fig. 15.10)

Com o desprendimento da placenta, gás carbônico começa a se acumular no sangue do recém-nascido, estimulando os centros cerebrais respiratórios e desencadeando o funcionamento dos pulmões.

O parto natural pode não ser recomendado pelos médicos por alguns motivos como falta de contrações uterinas ou pelo fato de o bebê ser muito grande para passar pela pelve da mãe. Nesses casos, recorre-se a uma intervenção cirúrgica conhecida como **cesariana**, na qual é feita uma incisão na parte baixa do abdome da gestante, de modo a expor o útero; este é cortado e a criança é retirada, juntamente com o cordão umbilical e a placenta.

A

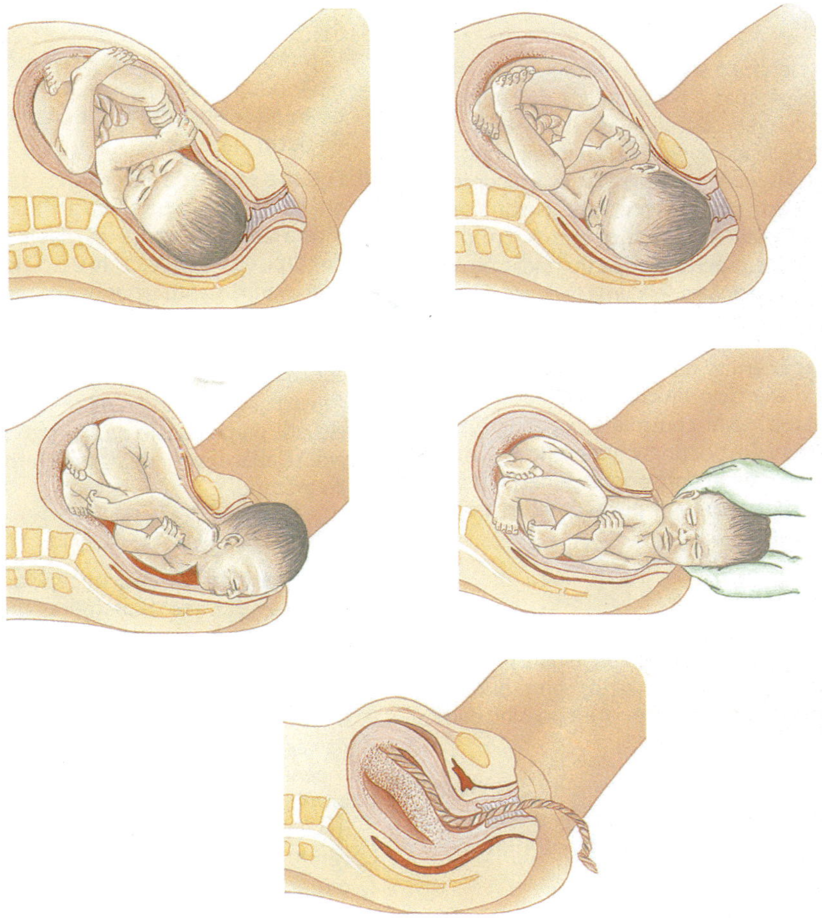

Biblioteca do estudante
Sugestões de livros, *sites* e vídeos

B

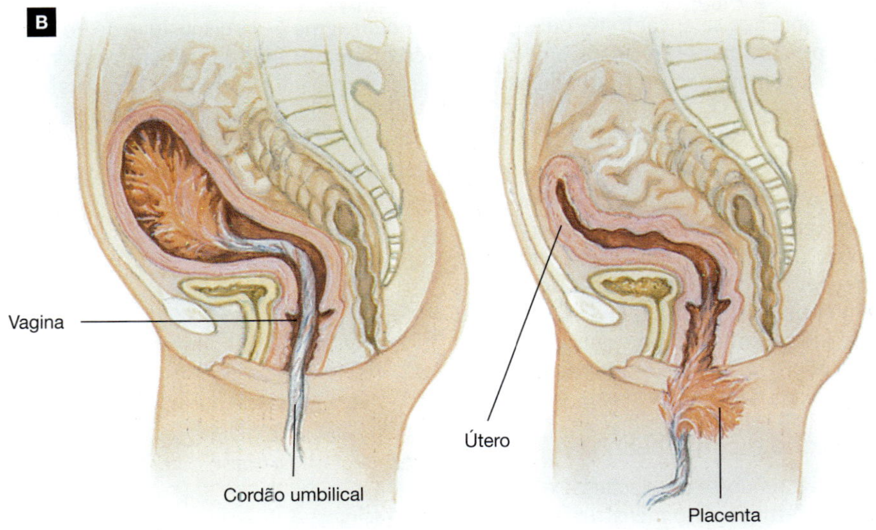

Figura 15.10 A. Representação esquemática de etapas do parto natural. **B.** Expulsão da placenta após o parto natural. (Elementos fora de proporção de tamanho entre si; cores-fantasia.)

Ciência e cidadania

O controle da reprodução humana

1 A sexualidade e a reprodução da espécie humana são temas apaixonantes e polêmicos. A partir da adolescência, a taxa dos hormônios sexuais aumenta no sangue das pessoas, fazendo com que corpo e mente se modifiquem e a sexualidade passe a desempenhar um papel muito importante na vida.

2 O conhecimento científico sobre a reprodução humana vem garantindo às pessoas a possibilidade de controlar conscientemente sua reprodução. Além do método natural de controle, baseado apenas no conhecimento do ciclo reprodutivo, há também vários métodos anticoncepcionais eficazes, como a pílula, a camisinha, o diafragma, o DIU (dispositivo intrauterino), entre outros. Em uma sociedade democrática, espera-se que a utilização ou não de métodos anticoncepcionais seja uma livre escolha de cada um, de acordo com seus valores e crenças.

3 Conhecer os fundamentos da reprodução humana é importante para o exercício da cidadania, não apenas por permitir à pessoa maior controle sobre sua própria reprodução, mas também por possibilitar reflexões mais aprofundadas sobre o crescimento populacional humano, em um mundo já tão intensamente povoado e com tantas questões por resolver.

Métodos contraceptivos

4 **Contracepção** é a prevenção deliberada da gravidez. A maneira mais óbvia e mais segura de prevenir a gravidez é a abstinência de relações sexuais, pelo menos durante o período fértil da mulher, em que existe a possibilidade de haver ovulação.

5 Ao longo da história, a humanidade tem desenvolvido diversos métodos para evitar a gravidez, genericamente denominados **métodos contraceptivos** ou **métodos anticoncepcionais**.

6 Os métodos contraceptivos podem atuar em diferentes etapas do processo reprodutivo. Alguns impedem que os gametas masculinos e femininos se encontrem; outros impedem que a mulher produza gametas; outros, ainda, impedem a implantação do embrião recém-formado na mucosa uterina.

Coito interrompido

7 Um método para evitar a gravidez é o **coito interrompido**, que consiste em retirar o pênis da vagina antes que a ejaculação ocorra. O coito interrompido é pouco eficiente, pois as secreções masculinas eliminadas antes da ejaculação podem conter espermatozoides. Outro motivo para o grande índice de falhas do método é a demora na retirada do pênis, que pode resultar na ejaculação parcial ou total ainda dentro da vagina.

Método do ritmo ovulatório ou da tabelinha

8 Pode-se evitar a gravidez abstendo-se de relações sexuais apenas durante o período fértil do ciclo menstrual. Esse método, conhecido como **método do ritmo ovulatório**, ou da **tabelinha**, baseia-se no fato de que o gameta feminino estará presente nos ovidutos, em condição de ser fecundado, apenas durante um curto período do ciclo menstrual, chamado **período fértil**. A mulher normalmente produz, a cada 28 dias, um único óvulo que sobrevive durante, no máximo, dois dias nos ovidutos, até degenerar e ser eliminado.

9 O principal problema é justamente determinar qual é o período fértil da pessoa. O dia em que ocorre a ovulação pode variar, dependendo da duração do ciclo e de outros fatores.

10 Pode-se estimar o dia provável da ovulação, com algum grau de acerto, a partir da análise do gráfico de temperatura corporal. Na maioria das mulheres, a temperatura do corpo eleva-se cerca de 0,5 °C logo após a ovulação. O acompanhamento criterioso da temperatura corporal diária pode fornecer evidências de que a ovulação ocorreu. As estatísticas mostram que mulheres que determinam a época da ovulação por meio da tabela, com o auxílio da construção de gráficos de temperatura diária, têm uma elevada porcentagem de sucesso em evitar uma gravidez indesejada, desde que sigam rigorosamente os princípios do método.

Camisinha

11 Entre as práticas anticoncepcionais mais difundidas destaca-se o uso de barreiras mecânicas, que evitam o encontro dos gametas masculinos com o gameta feminino. O **preservativo**, popularmente chamado de **camisinha**, é um protetor de látex utilizado para reter o esperma ejaculado, evitando que ele seja depositado na vagina. Tanto o preservativo masculino, que envolve o pênis, como o preservativo feminino, que a mulher introduz na vagina antes da relação sexual, têm a mesma finalidade. Além de atuar como anticoncepcional, a camisinha é também eficiente na prevenção da aids e de outras doenças sexualmente transmissíveis (DSTs).

Diafragma

12 O **diafragma** é um dispositivo de borracha que deve ser colocado no fundo da vagina, de modo a fechar o colo do útero e impedir a entrada de espermatozoides. É comum aplicar no diafragma uma geleia contendo substâncias espermicidas, que matam os espermatozoides e aumentam o índice de segurança do método.

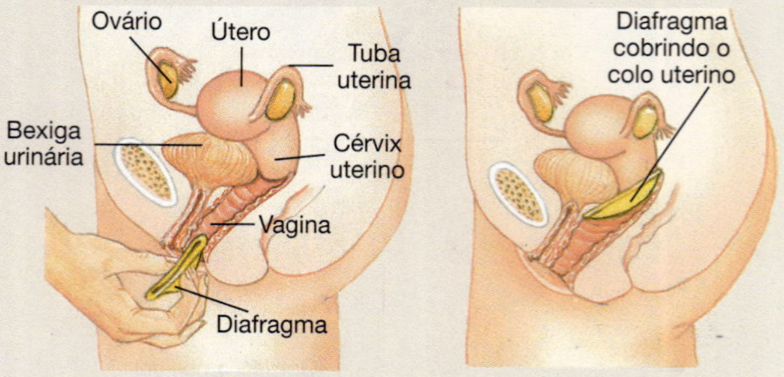

Representação esquemática da colocação correta do diafragma na vagina, de modo a cobrir totalmente o colo uterino. (Elementos fora de proporção de tamanho entre si; cores-fantasia.)

Pílula anticoncepcional

13 A pílula anticoncepcional, um dos métodos contraceptivos mais utilizados no mundo, consiste geralmente em uma mistura de hormônios sintéticos (progesterona e estrógeno) que a mulher deve ingerir todos os dias, a partir do 5º dia após a menstruação. Depois de 21 dias, suspende-se a pílula por uma semana e recomeça-se um novo lote de 21 pílulas. A menstruação costuma ocorrer cerca de três dias após a suspensão da ingestão das pílulas.

14 Os dois hormônios presentes na pílula anticoncepcional inibem a secreção de FSH e de LH pela adenoipófise. Na falta desses dois hormônios, não ocorre ovulação. A manutenção de níveis altos de estrógeno e de progesterona no sangue induz o crescimento da mucosa uterina, a qual se descama quando o nível desses hormônios se reduz, no período de uma semana em que a pílula deixa de ser ingerida.

15 A chamada pílula do dia seguinte, também conhecida como método contraceptivo de emergência, é um composto hormonal utilizado para prevenir uma gravidez indesejada dentro de 72 horas após uma relação desprotegida ou acidental.

16 Os hormônios constituintes dessa pílula atuam basicamente de duas formas: impedem a ovulação (se ainda não ocorreu) e não permitem que o embrião se implante na parede uterina, entre cinco e seis dias depois da fertilização.

17 Pesquisas científicas têm procurado avaliar se a ingestão continuada de hormônios pode ser responsabilizada por problemas à saúde, tais como alterações na coagulação sanguínea, arteriosclerose e infartos. Um estudo verificou que mulheres fumantes e usuárias de pílulas anticoncepcionais apresentavam risco 10 vezes maior de morte por problemas cardiorrespiratórios. É importante que os contraceptivos orais sejam utilizados sob rigoroso acompanhamento médico, a fim de evitar efeitos colaterais prejudiciais decorrentes da ingestão de hormônios. Particularmente, a utilização da pílula do dia seguinte exige cuidados especiais.

Dispositivo intrauterino: DIU

18 DIU é a sigla de dispositivo intrauterino, nome pelo qual são conhecidos os dispositivos de plástico e metal introduzidos no útero com o objetivo de evitar a concepção. O DIU deve ser implantado por um médico especialista e, a menos que cause problemas colaterais evidentes, pode permanecer no útero até que a mulher deseje engravidar.

19 O modo de ação do DIU ainda não é totalmente compreendido. Acredita-se que sua presença no útero cause uma pequena inflamação, atraindo macrófagos que destroem os embriões que tentam se implantar na mucosa uterina. Por isso, alguns consideram a utilização do DIU um método abortivo, uma vez que, indiretamente, causa a morte do embrião, por impedir que este se fixe ao útero.

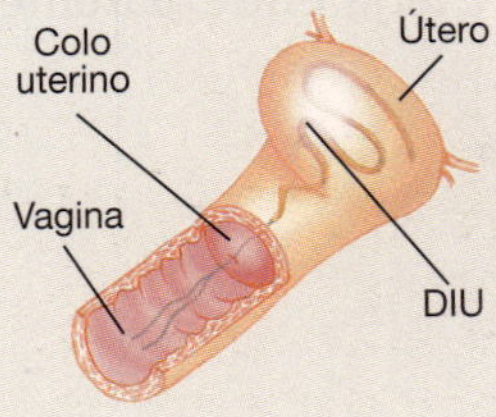

Representação esquemática do DIU na cavidade uterina (mostrado por transparência). (Elementos fora de proporção de tamanho entre si; cores-fantasia.)

Vasectomia

20 Esterilização é qualquer processo que impede definitivamente a concepção. No caso do homem, o processo utilizado na esterilização é a **vasectomia**, que consiste no secionamento dos ductos deferentes de modo que os espermatozoides não possam chegar à uretra.

21 Como não afeta a produção de testosterona pelos testículos, a vasectomia não tem nenhum efeito negativo sobre a atividade sexual do homem. O homem vasectomizado atinge o orgasmo e ejacula normalmente, com a diferença de que seu esperma não contém espermatozoides, sendo constituído apenas pelas secreções das glândulas sexuais acessórias.

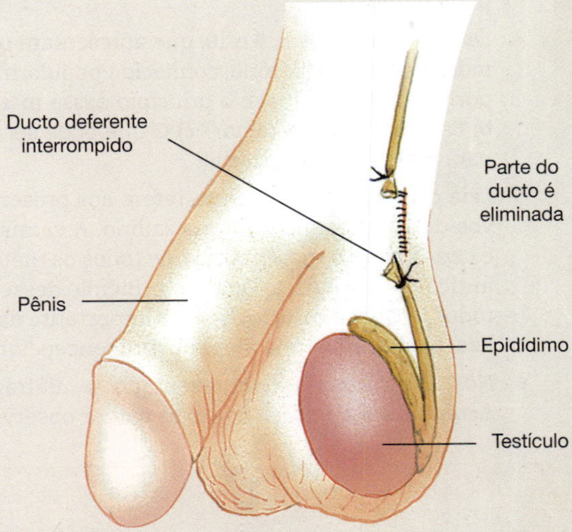

Representação esquemática da vasectomia, cirurgia em que os ductos deferentes são seccionados. Embora a cirurgia possa ser revertida, nem sempre há sucesso em recuperar a fertilidade. Entretanto, homens vasectomizados que querem ter filhos podem coletar espermatozoides diretamente do testículo e utilizá-los na fecundação *in vitro*. (Elementos fora de proporção de tamanho entre si; cores-fantasia.)

Laqueadura tubária

22 A esterilização feminina é denominada **laqueadura tubária** e consiste no seccionamento das tubas uterinas. Assim, os espermatozoides são impedidos de chegar até os gametas femininos.

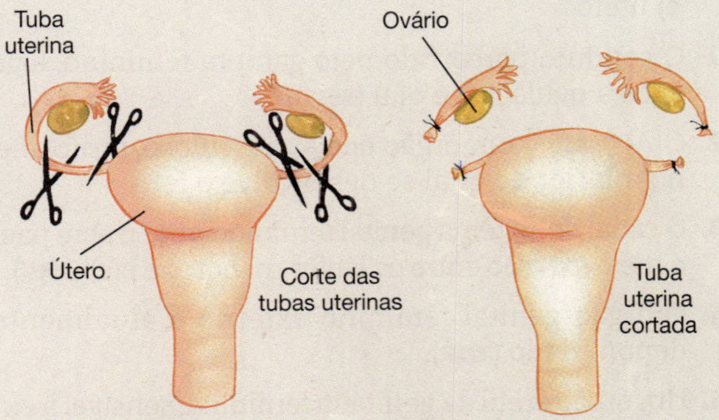

Representação esquemática da laqueadura tubária, uma cirurgia abdominal em que se secionam as tubas uterinas. Em geral, essa cirurgia é feita em mulheres que já tiveram filhos. (Elementos fora de proporção de tamanho entre si; cores-fantasia.)

Guia de leitura

1 Leia os três parágrafos iniciais do quadro, que argumentam a favor da importância dos conhecimentos sobre reprodução humana para o exercício pleno da cidadania. Escreva um texto concordando ou discordando das ideias desses três parágrafos.

2 Leia o quarto, o quinto e o sexto parágrafos, no item *Métodos contraceptivos*. Responda: **a)** O que é contracepção? **b)** Em que etapas da reprodução podem atuar os métodos contraceptivos?

3 O sétimo parágrafo refere-se ao coito interrompido. Qual é o princípio desse método? Em que ele pode falhar?

4 Leia os parágrafos 8, 9 e 10, que apresentam o método do ritmo ovulatório, conhecido popularmente por tabelinha. **a)** Qual é o princípio desse método? **b)** Em que ele pode falhar? **c)** O que pode ser feito para melhorar sua eficácia?

5 Leia o 11º parágrafo, que se refere aos preservativos de látex, feminino e masculino. A camisinha é certamente o mais popular de todos os métodos anticoncepcionais. **a)** Qual é o princípio desse método? **b)** Qual é o outro aspecto importante da utilização da camisinha além do anticoncepcional?

6 No 12º parágrafo é apresentado o diafragma. Acompanhe a leitura do texto com a observação do esquema da colocação correta do diafragma na vagina. **a)** Qual é o princípio desse método? **b)** O que pode ser feito para melhorar sua eficácia?

7 Os parágrafos de 13 a 17 referem-se à pílula anticoncepcional. **a)** Qual é o princípio desse método? **b)** Quais são os possíveis efeitos colaterais decorrentes do uso continuado dos hormônios contraceptivos? **c)** O que é a chamada pílula do dia seguinte?

8 Nos parágrafos 18 e 19 é apresentado o DIU (dispositivo intrauterino). Acompanhe a leitura do texto com a observação do esquema do DIU na cavidade uterina. **a)** Qual é o princípio desse método? **b)** Por que alguns criticam a utilização desse método contraceptivo?

9 Leia o 20º e o 21º parágrafos, referentes à vasectomia. Acompanhe o texto com a observação do esquema e a leitura atenta da legenda. **a)** Qual é o princípio desse método? **b)** A legenda acrescentou alguma informação sobre a vasectomia? Qual?

10 Leia o 22º e último parágrafo sobre a laqueadura tubária. Acompanhe com a observação do esquema e a leitura atenta da legenda. **a)** Qual é o princípio desse método? **b)** A legenda acrescentou alguma informação sobre a laqueadura? Qual?

Atividades

Visão do especialista

Listas de exercícios

Revendo conceitos fundamentais

Escreva, em seu caderno, o termo abaixo que substitui corretamente a tarja entre parênteses das frases de 1 a 5.

a) clitóris
b) pudendo feminino (vulva)
c) tuba uterina
d) vagina
e) útero

1. O conduto percorrido pelo gameta feminino, logo após a ovulação, é o(a) (▬).

2. O(A) (▬) é um órgão oco e musculoso, piriforme, no interior do qual se desenvolve o feto.

3. O canal do sistema genital feminino que se abre para o meio externo entre os lábios menores é o(a) (▬).

4. O órgão genital feminino externo é atualmente denominado (▬).

5. Um órgão erétil da genitália feminina, sensível à excitação sexual e localizado pouco à frente da junção entre os lábios menores, denomina-se (▬).

Escreva, em seu caderno, o termo abaixo que substitui corretamente a tarja entre parênteses das frases de 6 a 10.

a) corpo-amarelo (corpo-lúteo)
b) ovário
c) ovulação
d) óvulo
e) ovulogênese

6. O gameta feminino é chamado (▬).

7. A estrutura ovariana que se desenvolve a partir de um folículo rompido é o(a) (▬).

8. O processo de liberação do gameta feminino pela gônada é o(a) (▬).

9. O(A) (▬) é o processo de formação do gameta feminino a partir de células germinativas precursoras.

10. A gônada feminina é o(a) (▬).

Escreva, em seu caderno, o termo abaixo que substitui corretamente a tarja entre parênteses das frases de 11 a 16.

a) bolsa escrotal
b) ducto deferente
c) pênis
d) próstata
e) testículo
f) glândula (ou vesícula) seminal

11. A gônada masculina é o(a) (▬▬▬).

12. O órgão genital masculino dotado de corpos cavernosos e esponjosos e que se torna ereto durante a excitação sexual é o(a) (▬▬▬).

13. A glândula sexual acessória que envolve o início da uretra e produz secreções nutritivas aos espermatozoides é o(a) (▬▬▬).

14. Cada um dos condutos que transportam espermatozoides dos epidídimos à uretra é denominado (▬▬▬)

15. As gônadas masculinas alojam-se no interior do(a) (▬▬▬).

16. O(A) (▬▬▬) é cada uma das duas glândulas localizadas atrás da bexiga urinária e que produzem secreções que compõem a maior parte do volume do sêmen.

Escreva, em seu caderno, o termo abaixo que substitui corretamente a tarja entre parênteses das frases de 17 a 20.

a) ejaculação
b) esperma
c) espermatogênese
d) espermatozoide

17. O(A) (▬▬▬) é o líquido composto por gametas e fluidos provenientes das glândulas acessórias, eliminado pelo pênis no clímax da excitação sexual.

18. O gameta masculino é chamado (▬▬▬).

19. O processo pelo qual os gametas masculinos são eliminados pelo pênis é o(a) (▬▬▬).

20. O processo de formação dos gametas masculinos que ocorre nos testículos recebe o nome de (▬▬▬).

Escreva, em seu caderno, o termo abaixo que substitui corretamente a tarja entre parênteses das frases de 21 a 25.

a) estrógeno
b) FSH (hormônio estimulante do folículo)
c) LH (hormônio luteinizante)
d) progesterona
e) testosterona

21. O principal hormônio sexual masculino produzido pelas células intersticiais da gônada masculina é o(a) (▬▬▬).

22. A gonadotrofina hipofisária responsável pela ovulação e pelo desenvolvimento do corpo-amarelo é o(a) (▬▬▬).

23. Produzido no ovário, o hormônio (▬▬▬) induz a atividade das gônadas, o desenvolvimento das características sexuais secundárias femininas e o impulso sexual.

24. O(A) (▬▬▬) é produzida(o) pelo ovário e estimula o desenvolvimento do endométrio.

25. O hormônio produzido na hipófise e que, na mulher, induz o desenvolvimento dos folículos ovarianos é o(a) (▬▬▬).

26. O conjunto de transformações cíclicas do organismo feminino, em sua preparação para uma possível gravidez, constitui

a) a menstruação.
b) a ovulação.
c) o ciclo de vida.
d) o ciclo menstrual.

27. A menstruação consiste:

a) na ruptura do folículo ovariano.
b) no desenvolvimento do corpo-amarelo.
c) no desprendimento e eliminação de parte do endométrio.
d) no período fértil da mulher.

Escreva, em seu caderno, o termo abaixo que substitui corretamente a tarja entre parênteses das frases de 28 a 30.

a) ato sexual
b) gravidez
c) nidação

28. O desenvolvimento de um novo ser humano no interior do útero materno caracteriza o(a) (▬▬▬).

29. (▬▬▬) é a fixação do embrião, em estágio de blastocisto, ao endométrio uterino.

30. O(A) (▬▬▬) consiste na conjunção dos órgãos genitais feminino e masculino, podendo levar ou não à concepção.

Escreva, em seu caderno, o termo abaixo que substitui corretamente a tarja entre parênteses das frases de 31 a 36.

a) bolsa amniótica
b) cordão umbilical
c) feto
d) parto
e) placenta
f) vilosidade coriônica

31. Em nossa espécie, a partir da nona semana (segundo mês) de vida, o embrião já tem aspecto humano e passa a ser chamado (▬▬▬).

32. As projeções do cório embrionário, cada uma chamada (▬▬▬), são responsáveis pela nidação.

33. O órgão formado por tecidos maternos e fetais, que estabelece intercâmbio de substâncias entre mãe e feto, é o(a) (▬▬▬).

34. O(A) (▬▬▬) é uma estrutura tubular com duas artérias e uma veia, que parte do ventre do embrião e permite o intercâmbio de substâncias entre mãe e feto.

35. O amortecimento de choques mecânicos e a proteção contra o ressecamento do embrião humano são funções do(a) (▬▬▬).

36. A expulsão do feto do útero, que finaliza a gravidez, é o(a) (▬▬▬).

Ligando conceitos, fatos e processos

Escreva, em seu caderno, o termo abaixo que substitui corretamente a tarja entre parênteses das frases de 37 a 40.

a) endométrio
b) folículo ovariano
c) ovócito I
d) ovócito II
e) primeiro glóbulo polar

37. A ovulogênese ocorre no interior do(a) (▬▬▬).

38. O(A) (▬▬▬) inicia a primeira divisão da meiose e origina duas células de tamanho desigual.

39. O revestimento interno do útero, denominado (▬▬▬), apresenta grande desenvolvimento durante o ciclo menstrual, preparando-se para receber um eventual embrião.

40. Os produtos da divisão I da meiose de um ovócito são uma célula grande, o (▬▬▬), e uma célula muito pequena, o (▬▬▬).

41. “Ao ser eliminado do folículo ovariano, o óvulo encontra-se estacionado na (1) da meiose e somente prossegue a divisão se ocorrer (2).” Qual é a alternativa que substitui corretamente os números 1 e 2 entre parênteses?

a) 1= prófase I; 2= ovulação.
b) 1= metáfase II; 2= ovulação.
c) 1= prófase I; 2= fecundação.
d) 1= metáfase II; 2= fecundação.

Escreva, em seu caderno, o termo abaixo que substitui corretamente a tarja entre parênteses das frases de 42 a 44.

a) epidídimo
b) glândula seminal
c) próstata
d) túbulo seminífero
e) uretra

42. O processo de espermatogênese ocorre no(a) (▬▬▬).

43. O canal comum ao sistema urinário e ao sistema genital do homem, pelo qual o sêmen é eliminado na ejaculação, é o(a) (▬▬▬).

44. Antes de passarem para os ductos deferentes, os espermatozoides permanecem no(a) (▬▬▬), onde terminam de amadurecer.

Escreva, em seu caderno, o termo abaixo que substitui corretamente a tarja entre parênteses das frases de 45 a 47.

a) estrógeno
b) FSH (hormônio estimulante do folículo)
c) LH (hormônio luteinizante)
d) progesterona
e) testosterona

45. A formação do corpo-amarelo tem como consequência a elevação significativa da taxa de (▬▬▬) no sangue, o que inibe a produção das gonadotrofinas hipofisárias.

46. A ovulação e a formação do corpo-amarelo são induzidas pelo hormônio (▬▬▬).

47. O impulso sexual e o desenvolvimento das características sexuais secundárias são promovidos, na mulher, pelo(a) (▬▬▬) e, no homem, pelo(a) (▬▬▬).

48. Considere a variação dos hormônios gonadotróficos da hipófise e dos hormônios sexuais durante o ciclo menstrual. Quais são, respectivamente, o primeiro e o último hormônio a ter suas taxas aumentadas ao longo do ciclo?

a) Estrógeno; progesterona.
b) FSH; estrógeno.
c) FSH; progesterona.
d) LH; estrógeno.

49. O sangue do feto não se mistura com o sangue materno, mas eles circulam muito próximos nas lacunas de um órgão em que ocorrem trocas de substâncias entre mãe e filho. Qual é esse órgão?

a) Bolsa amniótica.
b) Placenta.
c) Ovário.
d) Útero.

50. Assim que se fixa ao útero, o embrião desenvolve vilosidades coriônicas, que penetram no endométrio e passam a secretar um hormônio que impede a menstruação. Qual é o hormônio liberado?

a) Estrógeno.
b) Hormônio estimulante do folículo.
c) Gonadotrofina coriônica.
d) Progesterona.

51. Qual é a função da pílula anticoncepcional composta por hormônios sintéticos?

a) Impedir a formação do endométrio.
b) Induzir a menstruação.
c) Reduzir o impulso sexual.
d) Suprimir a ovulação.

52. Entre os métodos anticoncepcionais a seguir, qual também previne doenças sexualmente transmissíveis (aids, sífilis, gonorreia etc.)?

a) Camisinha.
b) Diafragma.
c) DIU (dispositivo intrauterino).
d) Pílula anticoncepcional.

Questões para exercitar o pensamento

53. A sexualidade humana é um assunto polêmico, que envolve tabus e regras de conduta diversas. Lembre-se de que, na área do comportamento sexual, há grande diversidade de práticas e de opiniões. Nossa sugestão é que você organize com seus colegas um grupo de pesquisa para verificar a opinião das pessoas sobre a seguinte questão: o sexo deve sempre ter finalidade reprodutiva? Entreviste diversas pessoas, de diferentes idades e graus de instrução. Anote ou grave suas entrevistas. Discuta o assunto com seus pais, colegas e professores.

54. Reproduzimos a seguir uma matéria sobre clonagem humana. Leia o texto e debata o assunto com seus colegas. Em seguida, resuma seus pontos de vista em um texto dissertativo que trate do desenvolvimento da Ciência e das questões éticas envolvidas na clonagem reprodutiva humana.

Clonagem humana

Cópias de todo tipo de mamífero já saíram dos laboratórios do mundo, inclusive do Brasil. As pessoas nem prestam mais atenção quando um feito desses é anunciado. (Até em Dubai, paraíso financeiro dos Emirados Árabes, pesquisadores conseguiram clonar uma fêmea de dromedário, o famoso camelo de uma só corcova. A ideia é criar supercamelos de corrida ou produtores de leite.) Mas há uma exceção nessa galeria de clones: primatas – membros do subgrupo ao qual pertencem os seres humanos. Por motivos não muito bem compreendidos, os cientistas não conseguiram fazer cópias genéticas de macacos, e ninguém ainda tentou a sério clonar uma pessoa. Se depender apenas dos problemas técnicos, porém, é só questão de tempo.

Isso porque não temos razão para acreditar que o DNA de primatas como nós vá se comportar de maneira tão diferente assim para impedir a clonagem de funcionar. O processo, em linhas gerais, já é muito bem conhecido. O núcleo de uma célula adulta, contendo todas as informações genéticas necessárias à "construção" de um organismo, é colocado no interior de um óvulo cujo núcleo, por sua vez, foi previamente arrancado. Um estímulo elétrico "convence" o núcleo adulto a se fundir ao óvulo e, ao mesmo tempo, reprograma o dito-cujo, de maneira que ele se "convence" de que é um embrião no começo de seu desenvolvimento.

É bem possível que tudo isso aconteça de acordo com o script acima em humanos, mas as dificuldades éticas é que não podem ser desprezadas. Primeiro, a clonagem hoje é muito ineficiente. Centenas de óvulos são necessários para um único nascimento, e obter óvulos humanos nessa quantidade é um processo complicado e doloroso para a mulher – poucas se candidatariam a doadoras. Pior ainda, apenas entre 2 e 5% das gestações de clones terminam em nascimento. Os fetos que não vingam muitas vezes colocam em risco a vida da mãe; os que chegam a nascer sofrem de gigantismo, sistema de defesa do organismo muito fraco e envelhecimento precoce.

Fora de controle?

"Eu não sei se a gente algum dia será capaz de fazer o controle direto desses problemas da clonagem de forma precisa", diz a bióloga Lygia da Veiga Pereira, pesquisadora da USP e estudiosa da reprogramação genética que torna o nascimento de clones possível. A principal raiz dos problemas de saúde dos clones tem a ver com essa reprogramação. Células normais precisam de marcações químicas especiais, que "informam" o embrião, por exemplo, sobre os genes que ele herdou do pai e da mãe. Reconstruir esses marcações perdidas pela clonagem é muito complicado. "É como uma mesa de som", compara Pereira. "Você precisa mexer em tantos botõezinhos diferentes para obter um som bom que é muito difícil aprender como fazer esse acerto."

Nada disso impede que um clone humano nasça logo. Mas certamente significa que muito sofrimento será necessário para que ele venha ao mundo.

Revista *Superinteressante*, maio 2009.
Disponível em: <http://super.abril.com.br/ciencia/clonagem-humana-619259.shtml>.
Acesso em: maio 2013.

A Biologia no vestibular e no Enem

Questões objetivas

1. (Vunesp) Considere a tabela seguinte, que contém diversas formas de contraceptivos humanos e três modos de ação.

	Modos de ação		
	Impede o encontro de gametas	**Impede a implantação do embrião**	**Previne a ovulação**
I	Camisinha masculina	Dispositivo intrauterino (DIU)	Pílula comum
II	Coito interrompido	Laqueadura tubária	Camisinha feminina
III	Diafragma	Pílula do dia seguinte	Pílula comum
IV	Dispositivo intrauterino (DIU)	Laqueadura tubária	Camisinha feminina
V	Vasectomia	Camisinha masculina	Diafragma

A relação entre os tipos de contraceptivos e os três modos de ação está correta em

a) I, apenas.
b) I e II, apenas.
c) I e III, apenas.
d) III e IV, apenas.
e) III e V, apenas.

2. (Ufam) Na ovulação, o primeiro caminho natural do óvulo, após ser liberado pelo ovário para ser fecundado, é

a) o colo uterino.
b) a vagina.
c) a tuba uterina.
d) o folículo ovariano.
e) a uretra.

3. (Uespi) O momento da implantação do embrião no útero ocorre aproximadamente

a) 3 dias após a fecundação no estágio de mórula.
b) 5 dias após a fecundação no estágio de gástrula.
c) 6 dias após a fecundação no estágio de blastocisto.
d) 12 dias após a fecundação no estágio de blástula.
e) 2 dias após a fecundação no estágio de mórula.

4. (Cesesp-PE) Com relação a gêmeos univitelinos, é correto afirmar que

a) são resultantes da bipartição de óvulos não fecundados e desenvolvidos partenogeneticamente.
b) são resultantes da fecundação de dois óvulos por dois espermatozoides, podendo resultar indivíduos de ambos os sexos.
c) são resultantes da bipartição de um só óvulo, fecundado por dois espermatozoides, dando indivíduos masculinos e femininos ao mesmo tempo.
d) são resultantes da bipartição de um só óvulo, fecundado por um só espermatozoide, dando indivíduos masculinos e femininos ao mesmo tempo.
e) são resultantes da bipartição de um só óvulo, fecundado por um só espermatozoide, resultando indivíduos do mesmo sexo.

5. (UFRGS-RS) Durante o processo de formação do embrião dos mamíferos, formam-se também vários anexos que, embora não fazendo parte do corpo do embrião, são importantes para o desenvolvimento deste. O anexo responsável pelas trocas gasosas e metabólicas na relação fetomaternal é

a) a bolsa amniótica.
b) a placenta.
c) o cório.
d) a vesícula vitelínica.
e) o cordão umbilical.

6. (UCS-RS) Os gêmeos univitelinos são formados
a) após a fertilização, com a entrada de dois espermatozoides no ovócito I.
b) devido à divisão de um único zigoto e não do óvulo.
c) durante a fertilização, com a entrada do espermatozoide no ovócito secundário.
d) pela disjunção do ovócito I na gametogênese feminina.
e) devido à presença de um espermatozoide contendo a informação hereditária de formar duas placentas.

7. (Uel-PR) O esquema a seguir representa etapas do processo de gametogênese no homem.

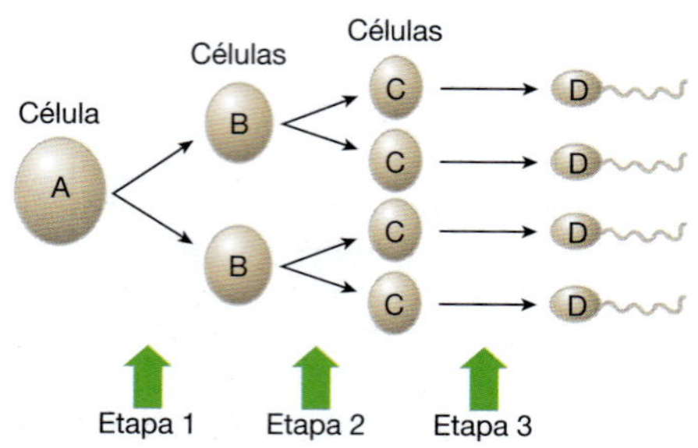

Sobre esse processo, a alternativa correta é:
a) A célula A é diploide e as células B, C e D são haploides.
b) A separação dos homólogos ocorre durante a etapa 2.
c) As células A e B são diploides e as células C e D são haploides.
d) A redução no número de cromossomos ocorre durante a etapa 3.
e) A separação das cromátides-irmãs ocorre durante a etapa 1.

8. (Unir-RO) Comparando-se a ovulogênese (I) com a espermatogênese (II), todas as alternativas abaixo estão corretas, exceto:
a) Nos dois processos ocorre meiose.
b) Ambos são importantes para manter constante o número de cromossomos típicos de cada espécie.
c) I ocorre nos ovários e II, nos testículos.
d) Há maior produção de gametas em II do que em I.
e) Em I e II, as células formadas são diploides.

9. (UFMA) Com relação à gametogênese humana, é correto afirmar que
a) cada ovócito I produz 4 ovócitos II.
b) ovogônias e ovócitos primários são formados durante toda a vida da mulher.
c) espermatogônias são formadas apenas durante a vida intrauterina.
d) cada espermatócito I produz um espermatozoide.
e) a ovulogênese só é concluída se o ovócito II for fecundado.

10. (UFRRJ) Sobre a placenta foram feitas quatro afirmações:
I. Pode realizar trocas gasosas e metabólicas na relação feto-mãe.
II. É atravessada por numerosas moléculas de anticorpos como gamaglobulinas e anticorpos específicos que passam para o feto, conferindo-lhe imunidade permanente à maioria das doenças infecciosas imunizantes.
III. Tem o papel de produzir os hormônios progesterona e estrogênio, que mantêm o útero numa condição de indiferença ao feto, impedindo sua expulsão.
IV. É um anexo embrionário presente em todos os mamíferos.

Estão corretas as afirmações:
a) I e II;
b) II e III;
c) III e IV;
d) I e III;
e) II e IV.

11. (UFC-CE) A menopausa marca o fim da vida reprodutiva da mulher, com a cessação do período menstrual. Observe as duas listas a seguir e localize a alternativa que associa corretamente os sintomas da menopausa com suas respectivas explicações.

Sintomas
1. cessação do período menstrual
2. fogachos (ondas de calor)
3. pele seca e rugas
4. osteoporose
5. efeitos emocionais (depressão)

Explicações
a. perda da sensibilidade dos folículos aos hormônios hipofisários
b. condicionamento cultural
c. queda no ajuste da temperatura corporal
d. desintegração do colágeno devido aos baixos níveis de estrógeno
e. mudança estrógeno-sensitiva no equilíbrio de síntese e degradação óssea

a) 1d; 2b; 3a; 4c; 5e
b) 1a; 2b; 3d; 4c; 5e
c) 1c; 2a; 3b; 4d; 5e
d) 1d; 2a; 3c; 4e; 5b
e) 1a; 2c; 3d; 4e; 5b

12. (PUC-MG) Os hormônios são substâncias químicas produzidas por uma célula ou um grupo de células e liberados no sistema circulatório, para exercer seu efeito fisiológico de controle sobre outras células do corpo. Muitos deles são produzidos em laboratórios e utilizados no tratamento de pacientes humanos. Por exemplo: o hormônio **A** estimula a contração da musculatura uterina e pode ser utilizado em partos induzidos; o hormônio **B** participa da regulação do metabolismo da glicose e pode ser utilizado como anti-inflamatório.
Podemos afirmar que os hormônios **A** e **B** são, respectivamente:
a) ocitocina e insulina.
b) cortisona e glucagon.
c) adrenalina e tiroxina.
d) ocitocina e cortisona.
e) prolactina e adrenalina.

13. (UFSC) O gráfico a seguir apresenta as velocidades aproximadas da secreção de testosterona (hormônio sexual masculino) em diferentes idades.

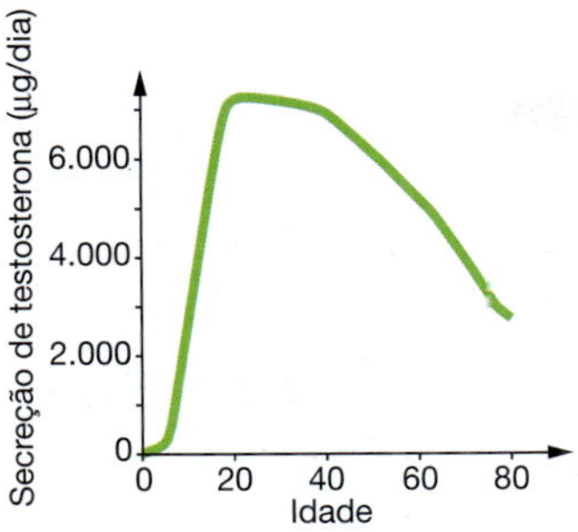

Baseado na análise do gráfico e sobre esse hormônio, a(s) proposição(ões) **verdadeira(s)** é(são):

a) A testosterona é produzida nos testículos.

b) Em torno dos 20 anos, atinge-se o pico de secreção da testosterona.

c) A testosterona é responsável pela produção e distribuição dos pelos no corpo do homem.

d) Aos 70 anos, o homem cessa a produção de testosterona e torna-se impotente.

e) A velocidade de secreção de testosterona de um jovem de 18 anos e de um homem de 40 anos é praticamente a mesma.

14. (UFPE) Nos animais, a reprodução sexuada, desde a gametogênese até a fecundação, depende da ação dos sistemas nervoso e endócrino, que controlam as funções do sistema reprodutor. Sobre esse processo, as alternativas corretas são:

a) Os espermatozóides são produzidos nos túbulos seminíferos, onde uma célula primordial diplóide sofre meiose formando, consecutivamente, espermatogônias, espermatócitos e, finalmente, mediante ação hormonal da testosterona, o espermatozóide.

b) A hipófise tem um papel muito importante na gametogênese: os hormônios FSH e LH são diretamente responsáveis pela estimulação da espermatogênese e da ativação das células intersticiais nos homens.

c) A ovogênese ocorre no epitélio germinativo da periferia do ovário, onde a partir de 1 ovogônia ocorre a formação de somente 1 gameta fértil. As outras 3 células formadas, chamadas glóbulos ou corpúsculos polares, degeneram.

d) A testosterona é o principal hormônio masculino produzido pela próstata, cuja função é auxiliar no crescimento dos testículos, na indução da espermatogênese e no desenvolvimento das características sexuais secundárias.

e) O uso do dispositivo intrauterino (DIU) é um método anticoncepcional que inibe a síntese de progesterona, responsável pelo estímulo do desenvolvimento do endométrio e do hormônio luteinizante que age sobre a ovulação.

Questões discursivas

15. (Fuvest-SP) Durante o desenvolvimento embrionário das aves, o embrião é nutrido graças à grande quantidade de vitelo presente no ovo. Já nos mamíferos o ovo é pobre em vitelo. Como a grande maioria dos embriões de mamíferos consegue obter os nutrientes necessários para seu desenvolvimento?

16. (UFSCar-SP) Considerando situações hipotéticas, Maria manteve relações sexuais com dois irmãos, gêmeos dizigóticos, nascendo dessas relações Alfredo. Em outra situação, também hipotética, Paula engravidou ao manter relações sexuais com dois irmãos, gêmeos monozigóticos, nascendo Renato. Abandonadas, ambas reclamaram na Justiça o reconhecimento de paternidade, determinando o juiz a realização dos testes de DNA. Após receber os resultados, a Justiça pronunciou-se sobre a paternidade de uma das crianças e ficou impossibilitada de pronunciar-se sobre a paternidade da outra criança.

Responda:

a) Sobre a paternidade de qual criança o juiz pronunciou-se?

b) Por que não pôde o juiz se pronunciar sobre a paternidade da outra criança?

17. (UFRJ) O gráfico mostra os níveis dos hormônios progestacionais no sangue de uma mulher num período de 90 dias.

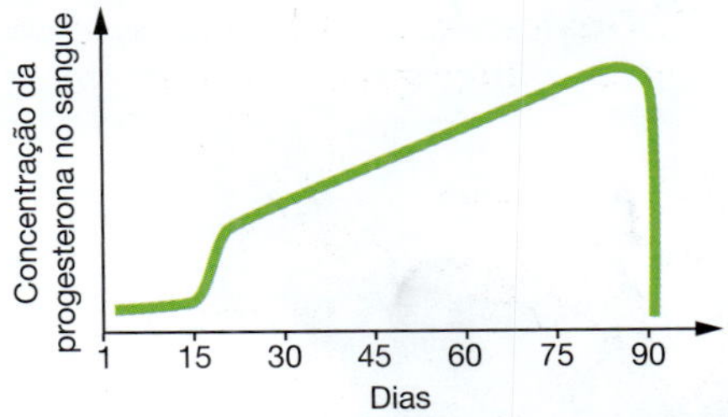

a) Como deve ser interpretado o aumento progressivo do nível de concentração da progesterona a partir do 15º dia?

b) Que fato deve estar associado à queda do nível de hormônio por volta do 90º dia?

18. (Fuvest-SP) Uma mulher tem gônadas que não se diferenciam e não produzem gametas nem hormônios. O que se espera dos níveis do hormônio folículo-estimulante (FSH) nessa mulher, em relação aos níveis em mulheres normais? Por quê?

19. (Vunesp) Foram coletadas três amostras de espermatozoides de um rato adulto apto para reprodução e colocadas separadamente em três tubos de ensaio. Cada uma destas amostras foi submetida a uma situação experimental.

Tubo 1: Todos os espermatozoides tiveram um determinado tipo de organoide extraído do citoplasma através de uma microagulha.

Tubo 2: Todos os espermatozoides tiveram outro tipo de organoide citoplasmático extraído.

Tubo 3: Todos os espermatozoides foram mantidos intactos e utilizados como controle.

Em seguida, as três amostras foram introduzidas, cada uma separadamente, nos colos uterinos de três ratazanas em condições de serem fertilizadas. Durante o experimento, verificou-se que:

— os espermatozoides do tubo 1 se aproximaram dos óvulos, mas nenhum deles conseguiu perfurar suas membranas plasmáticas.

— os espermatozoides do tubo 2 não foram além do colo uterino e sofreram um processo degenerativo após 48 horas.

— os espermatozoides do tubo 3 caminharam até os óvulos e todos foram fertilizados.

a) Quais foram os organoides extraídos dos espermatozoides dos tubos 1 e 2?

b) Quais as funções desses organoides?

Módulo 6

Fundamentos da Genética

Capítulo 16

MALCOLM GUTTER/VISUALS UNLIMITED, INC./GLOW IMAGES

Lei da herança genética

Itens principais:

- Mendel e as origens da Genética
- Conceitos básicos em Genética
- Variações do modelo mendeliano de herança
- Herança de grupos sanguíneos na espécie humana

Capítulo 17

SCIENCE VU/B. JOHN/VISUALS UNLIMITED/CORBIS/LATINSTOCK

As bases cromossômicas da herança

Itens principais:

- A segregação independente de genes
- Interações entre genes com segregação independente
- Genes localizados no mesmo cromossomo

Dois traços da ervilha-de-cheiro (*Pisum sativum*) estudados por Mendel foram a cor dos cotilédones da semente – amarela ou verde – e a forma da casca da semente – lisa ou rugosa. Identifique essas características, que se combinam independentemente, na amostra de ervilhas da fotografia.

Capítulo 18

Herança e sexo

Itens principais:

Os cromossomos e o sexo
Herança de genes localizados em cromossomos sexuais

IKORDELA/SHUTTERSTOCK

MARTIN SHIELDS/PHOTORESEARCHERS/LATINSTOCK

Conheça os capítulos deste módulo

A sigla DNA, pode-se dizer, está na "boca do povo". A popularização dos exames de DNA para identificar pessoas, a partir de 1988, contribuiu para mudar regras e condutas sociais. Quem diria que a Genética assumiria tal importância em nosso cotidiano? Neste módulo, contamos parte da história que começou em um mosteiro, no século XIX, para entender como se estabeleceram as bases científicas da Genética, desenvolvidas ao longo do século passado. Confira esses temas nos capítulos do módulo.

Capítulo 16 Iniciamos aqui o estudo da Genética, cujas bases foram lançadas pelos trabalhos de Gregor Mendel em meados do século XIX. O pensamento mendeliano foi inovador ao integrar análises numéricas aos resultados dos cruzamentos de ervilhas. Com um raciocínio matemático avançado para a Biologia da época, Mendel supôs que as plantas genitoras possuíam fatores que se separavam no processo de formação dos gametas e se combinavam ao acaso para originar a descendência.

Capítulo 17 Apresentamos, neste capítulo, os princípios que regem a herança biológica e as contribuições de várias gerações de estudiosos à Genética. Em ciência, cada pesquisador contribui para que seus colegas avancem ainda mais no conhecimento sobre determinado tema. É o que constatamos ao estudar os trabalhos de Mendel, seguidos pelos de Sutton e de Morgan, que construíram as bases da Genética moderna.

Capítulo 18 Neste último capítulo do módulo, os estudos de Genética ganham um novo componente: o sexo. O que leva um organismo a ser fêmea ou macho, isto é, a produzir gametas femininos ou gametas masculinos? Em última análise, o funcionamento de seus genes. Em diversas espécies, incluindo a nossa, o sexo é definido no momento exato da fecundação, pela combinação cromossômica dos gametas.

Capítulo 16 Lei da herança genética

SAMMLUNG RAUCH/INTERFOTO/LATINSTOCK

MALCOLM GUTTER/VISUALS UNLIMITED, INC./GLOWIMAGES

O monge-cientista Gregor Mendel, retratado acima, realizou os experimentos que revolucionaram a Genética nos jardins de um mosteiro da atual República Tcheca. À direita, fotografia desse mosteiro, que foi conservado para a posteridade (2007).

A Genética na sociedade contemporânea

O geneticista Sérgio Danilo Pena (1947-), da Universidade Federal de Minas Gerais, foi um dos responsáveis pelo desenvolvimento dos exames de DNA no Brasil, hoje amplamente utilizados na identificação de pessoas. A popularização desses exames, a partir de 1988, contribuiu para reduzir os casos de paternidade duvidosa, mudando regras e condutas na sociedade. Sem falar de suas aplicações na solução de crimes. Quem diria que a Genética assumiria tal importância no cotidiano das pessoas?

E pensar que esse conhecimento científico começou a se desenvolver a partir dos cruzamentos entre ervilhas realizados em meados do século XIX pelo monge-cientista Gregor Mendel em um mosteiro na cidade de Brno (Brünn, em alemão), antiga capital da histórica região da Morávia, atual República Tcheca! A redescoberta dos trabalhos de Mendel, no começo do século XX, marca o início da Genética. Desde então, os conhecimentos sobre a herança biológica não pararam de evoluir.

Em 26 de julho de 2000, os estadunidenses Francis Collins (1950-) e J. Craig Venter (1946-) anunciaram ao mundo a conclusão do sequenciamento do genoma humano. Em outras palavras, eles determinaram a sequência das mais de 3 bilhões de "letras" químicas que compõem a informação genética de cada ser humano!

Em artigo da revista *Ciência Hoje*[1], o Prof. Danilo Pena resume o que espera da Genética no futuro:

> "[...] em 10 anos miraculosos fomos do genoma do *Homo sapiens* ao genoma do *Homo neanderthalensis*, abrindo nesse processo as portas da genômica pessoal e da genômica arqueológica. Certamente os próximos 10 anos vão ser tremendamente estimulantes do ponto de vista genômico. Imagino as maravilhas que virão por aí – mal posso conter minha curiosidade...".

Neste e nos próximos capítulos, estudaremos as origens da Genética e veremos como os conhecimentos nessa área chegaram ao ponto em que estão hoje: deixando cientistas e leigos curiosos e maravilhados com o futuro! Aproveite a oportunidade para conhecer um pouco mais sobre esse assunto.

A importância do assunto

A Genética tornou-se mais acessível aos jovens de hoje porque os conhecimentos sobre computadores e informática, que fazem parte do cotidiano de nossa juventude, facilitam entender o sistema de código que os sistemas vivos utilizam há mais de 3 bilhões de anos na transmissão de informações de geração a geração.

Neste capítulo vamos iniciar o estudo da Genética, um dos ramos mais promissores da Biologia neste século XXI. As bases da Genética foram lançadas pelos trabalhos de Gregor Mendel, em meados do século XIX. O pensamento mendeliano foi inovador porque integrou uma análise matemática aos resultados dos cruzamentos de ervilhas.

Na primeira parte do capítulo apresentamos resumidamente os experimentos que levaram Mendel a deduzir a primeira lei da herança. Na segunda parte, mostramos alguns casos em que essa lei se aplica.

É importante estar atento à progressão dos conhecimentos nos estudos de Genética, pois cada passo é fundamental para o passo seguinte. Além disso, a compreensão dos princípios básicos da herança dos genes contribui na formação para a cidadania, uma vez que a Genética faz parte da vida das pessoas. Descubra mais sobre esse tema neste e no próximo módulo.

16.1 Mendel e as origens da Genética

Genética é a área da Biologia que estuda a **herança biológica**, ou **hereditariedade**, que consiste na transmissão de características de pais para filhos, ao longo das gerações. Embora as pessoas tenham se interessado pela herança biológica desde a pré-história, os conhecimentos de Genética só se desenvolveram realmente no século XX, a partir da redescoberta das regras básicas da hereditariedade propostas originalmente em 1865 pelo monge e cientista austríaco Gregor Mendel (1822-1884).

De acordo com alguns historiadores, Mendel foi um cientista adiante de seu tempo, pois suas conclusões sobre a herança biológica só foram plenamente compreendidas e reconhecidas pela comunidade científica 35 anos depois de publicadas. Seu trabalho com ervilhas, cujos resultados ajudaram a desvendar as leis fundamentais da herança, é considerado um marco na história da ciência.

A ervilha como material experimental

Quando saiu da cidade de Brno para estudar em Viena, Mendel conheceu as grandes questões que a Biologia da época tentava responder, entre elas as relacionadas com a hereditariedade. Seu conhecimento sobre as técnicas de hibridização em plantas levou-o a considerar a possibilidade de estudar a herança biológica a partir de cruzamentos entre variedades vegetais que diferiam quanto a certas características.

Ao voltar de Viena, Mendel escolheu como material de estudo a ervilha *Pisum sativum*, espécie ornamental utilizada por outros hibridizadores de plantas em virtude de algumas características favoráveis, tais como facilidade de cultivo e ciclo de vida curto, que permite a obtenção de várias gerações de plantas em pouco tempo. Além disso, as ervilhas possuem características com estados contrastantes facilmente identificáveis; por exemplo, a característica "cor das sementes" pode apresentar dois estados distintos: a semente pode ser amarela ou verde, dependendo da linhagem. Esses estados da característica "cor das sementes" não se misturam, e a distinção entre eles é inequívoca. Outra vantagem da ervilha como material biológico é a facilidade de realizar polinização artificial entre diferentes linhagens com obtenção de descendência fértil, o que permite dar continuidade aos cruzamentos ao longo das gerações.

Ervilhas são plantas da família das leguminosas, com frutos tipo vagem. Sua flor é hermafrodita, ou seja, possui a parte feminina e a masculina na mesma planta. Os órgãos reprodutores masculinos e femininos da flor encontram-se no interior da quilha, uma estrutura fechada, constituída por duas pétalas especiais sobrepostas.

1 Disponível em: <http://cienciahoje.uol.com.br/colunas/deriva-genetica/dez-anos-de-genoma-humano>. Acesso em: set. 2013.

A quilha impede a fecundação de uma flor por grãos de pólen de outras flores; consequentemente, os gametas femininos de uma flor de ervilha são quase sempre fecundados por seus próprios gametas masculinos, processo denominado **autofecundação**.

Para cruzar plantas diferentes, realizando o que se denomina **fecundação cruzada**, é preciso abrir previamente a quilha de algumas flores e cortar suas anteras (porção da parte masculina da flor onde são produzidos os grãos de pólen que contêm os gametas masculinos) antes que amadureçam; esse procedimento previne a autofecundação. Quando a parte feminina se torna madura, a quilha é novamente aberta e polinizada por grãos de pólen de outra planta. Essa técnica permite o cruzamento de variedades distintas e a obtenção de sementes híbridas (do grego *hybris*, misturado por cruzamento). (Fig. 16.1)

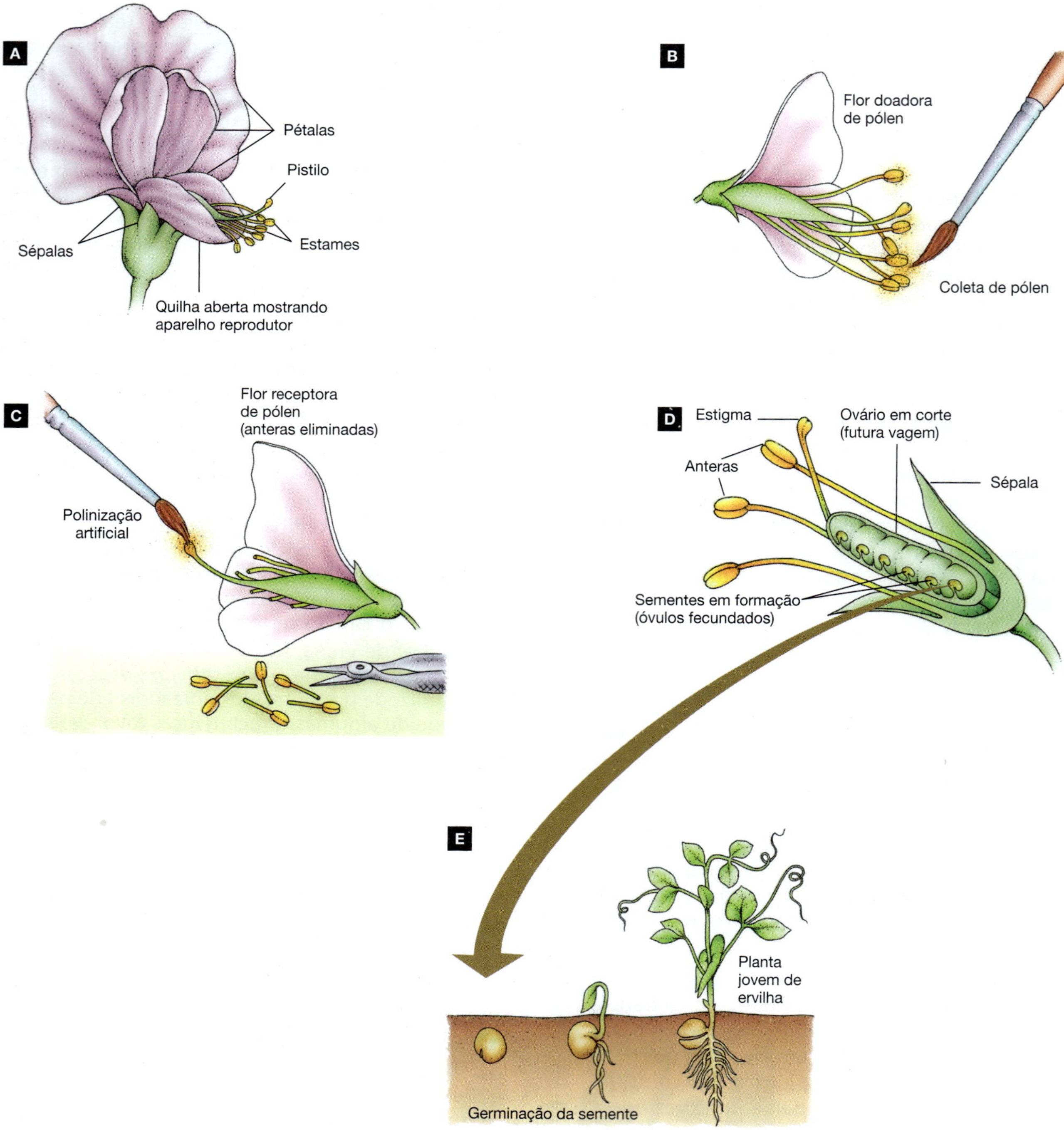

Figura 16.1 Representação esquemática da polinização artificial em ervilha. **A.** Flor de ervilha, mostrando suas principais partes; note os estames (porção da parte masculina da flor), em cujas extremidades estão as anteras que contêm os grãos de pólen, portadores dos gametas masculinos, e o pistilo (porção da parte feminina da flor), em cuja base, denominada ovário, se formam os óvulos, que contêm os gametas femininos. Durante a reprodução da planta, os óvulos fecundados dão origem às sementes e o ovário desenvolve-se no fruto tipo vagem. **B.** Retirada de pólen da flor doadora com um pincel. **C.** Colocação do pólen sobre o estigma (porção terminal e dilatada do pistilo) da flor receptora, da qual foram removidas as anteras ainda imaturas. **D.** Ovário de uma flor cortado longitudinalmente, mostrando os óvulos fecundados transformando-se em sementes (os "grãos" de ervilha). **E.** Etapas da germinação da semente originando uma nova planta. (Elementos fora de proporção de tamanho entre si; cores-fantasia.)

Depois de um criterioso trabalho de seleção entre mais de 30 características distintas, Mendel concentrou-se em apenas sete, cada qual com dois estados bem contrastantes, de fácil distinção. Além da cor da semente, já mencionada (amarela ou verde), Mendel escolheu características como a forma da vagem (inflada ou sulcada), a forma da casca da semente (lisa ou rugosa), a estatura da planta (alta ou baixa), entre outras, resumidas a seguir. (Fig. 16.2)

Nesse trabalho, um dos grandes méritos de Mendel foi considerar como ponto de partida de seus experimentos apenas uma característica por vez. Quando estava interessado em estudar a característica cor da semente, ele simplesmente deixava de levar em conta as outras características (forma da vagem, posição das flores etc.).

A análise numérica da descendência

Antes de iniciar um cruzamento, Mendel certificava-se de estar lidando apenas com plantas de **linhagens puras** para cada característica estudada. Uma linhagem é considerada pura quando, por autofecundação, produz apenas plantas iguais a si mesma. Por exemplo, uma linhagem pura de ervilhas de sementes amarelas origina, quando autofecundada, apenas plantas com sementes amarelas.

Mendel realizou cruzamentos entre plantas puras para cada uma das sete características escolhidas. Em um experimento, ele cruzou plantas puras de sementes amarelas com plantas puras de sementes verdes; em outro, plantas puras altas foram cruzadas com plantas puras anãs; em outro, ainda, plantas puras com flores em posição terminal foram cruzadas com plantas puras com flores em posição axilar; e assim por diante.

Nesses cruzamentos, a geração constituída pelas variedades puras foi denominada geração parental, hoje chamada abreviadamente de **geração P**. A descendência direta da geração P foi chamada de primeira geração híbrida, hoje denominada **geração F_1** (primeira geração de filhos). A descendência resultante da autofecundação da geração F_1 foi denominada segunda geração híbrida, ou **geração F_2**.

Mendel observou, em seus cruzamentos, que os descendentes híbridos da geração F_1 eram sempre iguais a um dos pais. Por exemplo, os híbridos originados do cruzamento de plantas puras de sementes amarelas com plantas puras de sementes verdes sempre apresentavam sementes amarelas, idênticas às da planta amarela parental. O estado "cor verde" da semente não estava presente na geração F_1.

Entretanto, a autofecundação de plantas híbridas F_1 produzia uma descendência constituída por plantas com sementes amarelas e plantas com sementes verdes. Isso levou Mendel a concluir que, nas plantas da geração F_1, o estado da característica de um dos progenitores não desaparecia, mas ficava apenas "em recesso", isto é, encoberto, ressurgindo novamente na geração F_2.

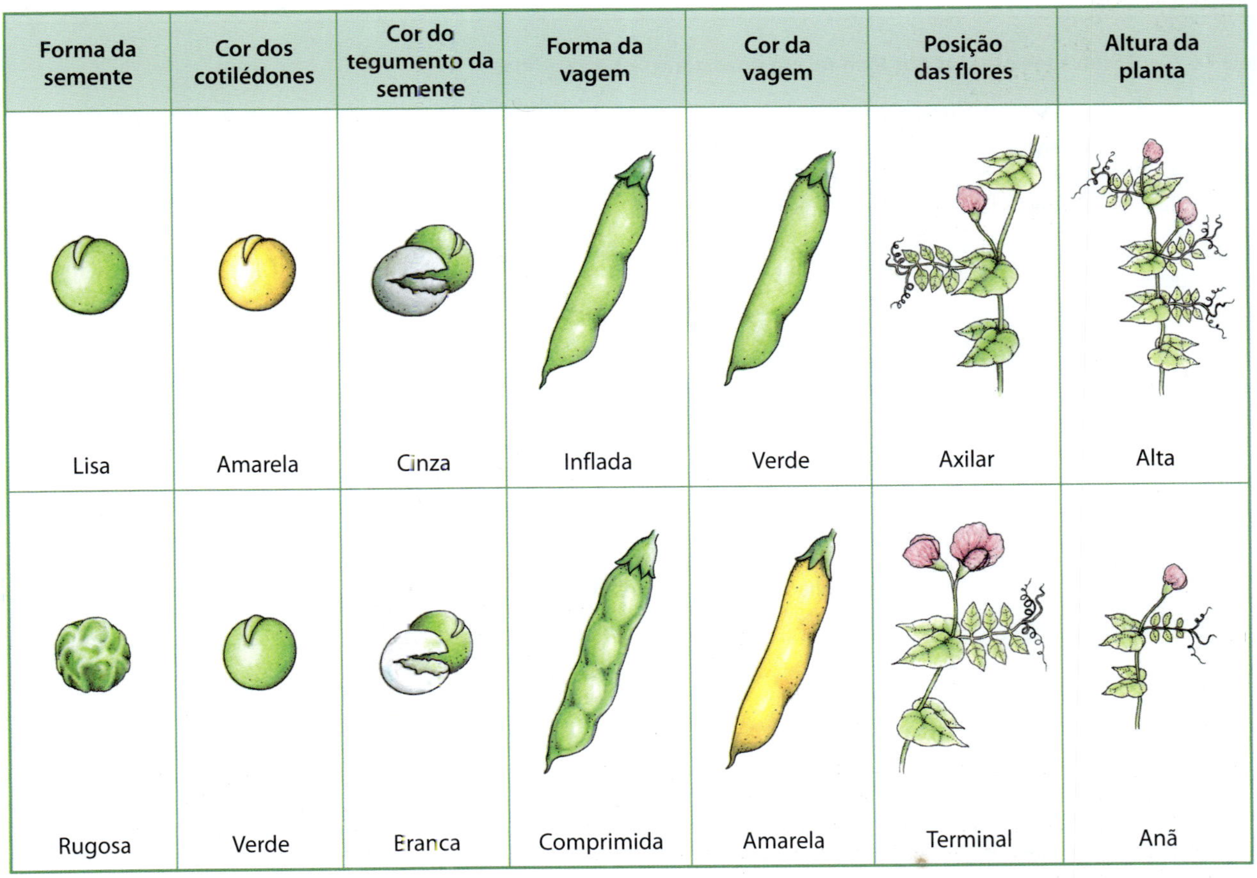

Figura 16.2 Representação esquemática dos dois estados alternativos de cada uma das sete características analisadas por Mendel em seus estudos com ervilhas. (Elementos fora de proporção de tamanho entre si; cores-fantasia.)

Mendel denominou **dominante** o estado da característica que se manifestava nas plantas híbridas e **recessivo** o estado da característica que ficava encoberto. No caso da cor da semente, por exemplo, semente amarela é dominante e semente verde, recessivo. (Tab. 16.1)

Tabela 16.1 ▪ **Estados dominantes e recessivos das sete características estudadas por Mendel**

Característica	Dominante	Recessivo
Forma da semente	Lisa	Rugosa
Cor dos cotilédones	Amarela	Verde
Cor do tegumento da semente	Cinza	Branca
Forma da vagem	Inflada	Comprimida
Cor da vagem	Verde	Amarela
Posição das flores	Axilar	Terminal
Altura da planta	Alta	Anã

Outros pesquisadores, predecessores de Mendel, já haviam observado que certos estados de características da ervilha desapareciam nos híbridos e reapareciam na geração seguinte. Entretanto, a originalidade de Mendel foi aplicar uma visão matemática aos resultados, comparando o número de plantas com o estado dominante e com o estado recessivo de diversas características, na geração F_2. Por exemplo, no cruzamento entre plantas puras de sementes amarelas e plantas puras de sementes verdes, ele obteve em F_2 (resultante da autofecundação de F_1) um total de 8.023 sementes, das quais 6.022 eram amarelas e 2.001, verdes. Dividindo-se o número de sementes amarelas pelo número de sementes verdes, obtém-se a proporção de aproximadamente 3,01 amarelas para 1 verde (3,01 : 1).

Em outro experimento, em que plantas puras de sementes lisas foram cruzadas com plantas puras de sementes rugosas, Mendel obteve, em F_2, 5.474 sementes lisas e 1.850 sementes rugosas, uma proporção de aproximadamente 2,96 : 1. Os números obtidos nos diferentes experimentos eram sempre próximos da proporção 3 : 1, ou $\frac{3}{4}$ (75%), com o estado dominante para $\frac{1}{4}$ (25%) com o estado recessivo.

A semelhança das proporções entre os estados dominante e recessivo, nas diferentes características estudadas, foi o que levou Mendel a considerar a existência de uma lei geral aplicável à herança das características nas ervilhas. (Tab. 16.2)

Tabela 16.2 ▪ **Resultados obtidos por Mendel em duas gerações de ervilhas**

Tipos de cruzamento entre plantas "puras"	Características das plantas F_1	Autofecundação de F_1	Plantas F_2	Razão em F_2
1. Forma das sementes Lisa × Rugosa	Sementes lisas	Lisa × Lisa	5.474 lisas 1.850 rugosas	2,96 : 1
2. Cor dos cotilédones Amarelo × Verde	Sementes de cotilédones amarelos	Amarela × Amarela	6.022 amarelos 2.001 verdes	3,01 : 1
3. Cor do tegumento das sementes Cinza × Branco	Sementes de tegumento cinza	Cinza × Cinza	705 cinzas 224 brancos	3,15 : 1
4. Textura das vagens Inflada × Comprimida	Vagens infladas	Inflada × Inflada	882 infladas 299 comprimidas	2,95 : 1
5. Cor das vagens Verde × Amarela	Vagens verdes	Verde × Verde	428 verdes 152 amarelas	2,82 : 1
6. Posição das flores Axilar × Terminal	Flores axilares	Axilar × Axilar	651 axilares 207 terminais	3,14 : 1
7. Altura da planta Alta × Anã	Planta alta	Alta × Alta	787 altas 277 anãs	2,84 : 1

A dedução da lei da separação dos fatores

Conteúdo multimídia
Lei da segregação dos fatores

Para explicar o "encobrimento" do estado recessivo de uma característica na geração F_1 e seu reaparecimento em F_2, Mendel elaborou uma hipótese baseada nas seguintes premissas: **a)** cada característica hereditária é determinada por dois fatores, um herdado do genitor materno e outro do paterno; **b)** os fatores de cada par separam-se (os geneticistas utilizam o termo "segregam-se") no momento da formação dos gametas.

Segundo Mendel, um indivíduo puro para determinada característica recebe dos pais dois fatores idênticos. Consequentemente, os gametas formados por esse indivíduo conterão um único tipo de fator para a característica em questão.

Um indivíduo híbrido para determinada característica, por sua vez, recebe fatores diferentes dos pais. Consequentemente, os gametas formados por esse indivíduo serão de dois tipos. Mendel considerou que metade dos gametas conteria o fator para um dos estados da característica, e metade o fator para o outro.

Vejamos o modelo imaginado por Mendel aplicado a um exemplo. Flores de plantas altas puras recebem pólen de plantas anãs, que são necessariamente puras, uma vez que esse estado da característica é recessivo. De acordo com o modelo mendeliano, cada gameta feminino formado pelas plantas altas contém apenas o fator para alta estatura, que representaremos pela letra maiúscula *A*. Gametas masculinos formados pelas plantas anãs contêm apenas o fator para baixa estatura, representado pela letra minúscula *a*. O encontro dos gametas dessas plantas origina uma descendência F_1, inteiramente constituída de plantas híbridas, com os dois tipos de fatores (*Aa*). Sendo o fator para estatura alta dominante sobre o fator para estatura baixa, as plantas híbridas de F_1 serão todas altas.

Quando uma planta alta híbrida forma gametas, os fatores para a característica "estatura" separam-se e cada gameta recebe apenas um tipo de fator, nunca os dois juntos. No modelo mendeliano, aproximadamente metade dos gametas femininos produzidos pela planta híbrida conterá o fator para estatura alta (*A*), e a outra metade, o fator para estatura baixa (*a*). O mesmo acontece com os gametas masculinos.

Na autofecundação das plantas híbridas da geração F_1, são possíveis quatro tipos de encontro de gametas:

a) gameta feminino com fator para estatura alta (*A*) é fecundado por gameta masculino com fator para estatura alta (*A*);

b) gameta feminino com fator para estatura alta (*A*) é fecundado por gameta masculino com fator para estatura baixa (*a*);

c) gameta feminino com fator para estatura baixa (*a*) é fecundado por gameta masculino com fator para estatura alta (*A*);

d) gameta feminino com fator para estatura baixa (*a*) é fecundado por gameta masculino com fator para estatura baixa (*a*).

No caso **a)**, formam-se indivíduos altos puros, *AA*; nos casos **b)** e **c)**, formam-se indivíduos altos híbridos *Aa*; no caso **d)**, formam-se descendentes anãos *aa*. Considerando que os quatro tipos de encontro de gametas têm a mesma chance de ocorrer, espera-se que se formem 3 plantas altas (1 pura e 2 híbridas) para cada planta anã. (Fig. 16.3)

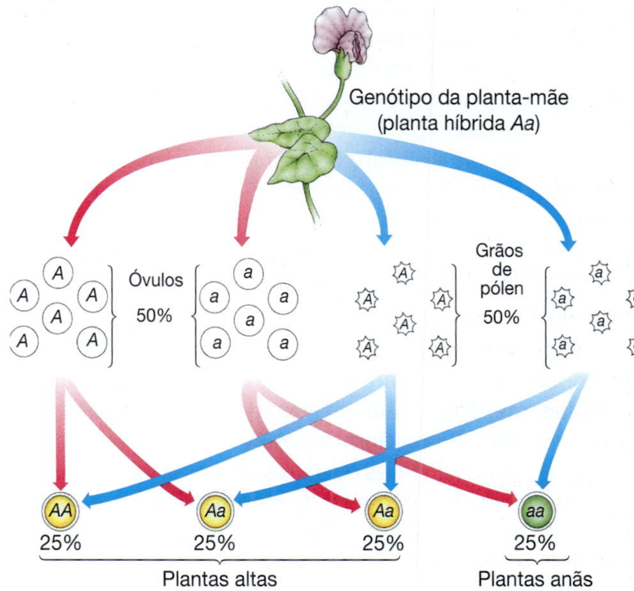

Figura 16.3 Representação esquemática da segregação dos fatores em uma planta híbrida e da combinação aleatória dos gametas na formação da geração seguinte.

Concluindo, o ponto fundamental da hipótese proposta por Mendel é a separação dos fatores hereditários na formação dos gametas. Esse princípio ficou conhecido como **lei da segregação dos fatores**, ou **primeira lei de Mendel**.

16.2 Conceitos básicos em Genética

A redescoberta dos trabalhos de Mendel e sua aceitação pelos cientistas, no início do século XX, levaram a novas questões. Entre elas: o que são e onde se localizam os fatores hereditários? Que mecanismo biológico é responsável pela separação desses fatores na formação dos gametas?

Em 1902, quando estudava a formação de gametas em gafanhotos, o biólogo estadunidense Walter S. Sutton (1877-1916) percebeu uma surpreendente semelhança entre o comportamento dos cromossomos homólogos, que se separam durante a meiose, e a separação dos fatores hereditários imaginada por Mendel.

Sutton propôs então a hipótese de que os fatores imaginados por Mendel localizavam-se em cromossomos homólogos; com a separação dos homólogos na meiose, ocorreria também a separação (ou segregação) dos fatores mendelianos. Mais ou menos na mesma época, o pesquisador alemão Theodor Boveri (1862-1915) chegou, independentemente, à mesma conclusão que Sutton.

Os fatores mendelianos, atualmente denominados **genes**, são informações hereditárias inscritas no DNA dos cromossomos. No núcleo de cada uma de nossas células, por exemplo, há 23 tipos de cromossomos, cada um com milhares de genes, totalizando os mais de 20 mil genes presentes em cada célula humana. A posição que um gene ocupa no cromossomo é denominada **loco gênico**.

Um gene pode ter diferentes versões, denominadas **alelos**. Por exemplo, o fator mendeliano que faz a planta de ervilha ser alta (*A*) é o alelo dominante do gene responsável pela estatura da planta. O fator para a forma anã (*a*) é o alelo recessivo desse mesmo gene. Indivíduos com um par de alelos idênticos (*AA* ou *aa*), que Mendel denominava puros, recebem atualmente a denominação de **homozigotos**. Indivíduos com um par de alelos diferentes (*Aa*), que Mendel denominava híbridos, são atualmente chamados **heterozigotos**.

Não é surpreendente que Mendel, apoiado apenas no comportamento das características hereditárias, deduzido nos cruzamentos, tenha antecipado conceitos relacionados à meiose? E isso bem antes da descoberta dos cromossomos e das divisões celulares! Por essa razão, muitos cientistas consideram o monge-cientista um pesquisador inspirado e muito adiante de seu tempo. (Fig. 16.4)

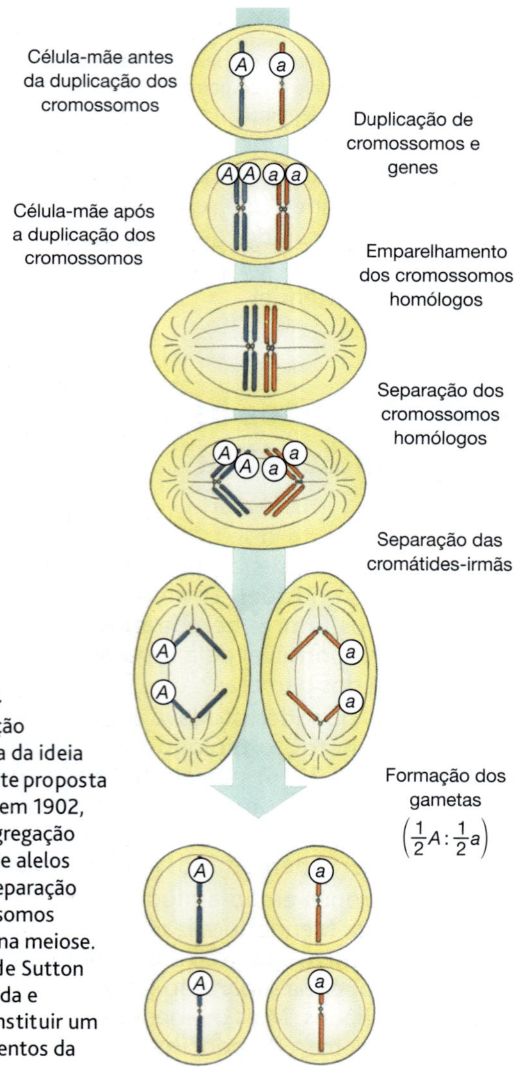

Figura 16.4 Representação esquemática da ideia originalmente proposta por Sutton, em 1902, de que a segregação de um par de alelos resulta da separação dos cromossomos homólogos na meiose. A hipótese de Sutton foi confirmada e passou a constituir um dos fundamentos da Genética.

Teoria das probabilidades aplicada à Genética

Um dos motivos de o trabalho de Mendel não ter sido compreendido por seus contemporâneos foi o raciocínio matemático utilizado pelo monge. Os biólogos da época não entendiam as variações em torno da proporção 3 : 1 obtidas nos diversos cruzamentos (reveja a Tab. 16.2). Mendel, por sua vez, tinha plena consciência de que eram variações casuais, perfeitamente explicáveis pela teoria das probabilidades. Realmente, para compreender os resultados obtidos em cruzamentos genéticos, é necessário ter um conhecimento dos princípios básicos da teoria das probabilidades.

Probabilidade é a chance de determinado evento ocorrer, entre dois ou mais eventos possíveis. Por exemplo, a chance de uma moeda cair com a face "cara" voltada para cima representa um entre dois eventos possíveis, "cara" ou "coroa". Nesse caso, dizemos que a probabilidade de sair "cara" é $\frac{1}{2}$ (uma chance em duas possíveis) ou 50%, pois espera-se que em aproximadamente metade dos lançamentos de uma moeda seja obtida a face "cara".

Eventos aleatórios

A obtenção de "cara" no lançamento de uma moeda, o sorteio de um "ás de ouros" do baralho ou a obtenção de "face 6" no lançamento de um dado são **eventos aleatórios** (do latim *alea*, sorte). Em cada um dos casos, há um conjunto de eventos possíveis, e o evento selecionado ("cara", "ás de ouros" ou "face 6") tem a mesma chance de ocorrer que qualquer outro evento possível naquele conjunto.

Por exemplo, a probabilidade de se obter "cara" no lançamento de uma moeda é $\frac{1}{2}$, pois o conjunto de possibilidades é composto de dois eventos — "cara" ou "coroa" —, com a mesma chance de ocorrer. A probabilidade de se sortear o "ás de ouros" em um baralho é $\frac{1}{52}$, pois o conjunto de possibilidades é formado por 52 cartas, cada uma com igual chance de ser sorteada. A probabilidade de se obter "face 6" ao lançar um dado é $\frac{1}{6}$, que corresponde a um entre seis eventos possíveis.

A probabilidade de um gameta formado por um indivíduo heterozigótico *Aa* portar o alelo *A* ou *a* também é um evento aleatório. O conjunto de possibilidades é formado por dois tipos de eventos: o gameta ser portador do alelo *A* e o gameta ser portador do alelo *a*, ambos com a mesma chance de ocorrer. Portanto, a probabilidade de um gameta de um indivíduo heterozigótico *Aa* portar o alelo *A*, ou o alelo *a*, é $\frac{1}{2}$, ou 50%.

Eventos independentes

Quando a ocorrência de um evento não afeta a probabilidade de outro evento ocorrer, fala-se em **eventos independentes**. Por exemplo, o fato de se obter "cara" ao lançar uma moeda não aumenta nem diminui a chance de sair "cara" em um novo lançamento da mesma moeda, ou de outra moeda qualquer. Assim, o resultado obtido em cada lançamento de moeda é um evento independente. Da mesma maneira, o nascimento de uma criança com determinado genótipo é um evento independente do nascimento de outros filhos de um casal. Por exemplo, mesmo para um casal que já teve cinco filhas, a probabilidade de uma sexta criança ser também do sexo feminino continua a ser $\frac{1}{2}$, ou 50%.

A teoria das probabilidades diz que a probabilidade de dois ou mais eventos independentes ocorrerem conjuntamente é igual ao produto das probabilidades de eles ocorrerem separadamente. Esse princípio é conhecido popularmente como **regra do** "e", pois corresponde à pergunta: qual é a probabilidade de ocorrer determinado evento e também um outro?

Por exemplo, se jogamos uma moeda duas vezes, qual é a probabilidade de obtermos duas vezes a face "cara", ou seja, sair face "cara" no primeiro lançamento e face "cara" também no segundo? A chance de sair "cara" na primeira jogada é $\frac{1}{2}$, e a chance de sair "cara" na segunda jogada também é $\frac{1}{2}$. A probabilidade conjunta de ocorrência desses dois eventos é $\frac{1}{2} \times \frac{1}{2} = \frac{1}{4}$. (Fig 16.5)

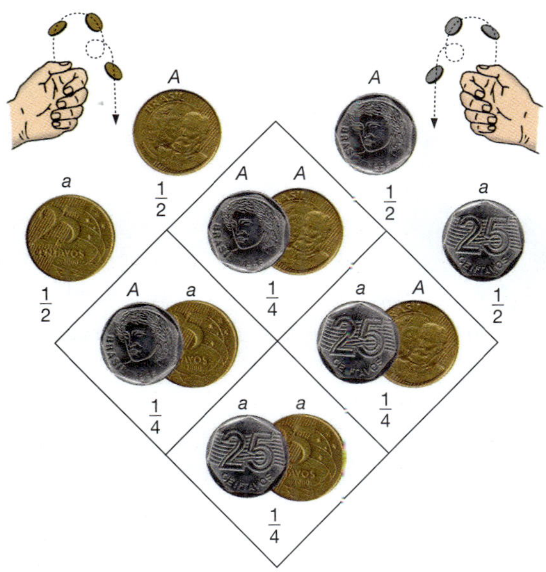

Figura 16.5 Esquema comparando as probabilidades de obtenção de cara e coroa no lançamento de duas moedas e a formação de diferentes genótipos pela combinação ao acaso de um par de alelos em um cruzamento genético.

A segregação dos alelos de um gene em um organismo diploide é comparável à obtenção de "cara" ou "coroa" no lançamento de uma moeda. Suponha que o lançamento de uma moeda dourada represente a formação do gameta feminino, que o lançamento de uma moeda prateada represente a formação do gameta masculino, e que "cara" e "coroa" sejam os dois alelos de um gene, *A* e *a*. O resultado da fecundação é comparável à combinação das faces obtidas no lançamento simultâneo das duas moedas.

Vejamos outro exemplo. Qual é a probabilidade de um casal ter dois filhos do sexo masculino? Uma vez que a probabilidade de nascer homem é $\frac{1}{2}$, a probabilidade de o casal ter dois meninos, isto é, de o primeiro filho ser homem e o segundo também ser homem, é $\frac{1}{2} \times \frac{1}{2}$, ou seja, $\frac{1}{4}$.

Eventos mutuamente exclusivos

Outro princípio da teoria das probabilidades diz que a ocorrência de dois eventos mutuamente exclusivos é igual à soma das probabilidades de cada um dos eventos ocorrer isoladamente. Eventos mutuamente exclusivos são aqueles em que a ocorrência de um exclui a ocorrência do outro. Esse princípio é conhecido popularmente como **regra do "ou"**, pois corresponde à pergunta: qual é a probabilidade de ocorrer determinado evento **ou** outro?

Por exemplo, a probabilidade de se obter "cara" ou "coroa" no lançamento de uma moeda é igual a 1, ou seja, é a probabilidade de sair "cara" somada à probabilidade de sair "coroa" $\left(\frac{1}{2} + \frac{1}{2} = 1\right)$. Da mesma forma, a probabilidade de obter-se "face 1" ou "face 6" no lançamento de um dado é $\frac{1}{6} + \frac{1}{6} = \frac{1}{3}$.

Considere agora outra questão: qual é a probabilidade de se obter "cara" e "coroa" no lançamento de duas moedas? Para responder a essa questão, é preciso levar em conta as duas maneiras de se obter "cara" e "coroa" quando se lançam duas moedas: pode sair "cara" na primeira moeda e "coroa" na segunda, ou "coroa" na primeira moeda e "cara" na segunda.

Como já vimos, a probabilidade de sair "cara" e "coroa" é $\frac{1}{4} \left(\frac{1}{2} \times \frac{1}{2}\right)$; da mesma forma, a probabilidade de sair "coroa" e "cara" é $\frac{1}{4}$. Como esses dois eventos são mutuamente exclusivos, devemos somar suas probabilidades, obtendo a probabilidade final de $\frac{2}{4}$, ou $\frac{1}{2}$ ($\frac{1}{4}$ para "cara" e "coroa" + $\frac{1}{4}$ para "coroa" e "cara").

Raciocínio semelhante é válido para a Genética. Por exemplo, qual é a probabilidade de um casal, tendo dois filhos, um ser menina e o outro menino? Há duas maneiras de um casal ter um menino e uma menina: a primeira criança ser menino e a segunda, menina $\left(\frac{1}{2} \times \frac{1}{2} = \frac{1}{4}\right)$, ou a primeira ser menina e a segunda, menino $\left(\frac{1}{2} \times \frac{1}{2} = \frac{1}{4}\right)$. Portanto, a probabilidade de o casal ter uma menina e um menino é $\frac{1}{4} + \frac{1}{4} = \frac{1}{2}$.

Como exercício, tente calcular a chance de um casal ter duas crianças do sexo masculino e uma do sexo feminino. Pense na ordem em que as três crianças podem nascer e faça os cálculos.

Os conceitos de fenótipo e genótipo

Os geneticistas utilizam o termo **fenótipo** (do grego *phenos*, evidente, e *typos*, característica) para se referir às características observáveis de um ser vivo, sejam elas físicas, bioquímicas ou comportamentais. O termo **genótipo** (do grego *genos*, origem, e *typos*, característica), por sua vez, designa o conjunto de genes de um indivíduo. Quando falamos da cor das flores de uma planta ou de sua estatura, da cor da pele ou do tipo sanguíneo de uma pessoa, estamos nos referindo ao fenótipo. Por outro lado, quando aludimos à constituição genética de uma planta para ter flores vermelhas, ou aos genes responsáveis pelo tipo sanguíneo de uma pessoa, estamos falando do genótipo.

Dois indivíduos, mesmo que tenham genótipos idênticos, podem apresentar diferenças no fenótipo decorrentes de influências ambientais. Por exemplo, pessoas com genótipos idênticos para cor da pele podem ser mais claras ou mais escuras dependendo do tempo de exposição ao sol. O fenótipo de um ser vivo é controlado pelos genes que ele possui em interação com o ambiente onde vive e se desenvolve. (Fig. 16.6)

DAVID YOUNG-WOLFF/PHOTOGRAPHER'S CHOICE/GETTY IMAGES

Figura 16.6 Indivíduos de uma mesma espécie diferem em inúmeras características fenotípicas, muitas das quais refletem suas diferentes constituições genéticas. Na fotografia podem ser vistas diferenças fenotípicas entre indivíduos da espécie humana e entre os cães.

Exemplos de herança mendeliana

A herança de diversas características em plantas e animais segue o modelo genético proposto por Mendel. Vejamos dois exemplos, a seguir.

Herança de um tipo de pelagem em coelhos

Coelhos da linhagem chinchila apresentam pelagem cinzenta, ao passo que os da linhagem albina possuem pelagem branca. Quando se cruzam coelhos chinchilas puros com coelhos albinos, a geração F_1 é constituída inteiramente por coelhos de pelagem cinzenta, semelhantes a um dos parentais. Quando os coelhos chinchilas híbridos da geração F_1 são cruzados entre si, dão origem a uma geração F_2 constituída por 75% (ou $\frac{3}{4}$) de coelhos chinchilas e 25% (ou $\frac{1}{4}$) de coelhos albinos.

Se admitimos que a cor da pelagem é condicionada por um par de alelos, um deles dominante e responsável por pelagem cinzenta, e outro recessivo, responsável por pelagem branca, percebemos que esses resultados estão de acordo com a primeira lei de Mendel. Acompanhe o diagrama do cruzamento na figura a seguir. (Fig. 16.7)

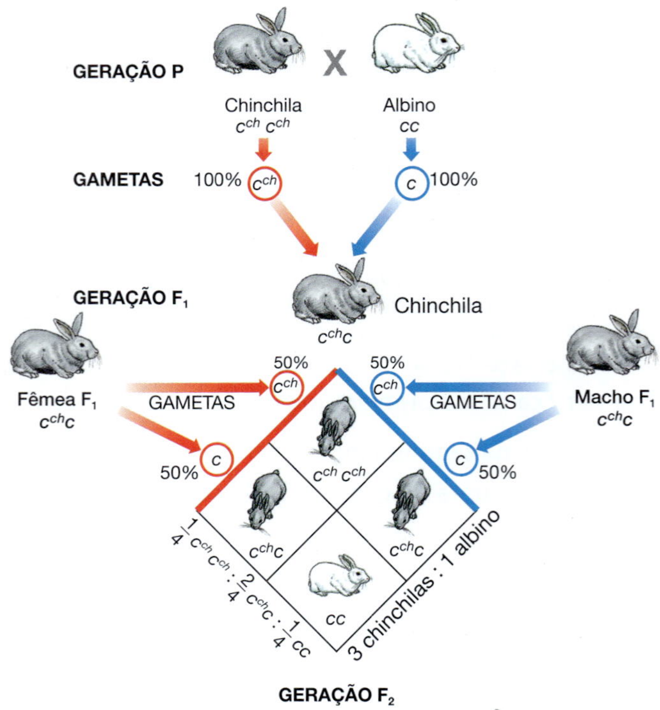

PETRA WEGNER/ALAMY/GLOW IMAGES

Coelho chinchila

LUSOIMAGES - ANIMALS/ALAMY/GLOW IMAGES

Coelho albino

Gametas ♀ / Gametas ♂	$\frac{1}{2}c^{ch}$	$\frac{1}{2}c$
$\frac{1}{2}c^{ch}$	$\frac{1}{4}c^{ch}c^{ch}$	$\frac{1}{4}c^{ch}c$
$\frac{1}{2}c$	$\frac{1}{4}c^{ch}c$	$\frac{1}{4}cc$

Figura 16.7 Representação esquemática do cruzamento entre coelhos albino e chinchila de linhagens puras e formação das gerações F_1 e F_2.

O resultado do cruzamento pode ser facilmente visualizado no diagrama. Quanto ao genótipo, formam-se três tipos de descendentes $c^{ch}c^{ch}$, $c^{ch}c$ e cc, respectivamente, nas proporções 1 : 2 : 1 (25% ou $\frac{1}{4}$ $c^{ch}c^{ch}$: 50% ou $\frac{2}{4}$ $c^{ch}c$: 25% ou $\frac{1}{4}$ cc). Quanto ao fenótipo, a descendência esperada desse cruzamento é de 3 coelhos cinzentos : 1 coelho branco.

Como é possível determinar se um coelho chinchila resultante desse cruzamento é homozigótico ou heterozigótico?

Uma maneira amplamente utilizada para determinar o genótipo de um indivíduo com fenótipo dominante é o **cruzamento-teste**, que consiste em cruzar o indivíduo em questão com um indivíduo de fenótipo recessivo, que é certamente homozigótico.

Se, entre os descendentes de um cruzamento-teste, há tanto indivíduos com fenótipo dominante quanto com fenótipo recessivo, conclui-se que o indivíduo testado é heterozigótico. Se, por outro lado, a descendência é grande e todos os descendentes têm fenótipo dominante, esse é um bom indicativo de que o indivíduo testado é homozigótico.

Por exemplo, se cruzarmos o coelho chinchila — cujo genótipo pode ser $c^{ch}c^{ch}$ ou $c^{ch}c$ — com um coelho albino e surgirem descendentes albinos (*cc*), teremos certeza de que o parental chinchila é heterozigótico ($c^{ch}c$). Por outro lado, se uma descendência grande é inteiramente de chinchilas, é bem provável que o tipo parental chinchila seja homozigótico $c^{ch}c^{ch}$.

Herança do tipo de folha em cóleo

As folhas de cóleo (*Coleus blumei*), uma espécie de planta utilizada na ornamentação de jardins, podem ter bordas levemente onduladas (folhas crenadas), ou ter bordas profundamente recortadas (folhas lobadas). Quando plantas puras dessas duas variedades são cruzadas entre si, a geração F_1 é inteiramente constituída por plantas de folhas lobadas. O cruzamento entre plantas da geração F_1 produz uma geração F_2 constituída por 75% ($\frac{3}{4}$) de plantas com folhas lobadas e 25% (ou $\frac{1}{4}$) com folhas crenadas, o que corresponde à proporção de 3 lobadas : 1 crenada.

Esses resultados seguem a primeira lei de Mendel, admitindo-se que, nessas variedades, a característica "borda da folha" é condicionada por um gene com duas formas alélicas: o alelo dominante *C* condiciona folha lobada, enquanto o alelo recessivo *c* condiciona folha crenada. (Fig. 16.8)

Herança mendeliana na espécie humana

Na espécie humana, os estudos genéticos não se utilizam de cruzamentos dirigidos, como se faz com outras espécies. O trabalho do geneticista humano consiste em analisar os membros de uma ou mais famílias nas quais haja portadores do estado da característica em estudo, na tentativa de estabelecer o padrão de herança.

As relações de parentesco entre os membros das famílias são representadas por meio de **heredogramas** (do latim *heredium*, herança) ou **árvores genealógicas**, que facilitam a visualização do comportamento das características hereditárias ao longo das gerações.

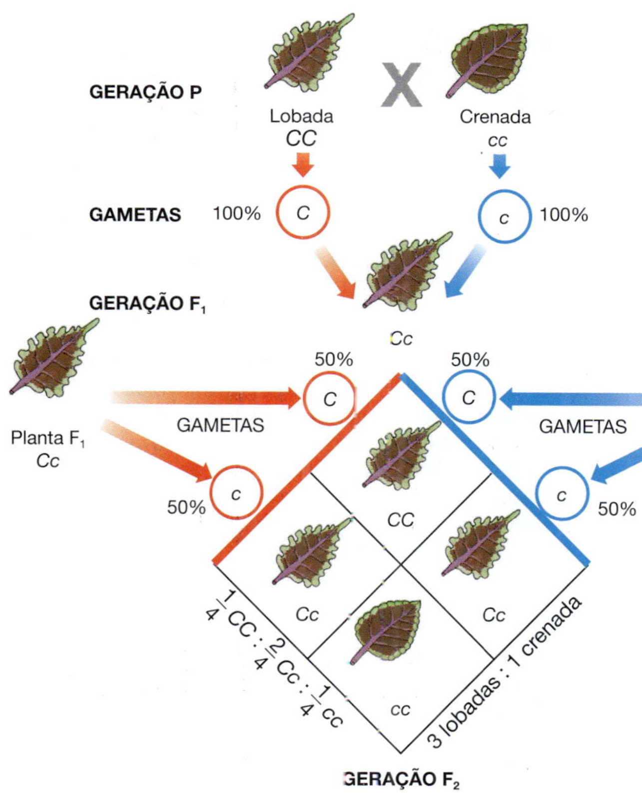

STEFFEN HAUSER/BOTANIKFOTO/ALAMY/OTHER IMAGES

Figura 16.8 Representação esquemática do cruzamento entre plantas de folhas lobadas e plantas de folhas crenadas de linhagens puras de *Coleus blumei* e formação das gerações F_1 e F_2. Na fotografia, plantas da espécie *Coleus blumei* de folhas crenadas. As folhas maiores têm aproximadamente 10 cm de largura.

Nos heredogramas, indivíduos do sexo masculino costumam ser representados por quadrados e os do sexo feminino, por círculos. Indivíduos cujo sexo não se conhece são representados por losangos. O casamento, no sentido biológico de procriação, é indicado por um traço horizontal que une os dois membros do casal. Filhos são representados por quadrados, círculos ou losangos unidos por traços verticais ao traço horizontal do casal. (Fig. 16.9)

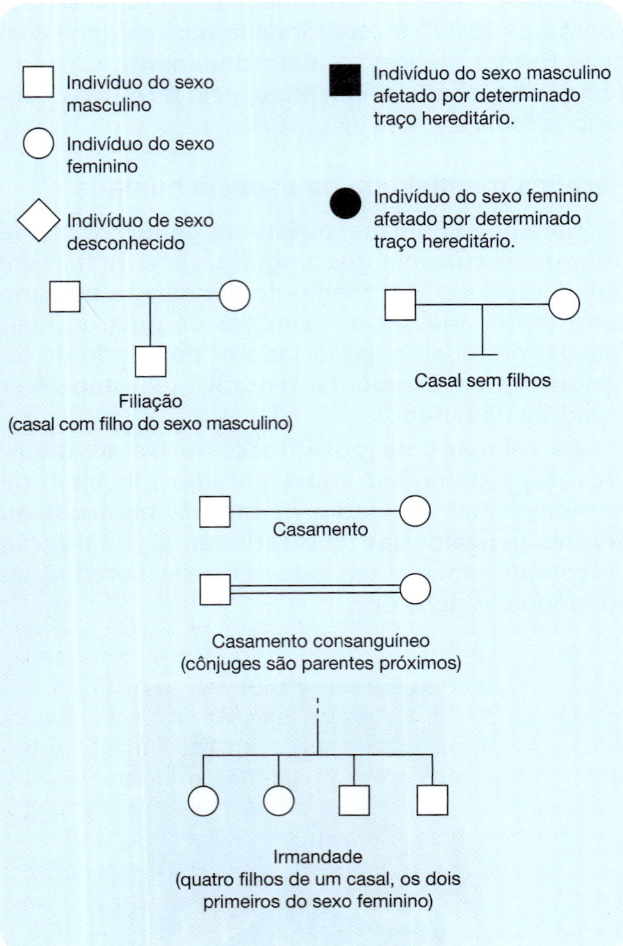

Figura 16.9 Simbologia utilizada na construção de heredogramas.

16.3 Variações do modelo mendeliano de herança

Nos primeiros anos do século XX, estudos genéticos confirmaram que várias características seguiam a primeira lei de Mendel para a herança. Entretanto, em muitas características estudadas, as proporções encontradas na descendência pareciam divergir do esperado. Novas interpretações mostraram, porém, que o modelo mendeliano para a segregação dos fatores continuava válido também nesses casos. Veja alguns exemplos a seguir.

Conteúdo multimídia Dominância, dominância incompleta e codominância de genes

Alelos letais

Em 1905, o biólogo francês Lucien Cuénot (1866-1951) observou que o cruzamento de camundongos de pelagem amarela produzia uma descendência constituída por $\frac{2}{3}$ de indivíduos amarelos e $\frac{1}{3}$ de indivíduos cinzentos (proporção 2 : 1). Por sua vez, cruzamentos de camundongos cinzentos geravam apenas descendentes cinzentos.

Cuénot concluiu que a pelagem cinzenta dos camundongos é condicionada por um alelo recessivo (A) e que a pelagem amarela seria condicionada por um alelo dominante (A^Y). Para explicar a proporção 2 : 1, em vez de 3 : 1, ele propôs a hipótese de que o alelo para pelagem amarela seria letal em condição homozigótica, de modo que camundongos portadores do genótipo A^YA^Y morreriam logo no início do desenvolvimento embrionário. Consequentemente, camundongos de pelagem amarela seriam sempre heterozigóticos (A^YA).

A hipótese levantada por Cuénot foi confirmada anos mais tarde, quando outros pesquisadores demonstraram que aproximadamente 25% dos embriões resultantes do cruzamento entre camundongos de pelagem amarela morrem precocemente no útero das fêmeas. (Fig. 16.10)

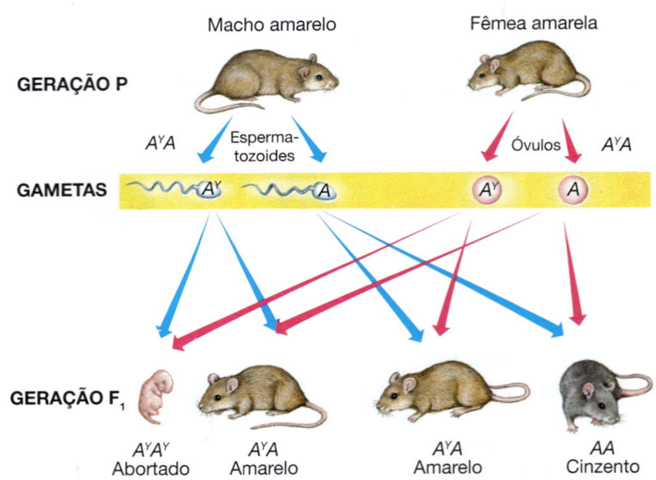

Figura 16.10 Representação esquemática de cruzamentos entre camundongos portadores do alelo A^Y. Indivíduos homozigóticos para esse alelo (A^YA^Y) morrem no início do desenvolvimento embrionário. Assim, a descendência do cruzamento de camundongos amarelos heterozigóticos é constituída por 2 indivíduos amarelos (A^YA) para 1 indivíduo cinzento (AA). (Elementos fora de proporção de tamanho entre si; cores-fantasia.)

Alelos, como o A^Y de camundongos, que causam a morte prematura de seus portadores são denominados **alelos letais**, e sua presença já foi identificada em diversos organismos. Na espécie humana, por exemplo, estudos sugerem que a **acondroplasia**, uma forma de nanismo, é condicionada por um alelo D que, em "dose dupla" (condição homozigótica DD), causaria a morte do embrião humano ainda no início do desenvolvimento. Pessoas com fenótipo acondroplásico são sempre heterozigóticas Dd, enquanto pessoas normais são homozigóticas recessivas dd. (Fig. 16.11)

TONY ARRUZA/CORBIS/LATINSTOCK

Figura 16.11 A acondroplasia na espécie humana é condicionada por um alelo dominante que, na condição homozigótica, parece ser letal aos portadores. Na fotografia, portadores de acondroplasia. (República Dominicana, 1988.)

Alelos múltiplos

Outro conceito desenvolvido nos primórdios da Genética foi o de **alelos múltiplos** de um gene. De acordo com esse conceito, um gene pode ocorrer, na população, em três ou mais formas alélicas, embora cada indivíduo diploide sempre possua dois exemplares de cada gene, um proveniente de cada progenitor.

Um dos primeiros casos estudados de alelos múltiplos foi o do gene para cor de certos tipos de pelagem em coelhos. Esse gene apresenta-se em quatro formas alélicas: *C*, que determina pelagem castanho-acinzentada (selvagem ou aguti); c^{ch}, que determina pelagem cinza (chinchila); c^{h}, que determina pelagem branca com extremidades escuras (himalaia); *c*, que condiciona pelagem branca (albina). (Fig. 16.12)

LUÍS GOMES/ABRIL COMUNICAÇÕES S/A.

Figura 16.12 Quatro tipos de pelagem em coelhos: chinchila, à esquerda; himalaia, atrás; selvagem, à direita; albina, na frente.

O alelo *C* comporta-se como dominante sobre os outros três. O alelo c^{ch}, recessivo em relação a *C*, comporta-se como dominante sobre c^{h} e sobre *c*. O alelo c^{h}, por sua vez, é recessivo em relação a *C* e a c^{ch} e dominante sobre *c*. Este, finalmente, é recessivo em relação aos outros três alelos. A relação de dominância entre os quatro alelos pode ser representada por: $C > c^{ch} > c^{h} > c$.

Como os alelos ocorrem em pares nos indivíduos, há dez tipos possíveis de genótipos em coelhos quanto a esse gene e quatro tipos de fenótipos. (Tab. 16.3)

Tabela 16.3 ▪ **Genótipos e fenótipos na cor da pelagem em coelhos**

Genótipos	Fenótipos
CC, Cc^{ch}, Cc^{h} e Cc	Selvagem
$c^{ch}c^{ch}$, $c^{ch}c^{h}$ e $c^{ch}c$	Chinchila
$c^{h}c^{h}$ e $c^{h}c$	Himalaia
cc	Albino

Dominância incompleta

Os estudos mostraram que, em certos casos, o fenótipo dos indivíduos heterozigóticos é intermediário entre os fenótipos dos dois homozigóticos; nesses casos, fala-se em **dominância incompleta** entre os alelos. Por exemplo, na planta boca-de-leão (*Antirrhinum majus*), indivíduos homozigóticos para um dos alelos de determinado gene têm flores vermelhas, os homozigóticos para o outro alelo têm flores brancas e os heterozigóticos têm flores cor-de-rosa.

A explicação é que um dos alelos do gene para cor da flor seria funcional, determinando a síntese de pigmentos; o outro alelo seria inativo, não determinando a síntese de pigmento. As plantas homozigóticas, que apresentam dois alelos funcionais para a síntese de pigmento vermelho, produzem-no em quantidade tal que as flores têm coloração vermelha intensa. Indivíduos heterozigóticos, em que há apenas um alelo funcional, produzem cerca de metade do pigmento formado pelos homozigóticos, fazendo com que a cor das pétalas seja mais clara, cor-de-rosa. Indivíduos homozigóticos para o alelo não funcional têm flores brancas.

Quando se trata da dominância incompleta, os geneticistas costumam representar o gene por uma letra maiúscula acompanhada de um índice que diferencia os alelos. Por exemplo, podemos escolher a letra *F* para representar o gene responsável pela cor da flor na boca-de-leão, e os índices *V* e *B* para indicar os alelos para a cor vermelha — F^{V} — e para a cor branca — F^{B}. Os genótipos dos três tipos de plantas seriam: $F^{V}F^{V}$ (flores vermelhas), $F^{B}F^{B}$ (flores brancas) e $F^{B}F^{V}$ (flores cor-de-rosa). (Fig. 16.13)

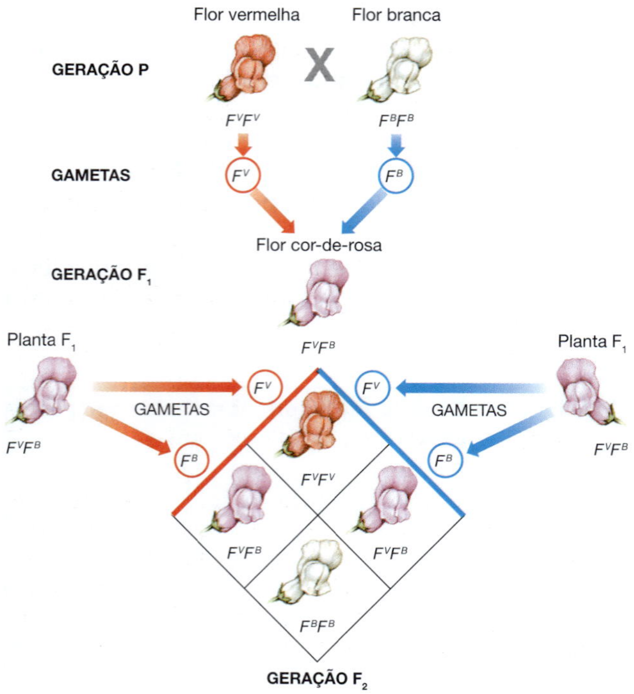

Figura 16.13 Representação esquemática do cruzamento entre plantas boca-de-leão (*Antirrhinum majus*). Os indivíduos heterozigóticos têm fenótipo intermediário entre os fenótipos dos parentais homozigóticos.

Outro exemplo de dominância incompleta é a cor da plumagem das galinhas da variedade andaluza, em que aves homozigóticas P^PP^P têm plumagem preta, aves homozigóticas P^BP^B têm plumagem branca e aves heterozigóticas (P^PP^B) têm plumagem cinza-azulada. (Fig. 16.14)

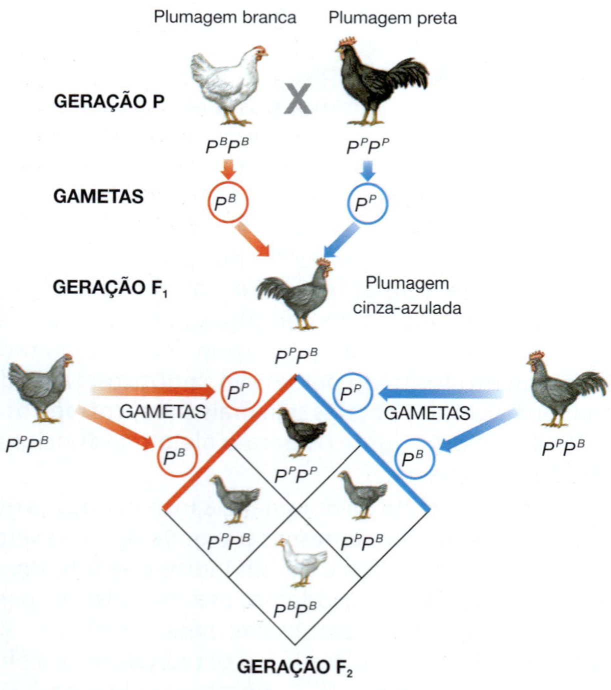

Figura 16.14 Representação esquemática do cruzamento entre galináceos da raça andaluza. Note que, em casos de dominância incompleta, a proporção genotípica é igual à proporção fenotípica, pois cada genótipo manifesta um fenótipo distinto.

Codominância

Há casos em que indivíduos heterozigóticos para determinado gene expressam, simultaneamente, os fenótipos dos dois tipos de indivíduos homozigóticos, fenômeno que os geneticistas denominam **codominância**. Isso ocorre porque os dois alelos do gene são funcionais, de modo que o indivíduo heterozigótico, possuindo os produtos de ambos os alelos, apresenta as características dos homozigóticos para cada alelo. (Tab. 16.4)

Tabela 16.4 ▪ Relação de dominância entre alelos de um gene

Tipo de relação	Características
Dominância completa	Os indivíduos heterozigóticos apresentam o mesmo fenótipo que um dos homozigóticos.
Dominância incompleta	Os indivíduos heterozigóticos apresentam fenótipo intermediário entre os dos homozigóticos.
Codominância	Os indivíduos heterozigóticos apresentam ambos os fenótipos dos homozigóticos.

Na espécie humana, o sistema MN de grupos sanguíneos é um caso de alelos codominantes. Nesse sistema, há três fenótipos, denominados M, N e MN, condicionados por dois alelos de um gene, Ag^M e Ag^N. O alelo Ag^M determina a presença de uma substância imunogênica na membrana das hemácias, o aglutinogênio M, enquanto o alelo Ag^N determina a presença do aglutinogênio N. Substância imunogênica é qualquer substância capaz de induzir a formação de anticorpos contra si em indivíduos que não a possuem. Substâncias imunogênicas de hemácias são denominadas aglutinogênios, pois, ao reagir com anticorpos específicos, denominados aglutininas, provocam a aglutinação das hemácias.

Pessoas homozigóticas Ag^MAg^M apresentam apenas o aglutinogênio M nas hemácias, pertencendo ao grupo sanguíneo M. Pessoas homozigóticas Ag^NAg^N apresentam apenas o aglutinogênio N nas hemácias, pertencendo ao grupo sanguíneo N. Pessoas heterozigóticas Ag^MAg^N têm ambos os aglutinogênios nas hemácias, pertencendo ao grupo sanguíneo MN.

Penetrância e expressividade gênicas

Nos casos que vimos até aqui, existe uma correspondência total entre genótipo e fenótipo, uma vez que o portador de dado genótipo expressa sempre o fenótipo correspondente. Por exemplo, coelhos com genótipo $c^{ch}c^{ch}$ têm sempre pelagem cinza e os com genótipo *cc* são sempre albinos; plantas boca-de-leão com genótipo F^VF^V produzem sempre flores vermelhas e assim por diante. Existem casos, no entanto, em que certa porcentagem dos portadores de dado genótipo não apresentam o fenótipo correspondente.

Um exemplo de variação fenotípica entre indivíduos com mesmo genótipo é encontrado no feijão-carioca. Essa variedade é homozigótica quanto ao alelo dominante *L* de um gene que condiciona a presença de coloração variegada no tegumento da semente, com manchas irregulares claras e escuras. O alelo recessivo desse gene, *ℓ*, condiciona semente totalmente pigmentada, sem variegação, e está presente na variedade conhecida como feijão-mulatinho (homozigótica *ℓℓ*).

Observando uma embalagem do feijão-carioca encontrado em qualquer supermercado, podemos verificar que a grande maioria das sementes é variegada. Entretanto, cerca de 5% dos grãos são totalmente pigmentados, assemelhando-se ao feijão-mulatinho. Assim, apesar de toda semente de feijão-carioca ser homozigótica *LL*, com dois alelos condicionantes da presença de coloração variegada, cerca de 5% delas não exibem o fenótipo correspondente, isto é, têm coloração homogênea. (Fig. 16.15)

ARQUIVO DO AUTOR

Figura 16.15 Variação fenotípica em sementes de feijão-carioca (*Phaseolus vulgaris*), portadoras do alelo que condiciona a presença de manchas.

Os geneticistas utilizam o termo **penetrância** para se referir à porcentagem de indivíduos de dado genótipo que apresentam o fenótipo correspondente. Se esse valor é igual a 100%, ou seja, todos os indivíduos possuem o fenótipo esperado, diz-se que a penetrância é completa; do contrário, fala-se em **penetrância incompleta**.

O caso do alelo *L* do feijão-carioca é um exemplo de penetrância incompleta. Como cerca de 5% dos grãos de feijão-carioca com genótipo *LL* não apresentam variegação, comportando-se como se tivessem genótipo *ℓℓ*, diz-se que a penetrância do alelo *L* é de 95%, pois é essa a porcentagem dos indivíduos portadores desse alelo que exibe o fenótipo correspondente — coloração variegada do tegumento.

Na espécie humana, o traço conhecido como polidactilia pós-axial (do grego *polys*, muitos, e *daktylos*, dedos), caracterizado pela presença de um dedo extranumerário próximo ao quinto dedo da mão ou do pé, é condicionado por um alelo dominante com penetrância incompleta. Um estudo populacional realizado na África estimou que a penetrância desse alelo é de 64,9%. Isso significa que 35,1% (100 – 64,9) dos portadores do alelo dominante não apresentam o traço polidactilia pós-axial, possuindo número normal de dedos em todos os membros. (Fig. 16.16)

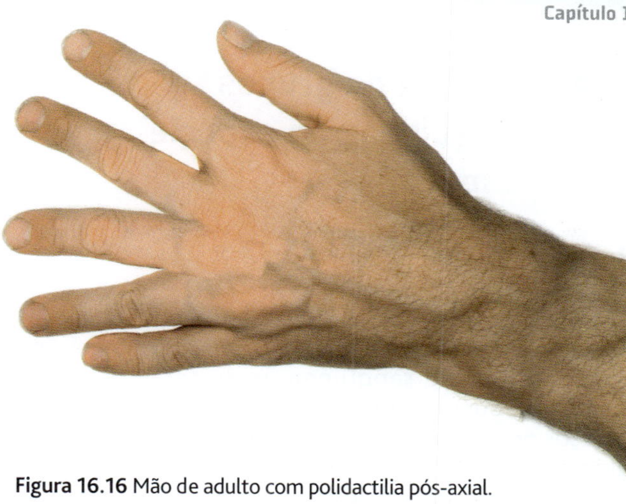
MCPHOTOS/AGE/GRUPO KEYSTONE

Figura 16.16 Mão de adulto com polidactilia pós-axial.

Outro conceito importante em Genética refere-se ao modo como um gene se expressa nos indivíduos portadores. No feijão-carioca, por exemplo, os portadores do alelo *L* com fenótipo variegado (95% das sementes) diferem quanto ao padrão e à quantidade de manchas. Diz-se, então, que o alelo *L* tem **expressividade gênica** variável.

O alelo que causa polidactilia pós-axial na espécie humana também tem expressividade variável, pois seus portadores podem apresentar desde apenas um dedo extranumerário em um dos membros até dedos extranumerários em todos os membros.

Outro exemplo de alelo com expressividade gênica variável é o que condiciona a presença de manchas na pelagem de mamíferos. Esse alelo é recessivo (*s*) e, em homozigose (*ss*), produz pelagem variegada, com áreas sem pigmento intercaladas com áreas de pelagem pigmentada. O alelo dominante do gene (*S*) condiciona o padrão pelagem homogênea, sem manchas. (Fig. 16.17)

A

ERIC ISSELEE/SHUTTERSTOCK

Figura 16.17 O padrão malhado de pelagem em diversos mamíferos é condicionado pelo alelo recessivo de um gene com expressividade variável. É o caso dos animais com pelagem variegada mostrados nas fotos: **A**. Cão doméstico (*Canis lupus familiaris*) da raça Jack Russel Terrier, que mede cerca de 25 cm de comprimento; **B**. cavalo (*Equus ferus caballus*), que mede 190 cm de comprimento aproximadamente.

B

LENKADAN/SHUTTERSTOCK

16.4 Herança de grupos sanguíneos na espécie humana

Sistema ABO

No início do século XX, o médico austríaco Karl Landsteiner (1868-1943) verificou a existência de uma incompatibilidade sanguínea entre certas pessoas. Quando sangues diferentes eram misturados, em certos casos ocorria aglutinação das hemácias, formando aglomerados. Em 1902, a equipe de Landsteiner, com base nesses estudos, conseguiu classificar o sangue humano em quatro tipos, denominados A, B, AB e O, que caracterizam o **sistema ABO**.

Landsteiner concluiu que a incompatibilidade entre os grupos sanguíneos do sistema ABO era decorrente de uma reação entre certas substâncias presentes no plasma sanguíneo, denominadas **aglutininas**, e substâncias presentes na membrana das hemácias, denominadas **aglutinogênios**. Atualmente se sabe que as aglutininas são anticorpos, capazes de reagir com certos polissacarídios dos aglutinogênios.

O sistema ABO caracteriza-se pela presença de dois tipos de aglutinogênios – A e B – e dois tipos de aglutininas – anti-A e anti-B. (Tab. 16.5)

Tabela 16.5 ▪ **Aglutinogênio e aglutininas do sistema ABO**

Grupo sanguíneo	Aglutinogênios (nas hemácias)	Aglutininas (no plasma)
A	A	anti-B
B	B	anti-A
AB	A e B	—
O	—	anti-A e anti-B

Em 1930, Landsteiner recebeu o Prêmio Nobel em Fisiologia ou Medicina por seus trabalhos sobre grupos sanguíneos da espécie humana. Graças à descoberta e ao estudo dos grupos sanguíneos, é possível realizar transfusões de sangue seguras entre pessoas de grupos compatíveis. Transfusões incompatíveis podem trazer graves consequências para a saúde e até levar à morte, pois as hemácias do sangue recebido se aglutinam e formam aglomerados, que entopem os capilares sanguíneos, prejudicando a circulação da pessoa que recebeu sangue de tipo incompatível com o seu.

Genética do sistema ABO

Os quatro fenótipos do sistema sanguíneo ABO — A, B, AB e O — são determinados por um gene que se apresenta em três formas alélicas, I^A, I^B e *i*. Trata-se, portanto, de um caso de alelos múltiplos.

O alelo I^A determina a presença do aglutinogênio A nas hemácias; o alelo I^B determina a presença do aglutinogênio B; o alelo *i* não determina nenhum aglutinogênio. Consequentemente, pessoas com genótipos I^AI^A ou I^Ai têm apenas aglutinogênio A nas hemácias e, portanto, sangue do tipo A; pessoas com genótipos I^BI^B ou I^Bi têm apenas aglutinogênio B e, portanto, sangue do tipo B; pessoas com genótipo I^AI^B têm os aglutinogênios A e B e seu sangue é do tipo AB; pessoas com genótipo *ii* não têm nenhum dos dois aglutinogênios e seu sangue é do tipo O.

Os alelos I^AI^B comportam-se como codominantes, uma vez que ambos se expressam na condição heterozigótica, produzindo, respectivamente, os aglutinogênios A e B. O alelo *i* é recessivo em relação aos outros dois; as relações de dominância entre esses três alelos são: $I^A = I^B > i$. (Tab. 16.6)

Tabela 16.6 ▪ **Relação entre genótipos e fenótipos no sistema ABO**

Fenótipos	Genótipos
Grupo A	I^AI^A ou I^Ai
Grupo B	I^BI^B ou I^Bi
Grupo AB	I^AI^B
Grupo O	*ii*

Hoje se sabe a maneira pela qual esses três alelos determinam os diferentes fenótipos do sistema ABO. O alelo I^A codifica uma enzima que transforma uma substância precursora H no aglutinogênio A; o alelo I^B codifica uma enzima ligeiramente diferente, que transforma o mesmo precursor H no aglutinogênio B; o alelo *i* é inativo e não leva à formação de nenhum aglutinogênio.

Sistema Rh

Na década de 1940, Landsteiner e sua equipe injetaram hemácias de um macaco reso (*Macaca mulatta*) em coelhos, os quais produziram um anticorpo denominado anti-Rh (abreviatura do inglês *anti-Rhesus*). Ao testar o anticorpo anti-Rh em sangue humano, os pesquisadores notaram que ele provocava a aglutinação das hemácias em cerca de 85% das pessoas testadas. A conclusão é que nas hemácias dessas pessoas havia um antígeno semelhante ao dos macacos resos, por isso denominado **fator Rh** (do inglês *Rhesus*). As pessoas que reagiram ao anti-Rh foram chamadas Rh positivas, ou Rh^+.

Por outro lado, em cerca de 15% das pessoas testadas não ocorreu aglutinação das hemácias. A conclusão foi que essas pessoas não apresentavam o fator Rh, e por isso foram chamadas Rh negativas, ou Rh^-.

Esse sistema de grupos sanguíneos, em que há dois fenótipos — Rh^+ e Rh^- —, foi denominado **sistema Rh**. Para identificar o fenótipo de uma pessoa quanto ao sistema Rh, mistura-se uma gota de seu sangue a uma solução com anticorpos anti-Rh; se as hemácias aglutinarem, a pessoa é Rh^+; se não houver aglutinação, a pessoa é Rh^-. (Fig. 16.18)

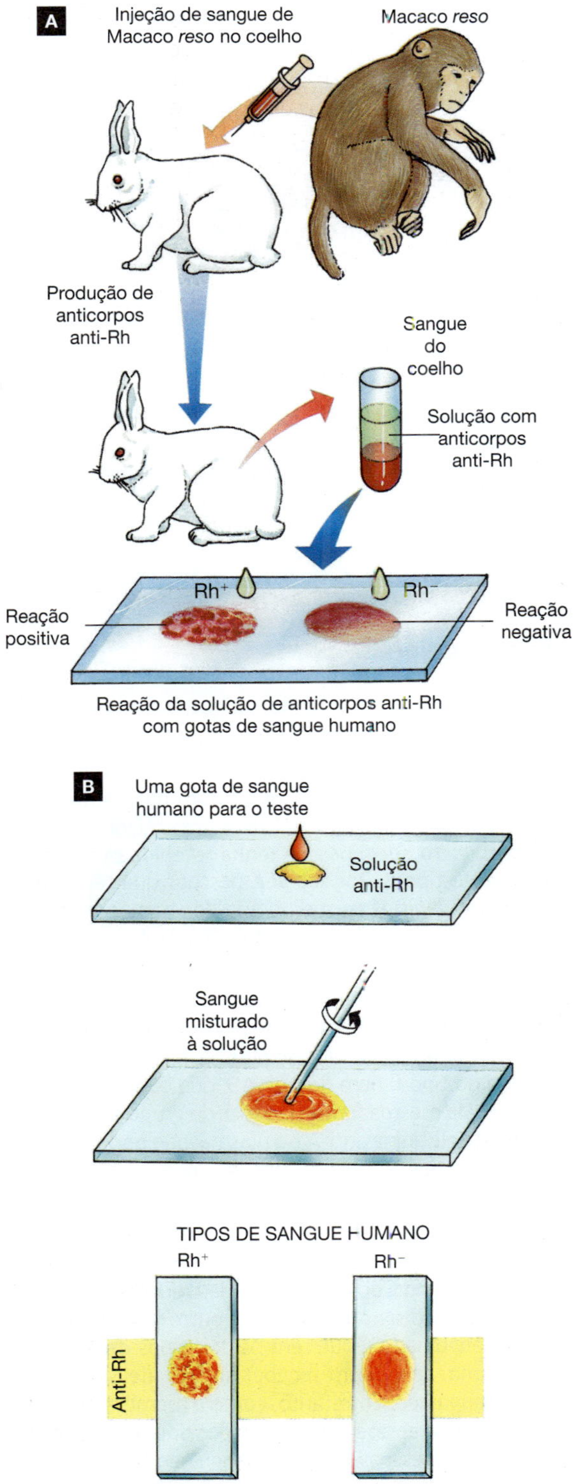

Figura 16.18 A. Representação esquemática da descoberta do fator Rh. **B.** Representação esquemática do método de determinação dos grupos sanguíneos do sistema Rh. (Elementos fora de proporção de tamanho entre si; cores-fantasia.)

Genética do sistema Rh

Os fenótipos do sistema Rh são condicionados basicamente por dois alelos (*R* e *r*), em que *R* se comporta como dominante sobre *r*. Basta a pessoa ter um alelo dominante no genótipo (ser *RR* ou *Rr*) para ter o fator Rh nas hemácias e, portanto, fenótipo Rh^+; pessoas homozigóticas recessivas (*rr*) não têm o fator Rh, e seu fenótipo é Rh^-.

Incompatibilidade materno-fetal no sistema Rh

Pessoas Rh^+ não produzem anti-Rh. Pessoas Rh^-, em condições normais, também não apresentam anticorpos anti-Rh na circulação sanguínea. Esses anticorpos são produzidos apenas se a pessoa for previamente "sensibilizada", isto é, se entrar em contato com sangue Rh^+, recebendo uma transfusão, por exemplo, ou no caso de mulheres Rh^- que engravidam de uma criança Rh^+.

Na primeira gravidez de uma criança Rh^+ por uma mulher Rh^-, o nível de sensibilização é baixo e a quantidade de anticorpos na circulação materna geralmente não chega a afetar a criança. Na hora do parto, com a ruptura da placenta, hemácias do bebê passam para a circulação materna, sensibilizando a mulher e acarretando consequências para gestações posteriores. Se na próxima gravidez a criança é Rh^+, a mãe, já sensibilizada, passa a produzir rapidamente anticorpos anti-Rh; estes atravessam a placenta e entram na circulação do feto, destruindo suas hemácias, processo que continua a ocorrer no recém-nascido. (Fig. 16.19)

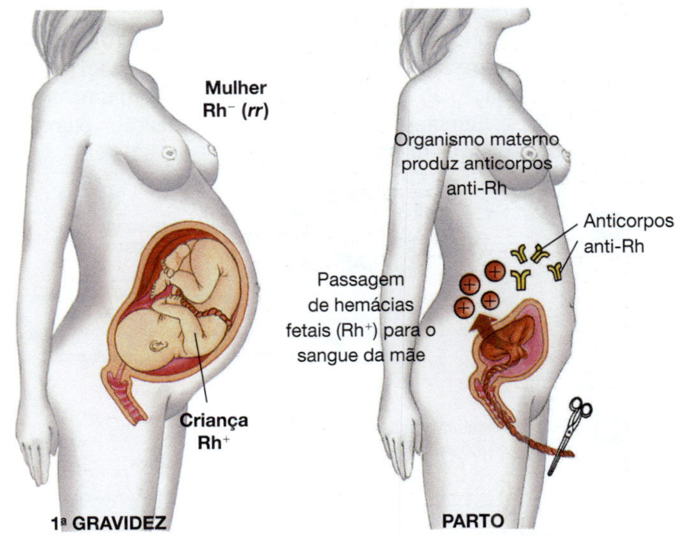

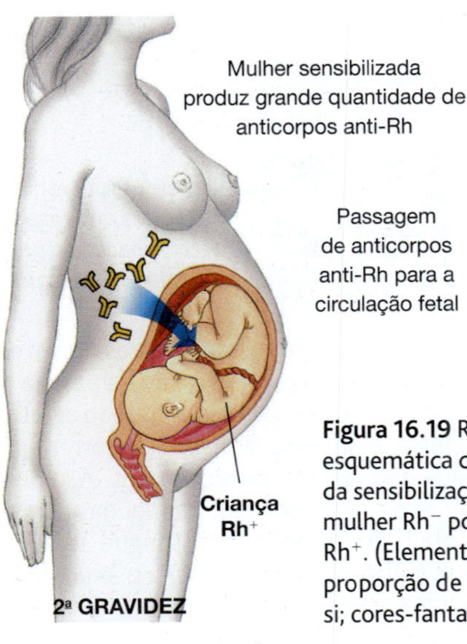

Figura 16.19 Representação esquemática do processo da sensibilização de uma mulher Rh^- por uma criança Rh^+. (Elementos fora de proporção de tamanho entre si; cores-fantasia.)

A destruição das hemácias fetais pelos anticorpos maternos causa forte anemia no recém-nascido e icterícia (pele amarelada). Para compensar a diminuição de hemácias, o organismo fetal libera para a circulação hemácias imaturas, chamadas eritroblastos. Esses sintomas caracterizam a **eritroblastose fetal** ou **doença hemolítica do recém-nascido** (**DHRN**). O substantivo "hemólise", do qual deriva o adjetivo "hemolítica", vem do grego *haimos*, sangue, e *lise*, destruição, referindo-se à destruição das hemácias.

Atualmente, graças aos conhecimentos sobre o sistema Rh de grupos sanguíneos, é possível evitar a eritroblastose fetal. Uma mulher Rh^- que vai dar à luz uma criança Rh^+ recebe, no momento do parto, uma injeção intravenosa de anticorpos anti-Rh. Estes combinam-se com as hemácias Rh^+, evitando que elas sensibilizem a mulher. (Fig. 16.20)

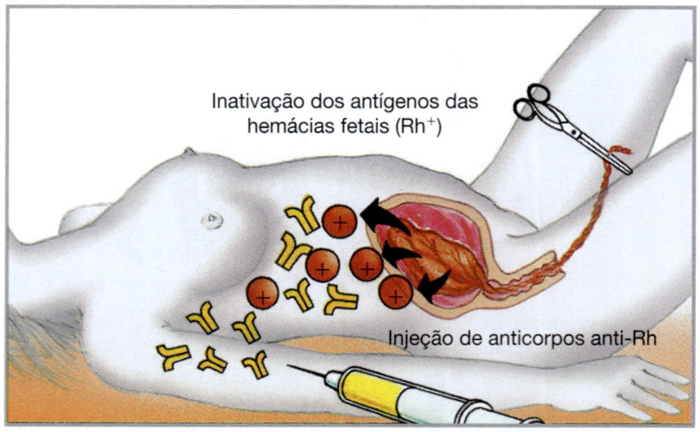

Figura 16.20 Representação esquemática do tratamento pós-parto realizado para evitar a sensibilização de uma mulher Rh^- que deu à luz um primeiro filho Rh^+. (Elementos fora de proporção de tamanho entre si; cores-fantasia.)

Ciência e cidadania

Sistema ABO e transfusões sanguíneas

1 É recomendável conhecer o próprio tipo sanguíneo e manter essa informação com os documentos pessoais. Embora os laboratórios hospitalares realizem exames para determinar a tipagem sanguínea antes de qualquer transfusão, ter essa informação ao alcance pode ser essencial em uma emergência. Lembre-se, também, de que a doação voluntária de sangue é um ato de cidadania.

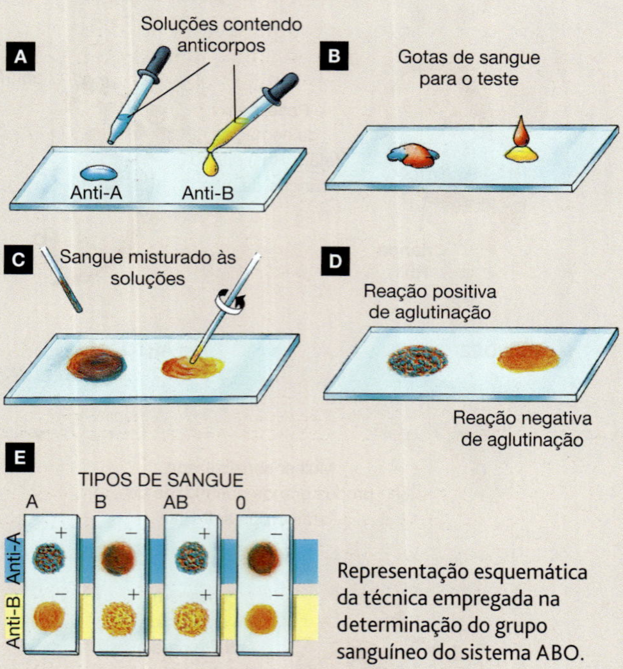

Representação esquemática da técnica empregada na determinação do grupo sanguíneo do sistema ABO.

2 Para determinar os grupos sanguíneos do sistema ABO, misturam-se duas gotas do sangue da pessoa com duas soluções diferentes, uma delas contendo aglutinina anti-A e a outra, aglutinina anti-B. Se ocorrer aglutinação do sangue apenas com a solução anti-A, a pessoa é do grupo A; se o sangue se aglutinar apenas com a solução anti-B, ela é do grupo B; se o sangue se aglutinar em ambas as soluções, a pessoa pertence ao grupo AB; se não houver aglutinação do sangue em nenhuma das soluções, a pessoa pertence ao grupo O.

3 Pessoas que têm apenas o aglutinogênio A na membrana das hemácias (tipo A) apresentam naturalmente no plasma a aglutinina anti-B. Esta é um anticorpo natural, presente sem que a pessoa tenha recebido previamente sangue do tipo B. Por sua vez, pessoas que têm apenas o aglutinogênio B na membrana das hemácias (tipo B) apresentam no plasma a aglutinina anti-A.

4 Uma pessoa portadora de determinada aglutinina não pode receber sangue cujas hemácias tenham o aglutinogênio correspondente. Assim, pessoas do grupo sanguíneo A, que têm aglutinina anti-B no plasma, não podem receber sangue do tipo B nem do tipo AB, que contêm aglutinogênio B. Da mesma forma, pessoas do grupo sanguíneo B, que têm aglutinina anti-A no plasma, não podem receber sangue do tipo A nem do tipo AB, pois ambos contêm aglutinogênio A.

5 Pessoas do grupo sanguíneo AB, que não têm aglutininas no plasma, podem receber qualquer tipo de sangue (A, B, AB ou O), sendo por isso chamadas **receptores universais** quanto ao sistema ABO. Por outro lado, pessoas do grupo sanguíneo O, que têm os dois tipos de aglutinina no plasma, só podem receber sangue de seu próprio grupo sanguíneo. Entretanto, como a membrana de suas hemácias não apresenta nenhum dos dois aglutinogênios (A ou B), as pessoas do grupo sanguíneo O podem doar sangue para pessoas de qualquer outro grupo do sistema ABO e por isso são chamadas **doadores universais**.

Transfusão sanguínea no sistema ABO

Grupo sanguíneo da pessoa	Recebe de	Doa para
A	A e O	A e AB
B	B e O	B e AB
AB	A, B, AB e O	AB
O	O	A, B, AB e O

6 É importante considerar que as hemácias do sangue doado entram imediatamente em contato com o plasma sanguíneo do receptor. Se nesse plasma houver aglutininas correspondentes aos aglutinogênios das hemácias que entram, estas serão imediatamente aglutinadas. Por exemplo, se hemácias presentes em um sangue do tipo A, portadoras de aglutinogênio A, forem doadas a uma pessoa de tipo sanguíneo B, serão imediatamente aglutinadas pela aglutinina anti-A do receptor.

7 Uma dúvida comum é se o plasma do sangue doado também tem efeito relevante na transfusão. Considerando que a quantidade de sangue doada é relativamente bem menor que a do sangue da pessoa que o recebe, a resposta é não. Isso porque as aglutininas do plasma doador diluem-se no plasma do receptor, causando pouca ou nenhuma aglutinação de suas hemácias. Assim, na prática, o que é relevante na transfusão são as aglutininas do plasma do receptor e os aglutinogênios das hemácias do doador.

8 Apesar desses dados sobre as transfusões possíveis, nos bancos de sangue dá-se preferência a transfusões entre pessoas com o mesmo tipo sanguíneo, considerando-se também a compatibilidade quanto ao sistema Rh, que será estudado mais adiante.

Guia de leitura

1 Leia o primeiro parágrafo. Por que a informação sobre o tipo sanguíneo é importante em uma transfusão? Em caso de dúvida, confira o item do capítulo relativo a esse assunto.

2 Leia o segundo parágrafo, que mostra a técnica de detecção do tipo sanguíneo quanto ao sistema ABO e observe a figura. Certifique-se de ter compreendido o princípio da técnica, que detecta o tipo de aglutinogênio presente nas hemácias da pessoa. Elabore uma tabela que relacione os quatro fenótipos de grupo sanguíneo — A, B, AB e O — aos seguintes aspectos: a) genótipos possíveis para cada tipo (preencha após ler o item *Genética do sistema ABO*, nesta página); b) tipo(s) de aglutinogênio nas hemácias. Deixe ainda uma terceira linha ou coluna a ser preenchida com o(s) tipo(s) de aglutinina presente(s) no plasma. Faça isso quando solicitado, a seguir.

3 Leia atentamente o terceiro parágrafo, que se refere à presença ou ausência de aglutininas no plasma. Note que o texto não explica as aglutininas dos tipos AB e O. Siga o mesmo raciocínio e identifique as aglutininas encontradas nesses tipos de sangue. Em seguida, complete a tabela iniciada na questão anterior.

4 Leia o quarto parágrafo, que apresenta um importante aspecto de compatibilidade nas transfusões quanto ao sistema ABO. A seguir, responda: quais são os aspectos mais relevantes em uma transfusão: os aglutinogênios ou as aglutininas do doador? E do receptor? Explique.

5 No quinto parágrafo e na tabela correspondente são apresentados os conceitos de doador universal e de receptor universal. Certifique-se de ter compreendido a relação entre as aglutininas do receptor e os aglutinogênios do doador. Com base nesses dados, explique por que o tipo O é chamado doador universal e o tipo AB é chamado receptor universal.

6 Leia o sexto parágrafo, que explica mais detalhadamente a dinâmica das transfusões tendo em vista aglutininas e aglutinogênios. Esse parágrafo acrescentou algo ao que você já sabia?

7 No oitavo e último parágrafo, menciona-se o procedimento habitual nas transfusões de sangue. Qual é ele e qual sua vantagem?

Atividades

Visão do especialista

Biblioteca do estudante
Faça você mesmo!

Revendo conceitos fundamentais

1. Para Mendel, uma linhagem de ervilhas que originava, por autofecundação, apenas descendência igual a si mesma era considerada:

a) dominante.
b) híbrida.
c) parental.
d) pura.

Escreva, em seu caderno, o termo abaixo que substitui corretamente a tarja entre parênteses das frases de 2 a 5.

a) cromossomo
b) fenótipo
c) gene
d) genótipo
e) herança biológica

2. A transmissão da informação genética entre as gerações é o(a) (▬).

3. O(A) (▬) refere-se às características observáveis de um ser vivo, sejam elas morfológicas, fisiológicas ou comportamentais.

4. Um segmento de molécula de DNA com informação para determinada característica é o(a) (▬).

5. As informações hereditárias estão localizadas no(a) (▬), estrutura presente no núcleo das células eucarióticas.

Escreva, em seu caderno, o termo abaixo que substitui corretamente a tarja entre parênteses das frases de 6 a 9.

a) alelo
b) heterozigótico
c) homozigótico
d) loco gênico

6. (▬) é cada uma das formas alternativas de um gene.

7. Um indivíduo portador de duas versões idênticas de um gene é (▬) em relação àquele gene.

8. Se apresentar duas versões diferentes de um gene, o indivíduo é (▬) em relação àquele gene.

9. (▬) é o local do cromossomo em que se situa determinado gene.

10. Qual alternativa contém o ponto fundamental da hipótese proposta por Mendel, que constitui a 1ª lei da herança?
a) Autofecundação.
b) Fecundação cruzada.
c) Separação dos fatores hereditários na formação dos gametas.
d) União dos fatores hereditários na formação dos gametas.

11. Em Genética, como é denominada a representação gráfica que mostra as relações de parentesco entre familiares?
a) Heredograma.
b) Geração F_1.
c) Geração F_2.
d) Linhagem genotípica.

Escreva, em seu caderno, o termo abaixo que substitui corretamente a tarja entre parênteses das frases de 12 a 15.

a) alelo letal
b) alelos múltiplos
c) codominância
d) dominância incompleta

12. Fala-se em (▬) quando há três ou mais versões diferentes de um mesmo gene.

13. O(A) (▬) é responsável pela morte prematura de seus portadores.

14. Quando o fenótipo de um indivíduo heterozigótico para determinado gene é intermediário entre os homozigóticos, fala-se em (▬).

15. Quando indivíduos heterozigóticos para determinado gene expressam simultaneamente os fenótipos de ambos homozigóticos fala-se em (▬).

16. No sistema ABO de grupos sanguíneos, como são chamados os antígenos A e B presentes na membrana das hemácias, responsáveis por sua aglutinação nas reações de incompatibilidade sanguínea?
a) Aglutininas.
b) Aglutinogênios.
c) Anticoagulantes.
d) Anticorpos.

17. No sistema ABO, como são chamados os anticorpos presentes no plasma sanguíneo e responsáveis pela aglutinação das hemácias nas reações de incompatibilidade sanguínea?
a) Aglutininas.
b) Aglutinogênios.
c) Anticoagulantes.
d) Antígenos.

18. A incompatibilidade sanguínea no sistema Rh entre mãe e feto pode levar ao(à):
a) albinismo do tipo I.
b) eritroblastose fetal.
c) codominância aglutinogênica.
d) desenvolvimento de alelos letais.

Ligando conceitos, fatos e processos

19. Sobre a relação entre genótipo, fenótipo e ambiente é correto dizer que:
a) o fenótipo é determinado exclusivamente pelo genótipo.
b) o fenótipo é determinado pelo genótipo em interação com o ambiente.
c) o genótipo é determinado exclusivamente pelo fenótipo.
d) o genótipo é determinado pelo fenótipo em interação com o ambiente.

Utilize as alternativas a seguir para responder às questões 20 e 21.

a) dois fenótipos, um correspondente aos genótipos homozigótico dominante e heterozigótico, e outro correspondente ao genótipo homozigótico recessivo.
b) dois fenótipos, um correspondente aos genótipos homozigótico recessivo e heterozigótico, e outro correspondente ao genótipo homozigótico dominante.
c) três fenótipos, cada um correspondente a um genótipo.
d) apenas um fenótipo, correspondente aos três genótipos.

20. Um gene com dois alelos, um dominante sobre o outro, determina (▬).

21. Um gene com dois alelos e dominância incompleta determina (▬).

Utilize as alternativas a seguir para responder às questões 22 e 23.

a) duas células, cada uma com os alelos *A* e *a*.
b) duas células, uma com o alelo *A*, e a outra com alelo *a*.
c) quatro células, cada uma com os alelos *A* e *a*.
d) quatro células, duas com o alelo *A* e duas com o alelo *a*.

22. Uma célula com genótipo *Aa* origina, ao fim da meiose, (▬).

23. Uma célula com genótipo *Aa* origina, ao fim da mitose, (▬).

24. No cruzamento entre dois indivíduos heterozigóticos *Aa* espera-se obter:
a) apenas indivíduos *Aa*.
b) indivíduos *AA* e *aa*, na proporção de 3 : 1, respectivamente.
c) indivíduos *AA* e *aa*, na proporção de 1 : 1, respectivamente.
d) indivíduos *AA*, *Aa* e *aa*, na proporção de 1 : 2 : 1, respectivamente.

25. O cruzamento de dois indivíduos heterozigóticos em relação a um gene em que um dos alelos domina o outro produzirá descendência constituída por:
a) 100% de indivíduos com fenótipo dominante.
b) 75% de indivíduos com fenótipo dominante e 25% com fenótipo recessivo.

c) 50% de indivíduos com fenótipo dominante e 50% com fenótipo recessivo.

d) 25% de indivíduos com fenótipo dominante, 25% com fenótipo recessivo e 50% com fenótipo intermediário.

Utilize as alternativas a seguir para responder às questões de 26 a 28.

a) 1 : 1 b) 3 : 1 c) 1 : 2 : 1 d) 1 : 1 : 1 : 1

26. Um indivíduo heterozigótico em relação a um par de alelos forma gametas diferentes na proporção de (▬▬).

27. O cruzamento entre indivíduos heterozigóticos em relação a um gene em que os alelos apresentam dominância incompleta ou codominância resultará em uma descendência com proporção fenotípica de (▬▬).

28. O cruzamento entre indivíduos heterozigóticos em relação a um gene em que um dos alelos é dominante sobre o outro resultará em uma descendência com proporção fenotípica de (▬▬).

Utilize as alternativas a seguir para responder às questões 29 e 30.

a) 100% de indivíduos com fenótipo dominante.

b) 100% de indivíduos com fenótipo recessivo.

c) 75% de indivíduos com fenótipo dominante e 25% com fenótipo recessivo.

d) 50% de indivíduos com fenótipo dominante e 50% com fenótipo recessivo.

29. O chamado cruzamento-teste, em que se cruza um indivíduo de fenótipo dominante (*AA* ou *Aa*) com um de fenótipo recessivo (*aa*), revela que o indivíduo testado é homozigótico se sua descendência for constituída por (▬▬).

30. O cruzamento-teste revela que um indivíduo de fenótipo dominante é heterozigótico se sua descendência for constituída por (▬▬).

Utilize as alternativas a seguir para responder às questões 31 e 32.

a) todos homozigóticos.

b) todos heterozigóticos.

c) 50% homozigóticos e 50% heterozigóticos.

d) 75% homozigóticos e 25% heterozigóticos.

31. De acordo com a primeira lei de Mendel, os indivíduos da geração F_1 de um cruzamento entre indivíduos homozigóticos de genótipos diferentes são (▬▬).

32. De acordo com a primeira lei de Mendel, os indivíduos da geração F_2 de um cruzamento entre indivíduos homozigóticos de genótipos diferentes são (▬▬).

33. Considere apenas os indivíduos com fenótipo dominante descendentes do cruzamento de dois indivíduos heterozigóticos (*Aa* × *Aa*). Que fração desse total espera-se que seja homozigótica (*AA*)?

a) $\frac{1}{2}$ b) $\frac{1}{3}$ c) $\frac{1}{4}$ d) $\frac{2}{3}$

Utilize as informações a seguir para responder às questões de 34 a 36.

"A relação de dominância entre os alelos múltiplos de um gene que condiciona a cor da pelagem de coelhos é: *C* (aguti) > c^{ch} (chinchila) > c^{h} (himalaia) > *c* (albino)."

34. O cruzamento de coelhos agutis homozigóticos com coelhos albinos produzirá descendência constituída por:

a) 100% de coelhos agutis.

b) 75% de coelhos agutis e 25% de albinos.

c) 50% de coelhos agutis e 50% de albinos.

d) 25% de coelhos agutis, 25% de chinchilas, 25% de himalaias e 25% de albinos.

35. O cruzamento de um coelho aguti, filho de mãe albina, com uma fêmea albina produzirá descendência constituída por:

a) 100% de coelhos agutis.

b) 75% de coelhos agutis e 25% de albinos.

c) 50% de coelhos agutis e 50% de albinos.

d) 25% de coelhos agutis, 25% de chinchilas, 25% de himalaias e 25% de albinos.

36. O cruzamento de um coelho himalaia, filho de mãe albina, com uma fêmea chinchila, filha de mãe albina, produzirá descendência constituída por:

a) 100% de coelhos chinchilas.

b) 50% de coelhos chinchilas e 50% de himalaias.

c) 50% de coelhos chinchilas, 25% de himalaias e 25% de albinos.

d) 25% de coelhos agutis, 25% de chinchilas, 25% de himalaias e 25% de albinos.

Utilize as alternativas a seguir para completar as questões 37 a 40.

a) grupo sanguíneo A c) grupo sanguíneo AB

b) grupo sanguíneo B d) grupo sanguíneo O

37. As hemácias de um indivíduo do (▬▬) não se aglutinam com nenhum dos dois tipos de soro, anti-A ou anti-B.

38. As hemácias de um indivíduo do (▬▬) aglutinam-se com ambos os tipos de soro, anti-A e anti-B.

39. As hemácias de um indivíduo do (▬▬) aglutinam-se com soro anti-A, mas não com anti-B.

40. As hemácias de um indivíduo do (▬▬) aglutinam-se com soro anti-B, mas não com anti-A.

Utilize as alternativas a seguir para completar as questões 41 a 44.

a) pode receber sangue de pessoas A, B, AB e O, e doar apenas para pessoas AB.

b) pode receber sangue de pessoas A e O, e doar para pessoas A e AB.

c) pode receber sangue de pessoas B e O, e doar para pessoas B e AB.

d) pode receber sangue apenas de pessoas O, e doar para pessoas A, B, AB e O.

41. Uma pessoa do grupo sanguíneo A (▬▬).

42. Uma pessoa do grupo sanguíneo B (▬).

43. Uma pessoa do grupo sanguíneo AB (▬).

44. Uma pessoa do grupo sanguíneo O (▬).

45. Pode-se representar a relação de dominância entre os alelos que condicionam os grupos sanguíneos A, B, AB e O por:

a) $I^A > I^B > i$ c) $I^A > I^B = i$

b) $I^A = I^B > i$ d) $I^A = I^B = i$

46. Duas pessoas, uma do grupo sanguíneo AB e outra do grupo O, podem ter filhos com sangue do tipo:

a) AB, apenas. c) A e B.

b) O, apenas. d) A, B e O.

47. Duas pessoas do grupo sanguíneo AB podem ter filhos com sangue do tipo:

a) AB, apenas. c) A e B.

b) O, apenas. d) A, B e AB.

48. Duas pessoas, uma do grupo A e outra do grupo B, ambas com pais do grupo O, podem ter filhos com sangue do tipo:

a) AB, apenas. c) A, B e O, apenas.

b) A e B, apenas. d) A, B, AB e O.

49. Considere as seguintes situações:

I. Mãe Rh^+ e pai Rh^- III. Mãe e pai Rh^+

II. Mãe Rh^- e pai Rh^+ IV. Mãe e pai Rh^-

Pode ocorrer eritroblastose fetal apenas:

a) na situação I. c) nas situações I e II.

b) na situação II. d) nas situações II e IV.

50. Na eritroblastose fetal, ocorre reação entre anticorpos do plasma sanguíneo da:

a) criança Rh^+ com antígenos das hemácias da mãe Rh^-.

b) criança Rh^- com antígenos das hemácias da mãe Rh^-.

c) mãe Rh^- com as hemácias da criança Rh^+.

d) mãe Rh^+ com as hemácias da criança Rh^-.

Questões para exercitar o pensamento

51. Em um de seus experimentos com ervilhas, Mendel cruzou plantas puras produtoras de sementes amarelas com plantas puras produtoras de sementes verdes. Ele verificou que todas as sementes da geração F_1 eram amarelas. Em F_2, de um total de 8.023 sementes analisadas, 6.022 eram amarelas e 2.001 eram verdes.

a) Determine a relação de dominância entre os estados amarelo e verde da característica "cor das sementes". Que letra você escolheria para representar os fatores genéticos?

b) Determine a proporção entre as classes fenotípicas de F_2.

c) Esses resultados estão de acordo com o esperado pela lei de segregação? Explique o que isso quer dizer.

d) Que fração das ervilhas amarelas de F_2 é heterozigótica?

52. Um macho da mosca drosófila de asa longa, ao ser cruzado com uma fêmea de asa também longa, produziu apenas descendentes de asas longas. O mesmo macho, ao ser cruzado com outra fêmea de asa longa, produziu 75% de descendentes de asas longas e 25% de asas curtas. Quais são os prováveis genótipos do macho e das duas fêmeas?

53. Se o mesmo macho de drosófila da questão anterior fosse submetido ao cruzamento-teste (isto é, fosse cruzado com uma fêmea homozigótica recessiva), qual seria o resultado esperado?

54. Analise o heredograma a seguir, em que os indivíduos masculinos são representados por quadrados e os femininos, por círculos. Os indivíduos escuros são homozigóticos recessivos.

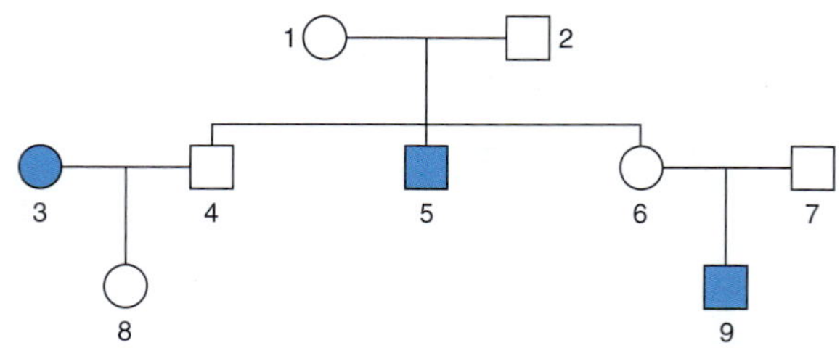

a) Quais são os indivíduos certamente heterozigóticos?

b) Qual é a probabilidade de o indivíduo 4 ser heterozigótico?

c) Qual é a probabilidade de que um filho do casal 3 × 4 seja homozigótico recessivo?

55. Na raça de gado Shorthorn, há indivíduos com pelagem vermelha, indivíduos com pelagem branca e indivíduos com pelagem ruã (uma mistura de vermelho e branco). Cruzamentos entre indivíduos do tipo ruã produzem prole na qual $\frac{1}{4}$ dos indivíduos tem pelagem vermelha, $\frac{1}{4}$ tem pelagem branca e $\frac{1}{2}$ tem pelagem ruã. Qual é o provável tipo de herança dessa característica? Explique.

56. Em uma manada de gado Shorthorn de pelagem tipo ruã, há seiscentas vacas prenhes. Que tipos de coloração de pelagem esperamos encontrar dentre os bezerros que virão a nascer e qual a quantidade esperada de bezerros de cada tipo?

57. Em rabanetes, a forma da raiz pode ser arredondada, ovalada ou alongada. Cruzamentos entre plantas de raiz alongada e plantas de raiz arredondada produziram apenas indivíduos com raiz ovalada. Em cruzamentos entre indivíduos com raízes ovaladas foram obtidos 400 descendentes, dos quais 100 apresentaram raízes alongadas, 195 raízes ovaladas e 105 raízes arredondadas.

a) Qual é o provável tipo de herança dessa característica?

b) Se cruzássemos rabanetes de raízes ovaladas com rabanetes de raízes arredondadas, qual seria a proporção fenotípica esperada na descendência?

58. A árvore genealógica a seguir mostra os tipos sanguíneos dos indivíduos de uma família. Com base nessas informações, responda aos itens da questão.

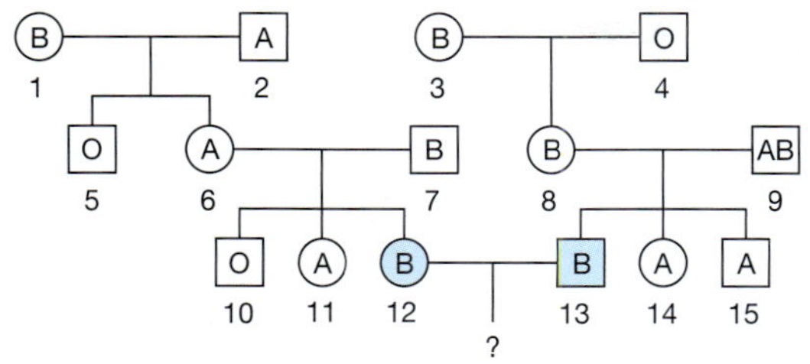

a) Determine os genótipos de todos os indivíduos.

b) Calcule a probabilidade de um descendente de 12 × 13 ter sangue tipo O.

A Biologia no vestibular e no Enem

Questões objetivas

1. (Unifor-CE) Um estudante, ao iniciar o curso de Genética, anotou o seguinte:

I. Cada caráter hereditário é determinado por um par de fatores e, como estes se separam na formação dos gametas, cada gameta recebe apenas um fator do par.

II. Cada par de alelos presentes nas células diploides separa-se na meiose, de modo que cada célula haploide só recebe um alelo do par.

III. Antes da divisão celular se iniciar, cada molécula de DNA se duplica e, na mitose, as duas moléculas resultantes se separam, indo para células diferentes.

A primeira lei de Mendel está expressa em:

a) I somente.
b) II somente.
c) I e II somente.
d) II e III somente.
e) I, II e III.

2. (UFPI) Uma ovelha branca ao cruzar com um carneiro branco teve um filhote de cor preta. Quais os genótipos dos pais, se a cor branca é dominante?

a) Ambos são homozigotos recessivos.
b) Ambos são brancos heterozigotos.
c) Ambos são homozigotos dominantes.
d) A mãe é *Bb* e o pai é *BB*.
e) A mãe é *bb* e o pai é *Bb*.

3. (Fuvest-SP) Em plantas de ervilha ocorre, normalmente, autofecundação. Para estudar os mecanismos de herança, Mendel fez fecundações cruzadas, removendo as anteras da flor de uma planta homozigótica de alta estatura e colocando, sobre seu estigma, pólen recolhido da flor de uma planta homozigótica de baixa estatura. Com esse procedimento, o pesquisador:

a) impediu o amadurecimento dos gametas femininos.
b) trouxe gametas femininos com alelos para baixa estatura.
c) trouxe gametas masculinos com alelos para baixa estatura.
d) promoveu o encontro de gametas com os mesmos alelos para estatura.
e) impediu o encontro de gametas com alelos diferentes para estatura.

4. (Fuvest-SP) Em uma população de mariposas, 96% dos indivíduos têm cor clara e 4%, cor escura. Indivíduos escuros cruzados entre si produzem, na maioria das vezes, descendentes claros e escuros. Já os cruzamentos entre indivíduos claros produzem sempre apenas descendentes de cor clara. Esses resultados sugerem que a cor dessas mariposas é condicionada por:

a) um par de alelos, sendo o alelo para cor clara dominante sobre o que condiciona cor escura.
b) um par de alelos, sendo o alelo para cor escura dominante sobre o que condiciona cor clara.
c) um par de alelos, que não apresentam dominância um sobre o outro.
d) dois genes ligados com alta taxa de recombinação entre si.
e) fatores ambientais, como a coloração dos troncos onde elas pousam.

5. (UFC-CE) Alguns estudos com gêmeos idênticos mostraram que o QI, a altura e os talentos artísticos podem ser diferentes entre esses indivíduos. A melhor explicação para essas diferenças é que:

a) a hereditariedade e o ambiente não possuem influência sobre a expressão dos fenótipos.
b) o ambiente e os genes interagem no desenvolvimento e na expressão das características herdadas.
c) o genótipo dos gêmeos depende da interação da dieta e do controle hormonal.
d) as características QI, altura e talentos artísticos dependem apenas do ambiente.
e) os alelos responsáveis por essas características possuem efeito fenotípico múltiplo.

6. (UEPB) As hemácias humanas possuem, na sua superfície, substâncias denominadas aglutinogênios, que reagem com as aglutininas encontradas no plasma. Quando um indivíduo possui aglutinogênio A e B nas suas hemácias, no seu plasma encontramos:

a) uma aglutinina AB.
b) aglutinina anti-A.
c) aglutinina anti-B.
d) aglutininas anti-A e anti-B.
e) nenhuma aglutinina.

7. (UFPE) No segundo parto de uma mulher, o feto apresentou o quadro de hemólise de hemácias, conhecido por doença hemolítica do recém-nascido (DHRN) ou eritroblastose fetal. Considerando o fato de que essa mulher não foi submetida à transfusão de sangue em toda a sua vida e teve seu primeiro filho sem nenhuma anormalidade, analise os genótipos descritos, no quadro apresentado, e determine a alternativa que indica, respectivamente, os genótipos da mãe, do primeiro filho e do segundo filho.

Genótipos			
	Mãe	1º filho	2º filho
a)	Rh^-	Rh^-	Rh^+
b)	Rh^-	Rh^+	Rh^+
c)	Rh^-	Rh^+	Rh^+
d)	Rh^+	Rh^-	Rh^+
e)	Rh^+	Rh^+	Rh^-

8. (UFPE) Renata (III.1), cuja avó materna e avô paterno eram albinos, preocupada com a possibilidade de transmitir o alelo para o albinismo a seus filhos, deseja saber qual a probabilidade de ela não ser portadora deste alelo. Qual das alternativas responde ao questionamento de Renata?

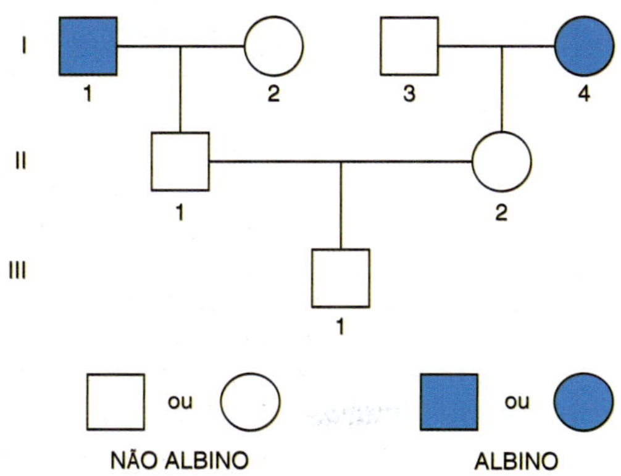

a) 0 b) $\frac{1}{4}$ c) $\frac{3}{4}$ d) $\frac{1}{3}$ e) 1

9. (UFSCar-SP) Em relação ao sistema sanguíneo ABO, um garoto, ao se submeter ao exame sorológico, revelou ausência de aglutininas. Seus pais apresentaram grupos sanguíneos diferentes e cada um apresentou apenas uma aglutinina. Os prováveis genótipos dos pais do menino são:

a) I^Bi — ii.
b) I^Ai — ii.
c) I^AI^B — I^Ai.
d) I^AI^B — I^AI^A.
e) I^Ai — I^Bi.

10. (UFJF-MG) Além do teste de DNA, há exames mais simples que podem ajudar a esclarecer dúvidas sobre paternidade. Por exemplo, o teste de tipagem sanguínea do sistema ABO permite determinar quem não pode ser o pai. Qual das alternativas apresenta uma situação em que esse exame assegura a exclusão da paternidade?

a) O filho é do tipo O, a mãe do tipo O e o suposto pai do tipo A.
b) O filho é do tipo AB, a mãe do tipo AB e o suposto pai do tipo O.
c) O filho é do tipo AB, a mãe do tipo A e o suposto pai do tipo B.
d) O filho é do tipo B, a mãe do tipo B e o suposto pai do tipo O.
e) O filho é do tipo A, a mãe do tipo A e o suposto pai do tipo B.

11. (Fuvest-SP) Lúcia e João são do tipo sanguíneo Rh positivo e seus irmãos, Pedro e Marina, são do tipo Rh negativo. Quais dos quatro irmãos podem vir a ter filhos com eritroblastose fetal?

a) Marina e Pedro.
b) Lúcia e João.
c) Lúcia e Marina.
d) Pedro e João.
e) João e Marina.

12. (UFRGS-RS) Em Genética, o cruzamento-teste é utilizado para determinar

a) o número de genes responsável por uma característica.
b) o padrão de herança de uma característica.
c) a recessividade de uma característica.
d) o grau de penetrância de uma característica.
e) a homozigose ou a heterozigose de um gene dominante.

13. (UFRGS-RS) Em uma espécie de peixes de aquário, aparecem três padrões distintos de coloração na nadadeira dorsal: negra, rajada e amarela. Esses padrões são resultantes das combinações de três diferentes alelos de um mesmo loco. No quadro abaixo, estão apresentados três cruzamentos entre peixes com padrões de coloração distintos para nadadeiras e suas respectivas gerações F_1 e F_2.

Cruzamentos	Geração F_1	Geração F_2 (número de indivíduos)
1. rajada × amarela	100% rajadas	50 rajadas : 17 amarelas
2. negra × amarela	100% negras	100 negras : 35 rajadas
3. negra × rajada	100% negras	65 negras : 21 rajadas

Se um macho da F_1 do cruzamento 3 cruza com uma fêmea da F_1 do cruzamento 1, quais as proporções de coloração das nadadeiras dorsais esperadas para os descendentes?

a) 50% de indivíduos com nadadeiras negras e 50% de indivíduos com nadadeiras rajadas.
b) 75% de indivíduos com nadadeiras negras e 25% de indivíduos com nadadeiras amarelas.
c) 75% de indivíduos com nadadeiras negras e 25% de indivíduos com nadadeiras rajadas.
d) 50% de indivíduos com nadadeiras negras e 50% de indivíduos com nadadeiras amarelas.
e) 100% de indivíduos com nadadeiras negras.

14. (UFPR) Os seres vivos são acometidos por várias doenças, que podem ter diversas origens. A exostose múltipla é uma anomalia que se caracteriza por lesões nos ossos e ocorre tanto em seres humanos quanto em cavalos. Segundo os pesquisadores que a estudaram, é determinada por um gene autossômico dominante. Considere um macho afetado, filho de uma fêmea normal, que seja cruzado com uma fêmea também normal. A probabilidade de esse cruzamento produzir um descendente (macho ou fêmea) normal é de:

a) 100%. b) 75%. c) 50%. d) 25%. e) 0%.

15. (Fuvest-SP) Numa espécie de planta, a cor das flores é determinada por um par de alelos. Plantas de flores vermelhas cruzadas com plantas de flores brancas produzem plantas de flores cor-de-rosa. Do cruzamento entre plantas de flores cor-de-rosa, resultam plantas com flores

a) das três cores, em igual proporção.
b) das três cores, prevalecendo as cor-de-rosa.
c) das três cores, prevalecendo as vermelhas.
d) somente cor-de-rosa.
e) somente vermelhas e brancas, em igual proporção.

16. (Enem-MEC) Em um experimento, preparou-se um conjunto de plantas por técnica de clonagem a partir de uma planta original que apresentava folhas verdes. Esse conjunto foi dividido em dois grupos, que foram tratados de maneira idêntica, com exceção das condições de iluminação, sendo um grupo exposto a ciclos de iluminação solar natural e outro mantido no escuro. Após alguns dias, observou-se que o grupo exposto à luz apresentava folhas verdes como a planta original e o grupo cultivado no escuro apresentava folhas amareladas. Ao final do experimento, os dois grupos de plantas apresentaram:

a) os genótipos e os fenótipos idênticos.
b) os genótipos idênticos e os fenótipos diferentes.
c) diferenças nos genótipos e fenótipos.
d) o mesmo fenótipo e apenas dois genótipos diferentes.
e) o mesmo fenótipo e grande variedade de genótipos.

Questões discursivas

17. (Unicamp-SP) Gatos Manx são heterozigotos para uma mutação que resulta na ausência de cauda (ou cauda muito curta), presença de pernas traseiras grandes e um andar diferente dos outros. O cruzamento de dois gatos Manx produziu dois gatinhos Manx para cada gatinho normal de cauda longa (2 : 1), em vez de três para um (3 : 1), como seria esperado pela genética mendeliana.

a) Qual a explicação para esse resultado?
b) Dê os genótipos dos parentais e dos descendentes. (Utilize as letras *B* e *b* para suas respostas.)

18. (UFRJ) Alguns centros de pesquisa na Inglaterra estão realizando um programa de triagem populacional para detectar a fibrose cística, uma doença autossômica recessiva grave particularmente comum em caucasianos. Toda pessoa na qual o alelo recessivo é detectado recebe orientação a respeito dos riscos de vir a ter um descendente com anomalia. Um inglês heterozigoto para essa característica é casado com uma mulher normal, filha de pais normais, mas cujo irmão morreu na infância, vítima de fibrose cística. Calcule a probabilidade de que esse casal venha a ter uma criança com fibrose cística. Justifique sua resposta.

19. (Unicamp-SP) Os grupos sanguíneos humanos podem ser classificados em 4 tipos: A, AB, B e O, pelo sistema ABO, e, de acordo com o sistema Rh, como Rh^+ e Rh^-.

a) Explique como o sangue de uma pessoa pode ser identificado em relação aos sistemas ABO e Rh.
b) Explique por que uma pessoa com sangue tipo O é doadora universal mas só pode receber sangue do tipo O, enquanto uma pessoa com sangue AB é receptora universal mas não pode doar para os outros tipos.

20. (UFRJ) O gato siamês é um animal de rara beleza, pois a pelagem de seu corpo é clara com extremidades — orelhas, focinho, pés e cauda — pretas. A presença do pigmento que dá a cor negra a essas extremidades é o resultado da atividade de uma enzima que fica inativada acima de 34 °C. Explique por que esses animais têm a pelagem negra nas extremidades do corpo.

21. (Unicamp-SP) No início do século XX, o austríaco Karl Landsteiner, misturando o sangue de indivíduos diferentes, verificou que apenas algumas combinações eram compatíveis. Descobriu, assim, a existência do chamado sistema ABO em humanos. No quadro abaixo são mostrados os genótipos possíveis e os aglutinogênios correspondentes a cada tipo sanguíneo.

Tipo Sanguíneo	Genótipo	Aglutinogênio
A	I^AI^A ou I^Ai	A
B	I^BI^B ou I^Bi	B
A e B	I^AI^B	A e B
O	ii	Nenhum

a) Que tipo ou tipos sanguíneos poderiam ser utilizados em transfusão de sangue para indivíduos de sangue tipo A? Justifique.
b) Uma mulher com tipo sanguíneo A, casada com um homem com tipo sanguíneo B, tem um filho considerado doador de sangue universal. Qual a probabilidade de esse casal ter um(a) filho(a) com tipo sanguíneo AB? Justifique sua resposta.

Capítulo 17 As bases cromossômicas da herança

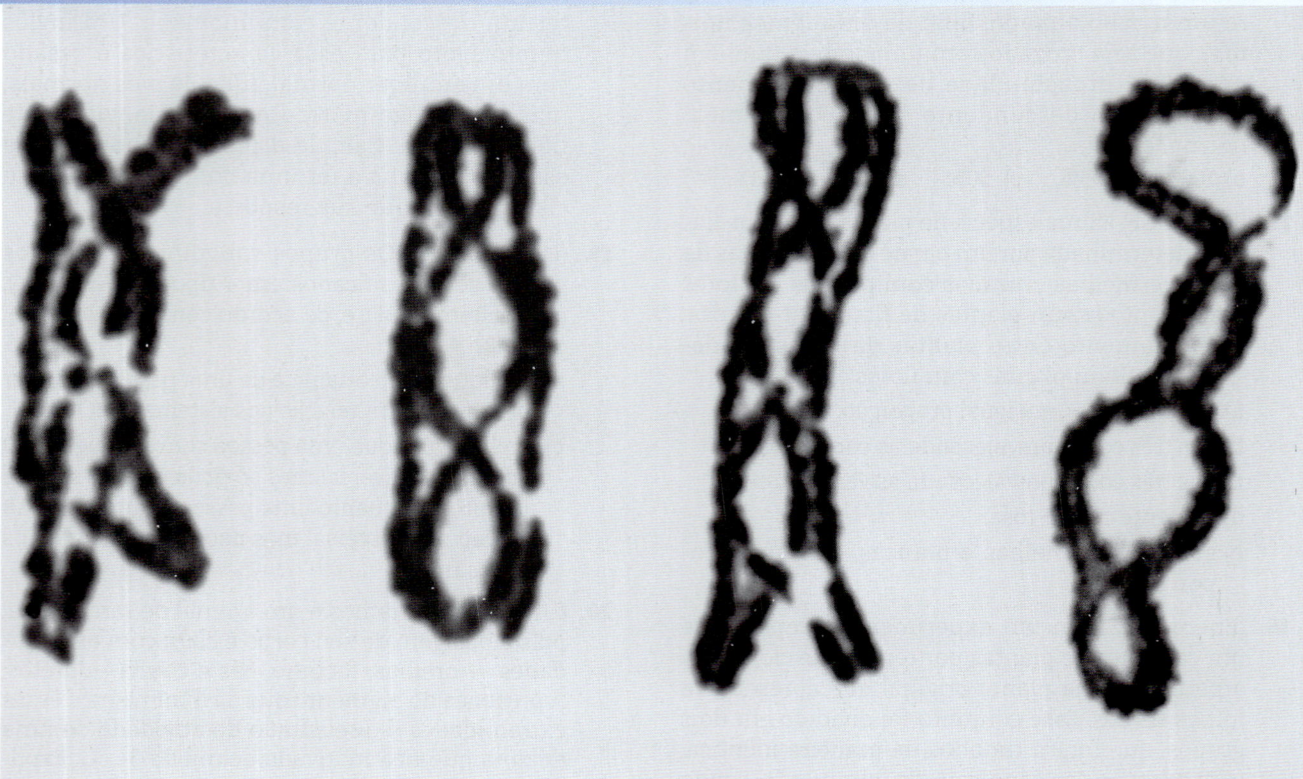

SCIENCE VU/B. JOHN/VISUALS UNLIMITED/CORBIS/LATINSTOCK

Fotografias de quatro pares de cromossomos durante a meiose. As trocas de pedaços entre cromossomos homólogos são visualizadas no microscópio como quiasmas, pontos de cruzamento entre as cromátides. (Microscópio fotônico; aumento ≈ 8.000X.)

Por dentro das "caixas-pretas": o poder da ciência

Talvez algum professor de ciências já lhe tenha proposto o seguinte desafio: descobrir o que há em uma caixa fechada, sugestivamente embrulhada em papel preto. Para isso, você pode ter pegado a caixa, avaliado várias de suas características – como a massa, a textura, o cheiro e os ruídos produzidos – e levantado hipóteses.

Essa analogia se aplica a certos aspectos do mundo natural que não podemos analisar diretamente com nossos sentidos. Mendel, por exemplo, ao fazer cruzamentos de ervilhas, observou os tipos de descendentes que surgiram e tentou entender o que se passava nas plantas genitoras. Usando um raciocínio matemático avançado para a Biologia da época, ele deduziu que dentro das "caixas-pretas genitoras" devia haver fatores hereditários de natureza desconhecida que se separavam no processo de formação dos gametas.

Mais de 35 anos depois, o geneticista estadunidense Walter Sutton (1877-1916), estimulado pela redescoberta do trabalho de Mendel e municiado de suas próprias observações microscópicas da meiose de gafanhoto, abriu uma ampla e luminosa janela na caixa-preta em que o monge-cientista havia penetrado: ao observar que os cromossomos homólogos se separam durante a formação dos gametas, assim como os fatores mendelianos, concluiu que os fatores deviam estar localizados nos cromossomos. Essa ideia representou um formidável avanço na compreensão dos mecanismos genéticos, inaugurando a chamada teoria cromossômica da herança, desenvolvida nas primeiras décadas do século XX principalmente pelo grupo de drosofilistas liderado pelo geneticista estadunidense Thomas Hunt Morgan.

Ano após ano, novas descobertas e a formulação de novas teorias têm permitido aos cientistas adentrar muitas caixas-pretas do desconhecido e, no interior delas, deparar-se com novas caixas repletas de desafios à nossa compreensão. A história da Genética ilustra como a ciência permite solucionar problemas em mundos que não podemos visualizar diretamente, mas que podemos compreender e até prever com base no raciocínio lógico e em testes de hipóteses.

A importância do assunto

Neste capítulo continuamos a estudar os princípios que regem a herança biológica e o passo a passo de sua descoberta empreendida por várias gerações de cientistas. Ao imaginar a existência de fatores presentes aos pares nos indivíduos e que esses fatores se separavam na formação dos gametas, Mendel estava antecipando, sem saber, as ideias de diploidia e meiose. Um cientista, ao abrir uma janela em uma caixa-preta e lançar luzes sobre o desconhecido, contribui para que seus colegas avancem cada vez mais no conhecimento científico sobre determinado tema. Podemos evidenciar isso ao estudar os trabalhos de Mendel, seguidos pelos de Sutton e dos drosofilistas liderados por Morgan, que construíram as bases da Genética Moderna.

Veremos como Mendel, ao estudar duas ou mais características simultaneamente, ampliou a compreensão sobre os princípios básicos da herança com a lei da segregação independente dos fatores hereditários. Hoje sabemos que a segregação independente é um aspecto particular da hereditariedade, que ocorre entre genes localizados em diferentes pares de cromossomos homólogos.

Em seguida, veremos alguns casos de herança de genes com segregação independente que interagem na produção de características, como a cor da plumagem de periquitos e a da pelagem de cães labradores.

Finalmente, no último item deste capítulo, estudaremos o que ocorre com genes localizados no mesmo cromossomo e que, portanto, não se segregam independentemente. Esse estudo possibilita estimar a distância entre os locos dos genes envolvidos.

À medida que progredimos no estudo da Genética, os conhecimentos vão se ampliando gradativamente. Por isso, antes de prosseguir, certifique-se de que domina os conceitos abordados no capítulo anterior. Dessa forma, você poderá desvendar com mais facilidade o conteúdo de mais uma caixa-preta.

17.1 A segregação independente de genes

Além de estudar isoladamente cada uma das sete características da ervilha, como vimos no capítulo anterior, Mendel também analisou a transmissão combinada de duas ou mais características. Em um desses experimentos, por exemplo, ele considerou, ao mesmo tempo, a cor dos cotilédones da semente – amarela ou verde – e sua textura – lisa ou rugosa. (Fig. 17.1)

MARTIN SHIELDS/ PHOTORESEARCHERS/DIOMEDIA

Figura 17.1 Fotografia de sementes de ervilha com fenótipo verde: à esquerda, semente rugosa e, à direita, semente lisa. Aumento: 4X.

Plantas originadas de sementes amarelas lisas puras (homozigóticas) foram cruzadas com plantas originadas de sementes verdes rugosas, traços recessivos. Como era de esperar, todas as sementes produzidas na geração F_1 eram amarelas e lisas.

A geração F_2, obtida por autofecundação das plantas F_1, era composta por quatro tipos de sementes, distribuídas aproximadamente nas seguintes frações: $\frac{9}{16}$ amarelas lisas; $\frac{3}{16}$ amarelas rugosas; $\frac{3}{16}$ verdes lisas; $\frac{1}{16}$ verde rugosa. Ou seja, a proporção era de 9 amarelas lisas : 3 amarelas rugosas : 3 verdes lisas : 1 verde rugosa (9 : 3 : 3 : 1).

Como Mendel interpretou esses resultados? Aplicando um raciocínio matemático-probabilístico, concluiu que a separação do par de fatores para cor da semente em nada interferia na segregação dos fatores para a textura. Em outras palavras, essas segregações eram ocorrências totalmente independentes.

Na formação dos gametas de plantas híbridas da geração F_1, os alelos para a cor da semente (*V* e *v*) separam-se independentemente dos alelos que condicionam a textura da semente (*R* e *r*). Ou seja, o gameta portador de um alelo *V* pode conter tanto um alelo *R* como um alelo *r*, com iguais chances; o mesmo vale para os gametas portadores do alelo *v*, que podem receber com iguais chances o alelo *R* e o alelo *r*.

Segundo essa explicação, uma planta duplo-heterozigótica *VvRr* forma quatro tipos de gameta em igual proporção: 1 *VR* : 1 *Vr* : 1 *vR* : 1 *vr*. A combinação ao acaso desses gametas é o que explica a proporção 9 : 3 : 3 : 1, observada na geração F_2 dos cruzamentos. (Fig. 17.2)

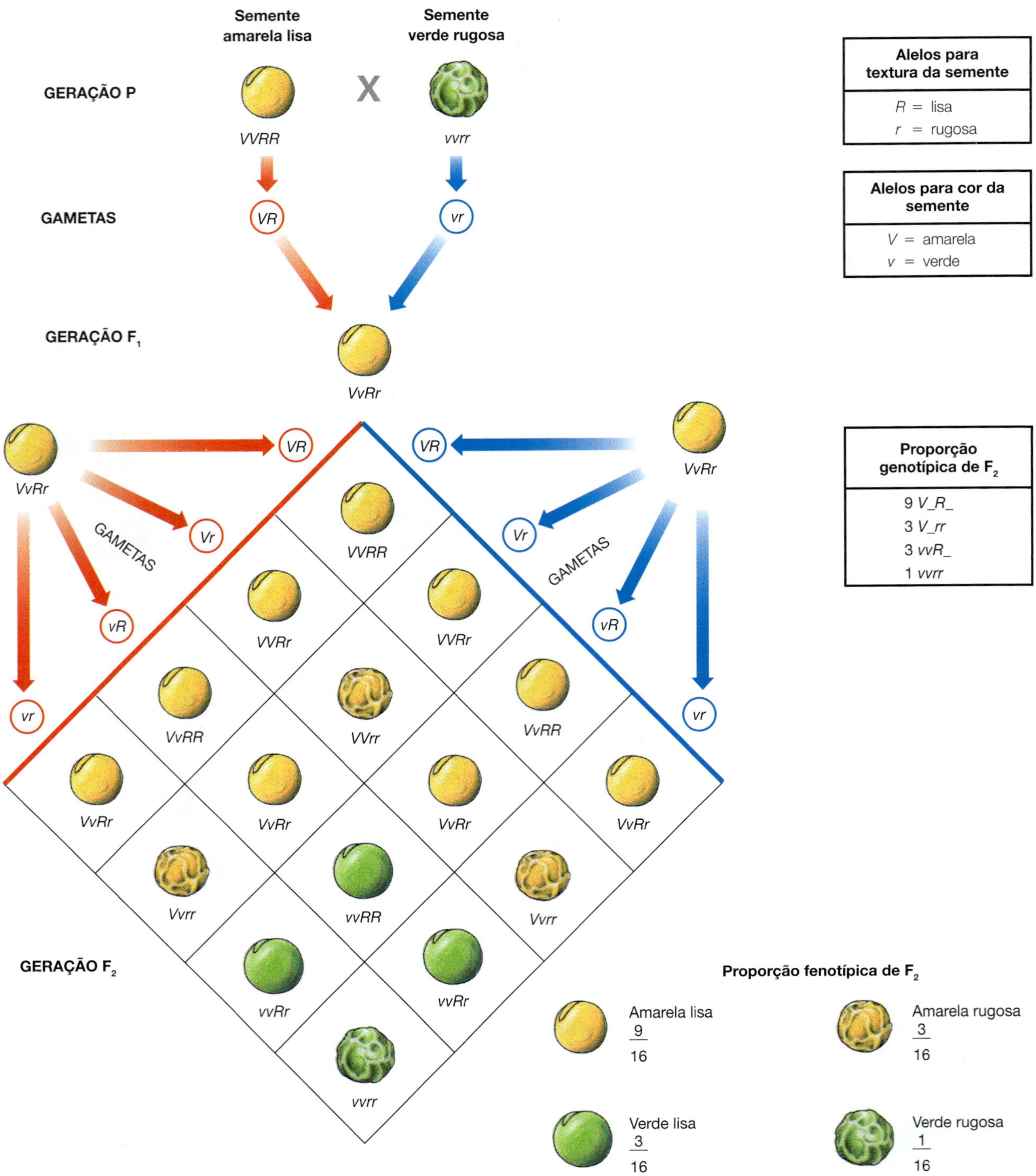

Figura 17.2 Representação esquemática do cruzamento entre linhagens de ervilhas de semente amarela lisa e de semente verde rugosa e do cruzamento entre indivíduos da geração F_1. Os genes que condicionam as características cor (amarela ou verde) e textura (lisa ou rugosa) das sementes segregam-se independentemente.

Esse princípio que rege a separação dos genes foi chamado, por Mendel, de **lei da segregação independente**. Posteriormente, em merecida homenagem ao geneticista pioneiro, ela passou a também ser denominada segunda lei de Mendel. Seu enunciado é: "Os fatores para duas ou mais características separam-se no híbrido, distribuindo-se independentemente para os gametas".

No início do século XX, os geneticistas constataram que a segregação independente de genes ocorria em diversas espécies. Por exemplo, nas cobaias, ou porquinhos-da-índia (*Cavia porcellus*), a pelagem preta é dominante sobre a pelagem marrom, e a pelagem curta é dominante sobre a pelagem longa. Os cruzamentos mostram que os genes responsáveis por essas características segregam-se independentemente. Quando cobaias pretas de pelo curto duplo-heterozigóticas se cruzam, os fenótipos da descendência distribuem-se na proporção de 9 : 3 : 3 : 1. (Fig. 17.3)

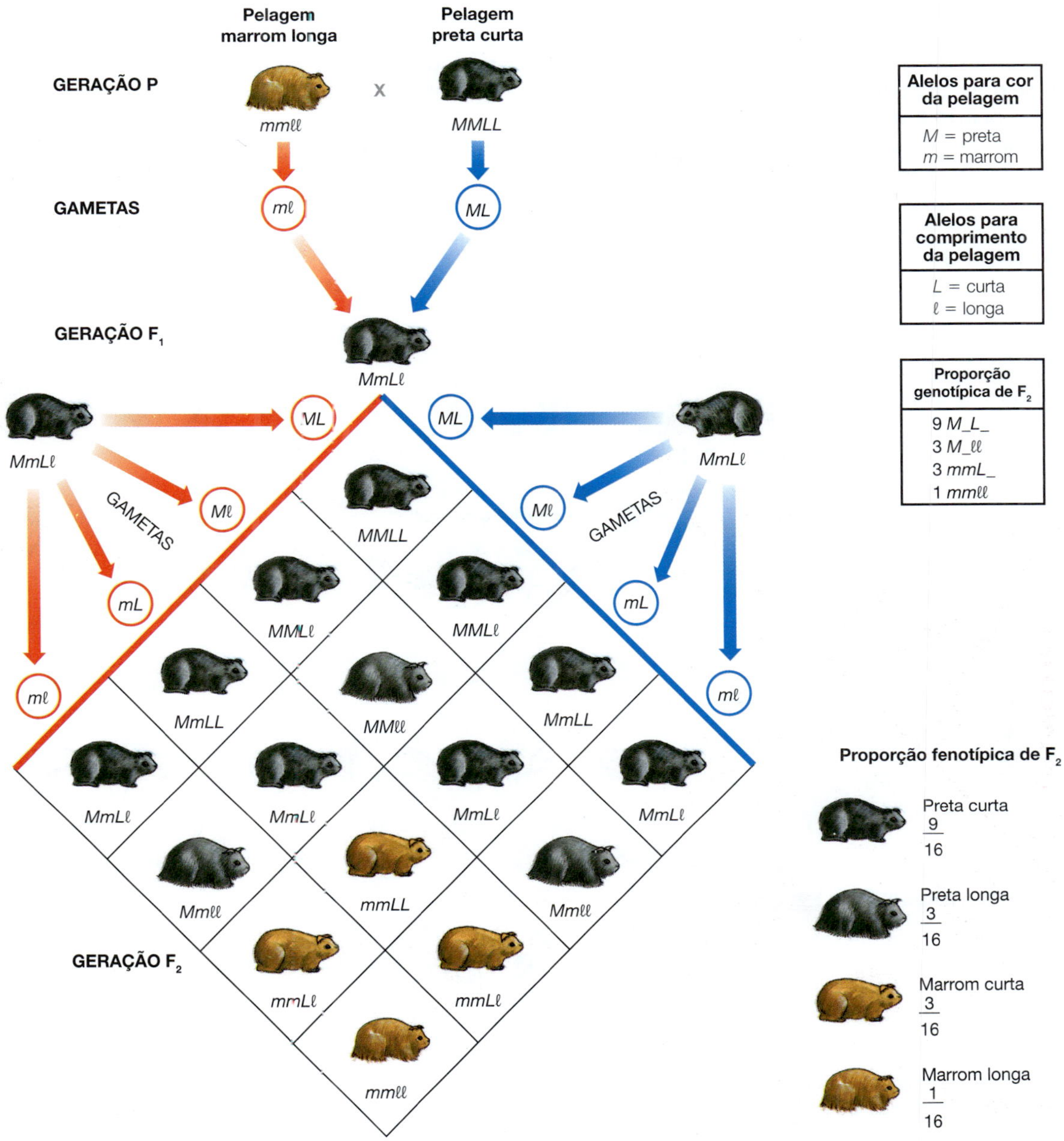

Figura 17.3 Representação esquemática do cruzamento entre cobaias (porquinhos-da-índia) de pelagem marrom longa e de pelagem preta curta e do cruzamento entre indivíduos da geração F$_1$. Os genes que condicionam as características cor (preta ou marrom) e comprimento (curta ou longa) da pelagem segregam-se independentemente.

A base celular da segregação independente: meiose

Ao estudar a meiose nos gafanhotos, Walter Sutton observou que os cromossomos se segregavam da mesma maneira que os fatores mendelianos. Isso o levou a supor que os cromossomos são a base física da herança.

A segregação independente de dois genes ocorre quando eles se situam em diferentes pares de cromossomos homólogos. Na meiose que leva à formação dos gametas, os cromossomos homólogos separam-se com total independência. Vejamos como isso acontece.

Considere uma célula duplo-heterozigótica *AaBb*, na qual o par de alelos *Aa* situa-se em um par de homólogos e o par de alelos *Bb* situa-se em outro. Durante a meiose, os membros de cada par de cromossomos homólogos emparelham-se e orientam-se em direção aos polos opostos da célula. Duas situações, então, podem ocorrer:

1) o cromossomo portador do alelo dominante *A* orienta-se para o mesmo polo que o cromossomo portador do alelo dominante *B*; consequentemente, o cromossomo portador do alelo recessivo *a* orienta-se para o mesmo polo que o cromossomo portador do alelo recessivo *b*;

2) o cromossomo portador do alelo dominante *A* orienta-se para o mesmo polo que o cromossomo portador do alelo recessivo *b*; consequentemente, o cromossomo portador do alelo dominante *B* orienta-se para o mesmo polo que o cromossomo portador do alelo *a*.

Durante a formação de gametas nesse indivíduo, cada célula em meiose encontra-se obrigatoriamente em uma dessas situações. Se ocorre a situação **1**, formam-se dois tipos de gameta quanto a esses genes: *AB* e *ab*. Se ocorre a situação **2**, formam-se outros dois tipos de gameta: *Ab* e *aB*.

A chance de ocorrer cada uma dessas situações é a mesma, ou seja, 50% de chance para cada caso. Dessa forma, espera-se que em aproximadamente metade das células em meiose ocorra a primeira situação, com produção de gametas *AB* e *ab*, enquanto na outra metade ocorra a segunda situação, com produção de gametas *Ab* e *aB*.

Assim, um indivíduo heterozigótico para dois genes *AaBb*, localizados em pares diferentes de cromossomos, produz quatro tipos de gametas haploides com as quatro combinações gênicas na mesma proporção: 1 *AB* : 1 *Ab* : 1 *aB* : 1 *ab*. (Fig. 17.4)

SEGREGAÇÃO DE CROMOSSOMOS E GENES NA MEIOSE

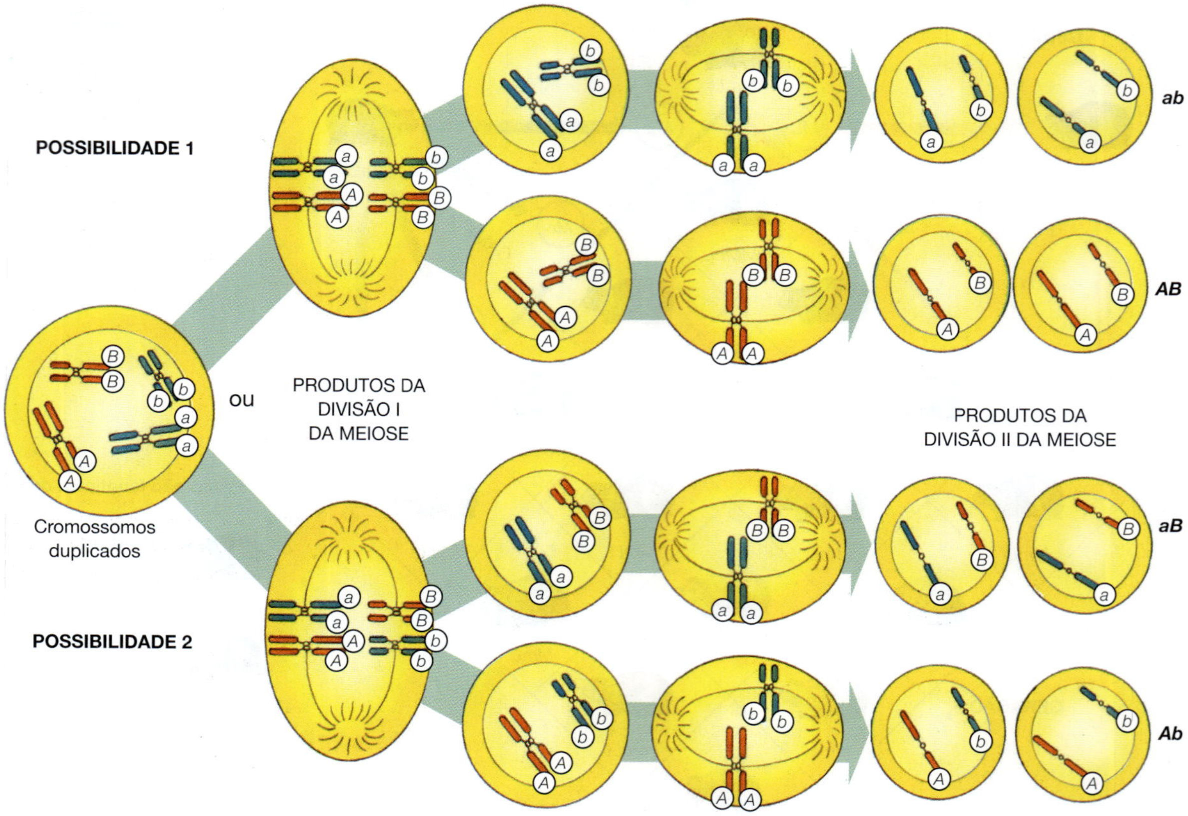

Figura 17.4 Representação esquemática das duas possibilidades de migração de dois pares de cromossomos, que leva à segregação independente dos alelos A/a e B/b na meiose. (Elementos fora de proporção de tamanho entre si; cores-fantasia.)

17.2 Interações entre genes com segregação independente

Ainda nos primórdios da Genética, verificou-se que a herança de certas características somente podia ser explicada admitindo-se a atuação conjunta de alelos de dois ou mais genes. Surgiu, então, o termo **interação gênica** para designar essas situações. Vejamos alguns exemplos.

Interação gênica na cor da plumagem de periquitos

Periquitos-australianos (*Melopsittacus undulatus*) apresentam grande diversidade de cores, determinadas por dezenas de genes. No entanto, a determinação das cores básicas da plumagem dessas aves – verde, azul, amarela e branca – é controlada por dois genes principais com segregação independente, cada qual com dois alelos (*Aa* e *Bb*). Ou seja, esses dois genes para a cor da plumagem do periquito encontram-se em diferentes pares de cromossomos homólogos.

Periquitos homozigóticos recessivos para os dois genes – *aabb* – são brancos. Periquitos homozigóticos recessivos aa que apresentam ao menos um alelo dominante *B* – genótipos *aaBB* ou *aaBb* – são amarelos. Periquitos homozigóticos recessivos *bb* que apresentam ao menos um alelo dominante *A* – genótipos *AAbb* ou *Aabb* – são azuis. Periquitos com ao menos um alelo dominante de cada gene – genótipos *AABB*, *AABb*, *AaBB* ou *AaBb* – são verdes.

O cruzamento entre periquitos verdes duplo-heterozigóticos – genótipo *AaBb* – produz quatro tipos de descendentes nas seguintes proporções: 9 verdes : 3 azuis : 3 amarelos : 1 branco. Com o desenvolvimento da Bioquímica, descobriu-se como os alelos desses dois genes atuam para produzir os quatro diferentes fenótipos dos periquitos, como veremos a seguir. (Fig. 17.5)

O alelo *A* contém informação para a produção de melanina, pigmento escuro responsável pela cor azul das penas. O alelo *a*, uma versão alterada e não funcional do gene, não leva à produção de melanina. A presença de melanina em certas porções das penas dispersa a luz azul com mais eficiência, fazendo com que elas se apresentem azuladas. É a chamada "dispersão de Rayleigh", fenômeno físico em que a luz se espalha ao passar por partículas muito menores do que seu comprimento de onda; a cor azul do céu, por exemplo, decorre da dispersão de Rayleigh da luz solar na atmosfera.

O alelo *B*, localizado em outro par de cromossomos, condiciona a deposição na pena de um pigmento amarelo, a psitacina. O alelo *b*, uma versão alterada desse gene, não leva à deposição do pigmento psitacina na pena.

Periquitos com genótipo *aabb* não têm melanina nem psitacina nas penas, por isso são brancos. Periquitos com ao menos uma versão funcional de cada gene – genótipo geral *A_B_* – têm ambos os pigmentos e as penas são verdes. Essa cor resulta da mistura do efeito azulado da melanina com o amarelo do pigmento psitacina.

Periquitos sem melanina nas penas e com ao menos um alelo funcional para a presença de psitacina – genótipo geral *aaB_* – têm cor amarela. Periquitos com ao menos um alelo funcional do gene para a produção de melanina e homozigóticos para a versão não funcional do gene para a deposição de psitacina – genótipo geral *A_bb* – têm cor azul. (Fig. 17.6)

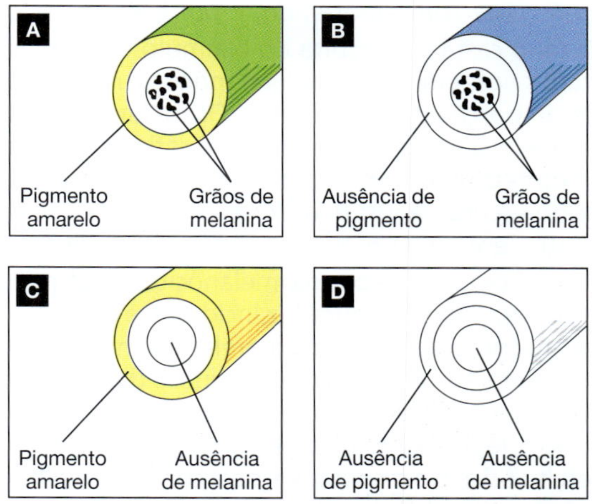

Figura 17.6 Esquemas de cortes transversais das penas de periquitos para mostrar como a presença e a distribuição dos pigmentos melanina e psitacina determinam as diferentes cores da plumagem dessas aves: verde (A), azul (B), amarela (C) e branca (D). (Baseado em Campbell, N. A. e cols., 1994.)

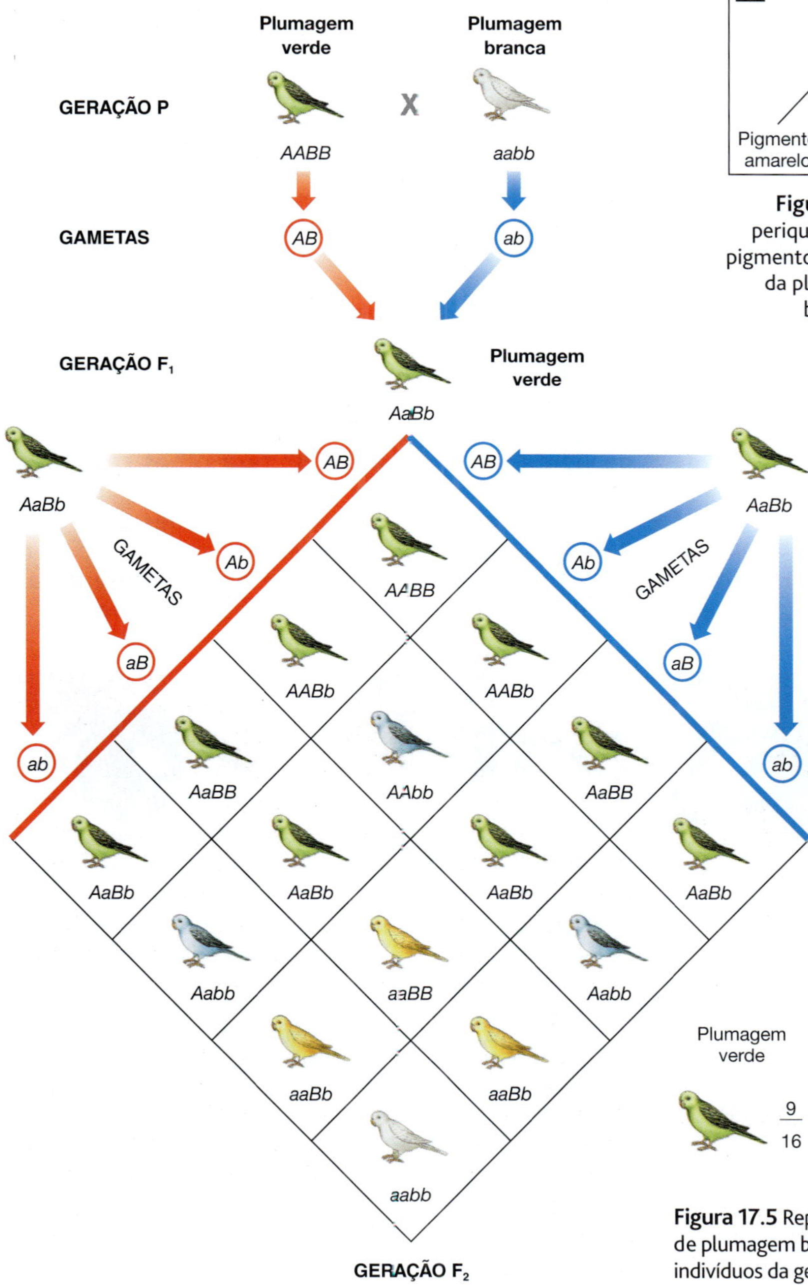

Proporção genotípica de F_2
9 *A_B_*
3 *A_bb*
3 *aaB_*
1 *aabb*

Proporção fenotípica de F_2

Figura 17.5 Representação esquemática do cruzamento entre periquitos de plumagem branca e plumagem verde e do cruzamento entre indivíduos da geração F_1.

Interação gênica na cor dos olhos de seres humanos

Como surgem as diferentes cores de olhos?

A cor da íris do olho humano varia do cinza e azul-claro ao quase negro, passando por tonalidades de verde e de castanho. Não há pigmentos azuis ou verdes na íris; as diversas cores de olhos são produzidas pela presença de diferentes quantidades de melanina, pigmento marrom-amarelado, e por efeitos físicos.

O olho castanho resulta do acúmulo de células pigmentadas ricas em melanina (melanócitos) na camada de tecido da porção anterior da íris. Os melanócitos absorvem a maior parte da luz incidente e refletem uma certa quantidade de luz marrom-amarelada. O resultado é a cor castanho-escura da íris; quanto mais melanócitos e consequentemente mais melanina, mais escuro será o olho.

Nos olhos azuis, há poucos melanócitos na camada anterior da íris; por isso, pouca luz incidente é refletida pelo pigmento como luz marrom-amarelada. A maior parte da luz incidente atravessa a camada quase despigmentada da íris, onde os comprimentos de onda mais curtos (luz azul) são seletivamente dispersos (dispersão de Rayleigh). Esse efeito físico é o responsável pela cor azul do olho. Se a camada anterior da íris contiver uma quantidade intermediária de melanócitos, a luz refletida pelo pigmento de cor marrom-amarelada, combinada à luz azul produzida pelo efeito Rayleigh, resultará na cor verde do olho.

A progressiva diminuição da quantidade de melanina na camada anterior da íris produz a gradação de cores que vão desde o castanho-escuro até o verde e, na quase total ausência do pigmento, do azul ao cinza. (Fig. 17.7)

Os recém-nascidos de etnia caucasiana apresentam sempre olhos claros, que podem se tornar progressivamente mais escuros à medida que os melanócitos da íris produzem melanina. Os recém-nascidos latinos e de etnias negra e asiática já possuem olhos escuros ao nascer.

A íris não tem estrutura e coloração uniformes; nos olhos claros, a camada anterior é mais fina em certas regiões do que em outras, o que resulta em um padrão radial característico. A melanina também não se distribui homogeneamente, gerando áreas mais pigmentadas e áreas de menor pigmentação. Não é de estranhar, portanto, a dificuldade de classificar com precisão as cores dos olhos humanos e analisar o padrão de herança dessa característica.

Genes envolvidos na determinação da cor dos olhos

Foram identificados dois genes principais que atuam na produção de melanina e que estão envolvidos na determinação da cor dos olhos na espécie humana: o gene *EYCL1*, mais conhecido por *GEY*, localizado no cromossomo 19, e o gene *EYCL3*, mais conhecido por *BEY*, no cromossomo 15.

O gene *GEY* tem dois alelos já bem caracterizados (admite-se que possam existir outros), um dominante (G^V), que condiciona cor verde à íris, e outro recessivo (G^A), que condiciona cor azul. A denominação *GEY* deriva do inglês ***g**reen **e**ye color gene*. O gene *BEY* também apresenta dois alelos caracterizados, um dominante (B^M), que condiciona cor castanha (marrom), e outro recessivo (B^A), que condiciona cor azul. A denominação *BEY* deriva do inglês ***b**rown **ey**e color gene*.

Com base na identificação desses genes e no estudo de certos padrões de herança da cor dos olhos em algumas famílias, os pesquisadores concluíram que esses dois genes apresentam interação, sendo que o alelo que condiciona a cor castanha do gene *BEY* (B^M) tem um efeito "dominante" sobre os alelos do gene *GEY*.

De acordo com esse modelo, a pessoa portadora de pelo menos um alelo B^M terá olhos castanhos. Para ter olhos azuis, a pessoa precisa ser homozigótica recessiva quanto aos dois genes B^AB^A/G^AG^A. Pessoas homozigóticas recessivas quanto ao gene *BEY* com, pelo menos, um alelo dominante para o gene *GEY* ($B^AB^A/G^V\_$) terão olhos verdes. (Tab. 17.1)

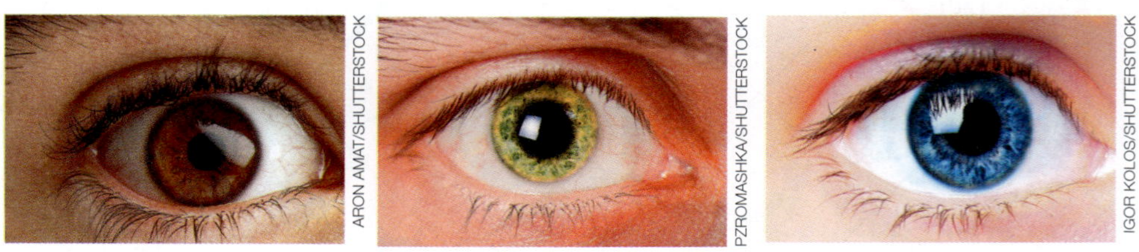

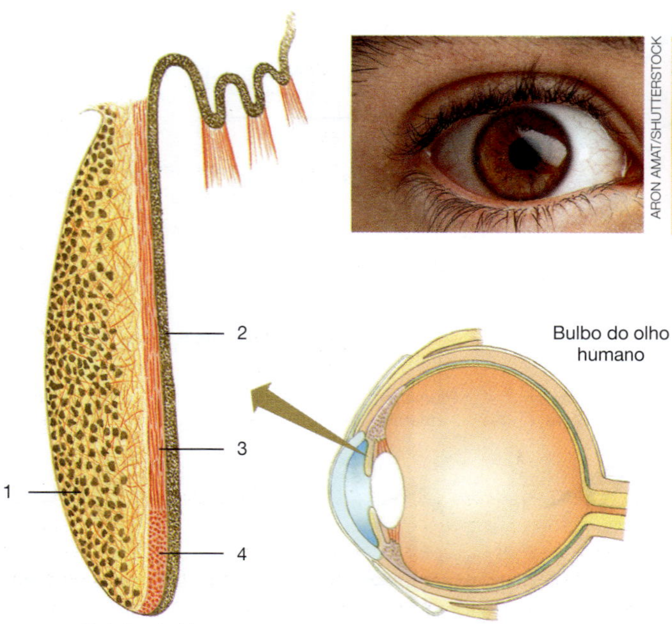

Figura 17.7 As fotos mostram olhos humanos de três cores (castanho, verde e azul), resultantes da distribuição de melanina na íris e de efeitos ópticos. Abaixo, à esquerda, representação esquemática de corte transversal de metade de uma íris humana, mostrando a camada anterior com células pigmentadas imersas em tecido conjuntivo (1), o epitélio pigmentado posterior (2), a musculatura radial dilatadora (3), a musculatura circular constritora (4). À direita, representação esquemática de um bulbo do olho humano em corte longitudinal. (Baseado em Harrison, G. A. e cols., 1977.) (Elementos fora de proporção de tamanho entre si; cores-fantasia.)

Tabela 17.1 ▪ Genótipos e fenótipos quanto aos genes *BEY* e *GEY* para cor dos olhos

Genótipos	Fenótipos
B^MB^M/G^VG^V, B^MB^M/G^VG^A, B^MB^M/G^AG^A	Olhos castanhos
B^MB^A/G^VG^V, B^MB^A/G^VG^A, B^MB^A/G^AG^A	Olhos castanhos
B^AB^A/G^VG^V, B^AB^A/G^VG^A	Olhos verdes
B^AB^A/G^AG^A	Olhos azuis

Já foi identificado um terceiro gene, *EYCL2* ou *BEY1*, localizado também no cromossomo 15, que contribui para a cor castanha da íris. Acredita-se que possam existir outros genes que interferem na ação dos já identificados. Apesar de todos os avanços da ciência em relação ao conhecimento do genoma humano, a herança da cor dos olhos ainda não está completamente esclarecida.

Interação gênica na forma da crista de galináceos

Outro exemplo clássico de interação gênica é a herança da forma da crista em certas raças de galináceos (*Gallus gallus domesticus*), em que a crista pode ser de quatro tipos: ervilha, simples, noz e rosa. (Fig. 17.8)

Figura 17.8 A forma da crista de galináceos pode ser ervilha (A), simples (B), noz (C) e rosa (D). Essa característica é determinada pela interação de dois pares de alelos com segregação independente.

Em 1905, em uma série de cruzamentos bem planejados, o geneticista inglês William Bateson e seus colaboradores concluíram que os quatro tipos de crista de certas raças de galinhas resultam da interação entre dois pares de alelos com segregação independente, ou seja, localizados em diferentes pares de cromossomos homólogos. Acompanhe os resultados desses experimentos e sua interpretação.

Quando aves puras de crista ervilha são cruzadas com aves puras de crista simples, a geração F_1 é constituída apenas por aves de crista ervilha. No experimento original de Bateson, as aves de crista ervilha obtidas nessa F_1 foram cruzadas entre si e a descendência foi de 332 aves de crista ervilha e 110 de crista simples, proporção muito próxima a 3 : 1. Concluiu-se que crista ervilha é dominante sobre crista simples.

Em outra série de cruzamentos, aves puras de crista rosa foram cruzadas com aves puras de crista simples; a geração F_1 foi constituída apenas por aves de crista rosa. Quando as aves dessa F_1 foram cruzadas entre si, obteve-se uma geração F_2 constituída por 221 aves de crista rosa e 83 de crista simples, proporção igualmente próxima a 3 : 1. Concluiu-se que crista rosa é dominante sobre crista simples. (Fig. 17.9)

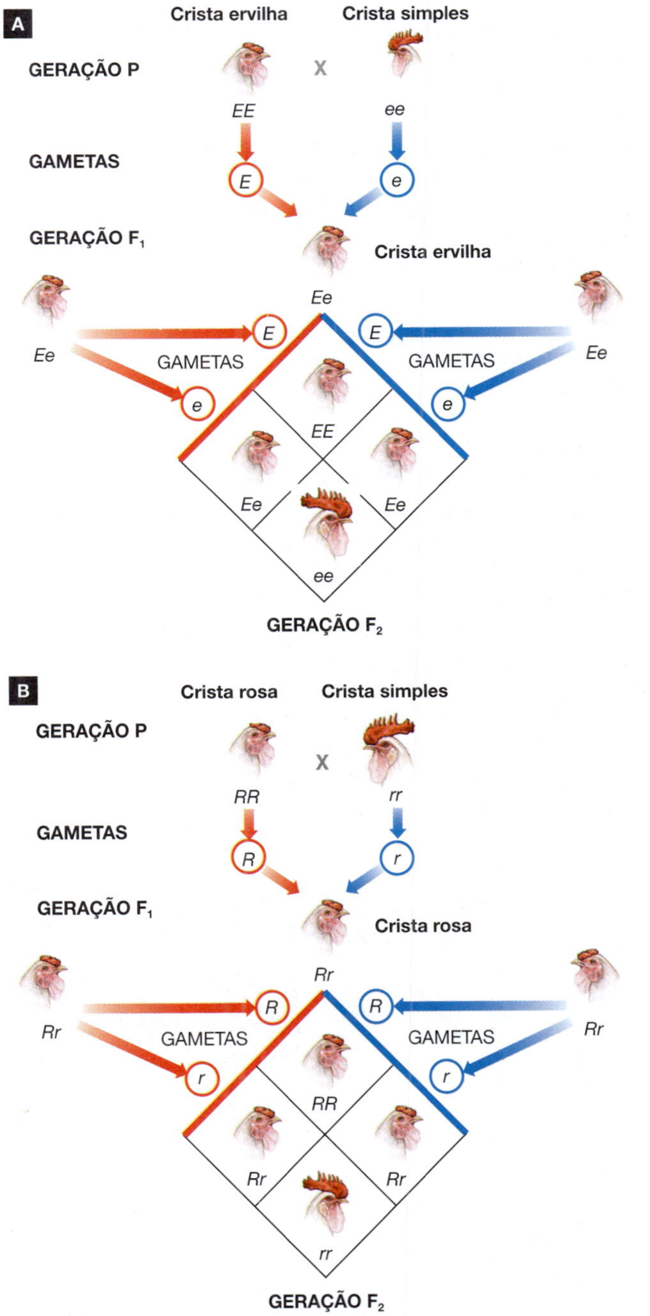

Figura 17.9 Representação esquemática de cruzamentos entre galináceos com diferentes tipos de crista. **A.** Cruzamento entre aves de crista ervilha e de crista simples. **B.** Cruzamento entre aves de crista rosa e de crista simples. Em cada cruzamento foi representado apenas um dos genes pelo fato de as aves terem genótipo homozigótico e idêntico quanto ao outro.

Quando aves puras de crista rosa são cruzadas com aves puras de crista ervilha, toda a descendência apresenta um único tipo de crista – noz –, diferente das cristas das aves genitoras. No experimento de Bateson, quando as aves de crista noz dessa F_1 foram cruzadas entre si, a geração F_2 apresentou 99 aves de crista noz, 26 de crista rosa, 38 de crista ervilha e 16 de crista simples, proporção próxima a 9 : 3 : 3 : 1. Como vimos, essa é a proporção esperada no cruzamento de indivíduos duplo-heterozigóticos quanto a dois genes que se segregam independentemente.

Para avaliar melhor os resultados, a equipe de Bateson realizou o que os geneticistas denominam **cruzamento-teste**, já mencionado no capítulo anterior. Esse cruzamento consiste em acasalar indivíduos com fenótipo dominante, cujo genótipo se deseja determinar, com indivíduos com fenótipo recessivo e, portanto, homozigótico. Pela descendência do cruzamento-teste pode-se descobrir o genótipo dos indivíduos testados e os tipos de gametas que eles produzem.

Quando aves de crista noz da geração F_1 foram submetidas ao cruzamento-teste, isto é, cruzadas com aves de crista simples, obtiveram-se 139 descendentes de crista noz, 142 de crista rosa, 112 de crista ervilha e 141 de crista simples, proporção próxima a 1 : 1 : 1 : 1. Os resultados mostraram que os indivíduos de crista noz de F_1 produzem quatro tipos de gameta em iguais proporções, como o esperado para a segregação independente dos genes em duplo-heterozigóticos *EeRr*.

Ao final da série experimental, a conclusão de Bateson e sua equipe foi que o tipo de crista, nas raças de galináceos estudadas, resulta da interação de dois pares de alelos, *Rr* e *Ee*, que se segregam independentemente.

A interação entre os alelos dominantes *R* e *E* resulta em crista noz. O alelo dominante *R*, ao interagir com o recessivo *e*, resulta em crista rosa. O alelo recessivo *r*, ao interagir com o dominante *E*, resulta no fenótipo crista ervilha. Os alelos recessivos *r* e *e*, ao interagirem, produzem o fenótipo crista simples. (Fig. 17.10)

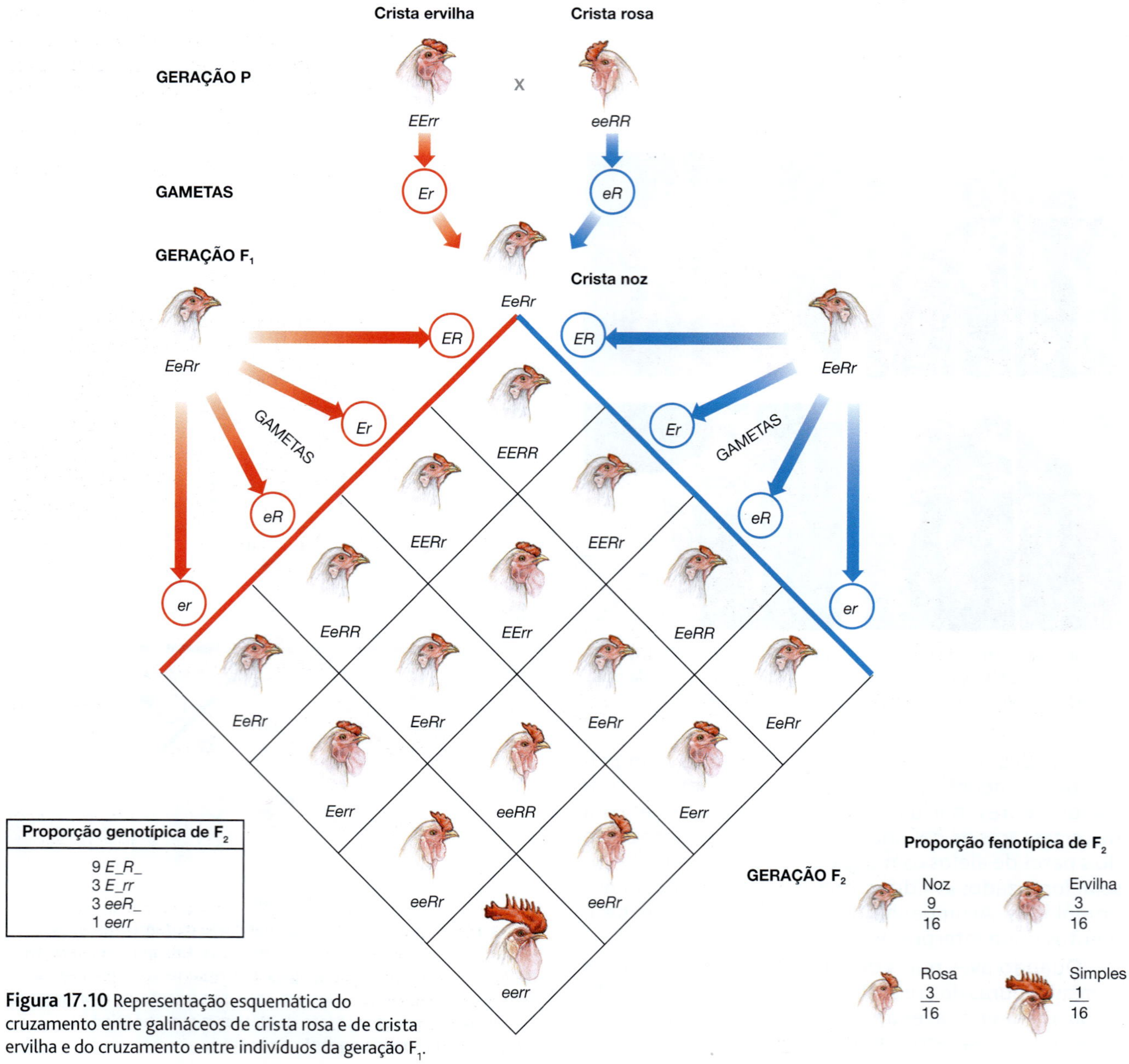

Figura 17.10 Representação esquemática do cruzamento entre galináceos de crista rosa e de crista ervilha e do cruzamento entre indivíduos da geração F_1.

Interação gênica na cor da pelagem de cães labradores

Outro exemplo bem estudado de interação gênica é o da cor da pelagem de cães labradores (*Canis lupus familiaris*) – preta, chocolate e dourada –, resultante da interação de dois genes com segregação independente, cada um com dois alelos (*Bb* e *Ee*). (Fig. 17.11)

O primeiro gene controla a cor do pigmento formado: o alelo dominante *B* determina a produção de pigmento preto, enquanto o alelo recessivo *b* determina a produção de pigmento chocolate.

O segundo gene controla a deposição de pigmento nos pelos. O alelo dominante *E* condiciona a deposição normal de pigmentos, enquanto o alelo recessivo *e* não atua na deposição. Cães homozigóticos recessivos para esse gene não depositam pigmentos nos pelos e sua pelagem é dourada, sejam quais forem os alelos do outro par – *B_ee* ou *bbee*; na prática, é como se o alelo *e* em homozigose impedisse a ação do gene responsável pela produção dos pigmentos preto ou marrom.

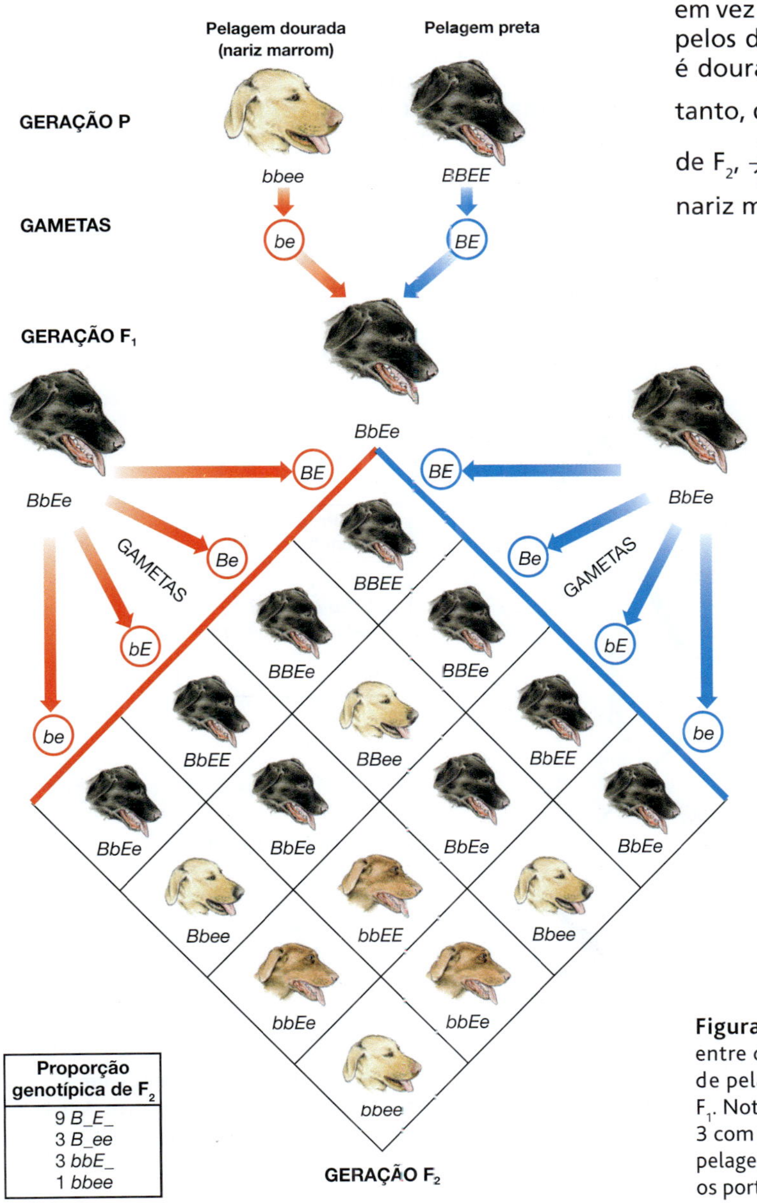

Cães com ao menos um alelo funcional do gene para a deposição de pigmento terão pelagem preta, no caso de possuírem genótipo *B_E_*, ou chocolate, se o genótipo for *bbE_*. Observe, a seguir, cruzamentos entre duas linhagens de labradores que diferem quanto à cor da pelagem. (Fig. 17.12)

O cruzamento entre cães pretos de genótipo *BBEE* e cães dourados de genótipo *bbee* produz, em F_1, apenas cães pretos (*BbEe*). O cruzamento dos cães pretos duplo-heterozigóticos de F_1 (*BbEe*) produz a seguinte proporção na descendência: 9 pretos (*B_E_*) : 3 chocolate (*bbE_*) e 4 dourados (*_ _ee*).

Note que cães dourados descendentes do cruzamento entre labradores duplo-heterozigóticos podem ter genótipos *BBee* $\left(\frac{1}{4}\right)$, *Bbee* $\left(\frac{2}{4}\right)$ ou *bbee* $\left(\frac{1}{4}\right)$. Destes, os portadores do alelo *B* produzem pigmento preto, que não se deposita no pelo devido ao genótipo *ee*. Assim, a pelagem dos cães com genótipo *B_ee* é dourada, mas os lábios e o nariz desses cães são pretos, pois o alelo *e* não interfere na pigmentação desses locais. Cães homozigóticos *bb* produzem pigmento marrom em vez de preto, mas este também não se deposita nos pelos devido ao genótipo *ee*. A pelagem desses cães é dourada, mas seus lábios e nariz são marrons. Portanto, dos $\frac{4}{16}$ de descendentes com pelagem dourada de F_2, $\frac{3}{16}$ têm lábios e nariz pretos e $\frac{1}{16}$ tem lábios e nariz marrons.

JUNIORS/OTHER IMAGES

Figura 17.11 Os três tipos de pelagem de cães labradores, da esquerda para a direita: chocolate, dourada e preta.

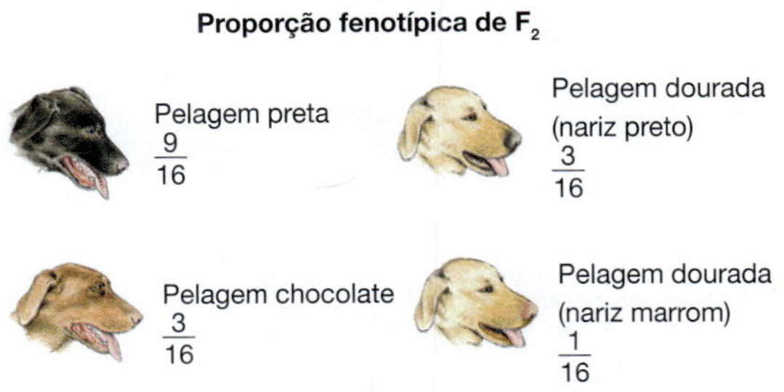

Figura 17.12 Representação esquemática do cruzamento entre cães labradores de pelagem dourada (nariz marrom) e de pelagem preta e do cruzamento entre indivíduos da geração F_1. Note que a proporção na geração F_2 é 9 com pelagem preta : 3 com pelagem chocolate : 4 com pelagem dourada. Cães com pelagem dourada portadores do alelo *B* têm nariz preto, enquanto os portadores de genótipo *bb* têm nariz marrom.

Herança quantitativa ou poligênica

Muitas características dos seres vivos, entre elas a altura, a massa corpórea, a cor etc., resultam do efeito acumulado de vários genes, cada um contribuindo com uma parcela no fenótipo, o que caracteriza um padrão de herança denominado **herança quantitativa**, ou herança poligênica.

Em geral, nesse tipo de herança, o ambiente também exerce forte influência na manifestação dos fenótipos. Por exemplo, a estatura na espécie humana segue a herança quantitativa; há pessoas muito altas e outras muito baixas, mas a maioria tem estatura intermediária. Pessoas que acumulam maior número de alelos dominantes para altura são mais altas. Entretanto, essa característica é muito influenciada pelo ambiente; pessoas com mesmo genótipo podem ter alturas diferentes em consequência, por exemplo, da alimentação, do grau de atividade física ou de doenças que tiveram durante a fase de crescimento. O gráfico de distribuição da estatura das pessoas de uma população é uma curva em forma de sino, conhecida como **curva de distribuição normal**. (Fig. 17.13)

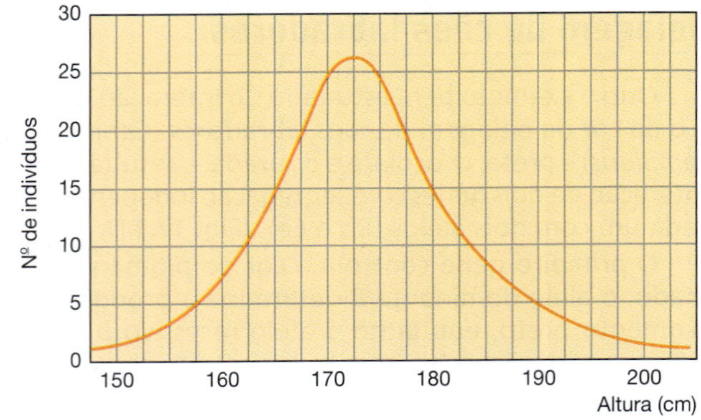

Figura 17.13 Características condicionadas por vários genes com efeito cumulativo, cuja expressão geralmente sofre influência ambiental, distribuem-se em uma curva normal em forma de sino. No exemplo citado no texto, a estatura média estaria situada no centro da curva, onde se concentra o maior número de pessoas da população.

Um exemplo de herança quantitativa

No princípio, a herança das características quantitativas trouxe muitas dificuldades aos geneticistas, e alguns imaginaram que as leis de Mendel não se aplicavam nesses casos. Em 1910, o geneticista sueco Herman Nilsson-Ehle (1873-1949), ao estudar a herança da cor do grão de trigo (gênero *Triticum*), estabeleceu os princípios da herança das características quantitativas. Ele mostrou que essa herança segue as leis mendelianas da segregação e que os fenótipos são condicionados por vários genes, cujos alelos têm efeito aditivo. (Fig. 17.14)

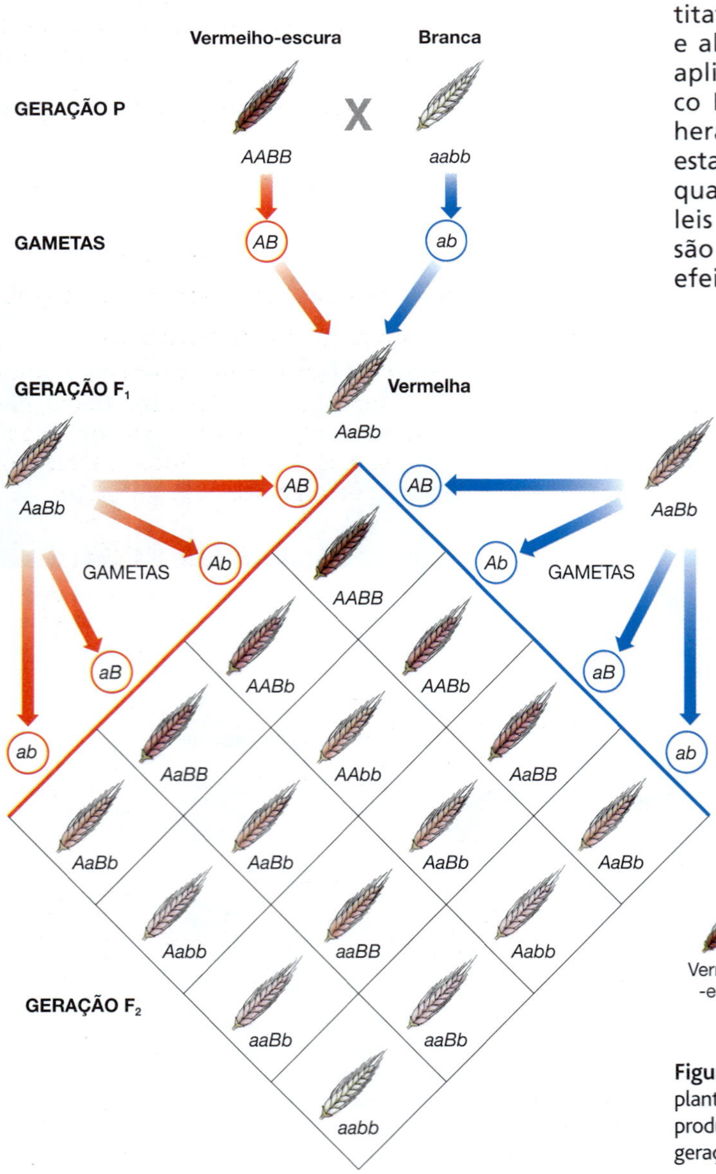

Proporção genotípica de F_2
1 *AABB*
4 *AABb* ou *AaBB*
6 *AAbb*, *AaBb* ou *aaBB*
4 *Aabb* ou *aaBb*
1 *aabb*

Proporção fenotípica de F_2

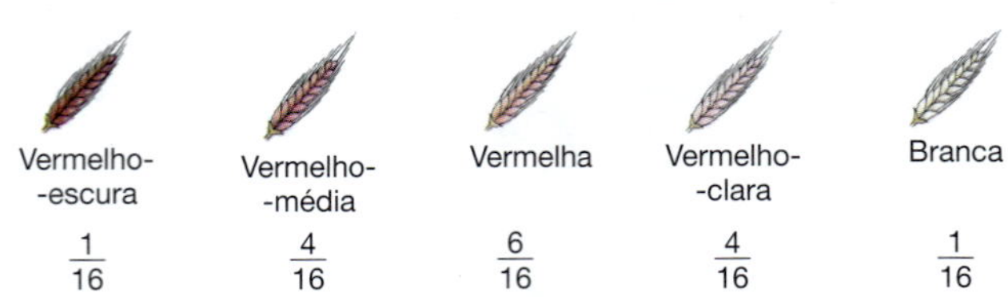

Figura 17.14 Representação esquemática do cruzamento entre plantas de trigo produtoras de sementes vermelho-escuras e plantas produtoras de sementes brancas. A proporção fenotípica obtida na geração F_2 mostra que se trata de um caso de herança quantitativa.

Em seu experimento, Nilsson-Ehle cruzou linhagens puras de trigo de sementes vermelho-escuras com linhagens puras de sementes brancas. A geração F_1 foi inteiramente constituída por plantas de sementes de um vermelho mais claro que o do tipo parental. A autofecundação das plantas de F_1 produziu uma geração F_2 constituída por sementes classificadas em cinco categorias: vermelho-escura, vermelho-média, vermelha, vermelho-clara e branca. Esses diversos fenótipos ocorreram, respectivamente, nas frações de $\frac{1}{16} : \frac{4}{16} : \frac{6}{16} : \frac{4}{16} : \frac{1}{16}$ (proporção 1 : 4 : 6 : 4 : 1).

Nilsson-Ehle explicou esses resultados admitindo que a característica "cor da semente" em trigo é condicionada por dois genes, cada um com dois alelos (*Aa* e *Bb*), que se segregam independentemente, ou seja, localizam-se em diferentes pares de cromossomos homólogos. Cada alelo representado pela letra maiúscula contribui para a produção de pigmento vermelho e seus efeitos se somam; por exemplo, uma semente portadora de quatro alelos para vermelho – genótipo *AABB* – tem coloração vermelho-escura.

Alelos representados por letras minúsculas não contribuem para a coloração. Portanto, uma semente com genótipo *aabb* não tem pigmento algum e é branca. Sementes portadoras de um, dois e três alelos para pigmentação têm cores vermelho-clara, vermelha e vermelho-média, respectivamente.

17.3 Genes localizados no mesmo cromossomo

Genes localizados em pares diferentes de cromossomos homólogos segregam-se independentemente na meiose. Isso não acontece com genes localizados no mesmo cromossomo, pois eles fazem parte do mesmo filamento cromossômico. Por isso, diz-se que esses genes apresentam **ligação gênica**, termo derivado do inglês *linkage*, ligação. (Fig. 17.15)

Vamos estudar como exemplo dois genes situados no mesmo cromossomo, isto é, em ligação gênica, na mosca drosófila (*Drosophila melanogaster*); um deles controla a cor do corpo e, o outro, a forma das asas.

A cor do corpo das drosófilas encontradas na natureza, característica denominada **selvagem**, é cinzento-amarelada. A cor das moscas selvagens é condicionada pelo alelo dominante *P* de um gene, localizado no cromossomo II. Uma mutação ocorrida em laboratório originou o alelo recessivo *p* do gene, que condiciona corpo preto (*black*, em inglês).

Quanto à forma das asas, drosófilas selvagens têm asas alongadas, característica condicionada pelo alelo dominante *V* de um gene, também localizado no cromossomo II. Em consequência, esse gene está fisicamente ligado ao gene para cor do corpo. Uma mutação surgida em laboratório originou o alelo recessivo *v*, que condiciona asas de tamanho reduzido, característica denominada asa vestigial.

Quando fêmeas selvagens puras, com corpo cinzento-amarelado e asas normais – *PPVV* – são cruzadas com machos de corpo preto e asas vestigiais – *ppvv* –, a geração F_1 é inteiramente constituída por machos e fêmeas com fenótipo selvagem. Fêmeas de F_1, submetidas a cruzamentos-teste com machos de corpo preto e asas vestigiais, produzem quatro tipos de descendente, nas seguintes porcentagens:

- 41,5% de corpo cinzento-amarelado e asas alongadas;
- 41,5% de corpo preto e asas vestigiais;
- 8,5% de corpo cinzento-amarelado e asas vestigiais;
- 8,5% de corpo preto e asas alongadas.

Esses resultados mostram que as fêmeas duplo-heterozigóticas produzem quatro tipos de gameta, nas seguintes porcentagens: 41,5% *PV* : 41,5% *pv* : 8,5% *Pv* : 8,5% *pV*. Os machos, homozigóticos recessivos, produzem um só tipo de gameta, *pv*. (Fig. 17.16)

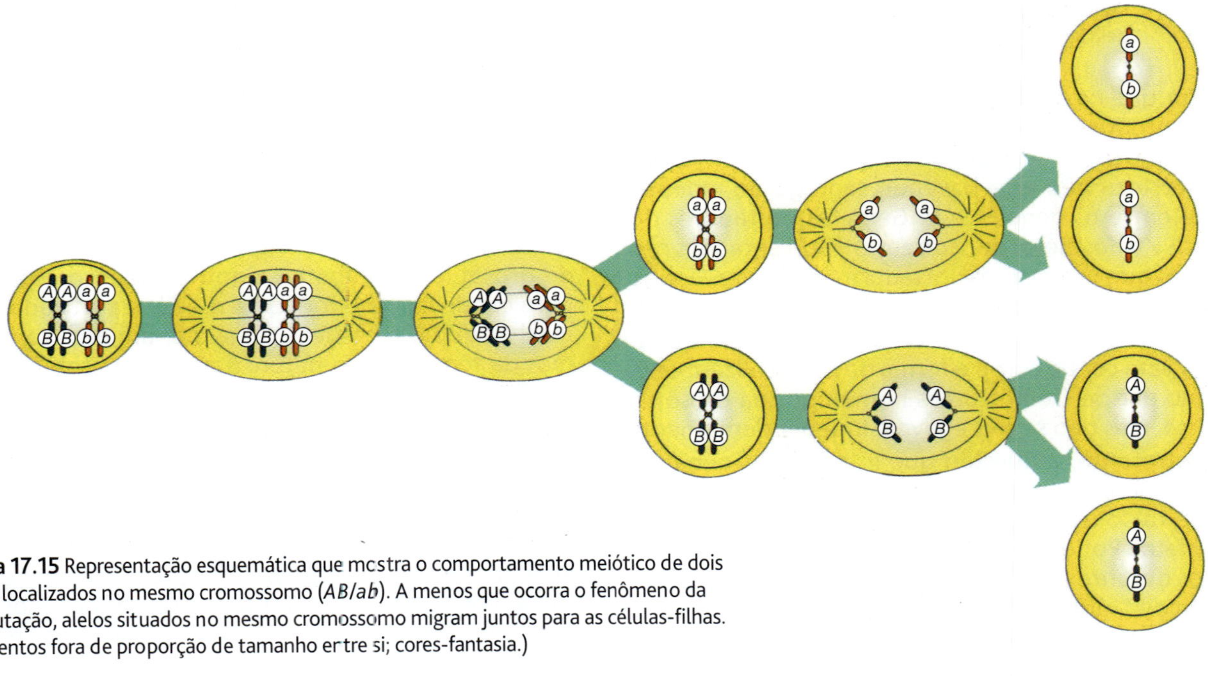

Figura 17.15 Representação esquemática que mostra o comportamento meiótico de dois genes localizados no mesmo cromossomo (*AB*/*ab*). A menos que ocorra o fenômeno da permutação, alelos situados no mesmo cromossomo migram juntos para as células-filhas. (Elementos fora de proporção de tamanho entre si; cores-fantasia.)

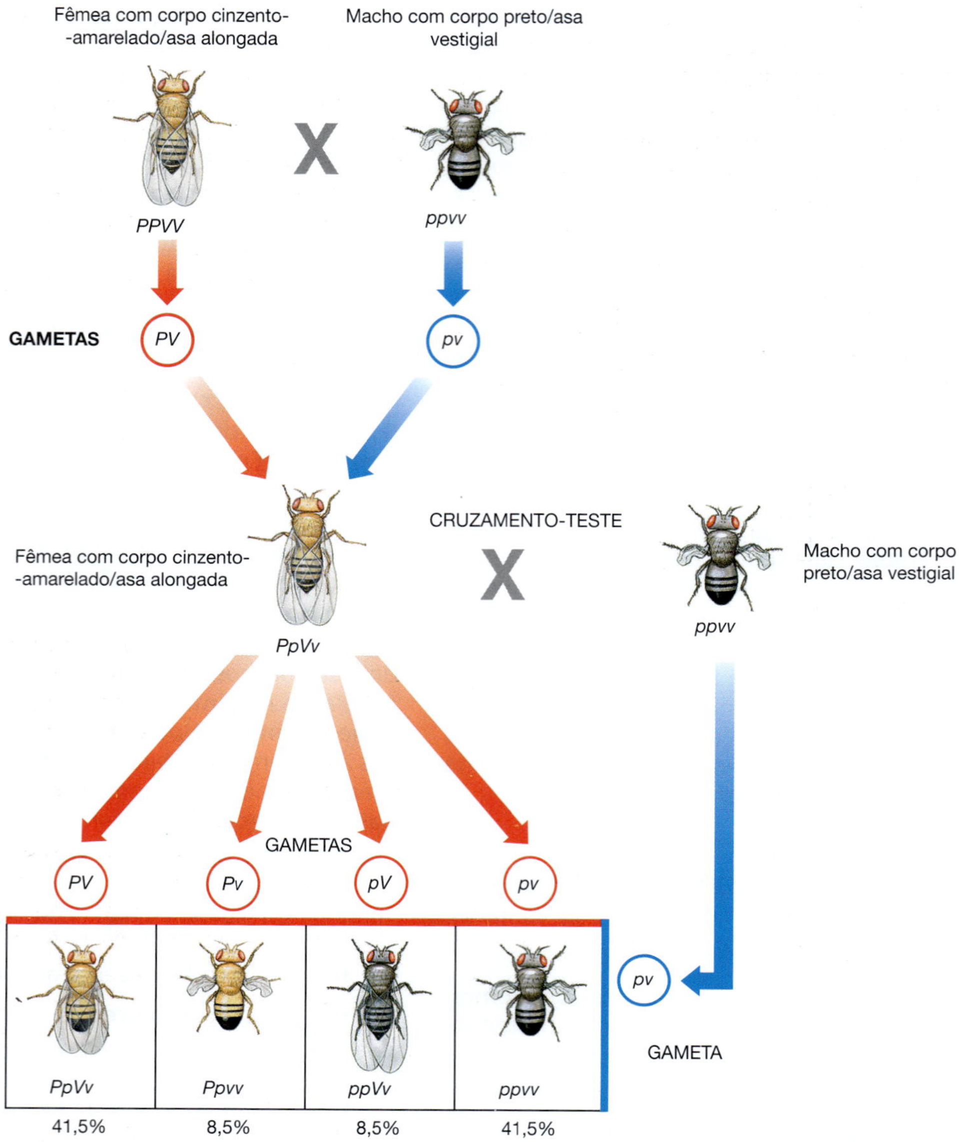

Figura 17.16 Representação esquemática de um cruzamento em drosófila que mostra a segregação não independente dos genes para cor do corpo e forma das asas. O cruzamento-teste de fêmeas duplo-heterozigóticas (com machos duplo-recessivos) mostra que elas formam quatro tipos de gameta, mas em proporções diferentes daquelas esperadas pela lei da segregação independente.

Por que os quatro tipos de gameta da fêmea não foram produzidos em mesma proporção, 25% de cada tipo, como seria esperado pela segunda lei de Mendel? Com certeza não está havendo segregação independente entre os genes *P* e *V*. Gametas portadores dos alelos *PV* e dos alelos *pv* ocorrem em porcentagens bem maiores que os gametas portadores dos alelos *Pv* e *pV*. Por que isso acontece?

Morgan explicou os resultados admitindo que os genes para cor do corpo e forma da asa localizam-se no mesmo par de cromossomos homólogos da drosófila. Por isso, eles não se segregavam independentemente.

Entretanto, a questão que intrigava os geneticistas era: se os genes estavam fisicamente unidos na estrutura do cromossomo, por que sua ligação não era completa? Por que eles não permaneciam totalmente juntos durante a meiose? Como explicar certa porcentagem de "mistura" entre alelos de genes fisicamente ligados no mesmo filamento cromossômico?

Explicando a recombinação pela permutação

Para entender essa questão, vamos relembrar o cruzamento descrito na figura 17.16, em que fêmeas de drosófila duplo-heterozigóticas quanto aos alelos para cor do corpo e forma da asa foram cruzadas com machos duplo-recessivos. Note que um dos cromossomos da fêmea duplo-heterozigótica apresenta os alelos *P* e *V*, recebidos da mãe, enquanto seu homólogo apresenta os alelos *p* e *v*, recebidos do pai.

Como os cromossomos homólogos separam-se na meiose, era de esperar que as fêmeas formassem apenas dois tipos de gameta: 50% com o cromossomo materno, portador dos alelos dominantes (*P* e *V*), e 50% com o cromossomo paterno, portador dos alelos recessivos (*p* e *v*). Entretanto, os resultados mostram que, além desses dois tipos de gameta, as fêmeas duplo-heterozigóticas formam também gametas "recombinantes", isto é, que combinam genes de origem materna e de origem paterna: 8,5% deles têm os alelos *P* e *v*, e 8,5% têm os alelos *p* e *V*.

Morgan propôs a hipótese de que a ligação entre genes localizados no mesmo cromossomo só não é completa porque, durante a prófase I da meiose, podem ocorrer quebras e trocas de pedaços entre cromátides de cromossomos homólogos. Esse fenômeno, conhecido como **permutação cromossômica** (em inglês, *crossing-over*), leva à formação de certo número de gametas recombinantes, com combinações gênicas diferentes das presentes nos cromossomos herdados dos pais. (Fig. 17.17)

Estimando a taxa de recombinação entre dois locos gênicos

A soma das porcentagens dos descendentes com as características recombinantes no cruzamento-teste corresponde à taxa de permutação entre os dois locos gênicos considerados. No exemplo da drosófila, a taxa de permutação entre o loco do gene para cor do corpo (cinzento-amarelado ou preto) e o loco do gene para forma da asa (alongada ou vestigial) é 17% (8,5% + 8,5%).

Os pesquisadores do grupo de Morgan se perguntavam: a) Por que a taxa de recombinação entre dois determinados locos gênicos é sempre a mesma? b) Por que a taxa de recombinação varia entre os diferentes locos gênicos?

Eles fizeram o seguinte raciocínio: se a recombinação entre dois genes ligados depende da ocorrência de permutações entre eles, quanto menor for a distância entre dois locos, menor será a chance de haver permutação. Em contrapartida, quanto maior for a distância entre dois locos, maior será a probabilidade de ocorrer permutação entre eles.

Por exemplo, considere três pares de alelos *Aa*, *Bb* e *Cc* situados no mesmo cromossomo, dispostos da seguinte maneira nos filamentos cromossômicos:

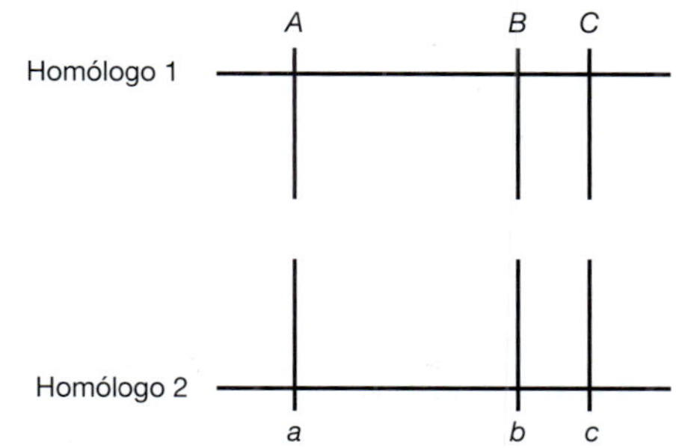

A conclusão é que a frequência de recombinação entre os genes mais distantes – *A*/*a* e *C*/*c* – é maior que a frequência de recombinação entre os genes mais próximos – *A*/*a* e *B*/*b* ou B/b e *C*/*c* –, pois qualquer permutação que se verifique entre os genes mais próximos também ocorre entre os genes mais distantes (*A*/*a* e *C*/*c*).

Esse raciocínio parte do pressuposto de que os genes se distribuem linearmente ao longo dos cromossomos, ocupando posições bem definidas. As experiências confirmaram essa hipótese em todas as espécies de seres vivos, incluindo a espécie humana.

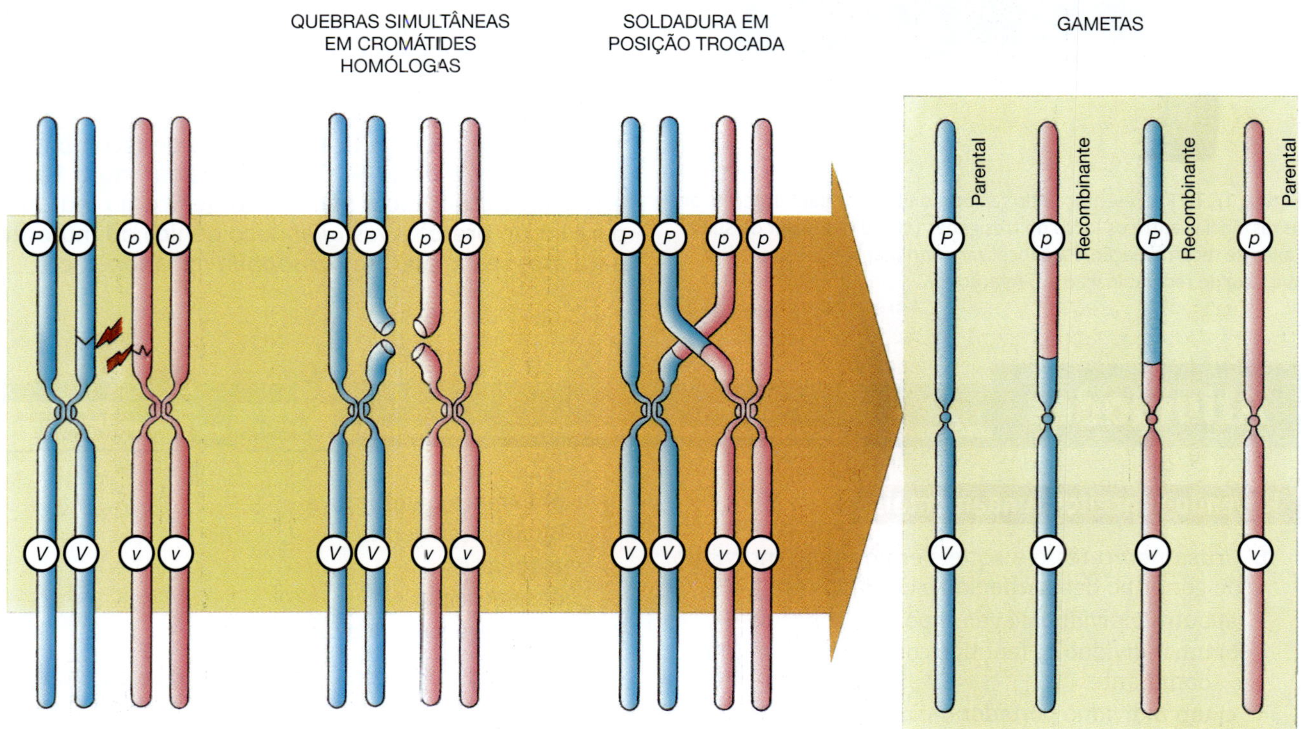

Figura 17.17 Representação esquemática da permutação entre genes ligados, mostrando a formação de dois cromossomos com combinações gênicas parentais e dois cromossomos recombinantes. (Elementos fora de proporção de tamanho entre si; cores-fantasia.)

Princípios de construção dos mapas gênicos

Alfred Sturtevant, na época um estudante que estagiava no laboratório de Thomas Hunt Morgan, imaginou a construção de **mapas gênicos**, que mostrariam a distribuição dos genes ao longo do cromossomo e as distâncias relativas entre eles. Ele sugeriu que esses mapas poderiam ser construídos expressando a distância entre os genes pela taxa de recombinação observada nos cruzamentos.

Um dos casos estudados por Sturtevant envolvia três locos gênicos da drosófila: *yellow* (*y*), *vermilion* (*v*) e *miniature* (*m*). Os resultados experimentais obtidos pelo grupo de Morgan indicavam que a taxa de recombinação entre *y* e *v* era de 32,2%, e que a taxa de recombinação entre *y* e *m* era de 35,5%. Portanto, segundo a hipótese da equipe de Morgan, *y* estaria mais próximo de *v* do que de *m*. Entretanto, apenas essas duas informações não permitiam saber em que ordem esses genes estão, isto é, se *v* está entre *y* e *m*, ou se *y* está entre *v* e *m*. (Fig. 17.18)

Figura 17.18 Representação do raciocínio utilizado para determinar as distâncias entre os locos de três genes (*m*, *v* e *y*) a partir de suas taxas de recombinação. Para localizar *m* no mapa, é preciso saber sua taxa de recombinação em relação a *v*.

Seria mais ou menos como determinar as distâncias entre as cidades A e B (300 km) e entre A e C (200 km) localizadas em uma rodovia. Sabemos que a cidade A é mais distante de B do que de C, mas essa informação não nos permite dizer se C localiza-se entre A e B ou se A localiza-se entre B e C. Para determinar a sequência dessas cidades, precisamos conhecer a distância entre B e C. Se essa distância for de cerca de 100 km, concluímos que C localiza-se entre A e B. A outra possibilidade é que a distância entre B e C seja de cerca de 500 km; nesse caso, A localiza-se entre B e C.

Sturtevant precisava saber a taxa de recombinação entre os locos *v* e *m* para determinar a sequência dos locos *y*, *v* e *m* no cromossomo. Com isso, ele testaria a hipótese de que a taxa de recombinação podia ser usada como medida de distância entre os genes. Segundo sua hipótese, a distância entre os locos *v* e *m* seria 67,7% (35,5 + 32,2) ou 3,3% (35,5 − 32,2).

A partir de cruzamentos-teste entre fêmeas duplo-heterozigóticas *VvMm* e machos duplo-recessivos *vvmm*, Sturtevant verificou que a porcentagem de recombinação entre os locos *v* e *m* era de cerca de 3%. Esse resultado, realmente muito próximo de uma das possibilidades previstas (3,3%), foi uma forte evidência de que as hipóteses usadas na construção do mapa estavam corretas. Além da drosófila, genes de muitas espécies, inclusive da nossa, vêm sendo mapeados dessa maneira.

Unidade de distância nos mapas gênicos

A unidade utilizada para estimar a distância entre genes no cromossomo é denominada **unidade de recombinação** (UR), ou **centimorgan**, ou morganídeo. Estas últimas são uma homenagem às importantes contribuições de Thomas Morgan à Genética. Uma unidade de recombinação, ou centimorgan, corresponde à taxa de 1% de recombinantes. Assim, quando se diz que a distância entre dois locos gênicos é de 17 UR, ou 17 centimorgans, significa que a taxa de recombinantes entre eles é de 17%. Como vimos na figura 17.16, esse é o caso dos locos *black* (loco gênico do mutante para corpo preto) e *vestigial* (loco gênico do mutante para asas vestigiais) em *Drosophila melanogaster*.

Atividades

Visão do especialista

Biblioteca do estudante
Faça você mesmo!

Revendo conceitos fundamentais

1. Cruzamento-teste é aquele em que um indivíduo de genótipo desconhecido é cruzado com
   a) outro indivíduo de genótipo desconhecido.
   b) um indivíduo de fenótipo condicionado pelo alelo dominante.
   c) um indivíduo portador de um alelo letal.
   d) um indivíduo de genótipo recessivo.

Escreva no caderno o termo abaixo que substitui corretamente a tarja entre parênteses das frases de 2 a 6.

a) herança quantitativa
b) interação gênica
c) meiose
d) segregação
e) segregação independente

2. (▬) é um processo celular em que os cromossomos homólogos se separam e migram para as células-filhas.

3. O processo de separação dos alelos de um gene, durante a formação dos gametas, é denominado (▬).

4. O princípio segundo o qual a separação dos alelos de um gene não interfere na separação dos alelos de outro gene é denominado (▬).

5. Quando dois ou mais genes atuam em conjunto na determinação de uma mesma característica do indivíduo, fala-se em (▬).

6. Quando diversos genes atuam sobre uma mesma característica, com cada alelo proporcionando um efeito aditivo no fenótipo, fala-se em (▬).

Escreva no caderno o termo abaixo que substitui corretamente a tarja entre parênteses das frases de 7 a 11.

a) ligação gênica
b) mapa gênico
c) permutação cromossômica (*crossing-over*)
d) recombinação gênica
e) unidade de recombinação (centimorgan)

7. A unidade de distância entre os locos de genes localizados em um mesmo cromossomo, expressa em frequência de recombinação, é chamada de (▬).

8. (▬) é a troca de pedaços entre cromátides-irmãs que ocorre na prófase I da meiose.

9. (▬) é a produção de gametas com combinações de alelos diferentes das recebidas de cada um dos pais.

10. A representação gráfica denominada (▬) indica as posições relativas dos locos gênicos e suas distâncias relativas em um cromossomo.

11. O termo (▬) refere-se a genes localizados em um mesmo cromossomo.

Ligando conceitos, fatos e processos

12. Uma célula duplo-heterozigótica quanto a dois pares de alelos *Aa* e *Bb* localizados em diferentes pares de cromossomos homólogos formará por meiose quatro células, sendo

a) uma portadora de *A*, outra de *a*, outra de *B* e outra de *b*.
b) uma portadora de *AB*, outra de *Ab*, outra de *aB* e outra de *ab*.
c) uma portadora de *AA*, outra de *Ab*, outra de *aB* e outra de *aa*.
d) duas portadoras de *AB* e duas portadoras de *ab*, ou duas portadoras de *Ab* e duas portadoras de *aB*.

13. Um indivíduo multicelular duplo-heterozigótico quanto a dois pares de alelos, *Aa* e *Bb*, localizados em diferentes pares de cromossomos homólogos, forma gametas na proporção de

a) 1 *A* : 1 *a* : 1 *B* : 1 *b*.
b) 1 *AB* : 1 *Ab* : 1 *aB* : 1 *ab*.
c) 1 *AA* : 1 *Ab* : 1 *aB* : 1 *aa*.
d) 1 *AB* : 1 *ab* ou 1 *Ab* : 1 *aB*.

14. No cruzamento entre indivíduos duplo-heterozigóticos quanto a dois pares de alelos, *Aa* e *Bb*, localizados em diferentes pares de cromossomos homólogos, espera-se obter

a) apenas indivíduos *AaBb*.
b) indivíduos *AB* e *ab* na proporção de 1 : 1.
c) indivíduos *AA*, *Ab*, *aA* e *bb* na proporção de 9 : 3 : 3 : 1, respectivamente.
d) indivíduos *A_B_*, *A_bb*, *aaB_* e *aabb*, na proporção de 9 : 3 : 3 : 1, respectivamente.

15. Um indivíduo duplo-heterozigótico *AaBb* formou 4 tipos de gametas nas seguintes porcentagens: 40% *AB* : 40% *ab* : 10% *Ab* : 10% *aB*. Esses números indicam que se trata de um caso de

a) herança quantitativa.
b) interação gênica.
c) ligação gênica.
d) segregação independente.

16. Pela análise das porcentagens de gametas que o indivíduo heterozigótico da questão anterior formou, pode-se concluir que

a) os alelos *A* e *B* estavam no mesmo cromossomo e os alelos *a* e *b* em seu homólogo (*AB*/*ab*).
b) os alelos *A* e *b* estavam no mesmo cromossomo e os alelos *a* e *B* em seu homólogo (*Ab*/*aB*).
c) os alelos *A* e *a* estavam em um par de cromossomos e os alelos *B* e *b* em outro par cromossômico.
d) nenhuma das conclusões anteriores é possível com esses dados.

17. Ainda com relação aos dados da questão 15, pode-se estimar a distância entre os dois locos gênicos no cromossomo em

a) 10 UR (unidades de recombinação ou centimorgans).
b) 20 UR (unidades de recombinação ou centimorgans).
c) 40 UR (unidades de recombinação ou centimorgans).
d) 80 UR (unidades de recombinação ou centimorgans).

18. As taxas de recombinação entre três genes – *t*, *r* e *s* –, localizados em um mesmo par de cromossomos homólogos, foram as seguintes: 3% entre *t* e *r*; 8% entre *t* e *s*; 11% entre *r* e *s*. Conclui-se que a ordem desses genes no cromossomo é

a) *t*-*r*-*s*.
b) *t*-*s*-*r*.
c) *r*-*t*-*s*.
d) impossível de ser determinada com base nessas informações.

Questões para exercitar o pensamento

19. Em certas raças de galinha doméstica, o genótipo *R_ee* condiciona crista rosa, o genótipo *rrE_* condiciona crista ervilha, o genótipo homozigótico recessivo rree condiciona crista simples e o genótipo R_E_ condiciona crista noz. Com base nesses dados, responda:

a) Quais serão os tipos de crista e suas proporções na descendência dos seguintes cruzamentos: I) *RrEe* × *RrEe*; II) *RREe* × *rrEe*; III) *rrEE* × *RrEe*?
b) Um galo de crista rosa cruzado com uma galinha de crista ervilha produziu 8 descendentes com crista noz, 10 com crista rosa, 9 com crista ervilha e 11 com crista simples. Quais são os genótipos das aves cruzadas?

c) Um galo de crista noz cruzado com uma galinha de crista simples produziu $\frac{1}{4}$ de descendentes com crista noz, $\frac{1}{4}$ com crista rosa, $\frac{1}{4}$ com crista ervilha e $\frac{1}{4}$ com crista simples. Quais são os genótipos das aves cruzadas?

d) Um galo de crista rosa cruzado com uma galinha de crista ervilha produziu seis indivíduos de crista noz e cinco de crista rosa. Quais são os genótipos das aves cruzadas?

20. As flores do goiveiro podem ser brancas, vermelhas ou cor de creme. A cor branca é condicionada por um alelo recessivo *a*, que em homozigose evita a produção de qualquer pigmento na planta; o alelo dominante A condiciona a produção de pigmento, que pode ser vermelho ou creme, dependendo de outro par de alelos (*Cc*). O alelo dominante C condiciona pigmento vermelho, enquanto o alelo recessivo *c* determina pigmento cor de creme. Os dois genes estão localizados em diferentes pares de cromossomos homólogos. Com base nessas informações, responda:

a) Que proporções fenotípicas e genotípicas esperam-se do cruzamento de plantas de flores vermelhas duplo-heterozigóticas com plantas de flores creme de genótipo *Aacc*?

b) No cruzamento de plantas de flores cor de creme com plantas de flores vermelhas foram produzidas apenas plantas de flores vermelhas e plantas de flores brancas; determine os prováveis genótipos dos genitores.

21. A característica "caule longo" em ervilha é condicionada pelo alelo *B*, dominante em relação ao alelo *b*, que condiciona caule curto. A cor verde da vagem é condicionada pelo alelo *A*, dominante em relação ao alelo *a*, que condiciona vagem de cor amarela. O cruzamento de uma planta homozigótica de caule longo e vagem amarela com uma planta homozigótica de caule curto e vagem verde resultou em uma geração F_1 cujos indivíduos, ao serem cruzados com plantas de caule curto e vagem amarela, produziram uma descendência de 120 plantas de caule longo e vagem verde, 110 plantas de caule longo e vagem amarela, 119 plantas de caule curto e vagem verde e 111 plantas de caule curto e vagem amarela.

a) Faça um diagrama dos cruzamentos, indicando os genótipos dos indivíduos.

b) Em sua opinião, os dois genes apresentam segregação independente? Por quê?

c) Determine os tipos de gameta que serão produzidos pelas plantas descendentes do último cruzamento.

22. Nos suínos há indivíduos com cascos não fendidos (genótipo *F_*) e indivíduos com cascos fendidos, condicionados pelo genótipo *ff*. O loco de outro gene, situado em outro par cromossômico, determina a cor dos pelos do animal, que podem ser brancos (genótipo *P_*) ou pretos (genótipo *pp*). Um porco branco e de cascos não fendidos foi cruzado com porcas fenotipicamente iguais a ele, todas idênticas entre si quanto ao genótipo. Das várias ninhadas obtidas, foram vendidos apenas os porquinhos pretos de cascos fendidos, que contabilizavam 9 indivíduos. Qual é a porcentagem de porquinhos, do total nascido nas ninhadas, que se espera que seja genotipicamente idêntica ao pai?

23. Analise a árvore genealógica e resolva os itens do problema.

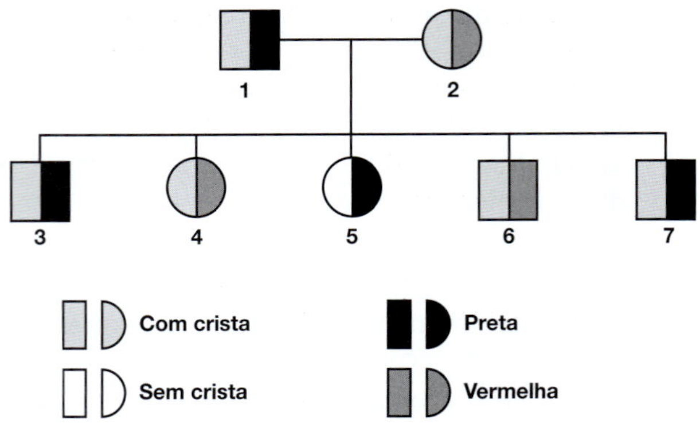

Em galináceos, a presença de crista é condicionada pelo alelo dominante C, e sua ausência, pelo genótipo recessivo *cc*. A cor das penas pode ser preta, condicionada pelo alelo dominante V, ou vermelha, condicionada pelo genótipo recessivo *vv*. Na árvore genealógica, a metade esquerda dos quadrados e círculos se refere à presença ou ausência de crista, enquanto o lado direito se refere à coloração das penas. Os locos desses genes localizam-se em diferentes pares de cromossomos homólogos.

a) Determine os genótipos de todos os indivíduos do heredograma.

b) Se cruzássemos o indivíduo 1 com o indivíduo 5, que proporção fenotípica poderíamos esperar na descendência?

24. A diferença entre uma planta de milho de 100 cm de altura e uma de 260 cm deve-se a quatro pares de alelos de efeitos iguais e cumulativos, cada par localizado em um par diferente de cromossomos homólogos. Plantas de 260 cm têm genótipo *AABBCCDD* e plantas de 100 cm têm genótipo *aabbccdd*. Considerando esses dois tipos de planta como os genitores (geração P) de um cruzamento, determine o genótipo e o fenótipo das plantas em F_1.

25. Em coelhos, o alelo que condiciona pelagem manchada é dominante sobre o alelo que condiciona pelagem homogênea. O alelo que condiciona pelo curto é dominante sobre o alelo que condiciona pelo longo ou angorá. Coelhos de uma linhagem de pelagem manchada e pelos curtos foram cruzados com indivíduos de uma linhagem de pelagem homogênea e angorá. Os indivíduos da geração F_1, todos de pelagem manchada e pelos curtos, foram cruzados com indivíduos de coloração homogênea e angorá. Desse cruzamento foi obtido o resultado apresentado na tabela.

Número de indivíduos	Comprimento do pelo	Tipo de coloração
68	Longo	Manchada
431	Longo	Homogênea
432	Curto	Manchada
69	Curto	Homogênea

Com base nesses resultados, responda:

a) Os genes em questão têm segregação independente? Como chegou a essa conclusão?

b) Qual é a porcentagem de recombinação entre os dois locos gênicos? A que distância se situam esses locos no cromossomo?

A Biologia no vestibular e no Enem

Questões objetivas

1. (Ufal) Em determinada raça animal, a cor preta é determinada pelo alelo dominante *M* e a marrom pelo alelo *m*, o alelo *B* condiciona padrão uniforme, e o *b*, presença de manchas brancas. Esses dois pares de alelos autossômicos segregam-se independentemente. A partir do cruzamento *Mmbb* × *mmBb*, a probabilidade de nascer um filhote marrom com manchas é

a) $\frac{1}{16}$

b) $\frac{3}{16}$

c) $\frac{1}{4}$

d) $\frac{1}{2}$

e) $\frac{3}{4}$

2. (UFSCar-SP) Suponha um organismo diploide, 2n = 4, e a existência de um gene A em um dos pares de cromossomos homólogos e de um gene B no outro par de homólogos. Um indivíduo heterozigótico para os dois genes formará

a) 2 tipos de gametas na proporção 1 : 1.

b) 2 tipos de gametas na proporção 3 : 1.

c) 4 tipos de gametas na proporção 9 : 3 : 3 : 1.

d) 4 tipos de gametas na proporção 1 : 1 : 1 : 1.

e) 4 tipos de gametas na proporção 1 : 2 : 1.

3. (Uerj) Em cães, latir ou não latir durante a corrida são características definidas por um par de genes alélicos. O mesmo ocorre para os caracteres orelhas eretas ou orelhas caídas. Latir enquanto corre e possuir orelhas eretas são características dominantes, enquanto não latir durante a corrida e possuir orelhas caídas são recessivas. Considere o cruzamento entre um casal de cães heterozigotos para ambos os pares de alelos. Neste caso, a probabilidade de que nasçam filhotes que latem enquanto correm e que possuem orelhas caídas é, aproximadamente, de

a) 6,2%.

b) 18,7%.

c) 31,2%.

d) 43,7%.

4. (UEL-PR) Considere quatro pares de genes que segregam de maneira independente. Nessas condições, um indivíduo que apresente o genótipo *AaBBCcDD* produzirá gametas *ABCD* com a frequência de

a) 75%.

b) 50%.

c) 25%.

d) 12%.

e) 6,25%.

5. (UFC-CE) Em relação ao processo de *crossing-over* ou permutação, que ocorre em metazoários, é possível afirmar, corretamente, que

a) acontece no momento da fecundação.

b) possibilita novas combinações gênicas.

c) reduz o número de gametas recombinantes.

d) permite o emparelhamento das cromátides-irmãs.

e) acontece no momento da divisão mitótica das células.

6. (UFRJ) Numa certa espécie de milho, o grão colorido é condicionado por um gene dominante *B* e o grão liso por um gene dominante *R*. Os alelos recessivos *b* e *r* condicionam, respectivamente, grãos brancos e rugosos. No cruzamento entre um indivíduo colorido liso com um branco rugoso, surgiu uma F_1, com os seguintes descendentes:

150 indivíduos que produziam sementes coloridas e lisas;

150 indivíduos que produziam sementes brancas e rugosas;

250 indivíduos que produziam sementes coloridas e rugosas;

250 indivíduos que produziam sementes brancas e lisas.

A partir desses resultados, podemos concluir que o genótipo do indivíduo parental colorido liso e a distância entre os genes B e R são

a) BR/br; 62,5 U.R.

b) BR/br; 37,5 U.R.

c) Br/bR; 62,5 U.R.

d) Br/bR; 37,5 U.R.

e) BR/br; 18,75 U.R.

7. (Unifal-MG) Basicamente, quanto mais distante um gene está do outro no mesmo cromossomo, maior é a probabilidade de ocorrência de permutação (*crossing-over*) entre eles. Se os genes Z, X e Y apresentam as frequências de permutação XZ (0,34), YZ (0,13) e XY (0,21), a ordem-mapa desses genes no cromossomo é

a) XZY.

b) ZXY.

c) ZYX.

d) YZX.

e) YXZ.

8. (UFRGS-RS) Com relação ao processo conhecido como *crossing-over*, podemos afirmar que ele

a) diminui a variabilidade genética.

b) separa cromátides homólogas.

c) corrige a recombinação gênica.

d) aumenta a variabilidade genética.

e) troca cromossomos entre genes homólogos.

9. (UFPA) Um casal, cujo homem tem sangue tipo A Rh^+ e a mulher O Rh^-, teve o primeiro filho com tipo sanguíneo O Rh^-. A probabilidade de um segundo filho ter o mesmo genótipo do primeiro é de

a) 0%.
b) 25%.
c) 50%.
d) 75%.
e) 100%.

10. (Unesp) A altura de uma certa espécie de planta é determinada por dois pares de genes *A* e *B* e seus respectivos alelos *a* e *b*. Os alelos *A* e *B* apresentam efeito aditivo e, quando presentes, cada alelo acrescenta à planta 0,15 m. Verificou-se que plantas desta espécie variam de 1,00 m a 1,60 m de altura. Cruzando-se plantas *AaBB* com *aabb* pode-se prever que, entre os descendentes,

a) 100% terão 1,30 m de altura.
b) 75% terão 1,30 m e 25% terão 1,45 m de altura.
c) 25% terão 1,00 m e 75% terão 1,60 m de altura.
d) 50% terão 1,15 m e 50% terão 1,30 m de altura.
e) 25% terão 1,15 m, 25% 1,30 m, 25% 1,45 m e 25% 1,60 m de altura.

Questões discursivas

11. (Fuvest-SP) Em cobaias, a cor preta é condicionada pelo alelo dominante *D* e a cor marrom, pelo alelo recessivo *d*. Em um outro cromossomo, localiza-se o gene responsável pelo padrão da coloração: o alelo dominante *M* determina padrão uniforme (uma única cor) e o alelo recessivo *m*, padrão malhado (preto/branco ou marrom/branco). O cruzamento de um macho de cor preta uniforme com uma fêmea de cor marrom uniforme produz uma ninhada de oito filhotes: 3 de cor preta uniforme, 3 de cor marrom uniforme, 1 preto e branco e 1 marrom e branco.

a) Quais os genótipos dos pais?
b) Se o filho preto e branco for cruzado com uma fêmea cujo genótipo é igual ao da mãe dele, qual a proporção esperada de descendentes iguais a ele?

12. (Unicamp-SP) Considere duas linhagens homozigotas de plantas, uma com caule longo e frutos ovais e outra com caule curto e frutos redondos. Os genes para comprimento do caule e forma do fruto segregam-se independentemente. O alelo que determina caule longo é dominante, assim como o alelo para fruto redondo.

a) De que forma podem ser obtidas plantas com caule curto e frutos ovais a partir das linhagens originais? Explique indicando o(s) cruzamento(s). Utilize as letras *A*, *a* para comprimento do caule e *B*, *b* para forma dos frutos.
b) Em que proporção essas plantas de caule curto e frutos ovais serão obtidas?

13. (UFRJ) Considere a existência de dois locos em um indivíduo. Cada loco tem dois alelos *A* e *a* e *B* e *b*, sendo que *A* e *B* são dominantes. Um pesquisador cruzou um indivíduo *AaBb* com um indivíduo *aabb*. A prole resultante foi:

40% *AaBb*	10% *Aabb*
40% *aabb*	10% *aaBb*

O pesquisador ficou surpreso, pois esperava obter os quatro genótipos na mesma proporção, 25% para cada um deles. Esses resultados contrariam a segunda lei de Mendel ou lei da segregação independente? Justifique sua resposta.

14. (Fuvest-SP) O esquema a seguir representa, numa célula em divisão meiótica, dois pares de cromossomos com três genes em heterozigose: *A*/*a*, *B*/*b* e *D*/*d*. Nesses cromossomos, ocorreram as permutas indicadas pelas setas 1 e 2.

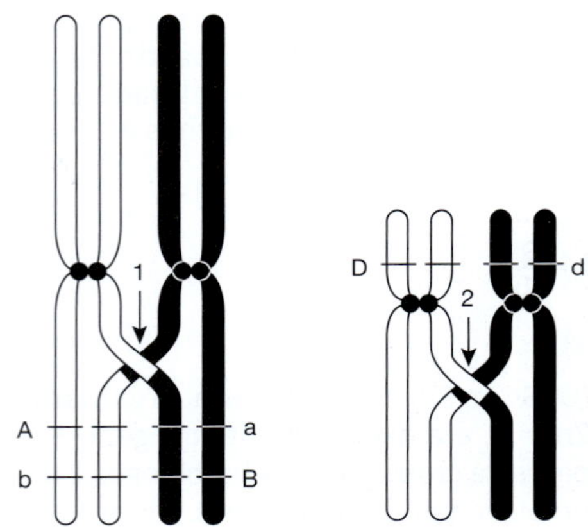

a) Quanto aos pares de alelos mencionados, que tipos de gameta esta célula poderá formar?
b) Que pares de alelos têm segregação independente?

15. (Unicamp-SP) Os locos gênicos *A* e *B* se localizam em um mesmo cromossomo, havendo 10 unidades de recombinação (morganídeos) entre eles.

a) Como se denomina a situação mencionada?

Supondo o cruzamento *AB*/*ab* com *ab*/*ab*:

b) Qual será a porcentagem de indivíduos *AaBb* na descendência?
c) Qual será a porcentagem de indivíduos *Aabb*?

Capítulo 18 Herança e sexo

IKORDELA/SHUTTERSTOCK

A coloração, o odor e o néctar das flores são estratégias que atraem organismos como as abelhas. Em sucessivas visitas, esses insetos transportam pólen de flor em flor, promovendo o sexo entre as plantas. Na foto, abelha *Apis mellifera* sobre inflorescência da espécie *Aster oolentangiensis*. Essa abelha mede cerca de 12 mm de comprimento.

De novo o sexo...

Que o sexo é cheio de mistérios, é inquestionável! E olhe que não estamos nos referindo aos meandros do relacionamento humano, e sim à própria origem e evolução da reprodução sexuada nos seres vivos.

Uma possível vantagem evolutiva do sexo é o aumento da diversidade genética, proporcionado pela união e mistura de genótipos de indivíduos diferentes. Para a maioria dos biólogos, o fato de a reprodução sexuada ter se perpetuado e se tornado tão "hegemônica" na natureza mostra que ela apresenta vantagens sobre a reprodução assexuada. Só que ainda não se sabe exatamente quais são essas vantagens e como o sexo se "universalizou" entre os seres vivos.

Na maioria das espécies de animais, há indivíduos que produzem gametas femininos – as fêmeas – e indivíduos que produzem gametas masculinos – os machos. Poeticamente, os antigos biólogos chamaram essas espécies de dioicas (do grego *di*, dois, e *oikos*, casa), uma vez que há duas "casas", a feminina e a masculina, uma para cada sexo. Muitas espécies possuem apenas uma "casa", onde moram os dois sexos, sendo por isso denominadas monoicas (do grego *mono*, um). Nelas o mesmo indivíduo produz gametas femininos e masculinos. É possível que você já conheça o termo hermafrodita, utilizado como sinônimo de monoico. Etimologicamente, hermafrodita é o indivíduo que reúne as essências de Hermes, deus grego que personifica a masculinidade, e de Afrodite, deusa grega que personifica os dotes femininos. Como você pode perceber, os conceitos biológicos estão repletos de significados ocultos!

O que faz um organismo ser fêmea ou ser macho, isto é, produzir gametas femininos ou gametas masculinos? Em última análise, o funcionamento de seus genes. Nas espécies dioicas, o sexo depende da ação de genes específicos, que atuam no desenvolvimento e fazem um indivíduo tornar-se macho ou fêmea.

Curiosamente, em certas espécies, os genes que determinam o sexo são fortemente afetados pelo ambiente. Por exemplo, o sexo de crocodilos, de jacarés, de várias espécies de tartaruga e de algumas espécies de lagarto é determinado pela temperatura em que os ovos são incubados! Em crocodilos, embriões que se desenvolvem em temperaturas relativamente baixas são sempre do sexo feminino; se a incubação ocorre acima de 31 °C, desenvolvem-se machos.

Em diversas espécies, incluindo a nossa, o sexo é definido no momento exato da fecundação, pela combinação cromossômica dos gametas.

A importância do assunto

Neste capítulo, o estudo da Genética ganha um novo componente: o sexo. Como veremos a seguir, somos homens ou mulheres porque recebemos de nossos pais uma combinação específica de cromossomos e genes responsável pela determinação do sexo.

A relação entre genes e cromossomos fica mais clara quando estudamos características ligadas ao sexo. Ao refletir sobre Genética, procure ter sempre em mente as células com seus cromossomos. Não se esqueça de que os genes estão nos cromossomos e estes, na meiose, distribuem-se para os gametas, que originarão a geração seguinte.

Para compreender o comportamento dos genes responsáveis por distúrbios hereditários como o daltonismo e a hemofilia, focalize sua atenção nos cromossomos sexuais humanos. Ao estudar este capítulo você acrescentará mais um "tijolo" na construção de sua compreensão da Genética. Exercite-se sempre e não deixe de "demolir" qualquer dúvida que surja.

18.1 Os cromossomos e o sexo

Em muitas espécies de animais e em algumas plantas, a diferença entre machos e fêmeas é definida por um par de cromossomos especiais, os **cromossomos sexuais**. Os outros pares de cromossomos, equivalentes em machos e fêmeas, recebem o nome de **autossomos** (do grego *autos*, próprio). Vejamos, a seguir, algumas das variações do sistema cromossômico de determinação do sexo.

Principais sistemas cromossômicos de determinação do sexo

Sistema XY

Em muitas espécies dioicas, as fêmeas têm um par homólogo de cromossomos sexuais, enquanto os machos têm um cromossomo sexual semelhante ao da fêmea e outro tipicamente masculino, sem correspondente no sexo feminino. O cromossomo sexual presente tanto em fêmeas quanto em machos é denominado **cromossomo X**, e o cromossomo sexual exclusivo de machos é o **cromossomo Y**.

Esse tipo de determinação cromossômica do sexo, conhecido como **sistema XY**, ocorre em diversos grupos de insetos, nos mamíferos, incluindo a espécie humana, em diversos peixes e em algumas plantas, entre outros organismos. Em resumo, o sistema XY caracteriza-se pelo fato de as fêmeas possuírem dois cromossomos X e os machos, um cromossomo X e um Y. (Fig. 18.1)

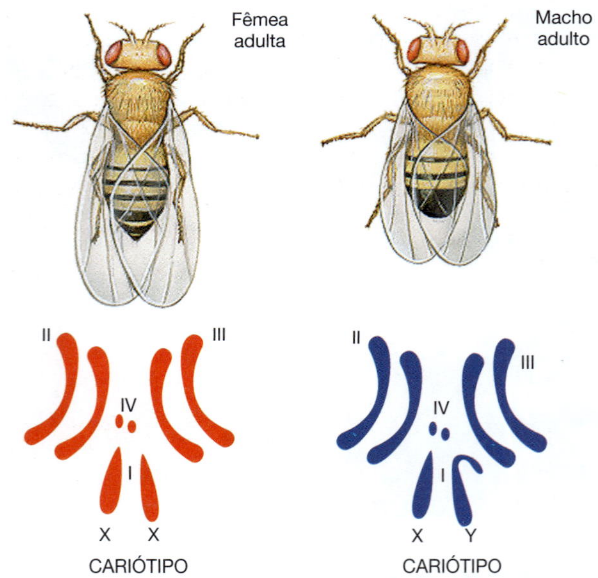

Figura 18.1 Acima, desenhos de fêmea e macho adultos de *Drosophila melanogaster*. Abaixo, representação esquemática dos conjuntos cromossômicos (cariótipos) de cada um dos sexos de drosófila. Nessa espécie, machos e fêmeas têm três pares de autossomos (II, III e IV) e um par de cromossomos sexuais (par I), XX na fêmea e XY no macho. (Elementos fora de proporção de tamanho entre si; cores-fantasia.)

Sistema X0 e sistema ZW

Em alguns insetos, como na maioria das espécies de gafanhotos, as fêmeas têm um par de cromossomos sexuais, enquanto os machos possuem apenas um cromossomo sexual. Consequentemente, no cariótipo dos machos há sempre um número ímpar de cromossomos, um a menos que as fêmeas. Nessas espécies, o cromossomo sexual é denominado X, e o sistema de determinação de sexo é conhecido como **sistema X0** (lê-se "xis-zero"), sendo o zero indicativo da ausência de um cromossomo sexual nos machos.

Aves, diversas espécies de répteis, algumas espécies de peixes e algumas espécies de insetos (borboletas e mariposas, por exemplo) apresentam um sistema de determinação do sexo em que são as fêmeas que possuem dois cromossomos sexuais diferentes, ao contrário do que ocorre no sistema XY. Os machos têm um par homólogo de **cromossomos Z** enquanto as fêmeas têm um cromossomo Z e um **cromossomo W**, exclusivo do sexo feminino.

Algumas espécies de mariposas e de peixes, por exemplo, não apresentam o cromossomo W. Os machos têm sempre um par de cromossomos sexuais ZZ, e as fêmeas apenas um cromossomo sexual Z. Esse sistema é conhecido como **sistema Z0** (lê-se "zê-zero"), sendo o zero um indicativo da ausência do cromossomo W nas fêmeas.

Cromossomos sexuais e determinação do sexo

Nas espécies com sistemas XY e X0 de determinação do sexo, a meiose de uma célula feminina XX dá origem a um único tipo de gameta, portador de um lote de autossomos e de um cromossomo sexual X. A meiose masculina, por sua vez, origina sempre dois tipos de espermatozoide quanto ao par de cromossomos sexuais. No sistema XY, 50% dos espermatozoides têm um cromossomo X e 50% têm um cromossomo Y; no sistema X0, 50% dos espermatozoides têm um cromossomo X e 50% não têm cromossomo sexual.

Como nos sistemas XY e X0, as fêmeas formam sempre um único tipo de gameta quanto ao cromossomo sexual, elas são o **sexo homogamético** (do grego *homos*, igual). Os machos constituem o **sexo heterogamético** (do grego *heteros*, diferente), pois formam dois tipos de gameta quanto aos cromossomos sexuais.

Note que é o sexo heterogamético que determina o sexo da prole. No sistema XY, um espermatozoide portador do cromossomo X, ao fecundar um óvulo (sempre portador do cromossomo X), leva à formação de um zigoto XX, que se desenvolve em fêmea. Por outro lado, um gameta masculino portador do cromossomo Y, ao fecundar o óvulo, leva à formação de um zigoto XY, que se desenvolve em macho.

No sistema X0, 50% dos espermatozoides são portadores de um cromossomo X, que origina fêmeas, e outros 50% não têm nenhum cromossomo sexual ("0"), levando à formação de zigotos X0, que se desenvolvem em machos.

Nos sistemas ZW e Z0, o sexo heterogamético é o feminino e são as fêmeas, portanto, que determinam o sexo da prole. Um óvulo portador do cromossomo Z, ao ser fecundado por um espermatozoide (sempre portador de um cromossomo Z), origina um zigoto ZZ, que se desenvolve em macho. Um óvulo portador do cromossomo W, ao ser fecundado por um espermatozoide (Z), origina um zigoto ZW, que se desenvolve em fêmea. (Fig. 18.2)

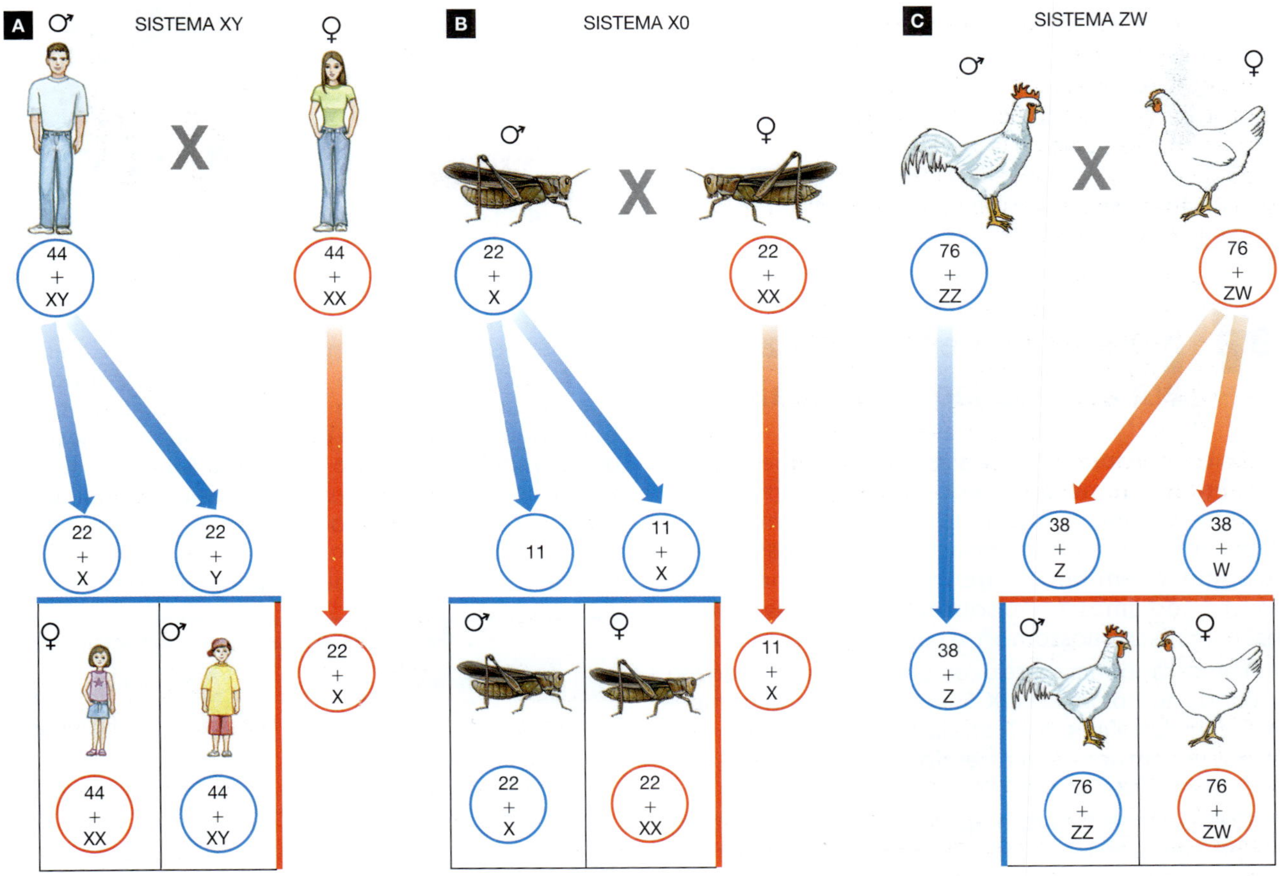

Figura 18.2 Representações esquemáticas de diferentes sistemas de determinação cromossômica do sexo. **A.** XY (espécie humana). **B.** X0 (gafanhoto). **C.** ZW (galinha).

Sistema haploide/diploide de determinação de sexo

Em insetos himenópteros, como abelhas e formigas, machos são haploides (*n*) e fêmeas são diploides (2*n*). Esse sistema de determinação do sexo é conhecido como **sistema haploide/diploide**.

Nas abelhas melíferas, por exemplo, os machos, denominados zangões, são haploides (*n*), pois originam-se de óvulos não fecundados que se desenvolvem por partenogênese (desenvolvimento sem fecundação). Os óvulos fecundados, diploides (2*n*), originam fêmeas, as quais podem se desenvolver em rainhas (férteis) ou em operárias (estéreis), dependendo do tipo de alimentação que receberem durante a fase larval. (Fig. 18.3)

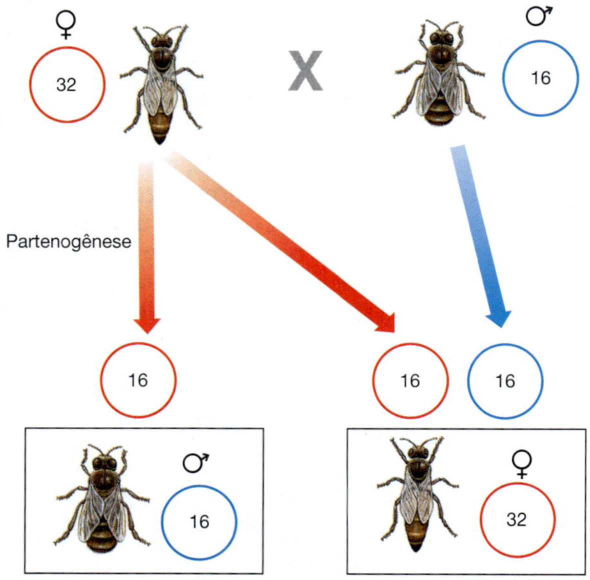

Figura 18.3 Representação esquemática do sistema haploide/diploide de determinação cromossômica do sexo em abelha melífera.

18.2 Herança de genes localizados em cromossomos sexuais

Os cromossomos sexuais X e Y praticamente não apresentam homologia. Enquanto o cromossomo X possui grande quantidade de genes, envolvidos na determinação de diversas características, o cromossomo Y tem poucos genes. Por isso, indivíduos sem cromossomos X não sobrevivem, ao passo que a ausência de cromossomo Y é compatível com a vida.

Vamos raciocinar sobre o comportamento de um gene localizado no cromossomo X. Suponhamos um gene hipotético com dois alelos, *A* e *a*, localizados no cromossomo X. Fêmeas podem apresentar três tipos de genótipo quanto a esse gene: X^AX^A, X^AX^a e X^aX^a.

Como os machos têm apenas um cromossomo X, eles portam um único alelo do gene: seus genótipos podem ser X^AY ou X^aY. Por ter apenas um alelo dos genes localizados no cromossomo X, metade do que possuem as fêmeas, machos são denominados **hemizigotos** (do grego *hemi*, metade). Diz-se também que os genes localizados no cromossomo sexual X nos machos estão em **hemizigose** (ou em dose simples).

Genes localizados no cromossomo X (ou Z), que não possuem alelo correspondente no cromossomo Y (ou W), têm a chamada **herança ligada ao cromossomo sexual**. Genes localizados nos autossomos, por sua vez, seguem o que se denomina **herança autossômica**.

Na herança ligada ao cromossomo X, descendentes do sexo masculino herdam os genes presentes no cromossomo X apenas da mãe; filhas herdam metade desses genes da mãe e metade do pai. Por sua vez, o pai transmite genes localizados no cromossomo X apenas às filhas. Vejamos, a seguir, alguns exemplos de herança ligada ao cromossomo X na espécie humana.

Exemplos de herança ligada ao cromossomo X

Daltonismo ou cegueira para cores

Cerca de 5% a 8% dos homens e 0,04% das mulheres apresentam um tipo de cegueira para cores conhecida como **daltonismo**; essas pessoas são incapazes de distinguir entre as cores vermelha e verde. O termo daltonismo originou-se do nome do físico e químico inglês John Dalton (1766-1844), que era portador dessa característica. (Fig. 18.4)

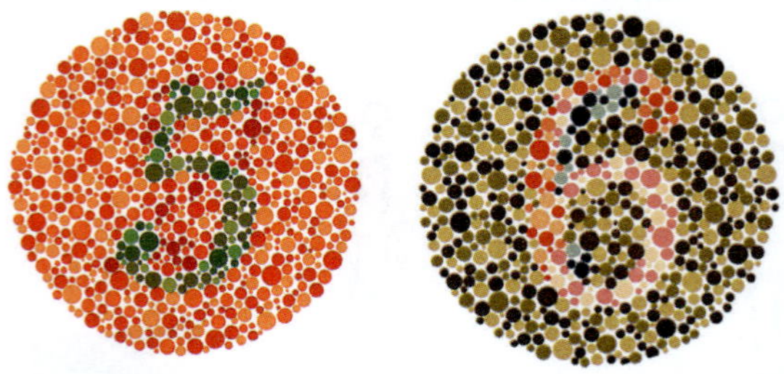

PRISMA BILDAGENTUR AG/ALAMY/OTHER IMAGES

Figura 18.4 Teste de cores de Ishihara, diagramas empregados para identificar o tipo mais comum de cegueira para cores (daltonismo). Pessoas de visão normal conseguem distinguir um número escrito dentro dos círculos, o que não ocorre com as daltônicas.

O daltonismo é condicionado por um alelo de um gene localizado no cromossomo X. Um homem hemizigótico para esse alelo (X^dY) ou uma mulher homozigótica (X^dX^d) são daltônicos, ou seja, incapazes de distinguir o verde do vermelho. Mulheres heterozigóticas (X^DX^d) geralmente têm visão normal, pois o alelo para o daltonismo é recessivo. Mulheres filhas de pai não daltônico sempre terão visão normal, pois recebem um alelo normal do pai. (Tab. 18.1)

Tabela 18.1 ▪ Genótipos e fenótipos no daltonismo

Mulheres		Homens	
Genótipo	**Fenótipo**	**Genótipo**	**Fenótipo**
X^DX^D	Não daltônica	X^DY	Não daltônico
X^DX^d	Não daltônica, portadora	X^dY	Daltônico
X^dX^d	Daltônica		

Se uma mulher transmitir o cromossomo X com o alelo mutante (X^d) para um filho, ele certamente será daltônico, uma vez que recebeu do pai um cromossomo Y. Assim, cerca de 50% dos filhos homens de uma mulher heterozigótica quanto ao daltonismo herdarão o cromossomo portador do alelo alterado e serão daltônicos. Homens daltônicos, por outro lado, só transmitem para as filhas seu cromossomo X portador do alelo alterado. (Fig. 18.5)

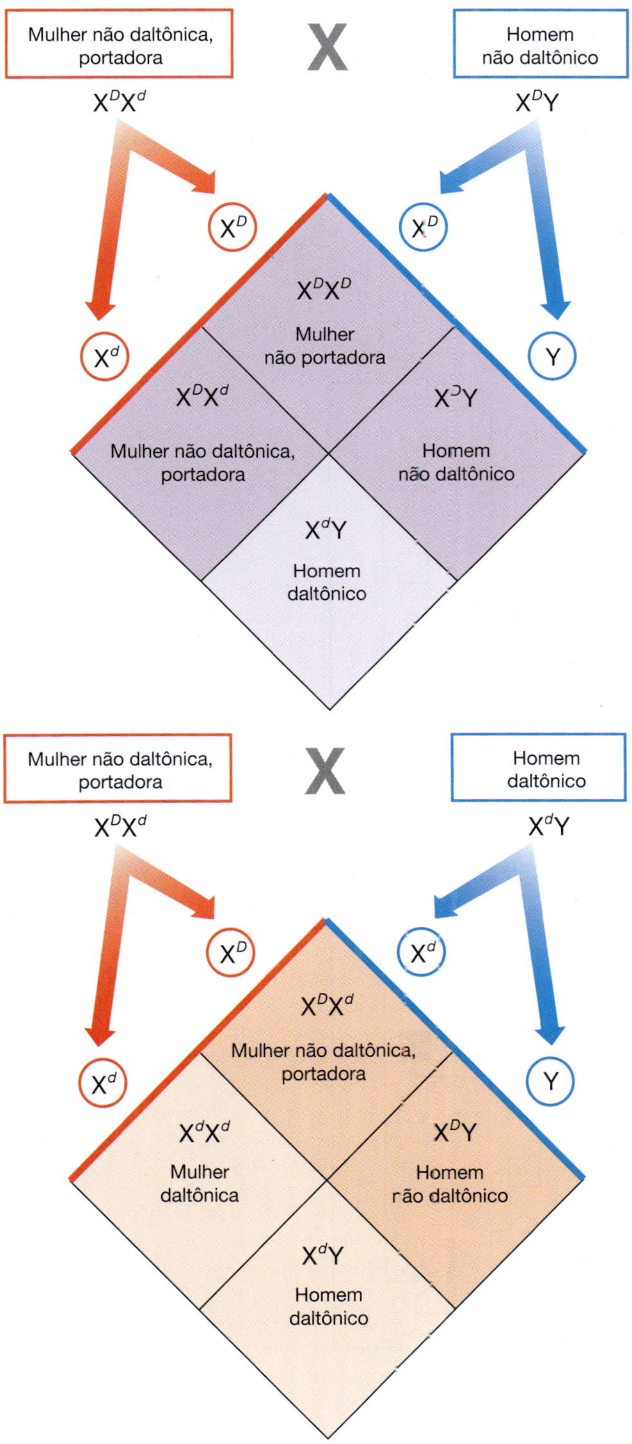

Figura 18.5 Representação esquemática da herança do daltonismo em duas situações: acima, homem não daltônico com mulher portadora do alelo mutante; abaixo, homem daltônico com mulher portadora do alelo mutante.

Hemofilia

A **hemofilia** é uma doença hereditária causada por uma falha no sistema de coagulação do sangue; a pessoa hemofílica pode ter hemorragias abundantes, mesmo em pequenos ferimentos ou contusões.

Um dos tipos mais graves de hemofilia, a hemofilia A, é causada pela deficiência do chamado fator VIII de coagulação. O gene responsável por essa característica localiza-se no cromossomo sexual X e apresenta um alelo normal (X^H), que leva à produção de fator VIII funcional, e formas alteradas (alelos X^h) que não levam à produção de fator VIII funcional. Basta a presença de um alelo normal no genótipo para a pessoa apresentar coagulação normal do sangue (não hemofílica).

Pessoas hemofílicas podem ser tratadas com injeções de fator VIII, extraído do sangue de pessoas que não apresentam a hemofilia.

A transmissão hereditária da hemofilia segue o padrão típico de herança ligada ao cromossomo X. Mulheres de genótipo X^hX^h e homens de genótipo X^hY são hemofílicos; homens X^HY, mulheres X^HX^H e mulheres X^HX^h não apresentam a doença. (Fig. 18.6)

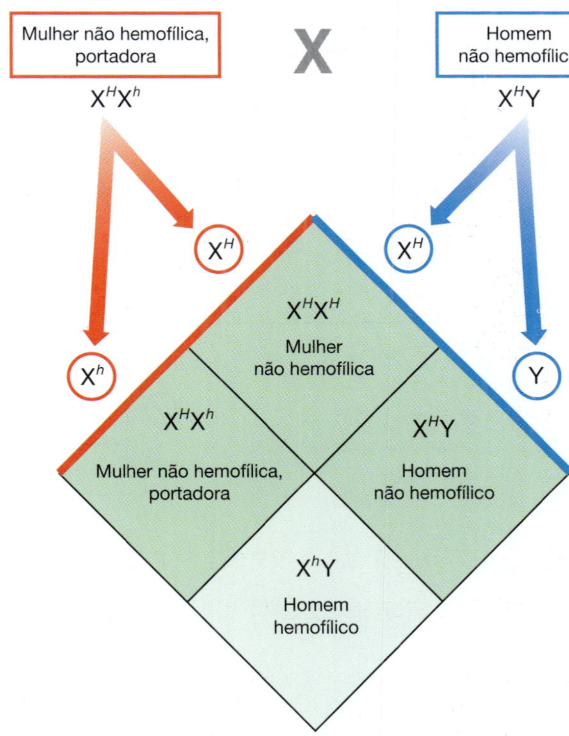

Figura 18.6 Representação esquemática da herança da hemofilia nos descendentes de um homem não hemofílico e uma mulher portadora do alelo condicionante da doença.

A hemofilia afetou diversas pessoas da nobreza europeia. A rainha Vitória do Reino Unido (1819-1901) era portadora do alelo mutante para a hemofilia, que teria surgido espontaneamente em suas células reprodutivas ou em um de seus ancestrais. Esse alelo mutante foi passado para um filho e para duas filhas da rainha inglesa, e deles para outras famílias nobres da Europa. Alexei, filho do último tsar da Rússia, herdou o alelo para a hemofilia de sua mãe Alexandra, que era neta da rainha Vitória. (Fig. 18.7)

Conteúdo multimídia
Hemofilia: uma herança ligada ao sexo

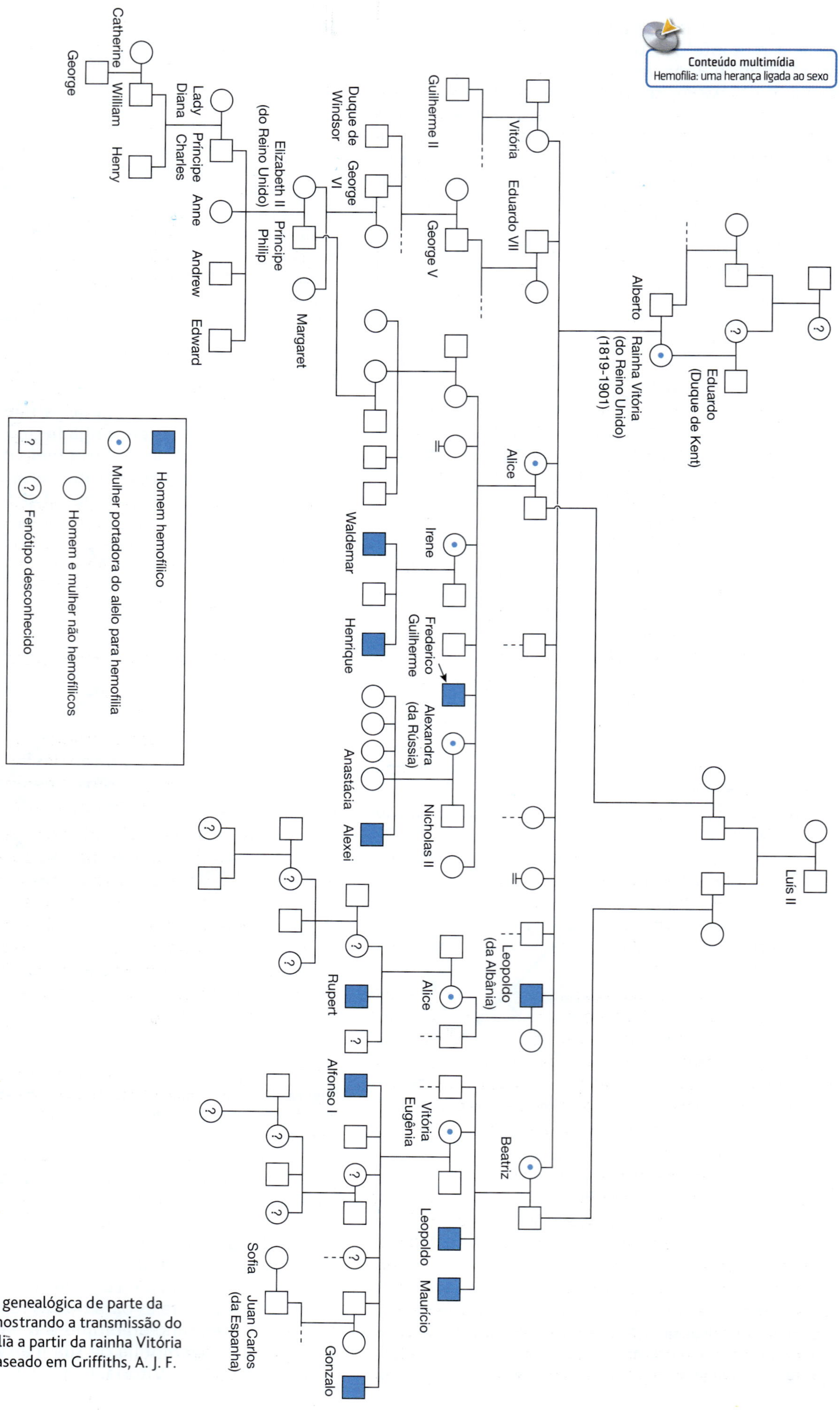

Figura 18.7 Árvore genealógica de parte da nobreza europeia mostrando a transmissão do alelo para a hemofilia a partir da rainha Vitória do Reino Unido. (Baseado em Griffiths, A. J. F. e cols., 2008.)

A hipótese da compensação de dose

Um fenômeno curioso que ocorre no desenvolvimento embrionário das fêmeas de mamíferos é a inativação de um de seus cromossomos X nas células somáticas; o fenômeno não ocorre em células da linhagem germinativa. O cromossomo X inativo torna-se extremamente condensado e assume, em preparações de células em interfase, o aspecto de um pequeno grânulo, denominado **cromatina sexual**. Células femininas apresentam cromatina sexual, ausente nas células masculinas.

A condensação de um dos cromossomos X das fêmeas de mamíferos é uma estratégia para inativar seus genes, igualando, ou "compensando", a quantidade de genes ativos em fêmeas e em machos. Essa hipótese, conhecida por **compensação de dose**, foi proposta em 1961 pela pesquisadora inglesa Mary Lyon (n. 1925).

A inativação do cromossomo X ocorre em determinada etapa do desenvolvimento embrionário e persiste daí em diante. Por exemplo, se em uma célula embrionária foi inativado o cromossomo X de origem paterna, todas as descendentes dessa célula terão o mesmo cromossomo inativo.

A inativação pode ocorrer tanto para o cromossomo X materno quanto para o X paterno, com 50% de chance. Assim, o corpo de uma fêmea de mamífero é comparável a um "mosaico" quanto ao cromossomo X: em certas regiões, as células têm ativo o cromossomo X de origem materna e, em outras, o cromossomo X ativo é o de origem paterna.

Devido à inativação aleatória do cromossomo X, as fêmeas heterozigóticas expressam um dos alelos em certas partes do corpo e o outro alelo nas demais regiões. Isso explica, por exemplo, por que algumas mulheres heterozigóticas para o gene do daltonismo (X^DX^d) têm visão normal em um dos olhos e são daltônicas no outro. Nesse caso, o cromossomo X ativo nas células de um dos olhos é portador do alelo que condiciona visão normal (X^D); no outro olho, o cromossomo X ativo é o que apresenta o alelo para daltonismo (X^d); consequentemente, a mulher é daltônica desse olho.

Mulheres heterozigóticas para o gene da hemofilia (X^HX^h) costumam ter metade da quantidade do fator VIII para coagulação em relação às mulheres homozigóticas para o alelo normal. Isso ocorre porque, em cerca de metade das células produtoras desse fator, o cromossomo X inativo é o portador do alelo normal (X^H), enquanto na outra metade o inativo é o portador do alelo mutante (X^h).

A inativação aleatória do cromossomo X das fêmeas de mamíferos pode ser notada em certas linhagens de gatos domésticos (*Felis catus*), em que a pelagem preta e a pelagem amarela são condicionadas por alelos de um gene localizado no cromossomo X. Como os machos possuem somente um cromossomo X, eles nunca têm essas duas cores simultaneamente, pois apresentam apenas um ou outro alelo. As fêmeas heterozigóticas geralmente são malhadas, com partes do corpo pretas e partes amarelas. A explicação para esse fato é que, nas regiões pretas, o cromossomo X inativo é o portador do alelo para amarelo, enquanto nas regiões amarelas o cromossomo X inativo é o portador do alelo para cor preta. (Fig. 18.8)

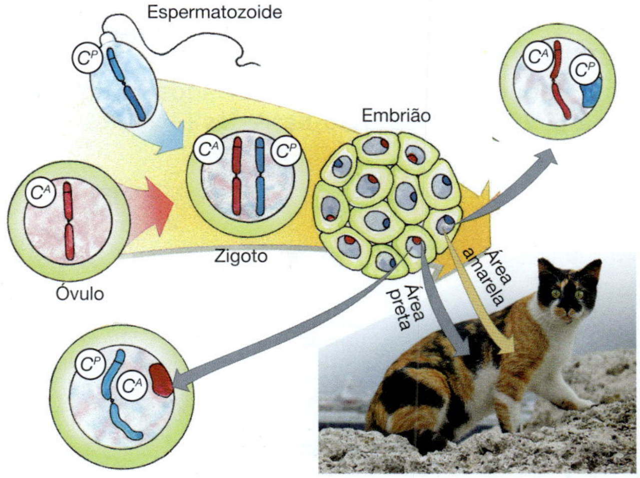

Figura 18.8 Em gatas malhadas de preto e amarelo, o cromossomo X no qual se localiza o alelo para cor preta (C^P) está inativo nas regiões amarelas, enquanto o cromossomo X no qual se localiza o alelo para cor amarela (C^A) está inativo nas regiões pretas. A cor branca é efeito de outro gene, que condiciona variegação da pelagem. (Elementos fora de proporção de tamanho entre si; cores-fantasia.)

Herança ligada ao cromossomo sexual em aves

Os genes localizados no cromossomo Z de aves têm comportamento semelhante ao dos localizados no cromossomo X, mas com padrão de herança inverso, pois nesses animais o sexo heterogamético é o feminino.

Um caso de herança ligada ao cromossomo sexual em galináceos é o da presença ou ausência de listras (ou barras) nas penas. O gene responsável por essa característica localiza-se no cromossomo Z e apresenta dois alelos, um dominante – Z^B –, que condiciona plumagem barrada (carijó), e um recessivo – Z^b –, que condiciona plumagem não barrada. Os genótipos de machos e fêmeas estão representados na tabela a seguir. (Tab. 18.2)

Tabela 18.2 ▪ Genótipos e fenótipos em galináceos em relação à presença ou ausência de listras nas penas

Machos (galos)		Fêmeas (galinhas)	
Genótipo	**Fenótipo**	**Genótipo**	**Fenótipo**
Z^BZ^B	Barrado	Z^BW	Barrada
Z^BZ^b	Barrado	Z^bW	Não barrada
Z^bZ^b	Não barrado		

O cruzamento entre um macho não barrado (Z^bZ^b) e uma fêmea barrada (Z^BW) produz machos barrados (Z^BZ^b) e fêmeas não barradas (Z^bW). O cruzamento dos indivíduos de F_1 entre si produz uma geração F_2 em que 25% são machos barrados (Z^BZ^b), 25% são machos não barrados (Z^bZ^b), 25% são fêmeas barradas (Z^BW) e 25% são fêmeas não barradas (Z^bW).

Quando se cruzam machos barrados de linhagem pura (Z^BZ^B) e fêmeas não barradas (Z^bW), os resultados são bem diferentes do cruzamento anterior. Neste caso, 100% dos descendentes, tanto machos (Z^BZ^b) quanto fêmeas (Z^BW), são barrados. O cruzamento dos indivíduos de F_1 entre si produz uma F_2 em que todos os machos são barrados, metade homozigótica (Z^BZ^B) e metade heterozigótica (Z^BZ^b). As fêmeas de F_2, por sua vez, são de dois tipos: barradas (Z^BW) e não barradas (Z^bW), metade de cada fenótipo. (Fig. 18.9)

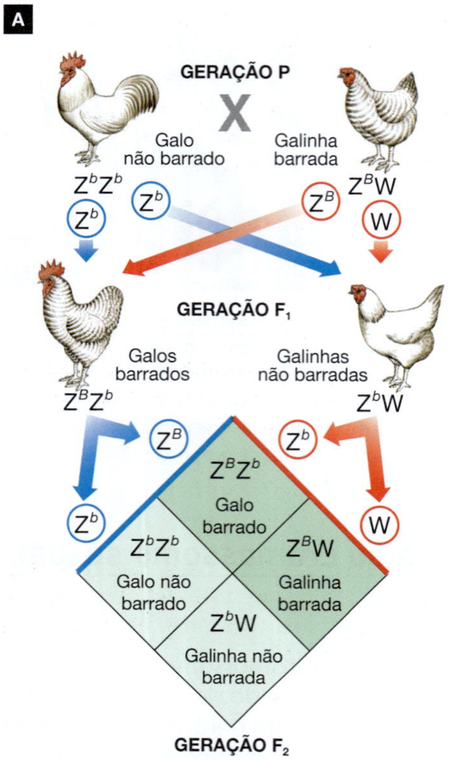

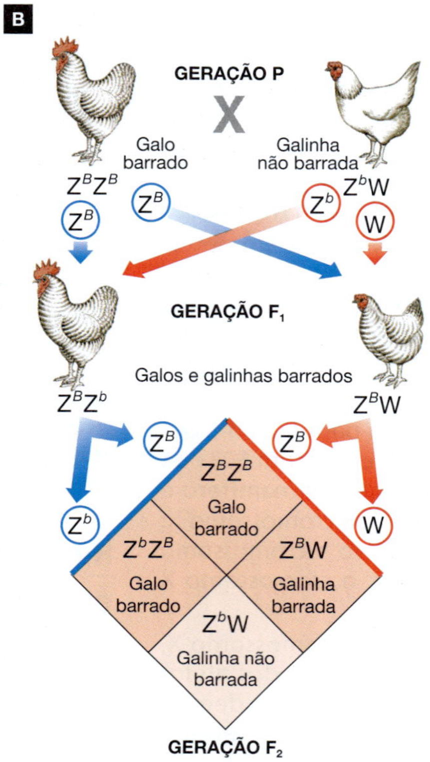

Figura 18.9 Representação esquemática de dois cruzamentos entre galináceos com plumagem barrada (carijó) e não barrada.
A. Cruzamento de galo não barrado com galinha barrada.
B. Cruzamento de galo barrado com galinha não barrada.

Biblioteca do estudante
Sugestões de livros, *sites* e vídeos

Atividades

Visão do especialista | Listas de exercícios

Revendo conceitos fundamentais

Escreva no caderno o termo abaixo que substitui corretamente a tarja entre parênteses das frases 1 e 2.

a) autossomos
b) bivalentes
c) cromossomos homólogos
d) cromossomos sexuais

1. Os (▬) são responsáveis pela determinação do sexo.

2. Os cromossomos que não variam entre os sexos são denominados (▬).

Utilize as alternativas a seguir para responder às questões de 3 a 6.

a) autossômico
b) heterogamético
c) homogamético
d) hemizigótico

3. (▬) refere-se ao gênero sexual que forma dois tipos diferentes de gameta quanto aos cromossomos sexuais.

4. Denomina-se (▬) o sexo que forma apenas um tipo de gameta quanto aos cromossomos sexuais.

5. (▬) refere-se ao gene cuja herança não está relacionada ao sexo.

6. Sexo (▬) é aquele cujos indivíduos apresentam dose simples dos genes localizados no cromossomo sexual.

Utilize os termos a seguir para responder às questões de 7 a 10.

a) compensação de dose
b) cromatina sexual
c) daltonismo
d) hemofilia A

7. O(A) (▬) é uma condição hereditária ligada ao cromossomo X em que a pessoa não distingue certas cores.

8. O(A) (▬) é um dos cromossomos X das fêmeas de mamíferos condensado durante a interfase.

9. A condição hereditária em que falta o fator VIII, necessário à coagulação normal do sangue, é chamada de (▬).

10. A hipótese do(a) (▬) explica a condensação de um dos cromossomos X em fêmeas de mamíferos.

Ligando conceitos, fatos e processos

Utilize as alternativas a seguir para completar as questões de 11 a 14.

a) Dois tipos de óvulo e um tipo de espermatozoide.
b) Dois tipos de óvulo e dois tipos de espermatozoide.
c) Um tipo de óvulo e um tipo de espermatozoide.
d) Um tipo de óvulo e dois tipos de espermatozoide.

11. Uma espécie com sistema de determinação do sexo XY produz, com relação aos cromossomos sexuais, (▬).

12. Uma espécie com sistema de determinação do sexo X0 produz, com relação aos cromossomos sexuais, (▬).

13. Uma espécie com sistema de determinação do sexo ZW produz, com relação aos cromossomos sexuais, (▬).

14. Uma espécie com sistema de determinação do sexo do tipo Z0 produz, com relação aos cromossomos sexuais, (▬).

Escreva no caderno o termo abaixo que substitui corretamente a tarja entre parênteses das frases de 15 a 17.

a) cromossomo X
b) cromossomo W
c) cromossomo Y
d) cromossomo Z

15. Em espécies nas quais o sexo heterogamético é o masculino, o cromossomo sexual presente tanto em machos quanto em fêmeas é denominado (▬).

16. Em espécies nas quais o sexo heterogamético é o masculino, o cromossomo sexual presente apenas nos machos é denominado (▬).

17. Nas espécies em que o sexo heterogamético é o feminino, o cromossomo sexual presente tanto em machos quanto em fêmeas é chamado (▬).

18. Em uma espécie de gafanhoto, as fêmeas têm 20 cromossomos nas células corporais (somáticas). Nessa espécie, o sistema de determinação do sexo é do tipo X0. Pode-se esperar que:
a) 100% dos óvulos tenham 10 cromossomos e 100% dos espermatozoides tenham 9 cromossomos.
b) 100% dos óvulos e 100% dos espermatozoides tenham 10 cromossomos.
c) 100% dos óvulos e 50% dos espermatozoides tenham 10 cromossomos, e que 50% dos espermatozoides tenham 9 cromossomos.
d) 100% dos espermatozoides e 50% dos óvulos tenham 10 cromossomos, e que 50% dos óvulos tenham 9 cromossomos.

19. Considere duas espécies, uma com sistema de determinação de sexo XY e outra com sistema ZW. Quem determina o sexo da prole?
a) A fêmea, em ambos os casos.
b) A fêmea, no primeiro caso, e o macho, no segundo.
c) O macho, em ambos os casos.
d) O macho, no primeiro caso, e a fêmea, no segundo.

20. Um homem afetado por certa doença casa-se com uma mulher saudável. Eles têm oito filhos, sendo quatro meninas e quatro meninos. Todas as meninas têm a doença do pai, e todos os meninos são normais. Que tipo de herança genética provavelmente afeta essa família?
a) Dominante autossômica.
b) Ligada ao cromossomo X.
c) Recessiva autossômica.
d) Ligada ao cromossomo Y.

21. Considerando um par de genes autossômicos simultaneamente a um gene localizado no cromossomo X, o que se pode afirmar sobre esses genes?
a) Não têm segregação independente.
b) São ligados.
c) Têm herança poligênica.
d) Têm segregação independente.

22. Um homem é heterozigótico para um gene autossômico (*Bb*) e portador de um alelo recessivo *d* ligado ao cromossomo X. Que proporção de seus espermatozoides será *bd*?
a) zero b) $\frac{1}{2}$ c) $\frac{1}{4}$ d) $\frac{1}{8}$

Questões para exercitar o pensamento

23. Em uma espécie de animal, fêmeas de coloração preta provenientes de uma linhagem pura foram cruzadas com machos de coloração cinza também puros, produzindo, em F_1, machos e fêmeas de coloração preta. Quando os indivíduos F_1 foram cruzados entre si, todas as fêmeas F_2 obtidas apresentaram coloração preta, enquanto os machos eram de dois tipos: 50% pretos e 50% cinza. Explique como se pode determinar qual dos sexos é heterogamético e qual é homogamético.

24. Na espécie humana, qual é a probabilidade de uma criança do sexo masculino apresentar, simultaneamente, um cromossomo X originário da avó materna e um cromossomo Y originário do avô paterno? Desenhe um heredograma para facilitar seu raciocínio.

25. A hemofilia A é uma doença em que o tempo de coagulação do sangue encontra-se muito aumentado em relação ao normal. Além de presente na espécie humana, essa doença também se manifesta no cão doméstico, sendo condicionada por um alelo recessivo (*h*), localizado no cromossomo sexual X. A determinação do sexo em cães segue o sistema XY.

a) Se um cão macho hemofílico for cruzado com uma cadela homozigótica não hemofílica, qual é a proporção esperada na prole de machos e fêmeas, normais e hemofílicos? Quais são os diferentes genótipos apresentados por esses indivíduos?

b) Se uma das cadelas produzidas no cruzamento anterior for cruzada com um macho normal, qual será a proporção esperada na prole de indivíduos machos e fêmeas, normais e hemofílicos? Quais serão os diferentes genótipos desses indivíduos?

26. Um tipo de cegueira para cores (daltonismo) é condicionado por um alelo recessivo ligado ao sexo. Uma mulher com visão normal, cujo pai era daltônico, casa-se com um homem daltônico.

a) Quais são os possíveis genótipos da mãe da mulher e da mãe do homem?

b) Qual é a probabilidade de que o primeiro filho homem do casal seja daltônico?

c) Qual é a porcentagem de mulheres daltônicas prevista entre as filhas desse casal?

d) Qual é a porcentagem de filhos (homens e mulheres) com visão normal prevista entre os descendentes desse casal?

27. O alelo *m* (*miniature*) que determina asas curtas em *Drosophila melanogaster* é recessivo e ligado ao cromossomo X. Seu alelo dominante *M* determina a formação de asas longas. Que frequências fenotípicas podemos prever nos seguintes cruzamentos:

a) fêmea de asas curtas × macho de asas curtas;

b) fêmea de asas curtas × macho de asas longas;

c) fêmea de asas longas homozigótica × macho de asas curtas;

d) fêmea de asas longas heterozigótica × macho de asas longas;

e) fêmea de asas longas heterozigótica × macho de asas curtas.

28. Em galináceos, o sistema de determinação de sexo é ZW. Um alelo dominante *B*, localizado no cromossomo sexual Z (Z^B), produz penas barradas. Seu alelo recessivo *b* (Z^b) produz penas de cor uniforme em condição homozigótica. O alelo autossômico dominante *R* produz crista rosa e seu alelo recessivo *r* produz crista simples em condição homozigótica. Uma fêmea de penas barradas e crista rosa heterozigótica é cruzada com um macho de cor uniforme e crista simples. Qual é a proporção fenotípica esperada desse cruzamento?

29. A distrofia muscular de Duchenne (DMD) é recessiva e ligada ao cromossomo X. A doença se manifesta na infância e as pessoas afetadas enfraquecem progressivamente, em geral morrendo antes da adolescência.

a) Qual é a probabilidade de um descendente do sexo masculino de uma mulher cujo irmão sofre de DMD ser afetado pela distrofia?

b) Supondo que um tio materno (irmão da mãe) de uma mulher teve DMD, qual é a probabilidade de a mulher ter recebido o alelo?

A Biologia no vestibular e no Enem

Questões objetivas

1. (UEL-PR) Em algumas modalidades esportivas, as equipes devem ser formadas apenas por atletas do mesmo sexo. Sobre as características que determinam ou diferenciam o sexo, é correto afirmar:

a) O sexo masculino depende de um gene determinador do sexo localizado no cromossomo Y.

b) A progesterona atua no desenvolvimento de órgãos genitais típicos do sexo masculino.

c) Os núcleos das células feminina e masculina apresentam um mesmo conjunto cromossômico.

d) A testosterona é o principal hormônio sexual feminino produzido nas trompas.

e) As células masculinas apresentam cromatina sexual.

2. (Urca-CE) As cores vermelha e branca das moscas do gênero *Drosophila* são determinadas por um gene do cromossomo X. No cruzamento de uma fêmea homozigótica de olhos vermelhos com um macho homozigótico de olhos brancos, qual será a cor dos olhos das fêmeas em F_2?

a) 100% vermelhos.

b) 100% brancos.

c) 50% vermelhos e 50% brancos.

d) 75% vermelhos e 25% brancos.

e) 25% vermelhos e 75% brancos.

3. (UFMA) Um pesquisador resolveu descobrir o tipo de herança do fenótipo plumagem barrada nos galináceos e fez os seguintes cruzamentos recíprocos:

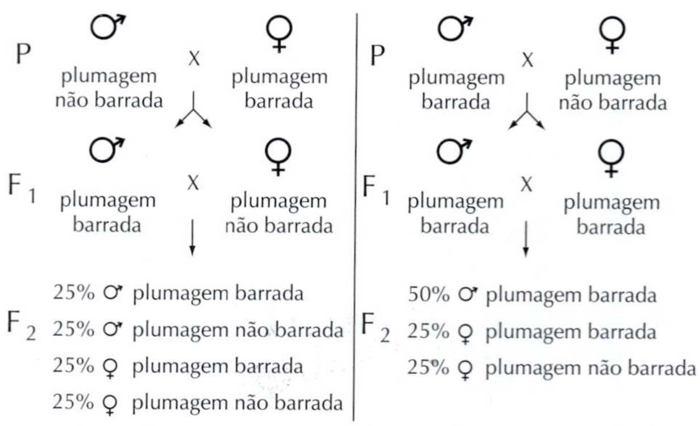

Esses resultados sugerem que o fenótipo plumagem barrada tem uma herança do tipo

a) autossômica dominante.

b) autossômica recessiva.

c) ligada ao Z dominante.

d) ligada ao Z recessiva.

e) ligada ao W dominante.

4. (UFMS) Em determinada família, um homem e mulher normais tiveram 4 descendentes, sendo dois do sexo masculino e dois do sexo feminino. Um dos descendentes masculinos foi afetado pela síndrome de Duchenne, devida a um gene recessivo ligado ao sexo e que progressivamente causa degeneração muscular e morte precoce na juventude. Uma das irmãs do rapaz afetado casou-se com um homem normal e tiveram dois descendentes, sendo uma menina normal (vamos identificá-la como mulher **A**) e um menino também afetado pela doença. A mulher **A** deseja saber qual a probabilidade de ser ela portadora do gene da doença e, nesse caso, o risco de ter descendentes doentes, sendo ela casada com homem normal. Determine a alternativa correta.

	Probabilidade de A ser portadora	Probabilidade de, sendo portadora, ter crianças doentes	
		Filhas	Filhos
a)	50%	0%	50%
b)	50%	50%	100%
c)	100%	0%	100%
d)	50%	50%	100%
e)	0%	0%	0%

5. (Fuvest-SP) No início do desenvolvimento, todo embrião humano tem estruturas que podem se diferenciar tanto no sistema reprodutor masculino quanto no feminino. Um gene do cromossomo Y, denominado SRY (sigla de *sex-determining region* Y), induz a formação dos testículos. Hormônios produzidos pelos testículos atuam no embrião, induzindo a diferenciação das outras estruturas do sistema reprodutor masculino e, portanto, o fenótipo masculino. Suponha que um óvulo tenha sido fecundado por um espermatozoide portador de um cromossomo Y com uma mutação que inativa completamente o gene SRY. Com base nas informações contidas acima, pode-se prever que o zigoto

a) será inviável e não se desenvolverá em um novo indivíduo.
b) se desenvolverá em um indivíduo cromossômica (XY) e fenotipicamente do sexo masculino, normal e fértil.
c) se desenvolverá em um indivíduo cromossômica (XY) e fenotipicamente do sexo masculino, mas sem testículos.
d) se desenvolverá em um indivíduo cromossomicamente do sexo masculino (XY), mas com fenótipo feminino.
e) se desenvolverá em um indivíduo cromossômica (XX) e fenotipicamente do sexo feminino.

6. (Unesp) Suponha que o seguinte experimento pudesse ser realizado. O óvulo anucleado de uma vaca recebeu o núcleo de dois espermatozoides de um mesmo touro. Esses núcleos fundiram-se e a célula resultante comportou-se como um zigoto, que se dividiu nos primeiros blastômeros e foi implantado no útero de outra vaca. Ao final da gestação, nasceu um animal que

a) obrigatoriamente é do sexo masculino.
b) é homozigoto para todos os seus genes.
c) pode ser macho ou fêmea e ter características diferentes das do seu pai.
d) tem apenas um lote haploide de cromossomos por célula.
e) é clone de seu pai.

7. (UFRGS-RS) Imagine que, num canil, existem cães amarelos e cães brancos, todos da mesma raça. Com relação ao comportamento, alguns destes cães são ferozes e outros são dóceis, independente da cor. Suponhamos que a genética destes cães seja conhecida e que o amarelo seja determinado por um gene dominante ligado ao cromossomo X, enquanto que o branco é determinado pelo seu alelo recessivo. O comportamento dócil é determinado por um gene autossômico dominante e o feroz por seu alelo recessivo. Digamos que você receba a encomenda de um filhote macho branco e dócil. Se você tiver o cruzamento entre uma fêmea branca feroz com um macho amarelo e dócil, heterozigoto, a probabilidade de nascer um cão com o fenótipo encomendado será de

a) 75%.
b) 50%.
c) 25%.
d) 0%.
e) 100%.

8. (UFRGS-RS) Um homem é heterozigoto para um gene autossômico, *Aa*, e possui um alelo ligado ao X recessivo *b*. Que proporção dos seus espermatozoides espera-se que seja A/X^b?

a) 0%
b) 25%
c) 50%
d) 75%
e) 100%

Questões discursivas

9. (Fuvest-SP) No heredograma a seguir, ocorrem dois meninos hemofílicos. A hemofilia tem herança recessiva ligada ao cromossomo X.

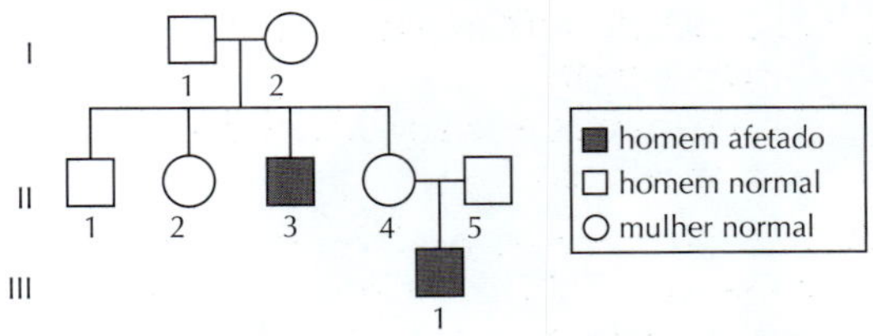

a) Qual é a probabilidade de que uma segunda criança de II-4 e II-5 seja afetada?
b) Qual é a probabilidade de II-2 ser portadora do alelo que causa a hemofilia?
c) Se o avô materno de II-4 era afetado, qual era o fenótipo da avó materna? Justifique sua resposta.

10. (UFRRJ) Uma pessoa portadora de hemofilia que tenha mãe e pai normais faz a seguinte pergunta a um médico: Doutor, eu herdei esta característica do meu pai?

O médico responde: Não, seguramente foi de sua mãe.

a) Identifique qual o sexo da pessoa.
b) Justifique sua resposta.

11. (UFPR) Considere uma espécie em que o macho é heterogamético (XY) e a fêmea homogamética (XX). Explique de que forma o sexo dos descendentes será determinado.

Módulo 7 Genética e biotecnologia na atualidade

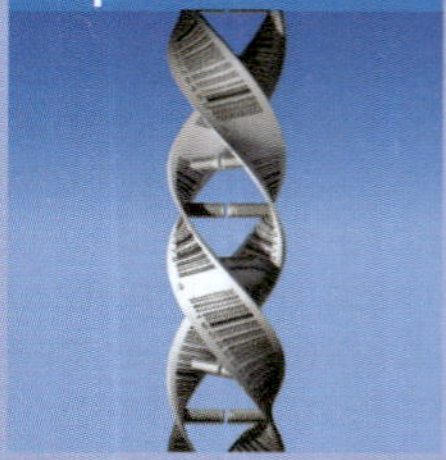

MARC PHARESPHOTO RESEARCHERS/DIOMEDIA

Capítulo 19

A informação genética

Itens principais:

A natureza química do material genético
Transcrição da informação do DNA para o RNA
O mecanismo da síntese de proteínas: tradução gênica
O controvertido conceito de gene

DR JEREMY BURGESS/SCIENCE PHOTO LIBRARY/LATINSTOCK

Flor de dália (*Dahlia* sp.) mostrando o efeito da ativação diferencial de um gene responsável pela cor das pétalas. O gene, responsável pela produção de pigmento vermelho, foi ativado nas células das áreas coloridas e desativado nas áreas brancas durante a formação da flor. Essa flor mede cerca de 15 cm de comprimento.

KLAUS TIEDGE/BLEND IMAGES/ GETTY IMAGES

Capítulo 20

Aplicações do conhecimento genético

Itens principais:

Melhoramento genético
A Engenharia Genética
A clonagem do DNA
Misturando genes entre espécies: transgênicos
Desvendando o genoma humano

Conheça os capítulos deste módulo

Há bilhões de anos, os seres vivos "descobriram" as vantagens de codificar informações. Dotados de um sistema de codificação surpreendentemente simples, baseado em trincas de quatro "letras" químicas do DNA, os organismos conseguem armazenar informações sobre todas as suas proteínas, moléculas fundamentais à vida. O código genético foi decifrado na década de 1960 e os conhecimentos sobre ele têm sido aplicados no desenvolvimento de tecnologias de manipulação dos genes, com grande impacto na ciência e na sociedade. São esses os temas que tratamos nos capítulos deste módulo.

Capítulo 19 Apresentamos aqui conhecimentos imprescindíveis para a compreensão da Genética moderna: a natureza química dos genes e sua capacidade de conter informações e transmiti-las de geração em geração. As moléculas de DNA de um ser vivo armazenam todas as instruções para cada espécie ser o que ela é. Neste capítulo, discutimos a natureza química das informações genéticas e como elas podem se expressar por meio da transcrição e da tradução gênicas.

Capítulo 20 Abordamos aqui avanços no conhecimento da Genética que têm gerado tecnologias inovadoras de manipulação do DNA, cuja aplicação tem provocado debates acirrados, envolvendo discussões éticas e políticas da sociedade. Dispor de informações corretas é essencial para participar conscientemente desses debates.

Capítulo 19 A informação genética

MARC PHARESPHOTO RESEARCHERS/DIOMEDIA

Um dos ícones da modernidade, o DNA apresenta informações codificadas, os genes, aqui comparados aos códigos de barras, tão populares em nosso cotidiano.

"Receitas" e o código genético

Carne, cebola, alho, sal, tomate, cogumelos, creme de leite e mostarda. Será que basta misturar esses ingredientes ao acaso para surgir um delicioso estrogonofe? É claro que não! Falta a receita, ou seja, faltam as informações detalhadas das quantidades e do "modo de fazer".

Em uma célula, os ingredientes-chave para a vida são 20 tipos de aminoácidos, com os quais a célula produz milhares de tipos de proteína, entre eles as enzimas, que comandam o metabolismo celular e fazem cada célula ser o que ela é. As "receitas", ou seja, as informações para produzir todas essas proteínas estão codificadas em moléculas de DNA e são cuidadosamente guardadas no núcleo das células eucarióticas.

Hoje compreendemos bem a importância do conceito de informação, pois vivemos na era da informática, em que os computadores utilizam instruções eletrônicas para as mais diversas finalidades, desde a execução de cálculos extremamente rápidos até a exibição de imagens em alta definição. Os códigos de barras, tão comuns nos artigos comercializados em lojas e supermercados, exibem em segundos diversas informações sobre um produto, além do preço.

Há bilhões de anos os seres vivos "descobriram" as vantagens de codificar informações. Trata-se de um sistema de codificação surpreendentemente simples, baseado em trincas de "letras" químicas do DNA, que permite aos seres vivos armazenar informações sobre todas as suas proteínas, moléculas fundamentais para a vida.

O código genético, como é chamada essa codificação utilizada pelos seres vivos, foi descoberto na década de 1960. Em 2003, poucas décadas depois, a sequência completa dos 3,2 bilhões de letras químicas do genoma humano foi finalmente desvendada.

Quem já brincou de estabelecer códigos com os amigos sabe que a ideia é manter uma comunicação específica, passível de ser compreendida apenas por quem conhece a codificação estabelecida. O código genético, porém, é universal: dos vírus aos mamíferos, a "linguagem genética" é exatamente a mesma. Isso é mais que coincidência; é uma forte evidência de que o código genético se desenvolveu nos primórdios da evolução da vida e se transmitiu de geração em geração sem alterações.

Ao conhecer o código genético podemos compreender melhor as maravilhas da natureza. Não é incrível saber que partilhamos a mesma linguagem fundamental da vida com todos os outros seres da biosfera? Esse conhecimento pode nos ajudar a entendê-los melhor.

A importância do assunto

Este capítulo traz conhecimentos fundamentais para a compreensão da Genética moderna: a natureza química dos genes e sua capacidade de conter informações e de transmiti-las de geração em geração. Para isso, vamos retomar conceitos tratados em capítulos anteriores. Eles ficam mais fáceis e abrangem um contexto mais amplo à medida que você avança em seus conhecimentos.

Nas moléculas de DNA de um ser vivo, isto é, em seu genoma, residem todas as informações para cada espécie ser o que ela é. Neste capítulo discutimos a natureza dessas informações e como elas podem se expressar por meio da transcrição e da tradução gênicas.

19.1 A natureza química do material genético

A sigla DNA, que designa o ácido desoxirribonucleico (em inglês, *deoxyribonucleic acid*), tornou-se popular nas duas últimas décadas, principalmente devido aos exames para identificação de pessoas e testes de paternidade. No meio acadêmico, entretanto, a sigla era bem conhecida desde o início da década de 1950, quando ocorreu a primeira demonstração conclusiva de que o DNA era o material genético de vírus, de bactérias e, possivelmente, de todas as formas de vida. Desde então, isso vem se confirmando e, com exceção de alguns vírus cujo material genético é o RNA, todos os seres vivos têm suas informações genéticas codificadas em moléculas de DNA.

Nas últimas décadas, os pesquisadores desvendaram a estrutura molecular do DNA, decifraram o código genético e descobriram como as informações genéticas são traduzidas em ações que controlam o funcionamento celular. Além disso, os cientistas desenvolveram técnicas sofisticadas de análise e de manipulação do DNA, o que possibilitou o desenvolvimento de novos campos de pesquisa e de novas tecnologias.

O estopim dessa revolução na Genética foi a publicação na revista científica inglesa *Nature*, em 1953, do artigo intitulado *Molecular structure of nucleic acid: a structure for deoxyribose nucleic acid* (Estrutura molecular do ácido nucleico: uma estrutura para o ácido nucleico desoxirribose), de autoria de James Watson (n. 1928) e Francis Crick (1916-2004). (Fig. 19.1)

A. BARRINGTON BROWN/SCIENCE PHOTO LIBRARY/LATINSTOCK

Figura 19.1 James Watson (esq.) e Francis Crick ao lado do modelo de DNA construído por eles em 1953. Por terem descoberto a estrutura do DNA, eles ganharam o prêmio Nobel para Medicina ou Fisiologia, em 1962.

A estrutura molecular do DNA

O **ácido desoxirribonucleico**, o **DNA** ou ADN, é uma molécula longa e fina, com apenas 2 nm de espessura, mas que pode atingir alguns centímetros de comprimento. Ela é constituída por dois filamentos paralelos e muito próximos que se enrolam helicoidalmente no espaço lembrando a "espiral" de um caderno. Por apresentar dois filamentos paralelos em forma helicoidal, costuma-se dizer que a molécula de DNA é uma dupla-hélice.

Cada um dos filamentos antiparalelos do DNA é composto por milhares ou mesmo milhões de unidades moleculares – os **desoxirribonucleotídios** –, encadeados em sequência. Cada filamento do DNA é, portanto, o que os cientistas denominam cadeia polinucleotídica.

Um **nucleotídio** é constituído por três componentes quimicamente unidos: uma **base nitrogenada**, a pentose **desoxirribose** e um **fosfato**, íon negativo derivado de um ácido fosfórico. As bases nitrogenadas que compõem os desoxirribonucleotídios podem ser de quatro tipos: **adenina (A)**, **guanina (G)**, **citosina (C)** e **timina (T)**. Portanto, há quatro tipos de nucleotídio na constituição do DNA, que diferem quanto a suas bases nitrogenadas. Os nucleotídios do DNA estão unidos entre si por ligações covalentes, que se estabelecem entre o grupo fosfato de um nucleotídio e a desoxirribose de outro.

As duas cadeias polinucleotídicas do DNA mantêm-se unidas por **ligações de hidrogênio** (ou pontes de hidrogênio), estabelecidas entre as bases nitrogenadas das cadeias. As ligações de hidrogênio ocorrem apenas entre pares de bases específicos, de tal modo que a base adenina liga-se apenas à timina (**A⇔T**), enquanto a citosina liga-se apenas à guanina (**C⇔G**). Assim, as cadeias da dupla-hélice do DNA são sempre complementares: se em uma das cadeias houver um desoxirribonucleotídio com adenina, na posição correspondente da outra cadeia haverá um com timina, e vice-versa. Se em uma das cadeias houver um desoxirribonucleotídio com guanina, na outra cadeia haverá um com citosina, e vice-versa. Por exemplo, se a sequência de bases em uma das cadeias do DNA for ATTGCATGCGCATTACG, a região correspondente da outra cadeia apresentará a sequência complementar TAACGTACGCGTAATGC. (Fig. 19.2)

A duplicação semiconservativa do DNA

O modelo de Watson e Crick foi bem aceito porque, além de ser coerente com as propriedades físicas e químicas da molécula de DNA, também explicava como ela se duplica, produzindo duas réplicas exatamente iguais. De acordo com o modelo, as duas cadeias de uma molécula de DNA separam-se e cada uma delas orienta a formação de uma cadeia complementar. Esse modo de duplicação, amplamente confirmado em inúmeros experimentos, é conhecido como **duplicação semiconservativa** do DNA; cada molécula resultante da duplicação conserva uma das cadeias originais da "molécula-mãe" e tem uma cadeia nova, complementar à que serviu de molde.

O processo de duplicação do DNA é comandado por diversas enzimas. Dentre elas destacam-se as **helicases**, que catalisam a quebra das ligações de hidrogênio entre as duas cadeias, fazendo com que elas se separem, e as **polimerases do DNA**, que orientam o emparelhamento de nucleotídios livres à cadeia-molde, além de catalisar a união entre eles (polimerização).

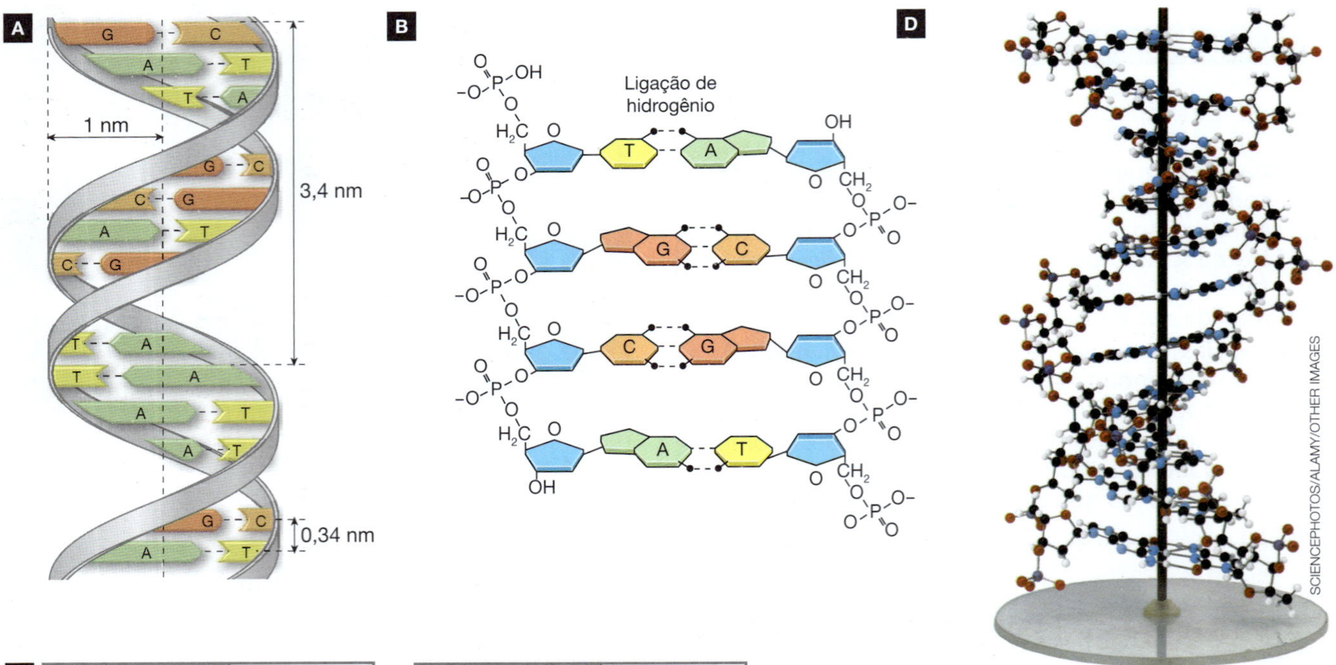

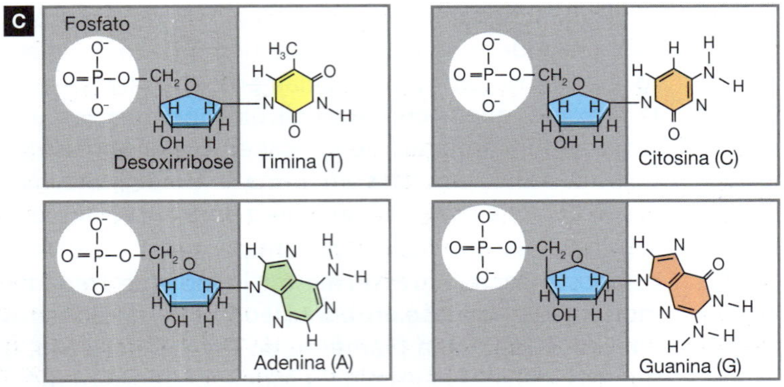

Figura 19.2 A. Representação esquemática da estrutura do DNA, formado por duas cadeias antiparalelas dispostas em helicoidal (dupla hélice). **B.** Representação das ligações de hidrogênio entre as bases nitrogenadas que compõem duas cadeias de DNA; note as três ligações de hidrogênio entre as bases C e G e as duas entre A e T; por isso costuma-se representar o par CG por C ≡ G e o par AT por A = T. **C.** Fórmulas estruturais dos quatro nucleotídios constituintes do DNA. **D.** Modelo tridimensional do DNA com os átomos representados por esferas. (Cores-fantasia.)

À medida que as bases nitrogenadas de cada cadeia desemparelham-se de suas complementares por ação das helicases, a polimerase do DNA orienta o encaixe de desoxirribonucleotídios livres às cadeias originais, respeitando a regra de emparelhamento A⇔T e C⇔G. Os desoxirribonucleotídios, uma vez corretamente posicionados, vão se unindo, originando uma cadeia polinucleotídica complementar à que serve de molde. Ao final do processo de duplicação, há duas moléculas de DNA idênticas, cada uma delas com uma cadeia da molécula original e uma cadeia nova recém-sintetizada a partir da união de desoxirribonucleotídios livres presentes na célula. (Fig. 19.3)

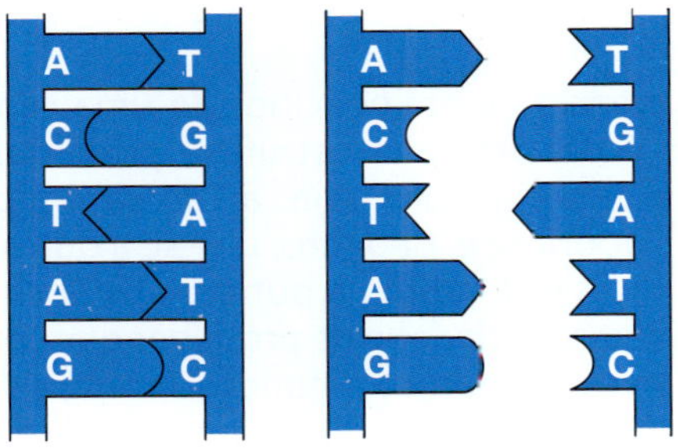

A. A molécula de DNA é constituída por duas cadeias polinucleotídicas unidas por ligações de hidrogênio entre suas bases nitrogenadas.

B. A primeira etapa no processo de duplicação do DNA é o rompimento das ligações de hidrogênio e a separação das duas cadeias.

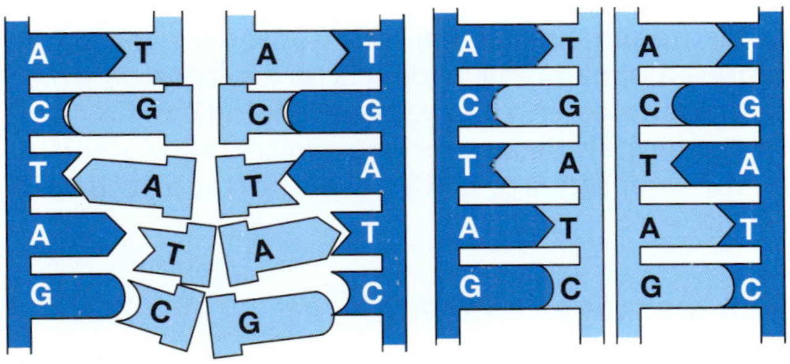

C. Cada "cadeia antiga" serve de molde para a construção de uma "cadeia nova", determinando a ordem em que os nucleotídios devem se encaixar sobre ela.

D. Os nucleotídios ordenados sobre a cadeia-molde unem-se entre si, formando uma nova cadeia complementar à antiga. Ao final do processo, são produzidas duas moléculas de DNA idênticas, cada uma delas constituída por uma "cadeia antiga" e por uma "cadeia nova".

Figura 19.3 Representação esquemática da duplicação do DNA.

19.2 Transcrição da informação do DNA para o RNA

Como comentamos anteriormente, sequências de bases nitrogenadas no DNA contêm informações codificadas que controlam praticamente todos os processos celulares. Essas informações podem ser rigorosamente duplicadas e transmitidas com precisão de geração em geração por meio da duplicação semiconservativa do DNA. Resta, no entanto, responder à pergunta: como as informações contidas no DNA se manifestam, ou seja, como elas se transformam em ações efetivas no metabolismo celular?

Lembre-se de que, nas células eucarióticas, a maior parte do DNA permanece dentro do núcleo, onde faz parte dos cromossomos. Por outro lado, a produção de proteínas e a maior parte das atividades celulares ocorrem no citoplasma. Como o DNA pode "expressar" suas informações codificadas sem sair do núcleo? Isso ocorre por meio de moléculas de **ácido ribonucleico**, o **RNA** ou ARN, que agem como intermediárias e assessoras da manifestação das informações contidas no DNA nuclear.

O RNA também é constituído por nucleotídios unidos em sequência. Estes, contudo, diferem dos nucleotídios do DNA por apresentarem a pentose **ribose** em lugar da desoxirribose; as unidades constituintes do RNA são, portanto, **ribonucleotídios**. Três das quatro bases nitrogenadas presentes no RNA são idênticas às do DNA: **adenina (A)**, **guanina (G)** e **citosina (C)**. O RNA, no entanto, não apresenta a base timina; seu lugar é ocupado pela base **uracila (U)**. Outra diferença em relação ao DNA é que as moléculas de RNA, com poucas exceções, são constituídas por apenas uma cadeia polinucleotídica. (Fig. 19.4)

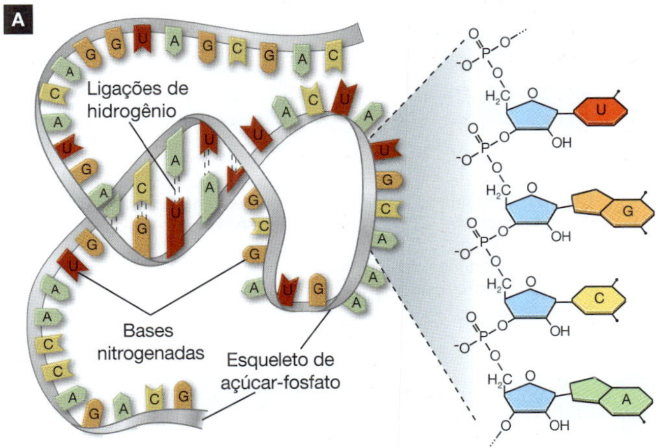

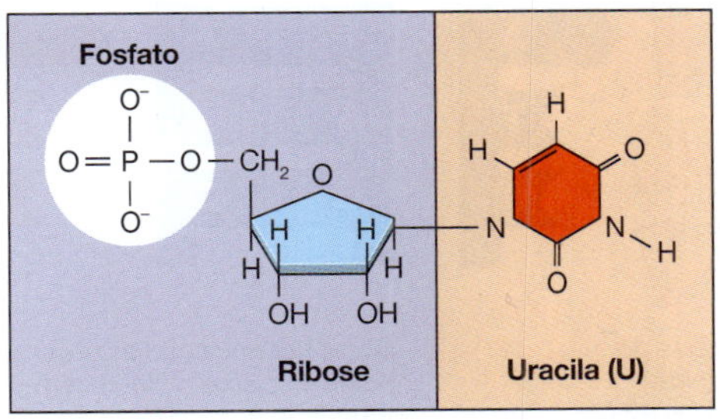

Figura 19.4 A. A fita única do RNA pode dobrar-se sobre si mesma e adquirir configuração de dupla-hélice em pontos com sequências de bases complementares. (Representação esquemática; cores-fantasia.) **B.** Representação de um ribonucleotídio cuja base é a uracila.

A síntese de RNA: transcrição gênica

O DNA expressa-se transcrevendo suas informações para moléculas de RNA, que podem sair do núcleo e atuar em processos metabólicos citoplasmáticos, basicamente na síntese de proteínas.

A transcrição do RNA tem início pela separação das duas cadeias do DNA em determinado trecho, processo comandado pela enzima **polimerase do RNA**. À medida que separa as cadeias do DNA, a enzima também orienta o emparelhamento de ribonucleotídios livres em uma das cadeias, que serve assim de molde para a síntese de RNA; a outra cadeia permanece inativa.

O emparelhamento dos ribonucleotídios livres à cadeia-molde de DNA obedece à seguinte regra: ribonucleotídios com uracila emparelham-se às adeninas da cadeia-molde de DNA (U⇔A); ribonucleotídios com adenina emparelham-se às timinas do DNA (A⇔T); ribonucleotídios com citosina emparelham-se às guaninas do DNA (C⇔G); ribonucleotídios com guanina emparelham--se às citosinas do DNA (G⇔C).

À medida que o emparelhamento ocorre, os ribonucleotídios unem-se, formando a cadeia de RNA. Ao final do processo, a molécula de RNA sintetizada liberta-se do DNA que comandou sua síntese, cujas duas cadeias voltam a se emparelhar, reconstituindo a dupla-hélice. (Fig. 19.5)

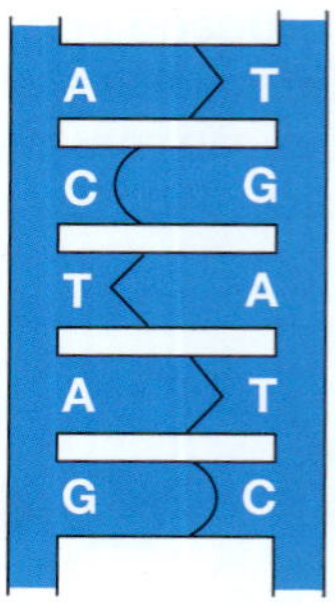

A. A molécula de DNA é constituída por duas cadeias polinucleotídicas unidas por ligações de hidrogênio entre suas bases nitrogenadas.

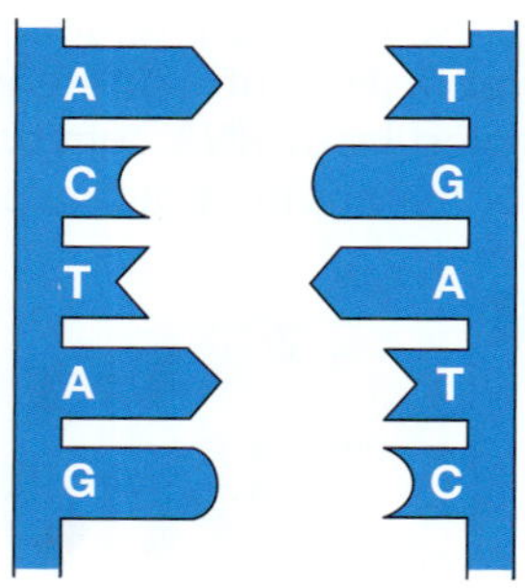

B. A primeira etapa no processo de síntese de RNA é a separação das duas cadeias de DNA.

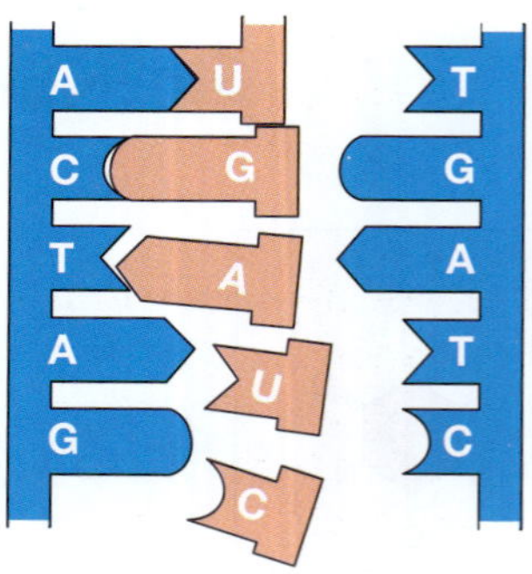

C. Uma das cadeias do DNA serve de molde para a formação do RNA, determinando a ordem em que os ribonucleotídios devem se unir. A outra cadeia do DNA permanece inativa, esperando o final do processo.

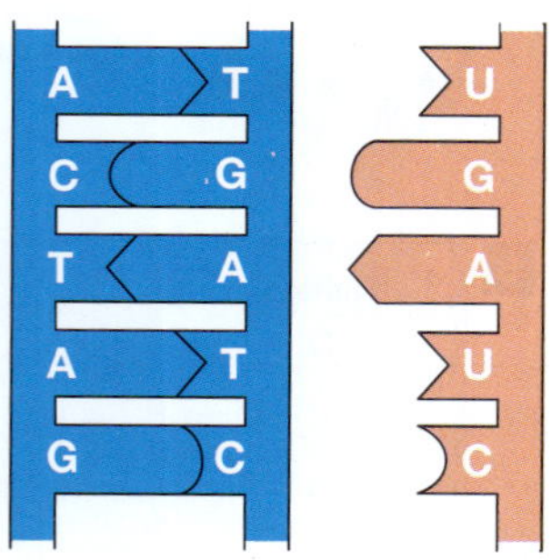

D. Os ribonucleotídios ordenados sobre a cadeia-molde unem-se, formando uma molécula de RNA complementar à cadeia de DNA. Ao final do processo, o RNA separa-se da cadeia-molde de DNA e esta volta a se unir à sua complementar, reconstituindo a dupla-hélice de DNA .

Figura 19.5 Representação esquemática da síntese de RNA a partir do DNA.

A sequência de bases nitrogenadas do RNA reflete fielmente a sequência de bases da cadeia de DNA que serviu de molde. Por exemplo, uma cadeia de DNA formada pela sequência de bases TAGGCTAATGCTCGTA produz um RNA com sequência de bases AUCCGAUUACGAGCAU. Portanto, uma mensagem codificada no DNA, seja ela qual for, é rigorosamente transcrita para o RNA. Por isso, a síntese de RNA é chamada de **transcrição gênica**.

Tipos de RNA e suas funções

A função primordial das moléculas de RNA transcritas do DNA é participar da síntese de proteínas. Vale lembrar que as proteínas definem a estrutura e o funcionamento das células e, portanto, de todo ser vivo.

Toda proteína é formada por uma ou mais cadeias polipeptídicas, ou **polipeptídios**. Cada polipeptídio é uma longa cadeia filamentosa constituída por aminoácidos encadeados. Nos seres vivos há vinte diferentes tipos de aminoácidos, encadeados das mais diferentes maneiras nos polipeptídios. São os tipos de aminoácidos e sua sequência no polipeptídio que caracterizam cada um dos milhares de tipos de proteínas presentes nos seres vivos.

A sequência de aminoácidos de uma cadeia polipeptídica é denominada **estrutura primária**. Dependendo da estrutura primária, a cadeia polipeptídica enrola-se, dobra-se e, não raro, une-se a outras cadeias polipeptídicas (ou mesmo a outras substâncias), originando a imensa variedade de proteínas que constituem os seres vivos. Portanto, a função biológica de cada proteína é determinada, em última análise, por sua estrutura primária.

Como a estrutura e o funcionamento de qualquer ser vivo dependem da natureza de suas proteínas, todo o metabolismo celular é controlado pelo DNA, onde se encontram as "receitas" para ordenar os aminoácidos.

O processo de síntese de proteínas é fundamentalmente semelhante em todos os seres vivos, o que representa mais uma evidência da evolução da vida e do parentesco entre as espécies biológicas. Os "atores" principais desse processo são três tipos de RNA: o RNA mensageiro, o RNA transportador e o RNA ribossômico.

RNA mensageiro (RNAm)

O **RNA mensageiro** (**RNAm**) é o portador da instrução para a estrutura primária de uma proteína. A sequência de nucleotídios do RNAm contém informação para o número e a sequência de aminoácidos de uma cadeia polipeptídica. Essa informação, como vimos, está primariamente codificada na sequência de nucleotídios do DNA.

O sistema de codificação genética dos seres vivos é denominado **código genético**. Nele, uma trinca de nucleotídios do RNA mensageiro transcrito, e consequentemente do DNA, corresponde a um aminoácido no polipeptídio. Cada uma das trincas de bases nitrogenadas do RNAm, codificadoras da proteína, é um **códon**.

Como vimos, os nucleotídios do RNA podem ser de quatro tipos quanto às bases nitrogenadas, que são A, G, C e U. Combinando quatro tipos de nucleotídios em trincas, obtêm-se 64 códons diferentes. Faça as contas: um códon cuja primeira base é A pode ser de quatro tipos quanto à segunda base; cada combinação, por sua vez, pode ser de quatro tipos quanto à terceira base. Portanto, há 16 tipos diferentes de códons cuja primeira base é A. Como esse raciocínio é válido para os códons iniciados com cada uma das outras 3 bases, chega-se ao total de 64 códons diferentes (4×16).

Esses 64 códons são mais do que suficientes para codificar os 20 tipos de aminoácidos que entram na composição das proteínas. Tanto assim que diferentes códons correspondem a um mesmo aminoácido, ou seja, são "sinônimos" (veja na tabela a seguir). Há também três trincas que não correspondem a nenhum aminoácido e sua função é a "pontuação" da mensagem genética: elas indicam o fim da instrução contida no RNA mensageiro para a codificação de um polipeptídio. (Tab. 19.1)

Tabela 19.1 ▪ Código genético

	Segunda base do códon				
Primeira base do códon	**U**	**C**	**A**	**G**	**Terceira base do códon**
U	UUU Phe	UCU Ser	UAU Tyr	UGU Cys	U
U	UUC Phe	UCC Ser	UAC Tyr	UGC Cys	C
U	UUA Leu	UCA Ser	UAA pare*	UGA pare*	A
U	UUG Leu	UCG Ser	UAG pare*	UGG Trp	G
C	CUU Leu	CCU Pro	CAU His	CGU Arg	U
C	CUC Leu	CCC Pro	CAC His	CGC Arg	C
C	CUA Leu	CCA Pro	CAA Gln	CGA Arg	A
C	CUG Leu	CCG Pro	CAG Gln	CGG Arg	G
A	AUU Ile	ACU Thr	AAU Asn	AGU Ser	U
A	AUC Ile	ACC Thr	AAC Asn	AGC Ser	C
A	AUA Ile	ACA Thr	AAA Lys	AGA Arg	A
A	AUG Met	ACG Thr	AAG Lys	AGG Arg	G
G	GUU Val	GCU Ala	GAU Asp	GGU Gly	U
G	GUC Val	GCC Ala	GAC Asp	GGC Gly	C
G	GUA Val	GCA Ala	GAA Glu	GGA Gly	A
G	GUG Val	GCG Ala	GAG Glu	GGG Gly	G

Abreviatura dos aminoácidos:

Phe = fenilalanina	His = histidina
Leu = leucina	Gln = glutamina
Ile = isoleucina	Asn = aspargina
Met = metionina	Lys = lisina
Val = valina	Asp = ácido aspártico
Ser = serina	Glu = ácido glutâmico
Pro = prolina	Cys = cisteína
Thr = treonina	Trp = triptofano
Ala = alanina	Arg = arginina
Tyr = tirosina	Gly = glicina

*A abreviatura *pare* corresponde aos códons de parada.

As letras da coluna azul correspondem às bases que ocupam a primeira posição na trinca. As letras da linha superior, vermelha, correspondem às bases que ocupam a segunda posição na trinca. As letras da coluna verde correspondem às bases que ocupam a terceira posição na trinca.

Apenas dois aminoácidos – metionina e triptofano – são codificados por uma só trinca de bases; para todos os outros aminoácidos existem códons sinônimos, isto é, mais de uma trinca codificadora. Por isso, os geneticistas costumam dizer que o código genético é "degenerado". Três trincas "sem sentido" (UAA, UAG e UGA), chamadas códons "pare", sinalizam o fim da mensagem.

O código genético é universal, ou seja, é o mesmo em praticamente todos os seres vivos do planeta. Essa é mais uma evidência do parentesco evolutivo entre as diversas espécies biológicas e uma forte indicação de que o código genético atual foi estabelecido antes da diversificação da vida na Terra, estando presente no ancestral comum a todas as espécies hoje existentes. As exceções conhecidas à universalidade do código genético restringem-se ao significado de alguns códons em mitocôndrias e em genes nucleares de umas poucas espécies. Lembre-se de que as mitocôndrias e os cloroplastos são organelas com material genético; nelas, o DNA passa pelos mesmos processos que o DNA nuclear. (Tab. 19.2)

Tabela 19.2 ▪ Desvios conhecidos do sistema de código genético

Códon	Código universal	Código não usual	Ocorrência
UGA	Pare	Triptofano (Trp)	*Mycoplasma* sp., *Spiroplasma* sp., mitocôndrias de diversas espécies
CUG	Leucina (Leu)	Treonina (Thr)	Mitocôndrias de leveduras
UAA, UAG	Pare	Glutamina (Gln)	*Acetabularia* sp., *Tetrahymena* sp., paramécios
UGA	Pare	Cisteína (Cys)	*Euplotes* sp.

Fonte: Osawa e cols., 1992.

RNA transportador (RNAt)

No início da década de 1960, os cientistas suspeitaram que aminoácidos não conseguiriam "ler" diretamente os códons do RNAm, pois não há nenhuma afinidade química entre aminoácidos e trincas de bases nitrogenadas. Aventou-se, então, a possibilidade de existirem moléculas especiais, capazes de acoplar os aminoácidos a seus respectivos códons no RNAm.

Pouco tempo depois descobriu-se a existência de moléculas de RNA capazes de reconhecer e interagir tanto com aminoácidos como com o RNAm. Elas foram chamadas RNA transportadores (RNAt), em referência ao seu papel de "transportar" os aminoácidos até seus respectivos códons no RNA mensageiro.

Os **RNA transportadores (RNAt)** são moléculas relativamente pequenas quando comparadas a outros tipos de RNA, sendo constituídas por cerca de 75 a 90 ribonucleotídios. As moléculas de RNAt dobram-se sobre si mesmas, adquirindo uma forma típica que lembra a de uma letra "L". Em determinada região da molécula, correspondente a uma das extremidades do "L", há uma trinca de bases nitrogenadas capaz de se emparelhar, por ligações de hidrogênio, ao códon complementar do

RNAm; por isso, essa trinca é denominada **anticódon**. A extremidade da molécula do RNAt no outro braço do "L" é capaz de se ligar a um aminoácido específico, correspondente ao anticódon. (Fig. 19.6)

Há dezenas de tipos de RNAt capazes de se ligar especificamente aos vinte tipos de aminoácidos que constituem as proteínas. Essa união é mediada por enzimas, que reconhecem tanto o RNAt com determinado anticódon quanto o aminoácido correspondente àquele anticódon. Por exemplo, moléculas de RNAt com anticódon AAA ou AAG ligam-se sempre ao aminoácido fenilalanina; RNAt com anticódons CCA, CCG, CCU ou CCC ligam-se à glicina; e assim por diante.

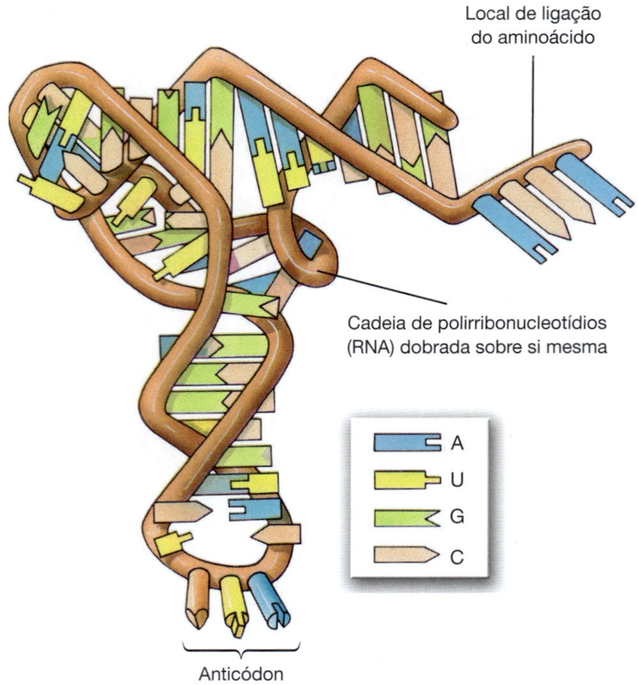

Figura 19.6 Representação esquemática da estrutura tridimensional de um RNAt. Uma trinca de bases especial, o anticódon, permite que o RNAt se emparelhe ao códon complementar do RNAm durante a síntese da proteína. (Cores-fantasia.) (Baseada em Rawn, J., 1989.)

RNA ribossômico (RNAr)

As moléculas de RNAt têm a função de capturar aminoácidos livres na célula e ordená-los sobre moléculas de RNAm, de acordo com sua sequência de códons. Esse processo ocorre em uma estrutura celular altamente especializada, o ribossomo, que promove o acoplamento do RNAm e dos RNAt na síntese das proteínas.

Ribossomos são estruturas citoplasmáticas constituídas por diversos tipos de proteína e por um tipo especial de RNA, o **RNA ribossômico** (**RNAr**). Cada ribossomo é composto de duas partículas, ou subunidades, de diferentes tamanhos.

O RNAm associa-se à subunidade menor do ribossomo. Os RNAt, cada qual unido ao seu respectivo aminoácido, unem-se à subunidade maior do ribossomo em dois locais específicos, conhecidos como sítio A e sítio P. Na subunidade maior localiza-se a enzima peptidiltransferase, cuja função é catalisar a **ligação peptídica** entre os aminoácidos, depois que estes se posicionam corretamente, de acordo com a sequência de códons do RNAm. (Fig. 19.7)

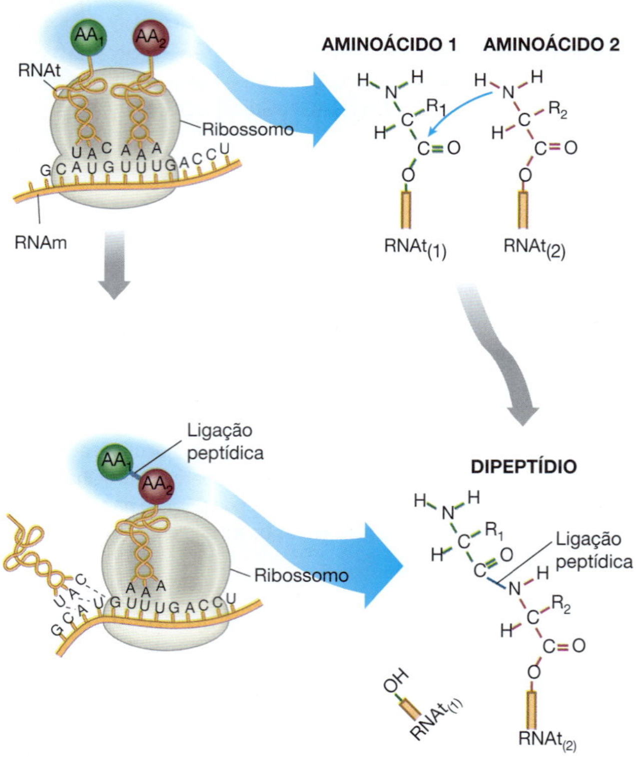

Figura 19.7 À esquerda, representação esquemática das etapas da formação de uma ligação peptídica em que dois aminoácidos trazidos por seus respectivos RNAt e posicionados sobre os códons do RNAm são unidos por ação da enzima peptidiltransferase presente no ribossomo. À direita, detalhe do processo com representação das fórmulas químicas dos aminoácidos. (Elementos fora de proporção de tamanho entre si; cores-fantasia.)

19.3 O mecanismo da síntese de proteínas: tradução gênica

A síntese de uma cadeia polipeptídica consiste, portanto, na união de aminoácidos de acordo com a sequência de códons do RNAm. Como esta é determinada pela sequência de bases do DNA, transcrita para o RNAm, a síntese de proteínas representa, em última instância, a "tradução" da informação genética, sendo por isso chamada **tradução gênica**. (Fig. 19.8)

No processo de tradução gênica, participam, dentre outros fatores, um ribossomo, um RNAm, vários RNAt, aminoácidos e diversas enzimas. O ribossomo encaixa-se em uma das extremidades do RNAm e o percorre em direção à outra extremidade. À medida que o deslocamento ocorre, os RNAt vão encaixando os aminoácidos na sequência definida pela ordem dos códons do RNAm. Dessa forma, a informação codificada pela sequência de bases do RNAm vai sendo traduzida na sequência de aminoácidos da proteína, isto é, em sua estrutura primária. Acompanhe, com mais detalhes, as principais etapas da tradução gênica.

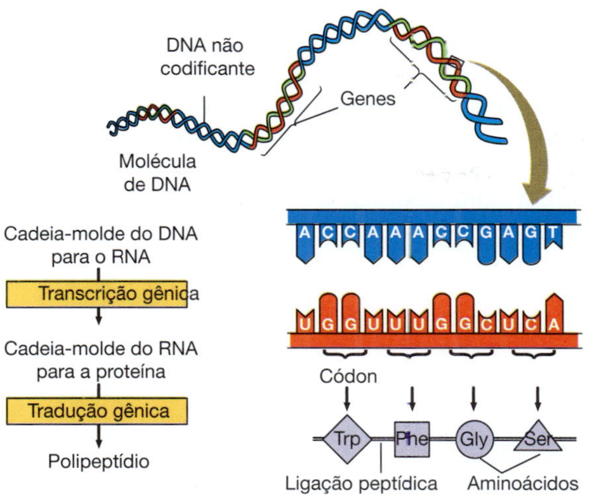

Figura 19.8 A sequência de bases de uma das cadeias do DNA é transcrita na forma de uma molécula de RNAm, que, por sua vez, será traduzida em uma cadeia polipeptídica. Cada trinca de bases no RNAm (códon) corresponde a um aminoácido na proteína. As abreviaturas indicam os aminoácidos: triptofano (Trp), fenilalanina (Phe), glicina (Gly) e serina (Ser). (Elementos fora de proporção de tamanho entre si; cores-fantasia.) (Baseada em Campbell, N. e cols., 1999.)

Início da síntese da cadeia polipeptídica

A síntese de um polipeptídio tem início com a associação entre um ribossomo, um RNAm e o RNAt que transporta o aminoácido metionina. Este, cujo anticódon é UAC, emparelha-se a um códon AUG localizado perto da extremidade inicial da molécula de RNAm. Esse primeiro códon AUG de um RNAm é chamado de **códon de início de tradução**, pois determina o início da informação para a cadeia polipeptídica. (Fig. 19.9)

Crescimento da cadeia polipeptídica

O RNAt que transporta metionina encaixa-se ao ribossomo, emparelhando seu anticódon (UAC) ao primeiro códon AUG do RNAm. O local do ribossomo onde se encaixa esse primeiro RNAt é chamado de **sítio P**; durante a síntese da proteína, ele será ocupado pelo RNAt que carrega a cadeia polipeptídica em formação. Junto ao sítio P do ribossomo localiza-se o **sítio A**, no qual se aloja o RNAt que traz o próximo aminoácido a ser incorporado na cadeia polipeptídica em formação.

Com o primeiro RNAt encaixado ao sítio P, um segundo RNAt aloja-se no sítio A. O anticódon desse segundo RNAt será complementar ao segundo códon codificador do RNAm, posicionado no sítio A. Por exemplo, se o códon do RNAm no sítio A for UUU, o RNAt que irá se encaixar tem anticódon AAA e transporta o aminoácido fenilalanina (Phe).

Assim que os dois primeiros RNAt se encaixam aos sítios P e A do ribossomo, este catalisa a ligação entre os aminoácidos e o desligamento do primeiro RNAt do aminoácido que ele transportava. Com isso, o RNAt que transportava a metionina desprende-se do RNAm e abandona o ribossomo. Simultaneamente, o ribossomo desloca-se sobre a molécula de RNAm, dando um "passo" correspondente a uma trinca de bases. O RNAt que ocupava o sítio A passa a ocupar, agora, o sítio P; ele transporta dois aminoácidos unidos por ligação peptídica, um dipeptídio.

Com o deslocamento do ribossomo, o sítio A torna-se disponível para a entrada do próximo RNAt, que se encaixa complementarmente ao terceiro códon da sequência codificadora, no RNAm.

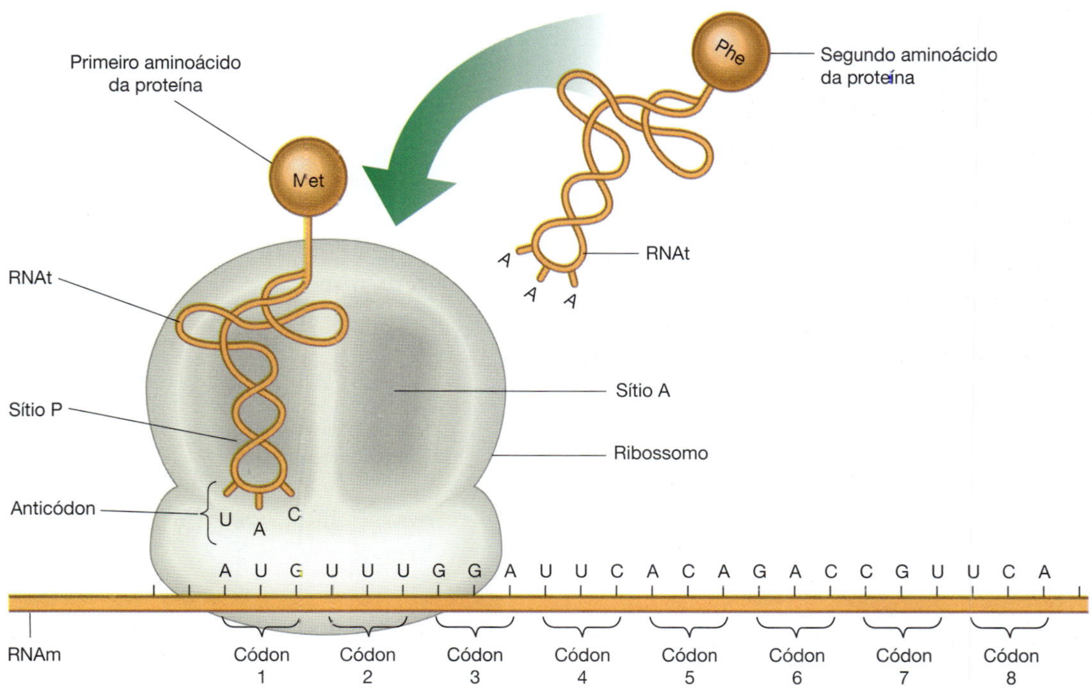

Figura 19.9 Representação esquemática do início da síntese de uma proteína. O ribossomo está associado ao RNAm; o primeiro RNAt, transportando o aminoácido metionina, ocupa o sítio P. O segundo RNAt, transportando fenilalanina, vai ocupar o sítio A; os dois aminoácidos irão se unir pela ligação peptídica. O ribossomo desloca-se uma trinca sobre o RNAm e o processo se repete. (Elementos fora de proporção de tamanho entre si; cores-fantasia.)

Novamente, o ribossomo catalisa a separação do dipeptídio ao RNAt que ocupava o sítio P e sua ligação ao aminoácido recém-chegado, transportado pelo RNAt ocupante do sítio A. Mais uma vez, o ribossomo dá um "passo" correspondente a uma trinca de bases; o RNAt desligado dos aminoácidos se solta e o sítio P passa a ser ocupado pelo RNAt que antes ocupava o sítio A. Esse RNAt transporta agora um tripeptídio, ou seja, uma cadeia de três aminoácidos. O sítio A, localizado sobre o quarto códon da sequência, torna-se disponível para receber o próximo RNAt, com seu respectivo aminoácido. Assim, à medida que o ribossomo se desloca sobre o RNAm, a cadeia polipeptídica cresce. (Fig. 19.10)

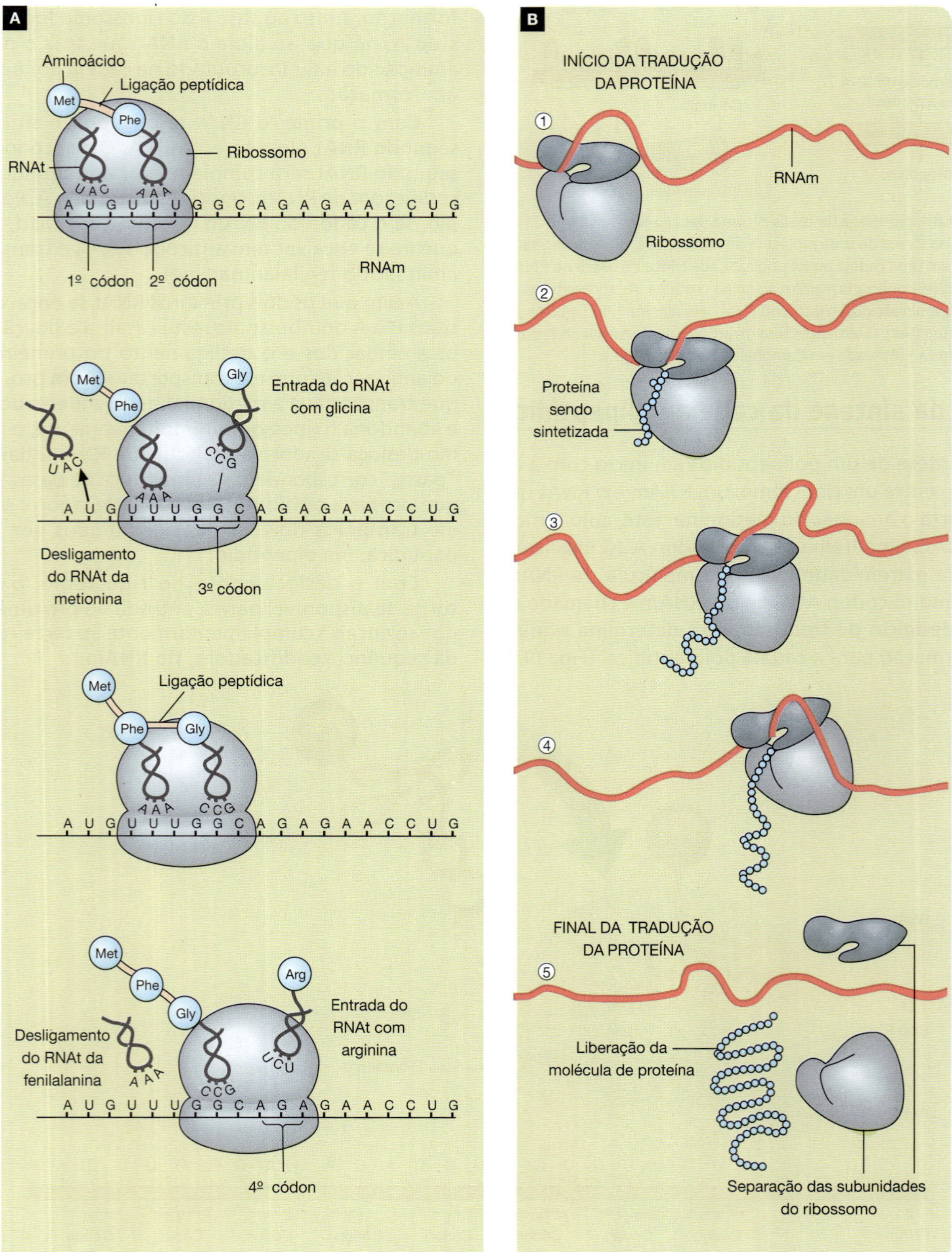

Figura 19.10 A. De cima para baixo, representação dos estágios sucessivos do encadeamento dos aminoácidos para formar a proteína. A sequência de códons no RNAm determina a ordem em que os aminoácidos se unem. **B.** Visão geral do processo de síntese de proteínas que ocorre no ribossomo, desde o momento em que ele se une ao RNAm (1) até que suas subunidades se separam (5), liberando a proteína completamente formada. (Elementos fora de proporção de tamanho entre si; cores-fantasia.)

Término da síntese da cadeia polipeptídica

O último estágio da síntese de um polipeptídio ocorre quando o ribossomo chega a um **códon de parada**, um dos três para os quais não há aminoácido correspondente. Quando isso acontece, o sítio A do ribossomo é ocupado por uma proteína denominada fator de liberação. Todos os participantes do processo se separam, liberando a cadeia polipeptídica formada.

Ao percorrer a molécula de RNAm, um ribossomo promove a síntese de uma única cadeia polipeptídica. Entretanto, à medida que um ribossomo se desloca sobre o RNAm, traduzindo-o, outro ribossomo pode se associar ao mesmo RNAm e iniciar a síntese de outra cadeia polipeptídica. Esta será exatamente idêntica à produzida pelo outro ribossomo.

É comum encontrar entre dez e vinte ribossomos traduzindo simultaneamente um mesmo RNAm. Cada um deles apresenta uma cadeia polipeptídica em formação, cujo tamanho depende do trecho já percorrido no RNAm. O conjunto formado por vários ribossomos traduzindo simultaneamente um mesmo RNAm é denominado **polirribossomo**, ou polissomo. (Fig. 19.11)

Conteúdo multimídia
Síntese de proteínas

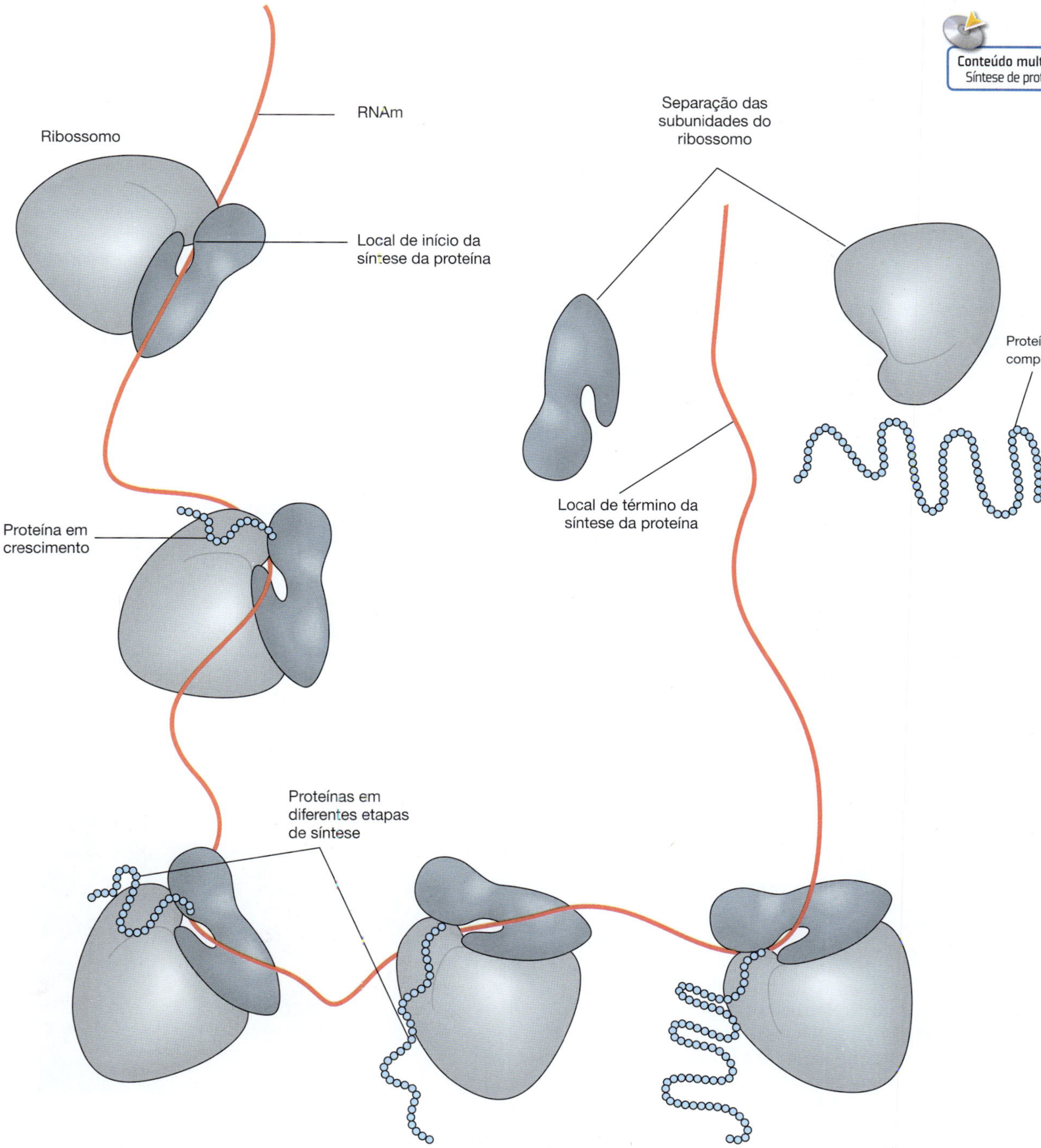

Figura 19.11 Representação esquemática de um polirribossomo. Uma molécula de RNAm vai sendo percorrida simultaneamente por diversos ribossomos, todos eles sintetizando cadeias polipeptídicas idênticas. (Elementos fora de proporção de tamanho entre si; cores-fantasia.)

Ciência e cidadania

Erros inatos do metabolismo

1 A descoberta de que os genes atuam em diversas reações metabólicas possibilitou não apenas o avanço do conhecimento científico, mas a aplicação desse conhecimento no diagnóstico e na prevenção de certas doenças hereditárias, que o médico inglês Archibald Garrod (1857-1936) denominou **erros inatos do metabolismo**. Exemplos são a fenilcetonúria, a alcaptonúria e o albinismo, todas causadas por alterações (mutações) em genes que atuam no metabolismo da fenilalanina. Na figura a seguir, são apresentados alguns passos do metabolismo da fenilalanina no organismo humano.

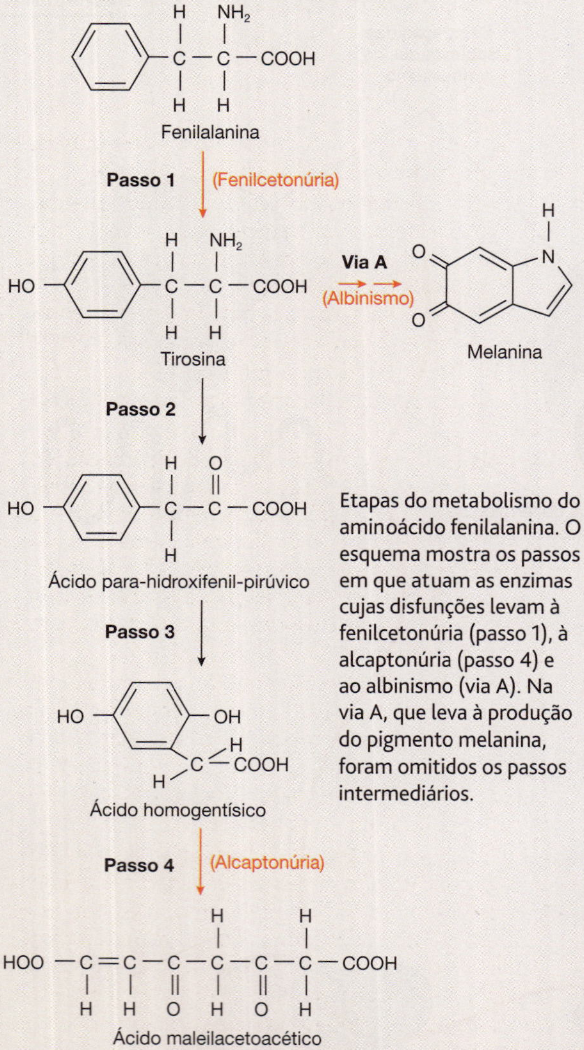

Etapas do metabolismo do aminoácido fenilalanina. O esquema mostra os passos em que atuam as enzimas cujas disfunções levam à fenilcetonúria (passo 1), à alcaptonúria (passo 4) e ao albinismo (via A). Na via A, que leva à produção do pigmento melanina, foram omitidos os passos intermediários.

2 A **fenilalanina** é um aminoácido essencial à nossa espécie. Como não conseguimos sintetizá-lo, temos de recebê-lo pronto na dieta. As células do corpo humano utilizam fenilalanina obtida do alimento para sintetizar suas proteínas, e o excedente desse aminoácido é transformado em tirosina.

3 A tirosina, por sua vez, é um aminoácido não essencial, ou seja, um aminoácido que nosso organismo pode sintetizar. Nossas células a utilizam para a síntese de proteínas e de outros compostos importantes, como a melanina (pigmento presente na pele e nos pelos) e os hormônios tiroxina e triiodotironina (produzidos pela glândula tireóidea) e adrenalina e noradrenalina (produzidos pela glândula suprarrenal).

Fenilcetonúria

4 A **fenilcetonúria** é uma doença hereditária causada por um alelo recessivo de um gene localizado no cromossomo 12 humano, cuja frequência varia nas diversas populações. Entre os caucasianos, uma em cada 10.000 crianças nasce com a enfermidade; entre os turcos, essa taxa é de 1 em cada 2.600 nascimentos; entre os japoneses, é de 1 em cada 143.000 nascimentos; entre os africanos, a doença é extremamente rara.

5 Observe, na figura que mostra as etapas do metabolismo da fenilalanina, que a reação química de transformação desse aminoácido em tirosina consiste na adição de uma hidroxila (OH) ao anel hexagonal da molécula. Essa reação é catalisada pela enzima hidroxilase de fenilalanina, também chamada fenilalanina--4-monoxigenase.

6 Se essa enzima faltar – o que ocorre quando a pessoa é homozigótica para o alelo alterado do gene que a produz –, as células não transformam fenilalanina em tirosina. Com isso, a fenilalanina acumula-se no sangue e é convertida em outras substâncias, como ácido fenilpirúvico, ácido fenilláctico e fenilacetilglutamina, características da fenilcetonúria.

7 Algumas das substâncias acumuladas pelos fenilcetonúricos são tóxicas e causam lesões cerebrais; se não forem tratados adequadamente logo após o nascimento, os fenilcetonúricos podem vir a ter deficiência mental. A constatação da ausência da enzima logo após o nascimento permite evitar as manifestações da doença. Em muitos países é obrigatório submeter os recém-nascidos a um exame laboratorial popularmente chamado "teste do pezinho", que identifica os fenilcetonúricos. No Brasil, esse exame é obrigatório com base na Lei Federal n. 8.069, de 13 de julho de 1990. Uma vez diagnosticada a doença, a pessoa deve passar a ingerir na dieta apenas o mínimo de fenilalanina requerido pelo organismo.

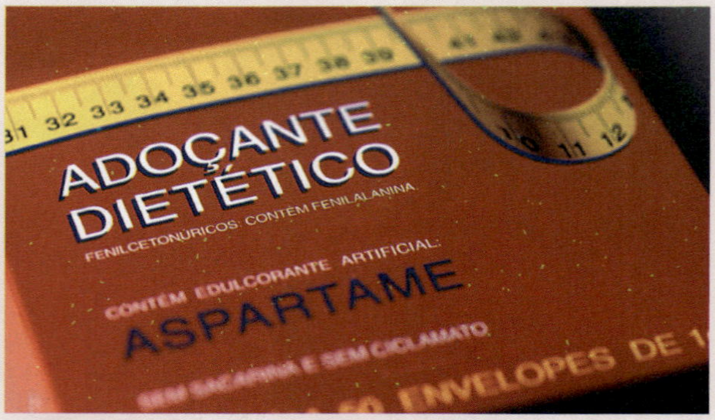

FABIO COLOMBINI

Embalagem de adoçante dietético com aviso para os fenilcetonúricos de que o produto contém fenilalanina. O aspartame deve ser evitado pelos fenilcetonúricos, pois essa substância é composta por fenilalanina e ácido aspártico.

Alcaptonúria

8 A **alcaptonúria** é causada pelo alelo recessivo de um gene autossômico localizado no cromossomo 3 humano. O alelo é raro na maioria das populações humanas. A frequência de pessoas afetadas é da ordem de 1 em cada 250 mil a 1 milhão de nascimentos. Na Eslováquia, porém, essa doença é muito mais comum: ocorre numa taxa de 1 caso em cada 19 mil nascimentos.

9 O gene cuja alteração provoca a alcaptonúria codifica a enzima oxidase do ácido homogentísico, responsável pela transformação desse ácido em ácido maleilacetoacético. O ácido homogentísico, também chamado alcaptona, acumula-se no sangue dos alcaptonúricos, que o eliminam na urina. Devido à presença da alcaptona, a urina torna-se escura em contato com o ar; isso permite que o distúrbio metabólico seja facilmente diag[...] branda que a fenilcetonúria, a alcaptonú[...] principais consequências o escurecimento d[...] e certa propensão à artrite.

Albinismo

10 O termo albinismo refere-se a um conjunto de condições hereditárias que leva os albinos a ter pouca ou nenhuma pigmentação nas estruturas de origem epidérmicas. O **albinismo tipo 1** é condicionado por um alelo recessivo de um gene localizado no cromossomo 11 humano, cujo alelo normal codifica a enzima tirosinase, responsável pela transformação de tirosina em melanina. Os homozigóticos recessivos para o alelo mutante desse gene apresentam ausência total do pigmento melanina na pele, nos olhos, pelos e cabelos.

Guia de leitura

1 Antes de ler o primeiro parágrafo, lembre-se: as fórmulas ilustram as ideias tratadas e não precisam ser memorizadas. Exercite sua capacidade de observação analisando as diferenças entre as fórmulas dos diferentes passos metabólicos. Você será orientado para isso ao longo deste Guia de leitura.

2 Leia o primeiro parágrafo e resuma, com suas palavras, o que são erros inatos do metabolismo.

3 O segundo parágrafo comenta a importância da fenilalanina para nosso organismo. Confira a fórmula desse aminoácido na parte superior da figura que mostra as etapas do seu metabolismo. Por que a fenilalanina é considerada um aminoácido essencial à espécie humana?

4 O terceiro parágrafo refere-se à tirosina e reforça os conceitos de aminoácidos essenciais e não essenciais. Confira sua resposta, no item anterior. Qual é a importância da tirosina para o organismo humano?

5 Analise novamente a parte superior da figura, que mostra as etapas do metabolismo da fenilalanina, e compare as fórmulas desse aminoácido e da tirosina. Qual é a diferença entre elas? Aproveite também para analisar a fórmula da melanina, pigmento presente em nossa pele.

6 Leia o quarto parágrafo e informe-se sobre a frequência da fenilcetonúria em algumas etnias humanas.

7 No parágrafo 5, o texto remete às etapas do metabolismo da fenilalanina e permite confirmar a diferença entre as estruturas químicas desse aminoácido e a tirosina. Por que a enzima que catalisa essa reação é denominada hidroxilase de fenilalanina?

8 O sexto parágrafo apresenta a causa primária da fenilcetonúria. Qual é ela?

9 Leia o sétimo parágrafo do quadro, que trata das consequências da fenilcetonúria se a pessoa não for diagnosticada e tratada precocemente. Unifique tudo o que aprendeu em uma tabela que apresente: **a)** origem da fenilcetonúria; **b)** consequência para o metabolismo; **c)** detecção e tratamento.

10 Observe a imagem da embalagem do adoçante dietético e leia atentamente sua legenda. Você já tinha notado esse tipo de advertência em produtos que contêm fenilalanina? Escreva um pequeno texto que reúna suas informações pessoais anteriores sobre o assunto (se houver) e as informações do texto.

11 Leia o oitavo parágrafo e informe-se sobre a frequência da alcaptonúria em algumas populações humanas.

12 No parágrafo 9 comenta-se sobre a alteração genética responsável pela alcaptonúria e suas consequências para o metabolismo. Analise novamente as etapas do metabolismo da fenilalanina. Localize o passo 1, que, se não ocorrer, leva à fenilcetonúria. Localize a seguir o passo 4, que, se não ocorrer, leva à alcaptonúria. Observe as fórmulas e constate suas diferenças.

13 Leia o décimo e último parágrafo, referente ao albinismo. Localize, nas etapas do metabolismo da fenilalanina, a via A, referente ao albinismo. Note as diferenças entre as estruturas químicas da substância precursora dessa via – a tirosina – e o produto resultante – a melanina.

14 Ainda sobre o parágrafo 10, quais as consequências do não funcionamento do passo metabólico que leva à produção de melanina? Você conhece alguma pessoa portadora dessa característica? Informe-se sobre o papel da melanina em nosso organismo e sobre os cuidados que devem ser adotados pelas pessoas albinas.

15 Leia novamente os parágrafos 4, 8 e 10 e anote em quais cromossomos se localizam os genes que codificam as enzimas para o metabolismo da fenilalanina estudados no quadro. Como vimos, alterações desses genes levam ao surgimento de erros inatos denominados fenilcetonúria, alcaptonúria e albinismo. Relembrando seus conhecimentos de Genética, responda: espera-se que esses três genes tenham segregação independente? Por quê?

.4 O controvertido conceito de gene

O termo gene foi criado em 1909 pelo pesquisador dinamarquês Wilhelm Ludvig Johannsen (1857-1927) e logo adotado pelos geneticistas, em substituição ao termo "fator hereditário", introduzido por Mendel. Durante décadas, o conceito de gene foi atualizado de acordo com os conhecimentos genéticos da época. Porém, com a quantidade de novas informações sobre a estrutura e o funcionamento do material genético, geradas pelo impressionante desenvolvimento da Genética Molecular nas últimas décadas, tem sido cada vez mais difícil adequar o conceito de gene aos novos tempos. Há geneticistas que consideram o conceito de gene ultrapassado e sugerem seu abandono.

A ironia é que nunca, na história da Genética, o termo gene teve tanto destaque como nos dias atuais. Aboli-lo poderia trazer mais problemas que soluções, principalmente para aqueles que não são especialistas. Uma definição que permite incorporar dados moleculares sem abalar a visão clássica de **gene** é: um segmento de DNA com informação para a síntese de um polipeptídio ou de um RNA.

Os limites de um gene

Cada cromossomo é constituído por uma única molécula de DNA, com milhões de pares de bases e milhares de informações genéticas – os genes. A expressão de cada um desses genes ocorre por meio da transcrição gênica, que consiste em transcrever a sequência de bases nitrogenadas de um segmento definido da molécula de DNA em uma molécula de RNA. Uma pergunta que intrigou os cientistas durante muito tempo foi: o que define o início e o fim do segmento de DNA a ser transcrito, isto é, os limites de um gene?

Hoje se sabe que o início de transcrição é definido por uma sequência especial de pares de bases nitrogenadas da dupla-hélice de DNA conhecida como **região promotora do gene**. Essa sequência determina o local em que se encaixa a polimerase do RNA, para iniciar a síntese de RNA.

Após se encaixar à região promotora do gene, a polimerase vai separando a dupla-hélice do DNA e utilizando uma das cadeias como molde para a formação do RNA. O processo continua até que a polimerase do RNA encontra uma sequência específica de bases nitrogenadas, a chamada **sequência de término de transcrição**, que marca o fim do processo. Portanto, todo gene tem um início, a região promotora, e um fim, a sequência de término de transcrição. (Fig. 19.12)

Diferença entre genes bacterianos e genes eucarióticos

O grande desenvolvimento tecnológico e conceitual nos campos da Genética e da Bioquímica nas últimas décadas mostrou que, apesar de a maior parte das formas de vida compartilhar o mesmo código genético, a maneira como as informações genéticas estão estruturadas nos cromossomos e o modo como elas são transcritas e traduzidas diferem entre bactérias e seres eucarióticos.

Uma das diferenças mais marcantes refere-se à organização da informação genética. Em bactérias, a sequência de aminoácidos de um polipeptídio corresponde exatamente à sequência de bases do DNA que foi transcrito para o RNAm, ou seja, há colinearidade entre as cadeias polipeptídicas e os segmentos de DNA que as codificam. Nos genes eucarióticos, por outro lado, a sequência de bases do DNA que codifica os aminoácidos está intercalada com sequências que não participam da codificação. É como se introduzíssemos palavras, frases ou parágrafos sem sentido em determinados pontos de um texto; a informação original continua lá, mas interrompida por trechos sem significado, que têm de ser eliminados da leitura para que a informação seja compreendida.

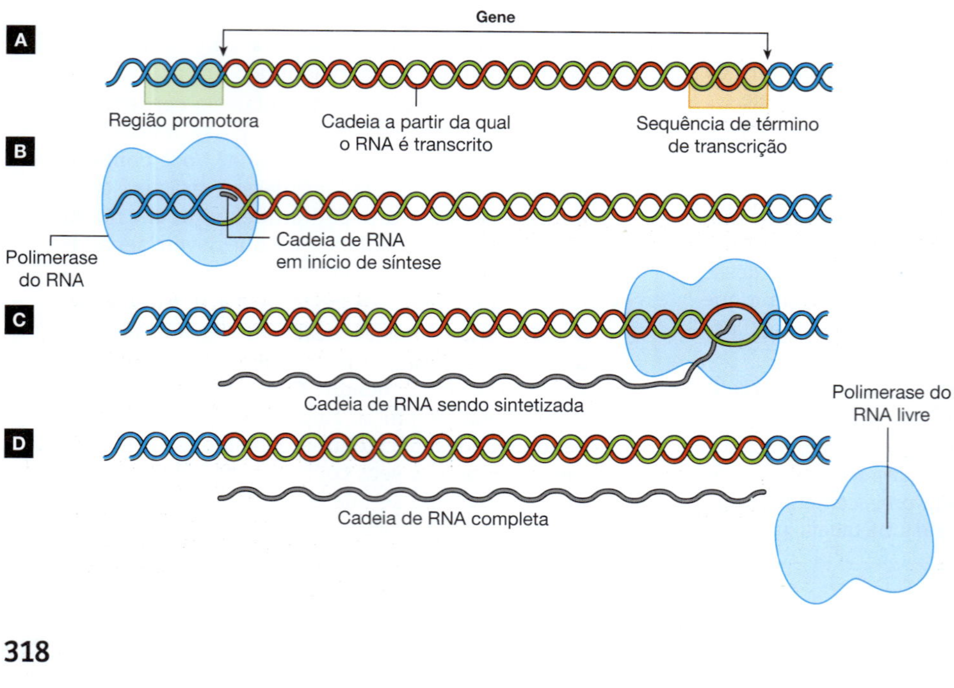

Figura 19.12 Representação esquemática de um gene. Seu início é marcado pela região promotora, uma sequência de bases à qual se liga a polimerase do RNA; o final do gene é marcado por outra sequência de bases, conhecida como término de transcrição. Ao atingir essa sequência, a polimerase do RNA desprende-se do DNA, finalizando a transcrição. (Elementos fora de proporção de tamanho entre si; cores-fantasia.)

Os trechos de um gene eucariótico que contêm informação para aminoácidos são denominados **éxons** (do inglês *expressed region*, região expressa); os trechos intercalares, que não codificam aminoácidos, são denominados **íntrons** (do inglês *intragenic region*, região intragênica). (Fig. 19.13)

Splicing genético: corte e emenda do RNA

A descoberta de que as informações genéticas dos organismos eucarióticos são interrompidas criou um novo desafio para os cientistas: explicar como, a partir de um DNA contendo íntrons, é produzido um RNAm colinear com a sequência de aminoácidos do polipeptídio.

Foi demonstrado que no processo de transcrição gênica em eucariontes o segmento de DNA correspondente a um gene é lido de ponta a ponta, de modo que o RNA produzido, denominado pré-RNA mensageiro, contém tanto éxons quanto íntrons. Esse RNA sofre, então, cortes nos limites entre os éxons e os íntrons. Os íntrons são degradados e os éxons são unidos em sequência para constituir o RNA mensageiro. O processo de "edição" do RNA por meio de cortes, eliminação dos íntrons e emenda dos éxons é chamado ***splicing***, termo da língua inglesa que significa "corte e emenda".

Dependendo do tipo de célula, um mesmo pré-RNA mensageiro pode sofrer tipos variados de *splicing*. Em outras palavras, nos diversos tipos de célula de um organismo pode haver diferentes tipos de segmentos eliminados, de modo que o mesmo pré-RNA mensageiro origina RNA mensageiros com informações genéticas diferentes; é o ***splicing* alternativo** do RNA. Os cientistas estimam que aproximadamente 95% dos genes humanos formados por múltiplos éxons apresentam *splicing* alternativo, o que explica por que o número de tipos de proteínas do corpo de uma pessoa é muito superior ao número de genes. (Fig. 19.14)

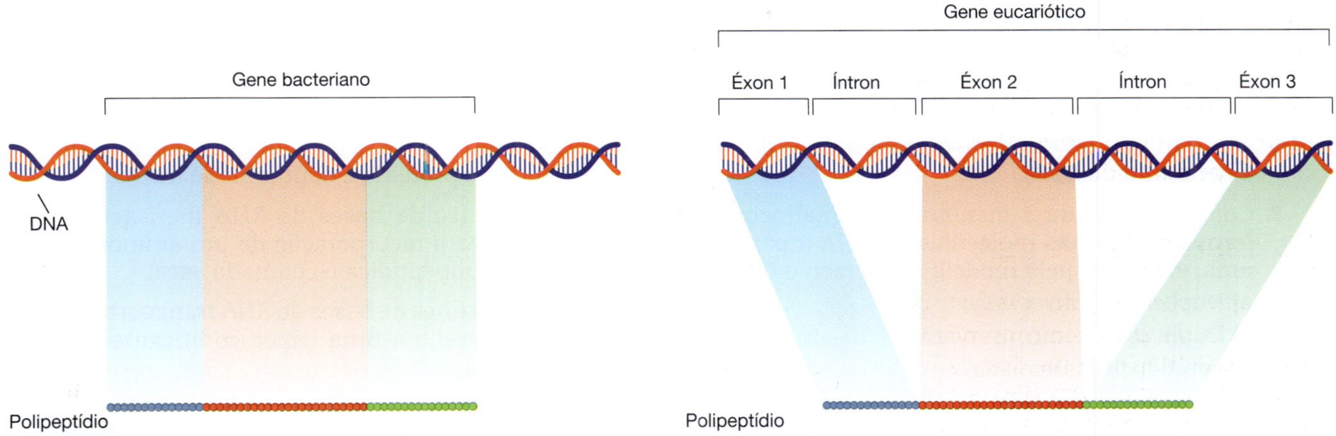

Figura 19.13 Representação esquemática da organização de um gene não interrompido de uma bactéria e de um gene interrompido de organismo eucariótico. (Elementos fora de proporção de tamanho entre si; cores-fantasia.)

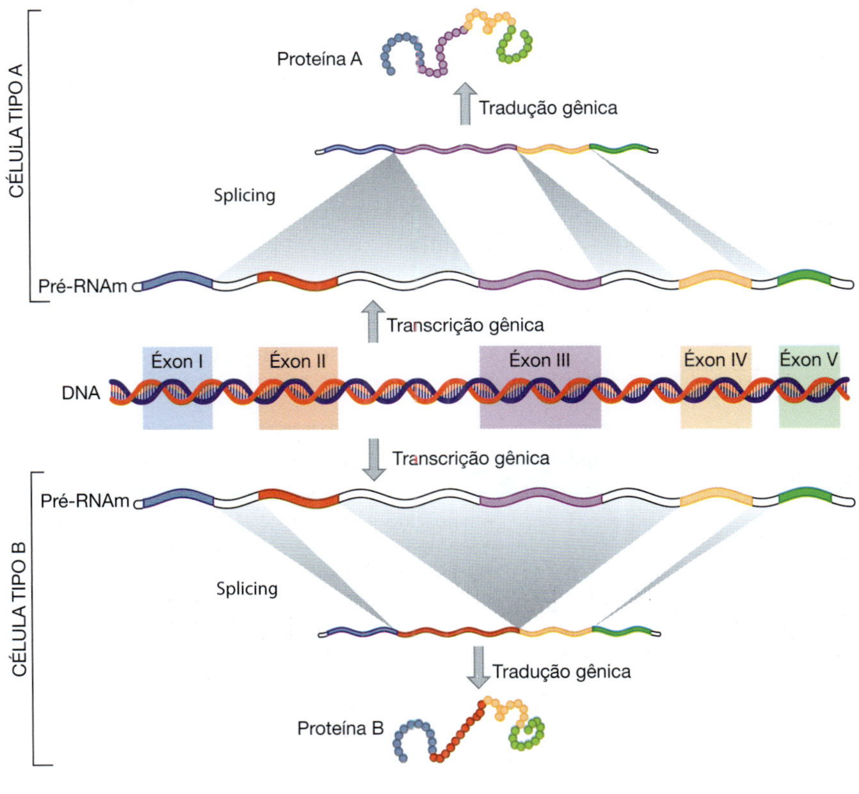

Figura 19.14 Representação esquemática do processo de *splicing* alternativo de um pré-RNA mensageiro em dois tipos de célula, o que resulta em dois tipos diferentes de proteína, A e B. Na célula tipo A, o éxon II foi removido pelo *splicing*; assim, esse segmento não está presente no RNAm e, portanto, não codifica aminoácidos na proteína. Na célula tipo B, por sua vez, o *splicing* removeu o éxon III. (Elementos fora de proporção de tamanho entre si; cores-fantasia.)

Atividades

Visão do especialista | Biblioteca do estudante Faça você mesmo!

Revendo conceitos fundamentais

1. Qual é o material hereditário de praticamente todos os seres vivos?

a) A desoxirribose.
b) O ácido desoxirribonucleico (DNA).
c) O ácido ribonucleico (RNA).
d) A base nitrogenada.

Escreva no caderno o termo abaixo que substitui corretamente a tarja entre parênteses das frases de 2 a 4.

a) base nitrogenada
b) desoxirribose
c) desoxirribonucleotídio
d) ribose
e) ribonucleotídio

2. Cada unidade molecular constituinte do polímero conhecido pela sigla DNA é um(a) (▬).

3. Um glicídio com cinco átomos de carbono na molécula (pentose) que faz parte do DNA é a(o) (▬).

4. O trio molecular que constitui a unidade do RNA é denominado (▬).

5. Como é chamada a maneira pela qual ocorre a formação de duas moléculas de DNA a partir de uma, explicada pelo modelo de Watson e Crick?

a) Duplicação conservativa.
b) Duplicação semiconservativa.
c) Reprodução assexuada.
d) Reprodução sexuada.

6. Qual é o glicídio presente no RNA?

a) Desoxirribose.
b) Ribose.
c) Timina.
d) Uracila.

Utilize as alternativas a seguir para responder às questões 7 e 8.

a) alteração gênica
b) duplicação semiconservativa
c) tradução gênica
d) transcrição gênica

7. A síntese de RNA a partir do DNA é denominada (▬).

8. (▬) é a denominação que se dá à síntese de um polipeptídio a partir de uma informação codificada na sequência de bases do RNA.

9. Em que processo atua a enzima polimerase do RNA?

a) Síntese da base nitrogenada uracila.
b) Síntese de RNA a partir de DNA.
c) Síntese de ribonucleotídios livres.
d) União entre desoxirribonucleotídios livres.

Escreva no caderno o termo abaixo que substitui corretamente a tarja entre parênteses das frases de 10 a 13.

a) ribossomo
b) RNA mensageiro
c) RNA ribossômico
d) RNA transportador

10. (▬) é um polinucleotídio que determina a sequência de aminoácidos na cadeia polipeptídica.

11. O responsável pela condução dos aminoácidos até o local da tradução gênica é o (▬).

12. (▬) é uma estrutura granular constituída por proteína e ácido nucleico onde ocorre a síntese de polipeptídios.

13. (▬) é um polinucleotídio que, associado a proteínas, forma partículas citoplasmáticas onde ocorre a tradução gênica.

Escreva no caderno o termo abaixo que substitui corretamente a tarja entre parênteses das frases de 14 a 17.

a) anticódon
b) código genético
c) códon
d) polissomo

14. O sistema de correspondência entre trincas de bases nitrogenadas do RNA mensageiro e aminoácidos na proteína é denominado (▬).

15. Cada trinca de bases do RNA mensageiro que determina a incorporação de um aminoácido na cadeia polipeptídica é chamada (▬).

16. (▬) é a trinca de bases do RNA transportador que se emparelha a uma trinca codificante no RNA mensageiro.

17. Uma molécula de RNAm sendo traduzida por vários ribossomos simultaneamente é um (▬).

Ligando conceitos, fatos e processos

As informações referem-se às questões de 18 a 22; para respondê-las, utilize as alternativas a seguir.

a) ácido nucleico do tipo RNA
b) ácido nucleico do tipo DNA
c) ácido nucleico que pode ser DNA ou RNA
d) polipeptídio

Um pesquisador analisou amostras de substâncias extraídas e purificadas de um organismo. Resultados da análise molecular estão reunidos na tabela a seguir.

Substância	Unidade molecular	Uracila	Timina	Glicídio
I	Aminoácido	Ausente	Ausente	Ausente
II	Nucleotídio	Presente	Ausente	?
III	Nucleotídio	?	?	Desoxirribose
IV	Nucleotídio	?	?	Ribose
V	?	Ausente	Presente	?

18. A substância I é um (▬▬).

19. A substância II é um (▬▬).

20. A substância III é um (▬▬).

21. A substância IV é um (▬▬).

22. A substância V é um (▬▬).

23. O que se obtém caso as ligações de hidrogênio de uma molécula de DNA sejam desfeitas?
a) São obtidas bases nitrogenadas livres.
b) São obtidas cadeias polinucleotídicas isoladas.
c) São obtidas desoxirriboses livres.
d) São obtidos nucleotídios livres.

24. O que significa dizer que as duas cadeias de uma molécula de DNA são complementares?
a) Elas têm os mesmos tipos de bases nitrogenadas.
b) Uma delas é formada apenas pelas bases A/T, e a outra, por C/G.
c) Onde houver A em uma delas, haverá U na outra; onde houver C em uma delas, haverá G na outra.
d) Onde houver A em uma delas, haverá T na outra; onde houver C em uma delas, haverá G na outra.

25. Um pesquisador descobriu que a sequência de bases de um trecho de uma molécula de DNA é ATTACGAGGTACATTCG. Qual será a sequência de bases na cadeia complementar, no mesmo trecho?
a) Será ATTACGAGGTACATTCG.
b) Será GCCGTAGAACGTGCCTA.
c) Será TAATGCTCCATGTAAGC.
d) Não pode ser determinada.

26. Como é chamada a sequência de bases nitrogenadas do DNA à qual se liga a polimerase do RNA, dando início à síntese de RNA?
a) Anticódon.
b) Códon.
c) Região promotora.
d) Sequência de término de transcrição.

Utilize as alternativas a seguir para responder às questões 27 e 28.
a) no cromossomo, tendo por modelo o DNA.
b) no cromossomo, tendo por modelo proteínas.
c) no nucléolo, tendo por modelo o RNAm.
d) no ribossomo, tendo por modelo o RNAr.

27. O RNA transportador – RNAt – é sintetizado (▬▬).

28. O RNA mensageiro (RNAm) é sintetizado (▬▬).

29. A partir de qual molécula o RNA ribossômico (RNAr) é sintetizado?
a) DNA.
b) RNAm.
c) RNAt.
d) Proteína.

30. Ao final da síntese de um polipeptídio, o que o ribossomo encontra na molécula de RNA mensageiro que está sendo traduzida?
a) Um códon AUG.
b) Um dos três códons de parada, para os quais não há RNAt correspondentes.
c) Uma região promotora.
d) Uma sequência de término de transcrição.

31. Onde é sintetizada uma cadeia polipeptídica?
a) Em apenas um ribossomo, que se desloca sobre o RNA mensageiro desde um códon AUG até um códon de parada.
b) Em apenas um ribossomo, que se desloca sobre o RNA mensageiro desde a região promotora até um anticódon.
c) Em inúmeros ribossomos, que se dispõem em sequência sobre o RNA mensageiro, cada um deles associado a um códon.
d) Em inúmeros ribossomos, que se dispõem em sequência sobre o RNA mensageiro, cada um deles associado a dois códons vizinhos.

32. O que é um polirribossomo (ou polissomo)?
a) Um conjunto de ribossomos associados ao segmento de DNA responsável pela síntese do RNAr.
b) Um conjunto de ribossomos que se deslocam sobre um RNA mensageiro, cada um produzindo uma cadeia polipeptídica completa da mesma proteína.
c) Um conjunto de ribossomos dispostos em sequência sobre um RNA mensageiro, todos contribuindo para produzir uma única molécula de proteína.
d) Um conjunto de ribossomos associados a diversas moléculas de RNA mensageiro.

Questões para exercitar o pensamento

33. A sequência ACUGACAUGUUACUCACUAUUUGACAGGUAA representa uma molécula de RNA mensageiro cuja tradução ocorre da esquerda para a direita.
Tendo por base a tabela de código genético apresentada neste capítulo, determine:
a) o códon a partir do qual será iniciada a cadeia polipeptídica;
b) o último códon com aminoácido correspondente na cadeia polipeptídica;
c) a sequência de aminoácidos da cadeia polipeptídica codificada por esse RNA.

34. Escreva a sequência de bases das duas cadeias do DNA a partir do qual foi transcrito o RNA mencionado na questão anterior, indicando qual das cadeias foi transcrita pela polimerase do RNA.

35. Quais seriam os efeitos, no RNA mensageiro e no polipeptídio traduzido, se o 16º par de bases (T = A) do DNA da questão anterior fosse trocado pelo par C ≡ G? (Utilize a tabela de código genético para responder a esta questão.)

36. Quais seriam os efeitos no RNA mensageiro e no polipeptídio se o 16º par de nucleotídios do DNA da questão 34 fosse eliminado da molécula? (Utilize a tabela de código genético para responder a esta questão.)

37. Leia a reportagem a seguir e responda às questões propostas.

Cientistas usam DNA sintético para armazenar arquivos digitais

Com cerca de 3 bilhões de "letras", o genoma humano contém instruções suficientes para construir um organismo tão complexo quanto uma pessoa. Tudo isso, no entanto, está guardado em uma estrutura microscópica que cabe no núcleo de uma simples célula. Agora, cientistas decidiram usar esta gigantesca capacidade do DNA de armazenar informações em pequenos espaços para gravar arquivos digitais e depois recuperá-los de forma segura e confiável, demonstrando a viabilidade de uma tecnologia que pode mudar a forma como lidamos com a crescente quantidade de dados que produzimos e consumimos atualmente.

Em um experimento ousado, os pesquisadores Nick Goldman e Ewan Birney, do Instituto Europeu de Bioinformática (EMBL-EBI), criaram sequências genéticas artificiais nas quais codificaram um trecho de áudio do famoso discurso "I have a dream", de Martin Luther King, em defesa dos direitos civis nos EUA; o texto de todos os 144 sonetos do escritor inglês William Shakespeare; uma foto do prédio do instituto no Reino Unido; e uma cópia (...) do artigo dos anos 50 em que James Watson e Francis Crick descreveram a estrutura em hélice dupla do DNA. Eles então pediram que as sequências fossem sintetizadas em um laboratório na Califórnia e enviadas pelo correio dentro de um pequeno tubo de ensaio de volta para o instituto, onde sequenciaram o DNA e puderam reconstruir os arquivos digitais.

— Estava com Ewan em um bar em Hamburgo (Alemanha) e discutíamos a dificuldade que o EMBL enfrenta para armazenar a enorme quantidade de informações biológicas que ele produz, com bases de dados que crescem exponencialmente — relembra Goldman, coautor do artigo que descreve o processo, publicado na edição desta semana da revista *Nature*. — Pensamos qual seria a alternativa para os caros discos rígidos ou as fitas magnéticas atualmente em uso e então tivemos a ideia de que o DNA é uma forma muito compacta e robusta de armazenar informações, pois o extraímos dos ossos de mamutes com dezenas de milhares de anos de idade e ainda assim podemos reconstruí-lo. Além disso, o DNA é incrivelmente pequeno, denso e não precisa de nenhum tipo de energia para ser armazenado, o que o torna fácil de enviar e manter.

Com esta ideia na cabeça, Goldman e Birney partiram para a criação de um código que pudesse traduzir os zeros e uns dos arquivos digitais no "alfabeto" do DNA, composto de quatro "letras" — C, G, T e A, abreviaturas para as moléculas citosina, guanina, timina e adenina, nucleotídeos cujos pares formam o código genético dos seres vivos. Além disso, eles incluíram no código meios de correção para eventuais erros e formas de evitar os homopolímeros, como são chamadas as longas sequências do mesmo nucleotídeo (por exemplo, GGGGG, ou AAAAA), o que geralmente provoca falhas nos processos de síntese e sequenciamento de DNA.

Como resultado, cada sequência de oito zeros e uns dos arquivos digitais, como as relativas a uma letra dos textos de Shakespeare ou a um pixel na foto do laboratório, foi traduzida em uma "palavra" com cinco letras do DNA. Ao todo, os arquivos usados na experiência e seus códigos de correção e verificação tinham 757.051 destes conjuntos de oito zeros e uns, ou 739 kilobytes (Kb), que resultaram em 153.335 sequências de DNA, cada qual com 117 nucleotídeos.

Mas, antes que você pense que a pesquisa ameace transformar as fotos ou músicas guardadas em seu computador em monstros mutantes, Goldman garante que é impossível o DNA sintético feito com seu código resultar em um organismo viável.

— Não temos absolutamente nenhuma intenção de brincar com a vida — afirma o pesquisador. — Evitamos deliberadamente seguir trabalhos de outros grupos que armazenaram pequenas quantidades de informações no genoma de seres vivos. Além do fato de que seria muito difícil fazer esta pesquisa devido a limitações éticas, seria ainda um problema para o armazenamento, pois os genomas já estão cheios de informações que os organismos precisam para viver e, se você mexer com isso, ele pode deixar de viver. O DNA que criamos não pode ser incorporado acidentalmente em um genoma. É um código completamente diferente do que as células de seres vivos usam. Se por acaso você acabasse com este DNA dentro de você, ele simplesmente iria se degradar e ser jogado fora. Não é algo que tenha lugar dentro de um organismo vivo.

Disponível em: <http://glo.bo/11SXEWi>. Acesso em: abr. 2013.

a) Segundo o artigo, o que faz o DNA ser um bom armazenador de informações? Encontre os trechos da reportagem que tratam disso e resuma-os.

b) O artigo menciona os "zeros e uns" utilizados pelos computadores para armazenar informações. O que você sabe sobre o sistema binário utilizado em informática? Pesquise sobre o tema e escreva um pequeno texto resumindo as informações coletadas.

c) A reportagem menciona que o DNA utilizado nessa técnica não apresenta riscos para os organismos vivos. Explique os motivos, baseando-se no que você aprendeu sobre transcrição e tradução do DNA.

d) Depois de refletir sobre essas questões, seu desafio é escrever uma nova manchete (ou título) para a matéria. Não se esqueça de que ela deve ter impacto e apelar para conhecimentos prévios dos leitores.

A Biologia no vestibular e no Enem

Questões objetivas

1. (UFPA) Em 1953, Watson e Crick decifraram que a estrutura da molécula de DNA (ácido desoxirribonucleico) é uma dupla-hélice, responsável pelas características dos organismos. Com os conhecimentos atuais, julgue as afirmativas sobre a molécula de DNA.

I. Na autoduplicação da molécula de DNA, cada filamento original serve de molde para a síntese de um novo filamento (duplicação semiconservativa).

II. A base nitrogenada adenina emparelha-se com a citosina, enquanto a timina emparelha-se com a guanina.

III. As bases nitrogenadas dos dois filamentos estão unidas por ligações denominadas pontes de hidrogênio.

Está(ão) correta(s) a(s) afirmativa(s)

a) I somente.
b) II somente.
c) I e II.
d) I e III.
e) II e III.

2. (Enem-MEC) Um fabricante afirma que um produto disponível comercialmente possui DNA vegetal, elemento que proporcionaria melhor hidratação dos cabelos.

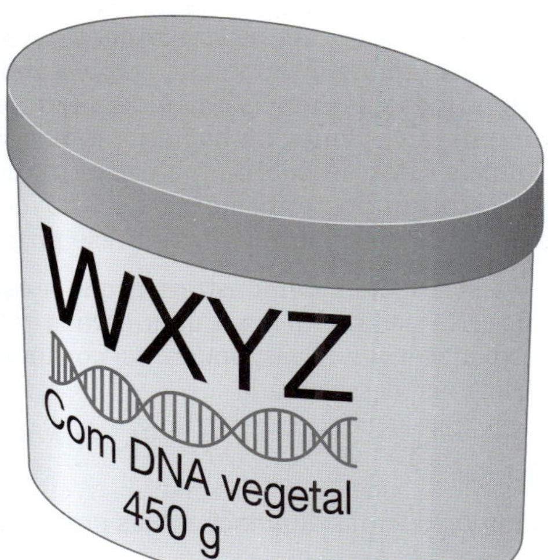

Sobre as características químicas dessa molécula essencial à vida, é correto afirmar que o DNA

a) de qualquer espécie serviria, já que tem a mesma composição.
b) de origem vegetal é diferente quimicamente dos demais, pois possui clorofila.
c) das bactérias poderia causar mutações no couro cabeludo.
d) dos animais encontra-se sempre enovelado e é de difícil absorção.
e) de características básicas assegura sua eficiência hidratante.

3. (Ufam) A produção de uma proteína é processada basicamente em duas fases. Observando o esquema abaixo, encontre a alternativa correspondente:

Gene (DNA) → RNA → Proteína

a) Transmissão; Tradução
b) Transcrição; Tradução
c) Tradução; Transcrição
d) Transcrição; Transcrição
e) Tradução; Tradução

4. (UFC-CE) Sobre os diferentes papéis dos ácidos nucleicos na síntese de proteínas podemos afirmar corretamente que

a) a sequência de bases no DNA determina a sequência de aminoácidos na cadeia polipeptídica.
b) a posição dos aminoácidos na cadeia polipeptídica depende da sequência de bases do RNAt.
c) o transporte de aminoácido para o local da síntese é feito pelo RNAm.
d) a sequência de bases do RNAr é transcrita a partir do código do RNAm.
e) a extremidade livre dos diversos RNAt tem sequências de bases diferentes.

5. (UFSCar-SP) Um pesquisador, interessado em produzir em tubo de ensaio uma proteína, nas mesmas condições em que essa síntese ocorre nas células, utilizou ribossomos de células de rato, RNA mensageiro de células de macaco, RNA transportador de células de coelho e aminoácidos ativos de células de sapo. A proteína produzida teria uma sequência de aminoácidos idêntica à do

a) rato.
b) sapo.
c) coelho.
d) macaco.
e) macaco e do rato.

6. (Unifor-CE) Considere um RNA transportador cujo anticódon é CUG. O códon correspondente no RNA mensageiro e a trinca de nucleotídios na fita do DNA que é transcrita são, respectivamente,

a) CTG e GAC.
b) TAC e GUC.
c) AUT e CAG.
d) CUG e CTG.
e) GAC e CTG.

7. (Uerj)

> É como se em cada quarto de um imenso prédio existisse uma estante contendo os planos do arquiteto para todo o prédio. [...] No homem, os planos do arquiteto montam 46 volumes.

Nessa analogia, proposta por Richard Dawkins no livro *O gene egoísta*, cada página de cada volume contém um texto formado por uma sequência de

a) fenótipos.
b) aminoácidos.
c) cromossomos.
d) bases nitrogenadas.

8. (Fuvest-SP) Quando afirmamos que o metabolismo da célula é controlado pelo núcleo celular, isso significa que

a) todas as reações metabólicas são catalisadas por moléculas e componentes nucleares.
b) o núcleo produz moléculas que, no citoplasma, promovem a síntese de enzimas catalisadoras das reações metabólicas.
c) o núcleo produz e envia, para todas as partes da célula, moléculas que catalisam as reações metabólicas.
d) dentro do núcleo, moléculas sintetizam enzimas catalisadoras das reações metabólicas.
e) o conteúdo do núcleo passa para o citoplasma e atua diretamente nas funções celulares, catalisando as reações metabólicas.

9. (Fuvest-SP) Existe um número muito grande de substâncias com funções antibióticas. Essas substâncias diferem quanto à maneira pela qual interferem no metabolismo celular. Assim, a tetraciclina liga-se aos ribossomos e impede a ligação do RNA transportador; a mitomicina inibe a ação da polimerase do DNA e a estreptomicina causa erros na leitura dos códons do RNA mensageiro. Essas informações permitem afirmar que

I. a tetraciclina impede a transcrição e leva a célula bacteriana à morte por falta de RNA mensageiro.
II. a mitomicina, por inibir a duplicação do DNA, impede a multiplicação da célula bacteriana.
III. a estreptomicina interfere na tradução e leva a célula bacteriana a produzir proteínas defeituosas.

Das afirmativas acima

a) apenas I é correta.
b) apenas I e II são corretas.
c) apenas II e III são corretas.
d) apenas I e III são corretas.
e) I, II e III são corretas.

10. (Unifesp) Os códons AGA, CUG e ACU do RNA mensageiro codificam, respectivamente, os aminoácidos arginina, leucina e treonina. A sequência desses aminoácidos na proteína correspondente ao segmento do DNA que apresenta a sequência de nucleotídios GAC TGA TCT será, respectivamente,

a) treonina, arginina, leucina.
b) arginina, leucina, treonina.
c) leucina, arginina, treonina.
d) treonina, leucina, arginina.
e) leucina, treonina, arginina.

11. (Uel-PR) Em uma população, foi identificado um indivíduo que possui resistência genética a um vírus que provoca uma importante doença. Em um estudo comparativo, verificou-se que esse indivíduo produz uma proteína que confere tal resistência, com a seguinte sequência de aminoácidos: serina-tirosina-cisteína-valina-arginina. A partir da tabela de código genético, a seguir:

AGU – serina	AGC – serina
UAC – tirosina	UAU – tirosina
UGC – cisteína	UGU - cisteína
GUA – valina	GUU – valina
AGG – arginina	CGA – arginina

e considerando que o RNA mensageiro desse gene contém: 46,7% de uracila; 33,3% de guanina; 20% de adenina e 0% de citosina, qual é a alternativa que apresenta a sequência correta de bases da fita-molde desse gene?

a) TCA - ATA - ACA - CAA - TCC
b) TCA - ATA - ACG - CAT - TCC
c) TCA - ATG - ACA - CAT - TGG
d) AGU - UAU - UGU - GUU - AGG
e) AGC - UAC - UGC -CAA - CGA

Questões discursivas

12. (Unicamp-SP) Em 25 de abril de 1953, um estudo de uma única página na revista inglesa *Nature* intitulado *A estrutura molecular dos ácidos nucleicos*, quase ignorado de início, revolucionou para sempre todas as ciências da vida, sejam elas do homem, rato, planta ou bactéria. James Watson e Francis Crick descobriram a estrutura do DNA, que permitiu posteriormente decifrar o código genético determinante para a síntese proteica.

a) Watson e Crick demonstraram que a estrutura do DNA se assemelha a uma escada retorcida. Explique a que correspondem os "corrimãos" e os "degraus" dessa escada.
b) Que relação existe entre DNA, RNA e síntese proteica?
c) Como podemos diferenciar duas proteínas?

13. (Fuvest-SP) Uma alteração no DNA pode modificar o funcionamento de uma célula? Por quê?

14. (Unicamp-SP) Ribossomos são formados por RNA e proteínas, sintetizados pelos processos de transcrição e tradução, respectivamente.

a) Onde esses processos ocorrem na célula eucariótica?
b) O que acontecerá com os processos de transcrição e tradução se ocorrer uma inativação na região organizadora do nucléolo? Justifique.

Capítulo 20

Aplicações do conhecimento genético

KLAUS TIEDGE/BLEND IMAGES/GETTY IMAGES

Técnicas da Engenharia Genética têm possibilitado alterar o material genético e produzir organismos geneticamente modificados.

A manipulação dos genes

Conteúdo multimídia
Genética na atualidade

Em fevereiro de 2001, duas importantes revistas científicas, a inglesa *Nature* e a estadunidense *Science*, publicaram o sequenciamento do genoma humano, isto é, a sequência de bases nitrogenadas das moléculas de DNA dos 24 tipos de cromossomos de nossa espécie. John Craig Venter (n. 1946), o cientista-empresário responsável por parte desse sequenciamento, comentou o feito dizendo que nos 10 anos seguintes haveria mais descobertas em Biologia do que as ocorridas nos 50 anos anteriores.

Em 15 de agosto de 2012, o jornal *Folha de S.Paulo* publicava:

> "Depois de fazer muito barulho mundo afora, o sequenciador que lê o genoma humano em um dia por apenas US$ 1.000 (R$ 2.020) finalmente chega ao Brasil. [...]. Há cerca de 10 anos, quando o genoma humano foi sequenciado, o processo todo levou mais de dez anos, e seu preço ficou na casa dos bilhões de dólares."

O Projeto Genoma Humano, iniciado formalmente em outubro de 1990, propiciou o desenvolvimento de novas tecnologias que resultaram em métodos mais eficientes e baratos de análise de genomas. Hoje, inúmeras espécies tiveram seu genoma sequenciado, abrindo caminho para grandes progressos na Genética e para a aplicação dos novos conhecimentos.

Diariamente, os jornais trazem relatos de organismos transgênicos, clonagem de animais e identificação molecular de pessoas, temas que há alguns anos não passavam de ficção científica. Hoje é possível transferir genes de pessoas para plantas, de modo a fazer vegetais produzirem proteínas genuinamente humanas! Com a implantação de genes humanos em vacas e ovelhas, esses animais passam a secretar, no leite, proteínas humanas de interesse comercial. Genes selecionados são introduzidos em bactérias, que se transformam, dessa forma, em verdadeiras fábricas de proteínas, empregadas em pesquisa científica e na produção de medicamentos. Alguns genes de porcos são substituídos por genes humanos com o objetivo de gerar linhagens de suínos aptos a fornecer órgãos para transplantes em pessoas, com menos riscos de rejeição.

É cada vez mais comum a solicitação judicial de exames de DNA para testes de paternidade: algumas células da bochecha, retiradas com uma haste de algodão, são suficientes para realizar o exame e constatar se um homem é ou não o pai de uma criança. Em investigações criminais, um único fio de cabelo encontrado no local do crime pode permitir a identificação do suspeito por meio da análise do DNA.

Antropólogos têm utilizado técnicas da Genética Molecular para estudar as relações entre populações de diversas partes do planeta e rastrear a história da espécie humana. Historiadores têm analisado o DNA de restos mortais humanos encontrados em escavações arqueológicas para estabelecer relações de parentesco que permitam compreender a organização social de civilizações antigas.

De acordo com o pesquisador estadunidense David Baltimore (n. 1938), ganhador do prêmio Nobel em Fisiologia e Medicina de 1975, com a conclusão do sequenciamento do genoma humano, todos precisamos adquirir noções suficientes de ciência para poder compreender os avanços do conhecimento e aplicá-los conscientemente. Em 1956, em seu livro *Ciência e valores humanos*, o filósofo, cientista e educador polonês Jacob Bronowski (1908-1974) já alertava para a necessidade da educação científica para uma participação social consciente e responsável. Disse ele:

> [...] devemos tremer sempre que ouvimos um homem de sensibilidade considerar a ciência como um assunto que pertence a outra pessoa. Hoje em dia, o mundo é feito, é potencializado, pela ciência, e qualquer homem que abdique de seu interesse pela ciência caminha de olhos abertos para a escravatura.
>
> Bronowski, 1979, p. 12

A importância do assunto

No capítulo anterior, vimos como as informações genéticas codificadas no DNA tornam-se ações metabólicas em decorrência de sua tradução em proteínas. Os conhecimentos sobre a natureza do DNA e da codificação genética, aprimorados nas décadas de 1950 e 1960, foram rapidamente aplicados no desenvolvimento de tecnologias de manipulação dos genes.

Essas recentes tecnologias de manipulação do DNA, que compõem a chamada Engenharia Genética, foram desenvolvidas basicamente com o uso de bactérias e vírus como organismos experimentais.

Neste capítulo, veremos como é feita a manipulação genética dos organismos por meio das técnicas de manipulação do DNA e como os conhecimentos na área de Genética têm gerado novas tecnologias, cuja aplicação algumas vezes tem provocado acirrados debates na sociedade, como é o caso dos organismos geneticamente modificados, ou OGMs. Essa e outras aplicações do conhecimento genético, como a identificação de pessoas pelo DNA, envolvem posições éticas e políticas; para participar conscientemente dessas discussões, é necessário dispor de informações corretas. Acompanhe-nos e descubra esse e outros grandes impactos da Genética na sociedade contemporânea.

20.1 Melhoramento genético

A maioria das plantas, dos animais e dos microrganismos que constituem nossa alimentação básica foi domesticada e vem sendo "melhorada" em diferentes regiões do mundo, há milhares de anos, desde muito antes da descoberta dos mecanismos da herança biológica.

O **melhoramento genético** consiste em selecionar e aprimorar as qualidades das espécies, tendo em vista sua utilização pelos seres humanos. Inicialmente, esse melhoramento era feito apenas de forma intuitiva. Para obter espigas de milho com maior número de grãos, por exemplo, os agricultores selecionavam para o plantio apenas sementes de espigas com grande número de grãos. Para aumentar o peso médio das galinhas, empregavam-se como reprodutores os galos e as galinhas maiores e mais pesados.

Com o conhecimento de novos conceitos e o desenvolvimento de novas técnicas genéticas, tornou-se possível racionalizar e aperfeiçoar a seleção. O melhoramento das espécies passou a basear-se em métodos científicos.

Ao mostrar que quase todas as qualidades de valor econômico, como a fertilidade de animais e plantas, o tamanho e a quantidade dos grãos, a produção de carne, de leite e de ovos, a resistência a doenças etc., são condicionadas por genes que interagem fortemente com fatores ambientais, a Genética deu uma importante contribuição para a agricultura e para a pecuária. Esse conhecimento tornou possível o desenvolvimento de técnicas mais eficientes de seleção e de melhoramento de características de animais e plantas dotados de importância econômica. (Fig. 20.1)

Figura 20.1 Diversas raças de cães foram obtidas por seleção realizada por criadores desses animais.

Heterose ou vigor híbrido

Em 1909, o geneticista estadunidense George H. Shull (1874-1954) percebeu que o cruzamento de duas determinadas variedades de milho produzia, em relação às variedades parentais, plantas mais vigorosas, mais resistentes a doenças e com espigas maiores e mais uniformes. Essas plantas foram denominadas híbridas, termo utilizado também para designar o produto do cruzamento entre linhagens diferentes de uma mesma espécie. Concluiu-se que, no caso do milho, as plantas híbridas apresentavam qualidades superiores às linhagens puras (altamente homozigóticas) por possuírem muitos genes em condição heterozigótica. Esse fenômeno recebeu o nome de **heterose**, ou vigor híbrido.

O conhecimento da base genética do vigor híbrido no milho permitiu a produção de duplos-híbridos, isto é, obtidos a partir de quatro linhagens homozigóticas parentais. Esse tipo de cruzamento teve tanto sucesso que hoje a maior parte de todo o milho consumido no mundo é duplo-híbrido. O fenômeno da heterose não se restringe ao milho, ocorrendo também em outras plantas, como o morango, o tomate, o algodão e a cebola, e em espécies animais, entre elas a galinha doméstica. (Fig. 20.2)

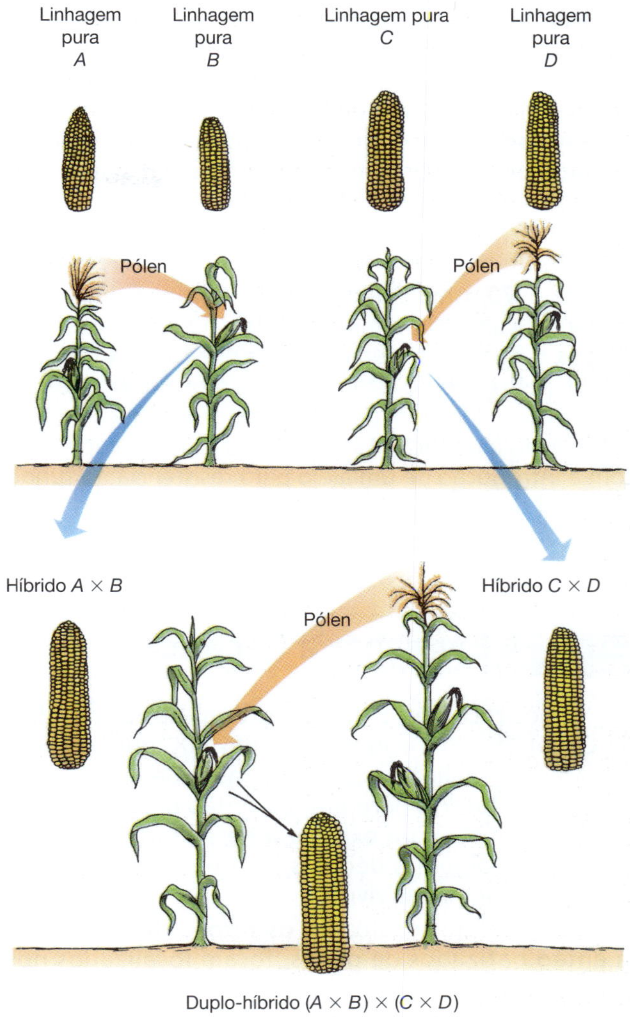

Figura 20.2 Representação esquemática dos cruzamentos utilizados na obtenção do milho duplo-híbrido. (Elementos fora de proporção de tamanho entre si; cores-fantasia.)

Problemas decorrentes do melhoramento genético

Um dos problemas decorrentes do melhoramento genético é o surgimento de linhagens com pouca variabilidade, isto é, com pouca diferença genética entre os indivíduos, o que reduz a capacidade da população de se adaptar eficientemente a alterações ambientais. Os antigos agricultores, mesmo antes do desenvolvimento da Genética, já lidavam com esse problema. Em campos de trigo, era comum o plantio de diversas variedades, o que aumentava a chance de preservar ao menos parte da lavoura em caso de seca, enchente ou pragas.

Essa técnica milenar atualmente tem sido negligenciada. Hoje predominam as lavouras de monocultura, em que grandes áreas são ocupadas com uma única variedade da espécie. Apesar de as monoculturas produzirem lucros maiores em curto prazo, há o risco de uma praga dizimar completamente uma plantação sem encontrar indivíduos resistentes, já que todas as plantas são geneticamente muito semelhantes.

Exemplo histórico de um desastre envolvendo a perda de uma monocultura ocorreu em meados do século XIX na Irlanda, onde a produção de batata, um dos principais alimentos da população na época, baseava-se em uma única variedade. Uma doença causada por microrganismos dizimou, em curtíssimo prazo, praticamente todas as plantações de batata desse país. O resultado foi catastrófico: morte de milhões de pessoas em decorrência da fome.

Em 1970, uma doença provocada por um fungo atacou as culturas de milho híbrido no sul dos Estados Unidos, reduzindo à metade a safra prevista. Estudos realizados pelo governo estadunidense mostraram que suas culturas de milho eram geneticamente uniformes e muito vulneráveis a doenças. Essas culturas foram recuperadas com a introdução de um alelo para resistência ao fungo causador da doença, obtido em uma variedade de milho nativa da Colômbia.

20.2 A Engenharia Genética

Vamos recordar o que aconteceu nos primórdios da Genética, em meados do século XIX, quando Gregor Mendel realizou suas primeiras experiências com ervilhas. Os fatores hereditários, então propostos pelo monge-cientista para explicar a hereditariedade, ainda levariam algumas décadas para ser identificados e localizados nos seres vivos.

No início do século XX, os fatores hereditários, já então batizados de genes, foram localizados nos cromossomos.

Quarenta anos mais tarde, quase na metade do século XX, descobriu-se que os genes eram constituídos de DNA. Pouco mais de uma década depois, nos anos 1960, o código genético foi finalmente decifrado.

Desde então, passos rápidos levaram à **Engenharia Genética**, um conjunto de técnicas de manipulação do DNA que permite isolar e multiplicar genes, e também transferi-los de um indivíduo para outro, mesmo entre espécies distintas.

Os próximos anos prometem descobertas surpreendentes e possibilidades ainda mais espetaculares nesse campo de pesquisa, mais apropriadamente chamado **tecnologia do DNA recombinante**, como veremos a seguir.

Ervilhas, drosófilas e porquinhos-da-índia, entre outras plantas e animais, tiveram e ainda têm seu lugar nos estudos genéticos. Mas são os seres microscópicos – bactérias e vírus – as principais "cobaias" da Engenharia Genética. Graças à sua relativa simplicidade, eles se tornaram o material biológico ideal para compreender o mecanismo básico de funcionamento dos genes.

Em condições ideais, uma única bactéria é capaz de se duplicar a cada 20 ou 30 minutos. Em um dia, poderíamos ter cerca de 48 duplicações. Calcule quantos descendentes haverá no dia seguinte usando a fórmula 2^n, em que n é o número de duplicações. Resultado: 2^{48} novas bactérias. Isso significa mais de 1 quatrilhão de novos microrganismos gerados assexuadamente em apenas um dia! E teoricamente (isto é, se não ocorrerem mutações), todos são geneticamente idênticos, constituindo o que os cientistas chamam de **clone**. Esse termo (do grego *klón*, broto) significa o conjunto de indivíduos originados de um único genitor por meio de reprodução assexuada.

Mais recentemente, o significado dos termos clone e clonagem foi ampliado. Hoje, fala-se em "clonagem" de telefones celulares e de cartões bancários e de crédito. Clonar é realizar uma ou várias cópias de genes, de células de organismos e, por extensão, dos códigos únicos dos celulares ou dos cartões bancários e de crédito. Note como a aplicação de conhecimentos e tecnologias faz com que as pessoas se apropriem de conceitos antes restritos aos laboratórios de pesquisa.

"Tesouras" moleculares: endonucleases de restrição

No início dos anos 1970, descobriu-se que certas enzimas bacterianas podiam cortar moléculas de DNA em pontos específicos. Acredita-se que essas enzimas, denominadas **endonucleases de restrição**, são defesas desenvolvidas por bactérias contra vírus bacteriófagos. Assim que certos bacteriófagos injetam seu material genético na bactéria, entram em ação as endonucleases de restrição bacterianas, que "picotam" o DNA viral infectante em pontos específicos, inativando o ataque.

As endonucleases de restrição agem como "tesouras" moleculares, reconhecendo sequências específicas de bases em moléculas de DNA e cortando-as nesses pontos. Há vários tipos de endonuclease de restrição, todas altamente específicas: cada uma reconhece e corta o DNA apenas onde houver determinada sequência de nucleotídios, em geral constituída por 4 ou 6 pares de bases nitrogenadas. (Fig. 20.3)

A descoberta das endonucleases de restrição trouxe grandes avanços à Genética. Os cientistas viram nelas "ferramentas" bioquímicas para cortar moléculas de DNA de forma controlada e previsível, o que possibilitou análises do material genético até então inviáveis.

Moléculas idênticas de DNA, ao ser submetidas a determinada endonuclease de restrição, são cortadas nos mesmos pontos, originando fragmentos de tamanhos iguais.

Em contrapartida, moléculas de DNA com diferentes sequências de nucleotídios, quando cortadas por uma endonuclease de restrição, originam pedaços de diferentes tamanhos. O mais interessante é que, ao analisar os fragmentos obtidos das diferentes moléculas cortadas, pode-se notar um padrão típico para cada DNA analisado. Isso levou os cientistas a pensar na possibilidade de identificar indivíduos pela análise dos fragmentos de DNA, após o corte por endonucleases de restrição.

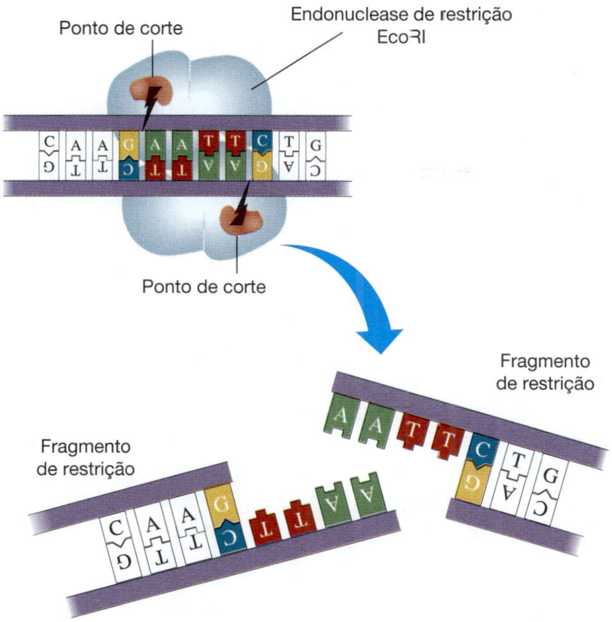

Nome da endonuclease	Bactéria de origem	Sítio de ação
AhaIII	*Aphanothece halophytica*	5' – TTT AAA – 3' 3' – AAA TTT – 5'
BamHI	*Bacillus amyloliquefaciens H*	5' – GGATCC – 3' 3' – CCTAGG – 5'
EcoRI	*Escherichia coli RY 13*	5' – GAATTC – 3' 3' – CTTAAG – 5'
HindIII	*Haemophilus influenzae Rd*	5' – AAGCTT – 3' 3' – TTCGAA – 5'
TaqI	*Thermus aquaticus YTI*	5' – TCGA – 3' 3' – AGCT – 5'

↓↑ Sítios de corte da enzima

Figura 20.3 Representação esquemática do modo de ação da endonuclease de restrição EcoRI (lê-se "eco erre um"). (Elementos fora de proporção de tamanho entre si; cores-fantasia.) A tabela mostra, na coluna da direita, os sítios de corte e as sequências de reconhecimento de algumas endonucleases de restrição e, na coluna do meio, a linhagem de bactéria que produz cada uma dessas enzimas. O nome de uma endonuclease de restrição geralmente é composto pelas iniciais do nome da espécie de bactéria e, às vezes, pela sigla da linhagem bacteriana da qual ela é extraída.

Separação eletroforética de fragmentos de DNA

A análise dos fragmentos de DNA originados pelo corte com determinada endonuclease de restrição é feita pela técnica de **eletroforese** (do grego *phóresis*, ação de transportar, migração).

Nesse caso, a eletroforese consiste em colocar os fragmentos de DNA em uma placa de gel e aplicar nela uma corrente elétrica; a extremidade do gel em que o DNA foi colocado é conectada ao polo negativo, e a extremidade oposta, ao polo positivo.

Com a diferença de potencial elétrico entre as extremidades da placa de gel, os fragmentos de DNA, que têm carga elétrica negativa devido à ionização de seus grupos fosfatos, "correm" para o polo positivo. Os fragmentos moleculares deslocam-se no interior do gel, "driblando" as fibras desse material, como se estivessem em uma corrida de obstáculos. Quanto menor é o tamanho de um fragmento de DNA, mais facilmente ele passa entre as fibras, sendo mais veloz. Na corrida eletroforética, portanto, sabe-se antecipadamente quem vai chegar na frente: os fragmentos menores de DNA. Atrás vêm os fragmentos um pouco maiores e assim por diante.

Quando o campo elétrico é desligado, fragmentos de DNA de mesmo tamanho e que corriam lado a lado "estacionam" juntos em determinada posição, formando uma faixa na placa de gel. Por exemplo, se houver 10 tipos de pedaços de DNA de diferentes tamanhos, após a eletroforese haverá 10 faixas separadas, correspondentes aos 10 tamanhos de fragmentos.

Terminada a eletroforese, a placa de gel é tratada com corantes capazes de evidenciar o DNA. Um dos mais utilizados é o brometo de etídio, substância que adere ao DNA e fluoresce quando submetido à luz ultravioleta. Sob esse tipo de iluminação, aparecem nitidamente as faixas formadas pelos fragmentos de DNA de diferentes tamanhos, que revelam o resultado da corrida eletroforética.

Fotografias do gel sob luz ultravioleta permitem aos pesquisadores registrar a posição e a espessura de cada faixa. O padrão eletroforético de um DNA lembra um código de barras utilizado no comércio para armazenar informações sobre um produto. Pela distância relativa entre as faixas é possível calcular o tamanho dos fragmentos do DNA originados pela digestão com a endonuclease de restrição. (Fig. 20.4)

A combinação das técnicas de corte por endonucleases e de eletroforese permite identificar, com altíssimo grau de precisão, o DNA de cada ser vivo, até mesmo de pessoas, procedimento que alterou a criminalística e teve grande impacto no sistema judiciário.

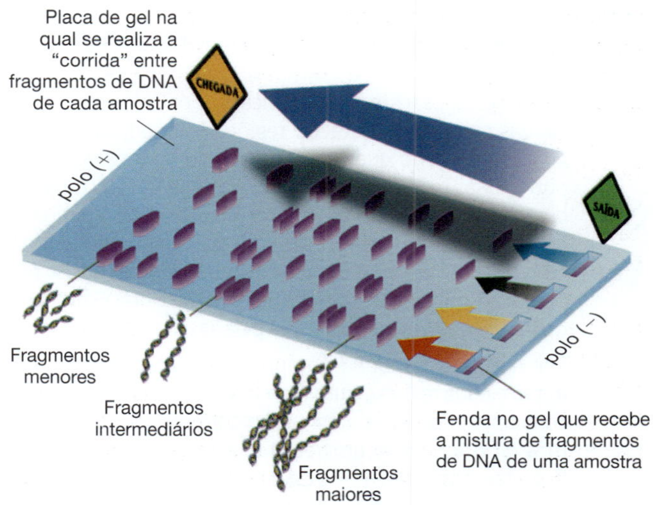

Figura 20.4 Representação esquemática da técnica de eletroforese, que permite separar pedaços de DNA cortados por uma endonuclease de restrição. Cada tipo de DNA analisado produz um padrão de bandas característico. Quanto mais espessa a banda, maior a quantidade de DNA que ela contém. (Elementos fora de proporção de tamanho entre si; cores-fantasia.)

Ciência e cidadania

A identificação de pessoas pelo DNA

1 É possível identificar o DNA de uma pessoa por meio de uma técnica que consiste em picotar as moléculas do ácido nucleico com enzimas de restrição e depois identificar o padrão de fragmentos originados por meio de eletroforese em gel. A análise do padrão de bandas obtidos na eletroforese revelou-se um método seguro de identificação de pessoas e hoje é amplamente utilizado em investigações policiais e em processos judiciais.

2 O princípio da metodologia é o seguinte: como as pessoas diferem entre si quanto ao material genético que possuem (exceto nos gêmeos univitelinos), a "digestão", isto é, a fragmentação do DNA de uma pessoa por uma enzima de restrição produzirá um padrão de fragmentos típico apenas dela, comparável a um "código de barras" ou a uma "impressão digital" molecular.

Detecção de fragmentos específicos de DNA

3 Ao cortar o DNA do genoma de um organismo eucariótico com uma enzima de restrição, são produzidos tantos fragmentos, de tantos tamanhos diferentes, que seria impossível visualizar todas as bandas individuais no gel de eletroforese. Por isso, é preciso evidenciar apenas determinados tipos de fragmentos de DNA que realmente interessem na identificação.

4 Uma das técnicas consiste em realizar a eletroforese e então tratar o gel com uma substância que abre as cadeias duplas dos fragmentos de DNA. Em seguida, coloca-se sobre o gel uma membrana especial, para onde esses fragmentos são transferidos na mesma posição em que estavam no gel. Aplica-se sobre essa membrana uma solução contendo sondas moleculares: pequenas moléculas de DNA de fita simples com algum tipo de marcação detectável – geralmente, radioatividade. O papel dessas sondas é se combinar aos fragmentos de DNA complementares presentes no gel, evidenciando apenas as bandas de interesse.

Sequências de DNA utilizadas na identificação de pessoas

5 Geralmente, os testes de identificação por DNA empregam sondas capazes de detectar regiões não codificantes do genoma humano que variam muito de uma pessoa para outra. Essas regiões, conhecidas pela sigla **VNTR** (*variable number of tandem repeats*: "número variável de repetições em sequência", em inglês), são constituídas por sequências curtas, de até algumas dezenas de nucleotídeos, que se repetem ao longo de trechos da molécula de DNA. O número dessas repetições varia entre as pessoas, daí o nome.

6 Por exemplo, suponha que uma pessoa apresente, em determinada região de um cromossomo, um trecho VNTR com cinco repetições e, na região correspondente do cromossomo homólogo, um trecho com apenas três repetições. O tratamento do DNA dessa pessoa com determinada enzima de restrição produzirá dois tipos de fragmentos nessa região: alguns com três repetições, e outros, maiores, com cinco repetições. Muitos outros fragmentos de diversos tamanhos serão produzidos na digestão desse DNA, pois as sequências-alvo de uma enzima de restrição estão, em geral, dispersas por todo o genoma. No entanto, uma sonda que identifique as VNTRs em estudo revelará, após a separação por eletroforese, apenas duas bandas: uma correspondente aos fragmentos com três repetições da VNTR e outra, aos fragmentos com cinco repetições.

7 Usando-se a mesma sonda, o DNA de uma outra pessoa que tenha três repetições desse trecho VNTR no mesmo par de cromossomos homólogos produzirá apenas uma banda na eletroforese.

8 Uma terceira pessoa, com cinco repetições em cada um dos cromossomos do par, também apresentará uma única banda, que estará em uma posição diferente no gel.

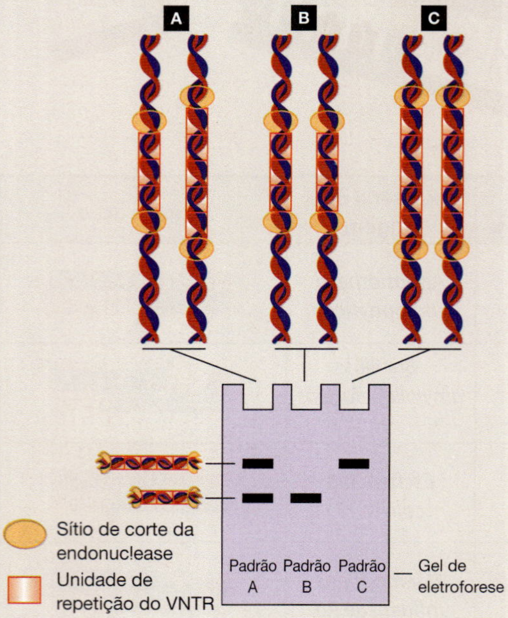

Representação esquemática da detecção de VNTRs em três pessoas. A pessoa *A* é heterozigótica quanto ao VNTR, apresentando 3 unidades de repetição em um dos cromossomos e 5 unidades no cromossomo homólogo. A pessoa *B* é homozigótica, apresentando 3 unidades de repetição em ambos os homólogos. A pessoa *C* também é homozigótica, mas apresenta 5 unidades de repetição em cada um dos homólogos. Na parte inferior do desenho, resultado da separação eletroforética dos fragmentos de DNA das três pessoas, gerados pelo corte com uma endonuclease de restrição que corta o DNA nos limites dessas VNTRs. (Elementos fora de proporção de tamanho entre si; cores-fantasia.)

Determinação de paternidade pela análise do DNA

9 O teste de paternidade foi um dos principais fatores de popularização da sigla DNA, mas hoje se questiona se esse tipo de exame deve ser realizado livremente pelas pessoas. Em alguns países, proíbe-se a realização de tais exames sem solicitação explícita da Justiça, com a argumentação de que os danos psicológicos que os resultados eventualmente podem causar superam, em muitos casos, os benefícios.

10 Com base na estimativa da frequência de cada tipo de VNTR na população e do número VNTRs utilizado no diagnóstico, pode-se estimar o grau de confiabilidade do teste de DNA em mais 99,9%.

Guia de estudo

Neste quadro, apresentamos os princípios da técnica utilizada para identificar pessoas pelo DNA, hoje amplamente aplicada pela justiça. Este guia vai ajudá-lo a analisar o quadro em profundidade.

1 Leia o primeiro parágrafo do quadro. Certifique-se de que realmente entendeu os princípios da técnica. Confira, neste capítulo, o modo de ação das enzimas de restrição (o que elas fazem?) e os princípios da técnica de eletroforese.

2 No segundo parágrafo, é afirmado que o corte com enzimas de restrição permite identificar o DNA de diferentes pessoas, exceto o de gêmeos univitelinos. Por que isso ocorre?

3 Ainda no segundo parágrafo, o trecho faz alusão ao padrão de bandas de uma eletroforese de fragmentos de DNA e um código de barras. Você já pensou em pesquisar os princípios usados nos códigos de barras? Considere esse tema para futuras pesquisas.

4 Leia os parágrafos de números 3 e 4, que tratam das sondas moleculares. Qual seria a imagem formada no gel caso as sondas se ligassem a qualquer trecho de DNA, em vez de serem específicas?

5 Leia atentamente os parágrafos de 5 a 8, analisando também o esquema que ilustra o texto. Certifique-se de ter entendido a correlação entre os trechos do DNA analisado e as bandas da eletroforese. Em caso de dúvida, volte ao capítulo. Escreva um resumo desse trecho do texto.

6 A fotografia **A** ao lado mostra os padrões de bandas obtidos na eletroforese de amostras de DNA: a) da vítima de um crime (V): b) de uma gota de sangue encontrada no local do crime e arrolada como prova (P); c) de três suspeitos de terem cometido o crime (S_1, S_2 e S_3). Qual padrão dos suspeitos mais se aproxima da prova?

7 No parágrafo 9, comenta-se da possibilidade de proibição dos testes de DNA por particulares, a menos que a justiça permita. O que você acha disso? Será que o Estado tem o direito de impedir as pessoas de realizar investigações sobre seu próprio material genético e o de seus familiares. Pesquise a respeito e escreva um pequeno texto dissertativo sobre o assunto.

8 A fotografia **B**, ao lado, mostra o resultado de um teste de DNA de uma mulher (M), mãe de uma criança (C), cuja paternidade é disputada por dois homens (P_1 e P_2). Amostras de DNA dos quatro envolvidos foram tratadas com uma mesma enzima de restrição, submetidas à eletroforese na mesma placa de gel e tratadas com uma determinada sonda de DNA para revelar certos tipos de VNTRs. Qual dos dois homens tem mais probabilidade de ser o pai da criança? Justifique.

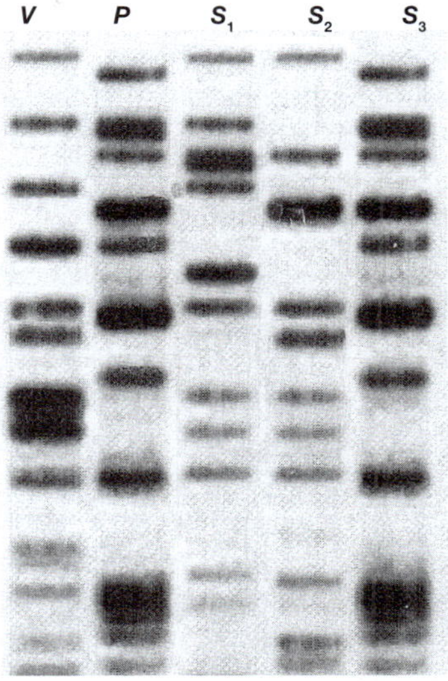

Fotografia A: Padrões de VNTRs de quatro pessoas envolvidas em uma investigação policial e de uma prova encontrada no local do crime: vítima (*V*); prova (*P*); suspeitos (S_1, S_2 e S_3).

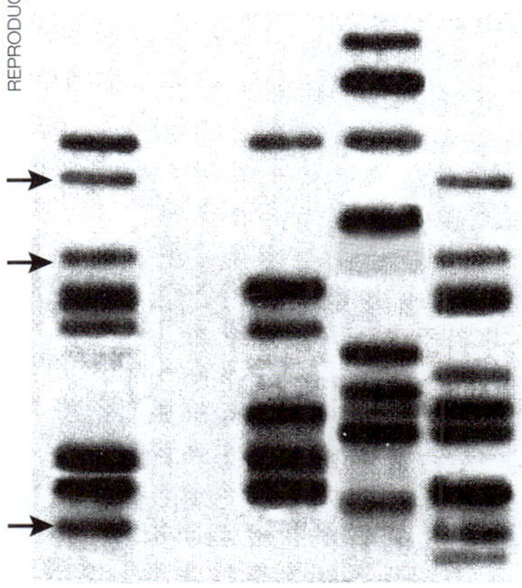

Fotografia B: Padrões de VNTRs de quatro pessoas envolvidas em um teste de paternidade: criança (*C*); mãe da criança (*M*); possíveis pais (P_1 e P_2). Note que alguns fragmentos de DNA da criança (assinalados com as setas à esquerda) não estão presentes no DNA de sua mãe e, portanto, só podem ter sido herdados do pai.

20.3 A clonagem do DNA

Plasmídios como vetores de clonagem de DNA

Plasmídios são moléculas circulares de DNA, menores que o cromossomo bacteriano e cuja presença não é essencial à vida da bactéria. Possuir plasmídios, no entanto, por vezes é vantajoso para a bactéria, pois eles podem conter genes responsáveis pela destruição de substâncias tóxicas, como antibióticos, por exemplo.

Os plasmídios, presentes em uma ou mais cópias na bactéria, têm capacidade de se multiplicar independentemente do cromossomo bacteriano e são transmitidos às bactérias-filhas por ocasião da divisão celular.

No início da década de 1970, os pesquisadores estadunidenses Stanley Norman Cohen (n. 1935) e Herbert Boyer (n. 1936) cortaram plasmídios em um ponto específico e emendaram o DNA plasmidial a um segmento de DNA de outro organismo. O corte foi realizado com endonucleases de restrição; as "emendas", com enzimas bacterianas denominadas ligases.

O resultado dessa engenharia molecular foi um **plasmídio recombinante**, ou seja, o DNA do plasmídio unido a DNA de outra procedência. Esse plasmídio foi então introduzido em bactérias, procedimento conhecido como transformação bacteriana, para testar sua capacidade de se multiplicar em células vivas. As bactérias transformadas multiplicaram-se normalmente, originando cópias idênticas.

As experiências mostraram que o plasmídio recombinante multiplica-se normalmente na bactéria que o recebe, transmitindo-se às bactérias-filhas. Assim, a partir de uma única célula bacteriana "transformada" pelo plasmídio recombinante, obtêm-se clones constituídos por bilhões de bactérias idênticas, cada uma com uma ou mais cópias do DNA recombinante.

As moléculas de DNA recombinante obtidas pela multiplicação da célula bacteriana constituem um "clone" molecular e, por isso, a metodologia para multiplicar DNA dessa maneira é denominada **clonagem molecular**. (Fig. 20.5)

Conteúdo multimídia Clonagem molecular

Bacteriófagos como vetores de clonagem de DNA

A clonagem de DNA pode ser feita também em vírus que se multiplicam em bactérias, os **bacteriófagos** ou simplesmente fagos. Um fago apresenta um envoltório de proteína constituído por duas peças principais, a "cabeça" e a "cauda". No interior da cabeça encontra-se compactada uma longa molécula de DNA de cadeia dupla, o cromossomo do fago.

Ao encontrar uma bactéria que lhe sirva de hospedeiro, o fago adere à parede bacteriana por meio de ligantes presentes na cauda. Em seguida, perfura a parede da bactéria e injeta nela seu DNA; a cabeça e a cauda do fago não penetram na célula. No interior da célula bacteriana, o DNA do fago inicia sua multiplicação, produzindo dezenas de cópias idênticas ao DNA original. Ao mesmo tempo, o DNA viral comanda a síntese das proteínas virais. Após algum tempo, em certos casos não mais que 20 minutos, a bactéria infectada arrebenta, liberando dezenas de novos fagos.

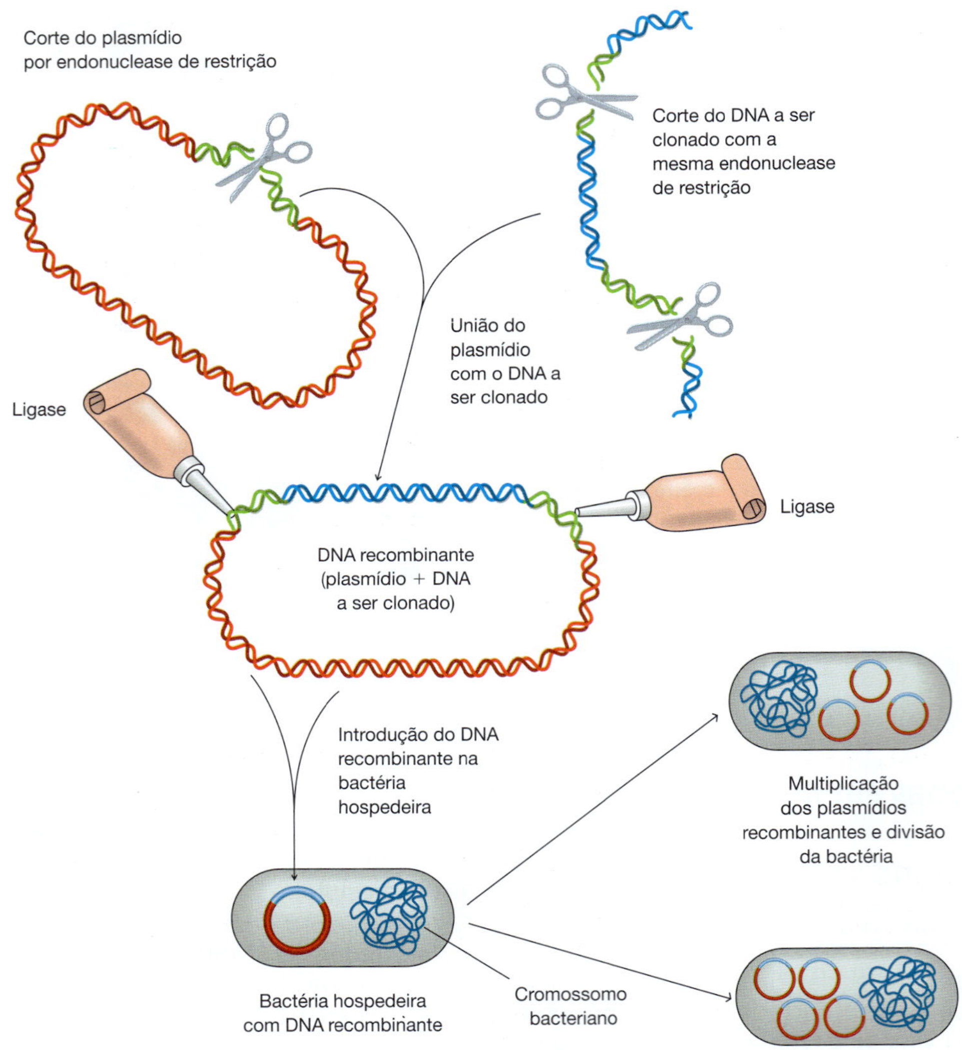

Figura 20.5 Representação esquemática da técnica de clonagem molecular em plasmídio bacteriano. A bactéria hospedeira multiplica-se, originando um clone com cópias do DNA introduzido. (Elementos fora de proporção de tamanho entre si; cores-fantasia.)

O vírus mais utilizado como **vetor de clonagem** molecular é o fago lambda, um dos bacteriófagos mais bem conhecidos do ponto de vista genético. Todos os genes desse fago estão mapeados em seu cromossomo e se conhece a sequência exata em que cada um deles entra em atividade, após a introdução do DNA viral na bactéria hospedeira.

O fago lambda tem genes essenciais, indispensáveis à sua multiplicação, e genes não essenciais, cuja presença é dispensável à reprodução viral. Os genes essenciais, localizados nas pontas do cromossomo do vírus, são responsáveis pela produção das proteínas do envoltório viral, das enzimas que atuam na duplicação do DNA viral, das enzimas de empacotamento do DNA e de algumas outras proteínas importantes. Os genes não essenciais localizam-se na região mediana do cromossomo viral e estão envolvidos em processos de recombinação entre moléculas de DNA, não interferindo na multiplicação do vírus.

Esse conhecimento possibilitou o uso desse vírus como vetor de clonagem molecular. Nesse caso, a região mediana do cromossomo viral, onde se localizam os genes não essenciais, é removida e substituída por um segmento de DNA de qualquer outro organismo. O DNA recombinante formado é encapsulado por proteínas virais, originando uma partícula viral capaz de infectar e se multiplicar em bactérias hospedeiras. Assim, a partir de uma única partícula viral, é possível obter bilhões de partículas idênticas, cada uma delas contendo uma cópia do fragmento de DNA que foi introduzido no cromossomo do vírus. (Fig. 20.6)

Bactérias como "fábricas" de proteínas humanas

Com o desenvolvimento da clonagem molecular, tornou-se possível isolar genes codificadores de proteínas humanas, ligá-los a plasmídios bacterianos e introduzi-los em bactérias, transformando esses microrganismos em verdadeiras "fábricas" de proteínas: estas são genuinamente humanas quanto à sequência de aminoácidos, porém foram sintetizadas pelo metabolismo bacteriano.

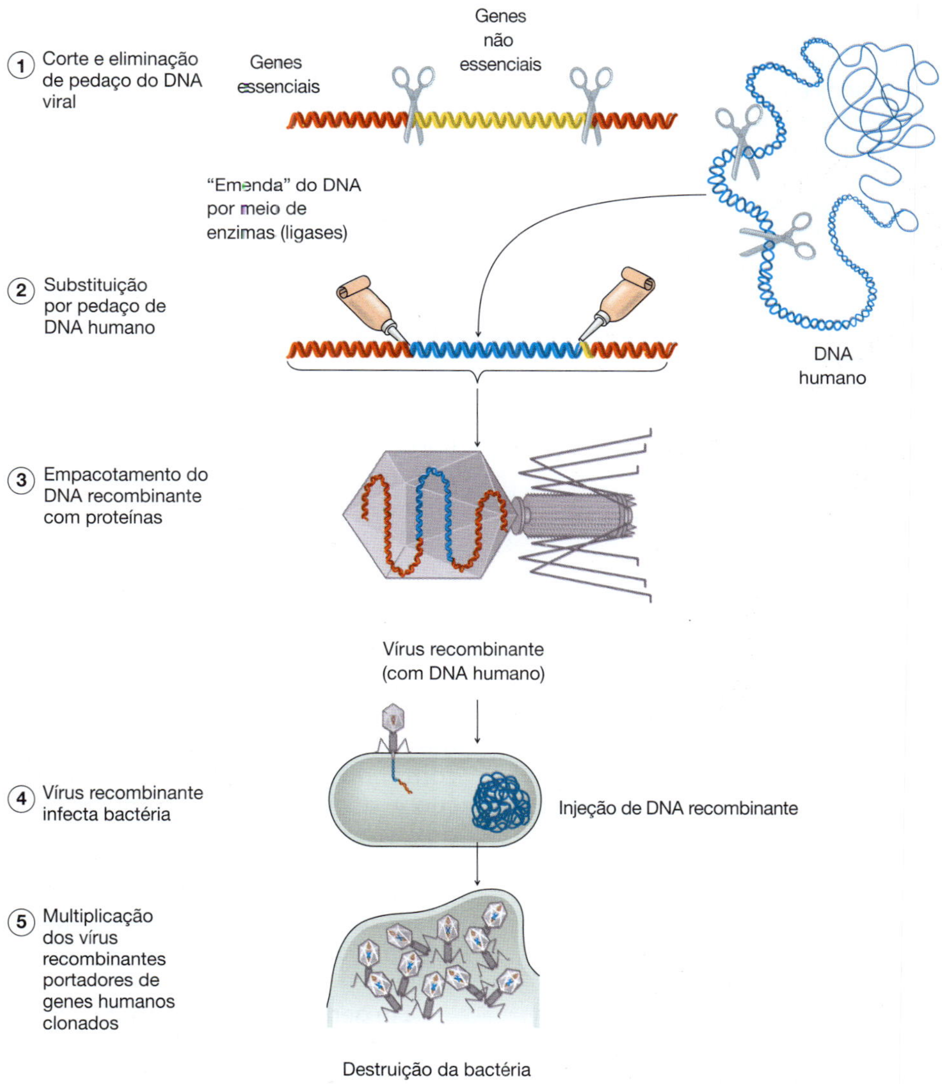

Figura 20.6 Esquema da clonagem molecular em um vírus bacteriófago. Os cientistas substituem a região do DNA viral correspondente a genes não essenciais por DNA de outros organismos (no esquema, DNA humano). Graças a esse artifício, pode-se aproveitar o grande poder de multiplicação do fago para obter muitas cópias do DNA que se deseja estudar. (Elementos fora de proporção de tamanho entre si; cores-fantasia.)

Em 1977, a primeira empresa de biotecnologia (Genentech), criada por Herbert Boyer e pelo empresário Robert Swanson (1947-1999), conseguiu produzir o hormônio humano somatostatina em bactérias. Esse hormônio, um oligopeptídio com 14 aminoácidos, desempenha diversas funções em nosso corpo, tais como modular a produção de hormônios pancreáticos, inibir a produção de certos hormônios pela hipófise, atuar como anti-hemorrágico etc., despertando, portanto, grande interesse farmacêutico. Nesse experimento pioneiro, um segmento de DNA formado por 60 pares de nucleotídios, com a codificação para os 14 aminoácidos constituintes da somatostatina, foi unido a um plasmídio e introduzido em bactérias. A partir delas, foram obtidos clones bacterianos que produziam o hormônio.

No ano seguinte, foi clonado o gene codificador da insulina humana, hormônio cuja deficiência no organismo está associada ao diabetes melito. Essa foi a segunda proteína humana a ser produzida em bactérias e teve sua comercialização para uso terapêutico aprovada em 1982. Até então, o tratamento de diabéticos era feito com hormônio extraído de pâncreas de bois e porcos obtidos em matadouros. Apesar de a insulina desses animais ser muito semelhante à humana, ela pode desencadear problemas alérgicos. Por outro lado, a insulina produzida em bactérias transformadas é idêntica à humana e não provoca alergia, tendo substituído quase completamente a insulina de origem animal. Hoje, diversas proteínas humanas comercializadas como medicamentos são produzidas a partir de clones bacterianos. (Fig. 20.7)

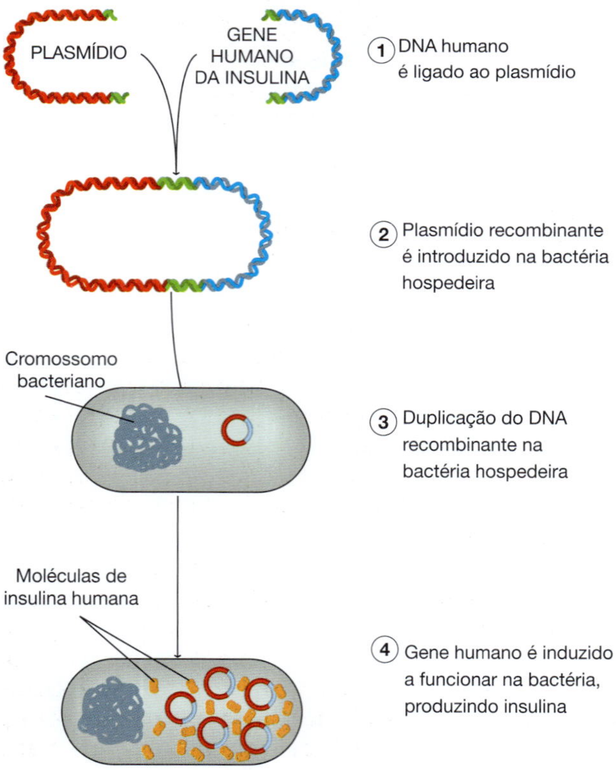

Figura 20.7 Representação esquemática do processo de clonagem do gene da insulina humana. Segmentos de DNA que codificam a produção da insulina humana são ligados a moléculas de DNA de plasmídios e introduzidos em bactérias, de modo que estas passam a produzir moléculas de insulina humana. (Elementos fora de proporção de tamanho entre si; cores-fantasia.)

20.4 Misturando genes entre espécies: transgênicos

Organismos portadores de DNA de outra espécie, como as bactérias utilizadas na produção de proteínas humanas medicamentosas, são chamados **transgênicos**, pois foram gerados pela transferência de material genético de outra espécie, ou **transgenia**.

As técnicas de manipulação do DNA possibilitaram a transferência de genes também entre organismos eucarióticos, como animais e plantas. Os geneticistas têm produzido transgênicos de diversas espécies de animais, plantas e fungos para obter ou modificar alguma característica de interesse. Nesse contexto popularizou-se a expressão **organismo geneticamente modificado (OGM)** como sinônimo de transgênico.

Os transgênicos são hoje indispensáveis em diversos estudos acadêmicos que visam compreender melhor a estrutura e o funcionamento dos seres vivos. Eles têm sido também uma importante ferramenta na área de melhoramento genético, permitindo a geração de novas linhagens de animais e de plantas potencialmente mais lucrativas, como soja resistente a herbicidas e milho e algodão resistentes a pragas.

Como são produzidos animais transgênicos?

O primeiro "transplante" bem-sucedido de genes entre animais foi realizado em 1981. Fragmentos de DNA de coelho, contendo um gene para a hemoglobina, foram injetados em células-ovo de camundongo.

Alguns dos camundongos originados desses zigotos tinham hemoglobina de coelho em suas hemácias. Portanto, o DNA injetado no ovo incorporou-se a um cromossomo e transmitiu-se de uma geração de células para outra durante as mitoses ocorridas no desenvolvimento do animal. Quando os camundongos transgênicos foram cruzados, o gene de coelho incorporado ao seu genoma foi transmitido de geração em geração, segundo as leis básicas da herança genética.

Na produção de transgênicos de mamíferos geralmente são utilizadas células-ovo geradas por fecundação *in vitro*, processo em que óvulos retirados das fêmeas são colocados em um líquido apropriado contendo espermatozoides. O processo da fecundação é acompanhado ao microscópio e segmentos do DNA que se deseja incorporar são injetados na célula-ovo recém-formada. A microinjeção é feita com uma finíssima agulha de vidro acoplada a uma aparelhagem de micromanipulação. Os embriões originados são implantados no útero de fêmeas, onde se desenvolvem.

Em geral, uma ou mais moléculas do DNA injetado incorporam-se aos cromossomos da célula-ovo e são transmitidas às células-filhas, quando o zigoto se divide; assim, todas as células do indivíduo conterão o DNA transplantado. Quando o organismo transgênico se reproduzir, os genes incorporados serão transmitidos à descendência como qualquer outro gene. (Fig. 20.8)

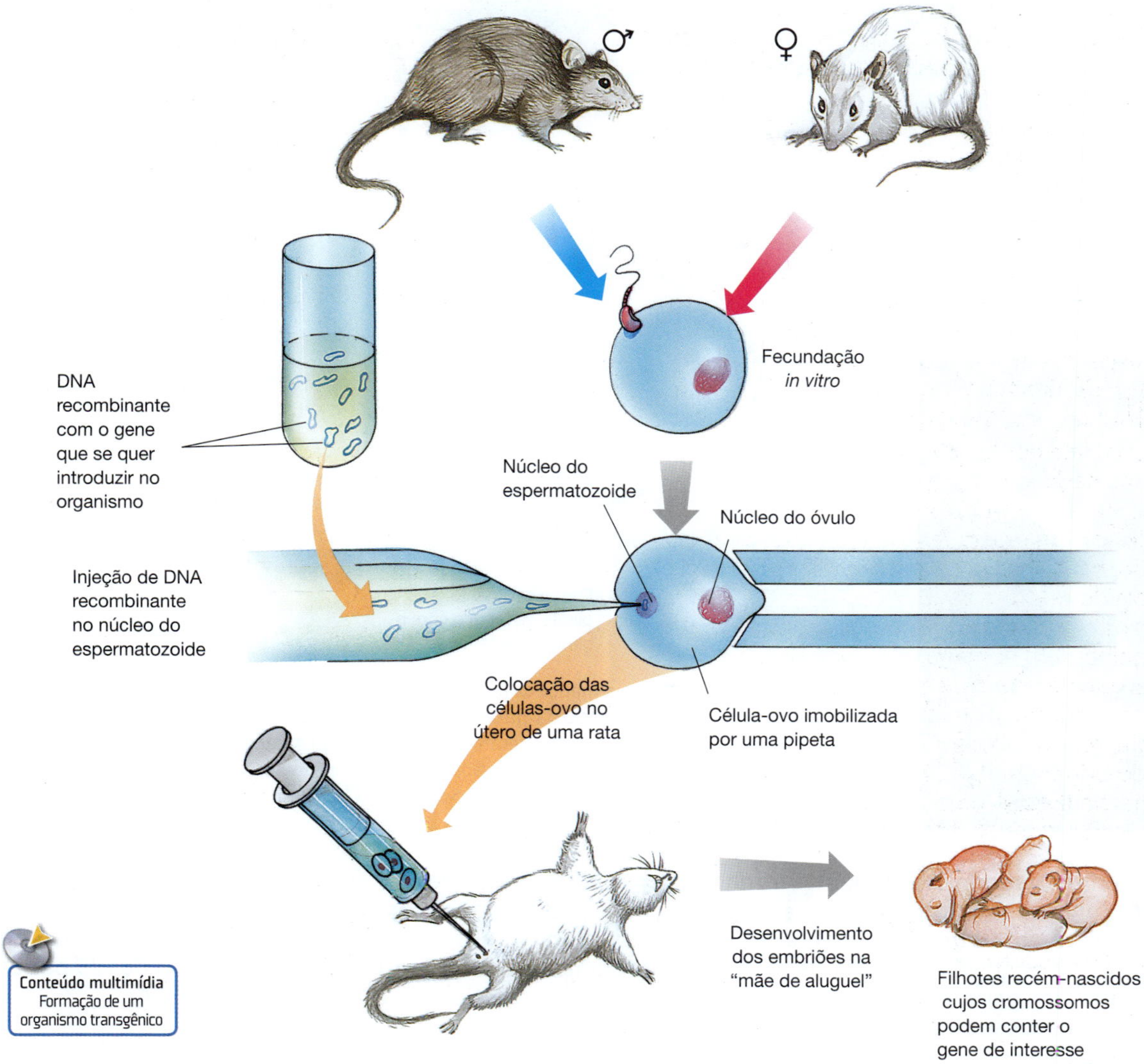

Figura 20.8 Representação esquemática das etapas de produção de ratos transgênicos. O DNA geralmente é injetado no núcleo originado do espermatozoide (pronúcleo masculino), antes de sua fusão com o núcleo do óvulo (pronúcleo feminino). (Elementos fora de proporção de tamanho entre si; cores-fantasia.)

Transgênicos entre animais e plantas

A manipulação genética de plantas é relativamente mais fácil que a de animais, pois é possível obter uma planta completa a partir de uma única célula vegetal geneticamente transformada. O plasmídio da bactéria *Agrobacterium tumefaciens*, capaz de se integrar com facilidade a cromossomos de plantas, tem sido muito utilizado como vetor de clonagem.

Outra técnica empregada para a introdução de DNA estranho em células vegetais é a biobalística, que consiste no bombardeamento de células de uma planta com micropartículas de tungstênio recobertas de DNA contendo o gene de interesse. As micropartículas penetram na célula vegetal, onde o DNA se libera e migra para o núcleo celular, incorporando-se aos cromossomos. Por meio de hormônios, as células vegetais são então induzidas a se multiplicar e a originar novas plantas; as que incorporaram o DNA estranho produzem plantas transgênicas.

Um exemplo emblemático de transgenia em vegetais foi a introdução de um gene de vaga-lume em uma planta de tabaco. O gene inserido na planta tinha informação para a síntese da luciferase, enzima que catalisa a reação química produtora de luz (bioluminescência), que os vaga-lumes utilizam para atrair parceiros na fase de acasalamento.

O gene da luciferase do vaga-lume foi introduzido em um plasmídio e clonado em bactérias. Desse modo, obteve-se uma grande quantidade de cópias do gene, que, depois de purificado, foi injetado em células da planta do tabaco. Com a técnica de cultura de tecidos vegetais, bem conhecida dos botânicos, obteve-se uma planta completa a partir de uma única célula transformada. O gene da luciferase do vaga-lume havia se incorporado a um dos cromossomos da planta e foi transmitido a todas as suas células. Ao ser regada com luciferina, substância sobre a qual age a luciferase, a planta de tabaco transgênico passou a emitir uma tênue luz esverdeada. (Fig. 20.9)

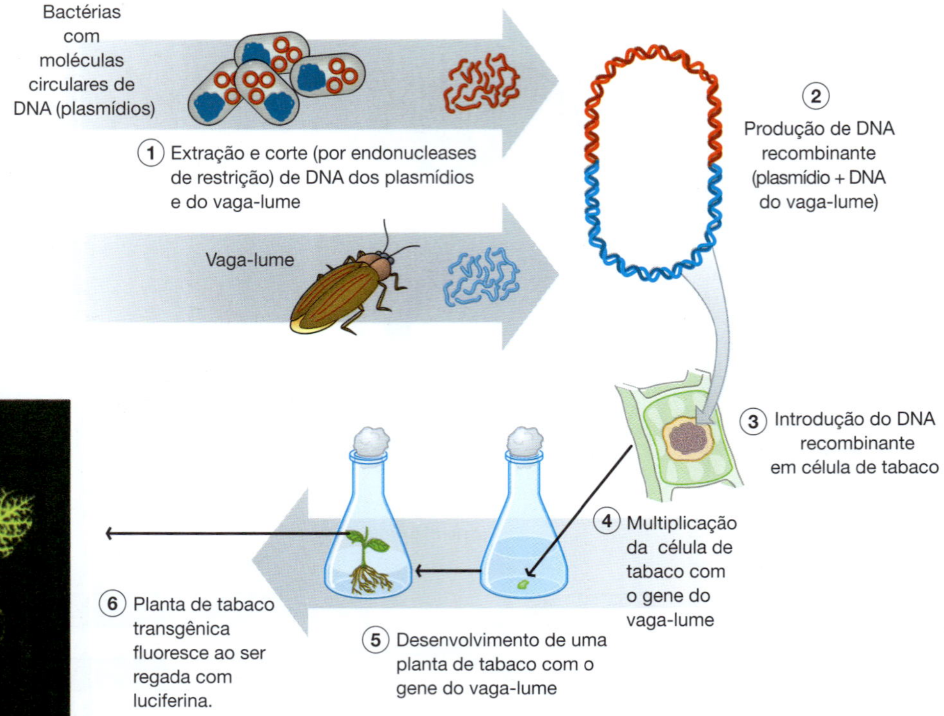

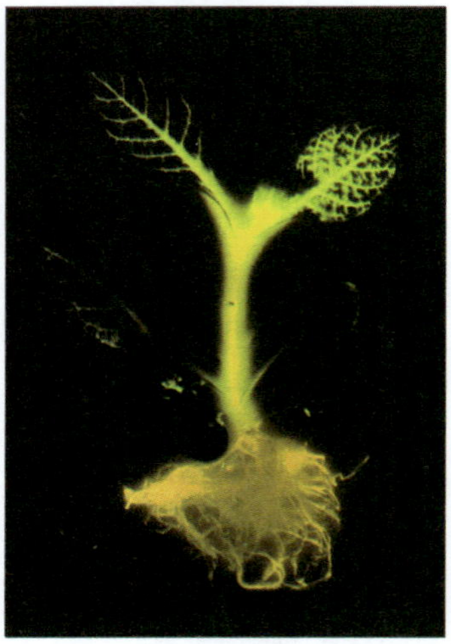

DONALD R. HELINSKI/UNIVERSIDADE DA CALIFÓRNIA, SAN DIEGO

Figura 20.9 Representação esquemática da produção de uma planta de tabaco transgênica bioluminescente por meio da introdução de um gene de vaga-lume. (Elementos fora de proporção de tamanho entre si; cores-fantasia.) A fotografia, tirada no escuro após a planta transgênica ter sido regada com uma solução de luciferina, mostra que o gene da luciferase estava ativo em toda a planta, produzindo a enzima responsável pela bioluminescência.

Nos últimos anos, transgênicos de plantas tornaram-se amplamente conhecidos por grande parte da população, principalmente em virtude das polêmicas sobre o plantio de certa variedade transgênica de soja. Essas plantas receberam um gene bacteriano que confere resistência a determinadas substâncias herbicidas, utilizadas para matar ervas daninhas que crescem nos campos de cultivo. Com isso, os agricultores podem empregar herbicidas que eliminam todas as outras plantas, menos a soja transgênica, o que diminui o trabalho de limpeza do campo de cultivo; além disso, sem as plantas competidoras, a produtividade da lavoura de soja aumenta.

Outro transgênico muito comercializado atualmente é uma variedade de milho – o milho Bt –, que tem incorporado em seu genoma um gene da bactéria *Bacillus thuringiensis*, utilizada na agricultura como pesticida biológico. Com a incorporação desse gene, as células do milho passam a produzir uma substância tóxica para os insetos, porém inofensiva para os vertebrados. O cultivo dessa variedade de milho permite uma drástica redução no uso de defensivos agrícolas para o combate de insetos-praga.

A comercialização de derivados de organismos transgênicos só é liberada após inúmeros testes para comprovar sua segurança tanto no que se refere à saúde das pessoas e animais consumidores quanto ao meio ambiente. No Brasil, as atividades e projetos que envolvem OGM e seus derivados são regulados pela Comissão Técnica Nacional de Biossegurança (CTNBio), criada pela Lei n. 11.105, de 24 de março de 2005.

A CTNBio já aprovou o plantio comercial de diversas plantas transgênicas, entre elas a soja, o milho e o algodão, cujas áreas cultivadas aumentam ano a ano. Em 2011, 80% da soja produzida no Brasil era transgênica. Nesse ano, alcançamos o segundo lugar no cultivo de plantas transgênicas no *ranking* mundial dos 29 países produtores, ficando atrás apenas dos EUA.

20.5 Desvendando o genoma humano

Como vimos, atualmente contamos com metodologias que permitem cortar moléculas de DNA em pedaços definidos e separá-los uns dos outros. Sabemos como induzir a multiplicação dos fragmentos isolados para obter uma infinidade de cópias de cada um deles. Descobrimos como unir pedaços de DNA de origens diferentes produzindo moléculas-quimeras. Estas podem ser inseridas em células vivas, modificando seu funcionamento e sendo transmitidas para as gerações futuras.

As tecnologias de manipulação do DNA projetam a possibilidade de, no futuro, recorrer à chamada **geneterapia** para tratar e curar doenças hereditárias humanas. Assim, genes normais poderão ser produzidos em laboratório e injetados em células doentes, "transformando-as" em células sadias.

O desenvolvimento das pesquisas sobre DNA tornou possível o Projeto Genoma Humano, uma ambiciosa empreitada científica para conhecer e caracterizar todos os genes de nossa espécie, mapeando-os nos cromossomos e determinando seu modo de funcionamento.

Um desafio gigantesco, tendo em vista que os primeiros resultados do projeto já revelaram que o sistema biológico é muito mais complexo do que se imaginava e que ainda será necessário muito estudo para compreender os fundamentos da vida.

O Projeto Genoma Humano

O **Projeto Genoma Humano** começou oficialmente em outubro de 1990, com a publicação de um plano de pesquisa cujo objetivo principal era determinar a sequência de todos os nucleotídios dos 24 tipos de cromossomos constituintes do genoma humano (os 22 autossomos e os cromossomos sexuais X e Y). Outro objetivo do projeto era a identificação de todos os genes humanos.

O projeto foi iniciado por duas agências governamentais estadunidenses, o Departamento de Energia e o Instituto Nacional de Saúde (em inglês, NIH), com a participação de universidades e institutos de pesquisa de diversos países.

Em maio de 1998, uma empresa privada estadunidense entrou na disputa pela pesquisa sobre o sequenciamento do genoma humano, prometendo completá-lo em apenas três anos, quatro anos antes do previsto pelo consórcio público. A principal diferença entre os dois projetos era o método empregado para a determinação das sequências de nucleotídios.

A estratégia do consórcio público era dividir cada cromossomo em grandes fragmentos e determinar a sequência de nucleotídios de fragmentos adjacentes. A empresa privada adotou a estratégia de partir todo o genoma em pequenos fragmentos, sequenciar cada um deles e, em seguida, ordená-los pela sobreposição de suas extremidades, o que demandou o uso de potentes computadores e sofisticados programas de computação. Outra diferença é que a empresa privada não pretendia tornar públicos os dados obtidos, e sim patenteá-los e comercializá-los.

Diante da possibilidade de uma corporação particular tornar-se proprietária exclusiva de um patrimônio da humanidade (o genoma humano), o consórcio público redobrou os esforços para concluir o projeto em menor tempo.

Finalmente, em 26 de junho de 2000, os pesquisadores Francis Collins (n. 1950) (líder do consórcio público) e Craig Venter (n. 1946) (presidente da empresa privada) anunciaram a conclusão de um esboço geral do genoma humano. Os trabalhos foram publicados em fevereiro de 2001 nas revistas científicas *Science* (a parte realizada pela corporação particular) e *Nature* (a parte realizada pelo consórcio público). O projeto foi considerado concluído em 2003, mas as análises dos dados obtidos têm continuado e seguirão por muitos anos.

Graças ao projeto, sabemos que o genoma humano é constituído por 3.164,7 milhões de pares de nucleotídios. Para ter ideia do que isso representa, se escrevêssemos em tipos bem pequenos a sequência de iniciais das bases (A, T, C e G) de uma das cadeias de DNA dos 24 tipos de cromossomos humanos, preencheríamos mais de 200 volumes equivalentes a grossas listas telefônicas. Quase toda sequência de bases do genoma humano, 99,9%, é exatamente a mesma em todas as pessoas, portanto não mais do que 0,1% é responsável por toda variabilidade genética de nossa espécie.

Dos cerca de 3 bilhões de pares de bases do genoma humano, apenas 2% correspondem a genes; cerca de 98% são sequências não codificantes, isto é, que não são transcritas para moléculas de RNA. O número total de genes humanos, estimado entre 20 mil e 25 mil, é bem menor do que os cerca de 100 mil previstos antes do sequenciamento do genoma humano. O tamanho médio de um gene humano é de 3 mil pares de bases, sendo que o maior gene humano, que codifica a proteína distrofina, tem 2,4 milhões de pares de bases.

No quesito número de genes, estamos em pé de igualdade com os camundongos e pouco acima das moscas, cujo genoma possui cerca de 13 mil genes. Não devemos nos esquecer, porém, que são as proteínas que desempenham a maioria das funções celulares e definem sua estrutura.

As pesquisas têm revelado que possuímos mais tipos de proteína do que de genes. Uma das razões é que um gene humano, assim como os de outros organismos eucarióticos, pode gerar mais de um tipo de RNA mensageiro, dependendo de como o RNA transcrito é cortado e emendado antes de sair do núcleo para o citoplasma, onde será traduzido em proteína (relembre o *splicing* alternativo, visto no capítulo anterior).

Em 2012, um consórcio mundial de cientistas descobriu que grande parte do DNA não codificante humano (aproximadamente 80% do genoma) exerce função de regulação da síntese de proteínas, por meio de mecanismos ainda não compreendidos completamente. Muitas dessas sequências de nucleotídios, que se pensava não terem função alguma, atuam como "interruptores" nos circuitos genéticos, controlando a ativação ou desativação de genes. Esses segmentos de DNA podem também influenciar o *splicing* alternativo ou mesmo atuar uns sobre os outros, potencializando ou inibindo sua ação. (Fig. 20.10)

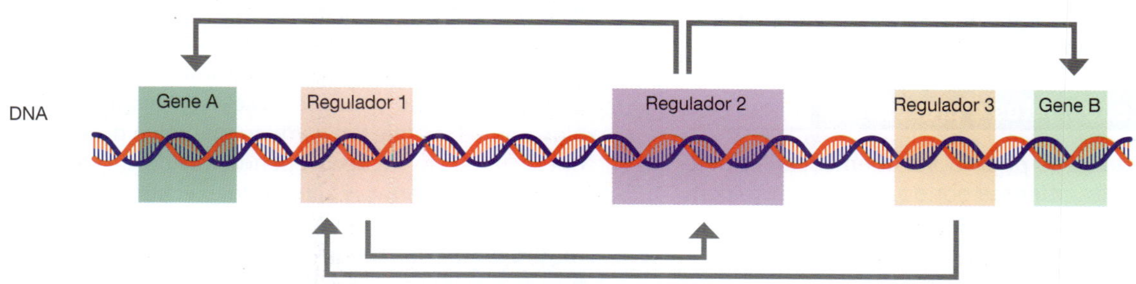

Figura 20.10 Representação esquemática da ação reguladora de regiões não codificantes do genoma. Os genes A e B são sequências de nucleotídios que codificam proteínas (DNA codificante); os reguladores são sequências que não codificam proteínas, mas interagem com os genes ou entre si, afetando a transcrição em outros locais do genoma. (Cores-fantasia.)

Biblioteca do estudante
Sugestões de livros, *sites* e vídeos

Atividades

Visão do especialista | Biblioteca do estudante Faça você mesmo! | Listas de exercícios

Revendo conceitos fundamentais

1. Como é denominado o conjunto de técnicas que visam à seleção e ao aprimoramento das qualidades dos organismos, úteis à nossa espécie?

a) Clonagem.
b) Engenharia Genética.
c) Melhoramento genético.
d) Vigor híbrido ou heterose.

2. O que é Engenharia Genética?

a) Conjunto de procedimentos empregados na manipulação do DNA.
b) Processo por meio do qual os genes produzem proteínas.
c) Ramo da Biologia que estuda os genes humanos.
d) Ramo especializado na produção de equipamentos científicos.

Escreva no caderno o termo abaixo que substitui corretamente a tarja entre parênteses das frases de 3 a 5.

a) eletroforese
b) endonuclease de restrição
c) ligase
d) plasmídio recombinante
e) transgenia

3. A(O) (▬) permite separar moléculas eletricamente carregadas pela velocidade de migração em um meio denso (gel, por exemplo), submetido a um campo elétrico.

4. Uma enzima bacteriana capaz de cortar moléculas de DNA em regiões com sequências específicas de bases é denominada (▬).

5. A(O) (▬) é uma molécula circular de DNA que contém um segmento de DNA de outra espécie incorporado.

6. Que nome é dado a um organismo que tem genes de outra espécie incorporados ao seu genoma?

a) Heterozigótico.
b) Homozigótico.
c) Transgênico.
d) Clone.

7. A que se refere o termo clonagem molecular?

a) À duplicação normal do cromossomo bacteriano.
b) A um mecanismo de defesa das bactérias contra vírus bacteriófagos.
c) A um processo utilizado para atenuar vírus letais.
d) A uma técnica para multiplicar segmentos específicos de DNA.

Ligando conceitos, fatos e processos

8. Amostras de DNA podem ser identificadas pelo conjunto de fragmentos obtidos após o corte com enzimas de restrição e sua posterior separação por

a) eletroforese.
b) ligases.
c) melhoramento genético.
d) transcrição gênica.

9. Uma ovelha gerada na Inglaterra, Tracy, tinha incorporado em um de seus cromossomos o gene para a enzima antitripsina humana; tratava-se, portanto, de um

a) clone.
c) plasmídio.
b) híbrido.
d) transgênico.

10. A soja transgênica, objeto de grande polêmica em diversas partes do mundo, foi produzida por

a) seleção cariotípica.
b) eletroforese de proteínas.
c) evolução biológica.
d) tecnologia do DNA recombinante.

11. Suponha que uma molécula circular de DNA tenha sido fragmentada em quatro pontos – sítios de corte – por uma endonuclease de restrição. O fragmento maior tinha 62 nucleotídios, e o menor, 12. Os outros fragmentos tinham o mesmo tamanho: 40 nucleotídios. Quantas faixas seriam obtidas em uma eletroferese desses fragmentos e qual deles seria o mais veloz, na corrida eletroforética?

a) 2; o de 62 nucleotídios.
b) 3; o de 12 nucleotídios.
c) 4; o de 62 nucleotídios.
d) 5; o de 12 nucleotídios.

Questões para exercitar o pensamento

12. Informe-se sobre a polêmica que envolve o uso de organismos transgênicos na agricultura e redija um texto dissertativo sobre o assunto. Quais são os principais argumentos contra e a favor da utilização desse tipo de tecnologia?

13. Leia o trecho de reportagem a seguir e responda às questões propostas.

(...)

Para produzir os animais transgênicos, os cientistas injetam em seus embriões pedaços de DNA especialmente montados em laboratório (chamados "construções"), contendo o gene de interesse da pesquisa e uma série de outros códigos genéticos associados ao seu funcionamento.

Seja qual for o método aplicado, a ideia é que essa construção se integre ao genoma do embrião e passe a funcionar como se fosse parte original dele – algo como embutir um *software* genético no sistema operacional do bicho. Dependendo do que estiver escrito nesse *software*, ele pode executar uma série de funções, como inibir a ação de algum outro gene ou ordenar a superexpressão de uma proteína cuja função os cientistas desejam estudar. (...)

Manipulações que não podem ser feitas em seres humanos. Mas que, pela semelhança genética entre homens e camundongos, podem dar contribuições diretas para o conhecimento da biologia humana e para a cura de doenças.

(...)

Disponível em: <www.estadao.com.br/noticias/impresso,pais-inicia-producao-de-animais-transgenicos,903716,0.htm>. Acesso em: abr. 2013

a) Nesse trecho da reportagem, fica subentendido que há mais de uma maneira de produzir uma "construção" genética. Confira neste capítulo quais são essas maneiras e escreva um parágrafo que possa ser inserido na reportagem, para complementá-la. Indique onde você inseriria esse parágrafo.

b) O que a matéria quer dizer ao comparar a "construção" introduzida em um organismo a um *software*? Por que essas analogias da informação genética com os sistemas de informática usados em computadores são comuns? Escreva uma dissertação curta a respeito.

A Biologia no vestibular e no Enem

Questões objetivas

1. (UFC-CE) As principais ferramentas empregadas na tecnologia do DNA recombinante são as enzimas de restrição, que têm a propriedade de cortar o DNA em pontos específicos. O papel biológico dessas enzimas bacterianas na natureza é, provavelmente,

a) proteger as bactérias contra os vírus bacteriófagos.
b) reparar o DNA bacteriano que sofreu mutação deletéria.
c) auxiliar no processo de duplicação do DNA.
d) auxiliar no processo de transcrição do RNAm.
e) auxiliar no processo de tradução do DNA.

2. (Mackenzie-SP) Por sua capacidade de cortar o DNA em pontos específicos, são utilizadas enzimas de restrição na Engenharia Genética, originando fragmentos dessa molécula. Sobre essas enzimas é incorreto afirmar que

a) reconhecem sequências específicas de bases nitrogenadas.
b) removem os fosfatos e as pentoses, deixando somente as bases nitrogenadas, que serão manipuladas.
c) cada uma pode originar fragmentos de DNA com tamanhos diferentes.
d) são utilizadas nos atuais testes de DNA.
e) fazendo-se uso delas, pode-se isolar um único gene de um cromossomo.

3. (UFPE) Para um pesquisador transferir um gene de interesse, diferentes etapas são cumpridas em laboratório, entre as quais: a utilização de enzima do tipo (1) para o corte e a separação do segmento de DNA a ser estudado; a extração e o rompimento de (2); e a inclusão em (2) do segmento obtido (gene isolado) com o auxílio de enzimas do tipo (3). Os números 1, 2 e 3 indicam, respectivamente,

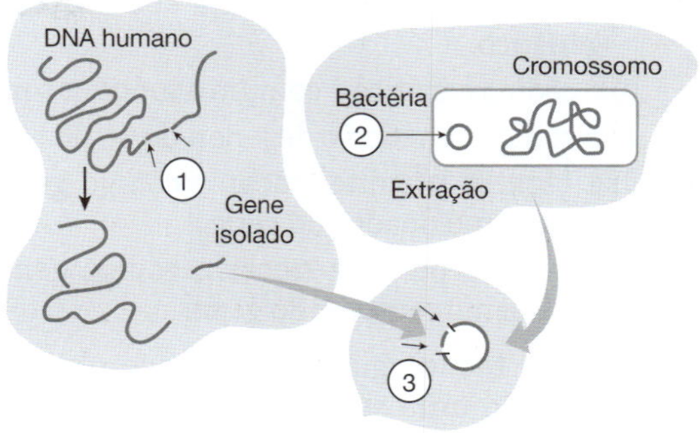

a) enzima de restrição, plasmídio e enzima ligase.
b) enzima transcriptase reversa, cromossomo circular e enzima de restrição.
c) DNA recombinante, RNA plasmidial e enzima exonuclease.
d) enzima transcriptase reversa, plasmídio e enzima de restrição.
e) enzima de restrição, RNA plasmidial e enzima transcriptase reversa.

4. (UFRN) As técnicas de Engenharia Genética possibilitaram a produção de grandes quantidades de insulina por bactérias que receberam o gene humano para esse hormônio. Tal feito só foi possível pelo emprego das enzimas de restrição, que agem

a) traduzindo o gene da insulina para o código genético da bactéria.
b) ligando o pedaço do DNA humano no DNA da bactéria.
c) identificando os aminoácidos codificados pelo gene.
d) cortando o DNA da bactéria em pontos específicos.

5. (UFRR) Com relação a organismos transgênicos, a alternativa correta é:

a) Sofrem mudanças nas características fenotípicas ao longo da vida.
b) Animais transgênicos são produzidos a partir de aprimoramento de determinadas qualidades na espécie.
c) Possuem parte da informação genética de outro ser vivo.
d) Organismos transgênicos são aqueles que recebem o DNA da mesma espécie.
e) A alteração genética de animais e plantas não interfere na evolução natural das espécies.

6. (PUC-SP) Organismos são ditos transgênicos quando, por técnica de Engenharia Genética, recebem e incorporam genes de outra espécie, os quais podem ser transmitidos aos seus descendentes. Exemplos desses organismos são as plantas transgênicas, receptoras de um gene de outro organismo (doador) que lhes confere resistência a certos herbicidas. Para que ocorra a síntese da proteína codificada pelo gene inserido no genoma da espécie receptora, diversas condições devem ser observadas. Entretanto, fundamentalmente, essa técnica é possível porque

a) cada organismo apresenta seu próprio código genético.
b) o código genético é comum a todos os seres vivos.
c) o código genético é degenerado.
d) a técnica permite trocar o código genético do organismo doador do gene.
e) a técnica permite trocar o código genético do organismo receptor do gene.

7. (Ufal) A tecnologia do DNA recombinante tem produzido uma série de avanços no setor agropecuário brasileiro. A inserção de um gene da bactéria *Bacillus thuringiensis* em algumas variedades de plantas, por exemplo, as torna resistentes a certas pragas. Sobre essas tecnologias, é correto afirmar:

a) a transferência de qualquer gene de um organismo a outro produz variabilidade genética; daí, os transgênicos serem resistentes a pragas.
b) plasmídios virais são utilizados como vetores de genes de interesse que serão transferidos a um organismo.
c) a resistência de uma planta transgênica a uma praga se deve à ação do produto do gene inserido na planta, e não à presença do gene em si.
d) plantas naturalmente resistentes a pragas não passam necessariamente essa característica à prole; daí, a necessidade das técnicas de Engenharia Genética.
e) a clonagem de plantas com características de resistência a pragas as torna menos suscetíveis à extinção ao longo da evolução, segundo as leis da seleção natural.

8. (UFSM-RS) Bioma é uma região com o mesmo tipo de clima, possui plantas e animais característicos [*Planeta Terra: Ecossistemas*, 2008]. Mas, como a interferência do homem na natureza é constante, os cientistas criaram uma nova espécie de mosquito da malária modificado geneticamente para não transmitir essa doença e o introduziram na Amazônia. Então, é correto afirmar que

a) modificar geneticamente um mosquito não significa alterar o seu DNA.
b) modificar um organismo geneticamente significa cruzar espécies diferentes.
c) a modificação genética dos mosquitos pode ser feita pelo cruzamento dos mosquitos da malária com outros tipos de insetos, gerando novas combinações.
d) os ambientalistas defendem o uso da Engenharia Genética, pois os seus efeitos são totalmente previstos e controlados, não trazendo perigo para a humanidade.
e) transgenia significa a inserção de um gene de uma espécie diferente em outra espécie.

9. (UFC-CE) Leia o texto a seguir:

"Cientistas brasileiros e chineses publicaram recentemente a análise dos genes ativos (derivados do RNAm) das duas principais espécies do parasita *Schistosoma* (*S. mansoni* e *S. japonicum*). [...] Esses genes podem ser colocados em bactérias, para que elas produzam uma cópia da proteína do parasita. Essa proteína é então isolada da bactéria, purificada e inoculada em cobaias. Posteriormente, as cobaias serão expostas ao *Schistosoma* vivo, quando se confirma se a vacina realmente ativou o sistema de defesa do organismo das cobaias."

Scientific American Brasil, set. 2004.

A alternativa correta acerca do tema abordado no texto é:

	Nome do processo de introdução de genes do parasita nas bactérias	Antígeno da vacina assim produzida
a)	Transgenia	Proteína codificada nos genes inoculados
b)	Conjugação	Bactérias isoladas com os genes do *Schistosoma*
c)	Clonagem	RNAm isolado da bactéria modificada
d)	Transgenia	Moléculas de RNAm do *Schistosoma* responsáveis pelos genes ativos
e)	Clonagem	DNA do *Schistosoma* com os genes ativos

10. (UFSM-RS) O texto a seguir apresenta os resultados do projeto de estudo do genoma da *Xylella fastidiosa*, no ano de 1999.

"Trabalhando sem parar desde o final de 1997, eles [os pesquisadores] já decifraram 75% do código genético dessa bactéria. A ideia é descobrir, até abril, a sequência de substâncias que constituem os cerca de 2.000 genes da cadeia de DNA, ou seja, do genoma do parasita."

Adaptado de *Superinteressante*, 13(1):63, jan. 1999.

Uma modificação que poderia ser feita nesse texto, para torná-lo mais preciso, é a substituição de

a) sequência de substâncias por sequência de nucleotídios.
b) código genético por sequência de aminoácidos.
c) código genético por conjunto total de proteínas.

d) cadeia de DNA por cadeia de RNA.

e) sequência de substâncias por sequência de aminoácidos.

11. (Fuvest-SP) O anúncio do sequenciamento do genoma humano, em 21 de junho de 2000, significa que os cientistas determinaram

a) a sequência de nucleotídios dos cromossomos humanos.

b) todos os tipos de proteína codificados pelos genes humanos.

c) a sequência de aminoácidos do DNA humano.

d) a sequência de aminoácidos de todas as proteínas humanas.

e) o número correto de cromossomos da espécie humana.

12. (Unifesp-SP) Sobre a clonagem de seres e a criação de organismos geneticamente modificados (transgênicos), considere as quatro afirmações seguintes.

I. A clonagem de organismos tem se voltado mais para os animais porque, com relação às plantas, ela já é conhecida e utilizada há certo tempo, inclusive na agricultura.

II. Tanto nos clones quanto nos transgênicos, a crítica recai sobre o fato de que não se sabe se os genes introduzidos irão se expressar exatamente como no organismo doador ou se irão ativar também alguns genes inativos do genoma do organismo receptor.

III. Ecologicamente, em uma cadeia alimentar, a existência de clones apenas aumenta o número de representantes de um determinado nível trófico. No caso dos transgênicos, pode haver também alteração de posições e de elementos na cadeia.

IV. Um grande inconveniente entre a clonagem e a produção de transgênicos é que ambas não permitem sobreposição, ou seja, não foi possível, até o momento, criar um clone transgênico.

Estão corretas:

a) I e II.

b) I e III.

c) I e IV.

d) II e III.

e) III e IV.

13. (UERJ) A enzima EPSP-sintase, presente em praticamente todos os vegetais, é modificada na soja transgênica, tornando-a resistente à inibição pelo herbicida glifosato. Assim, o tratamento com esse herbicida não prejudica o desenvolvimento de culturas de soja transgênica, mas evita o crescimento de outros vegetais indesejáveis.

Num estudo para a identificação da variedade transgênica de soja, foi medida, nas mesmas condições experimentais, a atividade da EPSP-sintase em extratos de folhas de diferentes tipos desse vegetal, em presença ou ausência de glifosato. As atividades da enzima nesses extratos, na ausência do inibidor, apresentaram o mesmo valor.

Observe o gráfico:

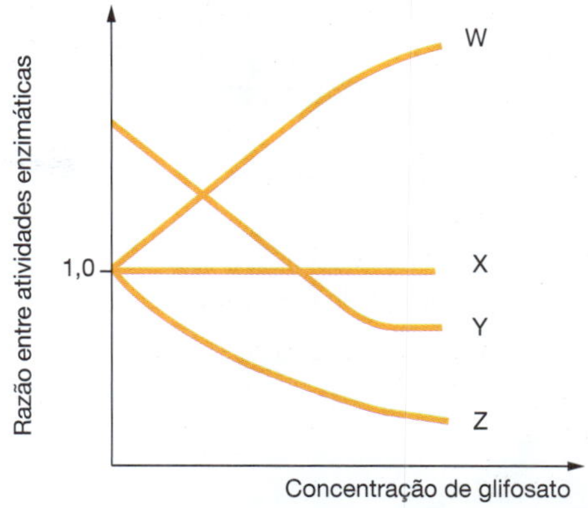

A curva que corresponde à razão entre as atividades de uma enzima da variedade transgênica e as atividades dessa mesma enzima da soja comum é a indicada pela seguinte letra:

a) W. b) X. c) Y. d) Z.

Questões discursivas

14. (UEG-GO) Durante décadas, o homem vem se utilizando de microrganismos para a obtenção de diversos produtos e processos, inclusive pão, cerveja, vinho e queijo. No entanto, nas últimas décadas, as aplicações práticas dos microrganismos expandiram-se de forma surpreendente com o desenvolvimento de novas técnicas, como a do DNA recombinante. Sobre esse assunto, responda ao que se pede.

a) Em que consiste o processo do DNA recombinante em bactérias?

b) Cite duas aplicações práticas para essa técnica.

15. (Ufes) A partir da década dos 1970, as moléculas de ácidos nucleicos da célula passaram a ser exploradas através da utilização de novas metodologias, conhecidas como tecnologia do DNA recombinante. Por meio dessa tecnologia, a medicina e a indústria ganharam alternativas eficientes para a produção, em grande escala, de determinadas proteínas, que antes eram disponíveis em quantidades extremamente reduzidas.

a) Qual é a função das endonucleases de restrição e a das ligases na aplicação da tecnologia anteriormente citada?

b) Explique como a tecnologia do DNA recombinante participa no processo de produção de organismos transgênicos.

c) Cite dois produtos, utilizados pelo homem, que foram obtidos a partir da aplicação da tecnologia do DNA recombinante.

16. (UFRJ) Em junho de 2001, foi publicada a sequência quase completa do genoma humano. Esse projeto contou com a participação de diversos laboratórios, que individualmente determinaram a sequência de vários trechos diferentes do DNA de todos os cromossomos, a partir da amostra de somente um indivíduo, que permaneceu anônimo. Sabe-se, no entanto, que o DNA era de um indivíduo do sexo masculino. Por que foi importante determinar a sequência do DNA de um homem e não de uma mulher?

Módulo 8 A evolução biológica

Capítulo 21

THE BRIDGEMAN ART LIBRARY/GRUPO KEYSTONE - VATICAN MUSEUMS AND GALLERIES, VATICAN CITY, ITALY

Os fundamentos da evolução biológica

Itens principais:

O pensamento evolucionista
Evidências da evolução biológica
A teoria sintética da evolução
Adaptação e evolução

Capítulo 22

CHRIS BUTLER/SCIENCE PHOTO LIBRARY/LATINSTOCK

A origem de novas espécies e dos grandes grupos de seres vivos

Itens principais:

O processo evolutivo e a diversificação da vida
A origem dos grandes grupos de seres vivos

No óleo sobre tela de Mikhail Ezuchevsky, o pintor retrata o naturalista Charles Darwin perto do fim da vida, período que foi marcado pelas angústias decorrentes de suas convicções sobre a origem dos seres vivos e a evolução. (*Charles Darwin at work on "The effects of cross- and self-fertilization in the Vegetable Kingdom" (1876)*, 1925, de Mikhail Dmitrievich Ezuchevsky. Óleo sobre tela, 200 × 150 cm. Staatliches Darwin Museum, Rússia.)

Capítulo 23 Evolução humana

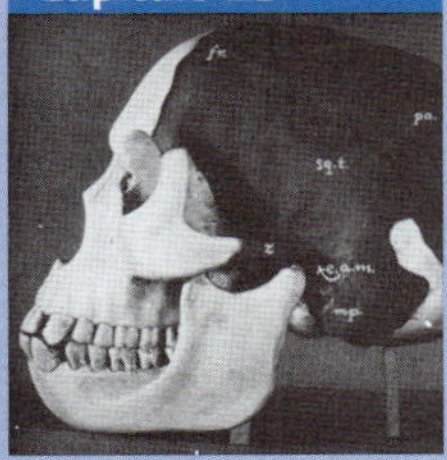

UNIVERSAL HISTORY ARCHIVE/UIG/ THE BRIDGEMAN ART LIBRARY/GRUPO KEYSTONE

Itens principais:

Nosso parentesco evolutivo com os grandes macacos
História evolutiva dos primatas
A ancestralidade humana

ALBUM / AKG-IMAGES / LATINSTOCK-STAATLICHES DARWING-MUSEUM - RUSSIA

Conheça os capítulos deste módulo

A necessidade de entender a natureza e os seres vivos parece ser inerente à espécie humana: explicações míticas sobre a criação do universo, do mundo e dos seres da natureza estão presentes em todas as culturas. Com o desenvolvimento do pensamento científico, a partir do Renascimento europeu, a metodologia e os pressupostos da ciência passaram a ser empregados para elaborar teorias científicas sobre a origem do universo, da Terra e dos seres vivos. Neste módulo, estudaremos como a origem dos seres vivos e as mudanças pelas quais eles têm passado, ao longo dos bilhões de anos de existência da Terra, são explicadas pela ciência à luz da teoria evolucionista.

Capítulo 21 Apresentamos aqui uma breve história do pensamento evolucionista, com ênfase no trabalho de Charles Darwin, considerado por muitos um dos mais importantes cientistas de todos os tempos. Discutimos também as principais evidências em favor da evolução biológica e dos pontos centrais da teoria sintética da evolução.

Capítulo 22 Abordamos como ocorre a formação de novas espécies de seres vivos, de acordo com a teoria evolucionista. A especiação, atuando ininterruptamente durante os bilhões de anos de evolução, é a responsável pela grande árvore da vida, que inclui milhões de espécies viventes e um número incalculável de espécies extintas. Este capítulo pode ser visto como o roteiro de uma monumental história, da qual também fazemos parte: a colonização da Terra pelos seres vivos.

Capítulo 23 Estudamos aqui a origem e a evolução da espécie humana. A visão científica sobre nossa ancestralidade tem passado por alterações significativas nos últimos anos, tanto em decorrência de novas descobertas e de novos métodos de análise como por mudanças da perspectiva teórica sobre o processo evolutivo. A ciência busca explicações plausíveis para a origem da espécie humana. Entre outros assuntos, esse capítulo aborda as seguintes questões: Como ocorreu a origem do ser humano? Há quanto tempo? Quais são as evidências de nosso parentesco com outros animais?

Capítulo 21

Os fundamentos da evolução biológica

THE BRIDGEMAN ART LIBRARY/GRUPO KEYSTONE - VATICAN MUSEUMS AND GALLERIES, VATICAN CITY, ITALY

Em seu famoso afresco pintado entre 1508 e 1512 no teto da Capela Sistina, no Vaticano, Michelangelo retrata o mito bíblico da criação do homem por Deus.

Conteúdo multimídia
Teorias da evolução

Mitos de criação

A *Teogonia* (lit. *o nascimento dos deuses*), poema épico atribuído ao poeta grego Hesíodo (século VIII a.C.), conta que no princípio reinava Caos, o deus primordial, imerso nas águas e sozinho nas trevas. Um dia, cansado da solidão, Caos resolveu criar o mundo, personificado em diversos deuses: Gaia, a Terra; Eros, o amor; Tártaro, o mundo inferior; Érebo, a escuridão do espaço; e Nix, a noite. Gaia, por sua vez, gerou sozinha três filhos: Urano, o firmamento; Ponto, as águas; e Óreas, as montanhas. Mais tarde, Gaia casou-se com Urano e um de seus filhos – Cronos, o tempo – tornou-se um dos deuses mais poderosos, antes do reinado de Zeus, a divindade suprema para os gregos.

Segundo os antigos egípcios, no começo o mundo não passava de um imenso rio de águas turvas em borbulhante caos, personificado pelo deus ancestral Nun. Das profundezas das águas, do caos primordial de Nun, nasceu Aton. Ao surgir das águas, Aton manifestou-se na forma de uma flor de lótus, de onde emergiu Rá, o deus-Sol. Rá, por sua vez, gerou dois filhos: Shu, deus do ar, e Tefnut, personificação da umidade e das águas. Juntos, esses dois filhos de Rá criaram Geb, a terra, e Nut, o céu.

Uma das versões bíblicas da criação do mundo afirma que no início havia somente água, sobre a qual pairava o espírito de Deus. Então Deus soprou a superfície líquida e surgiu a luz, que passou a iluminar as trevas. Isso ocorreu no primeiro dia da criação. No segundo dia, Ele criou o céu; no terceiro, a fertilidade do solo e as plantas, inclusive as frutíferas. No quarto dia, Deus criou o Sol, a Lua e as estrelas, colocando-os em seus devidos lugares no firmamento. No quinto dia, foram criados os peixes na água e os pássaros no céu. No sexto dia, Deus povoou a terra com todas as espécies de animais e criou o homem, à sua imagem e semelhança. No sétimo dia, descansou.

A civilização inca, que floresceu nos Andes antes da chegada dos europeus, acreditava que o Sol e a Lua eram ancestrais diretos dos seres humanos.

Os antigos povos *vikings*, entre seus muitos deuses, atribuíam a Odin a criação do primeiro homem e da primeira mulher, a partir de dois troncos de árvores que encontrou ao caminhar por uma praia.

A importância do assunto

Mitos de criação, presentes em praticamente todas as culturas, refletem o contexto histórico em que surgiram e demonstram uma necessidade essencialmente humana: explicar a natureza e a origem dos seres vivos. Essas explicações mitológicas, de natureza mística ou sobrenatural, pressupõem a existência de entidades onipotentes – que genericamente chamamos de deuses –, responsáveis pela criação e pelo controle da natureza.

O mito de criação mais difundido entre os povos ocidentais, de tradição judaico-cristã, surgiu em antigas tribos hebraicas do Oriente Médio e aparece no livro bíblico do Gênesis. Atualmente, a maioria dos cristãos e judeus considera o mito da criação descrito na Bíblia uma explicação alegórica da criação do universo. No entanto, algumas correntes fundamentalistas defendem a interpretação literal da Bíblia e rejeitam as explicações científicas para as origens do universo e da vida.

O desenvolvimento do pensamento científico, a partir do Renascimento europeu, possibilitou o emprego da metodologia e dos pressupostos da ciência para apresentar uma teoria bem fundamentada para a origem do universo, da Terra e dos seres vivos. Para a ciência atual, o universo, constituído por espaço, tempo, matéria e energia, surgiu no momento do *big bang*, sem nenhuma intervenção sobrenatural, e desde então evolui continuamente. A evolução universal tem levado à formação de estrelas, galáxias e planetas, um dos quais é a Terra. Neste planeta, onde vivemos, a vida surgiu, evoluiu e continua a evoluir, desde então.

Neste capítulo e nos próximos, vamos estudar como a ciência biológica explica, à luz da teoria evolucionista, a origem dos seres vivos e as mudanças pelas quais eles têm passado, ao longo dos bilhões de anos de existência da Terra. Conhecer o que a ciência diz a respeito de nossas origens ajuda a refletir sobre nossa história e nossa relação com o universo, do qual fazemos parte.

21.1 O pensamento evolucionista

Até o início da primeira metade do século XIX, a maioria dos naturalistas europeus adotava o **fixismo**, doutrina segundo a qual as espécies de seres vivos não se alteram ao longo do tempo. Em outras palavras, de acordo com essa doutrina, as espécies atuais de seres vivos seriam as mesmas que existiram no passado, embora pudesse haver pequenas variações entre os membros de uma espécie.

A maior parte dos naturalistas, inclusive Lineu, também aceitava o **criacionismo**, doutrina que atribui o surgimento das espécies biológicas a um ato divino de criação, como descrito na Bíblia.

O desenvolvimento da ciência e a descoberta de novos continentes, com faunas e floras tipicamente distintas das europeias, começaram a abalar as antigas explicações religiosas para os fenômenos naturais. No século XVIII, já havia naturalistas não fixistas, que admitiam a transformação das espécies. No decorrer do século XIX foram publicadas as primeiras obras que defendiam a possibilidade de os seres vivos se modificarem ao longo do tempo, originando novas espécies. Estabeleciam-se, assim, as bases da teoria evolucionista, também conhecida por **evolucionismo**.

Embora tanto o criacionismo quanto o evolucionismo busquem explicações para a origem dos seres vivos, há entre eles uma diferença fundamental: o criacionismo invoca o sobrenatural para explicar fenômenos da natureza. Portanto, as explicações criacionistas para a origem do universo e dos seres vivos situam-se no nível das crenças religiosas, fundamentando-se em dogmas, ideias e pressupostos revelados sobrenaturalmente, considerados certos e indiscutíveis, verdades absolutas e eternas que não admitem questionamento.

A ciência, por sua vez, parte do princípio de que não existem verdades inquestionáveis e que sempre há possibilidade de novas explicações para determinado fenômeno natural. A essência do pensamento científico consiste em basear as explicações dos fenômenos naturais em fatos e processos da própria natureza, sem jamais recorrer a explicações sobrenaturais ou dogmáticas. Em ciência, a única maneira de validar ou refutar uma explicação para um fenômeno natural é submetê-la a testes científicos rigorosos. As explicações dos fenômenos atualmente aceitas pela ciência vêm sendo continuamente testadas e não foram refutadas. Uma explicação científica nunca é considerada uma verdade absoluta; ela é aceita como verdadeira enquanto não houver razões para duvidar de sua veracidade.

Apoiado por evidências científicas de ordem cosmológica, geológica, arqueológica e antropológica, o evolucionismo tem passado por rigorosos testes e é, por enquanto, do ponto de vista da ciência, a única explicação racional e coerente para o conjunto de fatos sobre a origem e a diversidade dos seres vivos na Terra. O biólogo ucraniano naturalizado estadunidense Theodosius Dobzhansky (1900-1975), em artigo publicado em 1973 e traduzido livremente por nós, disse: "Interpretada à luz da evolução, a Biologia é, do ponto de vista intelectual, talvez a mais inspirada e satisfatória das ciências. Sem essa luz, a Biologia torna-se uma miscelânea de fatos, alguns deles interessantes ou curiosos, mas desprovidos de significado quando considerados em conjunto". (Fig. 21.1)

SCIENCE PHOTO LIBRARY/LATINSTOCK

Figura 21.1 Theodosius Dobzhansky, um dos mais importantes biólogos do século XX (fotografia tirada na década de 1960) publicou, em 1973, na revista *American Biology Teacher* (35: 125-129), o artigo "Nothing in biology makes sense except in the light of evolution" (Nada em Biologia faz sentido a não ser sob a luz da evolução), desafiando o movimento criacionista que tentava aprovar leis para excluir o ensino de Evolução das escolas públicas estadunidenses.

Ideias evolucionistas de Lamarck

Um nome sempre lembrado na história do pensamento evolucionista é o do francês Jean-Baptiste Antoine de Monet (1744-1829), que, por seu título de Cavaleiro de Lamarck, ficou mais conhecido como Jean-Baptiste Lamarck. De 1800 a 1822, Lamarck publicou uma série de versões de sua teoria evolucionista. A mais conhecida delas encontra-se no livro *Philosophie zoologique* (Filosofia zoológica), de 1809. Os historiadores de ciência costumam se referir às ideias e pressupostos da teoria evolucionista de Lamarck como **lamarckismo**.

De acordo com o lamarckismo, cada espécie atual de ser vivo surgiu por transformações sucessivas de uma forma primitiva originada de matéria não viva. Lamarck acreditava que formas primitivas de vida surgiram por geração espontânea, em diversos momentos da existência da Terra, e que elas se modificavam ao longo das gerações, em virtude de uma suposta tendência da natureza em aumentar sua complexidade. As ideias lamarckistas sofreram duras críticas desde sua publicação, principalmente por não se apoiarem em fatos observáveis e testáveis.

Lamarck ficou conhecido, talvez, menos por suas ideias evolucionistas – geração espontânea das formas ancestrais e tendência ao aumento de complexidade – do que por suas criativas explicações sobre a influência do ambiente nas transformações evolutivas dos seres vivos. Ele afirmava que o ambiente pode forçar a mudança de hábitos de um organismo, levando ao desenvolvimento exacerbado de certas estruturas e à atrofia de outras, em função do uso e do desuso dos órgãos; essas explicações resumem o que Lamarck denominou **lei do uso e desuso**.

Para ilustrar essa ideia, Lamarck citou como exemplo a ausência de pernas nas serpentes atuais, atribuindo-a à falta de uso dos membros locomotores pelos ancestrais desses animais. A adaptação a um modo de vida rastejante teria levado os ancestrais das serpentes a usar cada vez menos os membros locomotores, característica que seria transmitida às descendências ao longo das gerações. Essas explicações para o desaparecimento completo das pernas nas serpentes atuais ilustram o que Lamarck denominou **lei da transmissão das características adquiridas**.

Outro exemplo bem divulgado das ideias evolucionistas de Lamarck refere-se à origem do longo pescoço das girafas atuais. Segundo o lamarckismo, os ancestrais da girafa tinham pescoços curtos, mas o esforço para obterem alimento da copa das árvores levou ao aumento no comprimento do órgão, de acordo com a lei do uso e desuso. A característica adquirida pelo uso intensivo, o aumento de tamanho do pescoço, teria sido transmitida aos descendentes, de acordo com a lei da transmissão de características adquiridas. Assim, a cada nova geração, as girafas teriam pescoços ligeiramente mais longos que os da geração anterior.

As ideias centrais da lei do uso e desuso e da lei da transmissão das características adquiridas não foram criadas por Lamarck; eram aceitas na época e chegaram até a ser equivocadamente adotadas por Darwin. Hoje se sabe que alterações decorrentes do uso ou do desuso dos órgãos corporais não são transmitidas à descendência. Consequentemente, o pressuposto central do lamarckismo não tem validade científica. (Fig. 21.2)

MIGUEL TREFAUT RODRIGUES

Figura 21.2 O lagarto *Calyptommatus leiolepis*, da região de dunas de Alagoado (PI), apresenta reduções dos membros até sua quase completa ausência. Na visão lamarckista, a redução dos membros desse animal seria explicada pelas leis do uso e desuso e da transmissão das características adquiridas. Para a moderna teoria evolucionista, essas características resultam da adaptação ao ambiente por ação da seleção natural.

A contribuição de Lamarck ao evolucionismo consistiu em destacar o fenômeno da adaptação dos seres vivos ao ambiente, que resultaria de modificações lentas e graduais ao longo de inúmeras gerações. A importância de Lamarck para o pensamento evolucionista pode ser notada nas próprias palavras de Darwin, registradas em uma das edições do livro *A origem das espécies*. A seu ver, o naturalista francês foi o primeiro a chamar a atenção para a possibilidade de todas as mudanças, não apenas do mundo orgânico, mas também do mundo inorgânico, serem decorrentes de leis naturais e não de interferência divina.

Ideias evolucionistas de Darwin

O naturalista inglês Charles Robert Darwin (1809-1882) nasceu em 12 de fevereiro de 1809, o mesmo ano da publicação da *Filosofia zoológica* de Lamarck. De acordo com o evolucionista alemão naturalizado estadunidense Ernst Mayr (1904-2005), Darwin não se limitou a defender a evolução biológica, mas a explicou com base em fenômenos e processos cotidianos, que qualquer um pode observar por si mesmo na natureza. (Fig. 21.3)

A

AKG-IMAGES/LATINSTOCK - BIBLIOTHÈQUE NATIONALE, PARIS

B

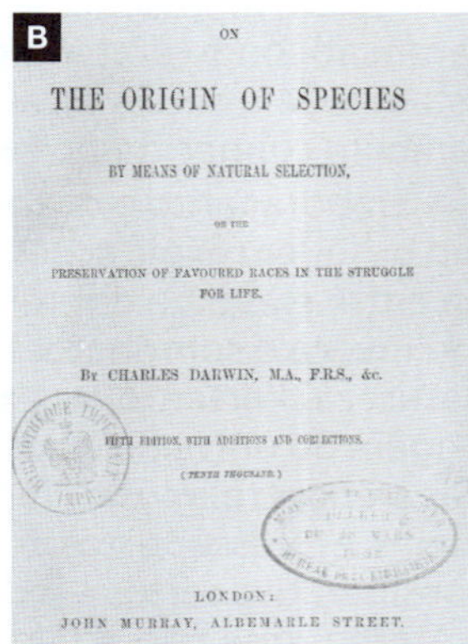

ALBUM/AKG-IMAGES/LATINSTOCK - BIBLIOTHÈQUE NATIONALE, PARIS

Figura 21.3 A. Retrato de Charles Robert Darwin, 1874. **B.** Página de rosto da edição de 1869 do livro de Darwin *On the origin of species by means of natural selection* (*A origem das espécies*).

Muitas das observações que levaram Charles Darwin a elaborar sua teoria evolucionista ocorreram durante a viagem de cinco anos que ele fez pelo mundo, na condição de naturalista do navio inglês H. S. S. Beagle. (Fig. 21.4)

Roteiro percorrido pelo navio Beagle

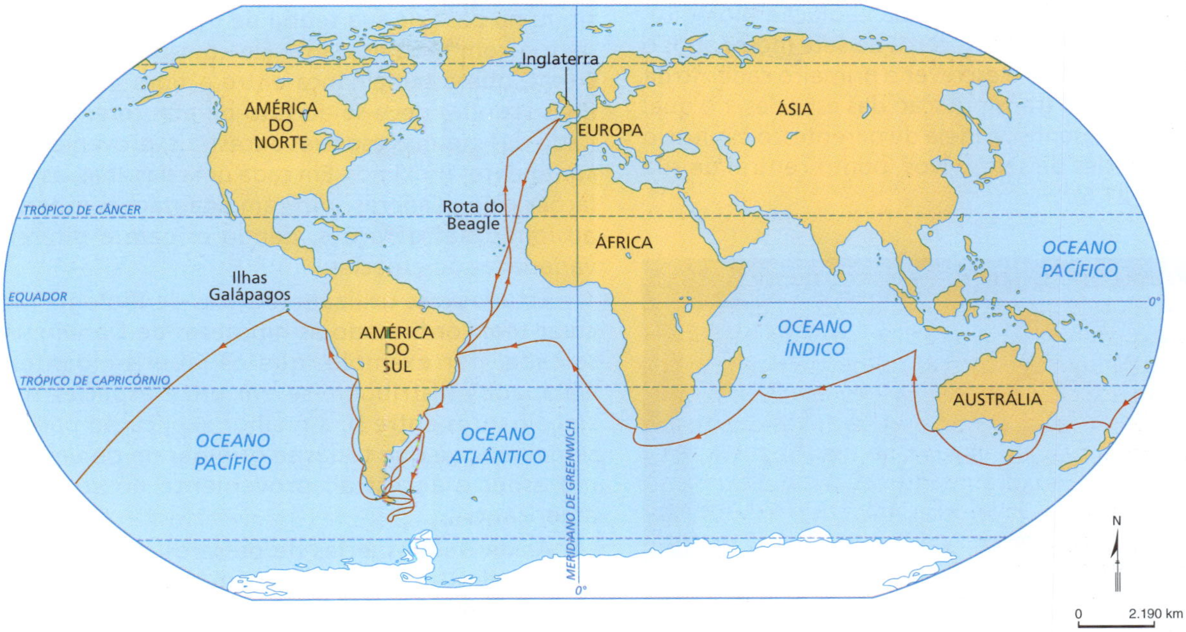

Figura 21.4 As setas vermelhas indicam o roteiro percorrido pelo navio britânico H. S. S. Beagle em sua viagem de cinco anos pelo mundo, de 7 de dezembro de 1831 a 2 de outubro de 1836. (Baseado em Sproule, A., 1993.)

Ao iniciar a viagem no Beagle, Darwin estava mais interessado em Geologia do que em Biologia. O primeiro volume dos *Princípios de Geologia* do geólogo britânico Charles Lyell (1797-1875), que ele levou a bordo, trazia uma visão nova e cientificamente detalhada de como eventos geológicos haviam moldado a superfície do planeta. O que mais fascinou Darwin, no entanto, foi a possibilidade de as ideias de Lyell poderem ser testadas no mundo real.

O Beagle chegou à América do Sul no final de 1832 e, durante os três anos em que percorreu a costa do continente, Darwin passou a maior parte do tempo em terra, coletando todo tipo de animal e planta e registrando tudo o que encontrava. Em escavações perto de Punta Alta, na costa da Argentina, ele encontrou inúmeros fósseis de mamíferos já extintos, entre eles o de um animal de grande tamanho, com organização esquelética muito semelhante à dos tatus que vivem hoje na América do Sul.

Após diversas paradas na costa do Chile, o Beagle seguiu para Galápagos, arquipélago do Oceano Pacífico formado por ilhas pequenas e áridas, a cerca de 800 km da costa do Equador. Ali, Darwin encontrou uma fauna e uma flora que variavam ligeiramente de uma ilha para outra e diferiam bastante das presentes na América do Sul. A natureza peculiar dos habitantes de Galápagos causou forte impressão no naturalista inglês, mas ele só percebeu sua importância quase dois anos depois da visita. (Fig. 21.5)

JASON O. WATSON/ALAMY/OTHER IMAGES

Figura 21.5 A. Um dos locais marcantes do roteiro do Beagle foi o arquipélago de Galápagos, localizado próximo à costa oeste da América do Sul, nas águas territoriais do Equador. **B.** O jabuti-gigante (*Chelonoidis nigra*; em espanhol, *galapago*) foi um dos animais do arquipélago que chamaram a atenção de Darwin. Pode atingir 1,3 m de comprimento e 300 kg de massa corporal.

Alguns meses depois de voltar à Inglaterra, ao rever anotações e submeter o material coletado à análise de diversos especialistas, Darwin compreendeu o significado de suas observações em Galápagos e em outros locais, convencendo-se da evolução biológica. No dia 10 de maio de 1837, cerca de sete meses após o retorno, ele começou a escrever o primeiro caderno de anotações sobre a transmutação das espécies, no qual registrou, em desenho, a ideia de parentesco evolutivo entre as espécies de seres vivos, ponto central de sua teoria. (Fig. 21.6)

HEIDI SCHUMANN/THE NEW YORK TIMES/LATINSTOCK

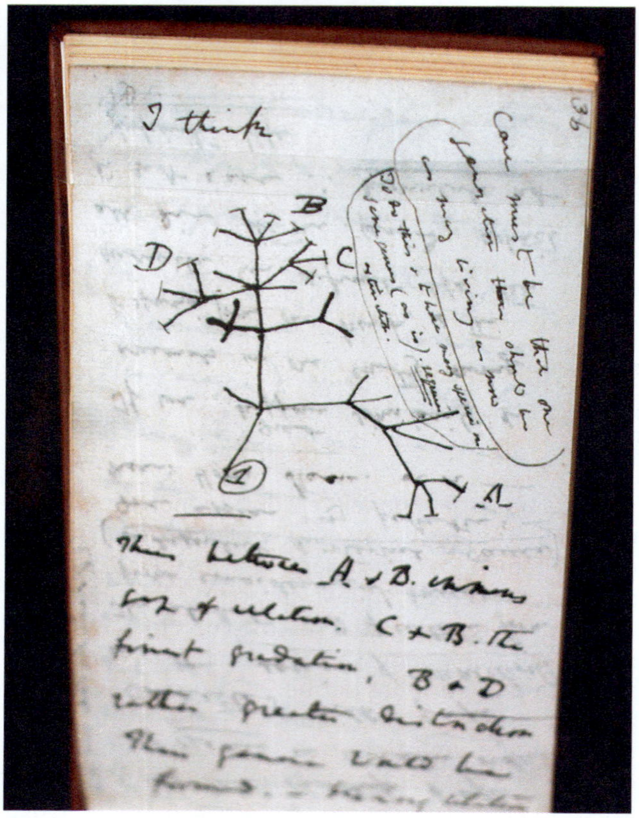

Figura 21.6 Página do primeiro caderno de anotações de Darwin. No início da página, ele grafou a expressão *I think* (eu penso), acima de um desenho que mostra a relação de parentesco evolutivo entre espécies de seres vivos, a primeira árvore filogenética a ser elaborada; trata-se de um dos mais marcantes exemplos do nascimento de uma teoria científica, no caso a ideia da ancestralidade comum dos seres vivos, o ponto central da teoria evolucionista atual.

Ao refletir sobre suas observações na viagem que realizou pelo mundo, Darwin se fez algumas perguntas básicas.

a) Se animais e plantas tivessem sido criados exatamente como se apresentam hoje, por que espécies distintas, mas nitidamente semelhantes, como pássaros e jabutis de Galápagos, foram colocadas pelo Criador apenas em ilhas próximas e não distribuídas homogeneamente pelo mundo?

b) Por que ilhas com clima e condições físicas semelhantes, mas distantes entre si, como Galápagos e Cabo Verde, por exemplo, não tinham espécies semelhantes?

c) Por que fósseis se parecem com espécies que habitam atualmente os locais onde são descobertos?

A resposta encontrada por Darwin e que se constituiu na base de sua teoria de evolução foi "descendência com modificação". Ele concluiu, entre outras coisas, que a semelhança entre a flora e a fauna de ilhas vizinhas deve-se ao fato de elas terem se originado das mesmas espécies ancestrais, provenientes de continentes próximos. Em cada uma das ilhas, as populações colonizadoras sofreram adaptações específicas ao longo das gerações, dando origem a diferentes variedades ou espécies.

Estudos que utilizam técnicas de Biologia Molecular têm confirmado as hipóteses de Darwin. Hoje se sabe, por exemplo, que os jabutis-gigantes de Galápagos distribuem-se em onze espécies muito semelhantes entre si; a melhor explicação para essa semelhança é que todas se originaram de uma mesma espécie ancestral, proveniente do continente americano.

As diversas espécies de pássaros da família Fringillidae de Galápagos, também muito semelhantes em termos genéticos, devem ter se originado de uma única espécie ancestral oriunda da América do Sul. Como no caso dos jabutis, a diversificação da espécie original de pássaro resultou da adaptação às condições particulares das diferentes ilhas do arquipélago; e foi essa diversificação que levou à formação de novas espécies. (Fig. 21.7)

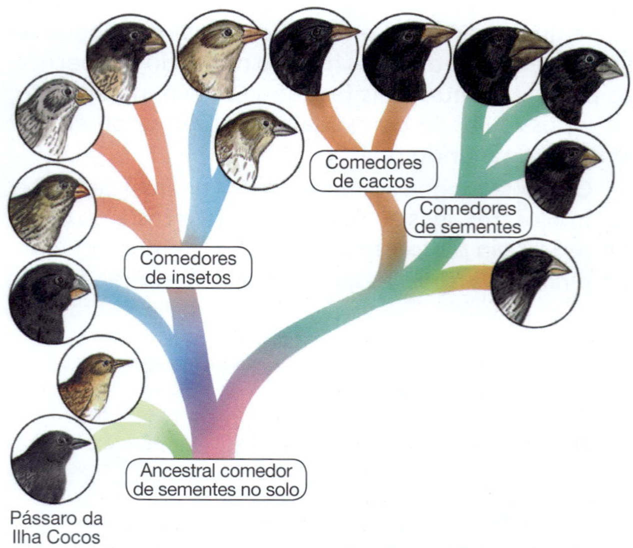

Figura 21.7 Árvore filogenética que relaciona treze espécies de pássaros de Galápagos da família Fringillidae e uma da Ilha Cocos, próxima daquele arquipélago. As diferentes espécies assemelham-se quanto ao aspecto geral do corpo, mas apresentam diferenças marcantes na forma do bico, o que reflete a adaptação de cada espécie a determinado tipo de alimento (insetos, cactos ou sementes). (Baseado em Grant, P. R., 1991.)

Convencido da veracidade de sua ideia, Darwin passou os anos seguintes reunindo evidências que a sustentassem e imaginando um mecanismo para explicar a diversificação da vida.

O conceito darwiniano de seleção natural

Darwin deduziu que a natureza exerce uma seleção sobre as espécies selvagens comparável à seleção realizada pelos agricultores para a obtenção das variedades domésticas.

Sabia-se, na época, que alguns animais domesticados e certos vegetais cultivados pertenciam a espécies com representantes ainda na condição selvagem. Comparando indivíduos resultantes do processo de domesticação com as formas selvagens, Darwin chamou a atenção para as enormes diferenças que podia haver entre eles; em certos casos, seria possível até mesmo classificá-los como espécies diferentes. (Fig. 21.8)

JOE MCDONALD/VISUALS UNLIMITED, INC./GLOW IMAGES

DYOMA/SHUTTERSTOCK

Figura 21.8 Exemplo dos efeitos da domesticação e da seleção praticada pelos criadores. **A.** *Sus scrofa*, porco-selvagem que atinge entre 1,2 e 1,8 m de comprimento, 90 cm de altura e entre 50 e 90 kg de massa corporal. **B.** Porco domesticado, que pode atingir comprimento e altura semelhantes aos do porco-selvagem e ter entre 200 e 300 kg de massa corporal. O porco-selvagem deu origem ao porco domesticado e as diferenças entre eles resultam da ação dos criadores, que há muito tempo vêm escolhendo para cruzar os espécimes que apresentem características comercialmente desejáveis, dentre as quais a maior massa corporal é um exemplo.

A **seleção artificial**, por meio da qual os agricultores e criadores produzem novas variedades de plantas e de animais, foi o principal argumento de Darwin contra a imutabilidade das espécies. Nesse processo, os criadores selecionam reprodutores de uma variedade ou de uma raça determinada, de seu interesse, permitindo que apenas os indivíduos dotados das características desejadas se reproduzam.

Uma comparação entre cães das diversas raças existentes ou entre as diversas variedades de couve (*Brassica oleracea*), por exemplo, leva-nos à seguinte reflexão: se foi possível obter tantas diferenças em séculos, ou mesmo anos de seleção, imagine o que poderia ser conseguido em centenas, milhares ou milhões de anos! (Fig. 21.9)

FOTOS: A. JAMES STEINBERG/PHOTORESEARCHERS/DIOMEDIA ; B. ELENA SCHWEITZER/ SHUTTERSTOCK; C. NATTIKA/SHUTTERSTOCK; D. MONTICELLO/SHUTTERSTOCK; E. PETER ZIJLSTRA/ SHUTTERTOCK; F. BERND JUERGENS/SHUTTERSTOCK;

Figura 21.9 A seleção artificial feita por criadores de animais e por agricultores é responsável pela criação de novas raças de animais ou variedades de plantas e serviu como argumento para as ideias de Darwin. Exemplos são os diversos tipos de vegetais obtidos por seleção artificial a partir de uma variedade de *Brassica oleracea*, a mostarda selvagem.

A genialidade de Darwin foi ter percebido que a natureza podia ter um papel de agente seletivo análogo ao dos agricultores e criadores de animais. Nas espécies selvagens, são "selecionados" os indivíduos mais bem adaptados às condições ambientais reinantes. Eles tendem a deixar proporcionalmente mais descendentes, que contribuem significativamente para a formação da geração seguinte. Em linhas gerais, é esse o conceito darwiniano de **seleção natural**.

Em sua obra, Darwin menciona o livro *Essay on the principle of population* (Ensaio sobre o princípio da população), do economista inglês Thomas R. Malthus (1766-1834). Nesse livro, Malthus sugere que o descompasso entre o crescimento das populações e a produção de alimentos é a principal causa da miséria humana. Para ele, o poder da terra em produzir meios de subsistência é muito menor que o poder do crescimento populacional, pois se uma população não encontra obstáculos, ela cresce em progressão geométrica, mas os meios de subsistência aumentam em progressão aritmética. Malthus não se referia apenas às populações humanas, mas tentou imaginar a humanidade submetida às mesmas leis gerais que regem populações de outras espécies de seres vivos.

Alguns historiadores acreditam que a conclusão de Malthus despertou a atenção de Darwin para as ideias de "luta pela vida" e "sobrevivência dos mais aptos", possivelmente contribuindo para a elaboração do conceito de seleção natural. (Fig. 21.10)

PAUL D STEWART/SCIENCE PHOTO LIBRARY/LATINSTOCK

UNIVERSAL HISTORY ARCHIVE/UIG/THE BRIDGEMAN ART LIBRARY/GRUPO KEYSTONE

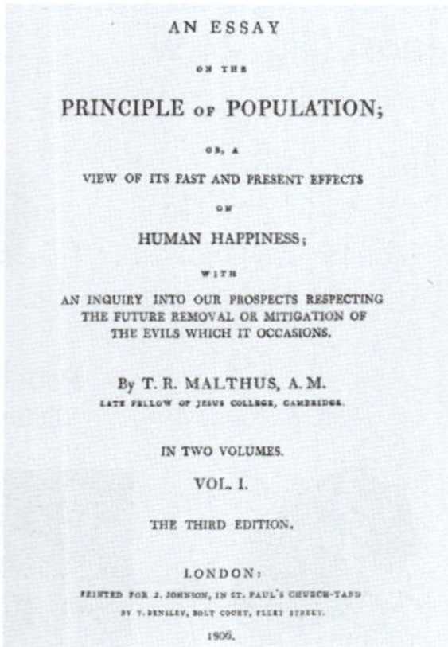

AN ESSAY
ON THE
PRINCIPLE OF POPULATION;
OR, A
VIEW OF ITS PAST AND PRESENT EFFECTS
ON
HUMAN HAPPINESS;
WITH
AN INQUIRY INTO OUR PROSPECTS RESPECTING THE FUTURE REMOVAL OR MITIGATION OF THE EVILS WHICH IT OCCASIONS.
By T. R. MALTHUS, A.M.
LATE FELLOW OF JESUS COLLEGE, CAMBRIDGE.
IN TWO VOLUMES.
VOL. I.
THE THIRD EDITION.
LONDON:
PRINTED FOR J. JOHNSON, IN ST. PAUL'S CHURCH-YARD, BY T. BENSLEY, BOLT COURT, FLEET STREET.
1806.

Figura 21.10 Retrato do economista inglês Thomas R. Malthus e página de rosto de seu livro *Essay on the principle of population* (Ensaio sobre o princípio da população), que alguns historiadores admitem ter influenciado Darwin na elaboração da ideia de seleção natural.

Acompanhe, a seguir, como Darwin, a partir de alguns fatos observados na natureza, chegou a três proposições que fundamentam o conceito de seleção natural.

- **Fato 1**. As populações naturais de todas as espécies tendem a crescer rapidamente, uma vez que o potencial reprodutivo dos seres vivos é muito grande. Isso pode ser verificado, por exemplo, quando determinadas espécies são criadas em cativeiro, onde se garantem condições ambientais favoráveis ao desenvolvimento. Nesses casos, sempre se observa uma elevada capacidade reprodutiva, inerente a praticamente todas as populações biológicas.
- **Fato 2**. Os tamanhos das populações naturais, a despeito do grande potencial para crescer, mantêm-se relativamente constantes ao longo do tempo; isso ocorre porque diversos fatores ambientais – disponibilidade de alimento, locais para procriação, presença de inimigos naturais, parasitas etc. – exercem efeito limitador ao crescimento.

  Inferência 1 — Na natureza, a cada geração, morre grande número de indivíduos, muitos dos quais, provavelmente, sem deixar descendentes.
- **Fato 3**. Os indivíduos de uma população diferem quanto a diversas características, inclusive aquelas que influem na capacidade de explorar com sucesso os recursos naturais e de deixar descendentes.

  Inferência 2 — Os indivíduos que sobrevivem e se reproduzem, a cada geração, são preferencialmente os que possuem determinadas características relacionadas à adaptação às condições ambientais.
- **Fato 4**. Grande parte das características apresentadas por uma geração é herdada dos pais.

  Inferência 3 — Uma vez que, a cada geração, sobrevivem preferencialmente os mais adaptados, eles tendem a transmitir aos descendentes as características relacionadas a essa maior aptidão para sobreviver e se reproduzir.

Assim, ao longo de gerações sucessivas, a seleção natural favorece a permanência e o aprimoramento de características relacionadas à adaptação da espécie a seu ambiente.

A essência do darwinismo

O **darwinismo**, como é conhecida a teoria evolucionista baseada em pressupostos da teoria original de Darwin, defende a ideia de ancestralidade comum, ou seja, de que todos os seres vivos, em algum momento no passado, compartilharam um mesmo ancestral. Por exemplo, entre 7 e 8 milhões de anos atrás teria vivido uma linhagem de primata que originou, por um lado, a linhagem dos chimpanzés e, por outro, a linhagem humana. Outra ideia central do pensamento darwiniano é a seleção natural, segundo a qual os indivíduos de cada espécie mais bem adaptados ao ambiente sobrevivem e têm maior sucesso reprodutivo.

Esses princípios fundamentais da teoria evolucionista de Darwin têm sido confirmados pela ciência contemporânea e ampliados pelas modernas descobertas científicas, servindo de base para a elaboração da teoria evolucionista atualmente aceita, que estudaremos mais adiante.

Em 1844, Darwin concluiu um longo trabalho sobre a origem das espécies e a seleção natural. Não o publicou, porém, receoso de que suas ideias não fossem bem aceitas, em virtude de seu teor um tanto revolucionário. Amigos de Darwin, conhecedores da seriedade de seu trabalho, tentavam convencê-lo a publicar o manuscrito antes que outros divulgassem ideias semelhantes, mas ele resistia. Finalmente, em junho de 1858, Darwin recebeu do naturalista inglês Alfred Russel Wallace (1823-1913) uma carta acompanhada de um manuscrito. Ao estudar as faunas da Amazônia e das Índias Orientais (denominação dada, na época, a regiões atualmente correspondentes à Índia e a outros países orientais), Wallace havia concluído que as espécies se modificam por seleção natural. (Fig. 21.11)

Assombrado com as semelhanças entre seu trabalho e o de Wallace, Darwin se dispôs a escrever um resumo de suas ideias, apresentando-o, juntamente com as de Wallace, em uma reunião da Linnean Society of London no dia 1º de julho de 1858. Um ano mais tarde, ele publicou o trabalho completo no livro que se tornou conhecido como *A origem das espécies*. Anotações confirmam que Darwin concebeu sua teoria de evolução aproximadamente 15 anos antes de receber a carta de Wallace; este, cavalheirescamente, admitiu publicamente o pioneirismo do colega.

A obra *A origem das espécies* gerou grandes debates e consolidou o nome de Charles Darwin como o principal autor da teoria da evolução pela seleção natural.

HULTON-DEUTSCH COLLECTION/CORBIS/LATINSTOCK

Figura 21.11 Retrato de Alfred Russel Wallace, naturalista inglês que concebeu, independentemente de Darwin, uma teoria de evolução baseada na seleção natural.

21.2 Evidências da evolução biológica

Pesquisas em diferentes áreas da Biologia continuam a fornecer evidências em favor da evolução biológica. Entre as principais, destacam-se: o documentário fóssil; as semelhanças embrionárias, anatômicas, fisiológicas e genéticas entre as espécies; a adaptação dos seres vivos a seus ambientes. A seguir, acompanhe mais detalhadamente o significado de cada um desses tipos de evidência.

O documentário fóssil como evidência da evolução biológica

Em condições normais, logo que um organismo morre, entram em ação agentes saprófagos, que destroem completamente o cadáver. Entretanto, no passado ocorreram diversos casos de condições extremamente favoráveis à preservação do cadáver ou do vestígio deixado pelo organismo. Assim surgiram os **fósseis** (do latim *fossilis*, tirado da terra), vestígios deixados por seres que viveram no passado e que revelam semelhanças e diferenças com os seres atuais.

Os vestígios fósseis podem ser ossos, dentes, pegadas impressas em rochas, fezes petrificadas, animais conservados no gelo, troncos de árvore petrificados etc. O estudo dos fósseis permite deduzir, entre outras coisas, o tamanho e a forma dos organismos que os deixaram, possibilitando a reconstituição de imagens mentais, possivelmente bem aproximadas, desses organismos quando vivos. Os fósseis constituem a mais forte evidência de que nosso planeta foi habitado, no passado, por seres bem diferentes dos que vivem atualmente. A relação entre os fósseis e os seres atuais permite estabelecer correlações que fortalecem a teoria da evolução das espécies. (Fig. 21.12)

Tipos de fossilização

A **fossilização**, processo de formação de um fóssil, ocorre apenas em condições extremamente favoráveis; por exemplo, quando o vestígio ou o cadáver de um organismo é rapidamente sepultado por sedimentos como areia, argila etc., geralmente em ambientes alagados. Com o passar do tempo, os sedimentos depositados compactam-se e originam o que os geólogos denominam **rocha sedimentar**. Se no sedimento houver vestígios do organismo morto, eles podem ser preservados na rocha sedimentar, vindo a constituir os diferentes tipos de fóssil. (Fig. 21.13)

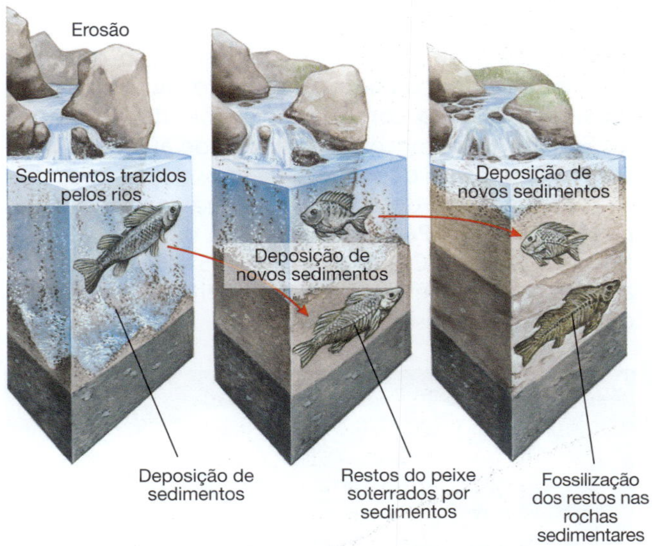

Figura 21.13 Representação esquemática da formação de um fóssil em um estuário de rio. Os sedimentos trazidos depositam-se sobre um animal morto, preservando-o da decomposição. Como as rochas sedimentares se formam em camadas sobrepostas, fósseis encontrados em camadas mais profundas são mais antigos que os das camadas mais superficiais. (Elementos fora de proporção de tamanho entre si; cores-fantasia.)

DAVID MCNEW/GETTY IMAGES

JAMES L. AMOS/PHOTORESEARCHERS/LATINSTOCK

MARCO STOPPATO & AMANDA RONZONI/THE LIGHTHOUSE/VISUALS UNLIMITED/GLOW IMAGES - MUSEO CIVICO G. ZANNATO, VICENZA, ITALIA

LAYNE KENNEDY/CORBIS/LATINSTOCK

CHRIS HELLIER/SCIENCE PHOTO LIBRARY/LATINSTOCK

Figura 21.12 A. Paleontólogos examinam esqueleto de ancestral de baleia com idade estimada entre 5 e 7 milhões de anos, na Califórnia (EUA), em 2002. **B.** Fóssil de folha da espécie extinta *Populus wilmattae*, com idade estimada em mais de 34 milhões de anos (Colorado, EUA). A folha tem aproximadamente 6 cm de comprimento. **C.** Fóssil de caranguejo datado de 50 milhões de anos, encontrado na Itália. **D.** Pedaço de âmbar com 35 milhões de anos, contendo um grilo e duas moscas. **E.** Pegadas de dinossauro do gênero *Plateosaurus* encontradas no sul da França, datadas de mais de 199 milhões de anos. Esse dinossauro media cerca de 7 m de comprimento.

Um tipo de fóssil, conhecido como **molde**, forma-se quando os restos soterrados de organismos, depois de deixarem sua impressão gravada na rocha, desaparecem completamente. Em certos casos, o molde deixado por um organismo na rocha pode ser preenchido por outros minerais, que ao se solidificar produzem uma cópia tridimensional, em rocha, do organismo original. Esse tipo de fóssil é o **contramolde**.

Em certos casos, as substâncias orgânicas do cadáver ou de vestígios sepultados são lenta e gradualmente substituídas por minerais trazidos pela água. Aos poucos, os minerais ocupam o lugar das substâncias orgânicas; a substituição pode ser tão exata que todos os detalhes do corpo do organismo ficam preservados como rocha, embora não reste nada mais do material orgânico original. Esse processo de fossilização, chamado **permineralização**, ou **petrificação**, ocorreu em diversos lugares do planeta, como certas regiões do Rio Grande do Sul, onde há troncos petrificados de árvores que viveram há dezenas de milhões de anos. Na Chapada do Araripe, na divisa do estado do Ceará com os estados de Pernambuco, Paraíba e Piauí, há depósitos fossilíferos do período Cretáceo, entre 145 e 66 milhões de anos atrás, com peixes e répteis petrificados e moldes de plantas e de insetos. (Fig. 21.14)

GERSON GERLOFF/PULSAR IMAGENS

PASCAL GOETGHELUCK/SCIENCE PHOTO LIBRARY/LATINSTOCK

Figura 21.14 **A.** Tronco fossilizado com mais de 200 milhões de anos, encontrado na cidade de Mata (RS). **B.** Fóssil de libélula da espécie extinta *Parahemiphebia cretacica*, que viveu entre 110 e 114 milhões de anos atrás, em Araripe (CE). Essa libélula media cerca de 8 cm de comprimento.

Outro tipo de fóssil são pegadas e marcas deixadas por um organismo sobre um terreno mole que posteriormente se transformou em rocha. Esses vestígios fósseis, denominados **impressões**, podem fornecer informações importantes sobre o organismo que as produziu. Por exemplo, em 1978, a cientista inglesa Mary Leakey (1913-1996) encontrou, na Tanzânia (África), pegadas de dois hominídeos primitivos, presumivelmente um macho e uma fêmea, caminhando lado a lado. Os estudos mostraram que a rocha onde estava registrado o passeio desses nossos parentes distantes tinha nada menos que 3,5 milhões de anos de idade. Podemos concluir que, naquela época, os possíveis ancestrais da espécie humana já caminhavam eretos, um traço que nos distingue dos outros primatas atuais.

Em alguns casos mais raros, ocorreu preservação total do organismo fossilizado. Por exemplo, insetos de dezenas de milhões de anos foram encontrados no interior de resina vegetal fossilizada, chamada **âmbar fóssil**. Talvez o caso mais espetacular de preservação de organismos fósseis sejam os corpos completos de mamutes descobertos sob as geleiras do Ártico. Esses enormes mamíferos peludos, semelhantes aos elefantes atuais, foram preservados pelo gelo e datados em mais de 30 mil anos de idade. (Fig. 21.15)

XINHUA/WONG PUN KEUNG/AFP

Figura 21.15 Corpo de filhote de mamute que viveu há aproximadamente 40 mil anos, na Sibéria, e foi preservado pelo gelo.

Determinação da idade dos fósseis

Um dos grandes desafios da ciência foi estabelecer métodos para descobrir há quanto tempo se formou um fóssil ou a rocha que o contém. O primeiro método para datar fósseis foi a **datação relativa**, desenvolvido no século XIX com base nas ideias do geólogo inglês William Smith (1769-1839). Partindo do princípio de que as rochas sedimentares sempre se formam no fundo dos mares e dos lagos, pela deposição sucessiva de camadas de sedimentos, Smith concluiu que as camadas localizadas em posições mais inferiores na pilha sedimentar deviam ter-se formado antes das superiores. Com isso, foi possível determinar as idades relativas das camadas de rocha e dos fósseis nelas contidos, sabendo quais delas são mais antigas e quais são mais recentes. Smith também observou que alguns fósseis são como "marcas registradas" das rochas em que ocorrem. Em outras palavras, eles são encontrados apenas (ou quase que exclusivamente) naquele tipo de rocha. Fósseis típicos de certas camadas sedimentares foram denominados **fósseis-guias**.

Os trabalhos de Smith revolucionaram a prática da Geologia, permitindo que rochas de diferentes regiões do mundo pudessem ser comparadas com base nos fósseis-guias nelas contidos. Com isso, os cientistas conseguiram reunir "fragmentos" do documentário fóssil de diversas regiões do planeta e, por meio de sua datação relativa, estabelecer as divisões do tempo geológico, como veremos no próximo capítulo. (Fig. 21.16)

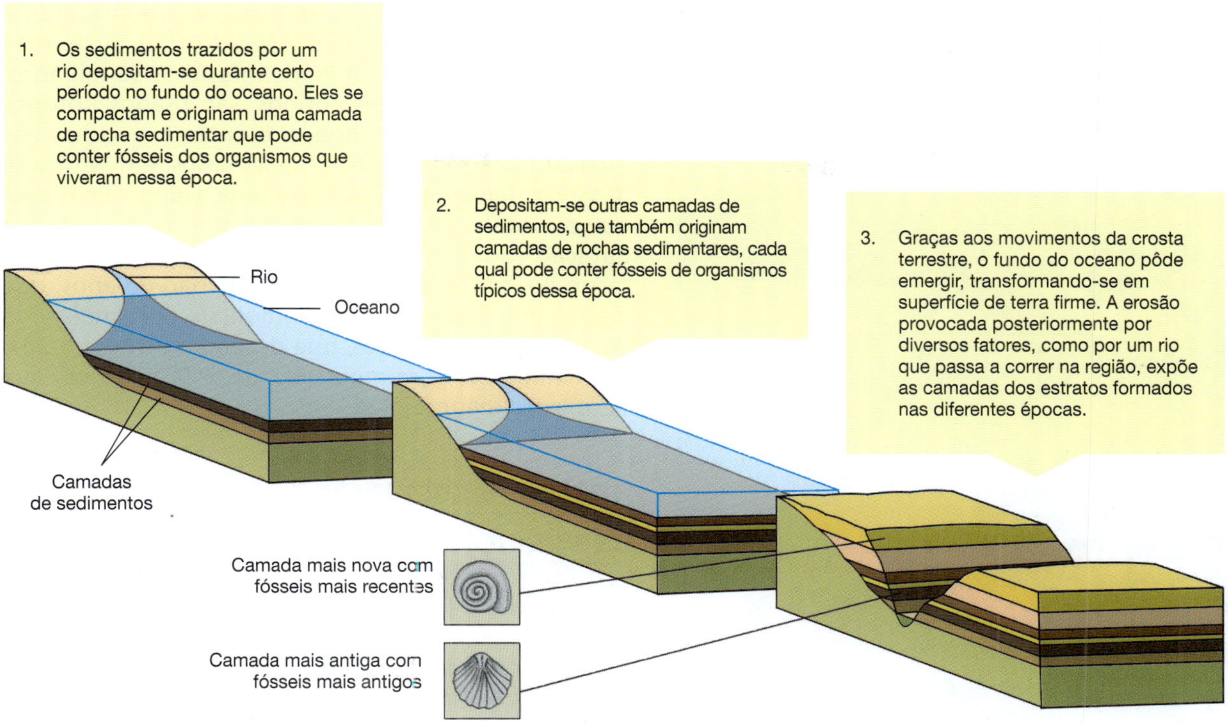

Figura 21.16 Representação esquemática da formação de rochas sedimentares e de fósseis em diferentes períodos de tempo. Cada estrato, ou camada, representa uma etapa da história da Terra e é caracterizado por fósseis de certos organismos (fósseis-guias) que viveram na época correspondente. (Elementos fora de proporção de tamanho entre si; cores-fantasia.) (Baseado em Campbell, N. e cols., 1999.)

Em meados do século XX, a datação dos fósseis e das camadas da Terra teve grande avanço, com o desenvolvimento de métodos fundamentados na análise de elementos radioativos. A técnica, denominada **datação radiométrica**, ou **datação absoluta**, permite estabelecer com certa precisão há quanto tempo um fóssil ou uma rocha se formou.

A datação radiométrica baseia-se nos conhecimentos científicos sobre os isótopos radioativos de certos elementos químicos. Isótopos são átomos de mesma natureza química, com o mesmo número de prótons no núcleo atômico, mas com diferente número de nêutrons, o que lhes confere diferentes massas atômicas e, em certos casos, propriedades radioativas. As propriedades radioativas de um isótopo resultam do chamado **decaimento radioativo**, que é sua transformação em outro isótopo ou em outro elemento.

Por exemplo, a forma mais comum na natureza de átomos de carbono é o isótopo ^{12}C, que possui 6 prótons e 6 nêutrons no núcleo atômico; esse isótopo tem, portanto, número de massa igual a 12 (6p + 6n). Uma pequena porcentagem dos átomos de carbono, entretanto, encontra-se na forma do isótopo radioativo ^{14}C, que possui 6 prótons e 8 nêutrons, com número de massa igual a 14. Com o tempo, um dos nêutrons do carbono-14 tende a se transformar em próton; com isso, o isótopo ^{14}C decai para nitrogênio-14 (^{14}N), cujo núcleo possui 7 prótons e 7 nêutrons.

Os físicos mostraram que a cada período de 5.730 anos aproximadamente metade dos átomos de ^{14}C de uma amostra decai para ^{14}N. Assim, se partíssemos de uma amostra com 1.000 átomos de ^{14}C, após 5.730 anos teríamos 500 átomos de ^{14}C e 500 de ^{14}N; passados mais 5.730 anos, teríamos cerca de 250 átomos de ^{14}C e 750 de ^{14}N; e assim por diante.

O tempo necessário para metade dos isótopos radioativos de um elemento químico se transformar em outro isótopo ou em outro elemento é denominado **meia-vida**. No caso do ^{14}C, a meia-vida é de 5.730 anos, como já mencionamos. Por ocorrer em uma taxa constante (meia-vida), típica de cada isótopo, o decaimento radioativo constitui uma espécie de "relógio geológico" e pode ser utilizado para determinar a idade de rochas e de fósseis.

A datação pelo método do carbono-14 baseia-se na comparação entre as quantidades de ^{14}C e de ^{12}C presentes em uma amostra de matéria orgânica fóssil. O método fundamenta-se no fato de que a taxa de ^{14}C se mantém relativamente constante na atmosfera, tanto no passado quanto hoje. Isso porque o bombardeamento de átomos de nitrogênio atmosférico por raios cósmicos leva à formação contínua de ^{14}C, situação que se supõe inalterada há milhões de anos.

Como os organismos fotossintetizantes não têm preferência por incorporar um ou outro desses isótopos de carbono, há nas moléculas orgânicas dos seres vivos a mesma proporção entre os dois isótopos de carbono presentes na atmosfera. Ao morrer, porém, o organismo deixa de incorporar novos átomos de carbono e o ^{14}C presente em sua matéria constituinte pouco a pouco se transforma em nitrogênio, em decorrência do decaimento radioativo. Por isso, a quantidade residual do ^{14}C nas moléculas orgânicas presentes em um fóssil possibilita sua datação.

Por exemplo, se um fóssil apresenta $\frac{1}{16}$ do ^{14}C que existia no organismo quando vivo, pode-se concluir que sua morte ocorreu há aproximadamente 23 mil anos. (Fig. 21.17)

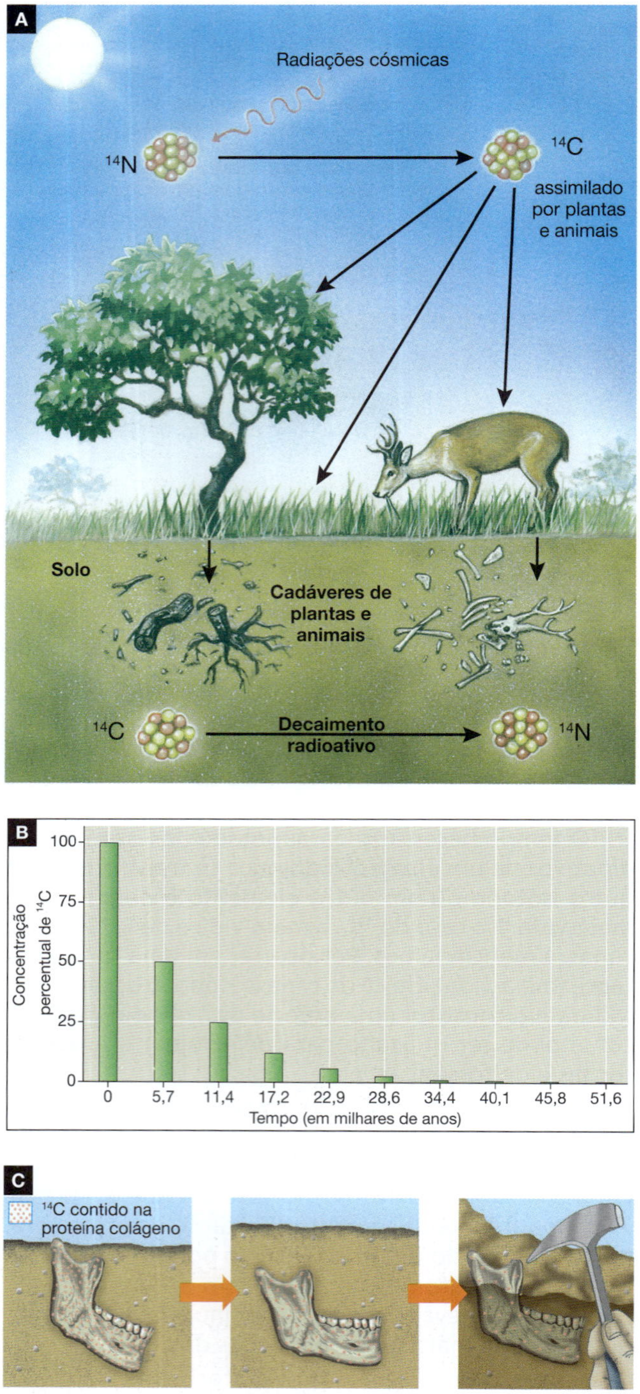

Figura 21.17 A. Representação esquemática da formação de ^{14}C a partir de ^{14}N bombardeado por raios cósmicos. O ^{14}C é assimilado pelos seres vivos. Após a morte, o ^{14}C presente em seus restos decai a ^{14}N. Medidas do ^{14}C residual permitem estimar há quanto tempo o organismo morreu. **B.** O gráfico mostra o decaimento do ^{14}C, cuja meia-vida é de 5.730 anos. **C.** A sequência ilustra o decaimento do ^{14}C na proteína colágeno de uma mandíbula humana desde a morte do indivíduo até a retirada do osso fossilizado da rocha. (Elementos fora de proporção de tamanho entre si; cores-fantasia.) (Baseado em Campbell, N. e cols., 1999.)

Como a meia-vida do carbono-14 é relativamente curta, a datação por meio desse isótopo é possível apenas para fósseis com idade inferior a 50 mil anos. Para datar fósseis mais antigos, são usados isótopos com meia-vida mais longa, presentes em rochas nas quais o fóssil se encontra. Nesses casos, em vez de se datar diretamente o fóssil, estima-se a idade das rochas que o contêm. Entre os diversos isótopos utilizados na datação radiométrica de rochas destacam-se: o potássio-40, com meia-vida de 1,26 bilhão de anos, que decai para argônio-40; o urânio-235, com meia-vida de 704 milhões de anos, que decai para chumbo-207; o alumínio-26, com meia-vida de 740 mil anos, que decai para magnésio-26.

Anatomia comparada como evidência da evolução biológica

Observe a figura a seguir, que mostra a organização esquelética dos membros anteriores de quatro animais vertebrados: ser humano, golfinho, morcego e ave. (Fig. 21.18)

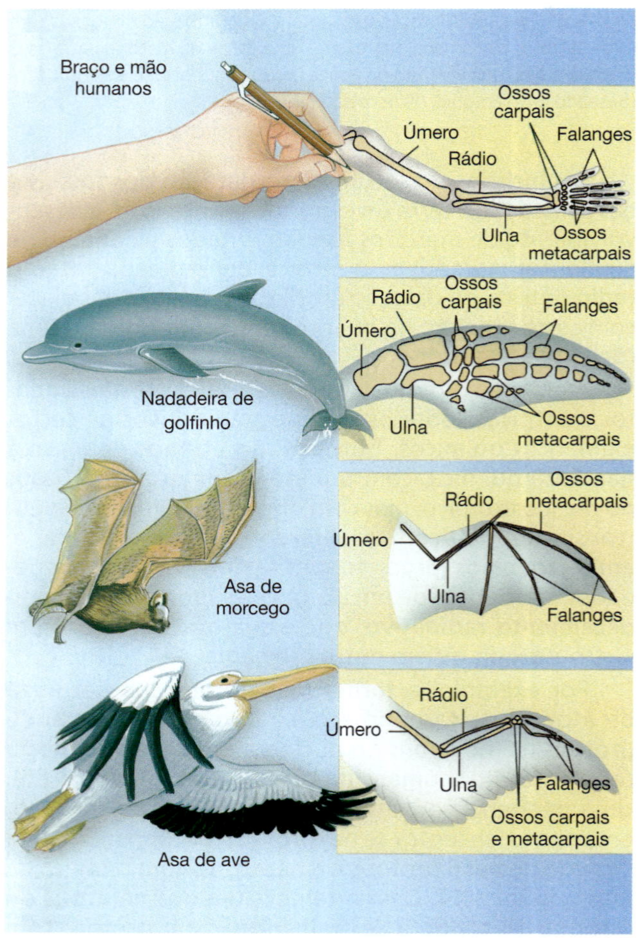

Figura 21.18 Representação esquemática comparando os esqueletos dos membros anteriores de alguns vertebrados (braço, antebraço e mão humanos, nadadeira de golfinho, asa de morcego e asa de ave). Note as semelhanças dos ossos nas diferentes espécies. (Elementos fora de proporção de tamanho entre si; cores-fantasia.)

Os membros anteriores desses animais são anatomicamente diferentes e desempenham funções distintas, mas possuem o mesmo plano de organização esquelética, tanto que é possível estabelecer uma correspondência exata entre seus diversos ossos. Além disso, no estudo do desenvolvimento embrionário desses animais, observa-se que os membros anteriores, bem como diversas outras estruturas corporais, desenvolvem-se de modo muito semelhante nas diferentes espécies; a diferenciação acentua-se gradualmente, à medida que o desenvolvimento progride. A pergunta-chave sobre essas "coincidências" é: por que partes e órgãos corporais, embora anatômica e funcionalmente diferentes, desenvolvem-se de modo tão semelhante em espécies distintas de seres vivos?

O evolucionismo explica as semelhanças embrionárias, anatômicas e fisiológicas entre animais pela ascendência comum que eles tiveram no passado remoto. Os três primeiros animais exemplificados na figura 21.18 são mamíferos, e supostamente descendem do ancestral de todos os mamíferos, o que explica suas semelhanças. Em épocas bem mais antigas, as aves tiveram um ancestral comum com os mamíferos – uma espécie de réptil –, do qual todos esses animais herdaram o padrão de estrutura corporal. Durante a evolução de cada grupo, o processo de adaptação por seleção natural levou a mudanças na anatomia e na função do membro, mas o padrão básico herdado do ancestral reptiliano foi conservado.

Estruturas corporais que se desenvolvem de modo semelhante em embriões de diferentes espécies, como os esqueletos dos membros anteriores dos animais que acabamos de mencionar, são denominadas **órgãos homólogos**.

Por outro lado, há estruturas corporais presentes em diferentes espécies que desempenham funções semelhantes, mas têm origens embrionárias totalmente distintas; tais estruturas são denominadas **órgãos análogos**. É o caso, por exemplo, das asas de aves e de insetos; ambas são adaptadas ao voo, mas têm origens embrionárias completamente diversas: nas aves, as asas são estruturas dotadas de ossos e músculos, enquanto nos insetos elas são expansões da epiderme corporal; os músculos de voo dos insetos estão dentro do tórax. (Fig. 21.19)

Figura 21.19 As asas dos insetos e as das aves são órgãos análogos: têm mesma função, mas origem embrionária e plano estrutural diferentes. A asa de um inseto é uma projeção do exoesqueleto de quitina que recobre o corpo do animal, enquanto a asa de uma ave é um membro composto de ossos, músculos, pele, nervos etc.
A. Borboleta *Dryadula phaetusa*, que tem 8,5 cm de envergadura.
B. Arara-azul-grande (*Anodorhynchus hyacinthinus*), que pode medir até 1,40 m de envergadura.

De acordo com a teoria evolucionista, as funções eventualmente diferentes desempenhadas por órgãos homólogos devem-se à diversificação ocorrida ao longo da evolução; nesse processo, cada espécie incorporou e desenvolveu características adaptativas ao seu modo de vida particular. Essa diversificação evolutiva de estruturas homólogas, decorrente da adaptação a modos de vida diferentes, constitui o que os biólogos evolucionistas denominam **divergência evolutiva**.

Órgãos análogos, por sua vez, são estruturas que apareceram de maneira independente na evolução de diferentes grupos de organismos, constituindo adaptações a modos de vida semelhantes. A adaptação evolutiva pode levar organismos pouco aparentados a desenvolver estruturas e formas corporais semelhantes, devido a "pressões" adaptativas similares, processo conhecido como **convergência evolutiva**. (Fig. 21.20)

Figura 21.20 Exemplo de convergência evolutiva: a forma hidrodinâmica do corpo desenvolveu-se independentemente em diferentes espécies de vertebrados devido à sua adaptação ao modo de vida aquático. **A.** Golfinho. **B.** Ictiossauro (um réptil extinto). **C.** Peixe ósseo. **D.** Pinguim. (Elementos fora de proporção de tamanho entre si.)

Em certos organismos estão presentes estruturas atrofiadas e sem função evidente – **estruturas vestigiais** –, interpretadas pela teoria evolucionista como evidência do parentesco entre os seres vivos. Um exemplo de estrutura vestigial humana é o **apêndice vermiforme**, ou cecal, uma projeção intestinal em forma de dedo localizada na junção entre o intestino delgado e o intestino grosso. A presença do apêndice vermiforme na espécie humana é considerada uma evidência da evolução, pois esse órgão teria sido importante em nossos ancestrais remotos, que tinham dieta predominantemente herbívora; neles, o ceco (porção inicial do intestino grosso, na qual se abre o intestino delgado) e o apêndice abrigavam microrganismos auxiliares da digestão de celulose. Com o desenvolvimento de outros tipos de dieta, na linhagem que originou nossa espécie, o ceco e o apêndice vermiforme deixaram de ser vantajosos e regrediram durante o processo evolutivo, permanecendo apenas como vestígios de sua existência passada.

Outra estrutura considerada vestigial é o esqueleto da pequena "cauda" das aves, popularmente chamada coranchim, composto de diversos ossos. Por que tantos ossos numa cauda tão pequena? A explicação evolutiva é que se trata de um resquício da longa cauda, presente nos répteis ancestrais das aves. (Fig. 21.21)

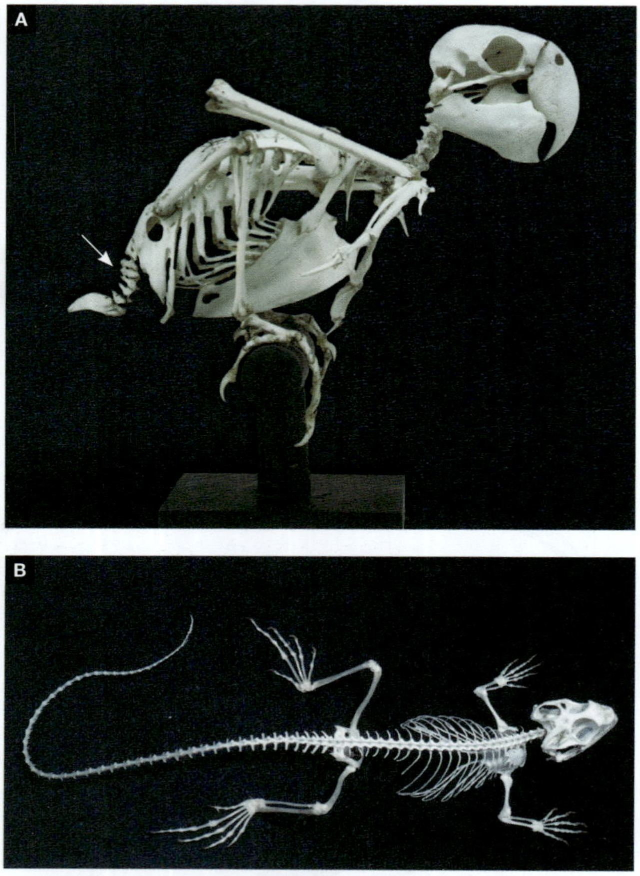

CYRIL LAUBSCHER/DORLING KINDERSLEY/GETTY IMAGES

R DEGGINGER E/PHOTORESEARCHERS/GETTY IMAGES

Figura 21.21 **A.** Esqueleto de arara (*Ara chloroptera*), no qual é possível observar os ossos que compõem o coranchim, considerada uma estrutura vestigial (seta). **B.** Esqueleto de lagarto evidenciando a cauda comprida, homóloga ao coranchim das aves.

Semelhanças genéticas como evidências da evolução biológica

As características típicas de cada espécie de ser vivo são hereditárias. É a atividade de genes específicos, herdados dos pais, que determina o destino das células embrionárias e dirige a formação das diversas estruturas corporais próprias da espécie. Os cientistas estão apenas começando a identificar o modo como os genes atuam na construção do corpo dos animais, mas os resultados já são surpreendentes e estão se constituindo na mais importante evidência do parentesco evolutivo entre as espécies.

Um conjunto de genes descobertos originalmente na mosca drosófila, denominados **genes homeóticos**, determina o padrão e a sequência em que o desenvolvimento embrionário ocorre. Alguns desses genes, conhecidos pela sigla *Hox*, são ativados bem no início do desenvolvimento embrionário. Quando o embrião começa a exibir a segmentação corporal, apesar de todos os segmentos parecerem iguais, cada um deles tem um conjunto particular de genes *Hox* em atividade, e já está destinado a se tornar uma determinada parte do corpo da mosca. São os genes *Hox* que "dizem" às células de cada segmento o que elas devem originar: se vão ser asa, perna, antena ou parte do abdome. Os genes *Hox* desencadeiam reações de outros genes, que juntos determinam a formação de uma parte específica do corpo do animal. Eles atuam como "mestres" no processo embrionário, comandando a ação de outros genes.

A grande surpresa dos cientistas foi descobrir que há genes *Hox* quase idênticos aos das moscas nos outros animais, como camundongos, estrelas-do-mar, crustáceos, seres humanos etc. E o mais surpreendente é que esses genes exercem a mesma função em todos os animais, determinando as diferentes estruturas corporais ao longo do eixo cabeça-cauda.

Assim, tanto no embrião de uma mosca como em um embrião humano, a cabeça forma-se na região anterior do corpo porque ali atuam genes *Hox* muito parecidos em ambos os animais. (Fig. 21.22)

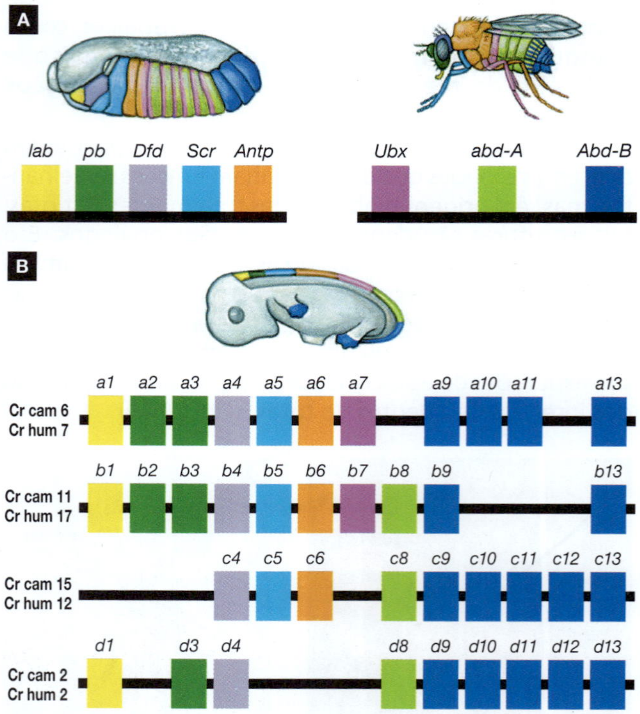

Figura 21.22 Representação esquemática dos genes *Hox*, que determinam a anatomia corporal no eixo cabeça-cauda, em drosófila (**A**) e em camundongo (**B**). Esses genes são quase idênticos em vertebrados e invertebrados. Os genes estão representados por quadrados coloridos; as partes dos embriões da mosca e do camundongo, assim como da mosca adulta, cujo desenvolvimento é controlado por cada gene, estão representadas pela mesma cor. Os invertebrados têm um único conjunto desses genes, enquanto os vertebrados têm quatro conjuntos. À esquerda, localizações dos genes *Hox* nos cromossomos humanos (Cr hum) e do camundongo (Cr cam). (Elementos fora de proporção de tamanho entre si; cores-fantasia.)

Outros genes homeóticos responsáveis pelo desenvolvimento de diversos órgãos têm sido descobertos: o gene *Pax*-6, por exemplo, está associado à formação de olhos em todos os grupos animais, desde os ocelos das planárias até os complexos olhos de insetos e vertebrados.

Em um experimento instigante, os geneticistas substituíram um gene *Pax*-6 defeituoso de um ovo de mosca, que normalmente originaria uma mosca sem olhos, pelo gene correspondente não defeituoso de um camundongo: a mosca nasceu com olhos de mosca perfeitos. Assim, o gene do camundongo foi capaz de exercer sua função nas células da mosca, desencadeando a ação "em cascata" de genes responsáveis pela formação do órgão visual. Isso tudo apesar de esses animais terem divergido, no curso da evolução, há mais de 600 milhões de anos! A similaridade entre os genes homeóticos das moscas e os nossos é tal que podemos substituir um gene defeituoso de mosca pelo correspondente humano, e a mosca nascerá normal.

As grandes semelhanças entre genes homeóticos de diferentes espécies, não apenas no que se refere à sequência de bases nitrogenadas, mas principalmente em seu intrincado modo de funcionamento, devem-se, segundo a teoria evolucionista, ao fato de esses genes terem sido herdados de um ancestral comum a todos os animais. Mais tarde, quando surgiram as linhagens que originaram os diversos filos animais, esses genes adaptaram-se e passaram a determinar tipos diferentes de partes corporais.

21.3 A teoria sintética da evolução

Durante as décadas de 1930 e 1940, os conhecimentos genéticos foram incorporados ao conceito de seleção natural, ponto central do darwinismo, e ajudaram a compor a chamada **teoria sintética da evolução**, ou teoria moderna da evolução, que explica a origem da diversidade biológica. Alguns autores costumam dar a essa teoria o nome de **neodarwinismo**.

A teoria sintética da evolução considera três fatores evolutivos principais: a) mutação gênica; b) recombinação gênica; c) seleção natural. As diferenças genéticas entre os indivíduos de uma população, que constituem sua **variabilidade genética**, ou **diversidade genética**, são geradas e mantidas por dois fatores: as mutações que acontecem ao acaso ao longo da história evolutiva da espécie e a recombinação gênica que ocorre em cada geração. A variabilidade genética não se refere apenas à diversidade em determinado momento, mas à própria capacidade de variar. A seleção natural, por sua vez, atua sobre essa variabilidade, "selecionando" os indivíduos mais aptos a sobreviver e se reproduzir em cada contexto evolutivo. (Fig. 21.23)

Principais fatores evolutivos

Mutação gênica

Mutações gênicas são alterações na sequência de bases nitrogenadas do DNA que originam novas versões — alelos — de um gene. Se a característica produzida por um alelo mutante confere alguma vantagem ao seu portador, o novo alelo tende a ser preservado pela seleção natural e ter sua frequência aumentada na população.

O conjunto de genes típico de cada espécie é o resultado do acúmulo de mutações vantajosas, que vêm ocorrendo e se mantendo por ação da seleção natural durante os bilhões de anos de evolução biológica. Muitas das mutações vantajosas possíveis já foram selecionadas, o que explica por que a maioria das mutações atuais tem efeitos deletérios, isto é, é prejudicial a seus portadores.

BLEND IMAGES/GRUPO KEYSTONE

Figura 21.23 Nas diversas populações de uma espécie, os indivíduos apresentam diferentes combinações de alelos, que surgem por mutações ocorridas em sua história evolutiva. Apesar de 99,9% do DNA ser idêntico em todas as pessoas, o 0,1% que varia responde por nossas diferenças individuais.

As mutações gênicas podem ocorrer espontaneamente, pela própria dinâmica das moléculas de DNA, sendo chamadas, nesse caso, **mutações espontâneas**. Uma das causas da mutação espontânea dos genes é a transformação temporária de uma base nitrogenada em outra, fenômeno que os químicos denominam tautomeria, e que pode provocar erros na duplicação dos genes. Por exemplo, a citosina (C) de uma cadeia de DNA pode eventualmente perder seu grupo amina, transformando-se em uracila (U). Se isso ocorrer no momento da duplicação do DNA, a uracila orienta o emparelhamento de um nucleotídio com adenina (A) na posição complementar, e não com guanina (G), como deveria ser. Consequentemente, uma das moléculas de DNA proveniente dessa duplicação ficará com sua sequência de bases alterada, isto é, sofrerá uma mutação. Ao se reproduzir, a molécula mutante origina cópias idênticas a si e a mutação se perpetua. (Fig. 21.24)

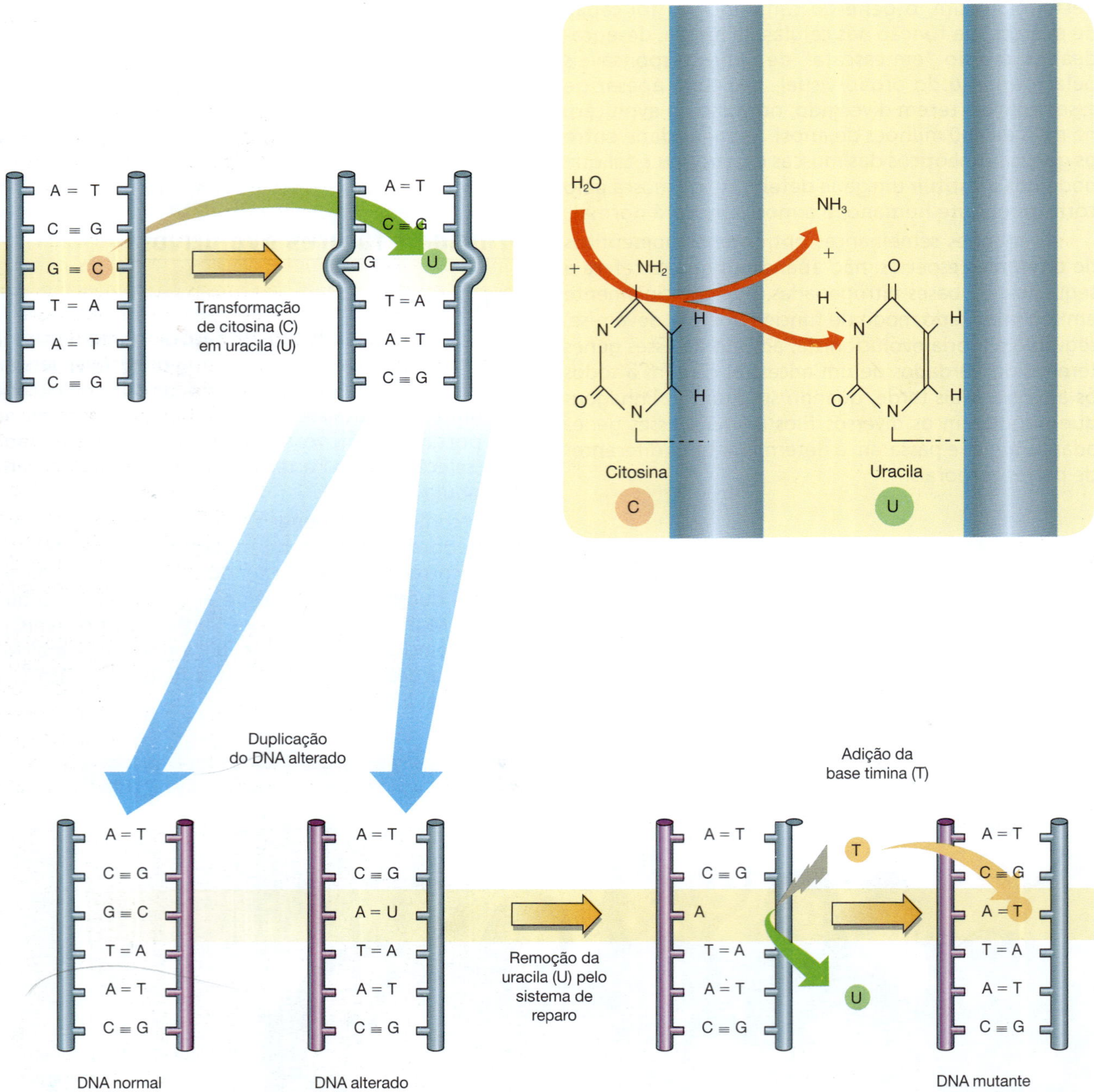

Figura 21.24 Representação esquemática de um tipo de alteração espontânea no DNA. A citosina (C) de uma molécula de DNA perde espontaneamente um grupo amina, transformando-se em uracila (U). O detalhe dessa transformação está mostrado no quadro à direita. Apesar de o sistema de reparo de DNA das células corrigir o erro, se isso não ocorrer até a duplicação do DNA, pode haver uma mutação gênica, como mostrado na figura. (Elementos fora de proporção de tamanho entre si; cores-fantasia.)

As mutações também podem ser induzidas por agentes físicos e químicos, genericamente chamados **agentes mutagênicos**. Por exemplo, radiações ionizantes como os raios X, os raios gama e a radiação ultravioleta causam a formação de íons nas células e aumentam as taxas de mutação dos genes, desde vírus e bactérias até animais e plantas. Além das radiações ionizantes, há outros fatores físicos e também diversas substâncias capazes de aumentar a taxa de mutação dos genes.

Recombinação gênica

Recombinação gênica é a mistura de genes que ocorre na reprodução sexuada, em que os genes provenientes dos pais se recombinam. Embora a mutação seja responsável pelo surgimento de novos alelos na população, é por meio da recombinação gênica que os genes do conjunto gênico se organizam em novos arranjos em cada indivíduo, sobre o qual a seleção natural atua.

Nos organismos eucarióticos, a recombinação gênica ocorre por meio de dois processos meióticos: a) **segregação independente dos cromossomos**; b) **permutação**, ou *crossing-over*. No primeiro, cromossomos homólogos originalmente provenientes dos pais combinam-se livremente, de tal maneira que os gametas formados podem conter desde só cromossomos maternos até só cromossomos paternos, passando por todas as misturas entre esses cromossomos. O número de combinações possíveis entre cromossomos maternos e paternos pode ser calculado pela expressão 2^n, em que n é o número de pares de cromossomos da espécie considerada. (Fig. 21.25)

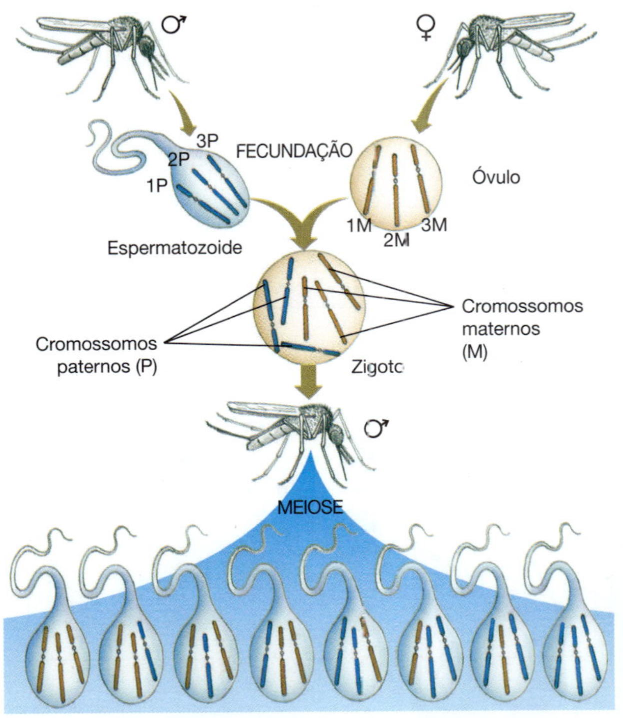

Figura 21.25 Representação esquemática da segregação independente dos cromossomos homólogos de origem materna (em vermelho) e paterna (em azul). Uma espécie como o pernilongo, que possui apenas três pares de cromossomos, produz oito combinações cromossômicas diferentes nos gametas (2^3). (Elementos fora de proporção de tamanho entre si; cores-fantasia.)

Na espécie humana, em que $n = 23$, uma pessoa pode produzir 2^{23} (8.388.608) tipos de gameta, levando em conta as diferentes combinações entre os cromossomos herdados da mãe e do pai. A probabilidade de um gameta humano conter apenas cromossomos de origem paterna seria igual a 1 em cada 8.388.608 gametas, a mesma que a de possuir apenas cromossomos de origem materna.

A diversidade de gametas produzidos por uma pessoa é, no entanto, muito maior, pois, além da segregação independente dos cromossomos, a variedade de tipos de gameta é aumentada pela permutação, fenômeno em que cromossomos homólogos maternos e paternos trocam pedaços entre si durante a meiose.

Seleção natural

Todos os organismos, sejam plantas, fungos, protoctistas, animais, arqueas ou bactérias, "lutam" para sobreviver em cada instante de sua vida. Os mais aptos a enfrentar os desafios de seu contexto particular têm maior chance de sobreviver.

A "luta pela sobrevivência", metáfora utilizada por Darwin para a seleção natural, inspira-se no fato de que, entre os animais, alguns são presas e têm de evitar ser devorados; outros são predadores e têm de capturar animais que lhes sirvam de alimento, ou morrerão de fome.

Entretanto, Darwin ressaltou que há formas menos evidentes de lutar pela vida: por exemplo, em diversas espécies animais, os machos disputam entre si a atenção das fêmeas e o direito de acasalar com elas, o que lhes permite perpetuar suas características. Plantas competem umas com as outras pela umidade do solo, por nutrientes e até mesmo pela luz solar. De uma forma ou de outra, em última análise, a seleção natural implica a reprodução diferencial dos indivíduos de uma população, em que os mais bem adaptados têm maior chance de deixar descendentes.

A seleção decorre das restrições que o meio impõe à sobrevivência dos organismos, tais como disponibilidade de alimento, disputa por recursos com outros seres vivos, ação de predadores e parasitas, doenças etc. Nessas condições, os mais aptos a sobreviver são aqueles que herdaram combinações gênicas mais favoráveis à vida e à reprodução, em um ambiente particular. (Fig. 21.26)

GALLO IMAGES/ALAMY/GLOW IMAGES

Figura 21.26 A capacidade de se deslocar de maneira veloz e ágil aumenta as chances de sobrevivência ao ataque de um predador. Na fotografia, um guepardo (*Acinonyx jubatus*) persegue um impala (*Aepyceros melampus*), no Parque Nacional Masai Mara (Quênia, 2009). O guepardo e a impala medem, respectivamente, cerca de 130 cm e 90 cm de comprimento.

Um exemplo bem estudado de seleção natural na espécie humana refere-se ao alelo da **siclemia**, ou anemia falciforme, uma forma hereditária de anemia. Pessoas homozigóticas para o alelo condicionante da siclemia (*ss*) têm anemia severa e, se não receberem tratamento, morrerão antes de atingir a idade reprodutiva. Pessoas heterozigóticas têm anemia leve. A tendência da seleção natural, atuando sobre esse alelo, seria levar à sua eliminação da população humana. E é isso o que realmente acontece na maior parte do mundo. Entretanto, em locais onde a malária é endêmica, a frequência do alelo mutante *s* é surpreendentemente elevada. Por que isso ocorre?

Descobriu-se que as pessoas heterozigóticas (*Ss*) são mais resistentes à malária que as pessoas homozigóticas normais (*SS*). Como estas últimas tendem a morrer de malária em maior frequência, e as homozigóticas siclêmicas (*ss*) tendem a morrer de anemia, quem tem maior chance de sobreviver e se reproduzir são as pessoas heterozigóticas (*Ss*), que podem transmitir o alelo *s* à geração seguinte. Isso explica por que o alelo para a siclemia se mantém em frequências relativamente altas nessas populações. (Fig. 21.27)

Frequência do alelo da anemia falciforme

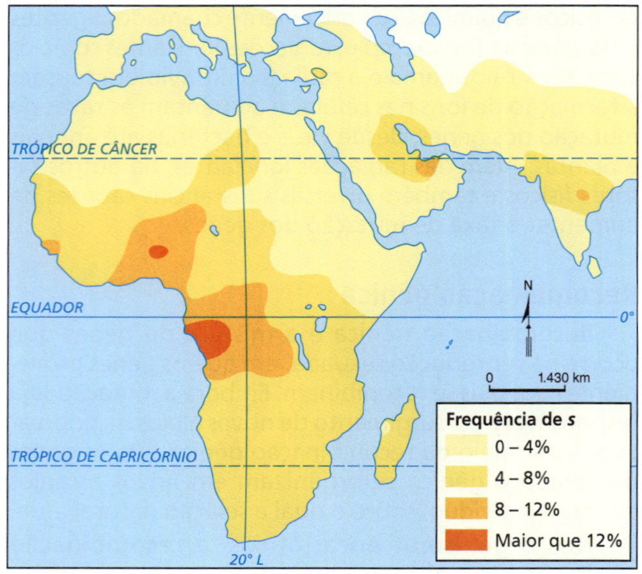

Figura 21.27 Frequência do alelo que condiciona a anemia falciforme (*s*) na África, no Oriente Médio, no sul da Europa e na Índia. As populações em que o alelo causador da doença estava presente em frequência alta viviam em regiões em que havia grande incidência de malária. (Baseado em Allison, A. C., 1430.)

Ciência e cidadania

Resistência a drogas e seleção natural

1 Você já ouviu dizer que antigamente determinado antibiótico era eficaz no combate às infecções bacterianas, mas hoje parece não funcionar tão bem? Afirma-se o mesmo dos inseticidas, que já não parecem exterminar os insetos como antes. Será que se trata apenas de saudosismo ou há base científica nessas observações?

2 Os cientistas constataram que nas populações bacterianas sempre estão surgindo, por mutação gênica, algumas bactérias resistentes a diversas substâncias tóxicas, entre elas certos antibióticos. Se esses antibióticos não estão presentes no meio, as bactérias mutantes não levam nenhuma vantagem sobre as bactérias selvagens (não mutantes), sendo eliminadas na competição com estas últimas. Entretanto, se um daqueles antibióticos estiver presente no meio, as bactérias mutantes resistentes levarão uma grande vantagem em relação às bactérias sensíveis.

3 Do ponto de vista evolutivo, o antibiótico atua como um agente seletivo, que mata as bactérias selvagens e deixa os recursos à disposição das bactérias mutantes resistentes. Estas se reproduzem e dão origem a populações inteiras de bactérias resistentes, contra as quais aquele antibiótico exerce pouco efeito.

4 Desde que os antibióticos começaram a ser empregados em larga escala, logo após a Segunda Guerra Mundial, já foram selecionadas inúmeras linhagens bacterianas altamente resistentes aos mais diversos tipos de antibiótico. O uso indiscriminado de antibióticos deve ser evitado justamente para minimizar o desenvolvimento de linhagens bacterianas resistentes.

5 Os inseticidas também atuam como agentes seletivos de linhagens de insetos resistentes a essas drogas. Nas populações de insetos estão sempre surgindo, por mutação gênica, indivíduos capazes de resistir a diversas substâncias, entre elas os inseticidas. Caso estes sejam aplicados sobre uma população de insetos em que haja mutantes resistentes à droga, os indivíduos selvagens serão eliminados, ao passo que os resistentes se multiplicarão, passando a constituir a quase totalidade da população.

6 Conclui-se que, tanto no caso da resistência a antibióticos quanto no da resistência a inseticidas, as próprias drogas funcionam como agentes seletivos, eliminando os portadores de genótipos sensíveis e favorecendo a proliferação dos portadores de genótipos resistentes.

Seleção de mutantes resistentes a antibióticos

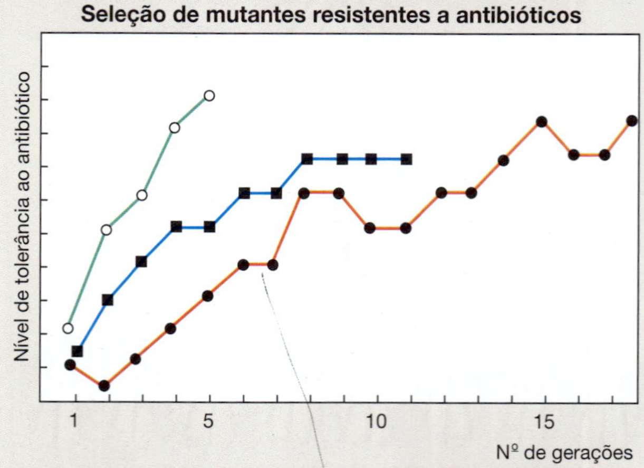

Gráfico que mostra os resultados de três experimentos (curvas coloridas) em que linhagens da bactéria *Escherichia coli* desenvolveram resistência ao antibiótico cloranfenicol. Gerações sucessivas de bactérias foram cultivadas em meios com concentrações crescentes desse antibiótico. Os resultados evidenciam a seleção de diversas mutações para resistência. (Baseado em Stebbins, G. L., 1974.)

Guia de leitura

Além de apresentar exemplos recentes de seleção natural, o quadro alerta também para o uso indiscriminado de antibióticos e inseticidas. Acompanhe nossas sugestões para a leitura.

1 Leia os parágrafos 1 e 2. O primeiro traz observações baseadas no senso comum e o segundo se fundamenta em dados científicos. A ideia de seleção natural, embora não mencionada, aparece no segundo parágrafo. Com base nessas informações, elabore um texto conciso que relacione, nesse caso, mutação e seleção natural.

2 Leia o terceiro parágrafo e confirme a ideia da seleção natural beneficiando os mutantes, neste caso.

3 Leia o quarto parágrafo, acompanhando-o com a análise do gráfico. Em função desses dados, como você interpreta a determinação da Agência Nacional de Vigilância Sanitária (Anvisa) que proíbe a venda de antibióticos sem receita médica? Informe-se mais sobre o assunto, se possível conversando com algum profissional de saúde (médico, farmacêutico etc.).

4 O parágrafo de número 5 trata da resistência a inseticidas que populações de insetos podem adquirir por seleção natural. O uso indevido dessas substâncias na agricultura pode levar ao surgimento de populações resistentes. Pesquise a respeito. Há algum tipo de legislação ou fiscalização referente a esses produtos?

5 Leia o último parágrafo do quadro. Ele resume e confirma o que foi discutido anteriormente?

21.4 Adaptação e evolução

O termo **adaptação** (do latim *adaptare*, tornar apto) significa, para os biólogos, a capacidade que todo ser vivo tem de se ajustar ao ambiente, isto é, de se adequar em resposta a uma alteração ambiental. A capacidade de adaptação está indissoluvelmente ligada à manutenção da vida.

Podemos focalizar a adaptação em dois níveis: no indivíduo e na população. No primeiro caso, a adaptação consiste no ajustamento individual a determinada mudança ambiental e é denominada **homeostase** (do grego *homoios*, da mesma natureza, igual, e *stasis*, estabilidade). Por exemplo, quando a temperatura ambiental sobe, ficamos vermelhos e começamos a suar. A vermelhidão da pele deve-se à dilatação dos vasos sanguíneos periféricos, que passam a irradiar mais calor, resfriando o corpo, processo auxiliado pela sudorese.

Sob o ponto de vista populacional, **adaptação evolutiva** é o processo em que uma população se ajusta ao ambiente ao longo de sucessivas gerações como resultado da seleção natural.

Melanismo industrial como exemplo de adaptação evolutiva

Um dos estudos que mostram a ação da seleção natural é o da dinâmica de populações da mariposa *Biston betularia*, em áreas industriais da Inglaterra e do norte dos Estados Unidos, ao longo dos últimos 160 anos. A partir de 1850, observou-se que a forma melânica (do grego *mélas*, escuro, negro) da mariposa *B. betularia*, na época extremamente rara, foi se tornando gradativamente comum nas áreas industrializadas, até suplantar as mariposas claras e passar a ser predominante. O fenômeno foi denominado **melanismo industrial** porque a predominância das mariposas melânicas estava nitidamente associada ao aumento da industrialização, responsável pela liberação de poluentes atmosféricos que matam os liquens dos troncos das árvores e os tornam enegrecidos pela fuligem. (Fig. 21.28)

Figura 21.28 Variedades clara e melânica da mariposa *Biston betularia*. **A.** Em troncos de árvores cobertos por liquens, a forma melânica torna-se bem visível, enquanto a forma clara é quase imperceptível. **B.** Em troncos cobertos por fuligem, a situação é inversa: as mariposas melânicas são menos visíveis que as claras.

Estudos realizados em bosques poluídos e não poluídos mostraram que as mudanças nas frequências nas mariposas claras e escuras resultam da predação seletiva por pássaros. Nos bosques não poluídos, as mariposas melânicas, ao pousar nos troncos cobertos de liquens, ficam bem visíveis e são facilmente percebidas e comidas por pássaros, o que explica o fato de serem raras nesses locais.

Por outro lado, nos bosques poluídos, são as mariposas claras que se tornam visíveis ao pousar nos troncos escuros cobertos de fuligem. Nessa condição pós-industrialização, as formas melânicas de mariposas passaram a ter maior chance de sobrevivência, por sofrerem menor predação dos pássaros. Assim, a seleção natural realizada pelos pássaros predadores levou à predominância da variedade melânica sobre a variedade clara, nas áreas poluídas.

Há alguns anos a metodologia empregada nos trabalhos pioneiros sobre melanismo industrial foi objeto de críticas, mas experimentos recentes, com métodos mais acurados, confirmaram as conclusões anteriores e o melanismo industrial das mariposas continua a ser um exemplo clássico de evolução, observado em tempo real.

Camuflagem, coloração de aviso e mimetismo

Camuflagem é o tipo de adaptação em que uma espécie desenvolveu características que a confundem com o ambiente e dificultam sua localização. Mariposas *B. betularia* claras, por exemplo, apresentam camuflagem em relação aos troncos cobertos por liquens; as melânicas, por sua vez, ficam camufladas ao pousar sobre troncos enegrecidos pela fuligem.

Outro exemplo interessante de camuflagem é o das raposas-do-ártico, que apresentam pelagem branca no inverno, quando o ambiente está coberto pela neve, e pelagem colorida nas outras épocas do ano, quando não há neve. No inverno, a pelagem branca permite que as raposas se confundam com o ambiente, tornando-se menos visíveis, o que facilita a aproximação das presas e a ocultação dos predadores. Quando não há neve, é a pelagem colorida que confere maior camuflagem. É importante ressaltar que a troca de pelagem não ocorre por uma decisão do animal, mas é uma característica adaptativa incorporada à espécie ao longo de sua evolução. (Fig. 21.29)

Algumas espécies têm cores e desenhos marcantes que, ao invés de escondê-las, as destacam no ambiente. Essa coloração, denominada **coloração de aviso**, ou **coloração de advertência**, funciona como proteção por mostrar aos predadores que o animal que a ostenta tem sabor desagradável, é tóxico ou perigoso, e deve ser evitado.

Exemplos de organismos que exibem coloração de aviso são sapos e pererecas coloridos, em cuja pele há venenos poderosos, e répteis peçonhentos, como as cobras-coral, cujo padrão de cores vivas da pele alerta sobre o perigo que representam. Um predador inexperiente pode atacar presas dotadas de coloração de aviso, mas logo aprende a associar a sensação ruim à cor vistosa. Mesmo que ensinar a "lição" ao predador possa custar a vida de alguns indivíduos da população, esta é beneficiada em termos populacionais e evolutivos. (Fig. 21.30)

ROLF NUSSBAUMER PHOTOGRAPHY/ALAMY/OTHER IMAGES

Figura 21.30 Perereca venenosa *Oophaga pumilio* com coloração de aviso, um alerta aos possíveis predadores sobre o perigo de tentar comê-la. Mede aproximadamente 2 cm de comprimento.

Conteúdo multimídia
Adaptação: coloração de advertência

STEVEN J. KAZLOWSKI/ALAMY/OTHER IMAGES; TOM WALKER/VISUALS UNLIMITED, INC/GLOW IMAGES; ROBERT E. BARBER/ALAMY/OTHER IMAGES; NATURE'S IMAGES/PHOTORESEARCHERS/LATINSTOCK

Figura 21.29 Exemplos de camuflagem. **A** e **B**. *Alopex lagopus*, raposa-do-ártico com pelagens de inverno e de verão, respectivamente. O animal mede até 55 cm de comprimento, sem contar a cauda. **C**. *Phycodurus eques*, cavalo-marinho cujo corpo apresenta projeções que lembram algas, entre as quais esses animais vivem. Pode atingir 35 cm de comprimento. **D**. *Typophyllum* sp., bicho-folha, inseto cuja forma e coloração assemelham-se a folhas em decomposição. Tem aproximadamente 8 cm de comprimento.

Outro exemplo de adaptação é o **mimetismo**, em que duas espécies distintas compartilham alguma semelhança reconhecida por outras espécies. Essa adaptação confere vantagens para uma ou para ambas as espécies miméticas.

Um exemplo de mimetismo é encontrado nas serpentes popularmente conhecidas como cobras-coral. A espécie *Micrurus altirostris*, uma coral-verdadeira, é altamente peçonhenta, enquanto a *Oxyrhopus guibei*, uma falsa-coral, não apresenta dentes injetores de peçonha e oferece pouco perigo a eventuais atacantes. O padrão de coloração dessas serpentes é bastante semelhante, apesar de elas pertencerem a famílias diferentes. De acordo com a teoria evolucionista, a semelhança de coloração é resultante de um processo de adaptação da falsa-coral, cujos ancestrais provavelmente se beneficiavam por serem parecidos com as corais-verdadeiras, com as quais conviviam. Em outras palavras, falsas-corais com padrão de coloração mais semelhante às corais-verdadeiras eram beneficiadas pela seleção natural e sua frequência na população tendia a aumentar, geração após geração. (Fig. 21.31)

HAROLDO PALO JR/BRAZIL IMAGE BANK

HAROLDO PALO JR/BRAZIL IMAGE BANK

Figura 21.31 As imagens mostram um exemplo de mimetismo. **A.** Serpente falsa-coral *Oxyrhopus guibei*, animal que mede cerca de 80 cm de comprimento. **B.** Serpente coral-verdadeira *Micrurus altirostris*, animal que mede aproximadamente 70 cm de comprimento. A falsa-coral é uma serpente pouco peçonhenta, mas que mantém afastados possíveis predadores por se parecer com a coral-verdadeira.

Mimetismo batesiano e mimetismo mulleriano

No século XIX, o naturalista inglês Henry Walter Bates (1825-1892), ao estudar borboletas na Amazônia, teve sua atenção voltada para a grande semelhança de cor e desenhos das asas em duas famílias bem distintas de borboletas, Heliconiidae e Pieridae. As borboletas da família Heliconiidae são conhecidas por seu sabor extremamente desagradável aos pássaros, que aprendem a evitá-las. As borboletas da família Pieridae têm sabor agradável e são apreciadas por pássaros insetívoros.

A grande semelhança visual entre essas duas espécies tão distintas foi explicada por Bates como obra da seleção natural: borboletas de sabor agradável teriam vantagens seletivas por serem semelhantes a borboletas de gosto ruim. Pássaros que aprendem a evitar os espécimes dotados de coloração de aviso são iludidos pela coloração semelhante, exibida pelas borboletas de sabor agradável, passando a evitá-las. Ao longo do tempo, os indivíduos da espécie de sabor agradável que são mais parecidos com os modelos tóxicos tendem a ser selecionados positivamente. Desse modo, as semelhanças se acentuam. Essa adaptação, em que um modelo tóxico ou perigoso é "imitado" evolutivamente por espécies "saborosas" ou inofensivas, é o que se denominou **mimetismo batesiano**. (Fig. 21.32)

SCOTT CAMAZINE/PHOTORESEARCHERS/LATINSTOCK

Figura 21.32 Exemplo de mimetismo batesiano: a borboleta vice-rei (*Limentitis archippus*, à esquerda) não é tóxica nem impalatável aos seus predadores, mas desenvolveu grande semelhança com a borboleta-monarca (*Danaus plexippus*, à direita), que é tóxica. A borboleta vice-rei tem aproximadamente 8 cm de envergadura.

Em 1864, o alemão naturalizado brasileiro Fritz Müller (1822-1897) concluiu que a existência de várias espécies parecidas de borboletas tóxicas reforça a proteção de todas elas contra predadores. Isso ocorre porque os pássaros predadores "lembram-se" apenas de uma coloração de aviso a ser evitada. Se todas são parecidas, todas levam vantagem e são selecionadas positivamente. Esse tipo de "imitação evolutiva", em que um modelo tóxico ou perigoso é compartilhado evolutivamente por espécies também tóxicas ou perigosas, foi denominado **mimetismo mülleriano**.

Entre as serpentes corais-verdadeiras, todas elas peçonhentas, ocorre esse tipo de mimetismo. A semelhança entre várias espécies de corais-verdadeiras reforça o aviso de que é melhor evitá-las. Vale esclarecer que a explicação biológica para esse fato é que, entre todas as variações que naturalmente surgiram nas populações dessas espécies, foi selecionado o modelo que indica perigo, possivelmente por sua eficiência em afastar predadores.

Atividades

Visão do especialista

Biblioteca do estudante
Faça você mesmo!

Revendo conceitos fundamentais

Escreva, em seu caderno, o termo abaixo que substitui corretamente a tarja entre parênteses das frases de 1 a 5.

a) criacionismo
b) evolucionismo
c) fixismo
d) lamarckismo
e) seleção natural

1. A(O) (▬) tem como premissas a lei do uso e desuso e a lei da transmissão das características adquiridas.
2. A ideia de que os organismos mais aptos à exploração dos recursos ambientais têm mais chance de sobreviver e de deixar descendentes é denominada (▬).
3. A ideia de que uma divindade sobrenatural criou as diversas espécies de seres vivos resume a(o) (▬).
4. A ideia de que as espécies de seres vivos não se alteram ao longo do tempo resume a(o) (▬).
5. A ideia de que as espécies de seres vivos atuais surgiram por modificações de espécies ancestrais é conhecida como (▬).
6. A que se refere o termo fóssil?
   a) A ossos petrificados, apenas.
   b) A todo organismo que viveu em passado remoto.
   c) Aos organismos que surgiram pela evolução de ancestrais remotos.
   d) A qualquer vestígio de um organismo que viveu em passado remoto.

Escreva, em seu caderno, o termo abaixo que substitui corretamente a tarja entre parênteses das frases de 7 a 9.

a) análogas
b) homólogas
c) vestigiais

7. Estruturas com mesma ancestralidade evolutiva, revelada pela mesma origem embrionária, são chamadas (▬).
8. Estruturas (▬) desempenham mesma função em espécies diferentes, mas não têm mesma origem embrionária.
9. Partes ou órgãos atrofiados e sem função evidente no organismo – estruturas (▬) – revelam aspectos do parentesco evolutivo entre espécies.
10. Como é conhecida a atual teoria de evolução que incorpora os conhecimentos advindos do desenvolvimento da Genética à teoria da seleção natural de Darwin?
    a) Darwinismo.
    b) Lamarckismo.
    c) Teoria da seleção natural.
    d) Teoria sintética da evolução.

Escreva, em seu caderno, o termo abaixo que substitui corretamente a tarja entre parênteses das frases de 11 a 16.

a) camuflagem
b) coloração de aviso
c) mimetismo
d) mutação gênica
e) recombinação gênica
f) variabilidade genética

11. A ocorrência de diferenças genéticas entre os indivíduos de uma população é denominada (▬).
12. A(O) (▬) é qualquer alteração na sequência de bases do DNA, perpetuada pela duplicação do material genético e transmitida à descendência.
13. A(O) (▬) é o fenômeno de certos organismos apresentarem aspectos na aparência que os confundem com o ambiente onde vivem, tornando-os menos visíveis.
14. A mistura entre os genes de origem materna e de origem paterna que ocorre na meiose é chamada (▬).
15. Certos organismos exibem traços coloridos exuberantes que anunciam sua presença, fenômeno denominado (▬).
16. A(O) (▬) é a imitação evolutiva de determinadas espécies por outras, com as quais convivem no território.

Ligando conceitos, fatos e processos

17.

"Devido a esta luta, as variações, por mais fracas que sejam e seja qual for a causa de onde provenham, tendem a preservar os indivíduos de uma espécie e transmitem-se ordinariamente à descendência logo que sejam úteis a esses indivíduos nas suas relações infinitamente complexas com os outros seres organizados e com as condições físicas da vida. Os descendentes terão, por si mesmo, em virtude deste fato, maior probabilidade em persistir; porque, dos indivíduos de uma espécie nascidos periodicamente, um pequeno número pode sobreviver."

DARWIN, Charles. *A origem das espécies*. Trad. Joaquim da Mesquita Paul. Porto: Porto: Lello & Irmão, 2003, p. 76. v. 1. (e-book)

Esse texto expressa a essência da(o)

a) criacionismo.
b) lamarckismo.
c) seleção artificial.
d) seleção natural.

18. Em que se baseia o princípio da datação relativa de fósseis?

a) Na posição do fóssil nas camadas sedimentares.

b) Na meia-vida do carbono-14 (^{14}C).

c) No decaimento radioativo do isótopo da camada sedimentar.

d) No tipo de fossilização encontrado na amostra.

19. Em que se baseia o princípio da datação radiométrica de fósseis pelo método do carbono-14 (^{14}C)?

a) Em detectar presença ou ausência de ^{14}C em uma amostra fóssil.

b) Em estimar a quantidade residual de ^{14}C na amostra fóssil.

c) Em estimar quanto de ^{12}C se transformou em ^{14}C, na amostra fóssil.

d) Nas variações que ocorrem na meia-vida do ^{14}C da amostra fóssil.

As frases a seguir referem-se às questões 20 e 21.

I. A adaptação evolutiva resulta do sucesso reprodutivo diferencial.

II. A adaptação resulta da interação dos organismos com o ambiente.

III. A adaptação resulta do uso e do desuso de estruturas anatômicas.

IV. O documentário fóssil sustenta a ideia de que as espécies são fixas.

20. A teoria evolucionista de Darwin admite as ideias expressas em

a) I e II.
b) I e III.
c) II e III.
d) III e IV.

21. A teoria evolucionista de Lamarck admite as ideias expressas em

a) I e II.
b) I e III.
c) II e III.
d) III e IV.

22. Considere as afirmações a seguir.

I. Alguns acreditam que o bico longo dos beija-flores surgiu da necessidade de eles alcançarem as glândulas produtoras de néctar no interior de flores tubulares.

II. Alguns admitem que os bicos alongados dos beija-flores surgiram porque as aves que eventualmente nasciam com bicos mais longos tinham mais facilidade de obter alimento e maior chance de sobreviver e deixar descendentes, que herdavam a nova característica.

As interpretações I e II para a origem dos longos bicos dos beija-flores podem ser creditadas a quais teorias, respectivamente?

a) Criacionismo e lamarckismo.

b) Criacionismo e darwinismo.

c) Darwinismo e lamarckismo.

d) Lamarckismo e darwinismo.

23. Considere as afirmações a seguir.

I. Fósseis são vestígios de seres que viveram no passado.

II. Muitos fósseis são pertencentes a espécies ancestrais das atuais.

Qual teoria aceita essas afirmações?

a) Apenas o criacionismo.

b) Apenas o darwinismo.

c) Apenas o lamarckismo.

d) Tanto o darwinismo quanto o lamarckismo.

Escreva, em seu caderno, o termo abaixo que substitui corretamente a tarja entre parênteses das frases de 24 a 26.

a) adaptação

b) mimetismo

c) seleção artificial

d) seleção sexual

24. O panda-gigante tem um sexto dedo — uma espécie de "polegar" — que evoluiu de um dos ossos do punho; com isso, esses animais podem segurar com mais eficiência os ramos de bambu de que se alimentam. Nenhum dos grupos mais aparentados com os pandas — ursos e racuns — possui esse sexto dedo, que pode, assim, ser considerado um exemplo de (■■■).

25. O cuco europeu põe seus ovos no ninho de alguma outra ave, deixando a ela os cuidados com o choco e com a criação de seus filhotes. Como em geral os cucos são bem maiores do que as espécies que parasitam, seria de esperar que seus ovos também fossem maiores do que os delas. No entanto, os ovos dos cucos são semelhantes aos de seus hospedeiros não só em tamanho como também no padrão de coloração. Trata-se, portanto, de um exemplo de (■■■).

26. Em relação aos outros mamíferos, a hemoglobina das lhamas apresenta uma pequena diferença, o que lhes confere maior afinidade pelo gás oxigênio. Essa característica particular da hemoglobina das lhamas, bastante útil no ar rarefeito do alto dos Andes onde elas vivem, é um exemplo de (■■■).

27. Um dos mais preciosos e importantes sítios paleontológicos, com cerca de meio bilhão de anos, foi descoberto em 1909 no alto das Montanhas Rochosas canadenses, no interior do Parque Nacional de Yoho, próximo à fronteira oriental da Colúmbia Britânica. São impressões na rocha de carapaça e das partes moles de diversos tipos de animais invertebrados, o que permite inferir sua organização anatômica. Vestígios como esses são exemplos de

a) adaptação.

b) fósseis.

c) mimetismo.

d) seleção natural.

28. Considere o seguinte trecho do livro *A escalada do monte improvável*, de Richard Dawkins.

"Linguados [...] têm suas histórias tão evidentes, que beiram o absurdo. Nenhum projetista sensato, que começasse a projetar do zero um peixe achatado, teria concebido em sua prancheta uma distorção de cabeça tão bizarra a ponto de ser preciso que os dois olhos fossem deslocados para um só lado. Ele certamente iria, desde o início, ater-se ao formato de raia, o peixe que fica de barriga para baixo com os olhos simetricamente posicionados no topo da cabeça. Os linguados são inteiramente torcidos por causa de sua história; seus ancestrais ficavam deitados de lado. Raias são elegantemente simétricas porque sua história foi casualmente diferente: quando seus ancestrais resolveram viver no fundo do mar, deitaram de barriga para baixo em vez de se apoiarem de lado."

DAWKINS, Richard. *A escalada do monte improvável*. São Paulo: Companhia das Letras, 1998. p. 152.

Veja nas imagens a seguir os peixes mencionados na questão.

OLIVER LUCANUS/FOTO NATURA/MINDEN PICTURES/LATINSTOCK

KEN LUCAS/VISUALS UNLIMITED/CORBIS/LATINSTOCK

A. Linguado(*Bothus lunatus*), que mede cerca de 35 cm de comprimento. **B.** Raia (*Narcine brasiliensis*), que pode passar de 3 m de comprimento.

De acordo com o texto, qual processo é responsável pelas semelhanças entre o corpo de uma raia e de um linguado?

a) Convergência evolutiva.
b) Divergência evolutiva.
c) Mimetismo.
d) Seleção artificial.

29.

"A diversidade de fenótipos existente em uma população, sobre os quais atua a seleção natural, é mantida por mutação e por recombinação gênica."

A frase resume os aspectos fundamentais de qual teoria?

a) Do criacionismo.
b) Do lamarckismo.
c) Do darwinismo.
d) Da teoria sintética de evolução.

30. "(I) geram variabilidade genética, enquanto (II) é a força responsável pelo direcionamento do processo evolutivo." Qual é a alternativa que completa corretamente a frase?

a) (I) Mutação gênica e seleção natural; (II) recombinação gênica.
b) (I) Mutação gênica e recombinação gênica; (II) seleção natural.
c) (I) Recombinação gênica e convergência evolutiva; (II) seleção natural.
d) (I) Mutação gênica e recombinação gênica; (II) convergência evolutiva.

Questões para exercitar o pensamento

31. Algumas ilhas do arquipélago de Galápagos são habitadas por iguanas, um tipo de lagarto de terra firme que come flores de cactos. Nas ilhas onde esses animais não estão presentes, os cactos são rasteiros e têm flores bem próximas ao chão. Nas ilhas onde vivem as iguanas, os cactos são arborescentes e suas flores ficam no alto, bem distantes do chão. Como é possível explicar, por meio da seleção natural, o fato de as plantas de cactos serem arborescentes nas ilhas onde vivem as iguanas e rasteiras nas ilhas onde esses lagartos não existem? Escreva um texto objetivo e fundamentado nos conceitos de evolução que aprendeu no capítulo.

32. Desde que os antibióticos começaram a ser empregados em larga escala, logo após a Segunda Guerra Mundial, já foram selecionadas inúmeras linhagens bacterianas altamente resistentes aos mais diversos tipos de antibiótico. O uso indiscriminado de antibióticos deve ser evitado justamente para minimizar o desenvolvimento de linhagens bacterianas resistentes. Pesquise sobre o assunto e escreva um texto curto explicando como ocorre a seleção natural de linhagens bacterianas resistentes. Imagine que você é um agente de saúde e tem que elaborar um folheto informativo, com texto e imagens de fácil compreensão pelo grande público, sobre os riscos populacionais do uso indiscriminado de antibióticos. Aceite esse desafio com um grupo de colegas.

33. Analise o desenho a seguir, que representa o registro hipotético de impressões fósseis deixadas em uma rocha. Quais são as possíveis interpretações feitas a respeito desse registro fóssil? Discuta com os colegas e tentem reconstituir a história mais provável do acontecimento que ficou registrado na rocha.

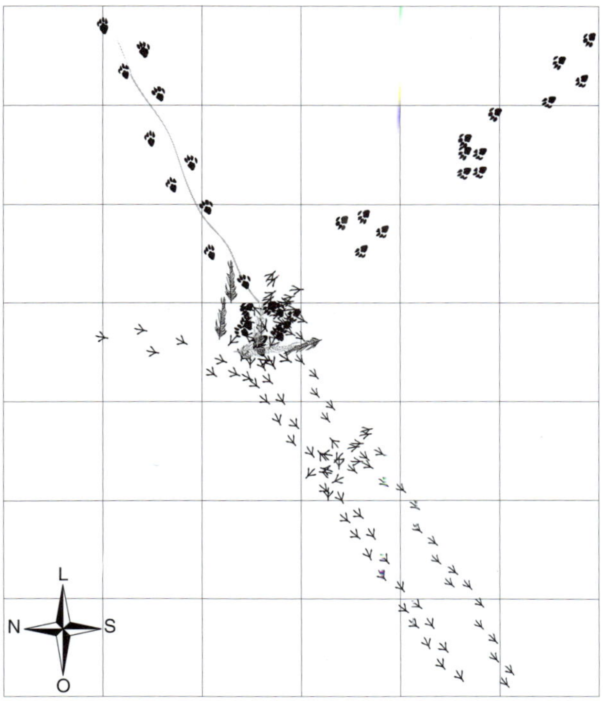

34. A imagem de abertura do capítulo mostra um detalhe do afresco feito por Michelangelo no teto da Capela Sistina, em Roma. Pesquise as contribuições de Michelangelo para as diversas áreas do conhecimento e, em especial, o significado da obra ilustrada na página inicial do capítulo. Resuma os aspectos mais interessantes de sua pesquisa em um texto curto e objetivo.

35. O capítulo aborda os principais temas relacionados ao pensamento evolucionista, deixando de lado os embates sobre a origem dos seres vivos entre religião e ciência. Entretanto, aprofundar o conhecimento nessas questões sociais e históricas pode ser muito interessante e esclarecedor. Pesquise a respeito e resuma os aspectos mais interessantes de suas pesquisas em um texto.

36. Retome o trecho do capítulo que fala da influência dos trabalhos de Thomas Malthus para Charles Darwin, onde são mencionados os termos matemáticos "progressão aritmética" e "progressão geométrica". Consulte o material de Matemática e pesquise a que se referem esses termos. Seu primeiro desafio, nesta atividade, é construir um gráfico que mostre as curvas de progressão aritmética e de progressão geométrica para o primeiro termo igual a 2 e a razão da progressão igual a 2. Com a ajuda desse gráfico, redija um texto explicando o que Malthus quis dizer sobre o destino da população humana mundial e os motivos pelos quais ele se equivocou. Comente sobre o contexto em que os termos progressão aritmética e geométrica foram empregados por Malthus. Pesquise sobre a influência histórica e os equívocos do pensamento maltusiano.

37. Se você observar o gráfico de decaimento radioativo apresentado no texto, verá que ele apresenta os termos de uma progressão geométrica cuja razão é ½. Por exemplo, se partirmos de 1.000 átomos de um elemento radioativo (o primeiro termo da progressão), após o tempo de uma meia-vida do elemento haverá 500 átomos radioativos (1.000 × ½ = 500); passado outro intervalo de meia-vida, haverá 250 átomos radioativos (500 × ½ = 250); e assim por diante. É essa previsibilidade do decaimento radioativo que permite, a partir da estimativa da porcentagem de isótopos radioativos em uma amostra fóssil, calcular a sua idade. Reflita sobre a importância da interação entre os diversos ramos do conhecimento. Cite ao menos mais um exemplo em que a Matemática, a Química ou a Física ajudam a explicar fenômenos e processos naturais.

A Biologia no vestibular e no Enem

Questões objetivas

1. (UFC-CE) A competição por um recurso de disponibilidade limitada é um dos pressupostos do conceito de seleção natural na teoria evolutiva de Darwin. Sobre essa declaração, é correto afirmar que é

a) verdadeira, pois o conceito de seleção natural do organismo melhor adaptado pressupõe que os predadores mais eficazes levem suas presas à extinção.

b) falsa, pois apenas a competição interespecífica por um recurso de disponibilidade limitada contribui efetivamente para o conceito de seleção natural.

c) verdadeira, pois apenas em decorrência da competição por um recurso de disponibilidade limitada é que há a seleção do organismo melhor adaptado.

d) verdadeira, pois tanto a competição intraespecífica quanto a interespecífica são comportamentos que apresentam um alto grau de expressividade gênica.

e) falsa, pois apenas a competição intraespecífica por um recurso de disponibilidade limitada contribui efetivamente para o conceito de seleção natural.

2. (Fuvest-SP) Uma ideia comum às teorias da evolução propostas por Darwin e por Lamarck é que a adaptação resulta

a) do sucesso reprodutivo diferencial.

b) de uso e desuso de estruturas anatômicas.

c) da interação entre os organismos e seus ambientes.

d) da manutenção das melhores combinações gênicas.

e) de mutações gênicas induzidas pelo ambiente.

3. (Vunesp)

"A estrutura dos ossos sendo a mesma na mão de um homem, na asa de um morcego, na nadadeira de um golfinho e na pata de um cavalo – o mesmo número de vértebras no pescoço da girafa e no pescoço do elefante –, e inúmeros outros fatos desse tipo, explicam-se na teoria da descendência pelas pequenas e lentas modificações sucessivas."

(Charles Darwin, *A origem das espécies*, 1859.)

No trecho, Darwin apresenta como evidências da evolução

a) os órgãos homólogos.
b) os órgãos análogos.
c) os órgãos vestigiais.
d) a seleção natural.
e) a mutação.

4. (Unama-PA) A preocupação com a incidência de infecções hospitalares, causadas por bactérias resistentes aos medicamentos de combate, tem tirado o sono de médicos e especialistas no assunto. Um dos fatores a que se atribui o aumento do número dessas bactérias é o uso exagerado de antibióticos. Segundo princípios neodarwinistas, a resistência a esses medicamentos ocorre porque

a) os antibióticos induziram nas bactérias o aparecimento da capacidade de resistência.
b) as bactérias desenvolveram resistência aos antibióticos porque foram forçadas pelo ambiente hospitalar.
c) o uso frequente de antibióticos fortaleceu as formas previamente resistentes de bactérias que sobreviveram e se reproduziram.
d) algumas bactérias já possuíam genes para a capacidade de resistir e os antibióticos apenas promoveram uma seleção de linhagens bacterianas resistentes, que sobreviveram e se reproduziram.

5. (UFC-CE) Um problema para a teoria da evolução proposta por Charles Darwin no século XIX dizia respeito ao surgimento da variabilidade sobre a qual a seleção poderia atuar. Segundo a teoria sintética da evolução, proposta no século XX, dois fatores que contribuem para o surgimento da variabilidade genética das populações naturais são

a) mutação e recombinação genética.
b) deriva genética e mutação.
c) seleção natural e especiação.
d) migração e frequência gênica.
e) adaptação e seleção natural.

6. (UFRRJ) A seleção natural foi o mecanismo apresentado por Charles Darwin para explicar o processo de fixação de novas características, ao longo do processo evolutivo, entre os organismos vivos. Com base neste mecanismo podemos, por exemplo, inferir que

a) as girafas possuem um pescoço longo para se alimentar das folhas mais altas das árvores.
b) mutações que garantem resistência de bactérias a antibióticos já se encontram presentes entre bactérias no momento da administração de tais antibióticos.
c) por serem unicelulares, as bactérias são evidências de que a evolução não ocorreu nestes organismos.
d) a herança de caracteres adquiridos continua explicando parte das características dos organismos vivos.
e) a descoberta das moléculas de ADN tornou a explicação da evolução através da seleção natural desnecessária.

7. (UFPR) A seleção natural é um dos principais fatores responsáveis pela evolução, juntamente com a mutação, a deriva genética e a migração genética. Para que a seleção natural ocorra em uma população, é imprescindível que haja

a) diversidade da composição genética dos indivíduos da população.
b) alteração do meio ambiente, propiciando o favorecimento de alguns indivíduos da população.
c) informações genéticas anômalas que produzam doenças quando em homozigose.
d) disputa entre os indivíduos, com a morte dos menos aptos.
e) mutação em taxa compatível com as exigências ambientais.

8. (Enem-MEC) O que têm em comum Noel Rosa, Castro Alves, Franz Kafka, Álvares de Azevedo, José de Alencar e Frédéric Chopin? Todos eles morreram de tuberculose, doença que ao longo dos séculos fez mais de 100 milhões de vítimas. Aparentemente controlada durante algumas décadas, a tuberculose voltou a matar. O principal obstáculo para seu controle é o aumento do número de linhagens de bactérias resistentes aos antibióticos usados para combatê-la. Esse aumento do número de linhagens resistentes se deve a

a) modificações no metabolismo das bactérias, para neutralizar o efeito dos antibióticos e incorporá-los à sua nutrição.
b) mutações selecionadas pelos antibióticos, que eliminam as bactérias sensíveis a eles, mas permitem que as resistentes se multipliquem.
c) mutações causadas pelos antibióticos, para que as bactérias se adaptem e transmitam essa adaptação a seus descendentes.
d) modificações fisiológicas nas bactérias, para torná-las cada vez mais fortes e mais agressivas no desenvolvimento da doença.
e) modificações na sensibilidade das bactérias, ocorridas depois de passarem um longo tempo sem contato com antibióticos.

9. (Enem-MEC) As cobras estão entre os animais peçonhentos que mais causam acidentes no Brasil, principalmente na área rural. As cascavéis (*Crotalus* spp.), apesar de extremamente venenosas, são cobras que, em relação a outras espécies, causam poucos acidentes a humanos. Isso se deve ao ruído de seu "chocalho", que faz com que suas vítimas percebam sua presença e as evitem. Esses animais só atacam os seres humanos para sua defesa e se alimentam de pequenos roedores e aves. Apesar disso, eles têm sido caçados continuamente, por serem facilmente detectados. Ultimamente os cientistas observaram que essas cobras têm ficado mais silenciosas, o que passa a ser um problema, pois, se as pessoas não as percebem, aumentam os riscos de acidentes. A explicação darwinista para o fato de a cascavel estar ficando mais silenciosa é que

a) a necessidade de não ser descoberta e morta mudou seu comportamento.
b) as alterações no seu código genético surgiram para aperfeiçoá-la.
c) as mutações sucessivas foram acontecendo para que ela pudesse adaptar-se.
d) as variedades mais silenciosas foram selecionadas positivamente.
e) as variedades sofreram mutações para se adaptar à presença de seres humanos.

Questões discursivas

10. (Vunesp)

"Aquecimento já provoca mudança em gene animal. Algumas espécies animais estão se modificando geneticamente para se adaptar às rápidas mudanças climáticas no espaço de apenas algumas gerações, afirmam cientistas."

(*Folha de S.Paulo*, 9 maio 2006.)

O texto pressupõe uma interpretação darwinista ou lamarckista do processo evolutivo? Justifique.

11. (Unicamp-SP)

"Desde 1995 alguns estados norte-americanos estão excluindo o ensino da teoria de evolução biológica dos seus currículos escolares alegando, entre outras razões, que ninguém estava presente quando a vida surgiu na Terra. Alguns cientistas defendem a teoria da evolução argumentando que, se é necessário "ver para crer", então não poderemos acreditar na existência dos átomos, pois estes também não podem ser vistos."

(Adaptado de *IstoÉ*, 25 ago. 1999.)

a) Apresente três evidências que apoiam a teoria da evolução biológica.
b) A mutação gênica é considerada um dos principais fatores evolutivos. Por quê?

12. (Uerj) Foram introduzidas em dois frascos, que contêm um mesmo meio de cultura, quantidades idênticas de um tipo de bactéria. Após algum tempo de incubação, adicionou-se, a apenas um dos frascos, um antibiótico estável, de uso frequente na clínica e cuja concentração não se modificou durante todo o experimento. O gráfico abaixo representa a variação do número de bactérias vivas no meio de cultura, em função do tempo de crescimento bacteriano em cada frasco.

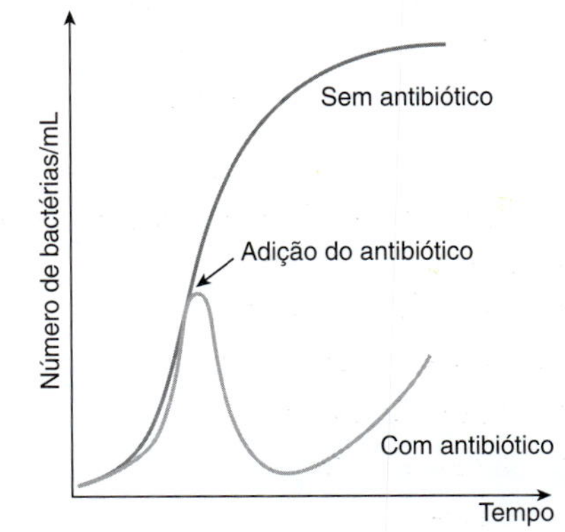

A observação do gráfico permite concluir que, no frasco em que se adicionou o antibiótico, ocorreu uma grande diminuição no número de bactérias. Utilizando a teoria da seleção natural, explique o fato de essa população ter voltado a crescer, após a diminuição observada.

13. (UFRJ) Visando a prevenir infecções, a adição de antibióticos na ração de animais domésticos tornou-se prática comum em muitos países. Ao longo dos anos, observou-se um aumento na porcentagem de bactérias que possuem genes que as tornam resistentes aos antibióticos, em detrimento das bactérias sensíveis. A partir de 1998, o governo da Dinamarca proibiu o uso de antibióticos na ração de animais. Os gráficos a seguir mostram a porcentagem de indivíduos resistentes a antibióticos nas bactérias *Enterococcus faecalis* e *Enterococcus faecium* encontradas no trato digestivo de animais dinamarqueses nos anos de 1995 e 2000.

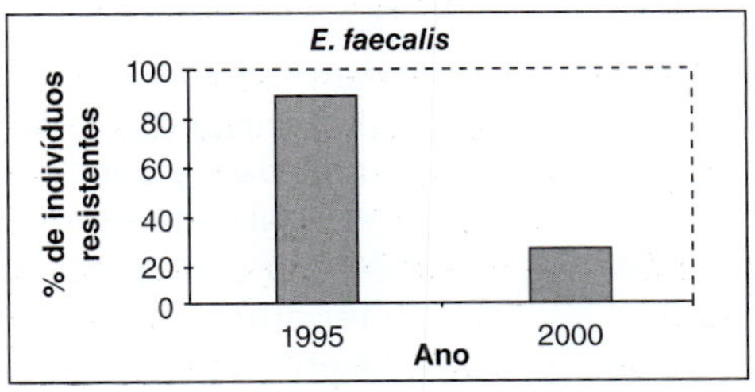

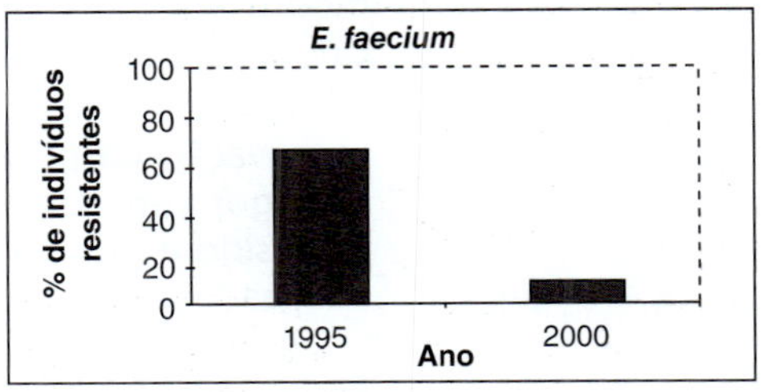

Explique por que ocorre variação na porcentagem de bactérias resistentes a antibióticos entre os anos de 1995 e 2000.

Capítulo 22 A origem de novas espécies e dos grandes grupos de seres vivos

Ao reunir informações de diversos campos do conhecimento, como Física, Química, Geologia, Astronomia e Biologia, os cientistas concluíram que algumas extinções em massa ocorridas no passado da Terra, como a que aniquilou os dinossauros há cerca de 66 milhões de anos, foram causadas por colisões de corpos celestes com o planeta.

A ciência por trás do evolucionismo

Você acredita em ciência? Quer dizer, acredita que os métodos utilizados pelos cientistas levam, em alguma medida, a compreender as causas e as relações entre os fenômenos da natureza? Você concorda que o conhecimento científico tem possibilitado a criação de tecnologias úteis à humanidade? Finalmente, em sua opinião, o modo científico de pensar e proceder permite fazer previsões acertadas sobre ocorrências naturais?

É muito provável que você tenha respondido sim a pelo menos uma dessas questões. O mundo contemporâneo está repleto de ciência e essa é a melhor comprovação de que o pensamento científico "funciona". Entretanto, muita gente esquece que os mesmos pressupostos que norteiam as pesquisas sobre o câncer, por exemplo, estão presentes em todos os outros campos da ciência, como nas investigações que levaram à teoria evolucionista e que continuam a dar sustentação a essa área do conhecimento. Em outras palavras, a ciência que embasa o pensamento evolucionista atual é tão confiável quanto a ciência que tem levado à produção de milhares de tecnologias úteis à humanidade.

O conhecimento científico, no entanto, nunca é definitivo, podendo sempre ser modificado. Quando, porventura, a evidência dos fatos leva a duvidar de pressupostos científicos atualmente considerados válidos, as explicações vigentes são repensadas e modificadas. Isso tem acontecido na história da ciência e é por isso que as explicações científicas que resistem ao tempo e às novas evidências se tornam cada vez mais confiáveis.

Esse é o caso da teoria da evolução. Com base em inúmeras evidências obtidas pela observação da própria natureza e em experimentos de laboratório, os naturalistas e biólogos vêm tentando explicar como a vida surgiu, como a evolução ocorre e qual teria sido a origem dos grandes grupos de seres vivos atuais, com milhões de espécies adaptadas aos ambientes em que vivem.

Sucessivas descobertas em diferentes campos da Biologia, como as advindas das novas tecnologias de investigação do DNA, têm se constituído em contínuos desafios à teoria evolucionista. Ao serem adequadamente explicadas pelo evolucionismo, as novas descobertas passam a apoiá-lo, ampliando seu campo de abrangência; é assim que as teorias científicas se consolidam.

A importância do assunto

A maioria dos biólogos admite a teoria evolucionista moderna como a melhor explicação para a diversidade da vida na Terra. Entretanto, nesse assunto não há unanimidade entre as demais pessoas, uma vez que entram em jogo questões que ultrapassam o âmbito dos fatos naturais e envolvem formação religiosa, moralidade, sentimentos, ética etc.

Para muitos biólogos não existe conflito entre evolução e religião. O pensamento evolucionista atém-se aos fatos observáveis e tenta buscar na própria natureza as explicações para a origem da vida e a diversidade das espécies de seres vivos.

Neste capítulo estudaremos como teriam surgido as diferentes espécies de seres vivos. Tenha sempre em mente a escala do tempo passado, quando se fala na formação de uma nova espécie ou de um novo grupo de seres vivos. A escala do tempo geológico, quando comparada ao nosso tempo de vida, é quase incompreensível em termos concretos. E é exatamente nesses longuíssimos intervalos de tempo que a evolução opera; as mudanças evolutivas podem parecer repentinas, mas nem sempre o são, quando levamos em conta a escala do tempo geológico.

22.1 O processo evolutivo e a diversificação da vida

A árvore filogenética

Ao refletir sobre a origem e a diversificação dos seres vivos, Darwin comparou a história evolutiva da vida a uma árvore: o "tronco" seria representado pelos primeiros seres vivos, que logo teriam se diversificado e originado ramos, correspondentes às novas linhagens de organismos.

De acordo com a teoria evolucionista, o processo de diversificação da vida, que vem acontecendo até hoje em decorrência da adaptação aos diferentes ambientes de um planeta em constante transformação, originou as diversas espécies de seres vivos, tanto as já extintas como as atuais. Cada espécie atual seria comparável à extremidade de um ramo que chega à época presente; os inúmeros ramos mais "curtos", que não alcançam o topo da árvore evolutiva, corresponderiam às espécies que se extinguiram.

Uma **árvore filogenética**, ou árvore evolutiva, é um diagrama ramificado que indica relações de parentesco evolutivo entre grupos de seres vivos, ou seja, sua filogenia. Ao escolher qualquer espécie atual e "descer" pelo ramo que a originou, chegamos, depois de muitas e muitas bifurcações, ao tronco primitivo ancestral, representado pelos primeiros seres que habitaram a Terra. As bifurcações ao longo do caminho correspondem aos pontos em que novas linhagens se diversificaram, indicando as relações de parentesco evolutivo entre elas. Por exemplo, ao descer pelo ramo evolutivo de nossa própria espécie, chegamos a uma bifurcação, correspondente ao ancestral que originou os chimpanzés, os bonobos e os seres humanos atuais. Acredita-se que essa ramificação da árvore ocorreu entre 7 milhões e 8 milhões de anos atrás. Descendo ainda mais, atingimos a ramificação correspondente à diversificação da espécie réptil que originou as aves e os mamíferos. Supõe-se que essa bifurcação da árvore da vida aconteceu há mais de 300 milhões de anos. (Fig. 22.1)

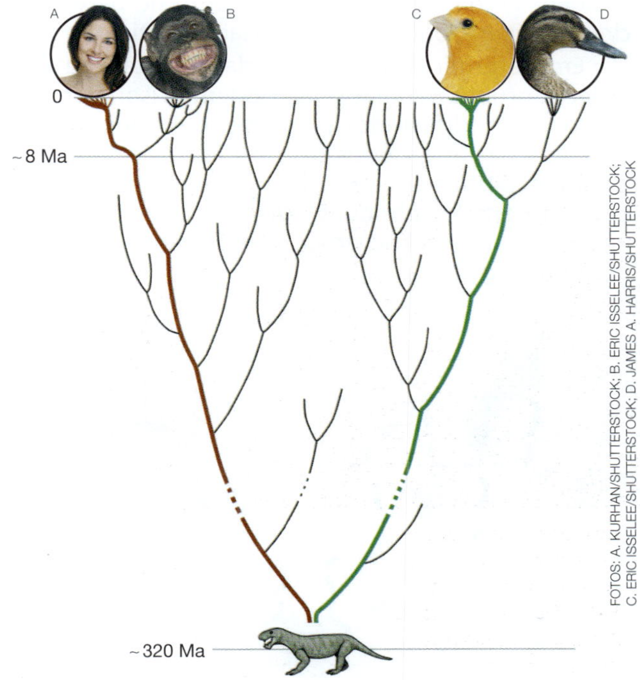

Figura 22.1 Acredita-se que, há cerca de 320 milhões de anos, uma espécie de réptil semelhante a um pequeno lagarto deu origem às linhagens que originaram as aves, como os canários (linha verde), e os mamíferos, como os seres humanos atuais (linha marrom). Os ramos na cor cinza indicam outras linhagens que chegaram até os dias atuais ou que se extinguiram. Entre 7 milhões e 8 milhões de anos atrás (Ma) as linhagens humanas e dos chimpanzés diversificaram-se. Supõe-se que as linhagens dos canários e dos patos tenham se diversificado antes disso.

Diversificação da vida: anagênese e cladogênese

Como os seres vivos evoluem e se diversificam? Para responder a essa pergunta, precisamos relembrar o capítulo anterior, que explica os fatores evolutivos e as maneiras pelas quais eles interagem no processo de adaptação e evolução das espécies.

Uma população de seres vivos de qualquer espécie é constituída por um conjunto de indivíduos que explora o ambiente e se mantém por meio da reprodução. De acordo com a teoria evolucionista, entre os indivíduos de uma população biológica sempre há diferenças – morfológicas, bioquímicas ou comportamentais –, sendo que algumas favorecem a adaptação em determinado contexto e situação ambiental. Por meio da seleção natural, indivíduos dotados de características mais adaptativas tendem a aumentar em frequência na população. E esta, como um todo, adapta-se cada vez melhor à situação ambiental vigente.

À medida que a população de determinada espécie coloniza o ambiente, a seleção natural, atuando sobre as variações genéticas disponíveis, leva ao desenvolvimento de novas características. Em outras palavras, no processo adaptativo, as características dos indivíduos de uma população modificam-se gradativamente no decorrer do tempo, o que torna a população cada vez mais distinta da original. Essa transformação evolutiva de uma linhagem de seres vivos ao longo do tempo é o que se denomina **anagênese** (do grego *aná*, movimento de baixo para cima, e *génesis*, origem), ou especiação filética.

Em determinados estágios da evolução de uma espécie, grupos populacionais podem se isolar uns dos outros e, modificando-se independentemente, dar origem a novas espécies com o passar do tempo. O evento evolutivo em que duas populações se separam e se diferenciam em duas novas espécies é denominado **cladogênese** (do grego *kládos*, ramo, e *génesis*, origem). (Fig. 22.2)

Figura 22.2 Representação esquemática dos processos evolutivos de cladogênese e de anagênese. Cladogênese é o evento evolutivo que resulta na divisão de uma linhagem em duas outras e anagênese é a evolução dentro de uma mesma linhagem.

Conceito de espécie biológica e especiação

O termo "espécie" vem do latim *species* e significa tipo, qualidade. Na linguagem cotidiana, designa tanto organismos vivos como coisas não vivas. No século XVIII, o botânico sueco Carolus Linnaeus, ou Lineu (1707-1778), empregou o termo "espécie" para indicar cada conjunto de seres vivos em que os indivíduos apresentam grandes semelhanças físicas, com um padrão morfológico comum e típico do grupo.

Em 1942, o zoólogo Ernst Mayr (1904-2005) propôs uma definição de espécie utilizada até hoje, apesar de suas limitações. Nessa definição, espécie é um grupo de populações cujos indivíduos são capazes de cruzar entre si e produzir descendentes férteis, em condições naturais, estando reprodutivamente isolados de indivíduos de outras espécies.

Observe que o aspecto fundamental do conceito de **espécie biológica** de Mayr não é a morfologia, mas a capacidade de cruzamento entre seres de mesma espécie e sua incapacidade de cruzar com seres de outras espécies. De acordo com essa definição, ainda que pertençam a populações geograficamente isoladas, os membros de uma espécie poderão cruzar entre si e produzir descendência fértil se forem reunidos em condições naturais. (Fig. 22.3)

Uma das limitações do conceito biológico de espécie é não se aplicar a seres que se reproduzem assexuadamente, como bactérias e vírus, entre outros. Embora esses seres possam apresentar processos de mistura de material genético, eles não têm reprodução sexuada, como os organismos eucarióticos.

A formação de novas espécies de seres vivos – fenômeno denominado **especiação** – é uma etapa fundamental do processo evolutivo. De acordo com a linha de pensamento predominante atualmente, as espécies surgem normalmente por diversificação de populações de uma espécie ancestral, que se mantêm isoladas no território, o que se denomina **isolamento geográfico**.

Em ambientes distintos, a seleção natural atua de forma diferenciada sobre as populações isoladas, conduzindo cada uma delas a uma adaptação particular. Depois de algum tempo, os processos de anagênese que atuam sobre cada população isolada podem levá-las a se tornar tão diferentes em termos genéticos que a reprodução entre elas já não é mais possível, mesmo que o isolamento geográfico deixe de existir. Nesse estágio, as populações passam a apresentar **isolamento reprodutivo** e constituem duas novas espécies, originadas por cladogênese da espécie original.

22.1 Biblioteca do estudante Amplie seus conhecimentos

ERIK LAM/ALAMY/GLOW IMAGES

Figura 22.3 Cães de raças distintas são capazes de cruzar entre si e produzir descendentes férteis; as diferenças entre eles são decorrentes da seleção artificial.

O modo de especiação que admite o isolamento geográfico como fator primordial do processo costuma ser denominado **especiação alopátrica** (do grego *állos*, outro, diferente, e do latim *patria*, lugar de nascimento), para distingui-lo de um tipo de especiação que ocorre sem necessidade de isolamento geográfico, denominada **especiação simpátrica** (do grego *sún*, juntos, e do latim *patria*, local de nascimento). (Fig. 22.4)

Espécies em formação: o conceito de subespécie

Subespécies, ou raças, são populações de mesma espécie que diferem entre si quanto a determinadas características. A distinção entre subespécies se mantém, em condições naturais, porque seus membros não cruzam entre si ou o fazem em frequência muito baixa. Essa dificuldade de cruzamento geralmente se deve ao isolamento geográfico das subespécies. Se elas entrarem em contato e seus membros passarem a se cruzar livremente, as diferenças raciais tendem a desaparecer devido à mistura genética.

Como estão relativamente isoladas e adaptadas a ambientes particulares, as subespécies tendem a manter e a acentuar sua identidade. Acredita-se que a formação de subespécies representa uma etapa de transição na origem de novas espécies biológicas. (Fig. 22.5)

Tipos de isolamento reprodutivo

Em certos casos, os membros de duas espécies não se cruzam simplesmente porque vivem em hábitats diferentes; fala-se, então, em **isolamento de hábitat**. Esse tipo de isolamento ocorre, por exemplo, entre leões e tigres. Em condições de cativeiro, esses animais podem se cruzar e produzir descen-

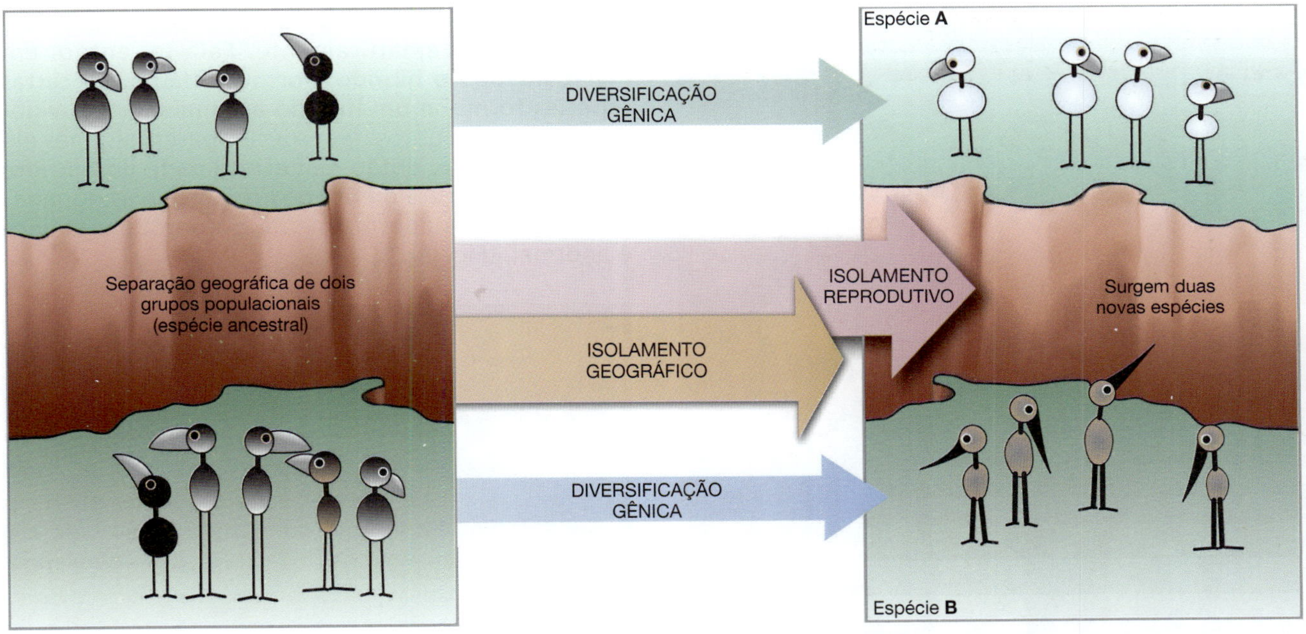

Figura 22.4 Representação esquemática do modelo clássico de especiação alopátrica. O isolamento geográfico bloqueia o fluxo dos genes entre as populações isoladas e permite a diferenciação gênica. Pressões seletivas diversificadas acentuam as diferenças. O último passo é o desenvolvimento do isolamento reprodutivo, que bloqueia biologicamente a troca de genes.

Conteúdo Multimídia Especiação

Figura 22.5 Os especialistas reconhecem cerca de 32 subespécies de *Canis lupus* – o lobo –, que diferem entre si em diversas características, como tamanho corporal, cor da pelagem, tamanho e forma do crânio, tamanho das orelhas e espessura dos dentes molares. **A.** Os cães domésticos são considerados atualmente uma subespécie de lobo, denominada *Canis lupus familiares*. Na imagem, um cão da raça pastor alemão, cujo corpo mede cerca de 80 cm de comprimento, sem considerar a cauda. **B.** *Canis lupus ligoni*, o lobo do Alasca, animal com cerca de 1 m de comprimento. **C.** *Canis lupus lupus*, conhecido como lobo da Europa e de florestas da Rússia, animal com aproximadamente 1,5 m de comprimento.

dentes, em alguns casos férteis. Isso não acontece na natureza porque essas duas espécies vivem em hábitats distintos: os leões nas savanas e os tigres, nas florestas. Entretanto, esse não é o único fator de isolamento entre as duas espécies, pois a maioria dos híbridos entre leões e tigres é estéril. Além disso, para que o cruzamento ocorra em cativeiro, os animais precisam se adaptar artificialmente à presença um do outro, o que certamente não aconteceria na natureza. (Fig. 22.6)

MICHELE BURGESS/ALAMY/GLOW IMAGES

THEO ALLOFS/VISUALS UNLIMITED/GLOW IMAGES

XINHUA, MAO SIQIAN/AP PHOTO/GLOW IMAGES

Figura 22.6 Leões e tigres pertencem ao mesmo gênero (*Panthera*) e a espécies distintas, mas podem se cruzar em cativeiro, o que já ocorreu em alguns zoológicos, originando o liger (do inglês, ***lion*** e ***tiger***, do cruzamento entre um leão e uma tigresa) ou o tigon (do inglês, ***tiger*** e ***lion***, do cruzamento entre um tigre e uma leoa). Em condições naturais, essas espécies não se cruzam, pois vivem em ambientes diferentes e têm hábitos distintos. Os leões vivem em grupo nas savanas, ao passo que os tigres são solitários e habitam florestas. **A.** Leão (*Panthera leo*), animal que chega a medir cerca de 2,5 m de comprimento, sem considerar a cauda. **B.** Tigresa (*P. tigris*), que mede cerca de 2,6 m de comprimento. **C.** Ligre, híbrido obtido pelo cruzamento em cativeiro entre um leão e uma tigresa. Esse animal geralmente é estéril e pode chegar a 4 m de comprimento.

Em certos casos, os membros de duas espécies não se cruzam porque seus períodos de reprodução não coincidem. Fala-se, nesse caso, em **isolamento sazonal**, ou estacional. Por exemplo, há espécies de aves que habitam a mesma região, mas não se acasalam porque seus períodos de reprodução ocorrem em épocas diferentes. O mesmo acontece com certas espécies de planta, cujas flores amadurecem em épocas diferentes do ano.

Há casos em que os membros de duas espécies animais não se acasalam porque seus comportamentos de corte nupcial são diferentes e incompatíveis. Fala-se, nesse caso, em **isolamento etológico**, ou comportamental. A corte nupcial é um fator de fundamental importância na reprodução de diversas espécies animais, em que a fêmea só aceita o macho depois de um comportamento típico da espécie.

Outro tipo de isolamento reprodutivo, denominado **isolamento mecânico**, deve-se à incompatibilidade estrutural entre as espécies. Isso pode ocorrer tanto em animais, quando a diferença entre os órgãos genitais impede a cópula, como em plantas, quando o tubo polínico não consegue se desenvolver na flor de outra espécie.

Há casos em que os membros de duas espécies copulam e o zigoto chega a se formar, mas o embrião morre prematuramente. Fala-se, então, em **inviabilidade do híbrido**. Por outro lado, em certas espécies forma-se um híbrido até mais forte e vigoroso que os membros das espécies parentais, mas ele é estéril. Fala-se, então, em **esterilidade do híbrido**. A esterilidade geralmente ocorre porque as gônadas se desenvolvem anormalmente ou porque a meiose é anormal. (Fig. 22.7)

INGA SPENCE/VISUALS UNLIMITED/GLOW IMAGES

IMAGEBROKER/ALAMY/GLOW IMAGES

MGREBLER/ALAMY/GLOW IMAGES

Figura 22.7 Um exemplo de isolamento reprodutivo por esterilidade do híbrido ocorre no cruzamento entre a égua (*Equus caballus*) e o jumento (*Equus asinus*), em que é gerada a mula (quando fêmea) ou o muar ou burro (quando macho), um híbrido estéril. **A.** *E. caballus*, animal com cerca de 1,9 m de altura, dependendo da raça. **B.** *E. asinus*, animal que mede cerca de 1,4 m de altura. **C.** Mula, animal com cerca de 1,7 m de altura. Do cruzamento entre um cavalo e uma jumenta, nasce um animal conhecido como bardoto (independentemente de ser macho ou fêmea), que apresenta mais semelhança com a jumenta do que com o cavalo.

Em geral, diversos mecanismos de isolamento atuam simultaneamente. Em princípio, quanto mais tempo se passa desde a diversificação por cladogênese que originou duas espécies, maiores são as diferenças acumuladas entre elas e, consequentemente, mais eficientes os mecanismos de isolamento. O isolamento reprodutivo mantém cada espécie em sua trajetória evolutiva particular e permite a diferenciação de seu conjunto gênico típico e original.

22.2 A origem dos grandes grupos de seres vivos

O tempo geológico

A história da vida na Terra está inseparavelmente ligada à história geológica do planeta. Ao longo de sua existência, eventos geológicos moldaram os ambientes terrestres e ajudaram a definir os rumos da evolução biológica. A expansão dos seres vivos, por sua vez, também causou profundas alterações nas condições físicas e químicas do planeta. Por exemplo, a atmosfera atual da Terra, na qual cerca de 21% do volume corresponde ao gás oxigênio (liberado na fotossíntese) deve-se ao aparecimento e à proliferação dos seres fotossintetizantes.

O **tempo geológico**, intervalo que vai desde a origem da Terra até os dias de hoje, é dividido em unidades temporais hierárquicas, estabelecidas com base em eventos geológicos e biológicos ocorridos em diferentes intervalos de tempo. Em ordem hierárquica decrescente, essas unidades são denominadas: **éons, eras, períodos, épocas** e **idades**. Éon é o intervalo mais abrangente e idade, o mais restrito.

A tabela a seguir apresenta algumas das principais divisões do tempo geológico, a duração aproximada e alguns eventos biológicos marcantes de cada uma delas. Os éons mais antigos – Hadeano, Arqueano e Proterozoico – costumam ser agrupados no intervalo Pré-cambriano, ou Criptozoico (do grego *kryptós*, escondido, e *zoikós*, animal, vida). Esta última denominação deve-se ao fato de as rochas formadas no Pré-cambriano conterem, em geral, microfósseis de difícil detecção. (Tab. 22.1)

Tabela 22.1 ▪ Principais unidades do tempo geológico

Éon	Era	Período e subperíodo	Época	Duração (milhões de anos atrás – Ma)	Eventos biológicos marcantes
Fanerozoico	Cenozoica	Quaternário	Holoceno	0 a 0,0117	Extinção em massa dos grandes mamíferos e de muitas aves há cerca de 10 mil anos. Surgimento da civilização humana. Declínio das grandes florestas e considerável extinção de espécies, sobretudo em decorrência da atividade humana.
			Pleistoceno	0,0117 a 2,588	Expansão dos mamíferos de grande porte; aparecimento da espécie humana moderna. Dispersão do *Homo sapiens sapiens* pelo planeta e extinção dos neandertais (*Homo sapiens neanderthalensis*).
		Neogeno	Plioceno	2,588 a 5,333	"Grande intercâmbio americano de fauna", determinado pelo aparecimento do Istmo do Panamá. Expansão dos hominídeos.
			Mioceno	5,333 a 23,03	Fauna semelhante à atual. Expansão dos campos e diminuição das florestas.
		Paleogeno	Oligoceno	23,03 a 33,9	Expansão das gramíneas. Aparecimento dos macacos antropoides e de muitas famílias de plantas modernas.
			Eoceno	33,9 a 56,0	Aparecimento das ordens modernas de mamíferos. Expansão das aves e de florestas temperadas de angiospermas decíduas.
			Paleoceno	56,0 a 66,0	Diversificação de mamíferos arcaicos e grande aumento da vegetação; aparecimento de mamíferos de grande porte e dos primeiros primatas (prossímios).

Éon	Era	Período e subperíodo	Duração (milhões de anos atrás – Ma)	Eventos biológicos marcantes
Fanerozoico	Mesozoica	Cretáceo	66,0 a 145,0 ± 0,8	Abundância de répteis arcossauros. Pequena diversificação de mamíferos placentários e marsupiais. Aparecimento das angiospermas. Final do período marcado pela quinta grande extinção, com desaparecimento de cerca de 75% das espécies, inclusive de todos os dinossauros.
		Jurássico	145,0 ± 0,8 a 201,3 ± 0,2	Abundância de répteis arcossauros; abundância de gimnospermas; aparecimento das aves. Surgimento dos mamíferos placentários e marsupiais.
		Triássico	201,3 ± 0,2 a 252,2 ± 0,5	Aparecimento dos répteis arcossauros (dinossauros, pterossauros, ictiossauros e plesiossauros), dos primeiros mamíferos, das tartarugas e crocodilos e de gimnospermas dos grupos das cicas e dos gincos. Final do período marcado pela quarta grande extinção, com desaparecimento de cerca de 70% a 75% das espécies.
	Paleozoica	Permiano	252,2 ± 0,5 a 298,9 ± 0,2	Declínio dos anfíbios. Diversificação dos répteis pelicossauros e, em seguida, dos terapsidas. Aparecimento das gimnospermas do grupo das coníferas e da maioria das ordens modernas de insetos. Final do período marcado pela terceira e maior de todas as grandes extinções, com desaparecimento de cerca de 90% a 96% das espécies.
		Carbonífero	298,9 ± 0,2 a 358,9 ± 0,4	Diversificação dos anfíbios ("idade dos anfíbios"); aparecimento dos répteis; expansão dos insetos e de florestas de plantas vasculares sem sementes, semelhantes às pteridófitas, que deram origem aos depósitos de carvão mineral. Ocorrência do "colapso das florestas úmidas do Carbonífero".
		Devoniano	358,9 ± 0,4 a 419,2 ± 3,2	Expansão das plantas vasculares com formação de florestas; surgimento dos tetrápodes (anfíbios). Abundância de moluscos, de trilobitas e considerável diversidade de peixes dotados de mandíbula ("idade dos peixes"). Final do período marcado pela segunda grande extinção, com desaparecimento de cerca de 70% das espécies.

Éon	Era	Período e subperíodo	Duração (milhões de anos atrás – Ma)	Eventos biológicos marcantes
Fanerozoico	Paleozoica	Siluriano	419,2 ± 3,2 a 443,4 ± 1,5	Aparecimento das primeiras plantas dotadas de vasos condutores de seiva; Aparecimento dos primeiros peixes dotados de mandíbula e grande expansão dos corais. Aparecimento dos artrópodes unirremes (insetos, centopeias e miriápodes) e dos primeiros animais de terra firme.
Fanerozoico	Paleozoica	Ordoviciano	443,4 ± 1,5 a 485,4 ± 1,9	Continuidade da diversificação das algas e grande expansão dos invertebrados e dos peixes sem mandíbulas. Aparecimento das primeiras plantas em ambiente de terra firme. Final do período marcado pela primeira grande extinção, com desaparecimento de 60% a 70% das espécies.
Fanerozoico	Paleozoica	Cambriano	485,4 ± 1,9 a 541,0 ± 1,0	Aparecimento da maioria dos filos existentes atualmente ("explosão cambriana"). Desenvolvimento de conchas e esqueletos mineralizados em muitos animais marinhos: moluscos, equinodermos, trilobitas, braquiópodes etc. Grande expansão dos trilobitas ("idade dos trilobitas"); aparecimento dos vertebrados, representados por peixes agnatos.
Pré-cambriano – Proterozoico	Neoproterozoica	Ediacarano	541 ± 1,0 a ~ 635	Grande diversificação dos seres multicelulares.
Pré-cambriano – Proterozoico	Mesoproterozoica; Paleoproterozoica		~ 635 a 2.500	Surgimento das células eucarióticas e dos primeiros seres multicelulares: algas coloniais e invertebrados de corpo mole (destituídos de esqueleto). Proliferação dos seres fotossintetizantes com aumento da liberação de gás oxigênio para a atmosfera.
Pré-cambriano – Arqueano			2.500 a 4.000	Aparecimento e evolução das primeiras formas de vida unicelulares nos mares primitivos: arqueas, cianobactérias e bactérias. Aparecimento dos primeiros seres fotossintetizantes com início de liberação de gás oxigênio para a atmosfera.
Pré-cambriano – Hadeano			4.000 a ~ 4.600	Solidificação da crosta terrestre.

A indicação ± refere-se à faixa de variação estimada dos limites da unidade. (Baseado em: International Comission of Stratigraphy, 2012 e Serviço Geológico do Brasil. Disponíveis em <www.stratigraphy.org> e <www.cprm.gov.br>. Acessos em: jan. 2013.)

As divisões do tempo geológico são definidas em função de mudanças na composição de estratos de rochas, indicativas de grandes eventos geológicos ou paleontológicos, como o surgimento de novas espécies ou as extinções em massa de seres vivos. Por exemplo, o limite entre os éons Proterozoico e Fanerozoico, por volta de 541 milhões de anos atrás (Ma), é marcado pelo aparecimento de fósseis de animais com esqueletos mineralizados; por sua vez, o limite entre os períodos Cretáceo e Paleogeno é marcado por um evento de extinção em massa, ocorrido por volta de 66 Ma, em que desapareceram os dinossauros e muitos outros grupos de seres vivos.

Em 1980, um grupo de pesquisadores formado por Luis Alvarez (1911-1988, prêmio Nobel de Física em 1968), seu filho, o geólogo Walter Alvarez (n. 1940), e pelos químicos Frank Asaro (n. 1927) e Helen Michel (n. 1932) descobriu que uma camada de rocha depositada no limite entre os períodos Cretáceo e Paleogeno continha grande quantidade de irídio, um metal muito raro em nosso planeta, mas abundante em asteroides e cometas. Essa e outras descobertas subsequentes constituem forte evidência de que a extinção em massa de 66 Ma foi decorrente da colisão de um corpo celeste, cuja desintegração liberou o irídio encontrado na camada rochosa. (Fig. 22.8)

DR. MARLI MILLER/VISUALS UNLIMITED/CORBIS/LATINSTOCK

DR. ROBERT SPICER/SCIENCE PHOTO LIBRARY/LATINSTOCK

Figura 22.8 A. Sucessão de camadas de rochas sedimentares expostas em Utah (EUA, 2009). Os diferentes estratos ali presentes podem ser distinguidos pela cor, textura, composição química, tipos de fósseis e até mesmo pelo odor. **B.** Corte em uma rocha sedimentar no Novo México (EUA, 2008) evidenciando uma camada clara com altíssima concentração de irídio, cuja origem é atribuída à desintegração do corpo celeste que se chocou com a Terra há 66 milhões de anos, causando a grande onda de extinção do final do Cretáceo.

A vida nos mares primitivos

Precursores da vida

O Pré-cambriano é o mais longo intervalo do tempo geológico, abrangendo cerca de 88% da existência da Terra, desde sua formação até 541 Ma. Os cientistas acreditam que foi no início do Pré-cambriano que surgiram as moléculas precursoras da vida, cuja principal característica era a capacidade de autoduplicação. Essas moléculas teriam originado sistemas complexos, capazes de realizar certos tipos de reações químicas, mobilizando energia para manter sua organização molecular para o crescimento e a multiplicação.

O aparecimento de "sistemas autoduplicativos", que provavelmente se mantinham isolados do ambiente por um envoltório membranoso, marca o início da história da vida na Terra. Acredita-se que esses sistemas devem ter surgido há mais de 3,5 bilhões de anos e são os ancestrais de todos os seres vivos.

Os primeiros seres vivos deviam ser constituídos por uma única célula de estrutura relativamente simples. Os cientistas imaginam que, entre os seres atuais, os mais parecidos com nossos primitivos ancestrais são as arqueas, seres unicelulares procarióticos capazes de viver em ambientes inóspitos, como fontes de água quente, lagos de alta salinidade e pântanos. (Fig. 22.9)

Estima-se que a célula eucariótica surgiu por volta de 2 bilhões de anos atrás. Há evidências de que as mitocôndrias, presentes em praticamente todas as células eucarióticas, e os plastos, presentes em células de algas e de plantas, descendem de seres procarióticos que invadiram células eucarióticas primitivas e com elas estabeleceram relações de endossimbiose.

Outro passo importante na história inicial da vida foi o aparecimento dos seres multicelulares. Na estratégia multicelular, células resultantes da multiplicação de uma célula inicial passaram a viver juntas e a dividir tarefas de sobrevivência. Com o tempo, surgiram organismos com células cada vez mais especializadas no desempenho de funções diversas, o que levou ao aparecimento dos tecidos e dos órgãos dos organismos multicelulares.

ROB CRANDALL/ALAMY/GLOW IMAGES

Figura 22.9 Fonte de água quente no parque nacional de Yellowstone (EUA, 2007). Nesse ambiente vivem arqueas termófilas, provavelmente em condições similares às existentes há bilhões de anos na Terra primitiva, quando surgiu a vida no planeta.

Os primeiros fósseis de algas filamentosas multicelulares foram encontrados em rochas com cerca de um bilhão de anos. Os mais antigos fósseis de animais invertebrados de corpo mole, alguns semelhantes a águas-vivas e a certos vermes marinhos atuais, datam de cerca de 600 Ma. Nessa época, havia na Terra um único continente, a Rodínia (do russo *ródina*, significando terra-mãe), que reunia a maior parte da terra firme do planeta. (Fig. 22.10)

A explosão de vida no Cambriano

Há evidências de que entre o Pré-cambriano e o Paleozoico ocorreu um aumento de temperatura planetária, o que parece ter tornado o ambiente mais favorável à vida, com grande diversificação dos seres existentes. A rapidez e a intensidade com que surgiram os principais grupos de animais, por volta de 530 Ma, levaram os estudiosos a falar em "**explosão cambriana**" para designar a grande diversificação da vida nessa época.

O documentário fóssil do período Cambriano (541,0 Ma-485,4 Ma) revela que, nessa época, os mares eram habitados por muitas espécies de algas multicelulares e de animais invertebrados, entre eles cordados primitivos, que deram origem aos vertebrados. Alguns animais cambrianos apresentavam semelhanças com animais de hoje, de modo que podem ser associados aos filos atuais. Outros, porém, parecem não se relacionar com nenhum dos filos existentes; possivelmente, eles se extinguiram sem deixar descendentes que dessem continuidade à sua linhagem. (Fig. 22.11)

A

Final do Proterozoico – 650 Ma

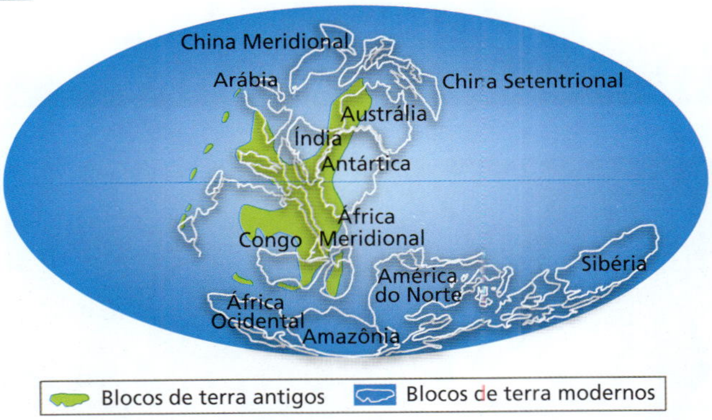

B

CHASE STUDIO/PHOTORESEARCHERS/LATINSTOCK

Figura 22.10 A. Mapa-múndi de 650 Ma, mostrando o continente Rodínia e sua relação com as áreas que formam os continentes atuais. **B.** Representação artística de seres vivos do período Ediacarano, final do Pré-cambriano.

A

Final do Cambriano – 514 Ma

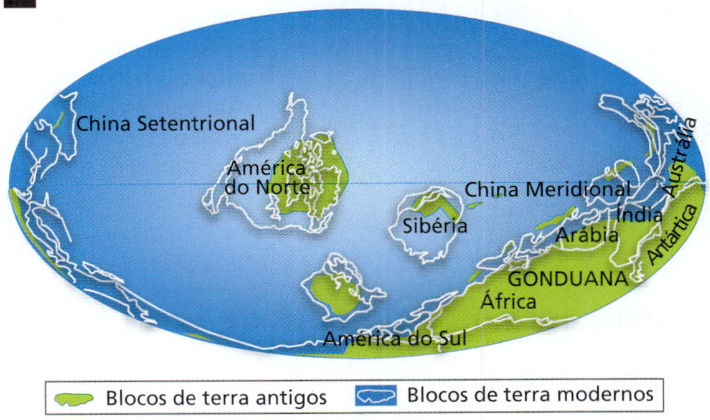

B

CHRISTIAN JEGOU PUBLIPHOTO DIFFUSION/SCIENCE PHOTO LIBRARY/LATINSTOCK

Figura 22.11 A. Mapa-múndi de 514 Ma, mostrando os primitivos continentes, originados pela fragmentação de Rodínia, e sua relação com as áreas que formam os continentes atuais. **B.** Representação artística de animais do Cambriano.

O documentário fóssil mostra que os trilobitas, incluídos entre os primeiros artrópodes, constituíram o grupo de animais primitivos mais bem-sucedido, colonizando amplamente os oceanos durante mais de 270 milhões de anos. Eles teriam surgido por volta de 541 Ma e atingiram sua densidade máxima no início do Cambriano, a "idade dos trilobitas", extinguindo-se ao final da era Paleozoica. (Fig. 22.12)

SINCLAIR STAMMERS/SCIENCE PHOTO LIBRARY/LATINSTOCK

Figura 22.12 Fóssil de trilobita. Esses animais tinham tamanhos muito variados, existindo desde espécies milimétricas até aquelas com mais de 70 cm de comprimento.

A conquista do ambiente de terra firme

O documentário fóssil mostra que até o período Ordoviciano a vida estava restrita ao ambiente aquático. Antes disso, é possível que houvesse bactérias e algas vivendo em barrancos, às margens de lagos e rios, mas as plantas primitivas parecem ter surgido só por volta de 470 Ma, a partir de um grupo de algas verdes multicelulares dotadas de adaptações que lhes permitiam a sobrevivência fora d'água.

Alguns pesquisadores, com base em técnicas de datação molecular e comparações genéticas entre espécies atuais, defendem a ideia de que os primeiros habitantes de terra firme foram fungos, há cerca de 1,3 bilhão de anos. Esses fungos, associando-se a algas e/ou bactérias fotossintetizantes, teriam formado os liquens, que se espalharam pelos continentes. Os mesmos estudos sugerem que as plantas de terra firme podem ter surgido bem antes do que nos revelam os fósseis, por volta de 700 Ma.

As primeiras plantas de terra firme só se diversificaram em grande escala após uma onda de extinções em massa que marcou a passagem do Ordoviciano para o Siluriano, por volta de 443 Ma. Essa foi a primeira das cinco grandes ondas de extinções na história da Terra e a segunda em proporção, com desaparecimento de 60% a 70% de todas as espécies viventes. Suas causas são desconhecidas, mas sabe-se que, durante o evento, houve grandes glaciações e formação de extensas geleiras, com drástica redução do nível dos oceanos.

No início do Siluriano, a vida voltou a seguir seu curso, com grande diversificação de plantas primitivas de terra firme e de animais aquáticos, remanescentes da extinção em massa ordovício-siluriana. (Fig. 22.13)

Acredita-se que a colonização da terra firme pelas plantas deu a alguns animais condições de explorar o ambiente seco, que lhes fornecia abrigo e alimento. Tudo indica que os primeiros animais a conquistar o ambiente de terra firme foram artrópodes. O mais antigo fóssil conhecido de animal de terra firme é *Pneumodesmus newmani*, um miriápode que viveu por volta de 428 Ma. (Fig. 22.14)

RICHARD BIZLEY/SCIENCE PHOTO LIBRARY/LATINSTOCK

ALBERT COPLEY/VISUALS UNLIMITED/GLOW IMAGES

Figura 22.13 A. Mapa-múndi de 425 Ma, mostrando os continentes da época e sua relação com as áreas que formam os continentes atuais. **B.** Representação artística de plantas primitivas de terra firme do Siluriano. **C.** Representação artística de animais de ambiente marinho, sobreviventes da primeira grande extinção em massa de que se tem notícia. Dentre esses animais destacam-se náutilos, braquiópodes, briozoários, crinoides, peixes etc.

ANDREW NEWTON/STONEHAVEN TOLBOOTH HISTORY MUSEUM - ABERDEENSHIRE, UK

Figura 22.14 A. Reconstrução artística de *Pneumodesmus newmani*. Um fóssil desse artrópode primitivo de 1 cm de comprimento foi descoberto em 2004 pelo caçador de fósseis amador Mike Newman, em Stonehaven, Escócia.

A expansão da vegetação

No período Siluriano, entre 443,4 Ma e 419,2 Ma, surgiram as primeiras plantas dotadas de vasos condutores de seiva, as plantas vasculares. Graças a essa aquisição evolutiva, elas puderam atingir tamanhos maiores, formando as primeiras matas, possivelmente às margens de regiões alagadas. As primeiras plantas vasculares reproduziam-se de modo semelhante às pteridófitas atuais, com gametófitos que dependiam de ambientes úmidos para se desenvolver.

Ao longo do período Devoniano, entre 419,2 Ma e 358,9 Ma, surgiram espécies vegetais cujos gametófitos se desenvolviam sobre o corpo da planta-mãe, formando um tipo primitivo de semente. Essa inovação evolutiva – a semente – foi o passo decisivo para a conquista definitiva do ambiente de terra firme pelas plantas. Ao se tornar independentes da água líquida para a reprodução, elas puderam se expandir e ocupar locais distantes de regiões alagadas.

Durante o período Carbonífero, entre 358,9 Ma e 298,9 Ma, grandes florestas cobriam os continentes, criando microambientes úmidos e protegidos, favoráveis à vida de insetos e de anfíbios. A vegetação era então composta por pteridófitas semelhantes a samambaias, licopódios e cavalinhas, porém muito maiores.

No período Permiano, entre 298,9 Ma e 252,2 Ma, surgiram as primeiras gimnospermas, que apresentavam sementes verdadeiras, mas não frutos. Dessa época até o período Cretáceo, as florestas eram constituídas por pteridófitas gigantes e gimnospermas. Ainda no Cretáceo apareceram as angiospermas, plantas dotadas de frutos que abrigam as sementes. (Fig. 22.15)

Figura 22.15 A. Representação artística de uma floresta do período Carbonífero com base nas evidências fósseis. **B.** Folhas de *Ginkgo biloba*, a única espécie de Ginkgophyta (gincobiloba) atual. Cada folha tem cerca de 8 cm de diâmetro. Essa espécie foi comum nas florestas da era Mesozoica e persiste ate os dias de hoje com poucas mudanças.

Origem dos tetrápodes

Fósseis descobertos na China nas últimas décadas têm fornecido novas informações sobre a origem de diversos grupos, entre eles o dos vertebrados. Em 2003, uma equipe de pesquisadores da China, Reino Unido e Japão publicou, na revista científica *Nature*, a descrição do fóssil de um pequeno peixe sem mandíbula com cerca de 2,5 cm de comprimento. Segundo o artigo, os animais vertebrados teriam surgido por volta de 525 Ma, durante a "explosão cambriana".

No período Siluriano, uma linhagem primitiva de peixes teria desenvolvido uma novidade evolutiva: a mandíbula. Graças à estrutura esquelética mandibular, que se articula ao crânio e permite abrir e fechar a boca, os peixes dotados de mandíbula adquiriram grande eficiência na captura de alimento. Esses animais diversificaram-se no Siluriano e tornaram-se o grupo dominante nos mares do período Devoniano (entre 419,2 Ma e 358,9 Ma), que ficou conhecido como "idade dos peixes". (Fig. 22.16)

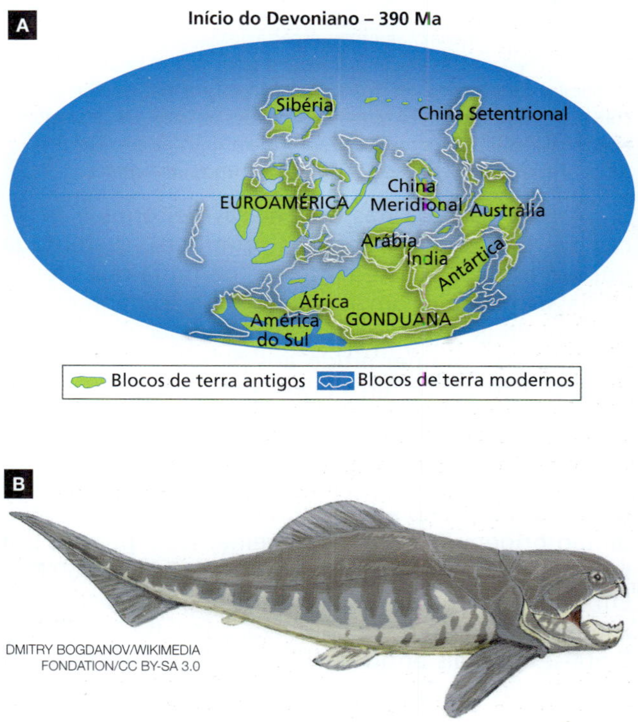

Figura 22.16 A. Mapa-múndi de 390 Ma, mostrando os continentes da época e sua relação com as áreas que formam os continentes atuais. **B.** Representação artística de *Dunkleosteus terrelli*, um dos maiores placodermos conhecidos, que podia atingir 10 m de comprimento. Os placodermos receberam esse nome porque tinham a cabeça e o tórax recobertos por placas ósseas articuladas.

Os peixes ósseos dotados de mandíbulas dividiam-se em dois grupos principais: um com nadadeiras reforçadas por raios cartilaginosos (nadadeiras radiais); outro com nadadeiras carnosas e dotadas de estrutura óssea de sustentação (nadadeiras lobadas). Os peixes com nadadeiras radiais tiveram sucesso evolutivo e a maioria dos peixes ósseos atuais, os chamados actinopterígios, descende deles.

Peixes com nadadeiras lobadas, denominados sarcopterígios, originaram os animais com quatro pernas, os tetrápodes (do grego *téttares*, quatro, e *poús*, pés, pernas), grupo ao qual pertencem os anfíbios, os répteis, as aves e os mamíferos. Um único representante dos sarcopterígios, o celacanto, sobreviveu até os dias de hoje e os cientistas o consideram um rélico, por manter características extremamente semelhantes às dos crossopterígios fósseis, grupo de sarcopterígios que viveram há 400 milhões de anos. (Fig. 22.17)

PETER SCOONES/SCIENCE PHOTO LIBRARY/LATINSTOCK

Figura 22.17 *Latimeria chalumnae*, espécie de celacanto. Esse animal, que pode chegar a 2 m de comprimento e cerca de 100 kg de massa corporal, é considerado um "fóssil vivo" por sua grande semelhança com peixes que viveram há quase 400 milhões de anos. Os celacantos eram considerados extintos até a captura, em 1938, na costa leste da África, de um exemplar da espécie descrita como *L. chalumnae*.

A base carnosa das nadadeiras peitorais e pélvicas dos peixes sarcopterígios primitivos, sustentada por um esqueleto ósseo interno, permitia que eles se apoiassem no solo com as nadadeiras e "caminhassem" pelo fundo de rios e lagos. Esse modo peculiar de movimentação teria permitido aos peixes sarcopterígios realizar incursões à terra firme, em busca de alimento e de aquecimento solar.

Gradativamente, no processo de evolução, foram selecionados os indivíduos com características mais adaptadas ao meio aéreo; suas nadadeiras evoluíram, dando origem a membros semelhantes a pernas. Daí teriam surgido os tetrápodes, entre 408 Ma e 360 Ma. Em uma região ao sul da Polônia há pegadas fósseis deixadas por um tetrápode primitivo, por volta de 397 Ma. Trata-se da mais antiga evidência de um vertebrado de terra firme, 18 milhões de anos anterior aos mais antigos ossos de tetrápodes fossilizados. (Fig. 22.18)

Figura 22.18 Representação esquemática, comparando os esqueletos das nadadeiras lobadas de um peixe sarcopterígio e as pernas de um anfíbio primitivo. (Elementos fora de proporção de tamanho entre si; cores-fantasia.)

Breve história dos anfíbios

Acredita-se que os primeiros anfíbios surgiram no período Devoniano, provavelmente a partir de uma linhagem de sarcopterígios. Os anfíbios foram os primeiros vertebrados a habitar a terra firme, mas não a conquistaram totalmente, pois sua reprodução continuou dependente do meio aquático. Os óvulos e os espermatozoides da maioria dos anfíbios são eliminados na água e a fecundação ocorre fora do corpo da fêmea; o zigoto desenvolve-se em uma forma larval tipicamente aquática, que possui respiração branquial.

Após o segundo grande evento de extinção em massa, entre 375 Ma e 360 Ma (final do Devoniano), ocorreram grandes mudanças climáticas que contribuíram para a expansão e a diversificação dos anfíbios.

No início do Carbonífero, o clima ficou mais quente e mais úmido, o que permitiu o desenvolvimento de grandes florestas, constituídas por musgos e pteridófitas arborescentes. Isso propiciou a proliferação de artrópodes de terra firme e a abundância de alimento para os anfíbios. Acredita-se que nessa época havia libélulas gigantes que podiam atingir até 65 cm de envergadura.

Do final do Carbonífero ao começo do Permiano, os anfíbios foram os animais dominantes em terra firme. Por esse motivo, esse período é conhecido como "idade dos anfíbios". Algumas espécies anfíbias chegavam a atingir 9 m e eram predadores vorazes. (Fig. 22.19)

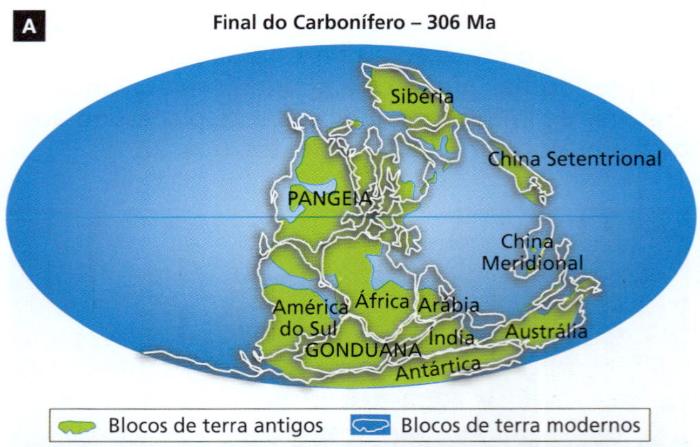

NATIONAL GEOGRAPHIC SOCIETY/CORBIS/LATINSTOCK

Figura 22.19 A. Mapa-múndi de 306 Ma, mostrando os continentes da época e sua relação com as áreas que formam os continentes atuais. **B.** Representação artística de um cenário típico do período Carbonífero, com anfíbios que podiam atingir 2 m de comprimento e 90 kg de massa corporal; a maior espécie conhecida chegava a ter 9 m.

O declínio dos anfíbios ocorreu no período Permiano (298,9 Ma-252,2 Ma), sendo atribuído principalmente a mudanças climáticas globais que causaram a aridez da maior parte dos ambientes de terra firme. Uma terceira grande onda de extinção em massa, a maior de todas, aniquilou de 90% a 96% de todas as espécies viventes e pôs fim ao sucesso dos anfíbios.

Um único grupo de anfíbios sobreviveu à extinção e deu origem às três ordens modernas: Anura (rãs, sapos e pererecas), Caudata ou Urodela (salamandras) e Gymnophiona ou Apoda (cobras-cegas ou cecílias). As espécies atuais de anfíbios, cujo tamanho varia entre 7,7 mm da rã da Nova Guiné (*Paedophryne amauensis*) e 1,8 m da salamandra gigante da China (*Andrias davidianus*), têm aspecto bem diferente das espécies pré-históricas, como *Prionosuchus plummeri*, que viveu em terras brasileiras em meados do Permiano. (Fig. 22.20)

WIKIMEDIA FOUNDATION

Figura 22.20 Representação artística de *Prionosuchus plummeri*, que podia atingir cerca de 9 m de comprimento, sendo considerado o maior anfíbio que já existiu.

Muitos cientistas atribuem a extinção em massa ocorrida entre o Permiano e o Triássico à queda de um asteroide ou cometa, apesar de não ter sido encontrada nenhuma cratera que testemunhe o impacto. Outra explicação para a extinção é a ocorrência de intensa atividade vulcânica, evidenciada por extensas áreas de rochas vulcânicas formadas por volta de 251 Ma em regiões da Sibéria, na Rússia. Alguns cientistas conciliam as duas explicações, admitindo que o impacto de um grande corpo celeste pode ter desencadeado o intenso vulcanismo.

Origem e evolução dos répteis

A conquista definitiva do ambiente de terra firme pelos animais deu-se com o surgimento dos anexos embrionários, que permitiram o desenvolvimento do embrião fora d'água. O **ovo amniótico** foi uma importante novidade evolutiva, que contribuiu definitivamente para o sucesso dos répteis, das aves e dos mamíferos, animais reunidos sob a denominação de **amniotas**, referente a âmnio, um dos anexos embrionários (relembre no capítulo 14).

Os répteis surgiram no período Carbonífero, a partir de uma linhagem de anfíbios. Uma série de pegadas encontradas na província de Nova Escócia, no Canadá, em rochas com 315 milhões de anos, é atribuída a *Hylonomus lyelli*, o mais antigo réptil conhecido. Era um animal pequeno e provavelmente muito semelhante a um lagarto moderno. (Fig. 22.21)

JANE BURTON/WARREN PHOTOGRAPHIC/PHOTORESEARCHERS/LATINSTOCK

Figura 22.21 Representação artística do mais antigo réptil que se conhece, *Hylonomus lyelli*, que viveu por volta de 315 Ma. Era um animal com cerca de 20 cm de comprimento da cabeça à cauda.

Os primeiros répteis tinham pequeno tamanho e importância marginal na fauna, amplamente dominada pelos anfíbios de grande porte. Acredita-se que esse quadro se modificou devido a uma profunda alteração climática, que tornou o clima do planeta extremamente seco, devastando florestas e causando a extinção de muitas plantas e animais. Esse evento, conhecido como "colapso das florestas úmidas do Carbonífero", ocorreu por volta de 305 Ma, quando grande parte da terra firme do planeta se localizava na região equatorial e era coberta por vasta floresta tropical (reveja a figura 22.19).

A mudança climática levou à fragmentação da antes extensa área de floresta em pequenas "ilhas" de vegetação, separadas por regiões áridas e inóspitas. Populações de répteis isoladas nessas ilhas de floresta evoluíram independentemente, diversificando-se e aumentando em importância.

Répteis que inicialmente se alimentavam de insetos e de peixes desenvolveram novas estratégias alimentares, como a herbivoria e a carnivoria, diversificando-se em inúmeras espécies, de vários tamanhos e formas corporais. Grande parte do período Permiano (cerca de 40 milhões de anos) foi dominada por um grupo de répteis conhecidos como pelicossauros, com espécies que atingiam 3 m ou mais de comprimento. (Fig. 22.22)

DE AGOSTINI PICTURE LIBRARY/GETTY IMAGES

Figura 22.22 Representação artística de cenário do início do Permiano. Nessa época, o ambiente era dominado por répteis pelicossauros, com algumas espécies atingindo 3 m de comprimento. As outras espécies de animais tinham porte muito menor.

Em meados do Permiano, surgiu um grupo de répteis (ordem Therapsida) que se diversificou e se expandiu, substituindo os pelicosauros como o grupo dominante em terra firme. Embora boa parte dos terapsidas tenha sido aniquilada na extinção ocorrida entre o Permiano e o Triássico, o grupo persistiu até o início do período Cretáceo, quando se extinguiu quase totalmente. Uma linhagem sobrevivente de terapsidas deu origem aos mamíferos.

Outra linhagem de répteis, surgida no final do Permiano ou início do Triássico, os arcossauros, rapidamente se tornou o grupo de vertebrados dominante em terra firme. Os arcossauros dividiram-se em quatro grupos principais: os dinossauros (ordens Ornithischia e Saurischia), que ocuparam os ambientes de terra firme; os pterosauros (ordem Pterosauria), que dominaram os ares; os ictiossauros (ordem Ichthyosauria) e plesiossauros (ordem Plesiosauria), que foram predadores de destaque nos mares do Mesozoico. Pelo predomínio desses répteis, a era Mesozoica ficou conhecida como a "idade dos répteis". (Fig. 22.23)

O domínio dos répteis terminou por volta de 66 Ma, por ocasião da última das cinco grandes ondas de extinção em massa, quando desapareceram 75% das espécies viventes, entre elas todos os dinossauros. Dos répteis restaram apenas tartarugas, crocodilos e lepdossauros, dos quais descendem os lagartos, as serpentes e as tuataras atuais.

Origem das aves

As aves evoluíram no período Jurássico, entre 201 Ma e 145 Ma, a partir de uma linhagem de dinossauros, e são consideradas remanescentes vivos desses animais. Os especialistas ponderam que aves e répteis atuais, apesar das aparentes diferenças, são essencialmente semelhantes e deviam ser incluídos na mesma categoria taxonômica.

A presença de penas deixou de ser um caráter exclusivo de aves: novas descobertas paleontológicas têm revelado que havia diversas linhagens de dinossauros dotadas de penas, dentre elas a que originou as aves.

Figura 22.23 Representações artísticas de répteis arcossauros. **A.** Dinossauros das ordens Ornithischia sendo perseguidos por um *Tyrannosaurus rex* (ordem Saurischia) **B.** *Lacusovagus magnificens*, pterossauro cujo fóssil foi encontrado na formação Crato, na Chapada do Araripe, Região Nordeste do Brasil. Esse animal, com cerca de 5 m de envergadura, viveu há 115 milhões de anos; apesar do grande tamanho, tinha porte médio se comparado aos outros pterossauros que podiam atingir de 10 m a 11 m de envergadura. **C.** Ictiossauro, animal que viveu entre 245 Ma e 90 Ma, cujo tamanho podia variar de 1 m nas menores espécies a 23 m, nas maiores. **D.** Plesiossauro, animal que surgiu por volta de 200 Ma e se extinguiu por volta de 66 Ma, cujo tamanho variava de 2 m nas menores espécies a 21 m nas maiores.

É o caso, por exemplo, do *Archaeopteryx lithographica*, que viveu no final do período Jurássico, por volta de 150 Ma. Apesar do sucesso causado pela descoberta do primeiro fóssil de arqueópterix no século XIX, ele deixou de ser considerado um ancestral direto das aves. Nos últimos anos, a descoberta de diversos fósseis de dinossauros dotados de penas, principalmente na China, aumenta a controvérsia sobre o grupo ancestral das aves. (Fig. 22.24)

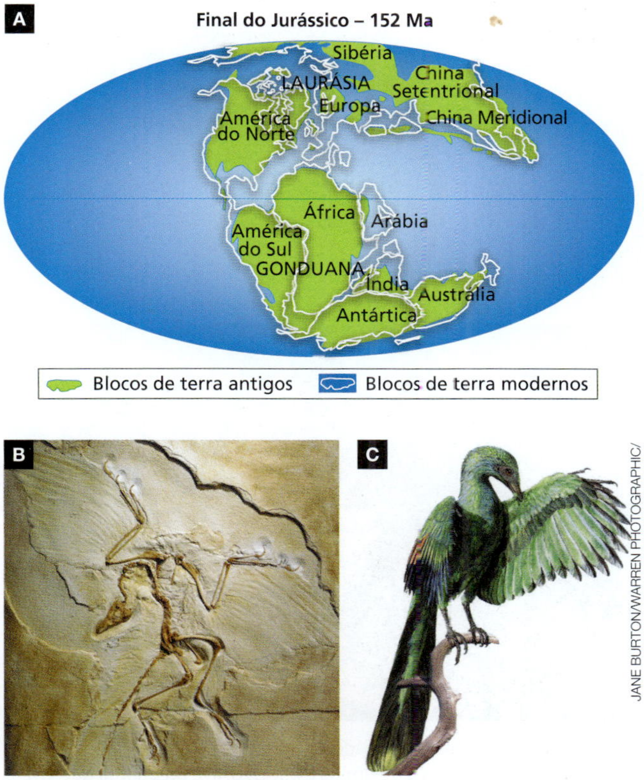

Figura 22.24 A. Mapa-múndi de 152 Ma, mostrando os continentes da época e sua relação com as áreas que formam os continentes atuais. **B.** Fóssil de *Archaeopteryx lithographica* com 150 milhões de anos, encontrado na Alemanha. **C.** Representação artística de um exemplar do gênero *Archaeopteryx*, que podia atingir 1 m de comprimento e 4 kg de massa corporal. Esse animal diferia das aves por não ter ossos com cavidades preenchidas por ar (ossos pneumáticos), por ter membros e pelve tipicamente reptilianos, além de apresentar dentes e uma longa cauda.

No final do período Cretáceo, as aves apresentavam muitas de suas características atuais. Após a última grande onda de extinção em massa, elas se diversificaram e passaram a explorar com sucesso os ambientes aéreos, de terra firme e aquáticos.

Origem e evolução dos mamíferos

Como já foi mencionado, acredita-se que os mamíferos surgiram por volta de 220 Ma, a partir de um grupo de répteis terapsidas. Os primeiros mamíferos eram animais de pequeno porte, a maioria com menos de 5 cm de comprimento, que se alimentavam principalmente de insetos. Graças à sua boa sensibilidade olfativa e auditiva, os mamíferos primitivos desenvolveram hábitos noturnos, ficando assim menos expostos à predação por répteis. Os hábitos e os pequenos tamanhos dos mamíferos contribuíram para a seleção de características que conferiam avanços no isolamento corporal e na regulação térmica, como o desenvolvimento de pelos e da endotermia, a capacidade de manter a estabilidade da temperatura corporal.

Atualmente admite-se que a linhagem ancestral de mamíferos originou, em um primeiro momento, os **monotremados**, mamíferos ovíparos cujos embriões se desenvolvem dentro de um ovo amniótico e fora do corpo da mãe. Em seguida, teriam surgido os mamíferos marsupiais e os placentários. Nos **marsupiais**, o desenvolvimento embrionário começa no interior do trato reprodutor feminino, mas os embriões saem precocemente do corpo da mãe e se arrastam para uma bolsa externa formada por uma prega de pele – o marsúpio – que abriga os mamilos da fêmea. Ali, os embriões terminam o desenvolvimento alimentando-se de leite. Nos **mamíferos placentários**, o embrião completa seu desenvolvimento no interior do útero materno, recebendo alimento e eliminando excretas pela placenta.

Breve história dos mamíferos monotremados e marsupiais

Os especialistas admitem que os monotremados apareceram por volta de 200 Ma, mas o momento em que teriam surgido os marsupiais e os placentários ainda é motivo de grande controvérsia. Até o final do século XX, o registro fóssil sugeria que essas duas linhagens de mamíferos tinham se separado por volta de 125 Ma; por outro lado, a comparação entre o material genético de espécies viventes levava a supor que a separação era bem mais antiga, por volta de 175 Ma. Recentemente, corroborando a estimativa molecular, encontrou-se um fóssil de mamífero placentário datado em 160 milhões de anos de idade. (Fig. 22.25)

Figura 22.25 Representação artística do esqueleto e do corpo de *Juramaia sinensis*, um mamífero placentário insetívoro que viveu por volta de 160 Ma. Esse animal media cerca de 6 cm de comprimento, do focinho ao início da cauda, e tinha aproximadamente 15 g de massa corporal. O fóssil, descrito em 2011 na revista *Nature*, foi encontrado na China, em rochas que datam do período Jurássico.

Os monotremados, representados atualmente por uma espécie de ornitorrinco e por quatro espécies de equidnas, vivem apenas na Austrália e na Nova Guiné, mas é possível que o grupo estivesse amplamente distribuído no início de sua evolução, o que é sugerido por um fóssil de monotremado encontrado na Argentina. A escassez de fósseis desse grupo permite poucas conclusões confiáveis a respeito de sua história evolutiva.

O documentário fóssil de marsupiais, por outro lado, possibilita uma reconstrução histórica bem mais consistente, apesar do local de origem do grupo ainda ser motivo de grandes discussões entre os especialistas. A maioria dos fósseis de marsupiais do Mesozoico tem sido encontrada na América do Norte e na Ásia. O fóssil mais antigo, descoberto na China em 2003, é de um pequeno animal (*Sinodelphys szalayi*) com 15 cm de comprimento e cerca de 30 g, que viveu por volta de 125 Ma.

Marsupiais e placentários floresceram na América do Norte entre 115 Ma e 66 Ma, quando ocorreu a última das cinco grandes extinções em massa, que marca o limite entre o período Cretáceo e o Paleogeno.

A explicação para essa onda de extinção em massa é a queda de um cometa ou asteroide na região de Chicxulub, na península de Yucatán, no México. Acredita-se que a extinção não foi consequência direta do impacto, mas de diversos desdobramentos do evento, como incêndios em escala planetária e meses de escuridão devido à poluição atmosférica, o que exterminou grande parte da vegetação e levou a maioria das teias alimentares ao colapso. Foram necessários milhares ou centenas de milhares de anos para o restabelecimento dos ecossistemas, com espécies descendentes das sobreviventes ocupando os nichos vagos. Grupos até então marginalizados, uma vez livres dos competidores, puderam se diversificar e se expandir, mudando dramaticamente o cenário biológico do planeta. (Fig. 22.26)

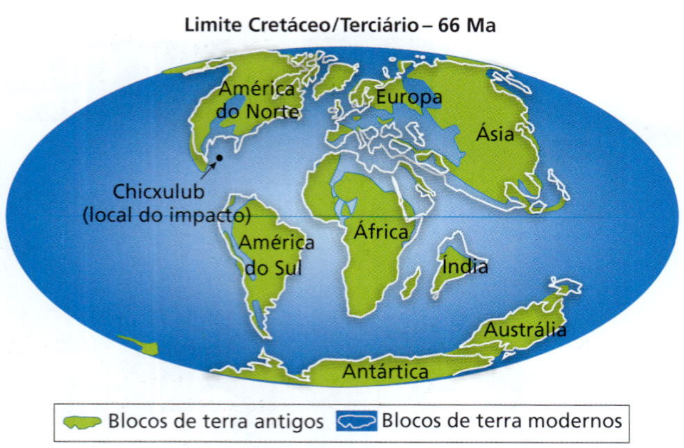

Figura 22.26 Mapa-múndi de 66 Ma, mostrando a distribuição dos continentes na época. A seta indica a região de Chicxulub, na península de Yucatán, no México, onde supostamente ocorreu o impacto com o asteroide que causou a extinção dos dinossauros.

Há evidências de que no final do Cretáceo os marsupiais se expandiram para a América do Sul. Pouco tempo depois, eles praticamente se extinguiram na América do Norte e na Eurásia.

Na América do Sul, os marsupiais se diversificaram, preenchendo nichos ainda não ocupados por placentários. Um exemplo é *Thylacosmilus atrox*, um marsupial carnívoro com dentes caninos superiores muito longos e que, do final do Mioceno até sua extinção por volta de 2 Ma, compartilhou o topo dos níveis tróficos com aves predadoras do gênero *Phorusrhacids*. (Fig. 22.27)

Figura 22.27 A. Crânio fossilizado do marsupial *T. atrox*.
B. Representação artística de um forusracídeo, ave predadora que viveu durante o Cenozoico (62 Ma-2 Ma) e que, ao lado do *T. atrox*, foi um dos maiores predadores no continente.

Por volta de 60 Ma, os marsupiais atingiram a Antártica, que ainda estava ligada à América do Sul e apresentava clima relativamente quente, com áreas de florestas tropicais. Em seguida, pequenos marsupiais vindos da Antártica alcançaram a Austrália, através da ligação que ainda existia entre os dois continentes.

Quando os marsupiais chegaram à Austrália, entre 60 Ma e 55 Ma, as florestas tropicais estavam em expansão, o que permitiu rápida diversificação do grupo, com ocupação dos diversos nichos que se abriam em decorrência da expansão florestal. A separação subsequente da Antártica isolou completamente o continente australiano e impediu a entrada de placentários competidores. Assim, os marsupiais floresceram, diversificaram-se e ocuparam os mais diversos nichos, o que se denomina **irradiação adaptativa**.

Breve história dos mamíferos placentários

A grande extinção ocorrida entre os períodos Cretáceo e Paleogeno, que dizimou os animais de grande porte da superfície terrestre, criou condições para a grande expansão e sucesso evolutivo dos primitivos mamíferos. Estes eram insetívoros de pequeno porte semelhantes a roedores, onívoros de porte médio, bem como herbívoros e carnívoros de porte maior. (Fig. 22.28)

CHRISTIAN JEGOU PUBLIPHOTO DIFFUSION/SCIENCE PHOTO LIBRARY/LATINSTOCK

Figura 22.28 Representação artística de cenário do período Paleoceno. Nessa época, depois da extinção dos grandes répteis, os mamíferos se diversificaram e expandiram. Havia animais de diversos tamanhos, mas os maiores não ultrapassavam 3 m de altura.

O início do Eoceno foi marcado por um clima quente e úmido, o que permitiu aumento da vegetação, com florestas desenvolvendo-se de polo a polo do planeta; nessa época, florestas tropicais cobriam o norte da Europa e a América do Norte, com palmeiras crescendo na Groenlândia e no Alasca. Nesse cenário surgiram os primeiros mamíferos placentários modernos, que se espalharam pelo Hemisfério Norte, onde a fauna arcaica estava em declínio.

Os oceanos quentes do Eoceno, repletos de peixes, permitiram a evolução de mamíferos aquáticos, como as primeiras baleias (cetáceos) e os primeiros peixes-bois (sirênios). (Fig. 22.29)

Por volta da metade do Eoceno, o clima tornou-se mais frio e mais seco, com significativa redução das florestas em certas regiões da Terra. No clima mais frio, as mudanças estacionais tornaram-se mais marcantes, favorecendo as plantas decíduas, que perdem as folhas no inverno e são, portanto, mais adaptadas às mudanças sazonais. Ao final do Eoceno, o Hemisfério Norte estava coberto por florestas temperadas de árvores decíduas, e as florestas tropicais estavam reduzidas apenas à zona equatorial da América do Sul, da África, da Índia e da Austrália.

Ainda na metade do Eoceno, roedores africanos se expandiram pela América do Sul, ao que tudo indica cruzando, a bordo de "ilhas" de vegetação flutuantes, a pequena distância que separava o Nordeste brasileiro e a costa oeste da África. Eles foram os ancestrais das capivaras, chinchilas, porquinhos-da-índia e porcos-espinho. Essa mesma rota foi seguida pouco mais tarde por primatas que deram origem aos macacos do Novo Mundo.

A

FIELD MUSEUM LIBRARY/GETTY IMAGES

B

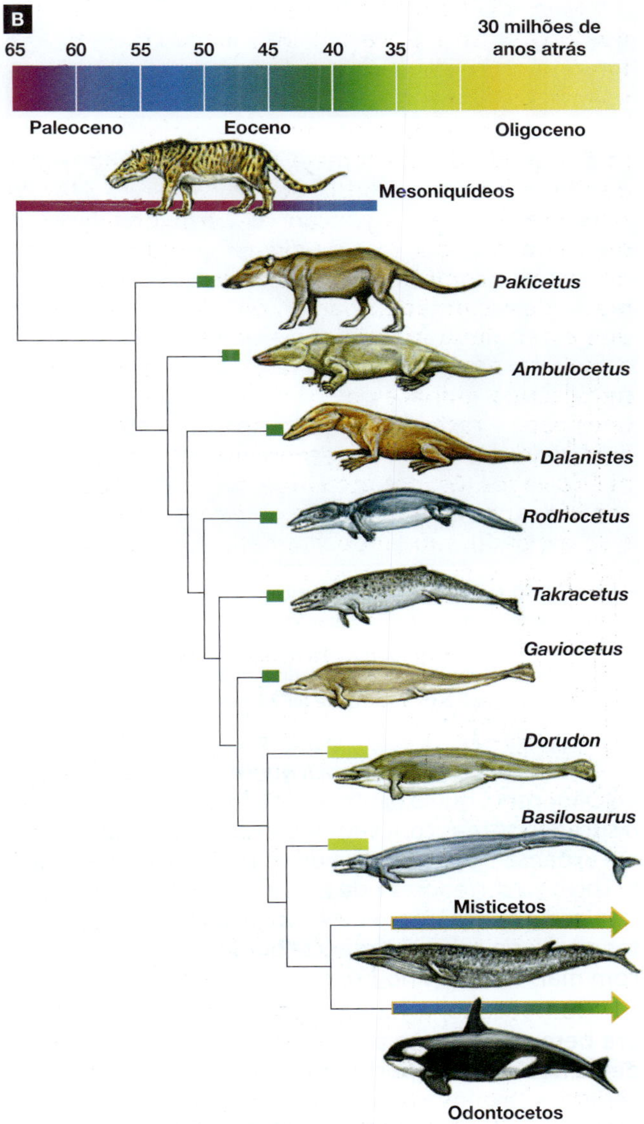

Figura 22.29 A. Representação artística de cenário do Eoceno, cujos animais atingiam, em média, apenas 60% do tamanho dos da fauna da época anterior. Acredita-se que o clima mais quente do Eoceno favoreceu os animais menores. **B.** Árvore evolutiva de baleias e golfinhos a partir de uma linhagem de mamíferos de terra firme, semelhantes a lobos. (Elementos fora de proporção de tamanho entre si; cores-fantasia.) (Baseado em Zimmer, C., 2004.)

Durante o Oligoceno, ocorreu grande dispersão das plantas gramíneas tanto no Hemisfério Norte quanto no Hemisfério Sul, abrindo novas oportunidades para os mamíferos herbívoros. Na América do Sul, ainda isolada da América do Norte, desenvolveu-se uma fauna de grandes mamíferos placentários, como o gênero *Pyrotherium*, animais semelhantes a elefantes. Na Ásia, vivia o *Indricotherium* sp., maior mamífero de terra firme que já existiu. (Fig. 22.30)

CHASE STUDIO/PHOTORESEARCHERS/LATINSTOCK

WALTER MYERS/SCIENCE PHOTO LIBRARY/LATINSTOCK

Figura 22.30 A. Representação artística de cenário do Oligoceno na América do Norte. **B.** Representação artística de *Indricotherium* sp., o maior mamífero de terra firme que já existiu e que viveu na Ásia no Oligoceno, chegando a medir 6 m de comprimento, aproximadamente 5,5 m de altura e ter 20 t de massa corporal.

O Mioceno foi uma época quente, tanto em relação ao Oligoceno, que o precedeu, quanto ao Plioceno, que o sucedeu. Áreas com vegetação abertas continuaram em expansão, permitindo a diversificação de mamíferos herbívoros corredores e de seus predadores. Acredita-se que nessa época surgiu na África a linhagem de primatas que daria origem à espécie humana, como veremos com mais detalhes no próximo capítulo.

No Mioceno, a fauna de mamíferos placentários era bem semelhante à atual, de tal modo que se pudéssemos nos transportar para aquela época reconheceríamos cavalos, camelos, veados, antílopes, girafas, ursos, hienas, cães, macacos e elefantes, entre diversos outros mamíferos. Exceções eram a Austrália, onde a fauna de mamíferos era composta apenas de monotremados e marsupiais, e a América do Sul onde, em consequência do isolamento geográfico, continuava a evoluir uma fauna de mamíferos placentários semelhantes a tatus e tamanduás atuais, além de outros.

Na época seguinte, o Plioceno, o clima mundial tornou-se mais frio e mais seco, com estações do ano bem demarcadas. Foi nessa época que se formou o Istmo do Panamá, unindo a América do Norte e a América do Sul, o que permitiu a migração de fauna entre os dois continentes, no chamado "grande intercâmbio americano de fauna". Muitas das espécies arcaicas da fauna sul-americana se extinguiram com espécies norte-americanas tomando o lugar de algumas delas. Por exemplo, placentários dotados de dentes de sabre do gênero *Smilodon*, provenientes da América do Norte, substituíram os marsupiais de dentes de sabre.

Marsupiais mais especializados, que exploravam nichos diferentes dos placentários invasores, sobreviveram e deram origem à atual fauna de marsupiais sul-americanos, como gambás e cuícas. Uma linhagem marsupial retornou à América do Norte e originou a única espécie atual do grupo naquele continente, *Didelphis virginiana*. (Fig. 22.31)

22.2
Biblioteca do estudante Amplie seus conhecimentos

TOM MCHUGH/PHOTORESEARCHERS/LATINSTOCK - NATIONAL MUSEUM OF NATURAL HISTORY, WASHINGTON, DC, UNITED STATES

Figura 22.31 Representação artística de cenário do Plioceno da América do Norte.

O clima do Pleistoceno foi marcado por repetidos ciclos glaciais, com geleiras expandindo-se a partir dos polos e chegando a cobrir 30% da superfície do planeta. A fauna de mamíferos já era essencialmente semelhante à moderna, porém com animais bem maiores do que seus parentes atuais. Nesse período, teria ocorrido a extinção dos homens de Neandertal, que habitavam a Europa. (Fig. 22.32)

WALTER MYERS/SCIENCE PHOTO LIBRARY/LATINSTOCK

Figura 22.32 Representação artística de cenário do Pleistoceno na Europa, evidenciando alguns animais dessa época.

Tendo em vista o impacto da espécie humana sobre o curso da vida em escala planetária, os cientistas propuseram a inclusão de uma nova época na escala geológica, dentro do período Quaternário: Antropoceno (do grego *anthropos*, humano, e *kainós*, novo). Até 2013 essa proposta ainda não tinha sido referendada pela Comissão Internacional de Estratigrafia. Um aspecto polêmico é sobre sua cronologia. Alguns sugerem que o começo da nova época seja estabelecido por volta de 8 mil anos atrás, quando tiveram início as atividades agrícolas e o estabelecimento de comunidades humanas sedentárias. Outros propõem que seu início seja a Revolução Industrial (século XVIII), cujos desdobramentos são responsáveis por muitas das mudanças ambientais dos últimos dois séculos.

No entanto, o mais importante é reconhecer que as atividades humanas têm influenciado o curso da vida na Terra e que são necessárias medidas urgentes para minimizar os efeitos negativos futuros, como o risco de uma nova onda de extinções em massa.

Atividades

Visão do especialista

Biblioteca do estudante
Faça você mesmo!

Revendo conceitos fundamentais

1. O que indicam os diagramas denominados árvores filogenéticas?
a) Relações de parentesco evolutivo entre grupos de seres vivos.
b) Relações ecológicas entre os principais grupos de seres vivos.
c) Relações entre as árvores e outros grupos vegetais.
d) Interações entre os fatores evolutivos e a seleção natural na evolução.

2. Pode-se definir espécie biológica como um grupo de seres vivos que apresenta
a) pelo menos uma característica morfológica ou fisiológica que os distingue de outros grupos.
b) características semelhantes e cujos membros podem cruzar entre si, estando reprodutivamente isolados de outros grupos.
c) características semelhantes, cujos membros possuem uma constituição genética que os distingue de outros grupos.
d) certo número de alelos em comum.

Escreva, em seu caderno, o termo abaixo que substitui corretamente a tarja entre parênteses nas frases de 3 a 7.

a) anagênese
b) cladogênese
c) especiação
d) isolamento geográfico
e) isolamento reprodutivo

3. A formação de novas espécies é denominada (▬):

4. A(O) (▬) é o processo de transformação adaptativa nas linhagens de seres vivos.

5. O processo de formação de novas espécies, em que uma espécie se diversifica em duas novas espécies, é a(o) (▬).

6. A separação física entre duas populações – a(o) (▬) – é o primeiro passo para que uma espécie se diversifique em duas novas espécies.

7. A(O) (▬)é um conjunto de mecanismos e processos que impede a mistura genética entre duas espécies.

8. Como é denominado o intervalo de tempo que abrange desde a origem da Terra até os dias de hoje?
a) Éon geológico.
b) Época geológica.
c) Era geológica.
d) Período geológico.
e) Tempo geológico.

9. Quais são as subdivisões do tempo geológico, da mais abrangente para a menos abrangente?
a) Época; era; período; éon.
b) Éon; era; época; período.
c) Éon; era; período; época.
d) Éon; período; era; época.

Ligando conceitos, fatos e processos

10. Considere as informações a seguir sobre algumas ocorrências referentes ao processo de especiação e indique a alternativa que as ordena na sequência de formação de duas novas espécies a partir de uma população ancestral.
I. Populações que se cruzam livremente.
II. Acúmulo de diferenças genéticas entre as populações.
III. Estabelecimento de isolamento reprodutivo entre as populações.
IV. Aparecimento de barreira geográfica entre as populações.
a) I → II → III → IV
b) I → II → IV → III
c) I → III → II → IV
d) I → IV → II → III

11. "O início da era (▬) é marcado por uma 'explosão' de aparecimento de fósseis, o que indica o surgimento de muitas novas linhagens de seres vivos." Qual das alternativas substitui corretamente a tarja na frase anterior?
a) Cenozoica.
b) Mesozoica.
c) Paleozoica.
d) Pré-cambriana.

12. Na península de Yucatán, no México, há vestígios da queda de um grande corpo celeste (um meteorito ou asteroide) ocorrida há cerca de 66 milhões de anos, que teria desencadeado mudanças climáticas responsáveis pela quinta onda de extinções em massa; foi quando se extinguiram os dinossauros. Esse evento catastrófico marca a transição entre quais eras?

a) Cenozoica – Pré-cambriana.

b) Mesozoica – Cenozoica.

c) Paleozoica – Mesozoica.

d) Pré-cambriana – Paleozoica.

13. Considerando evidências científicas, há quanto tempo, aproximadamente, a vida na Terra teria surgido?

a) Há 10 mil anos.

b) Entre 4,5 e 5 milhões de anos atrás.

c) Há 6 milhões de anos.

d) Entre 3,5 e 4 bilhões de anos atrás.

Escreva, em seu caderno, o termo abaixo que substitui corretamente a tarja entre parênteses nas frases de 14 a 18.

a) era Cenozoica

b) era Mesozoica

c) era Paleozoica

d) éon Pré-cambriano

14. O aparecimento dos seres fotossintetizantes ocorreu na(o) (▬).

15. A espécie humana surgiu na(o) (▬).

16. A chamada "explosão cambriana", evento marcado por uma rápida e intensa diversificação da vida, ocorreu na(o) (▬).

17. A formidável diversificação e expansão dos dinossauros ocorreu na(o) (▬).

18. A conquista da terra firme pelos ancestrais dos anfíbios atuais ocorreu na(o) (▬).

19. Qual dos seguintes fenômenos pode ser mais diretamente correlacionado ao aparecimento dos seres fotossintetizantes?

a) A "explosão cambriana".

b) A extinção dos grandes répteis.

c) A formação de uma atmosfera rica em gás oxigênio.

d) As glaciações.

20. Acredita-se que os peixes de nadadeiras lobadas – os sarcopterígios – foram os ancestrais imediatos de quais grupos animais?

a) Anfíbios.

b) Aves e mamíferos.

c) Peixes ósseos.

d) Répteis.

21. Ovos amnióticos, em que os embriões se desenvolvem protegidos da dessecação por anexos embrionários, representaram uma novidade evolutiva que garantiu a independência de água líquida para a reprodução e a conquista do ambiente de terra firme pelos animais. Em que grupo animal essa novidade teria surgido e se estabelecido?

a) Anfíbios.

b) Aves.

c) Mamíferos.

d) Peixes.

e) Répteis.

Questões para exercitar o pensamento

22. Os evolucionistas consideram improvável que a espécie humana venha a se diversificar em novas espécies no futuro. Tendo em mente o conceito biológico de espécie e os processos de especiação, qual é o principal argumento a favor dessa ideia?

23. Duas espécies de mosca do gênero *Drosophila* – *D. pseudobscura* e *D. persimilis* – apresentam um complexo ritual de corte, em que os machos estendem uma das asas, vibrando-a para produzir um som, característico da sua espécie. Uma fêmea somente cruzará com machos que produzam os sinais corretos, típicos da espécie. Entretanto, nas condições pouco naturais e superpovoadas das caixas de laboratório onde são cultivadas essas moscas, surgem híbridos entre as duas espécies, principalmente se as moscas forem mantidas à temperatura de 16 °C.

a) Considerando as explicações anteriores, responda: como se justifica classificar *D. pseudobscura* e *D. persimilis* como espécies diferentes?

b) Que tipo de isolamento reprodutivo ocorre entre essas duas espécies de drosófila?

24. O tigre é um animal de hábitos solitários, adaptado ao ambiente de floresta; o leão tem hábitos gregários e vive em regiões de campos abertos. Quando colocados juntos, em recintos de parques zoológicos, fêmeas de tigre podem eventualmente cruzar com machos de leão, ou machos de tigre podem cruzar com fêmeas de leão, produzindo descendência, em alguns casos, fértil.

a) Com base no que foi dito acima, você acha correto classificar tigres e leões como espécies diferentes?

b) Que tipo de isolamento reprodutivo ocorre entre esses animais na natureza?

A Biologia no vestibular e no Enem

Questões objetivas

1. (UFPA) Após um grande terremoto, um continente foi dividido, o que provocou a separação geográfica de uma população de roedores. Decorridos muitos anos, os dois grupos de roedores tornaram-se incapazes de cruzarem entre si por causa do desenvolvimento de mecanismos de isolamento reprodutivo. A situação apresentada acima é um exemplo de

a) convergência evolutiva.

b) oscilação gênica.

c) mutação gênica.

d) deriva gênica.

e) especiação.

2. (Unifor-CE) Segundo o modelo de especiação alopátrica, a ordem dos eventos que ocorrem na origem de uma espécie é

a) isolamento geográfico, isolamento reprodutivo, divergência genética.

b) isolamento geográfico, divergência genética, isolamento reprodutivo.

c) mutação, seleção natural, isolamento geográfico.
d) isolamento reprodutivo, mutação, seleção natural.
e) mutação, seleção natural, isolamento geográfico.

3. (UFPE) “Um grande grupo de indivíduos, de uma única espécie, sofre dispersão por vários ambientes, nos quais atuam diferentes fatores de seleção natural, e, consequentemente, diferentes variações adaptativas são selecionadas em cada um desses ambientes. Diversas espécies são formadas, embora todas apresentem algumas características semelhantes, pelo fato de terem descendido de um ancestral comum.” Esse texto refere-se à ocorrência de

a) convergência adaptativa.
b) oscilação genética.
c) analogia genética.
d) irradiação adaptativa.
e) diversidade intraespecífica.

4. (Unifor-CE) Atualmente, a hipótese filogenética mais aceita sobre a evolução das principais classes de vertebrados está esquematizada em

a) peixes → anfíbios → répteis → aves → mamíferos

b) peixes → anfíbios → répteis ↗ aves ↘ mamíferos

c) peixes ↗ anfíbios ↘ répteis ↗ aves ↘ mamíferos

d) peixes → répteis → anfíbios ↗ aves ↘ mamíferos

e) peixes ↗ anfíbios → mamíferos ↘ répteis → aves

5. (UFMS) Na sequência mostrada a seguir, estão relacionados determinados eventos referentes ao processo de especiação biológica.

I. População original.
II. Surgimento de barreira geográfica.
III. Populações que já podem ser consideradas raças distintas.
IV. Populações que já podem ser consideradas espécies distintas.
V. Acúmulo de diferenças genéticas entre populações.
VI. Estabelecimento de isolamento reprodutivo.

Determine a sequência correta que ocorreu na formação de duas espécies novas a partir da população ancestral.

a) I, V, VI, II, III, IV.
b) I, VI, V, II, III, IV.
c) I, II, V, III, VI, IV.
d) I, II, IV, III, VI, V.
e) I, VI, V, IV, II, III.

6. (UFG-GO) Macaco, lobo e foca são animais de espécies diferentes e apresentam semelhanças morfofisiológicas. O processo evolutivo desses animais, a partir de uma origem comum, pode ser explicado por

a) migração dos três grupos de indivíduos e sua adaptação a ambientes mais propícios.
b) fluxo gênico e seleção natural, os quais possibilitam a variabilidade fenotípica.
c) transformações semelhantes para adaptação das três espécies aos diferentes ambientes.
d) recombinação genética, mutações sucessivas e seleção dos indivíduos mais vigorosos.
e) isolamento reprodutivo, mutações independentes e adaptação às condições ambientais distintas.

7. (Unesp) Três populações de insetos, X, Y e Z, habitantes de uma mesma região e pertencentes a uma mesma espécie, foram isoladas geograficamente. Após vários anos, com o desaparecimento da barreira geográfica, verificou-se que o cruzamento dos indivíduos da população X com os da população Y produzia híbridos estéreis. O cruzamento dos indivíduos da população X com os da população Z produzia descendentes férteis, e o dos indivíduos da população Y com os da população Z não produzia descendentes. A análise desses resultados permite concluir que

a) X, Y e Z continuaram pertencendo à mesma espécie.
b) X, Y e Z formaram três espécies diferentes.
c) X e Z tornaram-se espécies diferentes e Y continuou a pertencer à mesma espécie.
d) X e Z continuaram a pertencer à mesma espécie e Y tornou-se uma espécie diferente.
e) X e Y continuaram a pertencer à mesma espécie e Z tornou-se uma espécie diferente.

8. (Fatec-SP) Várias são as etapas do processo de especiação por cladogênese. Dentre elas citam-se:

I. diferenciação do conjunto gênico de subpopulações isoladas;
II. incapacidade de os membros de duas subpopulações se cruzarem, produzindo descendência fértil;
III. separação física de duas subpopulações de uma espécie.

A sequência correta dessas etapas é

a) I, II, III.
b) II, I, III.
c) II, III, I.
d) III, II, I.
e) III, I, II.

9. (Cefet-PR) Qual a condição inicial básica para que ocorra o processo de formação de raças?

a) Isolamento reprodutivo.
b) Isolamento geográfico.
c) Seleção natural.
d) Esterilidade de F1.
e) Superioridade do híbrido.

10. (UFRGS-RS) O esquema abaixo refere-se a dois modelos de especiação (A e B).

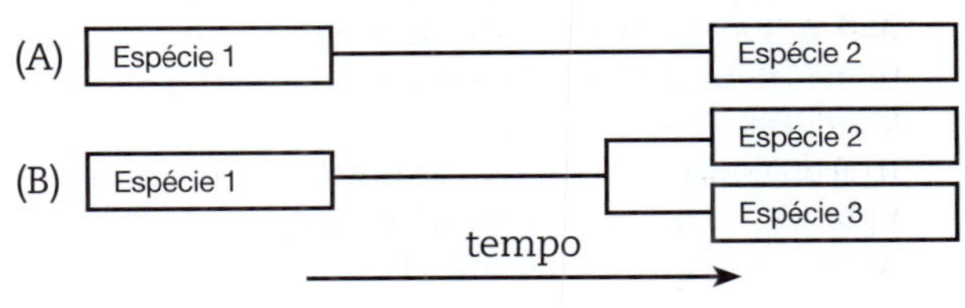

Considere as afirmações abaixo relacionadas ao esquema.

I. O modelo A representa um exemplo de especiação filética, que pressupõe a ocorrência de isolamento geográfico.

II. O modelo A representa especiação por anagênese, que envolve seleção natural e adaptação a modificações graduais nas condições ambientais.

III. O modelo B representa especiação por cladogênese, que envolve isolamento de populações, adaptação a diferentes ambientes e isolamento reprodutivo.

Quais estão corretas?

a) Apenas I.
b) Apenas II.
c) Apenas III.
d) Apenas I e III.
e) Apenas II e III.

11. (PUC-RS) Alguns radioisótopos são utilizados na biologia para datar fósseis e rochas antigas com o objetivo de compreender a evolução da vida no planeta. Dois importantes radioisótopos utilizados neste sentido são o carbono-14 e o potássio-40, os quais têm uma meia-vida, respectivamente, de 5.700 anos e de 1,3 bilhão de anos. Ao medir-se a proporção de carbono-14 em um exemplar fóssil de um animal, foi possível concluir, com elevado grau de confiança, que este deve ter vivido há cerca de 30 mil anos. Este fóssil poderia ter sido qualquer um dos animais abaixo, exceto

a) um peixe ósseo marinho.
b) uma ave de pequeno porte.
c) um mamífero roedor.
d) um invertebrado aquático.
e) um dinossauro de grande porte.

12. (Enem-MEC) Pesquisas recentes estimam o seguinte perfil da concentração de oxigênio (O_2) atmosférico ao longo da história evolutiva da Terra:

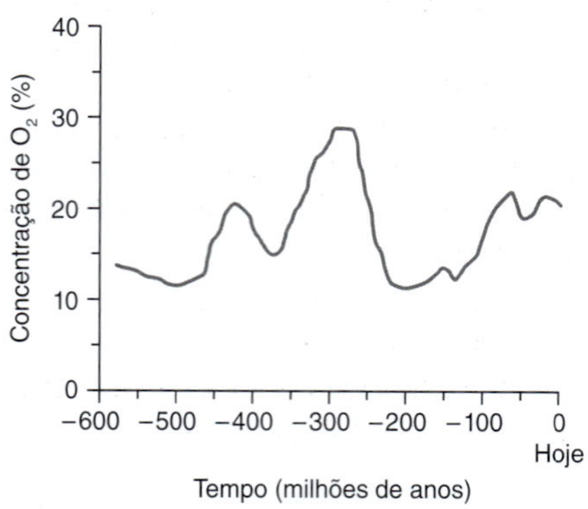

No período Carbonífero, entre aproximadamente 350 e 300 milhões de anos, houve uma ampla ocorrência de animais gigantes, como insetos voadores de 45 centímetros e anfíbios de até 2 metros de comprimento. No entanto, grande parte da vida na Terra foi extinta há cerca de 250 milhões de anos, durante o período Permiano. Sabendo-se que o O_2 é um gás extremamente importante para os processos de obtenção de energia em sistemas biológicos, conclui-se que

a) a concentração de nitrogênio atmosférico se manteve constante nos últimos 400 milhões de anos, possibilitando o surgimento de animais gigantes.
b) a produção de energia dos organismos fotossintéticos causou a extinção em massa no período Permiano por aumentar a concentração de oxigênio atmosférico.
c) o surgimento de animais gigantes pode ser explicado pelo aumento de concentração de oxigênio atmosférico, o que possibilitou uma maior absorção de oxigênio por esses animais.
d) o aumento da concentração de gás carbônico (CO_2) atmosférico no período Carbonífero causou mutações que permitiram o aparecimento de animais gigantes.
e) a redução da concentração de oxigênio atmosférico no período Permiano permitiu um aumento da biodiversidade terrestre por meio da indução de processos de obtenção de energia.

13. (Urca-CE) Segundo pesquisas, o Rio São Francisco constitui uma barreira geográfica e ecológica responsável pelo surgimento de várias espécies de lagartos, serpentes e anfisbenídeos. O Rio São Francisco, na origem dessas espécies, portanto, determinou inicialmente qual mecanismo de isolamento reprodutivo?

a) Isolamento estacional.
b) Isolamento etológico.
c) Isolamento mecânico.
d) Isolamento de hábitat.
e) Isolamento híbrido.

14. (Unifor-CE) A grande diversidade de marsupiais existentes na Austrália deve-se

a) ao isolamento geográfico desse país.
b) à pequena diversidade de predadores nessa região.
c) ao isolamento reprodutivo, que impede o cruzamento de espécies diferentes.
d) à variação climática ser maior do que a dos outros continentes.
e) à ausência de seleção natural entre os mamíferos da região.

15. (Enem-MEC) Se a exploração descontrolada e predatória verificada atualmente continuar por mais alguns anos, pode-se antecipar a extinção do mogno. Essa madeira já desapareceu de extensas áreas do Pará, do Mato Grosso, de Rondônia, e há indícios de que a diversidade e o número de indivíduos existentes podem não ser suficientes para garantir a sobrevivência da espécie a longo prazo. A diversidade é um elemento fundamental na sobrevivência de qualquer ser vivo. Sem ela, perde-se a capacidade de adaptação ao ambiente, que muda tanto por interferência humana como por causas naturais.

Internet: <www.greenpeace.org.br> (com adaptações).

Com relação ao problema descrito no texto, é correto afirmar que

a) a baixa adaptação do mogno ao ambiente amazônico é causa da extinção dessa madeira.
b) a extração predatória do mogno pode reduzir o número de indivíduos dessa espécie e prejudicar sua diversidade genética.
c) as causas naturais decorrentes das mudanças climáticas globais contribuem mais para a extinção do mogno que a interferência humana.
d) a redução do número de árvores de mogno ocorre na mesma medida em que aumenta a diversidade biológica dessa madeira na região amazônica.
e) o desinteresse do mercado madeireiro internacional pelo mogno contribuiu para a redução da exploração predatória dessa espécie.

Questões discursivas

16. (UFRJ) Indivíduos de espécies diferentes podem viver em simpatria, ou seja, viver no mesmo lugar ao mesmo tempo, conservando-se como espécies diferentes, pois são isolados reprodutivamente. Indivíduos de duas subespécies da mesma espécie apresentam diferenças genéticas características de cada subespécie, mas não apresentam isolamento reprodutivo. Duas subespécies podem viver em simpatria, mantendo-se como subespécies diferentes? Justifique sua resposta.

17. (Vunesp) As populações A, B, C e D vivem em quatro regiões geográficas diferentes. Quando os indivíduos dessas populações foram colocados juntos, cruzaram-se e os resultados obtidos foram os seguintes:

Cruzamento	Descendentes
A × B	Férteis
A × D	Férteis
B × C	Estéreis
B × D	Férteis
C × D	Estéreis

a) O que se pode concluir do fato de os cruzamentos A B, A D e B D terem produzido descendentes férteis? Que fator inicial poderia ter dado origem às populações A, B, C e D?

b) Que nome se dá às espécies diferentes que vivem numa mesma região geográfica? Indique um exemplo de animais vertebrados que, quando cruzados entre si, produzem descendentes estéreis.

18. (Fuvest-SP) Os fatos a seguir estão relacionados ao processo de formação de duas espécies a partir de uma ancestral.

I. Acúmulo de diferenças genéticas entre as populações.
II. Estabelecimento de isolamento reprodutivo.
III. Aparecimento de barreira geográfica.

a) Qual é a sequência em que os fatos anteriores acontecem na formação das duas espécies?
b) Que mecanismos são responsáveis pelas diferenças genéticas entre as populações?
c) Qual é a importância do isolamento reprodutivo no processo de especiação?

19. (UFRJ) No processo evolutivo, centenas de espécies podem ser criadas em um tempo relativamente curto. Esse fenômeno é conhecido como radiação adaptativa. No grupo dos répteis, ocorreu uma grande radiação adaptativa após o aparecimento da fecundação interna e do ovo amniótico; muitas espécies desse grupo surgiram e ocuparam o hábitat terrestre. Explique por que o ovo amniótico facilitou a ocorrência dessa radiação adaptativa.

20. (UFSCar-SP) Os répteis possivelmente surgiram no final do período Carbonífero, a partir de um grupo de anfíbios, e tiveram grande diversificação na era Mesozoica. Com o surgimento da fecundação interna e do ovo adaptado ao ambiente terrestre, os répteis superaram a dependência da água para a reprodução.

a) Por que a fecundação interna e o ovo adaptado ao ambiente terrestre tornaram a reprodução dos répteis independente da água?

b) Quais adaptações ocorreram nos embriões dos répteis com relação à alimentação e excreção?

21. (UFSCar-SP) Alguns livros do Ensino Médio definem uma espécie biológica como um grupo de populações naturais cujos membros podem cruzar naturalmente uns com os outros e produzir descendentes férteis, mas não podem cruzar com membros de outros grupos semelhantes. Considere as seguintes espécies:

Siphonops paulensis: cobra-cega, anfíbio que vive em galerias cavadas na terra.

Mycobacterium tuberculosis: bacilo de Koch, causador da tuberculose.

Schistossoma mansoni: verme causador da esquistossomose, ou barriga-d'água.

Canoparmelia texana: líquen comumente encontrado sobre o tronco de algumas árvores em zonas urbanas.

a) Dentre as espécies listadas, em duas delas teríamos dificuldades em aplicar a definição de espécie. Quais são elas?

b) Para cada uma das espécies que você indicou, apresente as razões que dificultam a aplicação da definição biológica de espécie.

Capítulo 23 Evolução humana

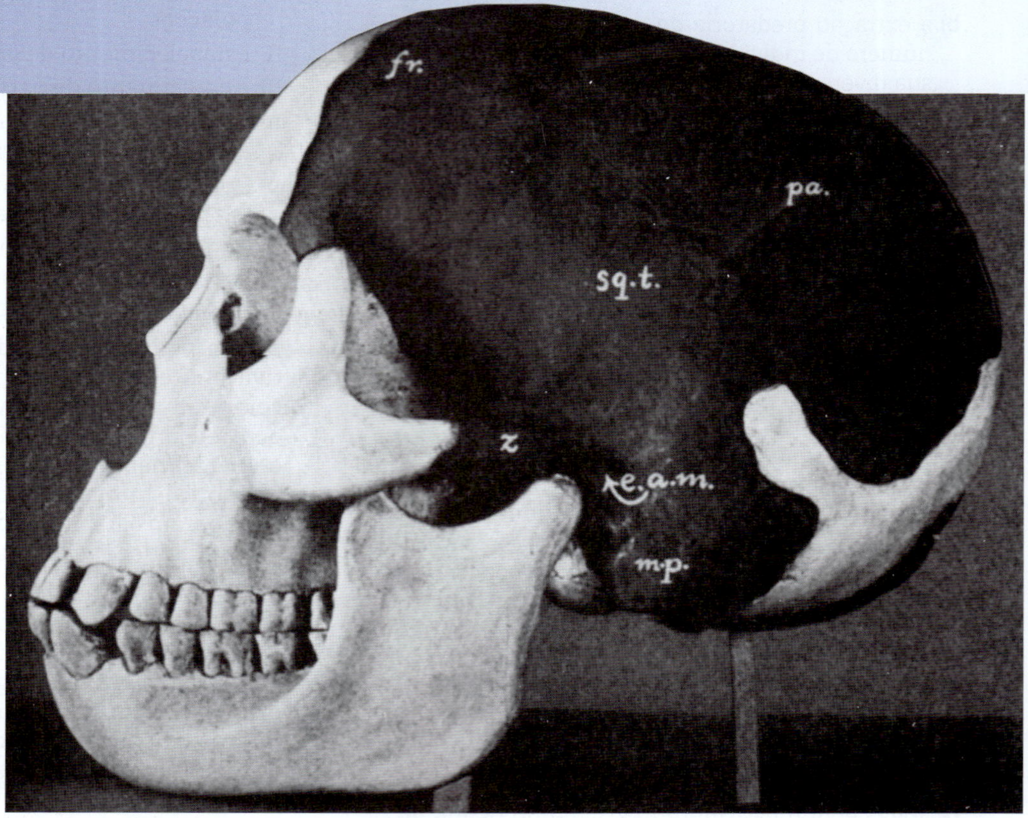

UNIVERSAL HISTORY ARCHIVE/UIG/THE BRIDGEMAN ART LIBRARY/GRUPO KEYSTONE

Crânio do homem de Piltdown, considerado uma das maiores fraudes científicas de todos os tempos.

A fraude e as lições deixadas pelo homem de Piltdown

Em 1912, o arqueólogo amador britânico Charles Dawson (1864-1916) e o paleontólogo britânico do Museu de História Natural de Londres, Arthur S. Woodward (1864-1944), anunciaram uma descoberta bombástica: um fóssil que parecia ser o "elo perdido" da evolução humana, reunindo características dos grandes macacos e dos seres humanos. O achado ocorreu na região de Piltdown, em Sussex, na Grã-Bretanha e, por isso, ficou conhecido como "homem de Piltdown".

Em 1953, o "homem de Piltdown", descrito com o nome científico de *Eoanthropus dawsoni*, passou da condição de elo perdido à maior fraude científica do século XX. Descobriu-se que o fóssil era falsificado: o crânio, tipicamente humano, havia sido tratado com ácidos e sulfato de ferro para parecer antigo. Os dentes foram limados para ter o aspecto de gastos. A mandíbula, cujo encaixe com o crânio tinha sido estrategicamente quebrado, era de um orangotango asiático. Em decorrência dessa fraude, as investigações sérias sobre a ancestralidade humana, como a descoberta do *Australopithecus africanus* em 1924 na África, ficaram temporariamente prejudicadas.

Veja como Reinaldo José Lopes, então editor de Ciências do jornal *Folha de S.Paulo*, referiu-se ao assunto, em 15 de dezembro de 2012:

> "Cem anos depois que o público britânico foi engambelado pela apresentação do mais famoso fóssil falso de todos os tempos, um grupo de cientistas quer descobrir, de uma vez por todas, os responsáveis pela fraude.
>
> O fóssil em questão é o 'homem de Piltdown', saudado em 1912 como o elo perdido por excelência – embora não passasse, na verdade, de uma mistura mal-ajambrada de ossos de humanos modernos e orangotangos. [...]"[1]

1 Antropólogo investiga "fraude do século". *Folha de S.Paulo*, 15 dez. 2012. Disponível em: <http://folha.com/no1201661>. Acesso em: maio 2013.

Entre os cientistas a que se refere o jornalista, está o grupo de pesquisadores do Museu de História Natural britânico liderado pelo antropólogo Chris Stringer (n. 1947). Entre outras coisas, eles tentam entender por que a falsificação demorou cerca de 40 anos para ser desmascarada; para Stringer, embora não fosse fácil reconhecer a fraude no início do século XX, o fóssil talvez não tenha sido analisado com a devida atenção.

Sem especular sobre os responsáveis pela fraude, podemos perguntar: O que teria levado tal falsificação a ser aceita no meio científico da época? Por um lado, havia certa expectativa pela descoberta de um suposto elo perdido, que viria a confirmar alguns pressupostos da teoria de Darwin. Por outro, os naturalistas europeus pareciam mais inclinados a aceitar a hipótese de que o berço do *Homo sapiens* teria sido a Europa, e não a África.

Em artigo da *Folha de S.Paulo*, Chris Stringer avalia:

> "Seja lá quem tenha sido o responsável, a fraude de Piltdown é um lembrete claro de que, na ciência, se algo parece bom demais para ser verdade, é bom desconfiar. A fama do fóssil [falso] atrasou os estudos sobre evolução humana".[2]

A importância do assunto

Além do lembrete de que, em ciência, é importante desconfiar, a fraude de Piltdown traz outras lições importantes; primeira, a ciência é influenciada pelo contexto histórico e está longe de ser infalível; segunda, a visão não dogmática e crítica da ciência permite corrigir visões equivocadas e melhorar a compreensão da natureza.

Neste capítulo estudaremos a origem e a evolução da espécie humana. A visão científica sobre a ancestralidade humana tem passado por grandes transformações nos últimos anos, tanto em virtude de novas descobertas e de novos métodos de análise como por mudanças na concepção do próprio processo evolutivo.

A ciência busca explicações mais plausíveis para os diversos fenômenos naturais; um deles, possivelmente o mais intrigante, é a origem de nossa própria espécie. Como isso ocorreu? Há quanto tempo? Quais são as evidências de nosso parentesco com outros animais? Essas são algumas das questões abordadas neste capítulo.

23.1 Nosso parentesco evolutivo com os grandes macacos

Ao voltar a Londres após sua longa viagem ao redor do mundo, Charles Darwin visitou o zoológico para conhecer Jenny, o orangotango, um dos primeiros grandes macacos a ser levado para a Europa. Darwin encantou-se com a inteligência e o humor de Jenny e com a interação amistosa entre o animal e seu tratador. O naturalista ficou impressionado com as semelhanças faciais de Jenny e de um ser humano, observando que a jovialidade do macaco lembrava a de uma criança.

Anos mais tarde, em seu livro *The descent of man and selection in relation to sex* (A origem do homem e a seleção sexual) publicado em 1871, Darwin apresentou ideias revolucionárias sobre a origem da espécie humana, destacando nossas semelhanças anatômicas e comportamentais com os grandes macacos. Isso já havia sido observado pelo biólogo e anatomista britânico Thomas Henry Huxley (1825-1895). Darwin e Huxley foram os primeiros a sugerir uma relação próxima de parentesco evolutivo entre nossa espécie e os grandes macacos, incluindo definitivamente a espécie humana no reino Animal e, de certa forma, destronando-a do ponto mais alto da criação.

Darwin e seus seguidores defendiam a ideia de que, num passado relativamente recente, os seres humanos e os grandes macacos tiveram um ancestral comum. Essa ideia não foi bem compreendida na época, gerando a interpretação equivocada de que nossa espécie descende diretamente de macacos atuais, como gorilas e chimpanzés. (Fig. 23.1)

THE BRIDGEMAN ART LIBRARY/GRUPO KEYSTONE - PRIVATE COLLECTION

Figura 23.1 A incompreensão das ideias de Darwin sobre o parentesco evolutivo entre os seres humanos e os grandes macacos levou a muitas críticas e sátiras, como este cartum publicado em 1871, com o título *Venerable Orang-Outang: Contribution to Unnatural History* (Venerável Orangotango: Contribuição para uma História Inatural).

É importante reafirmar que nenhuma espécie atual de macaco foi ancestral da espécie humana. Como vimos no capítulo anterior, a teoria da evolução admite que duas novas espécies surgem por cladogênese, ou seja, pela diversificação de uma espécie ancestral. Assim, nenhuma espécie moderna descende de outra espécie também moderna. No entanto, o documentário fóssil revela que nossos ancestrais mais antigos tinham feição mais simiesca que humana; se encontrássemos um deles, nossa tendência seria considerá-lo um macaco e não um ser humano.

2 Disponível em: <www.folha.uol.com.br/fsp/cienciasaude/83789-frase.shtml>. Acesso em: maio 2013.

Evidências fósseis, genéticas e moleculares recentes têm reafirmado nossas relações de parentesco evolutivo com os grandes macacos. A classificação e a nomenclatura desses grupos expressam essas relações, como podemos ver a seguir. (Fig. 23.2 e Tab. 23.1)

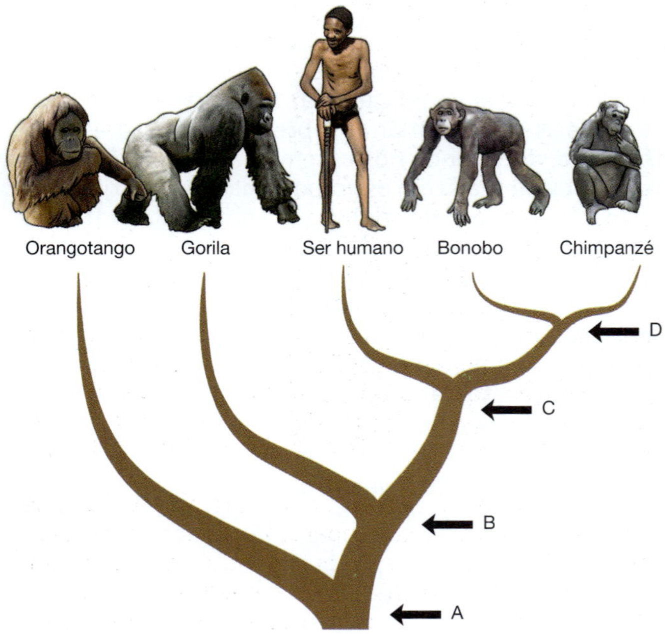

Figura 23.2 Representação da árvore filogenética da espécie humana e das espécies viventes de grandes macacos. **A.** Ancestral comum da família Hominidae. **B.** Ancestral comum da subfamília Homininae. **C.** Ancestral comum dos gêneros *Pan* e *Homo*. **D.** Ancestral comum de chimpanzés e bonobos.

Tabela 23.1 ▪ **Classificação dos primatas**		
Ordem Primates	Subordem **Prosimii** ou **Strepshirrini**	Infraordem **Lemuriformes**: lêmures.
		Infraordem **Lorisiformes**: lóris, gálagos e indris.
	Subordem **Tarsiiformes**: társios.	
	Subordem **Anthropoidea**	Infraordem **Platyrrhini**: macacos do Novo Mundo (ex.: saguis, macacos-pregos etc.).
		Infraordem **Catarrhini**
		Superfamília **Cercopithecoidea**: macacos do Velho Mundo (ex.: babuínos, mandris, colobos etc.).
		Superfamília **Hominoidea**.
		Famíla **Hylobatidae**: gibão.
		Famíla **Hominidae**: grandes símios.
		Subfamília **Ponginae**: orangotangos (gênero *Pongo*).
		Subfamília **Homininae**: gorilas (gênero *Gorilla*), chimpanzés e bonobos (gênero *Pan*) e seres humanos (*Homo sapiens*).

Fonte: Mayr, E., 2002.

Semelhanças e diferenças entre seres humanos e grandes macacos

Comparações anatômicas e fisiológicas

Quando comparamos espécies da família hominídea – *Homo sapiens* (espécie humana), *Pan troglodytes* (chimpanzé), *Pan paniscus* (bonobo), *Gorilla gorilla* e *Gorilla beringei* (gorilas), *Pongo abelii* e *Pongo pygmaeus* (orangotangos) –, constatamos diversas semelhanças anatômicas. As principais diferenças referem-se ao tamanho relativo do encéfalo, à capacidade cognitiva, à distribuição de pelos corporais, à dentição e a mudanças anatômicas decorrentes da adaptação de caminhar sobre duas pernas. (Fig. 23.3)

FRANS LAN/MINT IMAGES/GRUPO KEYSTONE

Figura 23.3 A semelhança entre bonobos (*Pan paniscus*) e seres humanos deve-se à nossa ancestralidade. Na fotografia, uma primatologista utiliza um sistema de símbolos para se comunicar com um bonobo, no Centro de Pesquisas da Linguagem da Universidade Estadual da Georgia (EUA, 1998). Os bonobos medem pouco mais de 1 m de altura.

A adaptação tipicamente humana de caminhar de forma ereta sobre as pernas – o **bipedalismo** – levou a diversas mudanças anatômicas no corpo em relação aos grandes macacos. Eles conseguem agarrar e manipular objetos com os pés, pois têm o primeiro dedo em posição oponível, como ocorre com nossas mãos. Em contrapartida, os pés humanos são proporcionalmente mais longos e curvos que os dos macacos e por isso mais eficientes para suportar o corpo na postura ereta. Nossa coluna vertebral também difere acentuadamente da dos macacos; a coluna do chimpanzé, por exemplo, é um arco simples, enquanto a dos seres humanos apresenta quatro curvaturas, decorrentes da postura ereta. (Fig. 23.4)

A pelve humana ("bacia") é mais curta, mais larga e mais côncava que a dos grandes macacos, adaptações ao modo de caminhar ereto. Nossas pernas, proporcionalmente mais longas, produzem menos movimentos de "sobe e desce" em uma corrida, por exemplo, o que reduz consideravelmente o gasto energético. Por esse motivo, podemos caminhar distâncias maiores com menos dispêndio de energia que um chimpanzé ou um gorila, por exemplo.

Figura 23.4 Os estudos de anatomia comparada têm revelado inúmeras semelhanças entre a espécie humana e grandes macacos como o chimpanzé. A fotografia mostra, à esquerda, um modelo da coluna vertebral de um australopiteco, possível ancestral de nossa espécie. As sombras projetadas mostram a coluna vertebral humana (ao centro) e a de um chimpanzé (à direita). Note as curvaturas de cada uma.

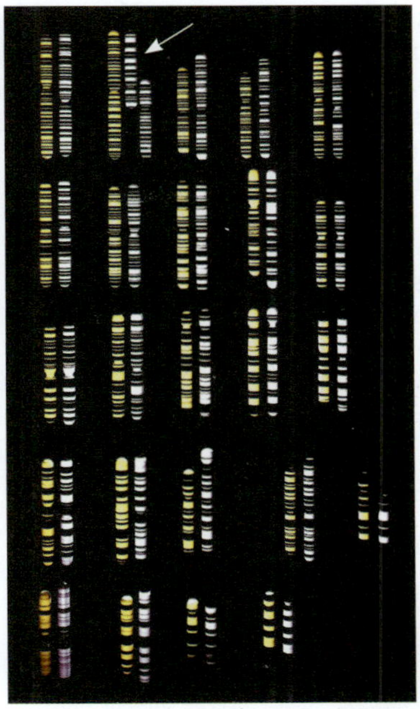

Figura 23.5 Há uma grande semelhança entre o cariótipo do chimpanzé (cromossomos brancos à direita, em cada par) e o do ser humano (em amarelo, à esquerda), tanto no que se refere aos tipos de genes quanto à sua distribuição ao longo dos filamentos cromossômicos. A principal diferença refere-se ao cromossomo 2 humano, correspondente a dois cromossomos – 2A e 2B – do chimpanzé (seta).

Nossa quantidade relativamente pequena de pelos corporais e a abundância de glândulas sudoríparas permitem manter o corpo resfriado durante grandes esforços físicos. É provável que essas características tenham sido selecionadas principalmente devido à competição por alimento entre nossos ancestrais e outros animais caçadores ou comedores de carniça, nas regiões de clima quente onde evoluímos.

As mudanças evolutivas da pelve humana afetaram o processo de nascimento dos bebês. No parto humano, a cabeça e os ombros do bebê precisam girar lateralmente para passar pelo estreito canal entre os ossos da pelve. Por isso, as mulheres geralmente necessitam de ajuda no parto, enquanto outros primatas dão à luz sem nenhuma assistência.

Os recém-nascidos humanos são vulneráveis e necessitam de muitos cuidados por parte dos pais. Por exemplo, chimpanzés recém-nascidos são neurológica e cognitivamente mais desenvolvidos que bebês humanos; entretanto, em menos de seis meses uma criança humana ultrapassa um chimpanzé de mesma idade, pois o desenvolvimento de seu sistema nervoso é mais rápido.

Comparações genéticas

Uma forte evidência do estreito parentesco evolutivo entre a espécie humana e os grandes macacos é nossa semelhança genética. Embora orangotangos, gorilas e chimpanzés possuam 48 cromossomos em suas células somáticas ($2n = 48$) e nós tenhamos 46 cromossomos ($2n = 46$), nossos cariótipos são muito parecidos. A principal diferença refere-se a um dos cromossomos metacêntricos humanos (o cromossomo 2), que corresponde a dois cromossomos acrocêntricos dos grandes macacos. A explicação mais aceita atualmente entre os especialistas da área é que teria havido uma fusão entre esses dois cromossomos na linhagem que originou a espécie humana, após sua divergência da linhagem dos chimpanzés. (Fig. 23.5)

A revista científica britânica *Nature*, de setembro de 2005, apresentou uma comparação genética detalhada entre chimpanzés e seres humanos. Concluiu-se que 96% da sequência de bases nitrogenadas dos genomas das duas espécies é exatamente a mesma; os 4% de diferença, em sua maioria, referem-se a regiões não codificadoras. Considerando apenas as regiões do DNA que contêm genes, nossa semelhança genética com os chimpanzés chega a 98%. As principais diferenças situam-se em genes relacionados ao controle da fala, da audição, do olfato, das enzimas digestivas e de suscetibilidade a certas doenças.

As diferenças genéticas entre seres humanos e chimpanzés podem ser explicadas pelas diferentes pressões seletivas a que estiveram submetidos nossos ancestrais e os deles, desde sua divergência entre 7 Ma e 8 Ma. Em nossa linhagem, essas pressões se traduziram em adaptações à dieta, ao bipedalismo, à fala e ao raciocínio lógico, entre outras.

23.2 História evolutiva dos primatas

Classificação, origem e diversificação dos primatas

Os seres humanos fazem parte da classe Mammalia (mamíferos), que compreende animais endotérmicos, dotados de pelos corporais e que se alimentam de leite materno quando filhotes. A espécie humana é classificada, juntamente com prossímios, társios e antropoides, no grupo dos **primatas** (**ordem Primates**). A classificação em categorias inferiores à ordem ainda é muito controversa; aqui adotamos uma classificação baseada no livro *What evolution is* (O que é a evolução), de Ernst Mayr, publicado em 2002 (confira novamente na Tab. 23.1).

Estudos genéticos indicam que a linhagem dos primatas divergiu da dos outros mamíferos por volta de 85 Ma. No entanto, os mais antigos fósseis conhecidos de primatas, classificados no gênero *Plesiadapis*, têm entre 55 milhões e 58 milhões de anos de idade. Eram animais que habitavam florestas da Europa e da América do Norte e, provavelmente, também da África. Na época, ocorria grande diversificação das plantas frutíferas – as angiospermas – e os primeiros primatas logo se adaptaram à vida nas florestas tropicais em expansão, habitando a copa das árvores e suplementando sua dieta insetívora com frutas e folhas. (Fig. 23.6)

Figura 23.6 Representação artística de um representante do gênero *Plesiadapis*, o mais antigo primata de que se tem notícia. Esses animais tinham por volta de 60 cm de comprimento e cerca de 2,5 kg de massa corporal, tendo vivido por volta de 60 Ma.

Acredita-se que, no início do Eoceno, entre 50 Ma e 56 Ma, provavelmente em florestas da Europa, surgiram os ancestrais da subordem Prosimii, que deram origem aos lêmures (hoje restritos às ilhas de Madagascar e Comores, na costa oriental da África) e aos lóris, gálagos e indris, que vivem atualmente na África e no sul da Ásia. Também nessa época surgiram os ancestrais da subordem Tarsiiformes, à qual pertencem os társios, que atualmente vivem no sudeste da Ásia. As relações de parentesco evolutivo e a classificação desses primatas ainda são muito controversas. (Fig. 23.7)

Os **antropoides**, ou **macacos**, como são chamados os representantes da subordem Anthropoidea, surgiram há pelo menos 45 milhões de anos. Acredita-se que as primeiras espécies desse grupo tenham vivido no sul da África, em ambiente arbóreo, alimentando-se principalmente de folhas e frutos. Entre o final do Eoceno e início do Oligoceno, divergiram duas linhagens de macacos: Platyrrhini e Catarrhini.

Os platirrinos (infraordem Platyrrhini, do grego *platys*, achatado, e *rinós*, nariz, que têm nariz achatado) são macacos que habitam atualmente as Américas do Sul e Central, e por isso são chamados macacos do Novo Mundo.

Acredita-se que seus ancestrais tenham atravessado o Oceano Atlântico em jangadas naturais e invadido o continente sul-americano. Nessa época, além da maior proximidade entre a África e a América do Sul, o nível do mar era bem mais baixo que o atual. Algumas cadeias de montanhas, hoje submersas pelo Oceano Atlântico, teriam então ficado expostas como ilhas, facilitando a dispersão dos macacos originários do continente africano.

Os catarrinos (infraordem Catarrhini, do grego *katá*, para baixo, e *rinós*, nariz, que têm nariz para baixo) compreendem atualmente as superfamílias Cercopithecoidea (babuínos, mandris, colobos etc., também chamados macacos do Velho Mundo) e Hominoidea (denominados pelos especialistas como **grandes macacos**).

Apesar de alguns fósseis aparentemente catarrinos terem sido descobertos recentemente na Ásia, há pouca dúvida de que o grupo evoluiu e se diversificou no continente africano. (Fig. 23.8)

Figura 23.7 A. *Lemur catta*, lêmure cujo corpo mede cerca de 40 cm de comprimento. **B.** *Galago senegalensis*, gálago com aproximadamente 25 cm de comprimento. **C.** *Nycticebus coucang*, lóri com cerca de 25 cm de comprimento. **D.** *Tarsius syrchta*, társio cujo corpo mede aproximadamente 15 cm de comprimento. Esses animais são primatas, como os macacos e os humanos, mas pertencem a subordens distintas. Na descrição dos tamanhos dos animais não foi considerado o comprimento da cauda.

Figura 23.8 Representantes da subordem Anthropoidea da ordem Primates. De **A** a **C**, macacos platirrinos (infraordem Platyrrhini): **A.** Mico-estrela *(Callithrix penicillata)*, que mede cerca de 30 cm de comprimento. **B.** *Leotopithecus rosalia*, mico-leão-dourado, que atinge aproximadamente 25 cm de comprimento. **C.** *Ateles fusciceps robustus*, conhecido como macaco-aranha, que mede cerca de 60 cm de comprimento. De **D** a **I**, macacos catarrinos (infraordem Catarrhini): **D.** Babuíno *(Papio anubis)* com aproximadamente 70 cm de comprimento. **E.** *Colobus guereza*, animal conhecido por colobo, cujo tamanho varia de 45 cm a 70 cm de comprimento. **F.** Gibão (*Hylobates agilis*), que chega a medir aproximadamente 90 cm de altura. **G.** Orangotango (*Pongo pygmaeus*), cujo tamanho varia entre 1,10 m e 1,40 m de altura. **H.** Chimpanzé (*Pan troglodytes*), que atinge até 1,70 cm de altura. **I.** Gorila da montanha (*Gorilla beringei beringei*), que chega a 1,80 m de altura. Orangotangos, gorilas e chimpanzés pertencem à família Hominidae. (Na descrição do tamanho dos animais das fotografias de **A** a **E**, não foi considerada a cauda.)

A descoberta, em 2009, do fóssil descrito como *Saadanius hijazensis*, datado entre 28 Ma e 29 Ma, sugere a ancestralidade comum entre as linhagens cercopitecida (macacos do Velho Mundo) e hominoida (grandes macacos), indicando que esses dois grupos teriam divergido no Oligoceno.

Durante o Mioceno, a linhagem hominoida teria se diversificado e espalhado pela África e Europa, como atestam diversos fósseis encontrados nesses continentes. No entanto, fósseis indicativos da divergência entre orangotangos, gorilas, chimpanzés e seres humanos são praticamente desconhecidos. Essas linhagens provavelmente divergiram em ambientes de florestas tropicais, onde as condições do solo e do clima não favorecem a fossilização. As datas de divergência desses grupos têm sido estimadas com base na similaridade genética entre as espécies viventes.

Datações genéticas recentes indicam que a linhagem ancestral dos orangotangos surgiu entre 12 Ma e 16 Ma. A linhagem ancestral dos gorilas teria surgido entre 7 Ma e 9 Ma, pouco antes da separação entre as linhagens ancestrais dos chimpanzés e dos seres humanos, calculada entre 7 Ma e 8 Ma. (Fig. 23.9)

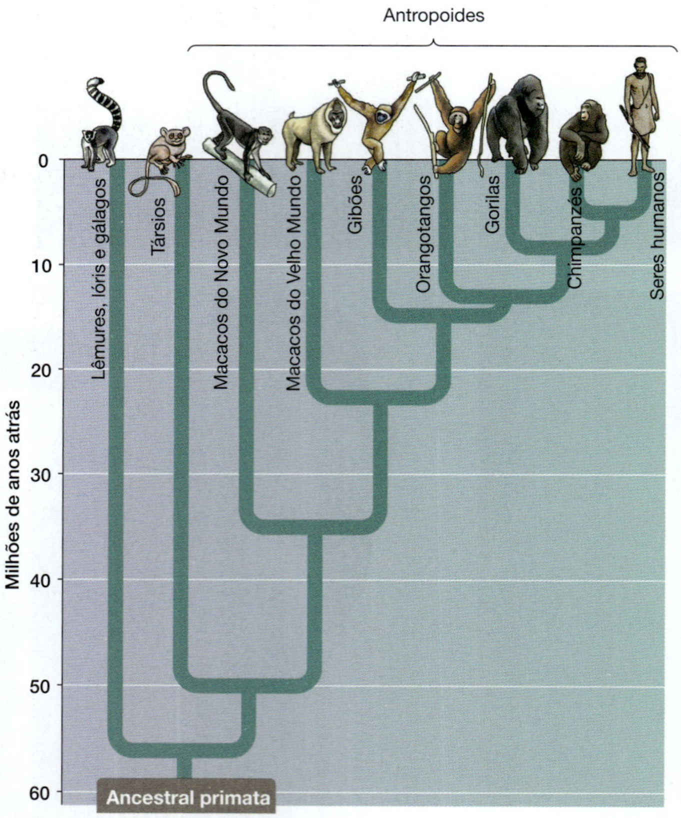

Figura 23.9 Árvore filogenética dos primatas construída a partir de evidências fósseis e genéticas. (Elementos fora de proporção de tamanho entre si; cores-fantasia.)

Tendências evolutivas entre os primatas

A vida na copa das árvores influenciou fortemente a evolução dos primatas, sobretudo por proporcionar proteção contra os carnívoros predadores que viviam no solo. A vida arborícola, entretanto, exigiu que os primatas se adaptassem a uma dieta essencialmente herbívora, constituída principalmente de folhas, frutos e sementes, e desenvolvessem habilidades de se agarrar eficientemente aos galhos, locomovendo-se com segurança na copa das árvores. Demandou também reduzir o número de filhotes para um ou dois por gestação.

O sucesso adaptativo dos primatas no ambiente arborícola aumentou as chances de sobrevivência, com aumento da duração do ciclo de vida. Com isso, houve mais tempo para cuidar da prole e estabelecer os princípios da vida social, que são características importantes nos antropoides, em geral, e na espécie humana, em particular.

Primeiro dedo oponível

Os primatas foram bem-sucedidos em sua estratégia evolutiva por apresentarem, entre outros atributos, membros superiores dotados de ampla rotação e liberdade de movimentos, e mãos e pés dotados de mobilidade e flexibilidade.

As mãos dos primatas conseguem agarrar objetos com força e precisão graças ao **polegar oponível**, isto é, localizado em uma posição que lhe permite aproximar-se frontalmente de qualquer outro dedo, atuando como pinça para agarrar. Com essas características, nossos ancestrais puderam saltar de galho em galho e explorar ativamente o ambiente arborícola. (Fig. 23.10)

Figura 23.10 O polegar das mãos humanas e o dos chimpanzés são oponíveis, isto é, podem se opor a todos os outros dedos, o que permite pegar objetos com força e precisão.

Visão binocular ou estereoscópica

Outra aquisição evolutiva dos primatas, em sua adaptação à vida nas árvores, foi a proximidade entre os olhos, situados na região frontal do crânio, a face. Por estarem nessa posição, os dois olhos miram o mesmo objeto com pequena diferença de ângulo visual, permitindo que o cérebro calcule, por triangulação, a distância em que aquele objeto se encontra. Essa capacidade, denominada **visão binocular**, ou estereoscópica, deve ter sido fundamental para a sobrevivência de nossos ancestrais no ambiente arborícola, onde um salto mal calculado podia ser fatal.

Vida familiar e cuidado com a prole

Os primatas são, entre os mamíferos, os que dedicam mais tempo em cuidar da prole. A maioria dos primatas tem um único filhote por parto e cuida dele por longo tempo. Em relação a todos os outros primatas, a espécie humana é a que alcança a maturidade mais tarde.

Calcula-se que um ser humano leva meses para atingir graus de mobilidade e independência equivalentes aos de um chimpanzé recém-nascido. Assim, os filhos de seres humanos dependem dos pais por um tempo relativamente longo, durante o qual aprendem os valores culturais básicos. Essa característica, aliada a um sistema nervoso bem desenvolvido, foi essencial para a evolução cultural da humanidade. (Fig. 23.11)

GERRY ELLIS/MINDEN PICTURES/LATINSTOCK

Figura 23.11 A vida social desempenha papel importante entre os primatas e é um dos fios condutores de sua evolução. Chimpanzés, por exemplo, dedicam muitas horas do dia a atividades sociais, como limpar o pelo e extrair carrapatos de companheiros. Na foto, uma chimpanzé ensina seu filhote a "pescar" cupins.

23.3 A ancestralidade humana

Primeiros representantes da linhagem humana

Em seu livro publicado em 1871, Charles Darwin previu que seriam encontrados vestígios de ancestrais humanos no continente africano. Ele se baseou no fato de que gorilas e chimpanzés — nossos parentes mais próximos, segundo sua teoria — só estavam presentes na África, onde deviam ter vivido os ancestrais comuns à espécie humana e a esses animais.

Na época, essas conclusões não foram bem recebidas pelo mundo científico. Além da falta de evidências que comprovassem a hipótese de Darwin, havia certa predisposição da cultura europeia em rejeitar a ideia de que o berço da humanidade teria sido o continente africano. Até a década de 1920, fósseis claramente relacionados à ancestralidade humana tinham sido encontrados apenas na Europa e na Ilha de Java, na Indonésia.

Os australopitecos

Foi somente em 1924 que um professor de anatomia, o australiano Raymond Dart (1893-1988), encontrou na África o crânio fóssil de um hominídeo, classificado como *Australopithecus africanus*. A hipótese de Dart, de que podia se tratar de um ancestral da espécie humana, foi desprezada devido à ampla aceitação do então famoso fóssil do homem de Piltdown (relembre no início do capítulo).

Com a constatação de que o fóssil de Piltdown era uma fraude, as escavações arqueológicas na África adquiriram novo impulso, levando à descoberta de diversas espécies de australopitecos. Hoje se acredita que o gênero ***Australopithecus***, surgido por volta de 4 Ma, teve grande dispersão no continente africano, com espécies coexistindo em determinados locais e eventualmente competindo entre si. Os australopitecos extinguiram-se por volta de 2 Ma; uma de suas espécies, porém, deve ter sido a ancestral do gênero *Homo*.

A espécie de australopiteco mais conhecida é *A. afarensis*, que viveu entre 2,8 Ma e 3,9 Ma. Em 1978, o paleoantropólogo estadunidense Donald Johanson (n. 1943) e sua equipe desenterraram centenas de fósseis dessa espécie na Etiópia. Um dos espécimes, cujo esqueleto estava mais completo, teria pertencido a uma fêmea com 1,30 m de altura que viveu por volta de 3,2 Ma. Esse fóssil foi batizado como Lucy, em alusão à canção dos Beatles *Lucy in the sky with diamonds*, que os paleontólogos ouviam em seu acampamento. A tabela a seguir compara algumas características de *A. afarensis* com as de *A. africanus*. (Tab. 23.2 e Fig. 23.12)

Tabela 23.2 ▪ Comparação entre duas espécies de australopiteco

	A. afarensis	*A. africanus*
Altura	1 m a 1,5 m	1 m a 1,4 m
Massa corporal	30 kg a 70 kg	30 kg a 60 kg
Características físicas gerais	Corpo leve e membros flexíveis, provavelmente semelhantes aos de um chimpanzé.	Corpo leve e braços provavelmente longos, talvez com postura mais semelhante à humana.
Forma do crânio	Testa curta e oblíqua; face projetada para a frente; prega óssea sobre os olhos (supraorbital) saliente.	Testa mais larga e alta; face mais curta; prega supraorbital menos saliente.
Volume craniano	400 cm^3 a 500 cm^3	400 cm^3 a 500 cm^3
Dentição	Incisivos e caninos relativamente grandes, separados por um espaço; molares de tamanho moderado.	Caninos pequenos, quase do tamanho dos incisivos; sem espaço entre incisivos e caninos; molares maiores.
Dimorfismo sexual	Machos diferem das fêmeas mais marcadamente.	Machos diferem menos marcadamente das fêmeas.
Distribuição temporal	De 3,9 milhões de anos a 2,8 milhões de anos atrás.	De 2,8 milhões a 2,3 milhões de anos atrás.
Distribuição geográfica	Leste da África	Sul da África

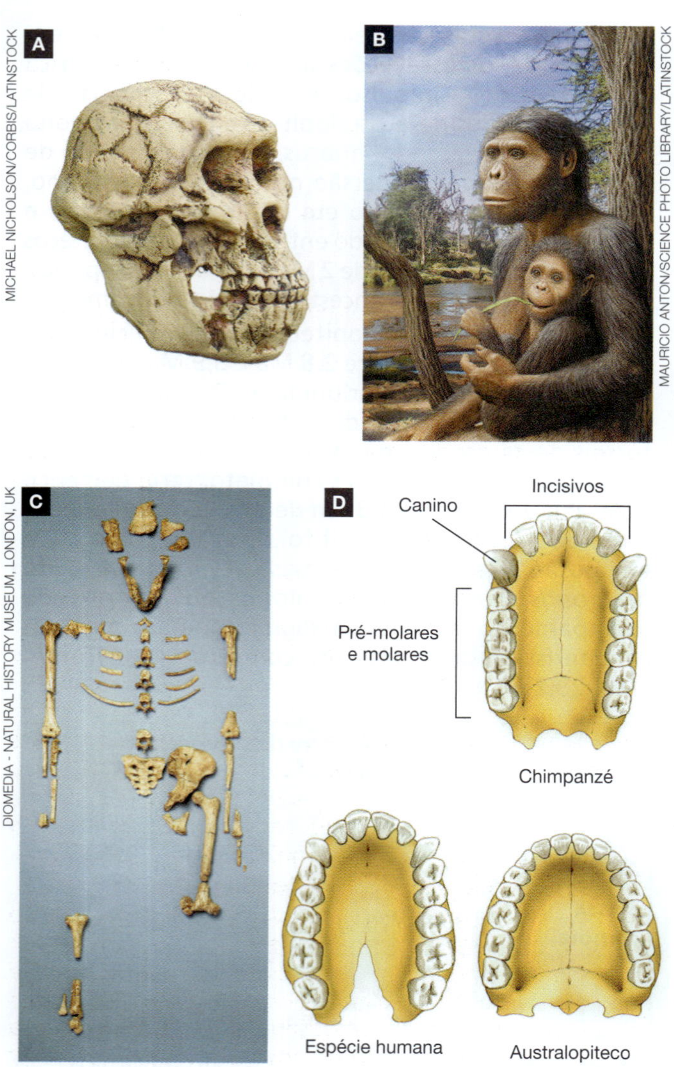

Figura 23.12 A. Reconstrução do crânio de Lucy (*A. afarensis*) feita a partir de fragmentos fósseis encontrados em 1974 na Etiópia. A idade estimada do fóssil é de aproximadamente 3,2 Ma. **B.** Representação artística da possível aparência dos representantes de *A. afarensis*. **C.** Esqueleto fossilizado de Lucy em exposição no museu de Ciência Natural de Houston, Texas, EUA. **D.** Representações esquemáticas comparativas das arcadas dentárias superiores de um chimpanzé, de um australopiteco e de um ser humano. (Elementos fora de proporção de tamanho entre si; cores-fantasia.) (Baseado em Mader, S. S., 1998.)

Em 1978, na Tanzânia, a equipe liderada pela arqueóloga e antropóloga britânica Mary Leakey (1913-1996) encontrou um conjunto de pegadas fósseis bem preservadas, deixadas por três indivíduos da espécie *A. afarensis* que caminharam sobre cinzas vulcânicas úmidas e fofas, por volta de 3,6 Ma. As pegadas confirmaram o que era sugerido pela forma dos ossos fossilizados da pelve, das pernas e dos pés: *A. afarensis* era bípede e caminhava em posição ereta ou semiereta.

Predecessores dos australopitecos

O documentário fóssil do período inicial da história evolutiva humana, anterior aos australopitecos, era praticamente inexistente até a descoberta, nos desertos do centro e leste da África, de três espécies que viveram, provavelmente, logo após a divergência das linhagens humana e dos chimpanzés.

Entre 1992 e 1993, foram descobertos em Afar, na Etiópia, fósseis com 4,4 milhões de anos, descritos como *Ardipithecus ramidus*. Esse animal tinha tamanho aproximado ao de um chimpanzé, dentição do tipo humano, crânio pequeno e pernas compatíveis com a postura bípede, apesar de o dedão do pé ser oponível e, portanto, adaptado para agarrar e subir em árvores. (Fig. 23.13)

Figura 23.13 A. Modelo do crânio de *Ardipithecus ramidus*, construído a partir de ossos fossilizados encontrados em 1994 na Etiópia. As partes de cor marrom correspondem aos ossos fossilizados, e as de cor cinza, ao que foi reconstituído. **B.** Representação artística de uma fêmea de *A. ramidus*.

Em 2000, foram encontrados alguns dentes e ossos da perna e dos dedos de um fóssil de idade estimada em cerca de 6 milhões de anos, descrito com o nome de *Orrorin tugenensis*. Esses achados sugerem que ele era um animal bípede, mas subia em árvores.

Um crânio fóssil descoberto em 2002, no Chade, pela equipe liderada pelo paleontólogo francês Michel Brunet (n. 1940) foi descrito como *Sahelanthropus tchadensis*. Segundo seu descobridor, esse primata, que viveu entre 6 Ma e 7 Ma, pode ter sido o ponto evolutivo em que nossa ancestralidade divergiu daquela que originou os chimpanzés. Análises detalhadas do fóssil sugerem que *S. tchadensis* era parecido com um chimpanzé, porém com características mais "humanas", como a face menos projetada para a frente e dentes caninos menores. Supõe-se que, apesar de bem adaptado à vida arborícola, já fazia incursões ao solo.

Tendências adaptativas dos predecessores do gênero *Homo*

Estudos recentes relacionam muitas das características humanas à adaptação de nossos ancestrais aos ambientes arborícolas. Acredita-se que a linhagem que originou os grandes macacos tenha evoluído nas florestas tropicais africanas, alimentando-se na copa das árvores e raramente descendo ao solo, em um modo de vida semelhante ao dos orangotangos atuais. Ao estágio arborícola sucedeu-se a adaptação da linhagem humana ao ambiente de savana, inicialmente na orla das florestas e mais tarde nas savanas abertas.

Evidências geológicas sugerem que, por volta de 8 milhões de anos atrás, ocorreram na África movimentos de placas tectônicas (relembre no capítulo anterior), que elevaram as terras planas e fizeram surgir cadeias de montanhas. Com isso, o clima no leste do continente africano passou por uma drástica modificação, tornando-se mais quente e seco que o do lado oeste. Na região oeste perduraram florestas exuberantes, onde evoluíram os gorilas e os chimpanzés; enquanto isso, a região leste ficou cada vez mais árida, com expansão de amplas áreas de savana, tipo de campo com vegetação arbórea semelhante à encontrada em certas regiões da África atual.

As árvores da savana, menores que as da floresta e mais distantes entre si, devem ter impossibilitado a movimentação de nossos ancestrais pré-humanos na copa vegetal, como faziam na mata tropical. Acredita-se que nesse ambiente de transição entre florestas e savanas arbóreas tenha evoluído o primeiro grupo de primatas considerados antecessores diretos do gênero humano: os australopitecos. (Fig. 23.14)

NATIONAL GEOGRAPHIC IMAGE COLLECTION/ALAMY/GLOW IMAGES

Figura 23.14 Representação artística de cenário de savana arbórea com um grupo de australopitecos.

Os primeiros australopitecos eram capazes de andar eretos ou semieretos nas áreas abertas das savanas, mas provavelmente ainda dependiam do ambiente arborícola para se proteger e se alimentar.

Chimpanzés e bonobos atuais podem caminhar sobre as duas pernas, mas o fazem sem flexionar os joelhos, dobrando o tronco para manter o equilíbrio. Os seres humanos, por sua vez, andam com o corpo completamente ereto e dobram apenas os joelhos ao caminhar. A análise dos esqueletos de australopitecos sugere que eles não andavam de nenhuma dessas maneiras.

Nas savanas mais abertas, os australopitecos tinham ainda menos abrigo que na savana arbórea. As áreas de vegetação mais rala, com amplas pastagens, possibilitaram a colonização por vários tipos de mamíferos herbívoros (gnus, búfalos, girafas, antílopes etc.) e, consequentemente, de seus predadores (leões, leopardos, hienas, cães selvagens etc.); estes provavelmente incluíam nossos ancestrais em sua dieta.

Um grande desafio dos australopitecos era encontrar alimento na savana, mais árida que as florestas tropicais. Isso levou à seleção de um conjunto de adaptações em sua dentição, que passou a permitir a mastigação de alimentos vegetais duros, como sementes e raízes. Acredita-se que os australopitecos suplementavam a dieta básica com carniça, obtida de carcaças abandonadas por leões e guepardos antes de chegarem outros carniceiros, como hienas e abutres.

Origem e evolução do gênero *Homo*

A história da evolução humana foi profundamente marcada pelas mudanças ambientais ocorridas na África, entre o final do Plioceno e o começo do Pleistoceno. O clima africano tornou-se progressivamente mais seco – semiárido –, o que coincidiu com o início de um período glacial no Hemisfério Norte. As florestas reduziram-se e grande parte das savanas arbóreas transformou-se em savanas abertas, constituídas por árvores e arbustos menores, separados por extensas áreas de gramíneas.

Nesse ambiente desafiador, a maioria dos australopitecos se extinguiu, mas algumas linhagens haviam desenvolvido determinadas adaptações favoráveis e sobreviveram. Segundo Mayr, algumas populações de australopitecos devem ter inventado mecanismos de defesa para sobreviver, atirando pedras ou transformando em armas outros objetos de madeira. Talvez tenham recorrido a porretes, como fazem algumas espécies atuais de chimpanzés do oeste da África, ou a ramos espinhosos para espantar seus predadores, ou ainda improvisado tambores para assustá-los com o barulho. No entanto, sua melhor defesa foi o fogo.

As pressões seletivas que atuaram sobre os australopitecos, nas savanas abertas, levaram ao aparecimento de novas linhagens de hominídeos, capazes de fabricar e utilizar ferramentas rudimentares e beneficiar-se do uso do fogo. O grande sucesso dessas linhagens deveu-se, certamente, ao desenvolvimento do sistema nervoso e da inteligência; começavam assim a surgir espécies primatas tipicamente humanas, atualmente classificadas no gênero ***Homo***.

No início da década de 1960, os paleoantropólogos britânicos Mary Leakey e seu marido Louis Leakey (1903-1972) encontraram, na Garganta Olduvai, no norte da Tanzânia, fósseis de um hominídeo primitivo com características consideradas intermediárias entre os australopitecos e os *Homo erectus* descobertos anteriormente na Ásia. Na região, Louis Leakey já havia encontrado instrumentos de pedra lascada, cuja confecção foi creditada à espécie fóssil recém-descoberta; por essa capacidade artesanal, a espécie foi denominada *Homo habilis*. (Fig. 23.15)

BETTMANN/CORBIS/LATINSTOCK
CHRISTIAN JEGOU PUBLIPHOTO DIFFUSION/SCIENCE PHOTO

Figura 23.15 A. Louis Leakey examinando crânios fossilizados encontrados em Olduvai, Tanzânia. Por se supor que essa espécie era capaz de fabricar e usar ferramentas, ela recebeu o nome de *Homo habilis*. **B.** Representação artística de um representante de *H. habilis*.

Apesar de aparentemente mais inteligentes e dotados de organização social mais sofisticada que australopitecos e chimpanzés, a capacidade craniana de *H. habilis* – entre 450 cm^3 e 600 cm^3 – não era significativamente maior que a deles. Além disso, a suposição de que *H. habilis* tenha sido o primeiro hominídeo a fabricar instrumentos tem sido questionada pela descoberta de objetos de pedra lascada associados a fósseis de *Australopithecus garhi*, datados de 2,6 Ma, cerca de 300 mil anos mais antigos que *H. habilis*, que viveu entre 1,4 Ma e 2,3 Ma. Esses e outros fatos têm levado alguns especialistas a considerar *H. habilis* um australopiteco, defendendo sua reclassificação como *Australopithecus habilis*.

Excluindo *H. habilis*, a mais antiga espécie de nosso gênero seria *Homo rudolfensis*, que viveu na África por volta de 2,5 Ma a 1,8 Ma. Esses hominídeos fabricavam ferramentas e tinham volume craniano entre 700 cm^3 e 752 cm^3, significativamente maior que o dos australopitecos. No entanto, alguns estudiosos sugerem que o próprio *H. rudolfensis* seja considerado um australopiteco em virtude da aparência simiesca de seu crânio e por descenderem provavelmente de antigas linhagens de australopitecos. A tendência mais recente, contudo, é incluir os rudolfenses no gênero *Kenyanthropus* (*K. rudolfensis*), que alguns paleoantropólogos, como Meave Leakey (n. 1942), sugerem ter mais parentesco com a linhagem humana do que *A. habilis*. (Fig. 23.16)

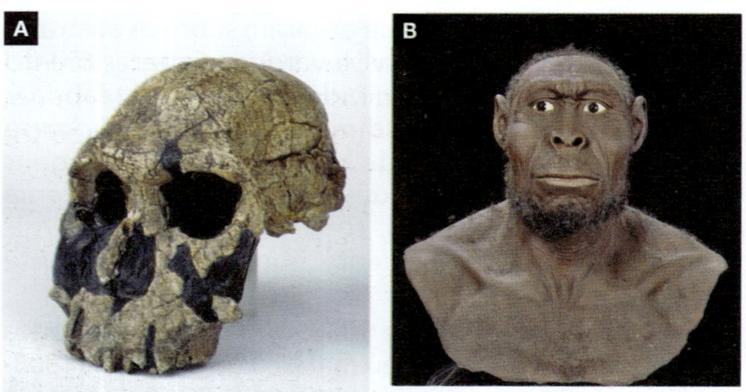

Figura 23.16 A. Modelo de crânio de *Kenyanthropus (Homo) rudolfensis*, reconstruído a partir de restos fósseis. **B.** Representação artística da provável aparência facial de um rudolfense.

Emergência e evolução de *Homo erectus*

Há cerca de 2 milhões de anos surgia um novo grupo de hominídeos, classificado como ***Homo erectus***. Os primeiros fósseis dessa espécie foram encontrados na Ilha de Java, em 1891, e na China, em 1927. Tudo indica que o *H. erectus*, como todos os hominídeos que o antecederam, tenha surgido na África e só depois se expandiu para a Ásia e para a Europa. Por acreditarem que havia várias linhagens ou mesmo espécies diferentes desse grupo de hominídeos, alguns cientistas preferem denominá-los "grupo *erectus*". Os fósseis mais antigos do grupo datam de 1,8 Ma e os mais recentes, de 300 mil anos atrás. Alguns paleontólogos, no entanto, questionam esta última data e afirmam que fósseis mais recentes encontrados na Ásia, com idade entre 80 mil e 100 mil anos, pertencem à espécie *H. erectus*. (Fig. 23.17)

23.1
Biblioteca do estudante Amplie seus conhecimentos

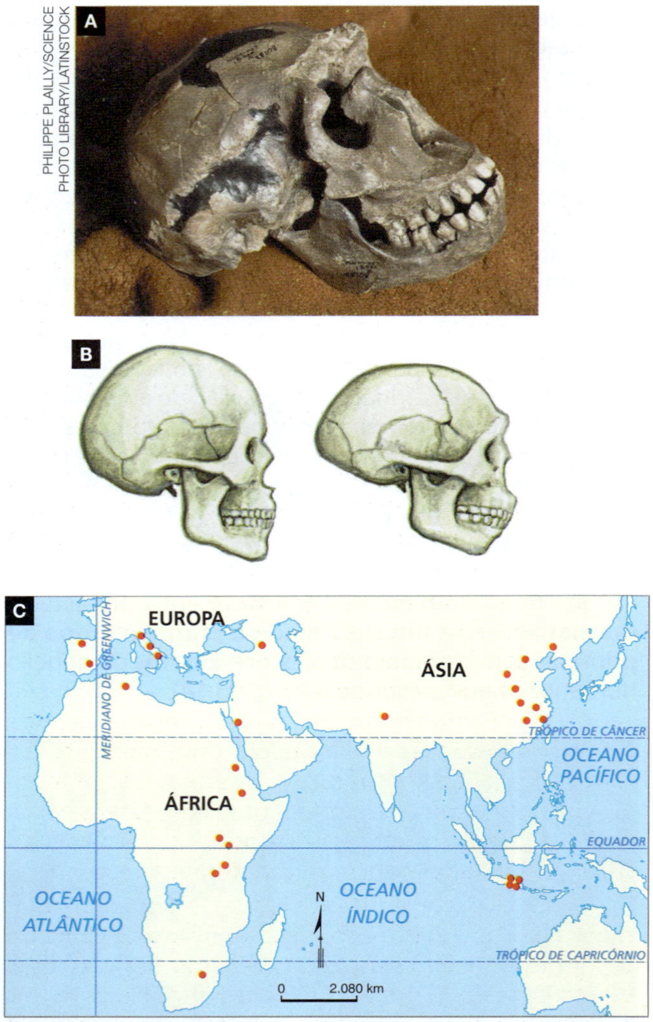

Figura 23.17 A. Crânio fossilizado de *Homo erectus* encontrado no Quênia em 1984, datado em cerca de 1,6 milhão de anos. **B.** Representação esquemática comparando crânios de *H. erectus* e *H. sapiens sapiens*. **C.** Mapa que mostra a distribuição dos sítios arqueológicos em que foram encontrados fósseis do grupo *erectus*.

Embora variado, o grupo de populações classificadas como *Homo erectus* tinha por representantes hominídeos de postura ereta e maxilares menos proeminentes que seus antecessores australopitecos. Eram mais altos, possivelmente entre 1,50 e 1,60 m, e tinham massa corporal entre 55 e 85 kg. A testa era baixa, com grandes protuberâncias ósseas em torno das órbitas oculares (pregas supraorbitais), características que ainda revelam claramente o parentesco com os símios.

Os fósseis mais antigos de *H. erectus* indicam que seu volume craniano era de aproximadamente 850 cm^3; fósseis mais recentes têm volume craniano superior a 1.100 cm^3, mostrando que, durante o período de existência do grupo *erectus*, houve aumento significativo do tamanho do encéfalo e provavelmente da inteligência.

Acredita-se que *H. erectus* tenha sido o primeiro hominídeo a constituir uma sociedade caçadora-coletora semelhante, em termos sociais, à de seres humanos modernos. Para se proteger do frio e dos inimigos, *H. erectus* vestia-se com pele de animais, fazia fogueiras e morava em cavernas. Algumas populações fabricavam ferramentas relativamente avançadas, dotadas de cabos e com diferentes formatos e aplicações variadas.

Os *H. erectus* foram provavelmente os primeiros hominídeos a caçar em grupos coordenados, capazes de abater presas de grande porte.

As linhagens do grupo *erectus* que permaneceram na África costumam ser classificadas como *Homo erectus ergaster* ou, simplesmente, *H. ergaster*. Essa dualidade nomenclatural reflete um acirrado debate entre os paleoantropólogos, que ainda não decidiram se *H. erectus* e *H. ergaster* são realmente duas espécies distintas ou se a última é subespécie da primeira. Esse tipo de polêmica é recorrente no estudo da evolução humana, pois não há critérios claros para definir e separar espécies tendo por base o documentário fóssil. A maioria dos fósseis da linhagem humana resume-se apenas a partes de indivíduos, tais como fragmentos de mandíbula, dentes, pedaços do crânio e dos membros; raramente se encontram fósseis completos. Por isso, reconstituir a estrutura corporal do indivíduo quando vivo exige um estudo exaustivo e rigoroso.

Outra dificuldade dos cientistas é que, mesmo sendo possível reconstituir a aparência de um indivíduo a partir de seu fóssil, não se conhece o grau de variação existente naquela espécie, isto é, se o indivíduo fossilizado é representativo ou não de seu grupo. À medida que novos fósseis são encontrados, certas hipóteses são reforçadas e outras têm de ser reformuladas; é assim que o conhecimento científico progride. Com certeza ainda ocorrerão muitas mudanças no quadro da classificação humana que apresentamos neste capítulo.

Voltando à questão do *H. ergaster*, ou *H. erectus* africano, a descoberta de novos fósseis e o aprofundamento dos estudos têm aumentado a aceitação dessa espécie, que teria vivido no leste e no sul da África entre 1,3 Ma e 1,8 Ma. O epíteto específico *ergaster* deriva do grego e significa trabalhador, denotando o fato de esses hominídeos terem fabricado objetos de pedra mais avançados que os produzidos pelas linhagens anteriores. (Fig. 23.18)

H. ergaster foi possivelmente o ancestral dos hominídeos classificado como ***Homo antecessor***. Fósseis dessa primeira linhagem humana da Europa foram encontrados na Espanha em sítios arqueológicos datados entre 0,8 Ma e 1,2 Ma. Calcula-se que os adultos tinham entre 1,60 m e 1,80 m de altura, com os machos atingindo cerca de 90 kg de massa corporal. O volume encefálico variava entre 1.000 e 1.150 cm^3 em média, menor que a média de 1.350 cm^3 dos seres humanos atuais.

JAVIER TRUEBA/MSF/SCIENCE PHOTO LIBRARY/LATINSTOCK

P. PLAILLY/E. DAYNES/SCIENCE PHOTO LIBRARY/LATINSTOCK - ATELIER DAYNES, PARIS, FRANCE

Figura 23.18 A. Crânio fossilizado de *Homo ergaster*, com idade estimada em aproximadamente 1,6 milhão de anos. **B.** Representação artística da provável aparência facial de *H. ergaster* feita a partir do crânio mostrado em **A**.

Acredita-se que *H. antecessor* tenha evoluído de uma linhagem de *H. ergaster* que migrou da África para a Europa. Uma hipótese não descartada é que pode ter se extinguido sem deixar descendentes, outra hipótese é que *H. antecessor* e *H. heidelbergensis* constituíam populações de uma única espécie que viveram em épocas não completamente sobrepostas. (Fig. 23.19)

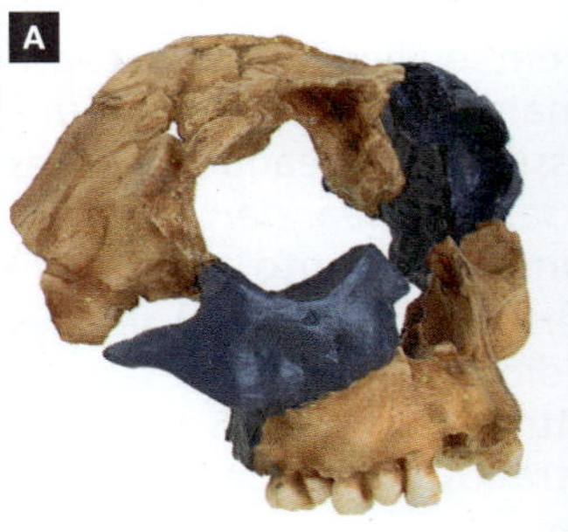

OTTFRIED SCHREITER/IMAGEBROKER/GRUPO KEYSTONE

JOSE LUIS MARTINEZ ALVAREZ - IBEAS MUSEUM, BURGOS, SPAIN

Figura 23.19 A. Crânio fossilizado de *Homo antecessor* encontrado na Espanha em 1995, com idade estimada em 800 mil anos. **B.** Representação artística da provável aparência de um representante de *H. antecessor*, ilustrando uma fêmea praticando canibalismo, comportamento amplamente registrado no documentário fóssil do grupo.

Homo heidelbergensis viveu na Europa entre 600 mil e 250 mil anos atrás e seus fósseis indicam que era um pouco menor que *H. antecessor*, com os machos adultos atingindo em média 1,75 m de altura e 62 kg de massa corporal. Seu volume encefálico, no entanto, era maior, entre 1.100 e 1.400 cm^3 em média, mais próximo ao dos seres humanos atuais. (Fig. 23.20)

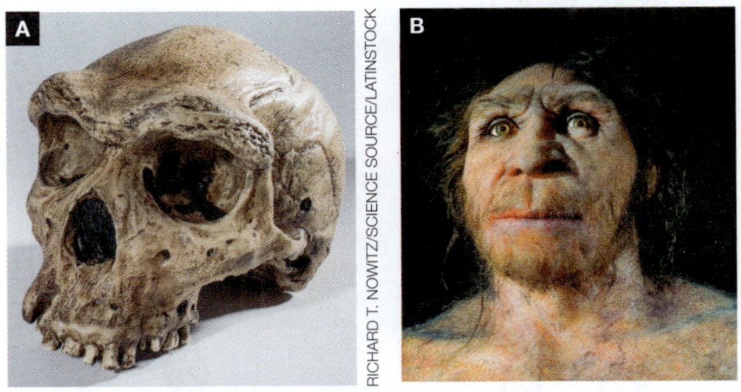

RICHARD T. NOWITZ/SCIENCE SOURCE/LATINSTOCK

CRO MAGNON/ALAMY/GLOW IMAGES - MUSEUM OF HUMAN EVOLUTION, BURGOS, CASTILLA-LEON, SPAIN

Figura 23.20 A. Réplica de crânio fossilizado de *Homo heidelbergensis* encontrado na República da Zâmbia em 1921, com idade estimada em cerca de 300 mil anos. **B.** Representação artística da provável aparência de um representante do sexo masculino de *H. heidelbergensis*.

Os homens de Neandertal

Acredita-se que populações europeias de *H. heidelbergensis* tenham originado, há mais de 300 mil anos, uma linhagem humana cujos fósseis mais conhecidos são os descobertos na Alemanha, no vale de Neander, em 1856. Hoje sabemos que fósseis desses hominídeos já haviam sido descobertos anteriormente, em 1829, em área da atual Bélgica e, em 1848, em Gibraltar.

Na época, o significado desses fósseis não foi bem compreendido pelos cientistas; não havia uma teoria que explicasse sua existência e eles foram registrados simplesmente como "seres humanos antigos". Foi apenas após a publicação do livro *A origem das espécies*, de Charles Darwin, que surgiu interesse por aqueles fósseis. Thomas Huxley examinou-os e concluiu que se tratava de uma espécie humana extinta, descrita em 1864 com o nome de ***Homo neanderthalensis***. Darwin menciona esse hominídeo em seu livro de 1871, sobre a origem da espécie humana. Atualmente, alguns especialistas preferem classificar os neandertalenses como uma subespécie (*H. sapiens neanderthalensis*), embora ainda não haja consenso quanto a isso.

Muitos fósseis descobertos em diferentes regiões da Europa e do Oriente Médio mostram que *H. sapiens neanderthalensis* viveu entre 300 mil e 25 mil anos atrás; nunca foram encontrados fósseis desses hominídeos na África ou na Ásia.

Os neandertalenses tinham corpo atarracado e eram mais fortes que os seres humanos modernos. Os machos tinham entre 1,64 m e 1,68 m de altura e cerca de 70 kg de massa corporal; as fêmeas tinham entre 1,52 m e 1,60 m de altura e pouco menos de 60 kg. Seu volume craniano — que em alguns fósseis atinge 1.600 cm^3 — é maior que o dos seres humanos modernos, mas a testa (parte frontal do crânio) é oblíqua, de modo que a maior parte do volume craniano se concentra na região occipital. O rosto dos neandertalenses tinha feições rústicas, com pregas supraorbitais proeminentes e maxilares salientes. As características físicas, tais como nariz grande, corpo e membros curtos e compactos, indicam adaptação ao clima frio da Europa na época em que viveram. (Fig. 23.21)

Os neandertalenses usavam elaboradas ferramentas de pedra, o que sugere que deviam ser bons caçadores, capazes de abater presas de grande tamanho. Matéria vegetal cozida encontrada entre os dentes de um crânio fóssil indica que eles incluíam vegetais cozidos na dieta, contradizendo a hipótese de que eram exclusiva ou predominantemente carnívoros. Certos traços anatômicos indicam que os neandertalenses eram capazes de falar, mas a natureza de sua linguagem ainda não é conhecida. Restos encontrados em um sítio arqueológico no leste da Ucrânia mostram que eles podiam construir abrigos sustentados por ossos de grandes mamíferos que viviam na época.

A descoberta de esqueletos fósseis de neandertalenses idosos leva a crer que eles tinham uma organização social suficientemente desenvolvida para permitir a sobrevivência até idades relativamente avançadas. Ao menos ocasionalmente, eles enterravam os mortos, às vezes com armas, utensílios, comida e enfeites supostamente pertencentes ao falecido. Alguns estudiosos veem nesse fato um indício de que os neandertalenses tinham desenvolvido rituais fúnebres, talvez relacionados à crença em vida depois da morte, mas isso ainda é tema de debates. (Fig. 23.22)

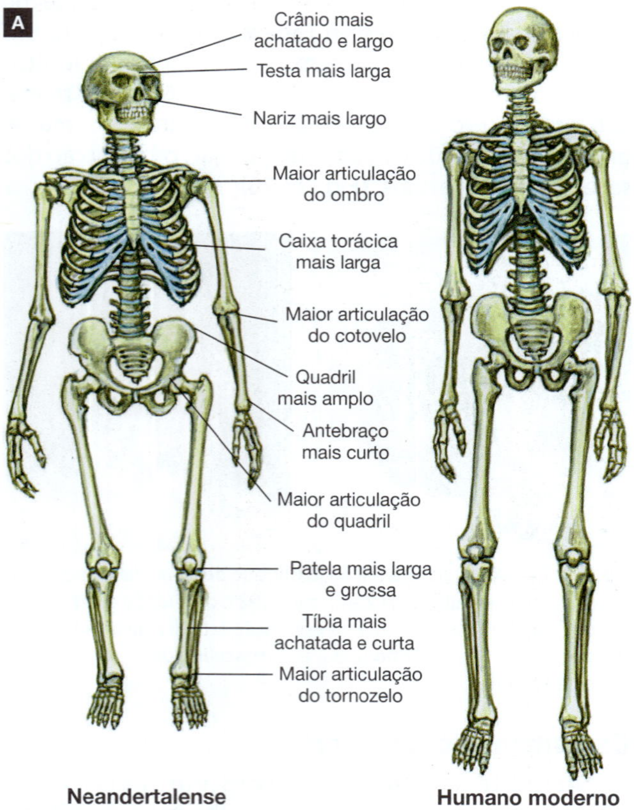

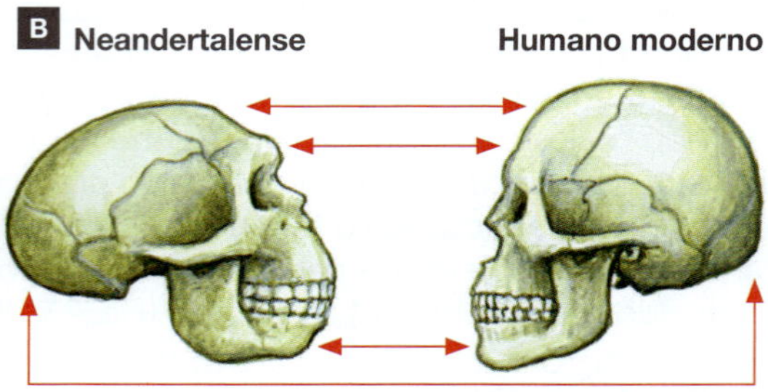

JAVIER TRUEBA/MSF/SCIENCE PHOTO LIBRARY/LATINSTOCK

Figura 23.21 A. Representação esquemática das principais diferenças entre os esqueletos de *H. sapiens neanderthalensis* (à esquerda) e *H. sapiens sapiens* (à direita). **B.** Representação esquemática comparando os crânios de *H. sapiens neanderthalensis* e *H. sapiens sapiens*. As setas indicam, de cima para baixo, a testa mais oblíqua, a prega supraorbital mais desenvolvida, o queixo menos proeminente e a região craniana occipital mais alongada dos neandertais em relação ao ser humano moderno. **C.** Representação artística de um representante do sexo masculino de *H. sapiens neanderthalensis*.

E. R. DEGGINGER/SCIENCE SOURCE/LATINSTOCK

MARTIN LAND/SCIENCE PHOTO LIBRARY/LATINSTOCK

A. DAGLI ORTI/DE AGOSTINI PICTURE LIBRARY/THE BRIDGEMAN ART LIBRARY/GRUPO KEYSTONE - MUSEO DI ANTROPOLOGIA ED ETNOGRAFIA, TURIM, ITÁLIA

Figura 23.22 A. Crânio fossilizado de um neandertalense, encontrado na França, datado em aproximadamente 60 mil anos. **B.** Restos fósseis do esqueleto de um neandertalense em uma câmara de sepultamento, datado em cerca de 50 mil anos, encontrado na França. **C.** Ferramenta de pedra lascada atribuída a neandertalenses, encontrada em Kent, Inglaterra.

O desaparecimento dos neandertalenses do documentário fóssil, de 25 mil anos para cá, mostra sua completa extinção, que pode ser atribuída tanto a grandes mudanças climáticas quanto à interação com seres humanos modernos – ***Homo sapiens sapiens*** – que chegaram ao Oriente Médio e à Europa entre 40 mil e 35 mil anos atrás, provenientes provavelmente da Ásia. Culturalmente mais avançados que os neandertalenses e mais bem adaptados ao clima mais quente da época, competiram com eles levando grande vantagem. (Fig. 23.23)

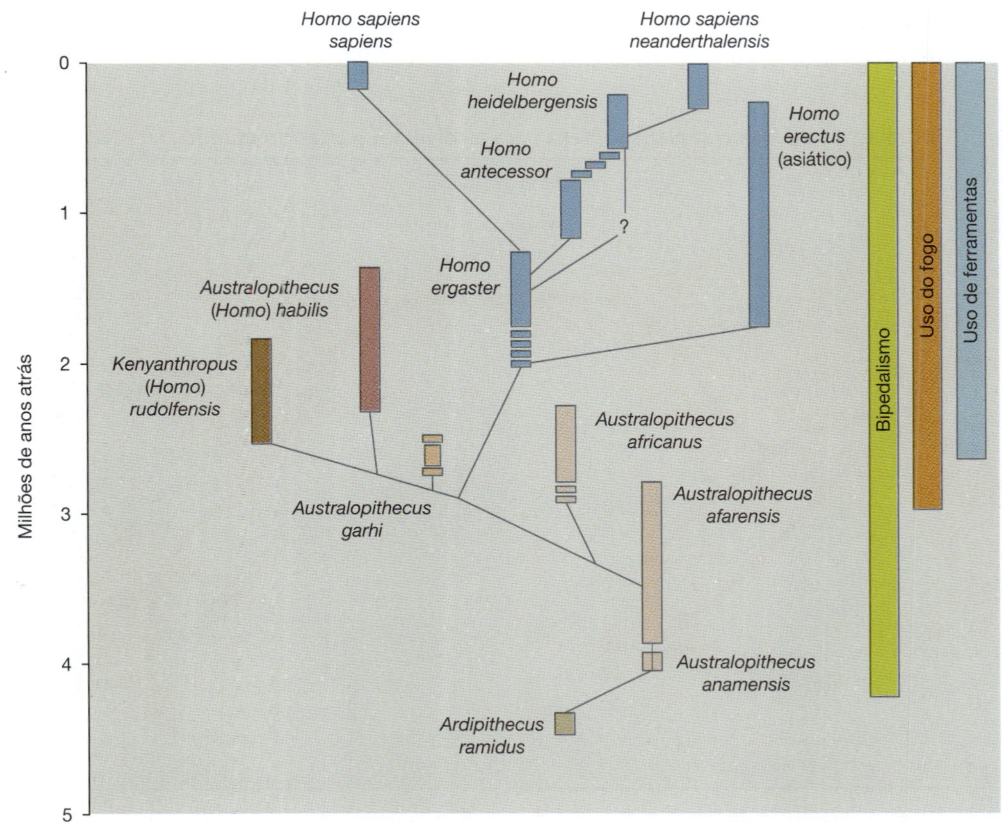

Figura 23.23 Árvore evolutiva relacionando diversos fósseis conhecidos da linhagem humana; os retângulos indicam os períodos aproximados de existência do grupo e as linhas, possíveis relações de parentesco evolutivo entre elas.

A espécie humana moderna: *Homo sapiens sapiens*

Os primeiros esqueletos fósseis indistinguíveis de um ser humano moderno foram encontrados, em 1868, num abrigo rochoso no sudoeste da França, em Cro-Magnon. Esses fósseis, datados entre 23 mil e 27 mil anos atrás, receberam a denominação informal de povo de Cro-Magnon. Grande número de fósseis descobertos posteriormente em diversas regiões da Europa e da Ásia permitiu concluir que os seres humanos modernos chegaram à Ásia entre 70 mil e 100 mil anos atrás, e ao Oriente Médio e à Europa por volta de 40 mil anos atrás.

Em sítios arqueológicos da África com idades entre 195 mil e 115 mil anos, foram encontrados fósseis que denotam mudanças em relação à forma craniana dos seres humanos atuais. As descobertas mostram que a espécie humana moderna iniciou sua evolução na África, por volta de 200 mil anos atrás, provavelmente a partir de linhagens de *H. ergaster*. Daí teria irradiado para fora da África e colonizado os outros continentes.

Estima-se que humanos modernos oriundos da Ásia chegaram à Austrália entre 60 mil e 50 mil anos atrás, tendo sido os ancestrais dos aborígenes australianos. Quanto à chegada dos seres humanos nas Américas, as polêmicas ainda são grandes; a hipótese mais conservadora admite que grupos humanos provenientes da Ásia atravessaram o Estreito de Bering e chegaram ao continente americano por volta de 14 mil anos atrás. Outras hipóteses admitem diversas migrações, inclusive com etnias diferentes, e que as mais antigas podem ter ocorrido por volta de 40 mil anos atrás. (Fig. 23.24)

Evolução e cultura

Na linhagem hominídea, paralelamente à evolução do encéfalo ocorreu o desenvolvimento da linguagem simbólica. Esta consiste em associar objetos e eventos do mundo a suas representações mentais — os símbolos —, permitindo expressar ideias, experiências e sentimentos.

A linguagem simbólica não é apenas uma forma de expressão, mas está fundamentalmente associada ao próprio processo de pensamento humano. Ela foi a principal inovação evolutiva da linhagem humana e continua a ser a principal fonte de sua criatividade.

O desenvolvimento da linguagem simbólica está intimamente correlacionado à evolução do pensamento abstrato, que consiste na representação mental de eventos e objetos sem sua presença concreta. O pensamento abstrato permite relacionar memórias de ocorrências no passado com o presente, possibilitando fazer previsões sobre o futuro. Por exemplo, com base em uma série de memórias sobre os hábitos de um animal, é possível prever como ele poderá reagir em certa situação hipotética. Essa dimensão histórica que o ser humano tem de si mesmo foi e continua a ser fundamental para a evolução de nossa cultura.

Pode-se definir **cultura** como o conjunto de conhecimentos e experiências acumulados pelas populações humanas e transmitidos ao longo das gerações. A cultura também é um processo pelo qual cada pessoa, individualmente, e a humanidade como um todo, extraem e acumulam conhecimentos a partir das experiências vividas e da reflexão sobre elas.

Talvez o salto mais prodigioso da humanidade rumo ao conhecimento tenha sido o desenvolvimento da escrita, que ocorreu há aproximadamente 10 mil anos.

Irradiações de *Homo sapiens sapiens* para as diversas partes do mundo

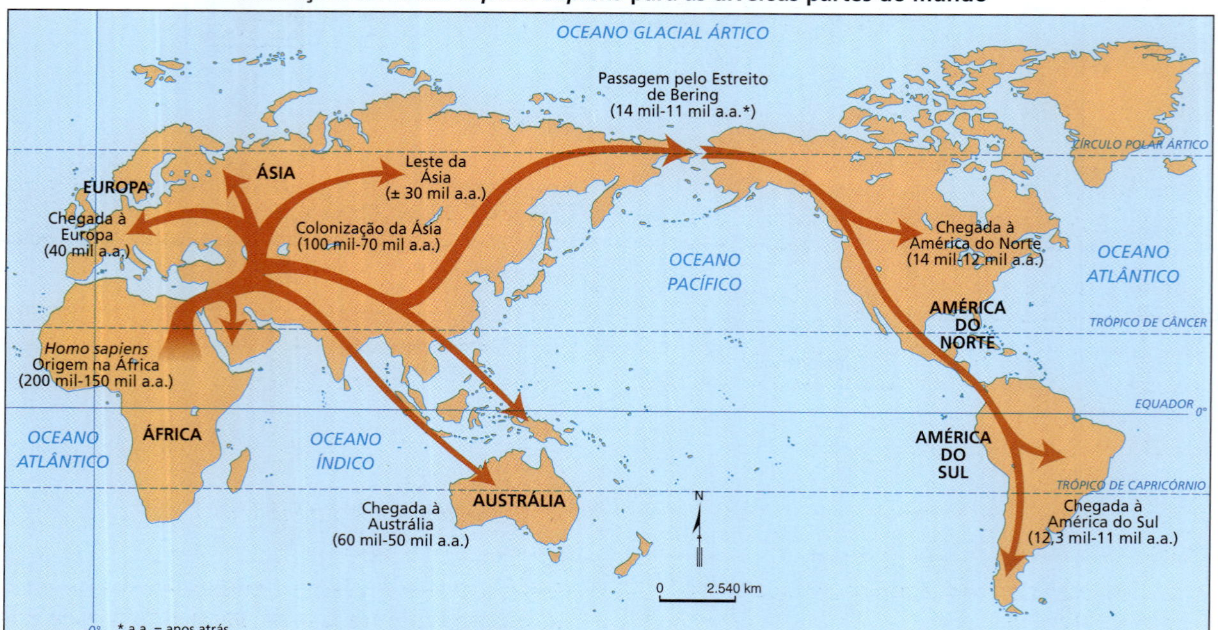

Figura 23.24 Mapa evidenciando as irradiações de *Homo sapiens sapiens*. Segundo a hipótese mais aceita atualmente, a espécie humana moderna surgiu na África, possivelmente a partir de *H. ergaster*, de onde se irradiou para as diversas partes do mundo. (Baseado em Neves, W. A. e Hubbe, M., 2003)

Desde então, as gerações humanas passaram a deixar para as gerações seguintes informações registradas sobre seu modo de vida e suas realizações. A civilização que hoje conhecemos, com cidades, monumentos, obras artísticas, filosofias, religiões, ciência e tecnologia, só foi possível graças à incrível quantidade de conhecimentos escritos e transmitidos de geração em geração.

O impacto da cultura humana tornou-se mais acentuado a partir da Revolução Industrial, que ocorreu há pouco mais de 200 anos. Desde então, o ritmo de evolução cultural e tecnológica acelerou-se, particularmente no Ocidente, levando a humanidade a enfrentar os maiores desafios de sua história: alimentar a imensa e crescente população humana e preservar o ambiente terrestre para as gerações vindouras. Embora seja praticamente impossível prever o futuro da humanidade, podemos dizer que a cultura humana dispõe de potencial para resolver seus problemas e para continuar sua história evolutiva no planeta, quem sabe, por muito tempo. (Fig. 23.25)

PHILIPPE PSAILA/SCIENCE PHOTO LIBRARY/LATINSTOCK

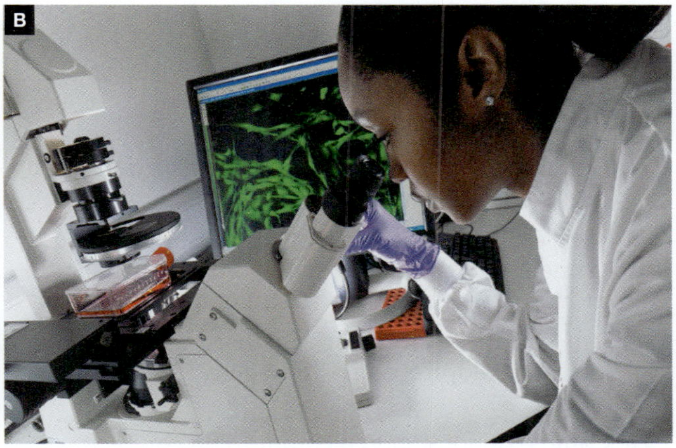

CORFIELD/ALAMY/GLOW IMAGES

TRAVEL PICTURES ALAMY/GLOW IMAGES

Figura 23.25 A cultura e a tecnologia são características específicas da espécie humana moderna. **A.** Pinturas rupestres da caverna de Lascaux, na França, feitas há aproximadamente 17 mil anos. **B.** Pesquisadora utilizando microscópio fotônico, um exemplo de tecnologia contemporânea. **C.** Visitantes apreciando a pintura *Guernica*, de Pablo Picasso, no Museu Nacional de Arte Reina Sofia, em Madri (Espanha).

Biblioteca do estudante
Sugestões de livros, *sites* e vídeos

Atividades

Visão do especialista

Listas de exercícios

Revendo conceitos fundamentais

Escreva, em seu caderno, o termo abaixo que substitui corretamente a tarja entre parênteses nas frases de 1 a 3.

a) hominídeos
b) neandertalenses
c) primatas
d) símios

1. O grupo dos (▬) reúne prossímios, társios, macacos e seres humanos.

2. Grandes macacos (chimpanzés, gorilas e orangotangos), seres humanos e seus ancestrais fósseis são reunidos na família dos (▬).

3. Os (▬) são considerados por muitos pesquisadores uma subespécie da espécie humana.

4. Qual é o nome científico dos seres humanos modernos?

a) *Homo erectus*.
b) *Homo habilis*.
c) *Homo sapiens neanderthalensis*.
d) *Homo sapiens sapiens*.

Escreva, em seu caderno, o termo abaixo que substitui corretamente a tarja entre parênteses nas frases de 5 a 7.

a) bipedalismo
b) polegar oponível
c) visão estereoscópica

5. A capacidade de ver imagens em ângulos ligeiramente diferentes, para cada olho, é chamada (▬).

6. A capacidade do ser humano de caminhar ereto sobre as pernas é denominada (▬).

7. A(O) (▬) refere-se ao primeiro dedo da mão e dos pés de alguns macacos que pode ser usado como pinça.

Escreva, em seu caderno, o termo abaixo que substitui corretamente a tarja entre parênteses nas frases de 8 a 10.

a) *Homo habilis*
b) *Homo antecessor*
c) *Homo erectus*
d) *Homo heidelbergensis*

8. De acordo com as novas descobertas, um ancestral direto dos neandertalenses pode ter sido (▬).

9. (▬) é um hominídeo fóssil que teria sido um dos primeiros a fabricar artefatos de pedra, mas que muitos sugerem ser um australopiteco.

10. Um grupo de hominídeos fósseis sucessores dos australopitecos na linhagem humana teria sido (▬).

11. Como é denominado o conjunto de conhecimentos e experiências acumulados pelas populações humanas e transmitidos ao longo das gerações?
a) Cultura.
b) Linguagem simbólica.
c) Mito.
d) Sociedade.

Ligando conceitos, fatos e processos

12. Quais são os macacos evolutivamente mais aparentados aos seres humanos?
a) Babuínos, bugios e orangotangos.
b) Bugios, chimpanzés e gorilas.
c) Chimpanzés, gorilas e orangotangos.
d) Saguis, bugios e micos-leões-dourados.

13. Quais são os macacos que apresentam maior semelhança genética com os seres humanos?
a) Babuínos.
b) Chimpanzés.
c) Gorilas.
d) Orangotangos.

14. Na árvore filogenética, considere que A representa seres humanos. Que animais representariam B, C e D, respectivamente?

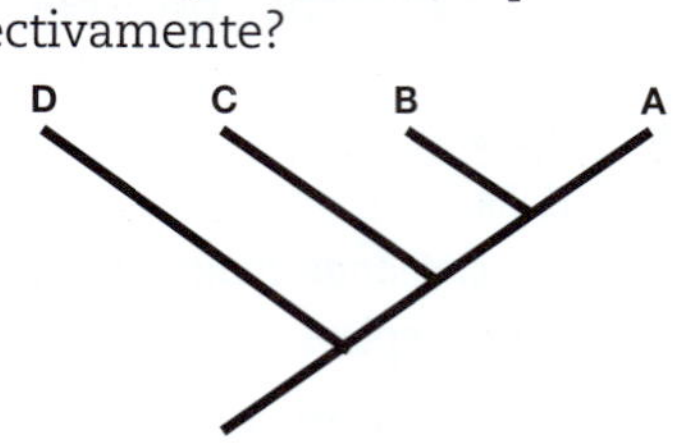

a) Chimpanzés, gorilas e orangotangos.
b) Chimpanzés, orangotangos e gorilas.
c) Gorilas, chimpanzés e orangotangos.
d) Gorilas, orangotangos e chimpanzés.

Escreva, em seu caderno, o termo abaixo que substitui corretamente a tarja entre parênteses nas frases de 15 a 18.

a) 200 mil anos
b) 2 milhões de anos
c) 8 milhões de anos
d) 45 milhões de anos

15. O ancestral comum a seres humanos e chimpanzés viveu há aproximadamente (▬).

16. A espécie humana moderna – *Homo sapiens sapiens* – surgiu há aproximadamente (▬).

17. O ancestral comum dos macacos viveu há aproximadamente (▬).

18. O surgimento do *Homo erectus* a partir de grupos ancestrais de australopitecos teria ocorrido há cerca de (▬).

Escreva, em seu caderno, o termo abaixo que substitui corretamente a tarja entre parênteses nas frases de 19 a 22.

a) bipedalismo
b) cuidado com a prole
c) polegar oponível
d) visão estereoscópica

19. A(O) (▬) possibilitou aos hominídeos um aumento significativo da transmissão cultural.

20. A construção de objetos e de ferramentas dependeu, em grande parte, de um caráter adaptativo desenvolvido por nossa ancestralidade em sua vida nas árvores – a(o) (▬) –, que permitiu pegar objetos com força e precisão.

21. A(O) (▬) possibilitou aos hominídeos enxergar mais longe e liberar as mãos para arremessar objetos, por exemplo. Em contrapartida, exigiu grandes adaptações na coluna vertebral e no esqueleto.

22. A capacidade de calcular as distâncias antes de saltar, graças à(ao) (▬), foi importante na vida arborícola e complementou as habilidades da linhagem humana.

Questões para exercitar o pensamento

23. Faça uma pesquisa, por conta própria ou com um grupo de colegas, sobre o que as pessoas pensam a respeito da origem da espécie humana. Entreviste pessoas com diferentes graus de escolaridade e que exerçam atividades diversas, tais como médicos, padres ou outros religiosos, empregadas domésticas, engenheiros etc. Elabore as perguntas com antecedência, abordando temas como: se sabe o que afirma a teoria da evolução e se acredita ou não que ela explica a origem da espécie humana; se tem ideia de há quanto tempo surgiu a espécie humana; se já ouviu sobre fósseis humanos etc. Ao entrevistar cada pessoa, lembre-se de perguntar qual o grau de escolaridade, profissão, religião e idade. Grave (com autorização prévia do entrevistado) ou anote as respostas. Organize os dados da entrevista em uma tabela e discuta-os com os colegas. Calcule as porcentagens dos que responderam afirmativamente e negativamente à ideia da origem evolutiva da espécie humana

e compare com dados de pesquisas semelhantes em nível nacional e internacional que podem ser obtidos na internet. Elabore um texto argumentativo confrontanto sua opinião pessoal com o resultado da pesquisa.

A Biologia no vestibular e no Enem

Questões objetivas

1. (UFS-SE) Considere a árvore filogenética a seguir.

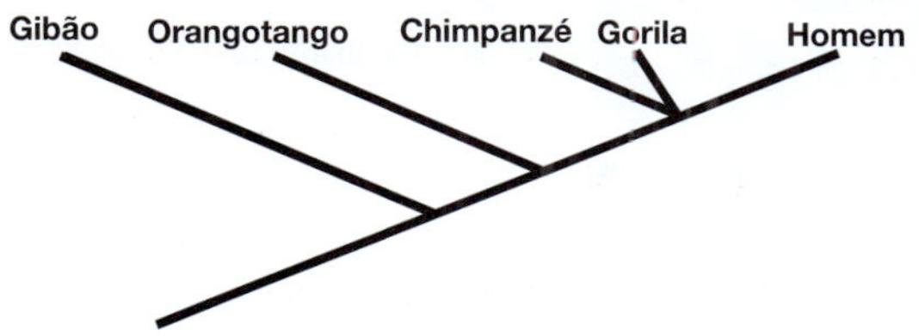

Dos macacos antropoides representados no esquema, os que apresentam maior parentesco com o homem são o

a) chimpanzé e o orangotango.
b) orangotango e o gorila.
c) gorila e o chimpanzé.
d) gibão e o chimpanzé.
e) gorila e o gibão.

2. (UFMS) A figura abaixo mostra uma das possíveis hipóteses sobre a filogenia dos primatas com origem no Velho Mundo, um grupo chamado Cercopithecidae. Baseando-se nessa filogenia, determine a alternativa correta.

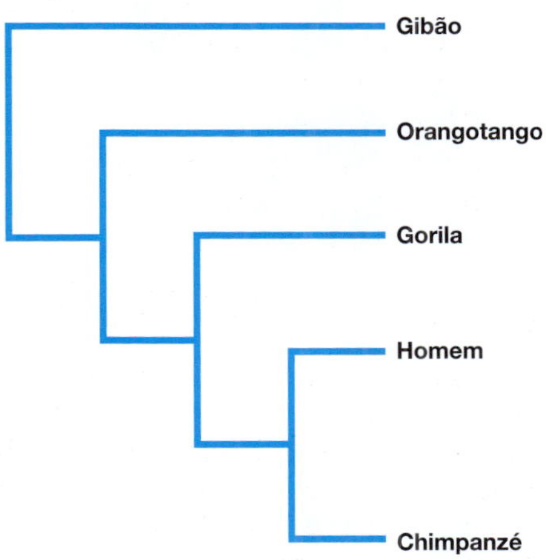

a) O homem surgiu antes dos outros primatas na história evolutiva do grupo.
b) O gorila é mais próximo, filogeneticamente, do homem e do chimpanzé do que do orangotango e do gibão.
c) O chimpanzé é mais próximo, filogeneticamente, do gorila do que do homem.
d) O homem e o gorila deveriam ser incluídos em grupo taxonômico separado dos outros primatas.
e) Não é possível saber se o orangotango é mais próximo filogeneticamente do gibão ou dos outros primatas.

3. (Fuvest-SP) Pesquisadores descobriram na Etiópia fósseis que parecem ser do mais antigo ancestral da humanidade. Como a idade desses fósseis foi estimada entre 5,2 milhões e 5,8 milhões de anos, pode-se dizer que esses nossos ancestrais viveram

a) em época anterior ao aparecimento dos anfíbios e dos dinossauros.
b) na mesma época que os dinossauros e antes do aparecimento dos anfíbios.
c) na mesma época que os dinossauros e após o aparecimento dos anfíbios.
d) em época posterior ao desaparecimento dos dinossauros, mas antes do surgimento dos anfíbios.
e) em época posterior ao surgimento dos anfíbios e ao desaparecimento dos dinossauros.

4. (PUC-Minas) Recentes análises do DNA de chimpanzés permitiram concluir que o homem é mais aparentado com eles do que com qualquer outro primata. Isso permite concluir que

a) o chimpanzé é ancestral do homem.
b) o chimpanzé e o homem têm um ancestral comum.
c) o homem e o chimpanzé são ancestrais dos gorilas.
d) a evolução do homem não foi gradual.
e) os chimpanzés são tão inteligentes quanto o homem.

5. (Enem-MEC) Foi proposto um novo modelo de evolução dos primatas elaborado por matemáticos e biólogos. Nesse modelo o grupo de primatas pode ter tido origem quando os dinossauros ainda habitavam a Terra, e não há 65 milhões de anos, como é comumente aceito.

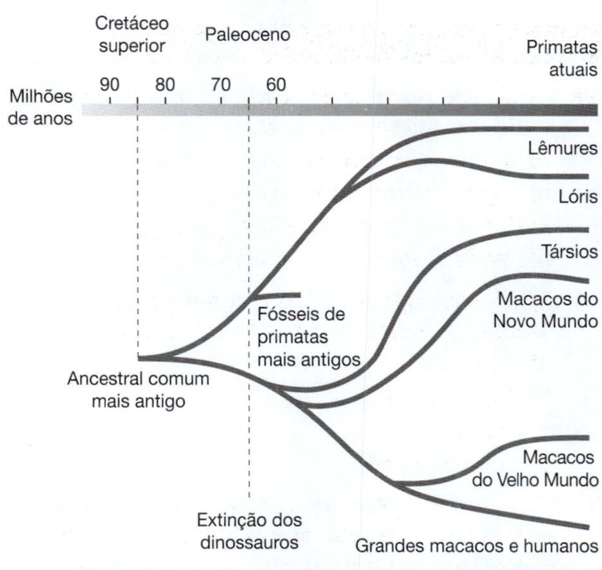

(Fonte: Raquel Aguiar, *Ciência Hoje on-line*, 13/5/2002.)

Examinando esta árvore evolutiva podemos dizer que a divergência entre os macacos do Velho Mundo e o grupo dos grandes macacos e de humanos ocorreu há aproximadamente

a) 10 milhões de anos.
b) 55 milhões de anos.
c) 85 milhões de anos.
d) 40 milhões de anos.
e) 65 milhões de anos.

Módulo 9

Classificação biológica e os seres mais simples

Capítulo 24

NATURFOTO HONAL/CORBIS/ LATINSTOCK - JURA-MUSEUM EICHSTÄTT, EICHSTÄTT

Sistemática e classificação biológica

Itens principais:

Capítulo 25

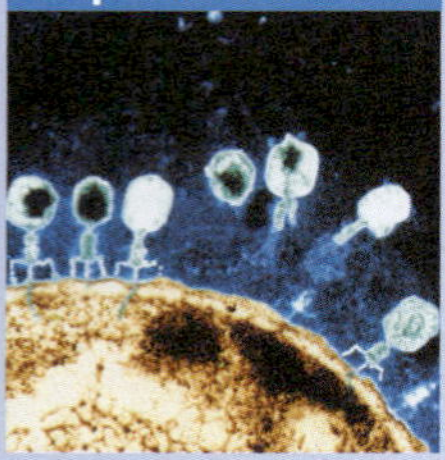

EYE OF SCIENCE/SCIENCE PHOTO LIBRARY/LATINSTOCK

Vírus e bactérias

Itens principais:

Pequena amostra da variedade dos coleópteros, ordem de insetos cujos representantes mais conhecidos são os besouros. Para se ter uma ideia da diversidade de espécies desse grupo, basta pensar que uma em cada quatro espécies de animais é de um coleóptero. (Coleção pertencente ao Museu de História Natural da Universidade de Oxford, Inglaterra.)

Capítulo 26

FABIO COLOMBINI

Algas, protozoários e fungos

Itens principais:

Algas
Protozoários
Fungos

JOCHEN TACK/ALAMY/GLOW IMAGES

Conheça os capítulos deste módulo

Quase dois milhões de espécies biológicas catalogadas. Milhares de novas espécies descobertas a cada ano. Como conhecer e organizar tamanha diversidade? No capítulo inicial deste módulo veremos como a Sistemática moderna busca classificar os organismos de acordo com suas relações de parentesco evolutivo. O desafio que essa empreitada representa faz com que esse ramo da Biologia seja um dos mais dinâmicos da atualidade. Nos dois capítulos seguintes, começaremos o estudo sistemático dos seres vivos, desde aqueles considerados mais simples até os mais complexos.

Capítulo 24 A classificação dos seres vivos é um dos temas da Biologia que mais desafiam estudantes e professores do ensino médio. A classificação tradicional, inaugurada por Lineu no século XVIII, vem sendo abalada pelas novas técnicas de estudo e pelas novas ideias sobre como e por que classificar. Acompanhe ao longo do capítulo as novas tendências e as polêmicas que envolvem a classificação dos seres vivos.

Capítulo 25 Embora sejam muito pequenos, vírus e bactérias estão longe de ser insignificantes, haja vista sua capacidade de causar epidemias devastadoras e a importância da atividade bacteriana para a vida na Terra. Conhecer os principais aspectos dos microrganismos é importante porque nos habilita a utilizá-los em nosso benefício, além de nos ajudar a prevenir as doenças que eles causam. Descubra, neste capítulo, quem são os vírus e as bactérias e os benefícios e prejuízos que eles podem nos causar.

Capítulo 26 Algas, protozoários e fungos têm muito mais importância em nossa vida do que imaginamos. Aqui estudaremos as características básicas desses organismos e suas relações com outros seres, inclusive com nossa própria espécie. A classificação desses grupos passa por revisão, diante das novas técnicas de estudo. Acompanhe, no capítulo, essas e outras questões importantes. Veja também alguns exemplos da importância de algas, fungos e protozoários para os seres humanos.

Capítulo 24

Sistemática e classificação biológica

NATURFOTO HONAL/CORBIS/LATINSTOCK - JURA-MUSEUM EICHSTÄTT, EICHSTÄTT

Fóssil de *Archaeopteryx lithographica*, animal do tamanho de uma galinha e que viveu há cerca de 150 milhões de anos. É apontado como uma das primeiras espécies de ave, pois apresenta características típicas tanto desse grupo quanto de dinossauros.

Classificação biológica: é para facilitar ou para complicar?

Quase dois milhões de espécies biológicas catalogadas. Milhares de novas espécies descobertas a cada ano. E, segundo alguns estudiosos, o número de espécies de seres vivos na natureza pode chegar perto dos 30 milhões! Como organizar tanta informação?

A questão já preocupava o sábio grego Aristóteles, no século IV a.C., levando-o a elaborar um dos primeiros sistemas de classificação biológica de que se tem notícia, e o mais aceito por muito tempo. Mais tarde, no século XVIII, o naturalista sueco Lineu retomou o assunto. Para ele, as espécies de seres vivos tinham sido especialmente criadas por Deus, cada uma com suas características próprias. Assim, para entender o plano e as intenções do Criador ao desenhar o universo e os seres vivos, era preciso apenas encontrar um sistema de classificação apropriado, capaz de organizar claramente as espécies.

Em meados do século XIX, o naturalista inglês Charles Darwin publicou sua teoria evolucionista, segundo a qual todos os seres vivos atuais descendem dos primeiros organismos que surgiram na Terra, há bilhões de anos. A vida teria surgido uma única vez e se diversificou com o passar do tempo, o que teria levado à enorme variedade de seres atuais. De acordo com essa teoria, tal diversidade é decorrente da evolução biológica, que atua incessantemente desde a origem da vida. Ao longo do século XX, a teoria darwinista foi ampliada e é atualmente aceita pela ampla maioria dos biólogos.

De acordo com a moderna **Sistemática**, ramo da Biologia que estuda a diversidade dos seres vivos, a classificação biológica deve levar em conta as relações de parentesco evolutivo entre as espécies. Isso implica descobrir os caminhos da vida na Terra, nesses bilhões de anos de evolução! Com objetivos tão desafiadores, não é de estranhar que essa continue a ser uma área polêmica da Biologia, exposta a grandes mudanças em face do aumento do conhecimento biológico.

Vejamos alguns desdobramentos dessas mudanças. Você já deve ter ouvido falar de grandes reinos de seres vivos, como Animal e Vegetal. Esses dois são os mais conhecidos, mas os especialistas reconhecem hoje entre 70 e 90 grandes linhagens de organismos eucarióticos que poderiam ser elevadas à categoria de reino. Por esse motivo, alguns especialistas propõem uma modificação drástica da classificação biológica tradicional, abolindo agrupamentos como reino, filo, classe etc. Neste capítulo, adotamos a proposta atualmente mais difundida, que classifica os seres vivos em seis reinos.

Mais novidades: evidências recentes sugerem que as aves deveriam fazer parte do grupo dos répteis, e que os chimpanzés e os bonobos, atualmente classificados como *Pan troglodytes* e *Pan paniscus*, respectivamente, poderiam ser incluídos no mesmo gênero que a espécie humana, *Homo*. Essas são apenas algumas das surpresas que nos aguardam no estudo da classificação biológica.

A importância do assunto

A classificação dos seres vivos é um dos temas do ensino médio que mais desafiam estudantes e professores de Biologia. Se a leitura do texto anterior levou você a ter mais dúvidas do que certezas, não se preocupe. São as dúvidas que nos estimulam a buscar respostas, e esse processo é o motor da produção de conhecimento.

A classificação tradicional, cujas bases foram estabelecidas por Lineu no século XVIII, vem sendo abalada por novas técnicas de estudo e por novas ideias sobre como e por que classificar.

As novas tendências da classificação passam a impressão inicial de complicar em vez de facilitar. Para entendê-la, temos que saber como a classificação biológica tem se desenvolvido e quais as novas tendências no assunto. Esses são os desafios que queremos compartilhar com você neste capítulo.

24.1 Fundamentos da classificação biológica

Nos três últimos séculos, cientistas vêm se empenhando em desenvolver um sistema eficiente para organizar e compreender a grande diversidade da vida. Esse sistema é a **classificação biológica**, ou **taxonomia**, que distribui os seres vivos em agrupamentos genericamente denominados **táxons**, estabelecidos com base em semelhanças relevantes entre os organismos.

Os agrupamentos taxonômicos são organizados hierarquicamente, isto é, há grupos mais abrangentes que contêm grupos mais específicos. Por exemplo, o táxon mais abrangente da taxonomia tradicional é o reino. Neste livro, adotamos a divisão dos seres vivos em seis reinos. Um deles é Animalia, que reúne todos os animais, inclusive nossa espécie; outro é **Plantae**, que reúne todas as plantas.

Cada reino, por sua vez, contém táxons menores, denominados filos. No reino Animalia incluem-se atualmente 35 filos, nove dos quais são os mais conhecidos dos não especialistas. Entre esses filos, o que reúne a maior diversidade de espécies é o dos artrópodes (Arthropoda), cuja principal característica é a presença de apêndices corporais articulados e de um esqueleto externo de quitina. É da presença desses apêndices que provém o nome do grupo: em grego, *arthros* significa "articulação", e *podos* significa "pé". Outro conhecido filo de animais, ao qual pertencemos, é o dos cordados (filo Chordata), que reúne animais dotados de notocorda, estrutura dorsal de sustentação presente na fase embrionária. Os filos, por sua vez, também são subdivididos em táxons menores, como veremos adiante.

A classificação biológica proposta por Lineu

Os princípios da classificação biológica moderna foram lançados pelo naturalista sueco Carl von Linné (1707-1778), também conhecido por Carolus Linnaeus, forma latinizada de seu nome (Lineu, em português). As ideias de Lineu sobre classificação foram inicialmente publicadas nas primeiras edições de sua obra *Species plantarum*, de 1753, e na décima edição do livro *Systema naturae*, de 1758. (Fig. 24.1)

ALBUM/AKG-IMAGES/LATINSTOCK - UPPSALA UNIVERSITY ART COLLECTIONS, SWEDEN

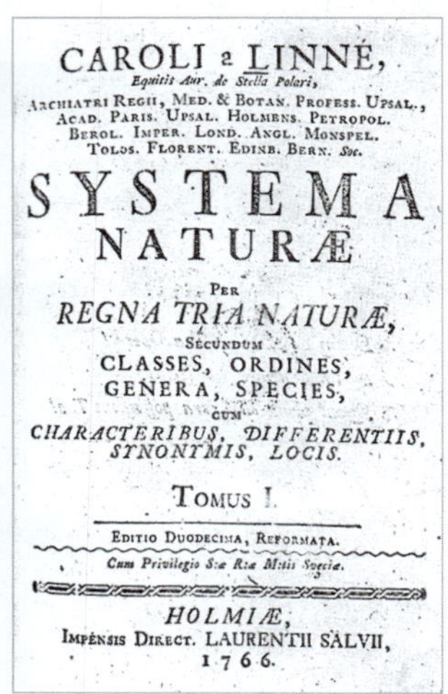

CAROLI a LINNÉ,
Equitis Aur. de Stella Polari,
ARCHIATRI REGII, MED. & BOTAN. PROFESS. UPSAL., ACAD. PARIS. UPSAL. HOLMENS. PETROPOL. BEROL. IMPER. LOND. ANGL. MONSPEL. TOLOS. FLORENT. EDINB. BERN. Soc.

SYSTEMA NATURÆ

PER REGNA TRIA NATURÆ,
SECUNDUM CLASSES, ORDINES, GENERA, SPECIES,
CUM CHARACTERIBUS, DIFFERENTIIS, SYNONYMIS, LOCIS.

TOMUS I.

EDITIO DUODECIMA, REFORMATA.
Cum Privilegio S:æ R:æ M:tis Sveciæ.

HOLMIÆ,
IMPENSIS DIRECT. LAURENTII SALVII,
1766.

ALBUM/AKG-IMAGES/LATINSTOCK

Figura 24.1 À esquerda, retrato do botânico sueco Lineu, que lançou as bases da classificação e da nomenclatura biológicas. À direita, frontispício de seu livro Systema naturae, edição de 1768.

Lineu, como seus antecessores, classificou os seres vivos de acordo com as características semelhantes que apresentavam. Sua grande inovação foi a escolha criteriosa das características a serem comparadas. A seu ver, muitos aspectos utilizados em sistemas anteriores eram inadequados à classificação. Por exemplo, o hábitat dos organismos, utilizado pelos antigos gregos na classificação, para Lineu não deveria ser empregado como um critério taxonômico, pois nos levaria a reunir na mesma categoria seres tão distintos como peixes, baleias, estrelas-do-mar, camarões e ostras.

Lineu concluiu que as características estruturais e anatômicas eram as mais adequadas para agrupar os seres vivos, escolhendo-as como principal critério de seu sistema de classificação.

Os táxons tradicionais

Para Lineu, o táxon mais básico da classificação era a **espécie**, definida por ele como um grupo de indivíduos dotados de características estruturais típicas, ausentes em outros agrupamentos. Espécies que apresentavam semelhanças relevantes eram reunidas em um táxon mais abrangente, o **gênero**.

Seguindo a linha de estabelecer táxons cada vez mais abrangentes, Lineu reuniu gêneros semelhantes em uma categoria maior, a **ordem**; ordens semelhantes eram reunidas em uma **classe**; classes semelhantes, em um **reino**. Posteriormente, seguidores do naturalista sueco criaram outros táxons, como o **filo**[1], entre o reino e a classe, a **família**, entre a ordem e o gênero, e a **tribo**, entre a família e o gênero. Também foram criadas subdivisões dessas categorias taxonômicas principais, indicadas pelos prefixos super, sub e infra. (Fig. 24.2)

A nomenclatura binomial

Um dos méritos de Lineu foi associar à classificação biológica um sistema eficiente de nomenclatura. Ele sugeriu que o nome científico de todo ser vivo fosse composto por duas palavras, a primeira referente ao **epíteto genérico**, e a segunda, ao **epíteto específico**. O termo "epíteto" vem do grego e significa um substantivo ou um adjetivo que denomina pessoas, divindades, seres vivos ou objetos, qualificando-os. Por atribuir dois epítetos para denominar cada espécie, o sistema criado por Lineu ficou conhecido como **nomenclatura binomial**, sendo utilizado até hoje.

Uma das regras da nomenclatura binomial lineana é que os nomes científicos sejam sempre escritos em latim, ou em uma forma latinizada. A primeira letra do epíteto genérico deve ser sempre maiúscula, e a do epíteto específico, sempre minúscula. Além disso, o nome científico deve ser destacado no texto em que aparece, seja em *itálico* ou grifado. Confira esses critérios nos nomes científicos que aparecem no livro.

Na nomenclatura binomial, o epíteto genérico é sempre um substantivo, e o epíteto específico é geralmente um adjetivo, que qualifica o genérico. Por isso, de acordo com as regras nomenclaturais, podemos escrever o nome genérico sozinho, desde que seguido de uma abreviatura padronizada. Por exemplo, para nos referir a um animal do gênero *Canis* sem especificar se é lobo, cão, chacal, coiote etc., apenas acrescentamos após o nome do gênero a abreviatura "sp.", que significa "espécie inespecífica". Veja na frase: "Sem dúvida, trata-se de um *Canis* sp.". Para nos referir simultaneamente a várias espécies do gênero *Canis*, acrescentamos após o nome do gênero a abreviatura "spp.", que significa "duas ou mais espécies". Veja na frase: "Os *Canis* spp. possuem dieta essencialmente carnívora".

Ao contrário do gênero, o epíteto específico não pode ser escrito sozinho. Por exemplo, o nome científico da mosca comum em nossas casas é *Musca domestica*; entretanto, escrever *domestica* isoladamente não identifica essa mosca, pois existem (ou podem existir), em outros gêneros, espécies com esse mesmo epíteto específico. Entre outras espécies que compartilham o epíteto específico *domestica*, podemos citar: *Curcuma domestica* (cúrcuma), uma planta da qual se extrai um corante utilizado em culinária; *Nandina domestica*, um tipo de bambu; *Monodelphis domestica*, um pequeno mamífero marsupial encontrado em florestas da América do Sul.

Ao ser utilizado pela primeira vez em um texto, o nome científico deve ser escrito por extenso; nas demais vezes em que é citado, pode-se abreviar a parte genérica. Por exemplo, depois de inserir o nome científico *Canis lupus* uma primeira vez em um texto, podemos passar a escrevê-lo simplesmente *C. lupus*.

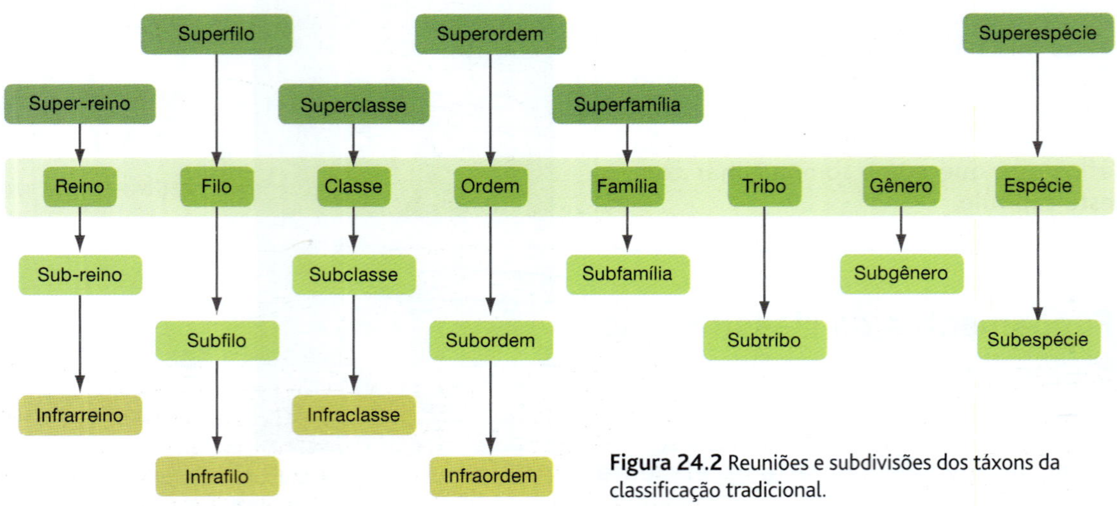

Figura 24.2 Reuniões e subdivisões dos táxons da classificação tradicional.

1 Algumas classificações botânicas mais antigas utilizam o termo divisão em lugar de filo.

Você pode estar se perguntando por que a nomenclatura científica é tão rigorosa. A ideia é que regras bem estabelecidas e aceitas por todos facilitam a comunicação entre os cientistas e mesmo entre os não cientistas. Os nomes populares dos seres vivos variam nos diversos idiomas e até em diferentes regiões de um mesmo país, ao passo que o nome científico é um só: ele designa apenas uma espécie catalogada e descrita detalhadamente pelos taxonomistas, o que evita confusões.

24.2 A Sistemática moderna

A classificação biológica faz parte da Sistemática, o ramo da Biologia que estuda comparativamente todos os apectos da **biodiversidade**, ou **diversidade biológica**. Nesta estão incluídos todos os tipos de variações existentes entre os seres vivos, nos diferentes níveis de organização biológica, desde o nível molecular até os ecossistemas.

Os principais objetivos da Sistemática são:

a) compreender os processos responsáveis pela existência da diversidade biológica (esse também é um objetivo do ramo da Biologia conhecido como Evolução);

b) estabelecer critérios para organizar a biodiversidade;

c) descrever a diversidade biológica, desenvolvendo catálogos o mais completos possível das características típicas de cada espécie, além de atribuir a ela um nome científico.

Sistemática e evolucionismo

A tendência atual da Sistemática é organizar os táxons com base nas relações de parentesco evolutivo entre as espécies. Segundo o evolucionismo, todas as formas de vida são parentes em algum grau, pois necessariamente tiveram ancestrais comuns no passado.

Para a teoria evolucionista, as semelhanças e as diferenças entre as espécies são decorrentes de suas histórias evolutivas particulares. Espécies que se diversificaram mais recentemente de um mesmo ancestral tendem a apresentar mais semelhanças entre si do que espécies cujo grau de parentesco evolutivo é mais antigo. Por exemplo, nossos laços de parentesco com um canário remontam a mais de 250 milhões de anos atrás, quando, a partir de uma linhagem reptiliana, os ancestrais das aves e dos mamíferos se diversificaram. Por outro lado, nosso parentesco com um chimpanzé é bem mais recente: pesquisas estimam que tivemos ancestrais comuns com esses primatas entre 7 e 8 milhões de anos atrás, quando se originaram os ancestrais dos chimpanzés e da nossa espécie. As semelhanças e as diferenças entre seres humanos, chimpanzés e canários refletem esses graus de parentesco.

Um dos grandes desafios da Sistemática é escolher características morfológicas, funcionais ou mesmo moleculares que sejam relevantes para classificar os organismos – isto é, que reflitam seu parentesco evolutivo.

É de se esperar que espécies que hoje compartilham aspectos semelhantes provavelmente os herdaram de um ancestral comum que viveu no passado. Essas características herdadas da ancestralidade em comum são chamadas **homologias evolutivas**. A procura por homologias entre os diferentes grupos de organismos é a base para determinar seu grau de parentesco evolutivo – quanto maior o número de homologias entre duas espécies, mais evolutivamente próximas elas são. Esse é um dos primeiros desafios dos sistematas em sua árdua tarefa de classificar os seres vivos.

No plano morfológico, as homologias podem ser identificadas nos chamados **órgãos homólogos**, estruturas corporais que se desenvolvem de modo semelhante em embriões de diferentes espécies que tiveram ancestralidade comum. Apesar de apresentar a mesma origem embrionária, os órgãos homólogos podem se desenvolver em estruturas bastante distintas, como é o caso dos esqueletos das asas das aves, adaptadas ao voo, e das nadadeiras peitorais dos golfinhos, adaptadas à natação.

As diferentes funções desempenhadas por órgãos homólogos são explicadas pela diversificação das espécies ao longo da evolução. Essa diversificação, denominada **divergência evolutiva**, é resultante da adaptação de cada espécie a modos de vida diferentes. (Fig. 24.3)

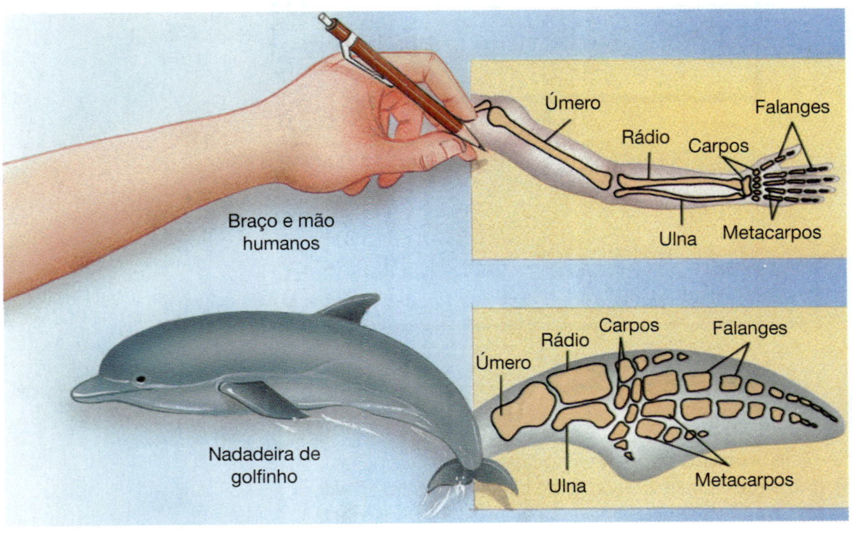

Figura 24.3 Exemplo de estruturas homólogas. Embora tenham funções distintas, os membros superiores de uma pessoa e de um golfinho apresentam esqueletos com o mesmo plano estrutural e com a mesma origem embrionária. (Elementos fora de proporção de tamanho entre si; cores-fantasia.)

É importante notar que a presença de estruturas semelhantes em espécies distintas não significa necessariamente ancestralidade comum. Características parecidas podem evoluir de maneira independente em diferentes linhagens de seres vivos, constituindo adaptações a modos de vida semelhantes.

Esse fenômeno é denominado **convergência evolutiva**. Por exemplo, asas são estruturas adaptadas ao voo e apresentam superfície ampla, que possibilita sustentação no ar. Esse princípio estrutural está presente tanto nas asas de insetos quanto nas das aves, embora tenham origens embrionárias totalmente distintas nesses dois grupos. As asas de um inseto derivam embrionariamente da parte externa do corpo, mais precisamente do ectoderma, ao passo que as asas das aves possuem ossos, músculos e derme derivados do mesoderma embrionário, além da epiderme, que provém do ectoderma. Semelhanças desse tipo são chamadas pelos especialistas de **analogias evolutivas**.

Embora as analogias não sejam utilizadas na determinação do parentesco evolutivo, seu estudo é importante porque revela a adaptação dos seres vivos aos diferentes ambientes. (Fig. 24.4)

Filogenias

Charles Darwin observou que as relações de parentesco evolutivo entre as espécies se assemelhavam a genealogias. Essas relações são representadas por meio de diagramas chamados **filogenias** (do grego *phylon*, grupo, e *genesis*, origem), ou **árvores filogenéticas.**

Em uma árvore filogenética, a divisão de um ramo em dois indica que uma espécie ancestral deu origem a duas novas espécies, ou seja, ocorreu **especiação**. Cada espécie atual representa a extremidade de um ramo da árvore filogenética; se "descermos" pelo ramo, encontraremos o ponto em que ele se une ao ramo vizinho – um "nó", que indica o ancestral mais recente que duas espécies têm em comum. (Fig. 24.5)

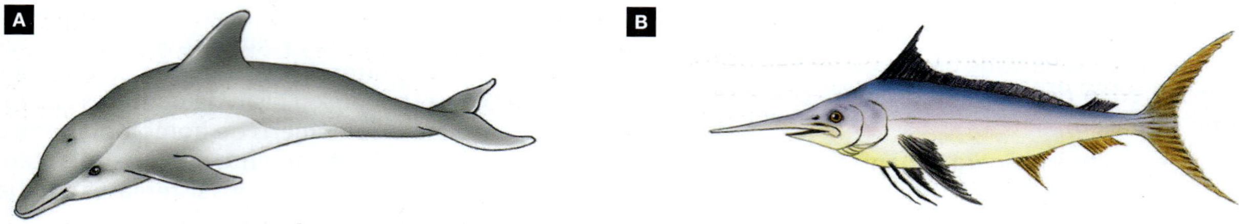

Figura 24.4 Exemplo de convergência evolutiva. A forma hidrodinâmica do corpo surgiu independentemente em diferentes espécies de vertebrados em função de sua adaptação ao modo de vida aquático. **A.** Golfinho. **B.** Peixe ósseo. (Elementos fora de proporção de tamanho entre si; cores-fantasia.)

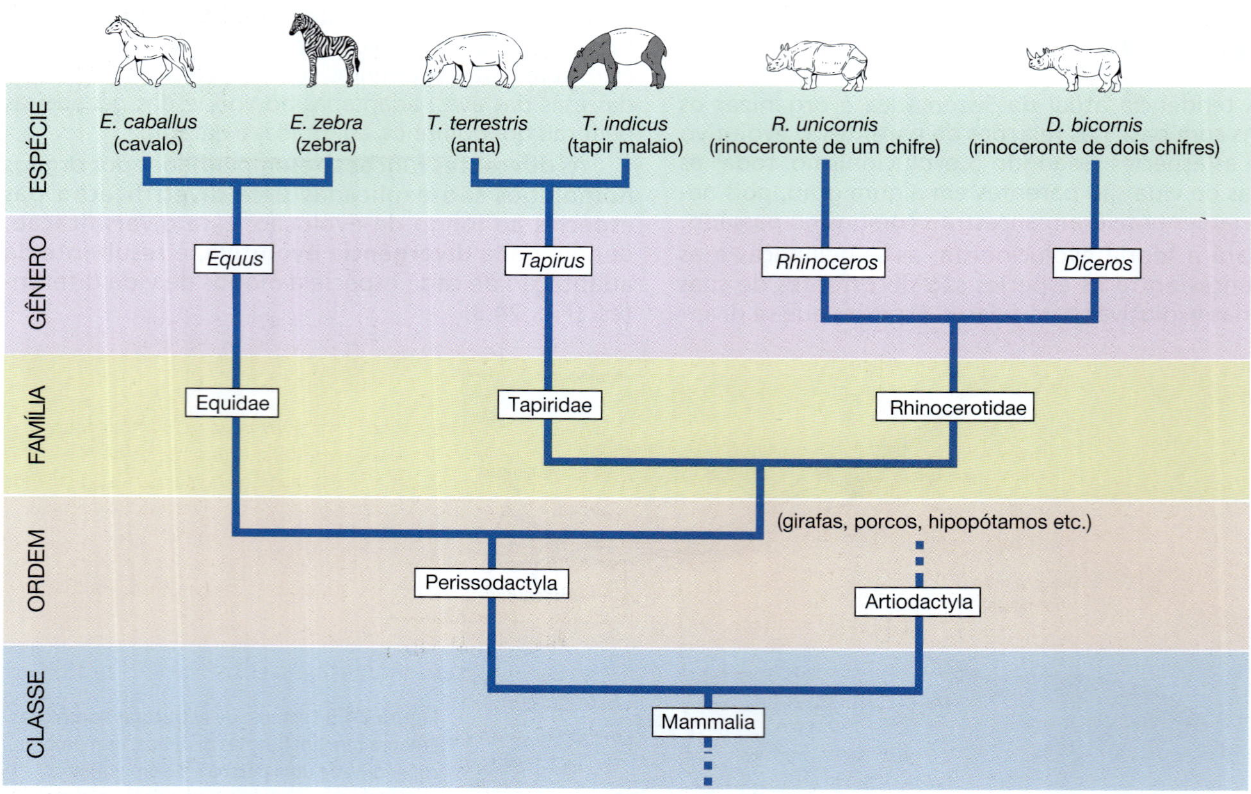

Figura 24.5 Relações de parentesco e classificação de alguns animais da ordem Perissodactyla, uma das muitas ordens incluídas na classe dos mamíferos (Mammalia). (Elementos fora de proporção de tamanho entre si.) (Dados taxonômicos baseados em *Tree of life*. Disponível em: <http://tolweb.org/Eutheria/15997>. Acesso em: mar. 2013.)

Cladística

No começo dos anos 1950, o entomologista alemão Willi Hennig (1913-1976) desenvolveu um método de classificação das espécies baseado exclusivamente na ancestralidade evolutiva. Ele deu a essa classificação o nome de Sistemática Filogenética, que mais tarde passou a ser conhecida como **cladística**. Em lugar das categorias tradicionais, os sistematas cladistas propõem o uso do termo **clado**, ou **clade**, para designar um grupo de espécies constituído por uma espécie ancestral e todos os seus descendentes.

A proposição fundamental da cladística é que, se uma "novidade evolutiva" surgiu e se fixou em uma espécie, as espécies dela derivadas herdarão e compartilharão essa nova característica. A característica compartilhada por dois ou mais táxons e por seu ancestral mais recente é denominada **sinapomorfia**.

Vejamos um exemplo. A maioria dos insetos tem dois pares de asas, mas há espécies com apenas um par, como moscas e mosquitos. Essas espécies de inseto formam o grupo dos dípteros (do grego *di*, duas, e *pteron*, asa). No lugar do segundo par de asas há um par de estruturas em forma de clava, denominadas halteres ou balancins, que funcionam como órgãos de equilíbrio para o voo. Existem evidências de que o par de halteres dos dípteros é uma condição modificada do segundo par de asas, presente em quase todos os outros insetos.

Segundo a cladística, os halteres são a novidade evolutiva que surgiu na espécie ancestral de todos os dípteros. A partir daí, todas as espécies derivadas daquele ancestral compartilham essa sinapomorfia, constituindo o clado dos dípteros. (Fig. 24.6)

THOMAS MARENT/MINDEN PICTURES/LATINSTOCK

CLAUDE NURIDSANY & MARIE PERENNOU/ SCIENCE PHOTO LIBRARY/LATINSTOCK

Figura 24.6 A. A maioria dos insetos apresenta dois pares de asas. Na foto, libélula da espécie *Gomphus vulgatissimus*, que mede mais ou menos 5 cm de comprimento. **B.** Fotografia da parte anterior do corpo de díptero da família Tipulidae, mostrando parte do primeiro par de asas e os halteres, resultantes da transformação do segundo par de asas. Os representantes dessa família têm comprimento variando entre 2 e 6 cm.

De acordo com a cladística, devem ser incluídas no mesmo grupo taxonômico apenas as espécies que compartilham um ancestral comum e exclusivo. Esses grupos são denominados **monofiléticos**. No exemplo que acabamos de ver, todos os insetos dotados de um só par de asas compartilham uma história evolutiva comum, ou seja, descendem da espécie ancestral em que surgiram os halteres. Essa é uma das características que justificam a inclusão de todos os dípteros em um mesmo clado, no caso, a ordem Diptera.

Para os cladistas, muitos grupos da classificação tradicional devem ser revistos, pois não atendem ao critério de possuir um ancestral comum exclusivo. Quando um grupo taxonômico reúne espécies com diferentes ancestralidades, diz-se que ele é polifilético.

A cladística representa as hipóteses de parentesco evolutivo por meio de **cladogramas**, esquemas gráficos semelhantes às árvores filogenéticas, porém construídos segundo os princípios dessa sistemática. Um desses princípios é que novas espécies sempre surgem por cladogênese, processo em que duas espécies se originam de uma espécie ancestral. Cada nó do cladograma representa, portanto, o processo de cladogênese que originou os dois novos ramos. (Fig. 24.7)

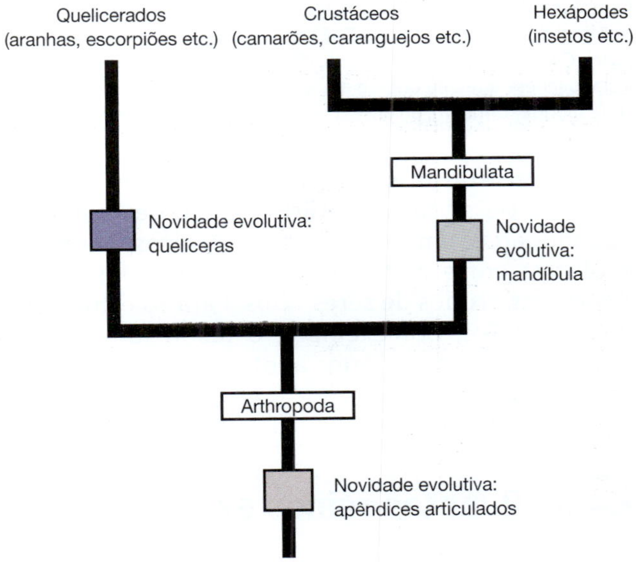

Figura 24.7 No artrópode ancestral, os apêndices articulados surgiram como uma novidade evolutiva. A característica compartilhada "apêndices articulados" é a sinapomorfia que une os Mandibulata e os Chelicerata no táxon monofilético Arthropoda. O ancestral dos Mandibulata, por sua vez, desenvolveu a mandíbula. Essa característica compartilhada entre Crustacea e Hexapoda – a mandíbula – é a sinapomorfia que os une no táxon monofilético Mandibulata.

A aplicação da cladística à classificação biológica vem trazendo mudanças significativas nas árvores filogenéticas construídas pelos métodos tradicionais. Por exemplo, para a classificação tradicional, mamíferos, aves e répteis formam três classes distintas. Já para a cladística, as aves apresentam as mesmas sinapomorfias que os répteis e deveriam, portanto, ser classificadas no mesmo grupo que eles.

A presença de penas, que atualmente está restrita às aves, não é uma característica exclusiva delas, pois ocorria em grupos primitivos extintos com características típicas de répteis. (Fig. 24.8)

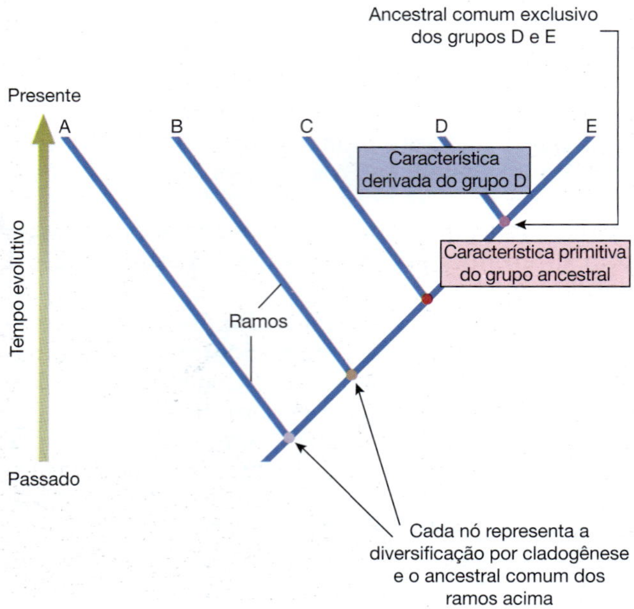

Figura 24.8 Representação genérica de um cladograma. Cada terminal de um ramo (A, B, C, D, E) representa um grupo ou espécie atual. Cada nó indica um ponto de diversificação e representa a cladogênese que deu origem aos grupos que partem dele; corresponde, também, ao ancestral comum exclusivo desses grupos.

Os cladistas discutem se as categorias taxonômicas da classificação tradicional não deveriam ser abandonadas, uma vez que não há correspondência evolutiva entre os táxons, quando se consideram diferentes grupos de seres vivos. Para os estudiosos de mamíferos, por exemplo, o táxon família não segue os mesmos critérios adotados por estudiosos de insetos.

24.3 Quantos reinos existem?

Lineu, assim como outros naturalistas que o precederam, classificava os seres vivos em dois grandes reinos: Animal e Vegetal. Animais eram organismos dotados de mobilidade, heterotróficos, isto é, que se alimentavam de outros seres vivos e com crescimento até determinado tamanho, típico de cada espécie. O reino das plantas incluía todos os seres vivos sem mobilidade própria, autótrofos, isto é, capazes de produzir seu próprio alimento e que podiam crescer indefinidamente.

Com base nesses critérios, organismos unicelulares que se movem ativamente, como os protozoários, eram considerados animais, enquanto algas, fungos e bactérias eram classificados como plantas. Além da movimentação, outro critério para incluir bactérias e fungos no reino das plantas era a presença da parede celular.

O desenvolvimento da Biologia, na primeira metade do século XX, revelou a necessidade de separar os seres vivos em novos reinos. Em 1937, o biólogo francês Edouard Chatton (1883-1947) chamou a atenção para o fato de as bactérias apresentarem células procarióticas, sem núcleo nem organelas membranosas, diferentemente de todos os outros seres vivos, que são dotados de células eucarióticas. Essa significativa diferença levou alguns biólogos a propor a separação das bactérias em um reino exclusivo, denominado **Monera**, termo proposto por Haeckel em 1866 e já empregado anteriormente para designar uma das divisões do reino Protista.

Na década de 1960, Herbert F. Copeland (1902-1968), um professor de Biologia da Califórnia (EUA), sugeriu a divisão dos seres vivos em quatro reinos: Animalia (animais), Plantae (plantas ou vegetais), Protista (protozoários, algas microscópicas e fungos) e Monera (bactérias). Em 1969, o biólogo norte-americano Robert H. Whittaker (1920-1980) ampliou as propostas de Copeland, sugerindo que, além dos quatro reinos propostos por ele, os fungos fossem retirados do reino Protista e inseridos em um reino próprio, **Fungi**.

Na década de 1980, as biólogas norte-americanas Lynn Margulis (1938-2011) e Karlene Schwartz (n. 1936) modificaram a proposta de Whittaker e tentaram definir melhor os limites do reino Protista. Originalmente, Whittaker incluía entre os protistas apenas seres unicelulares eucarióticos e algas multicelulares microscópicas; algas macroscópicas eram classificadas junto às plantas. Na proposta de Margulis e Schwartz, todas as algas, independentemente de seu tamanho, deveriam ser incluídas no mesmo reino dos protozoários, que elas sugeriram denominar Protoctista.

Os progressos na área da Biologia Molecular têm alterado radicalmente a interpretação da história evolutiva dos seres vivos. Em 1977, o biofísico estadunidense Carl Woese (1928-2012) propôs, com base em características moleculares, a divisão dos seres vivos em três domínios, categoria equivalente a um "super-reino". Os domínios são: Bacteria, Archaea e Eukarya.

Apesar de unicelulares e procarióticos, bactérias e arqueas são organismos tão diferentes entre si que foram separados em domínios distintos: **Bacteria** e **Archaea**. Fazendo uma correspondência com a divisão clássica, o domínio Bacteria conteria um único reino, Bacteria; o domínio Archaea, também um único reino, Archaea; já o domínio **Eukarya** compreenderia todos os seres eucarióticos: protozoários, algas, fungos, plantas e animais. Nesse domínio, a quantidade de reinos varia em diferentes sistemas de classificação, podendo atingir o incrível número de 70 a 90 grandes grupos.

Seguindo diversos autores de livros acadêmicos, nesta obra adotamos a divisão dos seres vivos em seis grandes grupos, ou reinos: Bacteria, Archaea, Protoctista, Fungi, Plantae e Animalia. Seja qual for o sistema de classificação adotado, o mais importante é conhecer as principais categorias de seres vivos e as características que levam a incluí-los em um ou em outro reino. (Fig. 24.9)

Figura 24.9 Fotografias de organismos representantes dos seis reinos de seres vivos estudados neste livro. **A.** Eletromicrografia de *Pyrococcus furiosus*, do reino Archaea. (Microscópio eletrônico de varredura; aumento ≈ 4.000×; cores artificiais.) **B.** Eletromicrografia de *Escherichia coli*, do reino Bacteria. (Microscópio eletrônico de varredura; aumento ≈ 8.800×; cores artificiais.) **C.** Alga do gênero *Ulva* (em verde, no centro da foto), bastante comum no litoral brasileiro (reino Protoctista). Tem cerca de 10 cm de altura. **D.** Cogumelos comestíveis *shiitake* (*Lentinus edodes*), representantes do reino Fungi. Medem cerca de 8 cm de diâmetro. **E.** Árvore pau-brasil (*Caesalpinia echinata*), representante do reino Plantae. Pode atingir 12 m de altura. **F.** Besouro *Propylea quatuordecimpunctata*, do reino Animalia. Mede 4 mm de comprimento.

Reinos Bacteria e Archaea

Hoje, graças à contribuição da Biologia Molecular, é possível diferenciar dois grupos bem distintos de organismos procarióticos, **bactérias** e **arqueas**, respectivamente classificadas no reino **Bacteria** e no reino **Archaea**. As características desses dois grupos e as diferenças entre eles serão melhor estudadas no capítulo seguinte.

Reino Protoctista

Muitos sistematas criticam a existência do reino **Protoctista** (antigamente chamado Protista) por reunir organismos com origens evolutivas muito distintas, constituindo um grupo polifilético. A solução seria separar os protoctistas em diversos reinos, o que também é motivo de controvérsia: enquanto alguns estudiosos afirmam que quatro reinos seriam suficientes, outros sugerem um número bem maior, que pode chegar a dezenas. Isso mostra que a classificação desse grupo deverá mudar em um futuro próximo.

Por enquanto, neste livro, incluímos no reino Protoctista os **protozoários**, seres eucarióticos, unicelulares e heterotróficos, e as **algas**, seres eucarióticos, unicelulares ou multicelulares e autotróficos fotossintetizantes. Em classificações mais recentes, os mixomicetos, anteriormente inseridos no reino dos fungos, passaram a fazer parte do reino Protoctista. (Fig. 24.10)

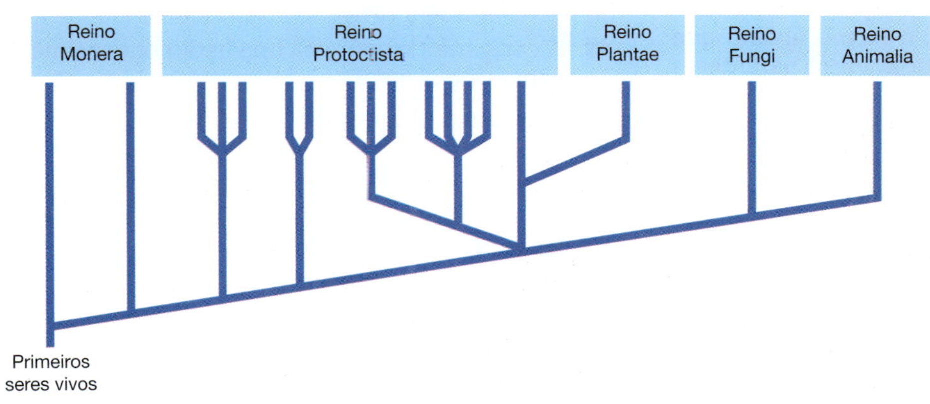

Figura 24.10 Uma hipótese das relações filogenéticas entre os reinos de seres vivos.

Reino Fungi

O reino **Fungi** inclui os **fungos**, seres eucarióticos, unicelulares ou multicelulares, constituídos por filamentos denominados hifas. Os fungos têm semelhanças com as algas na organização e na reprodução, mas diferem delas por serem heterotróficos. Em termos moleculares, eles estão mais próximos dos animais que das plantas.

Em sistemas de classificação mais antigos, os fungos eram incluídos no reino Plantae; depois passaram ao reino Protista e atualmente são classificados em um reino próprio.

Reino Plantae

O reino **Plantae** reúne as **plantas**, seres eucarióticos, multicelulares e autotróficos fotossintetizantes. As plantas têm células diferenciadas, que formam tecidos corporais razoavelmente bem definidos. Musgos, samambaias, pinheiros e plantas frutíferas são os principais grupos que compõem o reino Plantae.

A sinapomorfia que caracteriza os integrantes desse reino é a presença de embriões multicelulares que, durante o desenvolvimento, retiram alimento diretamente da planta genitora. De acordo com esse critério, as algas multicelulares são excluídas do reino das plantas, pois não formam embriões desse tipo.

Reino Animalia

O reino **Animalia** reúne os **animais**, seres eucarióticos, multicelulares e heterotróficos. Esse grupo inclui uma grande variedade de organismos, desde os muito simples, como as esponjas, até animais complexos como os cordados, grupo ao qual pertencemos.

A sinapomorfia que caracteriza os animais é o estágio embrionário de blástula, uma esfera celular oca. A blástula origina a gástrula, fase embrionária em que são "esboçados" os tecidos do novo ser.

Vírus

Os **vírus** não são incluídos em nenhum dos reinos, pois são **acelulares**, ou seja, não são constituídos por células. Os vírus são formados por uma ou poucas moléculas de ácido nucleico, que pode ser o DNA ou o RNA, envoltas por um revestimento de moléculas de proteínas.

Vírus são sempre **parasitas intracelulares**, pois somente conseguem se reproduzir no interior de células. Fora da célula hospedeira, são completamente inertes e não se reproduzem.

Atividades

Visão do especialista

Biblioteca do estudante
Faça você mesmo!

Revendo conceitos fundamentais

Escreva, em seu caderno, o termo abaixo que substitui corretamente a tarja entre parênteses nas frases de 1 a 4.

a) cladística
b) filogenia
c) sinapomorfia
d) Sistemática

1. (▬) é o ramo da Biologia que se dedica a estudar a biodiversidade, sua organização e classificação.
2. Uma característica originada em um ancestral como uma novidade evolutiva e compartilhada por dois ou mais grupos de organismos dele descendentes é uma (▬).
3. (▬) é a representação gráfica das supostas relações de parentesco entre espécies.
4. Uma tendência moderna de classificação dos seres vivos é a (▬), baseada exclusivamente na ancestralidade evolutiva.

Escreva, em seu caderno, o termo abaixo que substitui corretamente a tarja entre parênteses nas frases de 5 a 8.

a) biodiversidade
b) clado
c) cladograma
d) táxon

5. (▬) é um grupo de seres vivos reunido com base em características semelhantes.
6. (▬) engloba todas as variações biológicas, nos diversos níveis de organização.
7. A representação gráfica das relações de parentesco evolutivo de acordo com as regras da cladística é o(a) (▬).
8. Um grupo de espécies constituído por uma espécie ancestral e todos os seus descendentes é denominado (▬).

Escreva, em seu caderno, o termo abaixo que substitui corretamente a tarja entre parênteses nas frases de 9 a 14.

a) classe
b) espécie
c) família
d) filo
e) gênero
f) ordem
g) reino

9. Um conjunto de classes reunidas pelas semelhanças constitui um(a) (▬).
10. Ordens com características semelhantes são reunidas em um(a) (▬).
11. Um(a) (▬) reúne espécies semelhantes.
12. A categoria mais abrangente da classificação tradicional é o(a) (▬).
13. A categoria taxonômica imediatamente acima de gênero é o(a) (▬).
14. A reunião de famílias semelhantes constitui a categoria taxonômica denominada (▬).
15. Como são denominados os diagramas que relacionam diferentes ancestrais e as relações de parentesco evolutivo entre os seres vivos?
    a) Árvores filogenéticas.
    b) Árvores genealógicas.
    c) Árvores taxonômicas.
    d) Diagramas sistemáticos.

Escreva, em seu caderno, o termo abaixo que substitui corretamente a tarja entre parênteses nas frases de 16 a 19.

a) Animalia
b) Archaea
c) Bacteria
d) Fungi
e) Plantae
f) Protoctista

16. O reino (▬▬) reúne organismos fotossintetizantes que formam embriões multicelulares dependentes do genitor durante o desenvolvimento.

17. Organismos multicelulares não fotossintetizantes que apresentam o estágio embrionário de blástula pertencem ao reino (▬▬).

18. Considerado polifilético, o reino (▬▬) reúne algas e protozoários.

19. Organismos heterotróficos cujas espécies multicelulares formam hifas são classificados atualmente no reino (▬▬).

Ligando conceitos, fatos e processos

20. Qual das alternativas a seguir traz grafado corretamente o nome científico de uma espécie de ser vivo?

a) <u>Canis Familiaris</u>
b) Homo pp.
c) solanum tuberosum
d) *Zea mays*

21. Dois organismos que pertencem à mesma ordem pertencem necessariamente a qual outro táxon?

a) Classe.
b) Família.
c) Gênero.
d) Espécie.

22. Em qual destes táxons espera-se encontrar organismos com maior grau de semelhança?

a) Classe.
b) Família.
c) Filo.
d) Gênero.

23. Por que os vírus não são incluídos em nenhum dos seis reinos de seres vivos?

a) Porque são acelulares.
b) Porque são eucarióticos.
c) Porque são parasitas.
d) Porque são procarióticos.

24. Como poderia ser classificado um organismo unicelular, eucariótico e heterotrófico?

a) Como alga.
b) Como bactéria.
c) Como fungo.
d) Como planta.

25. Por que os representantes dos reinos Archaea e Bacteria distinguem-se dos integrantes dos demais reinos?

a) Por serem autotróficos.
b) Por serem eucarióticos.
c) Por serem heterotróficos.
d) Por serem procarióticos.

26. Que tipo de característica os sistematas cladistas procuram para estabelecer as relações de parentesco evolutivo entre os grupos de seres vivos?

a) Analogias evolutivas.
b) Características estruturais relevantes.
c) Homologias evolutivas.
d) Órgãos análogos.

27. "Asas de aves e de insetos são estruturas (1), exemplificando uma (2)." Qual alternativa traz os termos que substituem corretamente os números 1 e 2, na frase anterior?

a) 1 = análogas; 2 = convergência evolutiva.
b) 1 = análogas; 2 = divergência evolutiva.
c) 1 = homólogas; 2 = convergência evolutiva.
d) 1 = homólogas; 2 = divergência evolutiva.

Questões para exercitar o pensamento

28. No cladograma a seguir estão representadas as relações filogenéticas entre as espécies A, B e C. Os quadrados coloridos correspondem aos ancestrais comuns de quais grupos?

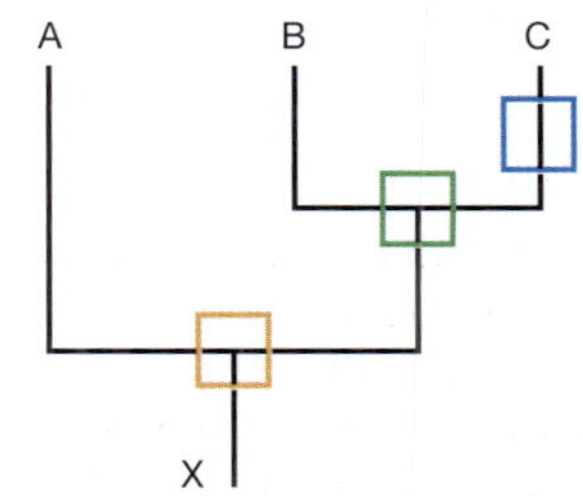

29. Analise o cladograma a seguir, que mostra as relações filogenéticas entre quatro animais tetrápodes – morcego, camundongo, crocodilo e canário –, que compartilham a sinapomorfia "2 pares de membros". Os membros anteriores desses animais são homólogos e, em cada grupo, diferenciam-se de acordo com adaptações de cada um, caracterizando o que se denomina divergência evolutiva. Certifique-se de ter compreendido plenamente essas afirmações, relendo o texto do capítulo e relacionando-o com o cladograma.

Lembre-se de que comentamos que nem todas as semelhanças são homologias. Por exemplo, o morcego e o canário têm asas, enquanto camundongos e crocodilos não têm. Será que isso significa que canários e morcegos têm parentesco evolutivo mais próximo entre si que camundongos e crocodilos? Para responder, analise a parte superior do cladograma, onde é possível perceber que a novidade evolutiva "asas" desenvolveu-se independentemente nas linhagens ancestrais de canários e de morcegos. Nesse caso, trata-se de homologia ou de analogia? Podemos falar de divergência evolutiva ou de convergência? Explique e comente.

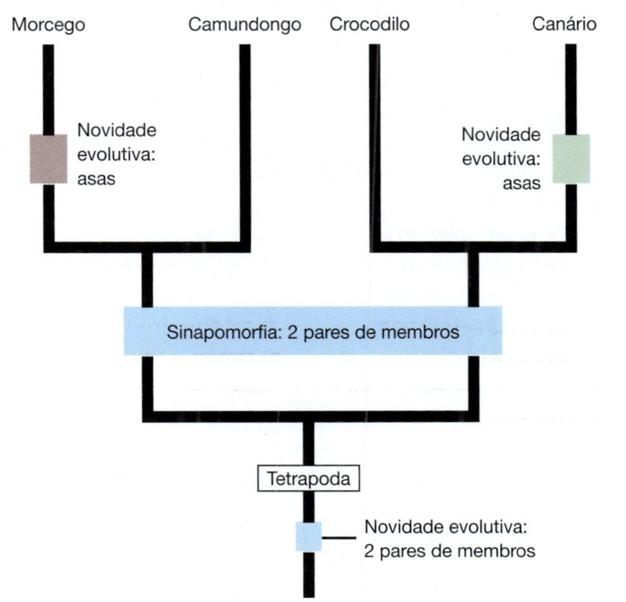

A Biologia no vestibular e no Enem

Questões objetivas

1. (UEA-AM) Sobre a classificação dos seres vivos, é correto afirmar:

a) O reino Monera é representado por seres pluricelulares destituídos de parede celular.
b) O reino Protista é representado por organismos procariontes unicelulares com reprodução assexuada e sexuada.
c) O reino Plantae é representado geralmente por seres procariontes unicelulares e autotróficos fotossintetizantes.
d) O reino Fungi é representado por eucariontes que podem ser unicelulares ou ter o corpo formado por filamentos (hifas).
e) O reino Animalia é representado somente por procariontes pluricelulares.

2. (UFG-GO) As categorias sistemáticas, ou *taxas*, colocadas ordenadamente, em graus hierárquicos, são:

a) reino, divisão, classe, família, ordem, gênero, espécie.
b) reino, classe, divisão, ordem, família, gênero, espécie.
c) reino, divisão, classe, ordem, família, gênero, espécie.
d) reino, classe, divisão, família, ordem, gênero, espécie.
e) reino, divisão, família, classe, ordem, gênero, espécie.

Nota: a categoria divisão, utilizada em certas classificações botânicas, corresponde a filo.

3. (Ufes) Têm maior grau de semelhança entre si dois organismos que estão colocados dentro de uma das seguintes categorias taxonômicas:

a) classe. c) família. e) ordem.
b) divisão. d) gênero.

4. (Uespi) A reorganização taxonômica dos seres vivos baseada em aspectos evolutivos e filogenéticos, proposta por Karl Woese em 1978, demonstrou a existência de três linhagens celulares conhecidas como "domínios". Sobre este assunto, é correto afirmar que:

a) os domínios são categorias taxonômicas acima de reino.
b) o domínio Archea inclui bactérias que podem causar doenças ao homem.
c) o domínio Eukaria inclui fungos, algas azuis, protistas e vegetais.
d) o domínio Eubacteria inclui organismos encontrados em ambientes ácidos ou hipersalinos.
e) a existência dos domínios não alterou o sistema de classificação dos cinco reinos proposta por Robert Whittaker em 1969.

5. (Fuvest-SP) Um pesquisador estudou uma célula ao microscópio eletrônico, verificando a ausência de núcleo e de compartimentos membranosos. Com base nessas observações, ele concluiu que a célula pertence a:

a) uma bactéria. c) um animal. e) um vírus.
b) uma planta. d) um fungo.

6. (UFRGS-RS) Os cinco cladogramas das alternativas ilustram relações filogenéticas entre os táxons hipotéticos 1, 2, 3, 4 e 5. Quatro desses cladogramas apresentam uma mesma hipótese filogenética. Determine a alternativa que contém o cladograma que apresenta hipótese filogenética diferente das demais.

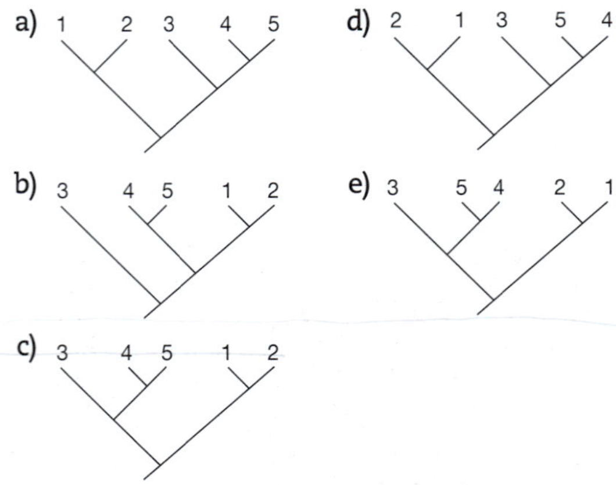

7. (ENC-MEC) O esquema abaixo representa três categorias taxonômicas inclusivas.

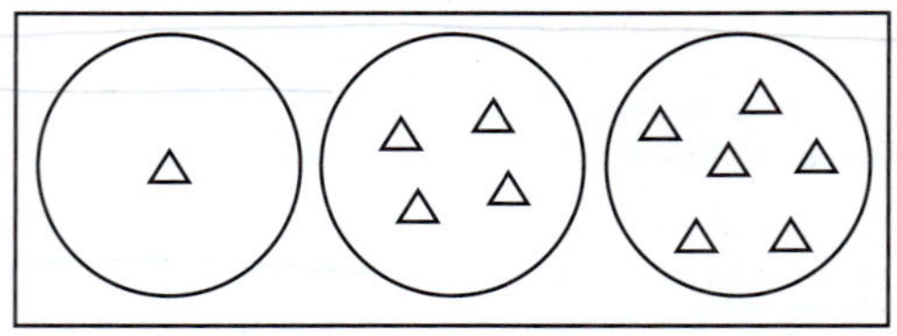

Se os triângulos representarem o táxon espécie, o quadrilátero será:

a) uma família contendo dois gêneros e uma única espécie.
b) uma família contendo um único gênero, no qual foram classificadas onze espécies.
c) uma família contendo um gênero monotípico e dois gêneros com várias espécies.
d) um gênero contendo três espécies diferentes entre si e pertencentes a famílias distintas.
e) um gênero contendo onze subespécies diferentes entre si, mas pertencentes à mesma família.

Questões discursivas

8. (UEG-GO) Na atualidade, o sistema utilizado para a classificação taxonômica de todos os organismos vivos existentes é o binomial.

a) O que é a nomenclatura binomial?
b) Por que uma nomenclatura binomial é preferencialmente utilizada ao invés de nomes comuns?

9. (Vunesp) Alunos de uma escola, em visita ao zoológico, deveriam escolher uma das espécies em exposição e pesquisar sobre seus hábitos, alimentação, distribuição etc. No setor dos macacos, um dos alunos ficou impressionado com a beleza e a agilidade dos macacos-pregos. No recinto desses animais havia uma placa com a identificação:

> Nome vulgar: *Macaco-prego (em inglês Ring-tail Monkeys ou Weeping capuchins).*
> Ordem Primates.
> Família Cebidae.
> Espécie *Cebus apella*.

Esta foi a espécie escolhida por esse aluno. Chegando em casa, procurou informações sobre a espécie em um *site* de busca e pesquisa na internet. O aluno deveria digitar até duas palavras-chave e iniciar a busca.

a) Que palavras o aluno deve digitar para obter informações apenas sobre a espécie escolhida?
b) Justifique sua sugestão.

Capítulo 25 Vírus e bactérias

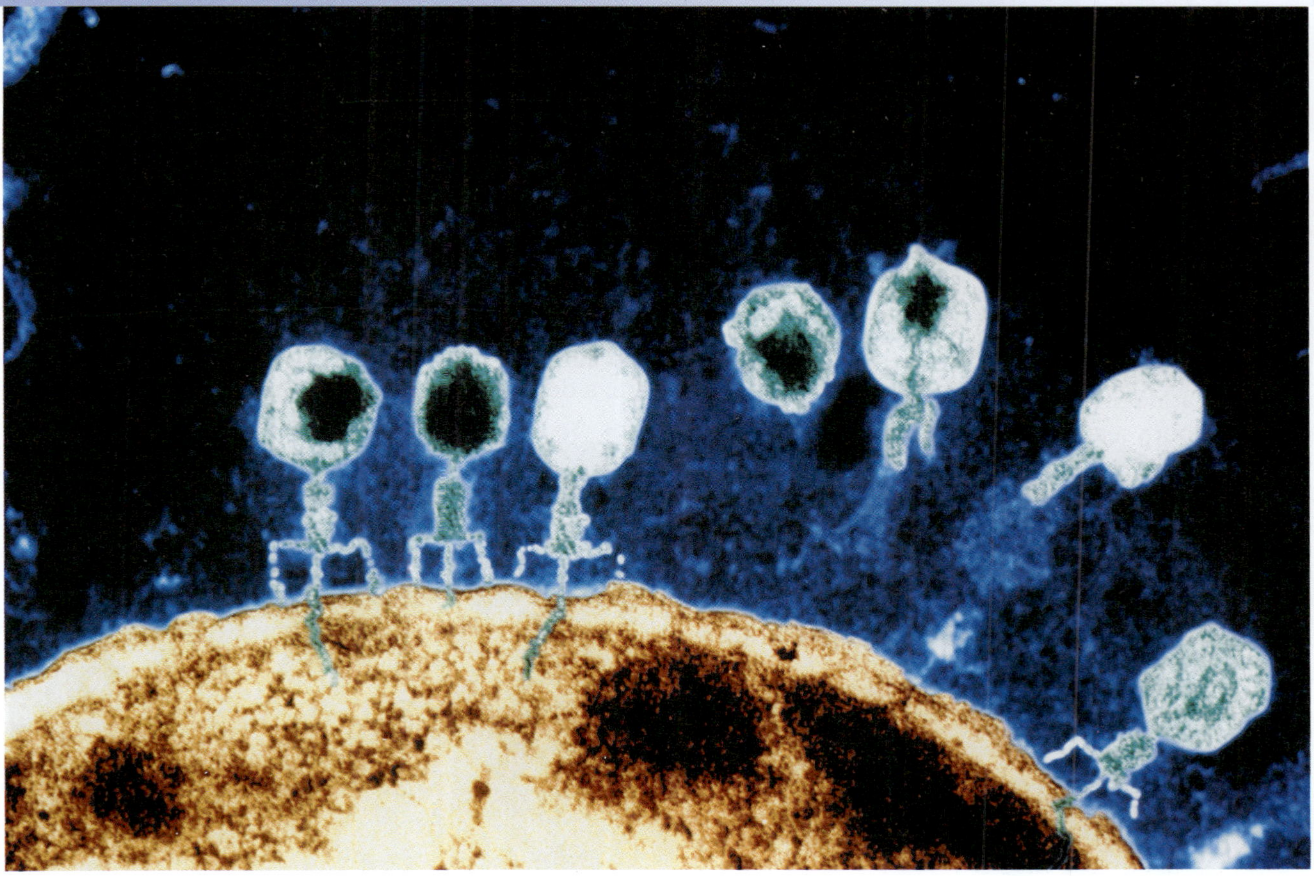

EYE OF SCIENCE/SCIENCE PHOTO LIBRARY/LATINSTOCK

Nesta imagem impressionante, obtida ao microscópio eletrônico de transmissão, podemos ver vírus bacteriófagos atacando uma bactéria, que aparece em marrom. Ao pousarem na superfície, os vírus injetam seu DNA na bactéria, que passa a funcionar exclusivamente na produção de novos vírus. (Cores artificiais; aumento ≈ 150.000×)

Transformando antigos inimigos em aliados

Quem diria? Até entre os vírus e as bactérias, popularmente considerados grandes inimigos da humanidade, podem ser encontrados aliados. Recentes descobertas revelam aspectos fundamentais da natureza dos microrganismos e do nosso relacionamento com eles. É o conhecimento científico novamente mudando nossa visão de mundo...

Não se pode negar que a maioria dos vírus prejudica outros seres vivos, pois eles são estritamente parasitas e só se reproduzem no interior de células. No entanto, não podemos colocar as bactérias no mesmo "saco", como muita gente faz. Bactérias são bem diferentes dos vírus em muitos aspectos, a começar pelo fato de serem formadas por uma célula. Além disso, apenas algumas bactérias têm hábitos parasitários que causam doenças.

A má fama das bactérias vem da época de Pasteur e de Koch, com a descoberta de doenças humanas e de animais provocadas por microrganismos, então conhecidos como "micróbios". Daí surgiu a teoria microbiana da doença, segundo a qual a maioria das enfermidades era causada por micróbios.

Mesmo depois de saber que nem todas as doenças são provocadas por microrganismos, a má fama permaneceu. Não faz muito tempo, alguns médicos chegavam a uma absurda generalização ao afirmar que "bactéria boa é bactéria morta".

Os estudos têm mostrado a importância dos microrganismos nos ecossistemas e o enorme potencial de aplicação de vírus e bactérias em áreas como Medicina, Bioquímica, Genética e Ecologia. Sabe-se, por exemplo, que a maior parte das espécies de bactéria desempenha papel fundamental na manutenção da vida na Terra; sem elas, nosso planeta seria muito diferente, talvez completamente inóspito. Além disso, os novos conhecimentos sobre a habilidade dos vírus em infectar as células, por exemplo, abrem a possibilidade da criação de terapias intracelulares, com as quais genes corretivos inseridos no genoma viral seriam levados diretamente às células que deles necessitam. Já é uma realidade o emprego de bactérias como "fábricas" microbiológicas para a produção de proteínas humanas, como o hormônio de crescimento e a insulina.

Todo esse conhecimento permite não apenas o controle de microrganismos causadores de doenças, mas também sua utilização em tecnologias benéficas à humanidade. Esses organismos são tão importantes para a espécie humana que, ao saber mais sobre eles, ampliamos nossas qualidades como cidadãos. Aprenda e avalie.

A importância do assunto

Neste capítulo, tratamos das principais características de vírus e bactérias, com ênfase em seu ciclo reprodutivo e em sua capacidade de provocar doenças.

Embora sejam muito pequenos, vírus e bactérias estão longe de ser insignificantes. Basta ver o número de epidemias devastadoras causadas por eles ao longo da história. Conhecer as formas de transmissão dos microrganismos capazes de provocar doenças é um ato em prol da cidadania, porque nos permite prevenir sua disseminação e promover nossa saúde e a das pessoas ao nosso redor.

25.1 Vírus

Simplicidade e sofisticação dos vírus

O termo **vírus** (do latim *virus*: veneno) designa um grupo variado de entidades biológicas cujo diâmetro situa-se entre 15 e 300 nm (0,015 a 0,3 μm). Por serem tão pequenos, eles somente podem ser visualizados ao microscópio eletrônico.

Os vírus são **acelulares**, ou seja, não são formados por células, o que os diferencia dos demais seres vivos. Quando comparados às mais simples células vivas, eles revelam sua grande simplicidade estrutural: são constituídos basicamente por ácido nucleico (DNA ou RNA) envolto por moléculas de proteínas.

A simplicidade da estrutura dos vírus está relacionada ao fato de todos eles serem **parasitas intracelulares obrigatórios**. Em outras palavras, o ciclo vital de um vírus ocorre apenas no interior de células vivas. Quando estão fora das células hospedeiras, os vírus não conseguem se multiplicar nem manifestam nenhum tipo de atividade metabólica. Entretanto, quando invadem as células adequadas, comportam-se como piratas implacáveis: assumem o comando das atividades celulares, levando-as a trabalhar na produção de novos vírus. Os vírus estão no limite da definição de vida, mantendo apenas a característica mais essencial: a capacidade de reprodução.

Características gerais dos vírus

Há uma grande variedade de vírus capazes de atacar células de todos os grupos de seres vivos, desde bactérias até plantas e animais, incluindo a espécie humana. Cada espécie viral é altamente específica, isto é, só consegue invadir alguns tipos de célula de uma ou de poucas espécies hospedeiras.

A invasão de uma célula hospedeira por um vírus é chamada **infecção viral** e traz profundas alterações no metabolismo celular. Em alguns casos, as células hospedeiras infectadas por vírus passam a se dividir sem controle, originando tumores. Entretanto, o destino de grande parte das células infectadas é a morte, que ocorre quando os novos vírus formados saem delas, provocando sua destruição.

As doenças causadas por vírus são genericamente denominadas **viroses**. Entre as viroses humanas mais conhecidas estão a aids, as gripes, o sarampo, a catapora, a dengue e a poliomielite, entre outras. (Fig. 25.1)

TRISNADI/AP PHOTO/GLOW IMAGES

Figura 25.1 A gripe aviária — popularmente conhecida como "gripe do frango" — é uma virose animal responsável por grandes prejuízos na Ásia e na Europa. Muitos países têm sido obrigados a sacrificar e incinerar parte de suas criações de aves na tentativa de erradicar esse vírus. (Surabaia, Indonésia, 2007.)

A estrutura viral

Os vírus são constituídos por uma ou algumas moléculas de ácido nucleico, que pode ser DNA ou RNA, protegidas por um envoltório proteico denominado **capsídio**. Os ácidos nucleicos virais, envoltos pelas proteínas do capsídio, constituem o **nucleocapsídio**.

Os vírus causadores da catapora e da hepatite B, por exemplo, são vírus de DNA; os causadores da gripe, do sarampo, da poliomielite, da aids (HIV), entre outros, são vírus de RNA etc.

Certos tipos de vírus apresentam, além do nucleocapsídio, o **envelope viral**, um envoltório lipoproteico formado por fragmentos da membrana plasmática da célula hospedeira. A partícula viral completa, com tamanho e forma típicos de cada espécie, constitui o **vírion**. (Fig. 25.2)

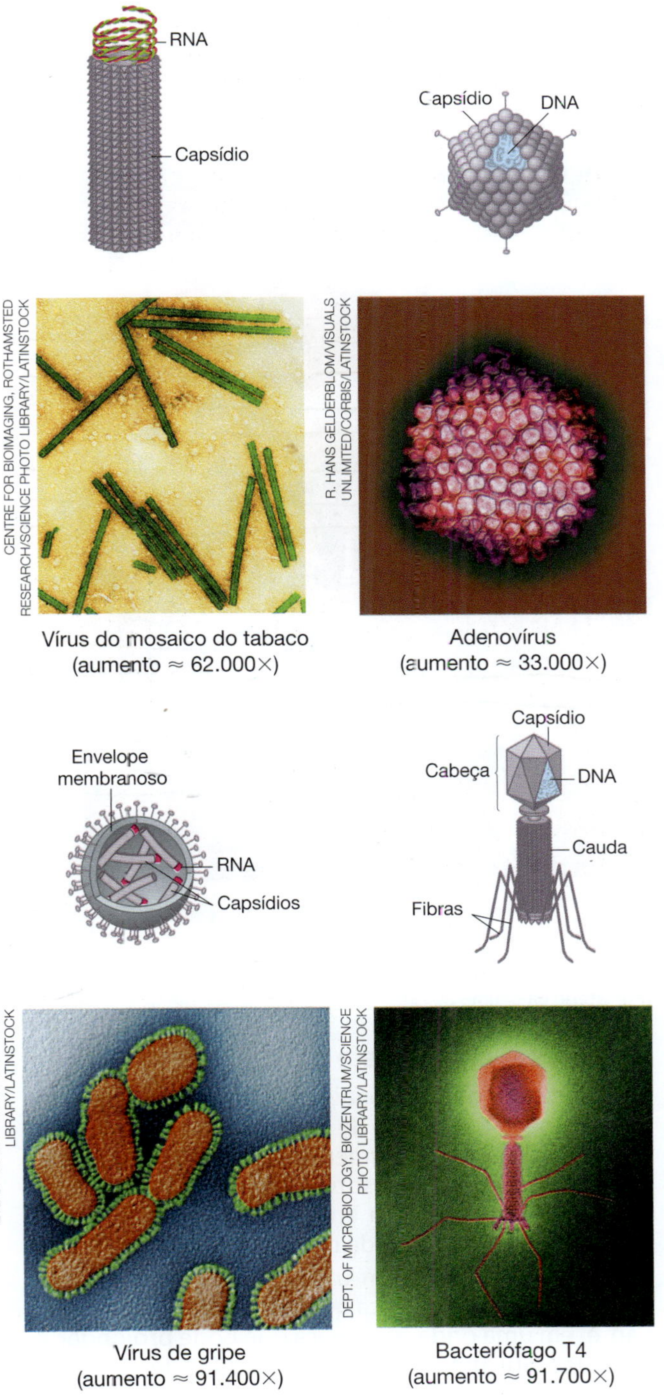

Figura 25.2 Representação esquemática de alguns vírus, com parte do capsídio removida para mostrar o ácido nucleico em seu interior. (Elementos fora de proporção de tamanho entre si; cores-fantasia.) Abaixo de cada ilustração, micrografias desses mesmos vírus ao microscópio eletrônico de transmissão (colorizadas artificialmente).

Na superfície do vírion há proteínas capazes de se unir a componentes específicos da membrana da célula hospedeira, chamados receptores virais. A capacidade de infectar uma célula depende justamente da união entre as proteínas "ligantes" do vírus e os receptores virais da célula hospedeira, como um encaixe chave-fechadura.

É a necessidade dessa associação molecular exata que torna os vírus tão específicos: eles só conseguem infectar células dotadas de receptores compatíveis com suas proteínas ligantes.

Como os vírus se multiplicam

De maneira simplificada, podemos dizer que, se a célula hospedeira fosse comparada a um computador (*hardware*), um vírus corresponderia a um *CD-ROM* com o programa (*software*) para a produção de novos vírus. Esse "programa genético", o genoma viral, está contido no ácido nucleico do vírus.

Quando estão fora do computador, as instruções do programa gravado em um *CD-ROM* não têm como ser executadas. Da mesma maneira, enquanto não encontra uma célula em que possa penetrar, o vírus não manifesta nenhum tipo de atividade metabólica: não fabrica nem transforma substâncias, não cresce, não se reproduz etc. Entretanto, ao encontrar a célula hospedeira apropriada, ele insere nela seu programa genético, que entra em ação e passa a utilizar a maquinaria bioquímica celular para a produção de novos vírus.

A forma de penetração dos vírus na célula hospedeira e sua multiplicação variam entre os tipos virais. Acompanhe, como exemplo, a multiplicação de um vírus bacteriófago, a seguir.

Ciclo de um vírus bacteriófago

Bacteriófagos, ou fagos, são os vírus que atacam bactérias. O fago T4, por exemplo, é um vírus de DNA cujo capsídio proteico é constituído por uma "cabeça" facetada e por uma "cauda" cilíndrica. No interior da cabeça está presente uma longa molécula de DNA viral compactada.

Ao encontrar bactérias com potencial para ser hospedeiras, os fagos, por meio de proteínas ligantes presentes em sua cauda, aderem aos receptores virais da parede bacteriana. Em seguida, perfuram a parede e a membrana plasmática da bactéria e injetam seu DNA no citoplasma bacteriano. A cabeça e a cauda do bacteriófago permanecem do lado de fora, sem penetrar na célula.

No interior da célula bacteriana, o DNA do fago assume o comando, direcionando o metabolismo celular para a produção de dezenas de novos vírus. Cerca de 30 minutos após a penetração do DNA de um único fago invasor, a bactéria se rompe e libera dezenas de novos fagos, que podem infectar imediatamente outras bactérias ao redor e reiniciar o ciclo. (Fig. 25.3)

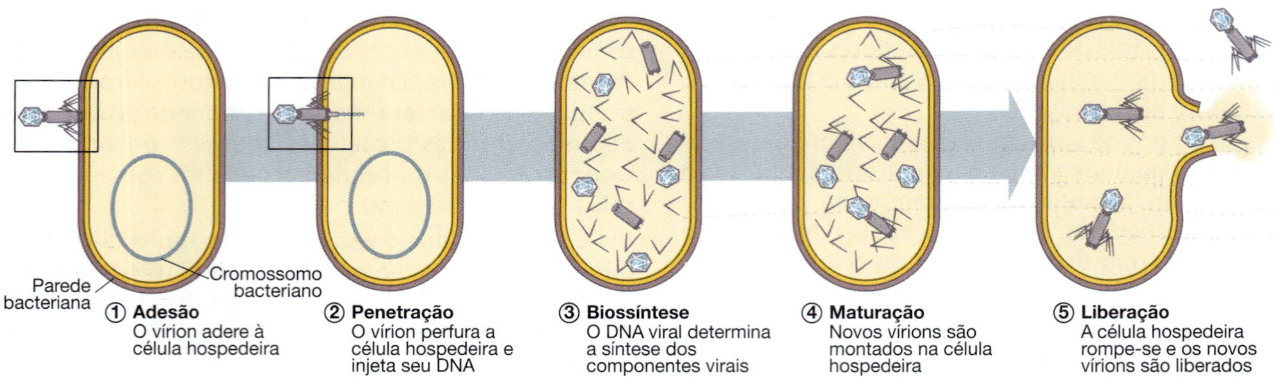

Figura 25.3 Ciclo reprodutivo do bacteriófago T4. (Elementos fora de proporção de tamanho entre si; cores-fantasia.) (Baseado em Tortora, G. J. e cols., 1995.)

Vírus e doenças humanas

Conteúdo multimídia
Ciclo do vírus da gripe

Transmissão de doenças virais

Certos vírus não duram muito tempo fora dos hospedeiros e sua transmissão requer o contato direto entre um portador e um novo hospedeiro. Vírus causadores do herpes, por exemplo, que atacam a pele e as mucosas, podem ser adquiridos pelo simples contato físico entre duas pessoas.

Outros vírus somente se transmitem através de secreções, como o vírus da raiva, presente na saliva de animais infectados, e o HIV (agente causador da aids), presente em fluidos como esperma e sangue. Vírus de gripe passam de uma pessoa para outra através de gotículas de muco expelidas ao falar, rir ou espirrar.

Certos vírus mantêm sua capacidade infectante por longo tempo, mesmo fora de um hospedeiro. Nesses casos, o reservatório viral é o ambiente não vivo. De modo geral, vírus que atacam o sistema digestório, sendo eliminados com as fezes, têm como reservatório o solo ou a água contaminados por esgotos. Entre os vírus transmitidos por água e alimentos contaminados estão os causadores de gastrenterites, poliomielite e hepatites A e E.

Alguns tipos de vírus podem atacar tanto células humanas quanto células de outros animais. Assim, uma pessoa pode infectar-se pelo contato com um animal portador do vírus. Doenças humanas causadas por esses tipos de vírus são conhecidas como **zoonoses virais**. As espécies animais em que esses vírus estão presentes são seus reservatórios naturais. A raiva, também chamada hidrofobia, é uma zoonose cujos reservatórios naturais do vírus são os morcegos. Além deles, cães, gatos ou outros mamíferos contaminados também podem transmitir o vírus da raiva aos seres humanos.

Há vírus transmitidos por animais "vetores", principalmente insetos. Eles são genericamente denominados arbovírus (sigla do inglês ***arthropod borne virus***, que significa "vírus transmitido por artrópode"). Certos mosquitos são importantes vetores virais, adquirindo vírus ao sugar sangue de pessoas infectadas e transmitindo-os ao picar pessoas sadias. Vírus da febre amarela, da dengue e de diversas encefalites são tipos de arbovírus, cujos vetores são mosquitos. (Fig. 25.4)

Figura 25.4 Cartaz de campanha de combate à dengue (Ministério da Saúde, 2013).

Epidemias, endemias e pandemias

Em termos populacionais, as doenças infecciosas podem ocorrer na condição de epidemias ou de endemias. O aumento súbito no número de casos de uma doença em uma população constitui uma **epidemia**. Quando uma doença se mantém em frequência praticamente constante em determinada região, fala-se em **endemia**.

Costuma-se também utilizar o termo **pandemia** para designar uma doença que atinge mais de um continente, em uma onda epidêmica que pode prolongar-se por anos. **Surto** é uma forma particular de epidemia, em que todos os casos estão relacionados entre si.

Uma das grandes pandemias virais da atualidade é a aids, causada pelo vírus HIV. Essa doença será estudada mais adiante, no capítulo 33, no item referente à circulação sanguínea.

Tratamento e prevenção de doenças virais

Até o momento, poucas drogas terapêuticas mostraram-se efetivas no combate aos vírus. Os antibióticos, altamente eficazes contra bactérias, não eliminam infecções virais. Já foram descobertas drogas capazes de impedir a multiplicação de ácidos nucleicos virais, e que tratam com relativo sucesso infecções como o herpes. O HIV, causador da aids, tem sido combatido com coquetéis de drogas que dificultam tanto a multiplicação do ácido nucleico quanto a produção das proteínas virais.

O combate mais efetivo às doenças virais é a **prevenção**, que deve ser realizada de vários modos: pela vacinação, por medidas de saneamento básico e de preservação do ambiente, pela ação da saúde pública e por cuidados pessoais.

Vacinas antivirais são preparadas com vírus previamente mortos ou atenuados por tratamentos físicos e químicos. Ao entrar em contato com os componentes virais presentes na vacina, o organismo reage produzindo anticorpos específicos contra aquele tipo de vírus. Se a pessoa vacinada é infectada pelo vírus causador de uma doença contra a qual ela foi imunizada, os anticorpos presentes no sangue combatem rapidamente a infecção. As amplas campanhas de vacinação contra a varíola humana promovidas nas últimas décadas, por exemplo, levaram à total erradicação dessa doença no mundo.

Entre as vacinas atualmente utilizadas, as que previnem a poliomielite e o sarampo têm se mostrado bastante eficazes.

Ciência e cidadania

Um problema mundial de saúde: gripe

Pandemias de gripe

1 Embora seja uma doença corriqueira, milhares de pessoas morrem anualmente em decorrência da infecção pelo vírus de gripe. Na grande pandemia, ocorrida em 1918 e 1919, morreram entre 20 e 40 milhões de pessoas em todo o mundo, de todas as idades e classes sociais. Entre as vítimas estava Francisco de Paula Rodrigues Alves, o presidente da República do Brasil na época. Outras grandes pandemias foram a gripe asiática de 1957, que matou mais de 1 milhão de pessoas, e a gripe de Hong Kong de 1968, em que morreram cerca de 700 mil pessoas. A pandemia de gripe pelo vírus H1N1 de 2009 matou entre 151.700 e 575.400 de pessoas, principalmente no sudeste asiático e na África, onde o acesso à prevenção e ao tratamento é limitado.

Variedades de vírus de gripe

2 Há diversas variedades de vírus de gripe, todas incluídas no gênero Influenzavirus. Os vírions de gripe têm entre 80 e 120 nm de diâmetro e apresentam um envelope lipoproteico externo. Este envolve um nucleocapsídio que contém sete ou oito moléculas diferentes de RNA.

3 O envelope lipoproteico tem dois tipos de glicoproteínas características do vírus de gripe: a hemaglutinina, que constitui as espículas H, e a neuraminidase, que constitui as espículas N. As espículas recebem esse nome porque formam saliências pontiagudas no envelope membranoso do vírus. As espículas de hemaglutinina permitem que o vírus se ligue às células hospedeiras. As espículas de neuraminidase parecem ser importantes para que os vírus recém-formados sejam liberados da célula hospedeira.

4 As variedades de vírus de gripe são caracterizadas pelos tipos de espículas N e H que apresentam. Já são conhecidos dezesseis tipos de hemaglutininas e nove tipos de neuraminidases, que costumam ser identificados por um índice alfanumérico (H0, H1, H2 etc.; N1, N2 etc.). A gripe asiática que assolou o mundo em 1957, por exemplo, foi causada por uma variedade viral H2N2, que combinava as espículas H do tipo 2 e as espículas N do tipo 2. O vírus H5N1, por outro lado, que combina espículas H do tipo 5 e espículas N do tipo 1, é responsável por epidemias de gripe em aves que ocorrem na Ásia desde 1997. O vírus H5N1 raramente é transmitido para seres humanos; entretanto, quando isso ocorre, costuma ser fatal. Felizmente, ainda não foi registrado nenhum caso de transmissão desse vírus entre seres humanos.

5 Ao contrair gripe, a pessoa produz anticorpos contra as proteínas do vírus, incluindo as espículas H e N, tornando-se imune àquele tipo de gripe. Por isso, depois de um surto gripal, grande parte da população adquire imunidade contra o tipo de vírus causador. Em algumas pessoas, porém, podem surgir vírus mutantes dotados de espículas H e N ligeiramente diferentes das presentes na linhagem original, o que dificulta a atuação dos anticorpos produzidos. Os vírus mutantes podem provocar um novo surto da doença, nos meses de inverno, por exemplo, quando a resistência natural das pessoas diminui em virtude das variações climáticas.

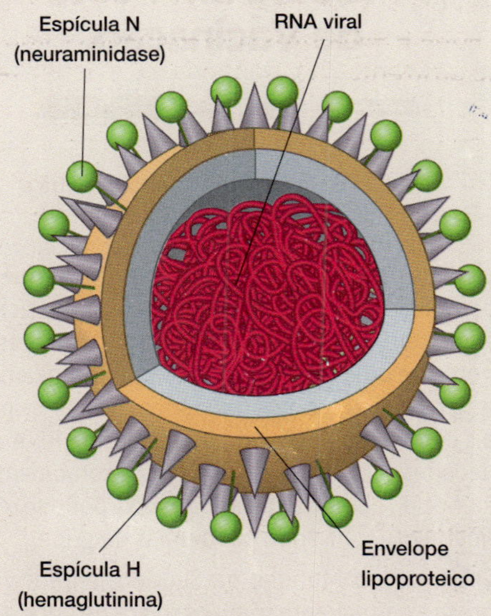

Representação esquemática da estrutura de um vírus de gripe com parte do envelope removido para mostrar as moléculas de RNA. (Elementos fora de proporção de tamanho entre si; cores-fantasia.) (Baseado em Tortora, G. J. e cols., 1995.)

Vírus influenza que causaram grandes epidemias*	
Vírus	**Atuação**
H1N1	Causou a pandemia de gripe espanhola e é responsável pela pandemia de gripe de 2009.
H2N2	Causou a pandemia de gripe asiática.
H3N2	Causou a pandemia de gripe de Hong Kong.
H5N1	Causou a gripe de aves na Ásia.

* Baseado em Tortora, G. J. e cols., 1995.

6 No Brasil, o Ministério da Saúde atua preventivamente contra a gripe, ministrando à população uma vacina antigripal produzida com uma mistura das formas virais mais comuns, em particular das que causaram gripe nos últimos anos, preferencialmente aos maiores de 60 anos, gestantes, crianças de 6 meses a 2 anos, indígenas, mulheres no período de até 45 dias após o parto e trabalhadores da área de saúde.

ACERVO DO MINISTÉRIO DA SAÚDE

Cartaz da campanha de vacinação contra a gripe (Ministério da Saúde, 2013).

7 Variedades muito perigosas do vírus da gripe surgem esporadicamente por recombinação genética. Como os vírus têm oito moléculas de RNA diferentes em seu genoma, se uma célula é infectada simultaneamente por dois tipos diferentes de vírus, podem formar-se partículas virais com combinações de moléculas de RNA das duas variedades. Nesses casos, o vírus recombinante não é reconhecido pelo sistema imunitário e pode se reproduzir rapidamente, causando pandemias de gripe.

8 A Organização Mundial da Saúde mantém vigilância rigorosa e permanente sobre os surtos de gripe, tentando identificar rapidamente os novos vírus que surgem. Se são identificados logo, é possível produzir vacinas e imunizar grande parte da população antes que a epidemia atinja maiores proporções.

9 Outra preocupação dos órgãos de saúde pública é monitorar criadouros de aves e de porcos, cujos vírus de gripe podem eventualmente infectar seres humanos. Embora os vírus desses animais não sejam transmitidos de uma pessoa para outra, há risco de ocorrerem alterações na hemaglutinina viral, capacitando-os a infectar células humanas. Isso aconteceria tanto por mutação dos genes virais animais quanto por recombinação com o vírus de gripe humano. Por exemplo, uma célula infectada simultaneamente por um vírus de ave e por um vírus humano poderia originar novos tipos de vírus, com misturas dos dois tipos de RNA, eventualmente capazes de infectar células humanas. Esses novos vírus seriam perigosos porque, tendo parte de seus componentes proveniente do vírus de ave, não seriam reconhecidos por nosso sistema imunitário por não ter tido contato prévio com ele.

10 No sudoeste asiático, foco inicial de várias epidemias de gripe, existem regiões em que marrecos são criados junto com porcos, constituindo um ambiente perigosamente favorável à recombinação entre vírus de animais domésticos e de humanos. Como os porcos podem ser infectados tanto por vírus de aves quanto por vírus humanos, o material genético de ambos os vírus pode recombinar-se em suas células, originando novos tipos virais. O vírus H1N1, responsável pela chamada "gripe suína", que teve início no México em 2009, pode ter surgido dessa maneira.

11 Recentes estudos genéticos da hemaglutinina do vírus da gripe aviária asiática mostraram que bastaria uma única mutação para permitir que esse vírus adquirisse a capacidade de se ligar a receptores humanos e, assim, ser transmitido de uma pessoa para outra.

HOANG DINH NAM/(FAO)/AFP PHOTO

C.O. MERCIAL/ALAMY/GLOW IMAGES

A. Criação conjunta de galinhas e porcos no vilarejo Gia Trieu (Vietnã, 2005). **B.** Veterinários aplicam vacina contra gripe aviária em pelicano-crespo (*Pelecanus crispus*), na Alemanha (2006).

Guia de leitura

1 Leia o primeiro parágrafo, que aponta o agente causador da gripe e cita o exemplo de três grandes pandemias dessa doença. Para saber o significado exato do termo "pandemia", consulte o item "Epidemias, endemias e pandemias" da página 418. Anote em seu caderno as épocas dessas pandemias de gripe, deixando um espaço ao lado para adicionar, como será solicitado adiante, a informação sobre os tipos de vírus específicos associados a cada uma.

2 No segundo parágrafo, aparece o conceito de "vírion". Relembre-o no item "A estrutura viral" da seção 25.1. O que significa dizer que os vírions de gripe são "envelopados"?

3 Leia o terceiro parágrafo, que fala de dois importantes componentes do envelope do vírus de gripe. Quais são eles e quais suas funções para o vírus?

4 Leia o quarto parágrafo, que menciona a variedade de vírus quanto às espículas do envelope. Analise os dados do texto em conjunto com os da primeira figura desse quadro, que traz a representação esquemática da estrutura de um vírus de gripe. Com base nessa análise, complete os dados anotados em seu caderno, como solicitado no item 1 deste guia. A chamada "gripe suína", que teve um surto rápido no país em 2009, é causada por qual tipo de vírus?

5 Leia o quinto parágrafo. Ele se refere a dois fenômenos: o desenvolvimento de imunidade na população, após um surto de gripe e o aparecimento de novos surtos. Como o texto explica cada um deles?

6 No sexto parágrafo, menciona-se uma importante providência do Ministério da Saúde brasileiro para prevenir a gripe (observe também a figura que acompanha esse parágrafo). Que providência é essa? Você já conhecia esse programa governamental? Algum de seus parentes ou conhecidos já foi atendido por ele?

7 Leia os parágrafos 7 e 8 e responda: a) como se explica o aparecimento de novas variedades de gripe causadoras de pandemias?; b) o que tem sido feito para monitorar essas situações?

8 Nos parágrafos 9, 10 e 11 fala-se da preocupação dos órgãos de saúde com o aparecimento de novas linhagens de vírus de gripe potencialmente perigosas. Resuma o mais sucintamente possível as ideias dos parágrafos. Caso tenha informações adicionais, acrescente um comentário pessoal sobre a chamada gripe suína.

25.2 Bactérias e arqueas

Nos últimos 2,5 bilhões de anos, as bactérias têm sido a forma de vida mais abundante em nosso planeta. Muitos conhecem apenas o lado "negativo" da atividade bacteriana – as doenças causadas por algumas espécies –, mas as bactérias e as arqueas provavelmente foram os primeiros organismos a habitar a Terra e transformaram seu ambiente inóspito, possibilitando o aparecimento e a evolução das demais espécies.

A estrutura da célula bacteriana

Bactérias são organismos unicelulares constituídos por células **procarióticas**, que se caracterizam por não ter núcleo nem organelas membranosas citoplasmáticas. Os outros organismos vivos (exceto vírus e arqueas) têm células eucarióticas, dotadas de núcleo e organelas citoplasmáticas.

A maioria das bactérias apresenta um envoltório externo rígido, a **parede bacteriana**, responsável pela forma da célula e por sua proteção. Internamente à parede bacteriana encontra-se a membrana plasmática lipoproteica que delimita o citoplasma, onde há milhares de pequenos grânulos, os ribossomos, responsáveis pela produção das proteínas. A bactéria *Escherichia coli*, por exemplo, possui cerca de 15 mil ribossomos, cada um dos quais pode produzir uma molécula de proteína por minuto, o que nos dá uma ideia de sua grande capacidade de crescimento e multiplicação.

Bactérias têm uma molécula circular de DNA, que constitui o **cromossomo bacteriano**. Neste há alguns milhares de genes, necessários ao crescimento e à reprodução da bactéria. O cromossomo bacteriano, geralmente localizado na região central da célula, forma um emaranhado, o **nucleoide**, assim chamado por sua semelhança, em termos genéticos, com o núcleo das células eucarióticas. Entretanto, o material genético das células bacterianas não é envolto por qualquer tipo de membrana.

Além do cromossomo, a célula bacteriana pode conter moléculas circulares de DNA menores, os **plasmídios**, cuja presença não é essencial à vida da bactéria. No entanto, possuir plasmídios pode ser vantajoso, uma vez que neles geralmente se localizam genes responsáveis pela destruição de substâncias eventualmente prejudiciais à bactéria.

Na superfície de muitas bactérias há filamentos proteicos móveis, os **flagelos bacterianos**, que atuam na movimentação. Estruturalmente diferentes dos flagelos das células eucarióticas, os flagelos bacterianos têm em sua base um motor molecular microscópico, cujo funcionamento segue princípios semelhantes aos dos motores elétricos: um rotor móvel gira dentro de um anel fixo à incrível velocidade de até 15 mil rotações por minuto. (Fig. 25.5)

Certas bactérias apresentam externamente à parede celular uma cobertura de consistência mucosa, a **cápsula bacteriana**. A composição da cápsula varia nas diferentes espécies de bactéria, podendo ser formada por polissacarídios, por proteínas ou por ambos. Esses componentes são produzidos no interior da célula e secretados, agregando-se à região externa da parede.

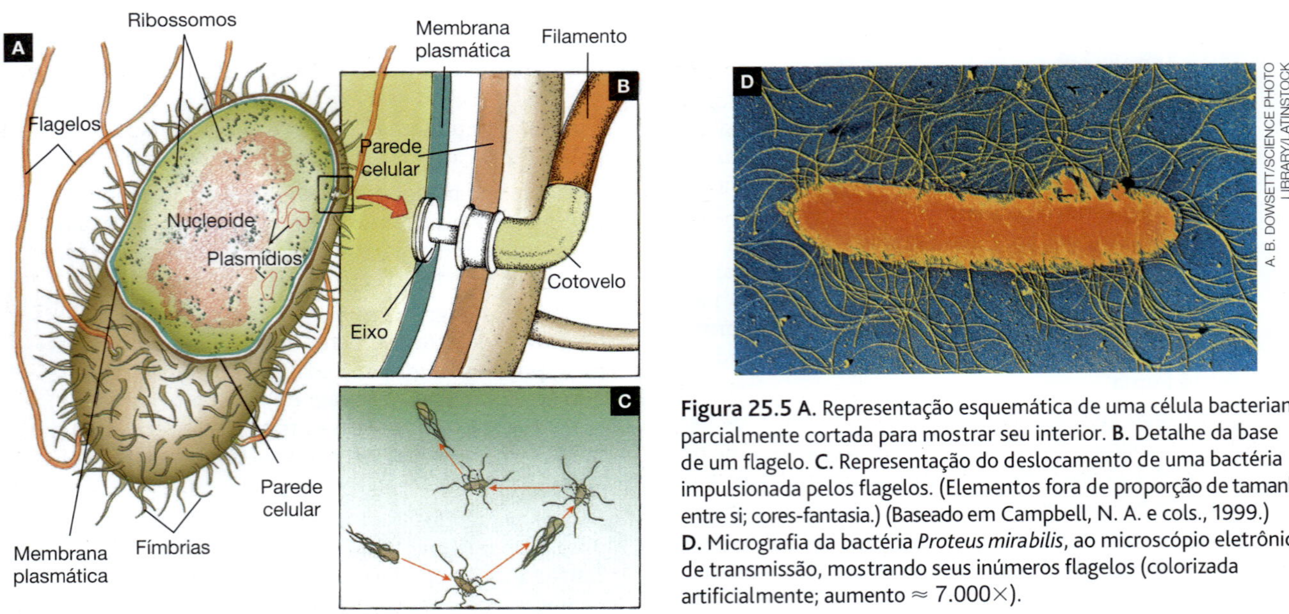

Figura 25.5 A. Representação esquemática de uma célula bacteriana parcialmente cortada para mostrar seu interior. **B.** Detalhe da base de um flagelo. **C.** Representação do deslocamento de uma bactéria impulsionada pelos flagelos. (Elementos fora de proporção de tamanho entre si; cores-fantasia.) (Baseado em Campbell, N. A. e cols., 1999.) **D.** Micrografia da bactéria *Proteus mirabilis*, ao microscópio eletrônico de transmissão, mostrando seus inúmeros flagelos (colorizada artificialmente; aumento ≈ 7.000×).

As inúmeras espécies de bactéria existentes hoje na Terra diferem quanto ao metabolismo, ao hábitat e à forma da célula. Muitas delas constituem agrupamentos, em que os participantes mantêm a individualidade e conseguem sobreviver quando separados do grupo. A forma da célula e o tipo de agrupamento são características importantes na classificação de bactérias. (Fig. 25.6)

Nutrição das bactérias

As bactérias apresentam grande variedade de formas de nutrição. Quanto a essa característica, podem ser separadas em dois grandes grupos: autotróficas e heterotróficas.

Bactérias autotróficas são as que obtêm átomos de carbono — a matéria-prima básica para a produção de moléculas orgânicas — a partir de moléculas de gás carbônico (CO_2). Essas bactérias podem ser **fotossintetizantes**, quando sua fonte de energia é a a luz, ou **quimiossintetizantes**, quando aproveitam a energia liberada em reações químicas inorgânicas.

As **bactérias heterotróficas** obtêm átomos de carbono a partir de moléculas orgânicas e podem, de acordo com a origem do alimento, ser classificadas em saprofágicas e parasitas. **Bactérias saprofágicas** (do grego *sapros*, podre, e *phagein*, comer) se alimentam de cadáveres, fezes ou partes descartadas por seres vivos (folhas caídas, por exemplo). **Bactérias parasitas** se alimentam de tecidos corporais de seres vivos e geralmente causam doenças.

Alguns tipos de bactérias heterotróficas obtêm energia apenas por meio da respiração aeróbica e, consequentemente, só sobrevivem quando há gás oxigênio

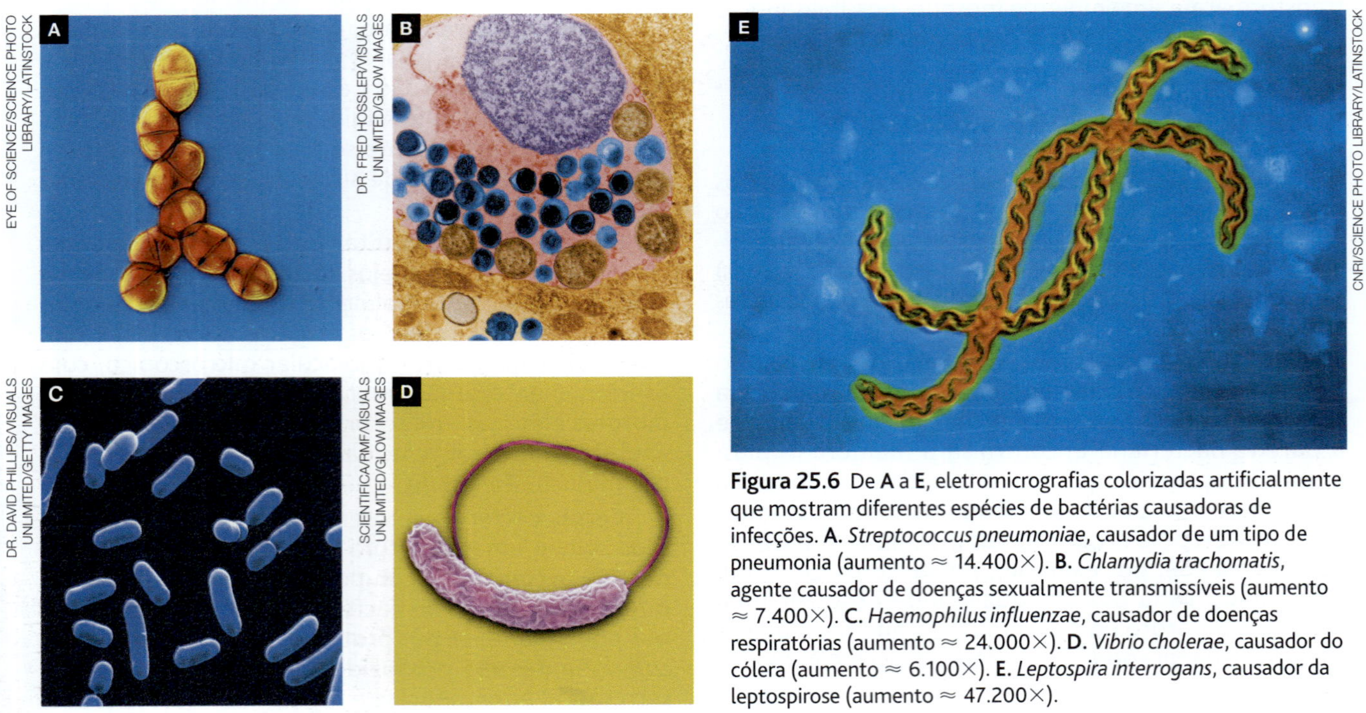

Figura 25.6 De **A** a **E**, eletromicrografias colorizadas artificialmente que mostram diferentes espécies de bactérias causadoras de infecções. **A.** *Streptococcus pneumoniae*, causador de um tipo de pneumonia (aumento ≈ 14.400×). **B.** *Chlamydia trachomatis*, agente causador de doenças sexualmente transmissíveis (aumento ≈ 7.400×). **C.** *Haemophilus influenzae*, causador de doenças respiratórias (aumento ≈ 24.000×). **D.** *Vibrio cholerae*, causador do cólera (aumento ≈ 6.100×). **E.** *Leptospira interrogans*, causador da leptospirose (aumento ≈ 47.200×).

disponível, sendo, por isso, chamadas **bactérias aeróbicas**. Outras bactérias podem obter energia tanto por meio da respiração aeróbica quanto da fermentação. Por isso, elas são denominadas **bactérias anaeróbicas facultativas**. Há também certas bactérias, como as causadoras do tétano, que não toleram a presença de gás oxigênio, morrendo se expostas a ele. São as **bactérias anaeróbicas obrigatórias**.

A reprodução das bactérias

As bactérias reproduzem-se assexuadamente por **divisão binária**. Nesse processo, a célula bacteriana primeiramente duplica o cromossomo e em seguida se divide ao meio, formando duas novas bactérias. Em algumas espécies bacterianas, em condições ideais, o processo se completa em apenas 20 minutos. Por isso, em poucas horas, uma população composta de milhões de células geneticamente idênticas pode surgir de uma única bactéria. Os indivíduos originados de uma única célula por sucessivas reproduções assexuadas constituem um **clone**. (Fig. 25.7)

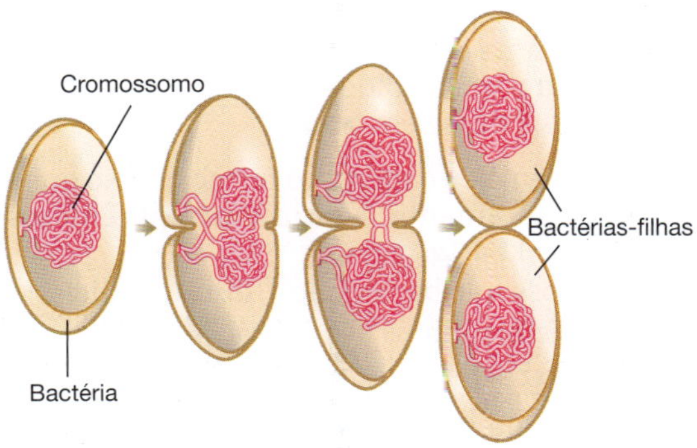

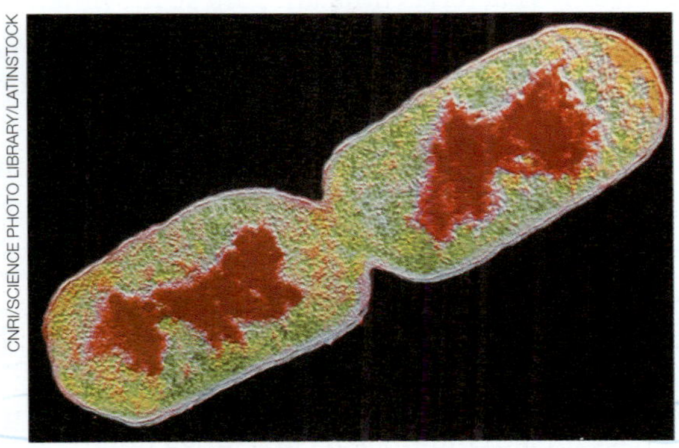

Figura 25.7 Representação esquemática do processo de divisão de uma célula bacteriana (em corte, para mostrar o cromossomo). (Elementos fora de proporção de tamanho entre si; cores-fantasia.) Abaixo, micrografia ao microscópio eletrônico de transmissão, bactéria *Escherichia coli* em divisão; a região central alaranjada é o nucleoide (colorizada artificialmente; aumento ≈ 44.900×).

Processos de recombinação gênica em bactérias

Bactérias não possuem reprodução sexuada, no entanto, trocas de genes entre indivíduos da mesma espécie ou mesmo de espécies diferentes são relativamente comuns. Assim, bactérias podem adquirir novas características genéticas ao captar DNA originário de outra bactéria.

A captação e a incorporação de DNA disperso no ambiente são conhecidas como **transformação bacteriana**, pois a célula bacteriana que absorveu o DNA é "transformada", passando a apresentar novas características hereditárias condicionadas pelo DNA incorporado.

Os cientistas têm se utilizado da transformação bacteriana para introduzir genes de diferentes espécies em células de bactérias hospedeiras. Essa foi a estratégia empregada para a produção em grande escala da insulina. Inseriu-se o gene humano correspondente a esse hormônio em plasmídios, que foram absorvidos por bactérias *Escherichia coli*, transformando-as. Os plasmídios são multiplicados na célula bacteriana e transmitidos às células-filhas. Dessa forma, originam-se linhagens de bactérias que contêm o gene necessário para a produção da insulina humana. Grande parte da insulina comercializada atualmente, usada no tratamento do diabetes melito, provém de bactérias transgênicas criadas em laboratório por meio da transformação bacteriana.

Certas bactérias podem adquirir novos genes por meio da **conjugação bacteriana**, processo em que a transferência de DNA de uma bactéria doadora a uma bactéria receptora ocorre por um tubo de proteína, o "pelo sexual" ou *pilus* (plural: *pili*), que conecta as duas bactérias conjugantes.

Um terceiro processo de aquisição de novos genes por bactérias é a **transdução bacteriana**, em que a transferência de segmentos de moléculas de DNA de uma bactéria para outra é promovida por vírus bacteriófagos. Nesse caso, ao se formarem no interior das células hospedeiras, os bacteriófagos podem incorporar pedaços do DNA bacteriano. Depois da lise, vírus portadores de DNA bacteriano podem infectar outra bactéria e transferir para ela os genes bacterianos que transportavam. A bactéria infectada eventualmente incorpora em seu cromossomo os genes recebidos do fago. Se este não destrói a bactéria, ela passa a se multiplicar e origina uma linhagem com novas características, adquiridas de outras bactérias via fago.

25.1 Biblioteca do estudante - Ciência e cidadania

As arqueas

Arqueas são seres procarióticos semelhantes às bactérias e que só foram identificados como um grupo distinto delas há poucas décadas, graças ao emprego de técnicas de análise molecular. Uma diferença marcante entre bactérias e arqueas está na organização e no funcionamento de seus genes. Alguns biólogos costumam dizer que, do ponto vista genético e bioquímico, as arqueas são tão diferentes das bactérias quanto um ser humano é diferente de uma alface.

As arqueas geralmente vivem em ambientes inóspitos à maioria dos outros seres vivos. Um grupo conhecido de arqueas é o das halófilas (do grego *halos*, sal, e *philos*, amigo), que habitam águas com alta concentração salina. Outro grupo reúne as termoacidófilas, arqueas que suportam condições extremas de acidez e temperatura, vivendo em fontes termais ácidas, onde a temperatura oscila entre 60 e 80 °C, ou em fendas vulcânicas nas profundezas oceânicas.

Arqueas metanogênicas habitam as profundezas dos pântanos e o tubo digestório de cupins e de outros animais herbívoros, onde produzem gás metano. Recentemente foram descobertas arqueas em ambientes gelados; acredita-se que elas possam ser relativamente abundantes nas águas superficiais da costa da Antártica.

Os estudos mostram que as arqueas estão mais relacionadas evolutivamente aos organismos eucarióticos do que às bactérias. Isso é interpretado da seguinte maneira: nos primórdios da vida na Terra, um grupo de organismos primitivos separou-se em duas linhagens, uma das quais deu origem às bactérias atuais, enquanto a outra se diversificou em duas, originando arqueas e seres eucarióticos. (Fig. 25.8)

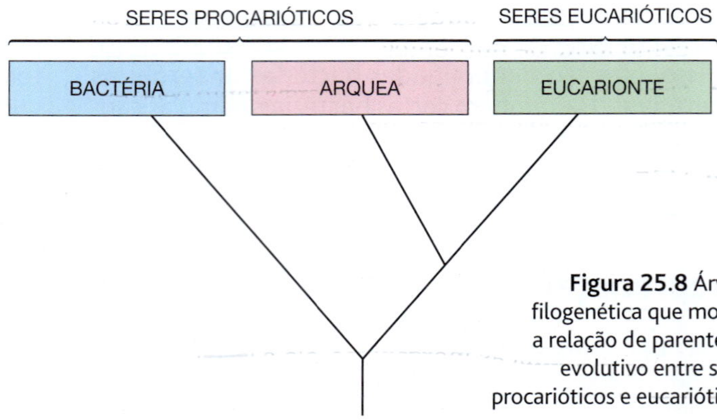

Figura 25.8 Árvore filogenética que mostra a relação de parentesco evolutivo entre seres procarióticos e eucarióticos.

Atividades

Visão do especialista

Biblioteca do estudante Faça você mesmo!

Revendo conceitos fundamentais

Escreva, em seu caderno, o termo abaixo que substitui corretamente a tarja entre parênteses das frases de 1 a 4.

a) bacteriófago
b) capsídio
c) infecção viral
d) parasita intracelular obrigatório

1. A penetração e a multiplicação de um vírus em uma célula viva caracteriza a(o) (▬).

2. Todo vírus é (▬) porque penetra na célula e utiliza o metabolismo celular na produção de novos vírus.

3. O envoltório proteico que engloba e protege o material genético dos vírus é chamado de (▬).

4. (▬) é um tipo de vírus cujo hospedeiro é uma bactéria.

5. O envoltório lipoproteico que alguns vírus apresentam, proveniente de pedaços da membrana da célula infectada, denomina-se

a) capsídio.
b) envelope.
c) nucleocapsídio.
d) nucleoide.

Escreva, em seu caderno, o termo abaixo que substitui corretamente a tarja entre parênteses das frases de 6 a 10.

a) endemia
b) epidemia
c) pandemia
d) virose
e) zoonose viral

6. Uma doença causada por vírus é denominada (▬).

7. Fala-se em (▬) quando há um aumento súbito no número de casos de uma doença em uma população.

8. O termo (▬) refere-se a uma doença que se mantém em frequência praticamente constante em determinada região.

9. Uma doença viral em que a pessoa pode se infectar pelo contato com um animal portador do vírus é denominada (▬).

10. Quando uma doença atinge mais de um continente, em uma onda epidêmica que pode se prolongar por anos, fala-se em (▬).

Escreva, em seu caderno, o termo abaixo que substitui corretamente a tarja entre parênteses das frases de 11 a 15.

a) cromossomo bacteriano
b) divisão binária
c) flagelo bacteriano
d) nucleoide
e) plasmídio

11. (▬) é uma estrutura proteica filamentosa que algumas bactérias utilizam para se movimentar.

12. (▬) é molécula circular de DNA, cuja presença, embora vantajosa, não é essencial à vida de uma bactéria.

13. A molécula de DNA circular que contém os genes essenciais à vida de uma bactéria é a(o) (▬).

14. A região da célula bacteriana ocupada pelo material genético é chamada (▬).

15. O processo de reprodução das bactérias, em que um indivíduo origina dois, é a(o) (▬).

16. A invasão de um organismo por bactérias que passam a se multiplicar caracteriza uma

a) conjugação bacteriana.
b) epidemia bacteriana.
c) infecção bacteriana.
d) zoonose bacteriana.

Escreva, em seu caderno, o termo abaixo que substitui corretamente a tarja entre parênteses das frases de 17 a 23.

a) aeróbica
b) anaeróbica facultativa
c) anaeróbica obrigatória
d) autotrófica fotossintetizante
e) autotrófica quimiossintetizante
f) heterotrófica parasita
g) heterotrófica saprofágica

17. Bactéria (■) é aquela que utiliza seres vivos como fonte de nutrientes.

18. Uma bactéria que pode obter energia tanto pela respiração aeróbica quanto pela fermentação é (■).

19. O termo (■) aplica-se a bactérias que obtêm nutrientes da matéria orgânica de cadáveres e resíduos orgânicos.

20. Bactéria (■) é a que obtém energia a partir da luz.

21. Quando uma bactéria obtém energia a partir de reações químicas inorgânicas, ela é (■).

22. Uma bactéria (■) utiliza o gás oxigênio em seus processos de obtenção de energia.

23. Uma bactéria que não sobrevive em presença de gás oxigênio é denominada (■).

Ligando conceitos, fatos e processos

24. Os vírus distinguem-se de todos os seres vivos porque
   a) são parasitas.
   b) têm células procarióticas.
   c) não têm estrutura celular.
   d) não têm proteínas em sua constituição.

25. O material genético dos vírus é
   a) sempre o DNA.
   b) sempre o RNA.
   c) sempre DNA e RNA.
   d) DNA em alguns e RNA em outros.

26. A vacinação contra um vírus consiste em
   a) impedir que vírus ativos penetrem no corpo.
   b) injetar na pessoa agentes infecciosos atenuados, ou partes deles, que ativam as defesas corporais.
   c) injetar na pessoa drogas especiais contra os vírus (quimioterapia).
   d) injetar na pessoa antibióticos específicos contra doenças virais.

27. O processo de reprodução das bactérias é
   a) assexuado, por esporulação.
   b) assexuado, por divisão binária.
   c) sexuado, por transdução.
   d) sexuado, por conjugação.

28. Um organismo procariótico que vive em uma fonte termal ácida, suportando temperaturas entre 60 e 80 °C, é provavelmente um(a)
   a) arquea.
   b) bactéria anaeróbica obrigatória.
   c) bactéria.
   d) vírus.

29. Observe o esquema a seguir, que representa um trecho da árvore filogenética dos grandes grupos de seres vivos. Qual é a conclusão a que se pode chegar com base na interpretação do esquema?

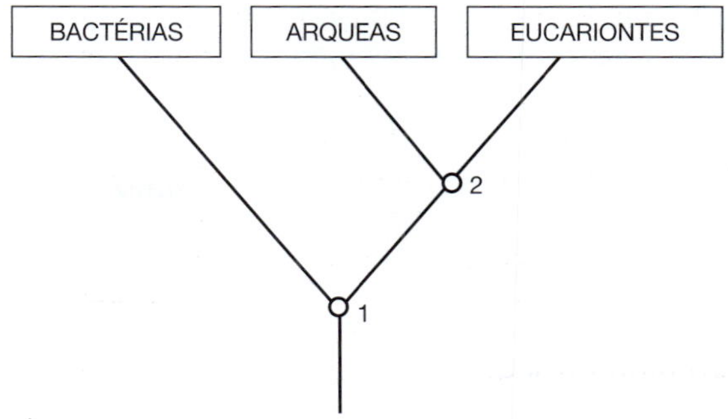

   a) O organismo 2 é o ancestral de todas as bactérias atuais.
   b) Os seres eucarióticos são mais aparentados com as bactérias do que com as arqueas.
   c) Os seres eucarióticos são mais aparentados com as arqueas do que com as bactérias.
   d) O organismo 2 é mais antigo que o organismo 1.

Questões para exercitar o pensamento

30. Escreva um pequeno texto que compare vírus e bactérias quanto a estrutura geral e reprodução.

31. A partir da leitura dos trechos de reportagens a seguir, elabore um texto dissertativo sobre a possibilidade de se encontrar bactérias em outros planetas.

Texto 1

[...]

Níveis considerados elevados de atividade microbiana foram descobertos na fossa das Marianas, localizada no oceano Pacífico e considerado o lugar mais profundo da crosta terrestre. Os achados foram publicados [...] no periódico "Nature Geoscience".

A fossa das Marianas, um rasgo de 2.550 km de comprimento, chega a alcançar 11 km de profundidade no abismo de Challenger.

Devido a sua extrema profundidade, a fossa está envolta em uma escuridão perpétua e possui temperaturas glaciais. [...]

Folha de S.Paulo, 17 mar. 2013. Disponível em: <http://folha.com/no1247864>. Acesso em: jun. 2013.

Texto 2

[...]

Uma resistente bactéria comum na Terra se adaptou de forma surpreendente a condições semelhantes às de Marte, como baixa pressão, frio e grande concentração atmosférica de dióxido de carbono, disseram cientistas, numa descoberta com implicações para a busca de vida extraterrestre. [...]

Último Segundo. Disponível em: <http://ultimosegundo.ig.com.br/ciencia/2013-01-10/microbios-terrestres-poderiam-resistir-em-marte-diz-estudo.html>. Acesso em: maio 2013.

32. Leia a curiosa manchete e a abertura da matéria a seguir. Omitimos propositalmente o texto da reportagem, reproduzindo apenas o infográfico que o acompanha.

Transplante de fezes vira arma contra tipo de colite

Técnica é alternativa de cura para doença que causa diarreia constante; com transplante, flora intestinal é reconstruída.

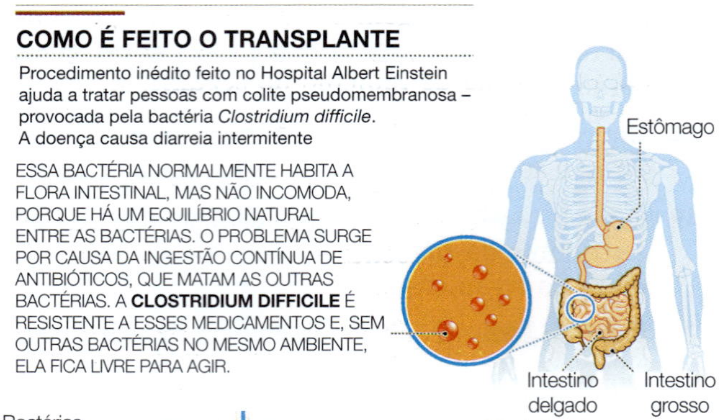

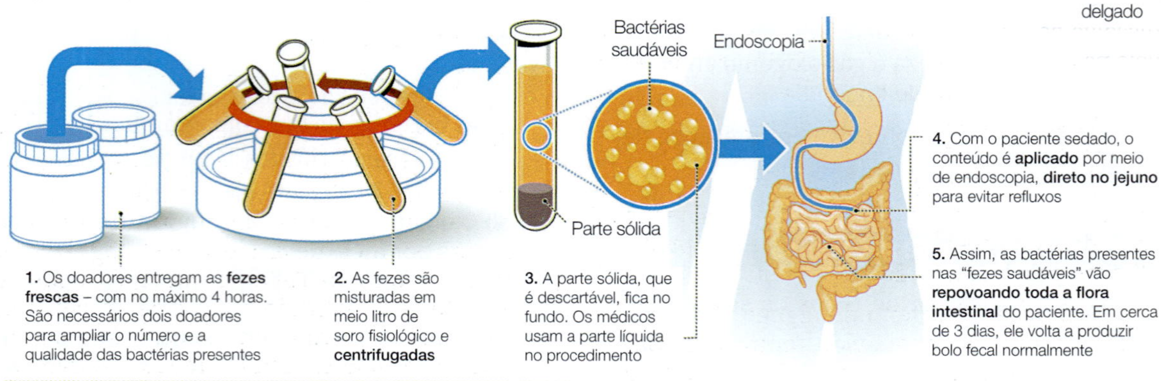

O Estado de S. Paulo, 30 mar. 2013. Disponível em: <www.estadao.com.br/noticias/impresso,transplante-de-fezes-vira-arma-contra-tipo-de-colite-,1014888,0.htm>. Acesso em: jun. 2013.

Seu desafio é compor um texto jornalístico sobre o assunto, com base nas informações do infográfico e em seus próprios conhecimentos, enfatizando a importância das bactérias para a saúde humana. Se possível, acesse o texto completo da reportagem, disponível na internet. Compartilhe o texto produzido com os colegas e anote trechos dos textos deles que julgar interessantes.

33. Leia o trecho de reportagem a seguir e faça o que se pede.

[...]

O vírus H_7N_9 já infectou 109 pessoas na China desde sua descoberta, em março. A Organização Mundial da Saúde (OMS) disse não haver indícios, por enquanto, sobre como se dá a transmissão regular entre pessoas, mas acrescentou que ela é mais fácil do que no caso da cepa H_5N_1 – uma forma mais letal da gripe aviária, que já matou centenas de pessoas no mundo todo em uma década. A revista *Lancet* divulgou ontem um estudo no qual, pela primeira vez, os cientistas chineses encontraram uma associação direta entre o vírus H_7N_9 e as galinhas. As aves seriam as responsáveis pela transmissão do vírus para os seres humanos. [...]

Estado de S. Paulo, 26 abr. 2013. Disponível em: <www.estadao.com.br/noticias/impresso,taiwan-registra-seu-1-caso-de-gripe-h7n9-,1025669,0.htm>. Acesso em: maio 2013.

Sua tarefa é reescrever o trecho da matéria, acrescentando algumas explicações que possam torná-lo ainda mais acessível e informativo, como incluir o significado das letras e dos índices nos nomes dos vírus, entre outras informações. A seguir, elabore um infográfico para acompanhar o texto, baseado nas ilustrações do quadro e em outras que pesquisar.

A Biologia no vestibular e no Enem

Questões objetivas

1. (Fuvest-SP) Considere as seguintes características atribuídas aos seres vivos:

I. Os seres vivos são constituídos por uma ou mais células.
II. Os seres vivos têm material genético interpretado por um código universal.
III. Quando considerados como populações, os seres vivos se modificam ao longo do tempo.

Admitindo que possuir todas essas características seja requisito obrigatório para ser classificado como "ser vivo", é correto afirmar que

a) os vírus e as bactérias são seres vivos, porque ambos preenchem os requisitos I, II e III.
b) os vírus e as bactérias não são seres vivos, porque ambos não preenchem o requisito I.
c) os vírus não são seres vivos, porque preenchem os requisitos II e III, mas não o requisito I.
d) os vírus não são seres vivos, porque preenchem o requisito III, mas não os requisitos I e II.
e) os vírus não são seres vivos, porque não preenchem os requisitos I, II e III.

2. (Enem) Na embalagem de um antibiótico, encontra-se uma bula que, entre outras informações, explica a ação do remédio do seguinte modo: O medicamento atua por inibição da síntese proteica bacteriana.

Essa afirmação permite concluir que o antibiótico

a) impede a fotossíntese realizada pelas bactérias causadoras da doença e, assim, elas não se alimentam e morrem.

b) altera as informações genéticas das bactérias causadoras da doença, o que impede manutenção e reprodução desses organismos.

c) dissolve as membranas das bactérias responsáveis pela doença, o que dificulta o transporte de nutrientes e provoca a morte delas.

d) elimina os vírus causadores da doença, pois não conseguem obter as proteínas que seriam produzidas pelas bactérias que parasitam.

e) interrompe a produção de proteína das bactérias causadoras da doença, o que impede sua multiplicação pelo bloqueio de funções vitais.

3. (Enem) A duração do efeito de alguns fármacos está relacionada à sua meia-vida, tempo necessário para que a quantidade original do fármaco no organismo se reduza à metade. A cada intervalo de tempo correspondente a uma meia-vida, a quantidade de fármaco existente no organismo no final do intervalo é igual a 50% da quantidade no início desse intervalo.

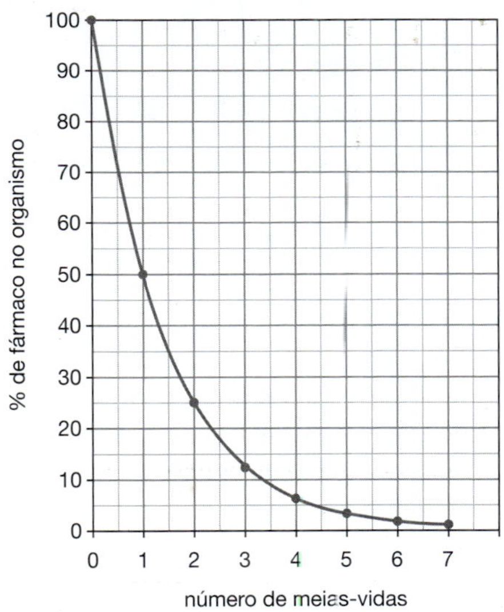

FUCHS, F. D.; WANNMA, Cher L. *Farmacologia clínica*. Rio de Janeiro: Guanabara Koogan, 1992. p. 40.

O gráfico anterior representa, de forma genérica, o que acontece com a quantidade de fármaco no organismo humano ao longo do tempo.

A meia-vida do antibiótico amoxicilina é de 1 hora. Assim, se uma dose desse antibiótico for injetada às 12 h em um paciente, o percentual dessa dose que restará em seu organismo às 13h30 min será aproximadamente de

a) 10%.
b) 15%.
c) 25%.
d) 35%.
e) 50%.

4. (FUA-AM) Além do cromossomo, algumas bactérias contêm um pequeno DNA circular extracromossômico denominado

a) Z DNA.
b) Plasmídio.
c) B DNA.
d) DNA linear.
e) P DNA.

5. (Uerj) A alternativa que apresenta uma propriedade comum a todos os vírus é

a) replicam-se independentemente.
b) possuem ácido nucleico e proteínas.
c) são formados por DNA e carboidratos.
d) reproduzem-se de forma similar às bactérias.

Questões discursivas

6. (UFRJ) O HPV (papilomavírus humano) é um vírus sexualmente transmitido, causador do aparecimento de verrugas genitais em homens e mulheres. A infecção pelo HPV em mulheres está diretamente relacionada à incidência de um tipo de câncer que pode ser diagnosticado precocemente por meio de um teste histológico simples e barato, o teste de Papanicolau. Após a puberdade, esse teste é realizado regularmente pela maioria das mulheres em países ricos, o que não ocorre nos países pobres. Um resultado positivo no teste permite tratamento precoce e é importante para que as mulheres possam evitar a transmissão posterior do HPV. O gráfico a seguir mostra a incidência de três tipos de câncer em mulheres de países ricos e pobres.

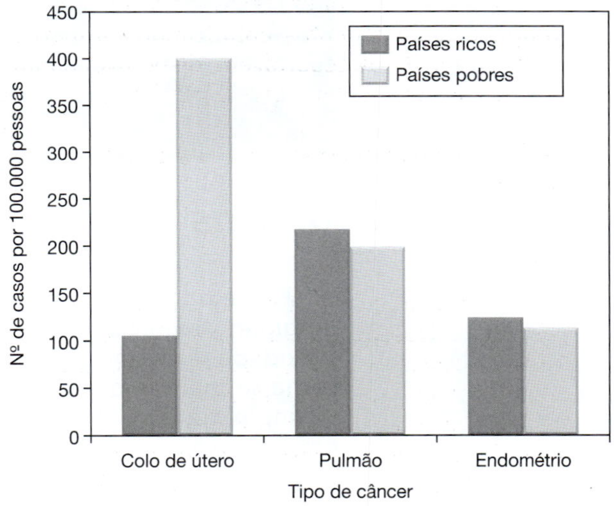

a) Identifique o tipo de câncer causado por infecção pelo HPV. Justifique sua resposta.

b) Indique um método eficaz para evitar a transmissão do HPV por indivíduos sexualmente ativos. Justifique sua resposta.

7. (Fuvest-SP) Um estudante escreveu o seguinte em uma prova: "as bactérias não têm núcleo nem DNA".

Você concorda com o estudante? Justifique.

8. (UFRJ) Desde a Antiguidade, o salgamento foi usado como recurso para evitar a putrefação dos alimentos. Em algumas regiões tal prática ainda é usada para a preservação da carne de boi, de porco ou de peixe. Explique o mecanismo por meio do qual o salgamento preserva os alimentos.

Capítulo 26 Algas, protozoários e fungos

FABIO COLOMBINI

Cogumelos são estruturas reprodutivas dos fungos basidiomicetos. Em suas lamelas, visíveis na parte inferior do "chapéu", formam-se esporos que se desprendem e germinam, originando novos fungos.

Nossas relações com protoctistas e fungos

Foi-se o tempo em que se questionava a relevância do estudo de ciências! Hoje, ninguém duvida que a educação científica é fundamental para entender a complexidade do mundo contemporâneo e exercer plenamente a cidadania. Esse fato torna-se mais evidente a cada tema biológico que abordamos. Este capítulo, por exemplo, trata de algas, protozoários e fungos. Será que esses seres são importantes em nossa vida?

Vamos pensar um pouco nas algas. Quem já passeou na praia certamente viu algas macroscópicas, algumas parecidas com folhas de alface translúcidas. No entanto, a grande maioria das algas é invisível a olho nu e flutua na superfície de mares e lagos. Apesar de tão pequenas, sua importância é enorme. Pela fotossíntese, elas captam energia da luz solar e a transformam em energia química, que permanece armazenada nas substâncias orgânicas. Ao servir de alimento para outros seres vivos, as algas transferem a energia que originalmente captaram da luz solar.

Se essas algas desaparecessem, a maioria dos seres marinhos também se extinguiria. E não só eles! Haveria uma drástica alteração em todo o planeta. Basta lembrar que a concentração de gás oxigênio na atmosfera, em torno de 21%, mantém-se constante graças à fotossíntese realizada principalmente por algas e bactérias do fitoplâncton marinho. Sem elas, o teor de gás oxigênio declinaria e a atmosfera terrestre deixaria de ser adequada à vida da maioria das espécies, incluindo a nossa.

Protozoários são seres microscópicos, talvez menos conhecidos que as algas. Muitos deles são inofensivos, mas há espécies responsáveis por doenças como a malária, o mal de Chagas e a doença do sono, entre outras. Conhecer os hábitos desses pequenos organismos pode nos ajudar a evitar os problemas que eles podem causar.

E os fungos, quem não conhece? Os apreciadores da boa culinária sabem como são saborosos alguns cogumelos, como os *champignons*. Certamente você também já ouviu falar de um grupo de fungos que é "aliado" da humanidade desde tempos antigos: as leveduras, ou fermentos, fungos microscópicos utilizados na fabricação de bebidas alcoólicas e do tradicional pão. E, já que estamos falando de culinária, não vamos nos esquecer dos fungos usados para produzir os mais variados tipos de queijo, como gorgonzola, *roquefort*, *camembert* etc.

Ao lado de tantos aspectos positivos, os fungos também causam doenças, algumas sérias. As micoses (do grego *mikos*, fungo) mais comuns são as frieiras, geralmente evitáveis com alguns pequenos cuidados, como enxugar bem os pés depois de lavá-los. Fungos se desenvolvem em ambientes úmidos e podem embolorar, por exemplo, roupas e acessórios de couro guardados em armários.

Mesmo a propriedade de deteriorar matéria orgânica tem suas vantagens: fungos decompositores e certas bactérias são os grandes recicladores da natureza. Eles decompõem os organismos mortos, libertando de seus corpos elementos químicos que serão reaproveitados por outros seres. Sem os decompositores, a Terra estaria repleta de cadáveres e faltaria matéria-prima para a renovação e a continuidade da vida.

A importância do assunto

Tratamos aqui de algas, protozoários e fungos, que estão mais ligados à nossa vida do que às vezes imaginamos. Entretanto, a classificação de algas e protozoários, os protoctistas, tem se tornado cada vez mais complexa. Segundo a cladística, que rege as classificações modernas, um grupo taxonômico deve reunir apenas organismos que compartilham um ancestral comum no passado, exclusivo do grupo (relembre no capítulo 24). No entanto, há tamanha diversidade de origens para os protoctistas que seriam necessárias dezenas de filos (ou mesmo reinos) para classificá-los. Com isso, fica complicado para quem, como nós, não é especialista no assunto.

Assim, em vez de nos preocuparmos com os detalhes da classificação, temos de reconhecer a diversidade e a importância de algas, protozoários e fungos. O olhar científico pode nos levar a perceber aspectos antes insuspeitados do mundo e de nossa relação com outros seres vivos. Quer saber mais sobre esse tema? Acompanhe-nos no estudo do capítulo.

26.1 Algas

Características gerais das algas

O termo **alga** não corresponde a nenhuma categoria da classificação biológica e, portanto, não tem significado taxonômico. **Alga** denomina diversos tipos de organismos fotossintetizantes, uni ou multicelulares, classificados no reino Protoctista. As algas multicelulares são semelhantes às plantas em certos aspectos, mas seus embriões, ao contrário do que ocorre com as plantas, não dependem do organismo materno para se nutrir.

As algas eucarióticas são bastante diversificadas e classificadas em diversos filos. Algumas têm características tão peculiares que, segundo certos sistematas, deveriam constituir não apenas filos, mas reinos distintos. Na classificação adotada neste livro, os filos de algas eucarióticas estão incluídos no reino Protoctista. Não devemos nos esquecer, no entanto, de que a classificação dos seres vivos em reinos, apesar de prática, não reflete as relações de parentesco evolutivo entre eles (relembre no capítulo 24).

As algas eucarióticas vivem no mar, em água doce e em superfícies úmidas. Elas são parte importante dos ecossistemas aquáticos, produzindo gás oxigênio e substâncias orgânicas que servem de alimento para outros níveis tróficos.

Dependendo da espécie, as células das algas podem ter um ou vários cloroplastos, organelas responsáveis pela fotossíntese. Na maioria das espécies, as células são revestidas por uma parede celular composta de celulose, em geral combinada a outras substâncias, como o ágar, a carragenina, o carbonato de cálcio ($CaCO_3$), entre outras; algumas dessas substâncias têm importância econômica, como veremos adiante.

A diversidade das algas

Estima-se que o número de espécies atuais de algas esteja entre 27 mil e 36 mil; quase um terço delas vive em ambientes marinhos. As algas microscópicas, que compõem a maioria das espécies, são abundantes nas camadas mais superficiais dos mares e de grandes lagos, onde, ao lado de bactérias, protozoários, larvas de diversos animais, microcrustáceos etc., formam o plâncton (do grego *plankton*, errante). Os seres planctônicos fotossintetizantes constituem o **fitoplâncton**.

Nas espécies multicelulares, o "corpo" da alga é chamado **talo**, sendo formado por filamentos, lâminas ou estruturas compactas, que podem lembrar caules e folhas de plantas. (Fig. 26.1)

GERSON GERLOFF/PULSAR IMAGENS

Figura 26.1 Variedade de algas macroscópicas comuns no litoral brasileiro (Palhoça, SC, em 2009).

Nas classificações tradicionais, as algas são distribuídas em cerca de uma dezena de filos, caracterizados pela organização celular, pelos tipos de clorofila e de outros pigmentos, pelas substâncias de reserva e componentes da parede celular, pela reprodução etc. Vejamos alguns desses filos.

As **clorófitas** (do grego *khloros*, verde, e *phykos*, alga), ou **algas verdes** – filo **Chlorophyta** –, vivem no mar, em água doce ou em superfícies úmidas; nestas últimas, podem formar películas esverdeadas e escorregadias conhecidas por limo. Essas algas apresentam grande diversidade de estrutura corporal; há desde espécies unicelulares até espécies coloniais e multicelulares, cujo corpo é filamentoso ou em forma de lâmina. Algumas espécies de algas verdes vivem associadas a fungos, constituindo liquens. Outras são endossimbiontes e vivem dentro de células de animais aquáticos.

As algas verdes recebem atenção especial dos especialistas por seu parentesco evolutivo com as plantas, deduzido, entre outros fatores, pela constituição semelhante da parede celular e dos pigmentos fotossintetizantes. Acredita-se que as plantas tenham surgido a partir de clorófitas de água doce, há cerca de 450 milhões de anos. (Fig. 26.2)

FABIO COLOMBINI

DR. BRAD MOGEN/VISUALS UNLIMITED/GLOW IMAGES

Figura 26.2 Representantes do grupo das clorófitas. **A.** Alga verde do gênero *Codium*, comum no litoral brasileiro (São Sebastião, SP). **B.** Fotomicrografia de alga verde de água doce do gênero *Spirogyra* (microscópio fotônico; aumento ≈ 710×).

As **diatomáceas** – filo **Bacillariophyta** – são algas unicelulares ou coloniais, com 20 μm a 200 μm de comprimento em média, embora possam atingir até 2 milímetros. A maioria vive em mares frios, e há espécies de água doce. Essas algas chamam a atenção pelo número de espécies – mais de 100 mil – e por sua participação no fitoplâncton. Cerca de 25% da produtividade primária dos ecossistemas marinhos é atribuída a esse grupo de algas.

As células das diatomáceas são revestidas por uma carapaça de dióxido de silício (SiO_2), a sílica, o mesmo componente do vidro. A carapaça silicosa confere a muitas dessas algas um aspecto brilhante e iridescente. (Fig. 26.3)

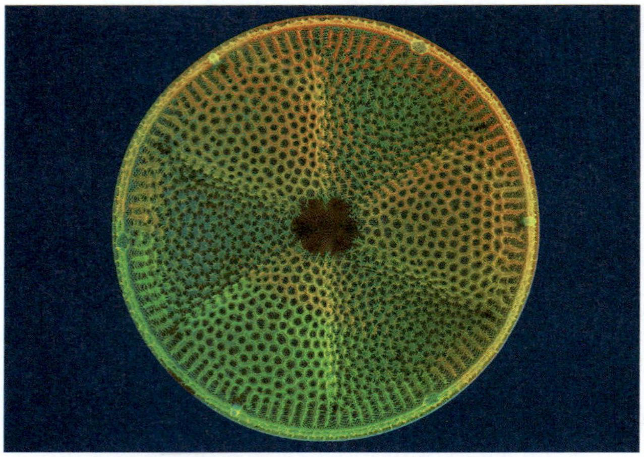

DENNIS KUNKEL MICROSCOPY/VISUALS UNLIMITED/CORBIS/LATINSTOCK

Figura 26.3 Fotomicrografia de diatomácea *Actinoptychus* sp., dotada de carapaça de sílica (microscópio eletrônico de varredura; aumento ≈ 440×; cores artificiais).

Em certas regiões do fundo marinho, carapaças de diatomáceas acumularam-se ao longo de milhões de anos, formando camadas rochosas compactas conhecidas por **"terras de diatomáceas"** ou **diatomitos**. Os diatomitos foram empregados na antiguidade como material de construção, geralmente misturados à cal. Exemplos de obras construídas com diatomitos e que se conservam até hoje são os aquedutos de Roma, o porto de Alexandria e o canal de Suez. Por serem constituídos por carapaças vitrificadas microscópicas, os diatomitos têm granulosidade finíssima, sendo utilizados na indústria moderna como matéria-prima para a fabricação de polidores e filtros.

As **crisófitas** (do grego *chrysos*, dourado), ou algas douradas – filo **Chrysophyta** –, são algas unicelulares ou coloniais, com algumas espécies filamentosas. Apesar de fotossintetizantes, muitas delas ingerem bactérias e outras partículas orgânicas como forma alternativa de nutrição; algumas espécies não têm parede celular e lembram amebas com cloroplastos.

As algas douradas são abundantes em ambientes marinhos e em água doce; em certos lagos de regiões temperadas, podem ser o principal constituinte do fitoplâncton. (Fig. 26.4)

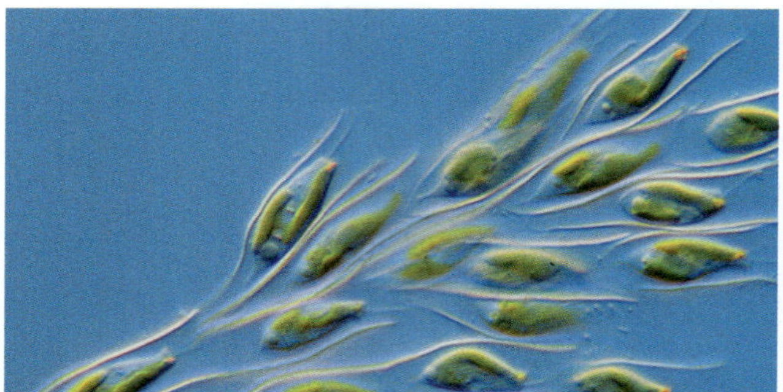

WIM VAN EGMOND/VISUALS UNLIMITED/GLOW IMAGES

Figura 26.4 Fotomicrografia de alga dourada do gênero *Dinobryon* (microscópio fotônico; aumento ≈ 115×).

As **feófitas** (do grego *phaios*, marrom, escuro), ou algas pardas – filo **Phaeophyta** –, são multicelulares e vivem no mar. Feófitas macroscópicas, cujo talo lembra caules e folhas de plantas, são comumente encontradas nas praias. O tamanho dessas algas varia de poucos centímetros a mais de 40 metros de comprimento.

Uma alga parda típica dos mares tropicais pertence ao gênero *Sargassum*, abundante no Oceano Atlântico, perto das Ilhas Açores, local que os antigos navegadores portugueses batizaram de Mar dos Sargaços. Na costa oeste da América do Norte vivem algas pardas gigantes, os *kelps*, ancoradas no fundo marinho e formando extensas "florestas" submersas, que servem de hábitat a uma grande diversidade de animais. (Fig. 26.5)

AURORA PHOTOS/ALAMY/GLOW IMAGES

Figura 26.5 Mergulhador explora "floresta" de *kelps*, representantes das algas pardas.

As **rodófitas** (do grego *rhodos*, vermelho), ou algas vermelhas – filo **Rhodophyta** –, são multicelulares, exceto por algumas poucas espécies unicelulares. A maioria vive em mares tropicais, e há cerca de uma centena de espécies de água doce.

As algas vermelhas geralmente vivem aderidas a rochas ou a outras algas, mas há espécies flutuantes. Algumas espécies acumulam carbonato de cálcio nas paredes celulares, adquirindo uma rigidez semelhante à do coral, sendo por isso denominadas algas coralíneas. (Fig. 26.6)

DANIEL GOTSHALL/VISUALS UNLIMITED/GLOW IMAGES

WIM VAN EGMOND/VISUALS UNLIMITED/GLOW IMAGES

Figura 26.6 A. Representantes de rodófita macroscópica (*Rhodymenia* sp.): os indivíduos mostrados na foto medem cerca de 15 cm de comprimento. **B.** Fotomicrografia de *Ceramium* sp. (microscópio fotônico; aumento ≈ 160×).

Os **dinoflagelados** (do grego *dinos*, pião, rodopiar), reunidos no filo **Dinophyta** (ou Pyrrophyta), são unicelulares. A maioria das espécies é marinha e, com as diatomáceas e crisófitas, constitui parte importante do fitoplâncton marinho.

A célula dos dinoflagelados é dotada de dois flagelos usados para locomoção. Muitas espécies apresentam revestimento de placas de celulose dispostas como uma armadura, eventualmente contendo sílica. Há espécies sem parede celular, que vivem como simbiontes – **zooxantelas** – dentro de células de protozoários e de animais marinhos como cnidários, platelmintos e moluscos. Certos dinoflagelados não têm cloroplastos e sua nutrição é exclusivamente heterotrófica; algumas espécies são predadoras de protozoários.

Em condições adversas, como a escassez de nutrientes, os dinoflagelados podem perder os flagelos e formar cistos de resistência, capazes de permanecer anos em estado de dormência.

Dinoflagelados do gênero *Noctiluca* são responsáveis pelo fenômeno de bioluminescência do mar, visível à noite em certas épocas do ano, quando o movimento das ondas faz esses organismos emitirem uma tênue luz esverdeada. (Fig. 26.7)

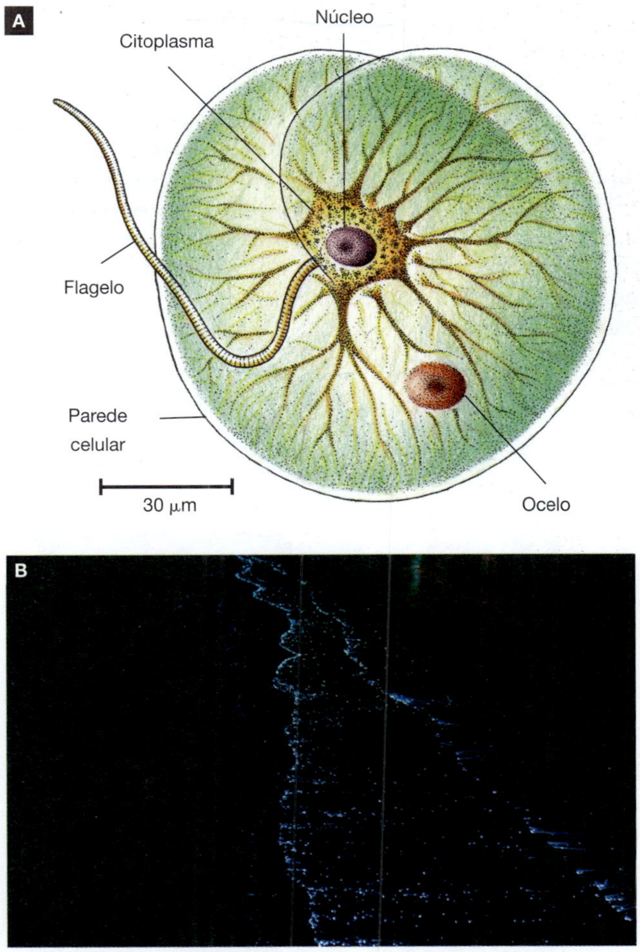

TRAVELART/ALAMY/GLOW IMAGES

Figura 26.7 A. Representação esquemática de *Noctiluca* sp. O ocelo é uma estrutura pigmentada capaz de perceber a luminosidade do ambiente e orientar o organismo em relação à luz. (Elementos fora de proporção de tamanho entre si; cores-fantasia.) **B.** Bioluminescência causada por dinoflagelados do gênero *Noctiluca* em uma praia nas Ilhas Maldivas, em 2010.

Diversas espécies de dinoflagelado provocam a chamada **maré vermelha**, fenômeno em que a água do mar se torna marrom-avermelhada devido à multiplicação intensa dessas algas perto do litoral. As substâncias tóxicas liberadas por esses dinoflagelados, também conhecidos como pirrófitas (do grego *pyrrhos*, fogo ou cor de fogo), causam a morte de peixes e outros animais marinhos, e eventualmente podem intoxicar pessoas. (Fig. 26.8)

BILL BACHMAN/SCIENCE SOURCE/DIOMEDIA

Figura 26.8 Fenômeno da maré vermelha na Austrália, em 2011, decorrente do aumento populacional explosivo de dinoflagelados.

Os **euglenoides** – filo **Euglenophyta** –, em sua maioria de água doce, são seres unicelulares revestidos por uma película flexível sob a qual há fibrilas contráteis, que permitem à célula contrair-se rapidamente. Em geral, possuem dois flagelos, um curto, que não chega a emergir da célula, e outro longo, usado para a locomoção. Certas espécies apresentam **ocelo** perto da base do flagelo. Muitos euglenoides apresentam pigmentos fotossintetizantes e nutrição autotrófica, mas há espécies heterotróficas, que fagocitam suas presas.

Euglenoides de água doce têm uma bolsa membranosa intracelular bem desenvolvida, o **vacúolo contrátil**, ou vacúolo pulsátil, responsável pela eliminação periódica do excesso de água que entra na célula por osmose. (Fig. 26.9)

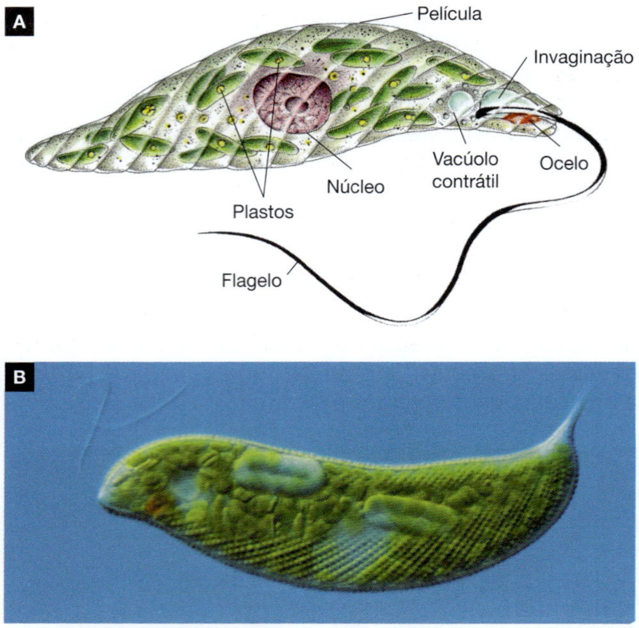

WIM VAN EGMOND/VISUALS UNLIMITED/GLOW IMAGES

Figura 26.9 A. Representação esquemática do euglenoide *Euglena viridis*. (Elementos fora de proporção de tamanho entre si; cores-fantasia.) **B.** Fotomicrografia de *Euglena spirogyra*. A mancha vermelha é o ocelo; à direita dele, vê-se o vacúolo contrátil. Os dois corpos elípticos grandes são reservas de amido. (Microscópio fotônico; aumento ≈ 485×).

Reprodução das algas

Algas unicelulares reproduzem-se assexuadamente por **divisão binária**. Algas multicelulares filamentosas podem se reproduzir por **fragmentação**, em que o talo simplesmente se parte e origina novos indivíduos. Diversas espécies reproduzem-se por **esporulação**, em que se formam assexuadamente células reprodutivas denominadas **esporos**. (Fig. 26.10)

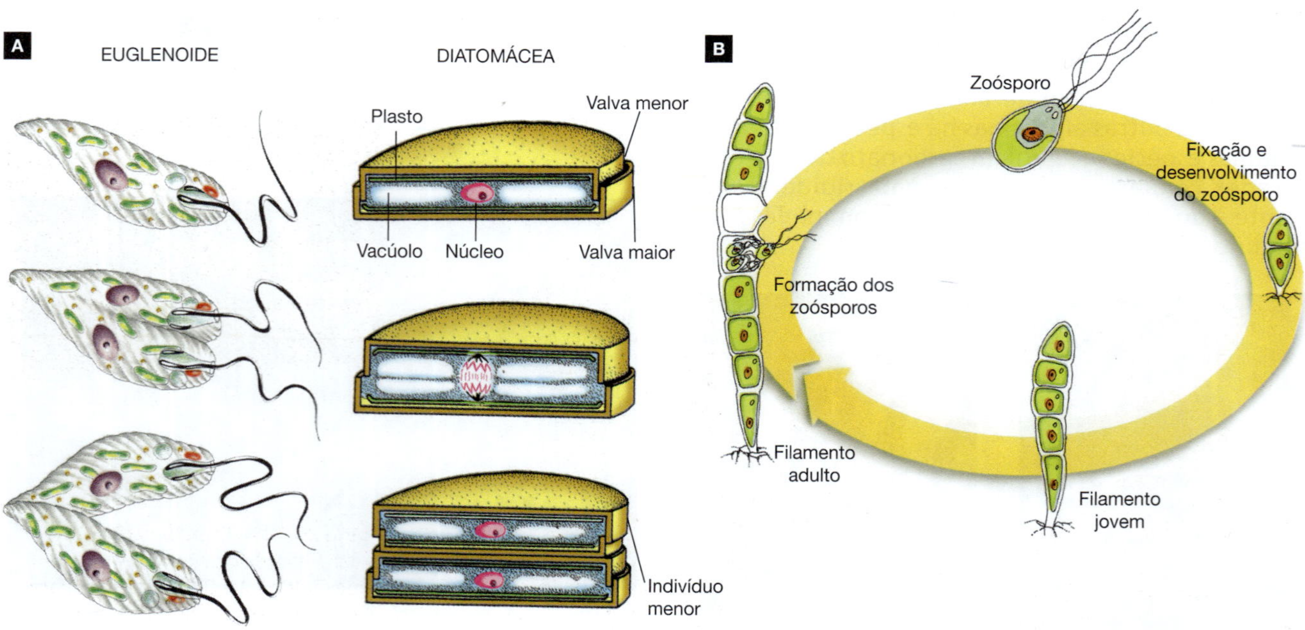

Figura 26.10 A. Representação esquemática da divisão binária de um euglenoide e de uma diatomácea. Nesta última, após a divisão, há reconstituição da parte menor da carapaça, de modo que uma das diatomáceas-filhas sempre é ligeiramente menor que a outra. **B.** Representação esquemática da reprodução assexuada da alga verde filamentosa *Ulothrix* sp., que forma células flageladas chamadas zoósporos. (Elementos fora de proporção de tamanho entre si; cores-fantasia.)

O processo sexuado de reprodução das algas envolve fusão de gametas haploides com formação do zigoto diploide. Em algas unicelulares como *Chlamydomonas* sp., cada organismo se comporta como um gameta. Dois indivíduos haploides sexualmente maduros fundem-se e originam um zigoto diploide, que por meiose gera quatro células haploides. Cada uma dessas células é um novo organismo que, na maturidade, pode se reprodizir assexuadamente ou seguir o ciclo sexuado. (Fig. 26.11)

No ciclo de vida de muitas algas multicelulares, gerações de indivíduos haploides (*n*) e diploides (2*n*) alternam-se, fenômeno denominado **alternância de gerações**.

As algas verdes do gênero *Ulva*, por exemplo, apresentam dois tipos de talo de aparência muito semelhante, mas constituídos por células diploides ou por células haploides. Indivíduos diploides, chamados **esporófitos**, possuem células que, na maturidade, passam por meiose e originam esporos haploides; por isso fala-se que a meiose é espórica. Os esporos libertam-se do talo que os formou e germinam, originando talos haploides.

Os indivíduos haploides, denominados **gametófitos**, possuem células que se multiplicam por mitose e, na maturidade, se diferenciam em gametas flagelados. Estes se libertam do gametófito e fundem-se dois a dois, produzindo zigotos diploides. O desenvolvimento de um zigoto origina um novo talo diploide (esporófito), que na maturidade repetirá o ciclo. (Fig. 26.12)

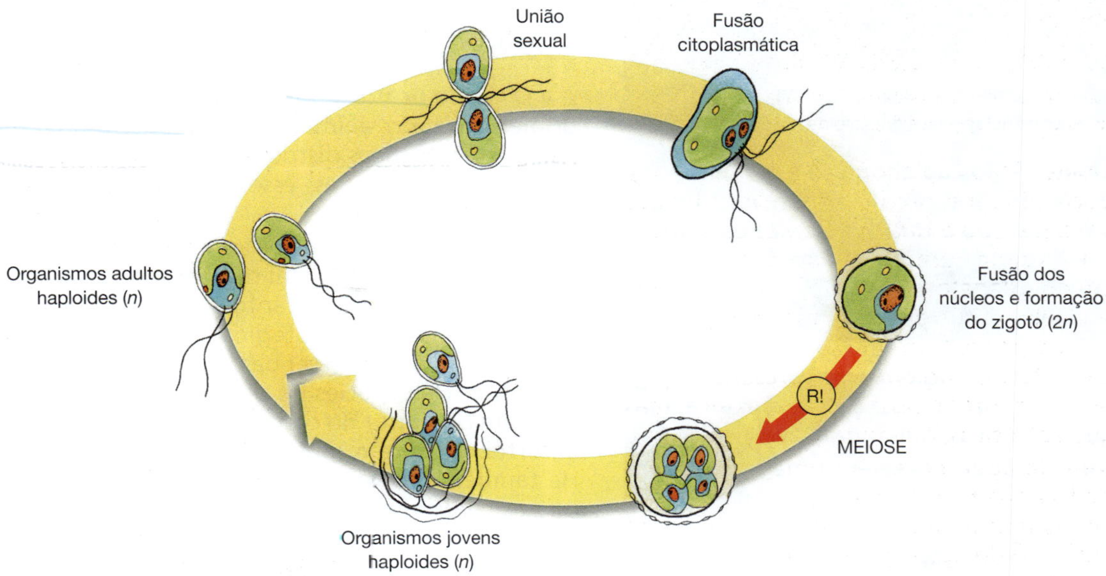

Figura 26.11 Representação esquemática do ciclo sexuado da alga verde unicelular *Chlamydomonas* sp. A meiose está representada por R!, que simboliza a redução cromossômica. Por ocorrer no zigoto, a meiose é denominada zigótica. (Elementos fora de proporção de tamanho entre si; cores-fantasia.)

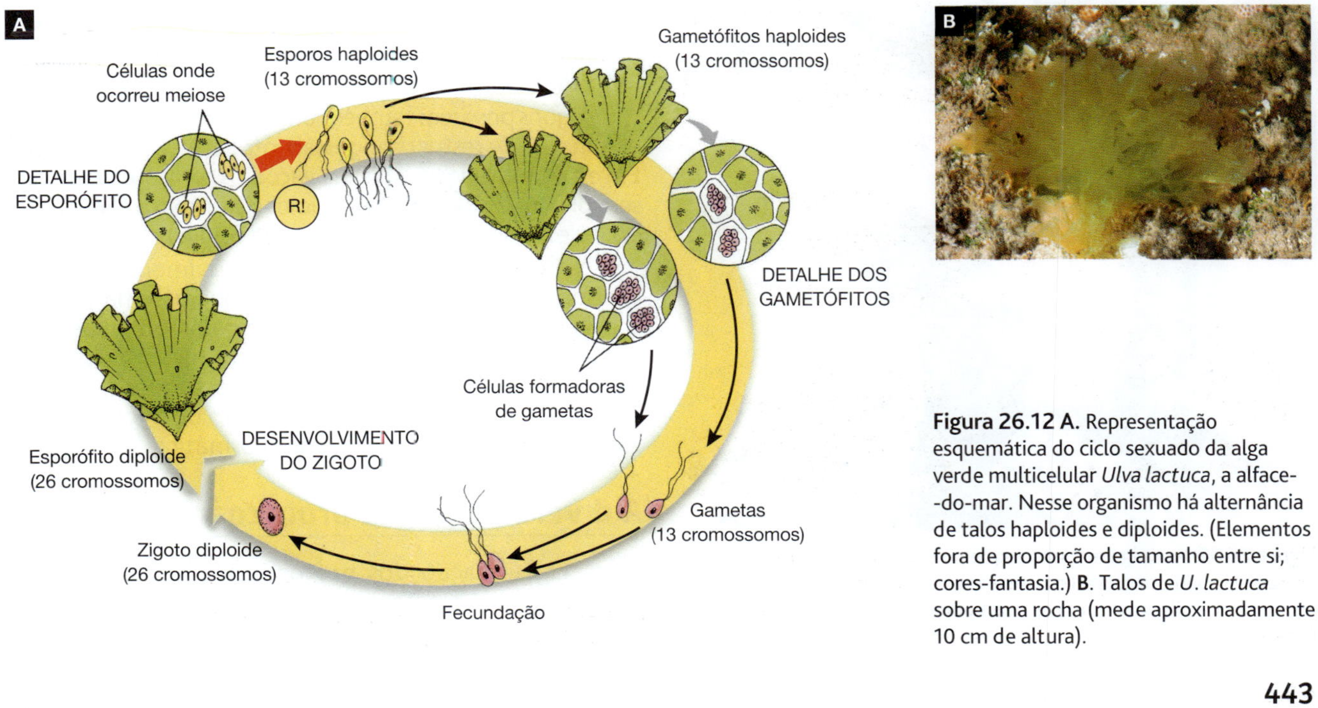

Figura 26.12 A. Representação esquemática do ciclo sexuado da alga verde multicelular *Ulva lactuca*, a alface-do-mar. Nesse organismo há alternância de talos haploides e diploides. (Elementos fora de proporção de tamanho entre si; cores-fantasia.) **B.** Talos de *U. lactuca* sobre uma rocha (mede aproximadamente 10 cm de altura).

A importância econômica das algas

Diversas espécies de alga são comestíveis. As mais utilizadas como alimento são as algas pardas, as vermelhas e as verdes, apreciadas principalmente pelos povos orientais.

Algas vermelhas do gênero *Porphyra*, depois de secas e prensadas, transformam-se em folhas crocantes, empregadas no preparo de *sushis* e de outros pratos da culinária japonesa. Do ponto de vista nutricional, as algas são ricas em vitaminas e minerais essenciais. (Fig. 26.13)

BIOPHOTO ASSOCIATES/SCIENCE SOURCE/DIOMEDIA

ANNA CHELNOKOVA/SHUTTERSTOCK

SMIT/SHUTTERSTOCK

Figura 26.13 A. A alga marinha vermelha *Porphyra* sp., chamada de *nori* pelos japoneses, tem cor violeta-escura. **B.** *Sushi* sendo preparado com peixe fresco, arroz e *nori*. **C.** *Sushis* prontos, com alga envolvendo cada um.

Certas algas vermelhas são fonte de ficocoloides – polissacarídios de grande importância econômica – como as carrageninas e o ágar. As carrageninas são amplamente utilizadas como estabilizantes e clarificantes pela indústria alimentícia. O ágar, além de ser empregado como espessante de alimentos, é utilizado por cientistas na preparação de meio de cultura para microrganismos.

As algas pardas apresentam em suas paredes celulares o alginato, um ficocoloide empregado pelas indústrias farmacêuticas, têxteis e de cosméticos, assim como na fabricação de sorvetes, achocolatados, cerveja, creme dental etc.

26.2 Protozoários

Características gerais dos protozoários

O termo protozoário (do grego *protos*, primitivo, primeiro, e *zoon*, animal) designa organismos unicelulares heterotróficos distribuídos em diversos filos. Em algumas classificações, esses filos são agrupados no sub-reino **Protozoa**.

A maioria dos protozoários é aquática, vivendo em água doce ou salgada, em regiões lodosas e em terra úmida, alimentando-se tanto da matéria orgânica de cadáveres (hábito saprofágico) como de microrganismos vivos, que podem ser bactérias, algas e outros protozoários. Há espécies de protozoários parasitas que habitam o interior do corpo de animais invertebrados e vertebrados, em muitos casos causando doenças. Há também protozoários que trocam benefícios com outros seres vivos, em uma relação de mutualismo, como é o caso dos que vivem no intestino dos cupins.

O tamanho dos protozoários varia entre 10 μm e 50 μm, mas alguns podem atingir 1 milímetro de comprimento. A organização celular dos protozoários é complexa e conta com organelas bem desenvolvidas, como o vacúolo digestório, no qual ocorre a digestão intracelular das partículas de alimento ingeridas por fagocitose.

Certos protozoários têm uma região celular especializada na fagocitose, o **citóstoma**, por onde são ingeridos fluidos e partículas.

Alguns possuem também uma região especializada na eliminação de restos da digestão intracelular, o **citoprocto**. Em espécies de água doce, há vacúolos contráteis bem desenvolvidos e ativos. Esses vacúolos garantem a eliminação do excesso de água que penetra na célula por osmose.

Protozoários como as amebas movimentam-se por pseudópodes, ao passo que os protozoários flagelados e ciliados movimentam-se por flagelos ou cílios, respectivamente. Protozoários do filo Apicomplexa, embora desprovidos de estruturas de locomoção, podem executar movimentos lentos por ação de microtúbulos localizados sob sua membrana plasmática.

A diversidade dos protozoários

A classificação dos protozoários ainda é muito controversa. Esses organismos possivelmente descendem de várias linhagens ancestrais e, segundo a cladística, deveriam ser distribuídos em dezenas de grupos distintos. No sistema de classificação que adotamos, os protozoários estão divididos em seis filos do Reino Protoctista.

Os **rizópodes** – filo **Rhizopoda**, ou Sarcodina – são protozoários que se locomovem por pseudópodes, projeções da célula também empregadas na captura de alimento. Seus representantes mais conhecidos são as amebas. Há espécies de água doce e marinhas, vivendo sobre os fundos e sobre a vegetação submersa. (Fig. 26.14)

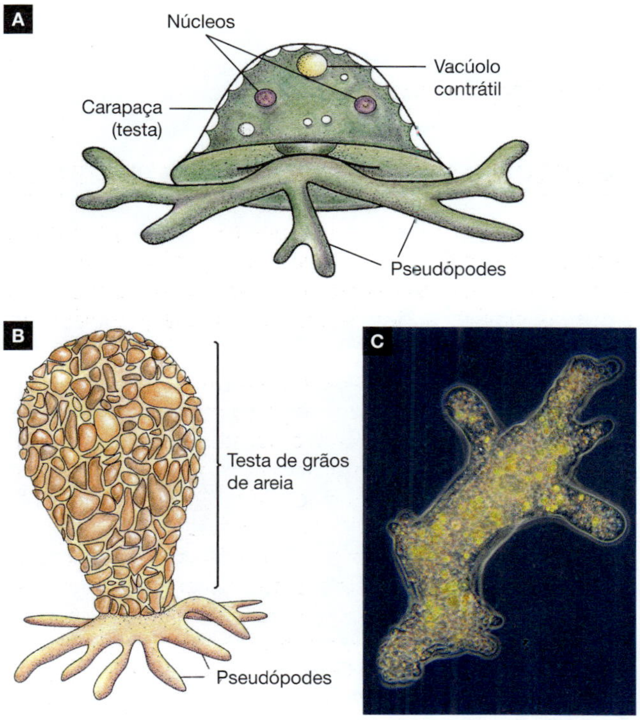

Figura 26.14 Representantes do filo Rhizopoda. Representações esquemáticas de *Arcella* sp. (**A**), cuja carapaça é constituída por uma proteína rígida, e de *Difflugia* sp. (**B**), rizópode marinho que agrega e cimenta grãos de areia microscópicos para constituir sua testa. (Elementos fora de proporção de tamanho entre si; cores-fantasia.) **C.** Fotomicrografia de *Amoeba proteus* (microscópio fotônico; aumento ≈ 190×).

Certas espécies de ameba vivem no corpo humano sem causar prejuízo, em uma relação de comensalismo. Exemplos de amebas comensais humanas são *Entamoeba giengivalis*, que vive na boca, e *Entamoeba coli*, que vive no intestino. Por outro lado, *Entamoeba histolytica* é parasita e provoca a doença conhecida por **amebíase**, ou disenteria amebiana.

Os **actinópodes** – filo **Actinopoda** – são protozoários dotados de pseudópodes filamentosos, conhecidos como axópodes, e sustentados por um eixo central, que se projetam como raios em torno da célula. No filo dos actinópodes há dois grupos principais: radiolários e heliozoários.

Os **radiolários** vivem exclusivamente no mar, constituindo um componente do zooplâncton. Sua célula apresenta uma cápsula interna central, esférica e perfurada, composta de quitina, ligada a um microesqueleto formado por espículas de sílica ou de sulfato de estrôncio ($SrSO_4$).

Muitos radiolários abrigam em seu citoplasma zooxantelas (algas endossimbióticas), em geral crisófitas e diatomáceas. A abundância de radiolários, hoje e no passado, é evidenciada pelas extensas camadas de microesqueletos desses organismos, acumuladas no fundo oceânico.

Os **heliozoários** vivem, em sua maioria, na água doce. Eles têm forma esférica e podem apresentar estruturas esqueléticas. Algumas espécies habitam o fundo de lagos de água doce ou a vegetação submersa, capturando ativamente alimento pela fagocitose realizada por seus axópodes. (Fig. 26.15)

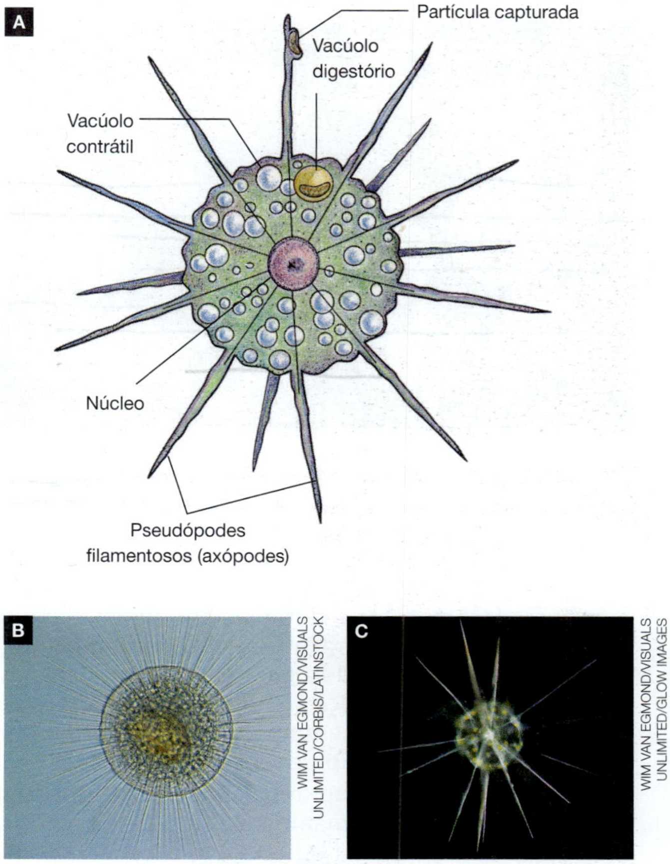

Figura 26.15 Representantes do filo Actinopoda. **A.** Representação esquemática de um heliozoário, em que o esqueleto interno é recoberto por uma fina camada de citoplasma. Note os axópodes capturando alimento. (Elementos fora de proporção de tamanho entre si; cores-fantasia.) **B.** Fotomicrografia do heliozoário de água doce *Actinosphaerium eichhorni* (microscópio fotônico; aumento ≈ 12×). **C.** Fotomicrografia do radiolário da classe Acantharea, que faz parte do plâncton marinho (microscópio eletrônico de varredura; aumento ≈ 55×; cores artificiais).

Os **foraminíferos** – filo **Foraminifera** – são protozoários dotados de uma carapaça externa constituída de carbonato de cálcio, quitina ou mesmo de fragmentos calcários ou silicosos selecionados da areia pelo protozoário. A carapaça apresenta numerosas perfurações, por onde saem pseudópodes finos e delicados, utilizados na captura de alimento.

A maioria dos foraminíferos vive no mar. Muitas espécies são flutuantes, constituindo parte do plâncton, enquanto outras rastejam no fundo ou vivem aderidas a algas e animais.

Os foraminíferos foram muito abundantes nos mares do passado. Suas microcarapaças formaram extensos depósitos no fundo dos oceanos, originando rochas sedimentares calcárias denominadas **vasas**. As grandes pirâmides do Egito foram construídas com vasas formadas por carapaças de foraminíferos do gênero *Nummulites*, hoje extintos, mas muito comuns nos mares de 100 milhões de anos atrás.

A presença de determinados foraminíferos está relacionada a rochas sedimentares que contêm petróleo. Por isso, encontrar certos tipos de carapaça de foraminíferos na prospecção petrolífera é um forte indicador da existência de petróleo no local. (Fig. 26.16)

SOLVIN ZANKL/VISUALS UNLIMITED/GLOW IMAGES

Figura 26.16 Diversidade de carapaças de foraminíferos encontradas em areia de praia na Indonésia, em 2012 (microscópio fotônico; aumento ≈ 35×).

Os **apicomplexos**, ou esporozoários – filo **Apicomplexa** –, são protozoários endoparasitas destituídos de estruturas locomotoras e dotados, em algum estágio do ciclo de vida, de uma estrutura celular proeminente, o complexo apical utilizado para penetrar nas células hospedeiras. A denominação antiga Sporozoa refere-se ao fato de muitos representantes do grupo formarem esporos em algum estágio de seus ciclos de vida.

Diversas espécies de apicomplexos causam doenças em invertebrados, aves e mamíferos, inclusive na espécie humana. Dependendo da espécie, o protozoário pode viver no interior de células, no sangue, em cavidades ou em outros locais do corpo do hospedeiro. Representantes conhecidos dos apicomplexos são os do gênero *Plasmodium*, que causa malária, o *Toxoplasma gondii*, que provoca toxoplasmose, e o *Pneumocystis carinii*, que causa pneumonia em pessoas com deficiência no sistema imunitário (imunodeprimidas). O *P. carinii* tornou-se relevante para a saúde humana com o início da epidemia de aids, no começo dos anos 1980.

Os **flagelados** – filo **Zoomastigophora** – são protozoários que se locomovem pela movimentação de estruturas filamentosas em forma de chicote, os **flagelos**. Geralmente a célula contém um ou dois flagelos, mas há espécies com dezenas deles. Os flagelados vivem em meio aquático, tanto no mar como em água doce. Alguns têm vida livre, utilizando os flagelos para nadar e para capturar alimentos por fagocitose, enquanto outros são sésseis, isto é, vivem fixados a um substrato; nesses casos, a movimentação dos flagelos cria correntes líquidas, que atraem as partículas alimentares para perto do protozoário.

Diversas espécies de flagelados são parasitas e causam doenças em animais e seres humanos. Entre os flagelados parasitas da espécie humana destacam-se *Trypanosoma cruzi*, causador da doença de Chagas, *Leishmania braziliensis*, causador da leishmaniose tegumentar, uma afecção grave da pele, e *Trichomonas vaginalis*, causador de inflamações e corrimentos vaginais.

Flagelados do gênero *Trichonympha* vivem no tubo digestório de baratas e cupins, em uma relação de mutualismo. (Fig. 26.17)

ERIC V. GRAVE/SCIENCE SOURCE/LATINSTOCK

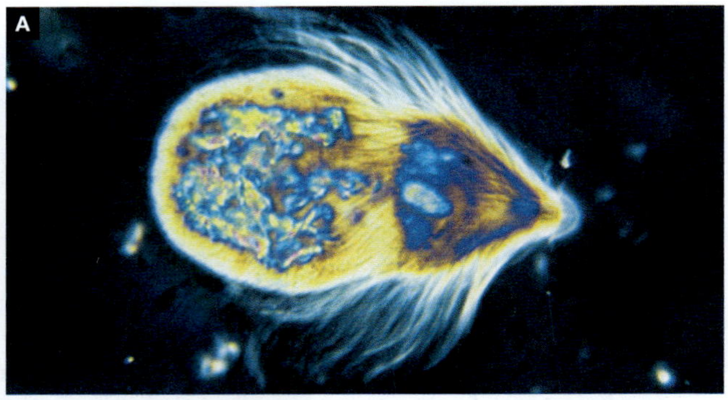

M. I. WALKER/SCIENCE SOURCE/LATINSTOCK

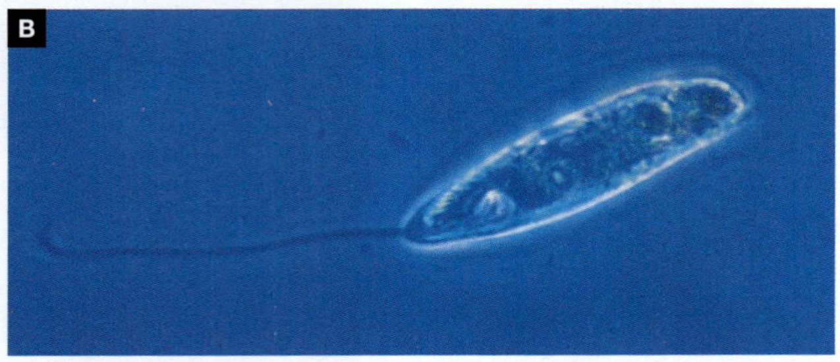

Figura 26.17 Fotomicrografias de representantes do filo Zoomastigophora. **A.** *Trichonympha* sp., flagelado que vive no intestino dos cupins, auxiliando-os na digestão da madeira (microscópio fotônico; aumento ≈ 300×). **B.** *Peranema trichophorum*, flagelado de água doce (microscópio fotônico; aumento ≈ 300×).

Os **ciliados** – filo **Ciliophora** – são protozoários dotados de **cílios**, estruturas locomotoras mais curtas e mais numerosas que os flagelos. Em geral, apresentam dois núcleos em sua célula, um grande, o **macronúcleo**, responsável direto pelo controle das atividades celulares, e outro menor, o **micronúcleo**, que atua no processo de reprodução sexuada. O macronúcleo origina-se de um micronúcleo por poliploidia, processo em que os cromossomos se duplicam diversas vezes sem que ocorra divisão nuclear. O micronúcleo é diploide e, durante a reprodução sexuada, passa por divisão meiótica, originando núcleos haploides que são trocados entre os dois indivíduos participantes do processo sexuado, denominado **conjugação**.

A maioria dos ciliados tem vida livre. Entre as poucas espécies parasitas, destaca-se *Balantidium coli*, parasita do intestino do porco que pode, eventualmente, provocar um tipo de infecção intestinal em seres humanos. Certos ciliados vivem, com bactérias e arqueas, no tubo digestório de animais ruminantes, como bois, carneiros, cabras, girafas etc., auxiliando a digestão da matéria vegetal e servindo, eles próprios, de alimento para seus hospedeiros. (Fig. 26.18)

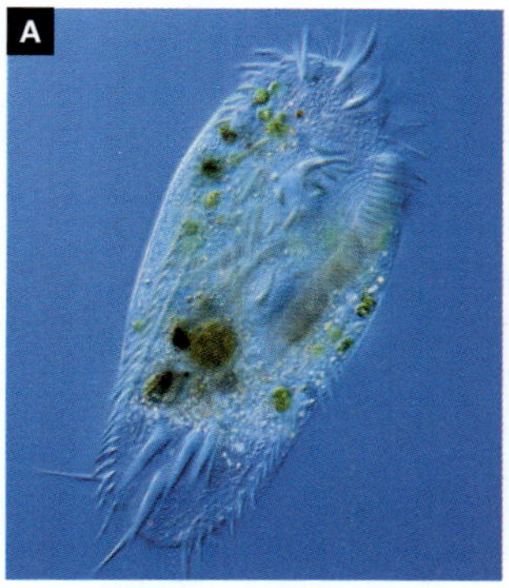

A

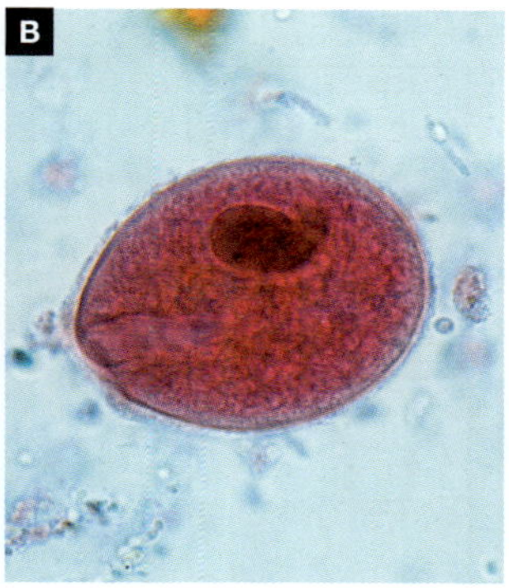

B

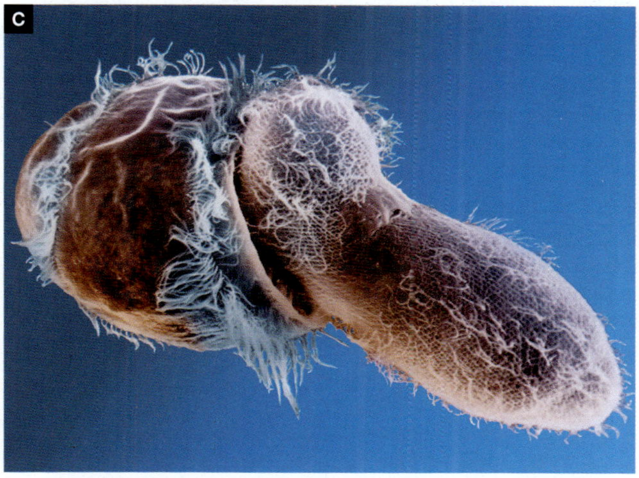

C

WIM VAN EGMOND/VISUALS UNLIMITED/GLOW IMAGES

MICHAEL ABBEY/VISUALS UNLIMITED/GLOW IMAGES

BIOPHOTO ASSOCIATES/SCIENCE SOURCE/LATINSTOCK

Figura 26.18 Fotomicrografias de representantes do filo Ciliophora. **A.** *Stylonychia* sp., um ciliado de água doce (microscópio fotônico; aumento ≈ 410×). **B.** *Balantidium coli*, um ciliado parasita (microscópio fotônico; aumento ≈ 245×). **C.** Um paramécio (à direita) sendo atacado por outro ciliado, *Didinium* sp. (microscópio eletrônico de varredura; aumento ≈ 475×).

Reprodução dos protozoários

A maioria dos protozoários de vida livre reproduz-se assexuadamente por **divisão binária**. A célula cresce até determinado tamanho e divide-se ao meio, originando dois novos indivíduos. (Fig. 26.19)

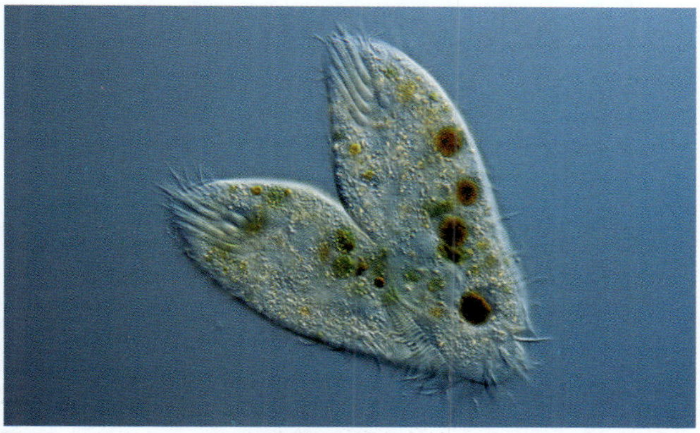

WIM VAN EGMOND/VISUALS UNLIMITED/CORBIS/LATINSTOCK

Figura 26.19 Protozoário *Oxytricha* sp. em reprodução por divisão binária (microscópio fotônico; aumento ≈ 500×).

Alguns rizópodes e apicomplexos podem se reproduzir assexuadamente por **divisão múltipla**. Nesse caso, a célula multiplica o núcleo diversas vezes por mitose, antes de se fragmentar em inúmeras pequenas células.

A maioria dos protozoários apresenta processos sexuais. No tipo mais comum de reprodução sexuada, dois indivíduos de sexos diferentes fundem-se e formam um zigoto, que posteriormente passa por meiose e origina indivíduos geneticamente recombinados. Nos apicomplexos, geralmente há alternância entre formas sexuada e assexuada de reprodução.

Ciência e cidadania

Protozoários que causam doenças humanas

1 Os protozoários parasitas causam diversas doenças em seres humanos: disenteria, lesões na pele e em órgãos internos, malária etc. As infecções por protozoários parasitas são genericamente denominadas **protozooses**. Conhecer a dinâmica de transmissão das principais protozooses, além de útil na prevenção dessas doenças, é também um exercício de cidadania, uma vez que pessoas bem informadas podem ajudar a diminuir a incidência dessas e de outras parasitoses.

Amebíase ou disenteria amebiana

2 A **amebíase**, ou disenteria amebiana, é causada pelo rizópode parasita *Entamoeba histolytica*, a entameba. Adquire-se essa parasitose ao ingerir cistos de entameba presentes na água ou em alimentos contaminados com fezes de pessoas doentes. O cisto é uma bolsa de parede rígida repleta de amebas jovens, capazes de infectar um novo hospedeiro. No intestino do hospedeiro, a parede do cisto se rompe, libertando as amebas, que invadem tecidos da parede intestinal, onde passam a se alimentar de sangue e de células. Esses locais podem inflamar-se e romper-se, liberando sangue, muco e milhares de amebas, muitas já na forma de cistos. Ao serem eliminados com as fezes, os cistos podem contaminar água e alimentos (como verduras) e ser transmitidos para outras pessoas.

3 Apenas uma em cada dez pessoas infectadas por *E. histolytica* apresenta sintomas da doença. Estes são geralmente brandos, como diarreias e dor de estômago; em casos mais graves, ocorrem diarreias com sangue e a pessoa pode se tornar anêmica. A amebíase leva, frequentemente, ao desenvolvimento de infecções secundárias bacterianas no intestino. Atualmente pode ser combatida com medicamentos, que devem ser ministrados após o diagnóstico da parasitose, feito por exame microscópico das fezes do doente.

4 Para prevenir a disseminação da amebíase são necessárias atitudes por parte do poder público e das pessoas. Entre as formas de prevenção destaca-se o uso de instalações sanitárias adequadas, como privadas, esgotos e fossas sépticas, que impeçam a contaminação da água e de alimentos por fezes com cistos de ameba. A água, caso não seja tratada, deve ser fervida antes de ser usada para beber ou para lavar alimentos consumidos crus. Esses e outros cuidados básicos, associados à higiene pessoal, previnem não só a amebíase, como também inúmeras outras doenças infecciosas.

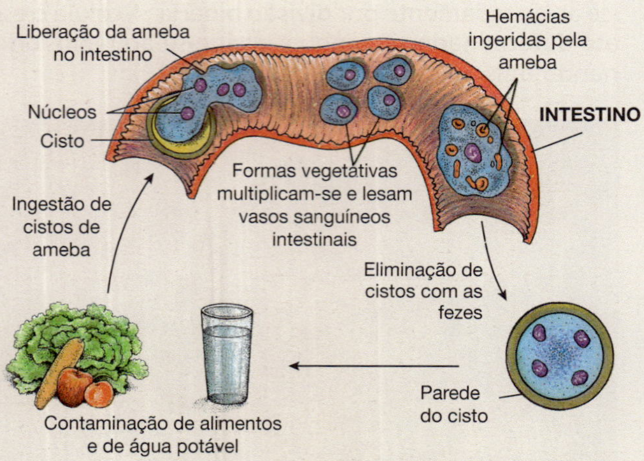

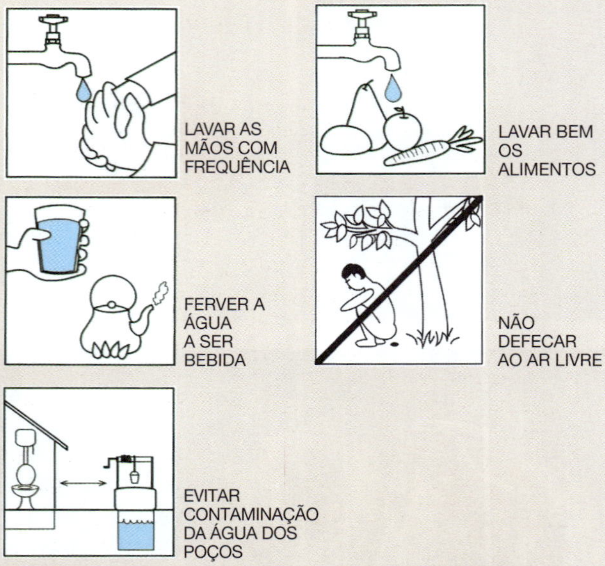

Representação esquemática do ciclo de *Entamoeba histolytica*, protozoário parasita do intestino humano e causador da disenteria amebiana (amebíase). O cisto dessa ameba é denominado "forma de resistência", pois é capaz de sobreviver por longos períodos fora de organismos hospedeiros. As amebas não estão representadas na mesma escala que o intestino, e sim em escala muito maior; lembre-se de que elas são microscópicas. Os quadros apresentam as principais maneiras de prevenção da amebíase.

Leishmaniose

5 **Leishmaniose** é a denominação genérica da infecção causada por protozoários flagelados conhecidos como **leishmânias**. No Brasil, estima-se que cerca de 40 mil pessoas por ano adquiram um dos tipos de leishmaniose, visceral ou tegumentar.

6 A **leishmaniose visceral** (ou calazar) é causada, principalmente, pela *Leishmania chagasi*, que ataca o baço e o fígado. Febre contínua, perda de apetite, inchaço do fígado e do baço, lesões na pele e anemia são alguns dos sintomas da doença, que, em certos casos, pode levar à morte. Os cães também são atacados por esse protozoário. A parasitose é transmitida pela picada do mosquito *Lutzomyia longipalpis*, conhecido popularmente como mosquito-palha, ou maruim.

7 A **leishmaniose tegumentar** (ou úlcera de bauru) é uma doença parasitária de pele e mucosas causada pela *Leishmania braziliensis*. Na pele, a doença manifesta-se pela formação de feridas ulcerosas, com bordas elevadas e fundo granuloso. Nas mucosas (cavidade nasal, faringe ou laringe), a leishmaniose destrói tecidos e, em casos graves, pode perfurar o septo nasal e produzir lesões deformantes. A transmissão da leishmaniose tegumentar ocorre pela picada de mosquitos do gênero *Lutzomyia* (mosquito-palha).

8 As principais medidas de prevenção da leishmaniose são evitar a proliferação do mosquito transmissor e impedir sua picada. O combate ao mosquito pode ser feito pelo aterro de lagoas e poças d'água que servem de criadouro para as larvas e também pela aplicação de inseticidas sobre as áreas atingidas pela doença. Esta última providência tem a consequência indesejável de matar indiscriminadamente outras espécies de insetos, muitas delas de importância econômica ou ecológica. Para impedir a picada do mosquito, pode-se proteger as portas e as janelas das casas com telas e cobrir as camas com cortinados de filó.

RAY WILSON/ALAMY/GLOW IMAGES

BSIP/DIOMEDIA

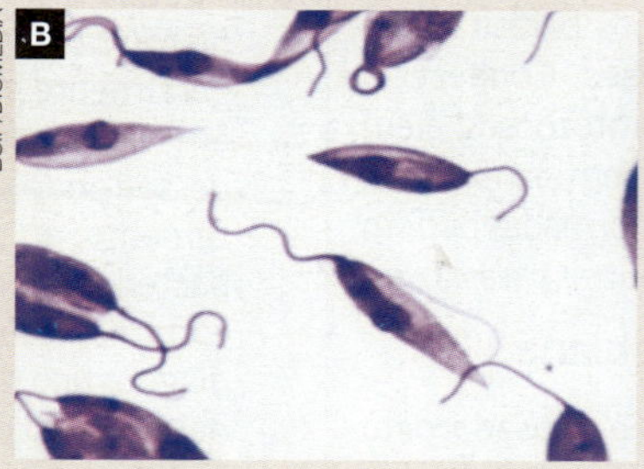

MICHAEL ABBEY/SCIENCE SOURCE/LATINSTOCK

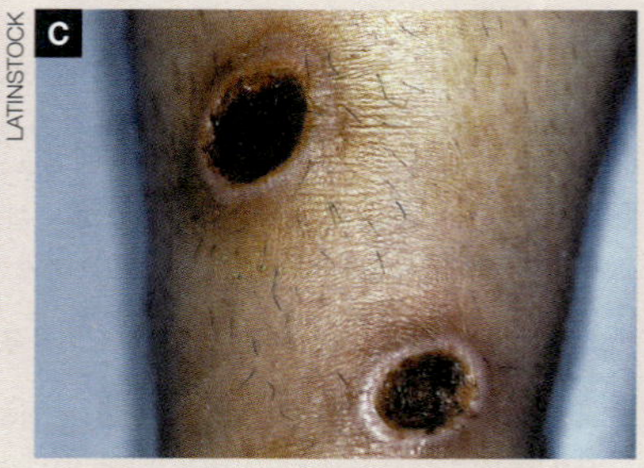

A. Mosquito-palha *Lutzomyia longipalpis* picando uma pessoa; esse inseto tem menos de 2 milímetros e é o principal transmissor da leishmaniose tegumentar. **B.** Fotomicrografia do protozoário flagelado *Leishmania donovani*, outra espécie do gênero que ataca órgãos internos (microscópio fotônico; aumento ≈ 1.100×; cores artificiais). **C.** Feridas em perna causadas pela leishmaniose tegumentar. Os quadros apresentam as principais maneiras de prevenção da leishmaniose tegumentar.

Doença de Chagas

9 A **doença de Chagas**, também chamada tripanossomíase americana, é causada pelo protozoário flagelado *Trypanosoma cruzi*, o tripanossomo. Foi o médico sanitarista brasileiro Carlos Chagas (1878-1934) quem descobriu o parasita causador e descreveu seu ciclo de vida e o modo de transmissão. Segundo dados da Organização Mundial da Saúde (OMS), a doença afeta mais de 10 milhões de pessoas em todo o mundo, a maioria na América Latina. No Brasil, o controle governamental da transmissão domiciliar da doença de Chagas vem obtendo amplo sucesso e a maioria dos estados brasileiros já pode ser declarada livre da doença, fato reconhecido pela Organização Panamericana da Saúde e Organização Mundial da Saúde que concedeu ao Brasil, em 2006, a certificação internacional de interrupção da transmissão da doença pelo *Triatoma infestans*. De acordo com os dados, predominam no Brasil os casos crônicos da doença, decorrentes de infecções adquiridas no passado, com cerca de 3 milhões de infectados, para os quais ainda não existe tratamento (OMS, 2012).

10 O tripanossomo é transmitido por insetos popularmente chamados "barbeiros" ou "chupanças", sendo o *Triatoma infestans* a espécie transmissora mais comum. A doença geralmente é adquirida pelo contato das mucosas (dos olhos, do nariz e da boca) ou de feridas na pele com fezes do inseto portador do parasita. Mulheres portadoras podem transmitir o parasita aos filhos durante a gravidez ou na amamentação. Transplantes de órgãos e transfusões de sangue de doadores infectados são outras vias de transmissão da doença de Chagas. Uma forma aguda da doença (DCA) pode ocorrer pela ingestão de alimentos contaminados por barbeiros infestados pelo parasita; em 2011 foram 166 casos com 5 óbitos, 113 deles no Pará.

11 O barbeiro adquire tripanossomos ao sugar sangue de pessoas com doença de Chagas ou de animais contaminados pelo parasita, como cães, gatos, roedores e diversos animais silvestres, que servem de reservatórios naturais do protozoário. Os barbeiros têm hábitos noturnos, escondendo-se durante o dia em frestas, de onde saem à noite para se alimentar de sangue. Depois de picar uma pessoa, geralmente no rosto (daí o nome "barbeiro"), o inseto defeca; se estiver contaminado, os tripanossomos contidos em suas fezes podem penetrar através do ferimento da picada, quando a pessoa coça o local, atingindo a circulação sanguínea, via de acesso aos órgãos do corpo.

12 Nos primeiros estágios da doença, os principais sintomas são cansaço, febre, aumento do fígado ou do baço e inchaço dos linfonodos. Depois de 2 a 4 meses esses sintomas desaparecem. Somente 10 a 20 anos após a infecção é que começam a aparecer os sintomas mais graves da doença; os protozoários instalam-se preferencialmente no músculo cardíaco e causam lesões que prejudicam o funcionamento do coração, o que leva à insuficiência cardíaca crônica.

13 Até a década de 1960, não havia medicamentos eficientes contra o tripanossomo. A partir de então têm sido desenvolvidas drogas terapêuticas capazes de matar e destruir o *Trypanosoma cruzi*, principalmente no período inicial da doença. Entretanto, as lesões do coração e de outros órgãos, como o esôfago e o intestino, são irreversíveis e até o momento não há tratamento eficaz para os estágios avançados da doença de Chagas.

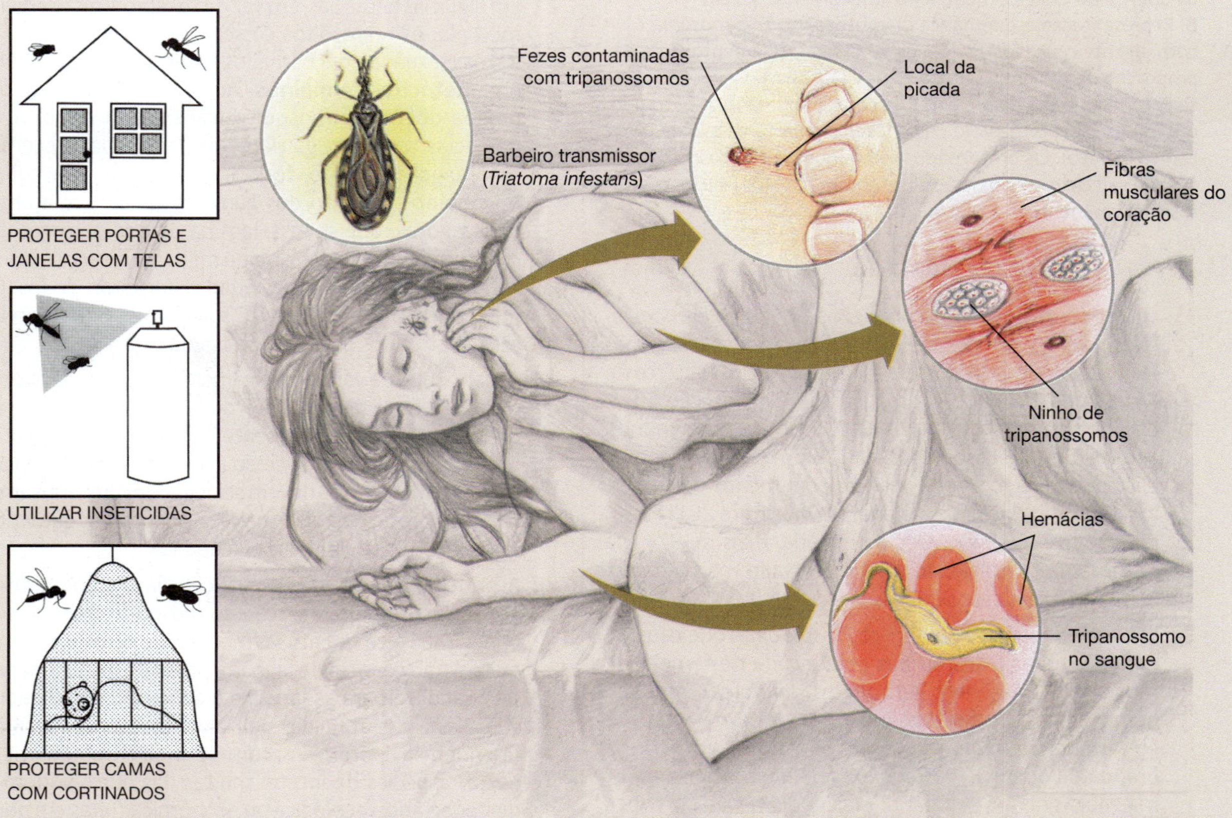

Representação esquemática dos principais aspectos da doença de Chagas. Os quadros ilustram formas de prevenção dessa protozoose.

14 A principal maneira de combater a parasitose é a adoção de medidas preventivas, que impeçam a entrada dos protozoários no organismo humano. A primeira providência, evidentemente, é evitar a picada do barbeiro, o agente transmissor (ou vetor) da doença. Como esses insetos se escondem nas frestas das casas de barro ou de pau a pique, a construção de casas de alvenaria, sem esconderijos para o barbeiro, ajuda a combater a doença de Chagas. Outra medida preventiva é a instalação de cortinados de filó sobre as camas e de telas de proteção em portas e janelas.

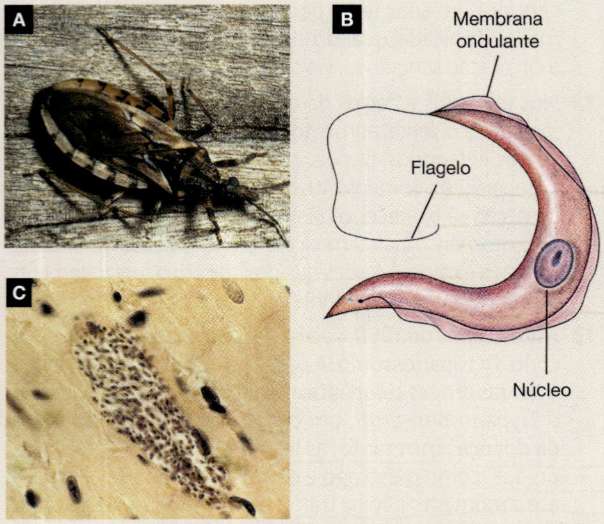

JANY SAUVANET/SCIENCE SOURCE/LATINSTOCK

SINCLAIR STAMMERS/SCIENCE PHOTO LIBRARY/LATINSTOCK

A. Barbeiro, ou chupança (*Triatoma infestans*), inseto transmissor da doença de Chagas, mede aproximadamente 3,5 cm.
B. Representação esquemática do protozoário *Trypanosoma cruzi*, agente causador da doença de Chagas. (Elementos fora de proporção de tamanho entre si; cores-fantasia.)
C. Fotomicrografia de um corte de coração humano, mostrando um "ninho" do protozoário *Trypanosoma cruzi* (área ovoide no centro da foto). Os protozoários são os pontos escuros; nessa fase de seu ciclo de vida, não apresentam flagelos (microscópio fotônico; aumento ≈ 1.050 ×).

Malária

15 Entre os protozoários apicomplexos, o gênero *Plasmodium* (plasmódio) é um dos mais conhecidos por causar a malária, doença que já afligia os antigos egípcios há cerca de 5 mil anos. Segundo estimativas da Organização Mundial da Saúde (OMS), em 2010 ocorreram no mundo 216 milhões de casos de malária, com 655 mil mortes, das quais 86% foram de crianças com menos de 5 anos, a maioria na África subsaariana. No Brasil, em 2011 foram registrados 267.049 casos de malária, mais de 97% na região amazônica, sendo o Pará o estado mais afetado, com 43,1% dos casos do país.

16 Há quatro espécies do gênero *Plasmodium* que causam malária, todas transmitidas pela picada de fêmeas de mosquitos do gênero *Anopheles* (*anófeles*), que são hematófagas. Os protozoários *Plasmodium malariae* e *Plasmodium ovale* são responsáveis por uma forma branda da doença; *Plasmodium falciparum* causa a forma mais grave de malária; *Plasmodium vivax* provoca uma forma de malária de gravidade intermediária. No Brasil, o principal vetor é *Anopheles darlingi*; 83,7% dos casos registrados em 2009 foram causados por *P. vivax* e 16,3% por *P. falciparum*; *P. malarie* é raramente observado e *P. ovale* não ocorre no país.

17 Uma pessoa adquire malária ao ser picada por fêmeas do mosquito *Anopheles* sp. contaminadas pelo protozoário. Na picada, elas injetam uma secreção salivar anticoagulante, que pode conter as formas infestantes do plasmódio, chamadas **esporozoítos**. Parte dos esporozoítos penetra nas células hepáticas, onde se multiplicam de modo assexuado, enquanto outra parte penetra nas hemácias. Em cada célula hepática infectada podem surgir, dependendo da espécie, entre 2 mil e 40 mil novos protozoários. Nas infecções por *P. falciparum*, os parasitas permanecem no fígado menos tempo que os das outras espécies de plasmódio.

18 Entre 6 a 16 dias após a infecção inicial, as células hepáticas infectadas liberam no sangue os novos parasitas, agora em um estágio chamado **merozoíto**. Cada merozoíto que penetra em uma hemácia do sangue pode originar, assexuadamente, entre 8 e 24 novos merozoítos.

19 As hemácias infectadas se rompem e liberam na corrente sanguínea novos merozoítos, que invadem hemácias sadias, repetindo o ciclo. A cada 48 horas, no caso de *P. vivax* e *P. falciparum*, ou 72 horas, para *P. malariae*, novas gerações de merozoítos são liberadas pela ruptura sincrônica das hemácias infectadas.

20 Milhares de hemácias, rompendo-se simultaneamente, liberam parasitas e substâncias tóxicas, que causam febre e calafrios. Os picos de febre alta, entre 39 °C e 40 °C, coincidem com a ruptura das hemácias infectadas e a consequente liberação dos merozoítos no plasma.

21 Em algumas hemácias, em vez de se reproduzir por divisão múltipla, os merozoítos crescem e se transformam em formas sexuadas, os chamados **gametócitos masculinos** e **gametócitos femininos**. Ao sugar o sangue de uma pessoa doente, o mosquito transmissor pode ingerir hemácias contendo gametócitos, que amadurecem no estômago do inseto, formando gametas masculinos e femininos. A união dos gametas dá origem a um ou mais zigotos, que se instalam na parede estomacal do mosquito. Cada zigoto origina milhares de esporozoítos; estes são liberados nas cavidades corporais do inseto e migram para suas glândulas salivares, de onde podem ser transmitidos para pessoas sadias.

22 Atualmente, há vários medicamentos capazes de eliminar o plasmódio do sangue. Além do quinino e de seus derivados utilizados tradicionalmente, novas drogas terapêuticas têm sido usadas com sucesso no tratamento da malária. Drogas antimaláricas devem ser ingeridas preventivamente, sob rigorosa orientação médica, por pessoas que visitam regiões com alta incidência da doença.

23 A principal medida de prevenção da malária consiste em combater a proliferação do mosquito transmissor e impedir sua picada. Entre as medidas de combate ao mosquito estão o aterro de lagoas e poças d'água que servem de criadouro para as larvas e a aplicação de inseticidas sobre as áreas atingidas pela doença. Com esta última providência, porém, matam-se indiscriminadamente outras espécies de inseto, muitas das quais podem ser de importância ecológica ou econômica. Telas em portas e janelas e cortinados de filó sobre as camas também constituem barreiras para a picada do mosquito.

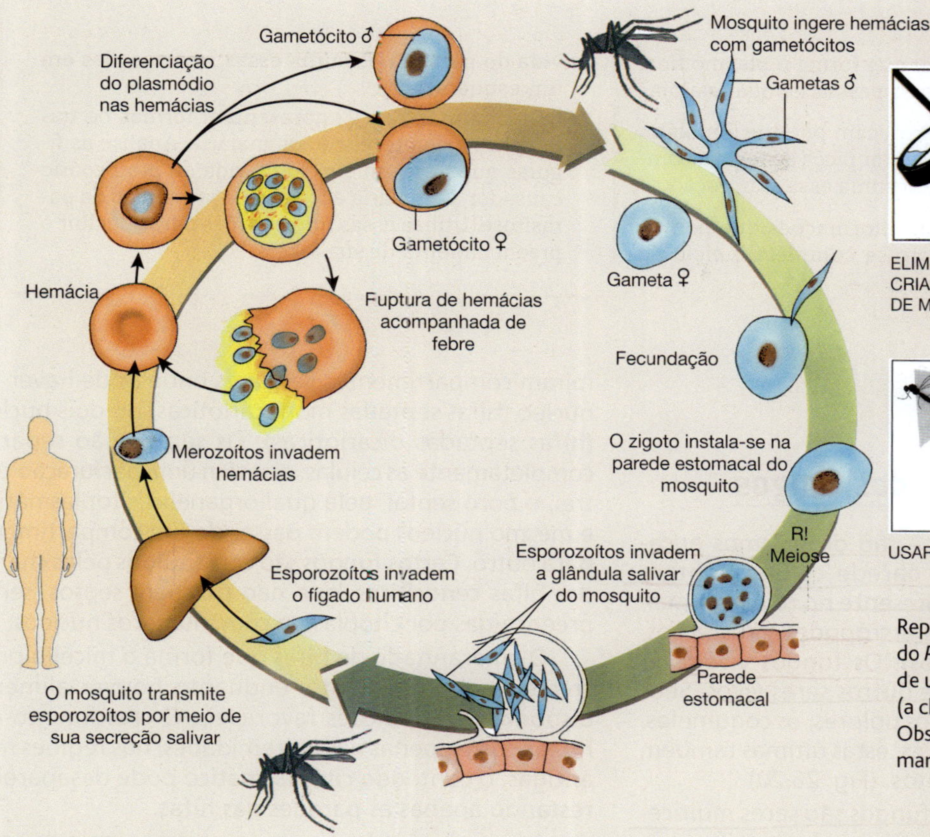

Representação esquemática do ciclo do *Plasmodium vivax*, agente causador de uma das formas de malária humana (a chamada febre terçã benigna). Observe, nos quadros, algumas maneiras de prevenir a malária.

Guia de leitura

1 Leia o primeiro parágrafo, que conceitua protozoose. Você concorda com a afirmação do texto de que conhecer as protozooses é um exercício de cidadania? Discuta.

2 Após o parágrafo inicial são apresentadas quatro protozooses. Seu desafio é elaborar uma tabela que relacione as protozooses às seguintes informações relativas a cada uma delas: **a)** agente causador; **b)** sintomas e consequências da doença; **c)** tratamento e/ou prevenção. Preencha a tabela à medida que estudar cada um dos itens.

3 Os parágrafos 2, 3 e 4 referem-se à amebíase. Leia-os e, neste item, responda apenas à seguinte questão: por que essa doença é também chamada disenteria amebiana?

4 Analise o ciclo da *E. histolytica* e os quadros com prevenção da amebíase, lendo atentamente a legenda. Em geral é necessário alternar a observação da figura com a leitura do texto, integrando-os. Sintetize as informações pertinentes e comece a preencher a tabela. Note que na legenda da figura aparece a expressão "forma de resistência". O que ela significa?

5 Os parágrafos 5, 6, 7 e 8 referem-se à leishmaniose. Leia-os e, neste item, responda apenas à seguinte questão: qual é a diferença entre as duas formas de leishmaniose apresentadas com relação aos órgãos afetados?

6 Analise as imagens relacionadas à leishmaniose, complementando a leitura do texto. Sintetize as informações pertinentes e continue a preencher a tabela.

7 Os parágrafos de 9 a 14 referem-se à doença de Chagas. Leia inicialmente o parágrafo 9; certifique-se de ter compreendido o porquê do nome dado ao protozoário causador da doença.

8 Leia o décimo parágrafo, que apresenta o inseto transmissor da doença de Chagas e as principais formas de contágio. Complemente a leitura com a observação das imagens referentes a essa doença e a leitura da legenda. Resuma as informações fornecidas.

9 Leia o parágrafo 11, que complementa informações sobre a transmissão do *Trypanosoma cruzi* e apresenta o conceito de "reservatório natural" do parasita. O que isso quer dizer?

10 Leia os parágrafos 12, 13 e 14, que relacionam os sintomas, tratamento e transmissão da doença de Chagas. Analise as imagens referentes a essa doença, complementando as informações do texto. Utilize-as para continuar o preenchimento de sua tabela.

11 Os parágrafos de 15 a 23 referem-se à malária. Leia inicialmente o parágrafo 15 e, baseando-se apenas nos dados do parágrafo que se referem aos anos de 2010 e 2011, calcule com que porcentagem o Brasil contribui para os casos de malária no mundo.

12 Leia o parágrafo 16 e responda: **a)** quais são as quatro espécies principais de protozoário causadoras de malária?; **b)** qual delas não ocorre no Brasil?; **c)** qual é o gênero do inseto transmissor?

13 O parágrafo 17 refere-se à forma infestante do protozoário que penetra no corpo e origina a malária. Qual é ela e onde se aloja depois de penetrar no organismo hospedeiro?

14 Leia o parágrafo 18. Em que forma o plasmódio é liberado para o sangue da pessoa e onde se aloja?

15 Os parágrafos 19 e 20 explicam por que a malária se caracteriza por apresentar picos de febre, acompanhada de mal-estar. Resuma essa explicação.

16 O parágrafo 21 contém informações que permitem compreender como se completa o ciclo de vida do parasita. Resuma essas informações em um esquema.

17 Os parágrafos 22 e 23 apresentam formas de tratamento e de prevenção da malária. Analise as figuras que ilustram o ciclo de vida do protozoário causador da malária e formas de prevenção da parasitose. Utilize essas informações para concluir o preenchimento de sua tabela.

26.3 Fungos

Características gerais dos fungos

Os **fungos** – reino **Fungi** – são organismos eucarióticos heterotróficos cuja parede celular contém quitina, substância também presente no reino Animal, constituindo o esqueleto dos artrópodes (crustáceos, insetos, aranhas, entre outros). Os fungos vivem no solo, na água ou no corpo de outros seres vivos. Seus principais representantes são os bolores, os cogumelos, as orelhas-de-pau e as leveduras, estas últimas também chamadas levedos ou fermentos. (Fig. 26.20)

Com poucas exceções, os fungos são seres multicelulares, constituídos por longos filamentos ramificados, de parede quitinosa, as **hifas**, nas quais se encontra o conteúdo celular do fungo. O conjunto de hifas constitui o **micélio**, o "corpo" do fungo.

Na maioria das espécies, as hifas são **septadas**, isto é, apresentam paredes transversais – septos – que delimitam compartimentos celulares onde pode haver um núcleo (hifas septadas monocarióticas) ou dois núcleos (hifas septadas dicarióticas). Os septos não separam completamente as células: eles têm uma perfuração central, o poro septal, pela qual organelas citoplasmáticas e mesmo núcleos podem passar de um compartimento para outro. Certos fungos são constituídos pelas chamadas **hifas cenocíticas**, que não possuem septos, sendo preenchidas por citoplasma com inúmeros núcleos.

O emaranhado de hifas que forma o micélio pode crescer indefinidamente, enquanto houver alimento disponível e condições favoráveis. O crescimento das hifas ocorre apenas nas extremidades; nas regiões mais antigas, o conteúdo citoplasmático pode desaparecer, restando apenas as paredes das hifas.

A reprodução dos fungos ocorre por meio de esporos, que podem ser produzidos de modo assexuado ou após a fusão de núcleos celulares e formação do zigoto. Quando encontra condições apropriadas, o esporo germina e origina uma hifa, que cresce e se ramifica, produzindo um novo micélio. (Fig. 26.21)

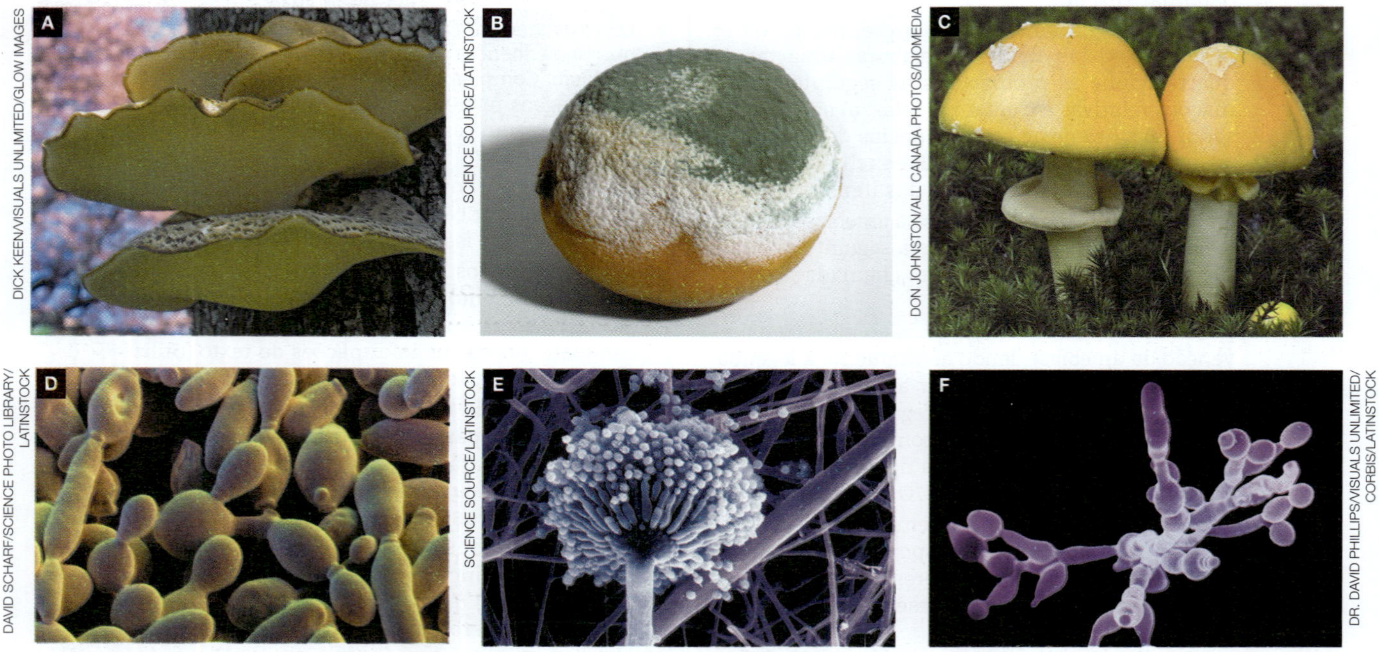

Figura 26.20 Representantes do reino Fungi. **A.** Orelhas-de-pau, fungos que vivem em madeira em decomposição (medem aproximadamente 20 cm de diâmetro). **B.** Bolor verde, fungo filamentoso que ataca diversos tipos de alimento (na foto, uma laranja tomada por *Penicillium chrysogenum*). **C.** Cogumelo amanita (*Amanita muscaria*), com cerca de 7 cm de altura. **D.** Fotomicrografia de células do levedo *Saccharomyces cerevisiae* (microscópio eletrônico de varredura; aumento ≈ 1.950×; cores artificiais). **E.** Fotomicrografia de *Aspergillus niger* (microscópio fotônico; aumento ≈ 135×; cores artificiais). **F.** Fotomicrografia do fungo *Candida albicans*, que causa infecções de mucosa em seres humanos (microscópio eletrônico de varredura; aumento ≈ 800×; cores artificiais).

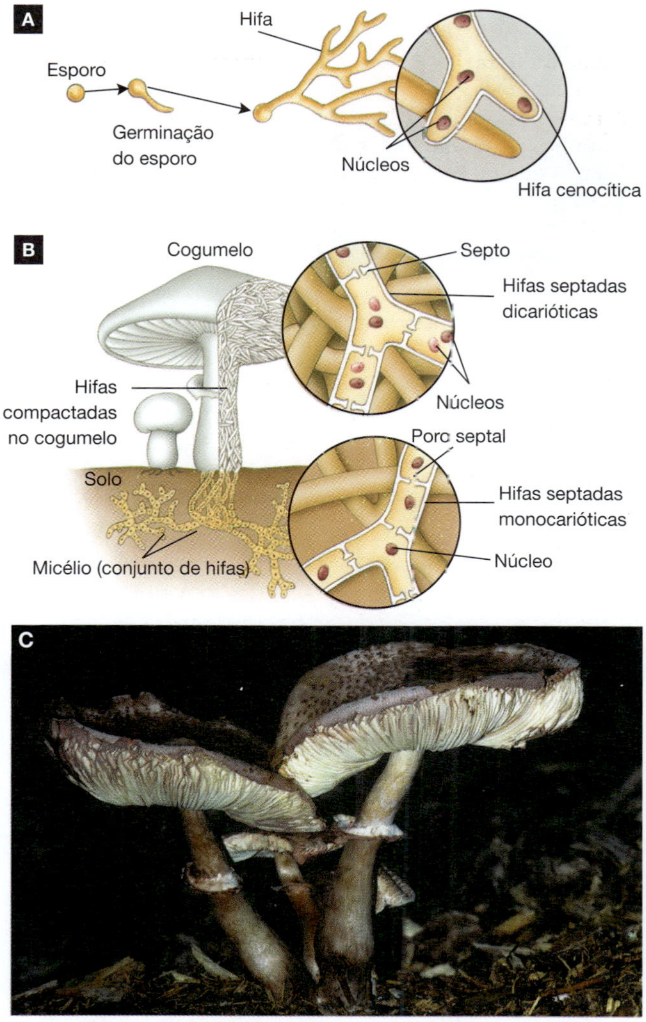

R. AL SIMPSON/VISUALS UNLIMITED/GLOW IMAGES

Figura 26.21 A. Representação esquemática do desenvolvimento das hifas a partir de um esporo. **B.** Representação esquemática de um cogumelo mostrando as hifas. (Elementos fora de proporção de tamanho entre si; cores-fantasia.) **C.** Cogumelos *Lepiota americana*, com cerca de 8 cm de altura.

Durante o crescimento, as hifas do micélio liberam enzimas digestivas que atuam extracelularmente, degradando substâncias orgânicas presentes no substrato. As hifas absorvem, então, os produtos da digestão, utilizando-os como fonte de energia e de matéria-prima para a sobrevivência e o crescimento. Esse modo de vida dos fungos é responsável pelo apodrecimento de diversos materiais, como frutas, verduras, grãos e uma gama de substratos orgânicos (madeira, couro etc.).

A diversidade dos fungos

Existem cerca de 60 mil espécies de fungo descritas pelos especialistas, mas estima-se que haja pelo menos 1 milhão de espécies a serem descobertas. Uma classificação moderna agrupa os fungos em quatro filos: Chytridiomycota, Zygomycota, Ascomycota e Basidiomycota. Nos dois últimos grupos, muitas espécies formam estruturas reprodutivas denominadas **corpos de frutificação**, constituídos por hifas especiais densamente aglomeradas e onde ocorre a meiose, com formação de esporos sexuados.

Os **quitridiomicetos**, ou quitrídios – filo **Chytridiomycota** –, vivem em ambientes terrestres ou de água doce, com poucas espécies marinhas. Podem ser unicelulares ou multicelulares e sua principal substância de reserva, como nos demais fungos e em animais, é o glicogênio, um polissacarídio.

A maioria dos quitrídios é saprofágica; há espécies parasitas de plantas, de algas, de protozoários e de animais. Um exemplo de quitrídio parasita é *Batrachochytrium dendrobatidis*, apontado como o responsável pelo desaparecimento de anfíbios em vários continentes e cuja ocorrência já foi relatada no Brasil.

Os **zigomicetos** – filo **Zygomycota** – são fungos dotados de hifas cenocíticas e que não formam corpo de frutificação. Um representante do grupo é *Rhizopus stolonifer*, bolor que cresce sobre superfícies de alimentos ricos em carboidratos, como pão, frutas e verduras. Certos zigomicetos parasitam plantas, protozoários, vermes e insetos; algumas espécies podem causar infecções em seres humanos. (Fig. 26.22)

BIOPHOTO ASSOCIATES/SCIENCE SOURCE/LATINSTOCK

Figura 26.22 Fotomicrografia de *Rhizopus stolonifer*, mostrando hifas com esporângios (estruturas escuras) nas extremidades, onde se formam os esporos (microscópio eletrônico de varredura; aumento $\approx$ 130×).

Os **ascomicetos** – filo **Ascomycota** – caracterizam-se pela presença de ascos (do grego *askos*, bolsa, odre), estruturas especializadas onde se formam esporos sexuados, os ascósporos. Um conhecido ascomiceto, embora não seja o mais típico do grupo, é a levedura *Saccharomyces cerevisiae*, o popular fermento de padaria ou fermento biológico. Os ascomicetos constituem cerca de metade das espécies descritas de fungo.

Em muitas espécies de ascomicetos, os ascos localizam-se em corpos de frutificação compactos, os **ascocarpos**. Em algumas espécies, o ascocarpo é comestível e utilizado em culinária.

Certos ascomicetos vivem em associações mutualísticas com algas ou cianobactérias, formando **liquens** (veja mais adiante).

Os **basidiomicetos** – filo **Basidiomycota** – são fungos que apresentam basídios, estruturas especializadas onde se formam esporos sexuados, os basidiósporos.

A maioria dos basidiomicetos forma corpos de frutificação denominados **basidiocarpos**, conhecidos popularmente como **cogumelos**. Há diversas espécies cujos basidiocarpos são comestíveis e alguns são largamente empregados em culinária, entre eles os cogumelos do gênero *Agaricus*, os *champignons*. (Fig. 26.23)

Figura 26.23 A. Corpos de frutificação do basidiomiceto *Agaricus campestris* (filo Basidiomycota), conhecido como *champignon*, muito utilizado na culinária (tem aproximadamente 10 cm de diâmetro). **B.** Corpos de frutificação de ascomiceto *Morchella esculenta* (filo Ascomycota), um fungo comestível apreciado na alta gastronomia (tem cerca de 15 cm de altura).

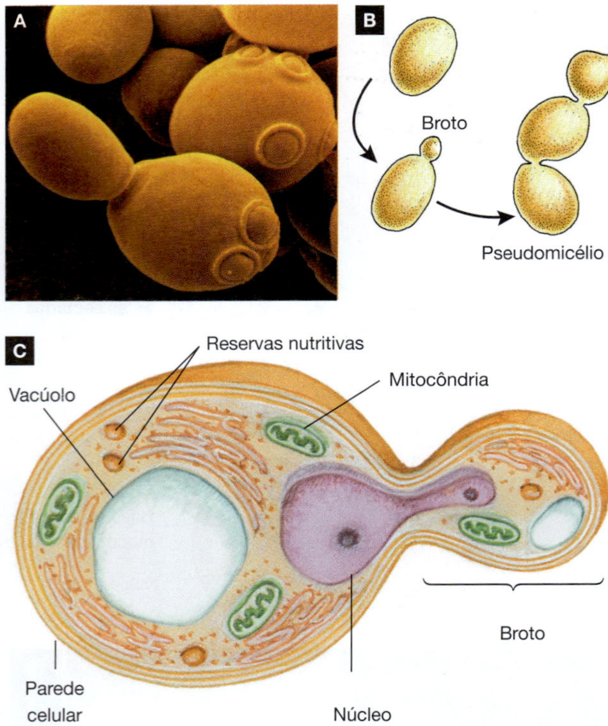

Figura 26.24 A. Fotomicrografia de uma levedura em brotamento (microscópio eletrônico de varredura; aumento ≈ 2.300×, cores artificiais). **B.** Representação esquemática dos estágios de brotamento em que os brotos permanecem unidos, produzindo uma cadeia de células interligadas, o pseudomicélio. **C.** Representação esquemática da estrutura interna de uma levedura formando um broto.

Reprodução dos fungos

Os fungos podem se reproduzir por **fragmentação** do micélio; os fragmentos crescem em novos micélios.

Zigomicetos formam hifas especiais – esporangióforos – em cujas extremidades se diferenciam esporângios onde se formam esporos assexuados haploides. Ao cair em local com condições adequadas, o esporo germina originando um novo micélio.

Ascomicetos possuem hifas especializadas onde se formam esporos assexuados denominadas **conídios**. O conídio, como os esporos em geral, é revestido por uma parede celular e pode permanecer em estado de dormência por longo tempo, até encontrar ambiente favorável e germinar.

Leveduras como *Saccharomyces cerevisiae* reproduzem-se por **brotamento** ou gemulação. Os brotos (gêmulas) separam-se da célula original, embora eventualmente possam permanecer unidos, formando cadeias de células, os pseudomicélios. (Fig. 26.24)

De tempos em tempos, a maioria dos fungos passa por um estágio sexuado, em que se formam zigotos diploides. O zigoto sofre meiose e origina células haploides que se diferenciam em esporos sexuados.

Nos fungos, a reprodução sexuada inicia-se pela conjugação de duas hifas sexualmente maduras e compatíveis, que se aproximam e se fundem (plasmogamia). A hifa resultante da fusão é uma hifa dicariótica, tendo dois núcleos haploides por célula, um de cada hifa parental. Durante o crescimento e ramificação dessa hifa, os núcleos se multiplicam diversas vezes no citoplasma, mantendo-se emparelhados, mas sem se fundir. As hifas dicarióticas originam um micélio, que pode formar corpos de frutificação (ascocarpos nos ascomicetos e basidiocarpos nos basidiomicetos).

Nos ascocarpos, como vimos, surgem estruturas férteis denominadas **ascos**. O asco é uma hifa especializada, na qual o par de núcleos haploides procedentes das duas hifas que se conjugaram finalmente se funde (cariogamia), originando um "núcleo zigótico", diploide. Este sofre imediatamente meiose, produzindo esporos sexuados denominados **ascósporos**.

O processo ocorre de maneira semelhante nos basidiocarpos, nos quais se formam estruturas férteis denominadas **basídios**. O basídio é também uma hifa especializada, na qual o par de núcleos haploides se funde (cariogamia), originando um núcleo zigótico diploide. Por meiose, esse núcleo produz esporos sexuados denominados **basidiósporos**. Em muitos cogumelos, os basídios localizam-se nas finas lamelas existentes na face inferior do "chapéu" do basidiocarpo.

Esporos sexuados maduros são liberados do corpo de frutificação e levados pelo vento. Ao cair em local com condições adequadas, os esporos germinam e originam novos micélios. Acompanhe, na figura a seguir, os ciclos de vida de um ascomiceto e de um basidiomiceto. (Fig. 26.25)

Liquens e micorrizas

Certas espécies de fungo vivem em associações harmoniosas com outros organismos, trocando benefícios. Duas associações desse tipo são os liquens e as micorrizas.

Liquens são formados pela associação cooperativa de ascomicetos com algas ou com cianobactérias. O corpo de um líquen contém, em geral, três camadas: as duas externas são constituídas por hifas do fungo, bem unidas e compactadas; a camada mais interna é formada por células da alga (ou da cianobactéria) e por hifas do fungo frouxamente entrelaçadas. Nessa camada, as hifas associam-se intimamente às células das algas, de onde extraem substâncias nutritivas. Por sua vez, graças à associação com o fungo, as algas podem viver em ambientes inóspitos, como rochas nuas e troncos de árvores ressecados, em um tipo de relação ecológica denominada mutualismo.

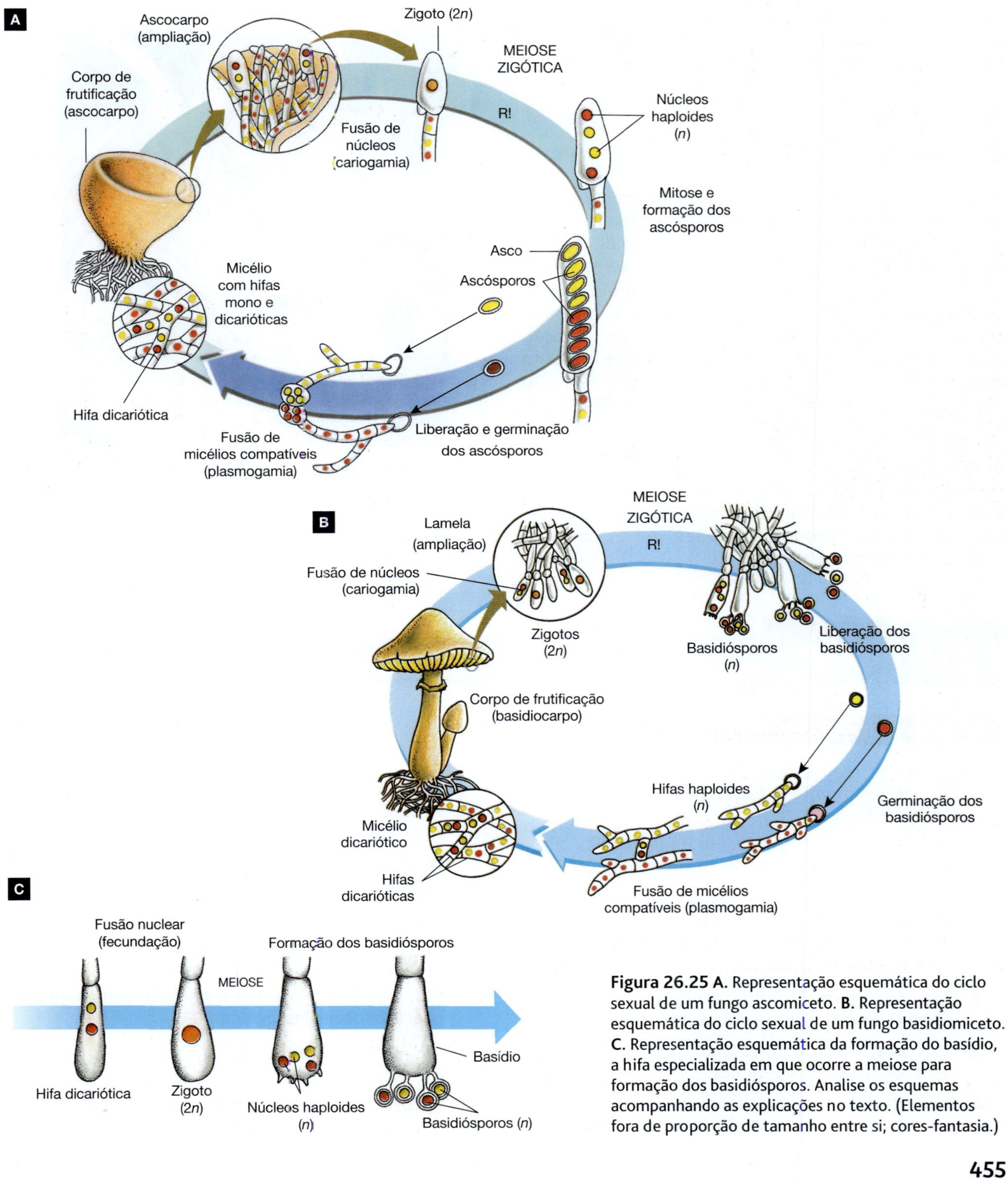

Figura 26.25 A. Representação esquemática do ciclo sexual de um fungo ascomiceto. **B.** Representação esquemática do ciclo sexual de um fungo basidiomiceto. **C.** Representação esquemática da formação do basídio, a hifa especializada em que ocorre a meiose para formação dos basidiósporos. Analise os esquemas acompanhando as explicações no texto. (Elementos fora de proporção de tamanho entre si; cores-fantasia.)

Os liquens reproduzem-se assexuadamente por meio de **sorédios**, partes especializadas do líquen que se destacam e podem originar novos indivíduos. (Fig. 26.26)

Micorrizas (do grego *myketos*, fungo, e *rhiza*, raiz) são associações das hifas de certos fungos com raízes de plantas. Graças ao fungo, a planta consegue absorver melhor minerais escassos no solo; por sua vez, o fungo também se beneficia da associação, obtendo da planta açúcares, aminoácidos e outras substâncias orgânicas das quais se nutre.

As micorrizas são importantes para plantas que vivem em solos pobres em nutrientes; os fungos das raízes aumentam a capacidade de absorção de nutrientes como fosfatos, nitratos, cobre, zinco e magnésio, entre outros. Sementes de orquídeas, por exemplo, necessitam da presença de fungos para germinar.

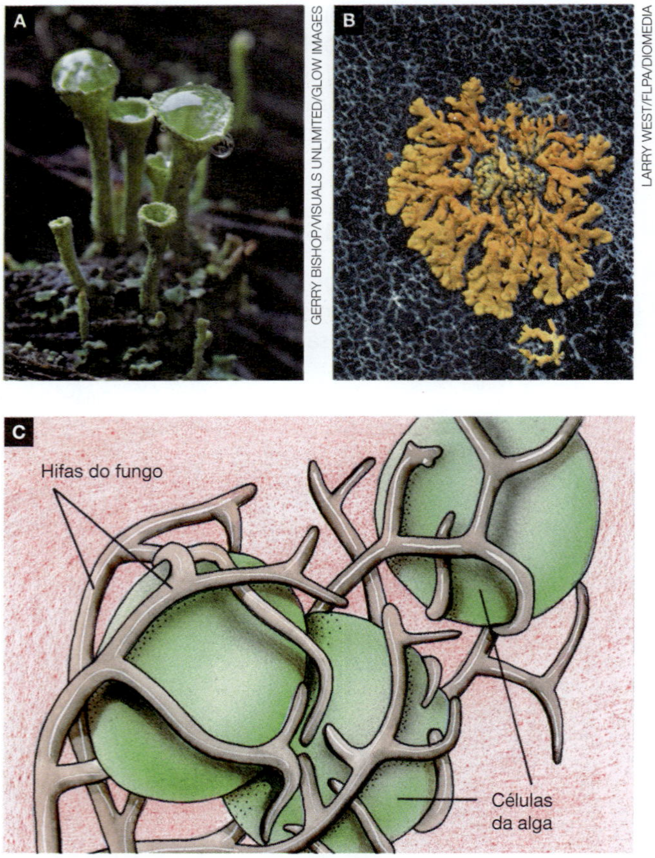

Figura 26.26 **A.** Líquen *Cladonia* sp. com cerca de 3 mm de altura. **B.** Líquen *Caloplaca elegans* com 8 mm de diâmetro. **C.** Representação esquemática de um líquen mostrando sua estrutura microscópica. (Elementos fora de proporção de tamanho entre si; cores-fantasia.)

Biblioteca do estudante
Sugestões de livros, *sites* e vídeos

A importância ecológica e econômica dos fungos

Fungos e certas bactérias desempenham o papel de **agentes decompositores**, permitindo que os elementos químicos constituintes da matéria orgânica de cadáveres possam ser reaproveitados por outros seres vivos.

Muitos fungos produzem substâncias úteis à indústria. O álcool etílico (etanol), por exemplo, utilizado como combustível, é produzido a partir da fermentação da cana e de outros substratos realizada pela levedura *Saccharomyces cerevisiae*. Fungos das espécies *Rhizopus nigricans* e *Curvularia lunara* são fontes de esteroides anti-inflamatórios, como cortisona, hidrocortisona e prednisona. Outras espécies de fungo são utilizadas pela indústria farmacêutica na produção de vitaminas, hormônios esteroides e antibióticos, como a penicilina. Leveduras e outros fungos são empregados pela indústria alimentícia na produção de pães, vinhos, cervejas, queijos, molho de soja, picles etc.

Atividades

Visão do especialista | Biblioteca do estudante — Faça você mesmo! | Listas de exercícios

Revendo conceitos fundamentais

Escreva, em seu caderno, o termo abaixo que substitui corretamente a tarja entre parênteses das frases de 1 a 5.

a) alternância de gerações
b) divisão binária
c) esporófito
d) fitoplâncton
e) gametófito

1. O(A) (▬) é uma forma de reprodução assexuada em que um organismo unicelular se transforma em dois novos indivíduos.

2. Um organismo diploide originado pela fusão de gametas e que produz esporos é chamado (▬).

3. O(A) (▬) é o ciclo de vida no qual se intercalam gerações haploide e diploide.

4. Um organismo haploide originado de um esporo e que produz gametas é chamado (▬).

5. O(A) (▬) é a comunidade de seres aquáticos fotossintetizantes que flutua junto à superfície.

Escreva, em seu caderno, o termo abaixo que substitui corretamente a tarja entre parênteses das frases de 6 a 11.

a) corpo de frutificação
b) esporulação
c) hifa
d) líquen
e) micélio
f) micorriza
g) micose

6. O(A) (▬) é a associação entre certos fungos e as raízes de certas plantas, com vantagens para ambas as espécies associadas.

7. Cada um dos filamentos que constituem o fungo é um(a) (▬).

8. O cogumelo, que se forma durante os processos sexuais de certos fungos, é um(a) (▬).

9. O conjunto de filamentos que constitui o "corpo" da maioria dos fungos é o(a) (■■■).

10. O(A) (■■■) é um processo de reprodução assexuada em que os filamentos de certos fungos formam células reprodutivas com paredes resistentes.

11. A associação entre um fungo e um organismo fotossintezante, que pode ser uma alga ou uma cianobactéria, é chamada (■■■).

Ligando conceitos, fatos e processos

12. Qual é a característica comum a todos os protozoários?
   a) Todos têm vida livre.
   b) Todos são aquáticos.
   c) Todos têm parede celular.
   d) Todos são unicelulares.

Escreva, em seu caderno, o termo abaixo que substitui corretamente a tarja entre parênteses das frases de 13 a 18.

a) doença de Chagas
b) disenteria amebiana
c) malária

13. O agente causador da (■■■) é o protozoário flagelado *Trypanosoma cruzi*.

14. Os sintomas da (■■■) são calafrios seguidos de picos de febre alta e mal-estar que ocorrem, em geral, a intervalos regulares de 48 ou 72 horas.

15. A (■■■) é causada por protozoários do gênero *Plasmodium*.

16. O "barbeiro" é o inseto transmissor da (■■■).

17. O agente transmissor da (■■■) é o mosquito do gênero *Anopheles*.

18. A construção de instalações sanitárias adequadas é uma das principais providências para prevenir a (■■■).

Escreva, em seu caderno, o termo abaixo que substitui corretamente a tarja entre parênteses das frases 19 e 20.

a) ascomicetos
b) basidiomicetos
c) quitrídios
d) zigomicetos

19. Cogumelos e orelhas-de-pau são corpos de frutificação de (■■■).

20. As leveduras pertencem ao grupo dos (■■■).

Questões para exercitar o pensamento

21. Construa uma tabela que compare algas, protozoários e fungos sob os seguintes aspectos: a) nutrição; b) organização estrutural; c) ambiente onde vivem; d) importância para a humanidade; e) doenças que causam; f) exemplos. Complemente seu trabalho com fotos e ilustrações.

22. Leia o trecho de reportagem a seguir e faça o que se pede.

Praga se espalha em árvores de Belo Horizonte

A praga que ameaça matar os fícus da Avenida Bernardo Monteiro, no Bairro Santa Efigênia, Região Leste de Belo Horizonte, foi detectada em árvores da mesma espécie na Avenida Barbacena, no Santo Agostinho, e na Praça da Boa Viagem, no Centro-Sul. A informação, da Secretaria Municipal de Meio Ambiente (SMMA), foi divulgada ontem depois de reunião entre representantes da pasta e da Coordenadoria Municipal de Defesa Civil. Foi criado um grupo de trabalho para combater a mosca-branca-dos-fícus (*Singhiella* sp.) e o fungo *Lasiodiplodia theobromae*, que costuma se disseminar nas fezes do inseto. Uma manifestação popular à noite exigiu explicações da administração municipal.

O grupo de trabalho, que terá também representantes da Regional Centro-Sul, da Secretaria Municipal de Saúde e da Superintendência de Limpeza Urbana, estuda a possibilidade de aplicar nas árvores um inseticida fabricado no Rio Grande do Sul e aprovado pela Agência Nacional de Vigilância Sanitária (Anvisa). "Técnicos da SMMA vão avaliar se esse produto seria eficaz. A utilização dele seria muito difícil, pelo fato de os fícus serem muito altos e o pesticida ter de ser aplicado de cima para baixo", diz a gerente de Gestão Ambiental da pasta, Márcia Mourão.

O inseticida serviria para matar a mosca, mas o fungo é um desafio à parte. Para exterminá-lo, os fícus passarão a receber um adubo especial, aplicado a cada três meses. O objetivo é fortalecer o sistema imunológico das árvores. "A adubação vai aumentar a resistência das plantas. Temos de dar condições para que consigam vencer o fungo", diz Márcia. Segundo ela, um dos 53 exemplares enraizados na Bernardo Monteiro já foi suprimido e outros poderão ter o mesmo destino. Novas podas também podem ser feitas. "Técnicos da SMMA vão monitorar essas árvores semanalmente, para acompanhar sua evolução", acrescenta. [...]

O Estado de Minas, 20 fev. 2013.
Disponível em: <www.em.com.br/app/noticia/gerais/2013/02/20/interna_gerais,351669/praga-se-espalha-em-arvores-de-belo-horizonte.shtml>.
Acesso em: jun. 2013.

a) Pesquise alguma informações sobre os fícus a que a matéria se refere, como nome científico, características, de onde é originário, tempo de vida, altura etc.
b) Obtenha mais informações sobre o fungo parasita do fícus citado na reportagem. Utilize as informações que coletou para avaliar, em um texto dissertativo, as providências adotadas pelas autoridades competentes.

A Biologia no vestibular e no Enem

Questões objetivas

1. (Unesp)

> "Maré vermelha deixa litoral em alerta.
>
> Uma mancha escura formada por um fenômeno conhecido como 'maré vermelha' cobriu ontem uma parte do canal de São Sebastião [...] e pode provocar a morte em massa de peixes. A Secretaria de Meio Ambiente de São Sebastião entrou em estado de alerta. O risco para o homem está no consumo de ostras e moluscos contaminados."
>
> Jornal *Vale Paraibano*, 1º fev. 2003.

A maré vermelha é causada por

a) proliferação de algas macroscópicas do grupo das rodófitas, tóxicas para consumo pelo homem ou pela fauna marinha.

b) proliferação de bactérias que apresentam em seu hialoplasma o pigmento vermelho ficoeritrina. As toxinas produzidas por essas bactérias afetam a fauna circunvizinha.

c) crescimento de fungos sobre material orgânico em suspensão, material este proveniente de esgotos lançados ao mar nas regiões das grandes cidades litorâneas.

d) proliferação de liquens, que são associações entre algas unicelulares componentes do fitoplâncton e fungos. O termo maré vermelha decorre da produção de pigmentos pelas algas marinhas associadas ao fungo.

e) explosão populacional de algas unicelulares do grupo das pirrófitas, componentes do fitoplâncton. A liberação de toxinas afeta a fauna circunvizinha.

2. (PUC-RJ) Considere as seguintes afirmações referentes aos protozoários.

I. Considerando-se o nível de organização dos protozoários, pode-se afirmar corretamente que são seres acelulares como os vírus.

II. Pode-se afirmar corretamente que os protozoários só se reproduzem assexuadamente.

III. O protozoário causador da malária no homem é o parasita plasmódio.

a) Apenas II está correta.

b) Apenas III está correta.

c) Apenas I e II estão corretas.

d) Apenas II e III estão corretas.

e) Todas estão corretas.

3. (Unigranrio-RJ) Trata-se do agente causador da doença de Chagas:

a) *Trypanosoma cruzi*, um protozoário portador de flagelos que servem à sua locomoção e que tem como um dos vetores o inseto conhecido popularmente como "barbeiro".

b) *Plasmodium falciparum*, um protozoário parasita desprovido de organelas de locomoção.

c) *Euglena viridis*, uma alga protista.

d) *Giardia lamblia*, um protozoário encontrado em apenas algumas regiões do Brasil e que se reproduz de forma assexuada.

4. (UFVJM-MG) A malária é uma doença endêmica em muitos países tropicais e, durante muito tempo, pensou-se que era causada pelo ar "contaminado" existente nas regiões pantanosas e insalubres. Quanto a essa doença, é incorreto afirmar que

a) o transmissor é um inseto do gênero *Anopheles* e somente as fêmeas veiculam o parasita, pois são hematófagas.

b) é causada por um esporozoário do gênero *Plasmodium*.

c) o agente etiológico é um parasita heteroxênico, isto é, o ser humano é seu hospedeiro intermediário e o mosquito é o hospedeiro definitivo.

d) o seu ciclo reprodutivo pode ser resumido em duas etapas: uma fase assexuada, no mosquito, e uma fase sexuada nas células do fígado e nos glóbulos vermelhos, no organismo humano.

5. (Enem-MEC) Houve uma grande elevação do número de casos de malária na Amazônia que, de 30 mil casos na década de 1970, chegou a cerca de 600 mil na década de 1990. Esse aumento pode ser relacionado a mudanças na região, como

a) as transformações no clima da região decorrentes do efeito estufa e da diminuição da camada de ozônio.

b) o empobrecimento da classe média e a consequente falta de recursos para custear o caro tratamento da doença.

c) o aumento na migração humana para fazendas, grandes obras, assentamentos e garimpos, instalados nas áreas de floresta.

d) as modificações radicais nos costumes dos povos indígenas, que perderam a imunidade natural ao mosquito transmissor.

e) a destruição completa do ambiente natural de reprodução do agente causador, que o levou a migrar para os grandes centros urbanos.

6. (PUC-PR) Um estudante de Biologia, ao realizar uma pesquisa científica, chegou à conclusão de que um determinado ser vivo apresenta as seguintes características:

1. Tem como substância de reserva o glicogênio.
2. Apresenta quitina como um dos componentes da membrana celular.
3. É pluricelular, muito embora suas células não constituam tecidos diferenciados.
4. É eucarionte, porém não sintetiza pigmento fotossintetizante.

Pelas características expostas, conclui-se que o ser vivo pesquisado pertence ao reino

a) Protista.

b) Fungi.

d) Plantae.

c) Monera.

e) Animalia.

7. (UFRR) O fermento biológico, o mofo que ataca os alimentos e os cogumelos comestíveis são organismos que pertencem ao reino Fungi. Com relação a este grupo de organismos indique as proposições verdadeiras:

I. todos são clorofilados;

II. nutrem-se por digestão extracorpórea, isto é, liberam enzimas digestivas para o substrato, que fragmentam macromoléculas em moléculas menores, permitindo sua absorção pelo organismo;

III. são eucariontes, unicelulares ou multicelulares;

IV. são utilizados na produção industrial de iogurtes;

V. possuem glicogênio como reserva nutritiva;

VI. alguns são utilizados para produção de antibióticos.

a) I, III, VI e V.
b) II, III, V e VI.
c) II, III e IV.
d) II e V.
e) I e IV.

8. (UFMG) Casacos de lã, sapatos de couro e cintos de algodão guardados por algum tempo em armários podem ficar mofados, pois os fungos necessitam de

a) algas simbióticas para digerir o couro, a lã e o algodão.
b) baixa luminosidade para realizar fotossíntese.
c) baixa umidade para se reproduzirem.
d) substrato orgânico para o desenvolvimento adequado.

9. (UFF-RJ) Pode-se afirmar que os liquens são uma associação entre

a) algas e fungos com reprodução sexuada por meio de sorédios.
b) algas e bactérias com reprodução assexuada por meio de esporos.
c) algas e fungos com reprodução assexuada por meio de sorédios.
d) algas e fungos com reprodução assexuada por meio de esporos.
e) algas e fungos com reprodução sexuada por meio de esporos.

10. (Vunesp) Reprodução na qual há produção de esporos por meiose e fusão de hifas haploides diferentes, originando micélios diploides, é típica de

a) fungos.
b) algas.
c) bactérias.
d) musgos.
e) samambaias.

11. (Vunesp) Um indivíduo sentou-se à mesa para almoçar e comeu uma fatia de pão, tomou um copo de cerveja e deliciou-se com um prato de *champignon*. Isso tudo foi possível graças à existência e atividade

a) das bactérias.
b) dos fungos.
c) dos liquens.
d) das cianofíceas.
e) das algas verdes.

12. (UEMS) No verão de 1928, o cientista Alexander Fleming descobriu uma substância química, a penicilina, antibiótico que impedia a proliferação de certas bactérias. A penicilina, substância de larga utilização medicinal, é produzida a partir de que tipo de organismos?

a) Algas.
b) Bactérias.
c) Vírus.
d) Protozoários.
e) Fungos.

13. (USJ-SC) Os fungos nutrem-se por

a) digestão intracorporal e extracelular em órgãos digestivos.
b) fotossíntese.
c) liberação de matéria orgânica presente em suas hifas.
d) digestão extracorporal e absorção da matéria orgânica digerida do meio.

14. (Enem) Foram publicados recentemente trabalhos relatando o uso de fungos como controle biológico de mosquitos transmissores da malária. Observou-se o percentual de sobrevivência dos mosquitos *Anopheles* sp. após exposição ou não a superfícies cobertas com fungos sabidamente pesticidas, ao longo de duas semanas. Os dados obtidos estão presentes no gráfico abaixo. No grupo exposto aos fungos, o período em que houve 50% de sobrevivência ocorreu entre os dias

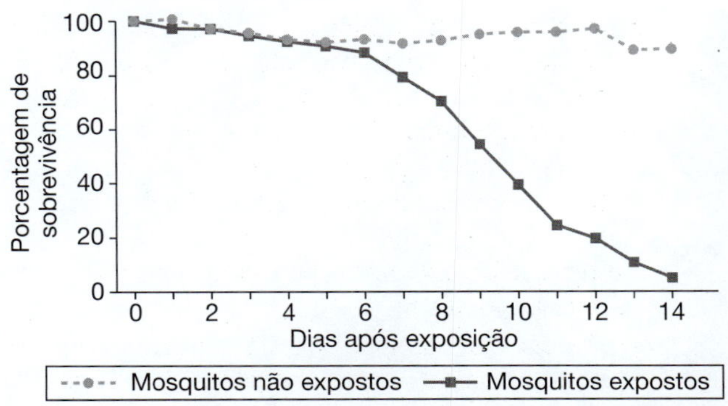

a) 2 e 4.
b) 4 e 6.
c) 6 e 8.
d) 8 e 10.
e) 10 e 12.

Questões discursivas

15. (UFSC) Os vetores da malária são dípteros do gênero *Anopheles*.

a) Um anófele adulto, que pela primeira vez em sua vida pica uma pessoa, pode transmitir-lhe malária? Por quê?
b) Considerando o ciclo de vida dos insetos transmissores da malária e o tipo de ambiente em que as fases larvais ocorrem, proponha uma medida de prevenção da doença.

16. (UFRRJ) Um dos armários do laboratório da escola apareceu com pontos e fios brancos em suas portas, do lado interno. Um dos alunos identificou os pontos e os fios brancos como sendo um tipo de mofo. Para eliminá-lo, passou um pano embebido em álcool na porta, até limpá-la totalmente. Na semana seguinte, para surpresa do aluno, os pontos e fios reapareceram. A partir dos seus conhecimentos a respeito da estrutura e biologia dos fungos, explique por que o mofo reapareceu.

Módulo 10 O reino das plantas

Capítulo 27

TIM GAINEY/ALAMY/GLOW IMAGES

A diversidade das plantas

Itens principais:

Origem e evolução das plantas
Grandes grupos de plantas atuais

Capítulo 28

GILBERT S. GRANT/SCIENCE SOURCE/DIOMEDIA

Reprodução e desenvolvimento das angiospermas

Itens principais:

Reprodução das angiospermas
Desenvolvimento e componentes celulares das plantas
Organização corporal das angiospermas

FABIO COLOMBINI

A grande diversidade de plantas pode ser constatada nesta imagem do Parque Estadual Intervales, em que aparecem inúmeras espécies, representantes de diferentes grupos vegetais: samambaias (filo Pteridophyta); musgos (filo Bryophyta); árvores e palmeiras (filo Anthophyta), entre outros. (Ribeirão Preto, SP, 2010.)

Capítulo 29

PALÉ ZUPPANI/PULSAR IMAGENS

Fisiologia das plantas

Itens principais:

A nutrição das plantas
Absorção e condução da seiva mineral
A condução da seiva orgânica
Hormônios vegetais e controle do desenvolvimento
Fitocromos e desenvolvimento

Conheça os capítulos deste módulo

As plantas foram os primeiros seres vivos a conquistar a terra firme; seus ancestrais começaram a ocupar as regiões litorâneas há mais de 500 milhões de anos, abrindo caminho para os animais. Nos três capítulos deste módulo estudaremos a Botânica, ramo da Biologia que trata das plantas e que, junto a outras áreas biológicas, produz conhecimentos que nos permitem alterar as variedades domesticadas, tornando-as mais produtivas ou mais nutritivas, por exemplo. Outro desafio da Botânica é compreender como vivem as espécies nativas, para que possamos atuar a favor da preservação delas.

Capítulo 27 O que caracteriza uma planta? Quantos grupos de plantas existem? Como esses organismos surgiram e evoluíram? Aqui abordamos esses e outros assuntos e também tratamos da reprodução em diferentes grupos vegetais. A análise da evolução do processo reprodutivo das plantas mostra como elas se tornaram cada vez mais adaptadas aos ambientes de terra firme. Confira quais são os principais grupos de plantas e algumas de suas características mais importantes.

Capítulo 28 Apresentamos aqui as plantas mais diversificadas da biosfera: as angiospermas, ou plantas com flores e frutos. A humanidade mantém, ao longo de sua história, fortíssimas relações com esse grupo de vegetais. Na primeira parte do capítulo estudamos a reprodução das angiospermas; o ponto alto desse processo é a produção de sementes abrigadas em frutos. No interior das sementes há um pequeno embrião em estado de dormência que, ao se desenvolver, dá origem aos tecidos e órgãos do vegetal, estudados na segunda parte do capítulo.

Capítulo 29 Apresentamos os aspectos fundamentais da fisiologia das plantas, começando pela produção de substâncias orgânicas pela fotossíntese. Em seguida, abordamos alguns aspectos da nutrição mineral dos vegetais. Estudamos, ainda, o transporte de substâncias no corpo das plantas. No último item do capítulo, mostramos como hormônios vegetais regulam o desenvolvimento das plantas e influenciam nas respostas a diversos estímulos ambientais. Também comentamos sobre a aplicação prática dos hormônios vegetais na pesquisa, na jardinagem e na produção agrícola.

Capítulo 27 A diversidade das plantas

TIM GAINEY/ALAMY/GLOW IMAGES

A polinização é um dos eventos-chave no ciclo de vida da maioria das plantas. Na foto, os microestróbilos de um pinheiro da espécie *Picea likiangensis* liberam grande quantidade de pólen, que é levado pelo vento. Esses microestróbilos medem cerca de 8 cm de comprimento.

Nosso dia a dia com as plantas

Imagine que pudéssemos voltar no tempo e visitar a Terra de 500 milhões de anos atrás. Uma grande variedade de seres vivos já habitava os mares, mas nas terras emersas não havia vida. Entretanto, nos litorais, os antepassados das plantas já se preparavam para começar a conquista da terra firme. A evolução desses seres vivos e sua expansão pelos ambientes de terra firme criaram condições para a ocupação e a evolução de animais adaptados à vida fora d'água. Até hoje, a quase totalidade dos seres vivos de terra firme depende direta ou indiretamente das plantas, que ocupam os mais diversos hábitats e são essenciais para a vida em nosso planeta.

Veja alguns exemplos de como as plantas participam de nosso cotidiano. Você acorda e lembra que logo mais tem prova de Biologia, cujo tema é Botânica. Na mesa do café da manhã, alguém percebe que você está um pouco nervoso e lhe pergunta se quer um chazinho de erva-cidreira – *Melissa officinalis* –, planta à qual tradicionalmente se atribuem propriedades calmantes. Mas você prefere uma infusão de sementes torradas e moídas de plantas do gênero *Coffea*, conhecidas por suas propriedades estimulantes, ou seja, um café encorpado, enquanto outro conviva toma leite com um pó obtido de sementes fermentadas da planta *Theobroma cacao*, o popular chocolate, e ressalta os benefícios do cacau.

Já na escola, enquanto responde às questões de Botânica, você observa que elas estão impressas em fibras de celulose altamente prensada, o papel, sem o qual nossa cultura não seria a mesma. A propósito, você sabia que a celulose, que constitui as paredes das células vegetais, é o material orgânico mais abundante na Terra?

Conteúdo multimídia
Liberação de pólen pelo vento

Na hora do intervalo, você fica em dúvida entre comer um tablete de *T. cacao* e uma fruta fresca, mas escolhe a segunda opção e come um fruto partenocárpico – produzido sem fecundação – de *Musa paradisiaca*, a banana. Sua escolha foi acertada, pois a banana é fonte de potássio, mineral indispensável ao trabalho muscular da próxima aula: Educação Física.

De volta a casa, no almoço, um prato repleto de vegetais espera por você. Seus familiares sabem quanto uma dieta equilibrada, rica em verduras e legumes, tanto crus quanto cozidos, é boa para a saúde. De entrada, uma bela salada de *Lactuca sativa* (alface) com *Solanum lycopersicum* (tomate); como prato principal, a dupla mais tradicional do Brasil: sementes de uma espécie do gênero *Oryza*, o arroz, com as de *Phaseolus vulgaris*, o feijão. Sem falar de uma das muitas variedades de *Brassica oleracea*, a couve, temperada com bulbos finamente fatiados e fritos de *Allium sativum*, o alho.

Esse relato nos leva a perceber toda a importância das plantas em nossas vidas. Além de servir como alimento ou ser usadas para fins medicinais, muitas plantas são fundamentais para a produção de materiais úteis à humanidade, como madeiras, papel, fibras etc.

No fim do dia, embora cansado, você está entusiasmado com todas as coisas que aprendeu e com as atividades de um dia intenso. Porém, amanhã será um novo dia, com aulas, provas e atividades físicas, e é preciso dormir. Então você pensa: "Sabe aquele chazinho de erva-cidreira? Acho que agora vou querer um...".

A importância do assunto

Neste capítulo iniciamos os estudos de Botânica, denominação genérica dada ao ramo da Biologia dedicado às plantas. Esses organismos estão tão intimamente relacionados à nossa civilização, que nem sempre nos damos conta de sua presença em nossas vidas; foi o que procuramos ressaltar no texto anterior.

O que caracteriza uma planta? Quantos grupos de plantas existem? Como esses organismos surgiram e evoluíram em nosso planeta? Neste capítulo, abordaremos esses e outros assuntos; também faremos um estudo comparado da reprodução em diferentes grupos vegetais, que mostra como eles se tornaram cada vez mais adaptados aos ambientes de terra firme.

Conhecer melhor as plantas, que, como outros organismos, também fazem parte da biosfera e são grandes provedores da vida animal, é um exercício de cidadania, uma vez que dependemos deles. Hoje, a Botânica e outras áreas da Biologia procuram aprofundar os conhecimentos sobre as plantas domesticadas, tornando-as mais produtivas, de maneira que atendam às nossas necessidades. Outro desafio é conhecer e compreender como vivem as espécies vegetais nativas, cuja preservação é fundamental para a conservação da biodiversidade dos ecossistemas da Terra.

27.1 Origem e evolução das plantas

Pesquisas indicam que as plantas surgiram no período Ordoviciano (485 Ma-443 Ma), por volta de 470 milhões de anos atrás, provavelmente a partir de um grupo de algas verdes multicelulares.

Ao longo de sua evolução, elas desenvolveram diversas formas de adaptação à vida em terra firme, tais como: mecanismos eficientes de absorção de água e de sais minerais do solo; capacidade de distribuir água e nutrientes pelo corpo vegetal; proteção contra a perda de água por evaporação, entre outras.

À medida que as plantas evoluíram, surgiram linhagens nas quais era cada vez menor a necessidade de água líquida para a reprodução sexuada, ao mesmo tempo que ocorria redução da fase haploide do ciclo de vida e expansão da fase diploide. Assim, as plantas se tornaram cada vez mais bem adaptadas aos ambientes de baixa umidade, como veremos no capítulo.

Atualmente, os especialistas classificam as plantas em quatro grupos informais: briófitas, pteridófitas, gimnospermas e angiospermas. (Fig. 27.1)

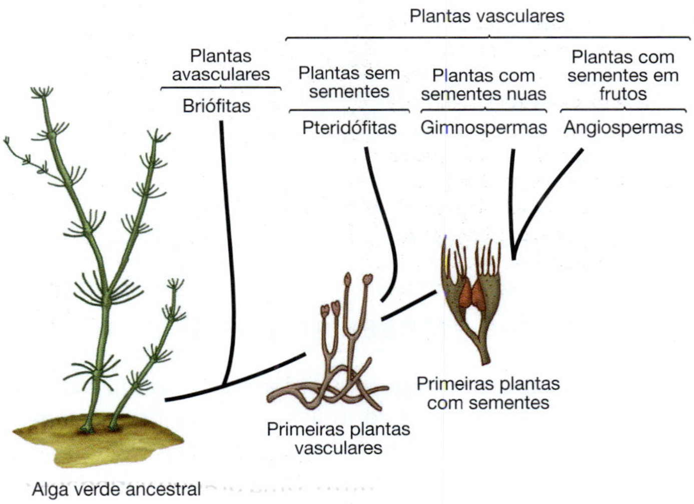

Figura 27.1 Árvore filogenética das plantas, evidenciando os representantes dos diversos grupos atuais: briófitas, pteridófitas, gimnospermas e angiospermas. (Elementos fora de proporção de tamanho entre si; cores-fantasia.)

O que caracteriza as plantas

Que característica exclusiva permite reunir as plantas em uma mesma categoria taxonômica, o reino **Plantae**? Em outras palavras, que traço é apresentado por todas as plantas e por nenhum outro grupo de ser vivo?

Segundo os sistematas, a característica que diferencia as **plantas** de todos os outros seres vivos é a formação de **embriões maciços**, sem cavidades internas, cujo desenvolvimento ocorre à custa do organismo materno. Certas algas multicelulares também formam embriões maciços, mas eles são independentes do organismo materno.

Todas as plantas possuem ciclo de vida alternante, ou seja, apresentam **alternância de gerações** haploides (n) e diploides ($2n$). A geração haploide é constituída por indivíduos produtores de gametas, os **gametófitos**, sendo por isso denominada **geração gametofítica**. Os gametas formados pelos gametófitos originam, pela fecundação, **zigotos** diploides. O zigoto se desenvolve e origina uma planta diploide, o **esporófito**, que na maturidade formará esporos, constituindo a **geração esporofítica**. Um esporo, ao germinar, produz um gametófito haploide, fechando o ciclo. (Fig. 27.2)

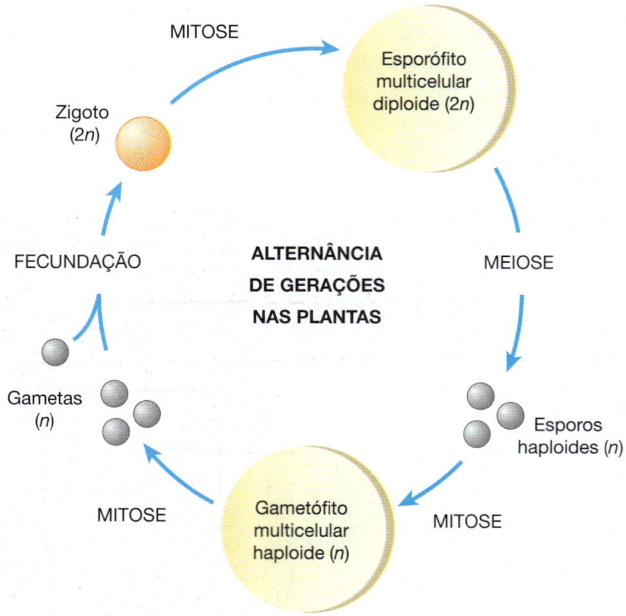

Figura 27.2 Representação esquemática do ciclo de vida alternante das plantas.

Origem dos grandes grupos de plantas

Com base em diversas evidências, supõe-se que as primeiras plantas a conquistar a terra firme eram semelhantes às briófitas de hoje, que seriam seus descendentes mais diretos. As briófitas atuais não possuem vasos (tubos) condutores de seiva, o que levou os botânicos a denominá-las **plantas avasculares** (do grego *a*, prefixo de negação, e do latim *vasculum*, pequeno vaso, túbulo).

Uma conquista evolutiva das plantas, a partir daquelas "briófitas" pioneiras, foi o desenvolvimento de estruturas especializadas na absorção de água e sais minerais do solo – as **raízes** – e de estruturas tubulares internas destinadas ao transporte rápido e eficiente de soluções nutritivas – os **vasos condutores de seiva**. Vegetais dotados de vasos condutores de seiva são denominados **plantas vasculares** ou **traqueófitas**.

As primeiras plantas vasculares aparecem no documentário fóssil em meados do período Siluriano (443 Ma-419 Ma), por volta de 430 Ma, cerca de 40 milhões de anos após a conquista da terra firme. Com exceção das briófitas, todos os outros grupos vegetais atuais – pteridófitas, gimnospermas e angiospermas – são traqueófitas. (Fig. 27.3)

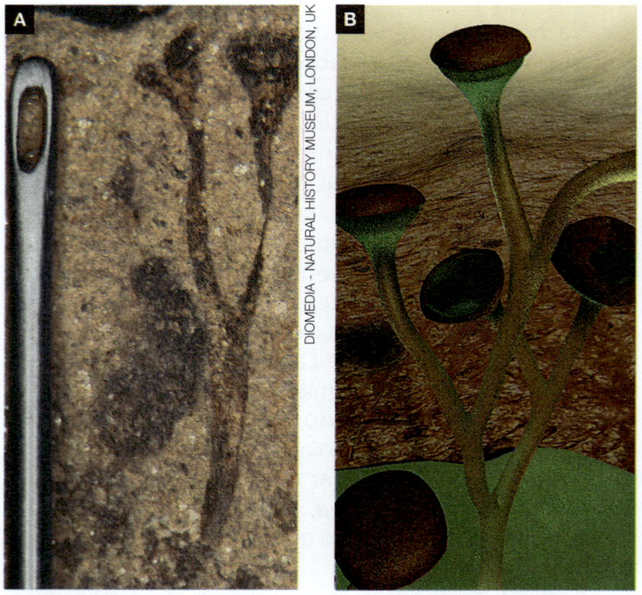

Figura 27.3 A. Rocha com fóssil de esporófito de *Cooksonia* sp.; à esquerda, agulha como referência de tamanho. **B.** Representação artística de esporófitos de plantas do gênero *Cooksonia*, a mais antiga planta conhecida a ter caule com tecido vascular, sendo considerada uma forma de transição entre as briófitas avasculares e as plantas vasculares. Eram plantas pequenas, com poucos centímetros de altura; a espessura do caule nas diversas espécies conhecidas variava entre 0,03 mm e 3 mm.

As plantas vasculares desenvolveram sistemas eficientes de proteção contra a perda de água (epidermes impermeáveis e estômatos de abertura regulável, que serão estudados nos próximos capítulos), o que permitiu a colonização de regiões relativamente secas, distantes das bordas de rios e lagos onde viveram seus ancestrais. Nessa etapa do processo evolutivo, as plantas assumiram sua organização corporal típica: raízes, caule e folhas.

Com essas novidades evolutivas, as plantas vasculares puderam atingir grandes tamanhos e constituíram as primeiras florestas, ambientes propícios à evolução dos animais de terra firme, que encontraram na vegetação abrigo e alimento.

As plantas vasculares pioneiras, entretanto, ainda dependiam da água líquida para se reproduzir. Isso porque os gametas masculinos, dotados de flagelos locomotores, tinham que nadar para chegar aos gametas femininos e fecundá-los, como ainda ocorre com as briófitas e pteridófitas atuais, conhecidas como criptógamas.

Uma estratégia evolutiva importante desenvolvida pelas plantas, que possibilitou sua independência da água líquida para a fecundação, consistiu em uma mudança radical no ciclo de vida alternante herdado das algas ancestrais. Em vez de ter vida independente, o gametófito passou a viver sobre o esporófito, encontrando ali proteção e alimento. Além disso, tecidos do gametófito tornaram-se capazes de absorver substâncias nutritivas do "esporófito-mãe", utilizando-as no desenvolvimento do embrião (o jovem esporófito), até este formar raízes e folhas e poder viver por conta própria. O embrião, enclausurado nos tecidos nutritivos do gametófito, é a **semente**.

O estudo de fósseis indica que as primeiras plantas com semente surgiram no final do período Carbonífero (358,9 Ma-298,9 Ma); elas foram as ancestrais das fanerógamas, que incluem as gimnospermas atuais e as plantas frutíferas, as angiospermas. Antes do período Cretáceo (145 Ma-66 Ma), as florestas eram constituídas por pteridófitas gigantes e por gimnospermas. Em meados do período Cretáceo surgiram as angiospermas, plantas em que uma ou mais sementes se encontram alojadas no interior de um fruto. Além de proteger as sementes, o fruto tem papel importante em sua disseminação, garantindo a colonização de novos ambientes.

Após as grandes extinções ocorridas há 66 milhões de anos, quando 75% das espécies desapareceram, as angiospermas diversificaram-se profusamente, passando a constituir o grupo de plantas dominante do planeta, situação que perdura até os dias de hoje.

27.2 Grandes grupos de plantas atuais

No sistema de classificação que adotamos, as plantas atuais são classificadas em 10 filos. Sete deles são de plantas vasculares (traqueófitas) e três são de plantas avasculares, sem vasos condutores de seiva (briófitas). (Tab. 27.1)

Tabela 27.1 ▪ Características dos componentes atuais do reino Plantae

Características			Filos
Vasos condutores	Semente	Fruto	
Avasculares (sem vasos condutores de seiva)	—	—	**Bryophyta** (musgos) **Hepatophyta** (hepáticas) **Anthocerophyta** (antóceros)
Vasculares	Sem semente	—	**Pteridophyta** (samambaias, avencas, cavalinhas e psilotos) **Lycopodiophyta** (licopódios e selaginelas)
	Com semente	Gimnospermas (sem fruto)	**Coniferophyta** (coníferas) **Cycadophyta** (cicadófitas) **Gnetophyta** (gnetófitas) **Ginkgophyta** (gincófitas)
		Angiospermas (com fruto)	**Anthophyta** (angiospermas)

As plantas vasculares são geralmente separadas em dois grandes grupos, com base na presença ou na ausência de semente. Plantas vasculares sem sementes são chamadas informalmente de **pteridófitas**; as mais conhecidas são as samambaias e as avencas, pertencentes ao filo Pteridophyta.

As plantas vasculares com sementes são genericamente chamadas **espermatófitas** ou **fanerógamas**. Entre elas há um grupo em que as sementes se localizam externamente no órgão reprodutivo feminino, o que lhes valeu a denominação de **gimnospermas** (do grego *gymnos*, nu, e *sperma*, semente). Os representantes mais conhecidos das gimnospermas atuais são os pinheiros e os ciprestes. O outro grupo de plantas vasculares apresenta as sementes abrigadas no interior do fruto; são as **angiospermas** (do grego *angion*, vaso, e *sperma*, semente). A maioria das plantas atuais, produtoras de flores e frutos, pertence ao grupo das angiospermas. (Fig. 27.4)

A

ZIG KOCH/OPÇÃO BRASIL IMAGENS

B

EMILIO EREZA/ALAMY/GLOW IMAGES

Figura 27.4 A. Pinhas do pinheiro-do-paraná; a pinha intacta chega a medir cerca de 20 cm de diâmetro; ao lado dela, pinhas parcialmente desfeitas pela liberação de algumas sementes (pinhões), que medem aproximadamente 7 cm de comprimento. **B.** Frutos de angiospermas; alguns foram cortados, evidenciando as sementes em seu interior.

Plantas avasculares: briófitas

Características gerais das briófitas

As **briófitas** (do grego *brion*, musgos) são plantas pequenas e delicadas que vivem em ambientes úmidos e sombreados, como barrancos e troncos de árvores no interior das matas; a maioria das espécies não ultrapassa 5 cm de altura.

Entre as briófitas mais conhecidas estão os musgos, capazes de formar densos tapetes verdes sobre pedras, troncos de árvores e barrancos. Há poucas briófitas vivendo em água doce e nenhuma espécie marinha.

As turfeiras, tipo de vegetação de regiões úmidas que ocupa mais de 1% da superfície dos continentes, são formadas por musgos do gênero *Sphagnum*, as plantas mais abundantes no planeta.

No sistema de classificação que adotamos nesta obra, as briófitas são distribuídas em três filos: Bryophyta (musgos), Hepatophyta (hepáticas) e Anthocerophyta (antóceros). (Fig. 27.5)

Figura 27.5 A. Representação esquemática de musgos, à direita, e de antóceros, à esquerda. **B.** Estruturas reprodutivas presentes na extremidade dos gametóforos das hepáticas. Rizoides são estruturas filamentosas que fixam a planta ao substrato; filoides são estruturas laminares especializadas na fotossíntese que lembram folhas; eles ficam aderidos ao eixo central da planta, o cauloide. Os gametóforos são hastes que contêm as estruturas produtoras de gametas. (Elementos fora de proporção de tamanho entre si; cores-fantasia.)

Reprodução nas briófitas

Conteúdo multimídia
Reprodução das briófitas

Muitas briófitas reproduzem-se assexuadamente por **fragmentação**, processo em que pedaços de um indivíduo ou de uma colônia separam-se e originam novas plantas.

Hepáticas do gênero *Marchantia* apresentam um tipo de reprodução assexuada em que são produzidas unidades germinativas clorofiladas, os **propágulos**. Essas estruturas se desprendem da planta-mãe e se desenvolvem, originando novos indivíduos.

O gametófito haploide (n) é a geração mais desenvolvida e persistente do ciclo de vida das briófitas; o esporófito diploide ($2n$) tem tamanho reduzido e sempre se desenvolve sobre o gametófito, nutrindo-se deste até atingir a maturidade, quando produz esporos e morre.

Na maioria das espécies, os gametófitos são **dioicos** (do grego *di*, duas, e *oikos*, casa), ou unissexuais, ou seja, há plantas com estruturas reprodutivas masculinas e plantas com estruturas reprodutivas femininas. Algumas espécies são **monoicas** (do grego *monos*, uma, e *oikos*, casa), ou bissexuais, ou ainda hermafroditas: a mesma planta tem estruturas reprodutivas masculinas e femininas.

Na maturidade, os gametófitos formam estruturas reprodutivas masculinas, os **anterídios**, e femininas, os **arquegônios**. Nos anterídios diferenciam-se gametas masculinos dotados de flagelos, os **anterozoides**; em cada arquegônio diferencia-se um gameta feminino, a **oosfera**. (Fig. 27.6)

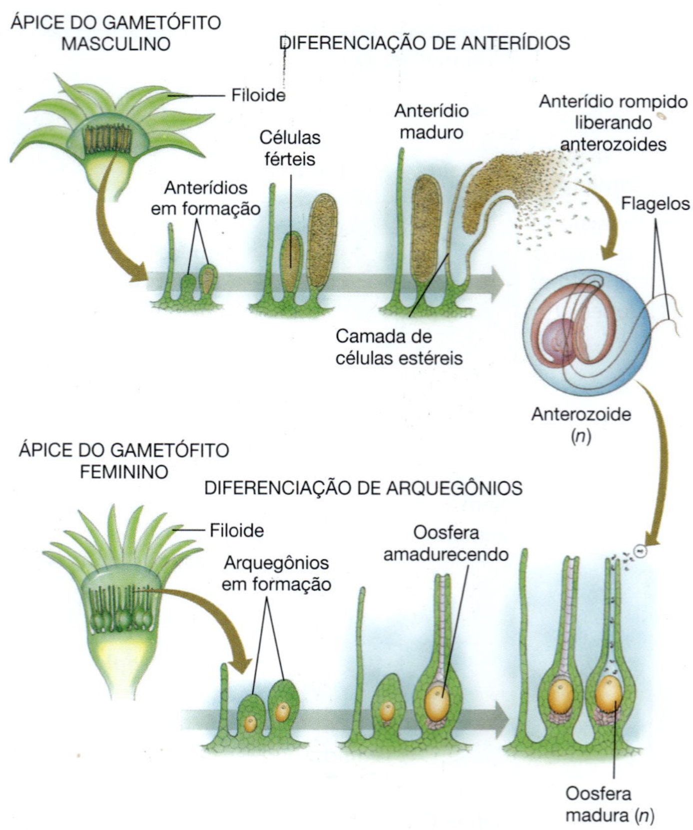

Figura 27.6 Representações esquemáticas de cortes longitudinais de anterídios e de arquegônios de um musgo, em que os órgãos reprodutivos se formam no ápice das plantas. (Elementos fora de proporção de tamanho entre si; cores-fantasia.) (Baseado em Raven, P. H. e cols., 2007.)

Os anterozoides libertam-se do anterídio e passam a nadar na água acumulada sobre as plantas masculinas. No caso das espécies dioicas de musgos, por exemplo, respingos de chuva ou de garoa esborrifam essa água, que carrega anterozoides para musgos femininos próximos. Os anterozoides nadam então em direção aos arquegônios, penetram neles e fecundam a oosfera, surgindo assim o zigoto diploide. Este se divide por mitoses sucessivas, originando o esporófito, que continua fisicamente ligado ao gametófito materno.

O esporófito em desenvolvimento tem sua base, o "pé", mergulhada nos tecidos do gametófito materno e, na extremidade livre, forma uma dilatação – o **esporângio** –, em cujo interior as células-mãe de esporos (esporócitos) dividem-se por meiose e originam **esporos** haploides. Libertando-se do esporófito, os esporos dispersam-se com o vento e, ao atingir um local com condições de umidade, temperatura e luminosidade favoráveis, germinam. A **germinação** consiste em sucessivas divisões celulares do esporo, das quais surge um gametófito que, na maturidade, repetirá o ciclo. (Fig. 27.7)

Plantas vasculares sem sementes: pteridófitas

Características gerais das pteridófitas

As **pteridófitas** são plantas vasculares que não formam sementes. Seus esporófitos, fase predominante do ciclo de vida, são constituídos por folhas, caule e raízes e apresentam dois tipos de tecidos condutores de seiva: o **xilema** (do grego *xylon*, madeira), que transporta água e sais minerais das raízes até as folhas, e o **floema** (do grego *phloos*, casca), que transporta açúcares e outros compostos orgânicos produzidos nas folhas. A solução de água e sais transportada pelo xilema constitui a **seiva mineral**, ou seiva xilemática; a solução de substâncias orgânicas transportada pelo floema constitui a **seiva orgânica**, ou seiva floemática. (Fig. 27.8)

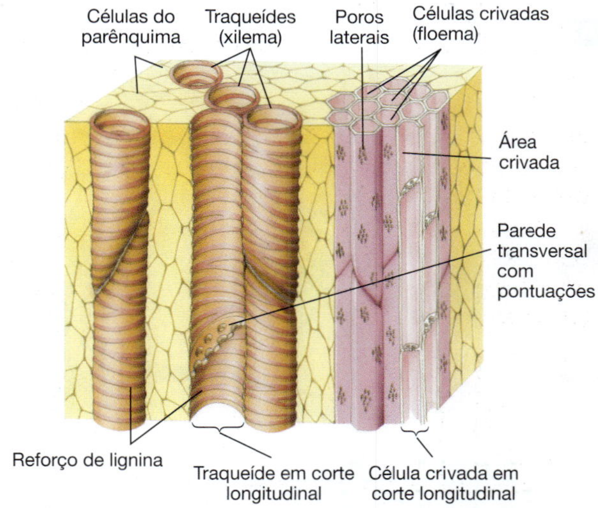

Figura 27.8 Representação esquemática de corte de caule mostrando os componentes dos tecidos vasculares das pteridófitas: traqueídes, que fazem parte do xilema, e células crivadas, que fazem parte do floema. (Elementos fora de proporção de tamanho entre si; cores-fantasia.)

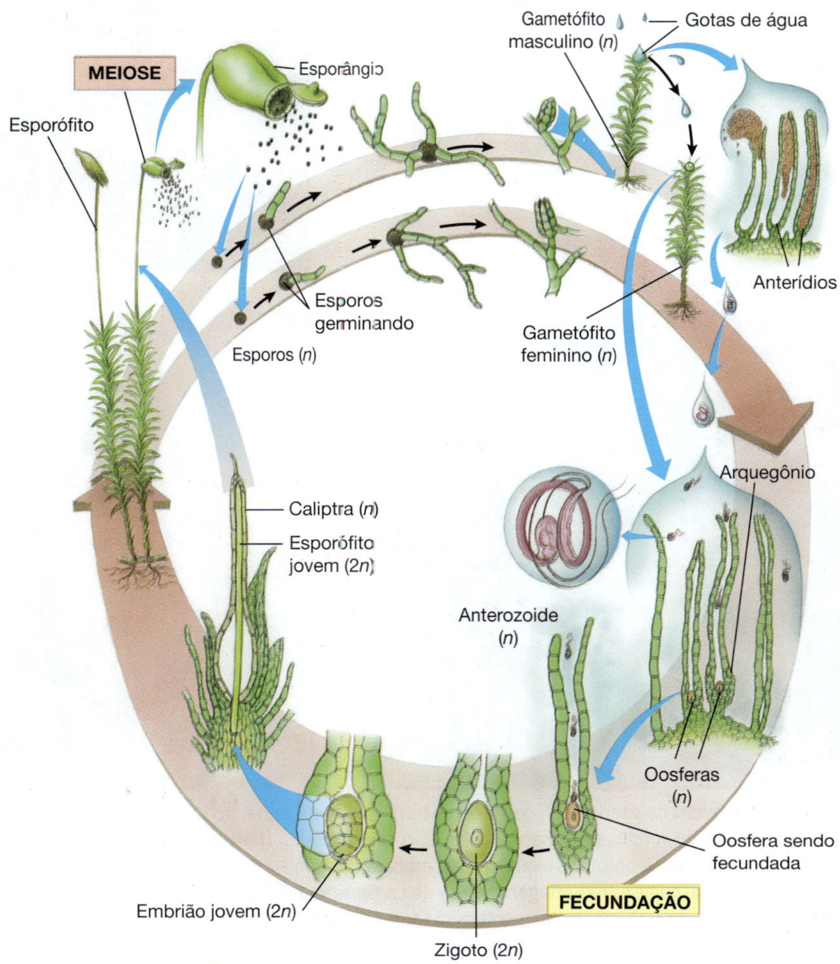

Figura 27.7 Representação esquemática do ciclo de vida de uma espécie de musgo do gênero *Polytrichum*. (Elementos fora de proporção de tamanho entre si; cores-fantasia.) (Baseado em Raven, P. H. e cols., 2007.)

O gametófito haploide das pteridófitas, também denominado prótalo, é pouco desenvolvido e nutre o esporófito diploide apenas nas fases iniciais do desenvolvimento. Ao formar raízes e folhas, o esporófito torna-se independente do gametófito materno, o qual regride.

No sistema de classificação que adotamos, as pteridófitas são distribuídas em dois filos: **Pteridophyta** (samambaias, avencas, cavalinhas e psilotos) e **Lycopodiophyta** (licopódios e selaginelas). (Fig. 27.9)

Reprodução e ciclo de vida das pteridófitas

Muitas espécies de pteridófita em que o caule é do tipo rizoma (caule de crescimento paralelo ao solo) podem se reproduzir assexuadamente por **brotamento**. Nesse processo, o caule forma pontos vegetativos espaçados que originam folhas e raízes. A fragmentação ou a decomposição do rizoma entre os pontos vegetativos isola-os uns dos outros, originando plantas independentes.

Figura 27.9 A. Representação esquemática de esporófito jovem de pteridófita, com cortes transversais na folha, no caule e na raiz, para mostrar a organização dos tecidos nessas partes. (Elementos fora de proporção de tamanho entre si; cores-fantasia.) (Baseado em Raven, P. H. e col., 2007.) **B a F.** Alguns representantes do grupo das pteridófitas: **B.** *Nephrolepis exaltata,* samambaia cujas folhas medem cerca de 60 cm de comprimento. **C.** *Adiantum* sp., planta conhecida como avenca, cujas folhas atingem 50 cm de comprimento. **D.** *Lycopodium clavatum,* licopódio com aproximadamente 20 cm de altura. **E.** *Selaginella kraussiana,* selaginela cujas folhas medem cerca de 15 cm de comprimento. **F.** *Equisetum* sp., planta conhecida como cavalinha, que chega a medir 1,5 m de altura.

No ciclo de vida alternante das pteridófitas, os esporófitos adultos apresentam folhas "férteis", onde se formam **esporângios**, nos quais se desenvolvem esporócitos. Estes passam por meiose e originam **esporos** haploides, que se libertam dos esporângios e são transportados pelo vento. (Fig. 27.10)

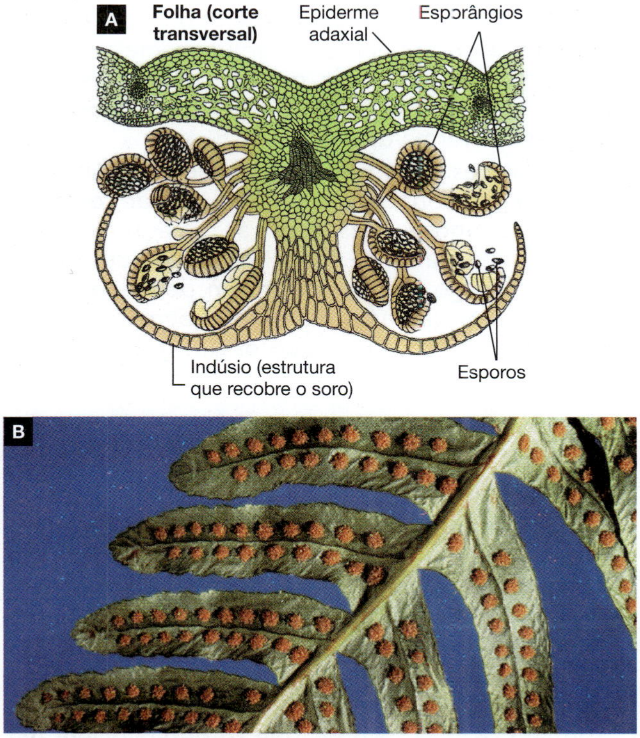

Figura 27.10 A. Representação esquemática de um soro, estrutura foliar que contém esporângios, em corte transversal. (Elementos fora de proporção de tamanho entre si; cores-fantasia.) (Baseado em Rawitscher, F., 1968.) **B.** Face inferior de uma folha fértil de samambaia da espécie *Polypodium vulgare* com soros alinhados ao longo dos folíolos que medem cerca de 8 cm de comprimento cada um.

Caso encontre condições de umidade, temperatura e luminosidade favoráveis, o esporo germina, originando um gametófito multicelular achatado e cordiforme, o **prótalo** (do grego *protos*, primeiro, e *thallos*, corpo vegetativo filamentoso ou laminar). Na maioria das espécies de pteridófita, entre elas as samambaias e as avencas, o gametófito é monoico (bissexuado ou hermafrodita) e produz arquegônios (femininos) e anterídios (masculinos).

O **arquegônio** das pteridófitas é uma estrutura em forma de garrafa em cujo interior se diferencia o gameta feminino: a **oosfera** (*n*). Quando o arquegônio amadurece, abre-se nele um canal por onde penetram os gametas masculinos.

O **anterídio** é uma estrutura arredondada, em cujo interior se diferenciam gametas masculinos flagelados: os **anterozoides** (*n*). Quando o anterídio amadurece, sua parede se rompe e liberta os anterozoides, que nadam até os arquegônios, onde penetram; apenas um anterozoide fecunda a oosfera, originando-se o zigoto diploide. Este se divide por mitoses sucessivas formando o embrião, que no início do seu desenvolvimento será nutrido por substâncias do gametófito.

As células do embrião em desenvolvimento logo se diferenciam em raiz, caule e folhas, definindo a organização básica do corpo da planta. A raiz entra em contato com o substrato, de onde absorve água e nutrientes minerais. Com os cloroplastos presentes nas células das primeiras folhas, o esporófito jovem já pode realizar fotossíntese e não mais necessita do gametófito para se nutrir. Quando as reservas de nutrientes do gametófito se esgotam, ele degenera. Na maturidade, o esporófito desenvolverá folhas férteis, nas quais se formarão esporos, completando o ciclo. (Fig. 27.11)

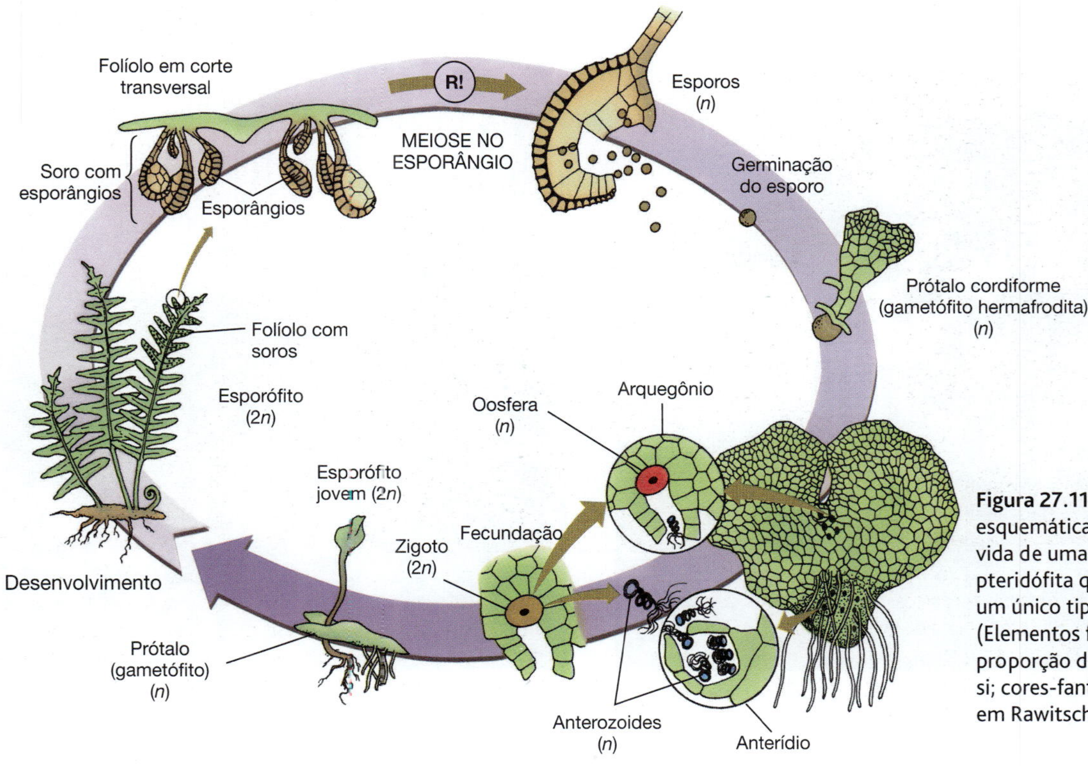

Figura 27.11 Representação esquemática do ciclo de vida de uma samambaia, pteridófita que produz um único tipo de esporo. (Elementos fora de proporção de tamanho entre si; cores-fantasia.) (Baseado em Rawitscher, F., 1968.)

As espécies de pteridófita que formam apenas um único tipo de esporo são denominadas **homosporadas** (do grego *homos*, igual). Há algumas espécies **heterosporadas** (do grego *hetero*, diferente), como as dos gêneros *Selaginella*, *Salvinia* e *Marsilea*, que produzem dois tipos de esporo, um grande — o **megásporo** — e outro pequeno — o **micrósporo**.

Ao germinar, o micrósporo origina o microprótalo, que forma somente anterídios, onde se diferenciam anterozoides. Portanto, o microprótalo corresponde à geração gametofítica masculina.

O megásporo, ao germinar, origina o megaprótalo, onde se diferenciam arquegônios com oosferas. Portanto, o megaprótalo corresponde à geração gametofítica feminina.

Plantas vasculares com sementes nuas: gimnospermas

Características gerais das gimnospermas

O termo gimnosperma (do grego *gymnos*, nu, e *sperma*, semente) é utilizado informalmente para designar alguns grupos de plantas portadoras de sementes não abrigadas em frutos. As gimnospermas são classificadas atualmente em quatro filos: **Coniferophyta** (coníferas), **Cycadophyta** (cicadófitas), **Gnetophyta** (gnetófitas) e **Ginkgophyta** (gincófitas). (Fig. 27.12)

A maioria das espécies atuais de gimnosperma é composta de **coníferas**, das quais são conhecidas pouco mais de 600 espécies, exemplificadas pelos pinheiros e ciprestes. Adaptadas ao frio e a grandes altitudes, as coníferas habitam principalmente vastas regiões ao norte da América do Norte e da Eurásia, onde formam extensas florestas. No Brasil, uma conífera nativa é *Araucaria angustifolia*, o pinheiro-do-paraná, principal componente das matas de araucárias do Sul do país, infelizmente hoje quase totalmente extintas pela exploração irracional da madeira. (Fig. 27.12)

O segundo maior grupo de gimnospermas é o das **cicadófitas**, ou cicas, com espécies chegando a 14 m de altura, algumas delas empregadas na ornamentação de jardins. As cicadófitas foram tão abundantes na era Mesozoica (252 Ma-66 Ma), que essa etapa da história geológica da Terra costuma ser denominada "idade das cicas e dos dinossauros".

O terceiro grupo de gimnospermas atuais é o das **gnetófitas**, algumas delas com folhas semelhantes às das angiospermas, com as quais chegam a ser confundidas; há também espécies arbustivas com folhas pequenas em forma de escama.

O grupo das **gincófitas** compõe-se de uma única espécie, *Ginkgo biloba*, planta arbórea que, ao contrário das outras gimnospermas, perde as folhas no inverno, ou seja, é uma planta decídua. No final do outono, as folhas do gincgo, que lembram um pequeno leque, adquirem coloração amarelo-ouro e caem dos ramos. Registros fósseis mostram que os gincgos mudaram pouco nos últimos 150 milhões de anos.

Reprodução e ciclo de vida das gimnospermas

Nas gimnospermas, o esporófito diploide, do qual o pinheiro é um exemplo, é a fase predominante do ciclo de vida alternante. O esporófito adulto forma os esporos em folhas modificadas, os **esporofilos**. Estes geralmente estão agrupados em estruturas denominadas estróbilos.

Há estróbilos masculinos e femininos. Os primeiros são chamados de microestróbilos porque neles se formam os micrósporos, que se desenvolvem em gametófitos masculinos (microgametófitos). Os estróbilos femininos formam megásporos, que originam gametófitos femininos (megagametófitos).

Nas gimnospermas há espécies monoicas, em que a mesma planta produz micrósporos e megásporos, e espécies dioicas, com plantas "masculinas", produtoras de micrósporos, e plantas "femininas", que produzem megásporos.

A

RENATO SOARES/PULSAR IMAGENS

B

FLETCHER & BAYLIS /SCIENCE SOURCE/DIOMEDIA

Figura 27.12 A. *Araucaria angustifolia*, conífera que pode passar de 35 m de altura. **B.** Cicadófita *Cycas revoluta* fêmea, com caule de 1 m de altura.

Os micrósporos formam-se no interior de bolsas, os **microsporângios**, por divisão meiótica de células-mãe de grãos de pólen (microsporócitos). Cada micrósporo divide-se por mitose e origina uma estrutura dotada de parede espessa, que contém algumas células haploides (células protalares, célula geradora e célula do tubo). Trata-se do **grão de pólen**, que corresponde ao microgametófito ainda imaturo. Em diversas gimnospermas, a parede do grão de pólen apresenta partes expandidas como asas, uma adaptação ao transporte pelo vento.

Pouco antes da fecundação, uma das células do grão de pólen, a célula do tubo, cresce e forma o **tubo polínico**, que penetrará no óvulo. Outra célula do pólen, a célula geradora, divide-se por mitose e origina a célula estéril e a célula espermatogênica. Esta divide-se originando duas **células espermáticas** ou **núcleo espermático**, os gametas masculinos propriamente ditos. O grão de pólen, com o tubo polínico completamente formado e com duas células espermáticas em seu interior, é o microgametófito maduro. (Fig. 27.13)

Os megásporos são produzidos em folhas especiais denominadas **megasporofilos**, que podem ou não estar agrupadas em estróbilos. Na superfície dos megasporofilos formam-se os **megasporângios**, constituídos por camadas de pequenas células em torno de uma grande célula central, a célula-mãe do megásporo (megasporócito). Essa célula diploide passa por meiose e origina quatro células haploides, três das quais degeneram; a célula remanescente é um megásporo.

O megásporo divide-se sucessivamente por mitose e origina um megagametófito, onde se formam um ou mais arquegônios. No interior de cada arquegônio diferencia-se uma **oosfera**, o gameta feminino. A estrutura multicelular constituída por tecido diploide originário do megasporofilo (tegumento) e pelo megagametófito com a oosfera é o **óvulo** vegetal. Os arquegônios ovulares ficam voltados para uma abertura presente no tegumento do óvulo, a **micrópila**, por onde penetram os tubos polínicos com as células espermáticas. (Fig. 27.14)

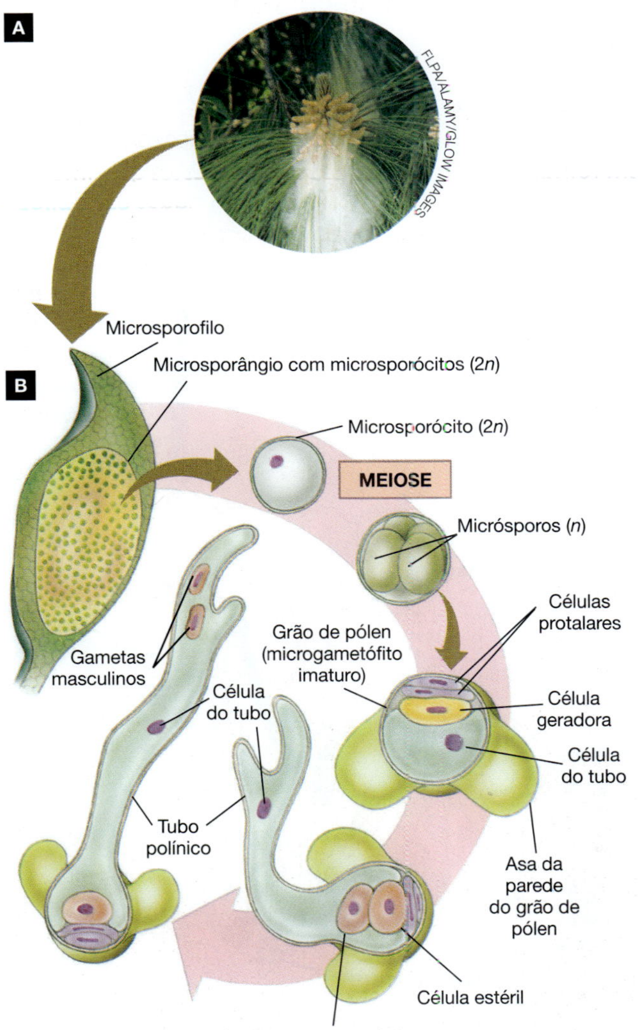

Figura 27.13 A. Microestróbilos de pinheiro *Pinus montezumae*, com cerca de 10 cm de comprimento, liberando uma nuvem de grãos de pólen. **B.** Representação esquemática do desenvolvimento do grão de pólen em gimnosperma do gênero *Pinus*. (Elementos fora de proporção de tamanho entre si; cores-fantasia.)

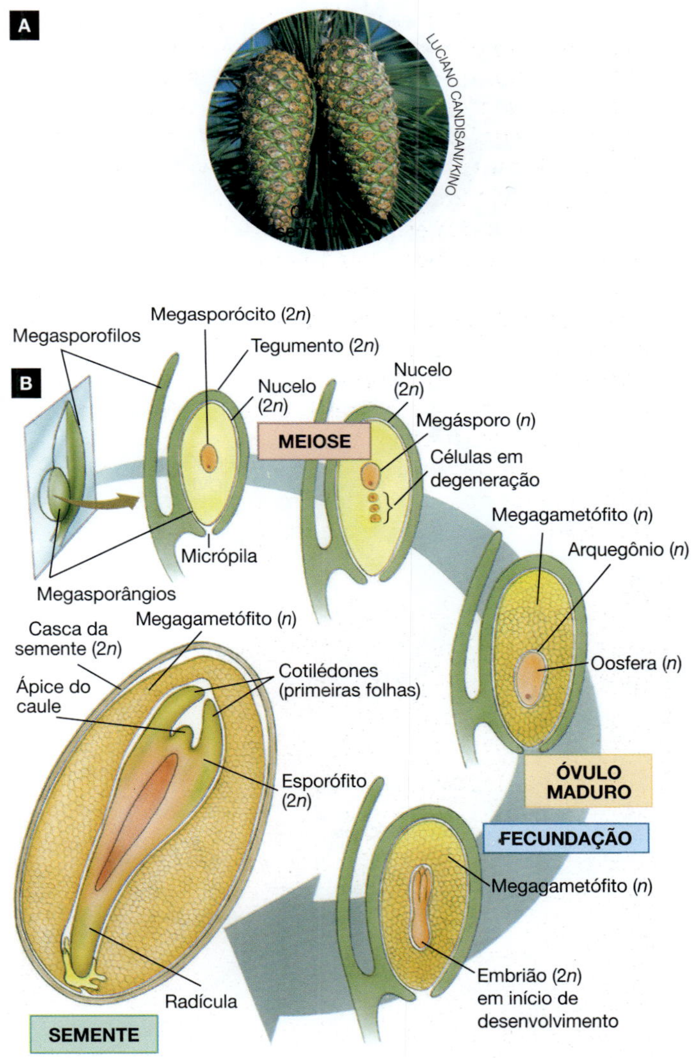

Figura 27.14 A. Megaestróbilos da gimnosperma *Pinus elliottii*, que medem cerca de 15 cm de comprimento. **B.** Representações esquemáticas de cortes longitudinais de óvulos em formação e da semente de *Pinus* sp. (Elementos fora de proporção e tamanho entre si; cores-fantasia.)

Polinização e formação da semente

A transferência de grãos de pólen até os óvulos é a **polinização**. Na maioria das gimnospermas, ela é realizada pelo vento, o que se denomina **anemofilia** (do grego *ânemos*, vento, e *phylos*, amigo). Em cicadófitas há indícios de que os principais responsáveis pela transferência dos grãos de pólen para os óvulos são certos besouros que se alimentam de pólen. Assim, nessas plantas ocorre o tipo de polinização denominado **entomofilia** (do grego *éntomos*, inseto). É possível também que insetos desempenhem papel importante na polinização de certas gnetófitas.

O zigoto resultante da fecundação da oosfera por um dos gametas do tubo polínico desenvolve-se e origina um embrião (o esporófito). O conjunto formado pelo esporófito jovem, mergulhado no megagametófito, o qual se encontra envolto pelo tegumento, é a **semente**. Esta é a grande novidade evolutiva das gimnospermas em relação às pteridófitas. De acordo com os biólogos, o aparecimento da semente foi fundamental para o sucesso das plantas gimnospermas e angiospermas. Acompanhe, na figura a seguir, as etapas do ciclo de vida de uma gimnosperma monoica. (Fig. 27.15)

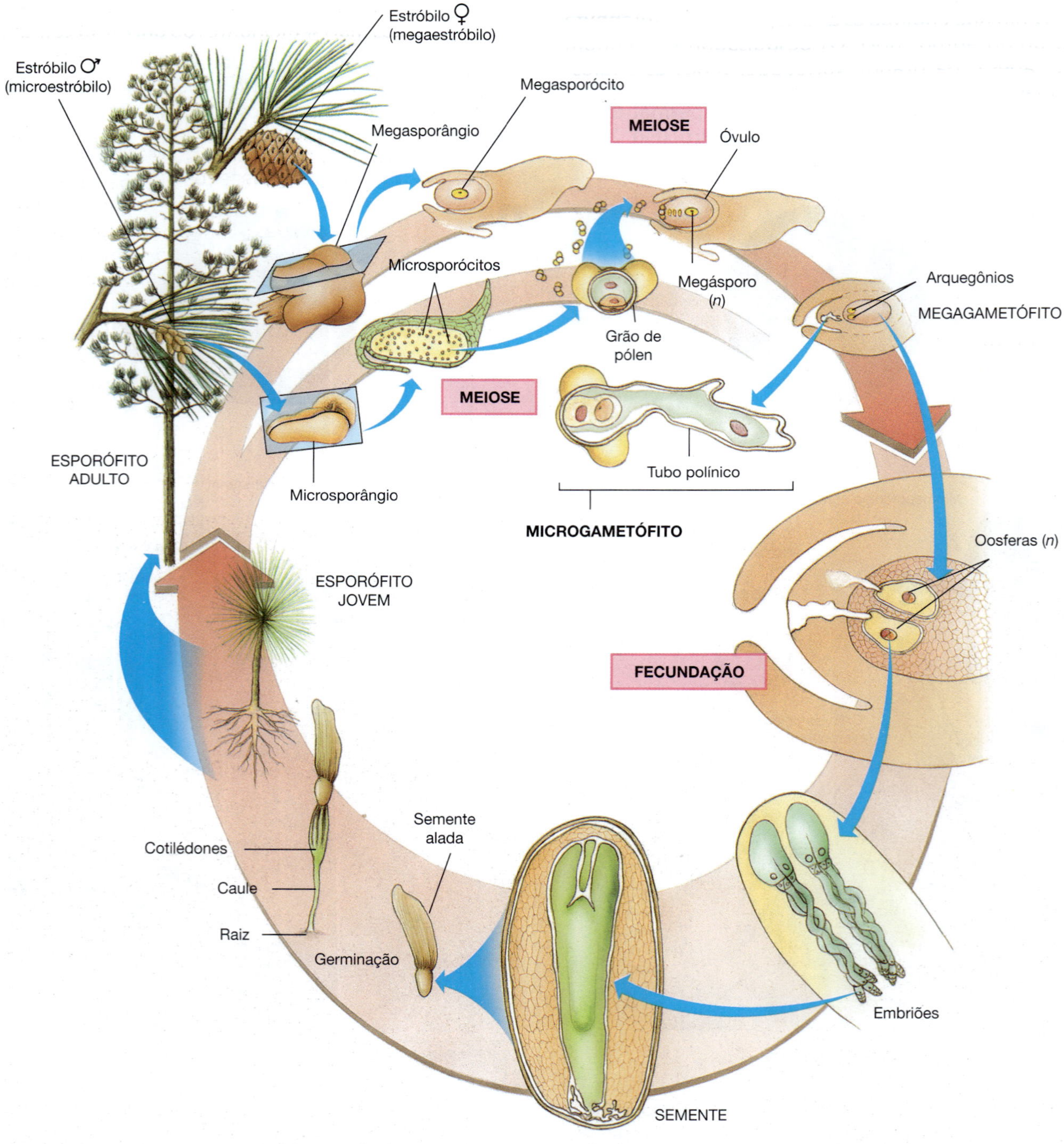

Figura 27.15 Representação esquemática do ciclo de vida de *Pinus* sp. (Elementos fora de proporção de tamanho entre si; cores-fantasia.)

Plantas vasculares com sementes em frutos: angiospermas

Características gerais das angiospermas

As **angiospermas** são as plantas dominantes no planeta. Há desde espécies de grande porte, como certos eucaliptos da Austrália, cujos troncos atingem mais de 110 m de altura e 20 m de circunferência, até espécies com menos de 1 mm de comprimento. Angiospermas podem ser árvores, arbustos, trepadeiras, capins etc. elas vivem nos mais diversos ambientes: no solo, na água ou sobre outras plantas, como parasitas ou como "inquilinas".

O filo que engloba as angiospermas é **Anthophyta** (do grego *antho*, flor). Os pesquisadores acreditam que, apesar da grande variedade, todas as angiospermas atuais descendem de um mesmo ancestral e compõem, portanto, o que os sistematas denominam grupo monofilético.

O número de espécies de angiospermas é estimado entre 250 mil e 400 mil, de acordo com diferentes autores. Na classificação que adotamos, as angiospermas são divididas em três grupos: **monocotiledôneas**, que reúne cerca de 23% das espécies, **eudicotiledôneas**, com cerca de 75% das espécies, e **dicotiledôneas basais**, com apenas 2% das espécies. (Fig. 27.16)

Reprodução e ciclo de vida das angiospermas

O ciclo de vida das angiospermas assemelha-se ao das gimnospermas. Entretanto, enquanto os órgãos reprodutivos das gimnospermas são os estróbilos, nas angiospermas são as **flores**. Outra diferença reside no fato de que as sementes das gimnospermas ficam sobre o esporofilo (sementes nuas) e as das angiospermas desenvolvem-se no interior de uma estrutura denominada **ovário**, que origina o **fruto**. A reprodução e o desenvolvimento das angiospermas serão estudados em detalhe no próximo capítulo.

Tendências evolutivas no ciclo de vida das plantas

Como vimos, no decorrer da evolução das plantas houve redução progressiva da fase haploide do ciclo de vida, a geração gametofítica. Nas briófitas, consideradas as plantas mais semelhantes ao ancestral comum do grupo, a fase predominante do ciclo de vida é o gametófito, do qual o esporófito diploide depende totalmente para sobreviver.

Nas pteridófitas, que são posteriores às briófitas na história evolutiva das plantas, a situação se inverte. A fase dominante do ciclo de vida passa a ser a geração esporofítica, e a fase gametofítica torna-se reduzida. O gametófito das pteridófitas é uma planta pequena, com poucos centímetros de tamanho, que abriga e sustenta o esporófito apenas nas fases iniciais de seu desenvolvimento.

Em gimnospermas e angiospermas, grupos de plantas mais recentes na história evolutiva, os gametófitos têm número reduzido de células e dependem totalmente dos esporófitos para viver. Nessas plantas, a geração gametofítica deixou de ser independente, como ocorre em briófitas e pteridófitas, e se assemelha mais a um minúsculo órgão reprodutivo do esporófito.

EMMANUEL LATTES/ALAMY/GLOW IMAGES

MOREAU JACQUES/VISIONS/DIOMEDIA

Figura 27.16 Representantes das dicotiledôneas basais: **A.** *Nymphaea alba*, planta aquática conhecida como ninfeia, cujas flores têm aproximadamente 15 cm de diâmetro; **B.** *Magnolia liliflora*, magnólia, uma dicotiledônea que chega a 4 m de altura.

Atividades

Revendo conceitos fundamentais

Utilize as alternativas a seguir para responder às questões 1 e 2.

a) Embrião.
b) Esporo.
c) Esporófito.
d) Gameta.
e) Gametófito.

1. Como se denomina uma célula haploide que se multiplica por mitose e origina o indivíduo multicelular haploide?

2. Qual o nome da célula haploide que se funde a outra e origina o zigoto?

Escreva, em seu caderno, o termo abaixo que substitui corretamente a tarja entre parênteses das frases de 3 a 6.

a) angiospermas
b) briófitas
c) gimnospermas
d) pteridófitas

3. As (▬) são plantas que produzem frutos, dentro dos quais estão as sementes.

4. As (▬) são plantas vasculares que não produzem sementes.

5. As (▬) são plantas sem tecidos condutores de seiva (avasculares).

6. As (▬) caracterizam-se por apresentar sementes nuas.

Escreva, em seu caderno, o termo abaixo que substitui corretamente a tarja entre parênteses das frases de 7 a 12.

a) anterídio
b) anterozoide
c) arquegônio
d) esporângio
e) oosfera
f) prótalo

7. Em briófitas e pteridófitas, o gameta masculino, chamado (▬), é flagelado e capaz de nadar ativamente em direção ao gameta feminino.

8. A estrutura em que se formam os gametas masculinos de briófitas e pteridófitas é chamada (▬).

9. A estrutura presente em gametófitos de briófitas e de pteridófitas, no interior da qual se forma o gameta feminino, é a(o) (▬).

10. A estrutura onde se formam os esporos de briófitas e pteridófitas é denominada (▬).

11. O gametófito hermafrodita das pteridófitas é chamado (▬).

12. O gameta feminino das plantas é a(o) (▬).

Escreva, em seu caderno, o termo a seguir que substitui corretamente a tarja entre parênteses das frases de 13 a 18.

a) célula espermática
b) grão de pólen
c) megásporo
d) micrósporo
e) óvulo
f) semente

13. O gametófito masculino imaturo de gimnospermas e angiospermas está contido no interior da(o) (▬).

14. A célula haploide que origina o gametófito masculino das plantas heterosporadas é chamada (▬).

15. A(O) (▬) é uma célula haploide que dá origem ao gametófito feminino nas plantas espermatófitas.

16. O gameta masculino propriamente dito, nas gimnospermas e angiospermas, é a(o) (▬).

17. O conjunto formado pelo esporófito jovem mergulhado no megagametófito envolto pelo tegumento é a(o) (▬).

18. A estrutura multicelular constituída por tecido diploide originário do esporófito (tegumento) e pelo megagametófito com a oosfera é a(o) (▬).

19. O transporte de grãos de pólen até a planta feminina denomina-se (1) e quando é realizado pelo vento denomina-se (2). Qual alternativa traz os conceitos que substituem corretamente os números 1 e 2?

a) 1 = anemofilia; 2 = fecundação.
b) 1 = anemofilia; 2 = polinização.
c) 1 = entomofilia; 2 = anemofilia.
d) 1 = polinização; 2 = anemofilia.
e) 1 = polinização; 2 = zoofilia.

Ligando conceitos, fatos e processos

20. Como são esporófitos e gametófitos em relação à constituição cromossômica de suas células?

a) Ambos diploides.
b) Ambos haploides.
c) Diploides e haploides, respectivamente.
d) Haploides e diploides, respectivamente.

Escreva, em seu caderno, o termo abaixo que substitui corretamente a tarja entre parênteses das frases 21 e 22.

a) ciclo de vida alternante
b) sementes
c) frutos
d) tecidos condutores de seiva

21. As gimnospermas diferem das angiospermas, entre outras coisas, por não apresentarem (▬).

22. As pteridófitas diferem das gimnospermas, entre outras coisas, por não apresentarem (▬).

23. Qual é a sequência temporal de aparecimento dos diversos grupos de plantas, no decorrer da evolução, de acordo com os fósseis e outras evidências?

a) Briófitas; gimnospermas; pteridófitas; angiospermas.
b) Briófitas; pteridófitas; gimnospermas; angiospermas.
c) Pteridófitas; briófitas; angiospermas; gimnospermas.
d) Pteridófitas; angiospermas; briófitas; gimnospermas.

24. O que é possível afirmar que aconteceu ao longo da evolução das plantas?
a) Houve crescente predomínio dos gametófitos sobre os esporófitos.
b) No processo reprodutivo, os gametas foram substituídos por esporos.
c) A reprodução assexuada foi substituída pela reprodução sexuada.
d) Ocorreu a redução do gametófito, que se tornou totalmente dependente do esporófito.

Questões para exercitar o pensamento

25. Sistematizar informações, de modo que se possa compará-las com facilidade e rapidez, é uma habilidade importante no estudo de qualquer assunto. Nossa sugestão é que você sistematize as informações do capítulo sobre as plantas construindo uma tabela. Consulte o texto, figuras e legendas do capítulo e obtenha as seguintes informações sobre cada um dos quatro grupos de planta estudados: **a)** breve caracterização do gametófito; **b)** breve caracterização do esporófito; **c)** breve descrição das estruturas reprodutivas; **d)** breve caracterização dos gametas; **e)** presença ou ausência de sementes e de frutos. Utilize essas informações para compor a tabela. Se necessário, acrescente a ela alguma outra informação que julgar importante.

26. O petróleo é um combustível fóssil, originado da matéria orgânica de seres soterrados logo após a morte, o que evitou a decomposição de seus corpos. É encontrado em rochas da era Pré-cambriana e do início da era Paleozoica, formadas há mais de 500 milhões de anos. Com base nessas informações, é possível admitir que plantas tenham tido contribuição importante na formação do petróleo? E do chamado carvão fóssil? Pesquise a respeito e escreva um texto sobre essas questões.

27. Considere as seguintes informações: **a)** a maioria dos alimentos usados pela humanidade atualmente provém de um número restrito de plantas (arroz, milho e batata, principalmente); **b)** as florestas tropicais têm grande número de espécies de plantas com propriedades ainda desconhecidas e que podem vir a ser fontes de alimento e de produtos úteis, tais como substâncias de interesse medicinal; **c)** em consequência do crescimento populacional e de interesses financeiros, florestas estão sendo destruídas para dar lugar a fazendas; **d)** as nações desenvolvidas querem que os países "em desenvolvimento" preservem suas florestas; **e)** muitas pessoas, inclusive alguns governantes de países "em desenvolvimento", não veem vantagem em preservar suas florestas.

Pesquise e informe-se sobre esses itens. Como a preservação das florestas é vista pelos governantes brasileiros? Como o conceito de biodiversidade está relacionado com esse contexto? Redija um texto com sua opinião pessoal, incluindo as informações que obteve e sugestões para enfrentar o desafio da preservação das florestas.

A Biologia no vestibular e no Enem

Questões objetivas

1. (Ufac) De acordo com a análise comparativa entre plantas dos grupos:
I. briófitas
II. gimnospermas
III. angiospermas
pode-se afirmar o seguinte:
a) Apenas I apresenta sementes.
b) I, II e III apresentam estruturas para transporte de água e nutrientes.
c) Apenas I e II apresentam dispersão por esporos.
d) Apenas II e III apresentam estruturas para transporte de água e nutrientes.
e) Apenas III apresenta esporos.

2. (Uece) Quando falamos de uma planta que apresenta tecido vascular, não possui ovário, não produz sementes e tem como geração dominante a esporofítica, estamos nos referindo a uma
a) briófita.
b) angiosperma.
c) gimnosperma.
d) pteridófita.

3. (Urca-CE) Determine a alternativa correta sobre o ciclo de vida das pteridófitas.
a) Os gametângios constituem a geração duradoura (de longa duração).
b) Os esporófitos constituem a geração efêmera (de curta duração).
c) O pistilo é formado por ovário, estilete e estigma.
d) Os esporófitos constituem a geração duradoura (de longa duração).
e) Após a germinação, o núcleo do ovo dá origem ao endosperma.

4. (Uece) Considere as características relacionadas abaixo:
I. Grãos de pólen.
II. Sistema vascular.
III. Sementes.
IV. Fruto.

São características comuns às gimnospermas e angiospermas

a) apenas I e III.
b) apenas I e IV.
c) II, III e IV.
d) I, II e III.

5. (Fuvest-SP) O esquema abaixo representa a aquisição de estruturas na evolução das plantas. Os ramos correspondem a grupos de plantas representados, respectivamente, por musgos, samambaias, pinheiros e gramíneas. Os números I, II e III indicam a aquisição de uma característica: lendo-se de baixo para cima, os ramos anteriores a um número correspondem a plantas que não possuem essa característica e os ramos posteriores correspondem a plantas que a possuem.

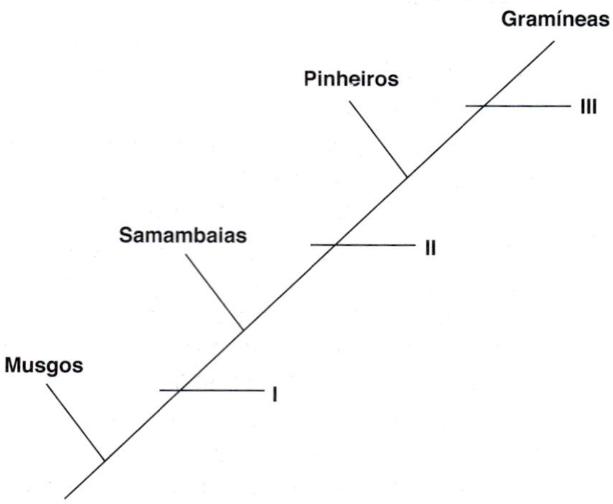

As características correspondentes a cada número estão corretamente indicadas em:

	I	II	III
a)	Presença de vasos condutores de seiva	Formação de sementes	Produção de frutos
b)	Presença de vasos condutores de seiva	Produção de frutos	Formação de sementes
c)	Formação de sementes	Produção de frutos	Presença de vasos condutores de seiva
d)	Formação de sementes	Presença de vasos condutores de seiva	Produção de frutos
e)	Produção de frutos	Formação de sementes	Presença de vasos condutores de seiva

6. (UFVJM-MG) Analise a ilustração abaixo. Trata-se de três estruturas (1, 2 e 3) presentes no ciclo reprodutivo de dois indivíduos adultos, de sexos diferentes, de uma espécie de musgo.

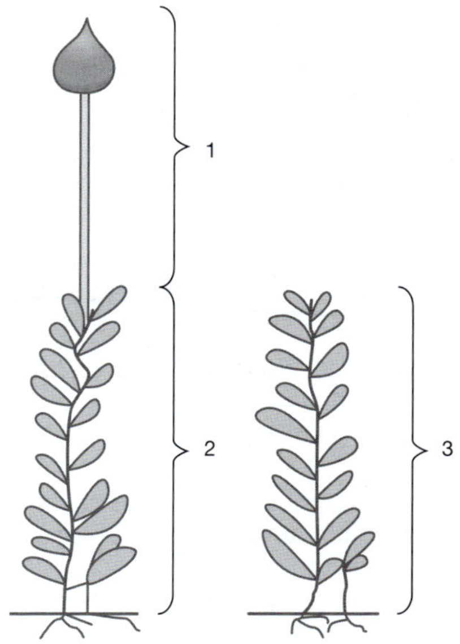

Com base nessa análise e supondo-se que os esporos produzidos por essa espécie apresentem seis cromossomos, os números de cromossomos presentes em 1, 2 e 3 são, respectivamente,

a) 24, 12 e 12.
b) 12, 6 e 6.
c) 6, 12 e 12.
d) 12, 12 e 6.

7. (UFPA) Escavações arqueológicas em solos rochosos do período Carbonífero, com aproximadamente 300 milhões de anos, descobriram fósseis vegetais. A análise dos fósseis mostrou a presença de traqueídes, com paredes reforçadas de lignina, e ausência de óvulos. Baseando-se nas características dos vegetais fossilizados, pode-se incluí-los no grupo das

a) pteridófitas.
b) angiospermas.
c) gimnospermas.
d) briófitas.
e) fanerógamas.

8. (UFLA) De acordo com a análise comparativa entre plantas dos grupos

I - Briófitas
II - Pteridófitas
III - Gimnospermas
IV - Angiospermas

é correto afirmar que

a) apenas plantas dos grupos III e IV apresentam fecundação por meio de tubos polínicos.
b) apenas plantas dos grupos I e II apresentam o gametófito correspondente à fase duradoura.
c) apenas plantas dos grupos II, III e IV apresentam sementes.
d) apenas plantas dos grupos I, II e III apresentam dependência de água para ocorrência da fecundação.

9. (Fuvest-SP) Um pesquisador que deseje estudar a divisão meiótica em samambaia deve utilizar em suas preparações microscópicas células de
   a) embrião recém-formado.
   b) rizoma da samambaia.
   c) soros da samambaia.
   d) rizoides do prótalo.
   e) estruturas reprodutivas do prótalo.

10. (Fuvest-SP) A presença ou a ausência da estrutura da planta em uma gramínea, um pinheiro e uma samambaia está corretamente indicada em:

	Estrutura	Gramínea	Pinheiro	Samambaia
a)	Flor	ausente	presente	ausente
b)	Fruto	ausente	ausente	ausente
c)	Caule	ausente	presente	presente
d)	Raiz	presente	presente	ausente
e)	Semente	presente	presente	ausente

11. (UEM-PR) Analisando os organismos pertencentes ao reino Plantae, é correto afirmar que todos
   a) produzem esporos e gametas.
   b) produzem flores e frutos.
   c) produzem sementes.
   d) apresentam caules e raízes.
   e) apresentam vasos condutores.

12. (Mackenzie-SP) Alternância de gerações ou ciclo haplôntico-diplôntico, isto é, uma geração haploide que produz gametas (gametófito) e uma outra diploide que produz esporos (esporófito), ocorre
   a) apenas em angiospermas.
   b) apenas em gimnospermas e em angiospermas.
   c) apenas em pteridófitas, em gimnospermas e em angiospermas.
   d) apenas em briófitas, em pteridófitas, em gimnospermas e em angiospermas.
   e) em algumas algas, em briófitas, em pteridófitas, em gimnospermas e em angiospermas.

13. (Cesgranrio-RJ) Na reprodução sexuada dos vegetais, ocorre a alternância entre gerações haploide (n) e diploide ($2n$). Nos briófitos, a fase dominante e duradoura é o gametófito, enquanto, nos pteridófitos, a fase dominante é o esporófito. Nos vegetais com flores também há o predomínio do esporófito. Sobre a reprodução sexuada dos vegetais, afirma-se que
   a) a geração diploide corresponde ao gametófito e produz gametas através da mitose.
   b) a geração haploide corresponde ao gametófito, produzindo gametas através da mitose.
   c) a geração haploide corresponde ao esporófito e produz esporos através da meiose.
   d) a fecundação dos gametas origina um zigoto que é diploide, o qual se desenvolve e cresce através de sucessivas mitoses formando o gametófito.
   e) os esporos se desenvolvem através de sucessivas mitoses e originam o gametófito diploide.

14. (UFPR) O ambiente terrestre favoreceu a sobrevivência das plantas em relação ao meio aquático, pois há maior incidência de luz solar e maior disponibilidade de gases. A conquista desse ambiente pelas plantas tornou-se possível pelo desenvolvimento de estruturas correlacionadas à obtenção, à conservação e à diminuição da perda de água. A evolução de um sistema vascular e o surgimento da semente e da flor permitiram a diversidade das angiospermas.

   Acerca do tema, considere as afirmativas abaixo:
   1. As plantas terrestres sobrevivem, crescem e se reproduzem porque são capazes de tolerar a dessecação.
   2. A máxima redução do gametófito nas angiospermas está diretamente correlacionada à independência da água.
   3. As pteridófitas são plantas de maior porte, nas quais a geração gametofítica é perene e o prótalo fotossintetizante é independente do esporófito.
   4. Os musgos são plantas de pequeno porte por não possuírem tecidos condutores especializados. Possuem rizoides para a absorção da água e adesão ao solo, o que permite a sua sobrevivência no ambiente terrestre.
   5. Nas plantas terrestres, o surgimento de poros que controlam sua abertura e fechamento tornou possível efetuar as trocas gasosas e evitar a perda de água.

   Qual é a alternativa correta?
   a) Somente as afirmativas 1 e 5 são verdadeiras.
   b) Somente as afirmativas 1, 2 e 4 são verdadeiras.
   c) Somente as afirmativas 1, 3 e 5 são verdadeiras.
   d) Somente as afirmativas 1, 2, 4 e 5 são verdadeiras.
   e) Somente as afirmativas 2 e 5 são verdadeiras.

15. (Fuvest-SP) Uma pessoa, ao encontrar uma semente, pode afirmar, com certeza, que dentro dela há o embrião de uma planta, a qual, na fase adulta,
   a) forma flores, frutos e sementes.
   b) forma sementes, mas não produz flores e frutos.
   c) vive exclusivamente em ambiente terrestre.
   d) necessita de água para o deslocamento dos gametas na fecundação.
   e) tem tecidos especializados para condução de água e de seiva elaborada.

Questões discursivas

16. (UFPA) Nos vegetais (briófitas em diante) dois tipos de reprodução estão presentes no ciclo de vida das plantas: um é sexuado e o outro é assexuado.
   a) Como se denomina esse tipo de alternância reprodutiva?
   b) Represente o ciclo de vida das briófitas, identificando as células reprodutoras e os indivíduos (plantas) haploides e diploides.

Capítulo 28

Reprodução e desenvolvimento das angiospermas

GILBERT S. GRANT/SCIENCE SOURCE/DIOMEDIA

Tronco de árvore da espécie *Pinus taeda* cortado transversalmente, mostrando os anéis de crescimento. O tronco desse pinheiro pode atingir 160 cm de diâmetro e até 46 m de comprimento.

Manchas solares e anéis de crescimento

Existe alguma relação entre as manchas solares e os anéis de crescimento das árvores aqui da Terra? Apesar de contraintuitiva, a resposta é sim. O primeiro a observar a existência dessa correlação foi o astrônomo americano Andrew Ellicott Douglass (1867-1962), no início do século XX. Ele descobriu que o padrão de manchas solares – regiões da superfície do Sol de temperatura mais baixa e brilho menor – está ligado a mudanças climáticas em nosso planeta e estas, por sua vez, influenciam o padrão de anéis de crescimento das árvores.

Como você pode ver na fotografia, o tronco das grandes árvores é constituído por anéis alternados, mais claros e mais escuros. Como um par de anéis representa mais ou menos 1 ano de crescimento, pode-se calcular a idade da árvore tomando-os como parâmetro. Com seus métodos, Douglass inaugurou o que ele chamou de dendrocronologia, ou seja, a datação de árvores e de madeira com base na contagem dos anéis de crescimento.

Com uma sonda cilíndrica oca, é possível retirar uma amostra do tronco de uma árvore viva, sem muito prejuízo para a planta. Inserindo-se a sonda perpendicularmente, coleta-se um cilindro de madeira desde a periferia até o centro do tronco. Quando se comparam duas árvores diferentes da mesma região, pode-se notar um padrão de anéis de crescimento muito similar, que registra as variações climáticas ali ocorridas: chuvas, secas, mudanças de temperatura, etc. Pode-se encontrar esse padrão até mesmo em madeiras utilizadas em construções locais, de modo que é possível determinar, por exemplo, a idade de uma casa antiga pelo padrão de anéis de crescimento de suas vigas de madeira. Douglass empregou essa curiosa metodologia para descobrir a diferença de tempo entre duas ocupações humanas nas ruínas astecas de Pueblo Bonito, no Novo México.

Essa história poderia ser encerrada com a famosa fala do poeta inglês William Shakespeare (1564-1616) na peça *Hamlet*: "Há mais coisas entre o céu e a terra, Horácio, do que supõe sua vã filosofia". É verdade. Ainda estamos longe de desvendar os muitos tipos de relação entre os fenômenos do mundo natural. Entretanto, exemplos como o de Douglass indicam que estamos no caminho certo, ao empenhar todos os nossos esforços para conhecer a natureza e sua trama.

A importância do assunto

A história da dendrocronologia (do grego *dendrós*, árvore, *chrónos*, tempo, e *lógos*, estudo) revela como o conhecimento do mundo natural, em seus diversos aspectos, pode nos ajudar a estabelecer relações inusitadas entre fenômenos, inclusive com aplicações práticas. Esse é mais um motivo para ampliar cada vez mais nosso leque de conhecimentos, pois eles podem nos levar a grandes descobertas.

Neste capítulo vamos estudar as plantas mais abundantes da biosfera: as angiospermas, ou "plantas com flores e frutos". A flor é o órgão reprodutivo das angiospermas. Como veremos, ao longo da história, a humanidade tem mantido estreitas relações com esse grupo de seres vivos.

No item inicial do capítulo, voltamos nossa atenção para as flores e a reprodução das angiospermas. O ponto alto desse processo é a produção da semente, que contém um pequeno embrião em estado de dormência. Com o desenvolvimento embrionário, surgem os principais tecidos e órgãos de uma planta angiosperma, analisados no item seguinte.

Conhecer a anatomia das plantas é não apenas um desafio, mas também um investimento em saber científico. Procure observar sempre as plantas ao seu redor e tente aplicar o que aprende na escola e no livro. O exemplo do astrônomo Douglass leva-nos a perceber que, quanto maiores forem os nossos conhecimentos sobre a natureza, mais ampla será nossa visão de mundo. Consequentemente, maiores serão nossas chances de interagir positivamente com a realidade que nos cerca.

28.1 Reprodução das angiospermas

As angiospermas representam cerca de 90% das espécies atuais do reino Plantae, com aproximadamente 300 mil espécies adaptadas aos mais diversos tipos de ambiente. Sua principal característica distintiva é a formação de estruturas reprodutivas especiais, as flores.

Após a fecundação, as flores originam os frutos, dentro dos quais estão as sementes. É daí que vem o nome do grupo: *angios*, em grego, significa vaso, em alusão ao ovário em forma de vaso presente nas flores; *sperma*, por sua vez, significa semente, que se origina do óvulo fecundado e se encontra no interior do fruto, o qual se origina do ovário. (Fig. 28.1)

COOPERR/SHUTTERSTOCK

Figura 28.1 Ramo com flores e frutos da planta *Citrus lemon* (limão siciliano). Os frutos medem cerca de 6 cm de diâmetro.

As flores apresentam-se sob uma grande variedade de formas e cores, relacionadas principalmente às adaptações das plantas a diferentes modos de polinização, ocorridas na história evolutiva do grupo.

Estrutura e função da flor

As flores são o resultado da especialização evolutiva de certos ramos ocorrida nas plantas ancestrais das angiospermas. O ramo modificado tornou-se curto e compacto, passando a assumir funções reprodutivas.

Imagine um ramo com quatro nós terminais, cada um deles com conjuntos de folhas modificadas. A partir da extremidade do ramo, o primeiro conjunto de folhas forma esporângios femininos; o segundo forma esporângios masculinos; o terceiro e o quarto conjuntos têm folhas especializadas, porém "estéreis", isto é, não constituem elementos reprodutivos. Para completar, imagine que as distâncias entre esses nós seja muito reduzida, de modo que os conjuntos de folhas modificadas fiquem tão próximos que praticamente se disponham em círculos concêntricos. Essa é a visão geral de um ramo floral de angiosperma; confira-a com as flores analisadas a seguir.

Os componentes básicos de uma flor são quatro conjuntos de folhas modificadas, denominados **verticilos florais**. Estes são, a partir da extremidade do ramo floral, e, portanto, do centro para a periferia da flor: gineceu, androceu, corola e cálice. A maioria das flores possui esses quatro componentes, sendo chamadas de flores completas; em certas espécies, no entanto, as flores não têm um ou mais dos componentes florais e por isso são consideradas incompletas.

As folhas modificadas que constituem a corola são as **pétalas**, geralmente delicadas e coloridas. As folhas do cálice são as **sépalas**, quase sempre menores que as pétalas, mais espessas e de cor verde. Tanto o cálice quanto a corola são elementos estéreis, não envolvidos diretamente na reprodução; sua função é proteger as estruturas reprodutivas mais internas e, em muitos casos, atrair agentes polinizadores.

O androceu (do grego *andros*, homem, e *oikos*, casa) e o gineceu (do grego *gyne*, mulher, e *oikos*, casa) são as estruturas férteis responsáveis pela formação de grãos de pólen e de óvulos, respectivamente. (Fig. 28.2)

VISIONSPICTURES/MINDEN PICTURES/LATINSTOCK

Figura 28.2 Flores completas de *Campanula* sp. mostrando seus diversos componentes: cálice (sépalas), corola (pétalas), androceu (estames) e gineceu (carpelos). Essas flores medem cerca de 5 cm de comprimento.

Androceu é o conjunto de estames. Um estame é uma folha fértil – um microsporofilo – que forma microsporângios, no interior dos quais se desenvolvem as células-mãe dos esporos, os microsporócitos. Estes últimos passam por meiose e originam os grãos de pólen (relembre no capítulo anterior). Um estame (do latim *stamen*, filete) é geralmente constituído por uma fina haste, o filete, que sustenta uma estrutura dilatada na extremidade, a **antera**, onde se formam os microsporângios, com células-mãe de grãos de pólen em seu interior. (Fig. 28.3)

TIM GAINEY/ALAMY/GLOW IMAGES

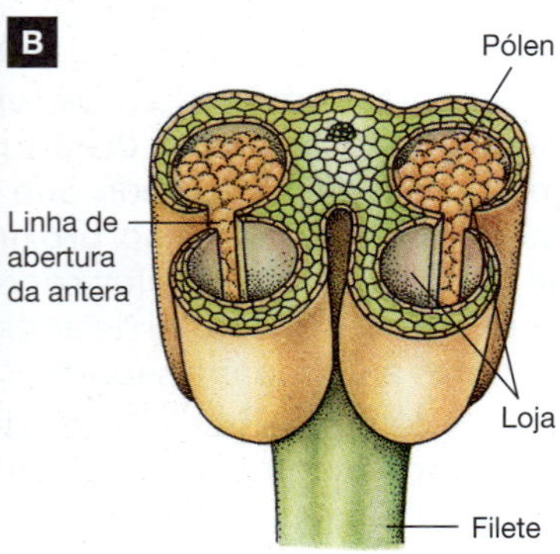

Figura 28.3 A. Flor de lírio (*Lilium henryi*) com seus grandes estames, que medem aproximadamente 7 cm de comprimento. **B.** Representação esquemática de antera em corte transversal, mostrando as lojas, locais onde se formam os grãos de pólen, e a linha de abertura, por onde eles são liberados. (Elementos fora de proporção de tamanho entre si; cores-fantasia.)

O gineceu é constituído pelos carpelos, folhas modificadas (megasporofilos) que formam óvulos. Os carpelos, isoladamente ou em grupo, dobram-se e fundem-se nas bordas, originando uma estrutura fechada que lembra um pequeno vaso, com uma base dilatada e uma extremidade afilada. A base dilatada do carpelo é o ovário, no interior do qual se formam um ou mais óvulos, dependendo da espécie. A porção afilada é o **estilete**, por onde os tubos polínicos dos grãos de pólen crescem em direção aos óvulos. A porção terminal do carpelo, geralmente alargada e aderente, é o **estigma**, que recebe os grãos de pólen na polinização. (Fig. 28.4)

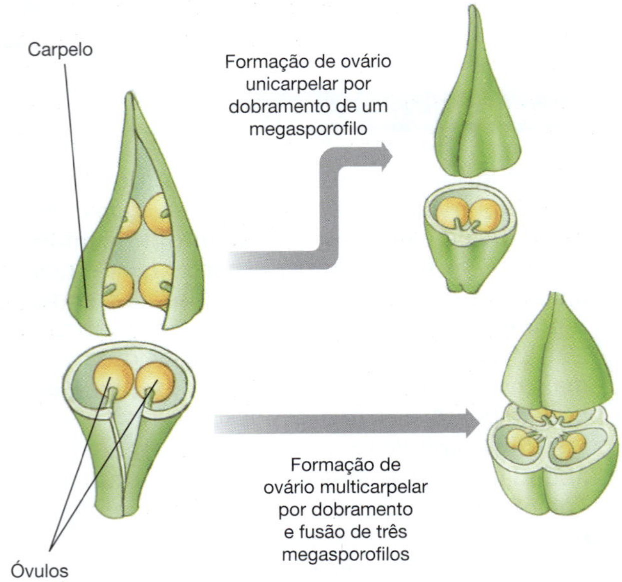

Figura 28.4 Representação esquemática da formação de ovários por dobramento e fusão do primitivo megasporofilo. (Elementos fora de proporção de tamanho entre si; cores-fantasia.)

Fecundação e origem da semente

Formação do grão de pólen

O processo de formação dos grãos de pólen começa quando a flor ainda está na fase inicial de botão. No interior das anteras diferenciam-se quatro bolsas, os futuros sacos polínicos, correspondentes aos microsporângios. Dentro deles, células-mãe de esporos, os **microsporócitos** dividem-se por meiose e originam células haploides denominadas **micrósporos**.

Cada micrósporo divide-se por mitose e forma duas células, uma grande – a célula do tubo – e outra pequena, a célula generativa. Essas duas células envoltas por uma parede constituem o grão de pólen, o correspondente evolutivo do microgametófito.

Formação do óvulo

Quando a flor ainda está na fase inicial de botão, surgem na parede do ovário em formação uma ou mais protuberâncias que darão origem aos óvulos. Na região superficial de cada primórdio de óvulo, logo abaixo da camada celular mais externa, uma célula cresce muito e se diferencia das demais: trata-se do **megasporócito**, a célula-mãe do megásporo.

O megasporócito divide-se por meiose e origina quatro megásporos haploides; destes, três degeneram. O megásporo restante cresce e passa por três mitoses sucessivas, formando oito núcleos, dos quais quatro se localizam perto de uma pequena abertura na extremidade superior do óvulo, a micrópila, e quatro, no polo oposto. Então, um núcleo de cada um desses conjuntos migra para a região central, passando a constituir os **núcleos polares**, assim denominados por serem provenientes dos polos do megásporo.

Com exceção dos núcleos polares, os outros seis núcleos formam membranas ao seu redor, individualizando células. O citoplasma do antigo megásporo, portanto, passa a estar dividido entre sete células: três localizadas perto da micrópila (duas sinérgides e a oosfera) e três no polo oposto (antípodas). A sétima célula ocupa o espaço restante e contém os dois núcleos polares.

Esse conjunto de sete células é o megagametófito ou gametófito feminino, também chamado de **saco embrionário**, porque aí será formado o embrião. O gameta feminino – a **oosfera** – é a célula central das três células próximas à micrópila do óvulo. É ela que, ao ser fecundada, constitui o zigoto, que origina o embrião. O tecido diploide que reveste o óvulo é o tegumento. (Fig. 28.5)

Polinização e dupla fecundação

A chegada dos grãos de pólen ao estigma da flor é a **polinização.** O transporte do pólen entre as flores pode ser realizado por diferentes **agentes polinizadores**: vento, insetos, pássaros, entre outros.

As plantas angiospermas desenvolveram diversas adaptações à polinização. As flores das plantas polinizadas pelo vento, como as gramíneas, por exemplo, são pequenas e discretas, sem nenhum tipo de atrativo para os animais. Produzem grande quantidade de pólen e têm estigmas desenvolvidos, o que aumenta as chances de a polinização ocorrer. Flores polinizadas por animais geralmente possuem características atraentes para os polinizadores, como corolas coloridas e vistosas, glândulas odoríferas e nectários (glândulas produtoras de substâncias açucaradas). Nessas flores, os estigmas geralmente têm tamanho reduzido e a quantidade de pólen produzida nos estames é bem menor do que em plantas polinizadas pelo vento.

Ao cair sobre o estigma de uma flor de sua espécie, o grão de pólen germina e forma um longo **tubo polínico**, que cresce por dentro do oco do estilete até atingir o ovário. Dois núcleos originados por divisão mitótica da célula generativa – os núcleos espermáticos – constituem os gametas masculinos. Eles migram até a extremidade do tubo polínico que penetra na micrópila do óvulo, atingindo uma das sinérgides.

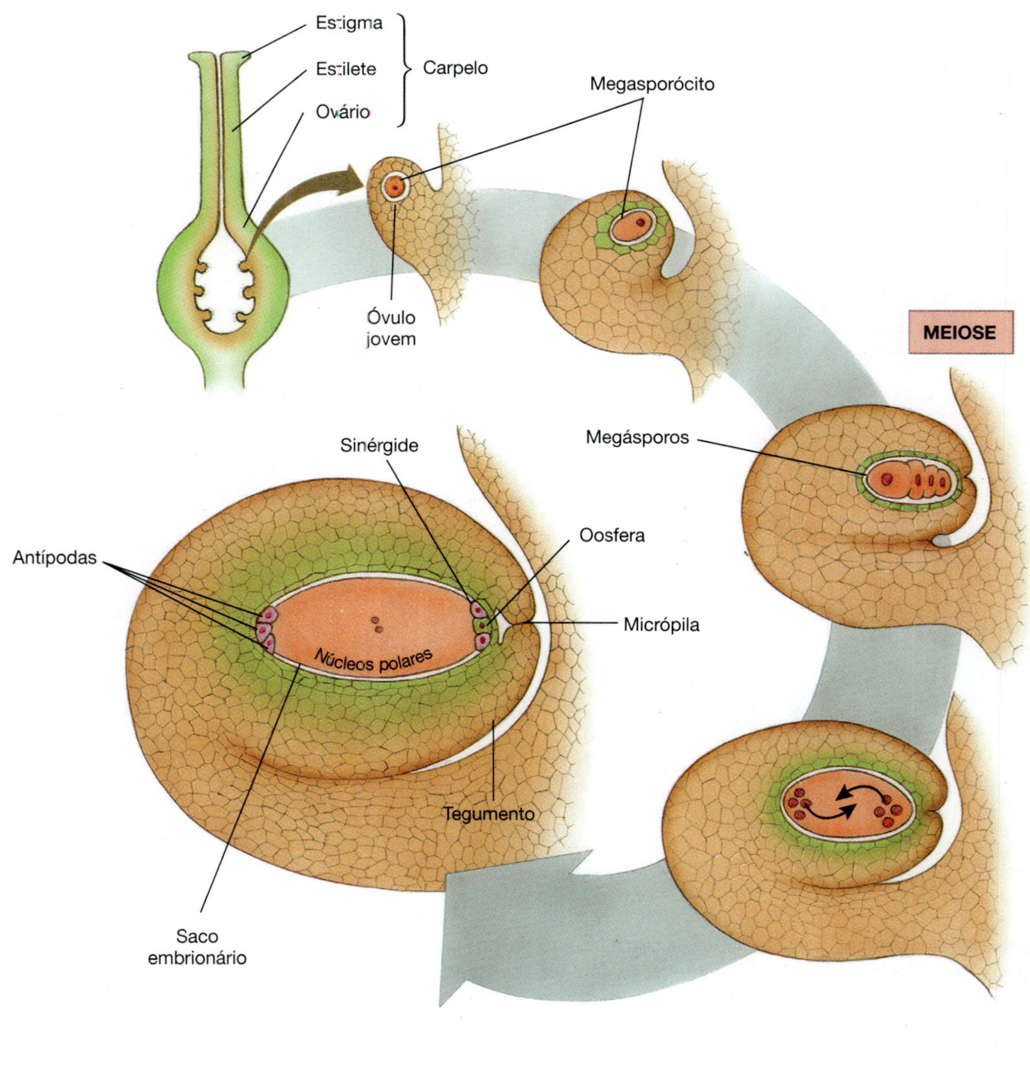

Figura 28.5 Representação esquemática do desenvolvimento do óvulo em angiosperma. (Elementos fora de proporção de tamanho entre si, cores-fantasia.)

Um dos núcleos espermáticos passa da sinérgide para a oosfera e funde-se ao núcleo desta, originando o zigoto diploide. O outro núcleo espermático funde-se aos dois núcleos polares, formando um núcleo triploide, isto é, com três conjuntos de cromossomos da espécie (3*n*). A multiplicação desse núcleo dá origem a um tecido triploide, o **endosperma** (do grego *endon*, dentro, e *sperma*, semente), que acumula substâncias para a nutrição do embrião. Esse fenômeno típico das angiospermas, denominado **dupla fecundação**, implica a formação simultânea do embrião e do tecido que o nutrirá nas fases iniciais de seu desenvolvimento. (Fig. 28.6)

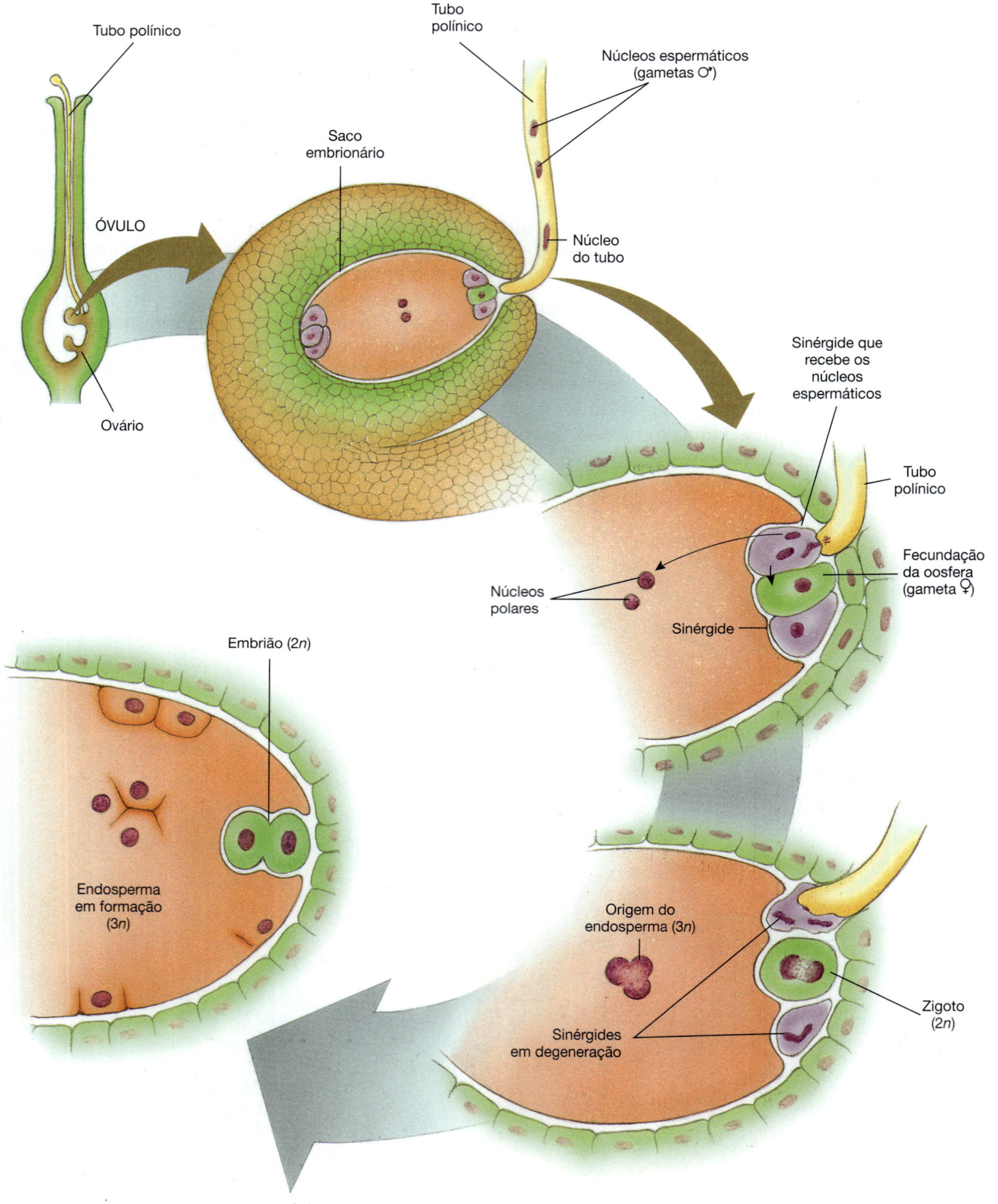

Figura 28.6 Representação esquemática da dupla fecundação em angiospermas. O tubo polínico penetra em uma das sinérgides e lança em seu interior os dois núcleos espermáticos. Um deles passa para a oosfera ao lado da sinérgide e o outro sai da sinérgide para a célula central. Em seguida, as duas sinérgides degeneram. (Elementos fora de proporção de tamanho entre si; cores-fantasia.)

Desenvolvimento do óvulo fecundado

O desenvolvimento embrionário das plantas começa com a divisão mitótica do zigoto, que produz duas células e estabelece uma "polaridade" no embrião. A célula voltada para a micrópila do óvulo dará origem a uma estrutura denominada **suspensor**, enquanto a outra, voltada para o polo oposto, originará o embrião propriamente dito.

Em pteridófitas e gimnospermas, o suspensor parece ter unicamente a função mecânica de empurrar o embrião para o interior do megagametófito. Nas angiospermas, ele possui não apenas essa função, mas também participa da nutrição das células embrionárias e produz hormônios importantes para o desenvolvimento. Após cumprir seu papel, o suspensor degenera, em um processo de "morte programada" de suas células, fenômeno denominado **apoptose**.

Quando o óvulo e o embrião atingem certo grau de desenvolvimento, o tegumento ovular diferencia-se em uma casca espessa e resistente, e o conjunto passa a ser denominado **semente**. (Fig. 28.7)

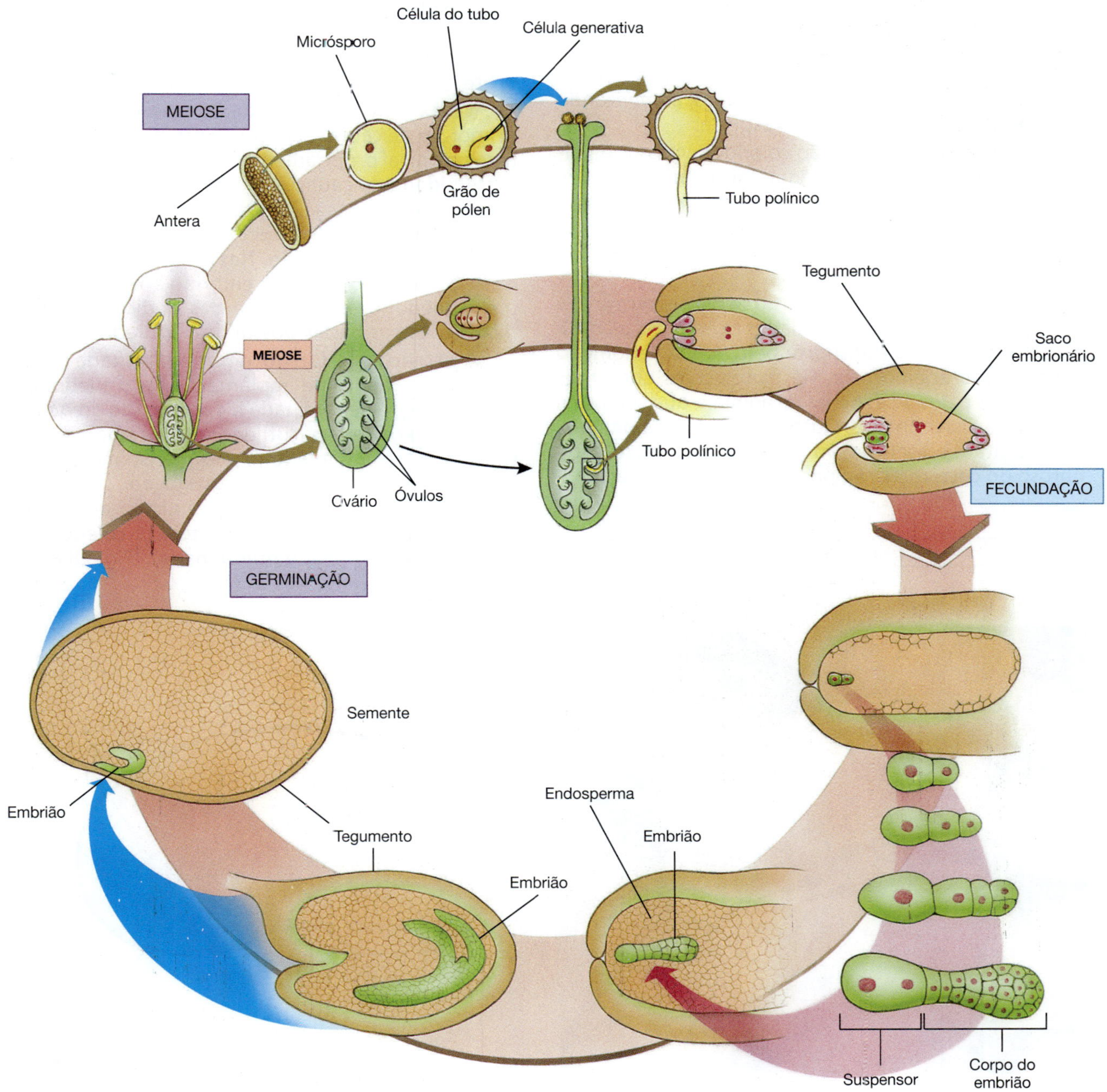

Figura 28.7 Representação esquemática do ciclo de vida de uma angiosperma. (Elementos fora de proporção de tamanho entre si; cores-fantasia.)

Origem e função do fruto

As sementes em formação liberam hormônios que estimulam o desenvolvimento da parede do ovário, originando o **fruto**. Por isso, na maioria dos casos, os frutos contêm sementes, uma vez que são elas as responsáveis pelo seu desenvolvimento. Exceções são os **frutos partenocárpicos** (do grego *parthenos*, virgem, e *karpos*, fruto), que se desenvolvem sem formação de sementes, como ocorre, por exemplo, nas linhagens cultivadas de banana.

O fruto foi uma importante aquisição evolutiva das angiospermas e contribuiu decisivamente para o sucesso desse grupo vegetal. Na história evolutiva das plantas, supõe-se que seu principal papel tenha sido a proteção das sementes. Adaptações posteriores conferiram ao fruto a capacidade de ajudar a disseminar as sementes, fazendo-as chegar a lugares distantes da planta-mãe. Desse modo, as novas plantas não concorrem com a genitora nem com as irmãs, e podem espalhar-se e colonizar novos ambientes, aumentando as chances de sobrevivência da espécie.

Muitos tipos de frutos são coloridos, vistosos e perfumados. Essas características indicam aos animais, entre eles nossa própria espécie, a presença de alimento disponível. Ao comer o fruto, o animal descarta as sementes (ou as engole e as elimina com as fezes), levando-as a se dispersar pelo território.

Em certas espécies, os frutos ou sementes têm projeções em forma de asa (frutos alados e sementes aladas), o que favorece seu transporte pelo vento, fenômeno denominado anemocoria. Há frutos cujos apêndices aderem aos pelos ou às penas de animais, que cumprem o papel de disseminá-los. Outros, como o coco-da-baía, são adaptados à dispersão pela água: o mesocarpo fibroso do coco retém ar, possibilitando a flutuação.

Conteúdo multimídia Das flores aos frutos

28.2 Desenvolvimento e componentes celulares das plantas

Germinação da semente

Uma semente madura abriga em seu interior o embrião e substâncias nutritivas; estas podem estar armazenadas no endosperma, nos cotilédones ou em ambos, dependendo da espécie. Uma das extremidades do embrião constitui a **radícula** (do latim *radix*, raiz) – o primórdio de raiz –, que apresenta na extremidade um conjunto de células indiferenciadas com alta capacidade de multiplicação. Essas células compõem o **meristema apical**, que alguns botânicos denominam meristema subapical, uma vez que ele não está exatamente no ápice, mas é envolvido por um capuz protetor, a coifa, como veremos mais adiante.

Na extremidade oposta situa-se o **caulículo** – o primórdio de caule –, em cuja extremidade há um meristema apical propriamente dito. Um pouco abaixo da extremidade do caulículo encontram-se uma ou duas folhas modificadas – os **cotilédones** –, especializadas na transferência de nutrientes estocados na semente para o corpo do embrião. Nas plantas monocotiledôneas, como diz o nome, o embrião apresenta apenas um cotilédone, enquanto o das eudicotiledôneas e dicotiledôneas basais possui dois cotilédones.

A região inferior do embrião, situada entre a radícula e o ponto de implantação do cotilédone (ou cotilédones), é denominada **hipocótilo** (do grego *hypo*, abaixo, e *kotyledon*, cotilédone). A região superior, situada entre o cotilédone e o meristema apical do caulículo, é o **epicótilo** (do grego *epi*, acima). Nas gramíneas, a extremidade do caulículo embrionário é envolta por uma bainha protetora, o **coleóptilo** (do grego *koleos*, lâmina, e *ptilon*, pena). (Fig. 28.8)

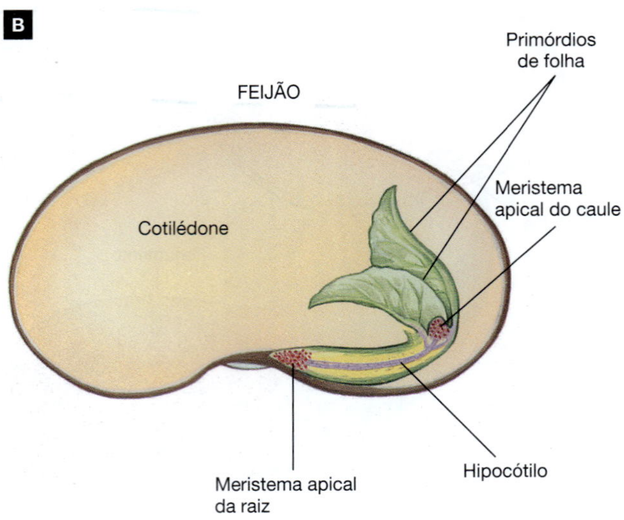

Figura 28.8 A. Sementes de feijão *Phaseolus vulgaris*, que medem cerca de 1,5 cm de comprimento. Uma das sementes está aberta para evidenciar o embrião. **B.** Representação esquemática de semente de feijão aberta, mostrando o embrião. (Elementos fora de proporção de tamanho entre si; cores-fantasia.)

As sementes geralmente amadurecem ainda dentro dos frutos. Em seu interior, o embrião encontra-se em estado de dormência. Após serem liberadas do fruto e encontrar condições adequadas, as sementes iniciam o processo de **germinação**, que é a retomada do crescimento e da diferenciação do embrião.

A germinação da semente depende de diversos fatores, principalmente da presença de água, de gás oxigênio e da temperatura adequada. O primeiro passo para a germinação é a absorção de água pela semente, fenômeno denominado embebição. As células necessitam de água para retomar suas atividades metabólicas e mobilizar as reservas nutritivas estocadas nos cotilédones ou no endosperma. Com a embebição, a casca da semente se rompe, o que permite o acesso ao gás oxigênio, necessário à respiração das células embrionárias.

A primeira estrutura a emergir da semente, após a ruptura da casca, é a radícula, que logo se diferencia na raiz primária. Esta cresce em direção ao solo, ancorando a planta e iniciando a absorção de água e sais minerais. Nas plantas eudicotiledôneas, a raiz primária origina raízes laterais, vindo a constituir um sistema radicular ramificado. Na maioria das monocotiledôneas, a raiz primária degenera e é substituída por um conjunto de raízes adventícias que se desenvolvem a partir do caule, nos pontos de inserção das primeiras folhas. (Fig. 28.9)

A maneira pela qual o caule emerge do interior da semente varia entre as espécies vegetais. No feijão, por exemplo, o hipocótilo alonga-se e curva-se, emergindo do solo como um "cotovelo", denominado **gancho de germinação**. A formação do gancho de germinação abre caminho entre as partículas de solo, protegendo a extremidade da planta. Com o crescimento do hipocótilo, os cotilédones saem do solo e se separam, expondo a extremidade do embrião.

Figura 28.9 Semente de girassol em germinação com a raiz primária coberta de pelos absorventes.

Gramíneas (milho, arroz, aveia e trigo, por exemplo) não formam gancho de germinação. Nessas plantas, a extremidade do embrião é protegida pelo **coleóptilo**, uma bainha que permanece fechada até o caule emergir do solo. O coleóptilo protege o tecido meristemático contra possíveis lesões decorrentes do atrito com as partículas de solo. (Fig. 28.10)

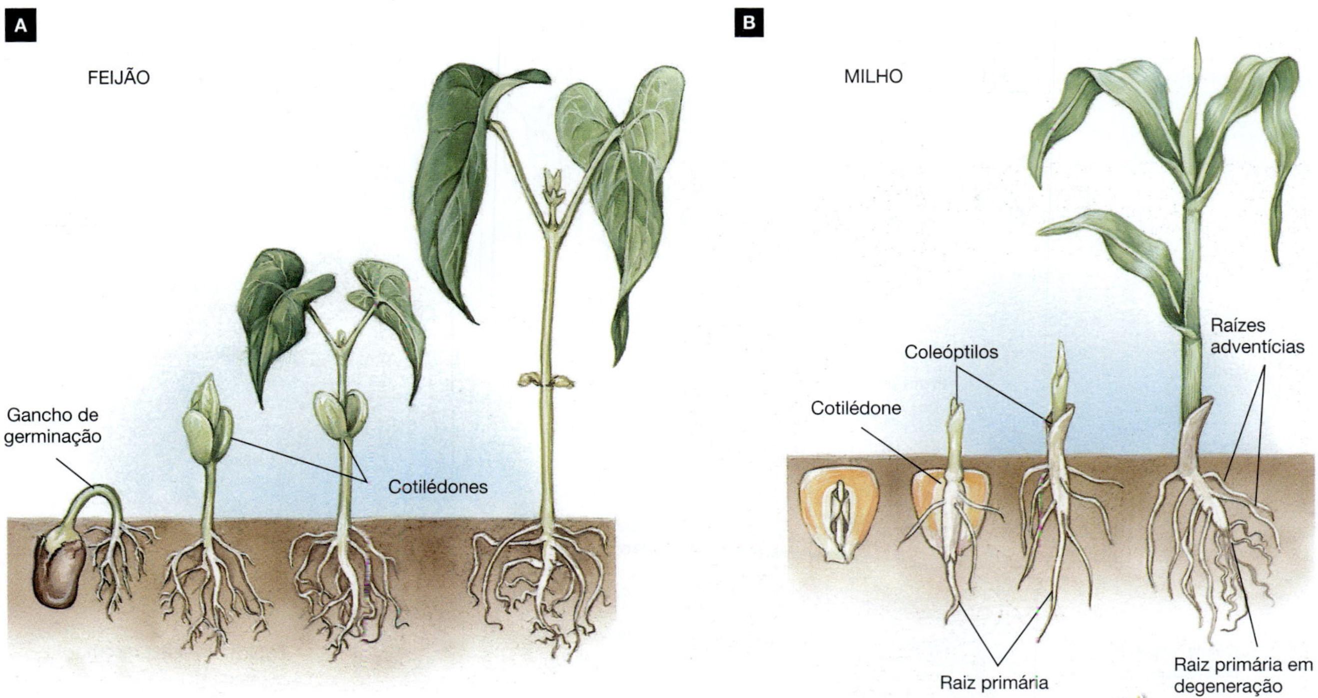

Figura 28.10 Representações esquemáticas das etapas da germinação de sementes. **A.** Germinação de semente de feijão, uma eudicotiledônea. **B.** Germinação de semente de milho, uma monocotiledônea. (Elementos fora de proporção de tamanho entre si; cores-fantasia.)

Conteúdo multimídia
Germinação de uma semente

Meristemas

Durante a germinação da semente, bem como nas fases iniciais de desenvolvimento, o crescimento da planta depende da multiplicação de **células meristemáticas** (do grego *merizein*, divisão), que têm forma poliédrica, parede fina e flexível (parede primária), citoplasma denso com pequenos vacúolos, núcleo volumoso e grande capacidade de multiplicação por mitose.

Os tecidos meristemáticos presentes nas extremidades dos caules e das raízes são chamados **meristemas primários**, uma vez que suas células nunca se diferenciaram, tendo permanecido como células meristemáticas desde que surgiram no embrião.

Durante o desenvolvimento da planta, como veremos adiante, células já diferenciadas para o exercício de funções específicas podem se "desdiferenciar", readquirindo a capacidade de se dividir e originando meristemas. Estes, por surgirem a partir de tecidos já diferenciados, são denominados **meristemas secundários**.

Diferenciação celular e principais tecidos vegetais

Novas células produzidas pelos meristemas primários das extremidades do caule e da raiz levam o embrião a se alongar. À medida que se distanciam de seus locais de origem, as células passam a se especializar na realização de determinadas funções, processo conhecido como **diferenciação celular**. Os primeiros tecidos a se diferenciar no embrião das plantas traqueófitas – pteridófitas, gimnospermas e angiospermas – são a protoderme, o meristema fundamental e o procâmbio.

A **protoderme** (do grego *protos*, primeira, e *derma*, pele) é a camada de células que reveste externamente o embrião e que dará origem à epiderme, o primeiro revestimento da planta. O **meristema fundamental** forma um cilindro interiormente à protoderme e originará o **córtex** (do latim *cortex*, casca, invólucro). A região central do embrião, envolvida pelo meristema fundamental, diferencia-se em **procâmbio** (do latim *pro*, antes, e *cambiare*, trocar), que dará origem aos dois tecidos vasculares da planta: o xilema e o floema. (Fig. 28.11)

Tecidos de revestimento

As plantas jovens são revestidas por uma camada de células achatadas e bem encaixadas entre si, que constituem a **epiderme** (do grego *epi*, superior, e *derma*, pele). As células epidérmicas secretam, na superfície da planta exposta ao ambiente, substâncias impermeabilizantes que formam uma película – a **cutícula** –, que evita a perda de água por transpiração.

As células epidérmicas, com exceção das que formam os estômatos, não têm cloroplastos. Como veremos no próximo capítulo, **estômatos** são estruturas epidérmicas que controlam a entrada e a saída de gases na planta e evitam a perda de água por evaporação.

Na epiderme pode haver pelos, estruturas filamentosas constituídas por uma ou mais células. A raiz, por exemplo, possui os chamados **pelos absorventes**, que aumentam significativamente a área epidérmica radicular capaz de absorver água e sais minerais do solo.

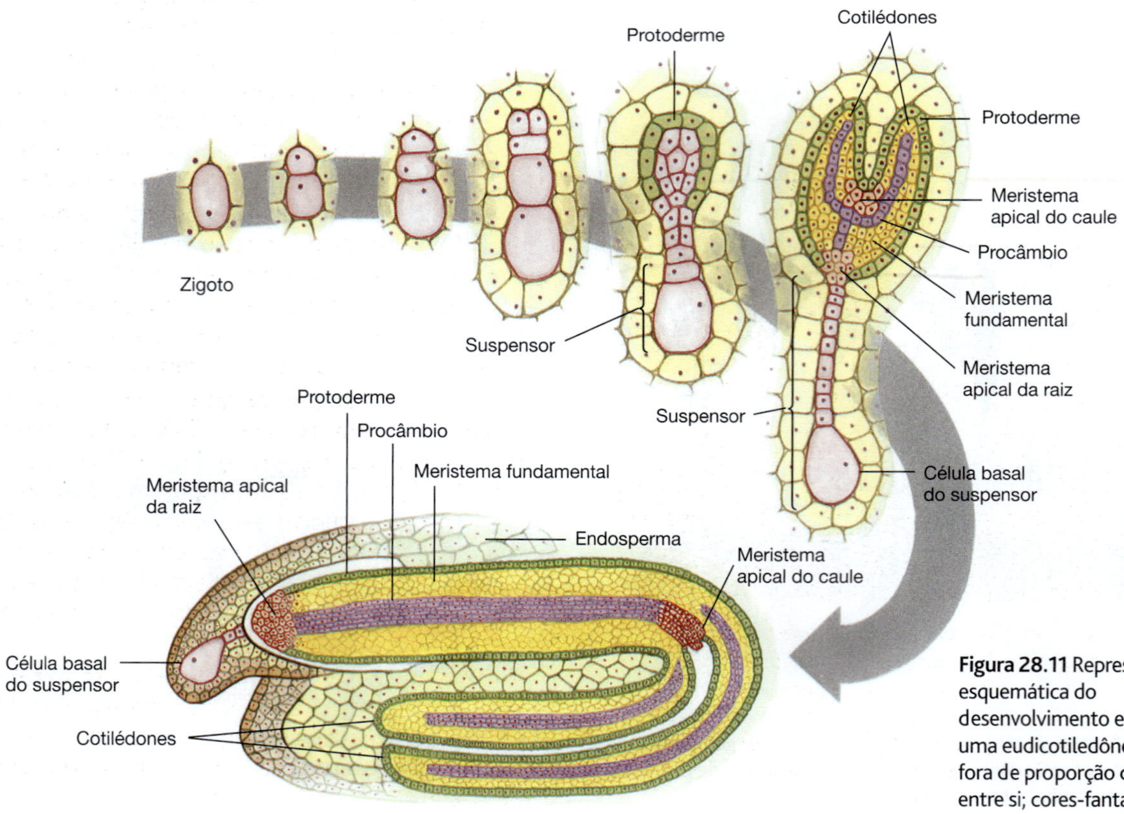

Figura 28.11 Representação esquemática do desenvolvimento embrionário de uma eudicotiledônea. (Elementos fora de proporção de tamanho entre si; cores-fantasia.)

Nas folhas, os pelos podem ter diversas funções; na urtiga, por exemplo, produzem substâncias tóxicas e sua função é proteger a planta do ataque de animais herbívoros. As folhas de certas plantas do cerrado têm pelos em grande quantidade, o que reduz a perda de água por transpiração.

Algumas plantas, à medida que amadurecem, têm a epiderme de suas raízes e de seus caules substituída por um novo revestimento, mais espesso, resistente e impermeável, destinado a proteger as partes internas de traumas e da perda de água. Esse revestimento, denominado **periderme**, forma-se a partir de um cilindro de células meristemáticas – o **felogênio** – gerado pela desdiferenciação de células parenquimáticas. O felogênio é, portanto, um meristema secundário.

As células do felogênio multiplicam-se intensamente, produzindo camadas celulares para o interior da planta, onde originam a feloderme, e para o exterior, onde originam o súber. A **feloderme** é constituída por células vivas, enquanto o **súber** é constituído por células mortas, das quais restaram apenas as paredes celulares impregnadas de **suberina**, uma substância impermeabilizante. Em conjunto, feloderme, felogênio e súber formam a periderme.

Em diversos pontos do caule ou da raiz de uma árvore, a periderme costuma apresentar pequenas protuberâncias, muitas vezes visíveis a olho nu, denominadas **lenticelas**. Nesses locais, as células do súber são arredondadas e unidas frouxamente, deixando espaços entre si por onde ocorrem trocas gasosas entre o ar atmosférico e os tecidos internos da planta. (Fig. 28.12)

Figura 28.12 A. Fotomicrografia de corte transversal de caule, evidenciando as três partes da periderme. (Microscópio fotônico; aumento ≃ 150×) **B.** Fotomicrografia de corte transversal de caule, evidenciando uma lenticela. (Microscópio fotônico; aumento ≈ 16×.) **C.** Corticeira (*Quercus suber*), cujos caules são revestidos por uma espessa camada de súber (cortiça), material empregado na fabricação de rolhas. Essa árvore chega a medir cerca de 20 m de altura.

Parênquimas

Parênquima é a denominação genérica para tecidos vegetais constituídos por células de paredes finas compostas basicamente por celulose, as denominadas paredes primárias. Grande parte dos tecidos parenquimáticos tem por função preencher espaços entre tecidos de revestimento e tecidos condutores; por isso, os parênquimas são também chamados de tecidos de preenchimento. No córtex, as células parenquimáticas deixam entre si espaços intercelulares cheios de ar, o que é essencial para a respiração das células mais internas da planta. Embora diferenciadas, as células do parênquima têm capacidade de desdiferenciação, ou seja, podem voltar a se dividir, desempenhando papel importante na regeneração de lesões.

As células de certos tecidos parenquimáticos podem acumular amido e outras substâncias de reserva; esse tipo de tecido é denominado **parênquima de reserva**, no caso, um parênquima amilífero. Plantas que flutuam na água costumam apresentar parênquimas especializados no acúmulo de gases entre as células, sendo por isso denominados **parênquimas aeríferos**, ou aerênquimas. Plantas de regiões áridas têm **parênquimas aquíferos**, especializados em reserva de água. Os espaços internos das folhas são preenchidos por um parênquima especial, cujas células possuem grande número de cloroplastos, sendo por isso chamado de **parênquima clorofiliano**, cuja função é realizar a fotossíntese.

Tecidos de sustentação

Embora a parede de cada célula vegetal constitua um "microesqueleto", as plantas vasculares possuem ainda dois tecidos especializados na sustentação esquelética do corpo vegetal: o colênquima e o esclerênquima.

O **colênquima** é formado por células vivas e alongadas, cujas paredes apresentam reforços de celulose, principalmente nos cantos. As células do colênquima estão organizadas em feixes longitudinais no interior de raízes e caules, principalmente em partes jovens da planta.

O **esclerênquima** é formado por células que morreram devido ao próprio processo de diferenciação. Durante esse processo, as paredes celulares ficaram repletas de uma substância impermeável, a **lignina**, formando elementos de grande resistência. Esses elementos podem ser de dois tipos: fibras esclerenquimáticas e esclereídes.

As **fibras esclerenquimáticas** estão presentes em diversas partes da planta: caules, folhas, frutos e sementes. As fibras da juta, do sisal e do linho, muito utilizadas na indústria têxtil, são fibras esclerenquimáticas de folhas e de caules de *Corchorus capsularis*, *Agave sisalana* e *Linum usitatissimum*, respectivamente. O revestimento duro das sementes e dos frutos de muitas espécies, como nozes, avelãs e cocos, é constituído principalmente por fibras esclerenquimáticas.

As **esclereídes** têm forma variada, em geral ramificada, e podem ser encontradas isoladamente ou em grupo entre as células parenquimáticas. Por exemplo, as "pedrinhas" que percebemos ao comer uma pera são esclereídes presentes no fruto. (Fig. 28.13)

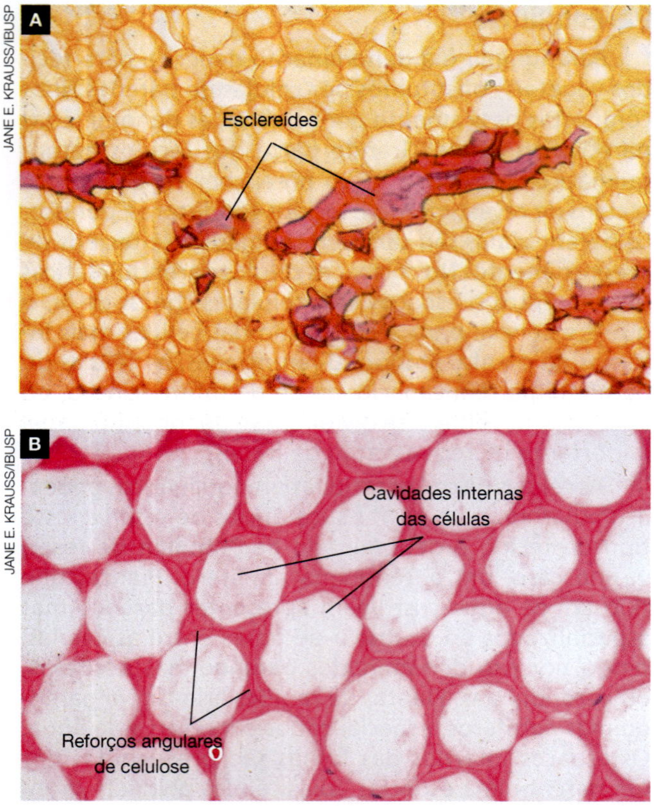

Figura 28.13 Fotomicrografias em microscópio fotônico de cortes de tecidos vegetais mostrando: (**A**) esclereídes (aumento ≃ 100×) e (**B**) colênquima (aumento ≃ 400×). (Cores artificiais.)

Tecidos vasculares

Como vimos no capítulo anterior, as pteridófitas, gimnospermas e angiospermas, conhecidas como plantas vasculares ou traqueófitas, caracterizam-se por apresentar tecidos condutores de seiva: o **xilema**, que conduz água e sais minerais – a **seiva mineral** – da raiz para as folhas, e o **floema**, que conduz uma solução de substâncias orgânicas originalmente produzidas nas folhas – a **seiva orgânica** – para as diversas partes da planta.

Nas angiospermas, o xilema, também chamado de **lenho** (do latim *lignu*, madeira), é composto basicamente por dois tipos de elementos condutores da seiva mineral: as traqueídes e os elementos de vaso lenhoso. Também fazem parte do xilema elementos não diretamente envolvidos na condução de seiva, tais como fibras, células parenquimáticas e células secretoras. Os traqueídes e os elementos de vaso lenhoso são constituídos por células mortas, das quais restaram apenas as paredes celulares espessas, impregnadas de lignina.

Traqueídes são estruturas alongadas, com extremidades afiladas e que conservam as paredes transversais da célula. Nelas há grande número de pequenos orifícios, ou **poros**, que formam canais de comunicação entre traqueídes adjacentes.

Elementos de vaso lenhoso são estruturas cilíndricas relativamente mais curtas que as traqueídes, com grandes perfurações nas extremidades, resultantes da desintegração das paredes transversais. Elementos de vaso enfileirados comunicando-se pelas perfurações das paredes transversais formam longos tubos, os **vasos lenhosos**, que transportam a seiva mineral. Elementos de vaso lenhoso estão presentes apenas em plantas angiospermas; em gimnospermas e pteridófitas, há apenas traqueídes. (Fig. 28.14)

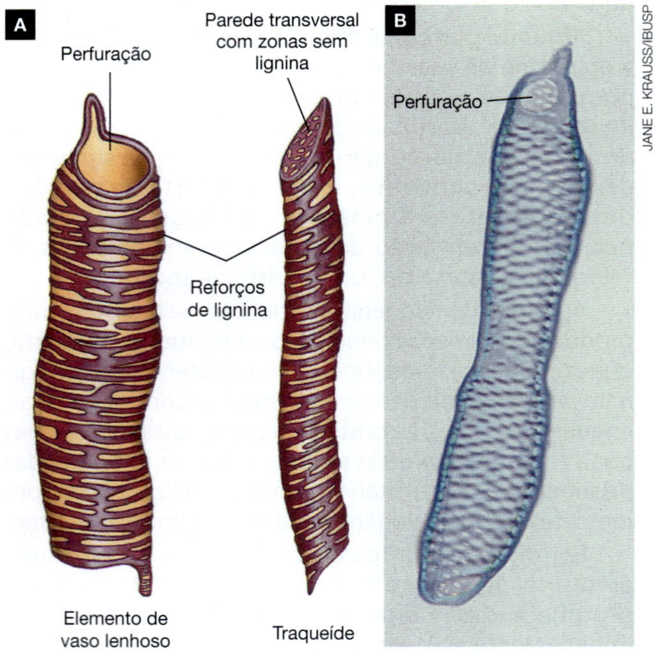

Figura 28.14 A. Representação esquemática de elementos de vaso lenhoso e traqueíde, componentes do xilema. (Elementos fora de proporção de tamanho entre si; cores-fantasia.) **B.** Fotomicrografia de um elemento de vaso lenhoso isolado do xilema, mostrando a perfuração. (Microscópio fotônico; aumento ≃ 130×; cores artificiais.)

O floema, também chamado **líber** (do latim *liber*, entrecasca, parte interna da casca), é constituído por diversos tipos de célula. Além dos elementos condutores da seiva orgânica – as **células crivadas** e os **elementos de tubo crivado** –, há também fibras e células parenquimáticas.

As células crivadas e os elementos de tubo crivado recebem essa denominação por apresentarem em suas paredes áreas com um grande número de poros, as áreas crivadas e as placas crivadas. Cada poro é atravessado por um **plasmodesmo**, uma fina ponte citoplasmática que comunica diretamente os citoplasmas de células vizinhas do floema.

Durante sua formação, células crivadas e elementos de tubo crivado perdem o núcleo, o vacúolo central, os ribossomos, o complexo golgiense e o citoesqueleto. Restam no citoplasma apenas retículo endoplasmático não granuloso, mitocôndrias e uns poucos plastos. Mesmo sem essas organelas, células crivadas e elementos de tubo crivado mantêm-se vivos, nutridos por um tipo especial de célula parenquimática que lhes fornece proteínas e outras substâncias úteis. Essas células nutritivas, quando estão associadas a células crivadas, são denominadas **células albuminosas**; quando associadas a elementos de tubo crivado, denominam-se **células-companheiras**.

Os elementos de tubo crivado dispõem-se formando feixes, os **tubos crivados**. As paredes dos elementos de tubo crivado apresentam áreas de grande concentração de poros, cujo diâmetro é bem maior que o de células crivadas. Essas regiões, chamadas de placas crivadas, são interpretadas como uma evidência da maior especialização dos tubos crivados em relação às células crivadas. Elementos de tubo crivado estão presentes apenas em angiospermas; no floema de gimnospermas e de pteridófitas há apenas células crivadas. (Fig. 28.15)

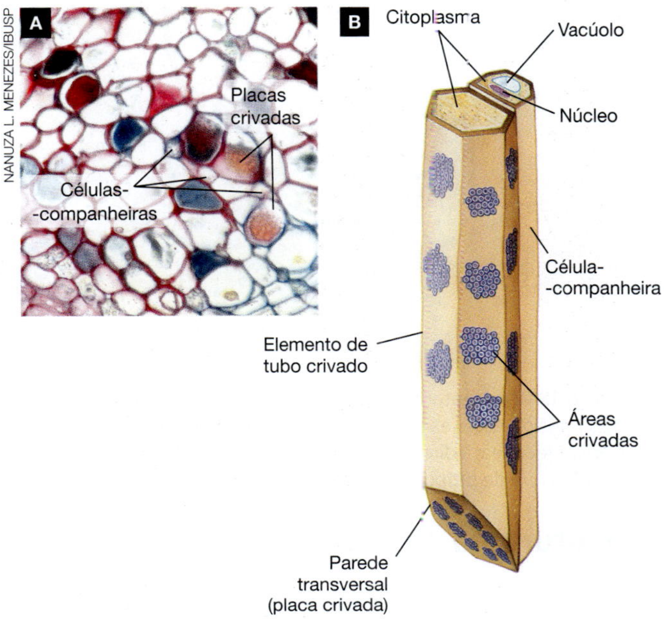

Figura 28.15 A. Fotomicrografia de floema com tubos crivados e células-companheiras cortados transversalmente. (Microscópio fotônico; aumento ≃ 100×.) **B.** Representação esquemática de elemento de tubo crivado e célula-companheira. (Elementos fora de proporção de tamanho entre si; cores-fantasia.)

28.3 Organização corporal das angiospermas

À medida que o desenvolvimento embrionário prossegue e a diferenciação dos tecidos vegetais progride, ocorre a **morfogênese** (do grego *morphe*, forma, e *genese*, origem), processo em que se formam a raiz, o caule e as folhas.

Estrutura da raiz

A extremidade de uma raiz é envolta por uma estrutura celular em forma de capuz, a **coifa** (do latim *cofia*, espécie de gorro). Esta protege do atrito com o solo a **zona de multiplicação celular**, constituída basicamente pelo meristema subapical. Seguindo-se à zona de multiplicação celular encontra-se a **zona de alongamento celular**, assim chamada porque aí as células se distendem e crescem muito em comprimento.

À zona de alongamento segue-se a **zona de maturação celular**, onde começam a se diferenciar a epiderme, o córtex e o cilindro vascular. Na parte externa da planta, a zona de maturação pode ser identificada pela presença de grande número de **pelos absorventes**. (Fig. 28.16)

Internamente ao córtex da raiz, a partir da zona de maturação, diferencia-se uma camada celular em forma de cilindro, a **endoderme** (do grego *endon*, dentro, e *derma*, pele), que delimita a região interna da raiz. A endoderme é constituída por células bem encaixadas entre si e dotadas de reforços em forma de cinta, as chamadas estrias de Caspary.

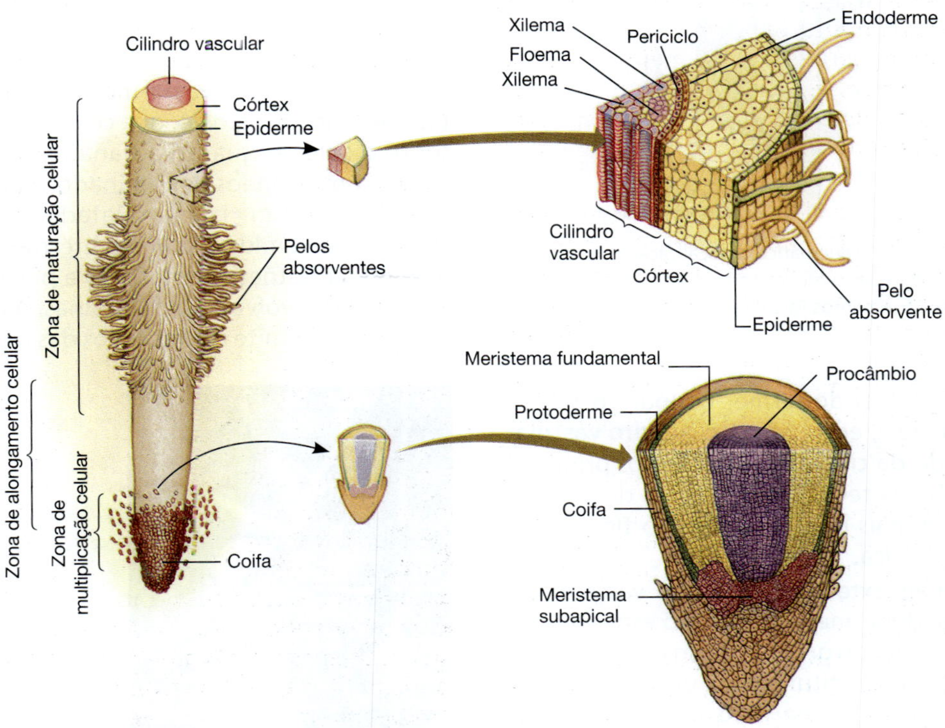

Figura 28.16 À esquerda, representação esquemática da ponta de uma raiz, mostrando suas diversas regiões e a coifa. À direita, representações esquemáticas da extremidade e da porção superior da zona de maturação celular da raiz, em corte, mostrando a organização interna dos tecidos. (Elementos fora de proporção de tamanho entre si; cores-fantasia.)

Imagine a **estria de Caspary** como uma faixa contínua nas paredes laterais da célula endodérmica, em contato com células adjacentes. As estrias de Caspary vedam completamente os espaços entre as células endodérmicas vizinhas, de tal maneira que, para penetrar no cilindro vascular, qualquer substância, mesmo a água, tem necessariamente que atravessar a membrana e o citoplasma da s células endodérmicas. Isso possibita à planta o controle do fluxo de substâncias e da composição da seiva. (Fig. 28.17)

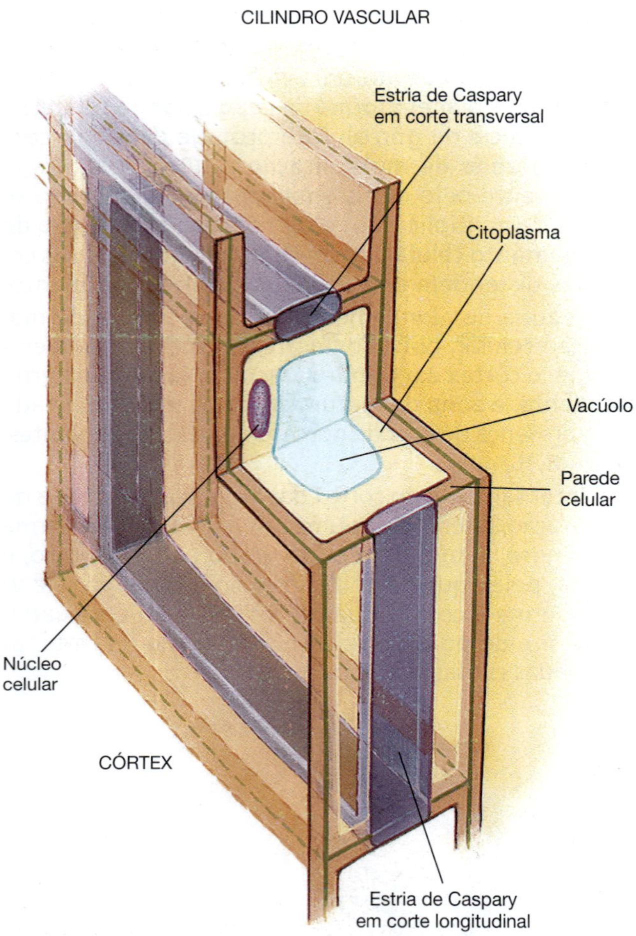

Figura 28.17 Representação esquemática da localização da estria de Caspary nas quatro paredes celulares de contato com células endodérmicas vizinhas. (Elementos fora de proporção de tamanho entre si; cores-fantasia.)

Internamente à endoderme, ocupando toda a região central da raiz, encontra-se o **cilindro vascular**, também chamado de **cilindro central**, cujos principais componentes são os tecidos condutores de seiva. O xilema localiza-se mais internamente e o floema, em posição mais periférica.

A camada mais externa do cilindro vascular, em contato com a endoderme, é um tecido especializado denominado **periciclo** (do grego *peri*, ao redor, e *kyklos*, círculo). O periciclo constitui-se por uma ou algumas camadas de células que podem readquirir a capacidade de se dividir e assim originar meristemas secundários, dentre os quais os responsáveis pela produção de raízes laterais. (Fig. 28.18)

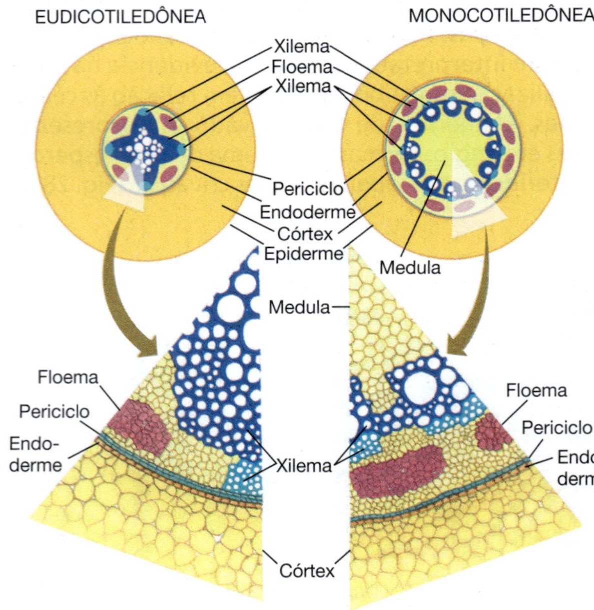

Figura 28.18 Representação esquemática da organização interna de dois tipos de raízes em corte transversal: à esquerda, raiz jovem de eudicotiledônea; à direita, raiz de milho, monocotiledônea. (Elementos fora de proporção de tamanho entre si; cores-fantasia.)

Estrutura do caule

O **caule** liga e integra raízes e folhas, tanto do ponto de vista estrutural como funcional. Em outras palavras, além de constituir a estrutura física onde se inserem raízes e folhas, o caule é o responsável pelo transporte de água e de substâncias orgânicas entre esses órgãos.

Na maioria das plantas, o caule cresce perpendicularmente para fora do solo. Há espécies, porém, em que ele cresce horizontalmente, na superfície do solo ou enterrado. A grama e o morangueiro têm caules do tipo **estolho**, ou estolão, que crescem horizontalmente sobre o solo, enquanto a bananeira e o bambu têm caules subterrâneos denominados **rizomas**. A batata-inglesa tem um rizoma dilatado, com células ricas em grãos de amido. Caules subterrâneos apresentam **gemas**, ou botões vegetativos, a partir dos quais podem se desenvolver ramos e folhas. A presença dessas estruturas permite distingui-los das raízes. (Fig. 28.19)

FABIO COLOMBINI

Figura 28.19 Planta de batata-inglesa (*Solanum tuberosum*) desenterrada para mostrar os tubérculos.

A parte mais jovem do caule é o ápice, onde ocorre a multiplicação das células do meristema apical, responsável pelo crescimento em extensão da planta. À medida que o caule cresce, vão surgindo espaçadamente os primórdios foliares.

Nos **primórdios foliares** há células meristemáticas, que se multiplicam e originam folhas. Os locais onde as folhas se inserem no eixo caulinar são denominados **nós**; o espaço entre dois nós vizinhos é o **entrenó**. A unidade constituída por um nó e seus primórdios foliares e pelo entrenó adjacente é conhecida como **fitômero** (do grego *phyton*, planta, e *méros*, parte). Durante o crescimento do caule, novos fitômeros vão sendo produzidos.

Na junção de cada primórdio de folha com o eixo caulinar permanece um grupo de células meristemáticas que constitui a **gema axilar** (do grego *axilla*, sovaco), ou gema lateral do caule. As gemas permanecem em estado de dormência, podendo entrar em atividade e produzir ramos laterais. (Fig. 28.20)

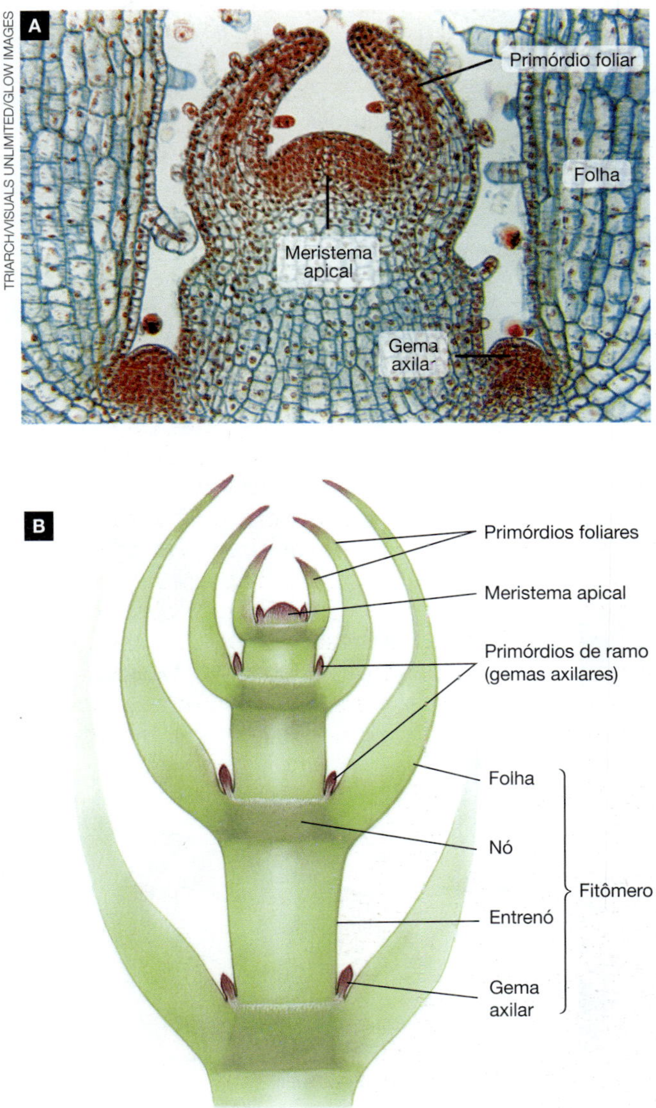

Figura 28.20 A. Fotomicrografia do ápice caulinar de *Coleus* sp. em corte longitudinal. (Microscópio fotônico; aumento ≃ 340×; cores artificiais.) **B.** Representação esquemática da organização geral de um caule.

As células geradas pela atividade do meristema apical do caule originam os três tipos básicos de meristemas – protoderme, meristema fundamental e procâmbio –, a partir dos quais se diferenciam, respectivamente, a epiderme, o córtex e os tecidos condutores de seiva.

Os tecidos condutores de caules ainda jovens organizam-se em feixes, que contêm floema na região voltada para o exterior da planta e xilema na região voltada para o interior. Esses conjuntos são denominados **feixes liberolenhosos**.

Os feixes liberolenhosos diferenciam-se a partir do procâmbio, que permanece entre o xilema e o floema que formou. A presença de procâmbio no feixe possibilita a contínua formação de novos elementos xilemáticos, voltados para o interior do caule, e de novos elementos floemáticos, voltados para o exterior. (Fig. 28.21)

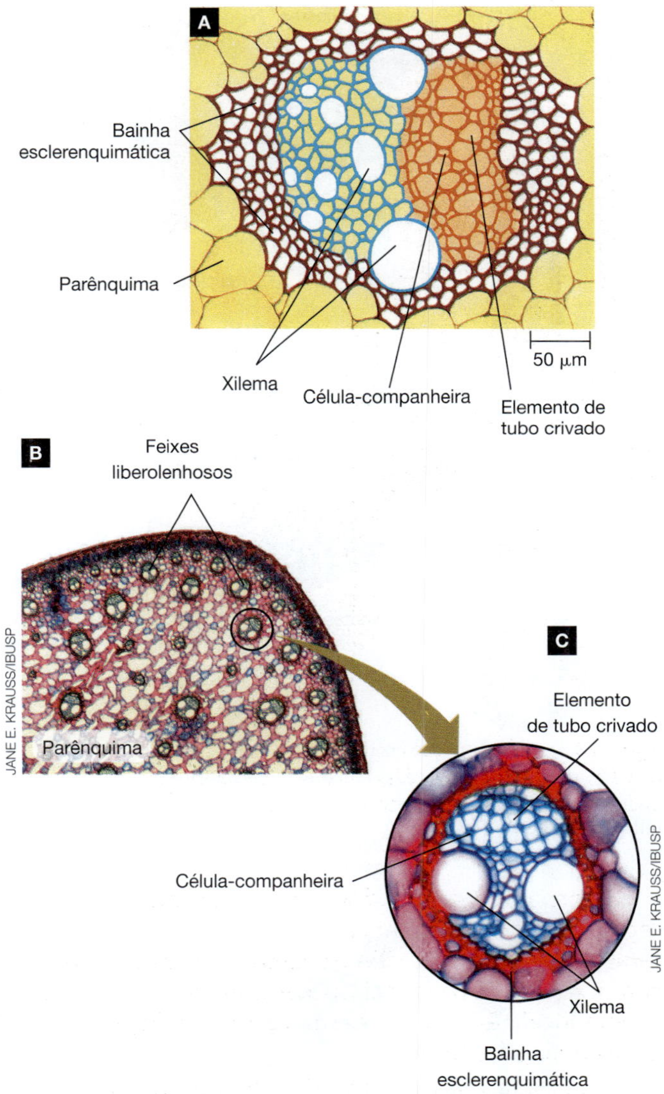

Figura 28.21 A. Representação esquemática de feixe liberolenhoso de uma eudicotiledônea herbácea em corte transversal. (Cores-fantasia.) **B.** Fotomicrografia de caule da monocotiledônea *Cyperus papyrus*, o papiro, em corte transversal, mostrando os feixes liberolenhosos espalhados. (Microscópio fotônico; aumento ≃ 30×; cores artificiais.) **C.** Fotomicrografia de um feixe liberolenhoso em detalhe. Os feixes liberolenhosos podem estar envoltos por uma bainha de fibras esclerenquimáticas. (Microscópio fotônico; aumento ≃ 260×.)

Crescimento secundário de raiz e caule

Na maioria das monocotiledôneas e em algumas eudicotiledôneas herbáceas, o crescimento em espessura da planta praticamente cessa com o amadurecimento dos primeiros tecidos; por isso, diz-se que essas plantas apresentam apenas **crescimento primário**.

Outras plantas, como as gimnospermas e a maioria das angiospermas, continuam a crescer em espessura, de modo que seus caules e raízes podem atingir grandes diâmetros. Esse crescimento em espessura é o que os botânicos denominam **crescimento secundário**.

A organização dos tecidos em uma raiz ou caule que teve apenas crescimento primário é bem distinta daquela encontrada em caules e raízes com crescimento secundário. Essas estruturas típicas de cada estágio do crescimento de caules e raízes são chamadas, respectivamente, de **estrutura primária** e **estrutura secundária**.

O crescimento secundário ocorre pela atividade de dois meristemas secundários: o **câmbio vascular**, assim denominado por originar elementos condutores de seiva, e o **câmbio da casca**, ou **felogênio** (do grego *phellos*, cortiça, e *genos*, que gera), que origina a periderme.

As células do câmbio vascular, o qual se dispõe como um cilindro entre o floema e o xilema, dividem-se continuamente, formando novas camadas celulares, tanto para o interior da planta como na parte voltada para fora. As células que se formam para o interior diferenciam-se em elementos do xilema; as que se formam para o exterior diferenciam-se em elementos do floema. (Fig. 28.22)

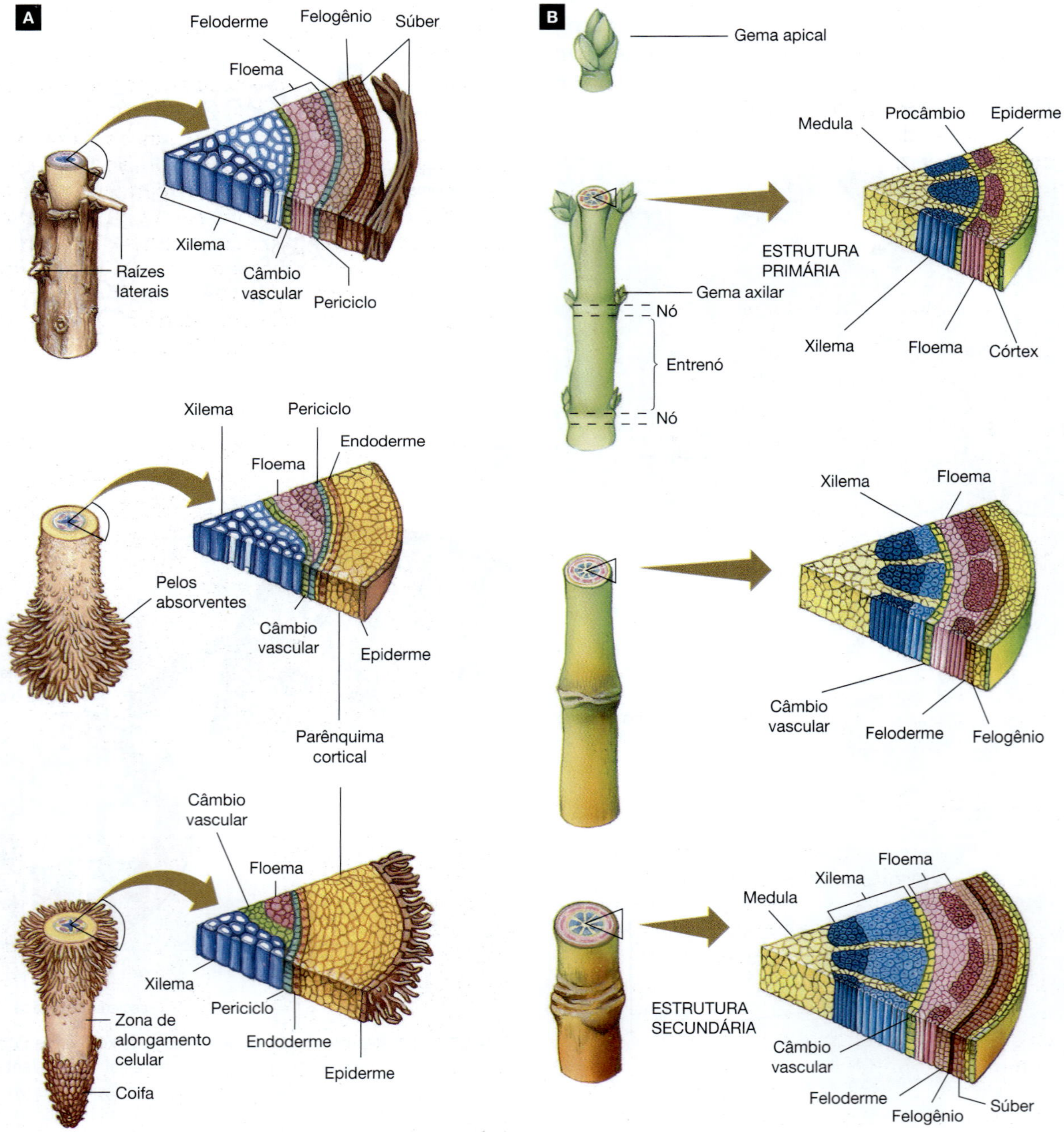

Figura 28.22 Representações esquemáticas das estruturas primária e secundária de uma raiz (**A**) e de um caule (**B**) em cortes transversais em três alturas. (Elementos fora de proporção de tamanho entre si; cores-fantasia.)

As células do câmbio da casca originam a periderme, que constitui o revestimento de raízes e caules com crescimento secundário. Com o desenvolvimento da periderme, a epiderme e o córtex isolam-se do restante da raiz e terminam por morrer e se soltar.

Em muitas árvores, depois de um período intenso de atividade, o câmbio da casca deixa de funcionar e surge um novo felogênio, mais interno, que passa a produzir feloderme e súber. A antiga periderme, chamada **ritidoma**, racha-se e solta-se da planta.

O caule das árvores é constituído principalmente por xilema, pois o câmbio vascular produz relativamente muito mais elementos xilemáticos do que elementos floemáticos. O xilema de uma árvore geralmente apresenta uma região central mais escura, o cerne, circundada por uma região externa mais clara, o alburno.

O **cerne** é formado por xilema inativo, cujos vasos lenhosos não transportam mais seiva mineral. Suas paredes estão impregnadas de corantes e resinas produzidos pela planta, que impedem a proliferação de microrganismos. Por sua dureza e resistência, o cerne é a madeira preferida para trabalhos de marcenaria. O **alburno**, por sua vez, é constituído por vasos lenhosos ativos no transporte da seiva mineral das raízes para as folhas. (Fig. 28.23)

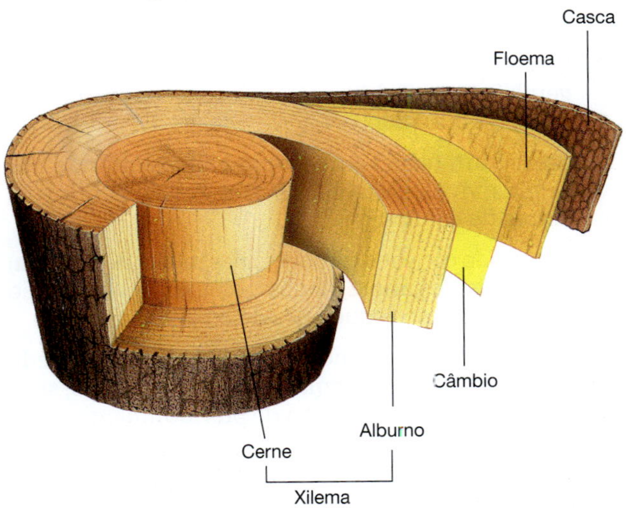

Figura 28.23 Representação esquemática da organização básica dos tecidos no tronco de uma árvore. (Elementos fora de proporção de tamanho entre si; cores-fantasia.)

Estrutura da folha

As **folhas** desenvolvem-se a partir dos primórdios foliares e não têm crescimento secundário. À medida que o primórdio foliar se desenvolve, os tecidos se diferenciam e se organizam em uma estrutura laminar altamente adaptada à captação de luz.

A forma das folhas, assim como a disposição interna de seus tecidos, varia entre as espécies, o que reflete adaptações a diferentes tipos de ambiente. Os tipos mais comuns de folha têm uma porção laminar expandida, o **limbo**, ou lâmina foliar, e um pedúnculo, o **pecíolo**, pelo qual o limbo se prende ao ramo caulinar.

A folha é totalmente revestida por uma epiderme que, na maioria das plantas, é uniestratificada, isto é, formada por uma única camada de células. Entretanto, plantas adaptadas a regiões secas, as plantas **xerófitas** (do grego *xeros*, seco, e *phyton*, planta), podem apresentar uma epiderme constituída por várias camadas de células, que conferem mais proteção contra a perda de água.

As células epidérmicas secretam cutina, substância de natureza lipídica (um polímero de ácidos graxos) que forma uma película semi-impermeável – a **cutícula** –, que reveste externamente a folha. As trocas gasosas entre a folha e o ambiente são realizadas por estômatos presentes principalmente na face inferior da folha.

O interior foliar é preenchido por um tecido parenquimático denominado **mesofilo**, cujas células são ricas em cloroplastos; por isso, esse tecido é também chamado de **parênquima clorofiliano**, ou clorênquima.

Os tecidos condutores da folha encontram-se agrupados em feixes vasculares, associados ou não a tecidos de sustentação, formando as **nervuras foliares**. Os feixes condutores da folha são prolongamentos dos feixes liberolenhosos do caule e apresentam o xilema voltado para a face adaxial, ou superior, e o floema voltado para a face abaxial, ou inferior.

Na maioria das monocotiledôneas, as nervuras têm aproximadamente a mesma espessura ao longo de todo o seu comprimento e dispõem-se paralelamente entre si. As folhas que apresentam esse tipo de nervura são denominadas **folhas paralelinérveas**. Nas outras angiospermas, as nervuras formam um padrão ramificado, com feixes condutores cada vez mais finos. Folhas com esse tipo de arranjo recebem a denominação de **folhas peninérveas**, ou reticuladas. (Fig. 28.24)

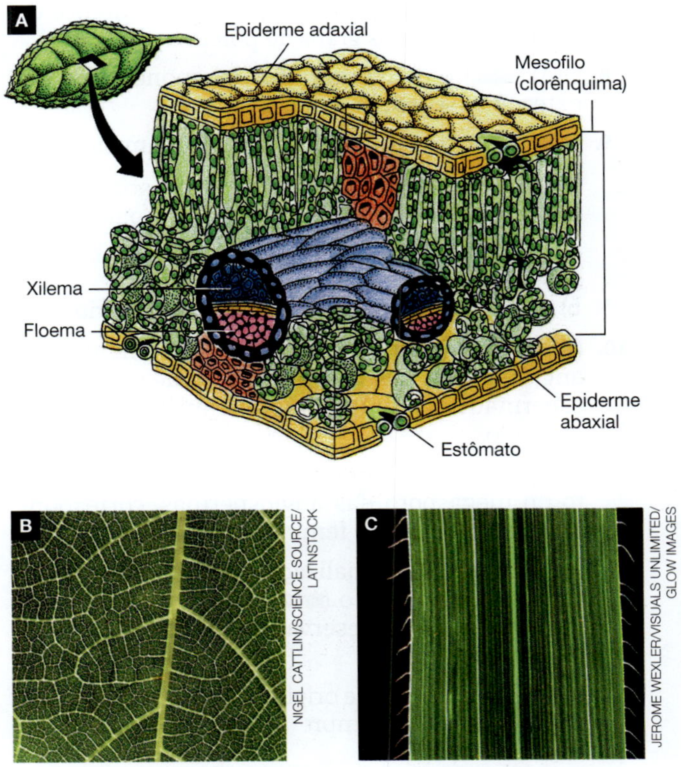

Figura 28.24 A. Representação esquemática tridimensional de uma folha, em corte, para mostrar a estrutura interna. (Elementos fora de proporção de tamanho entre si; cores-fantasia.) (Baseado em Campbell, N. A. e cols., 1999.) As fotografias mostram: (**B**) folha com nervuras reticuladas, típicas de dicotiledôneas, e (**C**) folha com nervuras paralelas, típicas de monocotiledôneas.

Atividades

Visão do especialista

Biblioteca do estudante
Faça você mesmo!

Revendo conceitos fundamentais

Escreva, em seu caderno, o termo abaixo que substitui corretamente a tarja entre parênteses das frases de 1 a 3.

a) endosperma
b) flor
c) grão de pólen
d) óvulo
e) tubo polínico

1. A estrutura tubular denominada (▬) resulta do desenvolvimento do gametófito masculino.

2. Um ramo fértil de angiosperma, em que há folhas modificadas em estruturas reprodutivas, é chamado (▬).

3. O tecido triploide que nutre o embrião das angiospermas é o(a) (▬).

Escreva, em seu caderno, o termo abaixo que substitui corretamente a tarja entre parênteses das frases de 4 a 9.

a) androceu
b) antera
c) cálice
d) corola
e) gineceu
f) ovário

4. O(A) (▬) é o conjunto de órgãos reprodutivos masculinos – estames – de uma flor.

5. O conjunto de estruturas reprodutivas femininas de uma flor constitui o(a) (▬).

6. O(A) (▬) é a estrutura da flor no interior da qual se abrigam os óvulos.

7. A extremidade dilatada do estame, no interior da qual se formam os grãos de pólen, é o(a) (▬).

8. O(A) (▬) é o conjunto dos componentes mais externos – sépalas – de uma flor.

9. O conjunto de pétalas de uma flor é chamado (▬).

Escreva, em seu caderno, o termo abaixo que substitui corretamente a tarja entre parênteses das frases de 10 a 13.

a) cotilédone
b) endosperma
c) fruto
d) saco embrionário

10. (▬) é um tecido de reserva das sementes de angiospermas, resultante da fusão de uma célula espermática com dois núcleos (núcleos polares) do óvulo.

11. (▬) é a estrutura que resulta do desenvolvimento do megásporo das angiospermas, correspondente ao gametófito feminino.

12. Há uma folha especializada no embrião de plantas angiospermas – o (▬) – que armazena e/ou transfere para ele reservas alimentares contidas na semente.

13. Uma estrutura que se origina do desenvolvimento do ovário, quase sempre após a fecundação dos óvulos, é o (▬).

Escreva, em seu caderno, o termo abaixo que substitui corretamente a tarja entre parênteses das frases de 14 a 17.

a) epiderme
b) felogênio
c) periderme
d) súber

14. O tecido que reveste externamente folhas, caules jovens e raízes jovens é o(a) (▬).

15. O tecido de revestimento que surge externamente em raízes e caules com crescimento secundário é chamado (▬).

16. A camada mais externa do tecido de revestimento de raízes e caules com crescimento secundário, formada por células mortas, é chamada (▬).

17. (▬) é um tecido meristemático secundário que origina revestimento de caules e raízes com crescimento secundário.

Escreva, em seu caderno, o termo abaixo que substitui corretamente a tarja entre parênteses das frases 18 a 25.

a) colênquima
b) elemento de vaso lenhoso
c) elemento de tubo crivado
d) esclerênquima
e) meristema primário
f) meristema secundário
g) parênquima
h) traqueíde

18. Um tecido formado por células vivas, cuja função geral é o preenchimento de espaços internos da planta, é o(a) (▬).

19. (▬) é um tecido de sustentação constituído por células vivas, dotadas de paredes com reforços extras de celulose.

20. Um tecido constituído por células mortas – o(a) (▬) – tem paredes impregnadas de lignina e sua função é a sustentação esquelética do corpo da planta.

21. (▬) é uma célula morta e alongada, cuja parede possui reforços de lignina e inúmeros poros, sendo constituinte do xilema de pteridófitas, gimnospermas e angiospermas.

22. Um tecido em que as células, já diferenciadas, readquirem características embrionárias e passam a se dividir ativamente, originando novos tecidos na planta, é um(a) (▬).

23. Uma célula morta e alongada, dotada de parede reforçada por lignina e com grandes perfurações nas paredes transversais, presente apenas no xilema de angiospermas, é um(a) (▬).

24. (▬) é uma célula alongada, desprovida de núcleo, ribossomos e complexo golgiense, mas com citoplasma ativo, cuja função é o transporte de seiva orgânica pelo corpo das angiospermas.

25. (▬) é um tecido constituído por células com grande capacidade de divisão e que descende diretamente de células embrionárias.

Escreva, em seu caderno, o termo abaixo que substitui corretamente a tarja entre parênteses das frases de 26 a 29.

a) célula-companheira
b) floema
c) plasmodesmo
d) xilema

26. O(A) (▬) é um fino filamento citoplasmático que atravessa poros na parede celular e põe em contato os citoplasmas de células vegetais vizinhas.

27. Um tecido vegetal especializado na condução de água e de sais minerais desde as raízes até as folhas é o(a) (▬)

28. O tecido vegetal especializado na condução de substâncias orgânicas desde as folhas até as raízes é chamado (▬).

29. Um elemento de tubo crivado do floema é mantido vivo por um(a) (▬) associado(a) a ele.

Escreva, em seu caderno, o termo abaixo que substitui corretamente a tarja entre parênteses das frases de 30 a 35.

a) cilindro vascular
b) coifa
c) córtex
d) endoderme
e) pelo absorvente
f) periciclo

30. Um(a) (▬) é uma projeção tubular de uma célula epidérmica de raiz que aumenta a superfície de contato com o solo.

31. O(A) (▬) é a região interna de uma raiz, formada por parênquima e localizada sob a epiderme.

32. A porção central de uma raiz, em que se localizam os elementos condutores de seiva, é chamada de (▬).

33. Uma camada de células com reforços especiais nas paredes laterais (estrias de Caspary), que separa o córtex do cilindro vascular, é o(a) (▬).

34. O(A) (▬) é uma camada de células localizada no limite entre o córtex e o cilindro vascular, que se desdiferencia e pode originar raízes laterais.

35. O revestimento de células que protege a extremidade das raízes como se fosse um capuz é o(a) (▬).

Escreva, em seu caderno, o termo abaixo que substitui corretamente a tarja entre parênteses das frases de 36 a 42.

a) câmbio vascular
b) estrutura primária
c) estrutura secundária
d) feixe liberolenhoso
e) gema apical
f) gema axilar
g) mesofilo

36. Os tecidos internos da folha, cujas células são ricas em cloroplastos, compõem o(a) (▬).

37. O tecido meristemático presente no ápice de um caule é denominado (▬).

38. O(A) (▬) é um grupo de células meristemáticas, localizado junto ao ponto de inserção das folhas, que pode originar ramos laterais.

39. Um conjunto de elementos condutores de seiva, formado por elementos de xilema e de floema, é chamado (▬).

40. Plantas monocotiledôneas e plantas eudicotiledôneas que não crescem em espessura apresentam em seus caules e raízes um arranjo típico de tecidos, conhecido como (▬).

41. Raízes e caules de plantas eudicotiledôneas que cresceram em espessura apresentam uma disposição típica de tecidos, conhecida como (▬).

42. O(A) (▬) é um tecido meristemático secundário que origina novos elementos condutores de seiva em plantas que têm crescimento secundário.

Ligando conceitos, fatos e processos

43. A fecundação nas plantas angiospermas ocorre
a) na antera.
b) no estigma.
c) no estilete.
d) no ovário.

44. Na fecundação das angiospermas, as duas células espermáticas que descem pelo tubo polínico fundem-se a células do saco embrionário, em um processo conhecido como dupla fecundação. Nesse processo, uma das células espermáticas se funde à oosfera, originando
a) o endosperma secundário, enquanto a outra se funde a um núcleo polar, originando o zigoto.
b) o zigoto, enquanto a outra se funde a um núcleo polar, originando o endosperma secundário diploide.
c) o zigoto, enquanto a outra se funde a dois núcleos polares, originando o endosperma triploide.
d) um zigoto, enquanto a outra se funde a um núcleo polar, originando um segundo zigoto, que degenera.

45. A sequência de componentes de uma flor de angiosperma, da periferia para o centro, é
a) corola, gineceu, cálice e androceu.
b) cálice, gineceu, androceu e corola.
c) cálice, corola, androceu e gineceu.
d) androceu, gineceu, cálice e corola.

46. Caules e raízes que apresentam estrutura secundária são revestidos por
a) colênquima.
b) epiderme.
c) felogênio.
d) periderme.

47. A sequência de tecidos na casca do tronco de uma árvore, de fora para dentro, é
a) epiderme, periderme e xilema.
b) epiderme, xilema e floema.
c) súber, epiderme e periderme.
d) súber, felogênio e feloderme.

48. São meristemas primários:
a) felogênio e endoderme.
b) gema apical do caule e felogênio.
c) meristema radicular e periciclo.
d) meristema radicular e gema apical do caule.

49. O meristema presente nas raízes secundárias de uma planta eudicotiledônea é secundário porque essas raízes surgem por desdiferenciação do(a)
a) câmbio vascular.
b) felogênio.
c) gema axial.
d) periciclo.
e) periderme.

Questões para exercitar o pensamento

50. O número de gametas produzidos e liberados no ambiente por animais com fecundação externa é bem maior que o número de gametas produzidos por animais com fecundação interna. Como vimos no capítulo, plantas em que a polinização ocorre por anemofilia produzem relativamente mais pólen do que plantas que têm agentes polinizadores específicos como insetos, por exemplo. O que essas situações têm de semelhante? Explique em um texto argumentativo.

51. Leia a matéria publicada no jornal *O Dia*, do Rio de Janeiro. Os dados apresentados pelo texto jornalístico reforçam a ideia da importância de preservar a biodiversidade. Pesquise esse conceito em suas acepções mais abrangentes e escreva um texto argumentativo em favor da manutenção da biodiversidade, usando como exemplo a matéria do jornal.

Declínio de insetos polinizadores ameaça lavouras em todo o mundo

O declínio de insetos silvestres tem sérias consequências para a produção de alimentos em todo o mundo. Dois estudos publicados esta semana, um com abrangência global e outro com análise de 120 anos de dados, mostram esta relação e alertam para a necessidade para a manutenção e manejo da diversidade de polinizadores para produção agrícola no longo prazo.

Um grupo de pesquisadores, incluindo três brasileiros, analisou dados de 600 lavouras em 20 países e descobriu que, ao contrário do que se pensava, o manejo de abelhas domésticas não é tão eficaz para a polinização das plantas quanto a feita por insetos selvagens, como abelhas silvestres, moscas, besouros e borboletas.

"A eficiência da abelha doméstica depende muito de cultura para cultura, mas a regra geral é que quanto maior for a diversidade de polinizadores, melhor será a polinização", disse [...] Breno Freitas, agrônomo da Universidade Federal do Ceará e que colaborou com o estudo analisando culturas de acerola, urucum e algodão. "Observamos que na lavoura de acerola, a abelha doméstica nem visita a flor. No urucum, ela não consegue tirar o fruto. Só na do algodão é que ela apresentou eficácia", disse.

No estudo que analisou dados dos cinco continentes, apenas em 14% das lavouras estudadas as abelhas domésticas se mostraram eficientes, enquanto em 86% não realizaram a polinização de modo satisfatório.

Outro estudo sobre a interação entre polinizador e planta no estado americano do Illinois mostrou que tanto a quantidade quanto a qualidade da polinização decaíram ao longo do tempo.

O naturalista Charles Robertson coletou e analisou dados sobre polinização na região de Carlinville em 1890. Mais de um século depois, Laura Burkle, da Universidade do Estado de Montana, nos Estados Unidos, foi analisar o que mudou na região. Os pesquisadores da equipe de Laura só conseguiram encontrar metade das espécies descritas por Robertson, apenas 54 das 109.

Freitas explica que o uso de defensores agrícolas, a perda de hábitat, a monocultura e até as mudanças climáticas fazem com que ocorra a redução das espécies silvestres. Isto porque as flores da maioria das culturas precisam receber o pólen antes de criar sementes e frutos, um processo que é reforçado por insetos que visitam flores. Estes polinizadores, incluindo as abelhas, moscas, besouros, borboletas, vivem geralmente em hábitats naturais, como as bordas de florestas, cercas vivas ou pastagens. Como esses hábitats estão se perdendo por causa da expansão agrícola, ocorre o declínio destes polinizadores.

"A produção de muitas frutas e grãos importantes para a nossa dieta, como tomate, café e melancia, está limitada porque as flores não estão sendo polinizadas adequadamente", disse, em um comunicado, Lawrence Harder, biólogo da Universidade de Calgary e um dos autores do estudo global sobre polinizadores.

Fonte: ZIEGLER, M. F. Declínio de insetos polinizadores ameaça lavouras em todo o mundo. *O Dia*. Rio de Janeiro, 1º mar. 2013. Disponível em: <http://odia.ig.com.br/portal/cienciaesaude/decl%C3%ADnio-de-insetos-polinizadores-amea%C3%A7a-lavouras-em-todo-o-mundo-1.555373>. Acesso em: maio 2013.

A Biologia no vestibular e no Enem

Questões objetivas

1. (Ufac) Qual é a alternativa cuja sequência preenche, respectiva e adequadamente, as lacunas da seguinte frase?

O (▬) é formado por células de paredes (▬) que podem readquirir a capacidade de se dividir, transformando-se em células (▬), que originam raízes (▬).

a) periciclo, finas, meristemáticas, secundárias.
b) periciclo, espessas, primárias, secundárias.
c) córtex, finas, meristemáticas, secundárias.
d) córtex, espessas, primárias, secundárias.
e) córtex, espessas, meristemáticas, primárias.

2. (Unifap) Súber, felogênio e feloderme são constituintes de um tecido de crescimento secundário que ocorre nas raízes e caule, cuja função é a proteção. O exposto refere-se a(o)

a) endoderme.
b) periderme.
c) mesoderme.
d) xilema.
e) ectoderme.

3. (UEPB) Na raiz, o periciclo é um tecido que origina

a) o floema.
b) o parênquima cortical.
c) o xilema.
d) as gemas adventícias.
e) as raízes laterais.

4. (Unifor-CE) Examinando-se um determinado tecido vegetal ao microscópio óptico, verificaram-se as seguintes características:

- células vivas
- células intimamente unidas
- parede celular cutinizada
- citoplasma sem cloroplastos.

Com base nessas características, pode-se afirmar que se trata de

a) colênquima.
b) meristema.
c) floema.
d) epiderme.
e) xilema.

5. (Fuvest-SP) Enquanto a clonagem de animais é um evento relativamente recente no mundo científico, a clonagem de plantas vem ocorrendo já há algumas décadas com relativo sucesso. Células são retiradas de uma planta-mãe e, posteriormente, são cultivadas em meio de cultura, dando origem a uma planta inteira, com genoma idêntico ao da planta-mãe. Para que o processo tenha maior chance de êxito, deve-se retirar as células

a) do ápice do caule.
b) da zona de pelos absorventes da raiz.
c) do parênquima dos cotilédones.
d) do tecido condutor em estrutura primária.
e) da parede interna do ovário.

6. (UFSM-RS) A textura "arenosa" que se percebe ao saborear uma pera é dada pela presença de células mortas na maturidade, com paredes muito espessas e com reforço de lignina. Pelas características apresentadas, essas células são constituintes do tecido denominado

a) meristema.
b) esclerênquima.
c) floema.
d) parênquima.
e) epiderme.

7. (UFMT) As baías pantaneiras são povoadas por muitas macrófitas dentre as quais os "aguapés" (*Eichhornia* sp.), que se destacam por abundante ocorrência. Esse vegetal é adaptado para flutuar em ambiente inundável por possuir

a) esclerênquima.
b) aerênquima.
c) colênquima.
d) parênquima paliçádico.
e) parênquima lacunoso.

8. (Unifor-CE) No desenvolvimento posterior à fecundação das angiospermas, o zigoto, o óvulo e o ovário originam, respectivamente,

a) fruto, semente e embrião.
b) embrião, fruto e semente.
c) embrião, semente e fruto.
d) semente, fruto e embrião.
e) semente, embrião e fruto.

9. (Enem-MEC) Caso os cientistas descobrissem alguma substância que impedisse a reprodução de todos os insetos, certamente nos livraríamos de várias doenças em que esses animais são vetores. Em compensação teríamos grandes problemas como a diminuição drástica de plantas que dependem dos insetos para polinização, que é o caso das

a) algas.
b) briófitas como os musgos.
c) pteridófitas como as samambaias.
d) gimnospermas como os pinheiros.
e) angiospermas como as árvores frutíferas.

10. (FGV-SP) Com relação aos tecidos vegetais, pode-se afirmar que

a) o parênquima é formado por células mortas, portadoras de parede secundária, e ocorre em todos os órgãos vegetais.
b) o colênquima origina-se da protoderme dos meristemas apicais.
c) o esclerênquima é formado por células vivas, cujas paredes primárias são espessadas por suberina.
d) a epiderme é um tecido de revestimento formado por células vivas e portadoras de paredes primárias, cuja função é proteger o vegetal contra a perda excessiva de água.
e) a periderme é um tecido que aparece em vegetais que apresentam crescimento secundário e origina-se por mitoses do meristema secundário, chamado câmbio interfascicular.

Questões discursivas

11. (Ufes) O corpo da planta começa a se diferenciar durante a formação da semente, logo após a fecundação. Nesta fase embrionária, surgem células poliédricas com parede celular fina e bastante flexível, e citoplasma denso com pequenos vacúolos. São as chamadas células meristemáticas. Descreva os meristemas primários das angiospermas, evidenciando os tecidos primários formados diretamente por eles.

12. (UFPA) As angiospermas e gimnospermas são grupos recentes na história evolutiva das plantas, sendo denominadas de espermatófitas, porque produzem sementes. Comparando-se os órgãos reprodutores de ambos, percebem-se algumas características que os diferenciam, por exemplo, a presença ou não de folhas carpelares. Baseando-se nessa característica, diferencie os dois grupos vegetais e explique a importância das folhas carpelares no processo reprodutivo.

13. (Fuvest-SP) Certas substâncias inibem a formação do tubo polínico em angiospermas. Explique como essa inibição afeta a formação do embrião e do endosperma.

14. (UFRJ) As flores que se abrem à noite, como a dama-da-noite, em geral exalam um perfume acentuado e não são muito coloridas. As flores diurnas, por sua vez, geralmente apresentam cores mais intensas. Relacione essa adaptação ao processo de reprodução desses vegetais.

15. (UFSC) Sobre flores, responda:

a) As flores coloridas das angiospermas são interpretadas como uma aquisição evolutiva que aumenta a eficiência da reprodução sexuada. De que modo isso ocorre?
b) Que fator ambiental contribui para a reprodução sexuada de flores não coloridas, como as do capim?

Capítulo 29 Fisiologia das plantas

PALÊ ZUPPANI/PULSAR IMAGENS

A luz é a fonte de energia para a fotossíntese, processo pelo qual as plantas elaboram substâncias orgânicas que nutrem elas mesmas e os animais que as comem. (Mata Atlântica, São Lourenço da Serra, SP, 2009.)

Nossa relação com as plantas

O apreço dos seres humanos por animais de estimação, em especial por cães e gatos, é inegável. Além disso, alimentos de origem animal, sobretudo aves, bovinos, suínos e caprinos, são presença constante na dieta da maioria das pessoas.

Entretanto, as plantas não ficam atrás em preferência. Sementes como o arroz e o feijão, legumes, verduras e frutas não podem faltar em nossa alimentação. Além disso, muitos de nós temos ao menos uma planta em casa, em vasos ou no jardim. Sem falar do comércio de flores, que movimenta anualmente cerca de 20 bilhões de dólares pelo mundo, apenas para atender à necessidade estética do ser humano de apreciar o belo ou eventualmente agradar a pessoa amada...

Graças ao estudo dos organismos vegetais e de seu funcionamento, podemos conhecer as incríveis soluções e estratégias adaptativas desses seres. Uma delas, talvez a principal, é o fato de as plantas serem autotróficas, o que significa que elas certamente sobreviveriam sem nós, mas com certeza nós não sobreviveríamos sem elas.

Muitos conhecimentos sobre as plantas vêm sendo aplicados, há séculos, em benefício da humanidade. A evolução das técnicas de adubação e de cultivo, aliadas às técnicas de melhoramento genético, tem sido fundamental para reverter as sombrias previsões de Thomas Malthus, que, no começo do século XIX, acreditava que o tamanho da população humana logo excederia sua capacidade de produzir alimentos.

A importância do assunto

Neste capítulo estudaremos os aspectos fundamentais da fisiologia vegetal, começando pela nutrição orgânica, que envolve a produção de substâncias pela fotossíntese, e complementando com alguns aspectos da nutrição mineral. Esses conhecimentos têm tido aplicações práticas, entre elas a hidroponia. No segundo e no terceiro itens analisaremos o transporte de substâncias no corpo vegetal, realizado pelo xilema e pelo floema. No quarto e no quinto item focalizaremos os hormônios vegetais, substâncias que regulam o desenvolvimento e são responsáveis por diversas respostas adaptativas das plantas.

O conhecimento sobre os organismos vegetais tem revelado inúmeros aspectos peculiares desses seres vivos, com os quais nossa história está interligada desde suas origens; não é exagero afirmar que, sem as plantas, não estaríamos aqui.

29.1 A nutrição das plantas

Nutrição orgânica das plantas: fotossíntese

Todos os seres vivos necessitam de energia para manter seu metabolismo, crescer e se reproduzir. A energia para os processos vitais é proveniente da degradação de moléculas orgânicas de alto potencial energético, como glicídios, lipídios e proteínas. As plantas utilizam como fonte de energia moléculas orgânicas que elas próprias sintetizam por meio da fotossíntese, sendo, portanto, seres autotróficos.

A **fotossíntese** é o processo bioquímico que sustenta a vida na Terra. Por meio dela, plantas, algas e bactérias fotossintetizantes convertem gás carbônico (CO_2) e água (H_2O) em moléculas orgânicas, liberando gás oxigênio (O_2) como subproduto. A energia para essa conversão é proveniente da luz.

Uma molécula essencial à fotossíntese é a **clorofila**, presente em todos os organismos fotossintetizantes. A clorofila absorve energia luminosa, principalmente aquela presente na luz correspondente às cores azul e vermelha do espectro de radiações eletromagnéticas provenientes do Sol. A faixa de luz menos absorvida pela clorofila é a correspondente ao verde, daí a cor desse pigmento fotossintetizante. (Fig. 29.1)

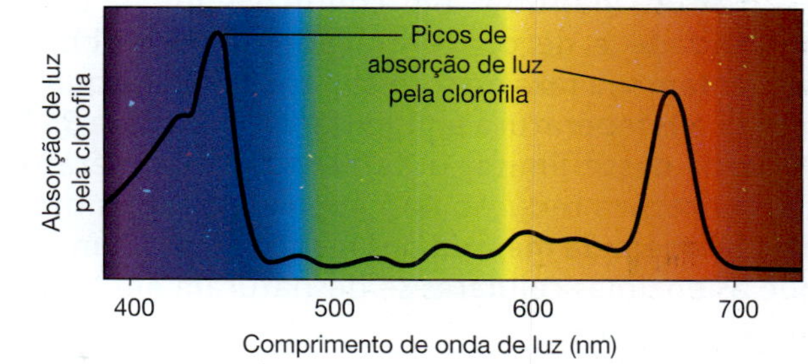

Figura 29.1 Gráfico que representa a curva ou o espectro de absorção de luz pela clorofila e mostra as quantidades relativas de energia absorvida em cada comprimento de onda. (Baseado em Campbell, N. A. e cols., 1999.)

Fatores que afetam a fotossíntese

A fotossíntese é afetada por diversos fatores, entre os quais se destacam a concentração de gás carbônico, a temperatura e a intensidade da luz.

A concentração de gás carbônico no ar atmosférico atualmente oscila entre 0,03% e 0,04%, nível inferior ao que uma planta é capaz de utilizar na fotossíntese. Isso pode ser demonstrado quando se submete uma planta a concentrações crescentes de gás carbônico, em condições ideais de luminosidade e de temperatura. Nessas condições, a taxa de fotossíntese aumenta à medida que sobe a concentração de CO_2, até cerca de 10 vezes a concentração atmosférica normal; a partir daí, o aumento na concentração de CO_2 não acarreta incrementos na taxa de fotossíntese. Portanto, no ambiente natural e em condições ideais de luminosidade e de temperatura, a planta só não realiza a taxa máxima de fotossíntese porque não há gás carbônico suficiente na atmosfera. Nesse caso, pode-se dizer que o CO_2 atua como **fator limitante da fotossíntese**. (Fig. 29.2)

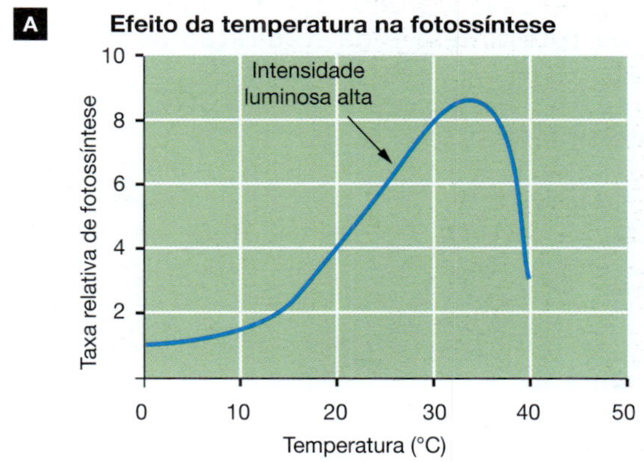

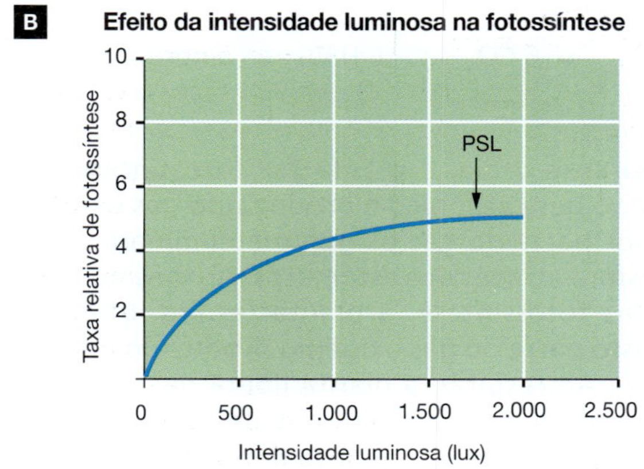

Figura 29.2 **A.** Gráfico que mostra o efeito do aumento da temperatura sobre a fotossíntese. **B.** Gráfico que mostra o efeito do aumento da intensidade luminosa sobre a fotossíntese. Até o ponto PSL (ponto de saturação luminosa), a intensidade luminosa é um fator limitante da fotossíntese. (Baseado em Campbell, N. A. e cols., 1999.)

Plantas mantidas em condições ideais de luminosidade e de concentração de gás carbônico aumentam sua taxa de fotossíntese à medida que aumenta a temperatura ambiental, até cerca de 35 °C. A partir desse limite, o aumento de temperatura causa drástica redução não apenas da fotossíntese, mas também da maioria das reações vitais, uma vez que as enzimas celulares se desnaturam em temperaturas elevadas.

Em condições ideais de temperatura e concentração de gás carbônico, a taxa de fotossíntese eleva-se em função do aumento de luminosidade, até certo valor limite, chamado **ponto de saturação luminosa**. A eficiência do processo fotossintético varia em função dos comprimentos de onda utilizados, uma vez que a clorofila absorve mais eficientemente luzes azul, violeta e vermelha e praticamente não absorve luz verde.

Relação entre fotossíntese e respiração

A planta utiliza parte dos produtos da fotossíntese como fonte de energia metabólica, o que ocorre por meio da respiração aeróbica, nas mitocôndrias celulares. Nesse processo, moléculas orgânicas e de gás oxigênio interagem, em uma complexa série de reações, originando gás carbônico e água e liberando energia, armazenada na forma de ATP. Note que as equações gerais da fotossíntese e da respiração aeróbica são inversas.

Fotossíntese:

Reagentes — Produtos

$$\underset{\text{Gás carbônico}}{6\,CO_2} + \underset{\text{Água}}{6\,H_2O} \xrightarrow[\text{PLANTAS}]{\text{LUZ}} \underset{\text{Glicose}}{C_6H_{12}O_6} + \underset{\text{Gás oxigênio}}{6\,O_2}$$

Respiração:

$$\underset{\text{Glicose}}{C_6H_{12}O_6} + \underset{\text{Gás oxigênio}}{6\,O_2} \longrightarrow$$

$$\longrightarrow \underset{\text{Gás carbônico}}{6\,CO_2} + \underset{\text{Água}}{6\,H_2O} + \text{Energia no ATP}$$

Durante o dia, a planta faz fotossíntese, consumindo gás carbônico e produzindo gás oxigênio; a maior parte do gás oxigênio é eliminada para a atmosfera através dos estômatos. Ao mesmo tempo que faz fotossíntese, a planta respira, utilizando para isso parte do gás oxigênio produzido na fotossíntese. Ao respirar, a planta libera gás carbônico, que também é utilizado na fotossíntese.

Durante a noite, a planta deixa de fazer fotossíntese, mas não de respirar; como os estômatos estão fechados, ela utiliza o gás oxigênio acumulado no mesofilo na respiração celular. O gás carbônico liberado nesse processo acumula-se no mesofilo e é rapidamente consumido na fotossíntese, assim que amanhece.

Sob determinada intensidade luminosa, as taxas de fotossíntese e de respiração se equivalem, e a planta não realiza trocas gasosas com o ambiente: todo o gás oxigênio liberado na fotossíntese é utilizado na respiração e todo o gás carbônico produzido na respiração é utilizado na fotossíntese. A intensidade luminosa em que isso ocorre é chamada de **ponto de compensação fótico**, ou **ponto de compensação luminosa**.

Para poder crescer, as plantas precisam receber, durante algumas horas do dia, intensidade luminosa superior ao seu ponto de compensação luminosa. Assim, haverá maior taxa de produção de substâncias orgânicas na fotossíntese do que de consumo na respiração. Isso permite a sobra de matéria orgânica, necessária para o crescimento vegetal. (Fig. 29.3)

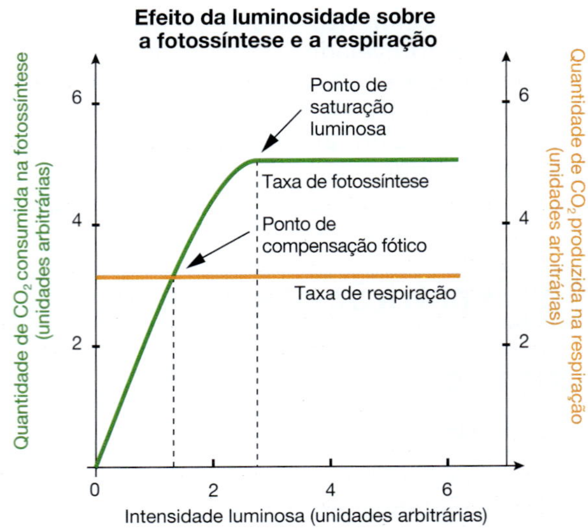

Figura 29.3 Gráfico que mostra o efeito da luminosidade sobre as taxas de fotossíntese e de respiração em uma planta. Os valores indicados nos eixos são unidades arbitrárias.

O ponto de compensação fótico varia nas diferentes espécies de planta. Espécies com pontos de compensação elevados somente conseguem viver em locais de alta luminosidade, sendo por isso denominadas **plantas heliófilas** (do grego *helios*, sol, e *philos*, amigo), ou plantas de sol. Espécies com pontos de compensação fóticos mais baixos necessitam de intensidades menores de luz e podem viver em ambientes sombreados, sendo por isso chamadas de **plantas umbrófilas** (do latim *umbra*, sombra), ou plantas de sombra.

Nutrição inorgânica das plantas: macronutrientes e micronutrientes

O gás carbônico obtido do ar e a água retirada do solo fornecem às plantas os elementos básicos para a produção das moléculas orgânicas: carbono, hidrogênio e oxigênio. Entretanto, o organismo vegetal também necessita de diversos outros elementos químicos, essenciais ao funcionamento de suas células e que são absorvidos do solo, onde se encontram na forma de sais minerais.

Em função da quantidade em que são utilizados pelas plantas, esses elementos químicos são classificados como macronutrientes ou micronutrientes. Os elementos necessários à planta em quantidades relativamente grandes são chamados **macronutrientes**; aqueles que são necessários em quantidades relativamente menores são denominados **micronutrientes**. Se faltar à planta algum elemento químico essencial, ela poderá apresentar sintomas específicos da deficiência. A falta de magnésio, por exemplo, torna as folhas amareladas em decorrência da diminuição na produção de clorofila. (Tab. 29.1)

29.1 Biblioteca do estudante Amplie seus conhecimentos

Tabela 29.1 ▪ Elementos químicos essenciais às plantas*

Macronutrientes	Micronutrientes
Hidrogênio (H)	Cloro (Cℓ)
Carbono (C)	Ferro (Fe)
Oxigênio (O)	Boro (B)
Nitrogênio (N)	Manganês (Mn)
Fósforo (P)	Sódio (Na)
Cálcio (Ca)	Zinco (Zn)
Magnésio (Mg)	Cobre (Cu)
Potássio (K)	Níquel (Ni)
Enxofre (S)	Molibdênio (Mo)
Silício (Si)	

* Por ordem de requerimento. (Baseado em Taiz e Zeiger, 2002.)

Ciência e cidadania

Importância da adubação para a agricultura

1 Conhecimentos derivados do senso comum, aliados às novas descobertas científicas, têm possibilitado à humanidade aumentar significativamente a produtividade do solo e das culturas vegetais. Isso permite produzir mais alimentos e com mais qualidade, demandas importantes para as sociedades humanas, que ainda crescem em ritmo acelerado.

Importância da adubação do solo

2 Nos ambientes naturais, a morte e a decomposição dos seres vivos devolvem ao solo os elementos retirados pelas plantas, o que possibilita sua constante reciclagem. Em um campo de cultivo, porém, a situação é diferente, pois as plantas são removidas, inteiras ou em parte, e utilizadas como alimento pelas pessoas ou por animais domésticos. Com isso, o solo vai gradativamente empobrecendo em elementos químicos essenciais. Para que o solo não se "esgote", tornando-se inadequado à agricultura, os elementos perdidos devem ser repostos periodicamente pela adição de substâncias que os contenham. Essa prática é denominada adubação e as substâncias adicionadas, fontes de elementos químicos, são os adubos, que podem ser orgânicos ou inorgânicos.

3 **Adubos orgânicos** são constituídos por restos ou partes de animais ou de plantas, como fezes e sobras de alimentos. À medida que os adubos orgânicos são decompostos pelos microrganismos do solo, eles liberam elementos essenciais ao crescimento das plantas. A adubação orgânica, além de fornecer ao solo elementos essenciais, favorece a retenção de água.

4 Muitos agricultores estimulam a reposição de nitrogênio no solo com o cultivo de plantas leguminosas, que são deixadas para apodrecer no campo; esse processo é conhecido como **adubação verde**. As leguminosas, por viverem em associação com bactérias que fixam nitrogênio diretamente do ar, incorporam quantidades elevadas desse elemento químico.

5 **Adubos inorgânicos** são compostos produzidos de forma industrial e que geralmente contêm sais minerais constituídos de três macroelementos químicos: nitrogênio (N), fósforo (P) e potássio (K). A adubação inorgânica possibilita calcular

FABIO COLOMBINI

Embalagem de adubo industrializado. O valor N é a porcentagem do elemento nitrogênio por massa de fertilizante. Os valores de P_2O_5 e de K_2O representam as quantidades de P e K, respectivamente.

com precisão as quantidades de cada elemento nutriente que deve ser fornecido à planta. Isso é importante, pois a concentração relativa de cada elemento tem influência no tipo de crescimento. Por exemplo, o fornecimento de nitrogênio estimula um crescimento vegetativo vigoroso, com produção de muitas folhas, em detrimento da formação de estruturas reprodutivas. Assim, é interessante fornecer a quantidade adequada de nitrogênio para uma cultura de alface, por exemplo, cuja parte de interesse é a folha. Em uma cultura de tomates, entretanto, em que o produto de interesse é o fruto, a quantidade de nitrogênio pode ser menor.

Importância da adubação para a agricultura

6 A utilização de adubos inorgânicos sem o devido conhecimento das necessidades das plantas e do tipo de solo pode levar a problemas ambientais. A adubação excessiva, por exemplo, pode acarretar a contaminação dos recursos hídricos (lagos, açudes, rios, etc.) com minerais que podem causar problemas à saúde humana e aos ecossistemas.

Importância do grau de acidez do solo

7 A eficiência da adubação está diretamente ligada ao grau de acidez do solo, medido na escala de pH. Antes de aplicar os fertilizantes, o agricultor deve conhecer o pH do solo e corrigi-lo, se necessário. Se o solo é muito ácido, pode-se adicionar calcário (formado basicamente de $CaCO_3$) para reduzir a acidez; se o solo é alcalino, a correção pode ser feita pela adição de sulfato de sódio (Na_2SO_4) ou sulfato de magnésio ($MgSO_4$).

8 O pH do solo influencia a capacidade das plantas de absorver determinados elementos químicos. Mesmo que o solo contenha todos os elementos essenciais, uma planta pode não conseguir absorver algum deles se o pH for inadequado. Por exemplo, em um solo com pH 8, a planta consegue absorver cálcio, mas é incapaz de absorver ferro com eficiência.

Importância da irrigação

9 Outro fator fundamental para o crescimento das plantas é a disponibilidade de água no solo. Muitas regiões desérticas, apesar de terem solo fértil quanto à composição mineral, são pobres em vegetação porque falta água. Isso é evidente em regiões semidesérticas que se tornam produtivas quando irrigadas artificialmente. Diversas regiões áridas do Nordeste brasileiro, por exemplo, têm produzido frutas e hortaliças de excelente qualidade graças aos processos de irrigação artificial.

Cultivo de plantas sem solo: hidroponia

10 Plantas podem se desenvolver na ausência de solo, desde que suas raízes estejam mergulhadas em uma solução aquosa aerada e com os nutrientes minerais necessários. A aplicação desse conhecimento levou à criação de um interessante método de cultivo, a **hidroponia**, empregado na produção comercial de hortaliças. As plantas são cultivadas em estufas, sem solo, com as raízes mergulhadas em uma solução nutritiva que circula continuamente e as abastece dos nutrientes minerais necessários ao seu desenvolvimento.

Guia de leitura

1 Leia o primeiro parágrafo. O que são "conhecimentos derivados do senso comum"? Se necessário, pesquise sobre o tema.

2 Leia o segundo parágrafo e responda: **a**) Por que o solo de um campo de cultivo empobrece em nutrientes quando comparado a ecossistemas naturais? **b**) Que método é utilizado para evitar que o solo se esgote e se torne impróprio para a agricultura?

3 O terceiro parágrafo refere-se à adubação orgânica. Você já pensou que os restos de alimentos utilizados em sua casa podem ser destinados à produção de adubo orgânico? Como isso poderia ser feito?

4 Leia o quarto parágrafo e responda: em que consiste a adubação verde?

5 O quinto parágrafo refere-se à adubação inorgânica. Quais seriam algumas de suas vantagens? Analise a figura que mostra uma embalagem de adubo e sua respectiva legenda. Com base apenas nas informações do texto e da figura, você poderia concluir que o adubo mostrado na foto seria o mais adequado para uma plantação de alface?

6 O sexto parágrafo aponta possíveis prejuízos ambientais da adubação excessiva. Quais são eles?

7 Leia os parágrafos 7 e 8 e responda: qual é a importância do pH adequado do solo e como se corrigem eventuais desvios?

8 No nono parágrafo, observe a figura que mostra uma plantação com irrigação artificial. Considere as realizações e possibilidades da irrigação artificial no Brasil como tema para uma futura pesquisa.

9 O décimo e último parágrafo trata da hidroponia. Em que consiste esse método? Compare possíveis vantagens e desvantagens em relação ao cultivo tradicional no solo. Você já viu ou comprou algum produto hidropônico?

29.2 Absorção e condução da seiva mineral

A água e os sais minerais penetram na planta pelas extremidades das raízes, principalmente através dos pelos absorventes. A solução aquosa absorvida pode deslocar-se tanto pelos espaços existentes entre as células, que os botânicos denominam **apoplasto**, como através do citoplasma das células epidérmicas e corticais, que compõem o **simplasto**. O deslocamento pelo apoplasto é barrado apenas nas células endodérmicas, cujas estrias de Caspary impedem a água e os sais dissolvidos de continuar a se deslocar extracelularmente; para penetrar no cilindro vascular, a solução tem necessariamente de atravessar o citoplasma das células endodérmicas. Uma vez no cilindro central, a solução aquosa penetra no xilema e passa a constituir a **seiva mineral** ou **xilemática**. (Fig. 29.4)

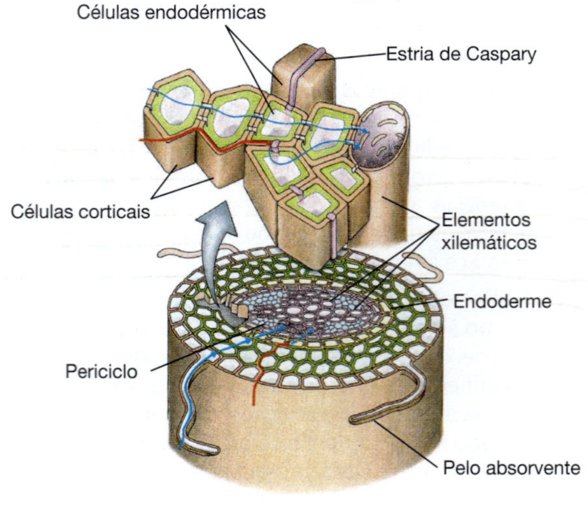

Figura 29.4 Representação esquemática do percurso que a água e os sais minerais realizam do solo até os vasos condutores do cilindro vascular de uma raiz. O deslocamento pelo apoplasto está indicado em vermelho; e pelo simplasto, em azul.

Hipótese da coesão-tensão

O deslocamento da seiva mineral através do xilema é explicado principalmente pela **hipótese da coesão-tensão**, ou hipótese de Dixon. De acordo com essa hipótese, a seiva mineral é arrastada desde as raízes até as folhas por forças geradas pela transpiração foliar.

Transpiração é a perda de água na forma de vapor que ocorre pela superfície corporal de um ser vivo. As células das folhas, ao perder água, têm sua pressão osmótica aumentada e retiram água das células vizinhas. Estas sugam seiva do xilema e toda a coluna líquida se eleva pelos elementos xilemáticos (vasos lenhosos e traqueídes), desde a raiz até as folhas. Calcula-se que a tensão criada pela transpiração é suficiente para elevar as colunas de água nos elementos traqueais a cerca de 160 m de altura. (Fig. 29.5)

Nas plantas, a transpiração ocorre principalmente através dos estômatos. Um **estômato** (do grego *stoma*, boca) é formado por duas células epidérmicas principais, ricas em cloroplastos, denominadas **células-guarda**. Entre elas existe um orifício regulável – o **ostíolo** (do latim *ostiolu*, pequena porta) – que permite as trocas gasosas entre a planta e o ambiente.

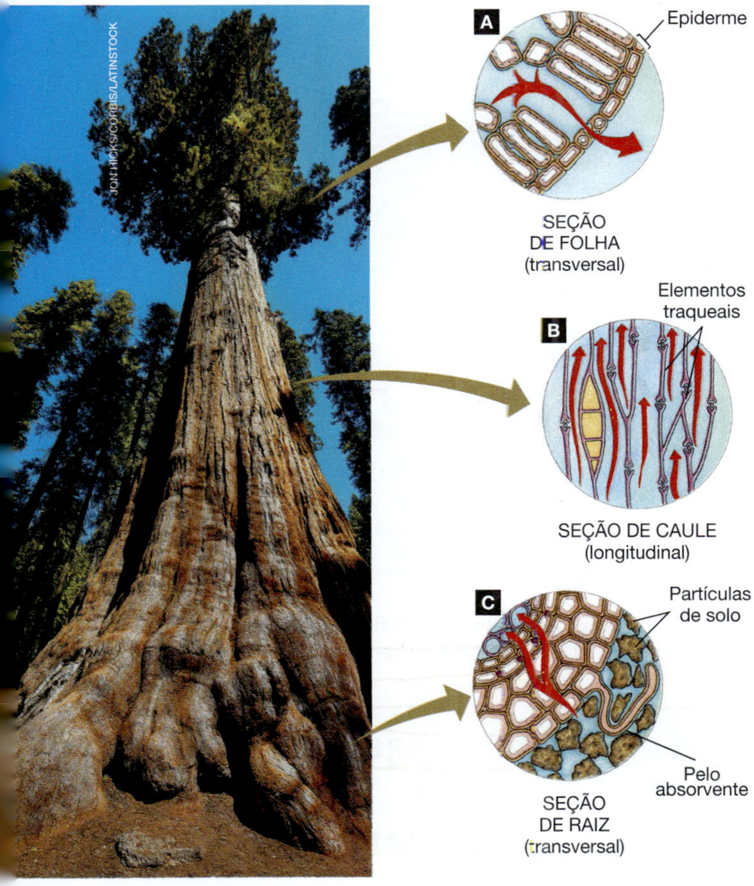

Figura 29.5 Representação esquemática dos movimentos da água (em vermelho) em uma árvore decorrentes da transpiração. **A.** Ao perder água por transpiração, as folhas criam uma tensão que puxa a seiva dos elementos traqueais. **B.** Com isso, toda a coluna líquida sobe, como se fosse uma corda puxada para cima. **C.** A tensão da coluna chega até as raízes, retirando água de suas células; com isso, elas absorvem água do solo. (Elementos fora de proporção de tamanho entre si; cores-fantasia.) Na fotografia, sequoias, gimnospermas que podem atingir 100 m de altura, Parque Nacional Yosemite, Califórnia, EUA.

A abertura e o fechamento do estômato dependem do grau de turgidez das células-guarda. Se elas absorvem água e ficam túrgidas, o ostíolo se abre. Se as células-guarda perdem água, tornando-se flácidas, o ostíolo se fecha. Esse comportamento deve-se à disposição estratégica das fibras de celulose na parede das células-guarda. (Fig.29.6)

Há diversos fatores envolvidos na abertura e no fechamento dos estômatos, entre eles a luminosidade, a concentração de gás carbônico e o suprimento hídrico, isto é, a água disponível no solo para as raízes. (Tab. 29.2)

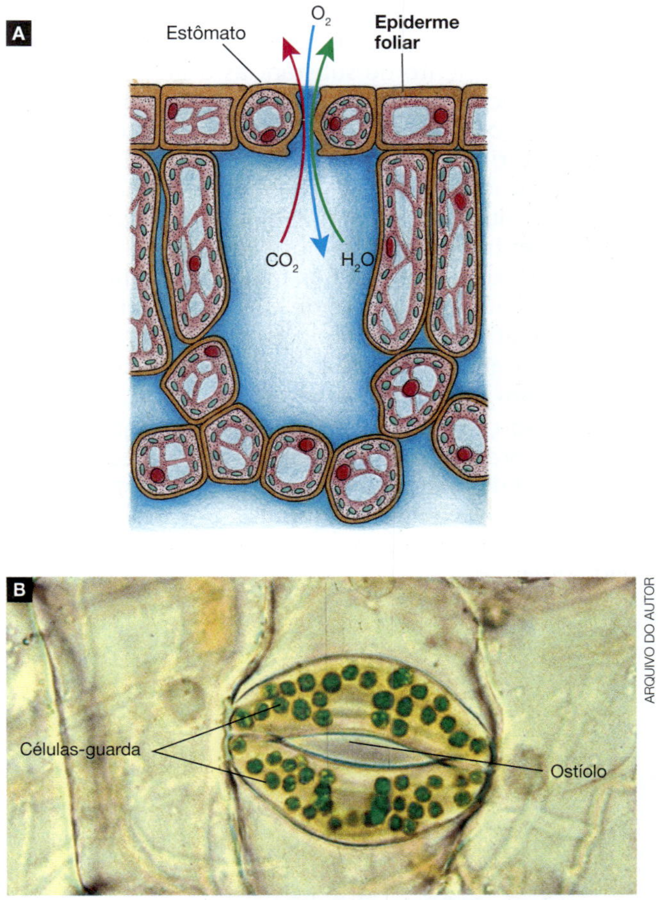

Figura 29.6 A. Representação de seção transversal de folha que mostra o intercâmbio de gases pelo estômato. (Elementos fora de proporção de tamanho entre si; cores-fantasia.) **B.** Fotomicrografia de estômato de folha de tradescância (*Tradescantia zebrina*), em vista frontal. (Microscópio fotônico; aumento ≈ 1.600×).

Tabela 29.2 ▪ Fatores envolvidos na abertura e no fechamento dos estômatos

Condições ambientais		Comportamento do estômato
Intensidade luminosa	Alta	Abre
	Baixa	Fecha
Concentração de CO_2	Alta	Fecha
	Baixa	Abre
Suprimento de água	Alto	Abre
	Baixo	Fecha

29.3 A condução da seiva orgânica

A solução de substâncias orgânicas produzida originalmente nas folhas por meio da fotossíntese, denominada **seiva orgânica**, ou seiva floemática, é distribuída por toda a planta pelo floema. Relembre a estrutura desse tecido condutor no capítulo anterior.

As substâncias orgânicas que alimentam a planta deslocam-se das células onde são produzidas, ou onde estão armazenadas, para as células onde serão utilizadas. O deslocamento da seiva orgânica pelo floema é explicado pela **hipótese do fluxo de massa**, ou hipótese do desequilíbrio osmótico.

Segundo essa hipótese, nas regiões de produção ou de armazenamento de substâncias orgânicas (fonte), células especializadas do floema bombeiam ativamente substâncias orgânicas solúveis, principalmente sacarose, para o interior dos elementos floemáticos. Com isso, a pressão osmótica nos vasos floemáticos torna-se maior que nas células adjacentes e eles passam a absorver água. A entrada de água nos elementos floemáticos cria um fluxo que arrasta as moléculas orgânicas em direção a seus destinos, onde elas são ativamente absorvidas e utilizadas pelas células consumidoras (dreno), em última análise, todas as que não produzem nem armazenam substâncias orgânicas.

A absorção de substâncias orgânicas pelas células consumidoras faz com que a pressão osmótica diminua no interior dos elementos floemáticos próximos, o que mantém o desequilíbrio osmótico e o deslocamento de substâncias orgânicas para as células consumidoras. (Fig. 29.7)

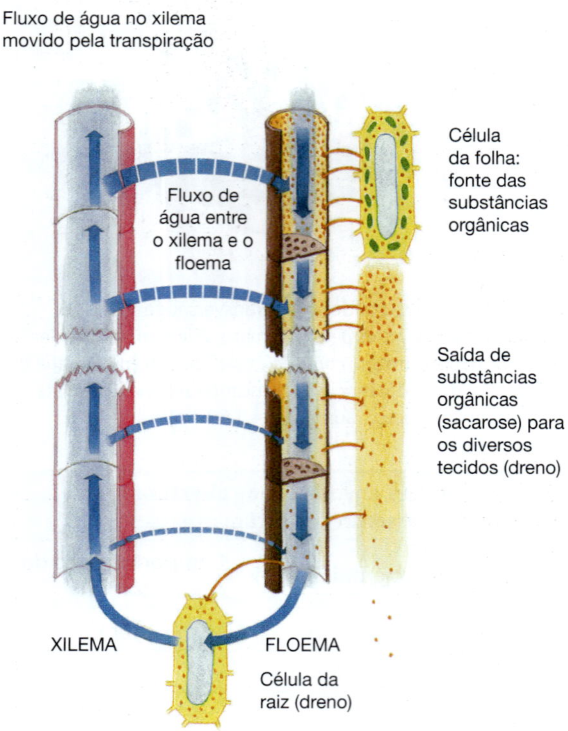

Figura 29.7 Representação esquemática da relação entre o deslocamento da seiva xilemática e da seiva floemática em uma planta. As setas indicam o sentido de deslocamento de água e sua quantidade relativa.

A hipótese do fluxo de massa pode ser ilustrada por meio de um modelo físico simplificado. Suponha que um tubo em forma de letra U tenha suas extremidades conectadas a duas bolsas constituídas por membranas semipermeáveis. A bolsa **A** contém uma solução de sacarose e a **B**, água pura. Quando o conjunto é mergulhado em um recipiente com água pura, a bolsa **A** retira água do recipiente por osmose. A pressão de entrada de água nessa bolsa força o líquido a fluir pelo tubo em direção à bolsa **B**, arrastando consigo moléculas de sacarose.

Nesse modelo, a bolsa **A** com a solução de sacarose representa as células produtoras ou armazenadoras de substâncias orgânicas. A bolsa **B**, inicialmente com água pura, representa células consumidoras como as das raízes, por exemplo. O tubo que liga as bolsas representa os vasos floemáticos.

O fluxo de líquido da bolsa **A** para a **B** mantém-se enquanto as concentrações de sacarose nas bolsas são diferentes, isto é, enquanto existe desequilíbrio osmótico. É isso que ocorre nas plantas, pois as células consumidoras utilizam continuamente as substâncias orgânicas que chegam até elas, mantendo sua concentração nessa extremidade do floema sempre menor que na extremidade em contato com as células produtoras ou armazenadoras. (Fig. 29.8)

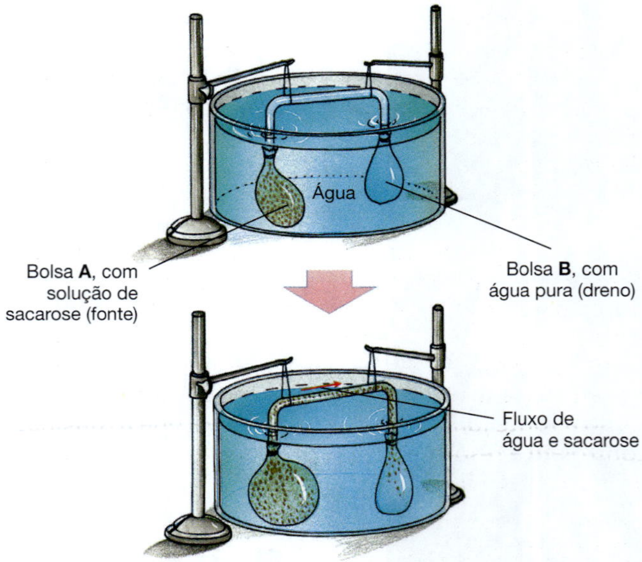

Figura 29.8 Modelo físico da hipótese do fluxo de massa para explicar o deslocamento da seiva orgânica nos elementos condutores do floema.

29.4 Hormônios vegetais e controle do desenvolvimento

Nas plantas, o desenvolvimento é controlado por substâncias orgânicas denominadas **fitormônios** (do grego *horman*, estimular), ou **hormônios vegetais**. Estes são produzidos em determinadas regiões da planta e migram para outros locais, onde exercem seus efeitos, que consistem na regulação do desenvolvimento em suas diversas manifestações – crescimento, resposta a estímulos, floração, etc.

Os fitormônios atuam em pequenas quantidades e sobre células específicas, denominadas células-alvo do hormônio. Há cinco grupos principais de fitormônios, responsáveis pelo controle da divisão celular, do crescimento celular e pela diferenciação das células, entre outras ações. São eles: a) auxinas; b) giberelinas; c) citocininas; d) ácido abscísico; e) etileno. Além desses fitormônios, recentemente têm sido identificadas outras substâncias com funções reguladoras. (Tab. 29.3)

Auxinas

As **auxinas** são um grupo de fitormônios representado principalmente pelo ácido indolilacético (AIA). Essas substâncias produzidas nos ápices caulinares e em folhas jovens, frutos e sementes em desenvolvimento, deslocam-se ativamente pelas células parenquimáticas que circundam os tecidos vasculares. O deslocamento independe da gravidade e é polarizado, ou seja, as auxinas deslocam-se sempre dos locais onde são produzidas para as regiões inferiores da planta.

Um dos principais efeitos das auxinas é causar o alongamento de células recém-formadas, promovendo seu crescimento. O efeito depende da concentração desse fitormônio; em concentrações adequadas, as auxinas promovem o crescimento máximo das células; em concentrações excessivas, elas inibem o alongamento celular.

A sensibilidade das células às auxinas varia nas diferentes partes da planta; o caule, por exemplo, é menos sensível a esse fitormônio que a raiz. Por isso, uma concentração de auxina que induz um crescimento "ótimo" do caule terá efeito fortemente inibidor sobre o crescimento da raiz. Por outro lado, concentrações de auxina ótimas para o crescimento da raiz serão insuficientes para produzir efeitos no caule. (Fig. 29.9)

Uma resposta adaptativa do caule é crescer em direção à fonte luminosa, fenômeno denominado **fototropismo** positivo. Quando uma planta é iluminada mais intensamente de um lado, as auxinas migram para o lado oposto, menos iluminado, o que faz as células desse lado se alongarem mais, curvando o caule em direção à fonte luminosa. É dessa maneira que as auxinas controlam a resposta adaptativa caulinar de crescer em direção à luz. (Fig. 29.10)

As auxinas também são responsáveis pelo **gravitropismo** ou **geotropismo** negativo exibido pelos caules, a resposta adaptativa que os faz crescer em sentido oposto ao da força da gravidade. Quando o caule é colocado em posição horizontal, as auxinas produzidas pela gema apical migram para o lado voltado para o solo. Assim, as células desse lado se alongam mais que as do lado oposto, curvando o caule para cima.

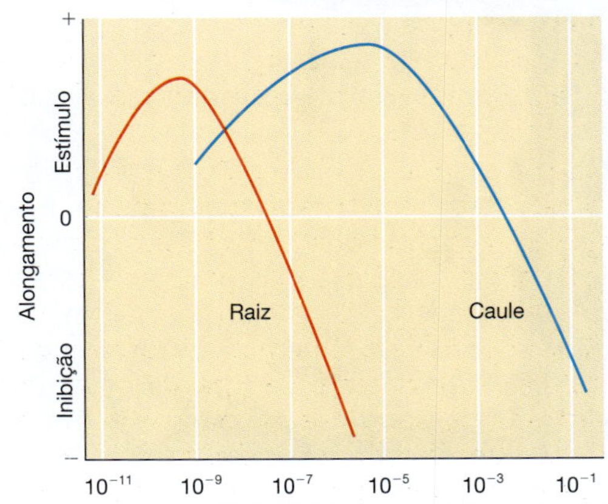

Figura 29.9 Gráfico representando o efeito de diferentes concentrações de auxina sobre o crescimento de raízes e caules. (Baseado em Campbell, N. A. e cols., 1999.)

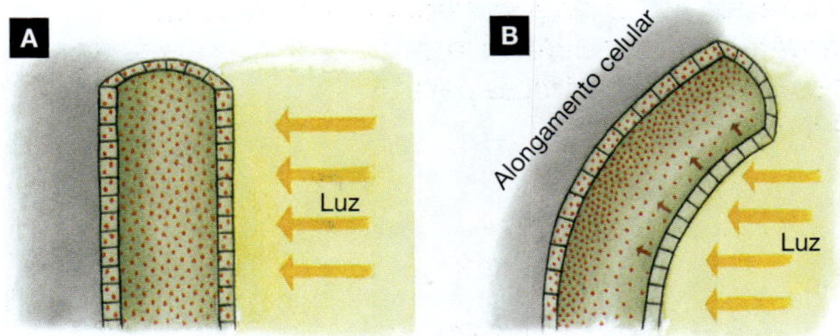

Figura 29.10 A. Representação esquemática de um caule iluminado lateralmente. **B.** Devido ao deslocamento de auxina para o lado não iluminado, este apresenta maior alongamento celular, e a planta se curva em direção à fonte de luz. (Elementos representados fora de proporção de tamanho entre si; cores-fantasia.)

Tabela 29.3 ▪ Principais hormônios vegetais

Hormônio	Principais funções	Local de produção	Transporte
Auxina	Estimula o alongamento celular; atua no fototropismo, no geotropismo, na dominância apical e no desenvolvimento dos frutos.	Meristema apical do caule, primórdios foliares, folhas jovens, frutos e sementes em desenvolvimento.	Células do floema e de parênquima associado.
Giberelina	Promove a germinação de sementes e o desenvolvimento de brotos; estimula o alongamento do caule e das folhas, a floração e o desenvolvimento de frutos.	Meristema apical do caule, frutos e sementes em desenvolvimento.	Provavelmente através do xilema e do floema.
Citocinina	Estimula as divisões celulares e o desenvolvimento das gemas; participa da diferenciação dos tecidos e retarda o envelhecimento dos órgãos.	Ápice da raiz, principalmente.	Através do xilema.
Ácido abscísico	Promove a dormência de gemas e de sementes; induz o envelhecimento de folhas, flores e frutos; induz o fechamento dos estômatos.	Folhas e sementes.	Através do floema nas folhas e do xilema nas raízes.
Etileno	Estimula o amadurecimento de frutos; atua na queda natural das folhas e de frutos.	Diversas partes da planta.	Difusão através dos espaços entre as células.

As raízes, ao contrário dos caules, têm gravitropismo positivo, crescendo no sentido da força da gravidade. Quando as auxinas migram para o lado voltado para o centro gravitacional da Terra, ocorre inibição do alongamento celular e não estimulação, como no caule. Com isso, as células do lado oposto ao da concentração do hormônio se alongam mais e a raiz curva-se para baixo. (Fig. 29.11)

Figura 29.11 A. Experimento que mostra o gravitropismo, negativo para o caule e positivo para a raiz, em plantas recém-germinadas de milho; independentemente da posição da semente, o caule cresce para cima e a raiz para baixo. **B.** Plantas de tomate fotografadas no momento em que os vasos foram colocados em posição horizontal. **C.** As mesmas plantas um dia depois; note o dobramento do caule em sentido oposto ao da gravidade.

Dominância apical e outros efeitos das auxinas

As auxinas produzidas na gema apical do caule exercem forte inibição sobre as gemas laterais, mantendo-as em estado de dormência. Essa inibição, conhecida como **dominância apical**, é interrompida quando se elimina a gema apical de um ramo. Com isso, as gemas laterais localizadas nas axilas das folhas entram em desenvolvimento, produzindo ramos laterais.

Se eliminarmos o meristema apical e aplicarmos auxina na região cortada, o desenvolvimento das gemas laterais não ocorre, demonstrando que esse hormônio é mesmo o responsável pela inibição. A técnica de **poda**, usada em jardinagem, consiste em eliminar os meristemas apicais dos ramos para estimular a formação de ramos laterais. (Fig. 29.12)

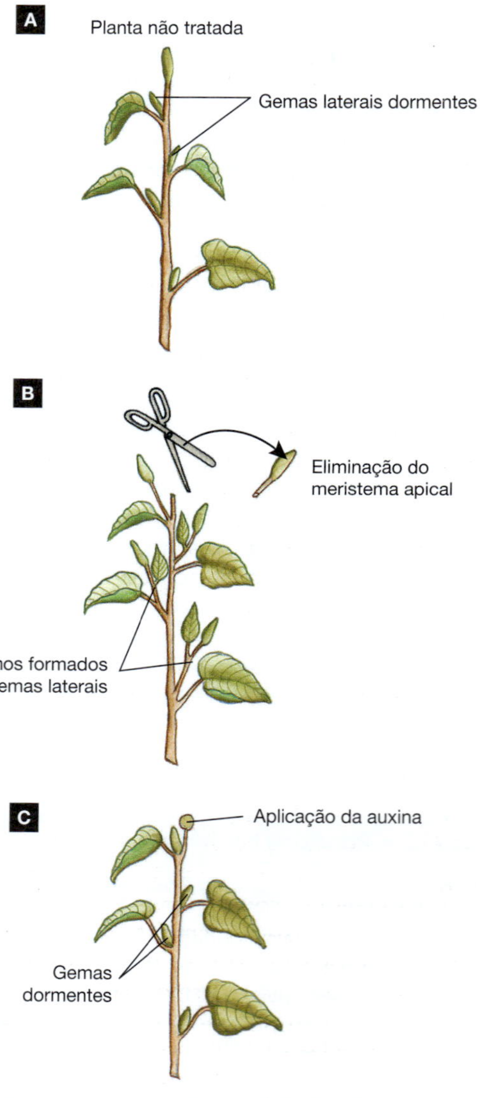

Figura 29.12 Representação esquemática do efeito inibidor da auxina sobre o desenvolvimento das gemas laterais. (Elementos fora de proporção de tamanho entre si; cores-fantasia.)

As auxinas também participam da formação dos frutos. Sementes em desenvolvimento liberam auxinas, as quais atuam sobre a parede do ovário e levam ao desenvolvimento do fruto. Por isso, na maioria das espécies vegetais, se não ocorre a fecundação, as sementes não se formam e o fruto não se desenvolve.

A aplicação de auxinas sobre o ovário de certas plantas permite o desenvolvimento do fruto sem fecundação. Essa técnica tem sido utilizada para a produção de frutos sem sementes, de maior valor comercial. Há frutos partenocárpicos naturais como a banana, o limão-taiti e a laranja-baía, que se formam sem a aplicação de auxinas exógenas. Nesses casos, células do ovário já produzem hormônios em quantidade suficiente para estimular o desenvolvimento do fruto, mesmo sem a formação de sementes.

A queda natural de folhas, flores e frutos, fenômeno conhecido como **abscisão**, também está relacionada com as auxinas. Ao envelhecer, folhas, flores e frutos produzem menos auxinas, cuja presença é necessária para evitar a queda.

Giberelinas

As **giberelinas** são produzidas no meristema apical do caule, nas sementes em desenvolvimento e nos frutos, sendo transportadas provavelmente pelo xilema e pelo floema. Um de seus principais efeitos é promover o crescimento de caule e de folhas, estimulando tanto as divisões quanto o alongamento celular. Algumas variedades de plantas têm baixa estatura – variedades anãs – por não produzirem giberelina em quantidade suficiente para promover o mesmo crescimento do caule presente nas variedades "normais".

Ao iniciar o desenvolvimento, o embrião vegetal libera giberelinas, que se difundem para todos os tecidos da semente, estimulando a síntese de enzimas hidrolíticas; estas degradam moléculas orgânicas armazenadas no endosperma e nos cotilédones. Os produtos dessa degradação, principalmente açúcares e aminoácidos, são absorvidos pelas células do embrião e utilizados como matéria-prima para o crescimento.

As giberelinas, assim como as auxinas, levam ao desenvolvimento de frutos partenocárpicos. Em algumas espécies, como tangerinas e uvas, em que a auxina é ineficaz para induzir a produção de frutos sem sementes, a aplicação de giberelinas produz esse efeito.

Citocininas

Citocininas são fitormônios que atuam em associação com as auxinas, estimulando a divisão celular. Elas estão presentes em locais da planta onde há grande proliferação celular, como sementes em germinação, frutos, folhas em desenvolvimento e pontas de raízes. Esses fitormônios são produzidos principalmente no ápice da raiz e seu transporte ocorre pelo xilema.

As citocininas atuam em associação com as auxinas no controle da dominância apical, com efeitos antagônicos; enquanto as auxinas inibem o desenvolvimento das gemas laterais, as citocininas provenientes das raízes estimulam as gemas a se desenvolverem. Quando a gema apical é removida, a ação das auxinas cessa e a ação das citocininas sobressai, induzindo o desenvolvimento das gemas laterais.

Outro curioso efeito das citocininas é retardar o envelhecimento da planta. As plantas se mantêm vivas por mais tempo quando se adicionam citocininas à água de vasos ou se pulverizam as flores com solução contendo esses fitormônios.

Ácido abscísico e etileno

O **ácido abscísico** (ABA) é responsável pela interrupção do crescimento das plantas no inverno, atuando também quando a planta é submetida a situações adversas, como falta de água, por exemplo. Nessas condições, as raízes da planta aumentam a síntese de ABA que, pelo xilema, chega até as folhas. A presença desse fitormônio leva as células-guarda dos estômatos a eliminar potássio e a perder água, fechando o ostíolo.

Outro efeito do ácido abscísico é causar a dormência de sementes, o que impede sua germinação prematura. Embriões de milho geneticamente incapazes de produzir ácido abscísico não apresentam dormência, germinando ainda na espiga. Em regiões áridas, as sementes de muitas plantas só germinam depois de lavadas pela água da chuva, que remove o excesso de ácido abscísico nelas presente.

O **etileno** (C_2H_4) é uma substância gasosa produzida em diversas partes da planta e que provavelmente se distribui por difusão pelos espaços intercelulares. Seu principal efeito é induzir o amadurecimento dos frutos. Por isso, é utilizado no comércio de frutas.

Outro efeito do etileno é participar da abscisão das folhas, junto com as auxinas. Nas regiões de clima temperado, a concentração de auxina nas folhas de certas plantas diminui no outono; isso leva à produção do etileno, responsável direto pela queda das folhas.

29.5 Fitocromos e desenvolvimento

Uma classe de substância importante no desenvolvimento das plantas é o **fitocromo**, proteína que permite às células vegetais responderem a estímulos luminosos.

A molécula de fitocromo pode assumir duas formas interconversíveis, chamadas $\mathbf{F_v}$ (fitocromo vermelho) e $\mathbf{F_{vl}}$ (fitocromo vermelho longo). O fitocromo F_v, também conhecido como $\mathbf{P_r}$ (do inglês *phytochrome red*), transforma-se em fitocromo F_{vl} (fitocromo vermelho longo), também conhecido por P_{fr} (do inglês *phytochrome far red*, fitocromo vermelho longo), ao absorver luz vermelha de comprimento de onda na faixa de 660 nm. O fitocromo F_{vl}, por sua vez, transforma-se em fitocromo F_v na escuridão, ou se absorver luz vermelha de comprimento de onda mais longo, na faixa de 730 nm (vermelho de onda mais longa).

Como a luz solar contém comprimentos de onda correspondentes tanto ao vermelho quanto ao vermelho longo, durante o dia as plantas apresentam as duas formas de fitocromos, com certa predominância de fitocromo F_{vl}. À noite, o fitocromo F_{vl} converte-se em fitocromo F_v. Dependendo da duração do período de escuridão, essa conversão pode ser total, de forma que a planta, ao fim de uma longa noite de inverno, pode apresentar apenas fitocromo F_v. (Fig. 29.13)

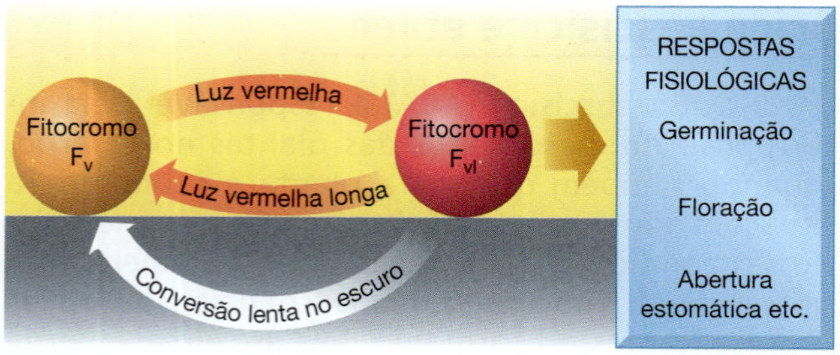

Figura 29.13 Representação esquemática dos fatores que afetam a conversão da forma inativa do fitocromo (F_v) para a forma ativa (F_{vl}), e vice-versa.

Luz e germinação de sementes

Os fitocromos estão envolvidos em diversos processos fisiológicos, como a germinação de sementes de certas espécies de planta, que só ocorre com estímulo luminoso. A dependência da luz para a germinação é uma característica adaptativa de sementes pequenas, como as de alface, por exemplo. Como essas sementes não têm muitas reservas nutritivas, é conveniente que elas germinem perto da superfície do solo, iniciando o mais rápido possível a produção de seu próprio alimento.

O efeito da luz sobre a germinação é denominado **fotoblastismo** (do grego *photos*, luz, e *blástos*, broto). Sementes que necessitam de estímulos luminosos para germinar são chamadas de **fotoblásticas positivas**; as que não necessitam de tais estímulos são denominadas **fotoblásticas negativas**. Sementes fotoblásticas positivas precisam de estímulos luminosos porque, nelas, o processo de germinação é induzido pelo fitocromo F_{vl}, que se forma durante o período de exposição à luz.

As sementes da maioria das espécies vegetais são fotoblásticas negativas, germinando mesmo quando enterradas profundamente no solo. Nesses casos, o eixo epicótilo-hipocótilo alonga-se rapidamente e a jovem planta emerge do solo como um cotovelo denominado gancho de germinação (relembre no capítulo anterior).

Luz e estiolamento

O crescimento na ausência de luz, enquanto a planta jovem ainda está enterrada no solo, é chamado de **estiolamento**. Trata-se de um processo adaptativo que faz a planta atingir logo a superfície; a manutenção do gancho de germinação, na ausência de luz, evita o contato direto da gema apical e das primeiras folhas com as partículas de solo, o que poderia acarretar danos às frágeis estruturas da planta jovem.

O estiolamento pode ser observado colocando-se sementes para germinar sobre um substrato úmido (solo, algodão, papel absorvente etc.) no claro e na escuridão. Plantas que se desenvolvem no escuro apresentam caule alongado, folhas pequenas, gancho pronunciado e cor amarelada, uma vez que os plastos não produzem clorofila na ausência de luz. Esse conjunto de características, típico do estiolamento, deve-se à ausência de fitocromo F_{vl}. (Fig. 29.14)

ARQUIVO DO AUTOR

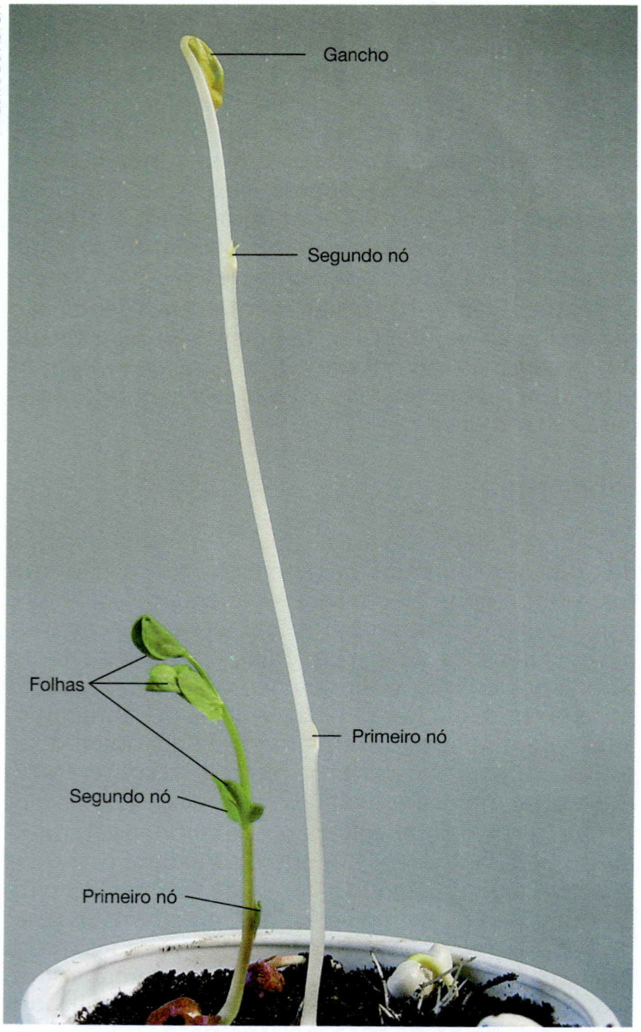

Figura 29.14 À esquerda, planta de ervilha germinada em condições naturais, replantada ao lado de uma planta de mesma idade germinada na ausência de luz (à direita).

Luz e floração

A floração de diversas espécies de planta ocorre em épocas específicas do ano. É comum ouvirmos dizer que tal planta floresce em agosto, outra em outubro, e assim por diante. Mas o que faz as plantas florescerem em épocas determinadas?

Diversas espécies de plantas têm sua floração regulada pelo **fotoperiodismo**, ou seja, pela relação entre os períodos iluminados e de escuridão no ciclo de 24 horas. Quanto ao comportamento de floração, as plantas podem ser classificadas em três tipos básicos: plantas de dia curto, plantas de dia longo e plantas neutras.

Plantas de dia curto são as que florescem quando a duração do período iluminado diário é inferior a determinado número de horas, denominado **fotoperíodo crítico**. Em geral, essas plantas florescem no início da primavera ou do outono. Exemplos de plantas de dia curto são o morango e o crisântemo.

Plantas de dia longo florescem quando a duração do período iluminado diário é superior ao fotoperíodo crítico. Em geral, essas plantas florescem no verão. Alguns exemplos são a íris, a alface e o espinafre.

Não é a duração absoluta do período iluminado que importa, mas se ele é maior ou menor que determinado valor, o fotoperíodo crítico da espécie de planta considerada. Por exemplo, a erva-touro (*Xanthium strumarium*) é uma planta de dia curto e o espinafre (*Spinacia oleracea*) é uma planta de dia longo, mas ambas florescem se expostas a períodos de iluminação diários de 14 horas. A erva-touro é classificada como de dia curto porque floresce quando o período de iluminação diário é igual ou inferior a 16 horas, seu fotoperíodo crítico. O espinafre é considerado uma planta de dia longo porque floresce quando submetido a um período de iluminação diário igual ou superior a 12 horas, seu fotoperíodo crítico.

Plantas neutras são aquelas cuja floração independe do fotoperíodo. Nesse caso, a floração ocorre em resposta a outros tipos de estímulo, como um período de frio, de chuva ou de calor. O tomate, o dentálio e o feijão-de-corda são exemplos de plantas neutras.

Controle de fotoperiodismo pelo fitocromo

Nas plantas de dia curto, o fitocromo F_{vl} atua como inibidor da floração. Por isso, elas florescem apenas nas estações do ano em que as noites são longas. Durante o período prolongado de escuridão, todo fitocromo F_{vl} se converte espontaneamente em fitocromo F_v, deixando de inibir a floração.

Nas plantas de dia longo, o fitocromo F_{vl} atua como indutor da floração e elas só florescem se os períodos de escuridão forem curtos, de modo que não haja conversão total de fitocromo F_{vl} em fitocromo F_v. Na época do ano em que as noites são longas, as plantas de dia longo não florescem, porque todo o fitocromo F_{vl} é convertido em fitocromo F_v, o qual não induz a floração. (Fig. 29.15)

Outros fatores também podem determinar a floração de plantas que respondem ao fotoperiodismo. Por exemplo, o trigo de inverno, uma planta de dia curto, não florescerá mesmo com o fotoperíodo apropriado, a menos que a planta fique exposta por várias semanas a temperaturas inferiores a 10° C. Essa necessidade de frio para florescer, ou para uma semente germinar – chamada de **vernalização** –, é comum em plantas de clima temperado. Se, após a vernalização, o trigo de inverno é submetido a fotoperíodos indutores menores que o fotoperíodo crítico, ele floresce.

Biblioteca do estudante
Sugestões de livros, *sites* e vídeos

Figura 29.15 Influência da luz na floração de plantas. **A.** Plantas de dia curto (noite longa), como o crisântemo (*Dendranthema* sp.), florescem quando o período de escuridão é **superior** a determinado valor-limite. Se um único lampejo de luz interrompe o período de escuridão, a floração é inibida. **B.** Plantas de dia longo (noite curta), como a íris (*Iris sibirica*), florescem apenas se a duração do período escuro é **inferior** a um valor-limite. Basta um único lampejo de luz durante o período de escuridão para a planta florescer.

Revendo conceitos fundamentais

Escreva, em seu caderno, o termo abaixo que substitui corretamente a tarja entre parênteses das frases de 1 a 6.

a) macronutriente
b) micronutriente
c) ponto de compensação fótico
d) ponto de saturação luminosa
e) seiva mineral
f) seiva orgânica

1. O(A) (▬) é um valor de intensidade luminosa em que todo gás oxigênio produzido na fotossíntese é utilizado na respiração e todo gás carbônico produzido na respiração é utilizado na fotossíntese.

2. O(A) (▬) é um elemento químico de que a planta necessita em quantidades relativamente grandes.

3. A solução de substâncias orgânicas transportadas pelo floema constitui o(a) (▬).

4. O valor de intensidade luminosa acima do qual a atividade fotossintética se mantém constante é chamado (▬).

5. Um elemento químico de que a planta necessita em quantidades relativamente pequenas é um(a) (▬).

6. (▬) é uma solução de água e de sais minerais transportada pelo xilema.

Escreva, em seu caderno, o termo abaixo que substitui corretamente a tarja entre parênteses das frases de 7 a 12.

a) ácido abscísico
b) auxina
c) citocinina
d) etileno
e) fitocromo
f) giberelina

7. O(A) (▬) é uma substância fotossensível à luz vermelha, presente no citoplasma de células vegetais e que controla uma série de processos, entre eles a floração.

8. O(A) (▬) é um hormônio vegetal que promove, em conjunto com outros, a divisão celular (citocinese).

9. O hormônio vegetal que bloqueia o crescimento das plantas no inverno e que, entre outros efeitos, mantém a dormência das sementes é o(a) (▬).

10. O hormônio vegetal diretamente envolvido no amadurecimento dos frutos é o(a) (▬).

11. O hormônio vegetal produzido principalmente na gema apical do caule e que, entre outros efeitos, promove o alongamento celular é o(a) (▬).

12. (▬) é um hormônio vegetal que promove o crescimento de caules e folhas, estimulando tanto a divisão quanto o alongamento celular.

Escreva, em seu caderno, o termo a seguir que substitui corretamente a tarja entre parênteses das frases de 13 a 16.

a) dominância apical
b) fotoperiodismo
c) fototropismo
d) gravitropismo (ou geotropismo)

13. O crescimento das plantas em direção à fonte de luz é chamado (▬).

14. O(A) (▬) é o crescimento de caules e raízes em resposta à força gravitacional.

15. O(A) (▬) é a capacidade apresentada por certas plantas de florir em resposta à duração dos períodos de escuridão.

16. O efeito inibidor que a gema do ápice caulinar tem sobre as gemas laterais é chamado (▬).

Ligando conceitos, fatos e processos

17. As moléculas orgânicas de que uma planta necessita para formar os componentes de suas células são

a) retiradas diretamente do solo junto com a água e os sais minerais.
b) produzidas pela própria planta a partir de moléculas orgânicas retiradas do solo.
c) produzidas pela própria planta a partir de substâncias inorgânicas retiradas do solo e do ar.
d) produzidas pela própria planta a partir de moléculas inorgânicas e orgânicas retiradas do solo e do ar.

18. A absorção de água e de sais minerais por uma planta ocorre principalmente através dos

a) estômatos presentes na epiderme das folhas.
b) pelos absorventes presentes na epiderme das folhas.
c) estômatos presentes na epiderme das raízes.
d) pelos absorventes presentes na epiderme das raízes.

19. De acordo com a hipótese da coesão-tensão, a principal força responsável pelo deslocamento da seiva mineral desde as raízes até as folhas é gerada diretamente pela

a) energia liberada na fotossíntese.
b) energia liberada na respiração celular.
c) energia luminosa captada na fotossíntese.
d) transpiração foliar.

20. Os estômatos abrem-se, permitindo a livre passagem de gases e de vapor d'água, quando as células estomáticas

a) absorvem água e ficam túrgidas.
b) absorvem água e ficam flácidas.
c) perdem água e ficam túrgidas.
d) perdem água e ficam flácidas.

21. Dizer que a concentração de gás carbônico é um fator limitante da fotossíntese significa que

a) quanto maior a concentração de gás carbônico menor é a taxa de fotossíntese.

b) a taxa de fotossíntese só não é maior, em determinadas condições, porque não há gás carbônico suficiente para que isso ocorra.

c) a taxa de fotossíntese independe da concentração de gás carbônico no ambiente.

d) a fotossíntese só ocorre na presença de determinada concentração de gás carbônico.

22. Suponha um ambiente cuja luminosidade seja intermediária entre os valores correspondentes aos pontos de compensação fótico de uma planta de sombra e de uma planta de sol. Se as duas plantas forem mantidas nesse ambiente, pode-se prever que

a) ambas crescerão bem.

b) a planta de sol crescerá bem, mas a planta de sombra será prejudicada.

c) a planta de sombra crescerá bem, mas a planta de sol será prejudicada.

d) ambas serão prejudicadas.

Para responder às questões 23 e 24 use o gráfico a seguir, que mostra o efeito de diferentes concentrações de auxina sobre o alongamento de células do caule e da raiz.

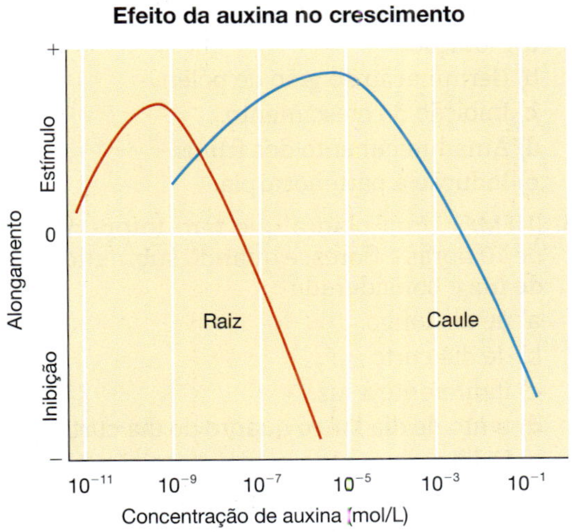

23. Uma concentração de auxina da ordem de 10^{-10} molar

a) estimula fortemente o alongamento da raiz, mas não produz efeito sobre o caule.

b) estimula fortemente o alongamento da raiz e do caule.

c) inibe o alongamento da raiz e do caule.

d) inibe o alongamento da raiz e estimula o alongamento do caule.

24. Uma concentração de auxina da ordem de 10^{-6} molar

a) estimula fortemente o alongamento da raiz, mas quase não produz efeito sobre o caule.

b) estimula fortemente o alongamento da raiz e do caule.

c) inibe o alongamento da raiz e do caule.

d) inibe o alongamento da raiz e estimula o alongamento do caule.

Escreva, em seu caderno, o termo abaixo que substitui corretamente a tarja entre parênteses das frases de 25 a 27.

a) ácido abscísico c) citocinina
b) auxina d) etileno

25. Um agricultor interessado em obter frutos sem semente deveria pulverizar (■■■) sobre as flores.

26. Um comerciante interessado em estimular o amadurecimento de frutos deveria tratá-los com (■■■).

27. Um biólogo interessado em estimular a multiplicação de células vegetais em cultura de tecidos deve tratar as células com (■■■).

Escreva, em seu caderno, o termo abaixo que substitui corretamente a tarja entre parênteses das frases de 28 a 31.

a) planta de dia curto c) planta neutra
b) planta de dia longo

28. Uma planta que, para florescer, requer períodos de escuridão iguais ou maiores que 8 horas é uma (■■■).

29. Uma planta que não floresce quando submetida a períodos de escuridão maiores que 8 horas é uma (■■■).

30. Uma planta que só floresce em fotoperíodos com períodos de escuridão de, no mínimo, 16 horas é uma (■■■).

31. Uma planta que não responde ao fotoperíodo é uma (■■■).

Questões para exercitar o pensamento

32. Um casal apaixonado decidiu construir uma casa sobre os ramos mais baixos de uma grande árvore, com a intenção de deixá-la para seus filhos e netos. Uma preocupação, durante a elaboração do projeto, é que a casa poderia ficar cada vez mais alta com o passar dos anos. Qual é sua opinião a respeito? Justifique-a em um texto objetivo, embasado nos conteúdos do capítulo.

33. Talvez você já tenha notado que certas plantas colocadas dentro de casa, apesar de regadas adequadamente, não se desenvolvem, passando meses sem crescer ou sem produzir folhas. Se essas plantas forem colocadas em locais mais ensolarados, depois de alguns dias o crescimento é retomado. Com base no que aprendeu no capítulo, redija uma explicação para esses fatos. Utilize em sua explicação os seguintes conceitos: a) fotossíntese; b) respiração; c) substâncias orgânicas; d) ponto de compensação fótico; e) plantas de sol; f) plantas de sombra.

34. Duas plantas da mesma espécie são submetidas às seguintes situações: a) ambiente bem iluminado e, a partir de determinado momento, o suprimento de água no solo torna-se insuficiente; b) ambiente de solo bem irrigado com suprimento de água abundante e, a partir de determinado momento, começa a anoitecer. Qual é o comportamento esperado dos estômatos nessas duas situações? Explique por que ocorrem tais comportamentos e qual é a importância deles para a planta.

35. O gráfico a seguir foi construído com base em dados recolhidos pela FAO (Organização das Nações Unidas para a Agricultura e Alimentação) e refere-se à utilização de fertilizantes (linha contínua) e à colheita de arroz (linha pontilhada) em Formosa, durante um período de 30 anos (1930-1959).

Efeito do fertilizante no tamanho da colheita

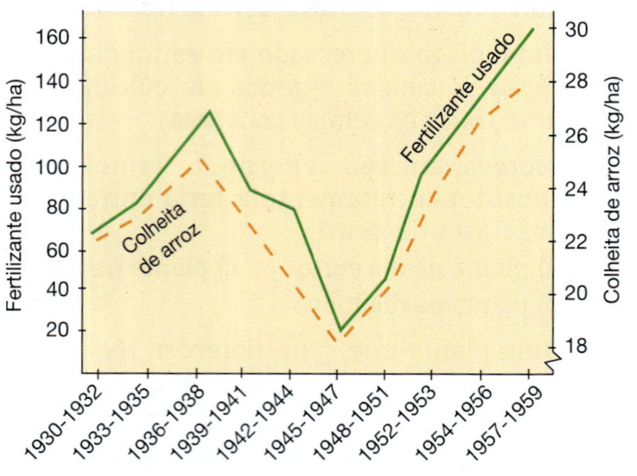

Analise o gráfico e responda às questões.

a) Que relação existe entre o uso de fertilizante e a produção de arroz?

b) Qual seria a melhor explicação para a alta produção de arroz nos períodos 1936-1938 e 1954-1956? E para a baixa produção desse cereal no período 1945-1947?

c) Qual é a explicação para o efeito do fertilizante sobre a produtividade do arroz?

36. O fotoperíodo crítico da aveia é de 9 horas.

a) Com apenas essa informação pode-se saber se essa planta é de dia longo ou de dia curto? Justifique sua resposta.

b) Plantas de aveia em regime de 7 horas de luminosidade seguidas por 17 horas de escuridão não florescem. Com base nessa nova informação, é possível classificar essas plantas quanto ao fotoperiodismo? Justifique sua resposta.

A Biologia no vestibular e no Enem

Questões objetivas

1. (UFS-SE) Das condições abaixo, a que provoca abertura dos estômatos é a

a) baixa umidade do ar ao redor das folhas.

b) excreção de íons minerais pelas células estomáticas.

c) absorção de água pelas células estomáticas.

d) conversão de glicose em amido nas células estomáticas.

e) diminuição da concentração de CO_2 no ar circundante.

2. (UFPE) Existem fatores que interferem na taxa de fotossíntese de uma planta. A esse propósito, analise os itens mencionados a seguir.

1. Intensidade de energia luminosa.
2. Concentração de gás carbônico.
3. Temperatura.
4. Concentração de oxigênio.

Interferem na taxa fotossintética:

a) 1, 2, 3 e 4.
b) 1, 2 e 3 apenas.
c) 2 e 3 apenas.
d) 3 e 4 apenas.
e) 1 e 2 apenas.

3. (Uespi) O hormônio vegetal que estimula o alongamento do caule e da raiz, que atua no fototropismo, no geotropismo, na dominância apical e no desenvolvimento dos frutos é denominado

a) etileno.
b) ácido abscísico.
c) auxina.
d) giberelina.
e) citocinina.

4. (Uece) Em jardinagem o hábito de podar plantas promove o aparecimento de ramos, flores e frutos em virtude do desenvolvimento de gemas laterais. Este processo está relacionado ao fenômeno de

a) dormência, controlado pelo ácido abscísico.

b) abscisão, controlado pelas giberelinas.

c) dominância apical, controlado pelas auxinas.

d) dominância apical, controlado pelas giberelinas.

5. (UPE) Qual é a alternativa que apresenta uma das funções dos fitocromos.

a) Floração.

b) Germinação do grão de pólen.

c) Inibição do crescimento.

d) Amadurecimento dos frutos.

e) Indução à partenocarpia.

6. (UFMA) Uma planta que tem fotoperíodo crítico de 10 horas e floresce quando submetida a 8 horas de luz é considerada

a) de dia longo.

b) de dia curto.

c) indiferente à luz.

d) tanto de dia longo quanto de dia curto.

e) indiferente ao tempo de exposição à luz.

7. (UEMS) Conjunto de células que apresentam um orifício central (ostíolo), que existe na epiderme de alguns órgãos verdes dos vegetais (principalmente nas folhas) e que tem função de regular as trocas gasosas da planta com a atmosfera:

a) pecíolo.
b) mesófilo.
c) tricoma.
d) estroma.
e) estômatos.

8. (UFG) O proprietário de um viveiro de plantas deseja incrementar seu lucro com o aumento da produção de mudas provenientes de brotação. Para tanto, solicitou a orientação de um especialista que recomendou o tratamento com o hormônio vegetal

a) ácido abscísico, para propiciar o fechamento estomático.

b) auxina, para promover o enraizamento de estacas.

c) citocinina, para estimular a germinação.

d) etileno, para intensificar a maturação dos frutos.

e) giberelina, para induzir a partenocarpia.

9. (UFSCar-SP) O gráfico representa as taxas fotossintéticas e de respiração para duas diferentes plantas, uma delas umbrófita (planta de sombra) e a outra heliófita (planta de sol). Considere que a taxa respiratória é constante e igual para as duas plantas.

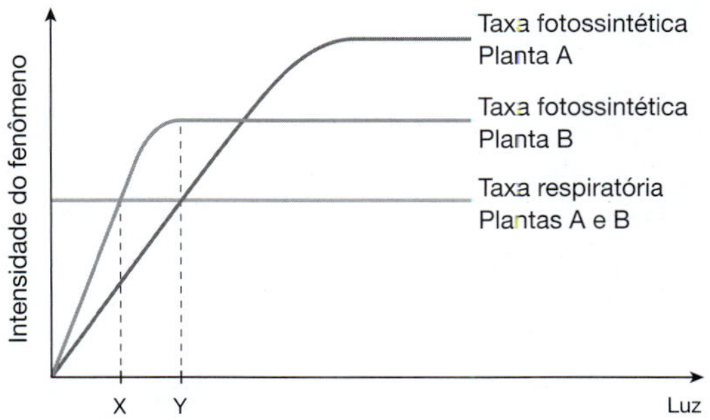

Pode-se concluir que

a) no intervalo X-Y, cada uma das plantas consome mais oxigênio do que aquele produzido na sua fotossíntese.
b) a partir do ponto Y, cada uma das plantas consome mais oxigênio do que aquele produzido na sua fotossíntese.
c) as plantas A e B são, respectivamente, umbrófita e heliófita.
d) No intervalo X-Y, cada uma das plantas produz mais oxigênio do que aquele consumido na sua respiração.
e) no ponto X, a planta A consome mais oxigênio do que aquele produzido na sua fotossíntese, e a planta B produz a mesma quantidade de oxigênio que aquela consumida na sua respiração.

10. (Fuvest-SP) As substâncias orgânicas de que uma planta necessita para formar os componentes de suas células são

a) sintetizadas a partir de substâncias orgânicas retiradas do solo.
b) sintetizadas a partir de substâncias orgânicas retiradas do solo e de substâncias inorgânicas retiradas do ar.
c) sintetizadas a partir de substâncias inorgânicas retiradas do solo e do ar.
d) extraídas de bactérias e de fungos que vivem em associação com suas raízes.
e) extraídas do solo juntamente com a água e os sais minerais.

11. (Uerj)

"Uma fruta podre no cesto pode estragar todo o resto."

O dito popular acima baseia-se no fundamento biológico de que a liberação de um hormônio volátil pelo fruto mais maduro estimula a maturação dos demais frutos. Esse hormônio é denominado de

a) etileno.
b) auxina.
c) citocinina.
d) giberelina.

Questões discursivas

12. (UFC) Atualmente é comum haver, em muitos supermercados da cidade, verduras que foram cultivadas através da técnica da hidroponia, ou seja, do cultivo em soluções de nutrientes inorgânicos e não no solo. Pergunta-se:

a) Como são classificados os nutrientes inorgânicos essenciais, adicionados à solução? Cite 2 (dois) exemplos de cada grupo.
b) Por que a solução de nutrientes utilizada na hidroponia deve ser continuamente aerada?

13. (UFRJ) O gráfico a seguir mostra a variação da taxa de respiração das folhas de uma árvore ao longo do ano.

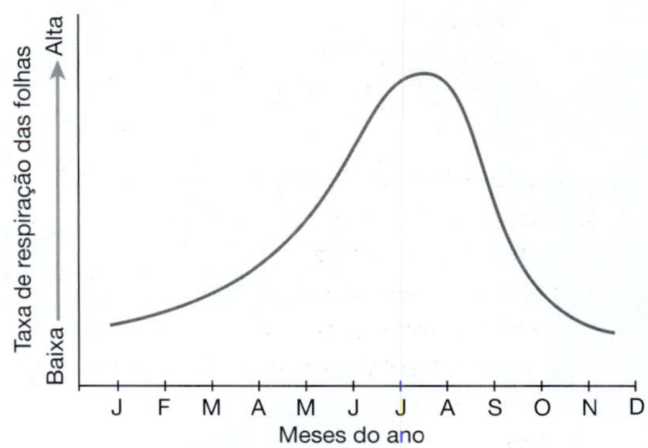

Determine se essa planta está no Hemisfério Norte ou no Hemisfério Sul. Justifique sua resposta.

14. (Unicamp-SP) A transpiração é importante para o vegetal por auxiliar no movimento de ascensão da água através do caule. A transpiração nas folhas cria uma força de sucção sobre a coluna contínua de água do xilema: à medida que esta se eleva, mais água é fornecida à planta.

a) Indique a estrutura que permite a transpiração na folha e a que permite a entrada de água na raiz.
b) Mencione duas maneiras pelas quais as plantas evitam a transpiração.
c) Se a transpiração é importante, por que a planta apresenta mecanismos para evitá-la?

15. (UFRJ) As flores não polinizadas que são pulverizadas com os hormônios auxinas e giberelinas podem produzir frutos sem sementes (partenocárpicos), como, por exemplo, as uvas sem sementes.

a) Identifique a estrutura da flor sobre a qual esses hormônios atuam.
b) Explique por que a pulverização com auxinas e giberelinas pode levar à formação de frutos sem sementes.

Módulo 11 O reino dos animais

Capítulo 30

HELMUT CORNELI/IMAGEBROKER/GLOW IMAGES

Tendências evolutivas nos grupos animais

Itens principais:

Parentesco evolutivo entre os principais gupos animais

Sistemas corporais dos animais

Capítulo 31

LUIS ASCUI/DORLING KINDERSLEY/GETTY IMAGES

Animais invertebrados

Itens principais:

Filo Porifera (poríferos ou esponjas)

Filo Cnidaria (cnidários)

Filo Platyhelminthes (platelmintos)

Filo Nematoda (nematódeos)

Filo Mollusca (moluscos)

Filo Annelida (anelídeos)

Filo Arthropoda (artrópodes)

Filo Echinodermata (equinodermos)

RICARDO AZOURY/PULSAR IMAGENS

O grupo dos animais reúne seres bastante distintos em sua forma, tamanho e hábitos. Na foto, imagem submarina do litoral brasileiro, mostrando no centro um peixe-anjo (*Holacanthus ciliaris*), que chega a 45 cm de comprimento (Guarapari, ES, 2010).

CLEVELAND HICKMAN/VISUALS UNLIMITED/GLOW IMAGES

Capítulo 32

Cordados

Itens principais:

Características gerais dos cordados
Protocordados
Características gerais dos craniados
Peixes
Tetrápodes (Tetrapoda)

Conheça os capítulos deste módulo

Por volta de 600 milhões de anos atrás, a vida na Terra se recuperava de uma severa era glacial, ocorrida entre 850 Ma e 630 Ma. Com o degelo dos oceanos, as condições tornaram-se favoráveis para que a vida animal pudesse "explodir" em diversidade. Em um período relativamente curto para os padrões do tempo geológico, surgiram os grupos animais existentes atualmente, além de muitos outros que se extinguiram, no que os cientistas denominam "explosão cambriana".

Neste módulo estudamos a Zoologia, denominação genérica dada ao estudo dos principais grupos animais, das estratégias evolutivas peculiares a cada um e das possíveis relações de parentesco evolutivo entre eles. Por estarmos tratando de eventos ocorridos há centenas de milhões de anos e dos quais temos poucas evidências, ainda há muitas lacunas a preencher nesse campo do conhecimento. Entretanto, à medida que os cientistas fazem novas descobertas e são capazes de integrar os novos conhecimentos, as relações evolutivas entre os diferentes filos de animais tornam-se mais claras. Conheça melhor nossos parceiros de reino nos capítulos deste módulo.

Capítulo 30 Apresentamos aqui algumas das principais estratégias evolutivas desenvolvidas pelos grandes filos de animais. No primeiro item, estudamos as características animais importantes para o estabelecimento das principais relações evolutivas entre os grupos. Entre essas características, destacam-se a simetria, os tecidos embrionários e a origem das cavidades corporais. No segundo e último item, o objetivo é traçar um panorama geral das soluções adaptativas desenvolvidas pelos grupos animais para diferentes necessidades básicas. Entre elas, como foram solucionados os problemas da digestão de alimento, da distribuição de substâncias pelo corpo, da respiração e da eliminação de excretas.

Capítulo 31 Traçamos um painel dos principais filos de animais invertebrados. Na apresentação, um passeio gastronômico mostra nossa proximidade com diversos animais invertebrados. Esse é um dos motivos para conhecê-los, mas não o único. Ao estudar as relações evolutivas entre os animais, reconhecemos suas estratégias adaptativas, muitas das quais compartilhamos. Além disso, vale a pena conhecer alguns animais que podem nos causar doenças e as formas de evitá-las.

Capítulo 32 Aqui estudamos os cordados, dos quais os mais expressivos são os vertebrados, grupo ao qual pertencemos. Além de mencionar os protocordados e suas relações filogenéticas com os vertebrados, traçamos um rápido panorama da diversidade do grupo dos cordados, desde os peixes-bruxa e lampreias até os mamíferos. Conhecer as principais características de nossos companheiros cordados acrescenta conhecimento sobre nós mesmos.

Capítulo 30

Tendências evolutivas nos grupos animais

O mar foi o berço dos animais que "explodiram" em diversidade por volta de 500 milhões de anos atrás. Na imagem, camarão da espécie *Hymenocera picta*, conhecido como camarão arlequim, com cerca de 6 cm de comprimento, alimentando-se de uma estrela-do-mar da espécie *Fromia monilis*, que pode chegar a 30 cm de diâmetro (Malvinas, 2012).

Enigmas da história da vida animal

Em 2004, depois de oito anos de intensas discussões, uma comissão formada por entidades geológicas de vários países acrescentou um novo período à divisão do tempo geológico: o Ediacarano. Fazia então 120 anos que a divisão do tempo geológico não sofria alterações. Geólogos russos reclamaram formalmente, pois preferiam o nome Vendiano; segundo eles, esse termo já vinha sendo utilizado naquele país e merecia prioridade. O período Ediacarano abrange 93 milhões de anos do final do Pré-Cambriano, indo de 635 Ma (milhões de anos atrás) até 541 Ma.

Para entender qual é a importância das descobertas relacionadas com o Ediacarano, precisamos voltar um pouco no tempo, até o primeiro período da era Paleozoica, o Cambriano, marcado pelo aparecimento de fósseis de todos os grupos animais existentes atualmente, fenômeno conhecido como "explosão cambriana". Os cientistas se perguntavam como uma diversificação tão grande poderia ter ocorrido em um tempo geológico relativamente curto. As respostas parecem indicar para o Ediacarano.

As novas descobertas e o avanço das técnicas de análise e datação de fósseis revelaram a curiosa biota ediacarana, termo utilizado para designar as formas de vida desse período. Embora a diversidade de organismos desse período tenha sido grande, a maioria deles não apresenta características que permitam relacioná-los a nenhum dos grupos existentes atualmente. Por isso, os cientistas acreditam que as estratégias evolutivas desses animais foram malsucedidas, levando-os à total extinção.

A diversidade da biota ediacarana, embora não tenha muitos paralelos com a fauna atual, revela que ali já se encontravam as bases para a evolução e a diversificação dos grupos de animais dos dias de hoje. Por volta de 600 milhões de anos atrás, a vida na Terra se recuperava de uma severa era glacial, que muitos chamam de período Criogeniano, entre 850 Ma e 630 Ma. Com o degelo dos oceanos, teriam surgido condições favoráveis à diversificação de algumas formas de vida no período Ediacarano, o que resultou na explosão de diversidade da vida animal no Cambriano.

30.1 Biblioteca do estudante Amplie seus conhecimentos

A importância do assunto

Neste capítulo vamos estudar um pouco da diversidade animal, tentando entender como teriam surgido as principais estratégias evolutivas apresentadas pelos grandes filos atuais.

Ainda há muitas lacunas a serem preenchidas nesse campo do conhecimento, pois estamos tratando de eventos ocorridos há centenas de milhões de anos, e dos quais temos poucas evidências. Entretanto, à medida que os cientistas passam a acumular e a integrar novos conhecimentos, as relações evolutivas entre os filos de animais tornam-se mais claras.

No primeiro item deste capítulo, vamos conhecer as características animais mais importantes para o estabelecimento das principais relações evolutivas entre os grupos. Entre essas características, destacam-se a simetria, os tecidos embrionários e a origem das cavidades corporais.

No segundo e último item, o objetivo é traçar um panorama geral das soluções adaptativas desenvolvidas pelos grupos animais para diferentes necessidades básicas. Entre elas, como foram solucionados os problemas da digestão de alimento, da distribuição de substâncias pelo corpo, da eliminação de excreções etc.

Estudar a diversidade animal é conhecer melhor nossos parceiros de Reino. Afinal, nossas origens remontam aos mesmos mares do período Ediacarano, quando a estratégia animal de vida estava sendo testada.

30.1 Parentesco evolutivo entre os principais grupos animais

Podemos imaginar a história da vida na Terra, desde sua origem até hoje, como uma árdua batalha pela adaptação. Ao longo do tempo evolutivo, os seres vivos vêm se modificando e desenvolvendo diferentes estratégias de sobrevivência. Os fósseis de animais que viveram no passado e hoje estão extintos mostram que certas estratégias não foram suficientes para fazê-los se perpetuar. Outras foram bem-sucedidas e perduram até hoje.

Com base em semelhanças morfológicas e fisiológicas entre os animais, que refletem o parentesco evolutivo entre eles, os sistematas elaboraram uma classificação que considera 35 filos, nos quais se distribuem as mais de 1 milhão de espécies animais descritas até agora. Neste capítulo trataremos apenas de nove desses filos, que reúnem as espécies mais conhecidas.

Primórdios da diversificação dos animais

Qual teria sido o ancestral de todos os animais? A hipótese predominante é que descendemos de protozoários coanoflagelados coloniais, organismos unicelulares constituídos por células semelhantes às que recobrem as cavidades internas do corpo das esponjas. Estudos genômicos recentes mostram que genes relacionados com a adesão e a troca de sinais entre as células já existiam por volta de 600 milhões de anos atrás. Essas capacidades foram fundamentais para a transição da unicelularidade para a multicelularidade. (Fig. 30.1)

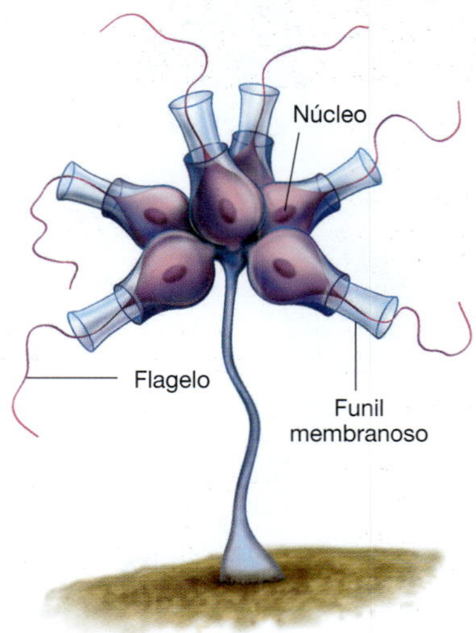

Figura 30.1 Representação esquemática de coanoflagelados coloniais do gênero *Codosiga*. Organismos similares a este podem ter sido os ancestrais dos animais; suas células medem cerca de 5 µm de comprimento e são semelhantes aos coanócitos das esponjas. (Elementos fora de proporção de tamanho entre si; cores-fantasia.)

Animais diblásticos e animais triblásticos

De acordo com as hipóteses mais aceitas atualmente, duas linhagens de animais teriam se diversificado a partir dos primeiros ancestrais multicelulares: em uma delas, as células eram pouco especializadas e não estavam organizadas em tecidos verdadeiros; na outra, as células apresentavam maior grau de especialização, formando tecidos. A primeira linhagem teria originado os poríferos atuais; a segunda, o ancestral de todos os outros grupos animais.

Desse segundo grupo teriam se diferenciado duas linhagens: uma delas originou os cnidários atuais, animais com apenas dois tecidos embrionários (**folhetos germinativos**), o **ectoderma** e o **endoderma**. A outra linhagem teria originado animais dotados de um terceiro tecido embrionário, o **mesoderma**. Animais com dois folhetos germinativos são **diblásticos**, enquanto os dotados de três são **triblásticos**. (Fig. 30.2)

Nos nove filos de animais que estudaremos neste livro, apenas os cnidários e algumas espécies de esponja apresentam **simetria radial**, isto é, diversos planos que passam pelo eixo longitudinal de seu corpo dividem o animal em metades semelhantes. As espécies dos demais filos têm **simetria bilateral**, com um único plano de simetria possível, que divide o corpo nas metades esquerda e direita. Há apenas uma exceção: o filo dos equinodermos (estrelas-do-mar e ouriços-do-mar), cujos representantes têm simetria bilateral na fase larval e simetria radial na fase adulta. A simetria radial desses animais é considerada pelos biólogos um caráter secundário, resultante da adaptação a um modo de vida séssil ou com pequena movimentação.

Animais protostômios e animais deuterostômios

Esponjas são animais filtradores que captam partículas alimentares da água, por meio das células flageladas; elas não têm sistema digestório, tampouco possuem tecidos corporais. Os cnidários apresentam dois tecidos embrionários – são diblásticos – e o primeiro tipo de sistema digestório da escala evolutiva zoológica, com apenas uma abertura, a boca, por onde o alimento entra e por onde saem os resíduos da digestão. Fala-se, nesse caso, em **sistema digestório incompleto**.

Uma aquisição evolutiva importante dos animais dotados de simetria bilateral foi o desenvolvimento do **sistema digestório completo**, com duas aberturas, a boca e o ânus. No embrião dos animais, na fase de gástrula, há apenas uma abertura de comunicação entre o arquêntero e o meio externo, o **blastóporo**. A passagem evolutiva para o sistema digestório completo consistiu no aparecimento de uma segunda abertura no arquêntero.

Curiosamente, uma linha divisória entre duas linhagens ancestrais dos animais foi o destino do blastóporo: em uma delas, ele daria origem à boca, sendo o ânus a segunda abertura a surgir. Na outra linhagem, o blastóporo originaria o ânus, com a boca formando-se depois. Os animais do primeiro grupo são denominados **protostômios** (do grego *protos*, primeiro, e *stoma*, boca) e os do segundo, **deuterostômios** (do grego *deuteros*, segundo). São protostômios os nematódeos, os moluscos, os anelídeos e os artrópodes, além de integrantes de outros filos menores. São deuterostômios os equinodermos e os cordados, grupo ao qual pertencemos.

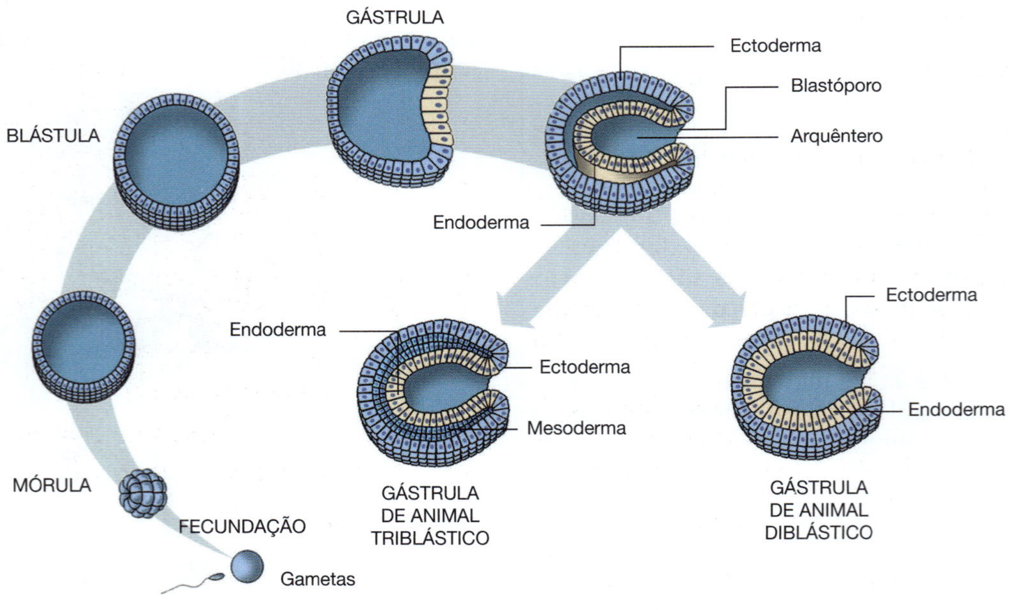

Figura 30.2 Representação esquemática do início do desenvolvimento embrionário com formação de gástrulas em animais diblásticos e triblásticos. O arquêntero é a cavidade da gástrula que dará origem ao sistema digestório do animal adulto; sua comunicação com o meio externo, o blastóporo, pode dar origem à boca ou ao ânus, dependendo do grupo animal. (Elementos fora de proporção de tamanho entre si; cores-fantasia.)

Cavidades corporais e metameria

Muitos grupos animais possuem espaços internos preenchidos por líquido, que desempenham funções como a absorção de choques mecânicos, o favorecimento da distribuição de substâncias pelo corpo, o apoio à ação dos músculos etc. Na maioria dos animais, a cavidade corporal é totalmente revestida por tecido de origem mesodérmica, sendo denominada **celoma**. Nos nematódeos, a cavidade interna é revestida por mesoderma e por endoderma, sendo denominada **pseudoceloma** (do grego *pseudo*, falso). (Fig. 30.3)

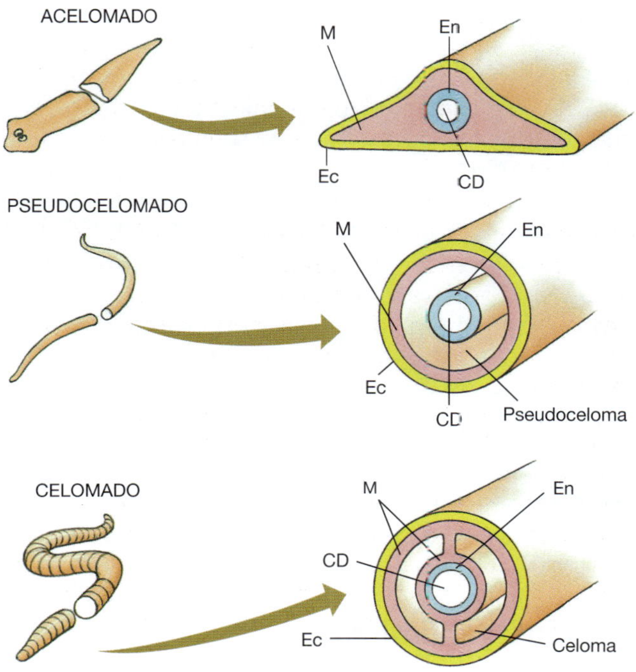

Figura 30.3 A. Representações esquemáticas de cortes transversais dos três tipos corporais básicos de animais triblásticos. CD = Cavidade digestória; Ec = Ectoderma; En = Endoderma; M = Mesoderma.

Com base na presença e no tipo de cavidade corporal, os animais triblásticos podem ser classificados em três grupos: **acelomados**, em que não há cavidade corporal além da cavidade digestória; **celomados**, que apresentam celoma; e **pseudocelomados**, que têm pseudoceloma. Os **platelmintos** são os únicos animais acelomados estudados neste livro; os nematódeos são os únicos pseudocelomados; os demais – moluscos, anelídeos, artrópodes, equinodermos e cordados – são animais celomados.

Uma estratégia evolutiva considerada importante pelos sistematas é a **metameria**, ou segmentação corporal, que consiste em apresentar o corpo organizado em segmentos iguais ou semelhantes, os **metâmeros**. Os cientistas acreditam que uma das principais vantagens da metameria é a organização segmentada da musculatura, que confere ao animal uma versatilidade muito grande na movimentação corporal. Dados recentes sugerem que a metameria deve ter surgido independentemente, por convergência evolutiva, nas linhagens ancestrais de vários grupos que hoje exibem a característica (anelídeos, artrópodes e cordados). Nesse caso, essa característica não reflete o parentesco evolutivo entre esses grupos. (Fig. 30.4)

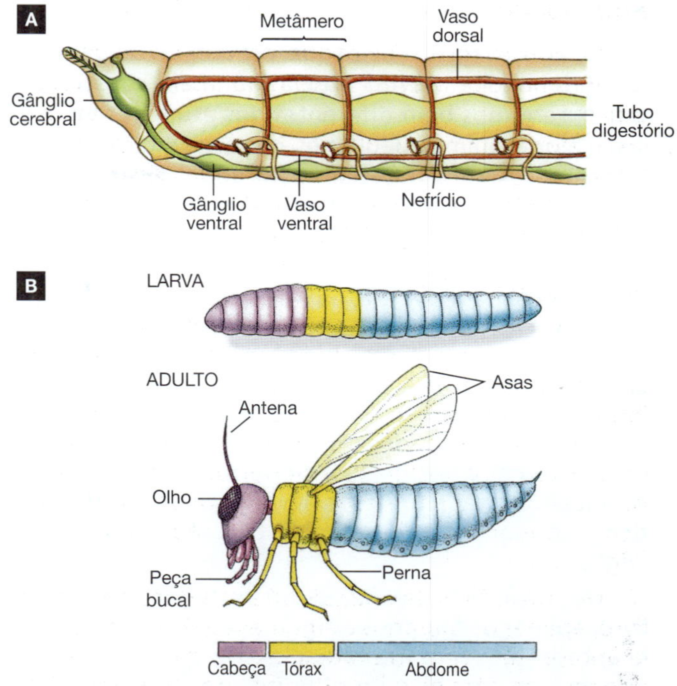

Figura 30.4 Exemplos de organização metamérica.
A. Representação esquemática do corpo de um anelídeo.
B. Representações esquemáticas dos corpos de uma larva e de um adulto de inseto; as cores indicam a correspondência entre os metâmeros desses dois estágios do ciclo de vida. Nos insetos alguns metâmeros se fundem para formar as diversas partes do corpo do animal adulto. (Elementos fora de proporção de tamanho entre si; cores-fantasia.)

A seguir, apresentamos uma árvore filogenética que relaciona os nove filos estudados neste livro, elaborada com base em informações anatômicas e genéticas obtidas em diversos estudos recentes. (Fig. 30.5)

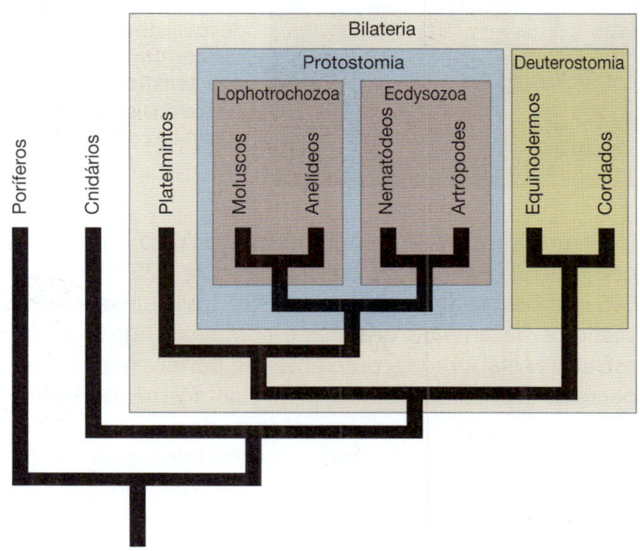

Figura 30.5 Árvore filogenética mostrando possíveis relações evolutivas entre os nove principais filos animais. Moluscos e anelídeos são reunidos em um mesmo clado – Lophotrochozoa –, com base em similaridades genéticas e na presença de um mesmo tipo de larva em certas espécies dos dois filos. Nematódeos e artrópodes, além das similaridades genéticas, possuem um mesmo tipo de muda de exoesqueleto (ecdise), sendo reunidos no clado Ecdysozoa.

A explosão cambriana

O registro fóssil mostra que, até o início do período Cambriano (541 Ma-485 Ma), a fauna era constituída por organismos bem diferentes dos atuais. Eram, em sua maioria, animais pequenos, de corpo mole e formas estranhas. Alguns pareciam com águas-vivas; outros eram discos com bordos denteados, ou lembravam folhas com fileiras de sulcos. Essas bizarras criaturas compõem a fauna ediacarana, assim chamada em referência às colinas Ediacara, na Austrália, onde foram encontrados fósseis dos animais desse período. (Fig. 30.6)

CHASE STUDIO/SCIENCE SOURCE/LATINSTOCK

DEAGOSTINI/GETTY IMAGES

Figura 30.6 A. Concepção artística da biota do período Ediacarano (635 Ma--541 Ma). (Elementos fora de proporção de tamanho entre si; cores-fantasia.) **B.** Fotografia de fóssil de *Dickinsonia costata*, um organismo característico da biota ediacarana com cerca de 30 cm de comprimento.

Em um intervalo de tempo muito curto em termos geológicos (20 milhões de anos), entre 525 milhões e 505 milhões de anos atrás, o registro fóssil passa a exibir vestígios de animais grandes e complexos, dotados de estruturas elaboradas como antenas, pernas, nadadeiras, peças bucais, cauda e olhos. Entre esses fósseis, podem-se distinguir ancestrais de representantes da maioria dos filos atuais, como artrópodes, moluscos, anelídeos e cordados, além de animais que não se incluem em nenhum dos filos conhecidos. A rápida diversificação da fauna nesse período é conhecida como "**explosão cambriana**". (Fig. 30.7)

O que desencadeou essa explosão de diversidade animal no período Cambriano? A hipótese mais plausível é que tenha acontecido uma mudança climática global que propiciou a diversificação. Há evidências de que o término de um evento glacial de grande proporção, ocorrido no período Ediacarano, teria provocado um significativo aumento na concentração de gás oxigênio nos oceanos. Consequentemente, a disponibilidade de recursos e de alimento deve ter aumentado, o que permitiu a expansão e a diversificação da vida.

Alguns cientistas ponderam que as novas estruturas corporais só surgiram porque os animais já dispunham dos genes envolvidos no desenvolvimento delas. Alguns desses genes, portanto, deviam estar presentes em ancestrais que viveram no período Ediacarano.

CHRISTIAN JEGOU PUBLIPHOTO DIFFUSION/SCIENCE PHOTO LIBRARY/LATINSTOCK

Figura 30.7 Concepção artística da fauna surgida na "explosão cambriana".

Estudos genômicos e a evolução dos animais

Uma descoberta revolucionária no campo da Genética Evolutiva foi a de que todos os animais com simetria bilateral, inclusive a espécie humana, têm um mesmo conjunto básico de genes, os chamados **genes homeóticos**, que controlam o desenvolvimento do plano geral de organização corporal. Alguns desses genes atuam no início do desenvolvimento embrionário, definindo a orientação do corpo do animal: onde serão as partes da frente e a de trás, a direita e a esquerda, o dorso e o ventre. Outros conjuntos gênicos coordenam a formação de órgãos como olhos, membros, coração etc.

O notável é que essa "caixa de ferramentas" genética é a mesma em todos os animais. O gene responsável pelo desencadeamento da formação do olho de uma mosca tem praticamente a mesma sequência de nucleotídios (ou seja, a mesma informação genética) que o gene que desencadeia a formação do olho de um rato ou de uma pessoa, embora os olhos de um inseto sejam muito diferentes dos de um mamífero. (Fig. 30.8)

A comparação entre genomas de espécies atuais tem levado os biólogos a concluir que os genes homeóticos necessários para a formação de corpos maiores e mais complexos existiam pelo menos 50 milhões de anos antes da explosão cambriana. Na fauna ediacarana, portanto, estaria o ancestral de todos os animais com simetria bilateral.

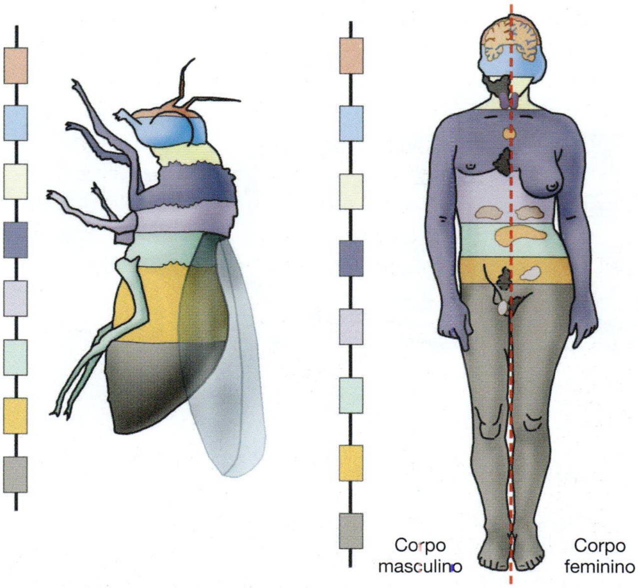

Figura 30.8 Representações esquemáticas dos corpos de uma mosca e de uma pessoa (representado por uma metade masculina e outra feminina), ao lado dos respectivos conjuntos de genes homeóticos, que definem o padrão de organização corporal. As cores indicam a similaridade entre os genes das duas espécies e as porções corporais definidas por eles. (Elementos fora de proporção de tamanho entre si; cores-fantasia.) (Baseado em <www.biomedsearch.com/nih/HOX-genes-seductive-science-mysterius/16457401.html>. Acesso em: jun. 2013.)

30.2 Sistemas corporais dos animais

Animais são organismos heterotróficos, isto é, que obtêm substâncias orgânicas nutritivas de outros seres, vivos ou mortos. A energia necessária ao funcionamento corporal vem principalmente da respiração aeróbica, processo intracelular em que substâncias orgânicas provenientes do alimento reagem com gás oxigênio obtido do meio. Os principais subprodutos do metabolismo – gás carbônico e excreções nitrogenadas – são constantemente eliminados do corpo. (Fig. 30.9)

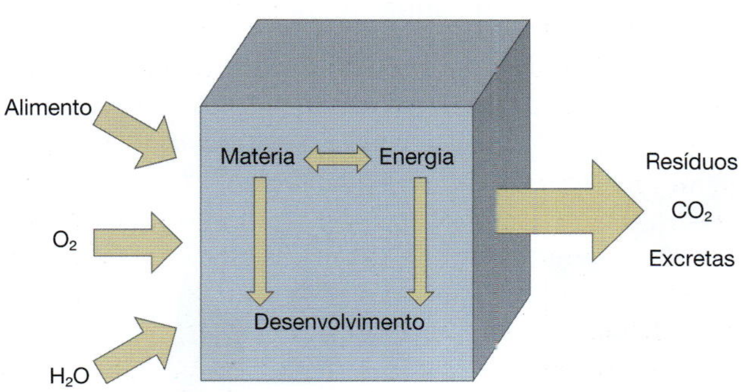

Figura 30.9 Representação esquemática das necessidades e atividades essenciais de um animal.

Nos poríferos, animais com organização corporal pouco elaborada, não há tecidos nem órgãos; a alimentação está a cargo de células especializadas, os coanócitos, que retiram partículas alimentares da água e distribuem os nutrientes obtidos na digestão intracelular às demais células corporais.

Todos os outros animais apresentam tecidos, isto é, conjuntos celulares especializados que formam órgãos e sistemas corporais. Os quatro sistemas corporais encarregados das funções básicas no organismo animal são: a) o **sistema digestório**, responsável pela digestão de alimentos; b) o **sistema respiratório**, responsável pela absorção de gás oxigênio e pela eliminação de gás carbônico; c) o **sistema circulatório**, que distribui pelo corpo as substâncias úteis e recolhe as potencialmente tóxicas; d) o **sistema urinário** ou **excretor**, responsável pelo equilíbrio de sais no corpo (osmorregulação) e pela eliminação de substâncias tóxicas.

Sistemas digestórios

Em todos os animais, com exceção dos poríferos, o alimento ingerido pela boca segue para uma cavidade em forma de bolsa ou de tubo, onde é eventualmente umedecido, triturado (digestão mecânica) e digerido por enzimas. A digestão que ocorre na cavidade digestória, fora das células, é denominada **digestão extracelular**. Os produtos digeridos são absorvidos por células do revestimento dessa cavidade e distribuídos a todas as células do corpo do animal.

Em cnidários e platelmintos, que apresentam sistema digestório incompleto, a digestão dos alimentos começa extracelularmente na cavidade digestória e se completa no interior das células; por isso, diz-se que esses animais têm **digestão extra** e **intracelular**. Nos platelmintos, a maior parte da digestão ocorre extracelularmente e pequena parte dela se completa dentro das células da parede da cavidade digestória.

Em animais com sistema digestório completo, a digestão ocorre extracelularmente, à medida que o alimento se desloca em um único sentido, da boca para o ânus, passando sequencialmente por regiões diferenciadas do tubo digestório: a cavidade bucal, a faringe, o esôfago, o estômago e o intestino.

A função da **faringe**, porção do tubo digestório que se segue à cavidade bucal, varia nos diversos organismos. Em platelmintos, como as planárias, a faringe é musculosa e pode ser estendida para fora do corpo, para sugar o alimento. Em anelídeos, como as minhocas, ela é ligada a feixes musculares e tem capacidade de sugar alimento. A faringe dos cordados aquáticos, entre eles os peixes, possui fendas pelas quais a água circula, oxigenando o sangue.

Após a faringe, segue-se o **esôfago**, que precede o estômago, presente na maioria dos animais. O **estômago** é uma região dilatada e musculosa do tubo digestório onde o alimento permanece por algum tempo, e onde ocorre parte importante da digestão. Do estômago, o alimento parcialmente digerido passa para o **intestino**, onde a digestão se completa e a maioria dos produtos úteis é absorvida pelas células intestinais. Resíduos não aproveitados do alimento constituem as fezes, que são eliminadas pelo ânus. (Fig. 30.10)

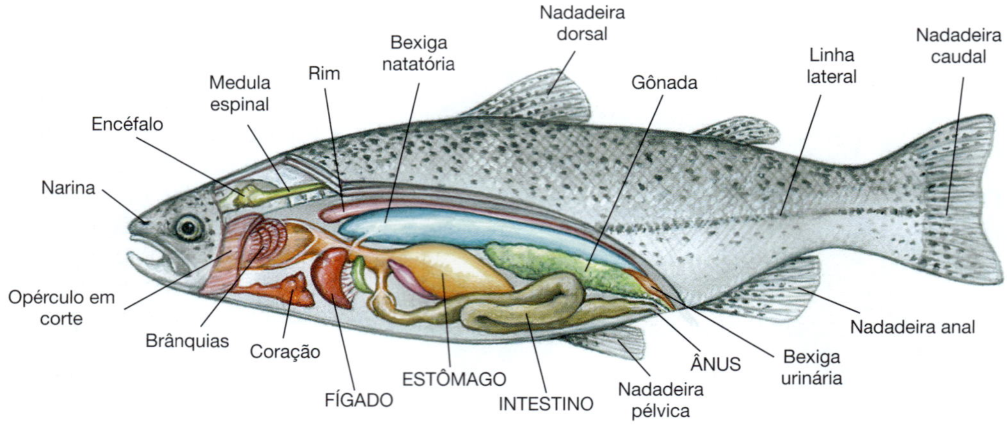

Figura 30.10 Representação esquemática da anatomia de um peixe (truta), mostrando alguns órgãos internos, com destaque para o sistema digestório. (Cores-fantasia.)

Em diversos animais, os dutos do sistema genital e, muitas vezes, também os do sistema urinário desembocam em uma bolsa localizada na porção terminal do intestino. Essa estrutura comum aos sistemas digestório, urinário e genital é a **cloaca**.

O sistema digestório geralmente apresenta glândulas associadas, que auxiliam o processo digestivo; algumas delas são as glândulas salivares, o fígado e o pâncreas, cujas funções serão estudadas mais adiante, no capítulo 33 deste livro.

Sistemas respiratórios

O suprimento de gás oxigênio para as células e a remoção de gás carbônico produzido no metabolismo animal ocorrem por meio da respiração, processo que consiste em realizar trocas gasosas entre o corpo e o ambiente.

Respiração cutânea

Diversos animais realizam as trocas gasosas pela superfície corporal, que precisa ser mantida sempre úmida para permitir a difusão dos gases. Por isso, a chamada **respiração cutânea** (do latim *cutis*, pele) só ocorre em animais que vivem na água ou em ambientes úmidos, como poríferos, cnidários, platelmintos, nematódeos, alguns anelídeos e anfíbios.

Respiração traqueal

Nos insetos, artrópodes adaptados à vida em terra firme, as trocas gasosas com o ambiente são realizadas por um sistema de tubos com reforços espiralados nas paredes, as **traqueias**. O sistema traqueal comunica-se diretamente com a superfície do corpo por meio de poros denominados espiráculos, por onde penetra o ar atmosférico rico em gás oxigênio; pelo sistema de traqueias ramificadas, o gás oxigênio chega a todas as células corporais. O gás carbônico produzido no metabolismo celular, por sua vez, faz o caminho inverso, passando para as traqueias e delas para o exterior. A **respiração traqueal** não tem nenhuma relação funcional com a circulação sanguínea, uma vez que as traqueias garantem que o gás oxigênio chegue diretamente às células, sem intermediação dos líquidos que circulam no corpo. (Fig. 30.11)

Respiração branquial

Em diversos animais aquáticos, as trocas gasosas com a água ocorrem por meio de estruturas especializadas, as **brânquias**, que são dobras externas da superfície corporal ricas em vasos sanguíneos. A **respiração branquial** está presente em peixes, crustáceos e em diversos anelídeos e moluscos. Ao passar pelos vasos que irrigam as brânquias, o fluido circulatório (sangue ou linfa) fica próximo da água o suficiente para permitir as trocas gasosas com o ambiente aquático, por difusão. (Fig. 30.12)

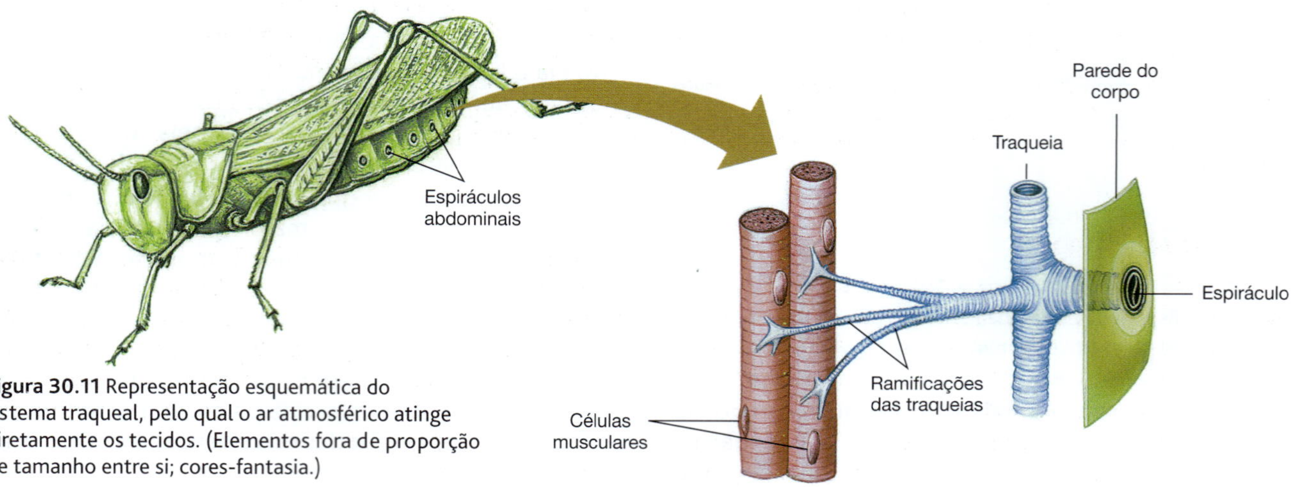

Figura 30.11 Representação esquemática do sistema traqueal, pelo qual o ar atmosférico atinge diretamente os tecidos. (Elementos fora de proporção de tamanho entre si; cores-fantasia.)

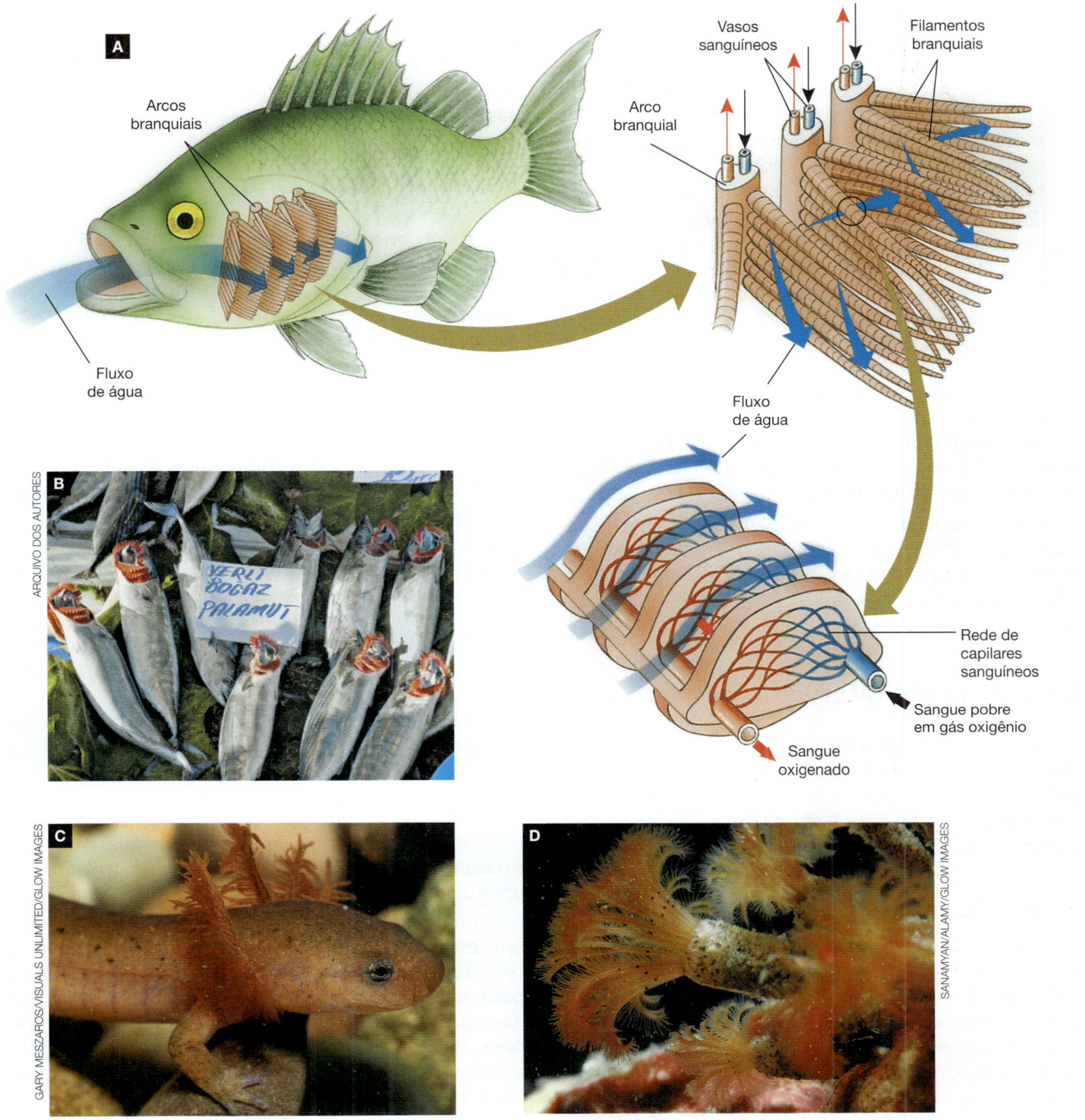

ARQUIVO DOS AUTORES

GARY MESZAROS/VISUALS UNLIMITED/GLOW IMAGES

SANAMYAN/ALAMY/GLOW IMAGES

Figura 30.12 A. Representação esquemática da estrutura das brânquias de um peixe mostrando detalhes do caminho da água entre os filamentos branquiais (setas azuis). Note que o fluxo de água corre em sentido oposto ao fluxo de sangue (fluxo contracorrente), o que maximiza a eficiência das trocas gasosas. Os arcos branquiais são estruturas ósseas ou cartilaginosas que sustentam filamentos branquiais. (Elementos fora de proporção de tamanho entre si; cores-fantasia.) Fotografias de brânquias: **B.** de peixe; **C.** de larva de salamandra (anfíbio da espécie *Pseudotriton montanus*, que, quando adulto, chega a medir 16 cm de comprimento); **D.** de poliqueto tubícola (anelídeo da espécie *Schizobranchia insignis*, cujos tubos chegam a 20 cm de comprimento).

Respiração pulmonar

Animais de terra firme, como certos moluscos, a maioria dos anfíbios adultos, répteis, aves e mamíferos, têm **respiração pulmonar**; as trocas gasosas com o ar ocorrem por meio de órgãos internos ricamente vascularizados, os **pulmões**.

A estrutura dos pulmões varia nos diversos animais. Nos moluscos, os pulmões constituem uma bolsa ricamente vascularizada. Entre os vertebrados, as salamandras têm pulmões rudimentares, com poucas dobras internas; por isso, esses animais dependem muito da respiração cutânea. Pulmões de sapos e de rãs são um pouco mais complexos, com várias dobras internas que formam compartimentos. Pulmões de répteis são ainda mais complexos que os dos anfíbios.

Pulmões de aves são constituídos por finíssimos tubos dispostos paralelamente, os **parabronquíolos**. A parede dos parabronquíolos é irrigada por grande quantidade de capilares sanguíneos, o que possibilita as trocas gasosas entre o sangue e o ar inalado. Dos pulmões partem bolsas chamadas **sacos aéreos**, que ocupam as regiões anterior e posterior do corpo, penetrando inclusive em alguns ossos.

Pulmões dos mamíferos são formados por milhões de minúsculas bolsas – os **alvéolos pulmonares** – situadas nas extremidades de finos tubos denominados bronquíolos. As paredes dos alvéolos são envoltas por grande quantidade de capilares sanguíneos, responsáveis pelas trocas entre o sangue e o ar alveolar. (Fig. 30.13)

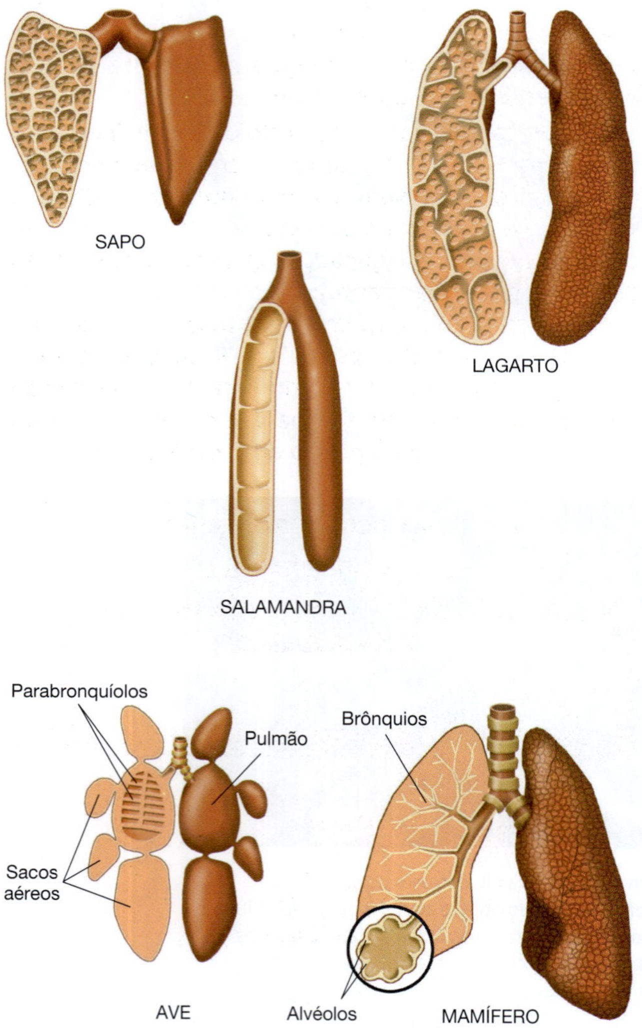

Figura 30.13 Representações esquemáticas de pulmões de vertebrados, parcialmente cortados para mostrar a estrutura interna. (Elementos fora de proporção de tamanho entre si; cores-fantasia.)

Certos aracnídeos apresentam órgãos respiratórios denominados **pulmões foliáceos**, ou **filotraqueias**, localizados no interior do abdome e em comunicação com o exterior através de uma pequena abertura, o poro respiratório. Os pulmões foliáceos são formados por lâminas finas como folhas, entre as quais circula um fluido corporal denominado hemolinfa. O ar atmosférico que penetra pelo poro respiratório circula entre as lâminas, oxigenando a hemolinfa e dela recebendo gás carbônico.

Sistemas circulatórios

Os nutrientes absorvidos no tubo digestório, assim como o gás oxigênio absorvido em órgãos respiratórios, precisam chegar rapidamente a todas as células do corpo. Ao longo de sua evolução, os animais desenvolveram diversas estratégias para garantir o transporte de diversas substâncias pelo corpo.

Em poríferos, cnidários e platelmintos, a distribuição de substâncias ocorre por difusão célula a célula. Embora lenta, a difusão é eficiente em animais de corpo pequeno, nos quais todas as células estão próximas da cavidade digestória e das superfícies respiratórias.

Nos nematódeos, a distribuição de substâncias pelo corpo ocorre por meio do líquido que preenche o pseudoceloma. O gás oxigênio absorvido pela superfície corporal e os nutrientes assimilados pela parede do tubo digestório difundem-se para o líquido pseudocelômico, que os transporta para todas as partes do corpo.

Anelídeos, moluscos, artrópodes e cordados apresentam sistemas circulatórios constituídos por redes de tubos ramificados, denominados genericamente vasos circulatórios. Neles circula um fluido – sangue ou hemolinfa – que constantemente distribui nutrientes e gás oxigênio para todas as células do corpo e recolhe gás carbônico e excreções nitrogenadas produzidos no metabolismo celular.

A movimentação do líquido circulatório deve-se a uma estrutura musculosa, que se contrai ritmicamente, o **coração**. Alguns animais, como as minhocas e os insetos, podem ter vários corações. Por definição, vasos sanguíneos que partem do coração, levando fluido circulatório para as diversas partes do corpo, são denominados **artérias**; os vasos que trazem o líquido circulatório de volta ao coração são chamados de **veias**.

A maioria dos moluscos e dos artrópodes apresenta **sistema circulatório aberto**, no qual as artérias terminam em cavidades localizadas entre os tecidos corporais, as **hemocelas**. O fluido circulatório, denominado **hemolinfa** nos sistemas abertos, entra em contato direto com os tecidos em torno das hemocelas, o que permite o intercâmbio de substâncias. A hemolinfa sai das hemocelas pelas veias, adentrando o coração pelos óstios, aberturas cardíacas dotadas de válvulas que evitam o refluxo quando o coração se contrai. (Fig. 30.14)

Em animais como anelídeos, moluscos cefalópodes e cordados, os vasos formam um circuito fechado, constituindo o que se denomina **sistema circulatório fechado**. Nesses casos, o fluido circulatório é denominado **sangue**. À medida que as artérias se distanciam do coração, elas se ramificam progressivamente, tornando-se cada vez mais finas.

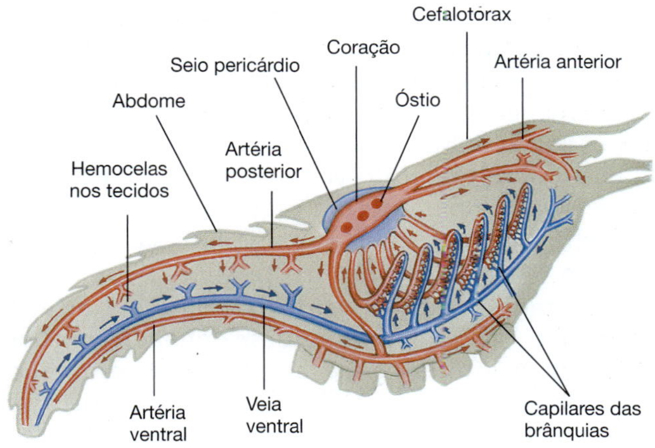

Figura 30.14 Representação esquemática do sistema circulatório aberto de um camarão; as setas vermelhas indicam o caminho da hemolinfa oxigenada nas brânquias, e as setas azuis, o retorno às brânquias da hemolinfa pobre em gás oxigênio. (Elementos fora de proporção de tamanho entre si; cores-fantasia.)

Junto aos tecidos corporais, os vasos sanguíneos são tão finos que recebem o nome de **capilares sanguíneos**. A parede dos capilares tem apenas uma camada de células de espessura, o que permite a rápida difusão de substâncias nutrientes e gás oxigênio do sangue para as células. Gás carbônico e substâncias excretadas fazem o caminho inverso: penetram nos capilares e são levados pelo sangue. Os capilares reúnem-se e formam veias, que se fundem e aumentam de espessura conforme se aproximam do coração, para onde o sangue retorna. (Fig. 30.15)

Comparação entre sistemas circulatórios de vertebrados

Os sistemas circulatórios dos vertebrados seguem um mesmo plano básico de organização, mas apresentam variações que refletem a história evolutiva de cada grupo.

O coração dos peixes é o mais simples dentre os vertebrados, e acredita-se que sua organização reflita a do ancestral comum desse grupo de cordados. Ele é composto basicamente de um **átrio** (ou aurícula) e um **ventrículo**, além de possuir um seio venoso e um cone arterioso desenvolvidos.

O sangue dos peixes faz um único circuito ao longo do corpo: ao deixar o coração, ele passa pelas brânquias e segue para as diversas partes corporais. Saindo delas, o sangue retorna ao coração, por onde passa, em sequência, pelo seio venoso, átrio e ventrículo, que, ao se contrair, impulsiona o sangue novamente para as brânquias, completando o ciclo.

O coração das larvas de anfíbios é semelhante ao dos peixes. No entanto, no decorrer da metamorfose, os anfíbios desenvolvem um segundo átrio cardíaco, e o sangue passa a fazer dois circuitos pelo corpo. Em um deles, o sangue desoxigenado (com baixa concentração de gás oxigênio), concentrado no lado direito do ventrículo, é enviado aos pulmões e à pele, de onde volta oxigenado para o átrio esquerdo. No segundo ciclo, o sangue passa do átrio esquerdo para o lado esquerdo do ventrículo e é bombeado para as diversas partes do corpo, de onde retorna para o átrio direito.

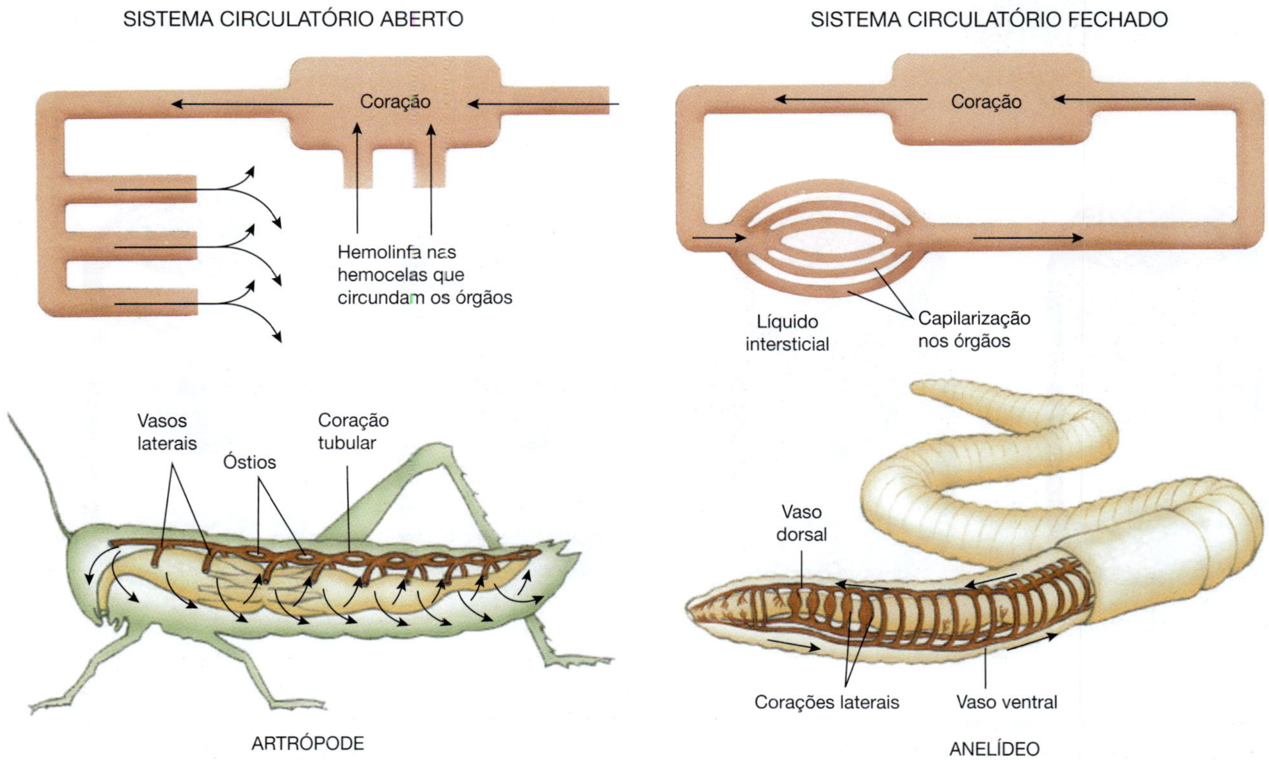

Figura 30.15 Representações esquemáticas de sistema circulatório aberto (em artrópode) e de sistema circulatório fechado (em anelídeo). (Elementos fora de proporção de tamanho entre si; cores-fantasia.)

A ocorrência de mistura entre o sangue oxigenado proveniente do átrio esquerdo e o sangue desoxigenado proveniente do átrio direito é minimizada pela existência de trabéculas musculares no ventrículo cardíaco.

O coração da maioria dos répteis (tartarugas, serpentes e diversos lagartos) possui dois átrios e um ventrículo parcialmente dividido por septos musculares, o que permite uma melhor separação entre o sangue oxigenado e o sangue desoxigenado. O sangue desoxigenado proveniente dos tecidos penetra no átrio direito, enquanto o sangue oxigenado proveniente dos pulmões penetra no átrio esquerdo; dos átrios, o sangue passa para o ventrículo. Com a contração ventricular, o sangue desoxigenado é impulsionado preferencialmente para a artéria pulmonar, que o encaminha para os pulmões; o sangue oxigenado, por sua vez, segue por duas aortas para as diversas partes do corpo.

Em répteis crocodilianos (crocodilos e jacarés), a separação entre os lados direito e esquerdo do ventrículo é completa, e o coração tem quatro câmaras cardíacas, como o de aves e o de mamíferos.

Em aves e mamíferos, o sangue desoxigenado proveniente dos tecidos penetra no átrio direito, ao mesmo tempo que o sangue oxigenado proveniente dos pulmões penetra no átrio esquerdo. A contração dos átrios impulsiona o sangue para os ventrículos (do átrio direito para o ventrículo direito; do átrio esquerdo para o ventrículo esquerdo). A contração conjunta dos ventrículos impulsiona o sangue para grandes artérias. (Fig. 30.16)

A artéria ligada ao ventrículo direito – **artéria pulmonar** – conduz sangue desoxigenado para os pulmões. A artéria ligada ao ventrículo esquerdo – artéria **aorta** – conduz sangue oxigenado para os órgãos corporais. Há uma diferença anatômica entre o sistema circulatório de aves e o de mamíferos: nas aves, a artéria aorta é voltada para a direita, enquanto nos mamíferos ela se volta para a esquerda. A circulação sanguínea dos mamíferos será estudada em detalhe no capítulo 33.

Acompanhe na figura a seguir a comparação simplificada entre sistemas circulatórios de vertebrados.

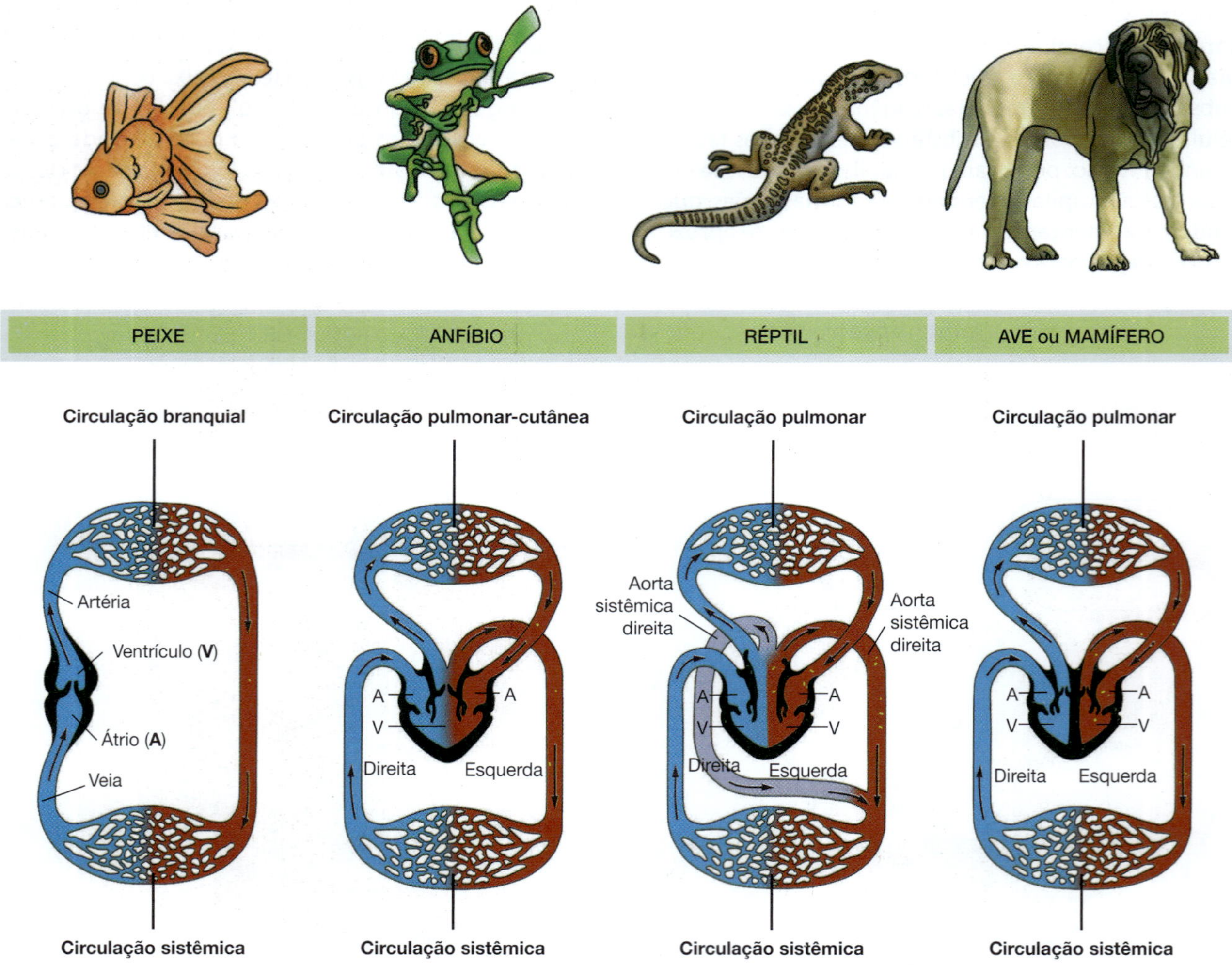

Figura 30.16 Comparação entre os sistemas circulatórios dos vertebrados, mostrando os caminhos do sangue oxigenado (em vermelho) e não oxigenado (em azul). Os vertebrados tetrápodes (anfíbios adultos, répteis, aves e mamíferos) têm circulação dupla. Em um dos circuitos, chamado pequena circulação, ou circulação pulmonar, o coração envia sangue pobre em gás oxigênio aos pulmões, onde ele é oxigenado e volta ao coração. No outro circuito, chamado grande circulação, ou circulação sistêmica, o sangue rico em gás oxigênio é enviado para as diversas partes do corpo, onde oxigena os tecidos e recolhe o gás carbônico eliminado pelas células, transformando-se em sangue desoxigenado, que retorna ao coração. (Elementos fora de proporção de tamanho entre si; cores-fantasia.)

Sistemas excretores

A principal substância excretada pelas células animais é a **amônia** (NH_3), resultante da degradação de moléculas orgânicas ricas em nitrogênio, principalmente proteínas e ácidos nucleicos. Por ser muito tóxica, a amônia tem de ser rapidamente eliminada do corpo ou transformada em substâncias menos perigosas.

Animais aquáticos ou que vivem em ambientes úmidos, como minhocas e larvas de anfíbios (girinos), excretam amônia diretamente para o ambiente. Mamíferos convertem a amônia em **ureia**, uma substância menos tóxica, mas que, por ser bastante solúvel, demanda um volume de água relativamente grande para ser eliminada. Insetos, répteis e aves convertem a amônia em **ácido úrico**, substância pouco tóxica e com baixa solubilidade em água; com isso, a eliminação pode ocorrer em uma urina muito concentrada. A urina de aves e répteis, por exemplo, é uma massa esbranquiçada de consistência pastosa, eliminada juntamente com as fezes.

De acordo com o tipo de substância nitrogenada predominante na **excreção**, os animais são classificados em **amoniotélicos** (excretam principalmente amônia), **ureotélicos** (excretam principalmente ureia) e **uricotélicos** (excretam principalmente ácido úrico).

Tipos de sistemas excretores

Poríferos e cnidários, animais em que praticamente todas as células estão em contato direto com a água do ambiente, eliminam a amônia por simples difusão, através das membranas celulares. Todos os outros animais têm sistemas excretores, que participam na eliminação de substâncias tóxicas ou indesejáveis do organismo.

Em muitos animais, o sistema excretor está mais relacionado com o controle da osmose do que com a eliminação de substâncias inúteis – excreções ou excretas – produzidas no metabolismo. A **osmorregulação** consiste em manter estável a pressão osmótica exercida pelos fluidos corporais, por meio do controle ativo de absorção de água e da eliminação de sais.

Platelmintos apresentam sistema excretor constituído por **protonefrídios**. Essas estruturas são compostas por uma célula flagelada – **célula-flama** ou solenócito – que absorve água e sais dos espaços intercelulares, lançando essas substâncias em túbulos excretores, que se abrem em poros excretores localizados na superfície corporal. (Fig. 30.17)

Em nematódeos marinhos, as excreções nitrogenadas, íons e outras substâncias indesejáveis são lançados no líquido do pseudoceloma. Parte dessas substâncias, principalmente as excreções nitrogenadas, é eliminada por simples difusão através da parede intestinal. Íons indesejáveis são eliminados por dois dutos excretores dispostos ao longo das laterais do corpo.

Anelídeos e moluscos têm órgãos excretores chamados **metanefrídios**, que consistem de um tubo aberto nas duas extremidades, uma das quais é alargada, formando um funil ciliado, o nefróstoma. A outra extremidade é estreita, constituindo o nefridióporo, ou poro excretor. Moluscos apresentam de um a sete pares de metanefrídios, cujos nefróstomas se abrem na cavidade que envolve o coração, o pericárdio, removendo excreções e conduzindo-as até poros excretores, que se abrem na superfície do corpo. Anelídeos, como a minhoca, têm um par de metanefrídios por segmento corporal, cada um deles abrindo-se em um nefridióporo situado na parede lateral do segmento; o nefróstoma de cada nefrídio abre-se no celoma do segmento imediatamente anterior, de onde remove as excreções. (Fig. 30.18)

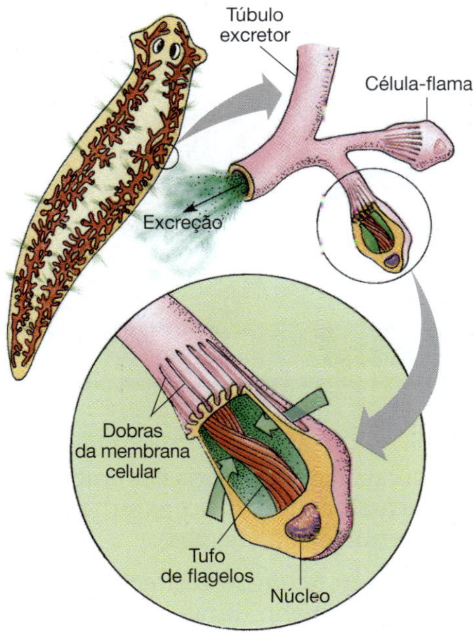

Figura 30.17 Esquema da organização do protonefrídio na planária. (Elementos fora de proporção de tamanho entre si; cores-fantasia.)

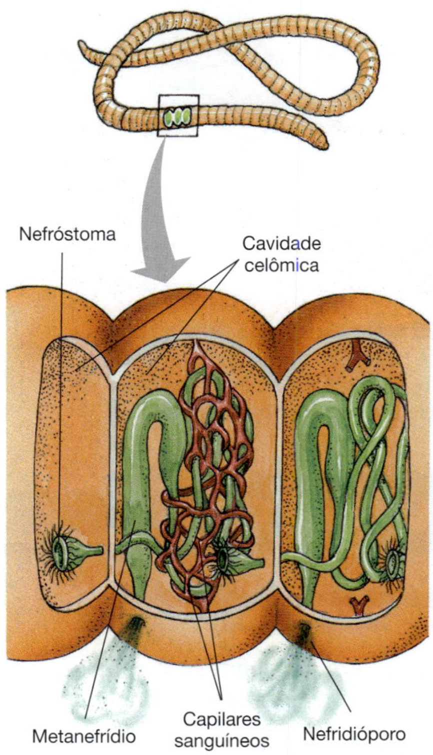

Figura 30.18 Representação esquemática da organização de metanefrídios da minhoca. No metâmero mais à direita não foram representados os capilares sanguíneos. (Elementos fora de proporção de tamanho entre si; cores-fantasia.)

Artrópodes podem apresentar diferentes tipos de órgãos excretores. Em crustáceos, por exemplo, a excreção ocorre por meio de duas glândulas homólogas a metanefrídios, que se abrem na base das antenas e por isso são denominadas **glândulas antenais** (ou glândulas verdes). Na maioria das espécies de aranha, a excreção é realizada por glândulas excretoras localizadas na base das pernas, as chamadas **glândulas coxais**, que funcionam de modo semelhante às glândulas antenais dos crustáceos. (Fig. 30.19)

Insetos, miriápodes (quilópodes e diplópodes) e algumas espécies de aranha eliminam suas excreções por meio de **túbulos de Malpighi**, que são estruturas tubulares alongadas presentes na hemocela, em contato direto com a hemolinfa. Uma das extremidades de cada túbulo de Malpighi é fechada, e a outra se abre na região mediana do intestino. Os túbulos filtram a hemolinfa, removendo as excreções e lançando-as no intestino, de onde são eliminadas com as fezes. (Fig. 30.20)

As estruturas excretoras dos vertebrados, os **néfrons**, organizam-se em órgãos denominados **rins**. O néfron é um tubo especializado que envolve um pequeno novelo de capilares sanguíneos – o **glomérulo** –, de onde as excreções são retiradas e conduzidas até canais excretores que se abrem numa bexiga urinária ou diretamente para fora do corpo. Mais detalhes sobre a estrutura e o funcionamento dos néfrons serão vistos no capítulo 33 deste livro.

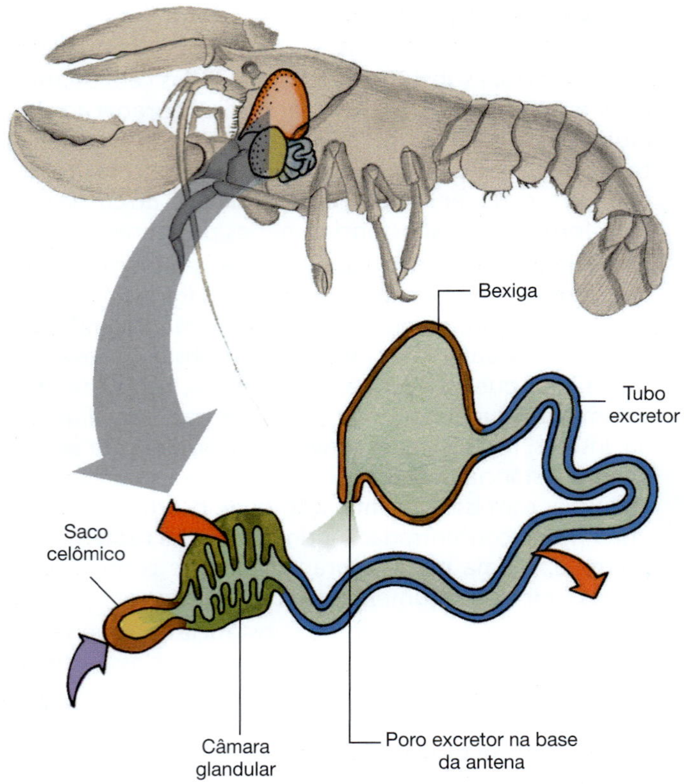

Figura 30.19 Representação esquemática da estrutura da glândula antenal de crustáceo. A seta de cor roxa indica a absorção de substâncias da hemolinfa, e as setas em vermelho indicam a reabsorção de substâncias úteis do filtrado glandular.

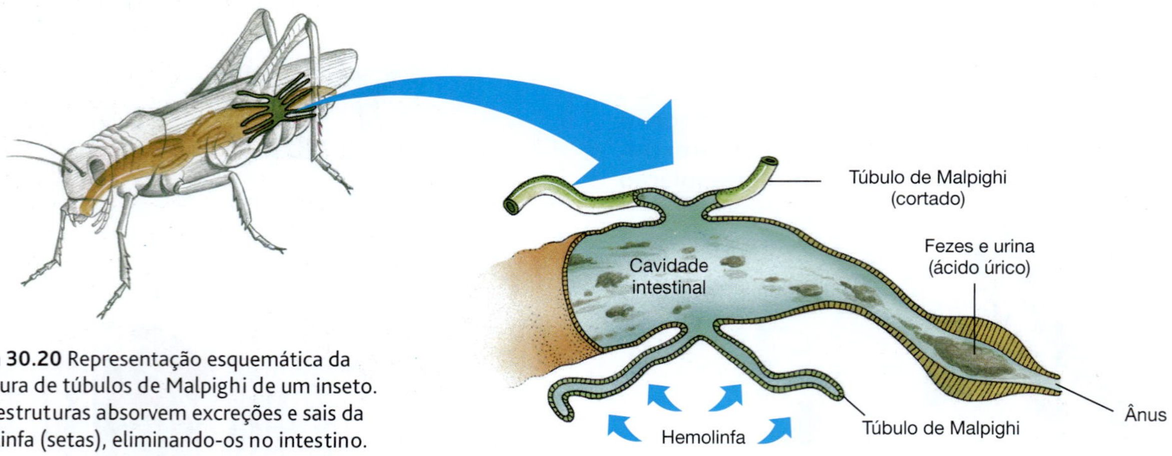

Figura 30.20 Representação esquemática da estrutura de túbulos de Malpighi de um inseto. Essas estruturas absorvem excreções e sais da hemolinfa (setas), eliminando-os no intestino.

Atividades

Visão do especialista

Biblioteca do estudante
Faça você mesmo!

Revendo conceitos fundamentais

Escreva, em seu caderno, o termo abaixo que substitui corretamente a tarja entre parênteses das frases de 1 a 3.

a) arquêntero
b) blastóporo
c) folheto germinativo
d) gástrula

1. A futura cavidade digestória dos embriões animais comunica-se com o meio externo por meio de uma abertura chamada (▬).
2. O termo (▬) refere-se aos tecidos embrionários básicos que surgem durante o desenvolvimento embrionário de um animal.
3. Nos animais, o sistema digestório surge a partir da cavidade embrionária chamada (▬).

Escreva, em seu caderno, o termo abaixo que substitui corretamente a tarja entre parênteses das frases de 4 a 10.

a) acelomado
b) celomado
c) deuterostômio
d) diblástico
e) protostômio
f) pseudocelomado
g) triblástico

4. Um animal com três folhetos germinativos e sem cavidade corporal é denominado (▬).

5. O termo (▬) é usado para designar animais cujos embriões apresentam apenas dois folhetos germinativos.

6. Um animal em que o blastóporo origina a boca é chamado (▬).

7. Um animal que possui cavidade corporal interna parcialmente revestida por mesoderma é (▬).

8. O termo (▬) designa animais em que a cavidade corporal interna é totalmente revestida por mesoderma.

9. Um animal cujo embrião apresenta três folhetos germinativos é chamado (▬).

10. O termo (▬) designa animais em que o blastóporo origina o ânus.

Escreva, em seu caderno, o termo abaixo que substitui corretamente a tarja entre parênteses das frases de 11 a 13.

a) cefalização
b) metameria
c) simetria bilateral
d) simetria radial

11. Animais com o corpo organizado em segmentos semelhantes, ao menos na fase embrionária, apresentam (▬).

12. (▬) é um padrão de organização corporal em que qualquer plano que passe pelo eixo longitudinal divide o animal em duas metades simétricas.

13. (▬) é um padrão de organização corporal em que somente um plano divide o corpo do animal em duas metades simétricas.

Escreva, em seu caderno, o termo abaixo que substitui corretamente a tarja entre parênteses das frases 14 a 17.

a) sistema circulatório aberto
b) sistema circulatório fechado
c) sistema digestório completo
d) sistema digestório incompleto

14. O (▬) é constituído por um tubo aberto nas duas extremidades, no interior do qual moléculas de alimento são quebradas em moléculas menores.

15. Uma cavidade corporal em que moléculas de alimento são quebradas em moléculas menores, com uma única abertura para o meio externo, constitui um (▬).

16. Um (▬) é uma rede de tubos ramificados e interligados, dentro dos quais circula um fluido que transporta substâncias através do corpo de um animal.

17. Uma rede de tubos que conduzem fluidos até lacunas presentes nos tecidos do corpo é um (▬).

Escreva, em seu caderno, o termo abaixo que substitui corretamente a tarja entre parênteses das frases de 18 a 21.

a) artéria
b) capilar sanguíneo
c) coração
d) veia

18. O(A) (▬) é um órgão musculoso, responsável pelo bombeamento de fluido no interior dos vasos que compõem o sistema circulatório.

19. (▬) é um vaso finíssimo, que permite a saída de líquido sanguíneo que entra em contato próximo com células e tecidos do corpo.

20. O vaso que conduz o fluido circulatório de volta ao coração é chamado (▬).

21. (▬) é um vaso que conduz o fluido circulatório do coração às diversas partes do corpo.

Escreva, em seu caderno, o termo abaixo que substitui corretamente a tarja entre parênteses das frases de 22 a 26.

a) respiração branquial
b) respiração celular
c) respiração cutânea
d) respiração pulmonar
e) respiração traqueal

22. A (▬) é realizada por muitos animais aquáticos, por meio de órgãos filamentosos externos ricamente vascularizados.

23. Animais em que as trocas gasosas com o ambiente ocorrem através de toda a superfície corporal, e não apenas em áreas especializadas, têm (▬).

24. O processo metabólico em que moléculas orgânicas reagem com gás oxigênio, produzindo gás carbônico e água e liberando energia para as atividades vitais, é a (▬).

25. (▬) é um processo de trocas gasosas em que o ar atmosférico chega diretamente aos tecidos corporais através de um sistema de túbulos ramificados.

26. A (▬) é realizada por diversos animais de terra firme, em órgãos ricamente vascularizados internos ao corpo.

Escreva, em seu caderno, o termo abaixo que substitui corretamente a tarja entre parênteses das frases de 27 a 30.

a) glândula verde
b) metanefrídio
c) protonefrídio
d) túbulo de Malpighi

27. (▬) é um tubo excretor com uma das aberturas em forma de funil ciliado, voltada para o celoma, e a outra comunicada com um poro excretor, localizado na superfície corporal.

28. Um tubo excretor com uma célula flagelada na extremidade, que remove excretas dos tecidos, é um(a) (▬).

29. Um tubo excretor com uma das extremidades fechada, mergulhado na hemolinfa, e que desemboca diretamente no intestino é um(a) (▬).

30. (■■■) é uma estrutura excretora presente na base das antenas de certos artrópodes aquáticos.

Ligando conceitos, fatos e processos

31. O termo "explosão cambriana" refere-se a qual evento ocorrido no início do período Cambriano?
a) Intensa atividade vulcânica.
b) Rápido aparecimento de uma grande diversidade de animais.
c) Grande onda de extinções.
d) Surgimento dos primeiros animais multicelulares.

32. A comparação entre genomas de espécies animais atuais tem levado os biólogos a concluir que os genes determinantes do padrão básico de organização corporal são
a) muito diferentes entre invertebrados e vertebrados.
b) muito semelhantes apenas entre os cordados.
c) muito diferentes entre animais protostômios e animais deuterostômios.
d) muito semelhantes entre todos os animais.

33. Um animal protostômio sempre
a) é acelomado.
b) tem simetria radial.
c) tem a boca originada do blastóporo.
d) é diblástico.

34. O blastóporo forma-se como resultado da gastrulação e pode originar a boca ou o ânus, dependendo do filo a que pertence o animal. Qual alternativa menciona apenas animais cujo blastóporo dá origem ao ânus?
a) Anelídeos e artrópodes.
b) Moluscos e equinodermos.
c) Anelídeos e artrópodes.
d) Equinodermos e cordados.

35. O arquêntero é uma cavidade presente no embrião de animais
a) diblásticos e triblásticos.
b) pseudocelomados e celomados, apenas.
c) pseudocelomados, apenas.
d) celomados, apenas.

36. Nos equinodermos
a) os adultos têm simetria bilateral, enquanto as larvas têm simetria radial.
b) as formas larvais têm simetria bilateral, enquanto os adultos têm simetria radial.
c) tanto os adultos quanto as larvas têm simetria bilateral.
d) tanto as formas larvais quanto os adultos têm simetria radial.

Para responder às questões de 37 a 40, utilize as alternativas a seguir, que sumarizam circuitos sanguíneos de vertebrados. Escreva, em seu caderno, a alternativa correta.
a) Ventrículo → brânquias → sistemas corporais → → átrio
b) Ventrículo → sistemas corporais → brânquias → → átrio
c) Ventrículo direito → pulmões → átrio esquerdo → → ventrículo esquerdo → sistemas corporais → → átrio direito
d) Ventrículo → sistemas corporais → átrio esquerdo → pulmões → átrio direito → ventrículo
e) Ventrículo → pulmões e pele → átrio esquerdo → → ventrículo → sistemas corporais → átrio direito

37. Qual das alternativas indica corretamente a circulação em uma ave?

38. Qual das alternativas indica corretamente a circulação em um peixe?

39. Qual das alternativas indica corretamente a circulação em um anfíbio adulto?

40. Qual das alternativas indica corretamente a circulação em um girino?

41. Animais tipicamente de terra firme apresentam respiração
a) branquial ou pulmonar.
b) cutânea ou branquial.
c) pulmonar ou traqueal.
d) traqueal ou cutânea.

Questões para exercitar o pensamento

42. Para um animal, quais são as possíveis vantagens adaptativas de ter corpo segmentado? Em quais filos essa característica está presente?

43. Elabore uma tabela que relacione os nove grupos de animais estudados no livro e as características listadas a seguir.
a) Sistema digestório.
b) Tipo de digestão.
c) Sistema circulatório.
d) Tipo de fluido circulatório.
e) Sistema respiratório.
f) Sistema excretor.

A Biologia no vestibular e no Enem

Questões objetivas

1. (Uesb-BA) Animais do filo Cnidaria apresentam, entre outras características,
a) respiração realizada pela superfície corporal.
b) ausência de cavidade gastrovascular.
c) embrião com três folhetos germinativos.
d) corpo com simetria bilateral.
e) sistema nervoso ganglionar.

2. (PUC-SP) Um animal é triblástico, apresenta simetria radial, trato digestivo completo, mas não apresenta órgãos excretores nem segmentação. Trata-se de um
a) equinodermo.
b) celenterado.
c) porífero.
d) molusco.
e) anelídeo.

3. (Ceeteps-SP) Os sistemas respiratórios de minhocas, baratas, peixes e cobras são, respectivamente:
a) traqueal, cutâneo, branquial, pulmonar.
b) traqueal, traqueal, branquial, pulmonar.
c) cutâneo, cutâneo, branquial, branquial.
d) cutâneo, traqueal, pulmonar, pulmonar.
e) cutâneo, traqueal, branquial, pulmonar.

4. (Vunesp) Nefrídios, células-flama e túbulos de Malpighi são, respectivamente, órgãos excretores dos
   a) equinodermos, platelmintos e insetos.
   b) platelmintos, moluscos e insetos.
   c) anelídeos, moluscos e insetos.
   d) moluscos, platelmintos e equinodermos.
   e) anelídeos, platelmintos e insetos.

5. (UFSM-RS) Um zoólogo recebe, para classificar, um animal vermiforme, desconhecido. Após estudar os aspectos anatômicos e histológicos, o pesquisador verifica que o exemplar possui certas características: uma grande cavidade entre a parede do corpo e o sistema digestivo, tubo digestivo completo e tecidos de origem mesodérmica. Essas características **excluem** a possibilidade de o animal ser classificado entre os
   a) Annelida.
   b) Platyhelminthes.
   c) Nematoda.
   d) Holothuroidea.
   e) Gimnophiona (Apoda).

6. (PUC-Campinas-SP) Dos animais abaixo, caracterizam-se por apresentar metâmeros
   a) as planárias.
   b) os nematoides.
   c) os caramujos.
   d) os camarões.
   e) os pepinos-do-mar.

7. (Vunesp) Excreção nada mais é que um processo de remoção de substâncias tóxicas, realizado por estruturas especializadas. A alternativa que **não** apresenta correspondência entre o animal e a estrutura excretora respectiva é a
   a) paramécio, vacúolo contrátil.
   b) planária, nefrídio.
   c) gafanhoto, túbulos de Malpighi.
   d) caranguejo, glândulas antenares.
   e) sapo, rim.

8. (Unicamp-SP) Para suprirem suas células com oxigênio e removerem o gás carbônico dos tecidos, os animais realizam trocas gasosas com o ambiente, processo denominado de respiração. Na tabela abaixo estão listados 4 grupos de animais e 4 tipos de respiração.

Grupo de animais	Tipo de respiração
I Poríferos	A Branquial
II Crustáceos	B Traqueal
III Insetos	C Cutânea
IV Répteis	D Pulmonar

As relações corretas entre os grupos de animais mencionados à esquerda e os tipos de respiração mencionados à direita são:
   a) IC; IIA; IIIB; IVD.
   b) IB; IIA; IIIC; IVD.
   c) IA; IIB; IIIC; IVD.
   d) IC; IID; IIIA; IVB.

9. (UFC-CE) Na história evolutiva dos animais, destaca-se o aparecimento das seguintes características: simetria bilateral, presença de três folhetos germinativos, cavidade digestória completa com boca e ânus, cavidade corporal e metameria. Com relação à ocorrência destas características entre os diversos grupos animais, qual é a alternativa correta?
   a) Todos os animais com metameria apresentam cavidade corporal e simetria bilateral.
   b) Todos os animais com simetria bilateral apresentam metameria e três folhetos germinativos.
   c) Todos os animais com cavidade corporal apresentam três folhetos germinativos e metameria.
   d) Todos os animais com cavidade digestória completa apresentam simetria bilateral e metameria.
   e) Todos os animais com três folhetos germinativos apresentam cavidade digestória completa e cavidade corporal.

10. (Uesb-BA) Na evolução do sistema digestório dos animais aparecem, sucessivamente, seres sem tubo digestório, organismos com tubo digestório incompleto e seres com tubo digestório completo. Exemplos de animais com essas características são, respectivamente,
   a) esponjas, planárias e minhocas.
   b) esponjas, medusas e anêmonas.
   c) planárias, moluscos e minhocas.
   d) planárias, esponjas e minhocas.
   e) medusas, anêmonas e moluscos.

11. (UFMS) Quando um determinado organismo é triblástico, celomado, com simetria bilateral e o corpo segmentado em metâmeros, é correto afirmar que esse animal pertence ao filo
   a) Annelida.
   b) Porifera.
   c) Nematoda.
   d) Platyhelminthes.
   e) Cnidaria.

12. (UEL-PR) Se o blastóporo de uma gástrula originar o ânus do futuro animal, este poderá ser
   a) um ouriço-do-mar.
   b) um gafanhoto.
   c) uma minhoca.
   d) um coral.
   e) uma esponja.

Questões discursivas

13. (Unicamp-SP) Existem quatro tipos de sistemas para trocas gasosas nos animais: (a) branquial, (b) pulmonar, (c) traqueal e (d) através da superfície do corpo.
   a) Quais desses sistemas captam o O_2 dissolvido na água e quais captam o O_2 do ar?
   b) Associe os tipos de sistemas aos seguintes animais: minhoca, barata, camarão e medusa.
   c) Os sapos, na fase adulta, apesar de respirarem por pulmões, podem obter cerca de 25% do oxigênio necessário por outro meio. Cite esse meio.

Animais invertebrados

Entre os invertebrados marinhos mais apreciados pelo paladar humano estão os crustáceos, como as lagostas e os caranguejos, e os moluscos, como as lulas.

Pequeno passeio gastronômico pelo reino Animal

É interessante notar que, quanto mais "subimos" na árvore evolutiva dos animais, mais "comestíveis" eles são. Vejamos. Pelo que se sabe, ninguém come os representantes do filo Porifera – esponjas –, nem mesmo os das espécies macias e flexíveis (pois muitos têm consistência calcária!). Diz-se que o mais próximo da gastronomia a que chegaram as esponjas foi com os antigos romanos, que as encharcavam de vinho e as espremiam para beber, em um gesto de ostentação de nobreza.

Cnidários, com certeza, estão muito longe de ser bons quitutes; anêmonas-do-mar e águas-vivas, apesar de seu aspecto "carnoso" ou gelatinoso, são dotadas de células urticantes, que queimam ao menor contato. Não se tem notícia de nenhum povo do mundo que utilize platelmintos ou nematoides como alimento. Pelo contrário, são eles que parasitam nosso intestino, fígado e outros órgãos.

Com o filo Annelida, as coisas começam a mudar. Sabe-se que os povos orientais, famosos por sua culinária exótica, consomem minhocas há muito tempo, combinando-as em receitas de carne para complementar as proteínas da dieta e obter sabores inusitados. Em Samoa, arquipélago do Pacífico Sul, a época de reprodução do anelídeo marinho conhecido como palolo (*Eunice viridis*) é ansiosamente aguardada; conta-se que em noites de luar, na estação reprodutiva do palolo, a superfície do mar fica coalhada de abdomes dos vermes, repletos de ovos. Eles são, então, capturados por nativos e turistas, que os consomem crus ou levemente passados na chapa.

No filo Mollusca, a edibilidade, isto é, a qualidade de ser comestível, atinge um grau bem mais elevado. Os moluscos não são apenas comestíveis, mas apreciadíssimos nos diversos níveis da gastronomia. Veja se você conhece algum destes: mariscos, ostras, mexilhões e vieiras, representantes dos bivalves; caracóis e *escargots*, representantes dos gastrópodes; lulas, polvos e calamares, representantes dos cefalópodes.

E os representantes do filo Arthropoda? Nem todos são comestíveis, é verdade, mas o grupo dos crustáceos reúne alguns dos alimentos marinhos mais celebrados na alta gastronomia: camarões e lagostas; poucos não apreciam seu sabor exótico, delicado e peculiar. Aracnídeos, apesar de venenosos e de seu aspecto intimidador, não deixam de ser degustados por alguns povos. No Camboja, comem-se tarântulas assadas; escorpiões fritos também são uma iguaria em Cingapura. Os insetos, em particular, são muito apreciados por diversos povos; os destaques ficam para as gordas larvas fritas de mariposa, as formigas gigantes cobertas de chocolate, os grilos crocantes recheados de ovos e os besouros gigantes que depois de assados, acredite!, têm o mesmo sabor delicado das vieiras. No início do século XX, içás torradas e salgadas eram vendidas em frente ao Teatro Municipal de São Paulo. No interior do Brasil, ainda hoje, farofa de içá é um prato muito apreciado e consumido; o escritor Monteiro Lobato referia-se a ele como "caviar".

Nosso último prato de hoje: o filo Echinodermata. Quem aprecia a culinária japonesa conhece ou já pode ter provado ovas de ouriço-do-mar em um *sushi*. Na China e no sul da Ásia, os equinodermos mais apreciados são as holotúrias, ou pepinos-do-mar. Esses animais são fervidos, desidratados e comercializados secos. Depois de reidratados, são utilizados em sopas e outros pratos; os *experts* da gastronomia oriental recomendam as holotúrias, ou *bêches-du-mer*, por seu sabor exótico e suas supostas propriedades afrodisíacas.

A importância do assunto

No capítulo apresentamos um painel dos principais filos de animais invertebrados. No passeio gastronômico desta apresentação, nossa intenção foi mostrar nossa proximidade com diversos grupos de animais. Esse é um dos motivos para conhecê-los, mas não o único. Ao estudar as relações evolutivas entre os animais, reconhecemos suas estratégias adaptativas, muitas das quais compartilhamos.

Encare o estudo sistemático dos animais como um desafio. Ao estudar cada filo, procure sempre ter em mente os organismos conhecidos. Compare as diferentes estratégias de cada grupo animal na solução dos problemas de sobrevivência. Conheça, também, alguns animais que podem causar doenças e as formas de evitá-las.

31.1 Filo Porifera (poríferos ou esponjas)

Características gerais dos poríferos

A maioria dos **poríferos** ou **esponjas** (filo Porifera) tem poucos centímetros de tamanho, mas há espécies que chegam a atingir entre 1 m e 2 m de altura. A consistência corporal varia; alguns poríferos são moles e frágeis, enquanto outros são rígidos e podem ser confundidos com rochas. A maioria das esponjas tem corpo assimétrico, mas algumas têm forma de vaso, com simetria radial. As cores variam: cinzentas, vermelhas, amarelas, laranjas e violetas. (Fig. 31.1)

Figura 31.1 Diversidade de esponjas. **A.** Esponja orelha-de-elefante (*Ianthella basta*). **B.** Esponja vaso-azul (*Callyspongia plicifera*).

As esponjas são animais filtradores; a água penetra em seus corpos através de inúmeros poros microscópicos, cai nas cavidades corporais denominadas espongiocelas e sai por grandes aberturas chamadas ósculos (do latim *osculum*, diminutivo de "boca"). As espongiocelas são revestidas por **coanócitos**, células dotadas de flagelos cujo batimento é responsável pela movimentação da água através do corpo da esponja. Os coanócitos também fagocitam e iniciam a digestão das partículas alimentares que nutrem o animal.

Outros tipos celulares das esponjas são: os porócitos, que constituem os poros da parede do corpo; os pinacócitos, que revestem externamente o corpo do animal e, em certos casos, alguns canais internos; os amebócitos ou arqueócitos, que completam a digestão e distribuem nutrientes para as diversas células corporais, além de ter a capacidade de originar todos os outros tipos de célula da esponja; os espongioblastos e os escleroblastos, que formam os elementos de sustentação esquelética – fibras da proteína espongina, semelhante ao colágeno, e **espículas**, estruturas minerais que podem ser compostas por sílica (SiO_2) ou por carbonato de cálcio ($CaCO_3$). (Fig. 31.2)

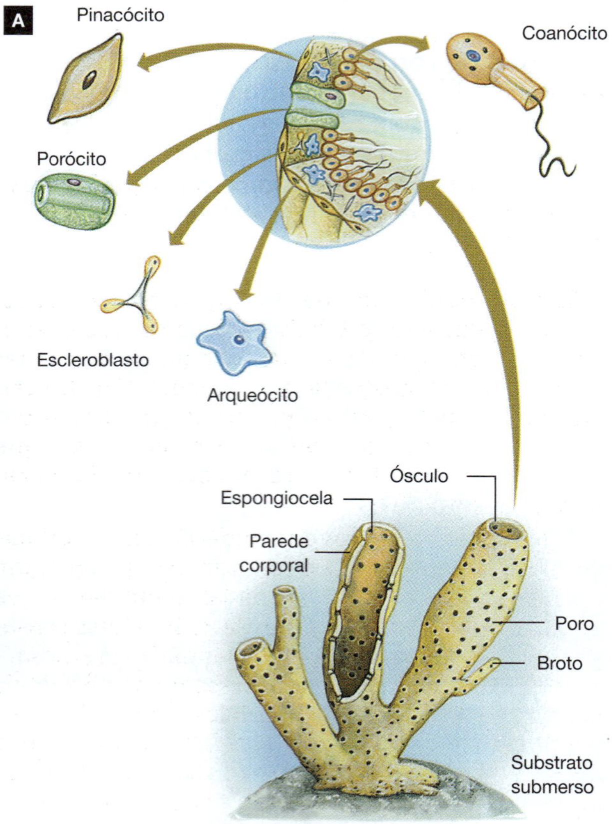

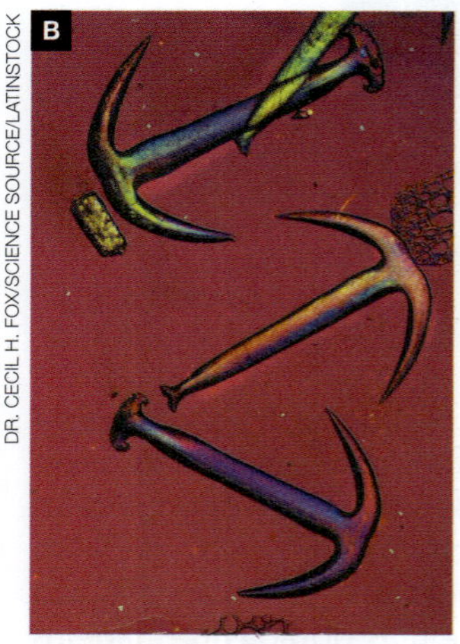

Figura 31.2 A. Representação esquemática da organização celular de uma esponja, mostrando os principais tipos de célula. O meso-hilo é uma fina matriz gelatinosa entre o revestimento externo de pinacócitos e a camada interna de coanócitos, onde se deslocam os arqueócitos e ficam os elementos de sustenção esquelética. (Elementos fora de proporção de tamanho entre si; cores-fantasia.)
B. Fotomicrografia de uma espícula. (Microscópio fotônico; aumento ≈ 300 ×; cores artificiais.) **C.** Esqueleto flexível de espongina com 15 cm de diâmetro, ainda utilizado como esponja de banho. As espículas e a espongina são produzidas por células do meso-hilo denominadas, respectivamente, escleroblastos e espongioblastos.

Reprodução dos poríferos

Muitas esponjas reproduzem-se assexuadamente por fragmentação. A maioria das espécies também se reproduz por brotamento, que consiste na formação de expansões do corpo – os **brotos** –, que crescem e depois se separam do organismo genitor, passando a constituir novos indivíduos. Em muitas espécies também há brotamento sem posterior separação dos brotos, o que leva à formação de colônias.

Algumas esponjas de água doce formam **gêmulas**, estruturas resistentes ao frio e à dessecação, constituídas por uma massa de arqueócitos envolta por uma camada espessa de espongina e de espículas.

A maioria das esponjas é **monoica** ou hermafrodita: o mesmo indivíduo (ou colônia) produz gametas de ambos os sexos. Há também espécies **dioicas**, com indivíduos produtores de óvulos (fêmeas) e indivíduos produtores de espermatozoides (machos).

Os gametas das esponjas são originados por arqueócitos e coanócitos. A fecundação é, geralmente, externa, com formação de zigotos que se desenvolvem em larvas ciliadas. Nas espécies com fecundação interna, esponjas-machos liberam espermatozoides, que penetram em esponjas-fêmeas pelos porócitos e são capturados pelos coanócitos. Daí os gametas masculinos são levados até os óvulos, alojados no meso-hilo da fêmea. A fecundação origina um zigoto, que se desenvolve na parede corporal da esponja-fêmea até formar uma larva ciliada, que é liberada. (Fig. 31.3)

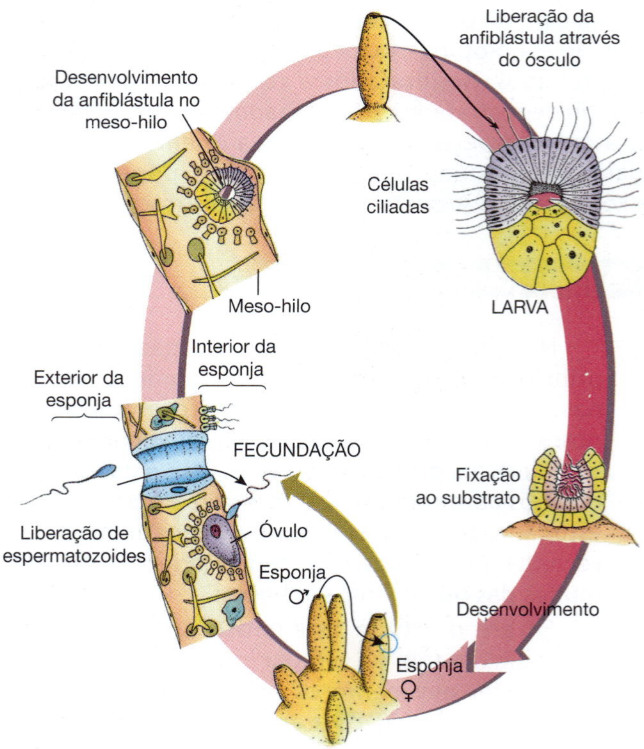

Figura 31.3 Representação esquemática do ciclo de vida de um porífero. Quando possui uma cavidade interna como a da ilustração, a larva das esponjas é chamada **anfiblástula**. Quando é maciça, é denominada **parenquimela** ou parenquímula. (Elementos fora de proporção de tamanho entre si; cores-fantasia.)

31.2 Filo Cnidaria (cnidários)

Características gerais dos cnidários

Os **cnidários** (filo Cnidaria) são animais familiares aos frequentadores de praias e litorais marinhos. Os recifes e bancos de **corais**, ambientes marinhos onde vivem diversas espécies de animais, são formados por cnidários. Outros cnidários conhecidos são as anêmonas-do-mar e as águas-vivas, cujos tentáculos podem causar fortes irritações na pele. O nome do filo – Cnidaria (do grego *knide*, urtiga) – deriva justamente da propriedade urticante característica desses animais.

O filo Cnidaria reúne animais aquáticos de corpo mole e gelatinoso, com cerca de 10 mil espécies descritas, a maioria marinha. As poucas espécies que vivem em lagos e rios de água doce e limpa pertencem ao mesmo grupo, Hydrozoa. O tamanho dos cnidários varia desde dimensões microscópicas ou poucos milímetros, em certos pólipos, até mais de 2 m de diâmetro nas medusas gigantes, cujos tentáculos podem atingir 30 m de comprimento.

Cnidários são carnívoros, mas algumas espécies de hidra e corais vivem em uma relação de **endossimbiose** com algas unicelulares fotossintetizantes e aproveitam os nutrientes produzidos por elas. (Fig. 31.4)

Figura 31.4 Exemplos de cnidários. **A.** Medusa bioluminescente (classe Scyphozoa). **B.** Pólipos de *Tubastrea* sp., que podem atingir 15 cm de altura. **C.** Pólipo de *Cribrinopsis fernaldi* com cerca de 35 cm de altura.

Nos cnidários há dois padrões básicos de organização corporal: pólipo e medusa. A forma de **pólipo**, ou polipoide, lembra um cilindro com a base fixada a um objeto submerso e o topo livre, onde se situam a boca e os tentáculos. A forma de **medusa**, ou medusoide, lembra um guarda-chuva com a boca situada em posição central, na face côncava do animal. Ao redor da boca e nas bordas do corpo pode haver tentáculos.

O corpo de um cnidário é constituído basicamente por dois epitélios: a **epiderme**, que reveste externamente o animal, e a **gastroderme**, que delimita a **cavidade gastrovascular**. Entre eles situa-se a **mesogleia**, uma camada com fibras e células, que pode ser muito fina, como em alguns pólipos, ou formar uma massa gelatinosa espessa e translúcida, como em certas águas-vivas. (Fig. 31.5)

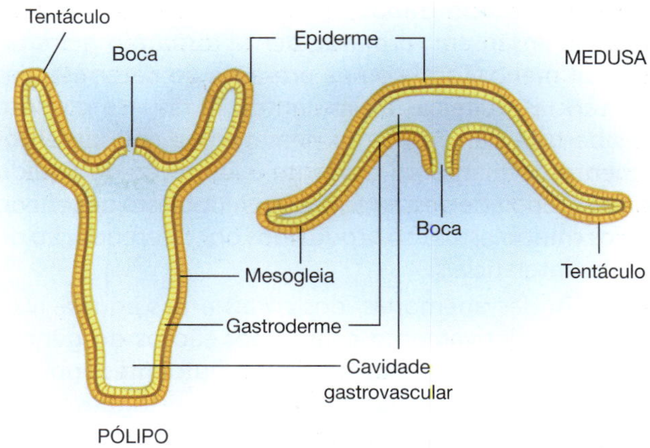

Figura 31.5 Representação esquemática das duas formas corporais dos cnidários, pólipo e medusa. (Elementos fora de proporção de tamanho entre si; cores-fantasia.)

Tanto a epiderme quanto a gastroderme apresentam **células mioepiteliais**, cuja contração permite a movimentação do corpo do animal. As células mioepiteliais da gastroderme também têm função digestória, elas fagocitam partículas de alimento e são responsáveis pela digestão intracelular, em que se completa a digestão extracelular ocorrida na cavidade gastrovascular.

Outros tipos celulares dos cnidários são: as **células intersticiais**, capazes de se diferenciar em qualquer um dos outros tipos celulares; as **células glandulares**, que secretam muco e enzimas digestivas; as **células sensoriais**, que captam estímulos ambientais e os transmitem à rede de células nervosas presente na mesogleia (sistema nervoso difuso). As células mais típicas dos cnidários são os **cnidoblastos**, ou células urticantes, que contêm uma cápsula ovoide, o **nematocisto**, dentro do qual há um filamento enovelado e substâncias tóxicas urticantes. (Fig. 31.6)

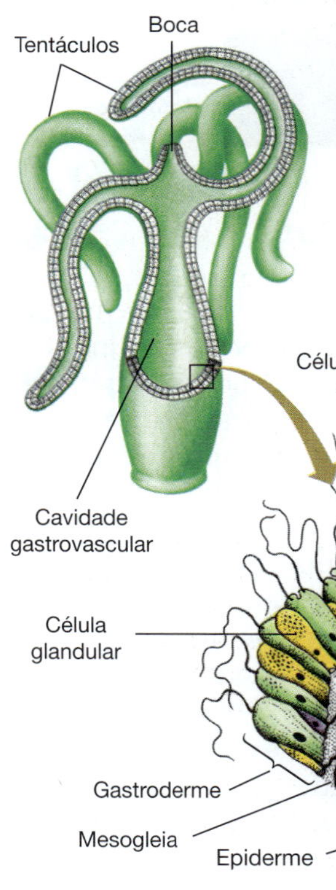

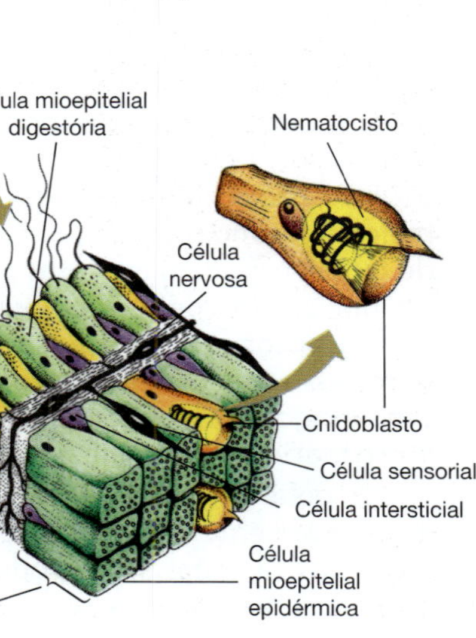

Figura 31.6 Representação esquemática da estrutura celular da *Hydra* sp., um pólipo de água doce. No detalhe à direita, um cnidoblasto, célula urticante. (Elementos fora de proporção de tamanho entre si; cores-fantasia.)

Na região do cnidoblasto voltada para o exterior, uma expansão em forma de dente dispara o nematocisto ao menor toque ou na presença de determinadas substâncias químicas estimulantes. O disparo consiste na abertura da cápsula do nematocisto com desenrolamento do filamento urticante e liberação do líquido tóxico. Depois de descarregado, o cnidoblasto degenera; novos cnidoblastos são produzidos por diferenciação de células intersticiais.

Além das anêmonas, dos corais e das águas-vivas, cnidários relativamente conhecidos são os do gênero *Physalia*, animais coloniais marinhos flutuantes popularmente chamados fisálias ou caravelas-portuguesas. Um grande pólipo especializado, cheio de gás e em forma de navio, mantém a colônia flutuando. Ligados a esse pólipo flutuador, há pólipos dotados de boca e cavidade gastrovascular – os gastrozoides –, encarregados da alimentação da colônia. Outro tipo de pólipo da colônia é o gonozoide, especializado na formação de óvulos e espermatozoides, que se encarrega da reprodução sexuada da colônia. Os longos tentáculos da caravela, que podem atingir 10 m de comprimento, também são pólipos especializados na defesa e na captura de alimento. O que chama a atenção na caravela é a atuação integrada de seus pólipos especializados, que leva a colônia a se comportar como se fosse um único organismo. (Fig. 31.7)

WHO/VISUALS UNLIMITED/GLOW IMAGES

Figura 31.7 *Physalia* sp., cujo pólipo flutuador é colorido e pode chegar a 30 cm de comprimento; seus tentáculos podem ter até 10 m de comprimento.

Reprodução dos cnidários

Uma característica do ciclo de vida de muitos cnidários é a alternância entre as formas polipoides e medusoides, fenômeno conhecido por **metagênese**. Nesse caso, as medusas constituem a fase sexuada do ciclo, produzindo gametas e gerando pólipos por meio da fecundação. Os pólipos são a fase assexuada do ciclo e originam medusas por brotamento ou por estrobilização, como veremos mais adiante. Exceções são os antozoários, classe com maior número de espécies, e as hidras, que não possuem a fase de medusa e cujos pólipos podem formar gametas. Alguns hidrozoários, por sua vez, só têm a fase de medusa.

Os pólipos da *Obelia* sp., por exemplo, originam assexuadamente pequenas medusas de vida relativamente curta; estas se reproduzem sexuadamente e originam novos pólipos, que fecham o ciclo. (Fig. 31.8)

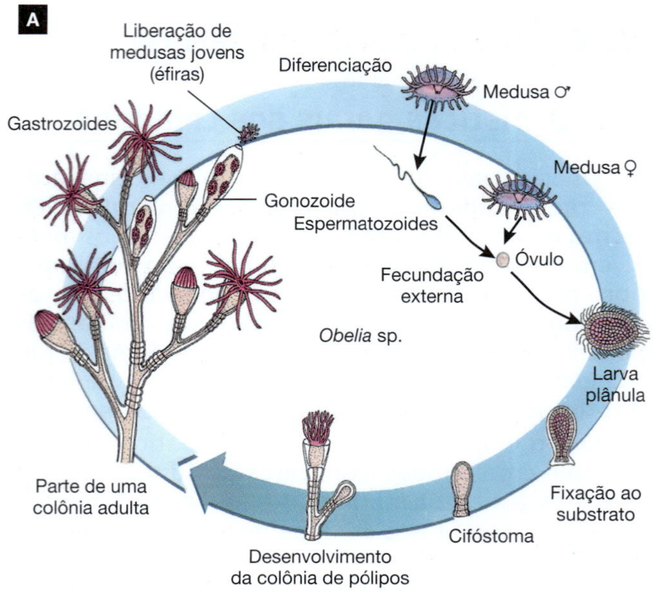

D P WILSON/FLPA/DIOMEDIA

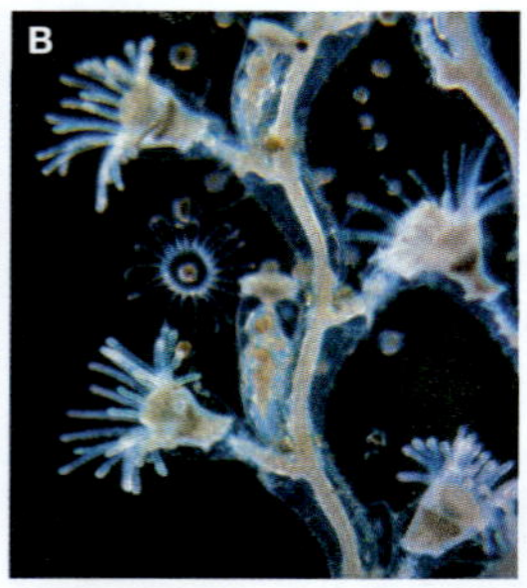

Figura 31.8 A. Representação esquemática do ciclo de vida de *Obelia* sp. A colônia é revestida por um envoltório quitinoso. (Elementos fora de proporção de tamanho entre si; cores-fantasia.) **B.** *Obelia* sp., hidrozoário colonial marinho. Geralmente as colônias são pequenas, com 1 cm ou 2 cm de altura. Algumas espécies maiores podem formar colônias com até 20 cm de altura.

As medusas de *Aurelia* sp. são dioicas e os espermatozoides fecundam os óvulos no interior das medusas-fêmeas, originando zigotos. Estes se desenvolvem em uma forma larval ciliada, a **plânula**, que se liberta e adere ao fundo marinho, constituindo um pequeno pólipo (cifístoma). Na fase adulta, o pólipo segmenta-se transversalmente em um processo chamado **estrobilização**, produzindo pequenas medusas imaturas – **éfiras** –, que crescem e se transformam em medusas adultas. Estas, por sua vez, se reproduzem sexuadamente, fechando o ciclo. (Fig. 31.9)

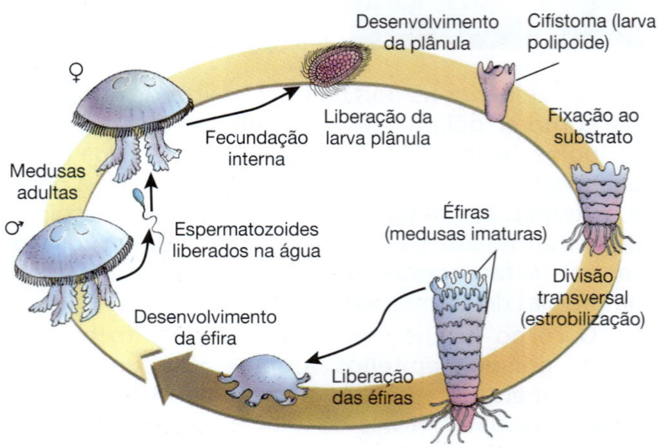

Figura 31.9 Representação esquemática do ciclo de vida de *Aurelia* sp. (Elementos fora de proporção de tamanho entre si; cores-fantasia.)

31.3 Filo Platyhelminthes (platelmintos)

O filo **Platyhelminthes** (do grego *platys*, plano, achatado, e *helminthes*, verme) reúne mais de 25 mil espécies conhecidas de animais triblásticos, acelomados, com sistema digestório incompleto, distribuídas em três grupos principais: Turbellaria, Trematoda e Cestoda.

Características gerais dos turbelários

A maioria dos **turbelários** tem vida livre e habita ambientes úmidos de terra firme ou ambientes aquáticos, marinhos e de água doce. Os representantes mais conhecidos dessa classe são as planárias. (Fig. 31.10)

O corpo das planárias é revestido pela epiderme, com células ciliadas na superfície ventral. O batimento coordenado desses cílios, atuando em conjunto com a musculatura, permite o deslizamento do animal sobre uma trilha de muco secretado por células epidérmicas glandulares. (Fig. 31.11)

Características gerais dos trematódeos

Trematódeos são platelmintos parasitas, dotados de duas ventosas musculosas para fixação ao corpo do hospedeiro. A maioria das espécies é monoica (hermafrodita). A fecundação é interna e o desenvolvimento geralmente é indireto, com uma ou mais fases larvais.

Praticamente todos os trematódeos utilizam um molusco (caramujo) como hospedeiro em seu ciclo de vida. Diversas espécies possuem ciclo vital complexo com mais de um hospedeiro, sendo um deles um vertebrado. Nesses casos, o animal vertebrado é o **hospedeiro definitivo**, pois neles vivem os trematódeos adultos, que se reproduzem sexuadamente; o caramujo é o **hospedeiro intermediário**, pois nele se desenvolvem as fases larvais do verme.

Ciclo de vida de *Schistosoma mansoni*

Schistosoma mansoni é um trematódeo causador de esquistossomose em seres humanos. Essa espécie é dioica; a fêmea é esguia e fica abrigada em um sulco no corpo do macho. Os casais de esquistossomos vivem nas veias do fígado humano, onde se alimentam de substâncias do sangue e se acasalam.

Os ovos são depositados pelas fêmeas nos vasos sanguíneos do mesentério do hospedeiro (membrana que prende o intestino à parede do abdome), de onde passam para a cavidade intestinal e são eliminados com as fezes. Ao entrar em contato com água, eles eclodem e libertam larvas denominadas **miracídios**, que precisam encontrar certos tipos de caramujo (planorbídeos), seus hospedeiros intermediários.

Figura 31.10 A. *Pseudoceros dimidiatus*, planária marinha que mede cerca de 6 cm de comprimento. **B.** *Bipalium* sp., planária terrestre que atinge 15 cm de comprimento.

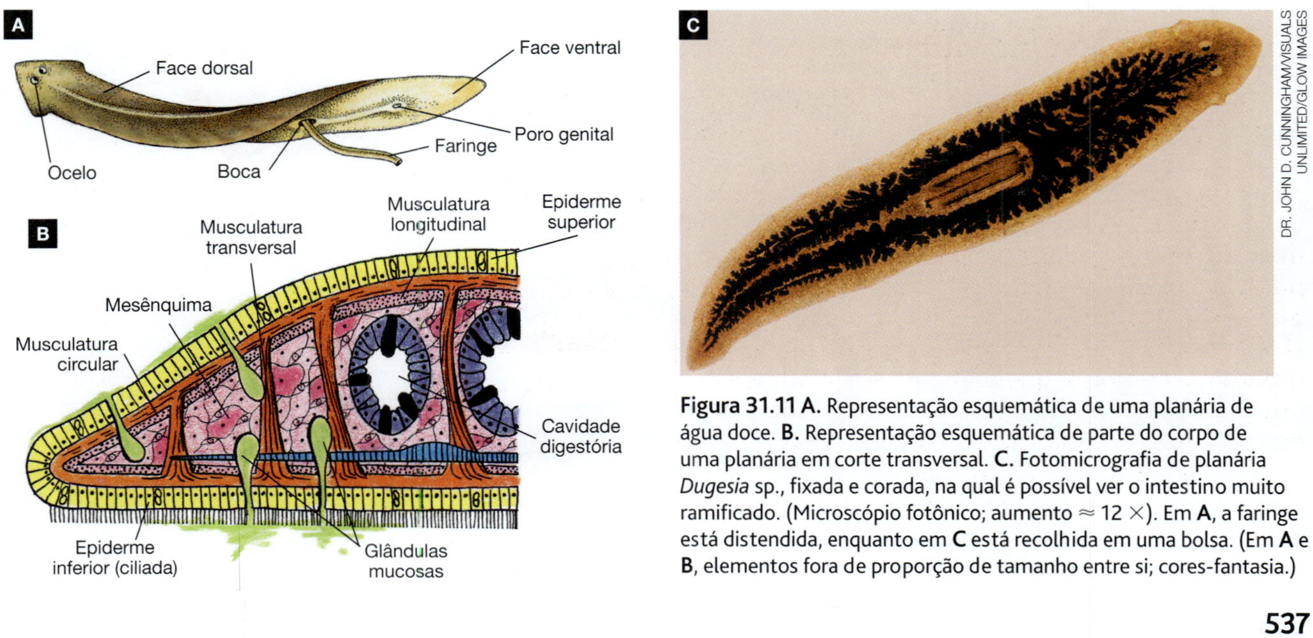

Figura 31.11 A. Representação esquemática de uma planária de água doce. **B.** Representação esquemática de parte do corpo de uma planária em corte transversal. **C.** Fotomicrografia de planária *Dugesia* sp., fixada e corada, na qual é possível ver o intestino muito ramificado. (Microscópio fotônico; aumento ≈ 12 ×). Em **A**, a faringe está distendida, enquanto em **C** está recolhida em uma bolsa. (Em **A** e **B**, elementos fora de proporção de tamanho entre si; cores-fantasia.)

No caramujo, os miracídios originam de modo assexuado larvas dotadas de cauda, as **cercárias**. Um único miracídio pode formar cerca de 200 mil cercárias. Estas saem do caramujo e passam a nadar ativamente. Se uma pessoa entrar em contato com água onde há cercárias, elas podem penetrar ativamente pela pele, causando uma coceira característica; por isso, lagoas onde há cercárias em abundância costumam ser denominadas "lagoas de coceira".

No corpo da pessoa infestada, as cercárias perdem a cauda e diferenciam-se em vermes jovens, que chegam ao fígado, onde atingem a maturidade e passam a se reproduzir sexuadamente. Esquistossomos podem viver até 30 anos e cada fêmea produz, diariamente, cerca de 300 ovos. (Fig. 31.12)

Características gerais dos cestoides

Cestoides são platelmintos parasitas, entre os quais os mais conhecidos são as **tênias**, ou solitárias, animais de corpo alongado e achatado como uma fita, que vivem no trato intestinal de certos animais vertebrados.

Tênias não têm sistema digestório; os nutrientes são absorvidos diretamente da cavidade intestinal do hospedeiro e encaminhados ao sistema circulatório do parasita. A extremidade anterior do corpo do verme é afilada e termina no **escólex**, ou escolece, onde há ventosas, ganchos ou sulcos adesivos, dependendo da espécie. Essas estruturas permitem a fixação do parasita ao intestino do hospedeiro.

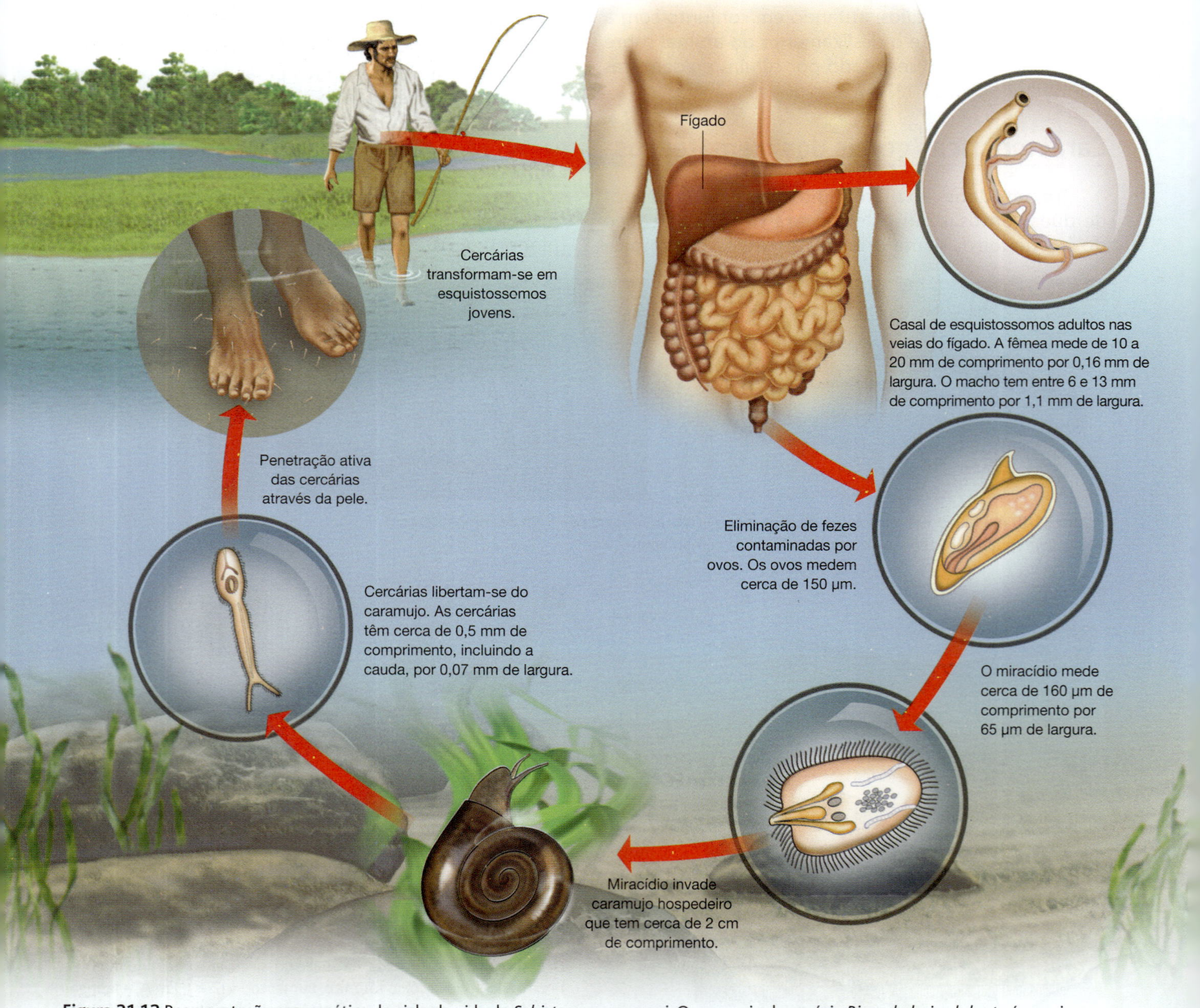

Figura 31.12 Representação esquemática do ciclo de vida de *Schistosoma mansoni*. O caramujo da espécie *Biomphalaria glabrata* é o mais conhecido hospedeiro intermediário do verme. (Elementos fora de proporção de tamanho entre si; cores-fantasia.)

O corpo da tênia é formado por centenas ou mesmo milhares de partes semelhantes, as **proglótides**, ou proglotes, que surgem pouco abaixo do escólex por estrobilização. As proglótides produzidas vão amadurecendo à medida que se distanciam do escólex. Ao atingir a maturidade sexual, uma proglótide é fecundada por espermatozoides de uma proglótide próxima (autofecundação), tornando-se repleta de ovos. Nesse estágio, a proglótide "grávida" destaca-se da tênia e é eliminada com as fezes do hospedeiro. (Fig. 31.13)

Ciclo de vida de *Taenia solium*

A pessoa infestada por *Taenia solium* elimina proglótides grávidas com as fezes. Uma única tênia pode liberar 10 proglótides grávidas por dia, cada uma com 80 mil ovos. Ao ser ingerido pelo hospedeiro intermediário, o porco, cada ovo libera uma larva denominada **oncosfera**, que perfura a parede intestinal do hospedeiro e segue pelo sangue até a musculatura, onde geralmente se instala. Nos músculos do porco, a larva forma uma bolsa ovoide e cheia de líquido, o **cisticerco**. Quando uma pessoa consome a carne contaminada malcozida, o cisticerco se expande no intestino e forma um pequeno escólex que se fixa à mucosa intestinal, originando uma tênia. (Fig. 31.14)

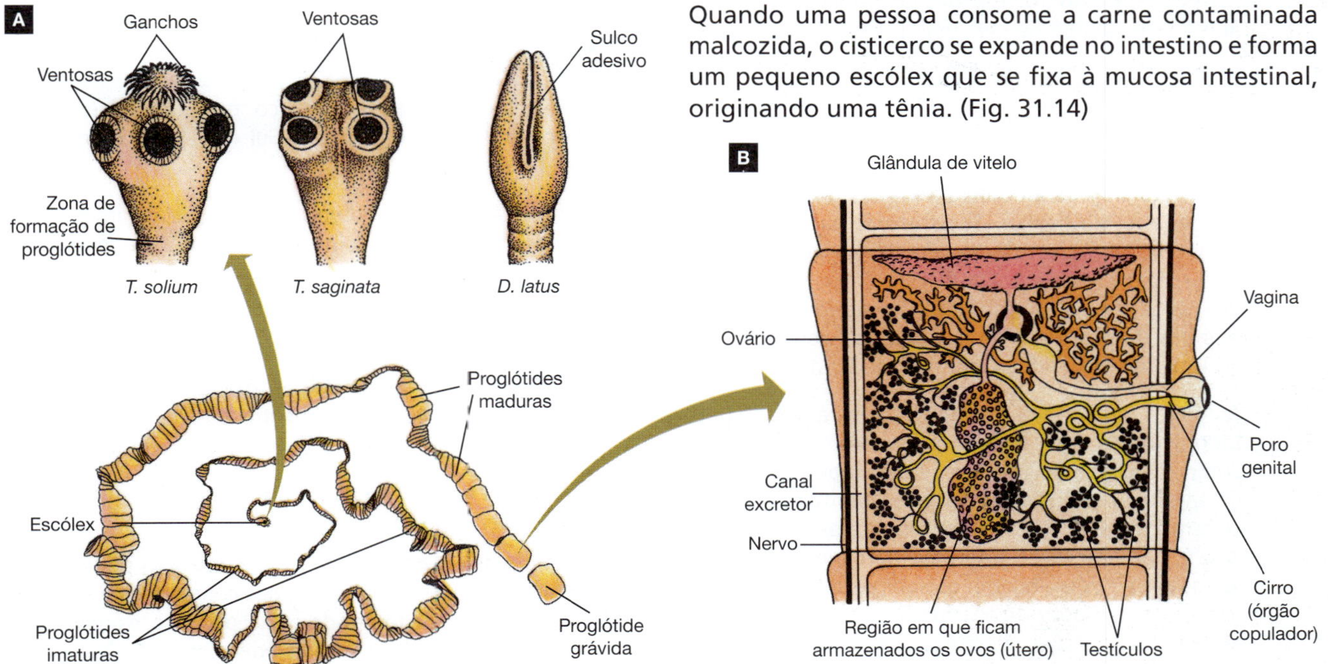

Figura 31.13 A. Representação esquemática comparando os escoleces de três espécies de tênia (*Taenia solium*, *Taenia saginata* e *Dibothriocephalus latus*). **B.** Representação esquemática de uma proglótide sexualmente madura, mostrando suas diferentes partes. (Elementos fora de proporção de tamanho entre si; cores-fantasia.)

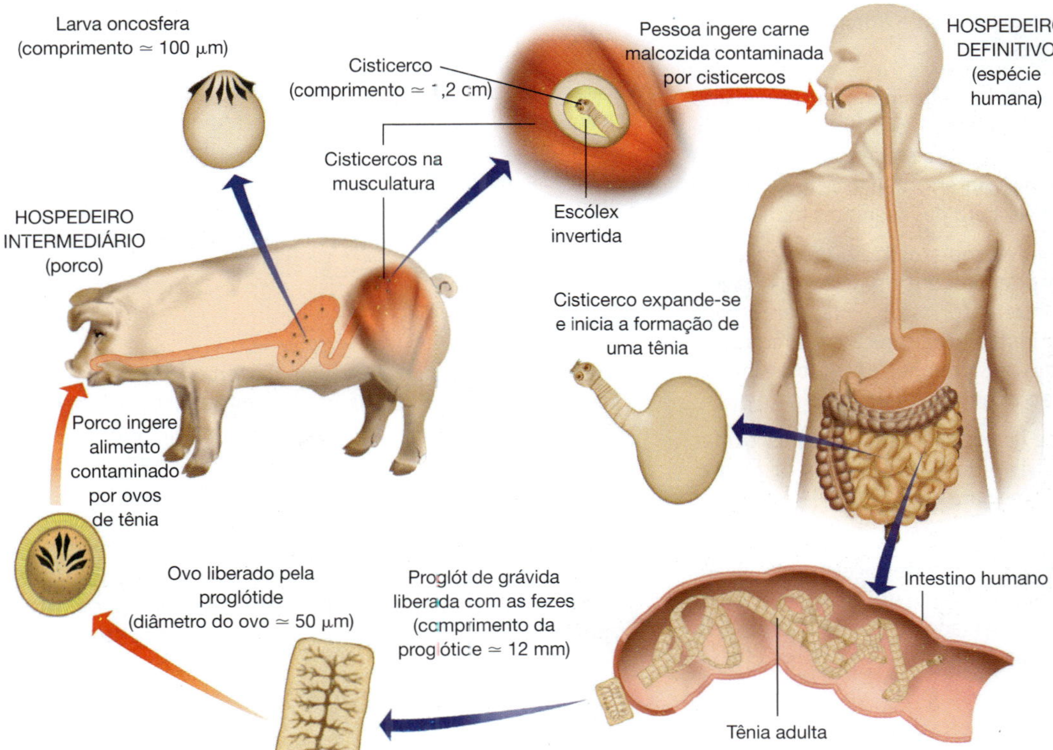

Figura 31.14 Representação esquemática do ciclo de vida da tênia-do-porco (*Taenia solium*). O porco *Sus scrofa* é o hospedeiro intermediário, abrigando em sua musculatura formas imaturas do platelminto (cisticercos). A espécie humana é a hospedeira definitiva, abrigando o platelminto adulto no intestino delgado. (Elementos fora de proporção de tamanho entre si; cores-fantasia.)

Conteúdo multimídia
Teníase e cisticercose

Ciência e cidadania

Doenças causadas por vermes platelmintos

1 Os platelmintos são responsáveis por diversas parasitoses humanas e constituem um problema de saúde pública em escala mundial, principalmente em regiões pobres e deficientes em saneamento básico. Em certos países asiáticos, por exemplo, cerca de 70% das crianças apresentam algum tipo de verminose.

Esquistossomose

2 A **esquistossomose** é causada por espécies de platelmintos do gênero *Schistosoma*. Dependendo da espécie, o parasita aloja-se em diferentes vasos sanguíneos do hospedeiro: da bexiga (*Schistosoma haematobium*), do intestino (*Schistosoma japonicum*) ou do fígado (*Schistosoma mansoni*). Em 2011, a Organização Mundial da Saúde (OMS) estimou haver pelo menos 243 milhões de pessoas afetadas pela esquistossomose, principalmente na África, Índia e América do Sul.

3 A doença tem uma fase aguda, em que a pessoa portadora dos parasitas apresenta manifestações clínicas como coceiras e dermatites, febre, inapetência (falta de apetite), tosse, diarreia, enjoos, vômitos e emagrecimento. A fase crônica é geralmente assintomática, isto é, não apresenta sintomas claros, e pode durar vários anos. Podem ocorrer episódios de diarreia alternados com períodos de obstipação (prisão de ventre). Em algumas pessoas, a doença pode evoluir para um quadro mais grave, com aumento do fígado (hepatomegalia) e cirrose, aumento do baço (esplenomegalia), hemorragias provocadas por rompimento de veias do esôfago, e ascite, conhecida também como barriga-d'água, porque o abdome fica dilatado e proeminente em consequência do acúmulo de líquido nos tecidos dessa região do corpo.

4 O esquistossomo pode ser eliminado do organismo com medicamentos. Entretanto, a melhor maneira de combater a esquistossomose é a prevenção. As medidas preventivas consistem em interromper o ciclo de vida do parasita, o que pode ser feito das seguintes maneiras:

a) impedir que ovos de esquistossomo presentes nas fezes da pessoa doente contaminem rios, lagos, açudes e outros reservatórios de água; para isso, é preciso construir instalações sanitárias adequadas, com fossas sépticas ou sistemas de esgotos, e aterrar locais propícios ao acúmulo de água de chuva;

b) aplicar na água de lagoas substâncias moluscocidas para combater os caramujos que servem de hospedeiros intermediários para o parasita;

c) evitar a penetração das larvas no corpo; para isso, não se deve consumir água de locais onde vivem os caramujos transmissores ou utilizá-la para tomar banho; caso haja necessidade de uso dess a água, ela deve ser previamente fervida.

Teníase

5 Adquire-se **teníase** pela ingestão de carne crua ou malcozida contendo cisticercos. Entre as diversas espécies de tênia, duas são parasitas importantes da espécie humana: *Taenia saginata*, conhecida como a tênia-do-boi, mais disseminada na África, no Oriente Médio, na América Central, na Europa e na Ásia, e *Taenia solium*, conhecida como a tênia-do-porco, mais frequente no México, na América Central e do Sul, na Europa Oriental e na Oceania.

6 A infestação por tênia provoca sintomas relativamente brandos no hospedeiro, como diarreias, prisão de ventre, insônia e irritabilidade. A pessoa atacada pela verminose é geralmente magra, pois o parasita compete com ela pelo alimento ingerido. Além disso, frequentemente apresenta anemia, acompanhada de indisposição e cansaço, provocados por substâncias tóxicas liberadas pelo verme. Atualmente há tratamentos bastante eficazes para eliminar a tênia do intestino.

7 Algumas medidas preventivas que ajudam a evitar ou reduzir a teníase são:

a) impedir que ovos de tênias sejam ingeridos por animais como porcos e vacas, ou que contaminem rios e lagos, no caso de tênias-de-peixe; para isso, é preciso construir instalações sanitárias adequadas, com fossas sépticas ou sistemas de esgotos;

b) evitar a ingestão de carne bovina ou suína crua ou malcozida, principalmente quando não se conhece a procedência desses alimentos. O cozimento por um tempo prolongado mata a forma imatura da tênia (o cisticerco).

8 Atualmente o número de pessoas infestadas por tênias tem diminuído no Brasil graças à maior fiscalização sanitária dos matadouros e dos frigoríficos. A análise da musculatura da mandíbula, da língua, do coração e do diafragma, onde há maior incidência de formação dos cisticercos, permite identificar facilmente os animais infectados.

Cisticercose humana

9 Se uma pessoa ingerir os ovos da tênia, consumindo alimentos contaminados ou por autoinfestação, por exemplo, ela se comportará como hospedeira intermediária do parasita. A doença, nesse caso, é chamada de **cisticercose humana**. As oncosferas libertam-se dos ovos e podem atingir a musculatura ou o cérebro da pessoa, transformando-se em cisticercos. Quando alojados na musculatura, esses cisticercos geralmente causam poucos problemas. Entretanto, ao se alojar no cérebro, podem provocar dores de cabeça e convulsões semelhantes às da epilepsia.

Guia de leitura

1 O primeiro parágrafo comenta a relação entre saneamento básico e parasitoses humanas, entre elas as causadas por platelmintos. Reflita de que modo fatores como a falta de esgotos e de água adequadamente tratada comprometem a saúde humana.

2 Leia o segundo parágrafo, que apresenta os agentes causadores da esquistossomose. Quais são eles e que órgãos do hospedeiro são afetados pela parasitose?

3 O terceiro parágrafo refere-se aos sintomas da esquistossomose. Quais são eles?

4 O quarto parágrafo apresenta as principais formas de prevenção da esquistossomose. Localize, no livro, a ilustração que mostra o ciclo de vida do esquistossomo. Com base nela, crie uma ilustração simplificada em seu caderno, indicando, no ciclo que desenhou, os pontos em que é possível atuar para prevenir essa verminose.

5 Sua tarefa, agora, é produzir uma tabela para resumir as principais doenças causadas por platelmintos apresentadas neste quadro. Sugerimos que a tabela relacione cada parasitose a: a) agente causador; b) formas de infestação; c) sintomas; d) prevenção e tratamento. Após construir a tabela, comece a preenchê-la pela esquistossomose.

6 O parágrafo 5 refere-se à maneira pela qual as pessoas adquirem teníase e aos principais agentes causadores dessa verminose. Certifique-se de ter compreendido esses aspectos e continue a preencher a tabela iniciada no item anterior.

7 Os parágrafos 6, 7 e 8 comentam os principais sintomas, formas de tratamento e de prevenção da teníase. Localize, no livro, a ilustração que mostra o ciclo de vida da tênia. Com base nela, crie uma ilustração em seu caderno, indicando, no ciclo que desenhou, os pontos em que é possível atuar para prevenir essa verminose.

8 Continue o preenchimento da tabela, resumindo as formas de tratamento e prevenção da teníase.

9 O parágrafo 9 fala da cisticercose humana, provocada pelo mesmo agente causador da teníase. Qual é a diferença entre essas doenças? Inclua a cisticercose em sua tabela.

31.4 Filo Nematoda (nematódeos)

Características gerais dos nematódeos

O filo **Nematoda** (do grego *nematos*, fio) reúne animais de corpo cilíndrico, alongado e afilado nas extremidades, chamados **nematódeos**. A maioria dos nematódeos mede menos de 2,5 mm de comprimento, mas há espécies com mais de 1 m. Das mais de 20 mil espécies, 30% são parasitas de animais e de plantas, causando prejuízos à agricultura e à pecuária, além de diversas doenças humanas. As espécies de vida livre vivem em diversos ambientes, tais como solos úmidos e ricos em matéria orgânica, rios, lagos e oceanos. O número de espécies já catalogadas é considerado pequeno ao que se estima existir. (Fig. 31.15)

O corpo de um nematódeo pode ser descrito como "um tubo dentro de outro". O tubo externo é a parede corporal e o interno é o trato digestório, que começa na boca e termina no ânus. Entre eles, há o pseudoceloma (relembre no capítulo anterior).

A parede corporal de certos nematódeos compõe-se da epiderme, recoberta por uma complexa cutícula protetora. Sob a epiderme há células musculares com fibrilas contráteis orientadas apenas no sentido longitudinal, possibilitando movimentos simples de flexão. As células musculares prolongam-se até dois cordões nervosos, um dorsal e um ventral, que percorrem longitudinalmente o corpo do animal.

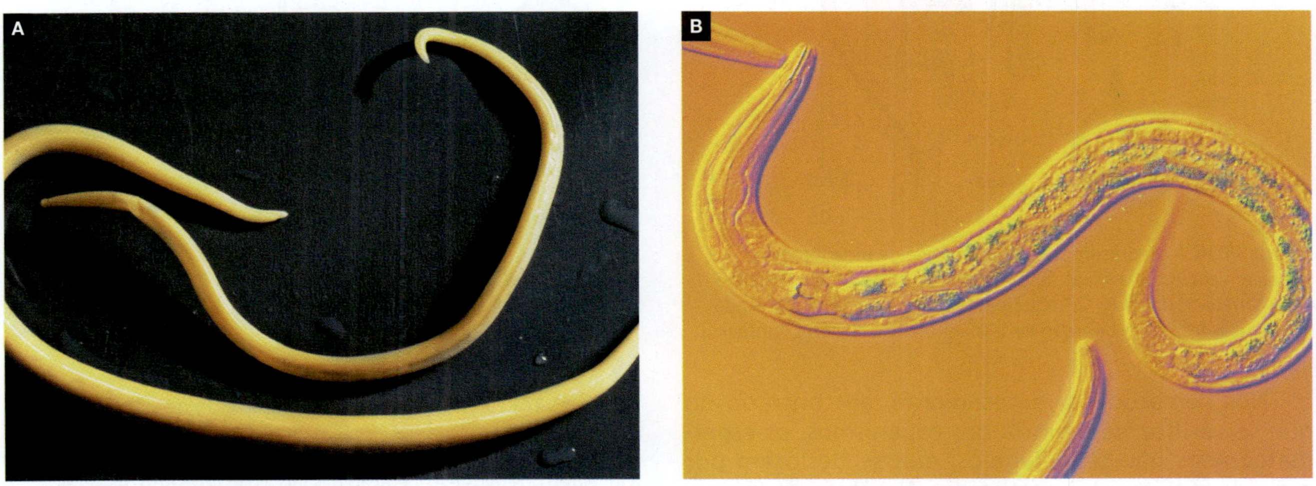

LAURITZ JENSEN/VISUALS UNLIMITED/GLOW IMAGES

SINCLAIR STAMMERS/SCIENCE PHOTO LIBRARY/LATINSTOCK

Figura 31.15 A. *Ascaris lumbricoides*, popularmente conhecida como lombriga, um parasita intestinal da espécie humana que chega a medir cerca de 40 cm de comprimento. **B.** *Caenorhabditis elegans*, um nematódeo de vida livre com aproximadamente 1 mm de comprimento, muito utilizado em pesquisas científicas.

A maioria dos nematódeos é dioica e tem dimorfismo sexual, isto é, machos e fêmeas diferem quanto a certas características morfológicas. Fêmeas têm um orifício genital na porção mediana do corpo, onde termina o duto final do aparelho reprodutor, a vagina; machos eliminam espermatozoides pela **cloaca**, uma abertura na extremidade posterior do corpo onde também desemboca o intestino. Na cloaca dos machos encontram-se as espículas peniais, estruturas quitinizadas semelhantes a espinhos, que são introduzidas no orifício genital da fêmea durante a cópula, garantindo a fixação dos parceiros até a passagem dos espermatozoides. (Fig. 31.16)

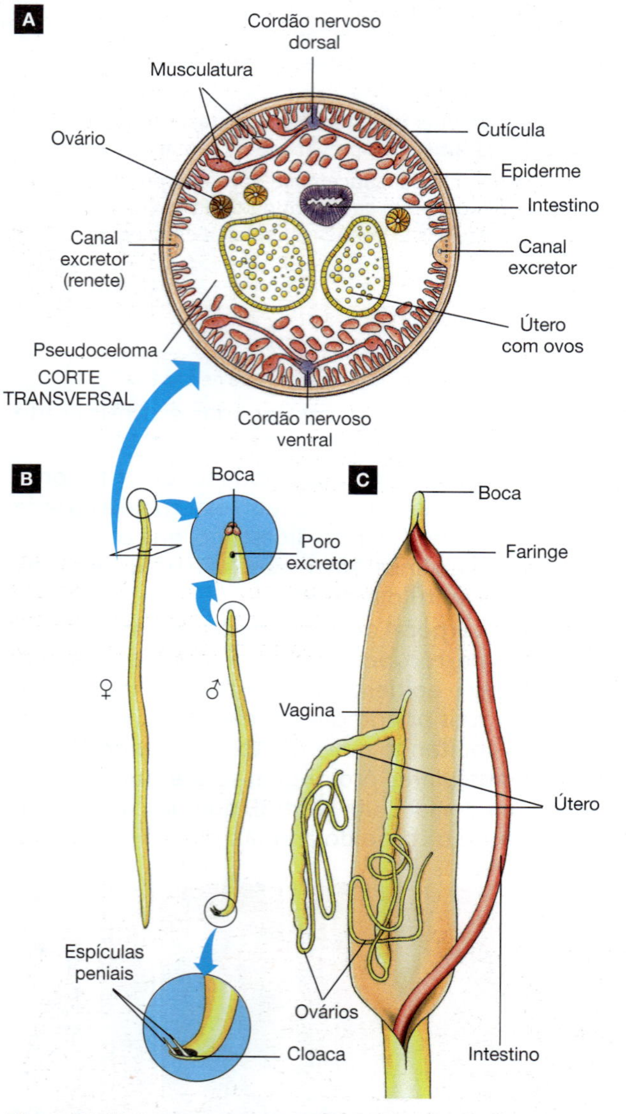

Figura 31.16 A. Representação esquemática de uma lombriga fêmea em corte transversal. **B.** Comparação entre fêmea e macho de *Ascaris lumbricoides*. **C.** Esquema de lombriga fêmea dissecada. (Elementos fora de proporção de tamanho entre si; cores-fantasia.)

Nos nematódeos, curiosamente, ao contrário do que se verifica na maioria dos organismos, os espermatozoides não têm flagelos; eles se deslocam por meio de movimentos ameboides. No útero da fêmea, os espermatozoides encontram os óvulos, ocorrendo a fecundação. Ovos fecundados adquirem uma casca protetora e são eliminados através da vagina. Em umas poucas espécies, o desenvolvimento embrionário e a eclosão dos ovos acontecem dentro no corpo da fêmea, que dá à luz pequenos vermes.

A seguir, descrevemos os ciclos de vida de dois nematódeos parasitas da espécie humana: a lombriga (*Ascaris lumbricoides*) e a filária (*Wuchereria bancrofti*).

Ciclo de vida de *Ascaris lumbricoides*

Uma fêmea adulta de ascáride ou lombriga põe diariamente mais de 200 mil ovos, eliminados do corpo do hospedeiro com as fezes. As pessoas adquirem ascaridíase ao ingerir ovos fecundados, presentes na água ou em alimentos contaminados com fezes de pessoas ou de porcos infestados pelo verme.

No tubo digestório do hospedeiro, a casca do ovo é digerida e dele sai uma pequena larva filamentosa com cerca de 0,2 mm de comprimento. Embora já estejam no ambiente em que viverão quando adultas, as larvas ainda precisam empreender uma longa migração pelo corpo do hospedeiro até conseguir se instalar definitivamente no intestino. Nessa migração, elas perfuram a parede intestinal do hospedeiro e entram na corrente sanguínea.

Depois de alguns dias, jovens lombrigas com cerca de 3 mm de comprimento atingem os pulmões, onde perfuram os alvéolos pulmonares e sobem pela traqueia. Isso pode causar tosse, fazendo as larvas serem lançadas na faringe e engolidas. Dessa forma, os parasitas retornam ao intestino, onde se estabelecem definitivamente, crescem e atingem a maturidade sexual. (Fig. 31.17)

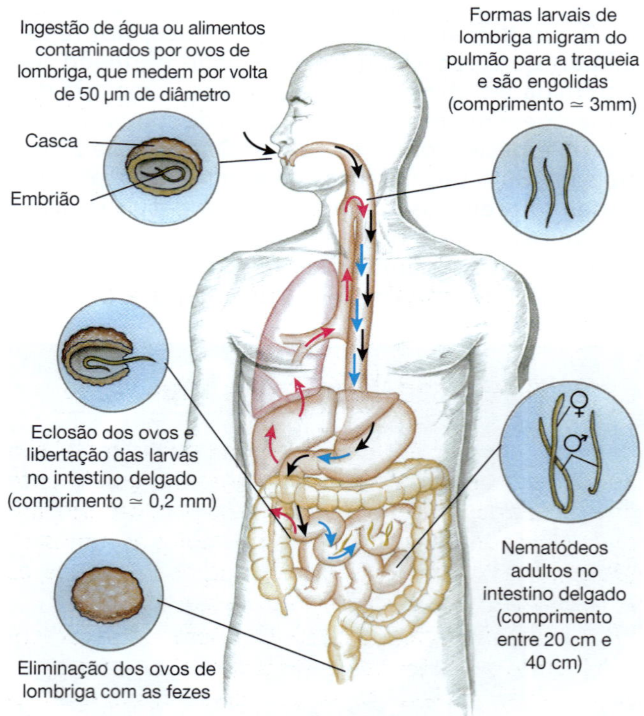

Figura 31.17 Representação esquemática do ciclo de vida do nematódeo *Ascaris lumbricoides*, em que há apenas um hospedeiro, geralmente a espécie humana ou o porco. As setas pretas representam a ingestão dos ovos e a liberação das larvas no intestino. As setas rosas representam a migração das larvas pela circulação sanguínea até os pulmões e a subida pela traqueia. As setas azuis representam a chegada do parasita ao seu ambiente definitivo. (Elementos fora de proporção de tamanho entre si; cores-fantasia.)

Ciclo de vida de *Wuchereria bancrofti*

Wuchereria bancrofti, conhecido como filária, é uma espécie dioica. Os vermes machos adultos medem cerca de 4 cm de comprimento; as fêmeas adultas têm aproximadamente 10 cm de comprimento. A largura desses vermes varia de 0,24 mm a 0,30 mm. Eles parasitam os vasos linfáticos dos braços, das mamas, do saco escrotal e, principalmente, das pernas, provocando grandes inchaços; daí o nome elefantíase, dado a estágios avançados da doença causada pelo verme, a filariose.

Os machos e fêmeas acasalam-se no interior dos vasos linfáticos das pessoas infestadas e a fêmea retém os ovos no corpo até a eclosão de larvas quase microscópicas, as microfilárias, que medem cerca de 0,3 mm de comprimento por 9 µm de diâmetro. Durante a noite, as microfilárias migram para os capilares da pele, onde podem ser sugadas por mosquitos hematófagos, fêmeas de pernilongos do gênero *Culex* e, em algumas regiões, também do gênero *Anopheles*, os hospedeiros intermediários. As microfilárias perfuram o intestino do mosquito e alojam-se em sua musculatura torácica, onde se desenvolvem, passando para um estágio larval infectante. Ao picar uma pessoa sadia, mosquitos infestados podem transmitir formas larvais infectantes; no organismo humano, as larvas se desenvolvem até as formas adultas, completando o ciclo.

A adaptação da filária à vida parasitária é notável: durante o dia, as microfilárias permanecem nos vasos mais internos do corpo da pessoa. À noite, elas migram para os vasos sanguíneos superficiais da pele, onde têm grandes chances de infestar pernilongos de hábitos noturnos, seus hospedeiros intermediários.

Conteúdo multimídia
Ciclo da filariose

31.1
Biblioteca do estudante
Ciência e cidadania

31.5 Filo Mollusca (moluscos)

Características gerais dos moluscos

Moluscos (filo **Mollusca**, do latim *mollis*, mole) são animais de corpo mole, não segmentados, geralmente dotados de concha calcária, secretada pelo próprio animal (exoesqueleto incompleto); exemplos de moluscos são as ostras, os mexilhões, as vieiras, os caramujos, as lesmas, lulas e polvos, entre muitos outros.

A presença e a forma da concha, bem como o desenvolvimento de certas partes do corpo, são os principais critérios para a classificação dos moluscos em diversas classes; destas, as mais conhecidas são os bivalves (Bivalvia), os gastrópodes (Gastropoda) e os cefalópodes (Cephalopoda). (Fig. 31.19)

O filo dos moluscos é bem diversificado, com mais de 100 mil espécies atuais. A maioria vive no mar, principalmente em águas rasas litorâneas. Há também espécies de água doce e de terra firme.

Figura 31.19 Representantes de moluscos. **A.** *Cepaea nemoralis*, gastrópode comum na Europa que mede cerca de 8 cm de comprimento. **B.** *Argopecten aequisulcatus*, bivalve que atinge 8 cm de comprimento. **C.** *Amphioctopus marginatus*, cefalópode que vive na região intertropical do Oceano Pacífico e mede aproximadamente 25 cm de comprimento.

O corpo de um molusco típico tem três partes principais: cabeça, pé e massa (ou saco) visceral. As diversas classes de moluscos apresentam variações nessas partes básicas, que refletem a história evolutiva do grupo. (Fig. 31.20)

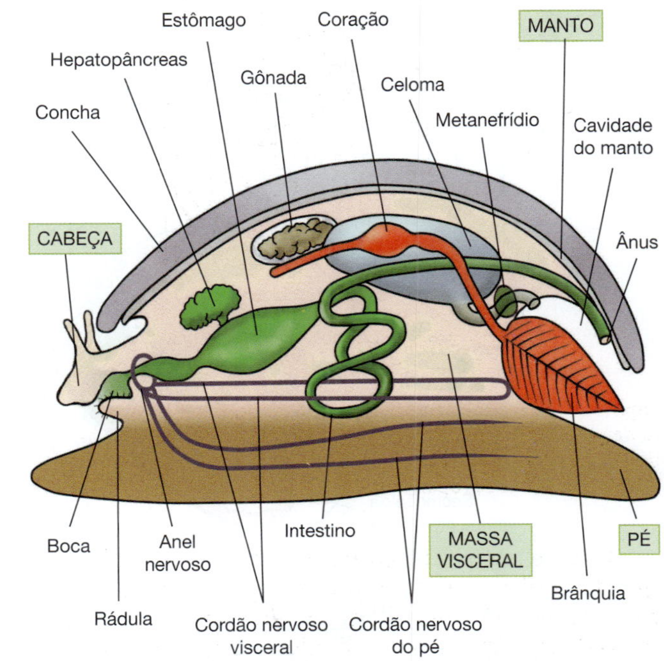

Figura 31.20 Representação esquemática da organização corporal de um molusco hipotético. (Elementos fora de proporção de tamanho entre si; cores-fantasia.)

A **cabeça** é bem desenvolvida em gastrópodes (caramujos e caracóis) e em cefalópodes (lulas e polvos), mas é reduzida ou praticamente inexistente nos bivalves (mexilhões e ostras). O grau de desenvolvimento da cabeça está relacionado com as adaptações de gastrópodes e cefalópodes para a busca ativa do alimento, tarefa para a qual a cabeça é importante, por concentrar órgãos sensoriais. A presença de cabeça bem diferenciada não constitui grande vantagem para os bivalves, que são animais sésseis e filtradores.

O **pé** é uma estrutura musculosa, cuja função varia nos diversos grupos de moluscos. Nos gastrópodes, ele é especializado na locomoção por deslizamento. Nos cefalópodes, o pé é dividido em tentáculos, que permitem nadar, caminhar ou capturar presas. Em muitos bivalves, o pé permite cavar ou fixar o animal a um substrato.

O **saco visceral** aloja os órgãos internos (vísceras) e é delimitado por uma extensa área do epitélio dorsal, o **manto**, ou pálio. Em muitos moluscos, o manto prolonga-se além do saco visceral e forma uma cavidade, onde se abrem o ânus e os poros excretores. O manto apresenta glândulas produtoras de muco e de secreções calcárias, que formam a **concha**. Esta pode apresentar uma ou mais partes, que recebem o nome de valvas. Constituídas basicamente de carbonato de cálcio ($CaCO_3$), as conchas são rígidas e resistentes, protegendo e dando sustentação esquelética aos moluscos. (Fig. 31.21)

A nutrição dos moluscos é diversificada, com espécies carnívoras, herbívoras e filtradoras. Com exceção dos bivalves, que filtram partículas alimentares diretamente da água, todos os outros moluscos são dotados de uma "língua raladora", a **rádula**. Trata-se de uma estrutura em forma de fita, com fileiras de pequenos dentes de quitina, cujo número varia entre 16 mil e 750 mil. Músculos ligados à rádula permitem executar movimentos de vaivém, que raspam o alimento e o transformam em pequenas partículas.

Na cavidade bucal dos moluscos desembocam glândulas salivares, que secretam muco sobre o alimento. Certas espécies têm bolsas esofágicas com enzimas digestivas. No estômago desemboca o **hepatopâncreas**, um par de glândulas digestórias que desempenham funções equivalentes às do fígado e do pâncreas dos vertebrados. Além de secretar enzimas digestivas, o hepatopâncreas armazena proteínas, lipídios, glicogênio, sais de cálcio e produz excreções.

Reprodução dos moluscos

Moluscos têm reprodução sexuada. A maioria dos bivalves e alguns gastrópodes são dioicos e eliminam os gametas na água, onde a fecundação ocorre. O zigoto desenvolve-se em uma larva ciliada, a **trocófora**, que nada ativamente.

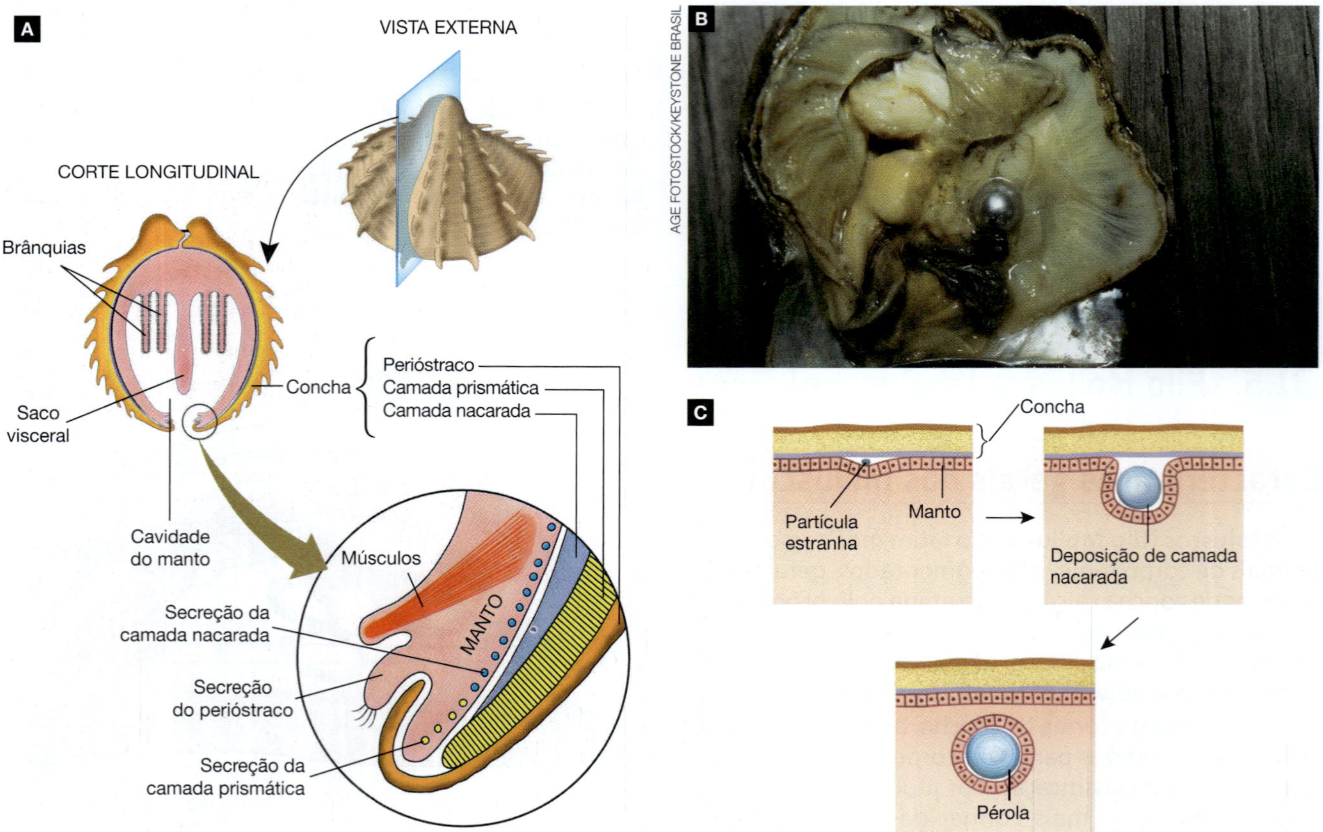

Figura 31.21 A. Representação esquemática da formação das três partes da concha de um bivalve: a mais interna, de aspecto liso e brilhante, é a camada nacarada, ou nácar; a intermediária, mais espessa, é a camada prismática, formada por cristais de carbonato de cálcio dispostos perpendicularmente à concha; a mais externa é a camada orgânica, ou perióstraco, constituída principalmente por material orgânico. **B.** Ostra *Crassostrea gigas* aberta para mostrar uma pérola com cerca de 1 cm de diâmetro. **C.** Representação esquemática das etapas de formação de uma pérola: um objeto estranho, como um grão de areia, se interpõe entre a concha e o manto e é envolvido por células epiteliais que secretam sobre ele inúmeras camadas sobrepostas de nácar, originando a pérola. (Em **A** e **C**, elementos fora de proporção de tamanho entre si; cores-fantasia.)

Na maioria das espécies, a trocófora transforma-se em um segundo estágio larval, denominado **véliger**, na qual se formam o pé e a concha. (Fig. 31.22)

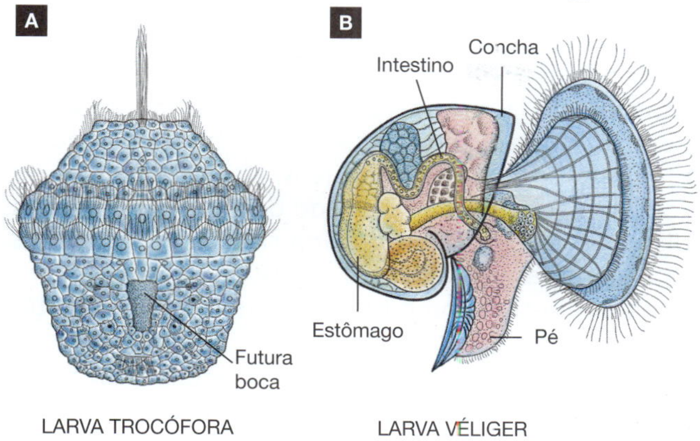

Figura 31.22 Representação esquemática de formas larvais de moluscos. **A.** Trocófora. **B.** Véliger. (Elementos fora de proporção de tamanho entre si; cores-fantasia.)

A maioria dos gastrópodes é monoica. Caracóis-de-jardim, por exemplo, têm uma gônada única, hermafrodita – a **ovoteste** –, que produz tanto óvulos quanto espermatozoides. Na cópula, dois indivíduos sexualmente maduros encostam seus poros genitais e cada um introduz o pênis no poro genital do parceiro. Os espermatozoides são armazenados temporariamente em um receptáculo seminal, aguardando o amadurecimento dos óvulos. Estes recebem reservas nutritivas de uma glândula albuminosa e, após a fecundação, são envolvidos por uma casca ou por uma massa gelatinosa, antes de ser eliminados pelo poro genital. O desenvolvimento é direto, sem estágio larval.

Cefalópodes são dioicos. O macho usa um tentáculo especializado para depositar um pacote de espermatozoides na cavidade do manto da fêmea ou em uma saliência que ela tem sob a boca. Os ovos são fecundados internamente e envoltos por uma cápsula gelatinosa, antes de ser libertados na água ou fixados a objetos submersos. O desenvolvimento é direto, sem estágios larvais. (Fig. 31.23)

FRED BAVENDAM/MINDEN PICTURES/LATINSTOCK

Figura 31.23 Ovos de sépia (*Sepia apama*), que medem aproximadamente 3 cm de comprimento. O ovo da direita acabou de eclodir, liberando um jovem semelhante ao adulto.

31.6 Filo Annelida (anelídeos)

Características gerais dos anelídeos

Os **anelídeos** (filo **Annelida**, do latim *annellus*, anel) são animais de corpo alongado, estruturado em segmentos dispostos em sequência. Há cerca de 16,5 mil espécies descritas de anelídeos, distribuídas em três grupos principais: poliquetos (Polychaeta), oligoquetos (Oligochaeta) e hirudíneos (Hirudinea).

Poliquetos (do grego *polys*, muito, e *chaite*, cerda) são anelídeos dotados de grande número de projeções rígidas de quitina – **cerdas** – implantadas em expansões laterais de cada segmento do corpo, os **parápodes**, ou parapódios (do grego *para*, semelhante, e *podos*, pé, perna).

Os poliquetos têm cabeça diferenciada, com palpos, antenas, olhos etc. Eles são animais bentônicos, isto é, relacionados com o fundo marinho. Habitam desde praias e costões rochosos, na faixa das marés, até as profundezas abissais. Algumas espécies, como *Nereis virens* (nereida), são predadoras e rastejam ativamente pelos fundos marinhos à procura de animais que lhes sirvam de alimento. Outros poliquetos são sésseis, vivendo em tubos que eles mesmos constroem com grãos de areia ou com material calcário secretado pela parede do corpo. A alimentação de muitos poliquetos sésseis consiste de organismos microscópicos, como larvas diversas e microcrustáceos, filtrados da água do mar. (Fig. 31.24)

CHRISTOPHE COURTEAU/NATURE PL/DIOMEDIA; ANDREW J. MARTINEZ/SCIENCE SOURCE/DIOMEDIA; POELZER WOLFGANG/ALAMY/GLOW IMAGES; AGE FOTOSTOCK/KEYSTONE BRASIL

Figura 31.24 A. *Nereis pelagica*, poliqueto errante que mede cerca de 40 cm de comprimento. **B.** *Hermodice carunculata*, outro poliqueto errante com cerca de 10 cm de comprimento. **C.** *Protula* sp., poliqueto tubícola que atinge 3 cm de diâmetro. **D.** *Serpula vermicularis*, outro poliqueto tubícola que mede aproximadamente 20 cm de comprimento.

Oligoquetos (do grego *oligos*, pouco, e *chaite*, cerda) são anelídeos caracterizados pela presença de relativamente poucas **cerdas** corporais. As minhocas são os exemplos mais conhecidos de oligoquetos. É difícil ver as cerdas das minhocas a olho nu, mas é fácil senti-las, se percorrermos o corpo do animal com a ponta dos dedos, da região posterior para a anterior.

Os oligoquetos vivem em solos úmidos ou em ambientes de água doce. Há desde exemplares com poucos milímetros de comprimento até os de grande porte, como o minhocuçu (*Rhinodrilus fafner*), espécie que se supõe extinta e que atingia 2 m de comprimento e 2,5 cm de diâmetro.

Um oligoqueto de terra firme bem conhecido no Brasil é a minhoca *Pheretima hawayana*, chamada de minhoca-louca por se contorcer freneticamente quando incomodada. *Tubifex* é um gênero de pequenas minhocas avermelhadas que vivem em tubos, no lodo do fundo de lagos e rios de águas poluídas, alimentando-se de detritos. A presença desses anelídeos é um indicador positivo da poluição da água por detritos orgânicos.

O corpo da minhoca é revestido externamente por uma cutícula fina e transparente, secretada pela epiderme. Sob ela, a musculatura organiza-se em pacotes de fibras longitudinais, circulares e oblíquas, possibilitando ampla variedade de movimentos corporais. Minhocas sexualmente maduras apresentam um conjunto de segmentos diferenciados que constituem o **clitelo**. Os segmentos clitelares secretam muco para a formação de um casulo, dentro do qual ocorre a fecundação dos óvulos. (Fig. 31.25)

As minhocas desempenham um papel importante na reciclagem de materiais orgânicos e na fertilização do solo. Elas escavam túneis que favorecem a aeração do solo para as raízes das plantas e, ao se alimentar de restos orgânicos, principalmente de folhas, auxiliam o processo de decomposição. Além disso, produzem fezes e urina ricas em substâncias nitrogenadas fertilizantes. O esterco desses anelídeos, conhecido como húmus de minhoca, constitui um adubo de alta qualidade.

Hirudíneos são anelídeos sem cerdas nem parápodes, ligeiramente achatados dorsoventralmente. Muitas espécies vivem na água doce e no mar; algumas habitam brejos e pântanos. As sanguessugas são exemplos de hirudíneos conhecidos, pois muitas espécies se alimentam do sangue de animais vertebrados.

As sanguessugas têm duas ventosas para fixação ao corpo do hospedeiro, uma ao redor da boca (ventosa oral ou anterior) e outra na extremidade oposta (ventosa posterior). Uma vez fixado, o animal perfura a pele da vítima sem provocar dor e, por ação da musculatura da faringe, suga o sangue, que flui facilmente graças a uma substância anticoagulante, produzida pelas glândulas salivares do hirudíneo.

FABIO COLOMBINI

B

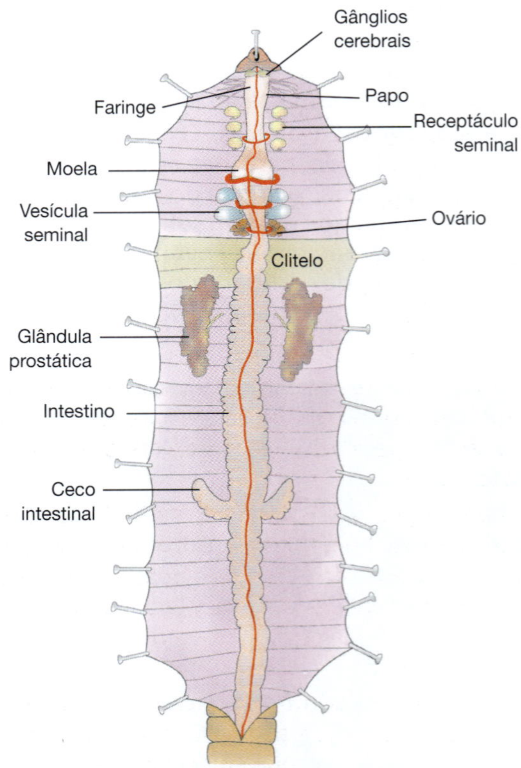

C

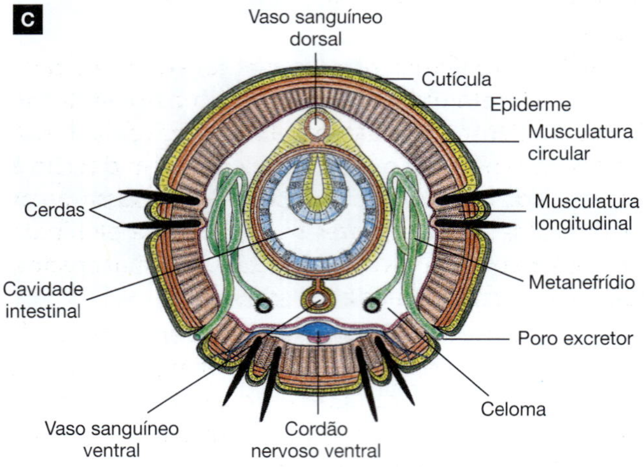

Figura 31.25 A. *Pheretima hawayana*, minhoca que mede aproximadamente 10 cm de comprimento. **B.** Representação esquemática de uma minhoca dissecada, mostrando seus principais órgãos internos. **C.** Representação esquemática de uma minhoca dissecada, em corte transversal, mostrando músculos, cerdas e outras partes corporais. (Em **B** e **C**, elementos fora de proporção de tamanho entre si; cores-fantasia.)

No passado, sanguessugas *Hirudo medicinalis* foram utilizadas em sangrias, técnicas terapêuticas baseadas na crença de que as doenças podiam ser eliminadas do corpo pela retirada de sangue. Esse tipo de terapia foi abandonado a partir de meados do século XIX, com os avanços da medicina e da fisiologia. No entanto, ainda se empregam sanguessugas para remover hematomas em ferimentos traumáticos ou cirúrgicos. (Fig. 31.26)

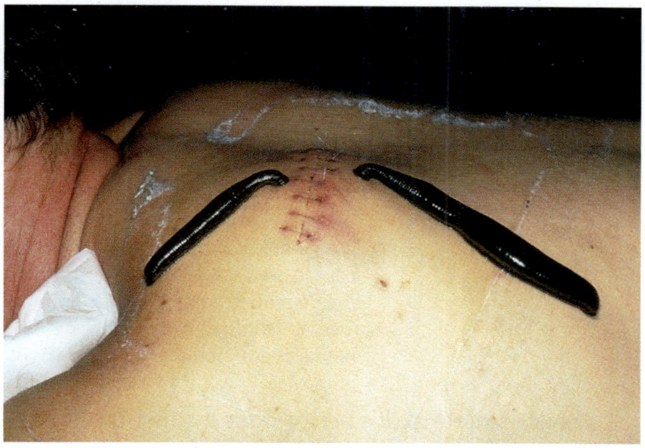

Figura 31.26 Sanguessugas *Hirudo medicinalis* aplicadas sobre hematomas pós-cirúrgicos, nas costas de uma pessoa. Esses animais têm de 6 a 10 cm de comprimento.

Reprodução dos anelídeos

A maioria dos poliquetos é dioica, com fecundação externa e desenvolvimento indireto, com larva trocófora. Oligoquetos e hirudíneos são monoicos e têm desenvolvimento direto, sem estágio larval.

Para ilustrar a reprodução de um anelídeo, estudaremos a minhoca-louca, *Pheretima hawayana*. Os representantes dessa espécie têm entre 85 e 95 segmentos corporais, numerados pelos especialistas a partir da extremidade anterior. O segmento de número 1 apresenta uma projeção dilatada, o prostômio, utilizada para cavar o solo. Nos segmentos 6, 7 e 8 há três pares de orifícios na face ventral, que são as aberturas dos **receptáculos seminais**, ou espermatecas, cuja função é armazenar espermatozoides recebidos de outra minhoca no ato sexual.

Na região ventral do clitelo, formado pelos segmentos 14, 15 e 16, há um par de **poros genitais femininos**, que se conectam internamente a duas estruturas internas em forma de funil, os **ovidutos**. Estes captam os óvulos liberados por um par de ovários e os conduzem ao poro genital feminino.

As partes reprodutoras masculinas da minhoca consistem de dois pares de testículos, dois pares de vesículas seminais, um par de túbulos seminíferos e um par de glândulas prostáticas. Os espermatozoides produzidos pelos testículos migram para as vesículas seminais, onde ficam armazenados. Daí eles seguem pelos dutos espermáticos e se misturam com a secreção proveniente da próstata, formando o esperma, que é eliminado através dos poros genitais masculinos durante a cópula.

À noite, minhocas sexualmente maduras saem de seus túneis subterrâneos e copulam, unindo suas superfícies ventrais por meio de estruturas adesivas denominadas papilas copulatórias. Os parceiros orientam-se em sentidos opostos, de modo que os poros genitais masculinos de uma das minhocas ficam em contato com os receptáculos seminais da outra, e vice-versa; o fluido com espermatozoides é expelido através dos poros genitais masculinos e armazenado nos receptáculos seminais do parceiro. (Fig. 31.27)

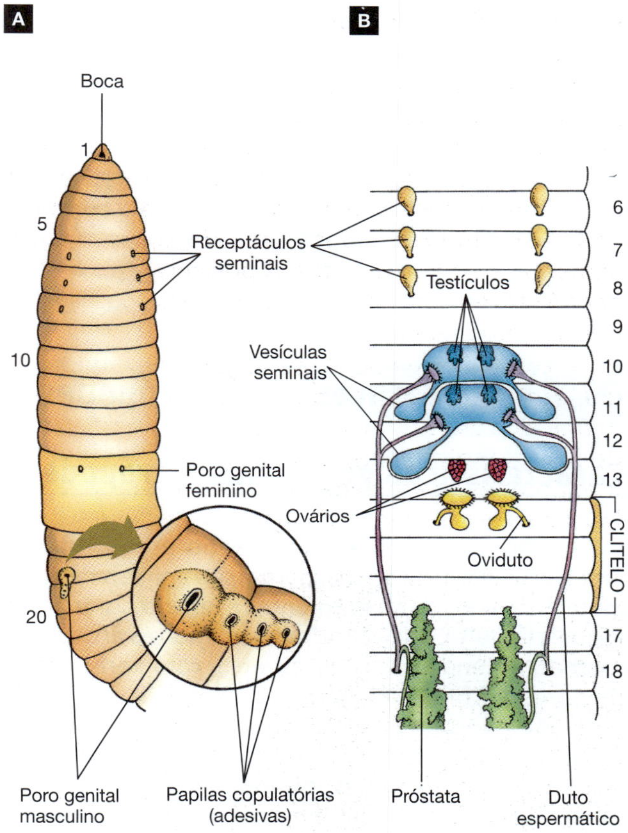

Figura 31.27 Representações esquemáticas do sistema reprodutor da minhoca. **A.** Vista externa da face ventral da minhoca, mostrando a localização das diversas aberturas do sistema reprodutor, com detalhe das papilas copulatórias. **B.** Estrutura interna dos órgãos que compõem o sistema reprodutor hermafrodita da minhoca. (Elementos fora de proporção de tamanho entre si; cores-fantasia.)

Após o ato sexual, os parceiros separam-se e cada minhoca secreta um casulo tubular mucoso em torno do clitelo, dentro do qual são eliminados os óvulos. A minhoca se contrai e o casulo desloca-se em direção à extremidade anterior do corpo. Quando passa pelos receptáculos seminais, estes se contraem e eliminam no interior do casulo os espermatozoides armazenados, que fecundam os óvulos ali presentes.

O casulo mucoso desliza para a extremidade anterior da minhoca e se solta, fechando-se nas pontas; ele tem cerca de 1 cm de comprimento; em seu interior, os ovos se desenvolvem e originam diretamente pequenas minhocas, sem estágio larval. (Fig. 31.28)

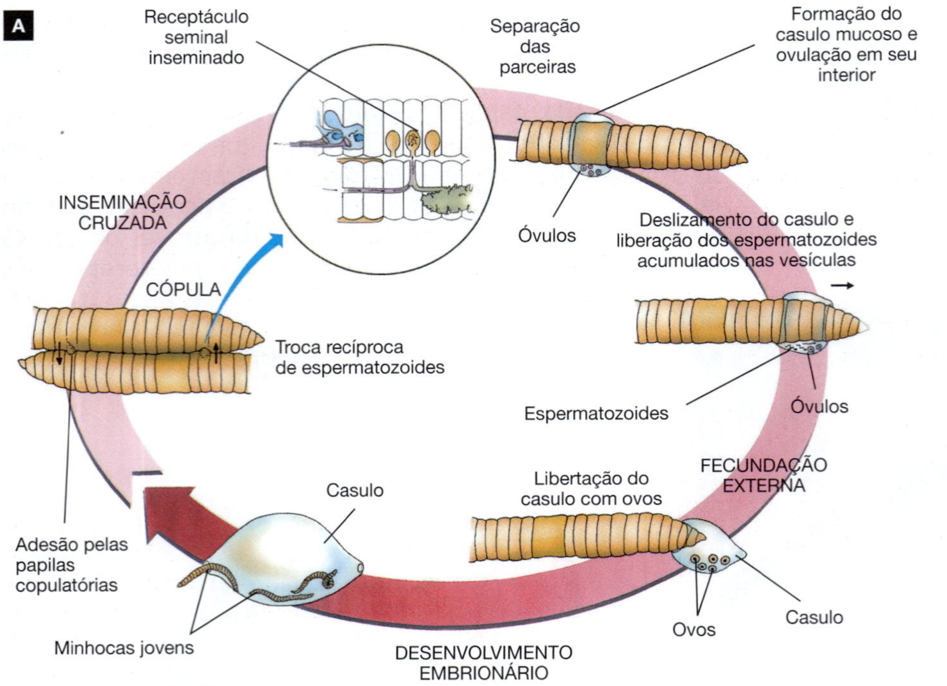

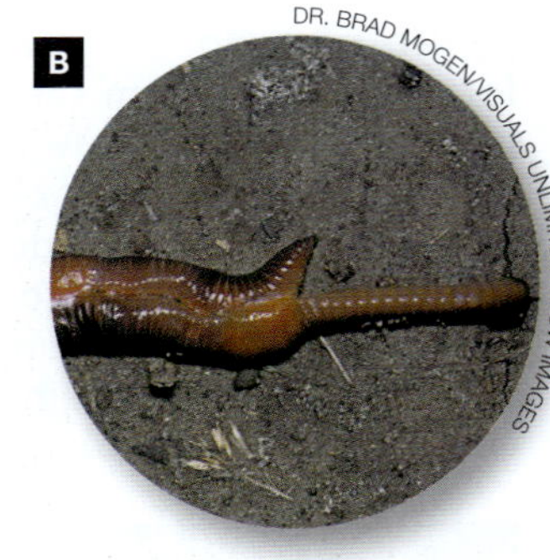

Figura 31.28 A. Representação esquemática do ciclo reprodutivo da minhoca. A fecundação é externa, no interior do casulo, e o desenvolvimento é direto, sem estágio larval. (Elementos fora de proporção de tamanho entre si; cores-fantasia.) **B.** Fotografia de minhocas em cópula.

31.7 Filo Arthropoda (artrópodes)

Características gerais dos artrópodes

Artrópodes (filo **Arthropoda**, do grego *arthron*, junta, articulação, e *podós*, perna) são animais de corpo metamerizado, completamente revestido por um exoesqueleto quitinoso, dotados de apêndices articulados (pernas, antenas, peças bucais etc.), característica que dá nome ao filo. Na maioria das espécies, grupos de segmentos corporais (metâmeros) fundem-se durante o desenvolvimento embrionário, constituindo as diferentes partes do corpo, ou **tagmas**. Por exemplo, a cabeça dos insetos é um tagma resultante da fusão dos seis metâmeros anteriores; em diversos crustáceos, há fusão dos metâmeros da cabeça e do tórax, originando o tagma denominado **cefalotórax**.

O **exoesqueleto** dos artrópodes é constituído basicamente pelo polissacarídio nitrogenado **quitina** e pode conter carbonato de cálcio ($CaCO_3$), como ocorre em caranguejos e lagostas. O exoesqueleto impossibilita o crescimento corporal e, para crescer, os artrópodes precisam trocá-lo periodicamente, em um fenômeno denominado **ecdise**, ou muda. Isso geralmente acontece várias vezes, ao longo da vida do artrópode. (Fig. 31.29)

O filo dos artrópodes é muito diversificado. De acordo com a organização corporal, o número e os tipos de apêndices, a presença e o número de antenas, entre outras características, os artrópodes são divididos em quatro grupos principais: crustáceos (Crustacea), que reúne camarões, siris, lagostas etc.; quelicerados (Chelicerata), que reúne aranhas, escorpiões, ácaros etc.; hexápodes (Hexapoda), que reúne principalmente os insetos; miriápodes (Myriapoda), que reúne lacraias, piolhos-de-cobra etc.

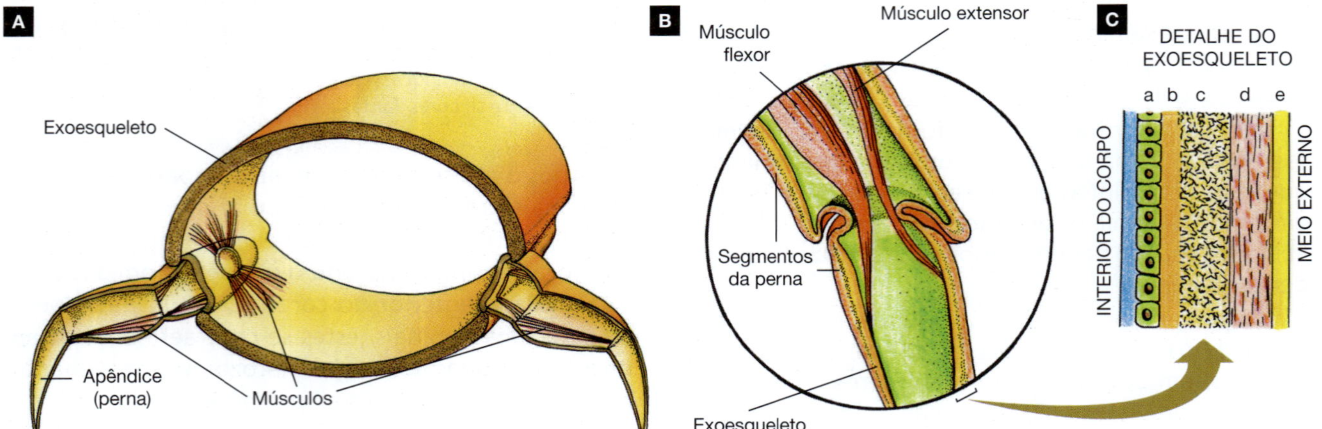

Figura 31.29 A. Representação esquemática do exoesqueleto de um segmento corporal de artrópode. **B.** Representação esquemática da articulação de uma perna de crustáceo, mostrando os músculos responsáveis por sua movimentação. **C.** Representação esquemática da organização do exoesqueleto de artrópode: (a) epiderme; (b) quitina não calcificada; (c) quitina calcificada; (d) camada pigmentada; (e) epicutícula. (Elementos fora de proporção de tamanho entre si; cores-fantasia.)

Crustáceos

Os **crustáceos** têm dois pares de antenas e seu corpo geralmente é dividido em dois tagmas — cefalotórax e abdome — dotados de apêndices locomotores. A maioria das cerca de 40 mil espécies de crustáceo vive em ambientes aquáticos, marinhos ou de água doce. Há espécies sésseis, como as cracas, que vivem fixadas a rochas e a outros substratos submersos; outras são livre-natantes, como certos camarões; outras, ainda, caminham sobre o fundo marinho, como siris, lagostas e muitos camarões. Entre os poucos crustáceos de terra firme destacam-se os tatuzinhos-de-jardim e as baratas-de-praia. (Fig. 31.30)

FABIO COLOMBINI

MINDEN PICTURES/LATINSTOCK

JEFF ROTMAN/ALAMY/GLOW IMAGES

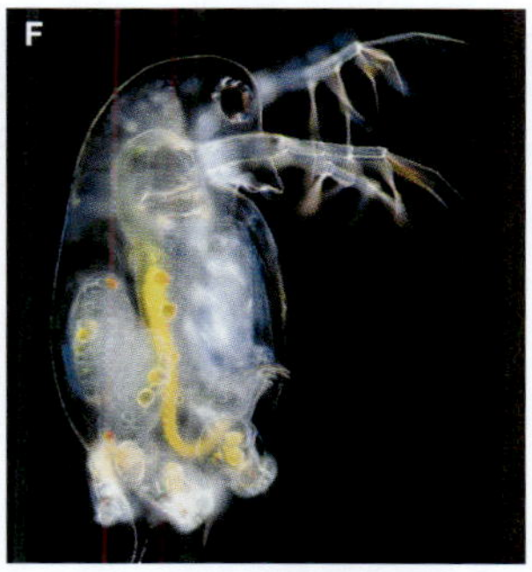
WIM VAN EGMOND/VISUALS UNLIMITED/CORBIS/LATINSTOCK

D P WILSON/FLPA/DIOMEDIA

PICTURE HOOKED/NIGEL DOWNER/ALAMY/GLOW IMAGES

Figura 31.30 Representantes de crustáceos. **A.** Caranguejo maria-farinha (*Ocypode* sp.) com 8 cm de comprimento. **B.** *Lysmata amboinensis*, camarão com 6 cm de comprimento. **C.** *Balanus perforatus*, craca que mede cerca de 2 cm de diâmetro. **D.** *Armadillidium vulgare*, tatuzinho-de-jardim com aproximadamente 1,5 cm de comprimento. **E.** *Ligia exotica*, crustáceo conhecido como barata-de-praia, que mede cerca de 4 cm de comprimento. **F.** Copépode *Daphnia longispina* (microscópio fotônico; aumento ≈120 ×).

Os hábitos alimentares dos crustáceos refletem sua diversidade. Cracas, por exemplo, são animais filtradores, retirando partículas alimentares da água do mar. Certos caranguejos são herbívoros, alimentando-se de algas; outros são carnívoros, alimentando-se de animais vivos ou mortos. Camarões, siris e alguns caranguejos são detritívoros, alimentando-se de todo tipo de detritos orgânicos que encontram.

A maioria dos crustáceos é dioica. Os machos possuem apêndices especializados na transferência de pacotes de espermatozoides para os receptáculos seminais da fêmea, onde ficam armazenados. Os óvulos, eliminados pelos poros genitais, permanecem aderidos ao abdome da fêmea, onde são fecundados. Em algumas espécies, o desenvolvimento é direto; em outras, ocorrem um ou mais estágios larvais. (Fig. 31.31)

MICHEL ROGGO/BIOSPHOTO/DIOMEDIA

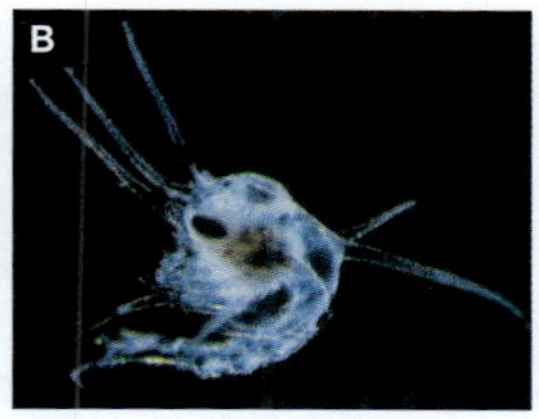
DAVID WROBEL/VISUALS UNLIMITED/GLOW IMAGES

Figura 31.31 A. Fêmea de caranguejo *Gecarcoidea natalis* com ovos (de cor quase preta) aderidos ao abdome. Esse animal mede aproximadamente 11 cm de comprimento. **B.** Fotomicrografia de larva de *Artemia salina.* (Microscópio fotônico; aumento ≈ 40 ×.)

Quelicerados

Os **quelicerados**, que reúnem animais como aranhas, escorpiões, carrapatos, ácaros e límulos, têm quatro pares de pernas e não apresentam antenas. Uma característica típica do grupo é um par de **quelíceras**, estruturas afiadas que participam da captura de alimento. A maioria das cerca de 65 mil espécies de quelicerados tem o corpo dividido em dois tagmas: o cefalotórax, ou prossoma, e o abdome, ou opistossoma. (Fig. 31.32)

JOHN SERRAO/VISUALS UNLIMITED/GLOW IMAGES

FABIO COLOMBINI

DR. JAMES L. CASTNER/VISUALS UNLIMITED/GLOW IMAGES

NIGEL CATTLIN/MINDEN PICTURES/LATINSTOCK

FABIO COLOMBINI

Figura 31.32 Variedade de quelicerados. **A.** *Dolomedes tenebrosus*, aranha (clado Arachnida) com cerca de 2 cm de comprimento. **B.** *Limulus polyphemus*, límulo (clado Merostomata), em vista ventral, com 25 cm de comprimento. **C.** *Ixodes scapularis*, carrapato (clado Arachnida) que atinge 3 mm de comprimento. **D.** *Hypoaspis miles*, ácaro (clado Arachnida) com cerca de 0,5 mm. **E.** *Thestylus aurantiurus*, escorpião (clado Arachnida) que mede cerca de 3 cm de comprimento.

O maior grupo de quelicerados é o dos **aracnídeos** (Arachnida), que reúne aranhas, escorpiões, carrapatos e ácaros, animais adaptados à terra firme. Aranhas vivem em matas, pântanos, desertos e casas. Escorpiões são comuns em regiões áridas, passando o dia escondidos em tocas e saindo à noite para caçar pequenos animais, geralmente insetos. Aracnídeos produzem peçonha, injetada nas vítimas pelas quelíceras, nas aranhas, e pelo aguilhão caudal, nos escorpiões. (Fig. 31.33)

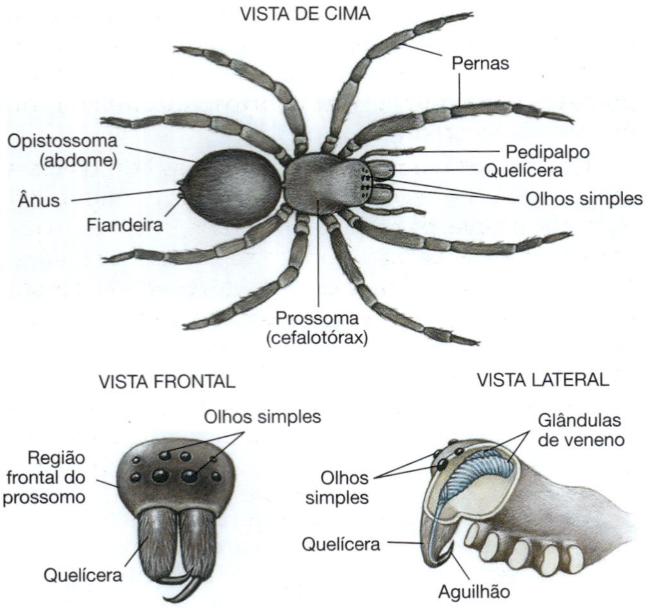

Figura 31.33 Representação esquemática da anatomia externa de uma aranha. Pedipalpos são apêndices especializados em manipular alimentos, ajudam a espremer a presa e também atuam como órgãos gustativos. Fiandeiras, ou espinaretas, são estruturas nas quais desembocam as glândulas produtoras de seda utilizada na confecção da teia. Abaixo, à direita, prossoma em vista lateral com parte removida para mostrar as glândulas de veneno e a quelícera. (Elementos fora de proporção de tamanho entre si; cores-fantasia.)

Aracnídeos são dioicos. Em aranhas, um macho sexualmente maduro tece um saquinho de seda, onde coloca seus espermatozoides. Ao encontrar uma fêmea adulta, após os rituais de acasalamento, ele introduz o pacote de espermatozoides no poro genital feminino, com o auxílio dos pedipalpos. A fecundação é interna e a fêmea põe os ovos dentro de um casulo de seda tecido por ela, o ovissaco. Algumas aranhas carregam consigo o ovissaco, enquanto outras o deixam preso à teia ou a ramos de árvore. Dos ovos eclodem pequenas aranhas, semelhantes aos pais (desenvolvimento direto). Como outros artrópodes, a aranha passa por sucessivas mudas ao longo de sua vida.

Miriápodes

Os **miriápodes**, divididos em quilópodes e diplópodes, são artrópodes de corpo alongado, dotados de muitas pernas e um par de antenas.

Quilópodes, com cerca de 3 mil espécies conhecidas, reúnem centopeias e lacraias. Têm corpo formado por dois tagmas: cabeça e tronco, este último constituído por metâmeros torácicos e abdominais. Cada um dos metâmeros, cujo número varia entre 15 e 170, dependendo da espécie, possui um par de pernas.

Diplópodes, com cerca de 10 mil espécies descritas, reúnem piolhos-de-cobra ou embuás. São animais com corpo constituído por três tagmas: cabeça, tórax e abdome. O tórax é formado por três metâmeros, cada um com um par de pernas. O abdome é formado por 25 a 100 metâmeros, dependendo da espécie, cada um resultante da fusão de dois metâmeros embrionários, o que é evidenciado pela presença de dois pares de pernas por segmento abdominal. (Fig. 31.34)

Figura 31.34 A. *Scolopendra* sp., lacraia (quilópode) com cerca de 8 cm de comprimento. **B.**Piolho-de-cobra, ou embuá (diplópode), animal que chega a medir 15 cm de comprimento.

Hexápodes

Os **hexápodes** (Hexapoda, do grego *hexa*, seis, e *podos*, pé, perna) reúnem artrópodes que têm três pares de pernas e um par de antenas. A maioria pertence ao grupo dos insetos, o mais diversificado do filo Arthropoda, com mais de 900 mil espécies descritas. Hexápodes bem conhecidos são os besouros, as moscas, os mosquitos, os gafanhotos, as baratas, as traças, as formigas, as abelhas, as libélulas, os piolhos e as pulgas, entre tantos outros. (Fig. 31.35)

Figura 31.35 Representantes de insetos, artrópodes com corpo dividido em três tagmas (cabeça, tórax e abdome), três pares de pernas torácicas e um par de antenas; a maioria apresenta um ou dois pares de asas. **A.** *Onthophagus gazella*, besouro que chega a medir 12 mm de comprimento. **B.** *Musca domestica*, mosca com aproximadamente 14 mm de comprimento. **C.** Gafanhoto (família Acrididae) com cerca de 3 cm de comprimento. **D.** *Sympetrum vulgatum*, libélula que mede aproximadamente 6 cm de envergadura. **E.** Piolho *Pediculus humanus* (microscópio fotônico; aumento ≈20 ×). **F.** *Ctenocephalides felis*, pulga que mede cerca de 3 mm de comprimento.

Insetos são organismos adaptados a ambientes de terra firme. São os únicos invertebrados capazes de voar, o que possibilitou ao grupo colonizar todas as regiões do planeta.

Para ilustrar as características típicas de um inseto, escolhemos um gafanhoto, fácil de observar e com diversas espécies brasileiras. A cabeça de um gafanhoto, como a dos demais insetos, resulta da fusão de seis metâmeros. Nela há um par de antenas, um par de olhos compostos e três ocelos. Na parte inferior da cabeça localizam-se as peças bucais (mandíbulas, maxilas etc.), adaptadas à mastigação e à ingestão de alimento sólido.

O tórax do gafanhoto é formado por três metâmeros, cada qual com um par de pernas articuladas; os dois últimos metâmeros torácicos têm um par de asas cada um. As asas do segundo segmento torácico são coriáceas e recobrem as asas membranosas. O abdome do gafanhoto compõe-se de onze metâmeros não fundidos e sem apêndices.

É possível notar, na lateral inferior dos metâmeros abdominais, pequenas aberturas do aparelho respiratório, os **espiráculos**. Os últimos metâmeros são adaptados a funções reprodutivas, constituindo as genitálias de machos e fêmeas; nestas pode haver um ovopositor, estrutura especialmente adaptada à postura dos ovos. (Fig. 31.36)

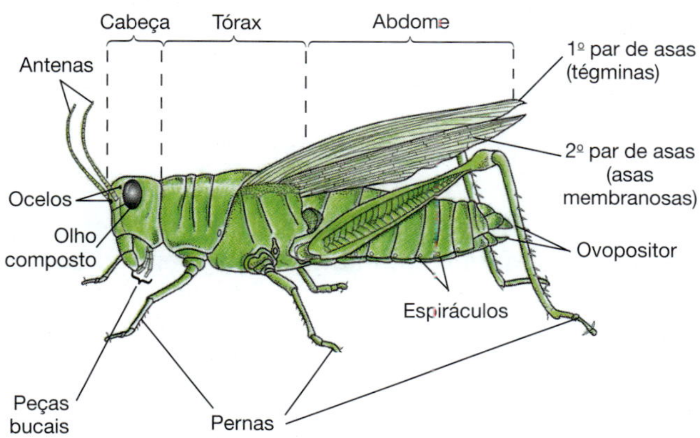

Figura 31.36 Representação esquemática da anatomia externa de um gafanhoto. (Elementos fora de proporção de tamanho entre si; cores-fantasia.)

Insetos são dioicos. Na cópula, o macho introduz o pênis na vagina da fêmea, onde elimina os espermatozoides. Estes vão para um reservatório denominado espermateca, onde ficam temporariamente armazenados. Os óvulos produzidos nos ovários percorrem os ovidutos e, ao passar pela espermateca, são fecundados. Em seguida, os ovos desenvolvem casca e são eliminados pela fêmea, processo denominado postura.

Algumas espécies de inseto têm desenvolvimento direto, sendo denominados **ametábolos** (do grego *a*, negação, e *metabole*, transformar). Insetos em que há estágios larvais (desenvolvimento indireto) são denominados **metábolos** e podem ser hemimetábolos ou holometábolos.

Nos insetos **hemimetábolos**, como os gafanhotos e as baratas, por exemplo, as formas jovens (ninfas) vão se tornando gradualmente semelhantes aos adultos, processo denominado **metamorfose incompleta**, ou metamorfose gradual.

Nos insetos **holometábolos**, como as borboletas e as mariposas, por exemplo, eclode do ovo um ser vermiforme, a **larva**, de corpo segmentado, sem asas e que pode ou não ter pernas. Após certo número de mudas, que varia entre as espécies, a larva reveste-se de um exoesqueleto relativamente duro, transformando-se em **pupa**. A fase de pupa representa um momento crucial da transformação da larva em adulto: os tecidos larvais são destruídos e surgem novos tecidos, característicos do adulto. O inseto adulto, ou **imago**, rompe a cutícula da pupa e não passa por mais nenhuma muda. A transformação de larva em adulto é denominada **metamorfose completa**. (Fig. 31.37)

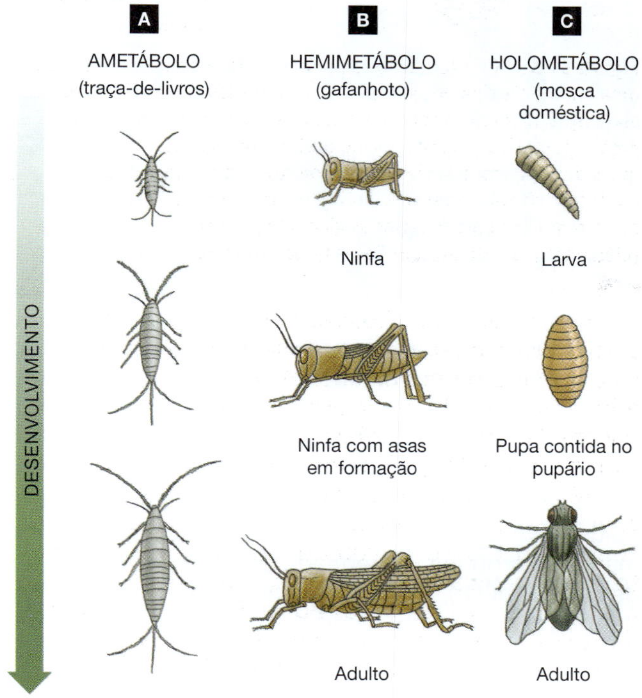

Figura 31.37 Representação esquemática de tipos de desenvolvimento em diferentes insetos. (Elementos fora de proporção de tamanho entre si; cores-fantasia.)

31.8 Filo Echinodermata (equinodermos)

Características gerais dos equinodermos

Equinodermos (filo **Echinodermata**, do grego *echinos*, espinho, e *dermatos*, pele) somam cerca de 7 mil espécies viventes. As estrelas-do-mar (classe Asteroidea), os ouriços-do-mar e as bolachas-de-praia (classe Echinoidea) e os pepinos-do-mar (classe Holothuroidea) são exemplos desses animais. (Fig. 31.38)

Figura 31.38 Representantes de equinodermos. **A.** *Echinarachnius parma*, bolacha-de-praia (classe Echinoidea), animal que mede cerca de 10 cm de diâmetro. **B.** *Orthasterias koehleri*, estrela-do-mar (classe Asteroidea) com cerca de 35 cm de diâmetro. **C.** *Ophioderma longicauda*, serpente-do-mar (classe Ophiuroidea), animal que mede aproximadamente 15 cm de diâmetro. **D.** *Pseudocolochirus* sp., pepino-do-mar, ou holotúria (classe Holothuroidea), animal que atinge 14 cm de comprimento. **E.** *Comanthina schlegelii*, lírio-do-mar, ou crinoide (classe Crinoidea), cujos braços medem cerca de 30 cm de comprimento.

O corpo dos equinodermos é revestido por uma epiderme fina. O esqueleto interno, constituído por uma matriz de proteína impregnada de cristais de carbonato de cálcio ($CaCO_3$), varia entre os equinodermos. Nas holotúrias, por exemplo, o endoesqueleto consiste basicamente de uma rede de colágeno, com ossículos dispersos.

Entre os espinhos dos equinodermos, há estruturas móveis, dotadas de pequenas pinças nas extremidades, as **pedicelárias**, cuja função é remover detritos e pequenos animais que aderem ao corpo do equinodermo, mantendo-o sempre limpo. Há também **pés ambulacrais**, estruturas tubulares finas e flexíveis, dotadas de ventosas aderentes na extremidade, que se projetam da superfície do corpo e auxiliam na movimentação e na captura de alimento. (Fig. 31.39)

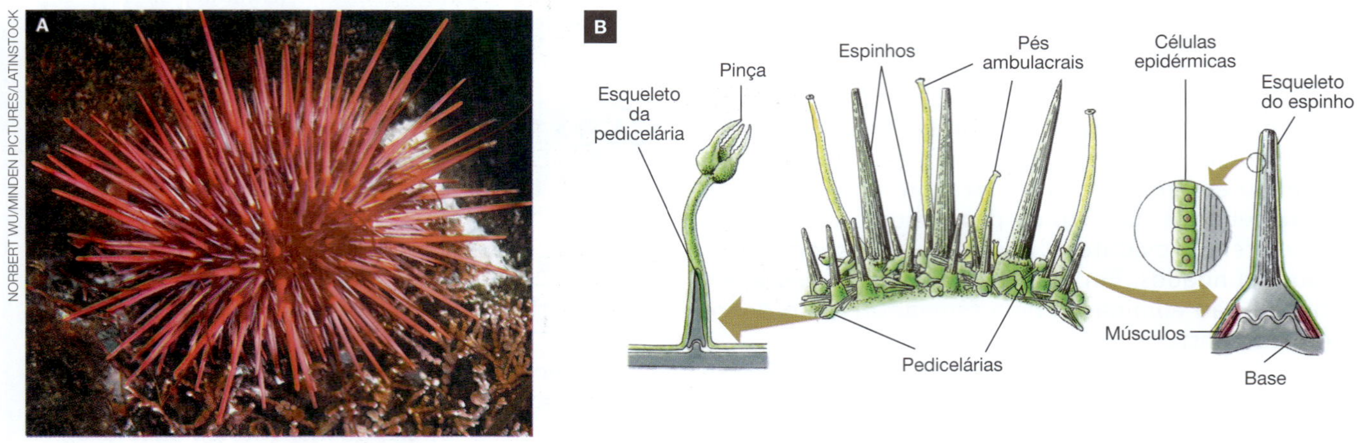

Figura 31.39 A. *Strongylocentrotus purpuratus*, ouriço-do-mar que chega a medir 10 cm de diâmetro. **B.** Representação esquemática de parte da superfície corporal de um ouriço-do-mar com detalhe de uma pedicelária e de um espinho com seu revestimento epidérmico. (Elementos fora de proporção de tamanho entre si; cores-fantasia.)

Os pés ambulacrais fazem parte do **sistema hidrovascular**, ou sistema ambulacral, uma exclusividade dos equinodermos. Além dos pés ambulacrais, que se projetam para fora por poros do endoesqueleto, o sistema hidrovascular é formado por um conjunto de tubos e ampolas de paredes musculares internos ao corpo.

Esse sistema atua na locomoção, na respiração, na captura de alimento e também na percepção do ambiente, devido às terminações nervosas que apresenta. Tubos, ampolas e pés ambulacrais são preenchidos por água do mar, daí o nome "hidrovascular" (do grego *hidros*, água, e do latim *vasculum*, vaso, recipiente).

A água penetra no sistema hidrovascular por poros de uma placa do endoesqueleto — a **placa madrepórica**, ou madreporito — que, em ouriços-do-mar e estrelas-do-mar, situa-se na chamada face aboral, próxima do ânus e oposta à face oral, que fica voltada para o substrato e abriga a boca do animal.

Os poros da placa madrepórica abrem-se internamente para o **canal madrepórico** (ou canal pétreo), que se liga a um canal circular, localizado em torno do tubo digestório. Do canal circular partem cinco expansões em forma de bolsas, as **vesículas de Poli**, e cinco canais radiais que percorrem o corpo junto à face interna das zonas ambulacrais. De cada canal radial partem centenas de pés ambulacrais, cada um deles ligado a uma ampola de paredes musculares. Os pés ambulacrais projetam-se para o exterior do corpo pelos poros no endoesqueleto. O sistema hidrovascular funciona com pressão de água em seu interior, regulada pela ação da musculatura das paredes dos canais, vesículas e ampolas. (Fig. 31.40)

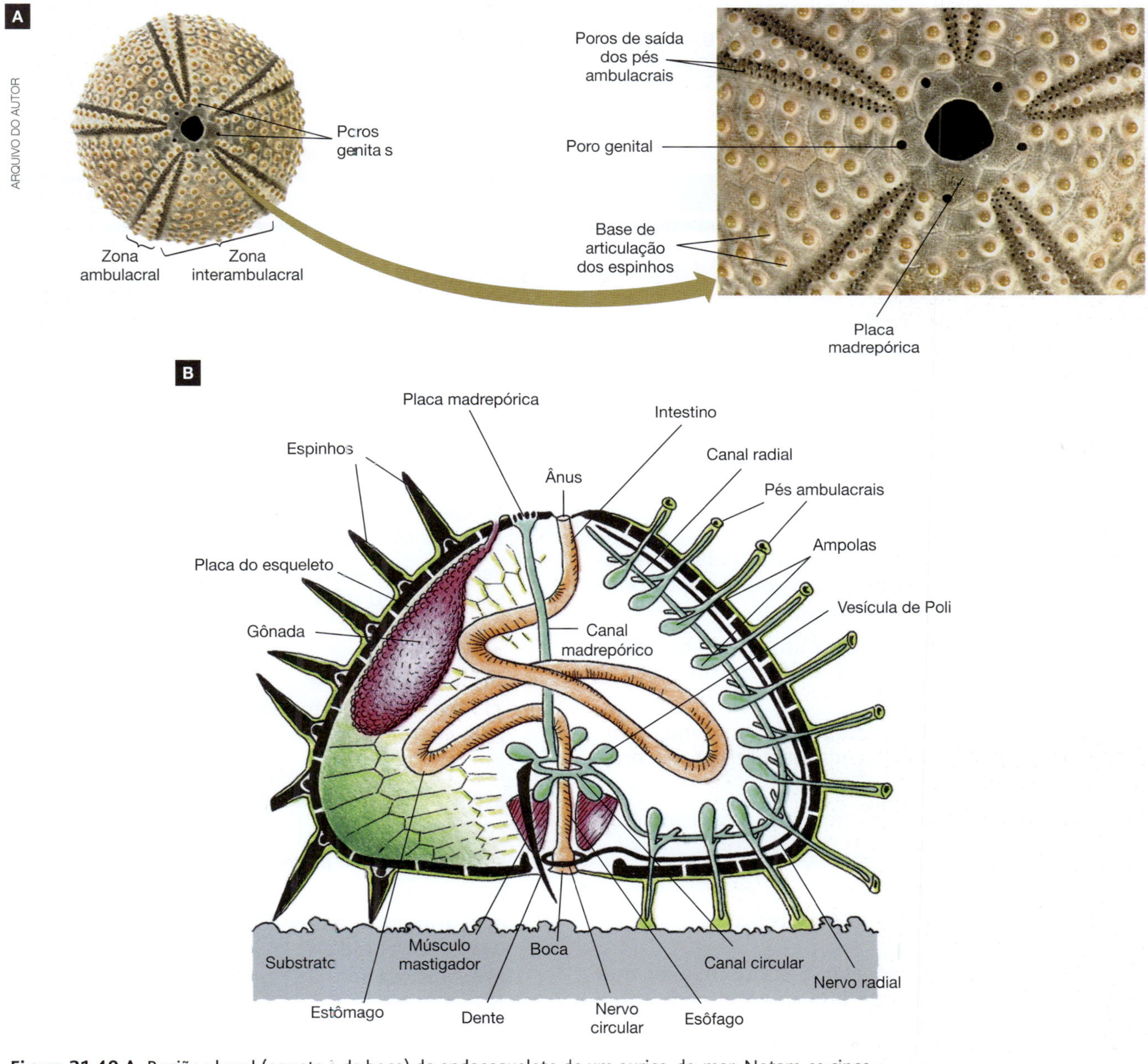

Figura 31.40 A. Região aboral (oposta à da boca) do endoesqueleto de um ouriço-do-mar. Notam-se cinco zonas mais estreitas onde há orifícios de saída dos pés ambulacrais (zonas ambulacrais). A grande perfuração no centro do esqueleto é onde se localiza o ânus. Em torno dela há cinco placas, cada uma com um orifício, o poro genital. Uma dessas placas, a placa madrepórica, possui muitas pequenas perfurações. **B.** Representação esquemática de um corte longitudinal de ouriço-do-mar, mostrando alguns órgãos internos e o sistema hidrovascular. (Elementos fora de proporção de tamanho entre si; cores-fantasia.)

Conteúdo multimídia
Reprodução e desenvolvimento de equinodermos

Os ouriços-do-mar alimentam-se de algas marinhas, pequenos animais e detritos orgânicos. Após ser triturado por dentes calcários ligados a uma armação de ossículos e músculos, a **lanterna de Aristóteles**, que guarnece a boca, o alimento passa para o estômago e o intestino, onde é digerido por enzimas secretadas pelas células intestinais. A digestão é extracelular e os produtos úteis são absorvidos pelas células da parede intestinal.

Estrelas-do-mar são carnívoras, alimentando-se de corais, anêmonas, outros equinodermos e moluscos. Muitas são capazes de abrir conchas de bivalves, graças à adesão dos pés ambulacrais e à força da musculatura de seus braços. O estômago das estrelas-do-mar sai pela boca e entra em contato direto com a presa, secretando sobre ela muco e enzimas. Após algum tempo, o estômago é recolhido, com o alimento semidigerido. Completada a digestão, os resíduos são geralmente eliminados pela própria boca, pois o intestino e o ânus das estrelas-do-mar são pouco funcionais.

Reprodução dos equinodermos

Todos os equinodermos são dioicos. As gônadas dos machos (testículos) e das fêmeas (ovários) localizam-se na cavidade celômica, sendo cinco em ouriços-do-mar, dez em estrelas-do-mar e apenas uma em holotúrias. As gônadas abrem-se para o exterior através de poros genitais, e os gametas — óvulos e espermatozoides — são eliminados na água do mar, onde ocorre fecundação externa.

O desenvolvimento em equinodermos é indireto, com uma ou mais formas larvais. Ouriços-do-mar têm apenas uma forma larval livre-natante e com simetria bilateral, denominada plúteo. Estrelas-do-mar têm dois estágios larvais bilateralmente simétricos; a larva que emerge do ovo é chamada bipinária e, após algum tempo, transforma-se na braquiolária. Em determinado estágio do desenvolvimento, a braquiolária afunda e sofre metamorfose, transformando-se em uma estrela-do-mar jovem.

Atividades

Visão do especialista

Biblioteca do estudante
Faça você mesmo!

Revendo conceitos fundamentais

Escreva, em seu caderno, o termo abaixo que substitui corretamente a tarja entre parênteses das frases de 1 a 3.

a) arqueócito
b) coanócito
c) espícula
d) pinacócito
e) porócito

1. Nas esponjas, a célula responsável pela distribuição de alimento e formação de outros tipos celulares é o(a) (▬).

2. Uma célula atravessada por um canal – o(a) (▬) – permite a entrada de água no corpo das esponjas.

3. (▬) é uma célula flagelada, com um funil membranoso, que reveste cavidades internas do corpo das esponjas.

4. O filo Cnidaria inclui, entre outros organismos, as
a) águas-vivas.
b) esponjas.
c) lombrigas.
d) planárias.

Escreva, em seu caderno, o termo abaixo que substitui corretamente a tarja entre parênteses das frases de 5 a 7.

a) cnidoblasto
b) medusa
c) metagênese
d) nematocisto
e) pólipo

5. A célula mais típica dos cnidários, que contém em seu interior uma estrutura urticante, é o(a) (▬).

6. A forma sexuada livre-natante presente no ciclo de vida de um cnidário é chamada (▬).

7. O(A) (▬) é o nome da forma corporal cilíndrica, geralmente séssil, dos cnidários.

8. O filo Platyhelminthes inclui, entre outros organismos, as
a) águas-vivas.
b) esponjas.
c) lombrigas.
d) planárias.

Escreva, em seu caderno, o termo abaixo que substitui corretamente a tarja entre parênteses das frases 9 e 10.

a) ectoparasita
b) endoparasita
c) hospedeiro intermediário
d) hospedeiro definitivo

9. O organismo no qual vivem os estágios imaturos e assexuados de um parasita é chamado (▬).

10. O organismo no qual vivem as formas adultas, ou sexuadas, de um parasita é chamado (▬).

Escreva, em seu caderno, o termo abaixo que substitui corretamente a tarja entre parênteses das frases 11 e 12.

a) esquistossomo
b) lombriga
c) planária
d) tênia

11. Um platelminto parasita do tubo digestório de vertebrados, cujo corpo é alongado e achatado em forma de fita, é o(a) (▬).

12. Um platelminto parasita que habita as veias do fígado humano e pode causar a barriga-d'água é o(a) (▬).

Escreva, em seu caderno, o termo abaixo que substitui corretamente a tarja entre parênteses das frases de 13 a 15.

a) cercária
b) cisticerco
c) escólex
d) miracídio
e) proglótide

13. A larva ciliada que sai do ovo de *Schistosoma mansoni* e penetra no caramujo é o(a) (▬).

14. A larva do esquistossomo que penetra ativamente pela pele ou pela mucosa das pessoas, infestando-as, é o(a) (▬).

15. A estrutura que contém a forma imatura da tênia e que geralmente se aloja na musculatura do hospedeiro intermediário é chamada (▬).

Escreva, em seu caderno, o termo abaixo que substitui corretamente a tarja entre parênteses das frases de 16 a 18.

a) ancilóstomo
b) esquistossomo
c) filária
d) lombriga

16. Um nematódeo parasita que vive no intestino humano e é adquirido pela ingestão de ovos do verme é o(a) (▬).

17. Um nematódeo parasita presente no solo, cujas larvas penetram ativamente na pele e se instalam no intestino humano, é o(a) (▬).

18. Um nematódeo parasita que vive nos vasos linfáticos e se adquire pela picada de certos mosquitos é o(a) (▬).

19. O filo Mollusca inclui, entre outros organismos, as
a) águas-vivas.
b) minhocas.
c) planárias.
d) ostras.

20. O filo Annelida inclui, entre outros organismos, as
a) águas-vivas.
b) minhocas.
c) planárias.
d) ostras.

21. Os crustáceos incluem, entre outros organismos,
a) escorpiões.
b) caramujos.
c) lesmas.
d) camarões.

22. Os quelicerados incluem, entre outros organismos,
a) minhocas.
b) lagostas.
c) mariposas.
d) escorpiões.

23. Qual das alternativas reúne as características de um inseto?
a) Corpo dividido em cefalotórax e abdome; quatro pares de pernas; sem antenas.
b) Corpo dividido em cefalotórax e abdome; dois pares de antenas.
c) Corpo dividido em cabeça, tórax e abdome; três pares de pernas; um par de antenas.
d) Corpo dividido em cabeça, tórax e abdome; dois pares de pernas por segmento; sem antenas.

24. O filo Echinodermata inclui, entre outros organismos,
a) águas-vivas.
b) minhocas.
c) ouriços-do-mar.
d) planárias.

25. O conjunto de tubos e ampolas cheios de água do mar no corpo dos equinodermos, que desempenha funções de movimentação e de respiração, entre outras, é o(a)
a) árvore respiratória.
b) papila respiratória.
c) pé ambulacral.
d) sistema hidrovascular.

Ligando conceitos, fatos e processos

26. A água que passa através do corpo de um porífero faz o seguinte caminho:
a) ósculo → espongiocela → porócito.
b) ósculo → porócito → espongiocela.
c) porócito → espongiocela → ósculo.
d) porócito → ósculo → espongiocela.

27.

"Muitos cnidários apresentam metagênese, com alternância de gerações de pólipos assexuados e de medusas sexuadas."

Essa afirmação está
a) correta, pois no ciclo de vida da maioria dos cnidários alternam-se gerações de pólipos assexuados e de medusas sexuadas.
b) incorreta, pois, apesar de no ciclo de vida dos cnidários ocorrer alternância de gerações, a fase sexuada é a polipoide e a assexuada é a medusoide.
c) incorreta, pois, apesar de no ciclo de vida dos cnidários ocorrer alternância de gerações, tanto pólipos quanto medusas reproduzem-se sexuada e assexuadamente.
d) incorreta, pois no ciclo de vida dos cnidários não ocorre alternância de gerações, algumas espécies tendo apenas a forma polipoide e outras, apenas a forma medusoide.

Escreva, em seu caderno, o termo abaixo que substitui corretamente a tarja entre parênteses das frases de 28 a 32.
a) ingerir ovos do parasita
b) ser picado por mosquito infestado com larvas do parasita
c) comer carne malcozida com larvas do parasita
d) ter contato direto com água contendo larvas do parasita
e) ter contato direto com terra contendo larvas do parasita

28. Uma pessoa adquire teníase ao (▬).

29. Uma pessoa adquire esquistossomose ao (▬).

30. Uma pessoa adquire cisticercose ao (▬).

31. Uma pessoa adquire filariose ao (▬).

32. Uma pessoa adquire ancilostomose ao (▬).

33. Um artrópode difere de todos os outros animais por apresentar
a) corpo segmentado.
b) endoesqueleto calcário.
c) exoesqueleto de quitina e apêndices corporais articulados.
d) corpo dividido em cabeça, tórax e membros.

Questões para exercitar o pensamento

34. Para exercitar a pesquisa sistemática de informações, construa uma tabela com os filos animais estudados no capítulo, comparando hábitat (ambiente onde vivem), simetria, cavidades corporais (celoma ou pseudoceloma) e tipo de reprodução de cada um. Faça a tabela em tamanho grande, como um cartaz, de modo que as "casas" sejam amplas o bastante para que você possa escrever os dados que julgar importantes sobre os animais. Acrescente esquemas e ilustrações. A tabela pronta, colocada em lugar bem visível (na classe ou em sua casa), ajudará você a se familiarizar com a Zoologia.

35. Alguns nomes de cnidários, como hidra e medusa, são também nomes de monstros de lendas gregas. Pesquise como os antigos gregos imaginavam esses monstros e tente estabelecer entre eles e os cnidários relações que levaram ao emprego dessas denominações.

36. Construa uma tabela comparativa dos diversos grupos de artrópodes. Sugerimos que a tabela contenha os seguintes itens: a) hábitat; b) partes do corpo; c) tipos e número de apêndices diagnósticos (que permitem caracterizar o grupo); d) sistema circulatório; e) sistema respiratório; f) sistema excretor; g) tipo de reprodução. (Relembre o capítulo 30)

37. A *Taenia saginata* libera cerca de 100 mil ovos em cada proglótide. A cada dia, cerca de 7 a 9 proglóndites contendo ovos maduros destacam-se da extremidade final do parasita e são liberadas nas fezes do hospedeiro. Assumindo que a produção de ovos e a liberação de proglótides sejam relativamente constantes ao longo do tempo, calcule a quantidade de ovos maduros que uma pessoa infectada libera em um dia, em uma semana, em um mês e em um ano.

A Biologia no vestibular e no Enem

Questões objetivas

1. (Mackenzie-SP) As células flageladas dos poríferos, responsáveis pela circulação da água nesses animais, são
a) os cnidoblastos.
b) os coanócitos.
c) as células-flama.
d) os pinacócitos.
e) os amebócitos.

2. (UFS-SE) Comparando-se os ciclos de vida de platelmintos e nematoides parasitas do homem, pode-se afirmar que estágios larvais de vida livre ocorrem somente nos gêneros
a) *Schistosoma* e *Ancylostoma*.
b) *Ancylostoma* e *Ascaris*.
c) *Ascaris* e *Taenia*.
d) *Taenia* e *Wuchereria*.
e) *Wuchereria* e *Schistosoma*.

3. (Unifor-CE) Vários animais podem parasitar o ser humano. Comer frutas e verduras bem lavadas, ingerir somente carne bem-passada, e não nadar em lagoas nas quais haja caramujos são medidas profiláticas capazes de diminuir a incidência, respectivamente, de
a) teníase, ascaridíase e esquistossomose.
b) ascaridíase, esquistossomose e teníase.
c) esquistossomose, teníase e ascaridíase.
d) ascaridíase, teníase e esquistossomose.
e) teníase, esquistossomose e ascaridíase.

4. (UFPE) A esquistossomose observada no Brasil, causada pelo *Schistosoma mansoni*, é uma doença grave e debilitante. Na fase crônica, ocorre inflamação do fígado e do baço, além da típica ascite (barriga-d'água). Na profilaxia dessa doença é importante:
1. construir redes de água e esgoto;
2. exterminar o caramujo hospedeiro;
3. evitar o contato com águas possivelmente infestadas por cercárias;
4. combater as oncosferas e os cisticercos.

Está(ão) correta(s)
a) 1, 2, 3 e 4.
b) 2 apenas.
c) 1, 2 e 4 apenas.
d) 2 e 4 apenas.
e) 1, 2 e 3 apenas.

5. (PUC-RJ) Sabemos ser desaconselhável comer carne de porco crua porque podemos contrair uma doença, que se caracteriza por ingestão de
a) cistos de *Taenia* e seu desenvolvimento no trato intestinal.
b) ovos de *Taenia* e seu desenvolvimento nos órgãos em geral.
c) ovos de *Tripanosoma* e seu desenvolvimento no trato intestinal.
d) larvas de moscas e seu desenvolvimento nos órgãos em geral.
e) toxinas bacterianas e desenvolvimento de diarreia.

6. (Fuvest-SP) Uma criança foi internada em um hospital com convulsões e problemas neurológicos. Após vários exames, foi diagnosticada cisticercose cerebral. A mãe da criança iniciou, então, um processo contra o açougue do qual comprava carne todos os dias, alegando que este lhe forneceu carne contaminada com o verme causador da cisticercose. A acusação contra o açougue
a) não tem fundamento, pois a cisticercose é transmitida pela ingestão de ovos de tênia eliminados nas fezes dos hospedeiros.
b) não tem fundamento, pois a cisticercose não é transmitida pelo consumo de carne, mas, sim, pela picada de mosquitos vetores.
c) não tem fundamento, pois a cisticercose é contraída quando a criança nada em lagoas onde vivem caramujos hospedeiros do verme.
d) tem fundamento, pois a cisticercose é transmitida pelo consumo de carne contaminada por larvas encistadas, os cisticercos.
e) tem fundamento, pois a cisticercose é transmitida pelo consumo dos ovos da tênia, os cisticercos, que ficam alojados na carne do animal hospedeiro.

7. (Mackenzie-SP) A elefantíase é uma verminose provocada por um nematódeo, e seu principal sintoma é o inchaço de pés e pernas. Esse inchaço é provocado
   a) pelo acúmulo de vermes nos vasos linfáticos, impedindo a reabsorção de linfa, que se acumula nos espaços intercelulares.
   b) pelo entupimento de vasos sanguíneos, causado pela coagulação do sangue na tentativa de expulsar os vermes.
   c) pelo aumento do número de vermes nas células musculares das regiões infectadas.
   d) pelo acúmulo de vermes nos capilares sanguíneos, dificultando o retorno do sangue.
   e) pela reação do sistema imunológico à presença dos vermes.

8. (Enem) Sobre a temática dos "Retirantes", Portinari também escreveu o seguinte poema:

[...]
Os retirantes vêm vindo com trouxas e embrulhos
Vêm das terras secas e escuras; pedregulhos
Doloridos como fagulhas de carvão aceso
Corpos disformes, uns panos sujos,
Rasgados e sem cor, dependurados
Homens de enorme ventre bojudo
Mulheres com trouxas caídas para o lado
Pançudas, carregando ao colo um garoto
Choramingando, remelento
[...]

Candido Portinari. *Poemas*. Rio de Janeiro: J. Olympio, 1964.

No texto de Portinari, algumas das pessoas descritas provavelmente estão infectadas com o verme *Schistosoma mansoni*. Os "homens de enorme ventre bojudo" corresponderiam aos doentes da chamada "barriga-d'água". O ciclo de vida do *Schistosoma mansoni* e as condições socioambientais de um local são fatores determinantes para maior ou menor incidência dessa doença. O aumento da incidência da esquistossomose deve-se à presença de
   a) roedores, ao alto índice pluvial e à inexistência de programas de vacinação.
   b) insetos hospedeiros e indivíduos infectados, à inexistência de programas de vacinação.
   c) indivíduos infectados e de hospedeiros intermediários e à ausência de saneamento básico.
   d) mosquitos, à inexistência de programas de vacinação e à ausência de controle de águas paradas.
   e) gatos e de alimentos contaminados, e à ausência de precauções higiênicas.

9. (UFPE) Determine a alternativa que indica um crustáceo, um aracnídeo e um inseto, nessa ordem.
   a) Camarão, pulga e aranha.
   b) Traça, siri e lagosta.
   c) Lacraia, pulga e carrapato.
   d) Lagosta, escorpião e abelha.
   e) Caranguejo, lacraia e escorpião.

10. (Fuvest-SP) Metamorfose é a transformação do estágio jovem para o adulto. Alguns insetos têm metamorfose completa (holometábolos), em outros a metamorfose é incompleta (hemimetábolos). Quais insetos exemplificam o primeiro e o segundo tipo de metamorfose, respectivamente?
   a) Gafanhoto e libélula.
   b) Borboleta e barata.
   c) Mariposa e abelha.
   d) Percevejo e mosquito.
   e) Besouro e mosca.

11. (Unirio-RJ) O sistema hidrovascular exclusivo de um determinado filo de invertebrados desempenha funções de locomoção, fixação e captura de alimento, além de contribuir decisivamente na respiração e na excreção. O filo a que se refere a descrição anterior é
   a) Nemathelminthes.
   b) Arthropoda.
   c) Echinodermata.
   d) Annelida.
   e) Mollusca.

Questões discursivas

12. (Fuvest-SP) A Grande Barreira de Recifes se estende por mais de 2.000 quilômetros ao longo da costa nordeste da Austrália e é considerada uma das maiores estruturas construídas por seres vivos. Quais são esses organismos e como eles formam essa estrutura?

13. (UFRRJ) Ao realizar um teste para a criação de moluscos bivalves em cativeiro, os técnicos de um laboratório utilizam três modelos de aquários, todos com mecanismos de aeração semelhantes. Em um deles (A), os animais foram colocados em água marinha reconstituída a partir de água destilada onde se adicionaram sais em quatidades suficientes para reproduzir a água com as mesmas características químicas da água do mar. Nos outros dois aquários, utilizou-se água bombeada diretamente do mar, sendo que, em um deles (B), a água passava por filtros antes de chegar ao aquário. No terceiro aquário (C), a água era bombeada diretamente para o aquário. Com base nessas informações, indique em qual dos aquários os bivalves têm as maiores chances de sobreviver e o porquê disso.

14. (Fuvest-SP) Do que se alimentam as minhocas? Por que elas são úteis para a agricultura?

Capítulo 32 Cordados

O anfioxo (*Branchiostoma lanceolatum*), animal com cerca de 6 cm de comprimento, além de ser modelo para estudos embriológicos, é atualmente reconhecido como descendente direto dos mais remotos ancestrais dos vertebrados.

Luzes sobre a origem dos vertebrados

As pesquisas genômicas têm ajudado os cientistas a elucidar os intrincados caminhos da evolução dos grandes grupos de seres vivos. Um exemplo disso é o trabalho assinado por mais de 40 pesquisadores, de várias nacionalidades, publicado na revista científica *Genome Research* em 2008[1], que traz de volta à cena um dos mais ilustres desconhecidos do reino Animal: o anfioxo.

O anfioxo é classificado no gênero *Branchiostoma*, mas, apesar desse nome, ele não possui brânquias na boca, como se pensava inicialmente. Embora esses animais dificilmente sejam observados na natureza, são bem conhecidos da maioria dos estudantes de Biologia, por apresentarem um padrão ordenado e extremamente didático de desenvolvimento embrionário.

Os cientistas acreditam que os anfioxos e os vertebrados herdaram suas características mais típicas, exclusivas de todos os cordados – notocorda, tubo nervoso dorsal e fendas faringianas –, de um ancestral que viveu no período Ediacarano ou no Cambriano, entre 580 milhões e 540 milhões de anos atrás.

O anfioxo já foi considerado, no século passado, um vertebrado "degenerado", que teria perdido o esqueleto craniano e vertebral. Entretanto, alguns já defendiam que as características dos cefalocordados refletiam sua origem remota dentro do grupo que originou todos os cordados.

As análises e comparações dos genomas de urocordados e vertebrados com o de cefalocordados mostram que estes foram um elo evolutivo crucial na origem dos vertebrados a partir de ancestrais invertebrados. A filogenia molecular indica que os cefalocordados constituem um grupo basal na linhagem dos cordados, isto é, foram os primeiros a derivar na árvore filogenética dos cordados. Somente mais tarde os urocordados e os vertebrados teriam divergido da linhagem ancestral.

1 Disponível em: <www.ncbi.nlm.nih.gov/pmc/articles/PMC2493399/>. Acesso em: maio 2013. (Em inglês)

A importância do assunto

Neste capítulo, apresentamos o grupo dos cordados. Destes, os mais expressivos são os vertebrados, grupo ao qual pertencemos. Além de mencionar os protocordados e suas relações filogenéticas com os vertebrados, traçamos um rápido panorama da diversidade do grupo dos cordados, desde os peixes-bruxa até os mamíferos.

Embora envolva muita informação, acreditamos que conhecer as principais características de nossos companheiros cordados acrescenta conhecimento sobre nós mesmos.

32.1 Características gerais dos cordados

Os **cordados** (filo **Chordata**, do latim *chorda*, corda) são animais que apresentam na vida embrionária um cordão dorsal semirrígido, a **notocorda** (do grego *noto*, dorso). Essa estrutura é considerada uma exclusividade do filo e indica que tunicados, anfioxos, peixes, anfíbios, répteis, aves e mamíferos, incluindo nossa própria espécie, tiveram um ancestral comum do qual herdaram essa característica. Na maioria dos cordados, a notocorda desaparece ao final da fase embrionária.

Além da notocorda, todo embrião de cordado apresenta tubo nervoso dorsal, **fendas faringianas** e um prolongamento do corpo além do ânus, a cauda pós-anal. (Fig. 32.1)

Os cordados compreendem cerca de 61 mil espécies, divididas em três grupos: tunicados (Tunicata) ou urocordados (Urochordata), com mais de 3 mil espécies; cefalocordados (Cefalochordata), com cerca de 25 espécies; craniados (Craniata), com aproximadamente 58 mil espécies.

Tunicados e cefalocordados geralmente são reunidos sob a designação de **protocordados** (do grego, *protos*, primitivo), por conservarem traços primitivos do grupo Chordata.

32.2 Protocordados

Tunicados

Os **tunicados** são animais marinhos e, na maioria, sésseis, vivendo aderidos a substratos submersos, desde as regiões polares até o equador. Na maioria das espécies, os indivíduos são solitários, mas há formas coloniais. O termo "tunicado" deve-se ao fato de os adultos terem o corpo revestido por um envoltório espesso, a túnica. A outra denominação do grupo, "urocordados" (do grego, *uros*, cauda), deve-se ao fato de a notocorda estar restrita apenas à região caudal das larvas.

As larvas dos tunicados, após uma fase livre-natante, fixam-se a algum substrato submerso e sofrem metamorfose, processo em que a cauda e a notocorda são reabsorvidas, e o tubo nervoso modifica-se drasticamente, assumindo a forma de um gânglio cerebral, localizado na região ventral do animal. (Fig. 32.2)

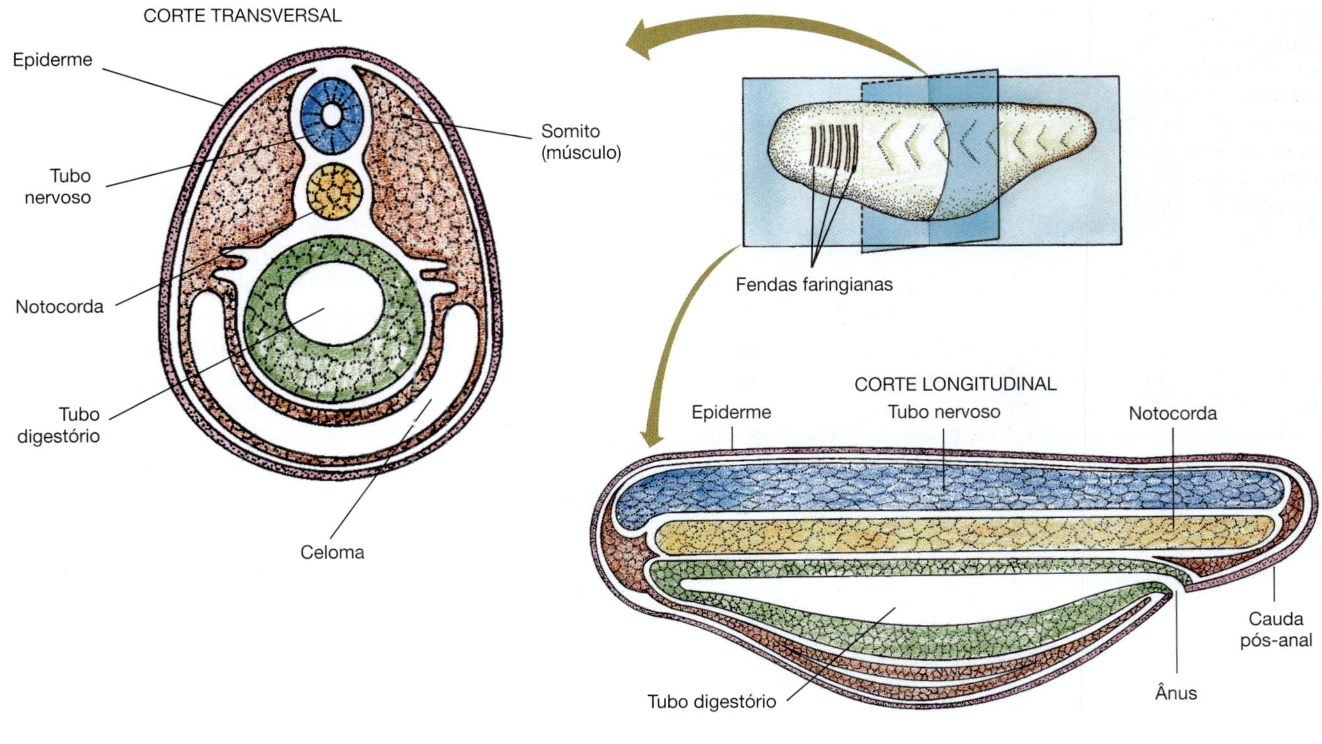

Figura 32.1 Representações esquemáticas de embrião de anfíbio em corte longitudinal e em corte transversal. As fendas faringianas, ou fendas branquiais, são aberturas que surgem na faringe durante o desenvolvimento embrionário e, nos vertebrados de quatro pernas, fecham-se logo depois. (Elementos fora de proporção de tamanho entre si; cores-fantasia.)

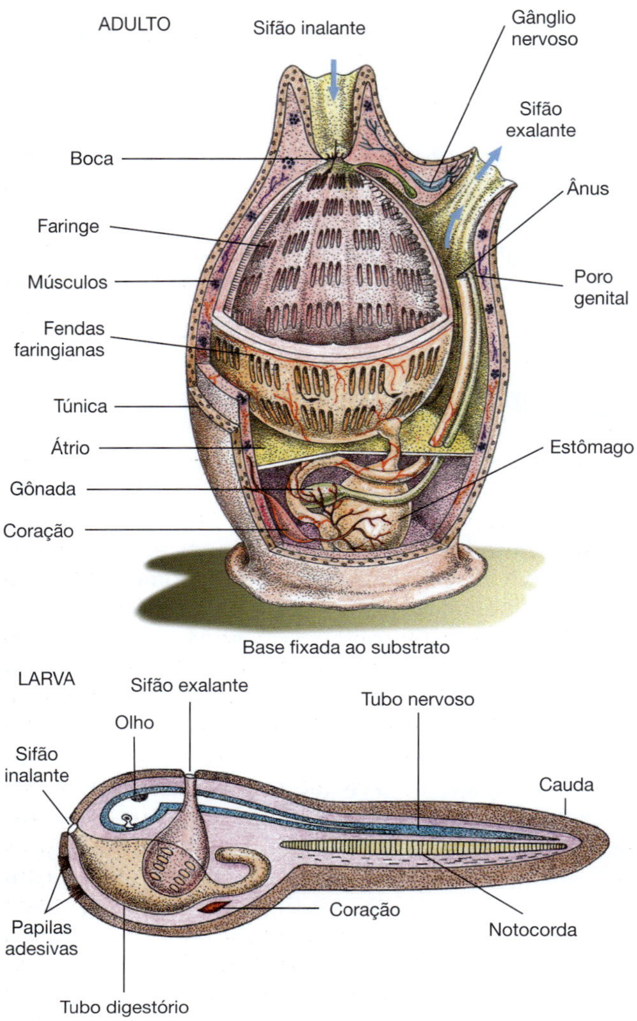

Figura 32.2 Representações esquemáticas de larva e adulto de urocordado. As larvas são livre-natantes, enquanto os adultos são sésseis, vivendo fixados a rochas ou a outros substratos. (Elementos fora de proporção de tamanho entre si; cores-fantasia.) Na fotografia, larva de tunicado *Oikopleura* sp.; a seta indica a notocorda. (Microscópio fotônico; aumento ≈ 260×)

No tunicado adulto há duas aberturas de comunicação com o ambiente externo: uma é o sifão inalante, por onde a água do mar penetra no corpo, e a outra é o sifão exalante, por onde a água sai. A circulação de água na cavidade corporal traz gás oxigênio e partículas alimentares e leva gás carbônico e excreções.

No fundo do sifão inalante localiza-se a boca, por onde a água inalada atinge uma grande faringe em forma de cesto, perfurada por muitas fendas paralelas. A água atravessa essas fendas e passa para a câmara que envolve a faringe – o **átrio** – que se comunica com o meio externo pelo sifão exalante.

Partículas orgânicas suspensas na água aderem ao muco produzido por um sulco da faringe, sendo "varridas" pelo movimento dos cílios de células epiteliais em direção ao estômago e intestino, onde atuam enzimas responsáveis pela digestão. Os nutrientes são absorvidos por células intestinais, e os resíduos inaproveitados da digestão são eliminados pelo ânus, que se abre no sifão exalante.

Cefalocordados

Os cefalocordados são animais marinhos de corpo achatado lateralmente e afilado nas extremidades, daí **anfioxo** (do grego *amphi*, em ambos os lados, e *oxus*, afilado). O termo "cefalocordado" (do grego, *cephalos*, cabeça) refere-se ao fato de a notocorda desses animais estender-se até a extremidade anterior do corpo, o que não ocorre nos urocordados, nos quais ela se restringe à região da cauda.

Os anfioxos vivem submersos, semienterrados em praias de areia grossa em posição quase vertical, deixando apenas a extremidade anterior exposta. À noite, exploram o ambiente, nadando por meio de flexões laterais do corpo até encontrar locais adequados, onde voltam a se enterrar.

A boca do anfioxo localiza-se na extremidade anterior e é rodeada por cirros bucais, filamentos longos que filtram e selecionam partículas alimentares. A epiderme que reveste o anfioxo, fina e transparente, permite visualizar sua musculatura metamerizada, organizada em blocos com a forma da letra V deitada.

Pela boca do anfioxo penetra constantemente água, que chega à faringe, atravessa as fendas faringianas e passa para o átrio, situado entre o tubo digestório e o revestimento corporal. Daí, a água sai para o exterior por uma abertura, o atrióporo, localizada na altura do terço posterior do corpo. A circulação da água é promovida pelo batimento dos cílios das células que revestem os arcos faringianos.

Partículas de alimento em suspensão na água aderem ao muco produzido em um sulco no assoalho da faringe e são "varridas", por células ciliadas, para o intestino, onde o **ceco hepático**, uma glândula em forma de bolsa, secreta enzimas digestivas. Os alimentos parcialmente digeridos são absorvidos pelas células intestinais, e a digestão se completa intracelularmente. Restos não aproveitados do alimento ingerido são eliminados pelo ânus. (Fig. 32.3)

Cefalocordados têm sistema circulatório fechado, cuja principal função é distribuir nutrientes pelo corpo. Eles apresentam respiração cutânea, ou seja, não têm sistema respiratório e as trocas gasosas ocorrem pelo epitélio corporal. O sistema excretor é constituído por vários pares de nefrídios, dispostos ao longo dos segmentos corporais, e tem como função principal a osmorregulação, que é o balanço adequado de íons. O sistema nervoso é formado por um tubo nervoso dorsal, do qual partem nervos para as diversas partes do corpo. Anfioxos têm células capazes de detectar luminosidade, além de receptores táteis, de olfato e de paladar.

A reprodução dos cefalocordados é sexuada e os animais são dioicos. As gônadas não têm ductos para a saída dos gametas; quando maduras, elas se rompem e liberam os gametas (óvulos ou espermatozoides) no átrio, de onde saem do corpo pelo atrióporo. A fecundação é externa, ocorre na água do mar, e o desenvolvimento é indireto, com um estágio larval.

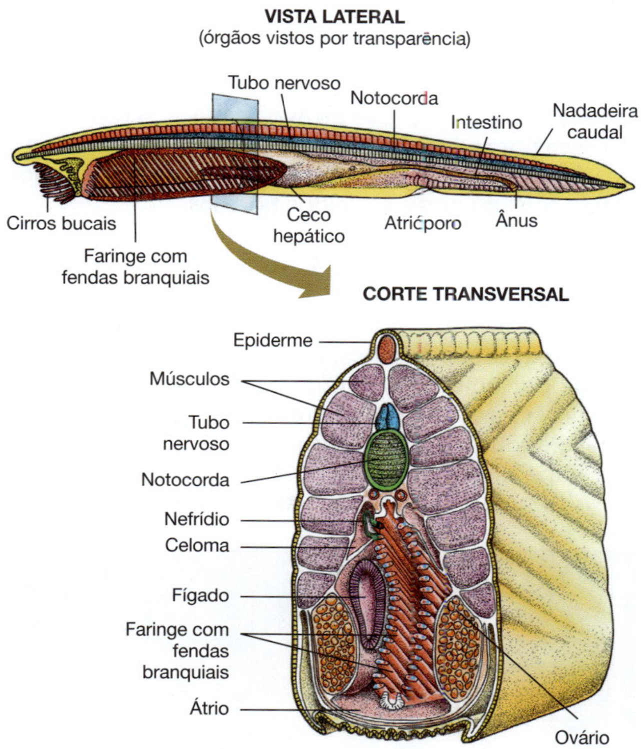

Figura 32.3 Representações esquemáticas de anfioxo em vista lateral (acima) e em corte transversal (abaixo). Os anfioxos são cefalocordados marinhos que vivem em diversas partes do mundo, inclusive no Brasil. (Elementos fora de proporção de tamanho entre si; cores-fantasia.)

32.3 Características gerais dos craniados

Os **craniados** são animais cordados que têm **crânio**, compartimento resistente localizado na cabeça e onde ficam contidos o encéfalo e a maioria dos órgãos sensoriais (olfativos, visuais, auditivos e de equilíbrio). Com exceção dos peixes-bruxa, todos os craniados apresentam também **coluna vertebral**, constituindo o grupo dos **vertebrados**. A coluna vertebral é composta de **vértebras**, peças cartilaginosas ou ósseas alinhadas ao longo do dorso e da cauda do animal, que dão suporte e proteção à medula espinal.

Os primeiros craniados surgiram nos mares há aproximadamente 480 milhões de anos. Supõe-se que tenham se diversificado em duas linhagens, uma que originou os peixes-bruxa atuais e outra que originou os vertebrados. A linhagem dos vertebrados, por sua vez, teria se diversificado em dois ramos, um que originou as lampreias e outro do qual descendem os vertebrados com **mandíbula**, chamados gnatostomados (do grego *gnathos*, mandíbula, e *stomatos*, boca). A mandíbula é uma peça esquelética que se articula à caixa craniana e permite ao animal abrir e fechar a boca.

Ao longo de sua evolução, o grupo dos vertebrados com mandíbula teria se separado em novos ramos. Um deles foi o dos condrictes, ou peixes cartilaginosos (Chondrichthyes), cujos representantes atuais são os tubarões, raias e quimeras. O outro ramo teria originado os peixes com nadadeiras radiais, os actinopterígios, e os peixes com nadadeiras lobadas, os sarcopterígios. Acredita-se que os ancestrais dos sarcopterígios tenham originado os peixes pulmonados atuais e os vertebrados dotados de quatro membros (pernas e braços), os tetrápodes.

Os ancestrais dos tetrápodes diversificaram-se e originaram os anfíbios (Amphibia), cujos representantes atuais são os anuros, salamandras e cobras-cegas, e os amniotas (Amniota), que compreendem os répteis, as aves e os mamíferos. (Fig. 32.4)

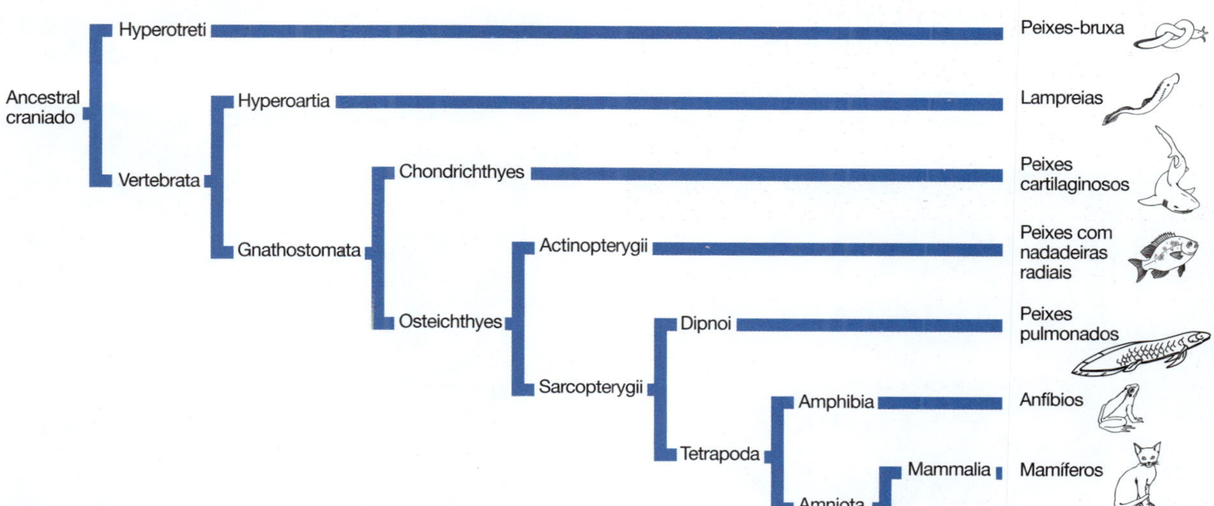

Figura 32.4 Árvore filogenética simplificada dos craniados com representantes viventes (foram omitidos os ramos de grupos extintos).

Reprodução dos craniados

A reprodução é bem diversificada entre os craniados, com espécies monoicas e outras dioicas. O desenvolvimento pode ser direto ou indireto, dependendo da espécie. Peixes e anfíbios geralmente apresentam fecundação externa; répteis, aves e mamíferos têm fecundação interna.

Muitas espécies de peixes e de anfíbios, todos os répteis e aves e uns poucos mamíferos são **ovíparos**, ou seja, a fêmea produz e elimina ovos com nutrientes necessários ao desenvolvimento embrionário, que ocorre fora do organismo materno. Algumas espécies de peixes, de anfíbios e de répteis são **ovovivíparas**, isto é, apesar de os ovos terem alimento suficiente para o desenvolvimento do embrião, eles ficam protegidos dentro do corpo da fêmea até a eclosão. Os mamíferos, com exceção dos monotremados (ornitorrincos e equidnas), são **vivíparos**, os embriões desenvolvem-se dentro do corpo da mãe, que fornece a eles os nutrientes de que necessitam.

32.4 Peixes

O termo **peixe** designa craniados aquáticos que respiram por brânquias. São informalmente denominados peixes os peixes-bruxa ou enguias-de-muco, as lampreias, os condrictes, ou peixes cartilaginosos, e os osteíctes, ou peixes ósseos (actinopterígios e sarcopterígios).

Peixes-bruxa

Os **peixes-bruxa** são animais marinhos de corpo alongado e coloração rosa-acinzentada, com até 1 metro de comprimento. Seu esqueleto é constituído pelo crânio, pela notocorda (presente também na fase adulta) e por raios cartilaginosos da nadadeira caudal. Esses animais vivem semienterrados na lama do fundo dos mares e têm o corpo revestido por uma espessa camada de muco, daí serem chamados também enguias-de-muco. Graças à flexibilidade e ao muco escorregadio que recobre o corpo, os peixes-bruxa são capazes de dar rápidos "nós" em si mesmos, o que lhes permite escapar dos potenciais predadores. Há cerca de 60 espécies descritas, que vivem geralmente a centenas de metros de profundidade. (Fig. 32.5)

BRANDON COLE/BIOSPHOTO/DIOMEDIA

Figura 32.5 Peixe-bruxa (*Eptatretus stoutii*), com aproximadamente 60 cm de comprimento, fotografado em seu ambiente natural.

Os peixes-bruxa apresentam, em torno da boca, tentáculos curtos com função sensorial. Não têm mandíbula e a boca é guarnecida por duas estruturas horizontais cartilaginosas, móveis e com dentículos, que podem se projetar para fora e capturar o alimento, geralmente poliquetos e peixes, consumidos vivos ou mortos. Peixes-bruxas são monoicos, mas geralmente apenas um sexo é funcional em cada indivíduo. O desenvolvimento é direto, sem estágios larvais.

Lampreias

As **lampreias** são animais de corpo alongado e que chegam a atingir mais de 1 metro de comprimento. Têm olhos bem desenvolvidos e sete orifícios branquiais de cada lado do corpo, logo atrás da cabeça. A notocorda perdura por toda a vida do animal e sobre ela formam-se vértebras rudimentares. O crânio é constituído por placas cartilaginosas e tecidos fibrosos.

A boca das lampreias é circular e sem mandíbula. Essas características originaram as denominações do grupo: **ciclostomados** ou ciclóstomos (do grego *kúklo*, circular, e *stomatos*, boca) e **agnatos** (do grego *a*, prefixo de negação, e *gnathos*, mandíbula). A boca é guarnecida por uma língua com dentículos de queratina, utilizados para raspar e perfurar a pele do hospedeiro; uma glândula salivar produz fluido anticoagulante que impede a cicatrização do ferimento e permite ao parasita sugar o sangue da vítima. (Fig. 32.6)

A

BLICKWINKEL/ALAMY/GLOW IMAGES

B

ROGER KLOCEK/VISUALS UNLIMITED/GLOW IMAGES

Figura 32.6 A. Região anterior de uma lampreia (*Petromyzon marinus*). **B.** Peixe do gênero *Cyprinus* sendo parasitado por lampreia *P. marinus*, que mede aproximadamente 40 cm de comprimento.

Ao atingir a maturidade sexual, as lampreias param de se alimentar e migram dos mares para os rios. O macho constrói um ninho, onde a fêmea coloca cerca de 200 mil óvulos; sobre eles, o macho elimina os espermatozoides. Logo após o acasalamento, os adultos morrem.

Dos ovos eclodem larvas bem diferentes dos adultos, conhecidas como **amocetes**. Elas não têm olhos nem dentes e vivem semienterradas no lodo de lagos e rios, alimentando-se de partículas que filtram da água. Esse estágio larval pode durar até 7 anos, e termina com a metamorfose para a forma adulta e migração para o mar.

Peixes cartilaginosos (Chondrichthyes)

Os **condrictes** (do grego *chondros*, cartilagem, e *ichthyos*, peixes) são vertebrados aquáticos cujo esqueleto é totalmente constituído de cartilagens. Os mais conhecidos são os elasmobrânquios, grupo representado por tubarões, cações e raias, com cerca de 800 espécies; menos conhecidas são as quimeras (holocéfalos), com apenas 30 espécies, que vivem em grandes profundidades. (Fig. 32.7)

MICHAEL PATRICK O'NEILL/ALAMY/GLOW IMAGES
MICHAEL STUBBLEFIELD/ALAMY/GLOW IMAGES
NORBERT WU/MINDEN PICTURES/LATINSTOCK

Figura 32.7 Representantes do grupo dos peixes cartilaginosos. **A.** Tubarão-branco (*Carcharodon carcharias*), que pode atingir 6 m de comprimento. **B.** Raia-jamanta (*Manta birostris*), espécie que chega a medir 7 m de envergadura. **C.** Quimera (*Hydrolagus colliei*), do grupo dos holocéfalos, com aproximadamente 25 cm.

Os condrictes têm reprodução sexuada e são dioicos, com fecundação interna. Machos de tubarões têm um par de **cláspers**, órgãos copuladores formados por diferenciação das nadadeiras pélvicas e utilizados para introduzir esperma na cloaca da fêmea. Certas espécies de condrictes são ovíparas, com desenvolvimento direto. (Fig. 32.8)

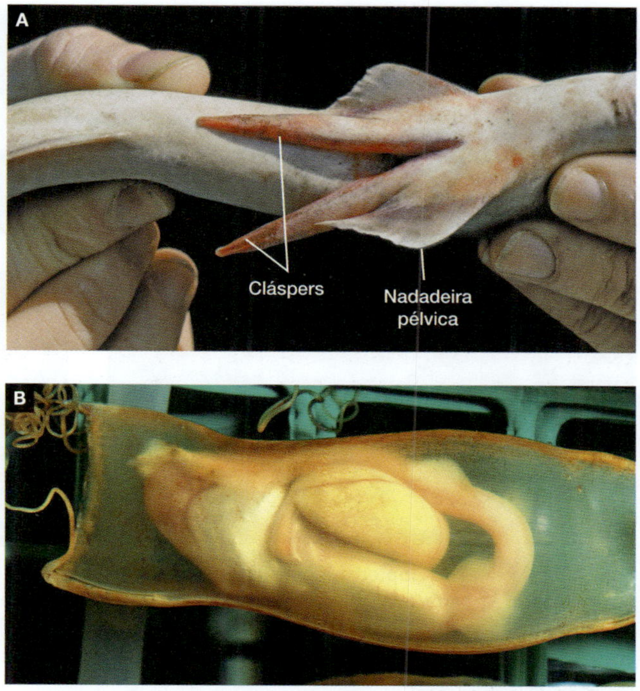

JEFF ROTMAN/ALAMY/GLOW IMAGES
ROBERTO NISTRI/ALAMY/GLOW IMAGES

Figura 32.8 A. Tubarão *Iago omanensis*, que mede cerca de 35 cm de comprimento, com cláspers em evidência. **B.** Ovo de tubarão *Scyliorhinus canicula*; note o embrião dentro do ovo, ligado à massa de vitelo. Os juvenis dessa espécie nascem com cerca de 10 cm de comprimento.

Há espécies de condrictes ovovivíparas, em que as fêmeas retêm os ovos no corpo até o final do desenvolvimento embrionário, "dando à luz" jovens peixes imaturos. Algumas poucas espécies são vivíparas, os embriões desenvolvem-se totalmente dentro do corpo da fêmea, alimentando-se de substâncias que retiram do sangue materno por meio de uma estrutura equivalente a uma placenta.

Peixes ósseos (Osteichthyes)

Os **osteíctes** (do grego *osteon*, osso, e *ichthyos*, peixes) são vertebrados aquáticos dotados de esqueleto ósseo, que vivem em lagos, córregos, rios e oceanos, desde as regiões polares até os trópicos. Os peixes ósseos são divididos em dois grupos, dos quais o mais conhecido é o dos **actinopterígios** (Actinopterygii), peixes dotados de nadadeiras radiais. O outro grupo, representado por poucas espécies atuais, é o dos **sarcopterígios** (Sarcopterygii), peixes dotados de nadadeiras carnosas com sustentação óssea. (Fig. 32.9)

Os actinopterígios têm, na cavidade corporal, uma bolsa cheia de gás denominada **bexiga natatória**, que controla a flutuação e permite ao peixe manter-se em diferentes profundidades, subindo ou descendo sem gastar muita energia. (reveja figura 30.10)

Os osteíctes são dioicos, e a maioria das espécies é ovípara, com fecundação externa, geralmente precedida de rituais de corte. O desenvolvimento pode ser direto ou indireto. Em algumas espécies, os pais cuidam dos ovos. Filhotes de actinopterígios, denominados alevinos, geralmente apresentam um grande saco vitelínico ligado ao abdome.

Figura 32.9 Peixes actinopterígios possuem nadadeiras radiais, como o cavalo-marinho *Hippocampus kuda* (**A**), que mede cerca de 8 cm de comprimento, e a barracuda *Sphyraena barracuda* (**B**), com aproximadamente 90 cm de comprimento. Peixes sarcopterígios são dotados de nadadeira lobada, como é o caso do celacanto *Latimeria chalumnae* (**C**), que alcança cerca de 1,2 m de comprimento.

32.5 Tetrápodes (Tetrapoda)

Os **tetrápodes** (do grego *tetra*, quatro, e *podós*, perna), representados atualmente por mais de 21 mil espécies, são vertebrados que descendem de ancestrais vertebrados dotados de quatro membros com dedos e adaptados à vida em terra firme. Algumas espécies, como baleias e golfinhos, no entanto, descendem de mamíferos que retornaram ao ambiente aquático. Os tetrápodes dividem-se em dois grupos: **anfíbios** (Amphibia) e **amniotas** (Amniota); este último representado pelos répteis, aves e mamíferos.

Anfíbios (Amphibia)

Os **anfíbios** (do grego *amphi*, duas, e *bios*, vida) recebem essa denominação porque muitas espécies têm uma fase larval aquática, com respiração branquial, e uma fase adulta adaptada ao ambiente de terra firme. Os anfíbios mais conhecidos são os **anuros** (sapos, rãs e pererecas), classificados na ordem Anura, termo que significa "desprovido de cauda" (do grego *an*, prefixo de negação, e *uros*, cauda).

Outros anfíbios bem conhecidos são os **urodelos** ou caudados (ordem Urodela), representados pelas salamandras, animais dotados de quatro pernas e cauda alongada. Pouco conhecidos são os **gimnofionos** (ordem Gimnophiona ou Apoda), representados pelas cobras-cegas ou cecílias, animais de corpo cilíndrico, alongado e destituído de apêndices. (Fig. 32.10)

Figura 32.10 Representantes dos anfíbios. **A.** Salamandra *Gyrinophilus porphyriticus* (Urodela), que mede aproximadamente 18 cm de comprimento. **B.** Perereca *Trachycephalus mesophaeus* (Anura), que chega a 13 cm de comprimento. **C.** Cecília *Siphonops annulatus* (Gimnophiona), com cerca de 45 cm de comprimento.

Anfíbios adultos têm glândulas produtoras de muco na pele, o que ajuda a manter a superfície corporal úmida e lubrificada. Isso permite as trocas gasosas entre os vasos sanguíneos da pele e o ambiente (respiração cutânea). Muitos anfíbios têm pele colorida, com funções de camuflagem, atrativo sexual ou coloração de alerta. Algumas espécies secretam veneno na pele, são fatais para animais predadores e podem intoxicar pessoas pelo contato.

Anuros e salamandras adultos são carnívoros e alimentam-se, em geral, de insetos, vermes, pequenos crustáceos, moluscos e outros animais. As larvas aquáticas de anuros, conhecidas como **girinos**, alimentam-se de algas e restos de organismos mortos. As cobras-cegas, que vivem enterradas no solo ou no lodo de lagoas, são predadoras de minhocas, insetos etc.

Reprodução dos anfíbios

Anfíbios são animais dioicos e, na maioria, ovíparos com fecundação externa; as fêmeas colocam os óvulos na água, e os machos liberam os espermatozoides sobre eles, fecundando-os. (Fig. 32.11)

Na maioria dos anfíbios, os ovos fecundados desenvolvem-se em larvas dotadas de brânquias. O desenvolvimento larval encerra-se com a metamorfose, processo em que as brânquias desaparecem e surgem os pulmões. Outras mudanças que ocorrem na metamorfose das larvas de anuros (girinos) são a regressão total da cauda e o surgimento das pernas, primeiro as traseiras e depois as dianteiras; as larvas de salamandra já possuem quatro pernas e a cauda não regride na metamorfose, persistindo na fase adulta.

Certas espécies de salamandra que vivem permanentemente na água não sofrem metamorfose, conservando características larvais durante toda a vida, mesmo após amadurecer sexualmente e se reproduzir. Esse curioso fenômeno, em que animais com características larvais se reproduzem, é chamado **neotenia**.

Em algumas espécies de salamandra, os machos eliminam pacotes gelatinosos contendo os espermatozoides, e as fêmeas "sugam" esses pacotes com a cloaca; a fecundação, portanto, ocorre internamente. Em poucas espécies, as larvas desenvolvem-se no interior do corpo materno até a metamorfose. Cerca de metade das espécies de salamandra não tem fase larval; dos ovos nascem filhotes com corpos semelhantes aos dos adultos.

Os representantes do grupo Gimnophiona têm fecundação interna com cópula, em que o macho introduz parte de sua cloaca na cloaca da fêmea, onde libera os espermatozoides. Cerca de 75% das espécies dessa ordem são vivíparas.

Figura 32.11 Na época da reprodução, os anuros machos "cantam" para delimitar território e atrair a fêmea, que é abraçada por ele (amplexo nupcial), o que estimula a liberação dos óvulos; enquanto isso ocorre, o macho elimina sobre eles os espermatozoides. **A.** Casal de rãs *Rana temporaria* em amplexo nupcial. O macho, geralmente menor que a fêmea, mede aproximadamente 10 cm de comprimento. **B-D.** Etapas do desenvolvimento dos anuros. **B.** Ovos de rã *R. temporaria* em diferentes estágios de desenvolvimento; cada ovo tem aproximadamente 2 mm de diâmetro. **C.** Girino relativamente jovem de *R. clamitans*, apenas com as pernas traseiras. **D.** Girino de *R. temporaria* com as pernas anteriores e posteriores.

Répteis (Reptilia)

Os **répteis** (do latim *reptilis*, que se arrasta) têm o corpo recoberto por uma espessa epiderme de queratina e apresentam pulmões eficientes nas trocas gasosas com o ambiente aéreo, duas características que mostram a adaptação do grupo à vida em terra firme. Os representantes mais conhecidos dos répteis são as serpentes, lagartos, jacarés, crocodilos, jabutis e tartarugas.

Os répteis são divididos em quatro ordens: Squamata, Crocodilia, Chelonia e Rhynchocephalia. Os **esquamatos** (Squamata) são os répteis mais abundantes e diversificados, representados principalmente por serpentes e lagartos. A ordem dos **quelônios** (Chelonia) reúne as tartarugas, marinhas e de água doce, os cágados (que vivem em água doce) e os jabutis (que vivem em terra firme). A ordem dos **crocodílios** (Crocodilia) reúne crocodilos e jacarés, que vivem em rios e lagos de água doce em regiões quentes; poucas espécies vivem no mar. A ordem dos **rincocéfalos** (Rhynchocephalia) reúne as tuataras, com apenas duas espécies viventes, restritas à Nova Zelândia. O tamanho dos répteis atuais varia de poucos centímetros, em alguns lagartos, a vários metros, em algumas serpentes. (Fig. 32.12)

A principal novidade evolutiva que permitiu aos répteis conquistar totalmente o ambiente de terra firme foi o **ovo amniótico**. Trata-se de um ovo protegido por uma casca membranosa ou calcária, no interior do qual o embrião forma estruturas extraembrionárias (saco vitelínico, âmnio e alantoide), que lhe permitem sobreviver fora da água. As estruturas extraembrionárias características do ovo amniótico também ocorrem em aves e mamíferos, o que levou os sistematas a reunir esses animais e os répteis no grupo Amniota.

MAXIMILIAN WEINZIERL/ALAMY/GLOW IMAGES

HAROLDO PALO JR/KINO

BLICKWINKEL/ALAMY/GLOW IMAGES

ARY BASSOUS/TYBA

JAMES L. AMOS/SCIENCE SOURCE/DIOMEDIA

Figura 32.12 Representantes dos répteis. **A.** Tartaruga marinha *Caretta caretta* (Chelonia), que mede cerca de 1 m de comprimento. **B.** Cascavel *Crotalus durissus* (Squamata), que atinge 1,2 m de comprimento. **C.** Camaleão *Chamaeleo hoehnelii* (Squamata), com aproximadamente 17 cm. **D.** Jacaré-do-pantanal *Caiman yacare* (Crocodilia), que passa de 2,5 m de comprimento. **E.** Tuatara *Sphenodon punctatus*, com cerca de 30 cm de comprimento.

Répteis, peixes e anfíbios costumam ser designados como "animais de sangue frio", pois não utilizam calor gerado no metabolismo para controlar a temperatura corporal. Pelo fato de utilizarem calor externo para se aquecer, os répteis são chamados **ectotérmicos** (do grego *ektós*, de fora, e *thermo*, calor), termo mais apropriado que "animais de sangue frio". Mamíferos e aves, por outro lado, são animais **endotérmicos** (do grego *éndon*, dentro), pois a manutenção de sua temperatura corporal utiliza calor gerado pelo metabolismo.

Os répteis são, na maioria, animais dioicos e ovíparos. Os espermatozoides são eliminados na cloaca da fêmea durante a cópula e a fecundação é interna; o desenvolvimento é direto, sem estágio larval.

Os ovos dos répteis, como os das aves, contêm água e alimento suficientes para todo o desenvolvimento embrionário. As trocas do embrião com o ambiente restringem-se aos gases respiratórios, que se difundem pelos envoltórios do ovo. (Fig. 32.13)

M. WATSON/ARDEA/DIOMEDIA

SOLVIN ZANKL/VISUALS UNLIMITED/GLOW IMAGES

Figura 32.13 A. Tartaruga-verde (*Chelonia mydas*), animal com cerca de 1,5 m de comprimento, colocando ovos na areia da praia (Arquipélago das Comores, 2009). **B.** Filhotes de tartaruga-oliva (*Lepidochelys olivacea*) saindo do ovo. O animal adulto mede cerca de 60 cm de comprimento.

Aves

As **aves** vivem em todas as regiões do planeta e sua principal característica é a capacidade de voar, embora algumas espécies tenham perdido essa habilidade no curso da evolução. São cerca de 9 mil espécies descritas, com grande diversidade de formas e tamanhos, variando desde 6 cm e 2 g, como é o caso de uma espécie de beija-flor, até 2,5 m e 160 kg, no caso do avestruz.

A pele das aves apresenta formações epidérmicas características do grupo: as **penas**. Estas se formam no interior de folículos, de maneira similar aos pelos dos mamíferos, com a diferença de que nos folículos das penas não há glândulas sebáceas. A lubrificação das penas, importante para manter a impermeabilidade do corpo da ave, é feita pela secreção gordurosa de uma glândula localizada na parte superior da cauda, a **glândula uropigiana**. As penas protegem as aves contra choques mecânicos, impermeabilizam a pele, auxiliam na manutenção da temperatura corporal, atuando como isolante térmico, e possibilitam o voo.

As aves são animais dioicos e ovíparos, com desenvolvimento direto. Em todas as espécies ocorre cópula e a fecundação é interna. Na maioria dos casos, o macho não tem órgão copulador; a transferência dos espermatozoides para a fêmea ocorre por justaposição das aberturas das cloacas dos parceiros, durante a cópula. A quase totalidade das aves choca os ovos, garantindo a temperatura adequada para o desenvolvimento embrionário. (Fig. 32.14)

FABIO COLOMBINI

Figura 32.14 A maioria das aves, como esse sabiá-laranjeira (*Turdus rufiventris*), constrói ninhos onde choca os ovos e cuida da prole. Esse comportamento é importante no sucesso adaptativo do grupo. O sabiá-laranjeira adulto mede cerca de 15 cm de comprimento.

A maioria das aves apresenta dimorfismo sexual, com nítida diferença morfológica entre os machos e as fêmeas da espécie. Os machos geralmente têm plumagens coloridas e exuberantes, enquanto as fêmeas têm plumagens menos vistosas, que se confundem com o ambiente. Em diversas espécies, os machos delimitam territórios de procriação, garantindo, assim, o direito de se reproduzir com as fêmeas ali presentes.

Mamíferos (Mammalia)

Os **mamíferos** são animais dotados de glândulas mamárias e corpo total ou parcialmente recoberto por pelos. Outras características típicas do grupo são os dentes diferenciados (incisivos, caninos, pré-molares e molares) e o diafragma, membrana dermomuscular que separa as cavidades torácica e abdominal. Os mamíferos vivem em todos os ambientes da Terra e apresentam grande variação de tamanho e massa corpórea, desde 1,5 g em uma espécie de morcego até 130 toneladas e 30 m de comprimento, na baleia-azul.

Os mamíferos são classificados em três grupos: monotremados (Prototheria), marsupiais (Metatheria) e placentários (Eutheria).

Os **monotremados**, representados atualmente por ornitorrincos e equidnas, são mamíferos ovíparos encontrados apenas na Austrália e na Nova Guiné. Fêmeas de ornitorrinco constroem um ninho subterrâneo com entrada submersa, onde botam dois ou três ovos, cada um com pouco mais de 1 cm de diâmetro. A fêmea choca os ovos até o nascimento dos filhotes e os alimenta com leite produzido pelas glândulas mamárias. (Fig. 32.15)

Os **marsupiais**, cujos representantes mais conhecidos são os cangurus australianos e os gambás sul-americanos, vivem na Austrália e na América do Sul. As fêmeas marsupiais geralmente apresentam uma bolsa de pele no ventre, o **marsúpio**, onde os filhotes abrigam-se até completar seu desenvolvimento.

O desenvolvimento embrionário dos marsupiais inicia-se no útero materno, onde os embriões alimentam-se de substâncias armazenadas no ovo e líquidos nutritivos produzidos pela parede uterina. Após um curto período de gestação, entre 12 e 14 dias no gambá sul-americano e 38 e 40 dias nos grandes cangurus, nascem os filhotes ainda imaturos. O recém-nascido agarra-se aos pelos da mãe e desloca-se até o marsúpio, onde se localizam as glândulas mamárias. O filhote permanece no marsúpio, alimentando-se de leite, até completar o desenvolvimento. Nos marsupiais em que as fêmeas não têm marsúpio, os filhotes agarram-se a pregas de pele próximas às glândulas mamárias. (Fig. 32.16)

Os **placentários** constituem 95% das espécies de mamíferos. Cães, gatos, girafas, cavalos, elefantes, coelhos, camundongos e seres humanos são exemplos desse grupo. O que caracteriza os placentários é o fato de os filhotes completarem o desenvolvimento embrionário no interior do útero materno, ligados à parede uterina por meio da **placenta**.

A placenta é um órgão formado por tecidos maternos e embrionários, e é por meio dela que o embrião recebe nutrientes e gás oxigênio do sangue da mãe e elimina gás carbônico e as excreções resultantes do seu metabolismo. O embrião liga-se à placenta pelo cordão umbilical. Após o parto, a placenta se desprende do útero materno e é eliminada.

Biblioteca do estudante Sugestões de livros, *sites* e vídeos

E. R. DEGGINGER/ALAMY/GLOW IMAGES

A

BLAINE HARRINGTON III/CORBIS/LATINSTOCK

B

Figura 32.15 Representantes dos monotremados. **A.** Ornitorrinco (*Ornithorhynchus anatinus*), que mede cerca de 45 cm. **B.** Equidna-de-focinho-curto (*Tachyglossus aculeatus*), com aproximadamente 30 cm de comprimento.

HAROLDO PALO JR/KINO

A

STAFFAN WIDSTRAND/NATURE PL/DIOMEDIA

B

Figura 32.16 Representantes dos marsupiais. **A.** Cuíca-verdadeira (*Philander opossum*) com filhotes. O adulto mede cerca de 30 cm. **B.** Canguru (*Macropus giganteus*) com filhote no marsúpio. Uma fêmea adulta pode alcançar 2,5 m de comprimento, do nariz à ponta da cauda.

Atividades

Visão do especialista | Biblioteca do estudante Faça você mesmo! | Listas de exercícios

Revendo conceitos fundamentais

Escreva, em seu caderno, o termo da relação abaixo que substitui corretamente a tarja entre parênteses das frases de 1 a 3.

a) cauda
b) fenda faringiana
c) notocorda
d) tubo nervoso dorsal

1. (▬) é um bastão compacto e flexível localizado ao longo do dorso dos embriões de cordados.

2. Um cilindro oco de origem ectodérmica, localizado ao longo do dorso dos embriões dos cordados, é chamado (▬).

3. (▬) é a denominação de cada fissura lateral presente na faringe de embriões cordados.

Escreva, em seu caderno, o termo da relação abaixo que substitui corretamente a tarja entre parênteses das frases de 4 a 7.

a) cordado
b) craniado
c) protocordado
d) vertebrado

4. Todo animal em que se formam notocorda, fendas faringianas e tubo nervoso dorsal durante o desenvolvimento embrionário é um (▬).

5. Apresentar encéfalo e medula espinal protegidos por peças ósseas ou cartilaginosas é característica típica de um (▬).

6. Um animal (▬) é aquele que apresenta notocorda durante o desenvolvimento embrionário, mas não forma crânio nem coluna vertebral.

7. Um animal dotado de notocorda e crânio, que pode ou não apresentar vértebras, é um (▬).

Escreva, em seu caderno, o termo da relação abaixo que substitui corretamente a tarja entre parênteses das frases 8 e 9.

a) cefalocordados
b) protocordados
c) tunicados
d) vertebrados

8. Cordados que têm notocorda restrita à cauda da larva são os (▬).

9. (▬) são cordados sem vértebras em que a notocorda estende-se até a porção anterior do corpo, perdurando na fase adulta.

Escreva, em seu caderno, o termo da relação abaixo que substitui corretamente a tarja entre parênteses das frases de 10 a 13.

a) agnato
b) bexiga natatória
c) condricte
d) osteícte

10. A bolsa de gás que atua como órgão flutuador nos actinopterígios é denominada (▬).

11. (▬) é como se designa o grupo de peixes que não têm mandíbula.

12. Um peixe com esqueleto ósseo é um(a) (▬).

13. (▬) é um vertebrado com mandíbula cujo corpo é sustentado exclusivamente por estruturas cartilaginosas.

Escreva, em seu caderno, o termo da relação abaixo que substitui corretamente a tarja entre parênteses das frases de 14 a 16.

a) anuros b) ápodes c) girinos d) urodelos

14. (▬) são anfíbios dotados de cauda na fase adulta.

15. (▬) são anfíbios sem cauda.

16. (▬) são anfíbios sem pernas.

Escreva, em seu caderno, o termo da relação abaixo que substitui corretamente a tarja entre parênteses das frases de 17 a 19.

a) ovíparos b) ovovivíparos c) vivíparos

17. (▬) são animais cujo embrião se desenvolve no interior do corpo da mãe, nutrindo-se de substâncias fornecidas pelo corpo materno.

18. (▬) são animais cujas fêmeas botam ovos que contêm reservas para todo o desenvolvimento embrionário.

19. Animais (▬) são aqueles cujas fêmeas retêm os ovos, ricos em substâncias nutritivas para o embrião, até a eclosão.

Escreva, em seu caderno, o termo da relação abaixo que substitui corretamente a tarja entre parênteses das frases de 20 a 23.

a) amniótico
b) marsupial
c) monotremado
d) placentário

20. O termo (▬) designa um mamífero cujos embriões se desenvolvem dentro do útero, recebendo alimento e gás oxigênio diretamente do sangue materno.

21. Um mamífero cujo desenvolvimento embrionário ocorre fora do corpo da mãe, em um ovo semelhante ao de réptil, é denominado (▬).

22. O grupo de mamíferos cujo desenvolvimento embrionário começa no interior do corpo materno e é completado externamente, em uma bolsa na barriga da fêmea, é chamado (▬).

23. O termo (▬) designa o tipo de ovo de répteis, aves e mamíferos.

Escreva, em seu caderno, o termo da relação abaixo que substitui corretamente a tarja entre parênteses das frases 24 e 25.

a) ectotérmico
b) endotérmico
c) hermafrodita
d) vivíparo

24. Um animal que mantém constante sua temperatura corporal por meio de calor gerado no metabolismo é chamado (▬).

25. Um animal cuja temperatura corporal varia de acordo com as condições ambientais é chamado de (▬).

Ligando conceitos, fatos e processos

26. O desenho a seguir representa o corte transversal do corpo de um embrião de cordado. As setas 1, 2 e 3 indicam, respectivamente:

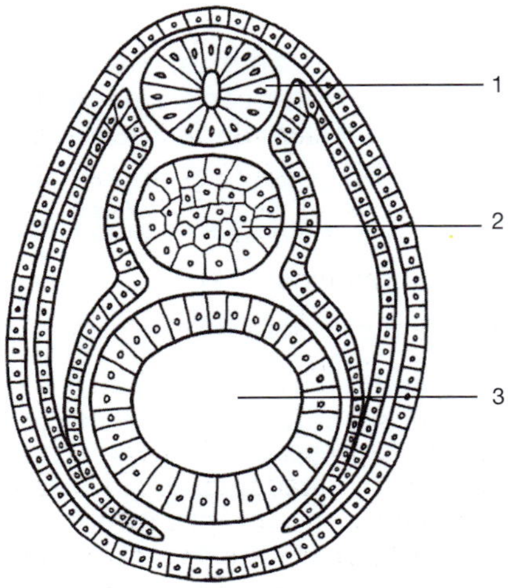

a) notocorda, tubo nervoso e arquêntero.
b) notocorda, arquêntero e tubo nervoso.
c) tubo nervoso, notocorda e arquêntero.
d) tubo nervoso, arquêntero e notocorda.

27. A água que entra pela boca de um tunicado faz o seguinte caminho:
a) átrio → fendas branquiais → sifão exalante.
b) átrio → sifão exalante → fendas branquiais.
c) fendas branquiais → sifão exalante → átrio.
d) fendas branquiais → átrio → sifão exalante.

28. O termo peixe é usado para designar animais aquáticos pertencentes
a) ao grupo Agnatha, apenas.
b) ao grupo Osteichthyes, apenas.
c) aos grupos Chondrichthyes e Osteichthyes, apenas.
d) aos grupos Agnatha, Chondrichthyes e Osteichthyes.

29. Os embriões de répteis desenvolvem-se confinados no interior do ovo e
a) não respiram.
b) eliminam suas excreções através da casca.
c) alimentam-se das reservas contidas no ovo.
d) recebem água do ambiente por difusão através da casca.

30. São características exclusivas dos mamíferos:
a) endotermia; pelos; coração com quatro cavidades.
b) endotermia; glândulas mamárias; pelos.
c) glândulas mamárias; pelos; diafragma.
d) coração com quatro cavidades; pelos; diafragma.

Questões para exercitar o pensamento

31. Durante a metamorfose dos anfíbios, uma das maiores alterações anatômicas acontece no sistema circulatório. Justifique a necessidade das transformações que ocorrem nesse sistema.

32. Um pesquisador incubou ovos de jacaré em diferentes temperaturas e analisou o sexo dos recém-nascidos. Os resultados obtidos estão apresentados na tabela a seguir.

Temperatura de incubação	Número de ovos incubados	Número de nascimentos	Número de fêmeas	Número de machos	Porcentagem de machos
28,0 °C	100	82	82	0	?
28,5 °C	110	96	96	0	?
29,0 °C	100	90	90	0	?
29,5 °C	120	98	98	0	?
30,0 °C	100	88	88	0	?
30,5 °C	100	86	86	0	?
31,0 °C	105	94	94	0	?
31,5 °C	105	90	72	18	?
32,0 °C	110	92	56	36	?
32,5 °C	100	84	0	84	?
33,0 °C	120	98	30	68	?

Calcule a porcentagem de machos nascidos em cada uma das temperaturas (pontos de interrogação, na tabela anterior) e expresse o resultado em um gráfico, colocando na ordenada a porcentagem de machos nascidos e na abscissa, a temperatura de incubação dos ovos. Analise o gráfico obtido e responda: qual é a influência da temperatura de incubação dos ovos na determinação do sexo desses répteis?

A Biologia no vestibular e no Enem

Questões objetivas

1. (UFPI) As características a seguir são apresentadas por determinados grupos de vertebrados:

I. presença de âmnio e alantoide.

II. ovo com casca calcária.

III. grande quantidade de vitelo.

Essas características poderiam ser de:

a) ave e peixe.

b) ave e anfíbio.

c) peixe e réptil.

d) réptil e anfíbio.

e) ave e réptil.

2. (UEPB) A subclasse dos prototérios representa um grupo bastante interessante dos mamíferos. Os mamíferos deste grupo têm bico córneo e pelos e pertencem à ordem dos monotremados. Põem ovos com casca, mas amamentam o filhote quando este sai do ovo. São exemplos desta subclasse:

a) o canguru e o gambá.

b) o canguru e o ornitorrinco.

c) o gambá e a equidna.

d) o gambá e o ornitorrinco.

e) o ornitorrinco e a equidna.

3. (UFPE) A presença do diafragma muscular, estrutura que separa a cavidade torácica da cavidade abdominal e permite a ocorrência dos movimentos respiratórios de inspiração e de expiração, é característica:

a) apenas dos mamíferos.

b) dos répteis e dos mamíferos.

c) dos anfíbios e dos mamíferos.

d) das aves e dos répteis.

e) de todos os animais a partir dos anfíbios.

4. (UFC-CE) A exploração de uma maior variedade de hábitats pelos animais foi possível graças a mecanismos metabólicos de regulação térmica. A alternativa que inclui apenas animais que apresentam essa característica é:

a) cobras, lagartos e rãs.

b) baleias, raias e golfinhos.

c) morcegos, urubus e corujas.

d) tamanduás, capivaras e jacarés.

e) gafanhotos, borboletas e abelhas.

5. (UEMS) Qual das alternativas abaixo apresenta corretamente características atribuídas às aves?

a) Estrutura óssea na parte anterior da caixa torácica chamada quilha; ovo sem vitelo.

b) Corpo coberto com penas; temperatura do corpo oscilante (ectotermia).

c) Membros posteriores adaptados para andar, nadar e empoleirar-se; ureia como principal produto de excreção nitrogenada.

d) Fecundação interna; circulação sanguínea aberta.

e) Temperatura do corpo essencialmente constante (endotermia); fecundação interna.

6. (Fuvest-SP) Um animal de corpo cilíndrico e alongado, dotado de cavidade celômica, apresenta fendas branquiais na faringe durante sua fase embrionária. Esse animal pode ser:

a) uma cobra.

b) um poliqueto.

c) uma lombriga.

d) uma minhoca.

e) uma tênia.

7. (Unigranrio-RJ) São os únicos seres capazes de manter a temperatura do corpo praticamente constante, apesar da influência e alterações da temperatura ambiental:

a) aves e mamíferos.

b) anfíbios e répteis

c) peixes e anfíbios.

d) peixes e répteis.

8. (Unifesp) A presença de ovos com envoltório rígido é mencionada como uma das principais características que propiciaram a conquista do ambiente terrestre aos vertebrados. Contudo, essa característica só resultou em sucesso adaptativo porque veio acompanhada de outra novidade evolutiva para o grupo no qual surgiu. Tal novidade foi:

a) a total impermeabilidade da casca.

b) o cuidado à prole.

c) a fecundação interna.

d) o controle interno da temperatura.

e) a eliminação de excretas pela casca.

9. (Fuvest-SP) Os vertebrados conquistaram o ambiente terrestre por meio da formação de um tipo de ovo capaz de desenvolver-se fora da água. Essa conquista aparece pela primeira vez em:

a) mamíferos.

b) aves.

c) répteis.

d) anfíbios.

e) peixes.

10. (UFRGS-RS) Em peixes ósseos, o órgão responsável pela manutenção do equilíbrio hidrostático é:

a) o fígado.

b) o estômago.

c) a bexiga natatória.

d) o esqueleto.

e) a nadadeira caudal.

Questões discursivas

11. (Vunesp) "Cientistas ingleses disseram ter descoberto os restos de um dos primeiros tubarões. Os fósseis encontrados datam de 25 milhões de anos antes do que se acreditava. A impressão, a partir dos achados, é que os tubarões dessa época não tinham mandíbulas." (*O Estado de S. Paulo*)

a) Que grupo de vertebrados não possuía mandíbulas e que, provavelmente, antecedeu aos peixes? Cite um exemplo de um animal desse grupo.

b) Qual é a grande vantagem da aquisição de mandíbula pelos peixes?

12. (Fuvest-SP) Quais foram os primeiros vertebrados que se tornaram independentes do meio aquático para a reprodução? Cite uma característica que permitiu essa adaptação. Justifique.

Módulo 12 Anatomia e fisiologia humanas

Capítulo 33

THOMAS J. PETERSON/ALAMY/ GLOW IMAGES

Nutrição, respiração, circulação e excreção

Itens principais:

- Nutrição humana
- Respiração
- Circulação sanguínea e linfática
- Sistema urinário humano

Capítulo 34

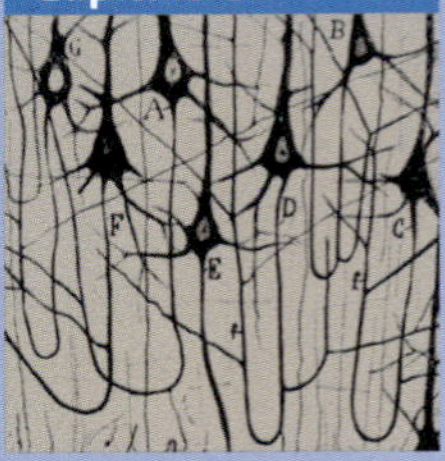

RAMÓN Y CAJAL, SANTIAGO - SCIENCE SOURCE/LATINSTOCK

Integração e controle corporal

Itens principais:

- Sistema nervoso
- Os sentidos
- Sistema endócrino

Conheça os capítulos deste módulo

"Conhecer a si mesmo" é uma sábia recomendação, em todos os sentidos. Neste módulo, estudamos o corpo humano com o objetivo de conhecer aspectos básicos da anatomia e da fisiologia, para que possamos cuidar melhor de nossa saúde. Lembre-se de que, embora os médicos sejam os profissionais mais capacitados para atuar em situações de doença, cabe a cada um de nós adotar hábitos cotidianos saudáveis. Para isso devemos ter em mente que o organismo humano depende do funcionamento integrado de todos os sistemas corporais. Conhecendo as bases da estrutura e do funcionamento do corpo humano, podemos tomar atitudes que visam a harmonia e a plena saúde do organismo.

Capítulo 33 Na apresentação, enfatizamos as mudanças de hábitos alimentares da população brasileira e sua relação com o aumento da obesidade. A composição de uma dieta equilibrada e saudável, tratada no primeiro item do capítulo, é fundamental não só para o bom funcionamento do sistema digestório, mas também para toda a fisiologia corporal. Nos diversos itens deste capítulo estudamos aspectos básicos da anatomia e fisiologia de quatro sistemas de órgãos: digestório, respiratório, cardiovascular e urinário.

Capítulo 34 No primeiro item, estudamos o sistema nervoso humano, onde reside a parcela mais substancial de nossa humanidade. No segundo item, abordamos os principais sentidos humanos, com os quais percebemos tanto o ambiente externo como condições internas de nosso corpo. Por último, estudamos o sistema endócrino, com destaque para os hormônios encarregados de ajustar nosso metabolismo. Os conhecimentos deste capítulo representam mais um pequeno passo rumo à compreensão de nós mesmos enquanto seres vivos e como pessoas individuais, históricas e sociais. E nosso sistema nervoso é o responsável por boa parte disso!

Capítulo 35 Aqui estudamos a pele humana, que, além de revestir e proteger nosso corpo, atua como fronteira sensorial. Com milhões de sensores de diversos tipos, a pele nos possibilita perceber o que se passa ao redor. É por meio dela que percebemos se está calor ou frio, por exemplo. Estudamos também o sistema esquelético e os músculos, cuja atuação combinada, coordenada pelo sistema nervoso, permite realizar a ampla gama de movimentos corporais. Os antigos gregos já sabiam que a prática regular de atividade física é essencial ao bom funcionamento de músculos e ossos, o que é comprovado pelas recentes pesquisas médicas e biológicas. Conhecer as principais características dos nossos sistemas corporais é essencial à manutenção da saúde.

Capítulo 35

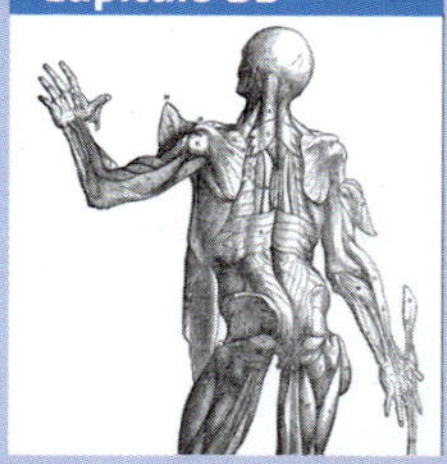

SSPL/GETTY IMAGES

Revestimento, suporte e movimento do corpo humano

Itens principais:

Estrutura e funções da pele humana
Sistema esquelético humano
Sistema muscular humano

SCOTT HEAVEY/AFP

Uma competição esportiva mostra a perfeita integração entre os sistemas corporais, que pode extrapolar o âmbito individual em certas modalidades. Um exemplo é a interação entre a atleta paraolímpica brasileira Terezinha Guilhermina, que é cega, e seu guia Guilherme Soares de Santana, fotografados aqui na prova de 100 metros rasos nos jogos Paraolímpicos de Londres, em 2012. Terezinha corre também outras distâncias e já participou de três paraolímpiadas, tendo sempre conquistado medalhas.

Capítulo 33

Nutrição, respiração, circulação e excreção

THOMAS J. PETERSON/ALAMY/GLOW IMAGES

Uma dieta adequada consiste na combinação equilibrada de alimentos, considerando a idade e o grau de atividade física de cada pessoa.

O que o brasileiro come?

Uma pesquisa do IBGE (Instituto Brasileiro de Geografia e Estatística) comparou os hábitos alimentares do brasileiro nos anos de 2002-2003 com os dos anos 1974-1975[1]. Esse estudo constatou algumas melhorias, por exemplo: o consumo *in natura* de açúcar refinado regrediu em 25%, e o de toucinho, em 75%. Por outro lado, aumentou em mais de 60% o consumo de embutidos (presuntos, salsichas e linguiças), que contêm muita gordura. O consumo de verduras, legumes e frutas, por sua vez, não se alterou, mantendo-se em menos de metade do que é recomendado pelos nutricionistas.

O IBGE fez uma pesquisa semelhante no período de 2008-2009, de onde extraímos o trecho de texto e o gráfico a seguir. Analise-os.

"O consumo alimentar da população brasileira combina a tradicional dieta à base de arroz e feijão com alimentos com poucos nutrientes e muitas calorias. A ingestão diária de frutas, legumes e verduras está abaixo dos níveis recomendados pelo Ministério da Saúde (400g) para mais de 90% da população. Já as bebidas com adição de açúcar (sucos, refrescos e refrigerantes) têm consumo elevado, especialmente entre os adolescentes, que ingerem o dobro da quantidade registrada para adultos e idosos, além de apresentarem alta frequência de consumo de biscoitos, linguiças, salsichas, mortadelas, sanduíches e salgados e uma menor ingestão de feijão, saladas e verduras."[2]

Essas mudanças comportamentais têm consequências diretas sobre a saúde da população. A porcentagem de brasileiros com excesso de peso em 1974, que era de 18,5%, quase triplicou em 2012, passando para 51%. O que você acha disso?

1 Disponível em: <http://ibge.gov.br/estatistica/população/condicaodevida/pof/2002analise/analise.pdf>. Acesso em: maio 2013.

2 IBGE. *Pesquisa de Orçamentos Familiares 2008-2009*. Disponível em: <www.ibge.gov.br/home/estatistica/populacao/condicaodevida/pof/2008_2009/POFpublicacao.pdf>. Acesso em: maio 2013.

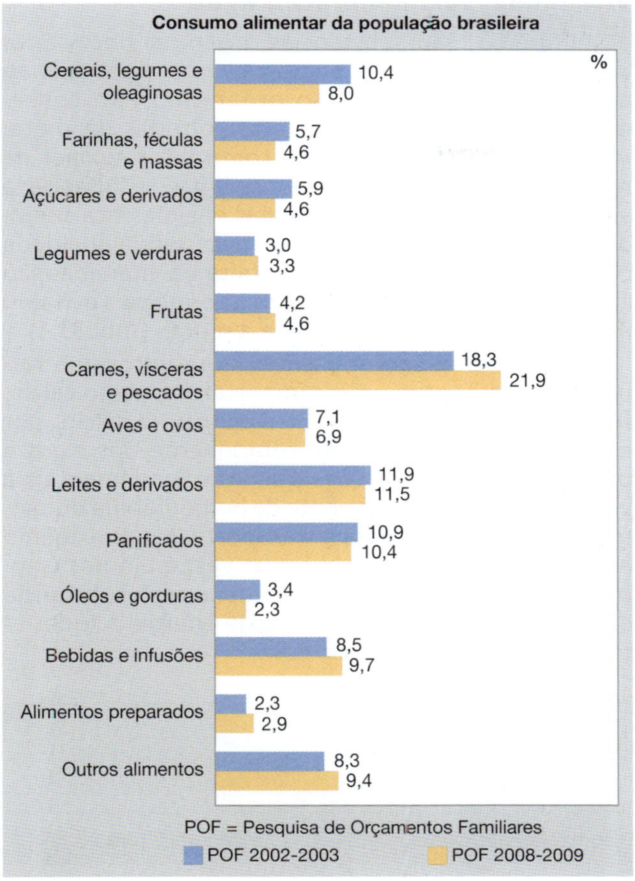

A importância do assunto

Neste capítulo vamos estudar quatro sistemas corporais humanos: digestório, respiratório, cardiovascular e urinário. O objetivo principal é conhecermos os aspectos básicos da anatomia e da fisiologia de nosso corpo, para que possamos cuidar melhor de nossa saúde. Embora os médicos sejam os profissionais mais capacitados para atuar em situações de doença, cabe a cada um de nós adotar hábitos saudáveis no nosso cotidiano.

Na apresentação, enfatizamos as mudanças de hábitos alimentares da população brasileira e sua relação com o aumento da obesidade. A composição de uma dieta equilibrada e saudável é tratada no primeiro item deste capítulo. A alimentação e os cuidados com o sistema digestório merecem destaque, uma vez que da má alimentação decorrem problemas que afetam outros sistemas. No segundo item tratamos do sistema respiratório e, no terceiro, do sistema cardiovascular. O último item apresenta os aspectos básicos da anatomia e fisiologia urinárias.

"Conheça a si mesmo" é uma sábia recomendação, em todos os sentidos. Neste capítulo você tem a oportunidade de conhecer alguns aspectos do funcionamento de seu corpo, que podem ser aplicados em benefício da sua saúde. Lembre-se de que se conhecer e cuidar de si são tarefas diárias e que cabem exclusivamente a você.

33.1 Nutrição humana

Alimentação e nutrientes

A espécie humana é heterotrófica e onívora (do latim *omnis*, tudo, e *voros*, comer), ou seja, nossa alimentação é variada, incluindo produtos de origem animal, vegetal etc. Os alimentos ingeridos, para serem assimilados pelas células corporais, precisam primeiramente ser quebrados em componentes menores. Denomina-se **nutrição** o conjunto de processos que envolvem desde a ingestão do alimento até a sua assimilação pelas células.

Os tipos e as quantidades de alimento que ingerimos compõem a **dieta**, que precisa conter carboidratos, lipídios, proteínas, sais minerais, vitaminas e água, necessários ao bom funcionamento do organismo. O conhecimento das necessidades nutricionais humanas permite compor uma dieta saudável e balanceada. É possível pesquisar a composição dos alimentos consultando, por exemplo, a tabela elaborada pelo Núcleo de Estudos e Pesquisas em Alimentação da Unicamp: <www.unicamp.br/nepa/taco_4_edicao_ampliada_e_revisada.pdf>. (Acesso em: maio 2013.)

33.1 Biblioteca do estudante Ciência e cidadania

Nutrientes essenciais

Nosso organismo consegue sintetizar boa parte das substâncias de que necessita, usando para isso a matéria-prima presente nos alimentos. Entretanto, há substâncias orgânicas de que precisamos e que não conseguimos produzir, como aminoácidos essenciais e vitaminas, que têm de ser obtidas na dieta.

Dos vinte tipos de aminoácidos que compõem as proteínas, nossas células não produzem oito, que são chamados **aminoácidos essenciais**. São eles: isoleucina, leucina, valina, fenilalanina, metionina, treonina, triptofano e lisina. Além desses, recém-nascidos também não conseguem produzir histidina. Os aminoácidos essenciais podem ser obtidos a partir da ingestão de certos vegetais, mas sua principal fonte são alimentos de origem animal, como a carne, o leite e os queijos, entre outros.

Crianças desmamadas precocemente, se alimentadas com dietas pobres em aminoácidos essenciais, podem desenvolver um quadro de desnutrição conhecido como **kwashiorkor**, que se caracteriza pelo grande inchaço no abdome e prejuízos no desenvolvimento do sistema nervoso. Outro problema alimentar é a **subnutrição** decorrente da ingestão insuficiente de nutrientes. Nesse caso, a pessoa se torna excessivamente magra, com músculos atrofiados, pele frouxa e aparência envelhecida, quadro sintomático conhecido como **marasmo**. (Fig. 33.1)

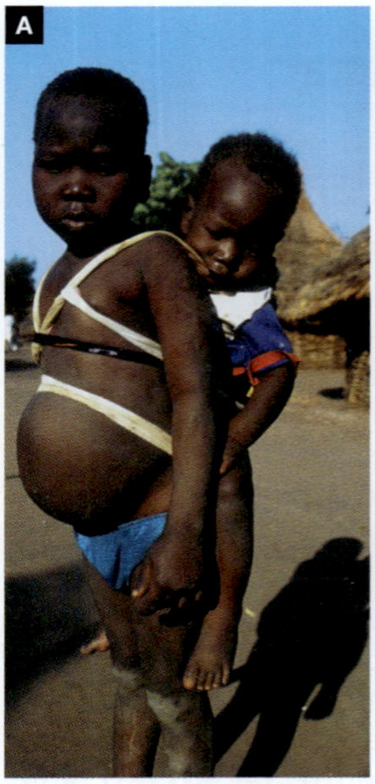

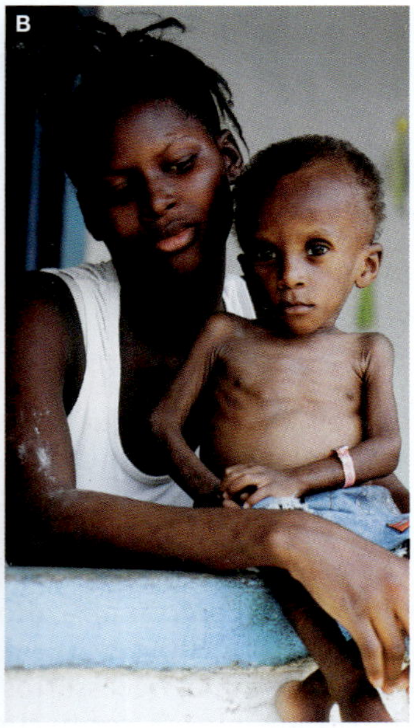

IMAGES OF AFRICA PHOTOBANK/ALAMY/GLOW IMAGES

BURGER/PHANIE/DIOMEDIA

Figura 33.1 A. Criança com abdome inchado, um dos sintomas de kwashiorkor (Etiópia, 2005). **B.** Criança com desnutrição grave – marasmo (Libéria, 2008).

Vitaminas, sais minerais e água

Vitaminas são substâncias orgânicas necessárias em quantidades muito pequenas, mas essenciais ao metabolismo. Como nosso organismo não consegue produzi-las, elas têm de ser obtidas da dieta. A maioria das vitaminas atua como fator auxiliar de reações químicas catalisadas por enzimas. Se faltar certa vitamina, a atividade de algumas enzimas fica prejudicada, com consequências negativas para a atividade celular. Doenças resultantes da falta de vitaminas são chamadas **avitaminoses**. Confira as principais avitaminoses e seus sintomas na tabela a seguir. (Tab. 33.1)

Sais minerais são nutrientes inorgânicos que fornecem elementos químicos importantes, como cálcio, fósforo, ferro e enxofre, entre outros. O cálcio, por exemplo, é um importante componente dos ossos e participa de várias reações químicas fundamentais à vida. O ferro, um componente da hemoglobina do sangue, é fundamental para o transporte de gás oxigênio até as células. O fósforo, por sua vez, é um dos componentes do ATP (trifosfato de adenosina), substância que intermedia o fornecimento de energia a todas as reações químicas celulares.

Tabela 33.1 ▪ **Vitaminas e avitaminoses**

Vitaminas hidrossolúveis

Vitamina	Principal uso no corpo	Sintomas de deficiência	Principais fontes
B_1 (Tiamina)	Auxilia na oxidação dos carboidratos. Estimula o apetite. Mantém o tônus muscular e o bom funcionamento do sistema nervoso. Previne o beribéri.	Perda de apetite, fadiga muscular, nervosismo, beribéri.	Cereais na forma integral e pães, feijão, fígado, carne de porco, ovos, fermento de padaria, vegetais de folha (couve, repolho, espinafre etc.).
B_2 (Riboflavina)	Auxilia a oxidação dos alimentos. Essencial à respiração celular. Mantém a tonalidade saudável da pele. Atua na coordenação motora.	Ruptura da mucosa da boca, dos lábios, da língua e das bochechas.	Vegetais de folha (couve, repolho, espinafre etc.), carnes magras, ovos, fermento biológico, fígado, leite.
B_3 (Niacina ou ácido nicotínico)	Mantém o tônus nervoso e muscular e o bom funcionamento do sistema digestório. Previne a pelagra.	Inércia e falta de energia, nervosismo extremo, distúrbios digestivos, pelagra.	Levedo de cerveja, carnes magras, ovos, fígado, leite.
B_5 (Ácido pantotênico)	É componente da coenzima A, participante de processos energéticos celulares.	Anemia, fadiga e dormência dos membros.	Carne, leite e seus derivados, verduras e cereais integrais.
B_6 (Piridoxina)	Auxilia a oxidação dos alimentos. Mantém a pele saudável.	Doenças da pele, distúrbios nervosos, inércia e extrema apatia.	Levedo de cerveja, cereais integrais, fígado, carnes magras, leite.
B_8 (Biotina)	Atua como coenzima em processos energéticos celulares, na síntese de ácidos graxos e de bases nitrogenadas.	Inflamações na pele e distúrbios neuromusculares.	Carnes, legumes, verduras e bactérias da flora intestinal.
B_9 (Ácido fólico)	Importante na síntese das bases nitrogenadas e, portanto, na síntese de DNA e multiplicação celular.	Anemia; esterilidade masculina; na gravidez predispõe a uma malformação do feto conhecida como espinha bífida.	Vegetais verdes, frutas, cereais integrais e bactérias da flora intestinal.

Vitaminas hidrossolúveis (continuação)			
Vitamina	**Principal uso no corpo**	**Sintomas de deficiência**	**Principais fontes**
B_{12} (Cianocobalamina)	É essencial para a maturação das hemácias e para a síntese de nucleotídios.	Anemia perniciosa; distúrbios nervosos.	Carne, ovos, leite e seus derivados.
C (Ácido ascórbico)	Mantém a integridade dos vasos sanguíneos e a saúde dos dentes. Previne infecções e o escorbuto.	Inércia e fadiga em adultos, insônia e nervosismo em crianças, sangramento das gengivas, dores nas juntas, dentes alterados, escorbuto.	Frutas cítricas (limão, lima, laranja), tomate, couve, repolho, outros vegetais de folha, pimentão.

Vitaminas lipossolúveis			
Vitamina	**Principal uso no corpo**	**Sintomas de deficiência**	**Principais fontes**
A (Retinol)	Necessária para o crescimento normal e para o bom funcionamento dos olhos, do nariz, da boca, dos ouvidos e dos pulmões. Previne resfriados e várias infecções. Evita a cegueira noturna (xeroftalmia).	Cegueira noturna (xeroftalmia), "olhos secos" em crianças, cegueira total.	Vegetais amarelos (cenoura, abóbora, batata-doce, milho), pêssego, nectarina, abricó, gema de ovo, manteiga, fígado.
D* (Calciferol)	Atua no metabolismo do cálcio e do fósforo. Mantém os ossos e os dentes em bom estado. Previne o raquitismo.	Problemas nos dentes, ossos fracos, contribui para os sintomas da artrite, raquitismo.	Óleo de fígado de bacalhau, fígado, gema de ovo.
E (Tocoferol)	Promove a fertilidade. Previne o aborto. Atua no sistema nervoso involuntário, no sistema muscular e nos músculos involuntários.	Esterilidade masculina, aborto.	Óleo de germe de trigo, carnes magras, laticínios, alface, óleo de amendoim.
K (Filoquinona)	Atua na coagulação do sangue. Previne hemorragias.	Hemorragias.	Vegetais verdes, tomate, castanha.

*A vitamina D não é encontrada pronta na maioria dos alimentos; estes contêm, em geral, um precursor que se transforma em vitamina D quando exposto aos raios ultravioleta da radiação solar.
(Adaptado de Campbell, N. A. e cols., 1999.)

Ciência e cidadania

Que alimentos precisamos comer para manter a saúde?

1 Ser responsável pela própria dieta; conhecer os alimentos que nos fazem bem e outros que devem ser evitados; equilibrar a dieta em função de nossas preferências e necessidades. Essas atitudes são, sem dúvida, parte importante do exercício de cidadania, uma vez que permitem ter uma visão mais crítica sobre os alimentos que nos são oferecidos, seja pelas indústrias, em casa ou na merenda escolar. A partir daí, podemos promover mudanças, seja conversando com a família sobre o que eles comem, seja boicotando um produto.

Nutrição e necessidades energéticas

2 O organismo humano precisa receber um fornecimento constante de energia para manter suas atividades vitais. A energia que supre nossas necessidades metabólicas é obtida por meio da **respiração celular**, processo em que moléculas orgânicas são oxidadas, liberando grande parte da energia que contêm.

3 A energia contida nos alimentos costuma ser medida em quilocalorias (kcal). Um grama de gordura, por exemplo, é capaz de liberar, durante a respiração celular, uma quantidade de energia equivalente a 9,5 kcal. Um grama de glicídio ou de proteína, por sua vez, libera bem menos, em torno de 4 kcal.

4 A quantidade de energia que uma pessoa em repouso gasta para manter suas atividades vitais é sua **taxa metabólica basal**. A quantidade de energia necessária à realização de todas as atividades do organismo constitui a **taxa metabólica total**. Essas taxas são expressas em calorias consumidas por unidade de tempo.

5 A taxa metabólica basal é semelhante em indivíduos de mesmo sexo e de mesma faixa etária. A taxa metabólica total, entretanto, varia de acordo com as características e o grau de atividade de cada um. A taxa metabólica basal de uma pessoa jovem é cerca

de 1.600 kcal por dia. A taxa metabólica total pode estar em torno de 2.000 kcal por dia, se a pessoa tiver vida sedentária, ou em mais de 6.000 kcal por dia, se ela for um atleta ou trabalhador braçal.

Reservas energéticas

6 Parte das moléculas orgânicas que ingerimos é convertida inicialmente em glicose e, em seguida, em glicogênio, polissacarídio constituído por centenas de moléculas de glicose unidas. O glicogênio é armazenado no interior das células dos músculos e do fígado. Uma pessoa bem alimentada geralmente armazena glicogênio para suprir suas necessidades energéticas de um dia. Excessos de oferta de nutrientes são transformados em gordura e armazenados no tecido adiposo.

7 Uma dieta pobre leva o organismo a consumir suas substâncias de reserva. Em primeiro lugar utiliza o glicogênio; quando este se esgota, o organismo passa a utilizar a gordura armazenada nas células adiposas. Uma pessoa bem alimentada tem estoque de gorduras suficiente para algumas semanas.

8 Nossa massa corporal se mantém estável se a quantidade de calorias ingeridas for aproximadamente igual à quantidade de calorias despendida no mesmo período. Se a ingestão de calorias for superior às necessidades energéticas, engordaremos. Se ingerirmos menos calorias do que necessitamos, emagreceremos. Um excesso de 10 kcal (cerca de 2 g de açúcar) por dia acima da necessidade energética causa um aumento de massa corporal da ordem de 1 quilograma ao final de um ano.

Dieta protetora e dieta balanceada

9 A quantidade mínima de alimentos necessários a uma pessoa adulta deve fornecer 1.300 kcal/dia, em média. Essa dieta calórica mínima é denominada **dieta protetora**; se a pessoa ingerir menos calorias que esse limite, tenderá a apresentar sintomas de subnutrição.

10 Além do conteúdo energético, a dieta deve fornecer também os diferentes tipos de nutrientes essenciais ao bom funcionamento do organismo. Chama-se **dieta balanceada** a combinação de alimentos que fornece a uma pessoa adulta a quantidade de energia de que ela necessita — em torno de 3.000 kcal/dia — distribuída entre 50% a 60% de glicídios, 25% a 35% de gorduras e 15% a 25% de proteínas.

11 A dieta balanceada varia em composição e em valor calórico de acordo com a idade e o grau de atividade da pessoa. A boa nutrição consiste em combinar variedade e quantidade adequadas de alimentos à idade e ao grau de atividade física de cada um.

12 Embora os conhecimentos básicos e o bom senso sejam suficientes para que uma pessoa saiba alimentar-se bem, nutricionistas e médicos são os profissionais mais capacitados para orientar a dieta de pessoas que estão muito acima ou muito abaixo da massa corporal, apresentando um possível indício de uma alimentação inadequada.

AGE FOTOSTOCK/KEYSTONE BRASIL

Exemplos de ingredientes de uma dieta balanceada.

Guia de leitura

1. Releia o primeiro parágrafo. Quais são, segundo o texto, atitudes importantes de todo cidadão consciente com relação à alimentação?
2. No segundo parágrafo fala-se da respiração celular. Relembre esse processo, pesquisando sobre ele se necessário. Em que organela celular a respiração ocorre?
3. No terceiro parágrafo é mencionada a unidade em que se costuma medir a energia dos alimentos. Se tiver oportunidade, consulte seu professor de Física sobre o significado físico dessa e de outras unidades de medida de energia. Informe-se no parágrafo sobre a relação entre a quantidade de energia potencialmente armazenada em lipídios, glicídios e proteínas.
4. O quarto parágrafo aborda os conceitos de taxa metabólica basal e taxa metabólica total. O que significa cada uma delas?
5. Releia o quinto parágrafo e responda: que fatores afetam a taxa metabólica total?
6. No sexto parágrafo é citado um polissacarídio armazenado no fígado e essencial ao metabolismo. Qual é esse polissacarídio? O que acontece se houver excesso dessa substância?
7. O sétimo parágrafo aborda as consequências da ingestão de uma dieta pobre em calorias. Como as substâncias de reserva do organismo são utilizadas nesse caso?
8. Releia o oitavo parágrafo e resuma, em poucas palavras, sua ideia central.
9. O nono parágrafo apresenta o conceito de dieta protetora. Enuncie-o.
10. No décimo parágrafo é apresentado o conceito de dieta balanceada. Analise a foto **A** e, em seguida, explique o que significa uma dieta balanceada. Você acha que sua alimentação se aproxima desse conceito?
11. De acordo com o parágrafo 11, em que consiste uma boa nutrição? Que fatores precisam ser levados em conta para uma dieta saudável?
12. Informe-se, no décimo segundo parágrafo, sobre os profissionais a serem consultados para se obter orientação específica sobre nutrição em caso de necessidade. Escreva um pequeno texto sobre seu tipo de alimentação, seus alimentos preferidos, seus gastos energéticos nas atividades diárias etc.

Organização do sistema digestório e a digestão dos alimentos

O **sistema digestório** humano, assim como o dos outros animais, é comparável a uma linha de "desmontagem" dos alimentos, que permite extrair deles seus diversos nutrientes. A digestão inicia-se na boca, com o trabalho de mastigação e a ação das enzimas da saliva; o processo continua no trajeto pelo tubo digestório, encerrando-se no intestino, onde ocorre a maior parte da absorção dos produtos úteis gerados no processo digestivo. (Fig. 33.2)

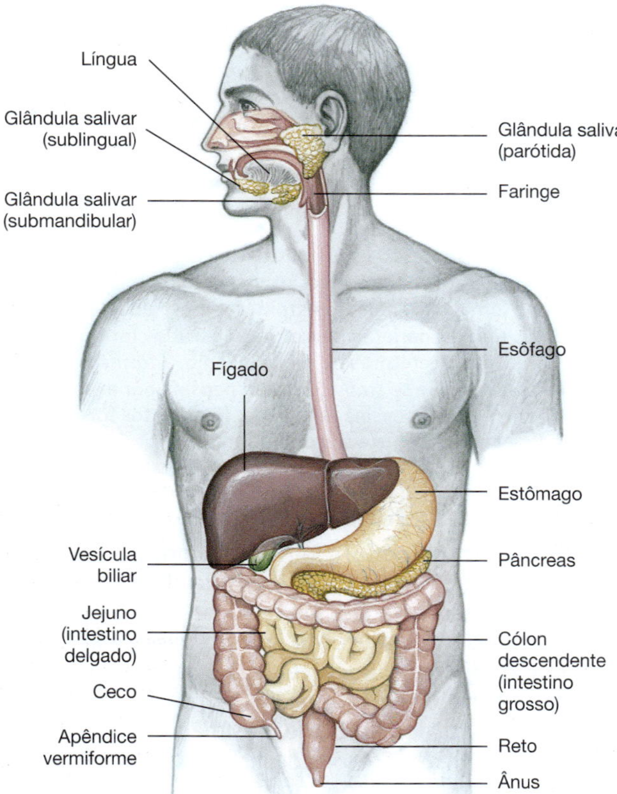

Figura 33.2 Representação esquemática dos componentes do sistema digestório humano, composto pelo trato digestório, um tubo com cerca de 9 metros de comprimento, e por glândulas associadas, como as glândulas salivares, o pâncreas e o fígado. (Elementos fora de proporção de tamanho entre si; cores-fantasia.)

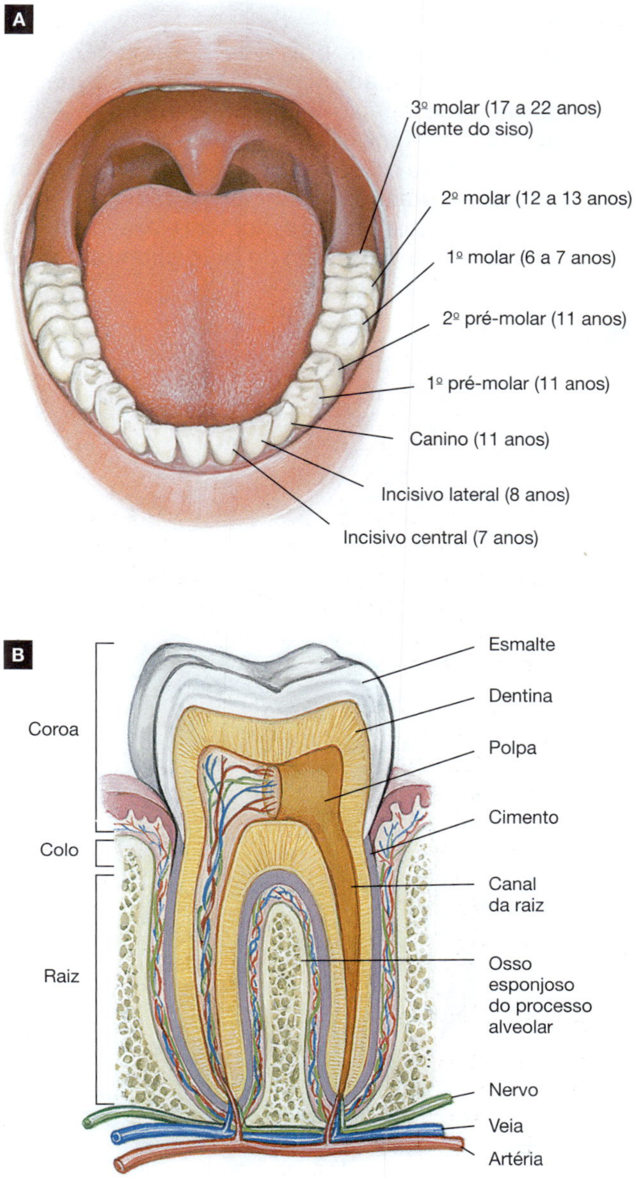

Figura 33.3 A. Representação esquemática da boca humana com identificação dos dentes que compõem a dentição permanente (a mesma identificação vale para a metade esquerda e para a arcada superior). Ao lado de cada tipo de dente está indicada a idade aproximada em que ele nasce. **B.** Representação esquemática de um dente molar, em corte, para mostrar sua estrutura interna. (Elementos fora de proporção de tamanho entre si; cores-fantasia.)

Digestão na boca e deglutição

A abertura de entrada do tubo digestório é a **boca**, onde se localizam os dentes e a língua, que preparam o alimento para a digestão, triturando-o e misturando-o com saliva, uma solução aquosa de consistência viscosa, produzida pelas **glândulas salivares**. A saliva contém a enzima amilase salivar, que inicia o processo digestivo. (Fig. 33.3)

A saliva contribui para manter o grau de acidez (pH) na boca próximo do neutro, em torno de 6,7, ideal para a ação da amilase salivar. Essa enzima, também chamada **ptialina**, quebra moléculas de amido e de glicogênio em fragmentos menores, originando o dissacarídio maltose.

Após algum tempo de mastigação, o bolo alimentar é empurrado pela língua para o fundo da faringe, de onde segue para o esôfago. Nesse processo, conhecido como **deglutição**, entra em ação um mecanismo que fecha a laringe, evitando que o alimento engolido penetre nas vias respiratórias.

O **esôfago** é um tubo relativamente fino e de paredes musculosas que atravessa o **diafragma**, membrana musculosa que separa o tórax do abdome. Logo após o diafragma, o esôfago liga-se ao estômago. Ao longo do esôfago, o bolo alimentar é impulsionado por movimentos rítmicos de contração da musculatura da parede esofágica, as **ondas peristálticas**, ou **peristaltismo**.

Digestão no estômago

O **estômago** é uma bolsa de parede músculo-membranosa, localizada no lado esquerdo superior do abdome, logo abaixo das últimas costelas. A comunicação do esôfago com o estômago é feita por meio de um orifício cuja abertura é controlada por um anel de musculatura lisa, o esfíncter esofágico inferior. Quando a musculatura desse esfíncter relaxa, o orifício se abre e permite a passagem do bolo alimentar para o estômago. (Fig. 33.4)

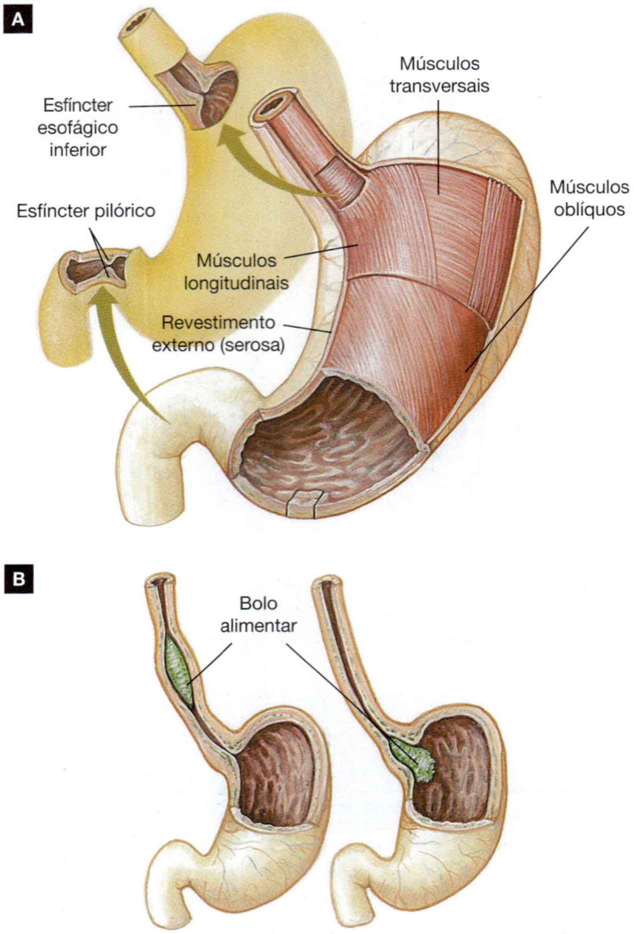

Figura 33.4 A. Representação esquemática do estômago humano parcialmente cortado, mostrando a musculatura e detalhes dos esfíncteres. **B.** Percurso do bolo alimentar no esôfago. (Elementos fora de proporção de tamanho entres si; cores-fantasia.)

O epitélio do estômago apresenta **glândulas estomacais**, que secretam ácido clorídrico, enzimas e muco. Em conjunto, essas substâncias compõem o **suco gástrico**.

A principal enzima do suco gástrico é a **pepsina**, que digere proteínas, quebrando-as em cadeias menores de aminoácidos (**peptídios**). Ela atua no ambiente ácido do estômago, onde o pH se mantém em torno de 2 devido à presença de ácido clorídrico. (Fig. 33.5)

O alimento permanece no estômago geralmente de uma a quatro horas, transformando-se em uma massa acidificada e semilíquida denominada **quimo**. À medida que a digestão ocorre, o conteúdo estomacal passa aos poucos para o intestino delgado. Essa passagem é controlada pelo esfíncter pilórico, que controla a abertura e o fechamento do orifício de comunicação entre estômago e intestino.

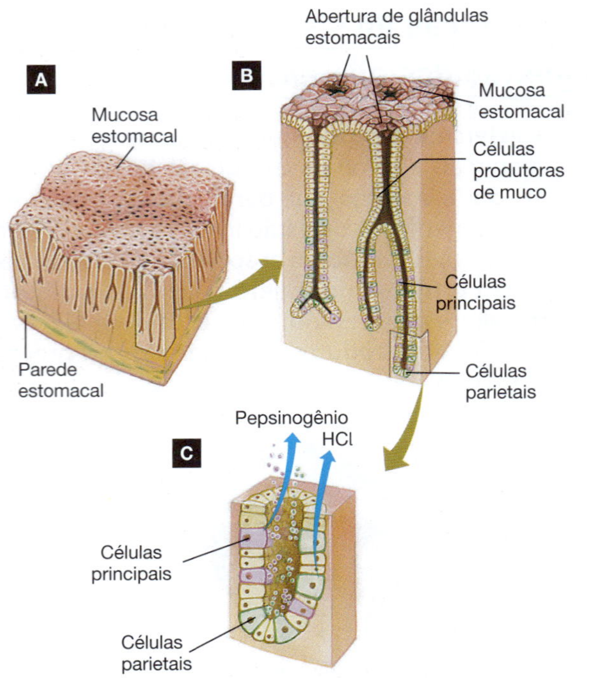

Figura 33.5 Representação esquemática de cortes de estômago humano, em diferentes ampliações. **A.** Aspecto da superfície interna do estômago. **B.** Mucosa estomacal mostrando algumas glândulas. **C.** Células parietais secretoras de ácido clorídrico e células principais secretoras de pepsinogênio, a forma inativa da pepsina, que se transforma em pepsina por ação do ácido clorídrico, ou de pepsina já ativada. (Elementos fora de proporção de tamanho entre si; cores-fantasia.)

Digestão no intestino delgado

O **intestino delgado** é um tubo com pouco mais de 6 m de comprimento por 4 cm de diâmetro, com três regiões diferenciadas que se sucedem na seguinte ordem: o **duodeno**, adjacente ao estômago, com cerca de 25 cm; o **jejuno**, com cerca de 4,5 m; e o **íleo**, com cerca de 1,5 m. No duodeno, desemboca a ampola hepatopancreática, resultante da união entre o ducto colédoco, que traz secreções do fígado, e o ducto pancreático, que traz secreções do pâncreas.

A digestão do quimo ocorre predominantemente no duodeno e nas primeiras porções do jejuno. Milhares de pequenas glândulas da mucosa intestinal produzem o **suco entérico**, ou suco intestinal, que contém diversas enzimas. No duodeno também atua o **suco pancreático**, uma solução alcalina e rica em enzimas digestivas, produzida pelo pâncreas. A alcalinidade do suco pancreático deve-se à presença de bicarbonato de sódio ($NaHCO_3$), que neutraliza a acidez do quimo e eleva o pH do conteúdo intestinal a valores em torno de 8 a 8,5. Essa condição alcalina é necessária para a atuação das enzimas dos sucos intestinal e pancreático.

Outra secreção que atua no duodeno é a **bile**, um líquido de cor esverdeada e sem enzimas digestivas, produzida pelo fígado e armazenada na vesícula biliar. Os **sais biliares** emulsionam lipídios, isto é, quebram gotas de gorduras em gotículas microscópicas, o que facilita a ação da **lipase pancreática**.

Depois das transformações enzimáticas promovidas pelos sucos entérico e pancreático, o quimo transforma-se em um líquido esbranquiçado, denominado **quilo**.

A superfície interna do intestino delgado é intensamente pregueada, com milhões de pequenas dobras, as **vilosidades intestinais**. As próprias células do epitélio intestinal têm membranas pregueadas, com dobras microscópicas denominadas **microvilosidades**. Os nutrientes resultantes da digestão dos alimentos são absorvidos por essas células e transferidos para a circulação sanguínea adjacente, que se encarrega de distribuir as substâncias para todas as células do corpo. Restos não absorvidos passam para o intestino grosso. (Fig. 33.6 e Tab. 33.2)

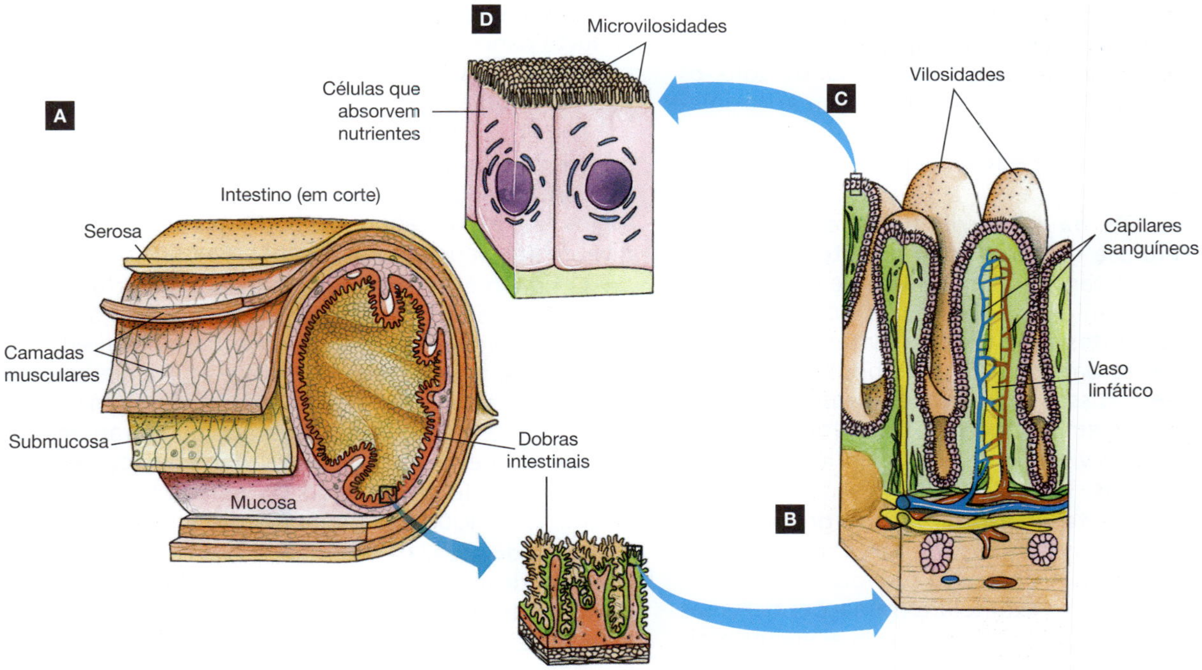

Figura 33.6 Representação esquemática da estrutura da parede do intestino delgado. **A.** Camadas de tecidos que formam a parede intestinal. **B.** Detalhe das dobras da mucosa intestinal. **C.** Detalhes das vilosidades intestinais. **D.** Detalhe de células do epitélio intestinal, mostrando as microvilosidades. (Elementos fora de proporção de tamanho entre si; cores-fantasia.)

Tabela 33.2 ▪ Principais enzimas digestivas humanas

Suco digestivo	Enzimas	pH ótimo	Substratos	Produtos
Saliva	Amilase salivar	Neutro	Polissacarídios	Maltose e glicose
Suco gástrico	Pepsina Renina	Ácido Ácido	Proteínas Caseína solúvel	Peptonas Caseína insolúvel
Suco pancreático	Quimotripsina Tripsina Amilopsina Ribonuclease Desoxirribonuclease Lipase Carboxipeptidase Aminopeptidase	Alcalino Alcalino Alcalino Alcalino Alcalino Alcalino Alcalino Alcalino	Proteínas e peptonas Proteínas e peptonas Polissacarídios RNA DNA Lipídios Oligopeptídios Oligopeptídios	Oligopeptídios Oligopeptídios Maltose e glicose Nucleotídios Nucleotídios Ácidos graxos e glicerol Aminoácidos Aminoácidos
Suco entérico	Dipeptidase Maltase Sacarase Lactase a-Aminopeptidase Glicoamilase	Alcalino Alcalino Alcalino Alcalino Alcalino Alcalino	Dipeptídios Maltose Sacarose Lactose Dipeptídios, tripeptídios e oligopeptídios Oligossacarídios	Aminoácidos Glicose Glicose e frutose Glicose e galactose Aminoácidos Monossacarídios

Conteúdo multimídia
Enzimas da digestão

Conteúdo multimídia
A digestão de proteínas

Funções do intestino grosso

O intestino grosso de uma pessoa adulta mede cerca de 1,5 m de comprimento e entre 6 e 7 cm de diâmetro. Os resíduos inaproveitados de uma refeição levam cerca de nove horas para chegar ao intestino grosso, onde permanecem, em média, por um a três dias. Durante essa permanência, boa parte da água e dos sais do conteúdo intestinal é absorvida e há intensa proliferação de bactérias. Na região final do colo, os resíduos são transformados em **fezes**, com aproximadamente 75% de água e 25% de matéria sólida. A cor escura das fezes deve-se à presença de pigmentos provenientes da bile.

Cerca de 70% da parte sólida das fezes são sais, fibras de celulose e outros componentes não digeridos; os 30% restantes compõem-se de bactérias. A presença desses microrganismos, que constituem a chamada **flora intestinal**, ajuda a evitar a proliferação de bactérias patogênicas, que poderiam causar doenças; além disso, os microrganismos da flora intestinal produzem substâncias úteis ao organismo humano, como as vitaminas K, B_{12}, tiamina e riboflavina, entre outras.

O reto é a parte final do intestino grosso e fica geralmente vazio, enchendo-se de fezes apenas pouco antes da defecação. A distensão provocada pela presença de fezes no reto estimula terminações nervosas e leva ao relaxamento involuntário do esfíncter mais interno do ânus, constituído por musculatura lisa. O esfíncter anal mais externo, constituído por musculatura estriada, é controlado voluntariamente. A contração da musculatura abdominal, combinada ao relaxamento dos esfíncteres, permite a expulsão das fezes, a defecação. (Fig. 33.7)

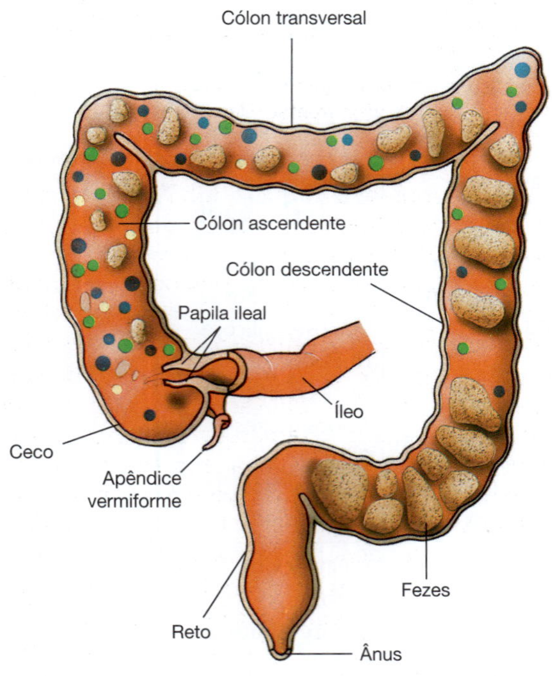

Figura 33.7 Representação esquemática do intestino grosso em corte, mostrando a papila ileal, ou valva ileocecal, que controla a passagem do conteúdo do intestino delgado para o intestino grosso. (Elementos fora de proporção entre si; cores-fantasia.)

Funções do pâncreas e do fígado

O pâncreas é uma glândula com cerca de 15 cm de comprimento, formato triangular e alongado, localizada sob o estômago, na alça do duodeno. As células pancreáticas secretoras de enzimas formam pequenas bolsas – os **ácinos pancreáticos** –, das quais partem finos ductos secretores que se fundem formando o ducto pancreático. O ducto pancreático se junta ao ducto colédoco, proveniente do fígado, formando a ampola hepatopancreática, que desemboca no duodeno.

Dispersos entre os ácinos pancreáticos há pequenos grupos de células – as **ilhotas pancreáticas**, ou ilhotas de Langerhans – que produzem dois importantes hormônios – a insulina e o glucagon – responsáveis pelo controle do nível de açúcar no sangue, como veremos no capítulo 34.

O fígado é um dos maiores e mais importantes órgãos de nosso corpo. Tem aproximadamente 1,5 kg, cor marrom-avermelhada e localiza-se no lado direito do abdome, na altura das últimas costelas, imediatamente abaixo do diafragma. O fígado produz a **bile**, um líquido transparente e esverdeado que fica temporariamente armazenado em uma bolsa oval denominada **vesícula biliar**, encaixada sob o fígado. Da vesícula parte o ducto colédoco, mencionado anteriormente.

Além de atuar na digestão, a bile contém substâncias que devem ser eliminadas do corpo: substâncias provenientes da degradação de drogas e medicamentos, excesso de colesterol e bilirrubina, substância amarelada resultante principalmente da degradação da hemoglobina de hemácias fora de função.

Outras funções do fígado são: armazenar o excesso de glicose na forma de glicogênio, ou convertê-lo em gordura, armazenando-o no próprio fígado ou em tecidos adiposos; transformar a amônia produzida no metabolismo celular em uma substância menos tóxica, a ureia, excretada na urina; sintetizar colesterol e proteínas importantes para a coagulação do sangue, como a protrombina e o fibrinogênio.

33.2 Respiração

Boa parte dos nutrientes orgânicos que assimilamos é utilizada pelas células para gerar a energia necessária aos processos vitais; isso ocorre principalmente por meio da respiração celular. Esse processo, também chamado **respiração aeróbia**, tem lugar no interior das mitocôndrias, onde substâncias orgânicas reagem com gás oxigênio e liberam energia, que é armazenada temporariamente em moléculas de ATP. Os produtos da respiração aeróbia são a água e o gás carbônico; a água pode ser reutilizada pela célula, o gás carbônico é eliminado e passa para o sangue.

O gás carbônico que os tecidos corporais eliminam no sangue, ao chegar aos pulmões, é expelido do corpo e passa para o ar atmosférico. Nesses órgãos, o sangue se abastece de gás oxigênio, que será levado até as células para suprir a respiração aeróbia. As trocas gasosas entre o ar atmosférico e o sangue nos pulmões constituem a **respiração pulmonar**; o conjunto de órgãos que atuam diretamente nesse processo constitui o sistema respiratório.

Organização do sistema respiratório

O **sistema respiratório humano** compõe-se das cavidades nasais, da boca, da faringe, da laringe, da traqueia, dos brônquios, dos bronquíolos e dos alvéolos pulmonares. Os bronquíolos e os alvéolos formam os pulmões. (Fig. 33.8)

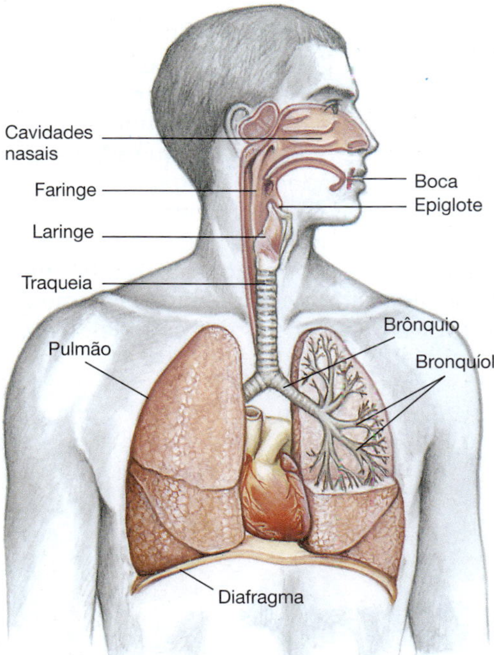

Figura 33.8 Representação esquemática dos principais componentes do sistema respiratório humano. O pulmão direito é ligeiramente maior que o esquerdo e está dividido em três partes, ou três lóbulos; o pulmão esquerdo tem apenas dois lóbulos. Pulmões de pessoas jovens têm cor rosada, que vai aos poucos escurecendo com a idade, devido ao acúmulo de impurezas presentes no ar. Pulmões de fumantes são mais escuros que os de não fumantes devido ao acúmulo de partículas de alcatrão e outras substâncias contidas na fumaça do cigarro.

33.2 Biblioteca do estudante Ciência e cidadania

As **cavidades nasais** são dois condutos paralelos que começam nas narinas e terminam na faringe. Nas cavidades nasais há células sensoriais, responsáveis pelo sentido do olfato, e células produtoras de muco, cuja função é umedecer as vias respiratórias e reter partículas e bactérias presentes no ar que inspiramos, atuando como um filtro. Células das cavidades nasais produzem diariamente cerca de meio litro de muco, que escorre para o fundo da garganta e é engolido junto com a saliva.

Nas cavidades nasais, o ar inspirado é filtrado, umedecido e aquecido; por isso é importante respirar sempre pelo nariz, principalmente no inverno. Quando respiramos pela boca, nossas vias respiratórias ressecam e resfriam, tornando-se mais suscetíveis a infecções e inflamações.

Ao inspirarmos, o ar entra pelas narinas, passa pelas cavidades nasais, pela faringe e chega à **laringe**, estrutura tubular com reforços cartilaginosos localizada no pescoço. Uma das partes cartilaginosas da laringe é a proeminência laríngea, popularmente conhecida como pomo de adão, que forma uma saliência na parte anterior do pescoço, mais desenvolvida nos homens que nas mulheres.

A entrada da laringe, chamada **glote**, é guarnecida por uma "lingueta" cartilaginosa, a **epiglote**, que atua como válvula. Quando engolimos, a laringe eleva-se e sua entrada é fechada pela epiglote, o que impede o alimento de penetrar nas vias respiratórias e causar engasgamento.

O revestimento interno da laringe contém **pregas vocais** (anteriormente denominadas cordas vocais), capazes de produzir som durante a passagem do ar. Graças à ação combinada da laringe, da boca, da língua e do nariz, podemos articular palavras e produzir diversos tipos de sons. (Fig. 33.9)

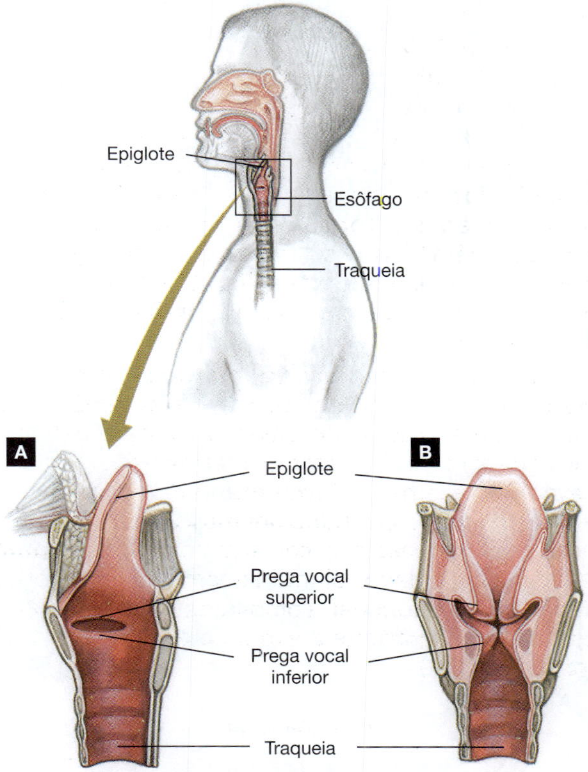

Figura 33.9 Representações esquemáticas da estrutura da laringe em corte. **A.** Vista lateral. **B.** Vista frontal. (Elementos fora de proporção de tamanho entre si; cores-fantasia.)

À laringe segue-se a **traqueia**, tubo de aproximadamente 1,5 cm de diâmetro por 10 cm de comprimento, com paredes reforçadas por anéis cartilaginosos, perceptíveis na região anterior do pescoço, logo abaixo da proeminência laríngea. Esses reforços cartilaginosos mantêm a traqueia sempre aberta para a passagem de ar.

Na região superior do peito, a traqueia divide-se em dois tubos curtos também reforçados por anéis de cartilagem, os **brônquios**, que se ramificam em tubos cada vez mais finos, os **bronquíolos**. O conjunto altamente ramificado de bronquíolos forma a **árvore respiratória**. Cada bronquíolo apresenta, em sua extremidade, um grupo de pequenas bolsas denominadas alvéolos pulmonares.

Traqueia, brônquios e bronquíolos são revestidos internamente por um epitélio ciliado, rico em células produtoras de muco. Partículas de poeira e bactérias em suspensão no ar aderem ao muco e são continuamente levadas em direção à garganta pelo batimento rítmico dos cílios das células epiteliais. Ao chegar à faringe, o muco e as partículas aderidas são engolidos e vão para o tubo digestório.

Os dois conjuntos de bronquíolos com alvéolos pulmonares, um em cada lado do peito, constituem os **pulmões**, órgãos esponjosos com aproximadamente 25 cm de altura e 700 g de massa, localizados no interior da caixa torácica.

Os pulmões são envoltos por duas membranas, as pleuras. A pleura mais interna está aderida à superfície de cada pulmão, enquanto a pleura mais externa está aderida à caixa torácica. Entre as pleuras há um espaço estreito, preenchido por uma fina camada líquida, o líquido interpleural. A tensão superficial desse líquido mantém unidas as duas pleuras, mas permite que elas deslizem suavemente uma sobre a outra nos movimentos respiratórios.

Cada pulmão é constituído por cerca de 150 milhões de **alvéolos pulmonares**, pequenos sacos de paredes finas, formadas por células achatadas. Os alvéolos são recobertos por grande número de capilares sanguíneos, possibilitando o intercâmbio eficiente de gases respiratórios. (Fig. 33.10)

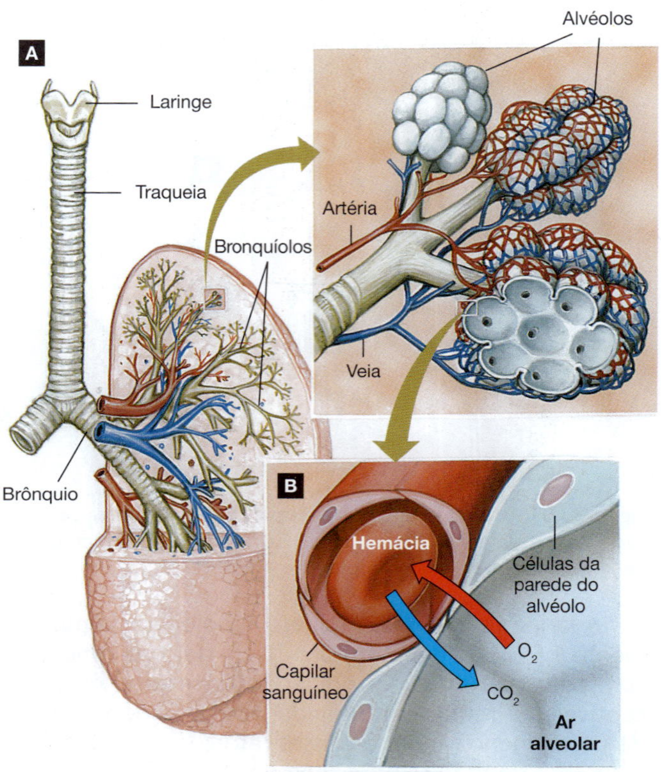

Figura 33.10 A. Representação esquemática da relação entre as extremidades dos bronquíolos e os alvéolos pulmonares. No detalhe, um alvéolo em corte transversal. **B.** Representação esquemática da troca de gases respiratórios entre o alvéolo e o capilar sanguíneo. (Elementos fora de proporção de tamanho entre si; cores-fantasia.)

Calcula-se que se todos os alvéolos dos pulmões de uma pessoa fossem esticados e colocados lado a lado, sua superfície ultrapassaria 200 m^2; e se todos os capilares que recobrem os alvéolos fossem unidos linearmente, atingiriam nada menos que 1.600 km de extensão. Isso nos dá uma ideia da altíssima capacidade dos pulmões de realizar trocas gasosas com o sangue.

Fisiologia da respiração

Ventilação pulmonar

Ventilação pulmonar é a renovação do ar dos pulmões que ocorre a cada movimento respiratório, composto por uma **inspiração** – entrada de ar nos pulmões – e uma **expiração** – saída do ar. Calcula-se que mais de 10 mil litros de ar passem diariamente pelos pulmões de uma pessoa.

Nos mamíferos, a ventilação pulmonar depende da ação dos músculos que interligam as costelas – os músculos intercostais – e de uma membrana musculosa, flexível e resistente, o **diafragma**, que separa a cavidade torácica da cavidade abdominal. Na inspiração, o diafragma desce e as costelas sobem, o que aumenta o volume da caixa torácica, forçando o ar a entrar nos pulmões. Na expiração, ocorre o oposto: o diafragma sobe e as costelas abaixam, o que diminui o volume da caixa torácica e força a saída de ar dos pulmões. (Fig. 33.11)

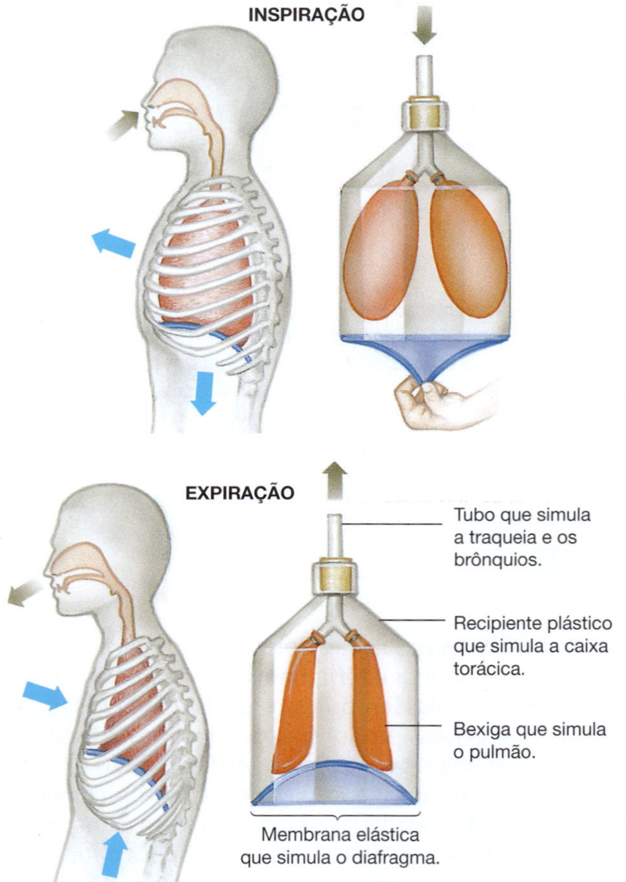

Figura 33.11 Representações esquemáticas do papel do diafragma na inspiração e na expiração. Ao lado das figuras humanas, modelo feito com materiais simples para demonstrar os movimentos respiratórios. (Elementos fora de proporção de tamanho entre si; cores-fantasia.)

Quando nos exercitamos, as células musculares gastam mais energia. Assim, a respiração celular se intensifica e há liberação de maiores quantidades de gás carbônico. No sangue, o gás carbônico reage com água e origina ácido carbônico, que faz aumentar a acidez sanguínea. Essa mudança é rapidamente detectada pelo sistema nervoso, que passa a estimular mais os músculos intercostais e o diafragma, aumentando a frequência da ventilação pulmonar.

Hematose

Nos alvéolos pulmonares, ocorre o fenômeno-chave da respiração: a **hematose**. Nesse processo, o gás oxigênio do ar difunde-se para os capilares sanguíneos e penetra nas hemácias, onde se combina com a **hemoglobina**, proteína constituída por quatro cadeias polipeptídicas e quatro anéis pirrólicos (grupos heme) que contêm ferro em sua composição. O gás oxigênio, combinado à hemoglobina, forma a oxiemoglobina e viaja pelo corpo, chegando aos capilares sanguíneos de todos os tecidos. (Fig. 33.12)

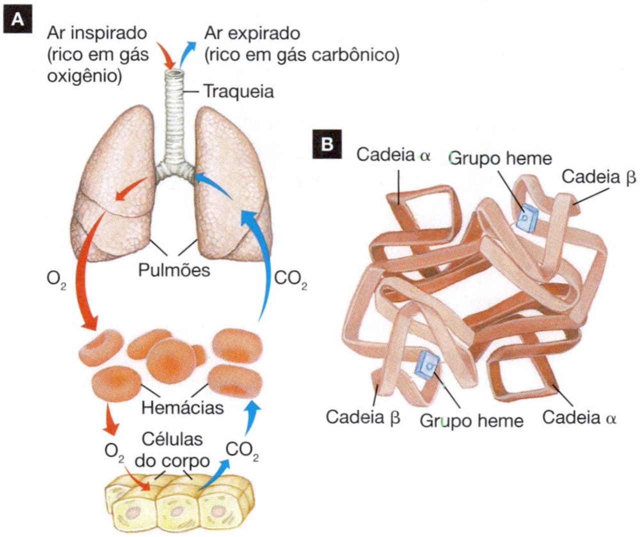

Figura 33.12 A. Caminho dos gases respiratórios do ar às células e vice-versa. **B.** Representação esquemática da estrutura tridimensional da molécula de hemoglobina, formada por quatro cadeias polipeptídicas e por quatro grupos heme (dois deles não visíveis, escondidos pelas dobras da molécula), que contêm ferro em sua constituição, o que torna a hemoglobina vermelha. Estima-se que haja cerca de 250 milhões de moléculas de hemoglobina em cada hemácia. (Elementos fora de proporção de tamanho entre si; cores-fantasia.)

Nos tecidos, o gás oxigênio dissocia-se da hemoglobina, sai das hemácias e difunde-se para as células. Simultaneamente, moléculas de gás carbônico originadas na respiração celular difundem-se para o líquido que banha os tecidos e são absorvidas pelos capilares. A maior parte do gás carbônico (cerca de 70%) reage com a água no interior das hemácias, formando ácido carbônico (H_2CO_3), que rapidamente se dissocia em íons H^+ e íons bicarbonato (HCO_3^-). Os íons H^+ associam-se às moléculas de hemoglobina, enquanto os íons HCO_3^- saem das hemácias e vão para o plasma sanguíneo, onde contribuem para controlar o grau de acidez do sangue.

Nos alvéolos pulmonares, os íons bicarbonato e H^+ se reassociam, originando ácido carbônico, que, na sequência, transforma-se em água e em gás carbônico. O gás carbônico difunde-se, então, para o ar alveolar e é eliminado na expiração.

Aproximadamente 98% do gás oxigênio é transportado no interior das hemácias, na forma de oxiemoglobina, enquanto a maior parte do gás carbônico – cerca de 70% – é transportada dissolvida no plasma, na forma de íons HCO_3^-.

33.3 Circulação sanguínea e linfática

Componentes do sistema cardiovascular

O **sistema cardiovascular** é constituído pelo coração e por uma rede de vasos que levam o sangue a todas as partes do corpo. (Fig. 33.13)

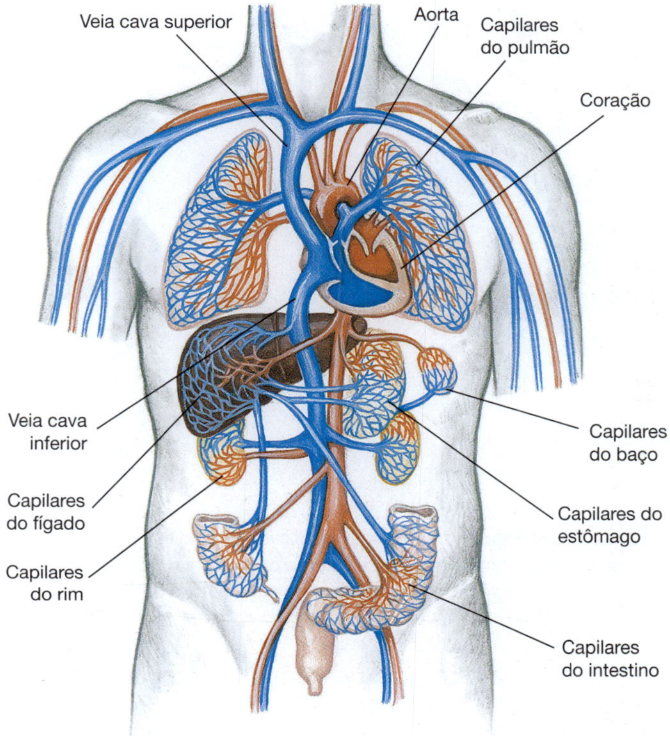

Figura 33.13 Representação esquemática do coração (em corte) e dos principais vasos do sistema cardiovascular humano, em vista frontal. Os vasos em que circula sangue oxigenado estão representados em vermelho, e os que conduzem sangue pobre em gás oxigênio estão representados em azul. (Elementos fora de proporção de tamanho entre si; cores-fantasia.)

Estrutura e fisiologia do coração

O **coração** humano é um órgão oco, de tamanho comparável ao de um punho fechado e com cerca de 400 g; localiza-se sob o osso esterno, um pouco à esquerda do centro do peito. As paredes do coração são constituídas por tecido muscular estriado cardíaco, o **miocárdio** (do grego *myos*, músculo, e *cardio*, coração); internamente, o coração é revestido por uma camada de células achatadas, o **endocárdio**.

O coração humano tem quatro cavidades: dois **átrios cardíacos**, ou aurículas, e dois **ventrículos cardíacos**. O sangue rico em gás oxigênio, proveniente dos pulmões, chega ao coração pelo átrio esquerdo. O sangue rico em gás carbônico, proveniente do resto do corpo, chega pelo átrio direito.

Cada átrio comunica-se com o ventrículo ligado a ele por um orifício guarnecido por uma **valva atrioventricular**, cuja função é garantir a circulação do sangue em sentido único, do átrio para o ventrículo.

O átrio esquerdo comunica-se com o ventrículo esquerdo pela valva atrioventricular esquerda, também chamada valva bicúspide ou mitral. O átrio cardíaco direito comunica-se com o ventrículo direito pela valva atrioventricular direita, ou valva tricúspide. (Fig. 33.14)

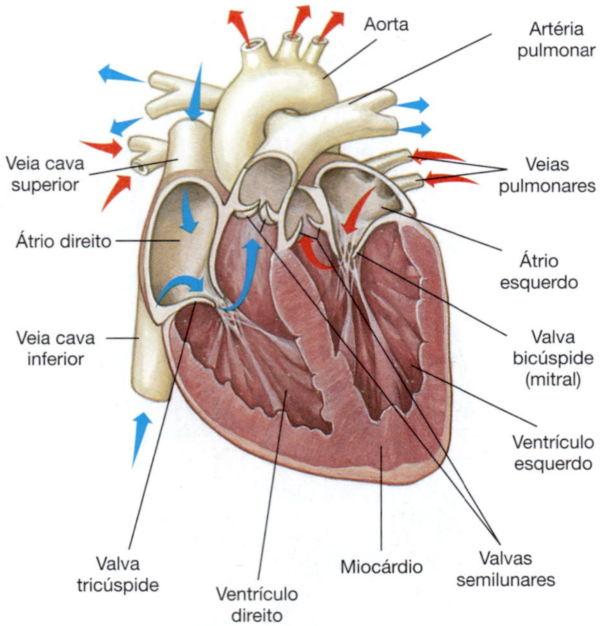

Figura 33.14 Representação esquemática do coração em vista ventral cortado longitudinalmente. As setas em azul indicam o fluxo de sangue pobre em gás oxigênio, e as setas em vermelho, o fluxo do sangue rico em gás oxigênio.

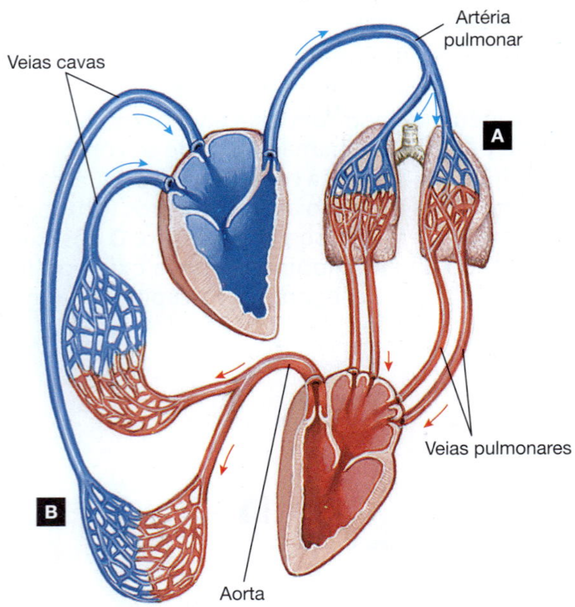

Figura 33.15 Representação esquemática do coração com as duas metades separadas, para enfatizar que os lados direito e esquerdo atuam como bombas distintas. **A.** Circulação pulmonar. **B.** Circulação sistêmica. O caminho mostrado em azul indica o fluxo do sangue pobre em gás oxigênio e, em vermelho, o fluxo do sangue rico em gás oxigênio. (Elementos fora de proporção de tamanho entre si; cores-fantasia.)

Durante a contração dos átrios, denominada **sístole atrial**, o sangue passa para os ventrículos, que relaxam, processo chamado **diástole ventricular**. Quando ocorre a contração dos ventrículos, ou **sístole ventricular**, as valvas entre eles e os átrios se fecham e o sangue é forçado a sair do coração por duas grandes artérias: a artéria pulmonar, que parte do ventrículo direito em direção aos pulmões, e a aorta, que parte do ventrículo esquerdo para as demais partes do corpo. As saídas para a aorta e para a artéria pulmonar são guarnecidas pelas **valvas semilunares**, cuja função é impedir o refluxo de sangue para o coração durante o relaxamento ventricular.

O sangue retorna ao coração por duas grandes veias – as veias cavas – que desembocam no átrio direito. Em um ciclo completo, o sangue executa o seguinte trajeto: coração (átrio direito) → pulmões → coração (ventrículo esquerdo) → tecidos corporais → coração (átrio direito). Nossa circulação sanguínea é dupla: o trajeto "coração → pulmões → coração" é denominado **circulação pulmonar**, ou pequena circulação, e o trajeto "coração → sistemas corporais → coração" é chamado **circulação sistêmica**, ou grande circulação. (Fig. 33.15)

Quando estamos em repouso, uma sequência completa de sístoles e diástoles das câmaras do coração – **ciclo cardíaco** – dura cerca de 0,8 segundo. Com o uso do estetoscópio, um instrumento que permite escutar ruídos internos do organismo, podem ser identificadas duas "batidas" subsequentes do coração: a primeira, um som mais grave e menos audível, é causada pelo impacto do sangue contra as valvas atrioventriculares direita e esquerda, marcando o início da sístole ventricular. A segunda batida, um som mais agudo e alto, é causado pelo impacto do sangue contra as valvas semilunares da aorta e da artéria pulmonar, marcando o início da diástole ventricular.

O número de vezes que o coração se contrai por unidade de tempo é a **frequência cardíaca,** que varia de acordo com a condição de saúde, o condicionamento aeróbico e a situação emocional da pessoa. Em média, a frequência cardíaca oscila em torno de 70 a 80 batimentos por minuto; durante o sono, o coração pode bater entre 35 e 50 vezes por minuto; durante um exercício físico intenso, a frequência cardíaca pode ultrapassar os 180 batimentos por minuto.

A frequência dos batimentos cardíacos é controlada por um nódulo de células musculares especiais, o **marca-passo**, ou **nodo sinoatrial**, localizado perto da junção entre o átrio direito e a veia cava superior. Outra região especializada do coração é o **nodo atrioventricular**, que distribui o sinal gerado pelo marca-passo à musculatura dos ventrículos, estimulando-os a entrar em sístole.

Vasos sanguíneos

Artérias são vasos de parede espessa e musculosa que levam sangue do coração para os órgãos e tecidos corporais, inclusive para os tecidos do próprio coração, como fazem as artérias coronárias. As artérias de grosso calibre que partem do coração – aorta e artéria pulmonar – ramificam-se progressivamente em artérias mais finas, atingindo todas as partes do corpo. Nos órgãos e tecidos, os finíssimos ramos terminais das artérias, as arteríolas, prolongam-se formando vasos ainda mais finos, os capilares sanguíneos.

Ao ser bombeado pelos ventrículos, o sangue adentra as artérias exercendo grande pressão sobre suas paredes, o que poderia rompê-las, caso elas não fossem elásticas. A pressão que o sangue exerce sobre a parede interna das artérias é denominada pressão arterial. Em uma pessoa jovem e com boa saúde, a pressão nas artérias durante a sístole ventricular, chamada **pressão arterial sistólica**, ou pressão máxima, oscila em torno de 110 mm Hg e 120 mm Hg. Durante a diástole ventricular a pressão diminui, ficando em torno de 70 mm Hg a 80 mm Hg; esta é a chamada **pressão arterial diastólica**, ou pressão mínima. (Fig. 33.16)

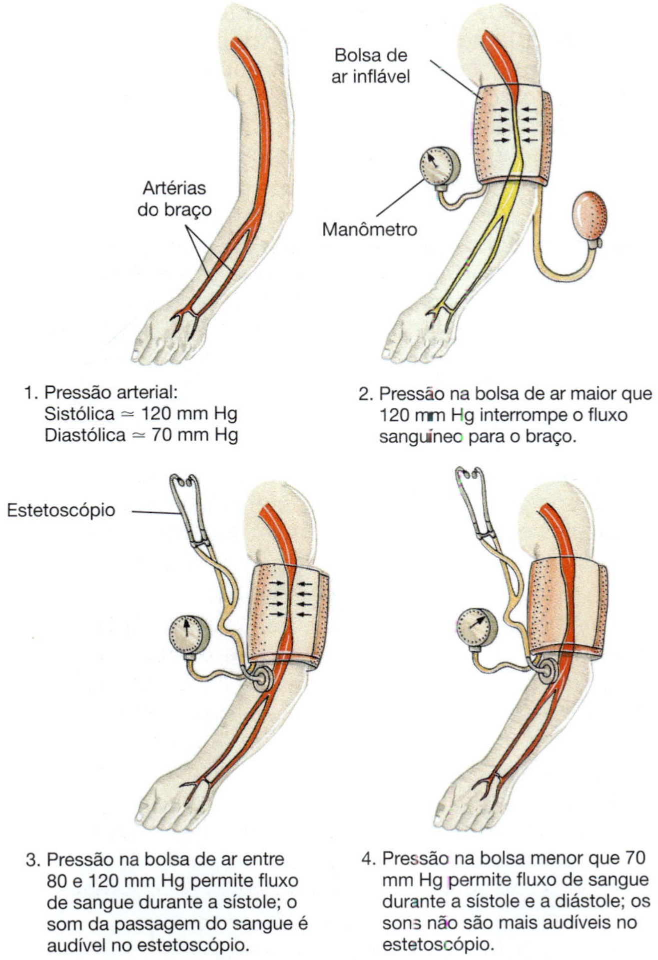

Figura 33.16 Representação esquemática do princípio de aferição da pressão arterial pelo método auscultatório.

Sob pressão, o sangue nas artérias é impulsionado até às arteríolas e **capilares sanguíneos**, que são vasos finíssimos, de diâmetro microscópico, com paredes constituídas por uma única camada de células endoteliais. Os capilares sanguíneos estão presentes em praticamente todas as regiões do corpo e nenhuma de nossas células situa-se a mais de 130 μm de distância de um deles.

As células da parede dos capilares têm pequenos espaços entre si, por onde extravasa líquido sanguíneo (denominado líquido intersticial ou tissular), que banha as células próximas, nutrindo-as e oxigenando-as. As células, por sua vez, eliminam no líquido tissular gás carbônico e excreções produzidas em seu metabolismo.

A maior parte do líquido que sai dos capilares e banha as células é reabsorvida pelos próprios capilares sanguíneos, reincorporando-se ao sangue. O restante é absorvido pelos capilares linfáticos, como veremos adiante. Ao passar pelos capilares dos tecidos, o sangue que banha as células torna-se pobre em nutrientes e em gás oxigênio, e rico em gás carbônico e excreções diversas.

No ponto de conexão entre uma arteríola e um capilar há uma célula muscular lisa, enrolada no vaso sanguíneo, que constitui o esfíncter pré-capilar. Quando esse esfíncter unicelular se contrai, a passagem do sangue para o capilar é diminuída ou bloqueada; desse modo, o organismo pode regular o suprimento de sangue que aflui para os tecidos. (Fig. 33.17)

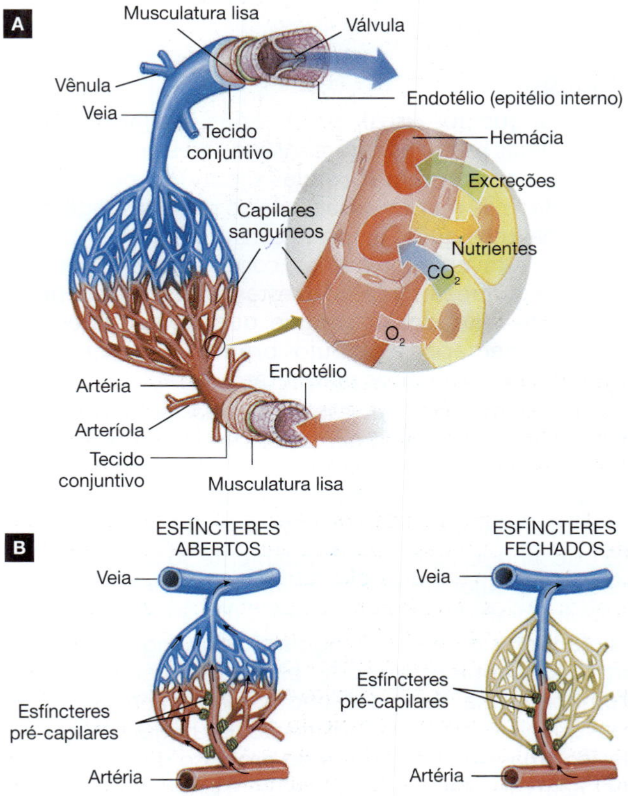

Figura 33.17 A. Representação esquemática de artérias, veias e capilares sanguíneos; no detalhe, troca de substâncias entre o sangue do capilar e as células ao redor. **B.** Representações esquemáticas dos esfíncteres pré-capilares (abertos e fechados) que controlam a circulação capilar. (Elementos fora de proporção de tamanho entre si; cores-fantasia.)

Os capilares sanguíneos unem-se formando vasos muito finos, as vênulas, que originam vasos progressivamente maiores, as **veias**. A progressiva fusão das veias que seguem dos sistemas corporais para o coração origina dois vasos de grosso calibre, as veias cavas superior e inferior, que desembocam no átrio direito. As veias que trazem o sangue de volta dos pulmões – veias pulmonares – desembocam no átrio esquerdo. A parede das veias é relativamente mais fina que a das artérias, por apresentar menos tecido muscular.

Depois de o sangue passar por milhões de arteríolas e capilares, sua pressão no interior das veias cai a valores muito baixos, embora suficientes para promover o retorno do sangue ao coração. Ao nos movimentarmos, os músculos esqueléticos contribuem para o retorno do sangue na circulação venosa. Isso ocorre porque, ao contrairmos os músculos, eles comprimem as veias; o sangue é pressionado, mas só pode se deslocar no sentido do coração, graças à presença de válvulas nas veias, que impedem o refluxo. (Fig. 33.18)

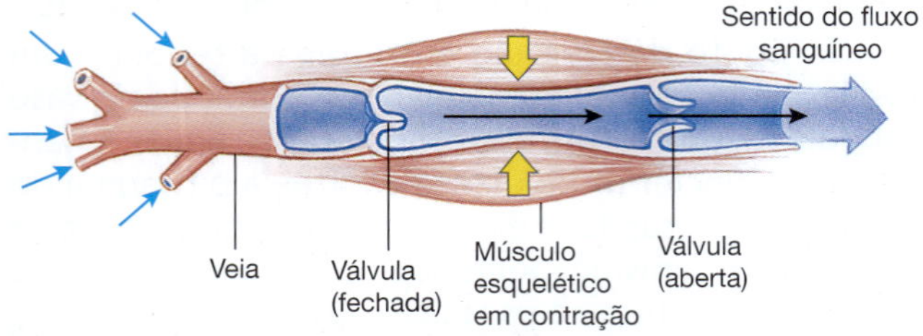

Figura 33.18 Representação esquemática do mecanismo de propulsão do sangue no sistema venoso.

O sangue

O **sangue** que circula nas artérias, capilares sanguíneos e veias reúne as características de um **tecido conjuntivo**, por apresentar células separadas por grande quantidade de matriz extracelular, o **plasma sanguíneo**. O plasma, um líquido amarelo constituído de água, sais minerais e diversas proteínas, corresponde a cerca de 55% do volume sanguíneo; o restante é composto pelos **elementos figurados do sangue**, que são as células sanguíneas – hemácias e glóbulos brancos – e fragmentos celulares denominados **plaquetas**.

As células do sangue são produzidas pelo **tecido hematopoiético** (do grego *hematos*, sangue, e *poiese*, aqui usado no sentido de formação, origem), localizado no interior de certos ossos, constituindo a medula óssea vermelha.

Uma pessoa com cerca de 70 kg tem pouco mais de 5,5 L de sangue, com aproximadamente 30 trilhões de hemácias (glóbulos vermelhos ou eritrócitos), 45 bilhões de glóbulos brancos (**leucócitos**) e 1,5 trilhão de plaquetas. As **plaquetas** atuam na coagulação do sangue. Quando um vaso sanguíneo é lesado, plaquetas liberam enzima tromboplastina, desencadeando uma sequência de reações químicas, que leva à formação do coágulo. Algumas das enzimas que participam do processo de coagulação precisam estar associadas a íons Ca^{2+} para funcionar. Para que essa associação ocorra, é necessária a participação da vitamina K. (Fig. 33.19)

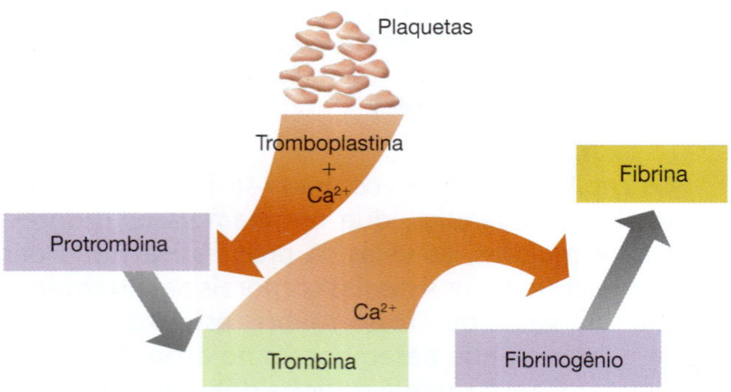

Figura 33.19 Representação esquemática de algumas etapas do processo de coagulação do sangue. A tromboplastina liberada pelas plaquetas, em conjunto com íons de cálcio, catalisa a reação de conversão de uma proteína sanguínea, a protrombina, em trombina, que catalisa a conversão de outra proteína sanguínea, o fibrinogênio, em fibrina, cujas moléculas se entrelaçam formando uma rede. As hemácias, incapazes de atravessar a rede de fibrina, acumulam-se no local do ferimento e originam o coágulo, que estanca a hemorragia.

Circulação linfática

Além dos vasos sanguíneos, os vertebrados possuem uma ampla rede de **vasos linfáticos** distribuídos por todo o corpo, responsáveis pela captação do líquido tissular que não foi reabsorvido pelos capilares sanguíneos, reconduzindo-o à circulação. Se, por algum motivo, o **sistema linfático** deixa de cumprir essa função, o líquido tissular tende a se acumular nos tecidos, causando inchaços conhecidos como edemas linfáticos.

Nos tecidos corporais há vasos linfáticos finíssimos, com calibre pouco maior que o dos capilares sanguíneos, que terminam em fundo cego, isto é, em uma extremidade fechada. A confluência de capilares linfáticos origina vasos de diâmetros progressivamente maiores, que convergem para a região torácica, onde formam dois ductos linfáticos de grande calibre que se juntam a veias provenientes dos braços.

Nos vasos linfáticos circula a **linfa**, um fluido esbranquiçado de constituição semelhante à do sangue, do qual difere principalmente por não conter hemácias. A linfa contém leucócitos (glóbulos brancos), dos quais aproximadamente 99% são linfócitos; no sangue, esse tipo de leucócito representa apenas 50% do total de glóbulos brancos.

Em diversos pontos da rede linfática há **linfonodos**, ou nódulos linfáticos (antigamente denominados gânglios linfáticos); eles localizam-se no pescoço, nas axilas, na virilha e no intestino, e cumprem o papel de filtrar a linfa que circulou nas extremidades corporais e no abdome. Ao passar pelos linfonodos, a linfa circula por finos canais, onde os leucócitos identificam e destroem partículas e substâncias estranhas. (Fig. 33.20)

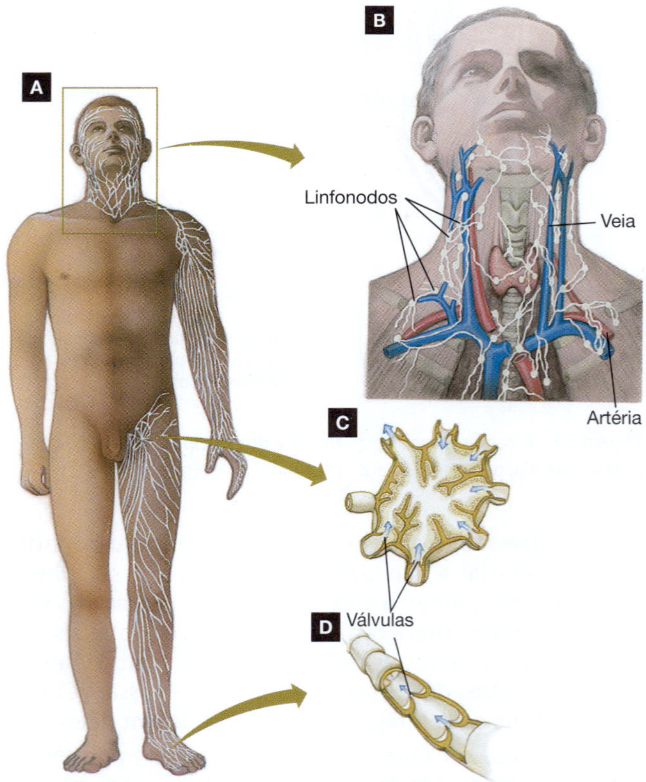

Figura 33.20 Representações esquemáticas do sistema linfático humano. **A.** Rede parcial dos vasos linfáticos da cabeça, braços e pernas. **B.** Rede de vasos e linfonodos da região do pescoço. **C.** Estrutura interna de um linfonodo. **D.** Estrutura interna de um capilar linfático. Em C e D as setas indicam o sentido do fluxo da linfa.

Quando o corpo é invadido por microrganismos, os leucócitos de linfonodos próximos ao local da invasão identificam o invasor e passam a se multiplicar ativamente. Com isso, os nódulos linfáticos aumentam de tamanho e formam inchaços conhecidos popularmente como ínguas; muitas vezes, o exame tátil dos linfonodos pelo médico permite detectar um processo infeccioso em andamento.

Adenoides e **tonsilas** (estas últimas antigamente eram chamadas amígdalas) são órgãos ricos em linfonodos localizados na entrada das vias respiratórias e do tubo digestório. O **baço**, localizado do lado esquerdo do abdome, é outro órgão rico em linfonodos que desempenha diversas funções importantes, entre as quais: armazenamento de linfócitos e monócitos, dois tipos de glóbulos brancos; filtragem do sangue para a remoção de microrganismos, substâncias estranhas e resíduos celulares; destruição de hemácias envelhecidas. Além disso, o baço é capaz de armazenar hemácias e lançá-las na corrente sanguínea em momentos de necessidade, como em situações de esforço físico intenso, por exemplo.

Sistema imunitário

Apesar de nosso corpo ser bem protegido pela pele e pelas membranas que revestem os órgãos internos, é praticamente impossível evitar a entrada de substâncias estranhas ou microrganismos invasores, alguns deles perigosos. Felizmente, contamos com um eficaz sistema de defesa interno, comparável a um exército organizado e bem aparelhado: trata-se do sistema imunitário (do latim *immunis*, livre, isento – significando, neste caso, livre de doenças). O **sistema imunitário**, ou sistema imunológico, é constituído por certos tipos de leucócitos, principalmente macrófagos e linfócitos, e por órgãos onde eles se formam, amadurecem e se multiplicam, os órgãos linfáticos.

Principais células do sistema imunitário

Macrófagos são células fagocitárias que se movimentam continuamente entre os tecidos, ingerindo microrganismos, restos de células mortas, resíduos celulares etc. Quando ainda são células jovens e vivem no sangue, os macrófagos são chamados de monócitos; ao passar do sangue para os tecidos, o monócito transforma-se em macrófago.

Os principais "soldados" do sistema imunitário são os linfócitos, especializados em determinadas funções relacionadas à defesa do organismo. Os **linfócitos B** produzem **anticorpos**, proteínas do grupo das imunoglobulinas capazes de se combinar especificamente com substâncias estranhas ao corpo, levando à sua destruição ou inativação. Genericamente, toda substância que desencadeia a produção de anticorpos é chamada **antígeno**. (Fig. 33.21)

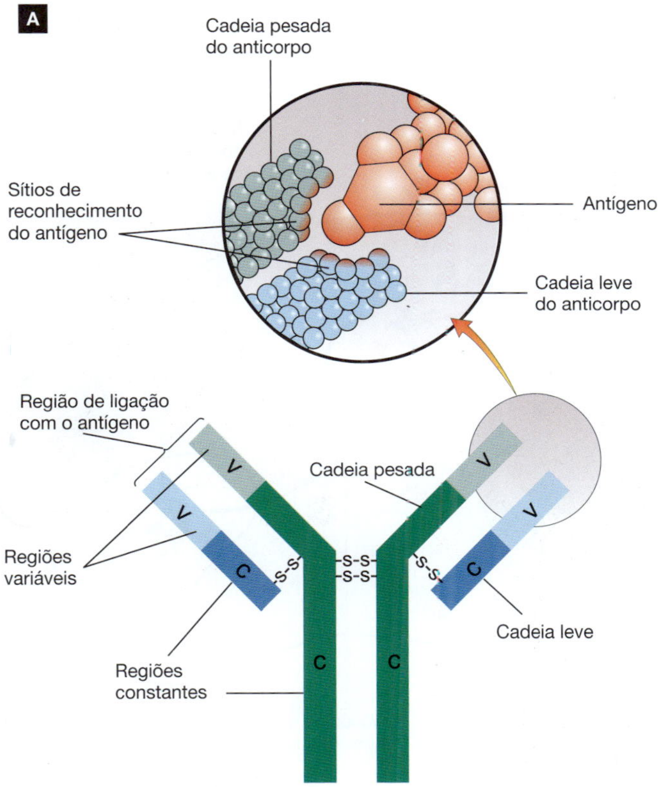

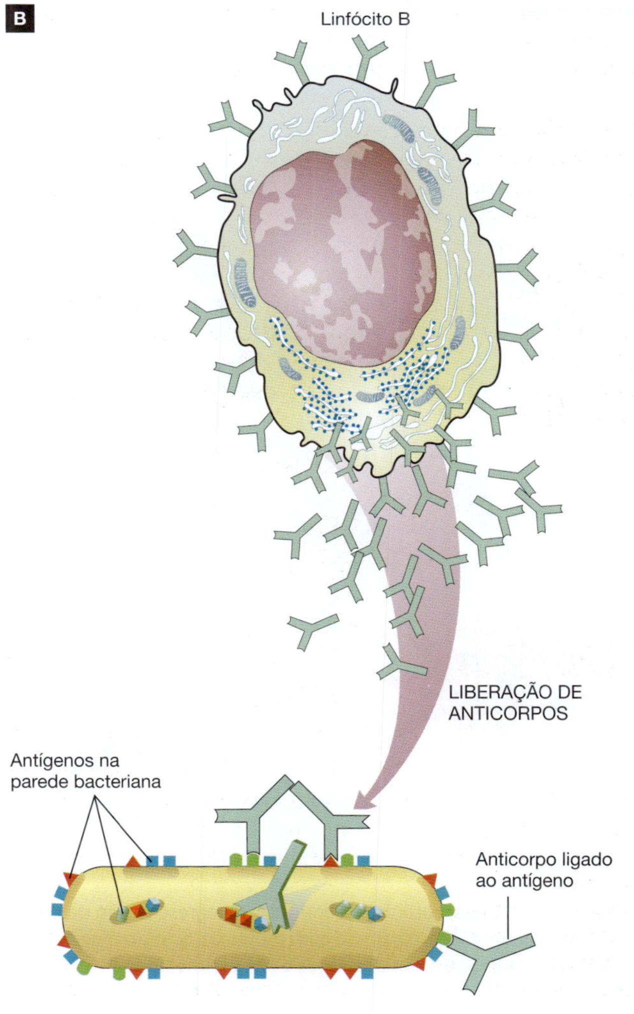

Figura 33.21 A. Representação esquemática da estrutura básica da molécula de anticorpo, mostrando detalhe da região de ligação com o antígeno. **B.** Representação esquemática do linfócito B liberando anticorpos contra antígenos bacterianos.

Conteúdo multimídia Imunidade humoral e imunidade celular

Existem dois tipos de **linfócitos T**: citotóxicos e auxiliadores. Os **linfócitos T citotóxicos**, ou linfócitos CD8, são especializados em reconhecer e matar células corporais alteradas, como as infectadas por vírus, por exemplo. São eles também que atacam células estranhas ao organismo, sendo os principais responsáveis pela rejeição de órgãos transplantados.

Os **linfócitos T auxiliadores**, ou linfócitos CD4, são os comandantes do sistema imunitário; eles recebem informações dos macrófagos sobre a presença de invasores do corpo e estimulam imediatamente os linfócitos B e os linfócitos T citotóxicos a combatê-los. Se os linfócitos CD4 deixarem de atuar, os linfócitos B e CD8 (T citotóxicos) não serão ativados. A **aids** é uma doença temível exatamente porque o vírus HIV ataca e destrói linfócitos CD4. Consequentemente, os outros linfócitos não são ativados e a pessoa pode contrair infecções que normalmente não afetariam pessoas saudáveis.

Os linfócitos instalam-se temporariamente nos linfonodos, onde detectam a presença de invasores trazidos pela linfa. Quando isso ocorre, passam a se multiplicar ativamente, produzindo e liberando na circulação verdadeiros batalhões de células prontas para entrar em combate. Os órgãos que têm linfócitos capazes de se multiplicar são chamados genericamente órgãos imunitários secundários; são eles: os linfonodos, as adenoides, as tonsilas, o apêndice vermiforme e o baço.

O sistema imunitário em ação

Quando há uma infecção do organismo por um vírus, por exemplo, os macrófagos entram em ação; além de combater diretamente os invasores, eles alertam imediatamente outros componentes do sistema imunitário de que há uma invasão em curso.

Os macrófagos fagocitam substâncias estranhas e expõem partes delas na superfície da membrana celular. Em outras palavras, os macrófagos "apresentam" os antígenos ao sistema imunitário.

Na sequência, linfócitos T auxiliadores (células CD4) reconhecem os antígenos apresentados pelos macrófagos e passam a se multiplicar ativamente, estimulados por interleucinas liberadas pelos macrófagos. A estimulação de linfócitos T citotóxicos ocorre de modo semelhante.

A intensa divisão dos linfócitos ativados origina um verdadeiro exército de células, capaz de combater especificamente o invasor que estimulou a multiplicação celular. Os linfócitos continuam a se dividir ativamente enquanto houver antígenos capazes de ativá-los. À medida que os invasores são destruídos e vão desaparecendo do corpo, o número de linfócitos especializados em combatê-los vai diminuindo. (Fig. 33.22)

Mesmo após uma infecção ter sido debelada, resta no organismo certa quantidade de linfócitos, são as chamadas **células de memória imunitária**, que guardam por anos a capacidade de reconhecer agentes infecciosos com os quais o organismo já esteve em contato.

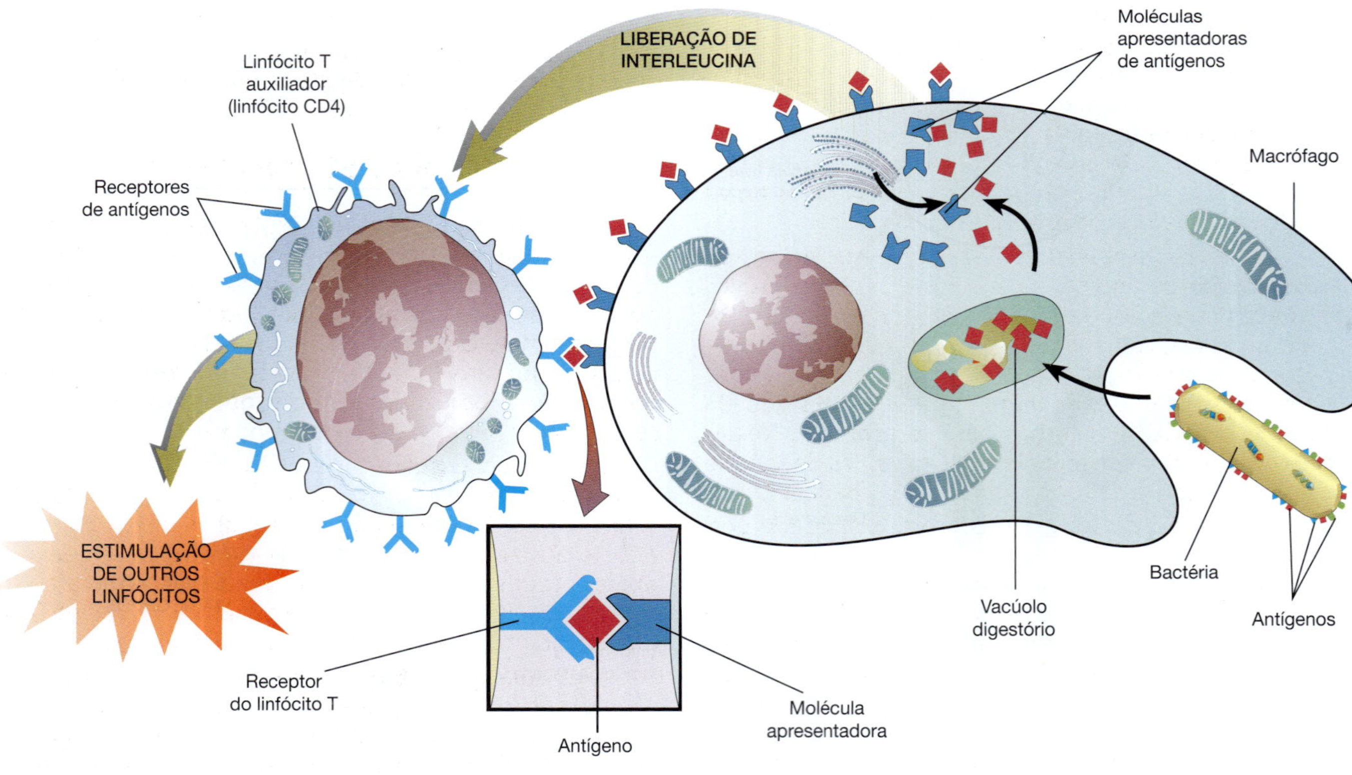

Figura 33.22 Representação esquemática da apresentação de antígenos ao linfócito T pelo macrófago. Os antígenos dos invasores, no caso uma bactéria, combinam-se com proteínas do macrófago e são expostos em sua membrana. Os linfócitos capazes de reconhecer essas substâncias unem-se aos macrófagos e são estimulados a se multiplicar pela interleucina liberada por eles. (Elementos fora de proporção de tamanho entre si; cores-fantasia.)

No caso de um novo ataque, essas células são ativadas e se reproduzem, deflagrando a **resposta imunitária secundária**. Em curto intervalo de tempo, é produzido um exército de células defensoras específicas. (Fig. 33.23)

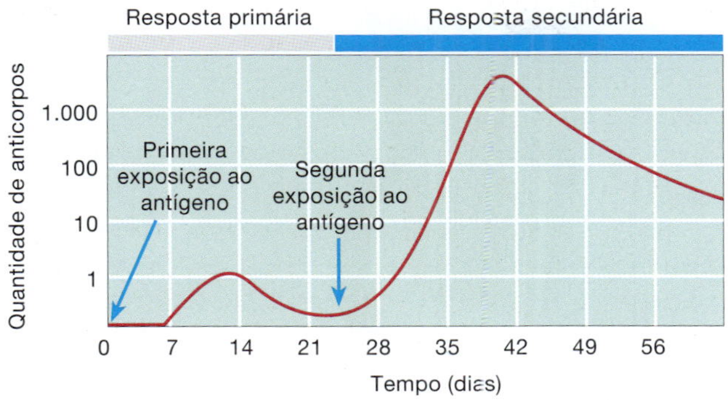

Figura 33.23 O gráfico mostra como a produção de anticorpos G, o tipo mais ativo no combate às infecções, é mais rápida e mais intensa em um segundo contato com o antígeno (resposta secundária), devido às células de memória. (Baseado em Campbell, N. A. e cols., 1999.)

Imunizações ativa e passiva: vacinas e soros

Quando um organismo tem anticorpos específicos contra determinados invasores, diz-se que ele está imunizado contra esses antígenos. Há duas maneiras de se promover a imunização de uma pessoa contra certas doenças ou substâncias prejudiciais: a ativa e a passiva.

A **imunização ativa** é feita por meio da **vacinação**, que consiste em introduzir no corpo da pessoa antígenos provenientes de microrganismos causadores de certa doença ou mesmo microrganismos vivos previamente atenuados; esses antígenos injetados são as **vacinas**. Os antígenos da vacina desencadeiam uma resposta imunitária primária, em que há produção de células de memória. Se mais tarde o organismo for invadido pelo patógeno contra o qual foi imunizado, as células de memória imunitária desencadearão a resposta imunitária secundária, mais rápida e mais intensa que a primária, e os invasores podem ser destruídos antes mesmo de aparecerem sintomas da doença.

A **imunização passiva** consiste em injetar na pessoa uma solução de anticorpos prontos – os **soros imunes** – que combatem determinado patógeno. Certas substâncias tóxicas, como algumas toxinas bacterianas ou a peçonha de cobras e aranhas, têm efeito rápido e intenso no organismo, podendo matar a pessoa antes que ela consiga produzir anticorpos para se proteger. Nessas situações, injetam-se soros imunes extraídos de sangue de animais de laboratório previamente imunizados.

A aplicação do soro não confere imunidade permanente, pois a memória imunitária não é estimulada e os anticorpos injetados desaparecem de circulação em poucos dias. Além disso, geralmente o organismo imunizado com soro reconhece os próprios anticorpos do soro como substâncias estranhas, e passa a produzir anticorpos específicos contra eles. Por isso, deve-se evitar tomar o mesmo soro duas vezes, pois uma segunda injeção pode desencadear uma reação imunitária contra esse soro, com prejuízos à saúde.

33.1 Biblioteca do estudante Amplie seus conhecimentos

33.3 Biblioteca do estudante Ciência e cidadania

33.4 Sistema urinário humano

O **sistema urinário** é o conjunto de órgãos e estruturas responsáveis pela filtração do sangue e eliminação de substâncias tóxicas, desnecessárias ou que estão em excesso no corpo. O sistema urinário é composto por um par de rins, as vias uriníferas ou urinárias, e a bexiga urinária. (Fig. 33.24)

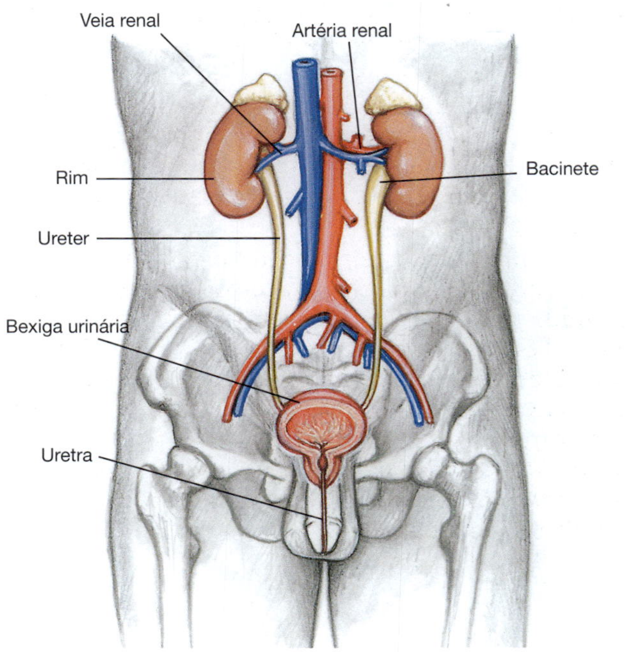

Figura 33.24 Representação esquemática dos componentes do sistema urinário masculino humano. (Elementos fora de proporção de tamanho entre si; cores-fantasia.)

Componentes do sistema urinário

Os **rins** humanos são dois órgãos de cor marrom-avermelhada, com forma de grão de feijão e cerca de 10 cm de comprimento. Eles se localizam na parte posterior da cavidade abdominal, logo abaixo do diafragma, um de cada lado da coluna vertebral. O rim é revestido por uma cápsula fibrosa que envolve o córtex renal, onde se localizam os néfrons, que são as unidades responsáveis pela filtração do sangue.

Um **néfron** é uma longa estrutura tubular, com uma das extremidades em forma de taça, formando a **cápsula renal**. Dentro da cápsula renal há um pequeno novelo de capilares, o **glomérulo renal**, formado pela profusa ramificação de uma arteríola que penetra na cápsula. O conjunto formado pela cápsula renal e pelo glomérulo em seu interior é o **corpúsculo renal**.

A cápsula renal comunica-se a um longo tubo, o túbulo néfrico, que apresenta três regiões: o túbulo contorcido proximal, a alça néfrica (antes denominada alça de Henle) e o túbulo contorcido distal, que desemboca no ducto coletor. Os ductos coletores conduzem a urina produzida nos néfrons até a papila renal, de onde ela flui para os cálices menores, destes para os cálices maiores e finalmente para a pelve renal. (Fig. 33.25)

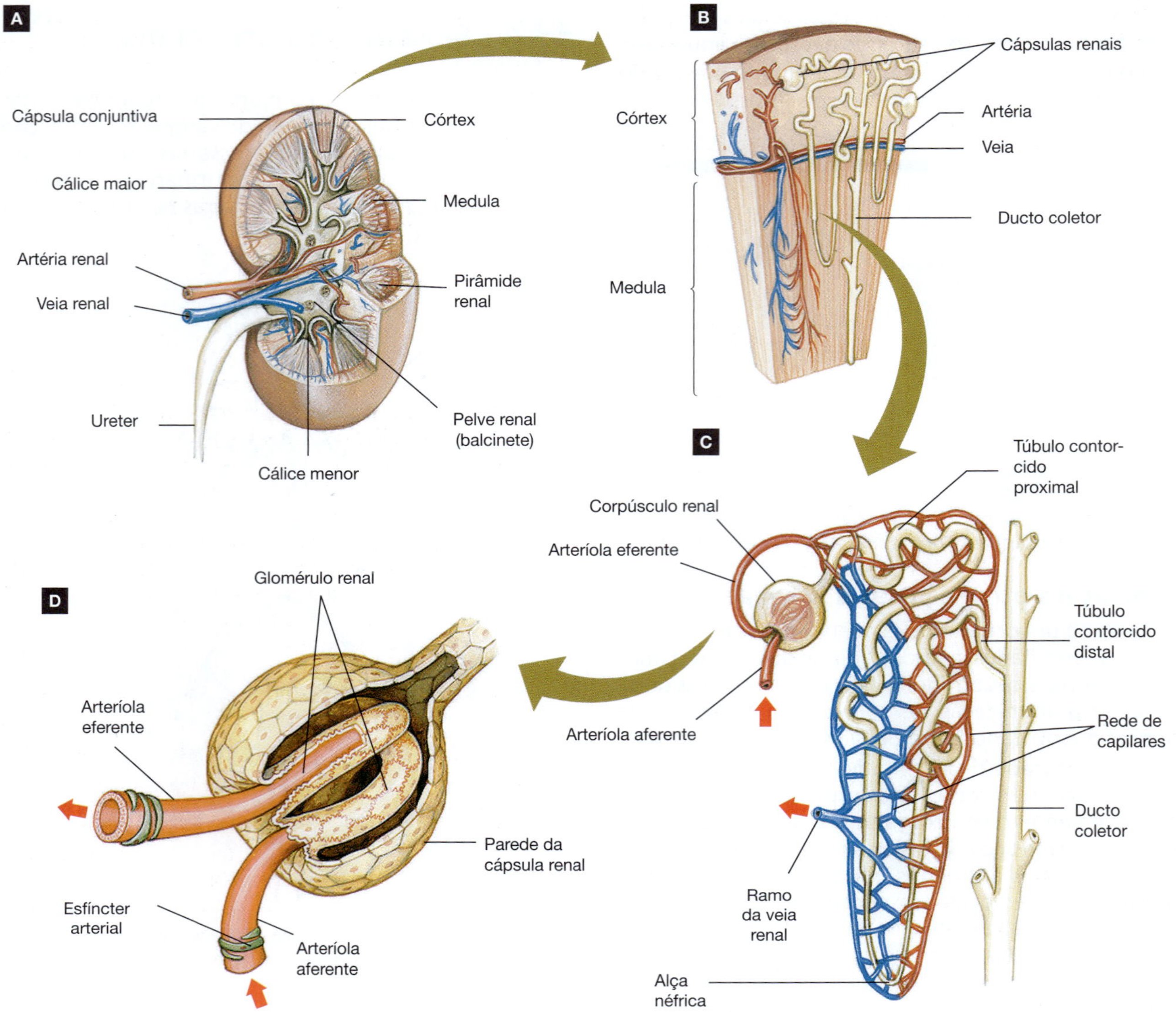

Figura 33.25 Representação esquemática da estrutura do rim. **A.** Rim em corte parcial. **B.** Localização dos néfrons. **C.** Organização do néfron. **D.** Cápsula renal em corte, mostrando a organização do glomérulo. As setas vermelhas indicam o sentido do fluxo sanguíneo. (Elementos fora de proporção de tamanho entre si; cores-fantasia.)

Filtragem do sangue, formação e destino da urina

Os néfrons filtram o sangue, removendo ureia, sais, ácido úrico e outras substâncias em excesso no organismo. O sangue a ser filtrado chega ao rim pela artéria renal, que se ramifica muito no interior do órgão, originando um grande número de pequenas arteríolas. Cada uma delas penetra em uma cápsula renal, onde se ramifica e origina o glomérulo renal.

A alta pressão sanguínea nos capilares do glomérulo renal força a saída de fluido sanguíneo para a cápsula. Esse fluido, denominado **filtrado glomerular** ou urina inicial, contém diversos tipos de moléculas: ureia, glicose, aminoácidos, sais etc. Diariamente, passam pelos rins de uma pessoa quase 1,6 mil litros de sangue, formando-se cerca de 180 litros de filtrado glomerular.

Em condições normais, a glicose, os aminoácidos, as vitaminas e grande parte dos sais do filtrado glomerular são reabsorvidos pelas células da parede do túbulo contorcido proximal, e devolvidos ao sangue. Substâncias indesejáveis, como ácido úrico e amônia, são removidas ativamente do sangue por células do túbulo contorcido distal, e lançadas no túbulo do néfron. Ao fim do percurso pelo túbulo, o filtrado glomerular transformou-se em **urina**, um fluido aquoso de cor amarelada, que contém predominantemente ureia, além de pequenas quantidades de amônia, ácido úrico e sais. A cor amarela da urina deve-se à presença de urobilina, substância originada principalmente pela degradação da hemoglobina de hemácias fora de função. (Fig. 33.26)

A partir dos quase 180 litros de filtrado glomerular produzidos diariamente nos rins de uma pessoa, forma-se apenas 1,5 litro de urina, que é conduzida dos rins para a bexiga urinária pelos **ureteres**. Estes são dois tubos que partem das pelves renais (ou bacinetes) e descem pela parede posterior do abdome, desembocando na parte lateral posterior da bexiga urinária, uma bolsa localizada na cavidade pélvica, bem atrás da sínfise púbica, como é chamado o local de união dos ossos púbicos. A função da bexiga é receber a urina que chega continuamente dos ureteres, armazenando-a até o momento de sua eliminação.

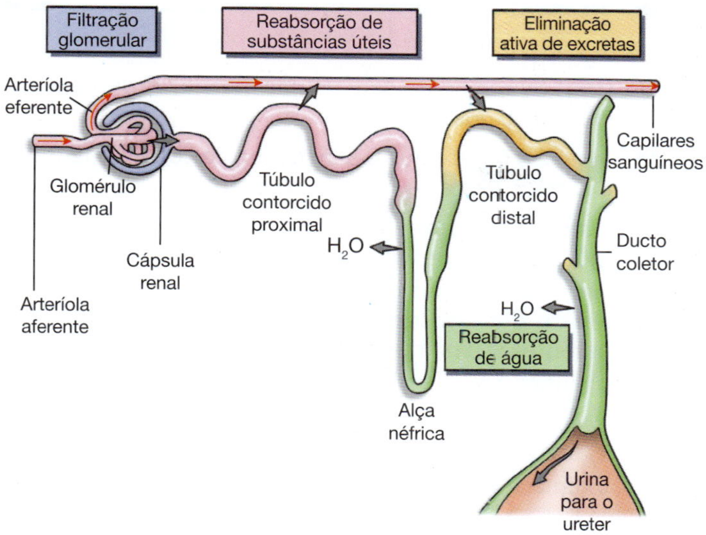

Figura 33.26 Representação esquemática da formação da urina. Os componentes renais foram dispostos separadamente com o objetivo de facilitar a compreensão da sequência de processos que levam à formação da urina. (Elementos fora de proporção de tamanho entre si; cores-fantasia.) (Baseado em Mader, S. S., 1998.)

Uma pessoa adulta tem capacidade para armazenar cerca de 300 mL de urina na bexiga. Quando ela está cheia, receptores nervosos em sua parede são estimulados e transmitem a informação ao encéfalo, o que provoca a vontade de urinar. Se a ação puder ser realizada naquele momento, o encéfalo emite estímulos nervosos para a contração da musculatura da bexiga e para o relaxamento dos esfíncteres; músculos da região pélvica também participam do processo da micção.

A urina é eliminada da bexiga urinária pela **uretra**. A uretra feminina é exclusiva do sistema urinário e se abre para o exterior entre os lábios menores do pudendo feminino, logo abaixo do clitóris. A uretra masculina faz parte também do sistema genital; sua abertura para o exterior situa-se na ponta do pênis.

Controle hormonal da função renal

Os rins exercem rigoroso "controle de qualidade" sobre o sangue, mantendo diferentes substâncias em quantidades consideradas normais. Quando a concentração de alguma substância no sangue aumenta, os rins cuidam de eliminar os excessos. Se uma pessoa bebe muito líquido, seus rins produzem uma urina diluída e abundante, eliminando o excesso de água. Se o sangue tem muito açúcar, ou muito sal, ou se a quantidade de hormônios está acima do normal, excessos dessas substâncias são eliminados na urina.

A reabsorção de água nos rins é controlada pelo **hormônio antidiurético**, conhecido pela sigla **ADH** (do inglês ***anti****di*uretic ***h****ormone*), também chamado vasopressina. Esse hormônio é sintetizado no hipotálamo (uma região do encéfalo) e armazenado na parte posterior da glândula hipófise, que o libera no sangue. Ele atua sobre os túbulos contorcidos distais e os ductos coletores provocando aumento da reabsorção de água do filtrado glomerular. (Fig. 33.27)

A quantidade do íon sódio (Na^+) no sangue é regulada pelo hormônio aldosterona, secretado por um par de glândulas endócrinas localizadas sobre os rins, as glândulas adrenais. Quando a quantidade de sódio no sangue abaixa, aumenta a secreção de aldosterona, que atua sobre os túbulos contorcidos distais e sobre os dutos coletores, estimulando a reabsorção de sódio do filtrado glomerular.

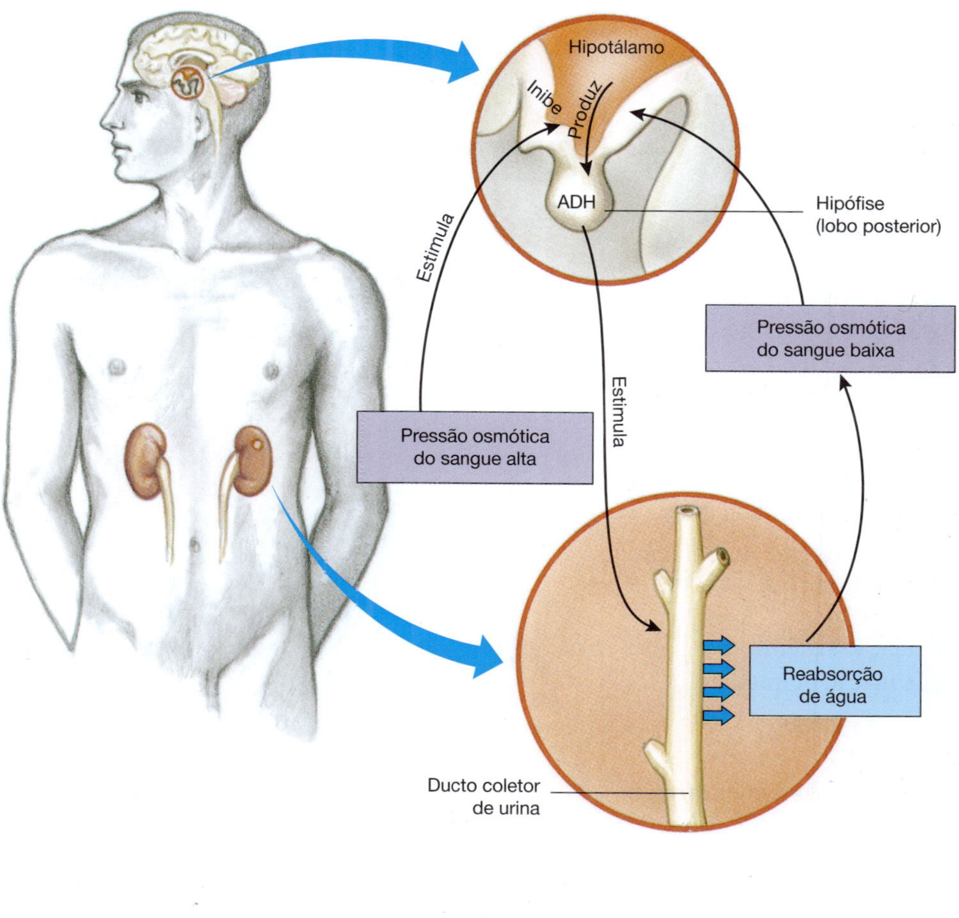

Figura 33.27 Representação esquemática do controle hormonal da reabsorção de água nos rins. Quando o corpo se desidrata, o sangue se torna mais concentrado e a hipófise é estimulada a liberar ADH, que induz maior reabsorção de água pelos túbulos renais e torna a urina mais concentrada. A presença de álcool no sangue inibe a secreção de ADH, e é por isso que a ingestão de bebidas alcoólicas estimula a diurese. (Elementos fora de proporção de tamanho entre si; cores-fantasia.)

Conteúdo multimídia
Regulação da função renal

Visão do especialista

Biblioteca do estudante
Faça você mesmo!

Revendo conceitos fundamentais

Escreva, em seu caderno, o termo da relação abaixo que substitui corretamente a tarja entre parênteses das frases de 1 a 4.

a) dieta
b) nutrição
c) onívoro
d) vitamina

1. Um organismo que se alimenta de produtos variados, tanto de origem animal quanto de origem vegetal, é chamado (▬).

2. (▬) é o conjunto de tipos de alimento que ingerimos e suas respectivas quantidades.

3. (▬) é como se denomina o conjunto de processos pelos quais nossas células assimilam substâncias nutritivas.

4. (▬) é uma substância orgânica necessária em pequenas quantidades, mas que o organismo é incapaz de sintetizar.

Escreva, em seu caderno, o termo da relação abaixo que substitui corretamente a tarja entre parênteses das frases de 5 a 8.

a) avitaminose
b) dieta balanceada
c) dieta protetora
d) escorbuto

5. A deficiência que determinada vitamina provoca no organismo é chamada (▬).

6. (▬) é a quantidade mínima de alimentos que uma pessoa adulta precisa ingerir diariamente para obter 1.300 kcal/dia e evitar a subnutrição.

7. Um(a) (▬) contém uma combinação variada de alimentos e energia suficiente para a realização de todas as atividades vitais e a manutenção da saúde.

8. A deficiência de vitamina C no organismo provoca uma enfermidade denominada (▬).

Escreva, em seu caderno, o termo da relação abaixo que substitui corretamente a tarja entre parênteses das frases de 9 a 12.

a) diástole
b) frequência cardíaca
c) miocárdio
d) sístole

9. (▬) é o número de vezes que o coração bate em dado intervalo de tempo.

10. A contração de uma câmara cardíaca é chamada (▬).

11. (▬) é o nome da ação de relaxamento das câmaras cardíacas.

12. A musculatura do coração é denominada (▬).

Escreva, em seu caderno, o termo da relação abaixo que substitui corretamente a tarja entre parênteses das frases de 13 a 16.

a) grande circulação (circulação sistêmica)
b) pequena circulação (circulação pulmonar)
c) pressão diastólica
d) pressão sistólica

13. (▬) é pressão do sangue nas artérias durante o relaxamento dos ventrículos.

14. (▬) é pressão do sangue nas artérias durante a contração dos ventrículos.

15. (▬) é o trajeto que o sangue faz do coração para o corpo e deste de volta ao coração.

16. O trajeto que o sangue faz do coração para os pulmões, e destes de volta ao coração, é chamado (▬).

Escreva, em seu caderno, o termo da relação abaixo que substitui corretamente a tarja entre parênteses das frases de 17 a 22.

a) anticorpo
b) antígeno
c) linfócito B
d) linfócito T auxiliador (CD4)
e) linfócito T citotóxico (CD8)
f) macrófago

17. O (▬) é uma célula especializada em reconhecer e destruir células infectadas por vírus, células estranhas ao organismo e células alteradas.

18. Um tipo de célula do sangue, o (▬), pode movimentar-se nos tecidos, onde ingere microrganismos e corpos estranhos, apresentando seus antígenos ao sistema imunitário.

19. (▬) é como se denomina qualquer substância capaz de desencadear uma resposta imunitária.

20. O (▬) recebe as informações sobre a presença de invasores e desencadeia a resposta imunitária.

21. (▬) é uma substância de natureza proteica (imunoglobulina) capaz de se combinar especificamente com uma substância estranha, inativando-a.

22. O encarregado de produzir e liberar na circulação substâncias proteicas específicas (imunoglobulinas), capazes de se combinar com substâncias estranhas ao organismo, é o (▬).

Ligando conceitos, fatos e processos

23. Uma dieta equilibrada combina três nutrientes orgânicos básicos (carboidratos, lipídios e proteínas) nas proporções mostradas no gráfico de setores a seguir. Qual dos segmentos do gráfico corresponderia aos carboidratos: A, B ou C?

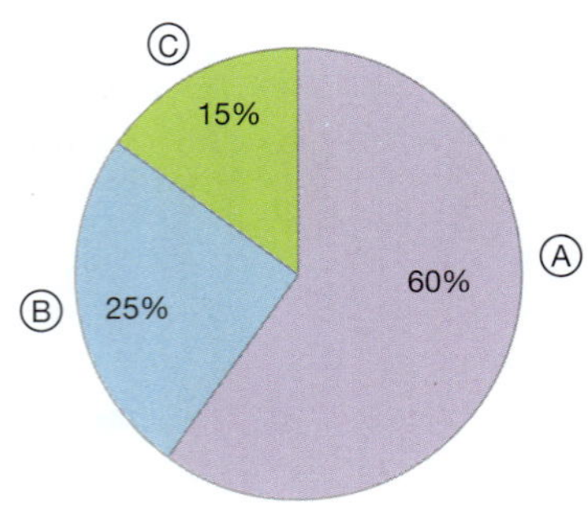

24. O bicarbonato de sódio presente na secreção do pâncreas tem por função

a) acidificar um pouco mais o alimento vindo do estômago, criando condições para a ação das enzimas intestinais.

b) acidificar fortemente o alimento vindo do esôfago, matando bactérias e outros microrganismos.

c) alcalinizar fortemente o alimento vindo do esôfago, amolecendo-o para facilitar a digestão.

d) alcalinizar o alimento vindo do estômago, criando condições para a atuação das enzimas intestinais.

25. A falta de irrigação sanguínea do miocárdio e o infarto estão diretamente relacionados com

a) o relaxamento excessivo da artéria aorta, que fica repleta de sangue venoso.

b) uma obstrução ou estreitamento das artérias coronárias, que levam sangue ao coração.

c) a diminuição da frequência cardíaca durante o repouso.

d) uma alimentação pobre em gorduras e sais minerais.

26. "Quando ocorre a sístole dos ventrículos, as grandes artérias (1), o que faz a pressão sanguínea em seu interior (2)." Qual das alternativas apresenta os conceitos que substituem corretamente os números 1 e 2, respectivamente?

a) contraem-se; aumentar.

b) relaxam; diminuir.

c) relaxam; aumentar.

d) contraem-se; diminuir.

27. "Quando ocorre a diástole dos ventrículos, as grandes artérias (1), o que faz a pressão sanguínea em seu interior (2)." Qual das alternativas apresenta os conceitos que substituem corretamente os números 1 e 2, respectivamente?

a) contraem-se; aumentar.

b) relaxam; diminuir.

c) relaxam; aumentar.

d) contraem-se; diminuir.

28. "A célula A apresenta o antígeno, a célula B o reconhece e estimula a célula C a produzir anticorpos." As letras A, B e C correspondem, respectivamente, a que células do sistema imunitário?

a) Linfócito T auxiliador (CD4); linfócito B; macrófago.

b) Linfócito T auxiliador (CD4); linfócito T citotóxico (CD8); linfócito B.

c) Linfócito T citotóxico (CD8); linfócito T auxiliador (CD4); linfócito B.

d) Macrófago; linfócito T auxiliador (CD4); linfócito B.

e) Macrófago; linfócito T auxiliador (CD4); linfócito T citotóxico (CD8).

29. O HIV é um vírus muito perigoso porque

a) age diretamente sobre os linfócitos B, que produzem anticorpos.

b) ataca e destrói os macrófagos, cuja função é alertar os linfócitos T citotóxicos (CD8) sobre a infecção.

c) ataca e destrói os linfócitos T auxiliadores (CD4), cuja função é comandar a resposta imunitária.

d) instala-se nos linfócitos T citotóxico (CD8), que atacam células infectadas por vírus.

e) instala-se nos órgãos imunitários primários, como a medula óssea e o timo, destruindo-os.

30. "Quando os músculos das costelas e do diafragma contraem-se, a cavidade torácica amplia-se. Com isso, sua pressão interna (1), o que ocasiona (2)." Qual das alternativas apresenta os conceitos que substituem corretamente os números 1 e 2, respectivamente?

a) aumenta; inspiração.

b) aumenta; expiração.

c) diminui; inspiração.

d) diminui; expiração.

Para responder às questões 31 e 32, utilize as alternativas a seguir. Escreva no caderno a frase que completa corretamente as afirmações.

a) majoritariamente pelo plasma sanguíneo, na forma de ácido carbônico (H_2CO_3).

b) predominantemente no interior das plaquetas sanguíneas.

c) majoritariamente no interior das hemácias, na forma de oxiemoglobina.

d) predominantemente pelo plasma sanguíneo, na forma de íons bicarbonato.

e) 50% pelo plasma e 50% no interior das hemácias, na forma de oxiemoglobina.

31. O transporte de gás oxigênio pelo sangue, desde os capilares pulmonares até os capilares dos tecidos, ocorre (▬).

32. O transporte de gás carbônico pelo sangue, desde os capilares dos tecidos até os capilares dos alvéolos pulmonares, ocorre (▬).

33. À medida que o filtrado glomerular percorre o túbulo do néfron, sua composição química se altera. Isso ocorre devido:

a) ao extravasamento de fluido no glomérulo, onde substâncias voltam para o sangue.

b) ao armazenamento de ureia no fígado.

c) ao fenômeno da micção.

d) à reabsorção de substâncias no túbulo, as quais voltam para o sangue.

34. Uma pessoa passará a excretar maior quantidade de ureia se aumentar, em sua dieta, a ingestão de:

a) amido.

b) glicídios.

c) lipídios.

d) proteínas.

e) vitaminas.

35. Em condições normais, a glicose:

a) é encontrada tanto no filtrado glomerular quanto na urina.

b) é encontrada no filtrado glomerular, mas não na urina.

c) não é encontrada no filtrado glomerular nem na urina.

d) não é encontrada no filtrado glomerular, mas está presente na urina.

Questões para exercitar o pensamento

36. Observe o gráfico a seguir que mostra os valores de pH (grau de acidez) em três regiões do tubo digestório, identificadas pelas letras A, B e C. A seguir, responda às questões em seu caderno.

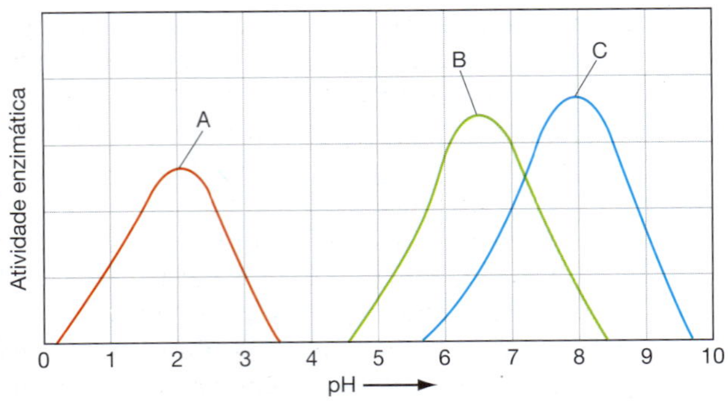

a) Quais são as regiões identificadas pelas letras? Como você chegou a essa conclusão?

b) Identifique, para cada região, uma enzima que nela atua e os respectivos substratos e produtos.

37. O gráfico a seguir representa as variações da pressão sanguínea em uma artéria do braço de uma pessoa saudável, ao longo de 5 segundos. Com base no gráfico, responda às questões.

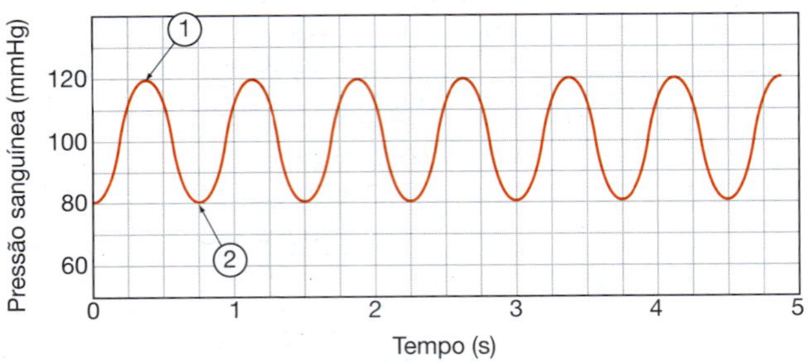

a) A que processos fisiológicos correspondem os pontos 1 e 2, indicados pelas setas?

b) Estime o valor aproximado da frequência cardíaca dessa pessoa, no momento da medição.

c) Se medíssemos a pressão sanguínea em uma arteríola próxima dos capilares, esperaríamos encontrar valores maiores, menores ou iguais aos observados na artéria do braço? Por quê?

38. Arteriosclerose é o endurecimento da parede arterial, com perda de elasticidade. Levando em conta o papel das artérias na manutenção da pressão sanguínea, o que você pode dizer a respeito das pressões sistólica e diastólica de um indivíduo que sofre de arteriosclerose?

39. Observe a tabela a seguir, que mostra os efeitos do aumento da taxa de CO_2 no ar inspirado por uma pessoa sobre a quantidade média de ar inspirado e a frequência média de inspirações por minuto. (Dados de J. S. Haldane e J. G. Priestley, 1905.)

Porcentagem de CO_2 no ar inspirado	0,04	0,79	2,02	3,07	5,14	6,02
Quantidade média, em cm^2, de ar inspirado	673	739	864	1.216	1.771	2.104
Frequência média de inspirações por minuto	14	14	15	15	19	27

a) Utilizando papel milimetrado, construa um gráfico que relacione as porcentagens de CO_2 no ar inspirado (no eixo das abscissas) à quantidade média de ar inspirado (no eixo das ordenadas).

b) Acrescente ao gráfico um segundo eixo de ordenadas, referente à frequência respiratória, e trace uma segunda curva no gráfico, agora relacionando as porcentagens de CO_2 no ar inspirado à frequência respiratória.

c) Imagine uma situação em que possa ocorrer o fenômeno citado na questão, ou seja, em que a porcentagem de CO_2 no ar fosse aumentando. Discuta com seus colegas sobre os efeitos desse fenômeno na ventilação pulmonar e no controle da respiração.

A Biologia no vestibular e no Enem

Questões objetivas

1. (Cesupa-PA) No estômago humano, as glândulas situadas na parede produzem o suco gástrico, constituído de ácido clorídrico (HCℓ), enzimas e muco. O HCℓ mantém o interior do estômago com pH ácido, necessário à atividade enzimática e à eliminação de muitas bactérias existentes nos alimentos ingeridos. Pode-se, então, afirmar que baixos níveis de HCℓ no estômago:

a) prejudicam a ação da pepsina.

b) ativam a formação de proteases e peptonas.

c) aceleram a produção de muco.

d) mantêm inalterada a digestão gástrica de proteínas.

2. (UEPB) O fígado tem uma participação importante no processo digestivo, produzindo cerca de 700 mL/dia de bile, que não contém enzimas, mas apresenta sais biliares, que emulsionam os lipídios (gorduras). Além deste papel, o fígado realiza diversos processos vitais. Sobre estes processos, é **incorreto** afirmar:

a) O fígado armazena lactase na forma de glicogênio, lançando-o no sangue de acordo com as necessidades do corpo.

b) Fabrica proteínas do sangue.

c) Transforma o amoníaco em ureia, que é menos tóxica.

d) Armazena vitaminas.

e) Transforma excesso de glicídios e proteínas em lipídios.

3. (PUC-SP) Na digestão humana, uma série de enzimas atua quebrando os alimentos em moléculas menores que são absorvidas pelo nosso organismo. O quadro abaixo mostra a relação entre algumas enzimas, seus locais de produção e os substratos sobre os quais atuam.

Enzima	Local de produção	Substrato
I	Estômago	Proteínas
Amilase	II	Amido
Tripsina	Pâncreas	III

Para completar corretamente o quadro, I, II e III devem ser substituídos, respectivamente, por:

a) maltase, intestino e proteínas.
b) pepsina, glândula salivar e aminoácidos.
c) peptidase, intestino e aminoácidos.
d) pepsina, glândula salivar e proteínas.
e) peptidase, intestino e proteínas.

4. (Unesp) Considere as seguintes etapas da digestão.

I. Absorção de nutrientes.
II. Adição de ácido clorídrico ao suco digestivo.
III. Início da digestão das proteínas.
IV. Adição da bile e do suco pancreático ao suco digestivo.
V. Início da digestão do amido.

Dentre estes processos, ocorrem no intestino delgado apenas:

a) I e IV.
b) I e III.
c) II e III.
d) II e IV.
e) III e V.

5. (Fuvest) Ao passar pelas vilosidades do intestino delgado, o sangue de uma pessoa alimentada:

a) perde gás oxigênio e ganha aminoácidos.
b) perde gás oxigênio e perde glicose.
c) ganha gás oxigênio e ganha aminoácidos.
d) ganha gás carbônico e perde glicose.
e) perde gás carbônico e ganha aminoácidos.

6. (UFRGS) Tiago comeu um sanduíche de pão francês com queijo, presunto e manteiga, acompanhado de um copo de suco de laranja sem açúcar. Relacione cada um dos itens alimentares do lanche de Tiago, listados na coluna da direita, com as principais enzimas que atuarão na sua digestão, indicadas na coluna da esquerda.

1. pepsina	( ) pão francês
2. lipase	( ) manteiga
3. amilase	( ) presunto
4. sacarase	( ) queijo
	( ) suco de laranja

A sequência correta de preenchimento dos parênteses, de cima para baixo, é:

a) 3 — 2 — 1 — 1 — 4.
b) 4 — 3 — 2 — 1 — 3.
c) 1 — 4 — 3 — 2 — 2.
d) 1 — 3 — 2 — 4 — 4.
e) 2 — 1 — 4 — 3 — 3.

7. (Fuvest) Qual cirurgia comprometeria mais a função do sistema digestório e por quê: a remoção dos 25 cm iniciais do intestino delgado (duodeno) ou a remoção de igual porção do início do intestino grosso?

a) A remoção do duodeno seria mais drástica, pois nele ocorre a maior parte da digestão intestinal.
b) A remoção do duodeno seria mais drástica, pois nele ocorre a absorção de toda a água de que o organismo necessita para sobreviver.
c) A remoção do intestino grosso seria mais drástica, pois nele ocorre a maior parte da absorção dos produtos do processo digestório.
d) A remoção do intestino grosso seria mais drástica, pois nele ocorre a absorção de toda a água de que o organismo necessita para sobreviver.
e) As duas remoções seriam igualmente drásticas, pois, tanto no duodeno quanto no intestino grosso, ocorrem digestão e absorção de nutrientes e de água.

8. (Enem)

DIETA DE ENGORDA

Em 30 anos, a alimentação piorou muito

AUMENTO NO CONSUMO — POR FAMÍLIA			
biscoitos	refrigerantes	salsichas e linguiças	refeições prontas
400%	400%	300%	80%

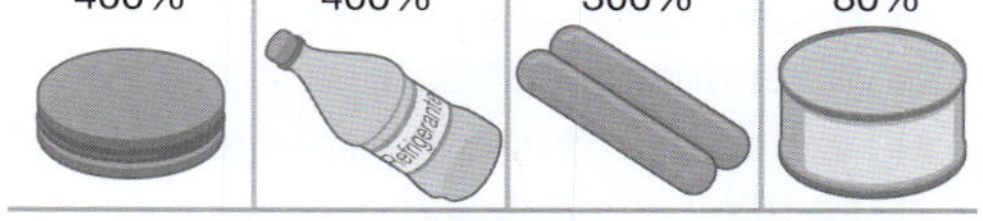

DIMINUIÇÃO NO CONSUMO — POR FAMÍLIA			
ovos	peixes	feijão e leguminosas	arroz
84%	50%	30%	23%

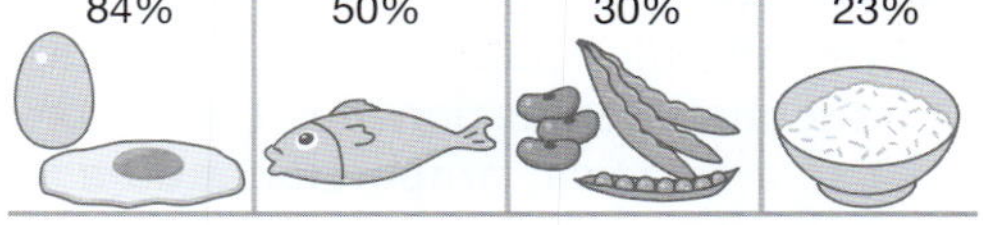

Época, 8/5/2006 (com adaptações).

A partir desses dados, foram feitas as afirmações abaixo.

I. As famílias brasileiras, em 30 anos, aumentaram muito o consumo de proteínas e grãos, que, por seu alto valor calórico, não são recomendáveis.
II. O aumento do consumo de alimentos muito calóricos deve ser considerado indicador de alerta para a saúde, já que a obesidade pode reduzir a expectativa de vida humana.
III. Doenças cardiovasculares podem ser desencadeadas pela obesidade decorrente das novas dietas alimentares.

É correto apenas o que se afirma em:

a) I b) II c) III d) I e II e) II e III

9. (Enem) O índice de massa corpórea (IMC) é uma medida que permite aos médicos fazer uma avaliação preliminar das condições físicas e do risco de uma pessoa desenvolver certas doenças, conforme mostra a tabela a seguir.

IMC	Classificação	Risco de doença
Menos de 18,5	Magreza	Elevado
Entre 18,5 e 24,9	Normalidade	Baixo
Entre 25 e 29,9	Sobrepeso	Elevado
Entre 30 e 39,9	Obesidade	Muito elevado
40 ou mais	Obesidade grave	Muitíssimo elevado

Internet: <www.somatematica.com.br>

Considere as seguintes informações a respeito de João, Maria, Cristina, Antônio e Sérgio.

Nome	Massa corporal (kg)	Altura (m)	IMC
João	113,4	1,80	35
Maria	45	1,50	20
Cristina	48,6	1,80	15
Antônio	63	1,50	28
Sérgio	115,2	1,80	45

Os dados das tabelas indicam que:

a) Cristina está dentro dos padrões de normalidade.

b) Maria está magra, mas não corre risco de desenvolver doenças.

c) João está obeso e o risco de desenvolver doenças é muito elevado.

d) Antônio está com sobrepeso e o risco de desenvolver doenças é muito elevado.

e) Sérgio está com sobrepeso, mas não corre risco de desenvolver doenças.

10. (UFPI) Sobre o Sistema Respiratório Humano, determine quais afirmações são verdadeiras e quais são falsas.

a) Os músculos intercostais e o diafragma estão diretamente relacionados com a expansão da caixa torácica, proporcionando a ventilação pulmonar.

b) Os pulmões estão envoltos por duas membranas, uma interna, chamada peritônio, e uma externa, chamada pleura.

c) A frequência respiratória é controlada principalmente pelo cerebelo e medula espinhal.

d) Geralmente quatro moléculas de oxigênio ligam-se a uma única molécula de hemoglobina, formando um complexo instável denominado carboemoglobina.

11. (Mackenzie)

$$(HCO_3)^- + H^+ \rightarrow H_2CO_3 \rightarrow H_2O + CO_2$$

As reações acima ocorrem:

a) nos capilares dos tecidos.

b) nos capilares da circulação coronária.

c) nos capilares dos pulmões.

d) no ventrículo esquerdo.

e) no átrio direito.

12. (ENC-MEC) O gráfico a seguir mostra as curvas de saturação de duas proteínas que se ligam ao oxigênio (O_2).

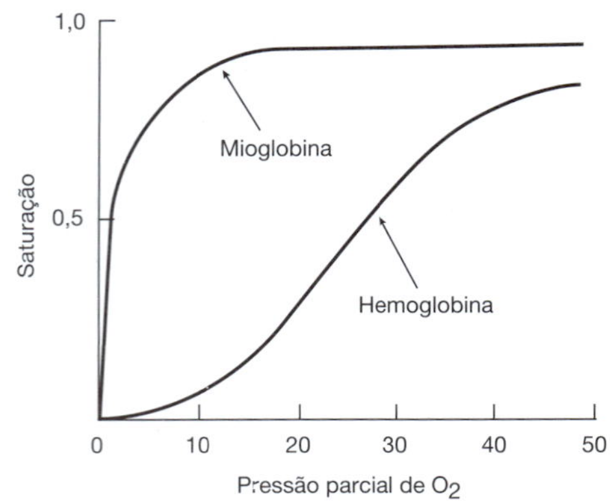

Esses dados permitem concluir que a:

a) hemoglobina possui maior afinidade pelo O_2 do que a mioglobina.

b) hemoglobina atinge o ponto de saturação nas menores pressões parciais de O_2.

c) mioglobina somente se liga ao O_2 nas maiores pressões parciais deste gás.

d) mioglobina possui maior afinidade pelo O_2 do que a hemoglobina.

e) mioglobina impede a absorção de O_2 pela hemoglobina.

13. (Unifesp) O tratamento da leucemia por meio dos transplantes de medula óssea tem por princípio a transferência de células-tronco da medula de um indivíduo sadio para o indivíduo afetado. Tal procedimento fundamenta-se no fato de que essas células-tronco:

a) podem ser usadas para a clonagem de células sadias do paciente.

b) não serão afetadas pela doença, já que foram diferenciadas em outra pessoa.

c) secretam substâncias que inibem o crescimento celular.

d) podem dar origem a linfócitos T, que, por sua vez, ingerem os leucócitos em excesso.

e) podem dar origem a todos os diferentes tipos de células sanguíneas.

14. (Vunesp) Enquanto coletava plantas para a aula de botânica, Pedrinho acidentalmente perfurou o dedo com um espinho. Antes mesmo que providenciasse um curativo, percebeu que o sangue parara de escorrer pela pele perfurada. A formação de coágulo que estancou o sangue ocorreu porque:

a) o fibrinogênio converteu-se em fibrina, por ação da enzima trombina.

b) a fibrina converteu-se em fibrinogênio, por ação da enzima tromboplastina.

c) a tromboplastina converteu-se em fibrina, por ação da enzima trombina.

d) a protrombina converteu-se em trombina, por ação da enzima fibrina.

e) a trombina converteu-se em fibrinogênio, por ação da enzima tromboplastina.

15. (Unesp) O esquema representa uma visão interna do coração de um mamífero.

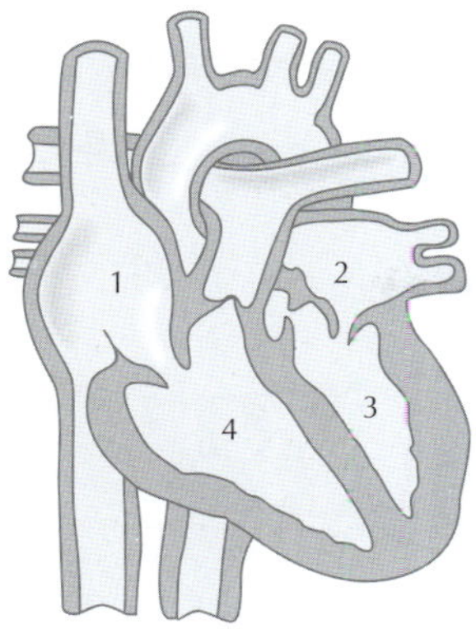

Considerando-se a concentração de gás oxigênio presente no sangue contido nas cavidades 1, 2, 3 e 4, pode-se dizer que:

a) $2 = 3 < 1 = 4$.
b) $2 = 3 > 1 = 4$.
c) $2 = 1 > 3 = 4$.
d) $2 > 3 = 1 > 4$.
e) $2 < 3 = 1 < 4$.

16. (Uerj) Artérias são vasos sanguíneos que transportam o sangue do coração para os tecidos, enquanto veias trazem o sangue para o coração. Admita, no entanto, que as artérias fossem definidas como vasos que transportassem sangue oxigenado e as veias, vasos que transportassem sangue desoxigenado. Neste caso, a artéria e a veia que deveriam inverter suas denominações, no ser humano, seriam, respectivamente, as conhecidas como:

a) renal e renal.
b) aorta e cava.
c) coronária e porta.
d) pulmonar e pulmonar.

17. (UFMG) A Campanha Nacional de Vacinação do Idoso, instituída pelo Ministério da Saúde do Brasil, vem se revelando uma das mais abrangentes dirigidas à população dessa faixa etária. Além da vacina contra a gripe, os postos de saúde estão aplicando, também, a vacina contra pneumonia pneumocócica. É correto afirmar que essas vacinas protegem porque:

a) são constituídas de moléculas recombinantes.
b) contêm anticorpos específicos.
c) induzem resposta imunológica.
d) impedem mutações dos patógenos.

18. (Unesp) Os agentes infecciosos penetram no corpo das pessoas através dos ferimentos e das mucosas. A incidência de doenças causadas por estes agentes infecciosos poderá ser reduzida, submetendo-se as pessoas à:

a) aplicação do soro, que é um processo ativo de imunização preventiva e duradoura.
b) aplicação do soro, quando o agente infeccioso provoca uma doença de evolução muito rápida e não há tempo para a imunização ativa.
c) aplicação do soro, pois as pessoas desenvolvem anticorpos contra os antígenos atenuados.
d) vacinação, que é a imunidade adquirida de ação menos duradoura que o soro e de emprego terapêutico, resultado da ativação dos mecanismos naturais de defesa do organismo.
e) vacinação, que tem efeito terapêutico, ocasião em que o indivíduo recebe anticorpos, já prontos, produzidos pelo organismo de um animal.

19. (Enem) A variação da quantidade de anticorpos específicos foi medida por meio de uma experiência controlada, em duas crianças, durante certo período de tempo. Para a imunização de cada uma das crianças foram utilizados dois procedimentos diferentes:

Criança I: aplicação de soro imune.

Criança II: vacinação.

O gráfico que melhor representa as taxas de variação da quantidade de anticorpos nas crianças I e II é:

a)
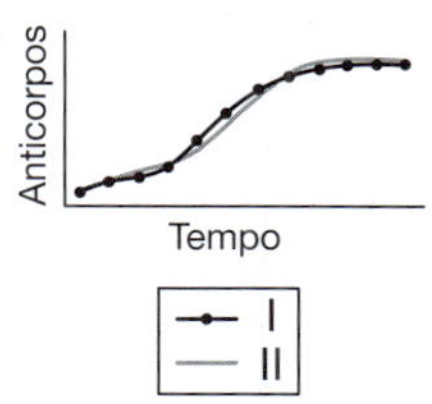

d)
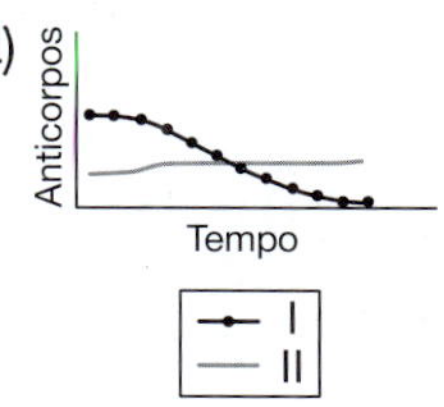

b)
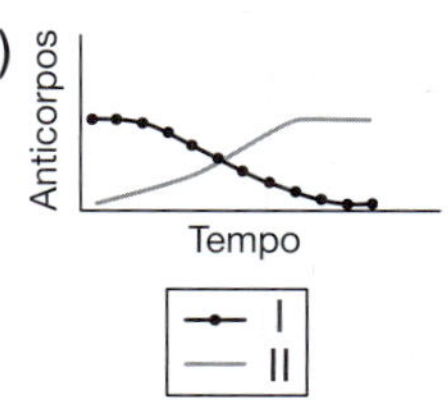

e)
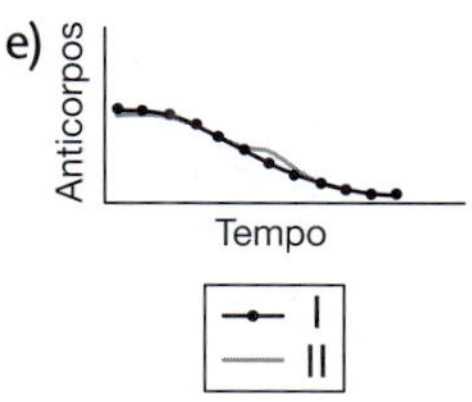

c)
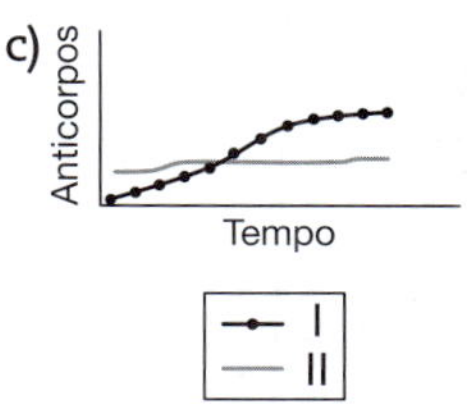

20. (Cesmac/Fejal-AL) Na imunização ativa, o antígeno é introduzido num organismo e provoca a fabricação de anticorpos. Na imunização passiva, o anticorpo é fabricado fora do organismo a ser imunizado e introduzido pronto. É exemplo de imunização ativa:

a) aplicação de vacina, como, por exemplo, a vacina tríplice.
b) aplicação de um soro, como, por exemplo, o antiofídico.
c) imunização do bebê através do aleitamento materno.
d) imunização do feto com a passagem de anticorpos pela placenta.

21. (Fuvest) Em algumas doenças humanas, o funcionamento dos rins fica comprometido. São consequências diretas do mau funcionamento dos rins:

a) acúmulo de produtos nitrogenados tóxicos no sangue e elevação da pressão arterial.
b) redução do nível de insulina e acúmulo de produtos nitrogenados tóxicos no sangue.
c) não produção de bile e enzimas hidrolíticas importantes na digestão das gorduras.

d) redução do hormônio antidiurético e elevação de glicose no sangue.

e) redução do aldosterona, que regula a pressão osmótica do sangue.

22. (PUC-SP) Considere dois indivíduos adultos, metabolicamente normais, designados por A e B. O indivíduo A tem uma dieta rica em proteínas e pobre em carboidratos. O indivíduo B, ao contrário, tem uma dieta pobre em proteínas e rica em carboidratos. Pode-se prever que na urina do indivíduo A exista:

a) menor concentração de ureia que na urina de B e que a concentração de glicose seja a mesma na urina de ambos.

b) maior concentração de ureia que na urina de B e que não se encontre glicose na urina de ambos.

c) maior concentração de ureia e maior concentração de glicose que na urina de B.

d) menor concentração de ureia e menor concentração de glicose que na urina de B.

e) a mesma concentração de ureia e glicose que a encontrada na urina de B.

23. (Unesp) Um laboratório de análises clínicas recebeu três amostras de urina, de três homens diferentes. Após as análises, as amostras revelaram a seguinte composição:

Amostra I — ureia, ácido úrico, água e cloreto de sódio.

Amostra II — ácido úrico, proteínas, água e cloreto de sódio.

Amostra III — proteínas, ureia, água e glicose.

São indicativos de funcionamento renal normal:

a) as amostras I, II e III.

b) apenas a amostra II.

c) apenas a amostra III.

d) apenas as amostras I e II.

e) apenas a amostra I.

24. (UFU-MG) Em condições normais, qual é a substância encontrada no glomérulo de Malpighi, mas não na cápsula de Bowman?

a) Água.

b) Aminoácidos.

c) Sais minerais.

d) Glicose.

e) Proteínas.

Questões discursivas

25. (UFRJ) A figura 1 a seguir mostra as vilosidades do intestino de uma serpente após um longo período de jejum, enquanto a figura 2 mostra a mesma região minutos após a ingestão de alimentos.

Essa rápida alteração nas vilosidades é causada por um intenso aumento da irrigação sanguínea na porção interna dessas estruturas. Tal mudança após a alimentação é importante para o aumento da eficiência do processo de nutrição das serpentes. Por que a alteração nas vilosidades contribui para a eficiência da nutrição das serpentes? Justifique sua resposta.

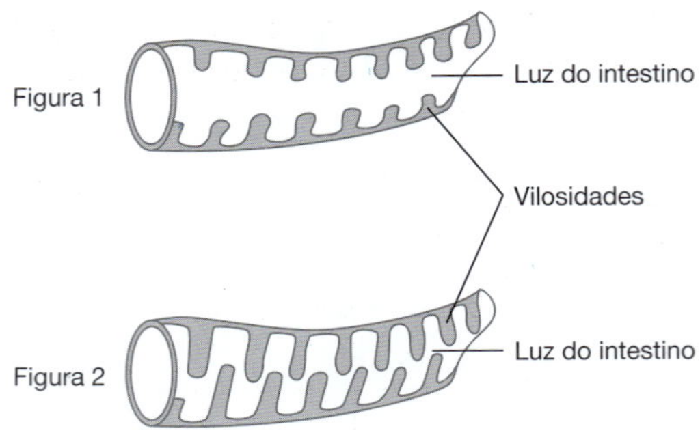

26. (UFRJ) Os gráficos abaixo representam a quantidade total de alimento ingerido por dois animais adultos. Uma das figuras representa um animal mais ativo, que se desloca mais frequentemente percorrendo grandes áreas, e que apresenta maior eficiência no aproveitamento do alimento. O outro animal é menos eficiente no aproveitamento do alimento e mais sedentário.

Identifique o animal mais ativo. Justifique sua resposta.

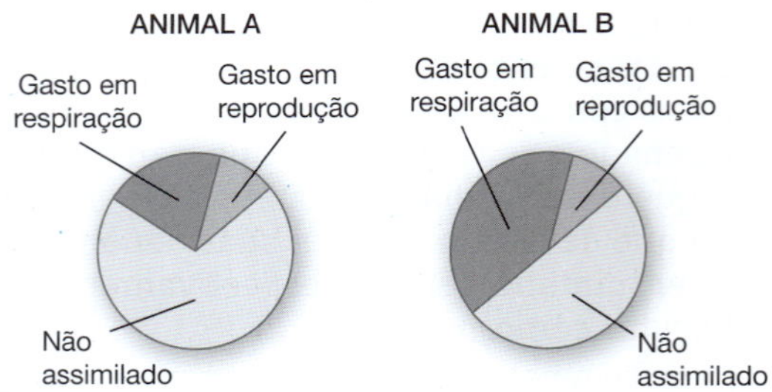

27. (Unicamp) Ao ingerirmos alimentos, o trato digestório secreta enzimas digestivas e outras secreções de acordo com a característica química desses alimentos. Foram analisadas as diferentes secreções encontradas ao longo do trato digestório de 3 grupos de indivíduos. Cada grupo foi submetido separadamente a dietas ricas em gorduras, ou em carboidratos, ou em proteínas. Os resultados estão mostrados na tabela abaixo.

Secreções / Grupos	Enzima salivar	Enzima gástrica	Enzimas pancreáticas			Secreção hepática
			Enzima I	Enzimas II e III	Enzima IV	
1	+	–	+	–	–	–
2	–	+	–	+	–	–
3	–	–	–	–	+	+

a) Indique o tipo de alimento ingerido pelo grupo 1 e o tipo ingerido pelo grupo 2. Explique por que na digestão do alimento do grupo 1 não foram secretadas as mesmas enzimas secretadas pelos indivíduos do grupo 2.

b) Qual a relação entre a secreção hepática e a secreção pancreática na digestão do alimento ingerido pelo grupo 3?

28. (UFPR) A tabela abaixo apresenta a composição química de alguns alimentos.

Valor por 100 g						
	Unidade	Arroz branco cozido	Batata frita	Cenoura cozida	Maçã sem casca	Camarão cozido
Proteínas	g	2,36	4,30	0,76	0,27	20,91
Lipídios	g	0,19	18,43	0,18	0,13	1,08
Carboidratos	g	28,73	39,81	8,22	12,76	0,00

a) Um paciente foi aconselhado pelo seu médico a eliminar de sua dieta, dos alimentos acima, apenas a batata frita. Qual o problema de digestão que o paciente apresenta? Justifique sua resposta.

b) Qual dos alimentos apresentados na tabela terá sua digestão mais comprometida se for ingerido por uma pessoa que apresenta baixas taxas de secreção de ácido clorídrico no estômago? Justifique sua resposta.

29. (Unesp) A figura ilustra um modelo do sistema "chave-fechadura", na qual observamos enzima, substrato e produto do sistema digestório humano.

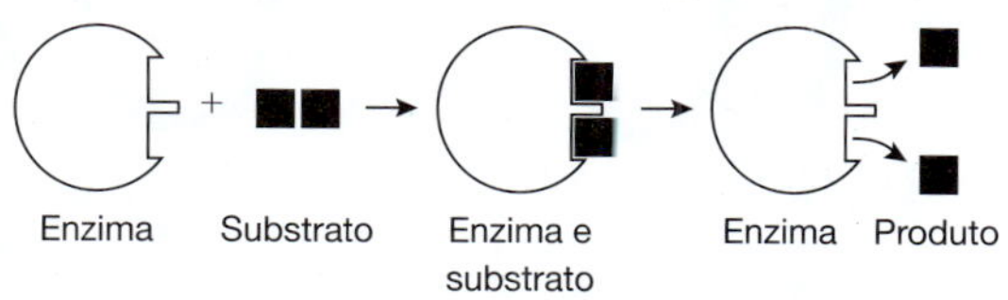

a) Se o substrato fosse uma proteína que estivesse sendo degradada no estômago, qual seria a enzima específica e o produto obtido neste órgão?

b) Se a digestão de um determinado alimento ocorresse no intestino delgado e os produtos obtidos fossem glicerol e ácidos graxos, quais seriam, respectivamente, o substrato e a enzima?

30. (UFRJ) A palavra respiração é utilizada para descrever dois processos distintos, porém interdependentes, que ocorrem em nível pulmonar e celular. Descreva como estes fenômenos estão relacionados.

31. (UFRJ) O hematócrito é a percentagem de sangue que é constituída de células. O hematócrito de três amostras de sangue está ilustrado nos tubos 1, 2 e 3, cujas partes escuras representam as células. As células foram sedimentadas, nos tubos graduados, por meio de centrifugação.

A linha tracejada representa o nível do hematócrito de um indivíduo normal, vivendo ao nível do mar. Uma das amostras de sangue foi obtida de um indivíduo normal, que morava há vinte anos numa cidade localizada a 4.500 m acima do nível do mar. Qual amostra provém desse indivíduo? Justifique sua resposta.

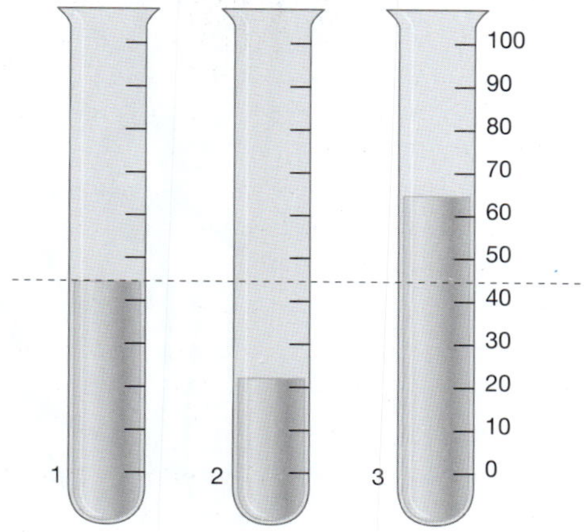

32. (UFRJ) Nos hemogramas, conhecidos popularmente como "exames de sangue", diversas características são avaliadas. Hemogramas de três pacientes, X, Y e Z, foram realizados para determinar se eles estavam em condições de sofrer cirurgias de "ponte de safena", nas quais partes de vasos sanguíneos das pernas são removidas e implantadas no coração, substituindo artérias cujo funcionamento esteja comprometido. Os resultados parciais dos três hemogramas estão apresentados na tabela a seguir.

Tipos celulares	Valores normais	Pacientes		
		X	Y	Z
Hemácias	De 4,8 a 5,5 milhões/mL	4,8	5,2	5,7
Plaquetas	De 200.000 a 400.000/mL	90.000	420.000	380.000
Leucócitos totais	De 6.000 a 10.000/mL	7.700	9.000	7.000

Com base nesses resultados, os médicos suspenderam a cirurgia de um dos pacientes. Identifique o paciente que teve a cirurgia suspensa e diga por que os médicos tomaram tal decisão.

33. (UFG-GO) As respostas imunológicas constituem mecanismos de defesa vitais para os organismos. A esse respeito,

a) explique a diferença entre a resposta ativa e a passiva;

b) apresente um exemplo de imunização ativa artificial e um de imunização passiva natural.

Capítulo 34 Integração e controle corporal

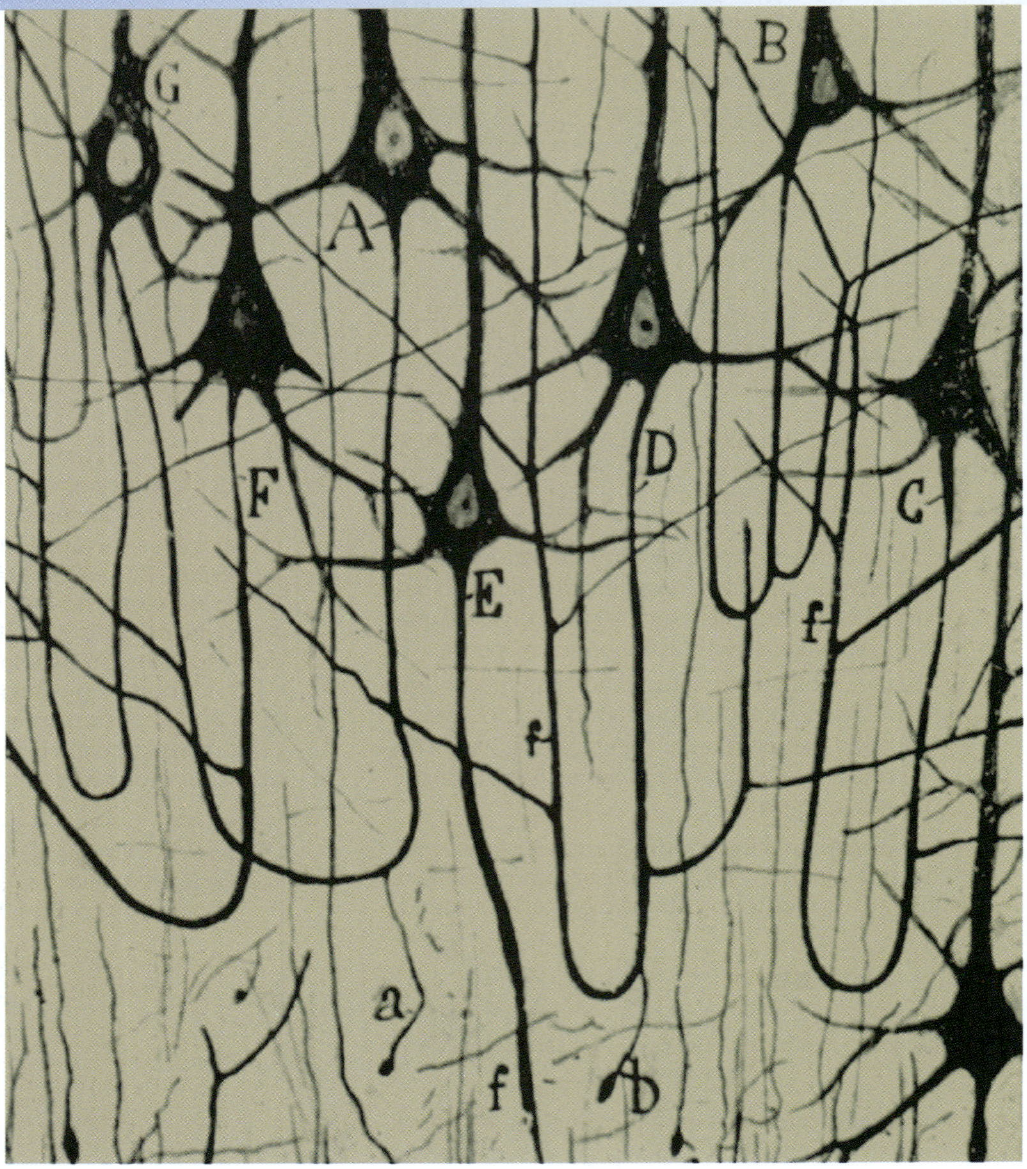

RAMÓN Y CAJAL, SANTIAGO – SCIENCE SOURCE/LATINSTOCK

Desenho do neurocientista espanhol Santiago Ramón y Cajal (1852-1934), laureado com o Prêmio Nobel de Medicina e Fisiologia em 1906 por seus estudos pioneiros sobre o sistema nervoso. Na ilustração, células nervosas do córtex cerebral de gato.

Década do cérebro: o fim de um começo[1]

"Vivemos os anos finais da 'década do cérebro', assim proclamada pelo presidente Bush [George H. W.] no congresso dos EUA, no início dos anos 90, para enfatizar o potencial de cientistas em fazer descobertas importantes relacionadas ao funcionamento do cérebro.

Neste período, as entidades governamentais americanas têm dedicado alta taxa orçamentária ao estudo do sistema nervoso; as instituições de ensino, por sua vez, pagam menos impostos por financiar essa investigação, e os órgãos de fomento à pesquisa conferem grande credibilidade e aprovação àqueles pesquisadores que se propõem a investigar os processos neurais que poderão contribuir para o entendimento da atividade do cérebro e da mente investigados através de métodos científicos.

1 CARDOSO, S. H. Década do cérebro: o fim de um começo. Revista eletrônica *Cérebro & Mente*, n. 2, ago. 1997. Leia o artigo na íntegra. Disponível em: <www.cerebromente.org.br/n02/editori2.htm>. Acesso em: 27 maio 2013.

A pesquisa e o interesse em neurociências têm crescido em resposta à necessidade de, não somente entender os processos neuropsicobiológicos normais, mas também ajudar àqueles que sofrem de distúrbios neurológicos. A necessidade para o estudo continuado do cérebro é convincente: centenas de milhões de pessoas ao redor do mundo são afetadas, a cada ano, por distúrbios cerebrais, estendendo-se desde doenças neurogenéticas até distúrbios degenerativos tais como doença de Alzheimer, bem como isquemia cerebral hemorrágica (derrame), esquizofrenia, autismo, déficits da fala, audição, abuso de drogas, epilepsia e outros distúrbios ameaçadores da vida.

Para tratar tais desordens será necessário ter um conhecimento geral de todo o sistema nervoso, entendendo as estruturas nervosas e os mecanismos bioeletroquímicos expressos pelos diferentes tipos de neurônios. Nós devemos considerar como as células nervosas trabalham, como elas são organizadas em redes, como se comunicam umas com as outras, como as conexões entre neurônios mudam com a experiência.

Avanços notáveis têm sido feitos. Correlações intrigantes têm emergido entre os atributos mentais e os padrões de impulsos nervosos. O progresso tecnológico em muitas áreas tem contribuído para um avanço impressionante no estudo e entendimento das funções cerebrais. [...]

A década contemplada para os estudos do cérebro está próxima do fim. Entretanto, nós temos ainda muito que aprender. Compreendemos que o desenvolvimento de técnicas químicas e eletrônicas que têm permitido explorar o cérebro em ínfimas minúcias é extraordinário, mas ele apenas se constitui em um começo do entendimento sobre como os processos neurais se integram com os estados mentais. A década do cérebro é contínua com alguns séculos de árdua investigação sobre a relação cérebro-mente. René Descartes, há mais de três séculos, levantou uma questão que ainda continua palpitante no final desta década: Como a mente não material influencia o cérebro e vice-versa?"

A importância do assunto

Nesta apresentação, optamos por reproduzir parte do texto da Dra. Silvia Helena Cardoso. Além de trazer aspectos do desenvolvimento das chamadas "neurociências", o texto afirma que o progresso tecnológico tem contribuído para o progresso desse ramo do conhecimento, mas que a investigação sobre a relação entre cérebro e mente é contínua e está apenas começando.

No primeiro item do capítulo, vamos estudar o sistema nervoso humano, onde reside a parcela mais substancial de nossa humanidade. No segundo item, abordaremos os principais sentidos humanos, com os quais percebemos tanto o ambiente externo como as condições internas de nosso corpo. Por último, estudaremos o sistema endócrino, com destaque para os hormônios encarregados de ajustar nosso metabolismo.

Os conhecimentos deste capítulo representam mais um pequeno passo rumo à compreensão de nós mesmos, enquanto seres vivos e como pessoas individuais, históricas e sociais.

34.1 Sistema nervoso

Cada um de nós identifica, a todo momento, dezenas de informações colhidas do ambiente não apenas pelos órgãos dos sentidos externos – olhos, orelhas, nariz, boca, pele –, mas também por receptores situados no interior de nosso corpo, que detectam, por exemplo, o grau de acidez do sangue, a temperatura corporal e a pressão arterial, entre outras coisas. Nosso sistema nervoso centraliza todas essas informações e define as respostas que daremos a elas; algumas são relativamente simples e automáticas, como as que ajustam a frequência cardíaca ou a temperatura corporal, enquanto outras são ações complexas e muitas vezes planejadas.

Há quem compare o sistema nervoso a uma rede de comunicação, em que sinais captados por sensores (os sentidos) são transmitidos para uma "estação central" na forma de pulsos elétricos; estes viajam com rapidez por cabos transmissores, as fibras nervosas.

O **sistema nervoso** humano, assim como o de outros vertebrados, pode ser dividido em dois grandes ramos: **sistema nervoso central** (SNC) e **sistema nervoso periférico** (SNP). O SNC é composto do encéfalo e da medula espinal, onde informações são interpretadas e a ação nervosa é coordenada e desencadeada; o SNP é composto de nervos e gânglios nervosos, que estabelecem as pontes de comunicação entre os sentidos, o SNC e os órgãos de resposta, principalmente músculos e glândulas.

O tecido nervoso

A descoberta das **células nervosas** se deu graças aos trabalhos dos citologistas Santiago Ramón y Cajal (1852-1934), espanhol, e Camillo Golgi (1843-1926), italiano. Ambos desenvolveram uma técnica de coloração que possibilitou a identificação das células nervosas e da organização do **tecido nervoso** constituído basicamente por neurônios e gliócitos.

Neurônios são células especializadas na condução de pulsos elétricos, os impulsos nervosos. O neurônio é constituído por uma parte volumosa, o **corpo celular**, onde se localizam a maior parte do citoplasma e o núcleo, e por prolongamentos citoplasmáticos longos e finos genericamente denominados **neurofibras**. Os neurônios apresentam dois tipos de neurofibra: um **axônio**, geralmente longo, com apenas a extremidade ramificada, e um ou mais **dendritos**, neurofibras mais curtas e bem ramificadas. A função das neurofibras é conduzir impulsos nervosos e transmiti-los para outras células, de modo a integrar e coordenar diversas funções corporais.

Gliócitos, também chamados **células gliais**, auxiliam, protegem e nutrem os neurônios. Há diversos tipos de gliócitos, entre os quais se destacam os oligodendrócitos, as células de Schwann, os astrócitos e as micróglias. Os oligodendrócitos e as células de Schwann formam uma "capa" sobre certas neurofibras, o **estrato mielínico**, que protege e auxilia o funcionamento dos neurônios. (Fig. 34.1)

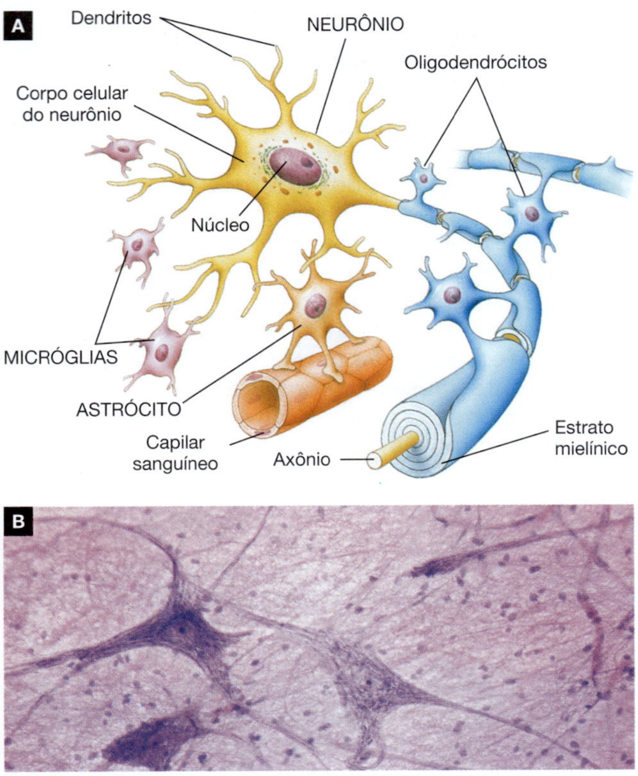

WIM VAN EGMOND/VISUALS UNLIMITED/ GLOW IMAGES

Figura 34.1 A. Representação esquemática de parte de um neurônio e de gliócitos, alguns formando o estrato mielínico ao redor do axônio. (Elementos fora de proporção de tamanho entre si; cores-fantasia.). **B.** Fotomicrografia de corte de medula espinal mostrando neurônios – células grandes de formato estrelado – e gliócitos, com núcleos celulares pequenos. (Microscópio fotônico; aumento ≈ 520×; cores artificiais.)

Como se propagam os impulsos nervosos

A superfície interna da membrana plasmática de um neurônio em repouso, isto é, que não foi estimulado, é eletricamente negativa em relação ao exterior. Essa diferença de potencial elétrico entre as duas faces da membrana plasmática, chamada **potencial de repouso,** é da ordem de –70 mV (milivolts).

Quando o neurônio é estimulado, a permeabilidade da membrana aos íons de sódio (Na^+) e de potássio (K^+) sofre uma mudança brusca na região celular estimulada; como consequência, a diferença de potencial entre as superfícies interna e externa da membrana passa dos –70 mV da situação de repouso para +40 mV. Essa alteração elétrica localizada é chamada **despolarização** da membrana e a inversão de potencial elétrico entre as duas faces é o **potencial de ação**.

O potencial de ação dura cerca de 0,0015 segundo no local despolarizado e a situação de repouso é rapidamente restabelecida. No entanto, a área que se despolarizou estimula a despolarização da área vizinha e o fenômeno se repete, propagando-se até as extremidades do axônio. A propagação do potencial de ação ao longo do neurônio é o **impulso nervoso**, que geralmente ocorre em um único sentido: dos dendritos para o corpo celular e deste para o axônio. (Fig. 34.2)

Ao atingir a extremidade de um axônio, o impulso nervoso deve ser transmitido para outra célula (pós-sináptica), que pode ser outro neurônio ou uma célula muscular. A região de proximidade entre a extremidade de um axônio e a célula vizinha, por onde se dá a transmissão do impulso nervoso, é a **sinapse nervosa** (do grego *synapsis*, ação de juntar).

A transmissão do impulso nervoso através do estreito espaço, que separa a extremidade de um axônio da membrana da célula pós-sináptica, entre 10 nm e 50 nm, dá-se por meio de **neurotransmissores,** ou mediadores químicos. Essas substâncias ficam armazenadas em bolsas (vesículas) membranosas nas extremidades axônicas e são liberadas no espaço sináptico quando o impulso nervoso chega a essa região.

Os neurotransmissores liberados no espaço sináptico ligam-se a proteínas receptoras da membrana da célula pós-sináptica, gerando nela um novo impulso nervoso, caso se trate de um neurônio, ou um estímulo para contração, caso se trate de uma célula muscular. Os cientistas já identificaram dezenas de substâncias que atuam como neurotransmissores; entre elas, destacam-se a acetilcolina, a adrenalina (ou epinefrina), a noradrenalina (ou norepinefrina), a dopamina e a serotonina. (Fig. 34.3)

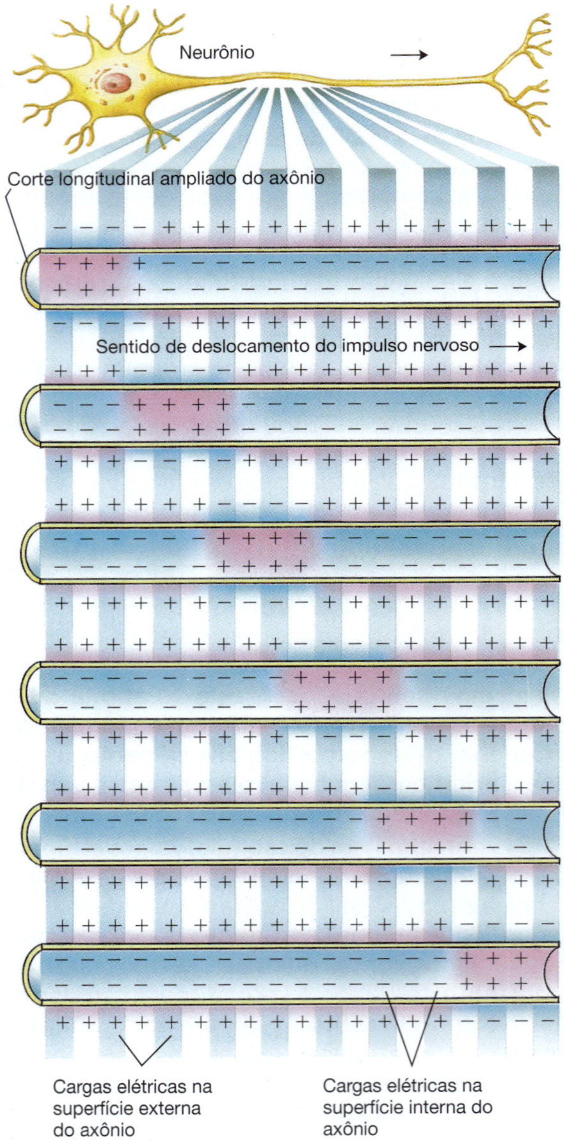

Figura 34.2. Representação esquemática da propagação de um impulso nervoso em um axônio. (Elementos fora de proporção de tamanho entre si; cores-fantasia.)

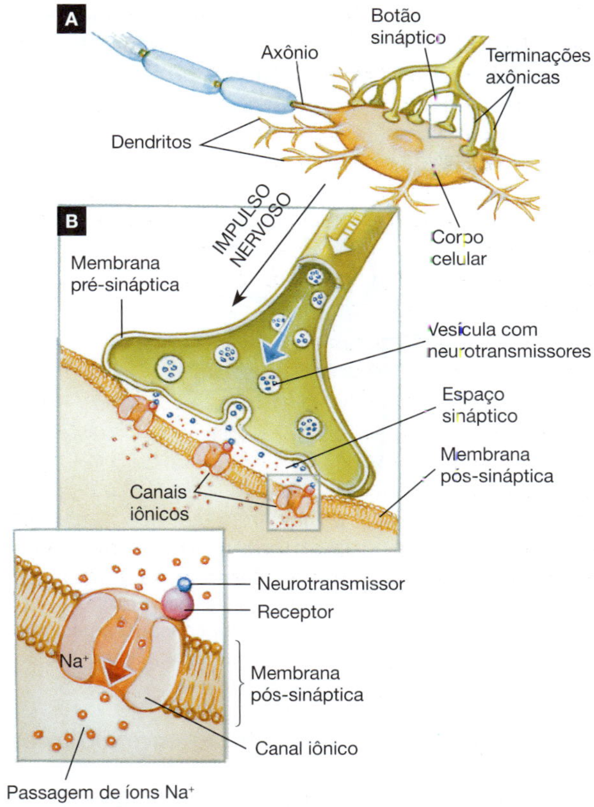

Figura 34.3. A. Representação esquemática de sinapses entre as terminações axônicas de um neurônio e o corpo celular de outro. **B.** Extremidade axônica (botão sináptico) em corte; os neurotransmissores ficam armazenados em bolsas membranosas (vesículas). (Elementos fora de proporção de tamanho entre si; cores-fantasia.)

Sistema nervoso central

O encéfalo e a medula espinal compõem o **sistema nervoso central** (SNC), cuja função é interpretar as informações captadas pelos órgãos sensoriais e elaborar respostas adequadas, enviando-as aos músculos, principais responsáveis pelas ações nervosas.

Encéfalo

O **encéfalo** forma-se no início do desenvolvimento a partir da dilatação da parte anterior do tubo nervoso embrionário. Ao longo do desenvolvimento, a região encefálica diferencia-se em diversas partes: hemisférios cerebrais, diencéfalo, mesencéfalo, ponte, cerebelo e bulbo raquidiano. O encéfalo é protegido pela caixa craniana e, em uma pessoa adulta, tem cerca de 1,4 kg. Sua região mais posterior, o bulbo raquidiano, situa-se em continuidade à medula espinal, alojada no interior do canal existente na coluna vertebral.

O encéfalo e a medula espinal são revestidos por três membranas sobrepostas de tecido conjuntivo, as **meninges** (dura-máter, aracnoide e pia-máter). O espaço delimitado pelas meninges é preenchido pelo líquido cerebrospinal, ou líquido cefalorraquidiano, cuja principal função é amortecer eventuais choques do encéfalo e da medula espinal contra os ossos que os envolvem, além de transportar certas substâncias de importância para o sistema nervoso. (Fig. 34.4)

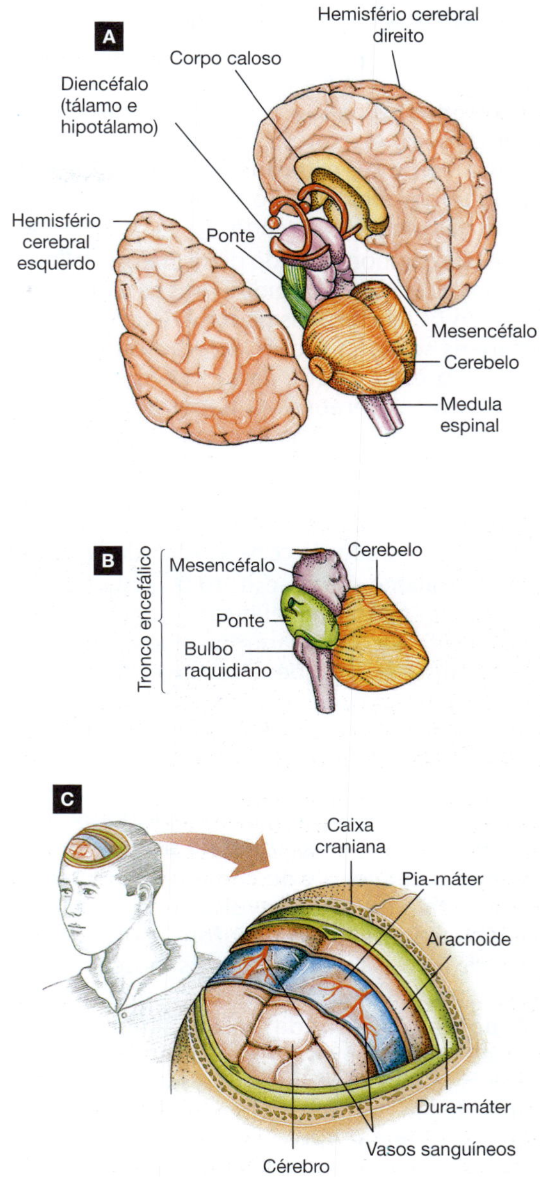

Figura 34.4 Representação esquemática do encéfalo humano. **A.** Hemisférios cerebrais deslocados para mostrar as partes encefálicas inferiores. **B.** Detalhe do mesencéfalo, da ponte e do bulbo raquidiano, que constituem o tronco encefálico. **C.** Cabeça humana com parte da caixa craniana removida para mostrar as meninges que revestem o cérebro. (Elementos fora de proporção de tamanho entre si; cores-fantasia.)

A parte mais desenvolvida do encéfalo humano é o **cérebro**, que compõe entre 85% e 90% da massa encefálica presente no crânio. Sua superfície é intensamente pregueada e marcada por sulcos e depressões chamadas circunvoluções cerebrais. Um profundo sulco longitudinal divide quase completamente o cérebro nos hemisférios cerebrais direito e esquerdo.

A camada mais externa dos hemisférios cerebrais, cuja espessura varia de 1 cm a 2 cm, é o **córtex cerebral**, formado por mais de 20 bilhões de corpos celulares de neurônios. A região mais interna dos hemisférios cerebrais é constituída principalmente por neurofibras (dendritos e axônios) que levam informações ao córtex e trazem dele informações para serem analisadas.

Alguns dos sulcos mais profundos dos hemisférios delimitam áreas conhecidas como **lobos cerebrais**, que coordenam funções específicas.

O cérebro humano é o centro da inteligência e da aprendizagem. Apesar de corresponder a apenas 2% da massa corporal, o cérebro demanda mais de 17% do sangue bombeado pelo coração e utiliza cerca de 20% do gás oxigênio inalado.

Um dos componentes do diencéfalo, o **tálamo**, é formado por duas massas ovoides, ricas em corpos celulares de neurônios, encaixadas na base do cérebro. Todas as mensagens sensoriais, com exceção das provenientes dos receptores de olfato, passam pelo tálamo antes de atingir o córtex cerebral. O papel do tálamo é atuar como estação integradora e retransmissora de impulsos nervosos para o córtex cerebral, direcionando-os para áreas apropriadas do cérebro, onde são processadas. Ele também parece exercer um papel importante na regulação do estado de consciência, alerta e atenção.

O **hipotálamo** é uma estrutura pequena localizada sob o tálamo. Apesar de relativamente pequeno, é uma região encefálica importante na homeostase corporal, isto é, no ajuste às variações externas e internas ao corpo. Entre outras funções, ele controla a temperatura corporal, o apetite e o equilíbrio hídrico no corpo, além de ser o principal centro da expressão emocional e do comportamento sexual. O hipotálamo também participa da ativação de diversas glândulas produtoras de hormônios, como veremos mais adiante ao tratar do sistema endócrino.

O **mesencéfalo**, localizado em sequência ao tálamo e hipotálamo, está envolvido principalmente na recepção e coordenação de informações sobre o grau de contração dos músculos (tônus muscular) e sobre a postura corporal.

A **ponte**, constituída principalmente por fibras nervosas que ligam o córtex cerebral ao cerebelo, contém também centros nervosos coordenadores da movimentação dos olhos, do pescoço e de várias partes do corpo. Além disso, essa parte do encéfalo está relacionada à postura corporal correta, ao equilíbrio do corpo e ao tônus muscular.

O **cerebelo**, localizado entre a parte posterior do cérebro e a ponte, está conectado ao tálamo, ao tronco encefálico e à medula espinal por numerosas fibras nervosas. Além de informações auditivas e visuais, ele recebe informações de diversas partes do encéfalo e da medula espinal sobre a posição das articulações e o grau de estiramento dos músculos. Com base nisso, coordena os movimentos e orienta a postura corporal.

O **bulbo raquidiano**, também chamado de medula oblonga, é a última porção do encéfalo, conectando-o à medula espinal. Nele estão localizados importantes centros controladores de funções vitais, como os que regulam os batimentos cardíacos e os movimentos respiratórios, por exemplo.

Medula espinal

A **medula espinal** é um cordão cilíndrico alojado ao longo da coluna vertebral, no canal formado pelas perfurações sequenciais das vértebras. Com cerca de 1 cm a 1,7 cm de diâmetro, a medula é revestida externamente pelas três meninges.

O centro medular é percorrido por um canal onde circula o líquido cefalorraquidiano, também presente no espaço entre as duas meninges mais internas. (Fig. 34.5)

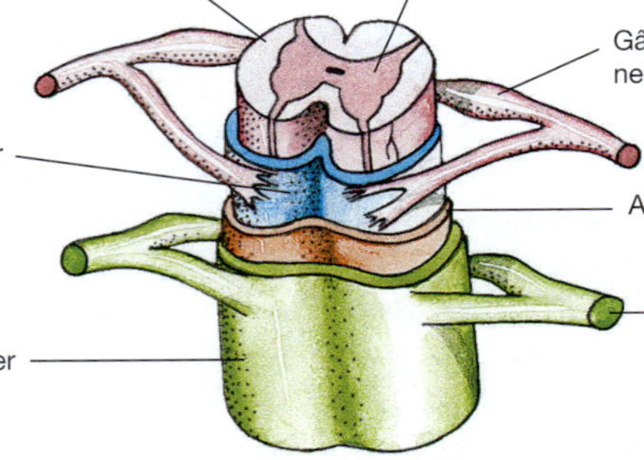

Figura 34.5 Representação esquemática de parte da medula espinal mostrando as três meninges (dura-máter, aracnoide e pia-máter) e as raízes de nervos, algumas delas com gânglios nervosos. A substância cinzenta é constituída principalmente por corpos de neurônios e a substância branca por fibras nervosas. (Elementos fora de proporção de tamanho entre si; cores-fantasia.)

A medula espinal retransmite ao encéfalo informações colhidas nas diversas partes do corpo. A maior parte das ordens elaboradas no encéfalo também passa pela medula antes de chegar a seus destinos.

Além de intermediar a comunicação do corpo com o encéfalo, a medula espinal elabora respostas simples para certos estímulos, como a que nos faz retirar a mão rapidamente quando tocamos um objeto muito quente. Respostas medulares como essas nos permitem reagir rapidamente em situações de emergência, antes mesmo de ter consciência do que está ocorrendo.

Sistema nervoso periférico

O **sistema nervoso periférico** (SNP) é constituído por nervos e gânglios nervosos. **Nervos** são estruturas filamentosas formadas por neurofibras que partem do encéfalo e da medula espinal e atingem as diversas partes do corpo. **Gânglios nervosos** são dilatações presentes em certos nervos, que contêm corpos celulares de neurônios, de onde partem fibras nervosas componentes desses nervos.

De acordo com a região do sistema nervoso central à qual se ligam, os nervos são classificados como: **nervos cranianos**, que conectam o encéfalo a órgãos dos sentidos e a músculos, e **nervos espinais**, ou **raquidianos**, que conectam a medula espinal a células sensoriais e músculos. Os seres humanos têm 12 pares de nervos cranianos e 31 pares de nervos raquidianos.

Os nervos espinais conectam-se à medula espinal por espaços existentes entre as vértebras. Em cada espaço intervertebral há um par de nervos espinais, um de cada lado da coluna vertebral. Cada nervo liga-se à medula por dois conjuntos de fibras nervosas, as raízes do nervo. Um conjunto parte da região dorsal da medula espinal (raiz dorsal do nervo espinal) e o outro, da região ventral (raiz ventral do nervo espinal).

A raiz dorsal de um nervo espinal é formada somente por **neurônios sensitivos**, que conduzem impulsos nervosos de órgãos sensitivos até o SNC, enquanto a raiz ventral é formada somente por **neurônios motores**, que conduzem impulsos nervosos do SNC aos músculos. Se a raiz dorsal de um nervo espinal for lesada, a parte do corpo que ele inerva perderá a sensibilidade, sem sofrer, porém, paralisia muscular. Por outro lado, se houver lesão apenas na raiz ventral de um nervo espinal, ocorrerá paralisia e atrofia dos músculos inervados, porém sem perda das sensações de pressão, temperatura, dor etc.

O vírus da poliomielite, doença popularmente conhecida como paralisia infantil, afeta preferencialmente as raízes ventrais dos nervos espinais, levando à falta de estimulação nervosa e à consequente atrofia muscular dos membros inervados pelos nervos afetados.

Na raiz dorsal de cada nervo espinal há um gânglio nervoso, onde se localizam os corpos celulares dos neurônios sensitivos. Os corpos celulares dos neurônios motores ficam dentro da medula espinal, constituindo a substância cinzenta medular. (Fig. 34.6)

Respostas reflexas medulares

A medula espinal é capaz de elaborar respostas rápidas para situações de emergência. Essas respostas elaboradas sem interferência do encéfalo são as **respostas reflexas medulares** ou arcos reflexos. Um exemplo é o **reflexo patelar**, testado pelo médico ao bater com um martelinho no joelho do paciente. Nesse reflexo tomam parte apenas um neurônio sensitivo, que leva o impulso nervoso gerado pela batida até a medula espinal, e um neurônio motor, que conduz o impulso medular até o músculo da coxa, provocando sua contração.

A maioria das respostas reflexas medulares é mais complexa que o reflexo patelar e envolve um terceiro tipo de neurônio, o **neurônio associativo**. Este se localiza no interior da medula espinal e conecta o neurônio sensitivo e o neurônio motor participantes da resposta reflexa. Além de estimular os neurônios motores responsáveis pela ação reflexa, o neurônio associativo também estimula neurônios que conduzem impulsos ao encéfalo, permitindo a tomada de consciência do ocorrido. Esse tipo de resposta reflexa ocorre, por exemplo, quando tocamos o dedo em um objeto pontiagudo. (Fig. 34.7)

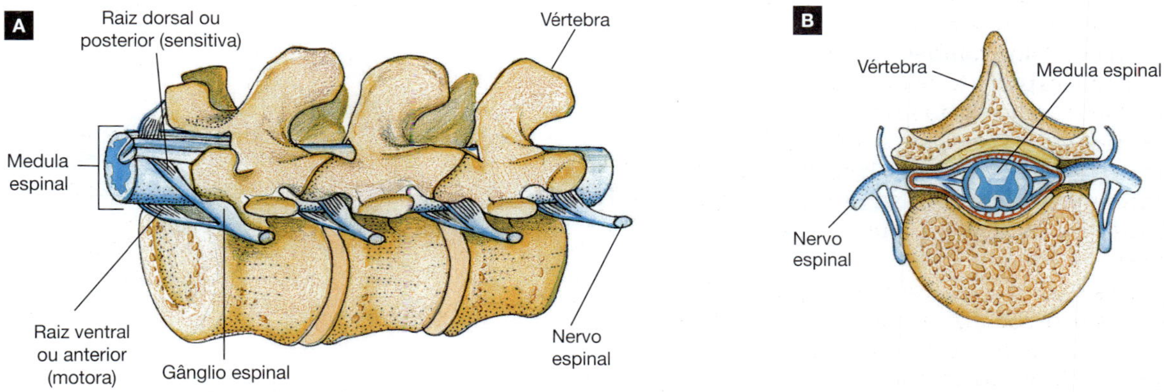

Figura 34.6 Representações esquemáticas de porção da coluna vertebral mostrando vértebras e parte da medula espinal. **A**. Vista lateral. **B**. Vista em corte transversal. (Elementos fora de proporção de tamanho entre si; cores-fantasia.)

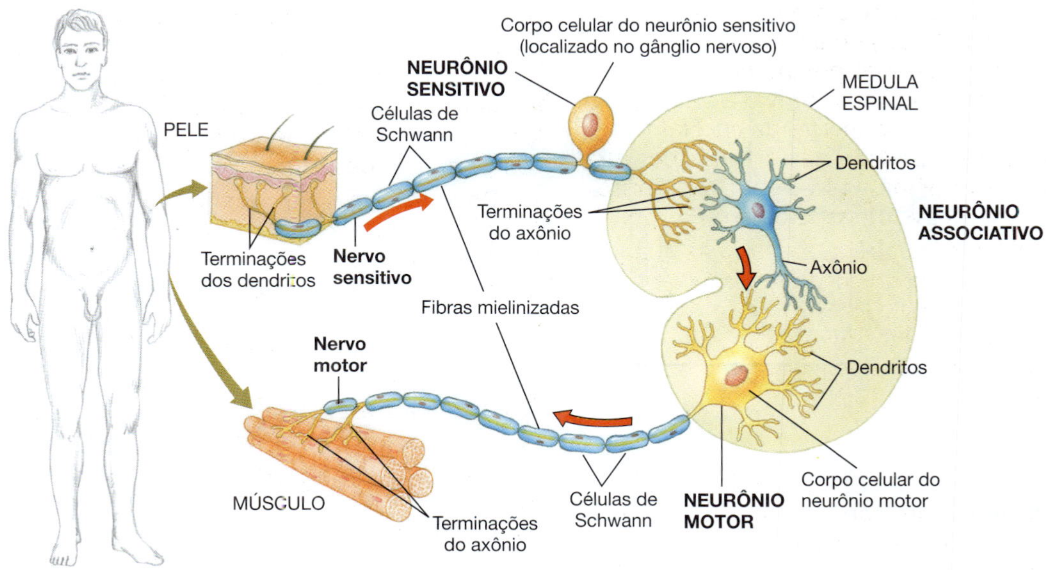

Figura 34.7 Representação esquemática de um arco reflexo. As setas vermelhas indicam o sentido da transmissão do impulso nervoso. (Elementos fora de proporção de tamanho entre si; cores-fantasia.)

Divisão funcional do sistema nervoso periférico

Diversas atividades do sistema nervoso humano são conscientes e estão sob o controle de nossa vontade. Pensar, movimentar um braço ou mudar a expressão facial são exemplos de atividades voluntárias. Outras ações, porém, são automáticas e ocorrem independentemente de nossa vontade, sendo por isso denominadas atividades autônomas, ou involuntárias. Exemplos de atividades autônomas são os batimentos do coração e o peristaltismo do trato digestório.

As ações voluntárias resultam da contração de músculos estriados esqueléticos, que estão sob o controle do sistema nervoso periférico somático (SNP somático). As ações autônomas, por sua vez, resultam da contração da musculatura não estriada (lisa) e da musculatura cardíaca, controladas pelo sistema nervoso periférico autônomo (SNP autônomo).

O **SNP somático** tem ramos sensitivos e motores. Os primeiros conduzem estímulos provenientes do ambiente externo ou interno ao sistema nervoso central e os ramos motores levam impulsos nervosos do SNC aos músculos estriados esqueléticos.

O **SNP autônomo** (SNPA), exclusivamente motor, estimula a musculatura lisa de diversos órgãos (vísceras e vasos sanguíneos) e a musculatura do coração (miocárdio). Ele é dividido em dois ramos: **SNPA simpático** e **SNPA parassimpático**. As neurofibras nervosas simpáticas e parassimpáticas controlam os mesmos órgãos, mas trabalham em oposição: enquanto um dos ramos estimula determinado órgão, o outro o inibe.

De modo geral, o SNPA simpático estimula ações que mobilizam energia, permitindo ao organismo responder a situações de estresse. Por exemplo, ele é responsável pela aceleração dos batimentos cardíacos, pela elevação da pressão sanguínea, pelo aumento da concentração de açúcar no sangue e pela ativação do metabolismo geral do corpo. O SNPA parassimpático, por sua vez, estimula principalmente atividades mais relaxantes, como a redução do ritmo cardíaco e da pressão sanguínea, e o aumento das secreções estomacais e intestinais que agem nos processos digestivos.

O SNPA simpático é constituído por nervos espinais que partem das regiões torácica e lombar da medula espinal. O SNPA parassimpático, por sua vez, é constituído por nervos cranianos e por nervos espinais que partem da região final (sacral) da medula espinal. (Fig. 34.8)

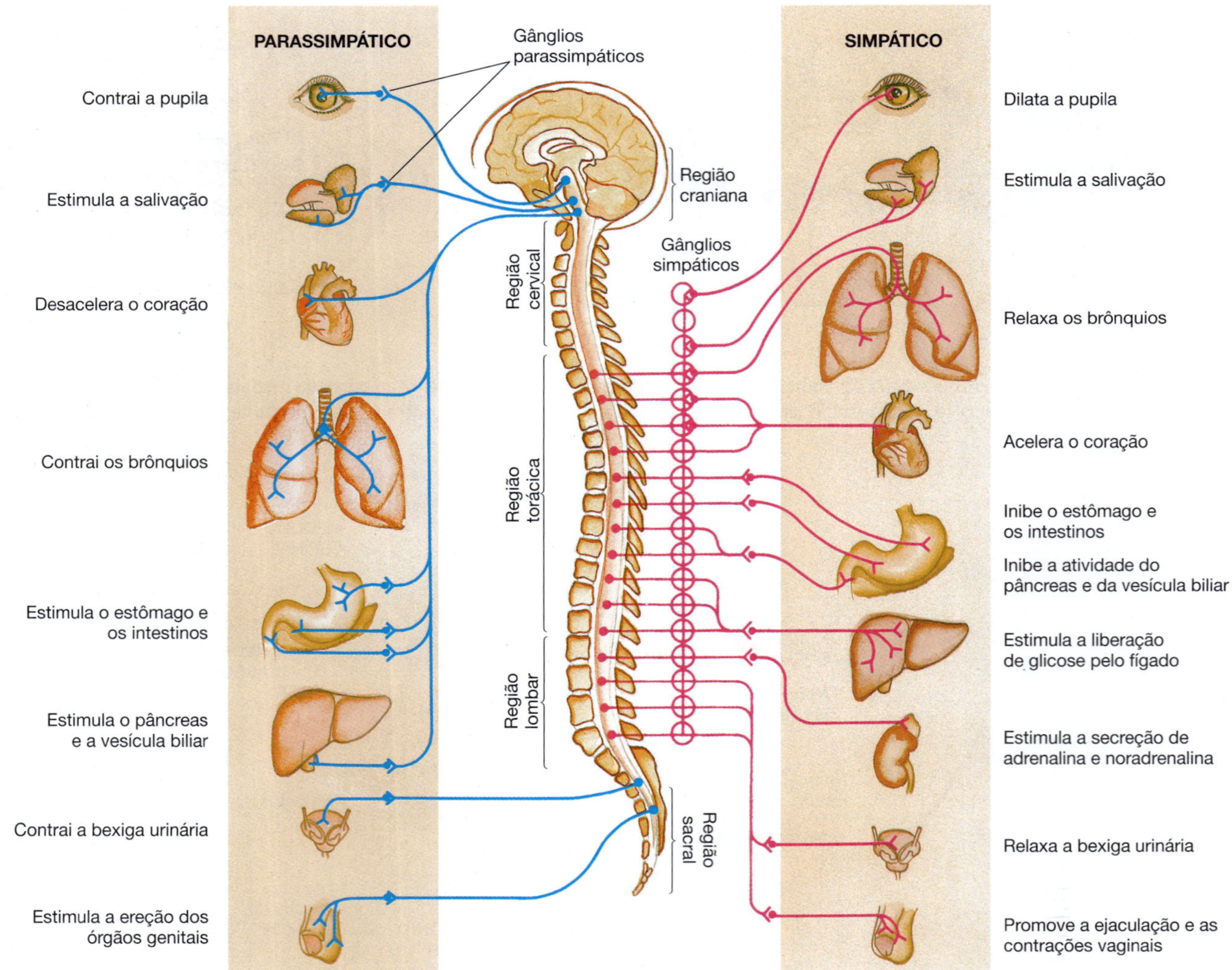

Figura 34.8 Representação esquemática do sistema nervoso periférico autônomo. Os componentes do SNPA simpático estão mostrados apenas à direita, e os do SNPA parassimpático, apenas à esquerda (ambos ocorrem dos dois lados do corpo). (Elementos fora de proporção de tamanho entre si; cores-fantasia.)

Ciência e cidadania

Cuidados com a saúde do sistema nervoso

1 O bom funcionamento do sistema nervoso depende de inúmeros fatores. Os principais são os cuidados com a saúde em geral, principalmente com a condição cardiovascular e respiratória, uma vez que a atividade nervosa demanda altos níveis de nutrição e de oxigenação. Além disso, é importante controlar a ingestão de álcool e de drogas psicoativas, que podem alterar e prejudicar as funções nervosas.

2 Outro aspecto importante para manter a saúde do sistema nervoso é a estimulação emocional e intelectual; manter a mente ativa garante seu bom funcionamento, principalmente em idades mais avançadas.

3 A seguir apresentamos alguns distúrbios do sistema nervoso, suas causas e atitudes preventivas que podem ser tomadas em alguns casos.

Acidente vascular cerebral (AVC)

4 Um distúrbio grave do sistema nervoso é o **acidente vascular cerebral** (**AVC**), que pode ser causado pela obstrução de uma artéria, e consequente falta de irrigação de uma área do cérebro, ou por uma ruptura arterial com derrame de sangue. Os neurônios nutridos e oxigenados pela artéria atingida podem morrer, o que leva a uma lesão neurológica irreversível.

5 Os sintomas de um AVC dependem da localização e da extensão da área afetada. A porcentagem de morte entre as pessoas atingidas por um AVC é da ordem de 20% a 30% e muitos dos sobreviventes passam a apresentar problemas na movimentação e na fala.

6 Alguns dos fatores que predispõem ao AVC são pressão arterial elevada (hipertensão arterial), taxa elevada de colesterol no sangue, obesidade, diabetes melito, uso de pílulas anticoncepcionais e tabagismo.

Cefaleias

7 **Cefaleias** são dores de cabeça que podem se propagar pela face e atingir os dentes e o pescoço. Sua origem está associada a fatores como tensão emocional, distúrbios visuais e hormonais, hipertensão arterial, infecções, sinusite etc.

8 A **enxaqueca** é um tipo de cefaleia caracterizada por uma dor latejante, que geralmente afeta metade da cabeça. As enxaquecas são frequentemente acompanhadas por fotofobia (aversão à luz), distúrbios visuais, náuseas, vômitos, dificuldade em se concentrar, entre outros efeitos. Ainda não se conhecem completamente suas causas.

Demência

9 O quadro clínico conhecido genericamente por demência resulta de uma deterioração das funções mentais, com perda da memória e das habilidades intelectuais. Três tipos conhecidos de doenças neurológicas relacionadas à idade e que levam à demência são: a **doença de Alzheimer**, a **coreia de Huntington** e a **doença de Parkinson**.

10 A **doença de Alzheimer** é a forma mais comum de demência, responsável por dois terços dos casos em pacientes com mais de 60 anos, afetando duas vezes mais mulheres que homens. As primeiras manifestações incluem perda de memória temporária e incapacidade de tomar decisões. Esses sintomas agravam-se com a progressão da doença e o paciente torna-se incapaz de reter novas informações e de manter relacionamentos sociais saudáveis; os últimos estágios são caracterizados por completa perda das capacidades de aprendizado, da fala e do controle das diversas funções corporais. Há perda de neurônios encefálicos e, à medida que a doença progride, o encéfalo torna-se menor e mais leve. Existem diversas formas da doença de Alzheimer, algumas das quais estão ligadas a variações genéticas. Pesquisas recentes indicam que a estimulação intelectual do cérebro, principalmente na juventude, ajuda a minimizar os efeitos da perda cognitiva causada pelo Alzheimer.

11 A **coreia de Huntington** é bem mais rara que a doença de Alzheimer e afeta cinco em cada 100 mil pessoas. Ela atinge igualmente homens e mulheres e começa a se manifestar por volta dos 40 anos de idade. Os sintomas da coreia de Huntington são demência e movimentos corporais anormais incontrolados. Trata-se de uma doença hereditária, sendo transmitida a 50% dos descendentes das pessoas portadoras da variação genética; decorre de uma mutação gênica autossômica dominante.

12 A **doença de Parkinson** caracteriza-se por tremores corporais incontroláveis, rigidez corporal, lentidão e dificuldade de locomoção. Essa doença afeta cerca de 187 em cada 100 mil pessoas, sendo ligeiramente mais frequente em homens que em mulheres. Os sintomas começam a se manifestar em geral a partir dos 60 anos de idade, mas ocasionalmente podem surgir em pessoas com idade a partir de 30 anos. Os pacientes afetados pela doença de Parkinson apresentam alterações nos neurônios de importantes centros motores do cérebro, com acentuada redução na quantidade de dopamina, substância neurotransmissora produzida nesses locais.

Doenças infecciosas do sistema nervoso

13 Vírus, bactérias, protozoários e vermes podem parasitar o sistema nervoso e causar doenças cuja gravidade depende do tipo de agente infeccioso, da idade da pessoa afetada e de seu estado físico.

14 Diversos tipos de vírus podem atingir as meninges (membranas que envolvem o sistema nervoso central), causando as **meningites virais**: se o encéfalo é afetado, fala-se em **encefalite**; se a medula espinal é afetada, fala-se em **poliomielite**. Os sintomas da infecção viral dependem da região atingida e do tipo de vírus, e incluem febre, dor de cabeça, náuseas, vômitos, rigidez da nuca (no caso das encefalites) e paralisia (no caso da poliomielite).

15 Infecções bacterianas também podem causar meningites. As principais bactérias causadoras de meningite são *Neisseria meningitidis* (responsável pelos surtos epidêmicos) e *Haemophilus influenzae*. Embora sejam mais comuns em crianças, as meningites bacterianas

também podem atingir pessoas adultas. Os sintomas são semelhantes aos das meningites virais, porém mais graves, podendo levar ao estado de coma e à morte. As meningites bacterianas podem ser prevenidas pela vacinação e tratadas com antibióticos.

16 O protozoário *Plasmodium falciparum* pode causar a **malária cerebral**, que se manifesta em cerca de 2% a 10% dos portadores do parasita. Destes, cerca de 25% morrem em consequência da infecção cerebral.

17 A tênia, um platelminto, pode atingir o cérebro causando **cisticercose cerebral**. A pessoa adquire a doença pela ingestão de alimentos contaminados com ovos do parasita. A larva de tênia, ao sair do ovo, atravessa a parede intestinal e penetra na circulação sanguínea, tornando possível a formação de cistos no cérebro. A cisticercose cerebral pode provocar sintomas semelhantes aos dos ataques epilépticos, com desmaios e convulsões.

Guia de leitura

1 Leia o primeiro parágrafo, que relaciona o bom funcionamento do sistema nervoso a diversos fatores. Comente os aspectos que achou mais relevantes ou interessantes.

2 O segundo parágrafo comenta outro aspecto importante para manter o sistema nervoso saudável e ativo. Qual é ele? Reflita sobre o fato de que, neste exato momento em que estuda, você está proporcionando ao seu sistema nervoso estimulação necessária à sua própria saúde, agora e no futuro.

3 Informe-se, no terceiro parágrafo, sobre os assuntos que serão tratados no quadro.

4 Leia o quarto e o quinto parágrafos, sobre as causas dos acidentes vasculares cerebrais (AVCs) e suas consequências. Quais são elas?

5 O sexto parágrafo comenta fatores que predispõem aos AVCs. Responda: que hábitos e atitudes uma pessoa pode adotar para prevenir possíveis AVCs?

6 O sétimo e o oitavo parágrafos referem-se à cefaleia e à enxaqueca. É possível que você conheça pessoas que tenham passado por crises de cefaleia ou de enxaqueca. Se tiver oportunidade, converse com elas e peça que descrevam os sintomas dessas perturbações. Compare-as com os descritos nos parágrafos.

7 Informe-se, no nono parágrafo, o que caracteriza o quadro da demência e as principais doenças responsáveis por ela.

8 Leia o décimo parágrafo, sobre a doença de Alzheimer. Faça uma lista dos principais sintomas dessa doença; listar separadamente cada sintoma facilita sua compreensão e memorização. Lembre-se de utilizar o recurso de fazer listas enquanto estuda em outras situações semelhantes.

9 Ainda sobre o décimo parágrafo, leia novamente o período final. Segundo ele, você está prevenindo o Alzheimer ao estudar compreensivamente este texto. Por quê?

10 Informe-se, no parágrafo 11, sobre a coreia de Huntington. Anote os dados que achar mais interessantes.

11 Leia o parágrafo 12, sobre a doença de Parkinson. Anote os dados que achar mais interessantes.

12 Informe-se, no parágrafo 13, sobre alguns agentes infecciosos que podem causar perturbações neurológicas e que serão abordados no quadro.

13 O parágrafo 14 trata de doenças do sistema nervoso causadas por vírus. Quais são elas?

14 Informe-se, no parágrafo 15, sobre uma doença bacteriana do sistema nervoso. Qual é ela? Comente os aspectos que achou mais importantes.

15 Leia o parágrafo 16 e informe-se sobre a malária cerebral.

16 O décimo sétimo parágrafo trata da cisticercose cerebral. Relembre esse assunto no capítulo 31.

34.2 Os sentidos

A capacidade de perceber o ambiente depende de células altamente especializadas, as chamadas **células sensoriais**, que estão distribuídas no corpo e concentradas em órgãos sensoriais, ou órgãos dos sentidos.

As células sensoriais são especializadas na captação de diferentes tipos de estímulo: luz, som, pressão, temperatura, odores etc.

O estímulo específico altera a permeabilidade da membrana plasmática da célula sensorial, gerando impulsos nervosos, que são transmitidos aos nervos e levados ao sistema nervoso central. Quando atingem as áreas cerebrais correspondentes, os impulsos são interpretados como sensações.

Paladar e olfato

O sabor é uma complexa mistura de sensações de paladar e de olfato, além de sensações táteis decorrentes da consistência dos alimentos. Nossas células sensoriais responsáveis pelo **paladar** ficam localizadas na boca, agrupadas nas **papilas gustatórias**, pequenas saliências distribuídas sobre a língua e o palato mole e facilmente visíveis com uma lente de aumento. (Fig. 34.9)

Com a mastigação, substâncias componentes do alimento dissolvem-se na saliva e entram em contato com células quimiorreceptoras localizadas nas papilas gustatórias. As substâncias características dos alimentos interagem com proteínas das membranas das células quimiorreceptoras, gerando impulsos nervosos transmitidos por neurônios para regiões específicas do cérebro, onde são interpretados e produzem a sensação do paladar.

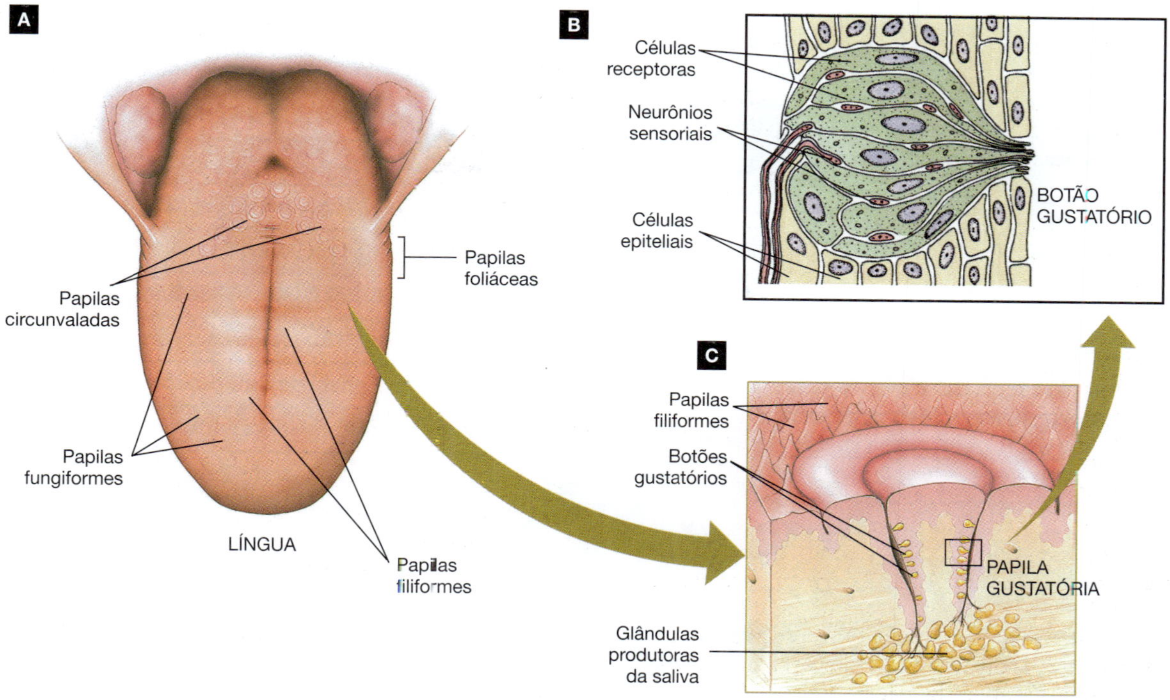

Figura 34.9 A. Representação esquemática da língua humana, mostrando a localização dos quatro diferentes tipos de papilas gustatórias. **B.** Representação esquemática de um botão gustatório (em corte), que contém células receptoras agrupadas como gomos de uma laranja. Uma pessoa adulta tem cerca de 10 mil botões gustatórios na língua, número que diminui com a idade. **C.** Representação esquemática de uma papila circunvalada (em corte). (Elementos fora de proporção de tamanho entre si; cores-fantasia.)

O sentido do **olfato** está a cargo do epitélio olfatório, localizado no teto das **cavidades nasais**. Esse epitélio apresenta quimiorreceptores dotados de cílios, recobertos pelo muco que reveste as cavidades nasais. Moléculas capazes de estimular o olfato, dispersas no ar, difundem-se no muco e atingem os dendritos, gerando impulsos nervosos; estes são conduzidos ao corpo celular da célula quimiorreceptora, propagando--se para o axônio, que leva o sinal nervoso até o SNC. Apesar de os receptores do paladar e do olfato serem diferentes e de suas mensagens serem processadas em regiões diversas do cérebro, esses dois sentidos agem em conjunto em uma terceira região do córtex cerebral para produzir a percepção de gosto.

Audição e equilíbrio

Conteúdo multimídia
Sentido da audição

A **orelha** humana é o órgão responsável pela audição e pelo equilíbrio do corpo. Ela compõe-se de três partes básicas, denominadas, de fora para dentro: orelha externa, orelha média e orelha interna.

A **orelha externa** é o canal que se abre para o meio exterior no pavilhão auditivo, conhecido popularmente como orelha. Ele funciona como uma concha acústica, que capta os sons e os direciona para o canal auditivo. As ondas sonoras fazem o ar vibrar dentro do canal da orelha, e as vibrações são transmitidas à **membrana timpânica**, ou tímpano, uma fina película que separa a orelha externa da orelha média.

A **orelha média**, localizada dentro do osso temporal, é um duto estreito e cheio de ar, que se comunica com a garganta por um canal flexível, a **tuba auditiva**, cuja função é equilibrar a pressão no interior da orelha com a do meio externo. Na orelha média existem três pequenos ossos alinhados em sequência: martelo, bigorna e estribo. A vibração da membrana timpânica movimenta esses ossículos, que atuam como amplificadores e transmissores das vibrações à orelha interna.

A **orelha interna**, encravada no osso temporal, é um complexo labirinto membranoso conhecido como aparelho vestibular, onde se localizam células sensoriais especializadas na captação de estímulos mecânicos, genericamente chamadas mecanorreceptores. Os principais componentes do aparelho vestibular são: **cóclea**, **sáculo**, **utrículo** e **canais semicirculares**. A cóclea é a responsável pela audição, enquanto os outros componentes são responsáveis pelo equilíbrio corporal.

Como percebemos os sons

A base do osso estribo conecta-se à **janela oval**, uma área especializada da **cóclea**. Esta é um longo tubo cônico, enrolado como a concha de um caracol, com o interior dividido em três compartimentos cheios de líquido: o canal vestibular, o duto coclear e o canal timpânico. No duto coclear localiza-se o órgão espiral, ou órgão de Corti, que contém os fonorreceptores, células sensoriais cujos cílios ficam em contato com uma estrutura membranosa chamada membrana tectórica.

A vibração do osso estribo é transmitida ao líquido coclear, que faz os cílios das células fonorreceptoras do órgão espiral roçarem a membrana tectórica, gerando impulsos nervosos. Estes são conduzidos pelo nervo auditivo ao centro de audição do córtex cerebral, que os interpreta como sensações auditivas. (Fig. 34.10)

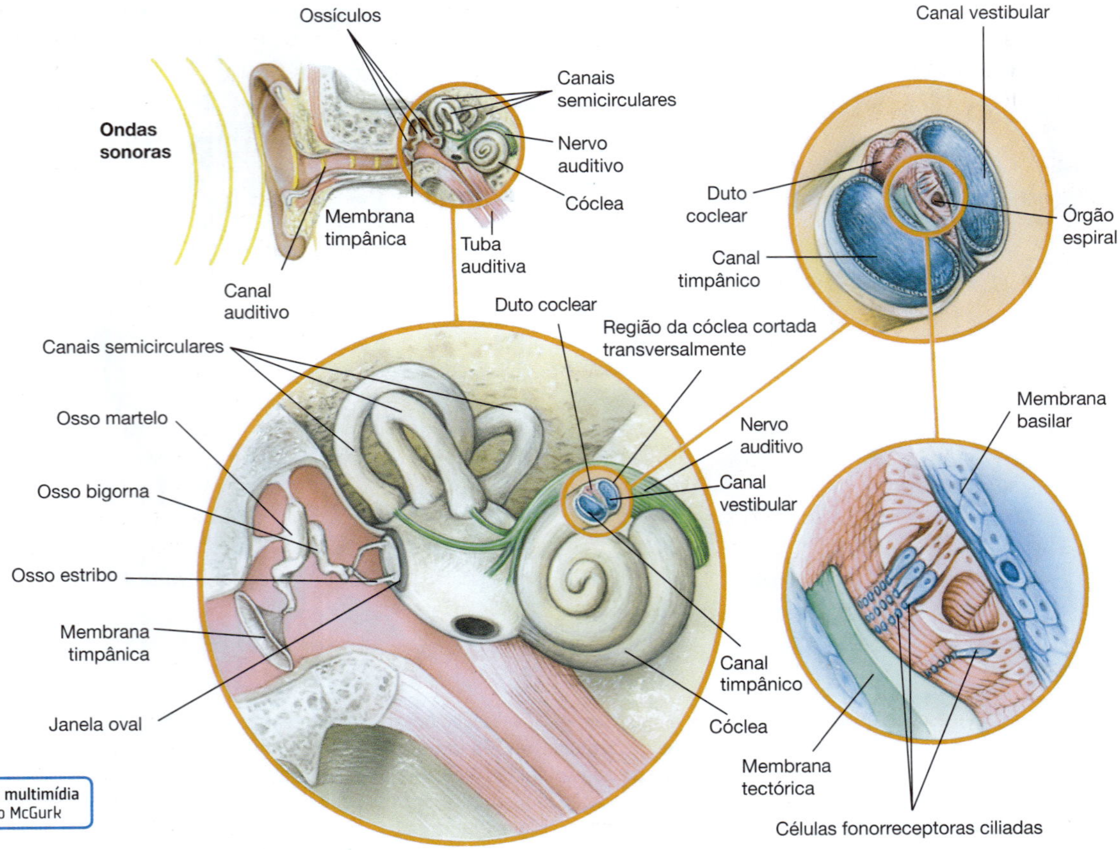

Conteúdo multimídia
O efeito McGurk

Figura 34.10 Representação esquemática da orelha humana mostrando sua organização interna em ampliações sucessivas. (Elementos fora de proporção de tamanho entre si; cores-fantasia.)

O sentido de equilíbrio

O **sáculo** e o **utrículo** são duas bolsas cheias de líquido localizadas sobre a cóclea. Em suas paredes internas estão presentes diversas **máculas**, estruturas formadas por células sensoriais ciliadas sobre as quais ficam pequenos grãos de carbonato de cálcio, os otólitos ou estatocônios. As várias máculas têm diferentes graus de inclinação em relação ao nosso corpo, de modo que, quando uma delas está em posição horizontal, outras estão em posição vertical ou inclinada.

Mudanças na posição da cabeça levam ao deslocamento dos otólitos por ação da gravidade, o que estimula os cílios das células sensoriais das máculas. No cérebro, os impulsos nervosos gerados pelas diferentes máculas são comparados, permitindo determinar a orientação da cabeça em relação à força gravitacional. Assim, podemos perceber nossa posição no espaço e a velocidade em que nos deslocamos.

Os **canais semicirculares** são três tubos curvos e cheios de líquido localizados sobre o utrículo. A base de cada um deles apresenta uma dilatação, a ampola, na qual há um aglomerado de células sensoriais ciliadas revestidas por uma massa gelatinosa. Quando movimentamos a cabeça, o deslocamento do líquido sobre os cílios das células sensoriais as estimula, gerando impulsos nervosos que são transmitidos ao encéfalo.

Para manter o equilíbrio do corpo, o cérebro interpreta informações enviadas pela orelha interna. Além disso, ele calcula as posições relativas do pescoço, das pernas e dos braços, o que é feito de acordo com dados transmitidos pelos **proprioceptores**, receptores sensoriais localizados nos músculos, nos tendões e em órgãos internos. Os olhos também participam do sentido de equilíbrio, informando ao cérebro a posição do corpo por meio das imagens captadas do ambiente.

Visão

Os órgãos responsáveis pela visão são os **bulbos dos olhos**, ou bulbos oculares, popularmente chamados de olhos. Eles são duas bolsas membranosas repletas de líquido, embutidas em cavidades ósseas do crânio, as órbitas oculares. Nos bulbos oculares há células sensoriais especializadas na captação de estímulos luminosos, os **fotorreceptores**.

Cada bulbo do olho movimenta-se dentro de sua órbita graças a três pares de músculos em forma de cinta, fixados ao globo ocular. Esse movimento é limitado pelo nervo óptico, um feixe de fibras nervosas que parte do interior do bulbo do olho em direção ao encéfalo, passando por uma abertura no osso da órbita ocular.

Os bulbos dos olhos são revestidos por uma membrana transparente e dotada de finíssimos vasos sanguíneos, a **conjuntiva**, que se estende pela superfície interna das pálpebras. Sob a conjuntiva há a parede do bulbo ocular, formada por três camadas de tecido: esclera, corioide e retina.

A **esclera** é a camada mais externa, constituída por um tecido conjuntivo resistente, que mantém a forma esférica do bulbo ocular e serve de ponto de ligação para os músculos responsáveis por sua movimentação.

Na parte anterior do bulbo ocular, ela apresenta uma área transparente à luz e com maior curvatura: a córnea. Imediatamente abaixo da córnea há uma câmara preenchida por um líquido transparente, o **humor aquoso**.

A **corioide**, localizada imediatamente abaixo da esclera, é uma película pigmentada rica em vasos sanguíneos que nutrem e oxigenam as células do olho. Sob a córnea, a corioide forma a **íris**, o disco colorido do olho, em cujo centro há um orifício, a **pupila**, por onde a luz penetra no globo ocular. Os movimentos de abertura e fechamento da íris estão a cargo de delicados músculos controlados pelo sistema nervoso autônomo, que ajustam a abertura da pupila de acordo com a luminosidade do ambiente.

Atrás da íris localiza-se a **lente** (antigamente chamada cristalino), uma estrutura proteica com forma biconvexa. Sua curvatura pode ser modificada pela ação dos músculos ligados a ela (músculos ciliares), de modo a focalizar a imagem corretamente sobre o fundo do olho. Atrás da lente há uma grande câmara preenchida por um líquido viscoso e transparente, o **corpo vítreo**.

A camada que reveste internamente a câmara ocular é a **retina**, na qual há dois tipos de células fotorreceptoras: os **bastonetes**, incapazes de distinguir as cores, e os **cones**, menos sensíveis à luz, mas com capacidade de discriminar diferentes comprimentos de onda, o que possibilita a visão em cores. Em ambientes pouco iluminados, apenas os bastonetes são estimulados; é por isso que, na penumbra, vemos razoavelmente bem os objetos, mas não distinguimos suas cores; à medida que a luminosidade aumenta, os cones são ativados e as cores tornam-se visíveis. (Fig. 34.11)

Quando uma molécula fotossensível (pigmento) de um cone ou de um bastonete é excitada pela luz, sua estrutura se modifica, desencadeando uma série de reações químicas na célula. Essas reações alteram a permeabilidade da membrana plasmática, gerando impulsos nervosos que, depois de transmitidos para outras células da retina, são conduzidos por fibras nervosas até o centro visual do córtex cerebral.

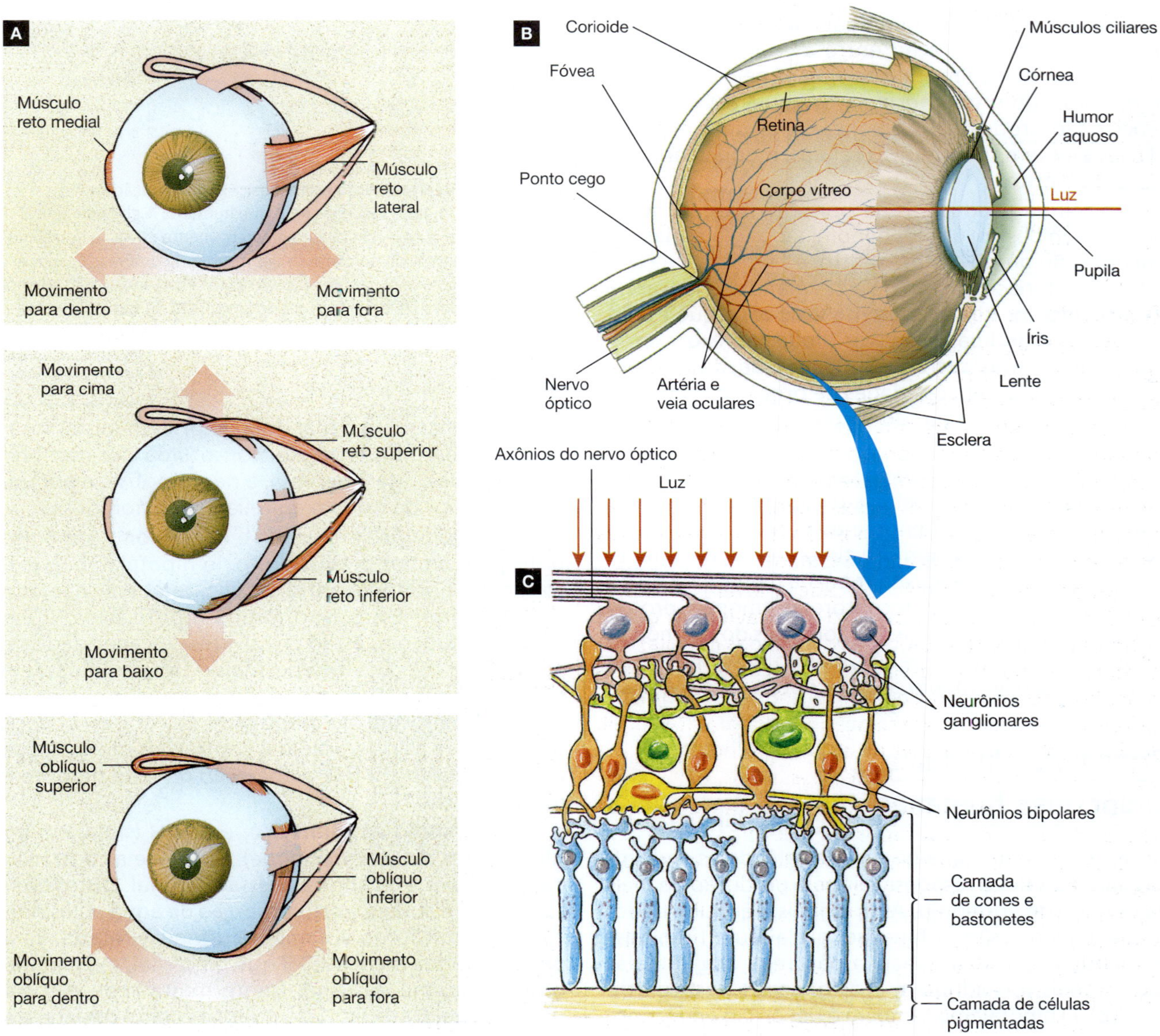

Figura 34.11 Representações esquemáticas do olho humano e de suas partes. **A.** Músculos responsáveis pela movimentação do bulbo do olho esquerdo. **B.** Olho humano em corte mostrando sua estrutura interna. **C.** Estrutura microscópica da retina. (Elementos fora de proporção de tamanho entre si; cores-fantasia.)

Tato

O sentido do tato localiza-se em praticamente toda a superfície do corpo, sendo constituído pelos **mecanorreceptores**, células capazes de perceber variações de pressão aplicada sobre a pele.

Regiões mais sensíveis do corpo, como as pontas dos dedos, a palma das mãos e os lábios, entre outras, apresentam grande densidade de corpúsculos de Meissner e discos de Merkel, estruturas especializadas na detecção de toques leves. Há também os corpúsculos de Paccini, que são extremidades de fibras nervosas envoltas por camadas de células. Eles se localizam em regiões mais profundas da pele e percebem pressões fortes e vibrações. Além disso, há também terminações de neurônios associadas a folículos pilosos, que são estimuladas quando os pelos se dobram.

34.3 Sistema endócrino

Boa parte do funcionamento do corpo humano depende da comunicação entre as células por meio de mensageiros químicos que viajam pelo sangue: os **hormônios** (do grego *hórmon*, estimular). Essas substâncias são produzidas e liberadas por determinadas células e atuam sobre outras células, modificando seu funcionamento.

As células produtoras de hormônios estão geralmente reunidas em órgãos denominados **glândulas endócrinas** (do grego *endos*, dentro, e *krynos*, secreção). O termo refere-se ao fato de essas glândulas lançarem seus hormônios diretamente no sangue, o que as distingue das glândulas exócrinas (do grego *exos*, fora), que lançam suas secreções através de dutos para fora do corpo ou em cavidades de órgãos. O conjunto de glândulas endócrinas do corpo humano constitui o **sistema endócrino**.

Um hormônio liberado no sangue, apesar de atingir praticamente todas as células do corpo, atua apenas sobre algumas delas, denominadas "células-alvo" do hormônio. Cada hormônio estimula especificamente suas células-alvo, que apresentam, na membrana ou no citoplasma, os chamados receptores hormonais, proteínas capazes de se combinar às moléculas do hormônio. A estimulação ocorre apenas quando há combinação correta entre o hormônio e seu receptor na célula-alvo.

Principais glândulas endócrinas humanas

Na espécie humana há diversas glândulas endócrinas, algumas delas responsáveis pela produção de mais de um tipo de hormônio. As principais glândulas endócrinas humanas são: a hipófise, a glândula tireóidea, as glândulas paratireóideas, o pâncreas, as glândulas suprarrenais (ou adrenais) e as gônadas (testículos e ovários). O hipotálamo também é um órgão endócrino, uma vez que produz diversos hormônios, alguns dos quais controlam o funcionamento da glândula hipófise. (Fig. 34.12)

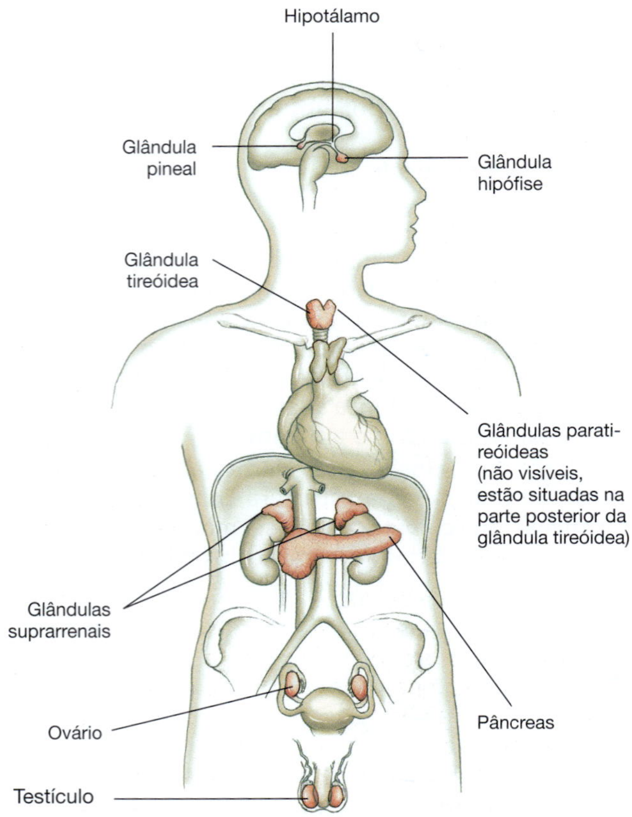

Figura 34.12 Representação esquemática da localização das principais glândulas endócrinas no corpo humano. A glândula pineal sintetiza, entre outras substâncias biologicamente ativas, o hormônio melatonina, envolvido no controle das respostas corpóreas ligadas à regulação do sono e à manutenção do ritmo circadiano, nosso relógio biológico corporal. (Elementos fora de proporção de tamanho entre si; cores-fantasia.)

Conteúdo multimídia
Hormônios

Hipófise

A **hipófise** é uma glândula de origem mista, localizada na base do encéfalo, constituída por um lobo posterior de origem nervosa, a neuroipófise, e por um lobo anterior de origem epitelial, a adenoipófise.

A **neuroipófise** armazena e libera dois hormônios principais, ambos produzidos pelo hipotálamo: a oxitocina e o hormônio antidiurético, também chamado vasopressina. Esses hormônios hipofisários, além de outras funções, estão envolvidos na capacidade de estabelecer relações interpessoais e afetivas, daí serem chamados por alguns especialistas de "hormônios do amor". A **oxitocina** (do grego *okys*, rápido), ou ocitocina, promove a aceleração das contrações uterinas que levam ao parto e induz a liberação do leite durante a amamentação.

O **hormônio antidiurético**, ou **ADH** (sigla, em inglês, de ***anti*d*iuretic* *h*ormone**), promove a contração das arteríolas, elevando a pressão arterial. Outro efeito do ADH é aumentar a reabsorção de água pelos rins, com diminuição do volume de urina excretada. Se a pessoa produz menos ADH que o normal, ela elimina grande volume de urina, sente muita sede e corre risco de desidratação. Esse quadro clínico caracteriza o **diabetes insípido**, que não deve ser confundido com o diabetes melito, que será estudado mais adiante neste capítulo. (Fig. 34.13)

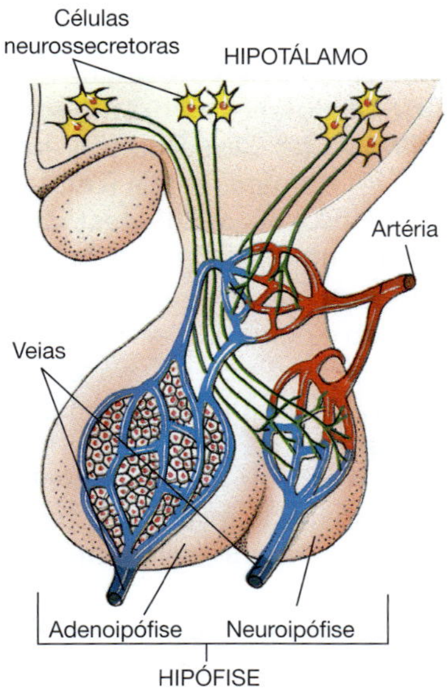

Figura 34.13 Representação esquemática da relação entre o hipotálamo e a hipófise; células neurossecretoras são neurônios que secretam hormônios. (Elementos fora de proporção de tamanho entre si; cores-fantasia.)

A **adenoipófise** produz e libera no sangue diversos hormônios, entre eles os categorizados como **hormônios tróficos** (do grego *trofos*, nutrir, alimentar), que estimulam o funcionamento de outras glândulas endócrinas. Os principais hormônios tróficos produzidos pela adenoipófise são: o **hormônio tireotrófico** (TSH), que regula a atividade da glândula tireóidea; o **hormônio adrenocorticotrófico** (ACTH), que regula a atividade da região mais externa (córtex) da glândula suprarrenal; os hormônios **folículo-estimulante** (FSH) e **luteinizante** (LH), que atuam sobre as gônadas (testículos e ovários). Além dos hormônios tróficos, a adenoipófise secreta a somatotrofina e a prolactina.

A **somatotrofina**, ou hormônio de crescimento, promove o crescimento das cartilagens e dos ossos, determinando o aumento do tamanho corporal. Uma quantidade excessiva desse hormônio na fase jovem da vida provoca o gigantismo, enquanto sua deficiência causa o nanismo.

A **prolactina** atua sobre os ovários, promovendo a secreção de progesterona. Além disso, estimula a produção de leite pelas mulheres em fase de lactação; nos homens, sua função ainda é desconhecida.

Glândula tireóidea

A **glândula tireóidea**, ou tireoide, localiza-se no pescoço, logo abaixo das cartilagens da laringe, sobre a porção inicial da traqueia. Os principais hormônios tireoideanos são a **tri-iodotironina**, a **tiroxina** e a **calcitonina**. (Fig. 34.14)

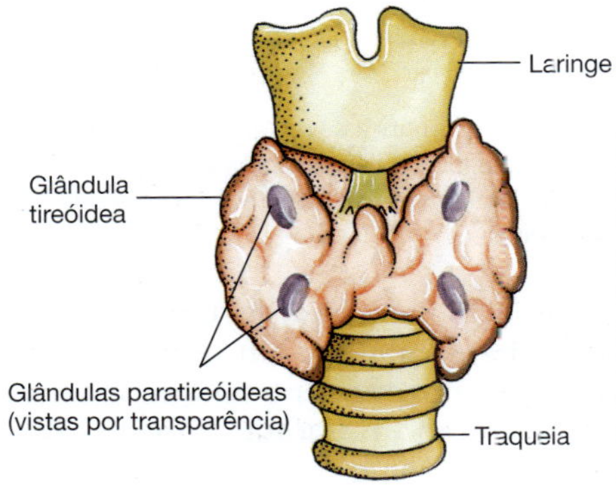

Figura 34.14 Representação esquemática da glândula tireóidea e das glândulas paratireóideas. (Elementos fora de proporção de tamanho entre si; cores-fantasia.)

A glândula tireóidea desempenha papel fundamental na homeostase do organismo humano. Os hormônios tireoidianos ajudam a manter normais a pressão sanguínea, o ritmo cardíaco, o tônus muscular e as funções sexuais.

Além disso, a tiroxina e a tri-iodotironina atuam sobre o conjunto de células do corpo, aumentando sua atividade metabólica. Em excesso, esses hormônios podem causar o **hipertireoidismo**, estado caracterizado por temperatura corporal elevada, sudorese intensa, perda de peso, irritabilidade e pressão sanguínea alta. Casos graves de hipertireoidismo levam ao **bócio exoftálmico**, com crescimento anormal da glândula tireóidea e formação de um inchaço no pescoço – bócio, ou "papo" –, além de projeção do globo ocular, a exoftalmia, que torna os olhos salientes.

Se a produção de hormônios tireoidianos for inferior à normal, pode ocorrer o **hipotireoidismo**, caracterizado pela queda generalizada na atividade metabólica, com diminuição da temperatura e da pressão sanguínea, ressecamento da pele etc.; a pessoa afetada se torna apática e tende a engordar. Se a deficiência no funcionamento da glândula tireóidea ocorrer durante a vida fetal ou no início da infância, o resultado será um retardamento do crescimento dos ossos da criança, muitas vezes acompanhado por deficiência mental, condição conhecida como **cretinismo**.

A falta de iodo na alimentação humana pode desencadear um mecanismo de compensação, em que a capacidade de absorção de iodo é aumentada pelo crescimento anormal da glândula tireóidea. O resultado é um inchaço no pescoço, típico do quadro clínico denominado **bócio carencial**. No Brasil, a adição obrigatória de iodo ao sal de cozinha fez com que o bócio carencial deixasse de ser uma enfermidade endêmica; antes disso, certas populações do interior eram afetadas cronicamente. Em abril de 2013, o governo brasileiro aprovou a resolução que determina a redução do teor de iodo obrigatoriamente acrescentado ao sal, uma vez que pesquisas apontaram o aumento do nível de iodo no organismo das pessoas. Há, entretanto, os que defendem a manutenção dos índices de iodo acrescidos ao sal de cozinha, argumentando que o aumento da concentração desse elemento químico se deve ao consumo exagerado de sal pela população. (Fig. 34.15)

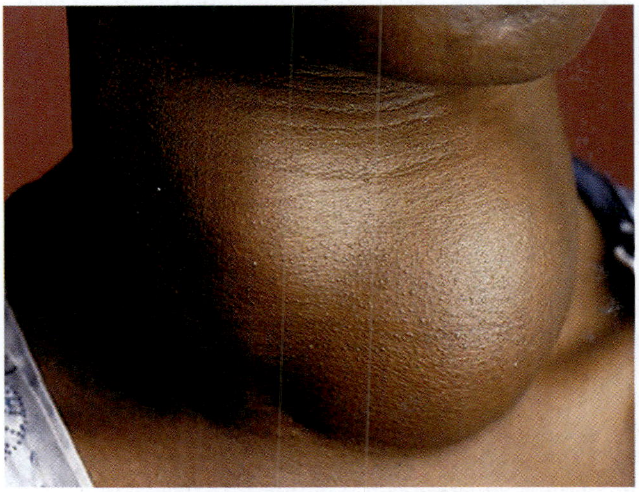

MEDICIMAGE/DIOMEDIA

Figura 34.15 Paciente com quadro clínico de bócio carencial.

O hormônio calcitonina atua diminuindo a quantidade de cálcio no sangue. Ele age em conjunto com o hormônio das glândulas paratireóideas, regulando a concentração normal de cálcio no sangue, como veremos a seguir.

Glândulas paratireóideas

As glândulas paratireóideas, ou paratireoides, são em número de quatro e estão aderidas à parte posterior da glândula tireoideia, daí sua denominação. Elas produzem paratormônio, hormônio que atua aumentando o nível de cálcio no sangue.

A ação conjunta dos hormônios calcitonina e paratormônio, em um mecanismo conhecido como *feedback* negativo, regula a concentração normal de cálcio, em torno de 9 mg a 11 mg por 100 mL de sangue. Quando essa concentração diminui, as glândulas paratireóideas são estimuladas a secretar paratormônio, que induz a liberação de cálcio dos ossos e aumenta a reabsorção desse elemento químico contido na urina inicial. O paratormônio estimula também a absorção intestinal de cálcio por meio da ativação da vitamina D. Essas ações conjuntas levam ao aumento do nível de cálcio no sangue.

Esse aumento, por sua vez, estimula a glândula tireóidea a secretar o hormônio calcitonina, cujos efeitos são inversos aos do paratormônio. A calcitonina aumenta a deposição de cálcio nos ossos, reduz a absorção desse elemento pelo intestino e diminui sua reabsorção pelos túbulos renais. Essas ações levam à diminuição do nível de cálcio no sangue. (Fig. 34.16)

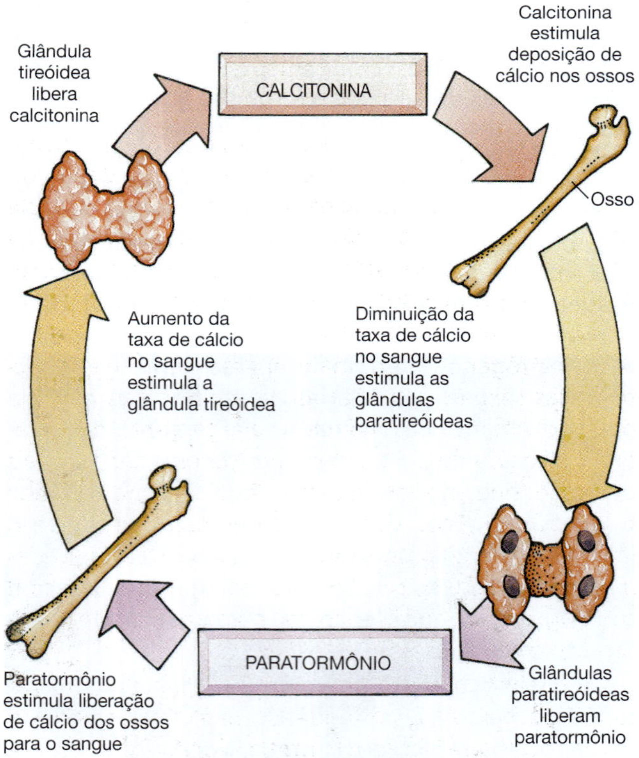

Figura 34.16 Representação esquemática da ação dos hormônios calcitonina e paratormônio na manutenção do nível normal de cálcio no sangue. (Elementos fora de proporção de tamanho entre si; cores-fantasia.)

Pâncreas

A parte endócrina do **pâncreas** é constituída por centenas de aglomerados celulares denominados **ilhotas pancreáticas**, ou ilhotas de Langerhans. Cerca de 70% das células de uma ilhota pancreática (células-beta) produzem o hormônio insulina; as 30% restantes (células-alfa) produzem o hormônio glucagon.

A insulina facilita a absorção de glicose pelos músculos esqueléticos, pelo fígado e pelas células do tecido gorduroso, levando à diminuição da concentração da glicose circulante no sangue. Nas células musculares e hepáticas, milhares de moléculas de glicose unem-se quimicamente para formar moléculas de glicogênio. O glucagon tem efeito inverso ao da insulina, estimulando a quebra de glicogênio no fígado, com aumento do nível de glicose no sangue.

A ação conjunta dos dois hormônios pancreáticos é responsável pela manutenção do nível sanguíneo normal de glicose, a chamada normoglicemia, em torno de 90 mg de glicose por 100 mL de sangue.

Após uma refeição, a concentração de glicose no sangue aumenta devido à absorção de açúcar pelas células intestinais. O aumento da glicemia estimula a secreção de insulina, que leva ao aumento da absorção de glicose pelas células corporais, com diminuição da concentração desse açúcar no sangue. Se a pessoa passa muitas horas sem se alimentar, a concentração de glicose em seu sangue diminui muito e o pâncreas é estimulado a secretar glucagon, que induz o fígado a converter glicogênio em glicose e a liberar esse açúcar na corrente sanguínea. (Fig. 34.17)

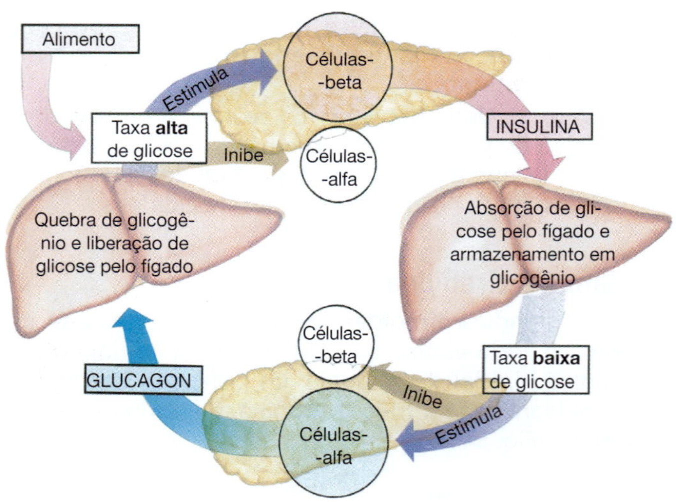

Figura 34.17 Representação esquemática da regulação da concentração de glicose no sangue pela ação combinada dos hormônios insulina e glucagon. (Elementos fora de proporção de tamanho entre si; cores-fantasia.)

A insulina está relacionada ao distúrbio hormonal conhecido como diabetes melito, em que a pessoa apresenta taxas elevadas de glicose no sangue, a ponto de esse açúcar ser excretado na urina. A pessoa diabética elimina grande volume de urina, pois a glicose aumentada no filtrado glomerular causa diminuição na reabsorção de água pelos túbulos renais. Além disso, a pessoa diabética degrada mais gorduras e proteínas para obter energia, o que pode causar emagrecimento e fraqueza.

Há dois tipos de diabetes melito: tipo I, ou diabetes juvenil; e tipo II, ou diabetes tardio. O diabetes tipo I, ou insulino-dependente, desenvolve-se antes dos 40 anos de idade e é causado pela redução acentuada de células-beta do pâncreas, com deficiência da produção de insulina. Esse tipo de diabetes afeta cerca de 10% dos diabéticos, que necessitam receber injeções de insulina diariamente.

No diabetes tipo II, que geralmente se desenvolve após os 30 anos de idade, a pessoa apresenta níveis praticamente normais de insulina no sangue, mas sofre redução do número de receptores desse hormônio nas membranas de suas células musculares e adiposas. Com isso, diminui a capacidade dessas células de absorver glicose do sangue.

Glândulas suprarrenais

As **glândulas suprarrenais**, ou adrenais, localizam-se sobre os rins, daí sua denominação. Elas são constituídas por dois tecidos secretores distintos: um deles compõe a medula da glândula, enquanto o outro forma o córtex, sua porção mais externa. (Fig. 34.18)

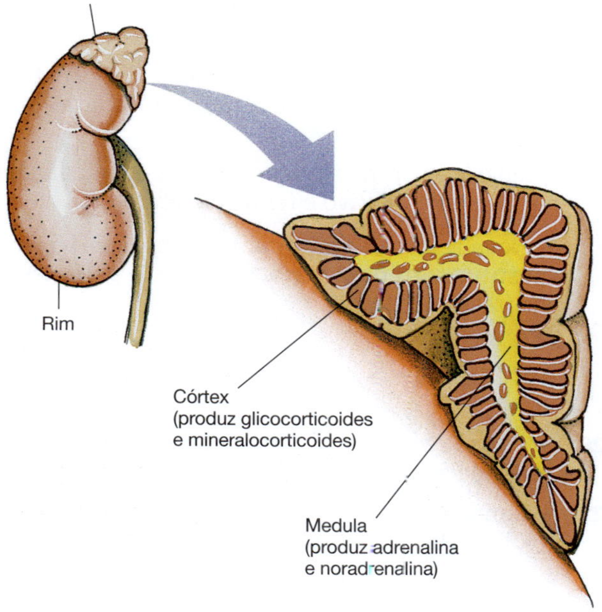

Figura 34.18 Representações esquemáticas da glândula suprarrenal: à esquerda, sua posição em relação ao rim; à direita, em corte, mostrando o córtex e a medula. (Elementos fora de proporção de tamanho entre si; cores-fantasia.)

A **medula suprarrenal** produz dois hormônios principais: a adrenalina, ou epinefrina, e a noradrenalina, ou norepinefrina. A **adrenalina**, liberada em situações de estresse – susto, grande emoção, situações de perigo etc. –, induz a contração dos vasos sanguíneos da pele e consequente palidez. O sangue concentra-se nos músculos e nos órgãos internos, preparando o organismo para uma resposta vigorosa; ocorrem também taquicardia (aumento do ritmo cardíaco), aumento da pressão arterial e maior excitabilidade do sistema nervoso. As alterações metabólicas desencadeadas pela adrenalina preparam o organismo para responder rapidamente a uma situação de emergência.

A **noradrenalina** é liberada em doses mais ou menos constantes pela medula adrenal, independentemente da liberação de adrenalina. Sua principal função é manter os níveis normais da pressão sanguínea.

Os hormônios do **córtex da suprarrenal** pertencem ao grupo dos **esteroides**, sendo conhecidos genericamente como corticosteroides, ou corticoides. Alguns deles, os **glicocorticoides**, atuam na transformação de proteínas e gorduras em glicose, disponibilizando maior quantidade desse açúcar para ser usada como combustível, em casos de resposta a uma situação estressante.

O principal glicocorticoide é o **cortisol**, também conhecido como hidrocortisona. Além de seus efeitos no metabolismo da glicose, a hidrocortisona diminui a permeabilidade dos capilares sanguíneos. Devido a essa propriedade, ela é utilizada no tratamento das inflamações, como as provocadas por processos alérgicos. Entretanto, o uso prolongado de hidrocortisona pode deprimir o sistema de defesa corporal, tornando o organismo mais suscetível a infecções.

Outro grupo de corticosteroides — os **mineralocorticoides** — regula o balanço de água e de sais no organismo. A aldosterona, por exemplo, atua na regulação da excreção de íons de sódio pelos rins.

Gônadas

As **gônadas** (testículos e ovários) produzem hormônios sexuais que afetam o crescimento e o desenvolvimento do corpo, participando também do controle do ciclo reprodutivo e do comportamento sexual. Os principais hormônios sexuais são o estrógeno e a progesterona, produzidos pelos ovários, e a testosterona, produzida pelos testículos.

O **estrógeno** determina o aparecimento das características sexuais secundárias da mulher, tais como o desenvolvimento das mamas, o alargamento dos quadris e o acúmulo de gordura em determinados locais do corpo (que arredonda as formas). Ele também induz o amadurecimento dos órgãos genitais e promove o impulso sexual. A **progesterona** tem importância fundamental no processo reprodutivo, pois, juntamente com o estrógeno, atua na preparação da parede uterina para receber o embrião.

A **testosterona** é responsável pelo aparecimento das características sexuais secundárias masculinas, tais como barba, o espessamento das pregas vocais (que torna a voz mais grave) e um maior desenvolvimento da musculatura em relação às mulheres. Esse hormônio também induz o amadurecimento dos órgãos genitais e promove o impulso sexual.

Visão do especialista

Biblioteca do estudante
Faça você mesmo!

Revendo conceitos fundamentais

Escreva, em seu caderno, o termo abaixo que substitui corretamente a tarja entre parênteses das frases de 1 a 5.

a) axônio
b) dendrito
c) estrato mielínico
d) gliócito
e) neurônio

1. A célula especializada na condução de impulsos nervosos no corpo é o (▬).

2. O prolongamento da célula nervosa que conduz o impulso nervoso para longe do corpo celular e o transmite para outra célula é chamado (▬).

3. O (▬) é um prolongamento de uma célula nervosa, em geral bastante ramificado, que conduz o impulso nervoso em direção ao corpo celular.

4. O (▬) é um componente do sistema nervoso com função de sustentar, proteger, nutrir e auxiliar o funcionamento das células especializadas na condução de impulsos nervosos.

5. As camadas de membrana de certas células gliais, que revestem os prolongamentos de determinados tipos de neurônio, constituem o (▬).

Escreva, em seu caderno, o termo abaixo que substitui corretamente a tarja entre parênteses das frases de 6 a 10.

a) impulso nervoso
b) neurotransmissor
c) potencial de ação
d) potencial de repouso
e) sinapse nervosa

6. O(A) (▬) é uma alteração brusca na carga elétrica das superfícies interna e externa da membrana plasmática, causada por um estímulo de natureza e de intensidade adequadas.

7. O(A) (▬) é o espaço entre a terminação de um axônio e a membrana de uma célula vizinha, através do qual o impulso nervoso é transmitido por meio de mediadores químicos.

8. A propagação de uma alteração de cargas elétricas ao longo da membrana plasmática de um neurônio é chamada (▬).

9. O(A) (▬) é a diferença de cargas elétricas entre as superfícies interna e externa da membrana plasmática de um neurônio que não está sendo estimulado.

10. O(A) (▬) é uma substância que, liberada pela extremidade de um axônio, pode estimular uma célula nervosa ou uma célula muscular.

Escreva, em seu caderno, o termo abaixo que substitui corretamente a tarja entre parênteses das frases 11 e 12.

a) encéfalo
b) gânglio nervoso
c) medula espinal
d) nervo
e) sistema nervoso

11. O(A) (▬) é um filamento formado por fibras nervosas envoltas por tecido conjuntivo, que se projeta do sistema nervoso central.

12. O(A) (▬) é um pequeno aglomerado de corpos celulares de neurônios localizados fora do sistema nervoso central, que forma uma dilatação em certos feixes de fibras nervosas.

Escreva, em seu caderno, o termo abaixo que substitui corretamente a tarja entre parênteses das frases de 13 a 15.

a) epitélio olfatório
b) orelha
c) papila gustatória

13. O(A) (▬) é o nome de cada um dos agrupamentos de células sensoriais presentes na língua, cujos estímulos são interpretados no cérebro como sabores.

14. O(A) (▬) é um tecido presente no teto da cavidade nasal, cujas células são estimuláveis por substâncias químicas presentes no ar.

15. O órgão responsável pela captação de estímulos sonoros e pelo equilíbrio do corpo é o(a) (▬).

Escreva, em seu caderno, o termo abaixo que substitui corretamente a tarja entre parênteses das frases de 16 a 19.

a) membrana timpânica
b) orelha externa
c) orelha interna
d) orelha média

16. O canal que parte do pavilhão auditivo e termina no tímpano é chamado (▬).

17. (▬) é a porção do canal auditivo onde se localizam os ossículos martelo, bigorna e estribo.

18. O complexo labirinto-membranoso que constitui a porção interna de nosso órgão de audição e equilíbrio é chamado (▬).

19. A separação entre a porção externa e mediana de nosso órgão auditivo é feita pelo(a) (▬).

Escreva, em seu caderno, o termo abaixo que substitui corretamente a tarja entre parênteses das frases de 20 a 24.

a) córnea
b) íris
c) lente
d) pupila
e) retina

20. A abertura regulável do disco pigmentado do olho, por onde a luz penetra, é chamada (▬).

21. A camada mais interna do olho, constituída por células estimuláveis pela luz, é chamada (▬).

22. A (▬) é o componente que ajusta a focalização da imagem sobre a superfície interna do olho.

23. A (▬) é a camada celular transparente localizada na porção anterior do globo ocular.

24. O disco pigmentado (colorido) do olho é chamado (▬).

25. Que nome recebe o conjunto de células que elimina, no sangue, determinadas substâncias que modificam o funcionamento de outras células do corpo?

a) Aparelho.
b) Glândula endócrina.
c) Glândula exócrina.
d) Órgão.

26. Que nome é dado a uma substância química produzida por células especializadas e que, através da circulação, atinge outras células do corpo modificando seu funcionamento?
a) Hormônio.
b) Neurotransmissor.
c) Receptor.
d) Vitamina.

27. Qual é a glândula endócrina localizada na base do encéfalo, que armazena e libera hormônios produzidos no hipotálamo, além de produzir hormônios que controlam o funcionamento de outras glândulas?
a) Glândula adrenal.
b) Hipófise.
c) Glândula paratireóidea.
d) Glândula tireóidea.

Escreva, em seu caderno, o termo abaixo que substitui corretamente a tarja entre parênteses das frases de 28 a 30.
a) calcitonina
b) progesterona
c) paratormônio
d) testosterona
e) tiroxina

28. O(A) (▬) é um hormônio que contém iodo em sua composição e que estimula a atividade metabólica das células.

29. O(A) (▬) é o nome do hormônio que diminui a taxa de cálcio na circulação sanguínea.

30. Um hormônio que aumenta a taxa de cálcio no sangue é o(a) (▬).

Escreva, em seu caderno, o termo abaixo que substitui corretamente a tarja entre parênteses das frases de 31 a 35.
a) diabetes melito
b) glucagon
c) hipertireoidismo
d) hipotireoidismo
e) insulina

31. Um hormônio que atua diminuindo a concentração de açúcar no sangue é o(a) (▬).

32. O(A) (▬) é uma deficiência de hormônios iodados (tri-iodotironina e tiroxina) devido à qual a pessoa tende a ser pouco ativa, a engordar e a apresentar a pele fria e ressecada.

33. Um sintoma de (▬) é a elevação da taxa de glicose no sangue da pessoa.

34. O(A) (▬) resulta da hiperatividade de uma glândula localizada na região do pescoço e se caracteriza por um aumento generalizado da atividade corporal, que torna a pessoa magra, agitada e com grande apetite.

35. Um hormônio que atua aumentando a concentração de açúcar no sangue é o(a) (▬).

36. O pâncreas, em sua função endócrina, controla a
a) retenção de água no corpo.
b) concentração de cálcio no sangue.
c) concentração de açúcar no sangue.
d) permeabilidade dos capilares sanguíneos.

Ligando conceitos, fatos e processos

37. Considerando que o desenho a seguir representa um neurônio típico, as setas I, II e III indicam quais partes da célula nervosa?

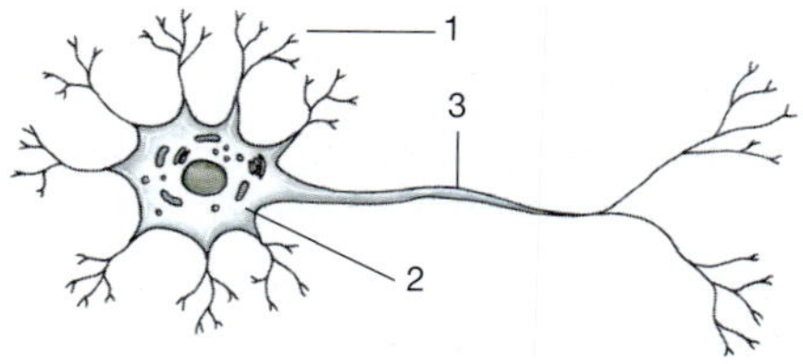

	I	II	III
a)	Axônio	Glânglio nervoso	Dendrito
b)	Axônio	Corpo celular	Dendrito
c)	Dendrito	Glânglio nervoso	Axônio
d)	Dendrito	Corpo celular	Axônio

38. Qual das alternativas apresenta o sentido correto de propagação do impulso nervoso em um neurônio?
a) Axônio → corpo celular → dendrito.
b) Corpo celular → dendrito → axônio.
c) Dendrito → corpo celular → axônio.
d) Dendrito → axônio → corpo celular.

39. Os neurotransmissores são liberados na sinapse quando um impulso nervoso
a) chega à extremidade do axônio.
b) chega ao corpo celular do neurônio.
c) se propaga pelo dendrito.
d) se propaga pela célula muscular.

40. Um axônio proveniente do encéfalo termina em um músculo estriado. Trata-se do sistema nervoso periférico
a) autônomo simpático.
b) autônomo parassimpático.
c) autônomo, simpático ou parassimpático.
d) somático.

41. A função dos ossículos da orelha média é transmitir as vibrações
a) da janela oval para a membrana timpânica.
b) da janela oval para o nervo auditivo.
c) da membrana timpânica para a janela oval.
d) da membrana timpânica para o nervo auditivo.

Para responder às questões 42 e 43, utilize as alternativas a seguir.
a) Canais semicirculares, órgão de Corti e membrana tectórica.
b) Canais semicirculares, sáculo e utrículo.
c) Cóclea, órgão de Corti e membrana tectórica.
d) Sáculo, utrículo e cóclea.

42. Qual das alternativas contém apenas estruturas da orelha interna relacionadas com a audição?

43. Qual das alternativas contém apenas estruturas da orelha interna relacionadas com o equilíbrio?

44. Um raio de luz que penetra no olho passa, na sequência, por:

a) córnea → humor aquoso → pupila → lente → corpo vítreo.

b) córnea → pupila → humor aquoso → lente → corpo vítreo.

c) pupila → córnea → humor aquoso → lente → corpo vítreo.

d) pupila → humor aquoso → córnea → lente → corpo vítreo.

45. Qual é a função da lente do olho?

a) Focalizar as imagens na retina.

b) Focalizar as imagens na córnea.

c) Gerar impulsos nervosos por estimulação luminosa.

d) Gerar impulsos nervosos por estimulação química.

46. Qual é a função da retina?

a) Focalizar as imagens na córnea.

b) Focalizar as imagens na lente.

c) Gerar impulsos nervosos por estimulação luminosa.

d) Gerar impulsos nervosos por estimulação química.

47. Se uma pessoa não tivesse cones em sua retina, mas seus bastonetes fossem normais, ela

a) não enxergaria na penumbra.

b) não veria cores.

c) seria cega.

d) teria visão normal.

Escreva, em seu caderno, o termo abaixo que substitui corretamente a tarja entre parênteses das frases de 48 a 51.

a) insulina

b) somatotrofina

c) tiroxina

d) antidiurético

48. O diabetes insípido é uma enfermidade causada por uma deficiência do hormônio (▬).

49. O nanismo é uma enfermidade causada por uma deficiência do hormônio (▬).

50. O diabetes melito é uma enfermidade causada por uma deficiência do hormônio (▬).

51. O cretinismo é uma enfermidade causada por uma deficiência, na infância, do hormônio (▬).

Questões para exercitar o pensamento

52. Um pesquisador da fisiologia nervosa montou a seguinte experiência: isolou um longo neurônio de um animal, cujo axônio media aproximadamente 3 cm de comprimento. Em condições adequadas, instalou no axônio, perto do corpo celular, um par de microeletrodos conectados a um voltímetro. Instalou outro par de microeletrodos e outro voltímetro a exatamente 2 cm do primeiro, próximo à terminação axônica. Em seguida, aplicou um forte estímulo nos dendritos do neurônio. A situação experimental está representada no esquema a seguir.

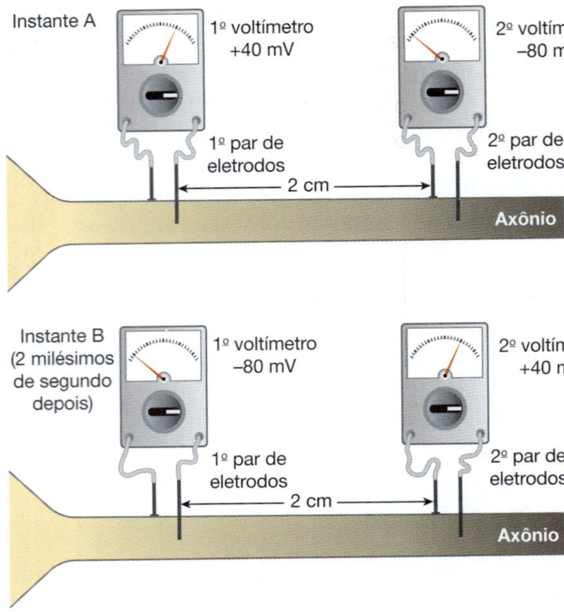

a) Interprete os resultados observados quanto aos potenciais registrados nos voltímetros.

b) Represente a situação das cargas elétricas dentro e fora da membrana do axônio nos instantes A e B.

c) Calcule, com os dados disponíveis, a velocidade, em km/h, de propagação do impulso nervoso nesse neurônio.

53. Em condições normais, os neurotransmissores liberados por um neurônio ligam-se a receptores de outro neurônio para propagar o impulso nervoso. Logo que isso ocorre, enzimas presentes na membrana dos neurônios degradam o neurotransmissor, de modo que cada liberação de neurotransmissor causa apenas um impulso. Certas substâncias usadas em armas químicas, como o fluorfosfato de isopropil, conhecido por "gás nervoso", inibem a ação dessas enzimas, o que faz os neurotransmissores permanecerem na sinapse por muito mais tempo. Com base nessas informações, o que ocorreria a uma pessoa que inalasse o tal gás nervoso?

A Biologia no vestibular e no Enem

Questões objetivas

1. (UFMA) A figura abaixo esquematiza um neurônio, célula do tecido nervoso. Sabe-se que, geralmente, a propagação nervosa é unidirecional.

(Esquema simplificado.)

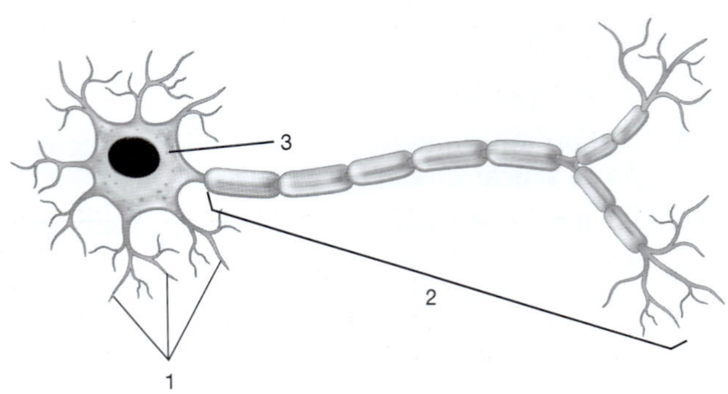

Relacionando a estrutura celular ao número correspondente na figura, qual é o sentido do impulso nervoso?

a) 1 — dendrito → 3 — corpo celular → 2 — axônio.

b) 2 — dendrito → 3 — corpo celular → 1 — axônio.

c) 2 — axônio → 3 — corpo celular → 1 — dendrito.

d) 3 — corpo celular → 1 — dendrito → 2 — axônio.

e) 1 — axônio → 3 — dendrito → 2 — corpo celular.

2. (Unip-SP) Considere os seguintes elementos do sistema nervoso:

I. encéfalo;

II. medula;

III. nervos cranianos;

IV. nervos raquidianos.

O sistema nervoso central (SNC) é constituído por

a) II e III.
b) III e IV.
c) I e II.
d) I e III.
e) II e IV.

3. (Uniube-MG) Quando se estuda o tecido nervoso, é frequente que se mencione a célula de Schwann, que vem a ser

a) um tipo de neurônio sensorial periférico.

b) um tipo de neurônio existente apenas no sistema nervoso central.

c) a célula que circunda o axônio de determinados neurônios.

d) as células nervosas dos artrópodes.

e) os neurônios polidendríticos.

4. (FCC-SP) Considere o seguinte esquema de dois neurônios:

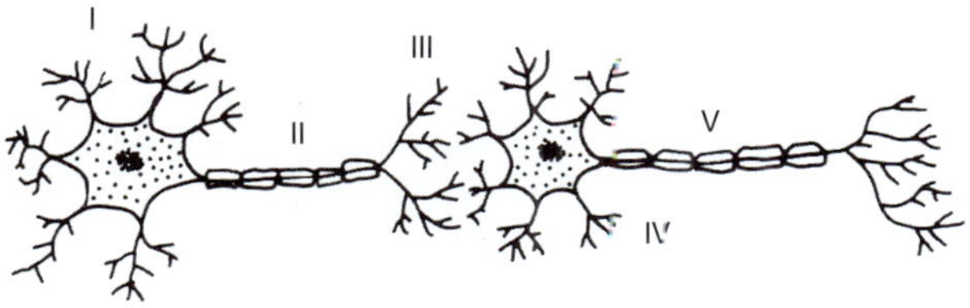

A sinapse está representada em

a) I.
b) II.
c) III.
d) IV.
e) V.

5. (Fazu-MG) A região de encontro entre os neurônios e entre neurônios e órgãos, onde ocorre a transmissão química de impulsos elétricos, é denominada

a) desmossomos.
b) axônio.
c) neuróglia.
d) bainha de mielina.
e) sinapse.

6. (Fuvest-SP) A figura apresenta um arco reflexo: o calor da chama de uma vela provoca a retração do braço e o afastamento da mão da fonte de calor. Imagine duas situações: em A seria seccionada a raiz dorsal do nervo e em B, a raiz ventral.

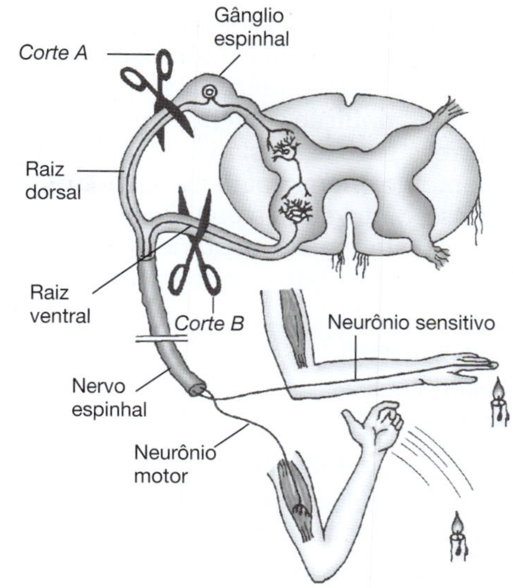

Considere as seguintes possibilidades relacionadas à transmissão dos impulsos nervosos nesse arco reflexo.

I. A pessoa sente a queimadura, mas não afasta a mão da fonte de calor.

II. A pessoa não sente a queimadura e não afasta a mão da fonte de calor.

III. A pessoa não sente a queimadura, mas afasta a mão da fonte de calor.

Quais dessas possibilidades aconteceriam na situação A e na situação B, respectivamente?

	A	B
a)	I	II
b)	I	III
c)	II	I
d)	II	III
e)	III	II

7. (UFRGS-RS) Os animais possuem estruturas que são capazes de perceber alterações ambientais. Quais estruturas detectam alterações de pressão?

a) Quimiorreceptores.
b) Mecanorreceptores.
c) Fotorreceptores.
d) Termorreceptores.
e) Radiorreceptores.

8. (UFPE) Qual alternativa indica um hormônio muito importante para o equilíbrio hídrico no corpo humano, conhecido como "hormônio poupador de água"?

a) A acetilcolina.
b) A timosina.
c) O ADH.
d) A adrenalina.
e) O glucagon.

9. (UEPB) O bócio endêmico é um quadro clínico que decorre da carência de iodo na alimentação. Esta doença ocorre pela hiperplasia da(s) glândula(s)

a) neuroipófise.
b) paratireóideas.
c) suprarrenais.
d) adenoipófise.
e) tireóidea.

10. (UFMT) Em momentos emocionais, a adrenalina aumenta a tensão nos músculos estriados, promove o relaxamento dos músculos lisos e altera a distribuição sanguínea no corpo. O fígado descarrega glicose no sangue, aumentando o suplemento de energia para as células musculares. Tudo isso, junto, eleva a pressão arterial e permite uma resposta mais espontânea. Essas alterações orgânicas acontecem devido à ação da adrenalina, que é produzida

a) pelo pâncreas.
b) pela tireoide.
c) pela paratireoide.
d) pelas suprarrenais.
e) pelos testículos, no homem, e pelos ovários, na mulher.

11. (UFU-MG) Um determinado hormônio, liberado por certa glândula, remove o cálcio da matriz óssea, levando-o ao plasma. O hormônio e a glândula são, respectivamente

a) somatotrófico e hipófise.
b) adrenalina e suprarrenal.
c) paratormônio e paratireoide.
d) insulina e pâncreas.
e) ADH e hipófise.

12. (Fuvest-SP) O gráfico mostra os níveis de glicose no sangue de duas pessoas (A e B), nas cinco horas seguintes, após elas terem ingerido tipos e quantidades semelhantes de alimento. A pessoa A é portadora de um distúrbio hormonal que se manifesta, em geral, após os 40 anos de idade. A pessoa B é saudável.

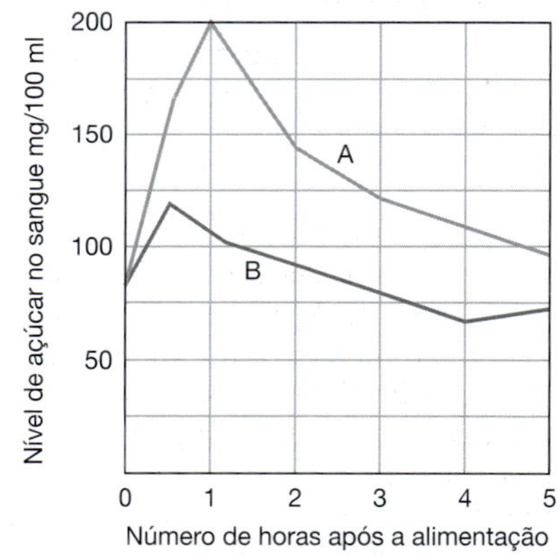

Qual das alternativas indica o hormônio alterado e a glândula produtora desse hormônio?

a) Insulina; pâncreas.
b) Insulina; fígado.
c) Insulina; hipófise.
d) Glucagon; fígado.
e) Glucagon; suprarrenal.

13. (USU-RJ) O diabetes insípido e o diabetes melito são doenças que caracterizam deficiência funcional das seguintes glândulas do sistema endócrino:

a) pâncreas e medula das adrenais.
b) porção posterior da hipófise e paratireoides.
c) porção da neuroipófise e pâncreas.
d) tireoide e suprarrenais.
e) pituitária e paratireoides.

14. (Unifal-MG)

"Suíços produzem confiança engarrafada." (Título de reportagem do jornal *Folha de S.Paulo*, 2 jun. 2005.)

Nos experimentos, os pesquisadores suíços mostraram que numa transação financeira, usando um *spray* nasal com oxitocina em um grupo de investidores, estes passaram a confiar mais nos gerentes, ao contrário daqueles que receberam uma substância inócua. Este hormônio está ligado à criação de elos sociais e à regulação da atividade cerebral, dentre outros, mas ninguém sabia que ele participava de forma tão ativa num processo como a confiança. Em relação à oxitocina, é incorreto afirmar que ela:

a) acelera as contrações uterinas que levam ao parto.
b) promove diretamente a maturação do folículo ovariano.
c) é secretada pela neuroipófise.
d) atua na contração da musculatura lisa das glândulas mamárias.
e) pode ser liberada pelo estímulo de sucção do peito da mãe pelo bebê.

15. (UFG-GO) Um chimpanzé com lesão no cerebelo tem comprometida a sua capacidade de

a) mastigar e engolir os alimentos.
b) equilibrar-se sobre os galhos de árvores.
c) enxergar a fêmea para o acasalamento.
d) ouvir o som dos predadores.
e) sentir o odor dos feromônios.

16. (Mackenzie-SP) O esquema dado representa alguns órgãos que constituem o sistema nervoso central. As funções de controle de coordenação motora e equilíbrio, controle da tireoide e controle dos ritmos cardíaco e respiratório são exercidas, respectivamente, por

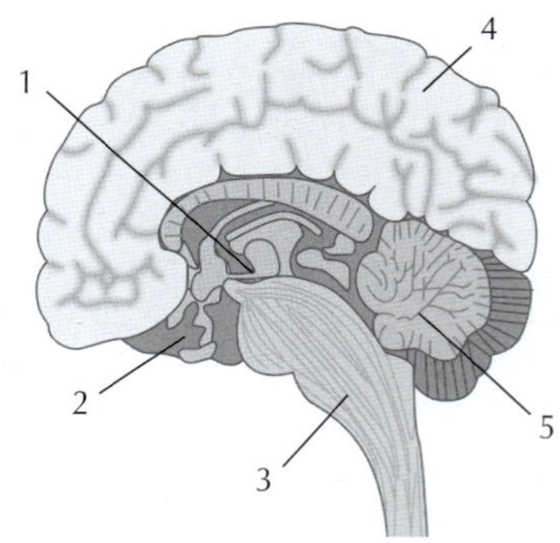

a) 5, 1 e 2.
b) 4, 2 e 4.
c) 3, 1 e 2.
d) 5, 2 e 3.
e) 5, 3 e 4.

17. (UFRGS-RS) O cérebro faz o controle de várias funções do organismo. Do ponto de vista evolutivo, as estruturas mais antigas do cérebro dos vertebrados são responsáveis por

a) controle da memória.
b) processamento visual.
c) controle da atividade esquelética.
d) controle da fala.
e) controle da respiração e circulação.

18. (UFT-TO) A homeostase em animais é mantida por dois sistemas de controle: o neural e o endócrino. Os hormônios exercem efeitos impressionantes nos processos da reprodução, de desenvolvimento e metabólicos. A hipófise é uma glândula endócrina dividida em dois lobos, adenoipófise e neuroipófise, e produz uma série de hormônios que modulam outras glândulas, entre elas, a tireoide. O hormônio (▬▬) produzido pela (▬▬) estimula a tireoide, modulando a secreção dos hormônios (▬▬) e (▬▬) por meio de um refinado mecanismo de controle recíproco, conhecido por retroalimentação. Entre as alternativas a seguir, qual descreve adequadamente a complementação das lacunas acima?

a) TSH, neuroipófise, tireoxina (T4) e triiodotireonina (T3).
b) TSH, adenoipófise, tireoxina (T4) e triiodotireonina (T3).
c) tireoxina (T4), adenoipófise, TSH e triiodotireonina (T3).
d) TSH, adenoipófise, calcitonina e tireoxina (T4).

19. (Unifap) Um jornal local publicou uma matéria na página policial relatando que um assaltante perfurou com a ponta de uma faca o braço de um cidadão e anunciou o assalto. Imediatamente o cidadão afastou o braço ferido e evadiu-se do local. Diante do exposto, qual das afirmativas apresenta o tipo de sistema nervoso que comandou o afastamento instantâneo do braço perfurado; o hormônio que teve sua taxa aumentada devido à situação de perigo e a glândula que o libera?

a) Autônomo: simpático; adrenalina e hipófise.
b) Central: medula; adrenalina e suprarrenal.
c) Central: cérebro; adrenalina e suprarrenal.
d) Central: cérebro: adrenalina e hipófise.
e) Autônomo: parassimpático; adrenalina e hipófise.

Questões discursivas

20. (UFRRJ) Um biólogo, ao estudar um determinado tecido de animais vertebrados, fez algumas descrições de suas observações. É formado por células dotadas de extensos prolongamentos, os quais liberam substâncias químicas que permitem a comunicação entre as células do tecido. Identifique esse tecido e o tipo de célula à qual se referiu o biólogo, justificando como você chegou a essa conclusão.

21. (Fuvest-SP) Diferencie um neurônio de um nervo.

22. (Fuvest-SP) O esquema representa dois neurônios contíguos (I e II), no corpo de um animal, e sua posição em relação a duas estruturas corporais identificadas por X e Y.

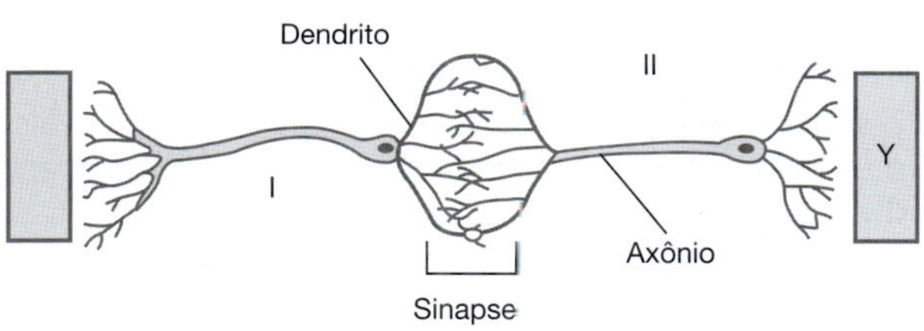

a) Tomando-se as estruturas X e Y como referência, em que sentido se propagam os impulsos nervosos através dos neurônios I e II?
b) Considerando-se que, na sinapse mostrada, não há contato físico entre os dois neurônios, o que permite a transmissão do impulso nervoso entre eles?
c) Explique o mecanismo que garante a transmissão unidirecional do impulso nervoso na sinapse.

23. (Unicamp-SP) A figura abaixo apresenta os resultados obtidos durante um experimento que visou medir o nível de glicose no sangue de uma pessoa saudável após uma refeição rica em carboidratos.

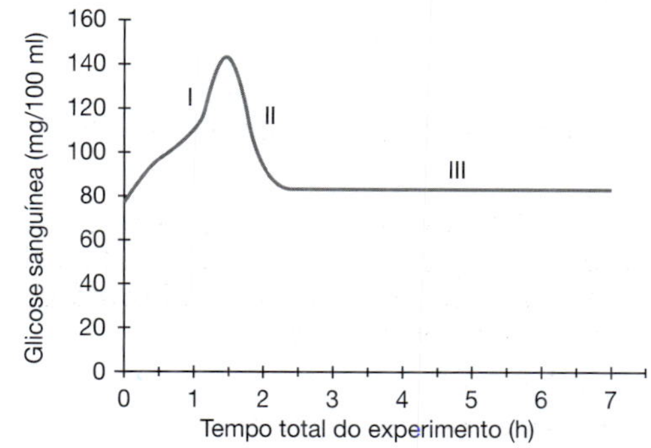

(Adaptado de LUZ, M. R. M. P.; DA POIAN, A. T. *O ensino classificatório do metabolismo humano*. Cienc. cult, v. 57, nº 4, p. 43-45, 2005.)

As dosagens de glicose no sangue foram obtidas a intervalos regulares de 30 minutos.

a) Explique os resultados obtidos nas etapas I e II mostradas na figura.
b) Sabendo-se que a pessoa só foi se alimentar novamente após 7 horas do início do experimento, explique por que na etapa III o nível de glicose no sangue se manteve constante e em dosagens consideradas normais.

24. (Unicamp-SP) O texto a seguir se refere ao relato de um viajante inglês que esteve em Minas Gerais entre 1873 e 1875:

O bócio é muito comum entre os camponeses mais pobres, mas raramente é visto nos fazendeiros mais prósperos. A presença de cal nas águas dos córregos e uma atmosfera úmida são consideradas as causas primárias do mal, mas hábitos indolentes e uma ausência de toda higiente e limpeza, seja na própria pessoa ou na casa, são sem dúvida grandes promotores da doença. Pode ser, e possivelmente é, hereditária, pois está principalmente confinada àqueles nascidos nas áreas afetadas, e os colonos vindos de outras localidades não são muito sujeitos a ela.

Adaptado de WELLS, James W. *Explorando e viajando três mil milhas através do Brasil, do Rio de Janeiro ao Maranhão*. Belo Horizonte: Fundação João Pinheiro, 1995. v. 1.

a) Das causas mencionadas pelo autor, alguma é realmente responsável pelo aparecimento do bócio? Justifique.
b) Qual a consequência do aparecimento do bócio para o organismo?
c) Que medida foi tomada pelos órgãos de saúde brasileiros para combater o bócio endêmico?

Capítulo 35

Revestimento, suporte e movimento do corpo humano

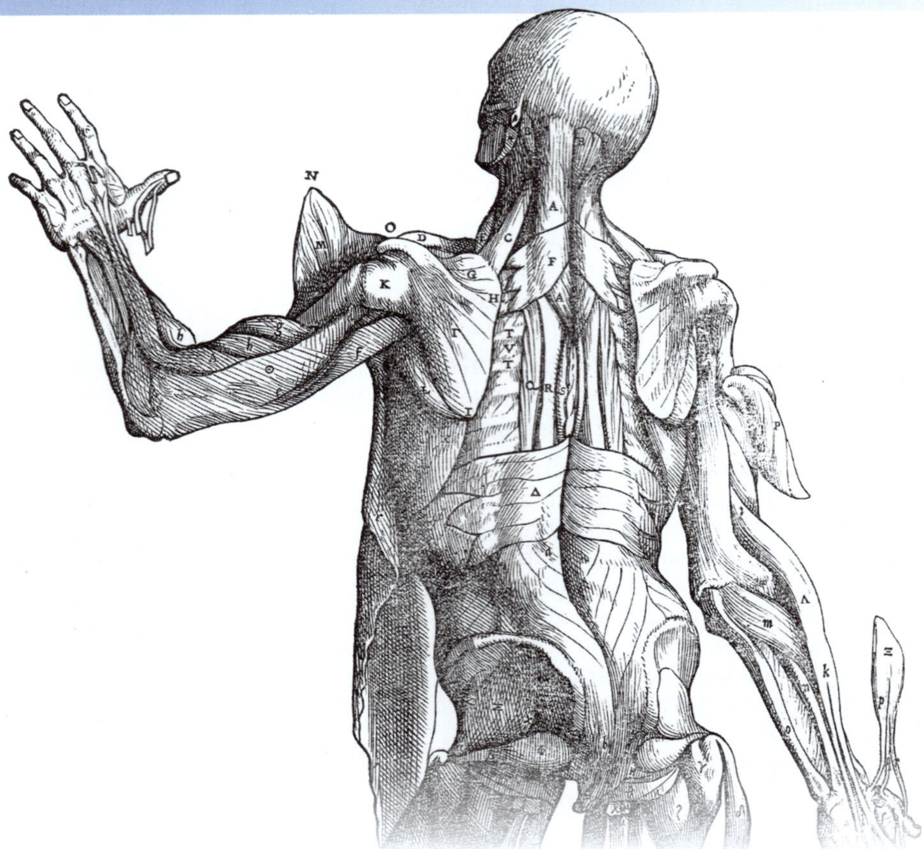

SSPL/GETTY IMAGES

Gravura do livro *De Humani Corporis Fabrica*, publicado em 1543 pelo anatomista belga Andreas Vesalius (1514-1564). Nessa obra, Vesalius apresentou um expressivo conjunto de ilustrações do corpo humano, feitas com base em cadáveres que ele mesmo dissecava. A obra é um marco na história da ciência, pois contestava os textos clássicos, tornando-se uma das mais influentes publicações sobre anatomia humana de todos os tempos.

A importância do trabalho em equipe

Qual sistema é mais importante em nosso corpo? Resposta: todos. Para funcionar com saúde e harmonia, o organismo humano depende igualmente de todos os sistemas, da pele ao sistema nervoso.

É claro que em todo time há "estrelas", como o sistema cardiovascular e o sistema nervoso; além de famosos, eles têm que "mostrar serviço" o tempo todo ou podem causar grandes prejuízos ao organismo. Outros sistemas fazem seu trabalho mais discretamente, como o sistema imunitário, responsável pelas defesas do corpo. Esse sistema mostra toda a sua importância em momentos de crise. O vírus HIV, por exemplo, ao enfraquecer as defesas do corpo, facilita a instalação de infecções que nas pessoas saudáveis passam despercebidas graças ao trabalho dedicado e constante do sistema imunitário.

Uma simples dança com uma pessoa especial para nós envolve todos os sistemas de nosso corpo. Com a emoção do momento, nosso coração se acelera e a respiração se torna mais curta. Podemos começar a transpirar, pois a temperatura corporal aumenta com o movimento e o contato com o parceiro, enviando ao cérebro informações que estimulam a produção de adrenalina. A proximidade com outra pessoa também aguça nosso olfato. A música não apenas nos embala, mas tem o poder de evocar lembranças. E, em meio a tudo isso, ainda conseguimos coordenar nossos passos, aprendidos especialmente para a ocasião!

A dança mobiliza ainda muitos outros mecanismos. Músculos revestem os mais de 200 ossos do esqueleto e, guiados pelo sistema nervoso, executam movimentos precisos e harmoniosos, que nos fazem deslizar suavemente pela pista.

Basta imaginar situações como essas e outras, comuns no dia a dia, para perceber o alto grau de integração necessário para manter nossa vida. Pense nisso ao estudar este capítulo.

A importância do assunto

Neste último capítulo do livro, vamos estudar os sistemas de revestimento, de sustentação esquelética e de movimentação do corpo humano. Com isso se completa o módulo 12, dedicado ao conhecimento dos aspectos básicos de nosso organismo.

Embora cada sistema seja estudado separadamente, devemos ter sempre em mente que os sistemas agem em conjunto, como uma grande equipe, organizada em diversos níveis, das células ao organismo. Compreender o todo a partir dos elementos componentes requer muita reflexão e imaginação para "recompor" aquilo que dissecamos em nossas análises de aprendizagem. Entretanto, esse desafio amplia nossos horizontes de conhecimento e ajuda a entender melhor nossa complexidade tipicamente humana.

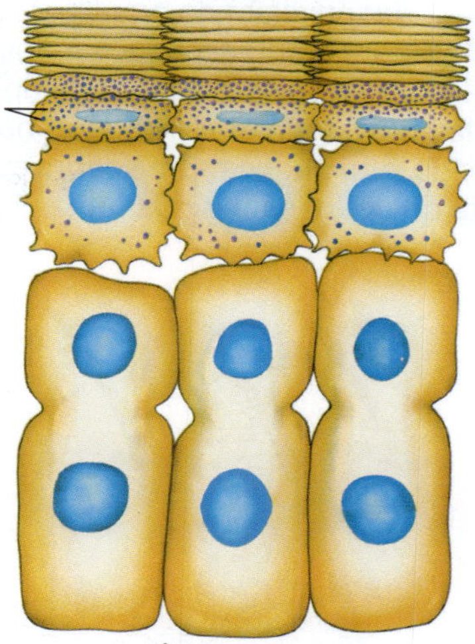

Figura 35.1 Representação esquemática que mostra as quatro camadas de epiderme. (Elementos fora de proporção de tamanho entre si; cores-fantasia.)

35.1 Estrutura e funções da pele humana

A **pele** humana é um órgão complexo, responsável por diversas funções. Além de proteger o corpo de agentes físicos, químicos e biológicos, ela é responsável pela sensibilidade tátil e pela manutenção da temperatura corporal.

A pele é constituída por dois tecidos firmemente unidos entre si: o mais externo é a epiderme, que se origina do ectoderma do embrião; o mais interno é a derme, que se origina do mesoderma embrionário.

Epiderme

A **epiderme** (do grego *epi*, sobre, acima, e *dermatos*, pele) é um tecido epitelial constituído por várias camadas de células sobrepostas, bem aderidas umas às outras. A epiderme tem normalmente quatro estratos ou camadas. Na camada mais interna, denominada camada germinativa, há contínua produção de novas células por mitose. As células recém-formadas empurram as camadas celulares sobre elas; assim, durante sua vida, as células epidérmicas vão se deslocando da região mais profunda do tecido, onde se formaram (camada germinativa), para a porção mais externa da pele.

Durante o trajeto, as células epidérmicas passam por diversas transformações: achatam-se e ancoram-se firmemente às vizinhas (camada espinhosa), produzem queratina, uma proteína fibrosa e resistente (camada granulosa) e finalmente morrem, transformando-se em placas microscópicas com forma de escama, constituindo a camada queratinizada, ou camada córnea, que se renova aproximadamente a cada três semanas. (Fig. 35.1)

Na epiderme há células especializadas na produção de **melanina**, o pigmento de cor marrom-escura que colore a pele e os pelos, protegendo o organismo dos efeitos deletérios da radiação ultravioleta da luz solar.

As células produtoras de melanina são os **melanócitos**. Embora a quantidade de melanócitos seja semelhante em todas as pessoas, indivíduos de pele clara têm menos melanina nos melanócitos que os de pele escura. A exposição ao sol estimula a produção de melanina.

Entre as células epidérmicas estão presentes as células de Langerhans, cuja função é reconhecer e destruir agentes estranhos que entram na pele, além de alertar o sistema imunitário, que combaterá os invasores.

Anexos da pele

A epiderme é responsável pela formação dos chamados anexos da pele: os pelos, as glândulas sebáceas, as glândulas sudoríparas e as unhas.

Pelos são finos bastões de queratina resultantes da compactação de restos de células epidérmicas mortas. Eles se formam no interior de invaginações epidérmicas denominadas **folículos pilosos**. Cada folículo piloso está ligado a um pequeno músculo eretor, que permite a movimentação do pelo, e a glândulas sebáceas, que o lubrificam.

Glândulas sebáceas são pequenas bolsas constituídas por células epiteliais glandulares, localizadas junto aos folículos pilosos, nos quais lançam sua secreção oleosa; esta se espalha pela superfície epidérmica, lubrificando-a. Em apenas 1 cm^2 de pele pode haver mais de uma dezena de glândulas sebáceas associadas a pelos.

Glândulas sudoríparas são estruturas tubulares enoveladas, localizadas na derme, que eliminam na superfície corporal o **suor**, uma solução aquosa que contém íons de sódio, de potássio e de cloro, além de ureia, amônia, ácido úrico, entre outras substâncias. As glândulas sudoríparas estão presentes em todo o corpo, exceto na glande do pênis e nos lábios. Em certas regiões do corpo pode haver cerca de 60 glândulas sudoríparas em apenas 1 cm^2 de pele. O suor ajuda a manter a temperatura corporal, pois, ao evaporar, absorve grande quantidade de calor, resfriando o corpo.

Unhas são placas de queratina presentes nas pontas dos dedos. Nos pés, elas auxiliam no equilíbrio ao caminhar; nas mãos, facilitam a apreensão e a manipulação de objetos. A unha cresce pela contínua compactação de restos de células mortas repletas de queratina, que se formam no chamado leito ungueal, uma dobra epidérmica perto da ponta do dedo, na base da unha. (Fig. 35.2)

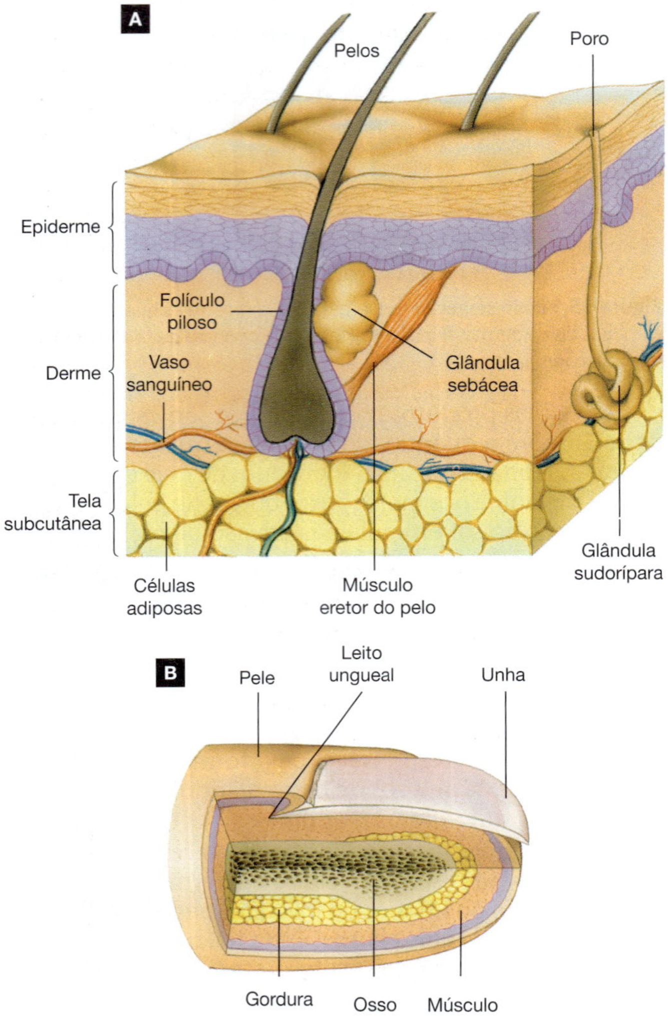

Figura 35.2 A. Representação esquemática de corte de pele humana, mostrando pelos, glândula sebácea e glândula sudorípara. **B.** Dedo humano em corte, mostrando o leito ungueal, a dobra da epiderme na qual se forma a unha. (Elementos fora de proporção de tamanho entre si; cores-fantasia.)

Derme

A **derme** é o tecido conjuntivo que garante suporte e nutrição às células da epiderme. Como todo tecido conjuntivo, apresenta células separadas por grande quantidade de material intercelular rico em fibras proteicas. As principais células dérmicas são os **fibroblastos**, que produzem fibras proteicas e uma substância gelatinosa que preenche os espaços intercelulares.

As fibras da derme podem ser de três tipos: fibras colágenas (mais espessas e resistentes), fibras elásticas (mais finas e elásticas) e fibras reticulares (ainda mais finas e entrelaçadas). É o conjunto dessas fibras que confere a resistência e a elasticidade típicas da pele.

Além de abrigar as raízes dos pelos, as glândulas sebáceas e as glândulas sudoríparas, a derme contém ainda vasos sanguíneos, vasos linfáticos e terminações nervosas sensitivas.

Imediatamente abaixo da derme há um tecido conjuntivo frouxo, denominado **tela subcutânea**, ou hipoderme, rica em fibras e em células que armazenam gordura (células adiposas). Além de constituir reserva de energia, a gordura acumulada nesse tecido age como isolante térmico do corpo. Apesar de associada à pele, a tela subcutânea não é considerada parte dela.

Funções da pele humana

A pele humana atua como barreira protetora contra agentes físicos, químicos e biológicos. A camada de células mortas da epiderme, por exemplo, nos protege de atritos e arranhões. As secreções das glândulas sebáceas e das glândulas sudoríparas contêm substâncias que matam diversos tipos de microrganismos. Entretanto, na pele vive uma flora bacteriana normal que não nos causa dano; eventualmente, a proliferação excessiva dessas bactérias pode provocar um odor característico, o que pode ser evitado com uma higiene corporal adequada.

A pele desempenha papel essencial na manutenção da temperatura do corpo. Quando este se aquece, impulsos nervosos causam dilatação de vasos sanguíneos dérmicos, com maior circulação de sangue na pele. Com isso, a irradiação de calor para o meio se torna maior e o corpo esfria. Em dias frios, os vasos sanguíneos da pele se contraem, com diminuição do sangue circulante na superfície corporal e consequente redução da perda de calor.

Além de tantas funções importantes, a pele é responsável pela percepção de estímulos mecânicos, térmicos ou dolorosos, captados por inúmeras terminações nervosas. (Fig. 35.3)

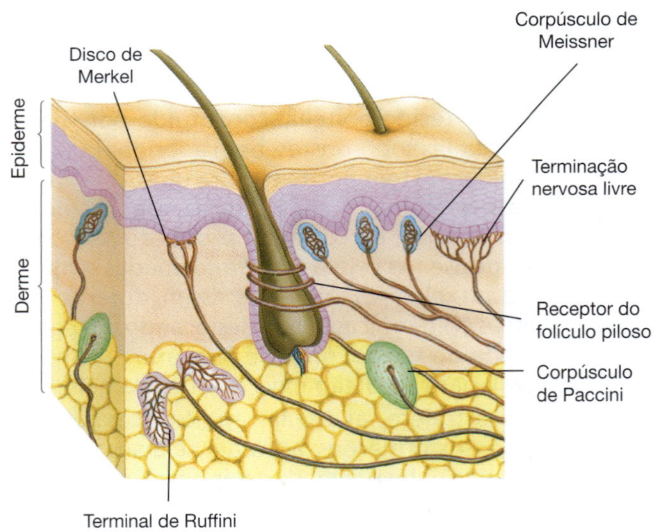

Figura 35.3 Representação esquemática de pele humana em corte, mostrando receptores sensoriais. O disco de Merkel capta estímulos de pressão e tração; o terminal de Ruffini percebe calor; o corpúsculo de Paccini capta estímulos táteis e de vibrações; o corpúsculo de Meissner capta estímulos táteis; as terminações nervosas livres percebem estímulos mecânicos, térmicos e dolorosos; o receptor do folículo piloso capta a movimentação do pelo. (Elementos fora de proporção de tamanho entre si; cores-fantasia.)

35.2 Sistema esquelético humano

O corpo humano é sustentado por um conjunto bem articulado de peças ósseas e cartilaginosas unidas por tendões e ligamentos: o **esqueleto**. Além de proteger os órgãos internos, o esqueleto define o eixo corporal e participa da movimentação, servindo de ponto de apoio para a ação muscular. Ele também armazena cálcio e produz células sanguíneas no tecido hematopoiético, presente na medula de certos ossos.

Componentes do esqueleto

Tecido ósseo

O **tecido ósseo** é um tipo especial de tecido conjuntivo em que a substância intercelular é rígida, devido à associação entre fibras colágenas e cristais de fosfato de cálcio [$Ca_3(PO_4)_2$]. Cerca de 99% do cálcio de nosso corpo concentra-se no esqueleto. Como vimos no capítulo anterior, o intercâmbio de cálcio entre os ossos e o sangue é controlado pelos hormônios calcitonina e paratormônio.

As células que produzem a matriz óssea, composta de fibras e substâncias intercelulares, são os **osteoblastos** (do grego *osteon*, osso, e *blastos*, no sentido de célula jovem). Essas células têm longas projeções citoplasmáticas, que tocam as de osteoblastos vizinhos.

À medida que secretam a matriz rígida ao seu redor, os osteoblastos acabam confinados a pequenas câmaras individuais, ligadas a outras apenas pelos canais modelados pelos prolongamentos citoplasmáticos.

Quando o osteoblasto amadurece e se transforma em **osteócito**, os prolongamentos celulares se retraem e a célula passa a ocupar apenas a lacuna central. Pelos canalículos modelados durante a formação da matriz óssea circulam fluidos provenientes do sangue, trazendo nutrientes e gás oxigênio para as células ósseas.

Além de osteoblastos e osteócitos, os ossos apresentam células multinucleadas, os **osteoclastos** (do grego *klastos*, quebrar, destruir). Essas células, que podem ter de 6 a 50 núcleos, deslocam-se sobre as superfícies ósseas e destroem áreas lesadas ou envelhecidas do osso, possibilitando assim sua regeneração, pela formação de novos osteoblastos e osteócitos. Graças à atividade conjunta de osteoblastos e osteoclastos, o tecido ósseo está em constante remodelação.

Muitos ossos são constituídos por unidades denominadas **osteônios**, ou sistemas haversianos. Cada osteônio é formado por várias camadas concêntricas de matriz óssea mineralizada, depositadas ao redor de um canal onde há vasos sanguíneos e nervos. (Fig. 35.4)

Os ossos estão envoltos por tecidos conjuntivos que constituem o periósteo, onde há também células mesenquimatosas, capazes de gerar novos osteoblastos. As células mesenquimatosas são, na verdade, **células-tronco** ósseas, que permitem a contínua reconstrução e a reparação das fraturas dos ossos.

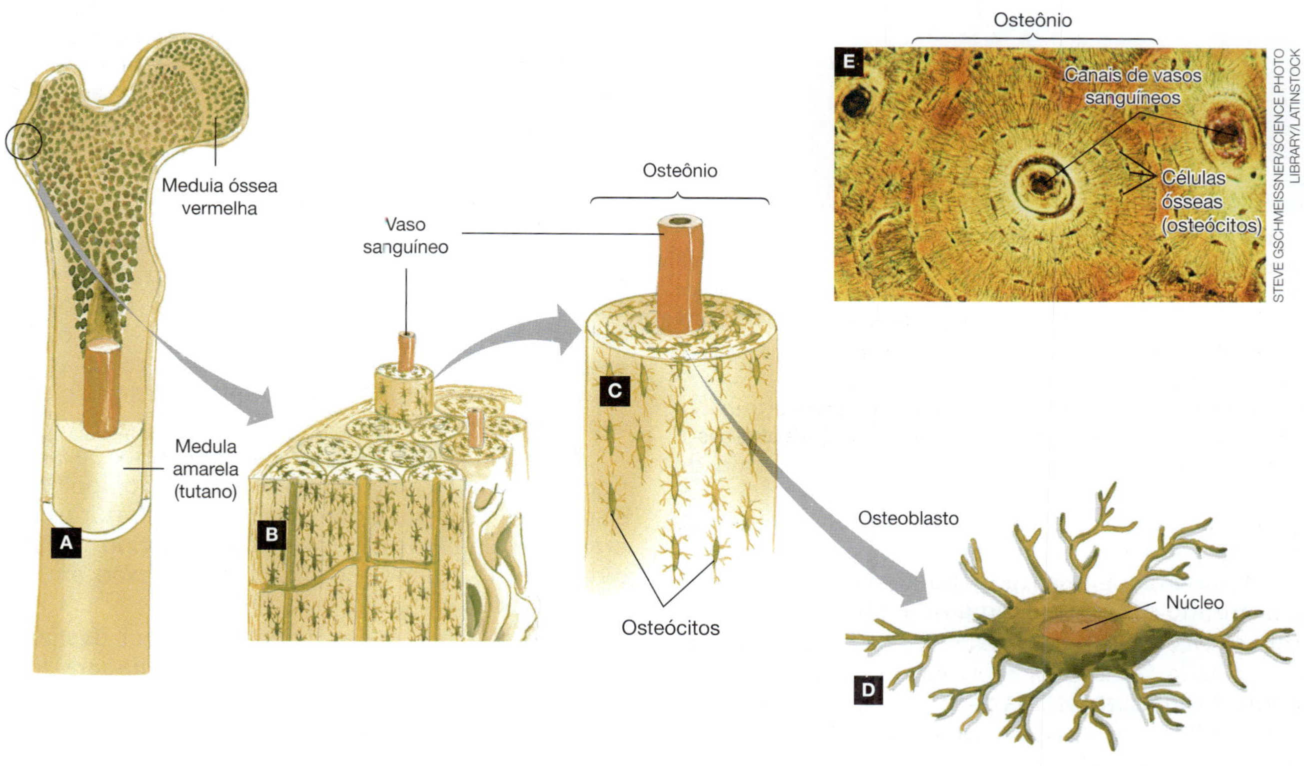

Figura 35.4 A a **D.** Representações esquemáticas de ampliações progressivas de cortes de osso até uma célula óssea jovem, o osteoblasto. A medula óssea vermelha é o principal local de formação das células sanguíneas; a medula óssea amarela é rica em células adiposas. (Elementos fora de proporção de tamanho entre si; cores-fantasia.) **E.** Fotomicrografia de um corte transversal de osso, mostrando osteônios e osteócitos. (Microscópio fotônico; aumento ≈ 210×; cores artificiais.)

Tecido cartilaginoso

O **tecido cartilaginoso**, presente no nariz e nas orelhas, entre outros locais do corpo, caracteriza-se pela resistência aliada à flexibilidade. Essas características se devem à sua matriz intercelular rica em fibras colágenas e em materiais consistentes, produzidos e secretados por células denominadas **condroblastos** (do grego *chondros*, cartilagem, e *blastos*, com sentido de célula jovem).

Em cartilagens completamente formadas, os condroblastos já amadureceram e diminuíram de tamanho, passando a ser chamados de condrócitos. Cada condrócito fica confinado em uma lacuna ligeiramente maior que ele, modelada durante a formação da matriz intercelular. (Fig. 35.5)

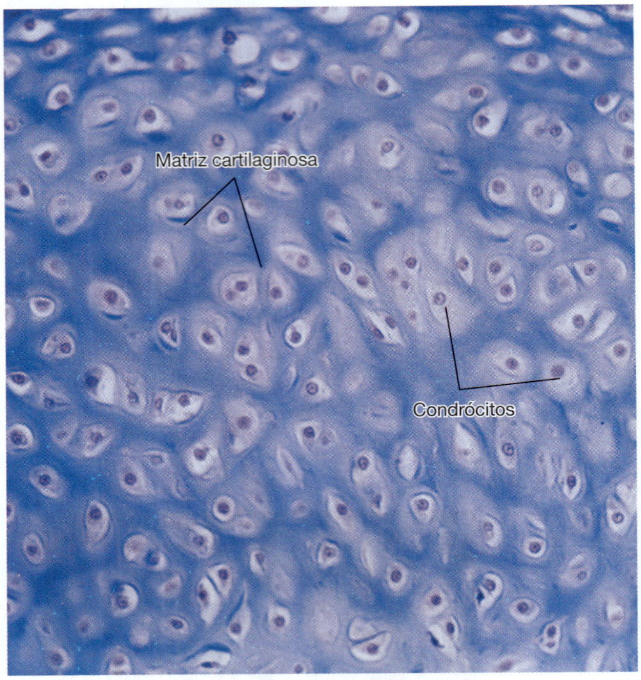

Figura 35.5 Fotomicrografia de um corte de cartilagem hialina, que é o tipo de cartilagem presente em maior quantidade no corpo humano. Note as lacunas na matriz cartilaginosa, onde se localizam os condrócitos. (Microscópio fotônico; aumento ≈ 120×; cores artificiais.)

O tecido cartilaginoso é o único tecido conjuntivo sem vasos sanguíneos (avascular). Condroblastos e condrócitos recebem nutrientes e gás oxigênio de vasos sanguíneos localizados no **pericôndrio** (do grego *peri*, ao redor), o tecido conjuntivo que envolve a cartilagem. No pericôndrio também há células-tronco que podem se transformar em condroblastos, permitindo assim o crescimento e a regeneração do tecido cartilaginoso.

Tendões e ligamentos

Tendões e **ligamentos** são estruturas resistentes e pouco elásticas, constituídas por um tipo especial de tecido conjuntivo que contém grande quantidade de fibras colágenas orientadas paralelamente e com alto grau de compactação. Tendões ligam músculos a ossos, enquanto os ligamentos ligam os ossos articulados uns aos outros. (Fig. 35.6)

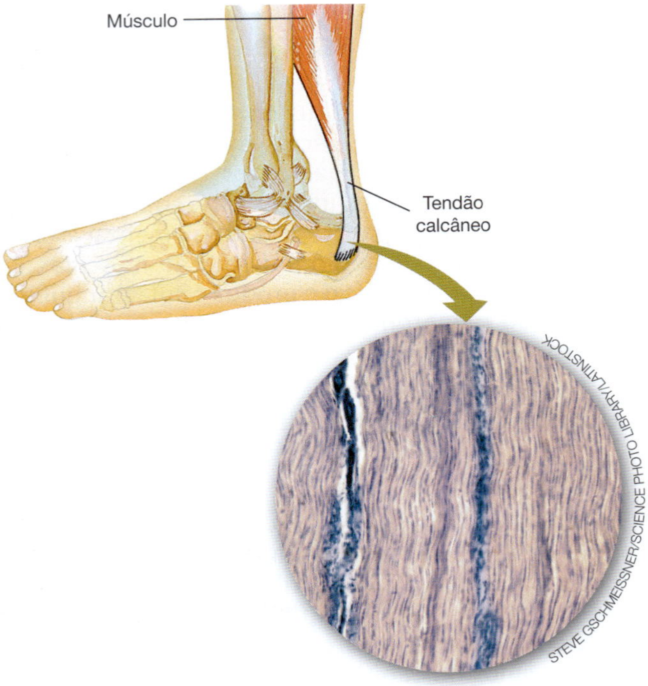

Figura 35.6 Tendão calcâneo, constituído por tecido conjuntivo. (Elementos fora de proporção de tamanho entre si; cores-fantasia.) No círculo, fotomicrografia do tecido tendinoso. Note as fibras altamente compactadas. (Microscópio fotônico; aumento ≈ 30×; cores artificiais.)

O esqueleto humano

Uma pessoa adulta tem 206 ossos, responsáveis por cerca de 14% de sua massa corporal. O maior osso do corpo é o fêmur (o osso da coxa), com cerca de 45 cm de comprimento; os menores são os ossos da orelha média (bigorna, martelo e estribo), com cerca de 0,25 cm.

A região onde dois ossos fazem contato é denominada **articulação óssea**. Certas articulações são móveis, isto é, os ossos em contato podem movimentar-se um em relação ao outro; é o que ocorre na articulação do braço e do antebraço, por exemplo. Outras articulações são fixas, como as dos ossos do crânio, unidos firmemente, formando uma caixa óssea resistente.

As articulações ósseas móveis podem ser de vários tipos. Nos ombros, por exemplo, elas são do tipo "bola e soquete" e possibilitam movimentos giratórios dos braços. Nos joelhos e cotovelos, são do tipo "dobradiça", possibilitando movimentos de flexão em um único plano.

Os ossos de uma articulação móvel deslizam suavemente graças à presença de cartilagens lisas nas extremidades, além da lubrificação promovida por líquidos viscosos. Esses ossos se mantêm no lugar graças aos ligamentos. (Fig. 35.7)

Nosso esqueleto pode ser dividido em **esqueleto axial**, constituído pelos ossos da cabeça e do tronco, e **esqueleto apendicular**, constituído pelos ossos dos membros e dos cíngulos dos membros (cinturas articulares pélvica e escapular).

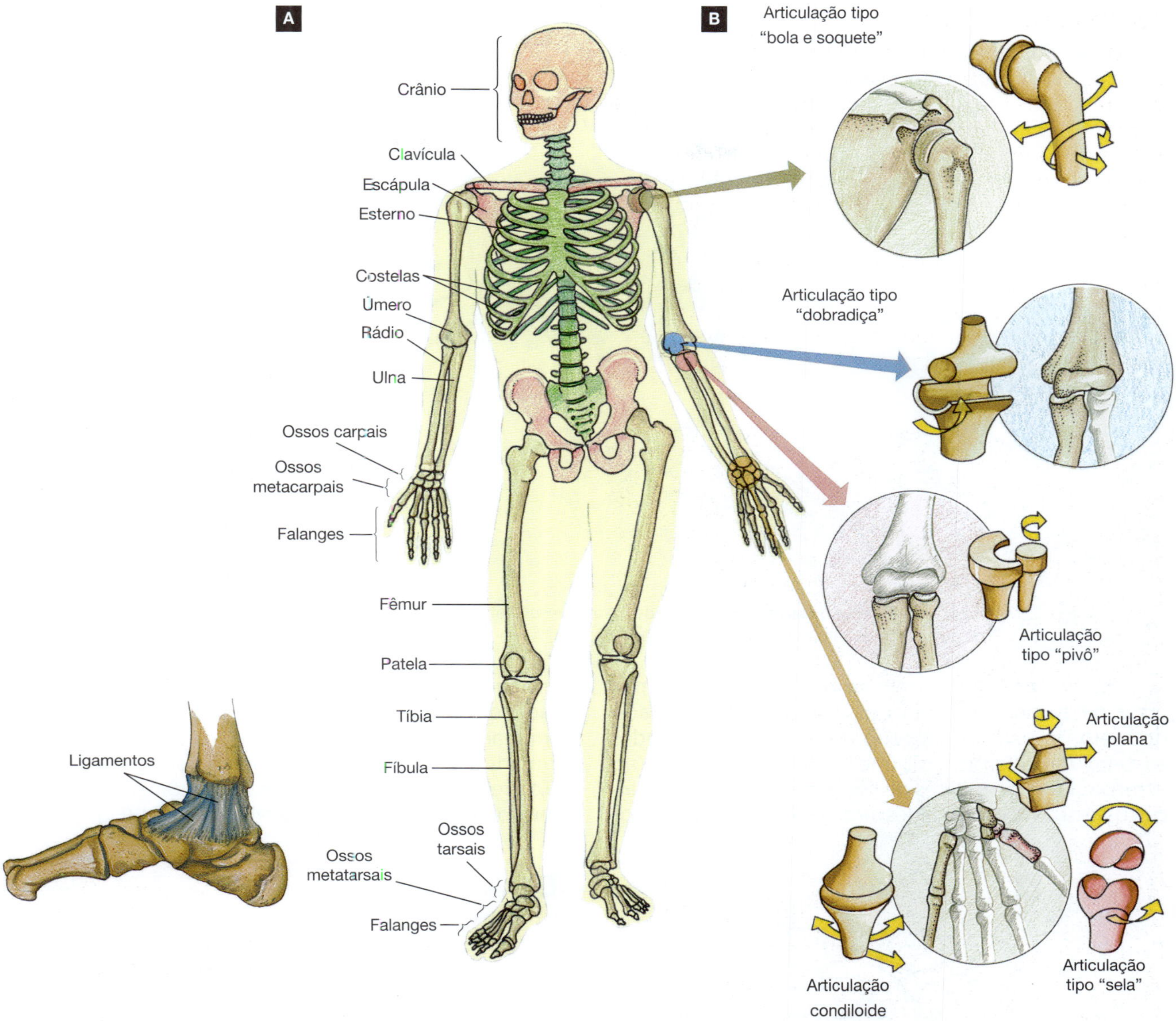

Figura 35.7 A. Representação esquemática do esqueleto humano com identificação de alguns ossos e do esqueleto do pé, mostrando ligamentos unindo os ossos. **B.** Representação esquemática de alguns tipos de articulação. (Elementos fora de proporção de tamanho entre si; cores-fantasia.)

Esqueleto axial

A **cabeça** tem 29 ossos; oito deles são abaulados e firmemente unidos, formando o **crânio**, a caixa arredondada que abriga e protege o encéfalo. Na região anterior do crânio estão os ossos da **face**, o maior dos quais é a **mandíbula**, único osso móvel da cabeça e que permite abrir e fechar a boca. (Fig. 35.8)

O **tronco** é formado pela coluna vertebral, pelas costelas e pelo osso esterno. A **coluna vertebral**, também conhecida como espinha dorsal, é constituída por 33 **vértebras**. Nas pessoas adultas, algumas vértebras se fundem, reduzindo o número de ossos da coluna vertebral para 26.

As vértebras articulam-se em sequência e são unidas entre si por ligamentos, constituindo um eixo ósseo firme e flexível. A sobreposição dos orifícios presentes nas vértebras forma um tubo interno ao longo da coluna vertebral, onde se localiza a medula espinal. Entre as vértebras há discos de cartilagem que atuam como amortecedores de choques.

As sete primeiras vértebras da coluna são chamadas de **vértebras cervicais** e constituem o pescoço, que sustenta a cabeça. Em seguida, há doze vértebras ligadas às costelas, as **vértebras torácicas**. As cinco **vértebras lombares**, as maiores da coluna, suportam o peso da parte superior do corpo quando estamos em pé. As cinco vértebras seguintes, as **vértebras sacrais**, são fundidas em pessoas adultas, formando o **osso sacro**; este, juntamente com o **cíngulo dos membros inferiores** (cintura pélvica), forma a **pelve**, ou bacia. As quatro últimas vértebras da coluna, as **vértebras coccígeas**, também se fundem com o passar dos anos, formando o **osso cóccix**.

Cada vértebra torácica está ligada a dois ossos em forma de arco, as **costelas**. Ao todo, há doze pares de costelas. As costelas formam uma estrutura comparável a uma gaiola de ossos, a **caixa torácica**, que protege o coração e os pulmões. Na base da caixa torácica, separando-a do abdome, localiza-se o diafragma; em conjunto com os músculos intercostais, o diafragma é responsável pelos movimentos respiratórios. (Relembre no capítulo 33.)

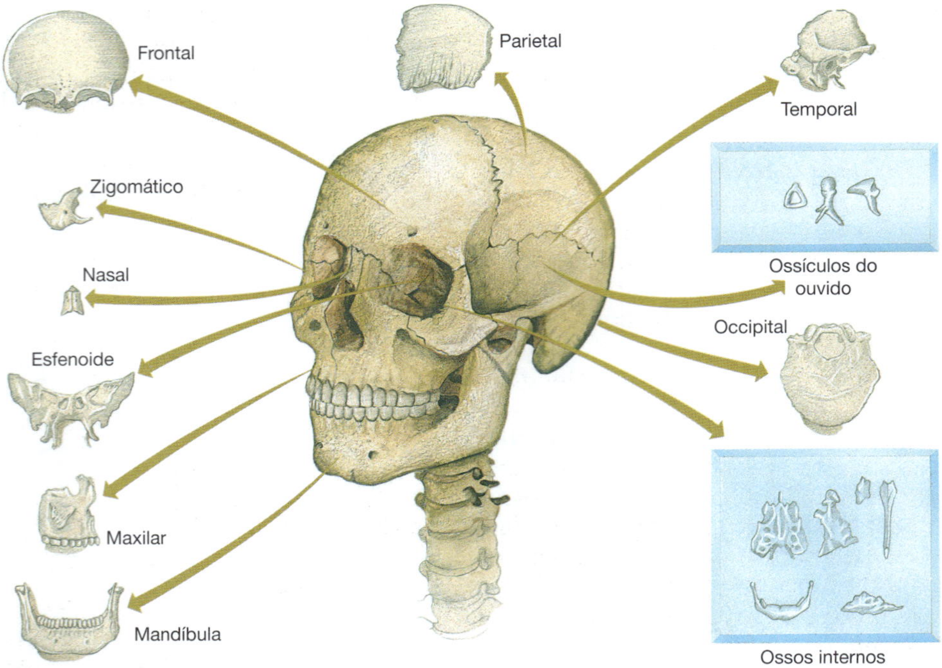

Figura 35.8 Representação esquemática de ossos do esqueleto da cabeça humana. (Elementos fora de proporção de tamanho entre si; cores-fantasia.)

Os seis pares superiores de costelas unem-se, por meio de cartilagens, a um osso achatado localizado no meio do peito, o **esterno**. Essas são as chamadas costelas verdadeiras, pois unem a coluna vertebral ao esterno. Os quatro pares de costelas seguintes são mais curtos e suas extremidades prendem-se, também por cartilagens, às costelas acima delas; por isso, elas são chamadas de costelas falsas. Os dois últimos pares de costelas terminam em pontas livres, sendo chamadas de costelas flutuantes. Algumas pessoas podem apresentar um par de costelas a mais, curiosamente, um fenômeno três vezes mais comum em homens que em mulheres. (Fig. 35.9)

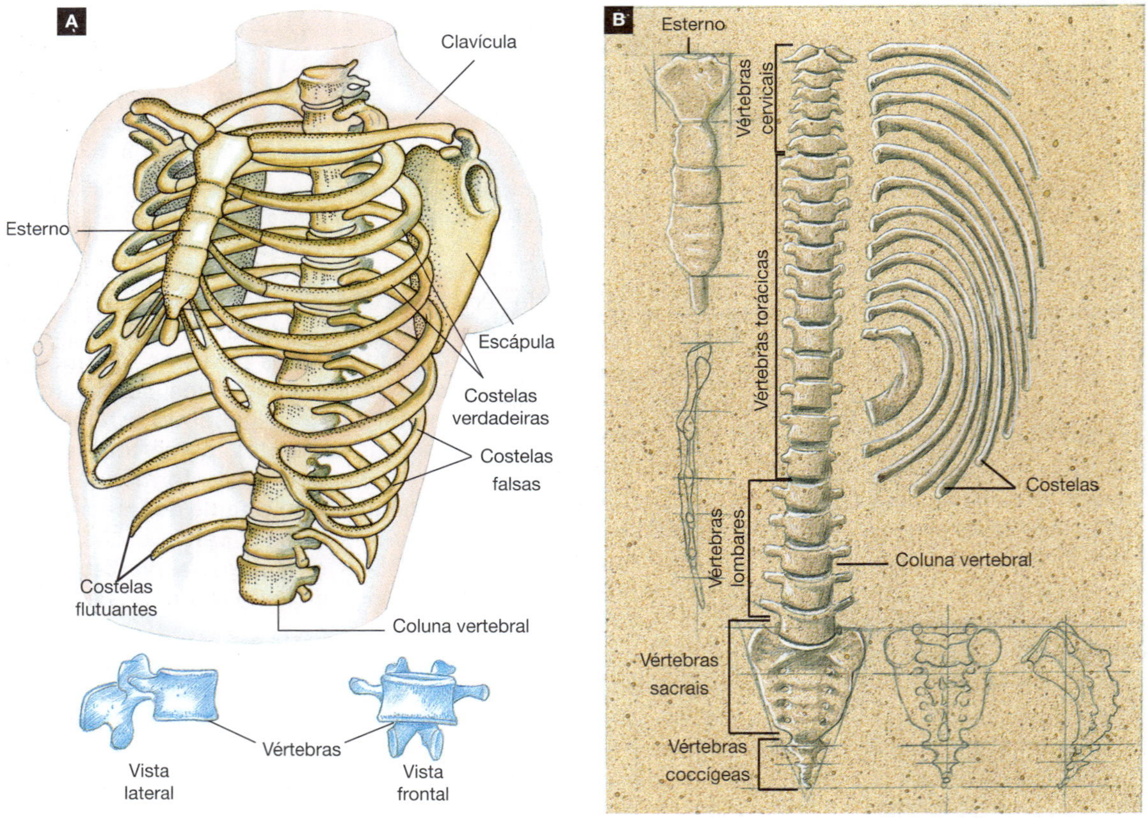

Figura 35.9 A. Representação esquemática da caixa torácica humana. **B.** Representação esquemática da coluna vertebral e de costelas. (Elementos fora de proporção de tamanho entre si; cores-fantasia.)

Esqueleto apendicular

Cada membro superior humano é composto de braço, antebraço e mão. A região em que a mão se articula com o antebraço é o punho. Cada membro inferior humano é composto de coxa, perna e pé. A região em que o pé se articula com a perna é o tornozelo.

O braço tem um único osso, o **úmero**. No cotovelo, o úmero articula-se com os dois ossos do antebraço, o **rádio** e a **ulna**. No punho, o rádio e a ulna articulam-se ao carpo, região da mão formada por oito ossos, os **ossos carpais**. Ao carpo segue-se o metacarpo, constituído por cinco ossos alongados, os **ossos metacarpais**, que se articulam com os ossos dos dedos, as **falanges**.

O esqueleto dos membros superiores liga-se ao esqueleto axial por meio do **cíngulo dos membros superiores** (ou cintura escapular). O cíngulo superior é constituído pela **escápula** (ou omoplata), um osso achatado e triangular localizado na parte superior das costas, e pela **clavícula**, um osso em forma de bastão curvo, situado na parte superior do peito. (Fig. 35.10)

A coxa tem um único osso, o **fêmur**, o mais longo do corpo. A perna tem dois ossos, a **tíbia** e a **fíbula**. O fêmur articula-se com a tíbia e com a **patela**, um pequeno osso em frente à articulação do joelho, onde também ocorre a articulação da tíbia com a fíbula.

No tornozelo, a tíbia e a fíbula articulam-se com o osso **tálus**, um dos sete **ossos tarsais** que formam o tarso, a região posterior do pé. Ao tarso segue-se o metatarso, composto de cinco ossos alongados (**ossos metatarsais**), que se articulam com as **falanges**, os ossos dos artelhos (ou "dedos dos pés").

O esqueleto dos membros inferiores liga-se ao esqueleto axial por meio do cíngulo dos membros inferiores (ou cintura pélvica), formado por um par de ossos, cada um deles resultante da fusão de três: **ílio**, **ísquio** e **púbis**. Na junção dos três ossos há uma concavidade, o acetábulo, onde se encaixa a "cabeça" arredondada do fêmur. (Fig. 35.11)

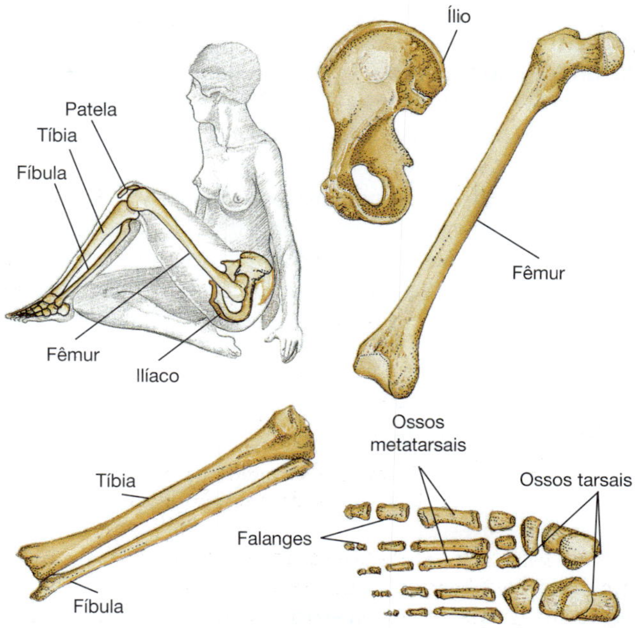

Figura 35.11 Representação esquemática dos ossos da cintura pélvica e dos membros inferiores. (Elementos fora de proporção de tamanho entre si; cores-fantasia.)

CHRIS ROUT/ALAMY/GLOW IMAGES

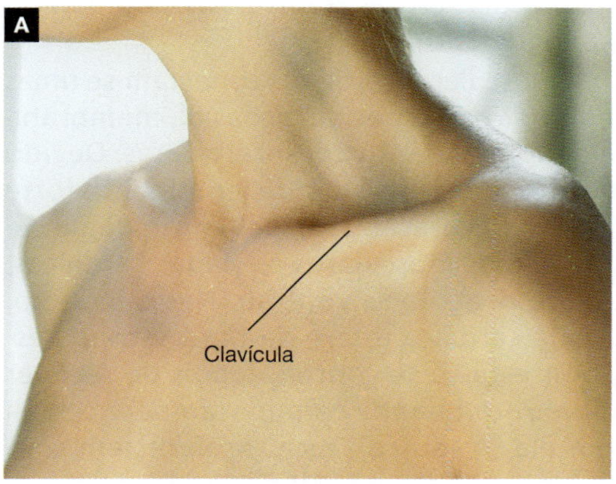

REISMANN/DOC-STOCK/DIOMEDIA

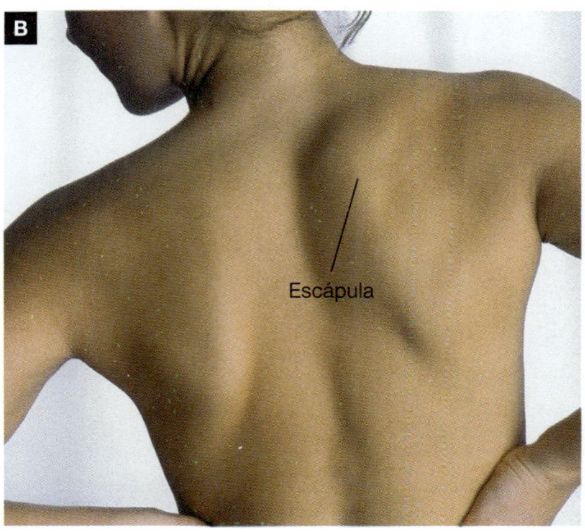

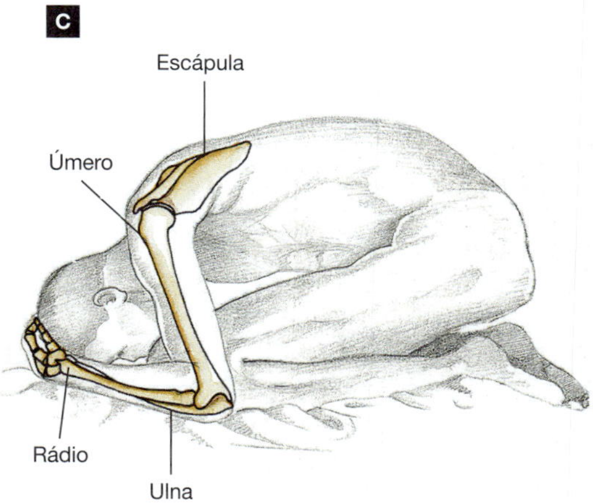

Figura 35.10 A. Tórax de uma pessoa, evidenciando a clavícula (osso da "saboneteira"). **B.** Costas de uma pessoa, evidenciando a escápula, osso da "asa". **C.** Representação esquemática dos ossos da cintura escapular e dos membros superiores. (Elementos fora de proporção de tamanho entre si; cores-fantasia.)

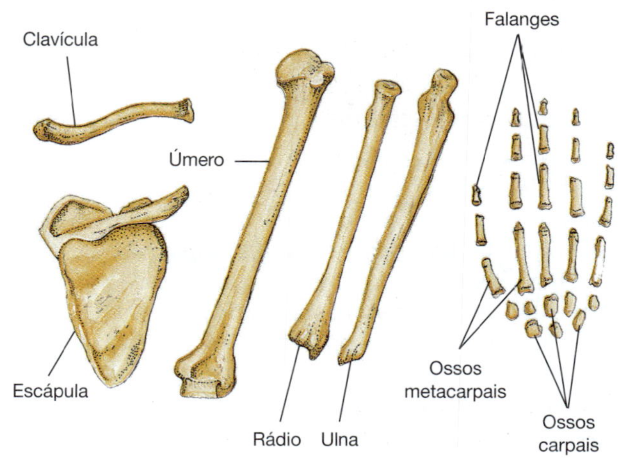

35.3 Sistema muscular humano

A locomoção e a movimentação de partes do corpo, a circulação do sangue nos vasos sanguíneos, o deslocamento do alimento no tubo digestório, a eliminação de saliva pelas glândulas salivares e a saída de urina são apenas alguns exemplos de ações que dependem da atividade muscular. Cerca de metade da massa corporal de uma pessoa saudável é constituída por músculos. Eles podem ser comparados a "motores" que transformam a energia dos nutrientes em trabalho, permitindo a movimentação do corpo.

Os **músculos** são compostos basicamente de **tecido muscular**, cujas células são especializa-das na contração. No corpo humano há três tipos de tecido muscular: não estriado (ou liso), estriado cardíaco e estriado esquelético. (Fig. 35.12)

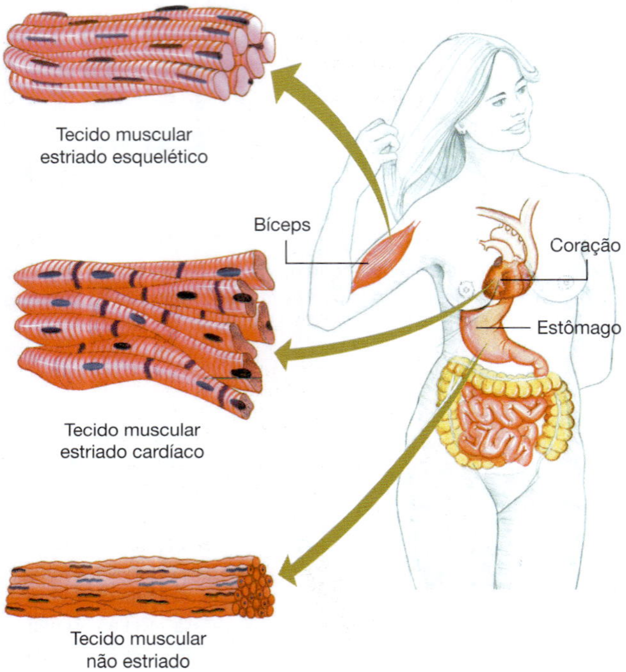

Figura 35.12 Representação esquemática que mostra a localização, em algumas partes do corpo humano, dos três tipos de tecido muscular. (Elementos fora de proporção de tamanho entre si; cores-fantasia.)

Tecidos musculares

Tecido muscular não estriado

O **tecido muscular não estriado**, também chamado **tecido muscular liso**, está presente em órgãos internos como o estômago, o intestino e o útero, em dutos de diversas glândulas e nas paredes de artérias e veias. Nos órgãos do sistema digestório, por exemplo, a contração da musculatura lisa é responsável pelos movimentos peristálticos, que impulsionam os alimentos em seu trajeto pelo tubo digestório. Nas artérias e veias, a musculatura lisa contribui para a circulação do sangue e manutenção da pressão arterial.

O tecido muscular liso é constituído por células alongadas, uninucleadas e sem estriação transversal, daí a denominação não estriado ou liso. Nas células musculares lisas, os filamentos das proteínas actina e miosina, responsáveis pela contração celular, não se organizam no padrão de faixas transversais típico dos tecidos musculares estriados, como veremos a seguir. A contração da musculatura lisa é involuntária, ou seja, não está sujeita ao controle consciente, assemelhando-se nesse aspecto à musculatura cardíaca. (Fig. 35.13)

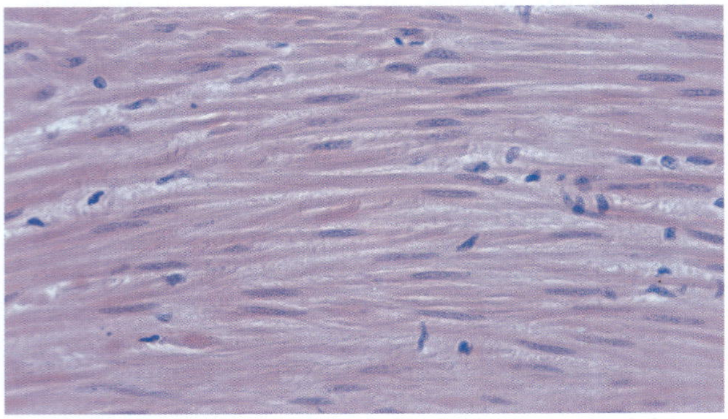

CAROLINA BIOLOGICAL SUPPLY/VISUALS UNLIMITED/GLOW IMAGES

Figura 35.13 Fotomicrografia de músculo não estriado em corte. (Microscópio fotônico; aumento ≈ 140×; cores artificiais.)

Tecido muscular estriado cardíaco

O **tecido muscular estriado cardíaco** está presente apenas no coração, constituindo o miocárdio, responsável pelo bombeamento do sangue para as artérias. Suas células são **uninucleadas** (como as da musculatura lisa) e apresentam estrias transversais (como as da musculatura esquelética).

As células musculares cardíacas conectam-se umas às outras por meio de especializações da membrana plasmática denominadas discos intercalares. Devido a essas conexões, um estímulo suficientemente forte em uma região do coração se espalha rapidamente por todas as células musculares estriadas cardíacas, levando todo o órgão a se contrair. Nesse aspecto, a fibra estriada cardíaca difere da fibra estriada esquelética, pois esta só se contrai depois de receber um estímulo direto de uma terminação nervosa em contato com ela. A musculatura cardíaca tem contração involuntária, ou seja, independe de nossa vontade. (Fig. 35.14)

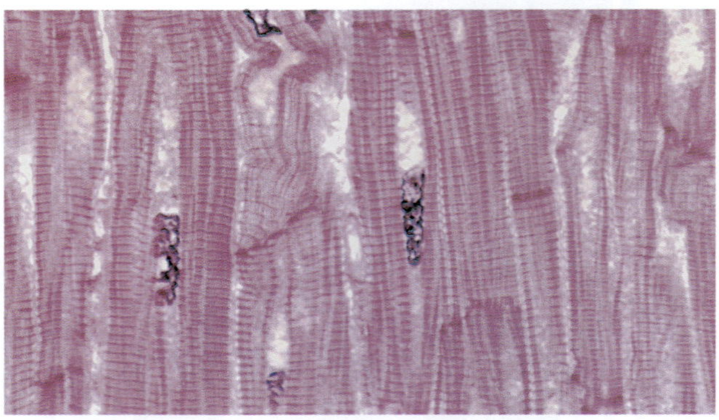

DR. JOHN D. CUNNINGHAM/VISUALS UNLIMITED/CORBIS/LATINSTOCK

Figura 35.14 Fotomicrografia de músculo cardíaco humano em corte. (Microscópio fotônico; aumento ≈ 490×; cores artificiais.)

Tecido muscular estriado esquelético

O **tecido muscular estriado esquelético** compõe a maior parte da musculatura corporal dos vertebrados, constituindo o que chamamos popularmente de "carne". Os músculos estriados esqueléticos recebem essa denominação por estarem ligados aos ossos do esqueleto. A musculatura esquelética é responsável pela ampla gama de movimentos corporais dos animais vertebrados. (Fig. 35.15)

No tecido muscular estriado esquelético, as fibras musculares, ou miócitos, originam-se pela fusão de inúmeras células precursoras embrionárias, os **mioblastos**. Cada **fibra muscular** é multinucleada e pode medir entre 50 µm e 150 µm de diâmetro, com um comprimento que vai de alguns milímetros a cerca de 30 cm.

Os núcleos celulares dispõem-se na periferia da fibra muscular, cuja região central é totalmente ocupada por um conjunto organizado de filamentos de actina e miosina, as **miofibrilas**. É a alta organização dessas proteínas que confere às fibras musculares esqueléticas e cardíacas seu aspecto estriado típico, com faixas transversais claras e escuras que podem ser visualizadas ao microscópio fotônico. A contração muscular, como veremos mais adiante, deve-se ao deslizamento dos filamentos de actina sobre os de miosina, o que faz a fibra encurtar.

A membrana plasmática que envolve cada miócito recebe a denominação específica de sarcolema (do grego *sarcos*, carne, e *lemma*, revestimento); o citoplasma, por sua vez, é chamado de sarcoplasma. De espaços em espaços, o sarcolema se dobra para o interior do sarcoplasma, formando tubos achatados, os túbulos T, que se comunicam com o retículo endoplasmático não granuloso (retículo sarcoplasmático). Este, nas células musculares, é especializado no armazenamento de íons de cálcio (Ca^{2+}), fundamentais à contração muscular.

Muitos músculos têm cor avermelhada devido à presença de mioglobina em suas fibras. A mioglobina é uma proteína semelhante à hemoglobina, mas constituída por uma única cadeia polipeptídica ligada a um grupo heme. Cada mioglobina é capaz de se ligar a uma molécula de oxigênio (O_2) e, dessa forma, armazenar esse gás no interior da célula para momentos de grande atividade muscular, que demandam intensa respiração celular.

As fibras musculares esqueléticas compõem entre 75% e 90% do volume total dos músculos, sendo o restante formado por tecidos conjuntivos, nervos e vasos sanguíneos. A contração da musculatura estriada esquelética é voluntária. (Fig. 35.16)

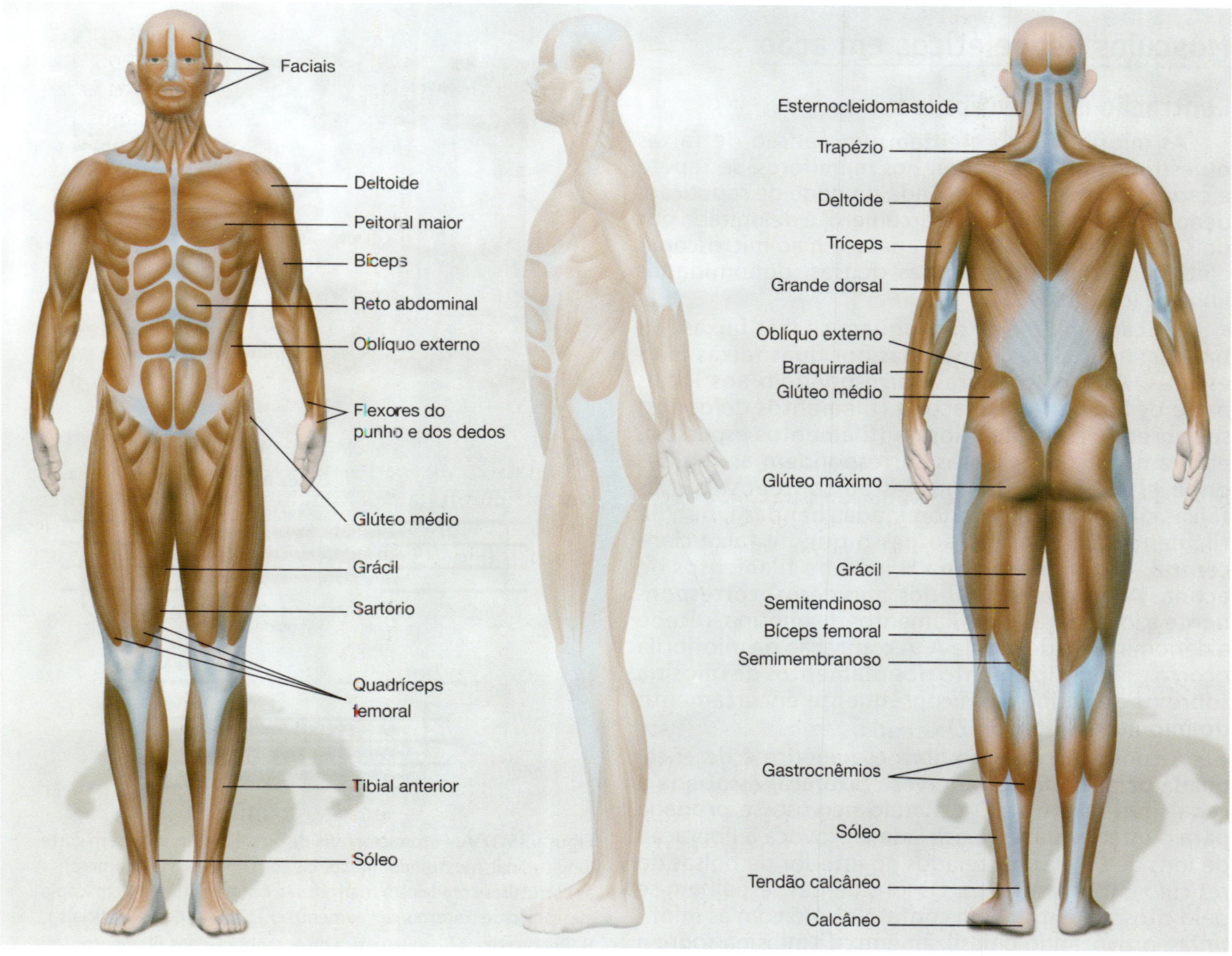

Figura 35.15 Representação de alguns dos principais músculos estriados esqueléticos do corpo humano, de frente e de costas. No total são 656 músculos esqueléticos, com tamanhos e formas variados. (Cores-fantasia.)

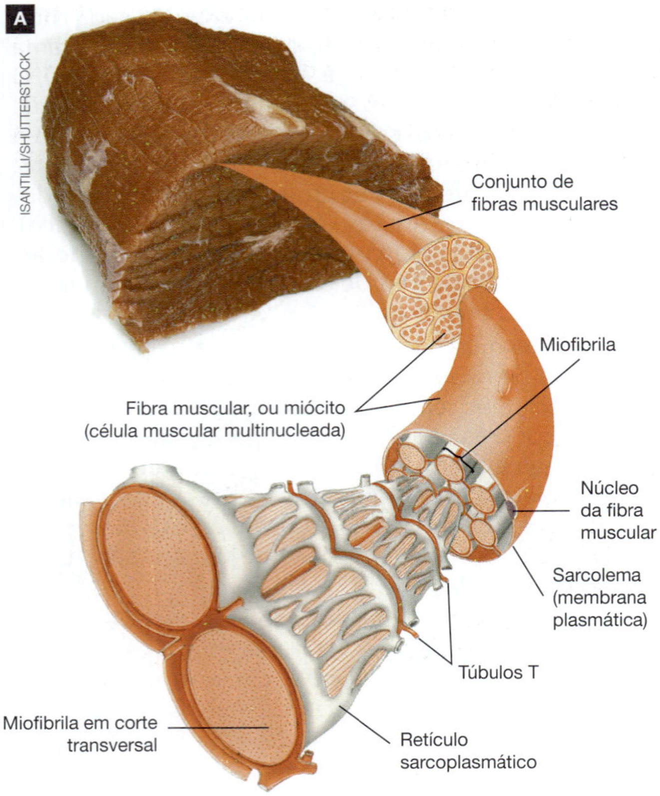

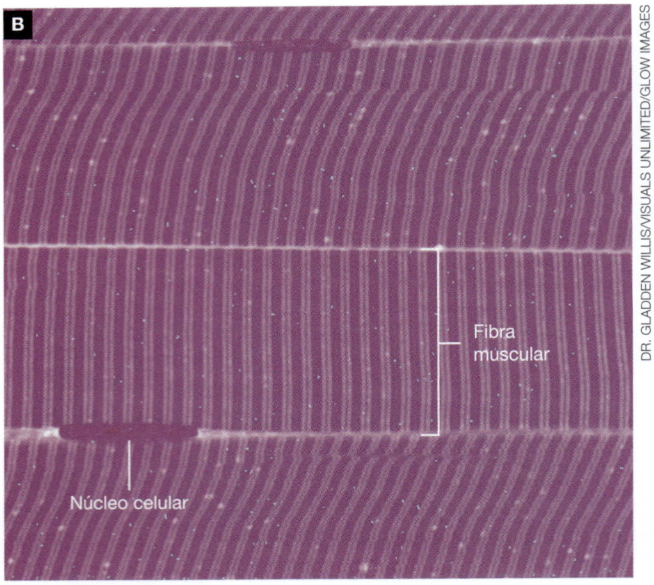

Figura 35.16 A. Músculo de boi em corte transversal. A representação esquemática ao lado mostra ampliações sucessivas da composição de um músculo. (Elementos fora de proporção de tamanho entre si; cores-fantasia.) (Baseado em Rawn, J., 1989.) **B.** Fotomicrografia de fibras musculares estriadas em corte, nas quais se podem ver faixas (estrias) transversais. (Microscópio fotônico; aumento ≈ 600×; cores artificiais.)

Músculos esqueléticos em ação

Contração das miofibrilas

As miofibrilas apresentam um padrão de faixas ou estrias transversais que, nos mamíferos, se repete a cada 2,2 µm, em média. Cada unidade de repetição, denominada **miômero**, ou sarcômero, é delimitada por dois discos transversais, que aparecem ao microscópio eletrônico como duas linhas densas, denominadas linhas Z (ou discos Z).

Em cada miômero, distinguem-se três faixas (ou bandas) mais claras, separadas por duas faixas mais escuras. As faixas escuras correspondem aos locais onde os filamentos de actina (filamentos delgados) se sobrepõem aos de miosina (filamentos espessos), enquanto as faixas claras correspondem às regiões onde esses filamentos não estão sobrepostos. Nas faixas claras laterais, denominadas bandas I, não há filamentos de miosina, ao passo que na faixa clara central, denominada zona H, não há filamentos de actina. A porção central dos miômeros, correspondente à localização dos filamentos de miosina, recebe a denominação de banda A. A contração da miofibrila ocorre pelo deslizamento dos filamentos de miosina sobre os de actina, com consequente encurtamento do miômero. (Fig. 35.17)

A contração de uma fibra esquelética é desencadeada pela terminação nervosa (axônica) associada a cada fibra muscular. O estímulo nervoso se propaga para o interior da fibra estriada e provoca a liberação de íons de Ca^{2+} armazenados no interior de bolsas do retículo endoplasmático. Os íons de Ca^{2+} espalham-se pelo citosol e entram em contato direto com as miofibrilas, provocando o deslizamento da miosina sobre a actina e o encurtamento dos miômeros, com contração da fibra muscular.

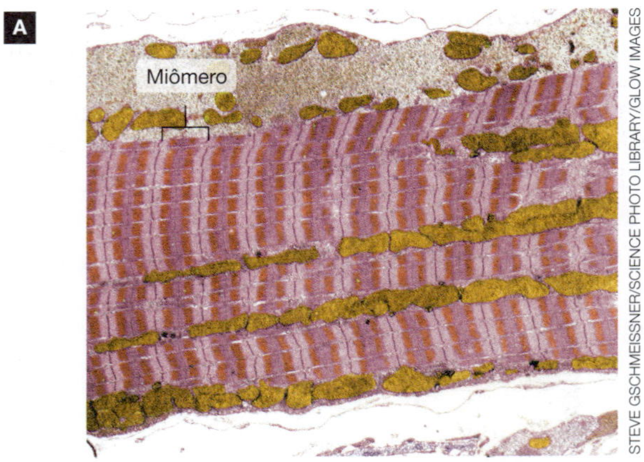

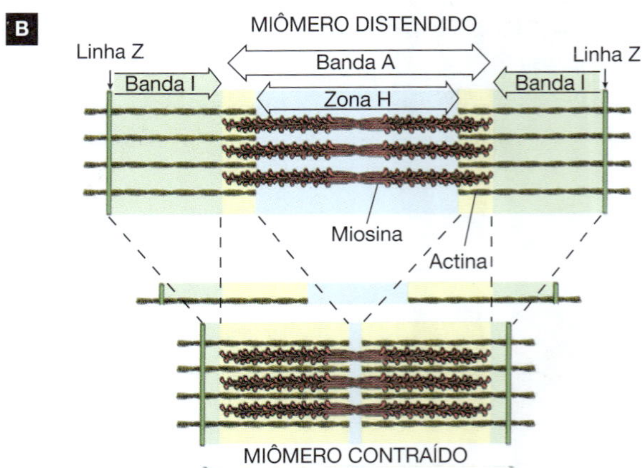

Figura 35.17 A. Fotomicrografia de uma fibra muscular em corte longitudinal, mostrando miofibrilas com miômero (sarcômero); as estruturas coradas em marrom são mitocôndrias. (Microscópio eletrônico de transmissão; aumento ≈ 2.800×; cores artificiais.) **B.** Representação esquemática da organização dos filamentos de vmiosina e de actina em miômeros distendido e contraído. (Elementos fora de proporção de tamanho entre si; cores artificiais.)

A fonte direta de energia para a contração muscular são moléculas de ATP, produzidas nas mitocôndrias durante a respiração aeróbica ou pela fermentação lática. O estoque de ATP disponível na célula muscular é suficiente para manter a contração por apenas 0,5 segundo. Por isso, os músculos dispõem de um reservatório extra de energia, na forma de **fosfato de creatina**, ou fosfocreatina, substância altamente energética, presente nas fibras musculares em uma concentração 10 vezes maior que a de ATP.

À medida que o estoque de ATP vai sendo utilizado, a célula muscular transfere fosfatos energéticos das moléculas de fosfato de creatina para moléculas de ADP, gerando mais ATP. Quando cessa a atividade da fibra muscular, grupos fosfatos de novas moléculas de ATP geradas na respiração celular são transferidos para moléculas de creatina, repondo o estoque de fosfato de creatina. Essa substância é, portanto, uma fonte importante, indireta, de energia para a contração muscular. (Fig. 35.18)

Músculos e movimentação corporal

As extremidades dos músculos estriados esqueléticos são geralmente afiladas e terminam em cordões fibrosos altamente resistentes de tecido conjuntivo, os **tendões**, que ligam os músculos aos ossos. Ao se contrair, um músculo estriado esquelético puxa os ossos aos quais ele está ligado; entretanto, ao relaxar, o músculo não consegue empurrar os ossos. Por isso, os músculos esqueléticos atuam realmente em duplas, com movimentos antagônicos: enquanto a contração de um deles produz movimento em um sentido, a contração do outro produz movimento em sentido contrário.

Uma dupla de músculos de nosso braço, o bíceps e o tríceps, exemplifica esse antagonismo muscular. O bíceps está ligado aos ossos do ombro e ao osso rádio; ao se contrair, ele puxa o antebraço para cima. O tríceps prende-se aos ossos do ombro e ao osso ulna; sua contração produz a extensão do antebraço. (Fig. 35.19)

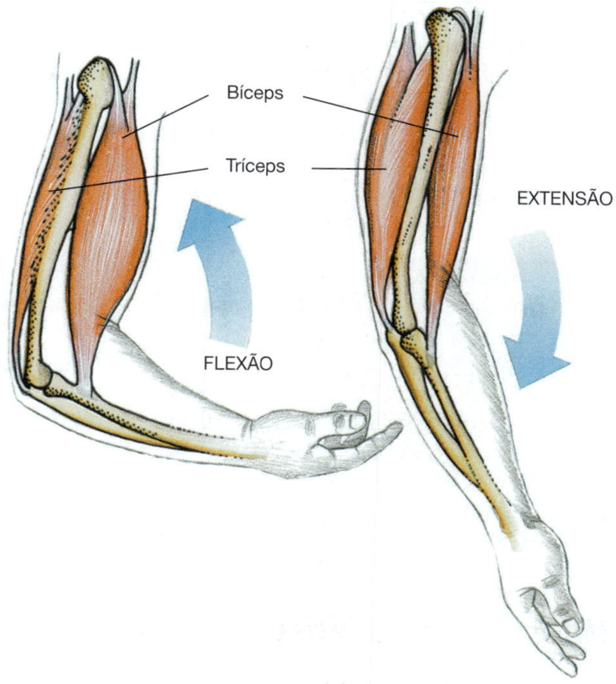

Figura 35.19 Representação esquemática da ação dos músculos bíceps e tríceps na flexão e na extensão do antebraço. (Elementos fora de proporção de tamanho entre si; cores-fantasia.)

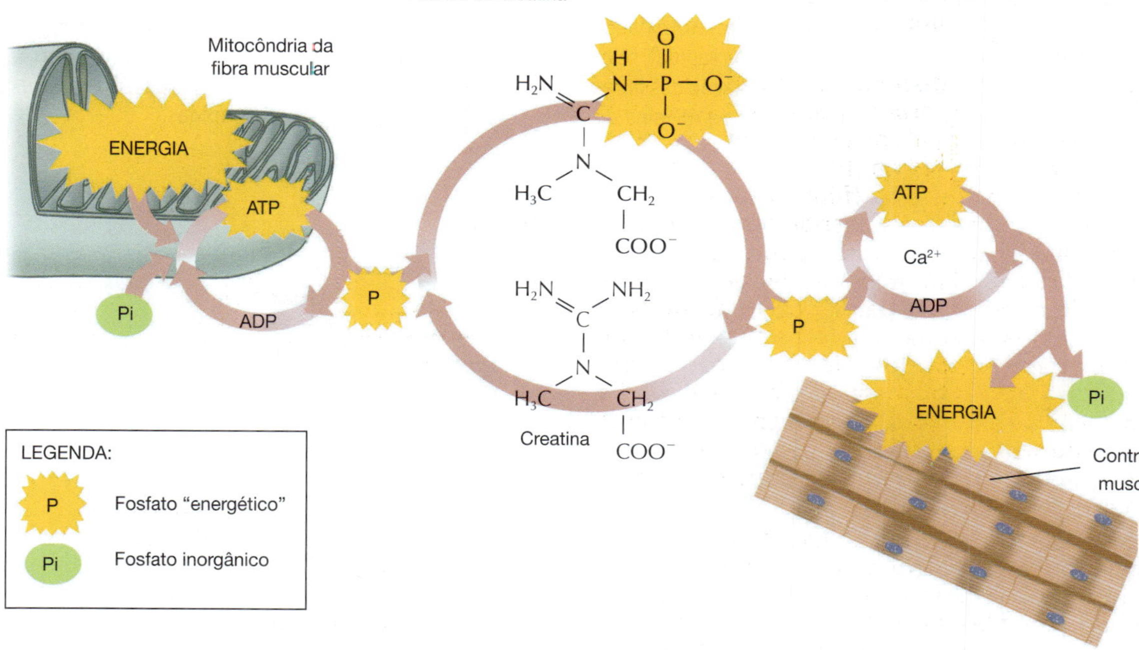

Figura 35.18 Representação esquemática da atuação do cálcio, do ATP e do fosfato de creatina na contração muscular. Para que ocorra a contração, é necessária a presença de íons de Ca^{2+} e de moléculas de ATP livres no citosol da fibra muscular. Os íons de Ca^{2+} são liberados por bolsas do retículo sarcoplasmático. O ATP consumido reconstitui-se pela ação do fosfato de creatina; portanto, a energia para a contração muscular provém diretamente do ATP e indiretamente do fosfato de creatina. (Elementos fora de proporção de tamanho entres si; cores-fantasia.)

A contração de uma fibra muscular esquelética segue a "lei do tudo ou nada", ou seja, ou a fibra se contrai totalmente ou não se contrai. Assim, se o estímulo nervoso for suficientemente intenso para estimular a fibra muscular, ela se contrairá com o máximo de sua capacidade; se o estímulo não for suficientemente forte, a fibra simplesmente não se contrairá.

O grau de contração de um músculo depende da quantidade de fibras estimuladas. Quando o estímulo nervoso é fraco, só algumas fibras são estimuladas e o resultado é uma contração fraca do músculo. No caso de uma estimulação forte, muitas fibras musculares são estimuladas simultaneamente e a contração do músculo é intensa.

Por exemplo, quando flexionamos o antebraço, podemos fazê-lo com maior ou menor intensidade, o que pode ser percebido pelo grau de contração do bíceps, que será tanto maior quanto mais fibras musculares estiverem contraídas.

Uma fibra muscular estriada consegue se manter contraída por pouco tempo, algo em torno de alguns milésimos de segundos. Entretanto, o músculo inteiro pode se manter contraído por longo tempo, o que ocorre, por exemplo, quando seguramos um objeto pesado. A manutenção de um músculo em estado de contração é possível porque, enquanto durar a estimulação nervosa, haverá alternância entre as fibras musculares contraídas e as relaxadas.

Ciência e cidadania

Biblioteca do estudante
Sugestões de livros, *sites* e vídeos

Músculos e exercício físico

1 Pesquisas médicas e biológicas recentes sobre a estrutura e o funcionamento dos músculos têm revelado fatos surpreendentes. Hoje sabemos, por exemplo, que os músculos de um corredor de maratona são bem diferentes dos de um corredor de 100 metros rasos. Sabemos, também, que os diferentes tipos de treinamento físico podem modificar os músculos, aumentando sua força e resistência. Além disso, novas pesquisas têm levado os cientistas a compreender melhor o que ocorre com os músculos ao longo da vida; a partir desses conhecimentos, vemos que é possível prolongar a atividade física e a saúde, mesmo em idades mais avançadas.

Fibras musculares lentas e fibras musculares rápidas

2 Recentes pesquisas sobre a fisiologia muscular mostraram que há dois tipos de moléculas de miosina (denominados tipo I, ou miosina lenta, e tipo II, ou miosina rápida), relacionados às diferentes velocidades de contração das fibras musculares. Fibras musculares portadoras de miosina do tipo II (rápida) contraem-se cerca de 10 vezes mais depressa que as fibras portadoras de miosina do tipo I (lenta). Fibras musculares com miosina do tipo I, lentas, têm mais mitocôndrias, maior irrigação sanguínea e maior quantidade de mioglobina que fibras de miosina do tipo II. As fibras lentas são mais eficientes na realização de esforço moderado e prolongado, como o necessário em corridas de longa distância, ciclismo e natação. Fibras musculares com miosina tipo II, rápidas, têm pouca mioglobina, menor quantidade de mitocôndrias e são mais eficientes para realizar esforços intensos de curta duração, como corridas de velocidade ou levantamento de peso.

3 A quantidade de fibras lentas e de fibras rápidas é mais ou menos equivalente na maioria dos adultos saudáveis e ativos. Algumas pessoas, porém, têm maior porcentagem de fibras de um tipo ou de outro. E é exatamente isso que qualifica certas pessoas para atividades atléticas como a maratona, que exige maior quantidade de fibras lentas, e outras para corridas de 100 metros rasos, que exigem maior quantidade de fibras rápidas.

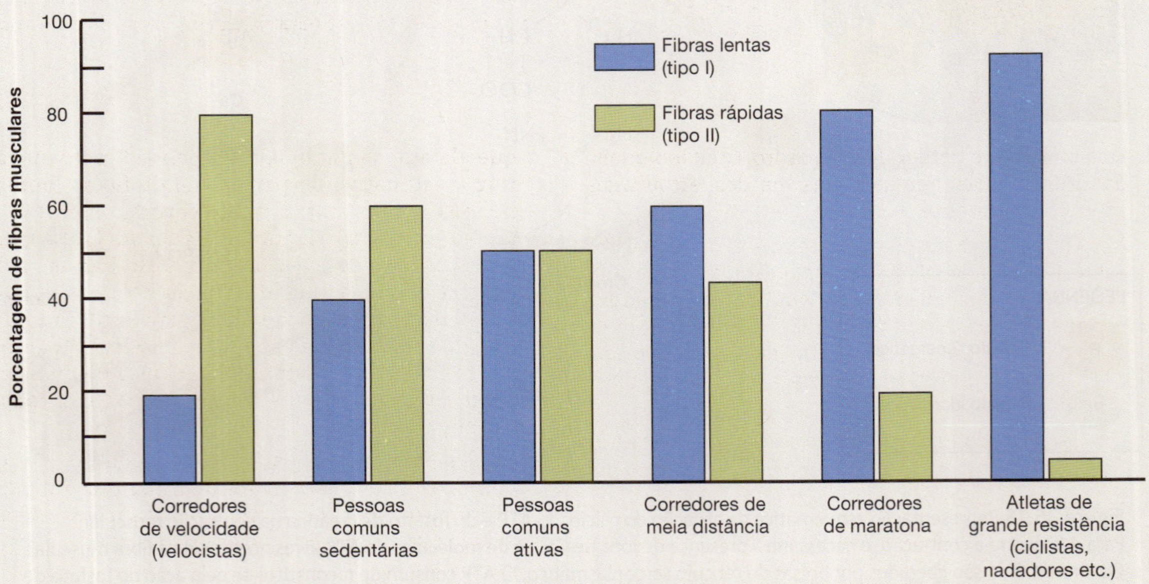

Gráfico que mostra as porcentagens de fibras musculares esqueléticas lentas (em azul) e de fibras musculares esqueléticas rápidas (em verde) nos músculos das pernas de pessoas com diferentes tipos de atividade física. (Baseado em Andersen, J. e cols., 2000.)

4 O treinamento é capaz de modificar, até certo ponto, a proporção entre fibras lentas e fibras rápidas em nossos músculos. Já se sabe que, quando uma pessoa se submete sistematicamente a exercícios de levantamento de peso, por exemplo, o número de fibras rápidas em seus músculos diminui. Ao mesmo tempo, as fibras lentas intensificam a produção de proteínas, tornando-se mais grossas, o que faz os músculos aumentarem de tamanho (hipertrofia muscular).

Tônus muscular

5 Em condições normais, os músculos esqueléticos sempre apresentam umas poucas fibras estimuladas a se contrair. Quando essas fibras se relaxam, outras se contraem em seu lugar, de modo que todo músculo apresenta um estado permanente de atividade ou tensão muscular, conhecido por **tônus muscular**, responsável pela firmeza dos músculos e importante na manutenção da postura do corpo.

6 O tônus muscular depende da inervação por neurônios motores e, além de manter os músculos preparados para a contração, é fundamental para a manutenção da atividade vital das células musculares. Pessoas com lesões da medula espinal, ou portadoras de certas doenças neurológicas, em que há falta de estimulação nervosa dos músculos, podem perder o tônus e sofrer degeneração do tecido muscular, com consequente atrofia da musculatura.

HANNAH JOHNSTON/GETTY IMAGES

JIRI MIKLO/SHUTTERSTOCK

A. Corredores de curta distância têm, em média, 82% de fibras rápidas e 18% de fibras lentas. **B.** Praticantes de musculação têm, em média, 35% de fibras lentas e 65% de fibras rápidas.

Guia de leitura

1 Leia o primeiro parágrafo do quadro. Qual (ou quais) das informações apresentadas lhe despertou mais interesse? Comente.

2 No segundo parágrafo, você encontra informações sobre fibras musculares lentas e rápidas. Uma maneira de tornar mais fácil a visualização dos dados é apresentá-los em forma de tabela. Elabore, com os dados do parágrafo, uma tabela que relacione o tipo de fibra a: a) características gerais; b) tipo de miosina; c) tipo de atividade.

3 Qual é a ideia central do terceiro parágrafo do quadro?

4 Leia o quarto parágrafo: qual é a relação entre treinamento e tipo de músculo?

5 Observe as figuras do quadro: a) Faça uma análise do gráfico e elabore uma síntese, por escrito, do que ele apresenta; b) leia a legenda e note que ela traz a estimativa do percentual de fibras lentas e rápidas de um praticante de corrida de curta distância (velocista); confira os dados no gráfico para esse tipo de atleta (primeiro par de barras). A legenda traz ainda uma informação sobre os tipos de fibras nos músculos dos praticantes de musculação, não representados no gráfico. Faça um gráfico em seu caderno que compare os tipos de músculos desses últimos atletas a pessoas comuns, ativas e sedentárias.

6 Leia os dois últimos parágrafos do quadro (5º e 6º). Com base neles, como você definiria tônus muscular? Informe-se sobre como a prática regular de atividade física pode beneficiar os músculos e o tônus muscular.

Visão do especialista | Biblioteca do estudante Faça você mesmo! | Listas de exercícios

Revendo conceitos fundamentais

Escreva, em seu caderno, o termo abaixo que substitui corretamente a tarja entre parênteses das frases de 1 a 4.

a) derme
b) epiderme
c) pelo
d) unha

1. A camada mais interna da pele, constituída por tecido conjuntivo, é chamada (▬).
2. O(A) (▬) é um bastão de células queratinizadas mortas e altamente compactadas, que se projeta da superfície da pele.
3. O(A) (▬) é uma placa de células queratinizadas mortas e altamente compactadas, presente na ponta dos dedos.
4. A camada de tecido epitelial que forma a parte mais externa da pele é chamada (▬).

Escreva, em seu caderno, o termo abaixo que substitui corretamente a tarja entre parênteses das frases de 5 a 8.

a) glândula sebácea
b) glândula sudorípara
c) melanina
d) queratina

5. (▬) é uma proteína que se acumula nas células epidérmicas, matando-as e formando uma camada impermeável na superfície externa da pele.
6. (▬) é uma substância de cor escura que se acumula em células especiais da epiderme e produz as tonalidades da pele.
7. Um conjunto de células que secreta substâncias oleosas no folículo piloso é uma (▬).
8. A estrutura da pele responsável pela eliminação do suor é chamada (▬).

Escreva, em seu caderno, o termo abaixo que substitui corretamente a tarja entre parênteses das frases de 9 a 12.

a) articulação
b) pericôndrio
c) ligamento
d) tendão

9. O(A) (▬) é o tecido conjuntivo que envolve a cartilagem.
10. A estrutura constituída por tecido conjuntivo fibroso que une as extremidades de certos músculos ao esqueleto é chamada (▬).
11. O(A) (▬) é um filamento de tecido conjuntivo fibroso que prende dois ossos que se articulam.
12. A região de contato entre dois ossos que se movem um em relação ao outro é um(a) (▬).

Escreva, em seu caderno, o termo abaixo que substitui corretamente a tarja entre parênteses das frases de 13 a 17.

a) coluna vertebral
b) costela
c) crânio
d) esterno
e) vértebra

13. O osso achatado localizado no meio do peito é chamado (▬).
14. O(A) (▬) é um osso curvo que parte de uma das vértebras torácicas e termina na região anterior do tórax.
15. O conjunto de peças ósseas, localizado no meio das costas e dentro do qual fica a medula espinal, é chamado (▬).
16. O(A) (▬) é a caixa arredondada, formada por ossos abaulados e firmemente unidos, que abriga e protege o encéfalo.
17. Cada uma das peças ósseas que, empilhadas, formam o eixo que corre ao longo de nossas costas é chamada (▬).

Escreva, em seu caderno, o termo abaixo que substitui corretamente a tarja entre parênteses das frases de 18 a 21.

a) cintura escapular
b) cintura pélvica
c) esqueleto apendicular
d) esqueleto axial

18. A parte do esqueleto constituída pelos ossos da cabeça e da coluna vertebral é chamada (▬).
19. O conjunto de ossos que une o esqueleto dos membros inferiores à coluna vertebral é chamado (▬).
20. Os componentes esqueléticos de nossos membros superiores e inferiores pertencem à(ao) (▬).
21. O(A) (▬) é o conjunto de ossos que une o esqueleto dos membros superiores à coluna vertebral.

Escreva, em seu caderno, o termo abaixo que substitui corretamente a tarja entre parênteses das frases de 22 a 24.

a) tecido muscular cardíaco
b) tecido muscular estriado esquelético
c) tecido muscular não estriado

22. O (▬) é formado por células sem faixas transversais que se contraem involuntariamente.
23. O (▬) é formado por células com faixas transversais que se contraem involuntariamente.
24. O (▬) é formado por células multinucleadas, com faixas transversais e que se contraem voluntariamente.

Escreva, em seu caderno, o termo abaixo que substitui corretamente a tarja entre parênteses das frases de 25 a 28.

a) fibra muscular esquelética
b) miofibrila
c) miômero
d) tônus muscular

25. O(A) (▬) é o nome da célula muscular com estrias transversais, multinucleada e de contração voluntária.

26. Um conjunto de filamentos contráteis que percorre uma célula muscular de ponta a ponta é chamado (▬).

27. A característica de um músculo esquelético apresentar sempre algumas fibras contraídas é chamada (▬).

28. O(A) (▬) é cada um dos conjuntos de fibras contráteis que se repetem ao longo das células musculares estriadas e lhes conferem o padrão de faixas transversais característico.

Escreva, em seu caderno, o termo abaixo que substitui corretamente a tarja entre parênteses das frases 29 e 30.

a) actina
b) melanina
c) miosina
d) queratina

29. A proteína que forma os filamentos mais finos, que partem das bordas dos miômeros, é a (▬).

30. Os filamentos mais grossos, presentes na região central dos miômeros, são formados pela proteína (▬).

Ligando conceitos, fatos e processos

31. A pele humana é revestida por uma camada impermeável formada pela proteína queratina, que:
a) se acumula no interior das células epidérmicas.
b) se acumula no interior dos melanócitos estimulados pela radiação ultravioleta.
c) é secretada pelas glândulas sebáceas.
d) é secretada pelas glândulas sudoríparas.

32. A cor da pele resulta do acúmulo de:
a) melanina nos fibroblastos.
b) melanina nos melanócitos.
c) queratina nos fibroblastos.
d) queratina nos melanócitos.

33. Os pelos e as unhas crescem pela:
a) incorporação de células mortas ao longo de todo seu comprimento.
b) incorporação de células mortas em suas bases.
c) multiplicação de células vivas ao longo de todo seu comprimento.
d) multiplicação de células vivas em suas extremidades livres.

34. Quais fatores que contribuem para a diminuição da temperatura corporal?
a) A contração dos vasos sanguíneos da derme e a maior eliminação de suor.
b) A contração dos vasos sanguíneos da derme e a menor eliminação de suor.
c) A dilatação dos vasos sanguíneos da derme e a maior eliminação de suor.
d) A dilatação dos vasos sanguíneos da derme e a menor eliminação de suor.

35. As células do sangue são produzidas em um tecido de consistência gelatinosa presente no interior:
a) das artérias.
b) das cartilagens.
c) dos ossos.
d) das veias.

36. Que tipos de célula muscular precisam ser estimulados diretamente por uma terminação nervosa para se contrair?
a) A célula muscular esquelética apenas.
b) A célula muscular lisa apenas.
c) As células musculares lisas e as células musculares cardíacas.
d) Todos os tipos de célula muscular.

37. As estrias transversais presentes nas fibras musculares esqueléticas e cardíacas resultam da disposição:
a) lado a lado das terminações nervosas que inervam cada célula muscular.
b) lado a lado das diversas células que formam cada fibra muscular.
c) ordenada de proteínas ao redor da membrana de cada célula muscular.
d) ordenada de proteínas no interior de cada célula muscular.

Escreva, em seu caderno, o termo abaixo que substitui corretamente a tarja entre parênteses das frases 38 e 39.

a) Provocar o deslizamento da miosina sobre a actina e o encurtamento dos miômeros, com contração da fibra muscular.
b) Gerar o potencial de ação que provoca a contração da fibra muscular.
c) Liberar o neurotransmissor acetilcolina nas sinapses neuromusculares.
d) Fornecer energia para o deslizamento dos filamentos de actina sobre os de miosina.

38. O papel do cálcio na contração muscular é (▬).

39. O papel do ATP na contração muscular é (▬).

40. O curare é uma droga que impede a ligação do neurotransmissor acetilcolina aos receptores de membrana na região da sinapse neuromuscular. Sua presença no corpo:
a) leva os músculos esqueléticos a se contrair continuamente.
b) impede a contração dos músculos esqueléticos.
c) impede a propagação do impulso nervoso através do axônio.
d) impede a propagação do impulso nervoso através do dendrito.

Questões para exercitar o pensamento

41. Em um experimento de fisiologia muscular, um grupo de homens de hábitos sedentários submeteu-se a um programa de treinamento físico para desenvolver resistência muscular. De tempos em tempos, foram retiradas, por biópsia, pequenas amostras dos músculos de suas pernas. Os resultados mostraram que durante o treinamento houve redução acentuada de um dos tipos de miosina rápida das fibras musculares. Quando o treinamento foi interrompido, a quantidade de miosina rápida aumentou além da que havia no início do experimento, chegando praticamente a dobrar por volta do terceiro mês de descanso. Utilize essas informações, representadas no gráfico a seguir, para responder à questão proposta.

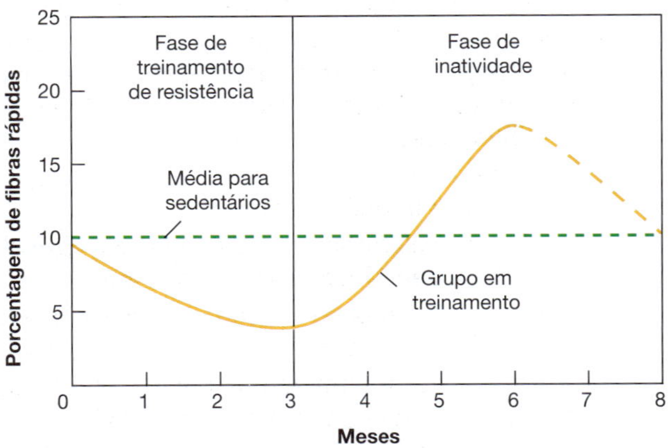

Suponha que você fosse a treinadora ou o treinador de um atleta especialista em corrida de 100 metros rasos que precisa ter o máximo de "explosão" muscular no curto período (cerca de 10 s) em que dura a corrida. Que tipo de miosina seu atleta precisaria apresentar nos músculos para obter alto desempenho em seu esporte? Como você organizaria um calendário de treinamentos do atleta para uma competição importante que ocorrerá em setembro? Quando iniciaria os treinamentos de resistência? Seria melhor treinar resistência até o dia da competição ou descansar desse tipo de treino antes da corrida?

42. As fotos a seguir mostram radiografias das mãos de um adulto e de uma criança. Identifique qual pertence ao adulto e qual pertence à criança, justificando sua escolha. Explique as diferenças entre as duas imagens. Com o auxílio dos desenhos e da descrição apresentados no texto, tente identificar os ossos que aparecem claramente nas radiografias.

DR. BARRY SLAVEN/VISUALS UNLIMITED/GLOW IMAGES

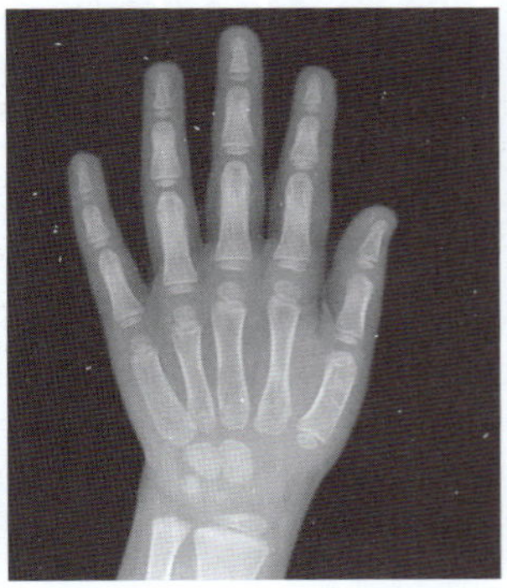

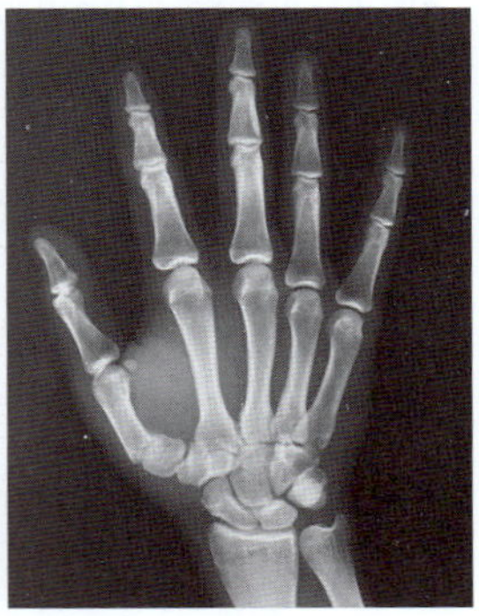

KALLISTA IMAGES/VISUALS UNLIMITED/GLOW IMAGES

A Biologia no vestibular e no Enem

Questões objetivas

1. (Efoa-MG) Nos vertebrados terrestres, aparece, na superfície da epiderme, uma camada córnea formada por uma proteína impermeabilizante chamada:

a) muco.
b) cromatóforos.
c) queratina.
d) melanina.
e) clorofila.

2. (USJ-SC) O tecido que desempenha as funções de revestimento de superfícies e cavidades, absorção, secreção e percepção sensorial é denominado:

a) muscular.
b) nervoso.
c) epitelial.
d) conjuntivo.

3. (UFC-CE)

"Durante a infância e adolescência, a formação óssea se processa a uma velocidade maior que a reabsorção, resultando em um aumento da densidade até que os jovens adultos alcancem, por volta dos 18 anos, o pico da massa óssea."

Scientific American Brasil, abr. 2003, p. 84.

De acordo com o texto, as atividades de formação e reabsorção, responsáveis pelo aumento da densidade óssea, decorrem da ação de dois tipos celulares que são, respectivamente:

a) osteoblastos e osteoclastos.
b) condroblastos e condrócitos.
c) condrócitos e condroblastos.
d) osteoclastos e osteoblastos.
e) condroblastos e osteoblastos.

4. (UFMG) Determine a que tecido se referem as características:

I. células localizadas em lacunas;
II. matriz percorrida por canalículos e constituída de substâncias orgânicas e minerais;
III. canais que contêm vasos sanguíneos e nervos.

a) Cartilaginoso.
b) Conjuntivo propriamente dito.
c) Muscular liso.
d) Nervoso.
e) Ósseo.

5. (Udesc) Qual alternativa indica corretamente o nome dos ossos que compõem os membros superiores (braços e antebraços)?

a) Ulna, tíbia e fíbula.
b) Úmero, tíbia e fíbula.
c) Rádio, tíbia e ulna.
d) Úmero, rádio e ulna.
e) Clavícula, rádio e fíbula.

6. (UFV-MG) Considerando o esquema dos sarcômeros representados abaixo e suas características durante a contração, qual é a afirmativa **incorreta**?

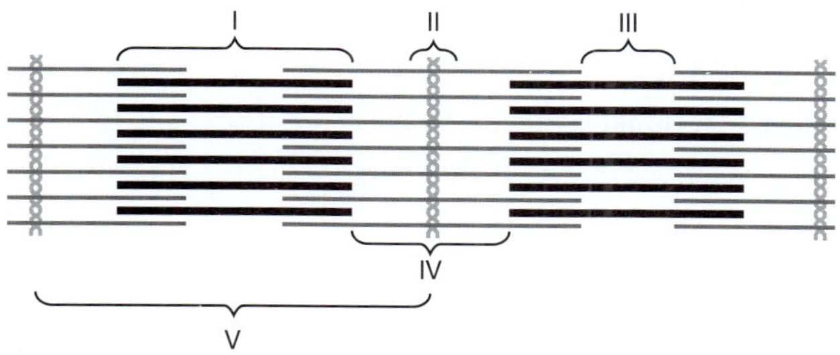

(Elementos fora de proporção de tamanho entre si.)

a) I contém miofilamentos e corresponde à banda A, que não se encurta.
b) IV contém actina e corresponde a uma banda que se encurta.
c) II delimita o sarcômero e corresponde às linhas Z, que se aproximam.
d) III contém miosina e corresponde à banda H, que se estreita.
e) V contém miofibrilas e corresponde ao sarcômero, que não se encurta.

7. (UFRGS-RS) Na fibra muscular esquelética, as miofibrilas são constituídas por filamentos de actina e miosina, na disposição apresentada no esquema. O que acontece quando ocorre a contração muscular?

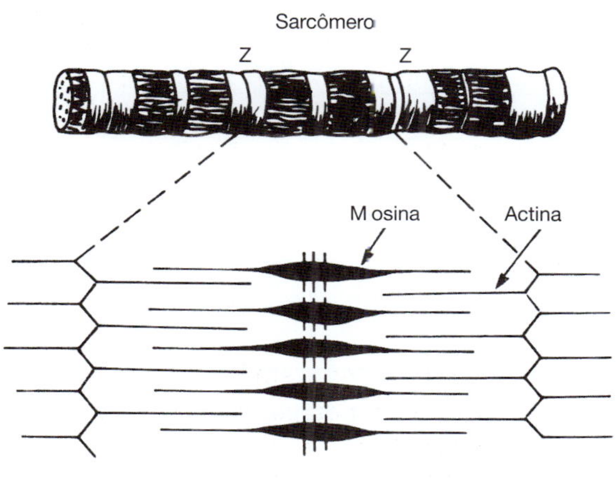

(Elementos fora de proporção de tamanho entre si.)

a) Diminuem os filamentos de actina e miosina.
b) Diminuem os filamentos de miosina.
c) Diminuem e se espessam os filamentos de miosina.
d) Os filamentos de actina deslizam entre os de miosina.
e) A linha Z torna-se mais espessa, englobando os filamentos de actina.

8. (Fuvest-SP) Um atleta, participando de uma corrida de 1.500 m, desmaiou depois de ter percorrido cerca de 800 m, devido à oxigenação deficiente de seu cérebro. Sabendo-se que as células musculares podem obter energia por meio da respiração aeróbica ou da fermentação, nos músculos do atleta desmaiado deve haver acúmulo de:

a) glicose.
b) glicogênio.
c) monóxido de carbono.
d) ácido lático.
e) etanol.

9. (PUC-RJ) Durante a maratona de São Paulo, no dia 2/6/2007, discutiu-se a diferença entre o tempo necessário para completar o percurso para indivíduos do sexo masculino e feminino. Segundo entrevistas com especialistas no assunto, uma das razões para o maior desempenho do homem em relação à mulher seria que ele suportaria uma concentração mais alta de ácido láctico nos músculos durante a corrida. Esse acúmulo de ácido láctico nos músculos é devido a:

a) excesso de oxigênio no sangue, causado pelo aumento da frequência cardíaca.
b) excesso de gás carbônico no sangue pela dificuldade de sua eliminação pela respiração.
c) aumento de temperatura corporal causado pelo esforço físico muscular.
d) fermentação nos músculos pelo aumento da demanda de energia durante a corrida.
e) diminuição da temperatura interna pela perda de calor durante o esforço realizado.

10. (UFSC) No tecido conjuntivo, cada um dos elementos realiza funções específicas. Assim, as fibras colágenas orientadas paralelamente e a substância fundamental intensamente mineralizada se caracterizam, respectivamente, pelas funções de

a) dureza e armazenamento.
b) tração e resistência.
c) defesa e preenchimento.
d) elasticidade e reserva.
e) flexibilidade e tenacidade.

Questões discursivas

11. (UFC-CE) Explique, sucintamente, como a sudorese e a vasodilatação dos vasos sanguíneos cutâneos participam do processo homeostático de regulação da temperatura corporal do ser humano no calor.

12. (Fuvest-SP) Consideremos o seguinte fato: o aumento do consumo de carboidrato no músculo é acompanhado de um aumento imediato e considerável do consumo de O_2 e de um aumento paralelo da eliminação de CO_2. Qual a explicação para esse fato e por que o músculo é considerado um transformador de energia?

Siglas de vestibulares

Ceeteps-SP – Centro Estadual de Educação Tecnológica "Paula Souza" (Fatec-SP)

Cesesp-PE – Centro de Seleção ao Estudo Superior de Pernambuco

Cesgranrio-RJ – Fundação Cesgranrio (UFRJ, UFF, Unirio, Cefet, Uerj, PUC, UGF, USU, UCP e Cesva)

Cesmac/Fejal-AL – Centro de Estudos Superiores de Maceió/Fundação Educacional Jayme de Altavila

Cesumar-PR – Centro Universitário de Maringá

Efoa-MG – Escola de Farmácia e Odontologia de Alfenas

ENC-MEC – Exame Nacional de Cursos

Enem-MEC – Exame Nacional do Ensino Médio

F. Visconde de Cairu-BA – Fundação Visconde de Cairu

FGV-SP – Fundação Getulio Vargas

FMU/Fiam-Faam/Fisp-SP – Vestibular Integrado FMU, Fiam-Faam e Fisp

FUA-AM – Fundação Universidade Federal do Amazonas (antiga Ufam)

Fuvest-SP – Fundação Universitária para o Vestibular

Mackenzie-SP – Universidade Presbiteriana Mackenzie

PUC-Campinas-SP – Pontifícia Universidade Católica de Campinas

PUC-Minas – Pontifícia Universidade Católica de Minas Gerais (em uso desde 2002)

PUC-PR – Pontifícia Universidade Católica do Paraná

PUC-RJ – Pontifícia Universidade Católica do Rio de Janeiro

PUC-SP – Pontifícia Universidade Católica de São Paulo

UCS-RS – Universidade de Caxias do Sul

Udesc – Universidade do Estado de Santa Catarina (antiga Uesc)

UEA-AM – Universidade do Estado do Amazonas

Uece – Universidade Estadual do Ceará

UEG-GO – Universidade Estadual de Goiás

UEL-PR – Universidade Estadual de Londrina

UEM-PR – Universidade Estadual de Maringá

UEMS – Universidade Estadual de Mato Grosso do Sul

UEPB – Universidade Estadual da Paraíba

Uerj – Universidade do Estado do Rio de Janeiro

Uesc-BA – Universidade Estadual de Santa Cruz

Uespi – Universidade Estadual do Piauí

Ufac – Fundação Universidade Federal do Acre

Ufal – Universidade Federal de Alagoas

Ufam – Universidade Federal do Amazonas

UFC-CE – Universidade Federal do Ceará

Ufes – Universidade Federal do Espírito Santo

UFF-RJ – Universidade Federal Fluminense

UFG-GO – Universidade Federal de Goiás

UFJF-MG – Universidade Federal de Juiz de Fora

Ufla-MG – Universidade Federal de Lavras

UFMA – Fundação Universidade Federal do Maranhão

UFMG – Universidade Federal de Minas Gerais

UFMS – Fundação Universidade Federal de Mato Grosso do Sul

UFMT – Fundação Universidade Federal de Mato Grosso

Ufop-MG – Fundação Universidade Federal de Ouro Preto

UFPA – Universidade Federal do Pará

UFPB – Universidade Federal da Paraíba

UFPE – Universidade Federal de Pernambuco

UFPel-RS – Fundação Universidade Federal de Pelotas

UFPI – Fundação Universidade Federal do Piauí

UFPR – Universidade Federal do Paraná

UFRGS-RS – Universidade Federal do Rio Grande do Sul

UFRJ – Universidade Federal do Rio de Janeiro

UFRN – Universidade Federal do Rio Grande do Norte

UFRR – Fundação Universidade Federal de Roraima

UFRRJ – Universidade Federal Rural do Rio de Janeiro

UFSC – Universidade Federal de Santa Catarina

UFSCar-SP – Fundação Universidade Federal de São Carlos

UFSM-RS – Universidade Federal de Santa Maria

UFS-SE – Fundação Universidade Federal de Sergipe

UFT-TO – Universidade Federal do Tocantins

UFU-MG – Fundação Universidade Federal de Uberlândia

UFVJM-MG – Universidade Federal dos Vales do Jequitinhonha e Mucuri

UFV-MG – Fundação Universidade Federal de Viçosa

UGF-RJ – Universidade Gama Filho

Unama-PA – Universidade da Amazônia

UnB-DF – Fundação Universidade de Brasília

Unesp – Universidade Estadual "Júlio de Mesquita Filho"

Unicamp-SP – Universidade Estadual de Campinas

Unifal-MG – Universidade Federal de Alfenas

Unifap – Fundação Universidade Federal do Amapá

Unifesp – Universidade Federal de São Paulo

Unifor-CE – Universidade de Fortaleza

Unigranrio-RJ – Universidade do Grande Rio

Unioeste-PR – Universidade Estadual do Oeste do Paraná

Unirio-RJ – Fundação Universidade do Rio de Janeiro

Unir-RO – Fundação Universidade Federal de Rondônia (antiga UFRO)

UPE – Universidade de Pernambuco

UPF-RS – Universidade de Passo Fundo

Urca-CE – Universidade Regional do Cariri

USJ-SC – Centro Universitário Municipal de São José

Vunesp – Fundação para o Vestibular da Unesp

Bibliografia

AB'SABER, A. N. *Os domínios de natureza no Brasil:* potencialidades paisagísticas. Cotia: Ateliê Editorial, 2003.

ALBERTS, B.; DENNIS, B.; LEWIS, V. *Biologia molecular da célula*. 4. ed. Porto Alegre: Artmed, 2004.

ALLÈGRE, C. J.; SCHNEIDER, S. H. The evolution of the Earth. *Scientific American*, v. 271, n. 4, p. 44-51, 1994.

ALVES, R. *Filosofia da ciência:* introdução ao jogo e suas regras. 18. ed. São Paulo: Brasiliense, 1993.

BARTLETT, J. G.; MOORE, R. D. Improving HIV Therapy. *Scientific American*, n. 279, p. 64-67, 1998.

BEGON, M.; TOWNSEND, C. R.; HARPER, J. L. *Ecology:* from individuals to ecosystems. 4. ed. Oxford: Wiley-Blackwell, 2005.

BEIGUELMAN, B. *O estudo de gêmeos*. Disponível em: <www.desvirtual.com/bbeiguel/ebook.htm>. Acesso em: maio 2013.

BRENNAM, R. *Gigantes da Física*: uma história da Física através de oito biografias. Rio de Janeiro: Zahar, 1998.

BRONOWSKI, J. *Ciência e valores humanos*. Trad. Alceu Letal. Belo Horizonte/São Paulo: Itatiaia/Edusp, 1979. p. 12.

BURGGREN, W.; FRENCH, K.; RANDALL, D. *Eckert: Fisiologia animal*: mecanismos e adaptações. 4. ed. Rio de Janeiro: Guanabara Koogan, 2000.

CAMPBELL, N. A.; REECE, J. B. *Biology*. 8. ed. Menlo Park (CA): Benjamin Cummings, 2007.

CAMPBELL, N. A.; REECE, J. B.; URRY, L. A.; CAIN, M. L.; WASSERMANN, S. A.; MINORSKY, P. V.; JACKSON, R. B. *Biologia*. 8. ed. Porto Alegre: Artmed, 2010.

CARLSON, E. A. *The gene*: a critical history. Philadelphia: W. B. Saunders Co., 1966.

CARROLL, S. B. *Endless forms most beautiful*. Nova York: W. W. Norton & Co., 2005.

COOPER, G. M. *The cell: a molecular approach*. 4. ed. Sunderland (MA): Sinauer, 2006.

COPLEY, J. Proof of life. *New Scientist*, v. 177, n. 2.383, p. 28-31, 2004.

CURI, R.; PROCÓPIO DE ARAÚJO FILHO, J. *Fisiologia básica*. 1. ed. Rio de Janeiro: Guanabara Koogan, 2009.

CURTIS, H.; BARNES, N. S. *Biology*. 5. ed. Nova York: Worth Publishers, 1989.

DAJOZ, R. *Ecologia geral*. 3. ed. Petrópolis: Vozes, 1978.

DARWlN, C. *A origem das espécies*. Belo Horizonte/São Paulo: Itatiaia/Edusp, 1985.

DAVIS, B. D. *The genetic revolution*. Baltimore: The John Hopkins University Press, 1991.

DAWKINS, R. *A magia da realidade*. São Paulo: Cia. das Letras, 2012.

______. *A escalada do monte improvável*: uma defesa da teoria da evolução. São Paulo: Cia. das Letras, 1998.

______. *The greatest show on Earth*. Nova York: Free Press, 2009.

DE DUVE, C. O *lisossomo*. In: KENNEDY, D. et al. (Ed.). A célula viva. Textos do *Scientific American*. São Paulo: Edusp/Polígono, 1969.

DOBZHANSKY, T. *Genética do processo evolutivo*. São Paulo: Polígono/Edusp, 1973.

DORST, J. *Antes que a natureza morra*. São Paulo: Edgard Blücher/Edusp, 1973.

DUNBAR, R. I. M. *The trouble with science*. Cambridge (MA): The Harvard University Press, 1995.

EDIÇÃO ESPECIAL. Novo olhar sobre a evolução humana. *Scientific American Brasil*, n. 2, 2003.

EHRLICH, A. H. The human population: size and dynamics. *American Zoologist*, v. 25, p. 395-406, 1985.

EHRLICH, P. R. *The machinery of nature*. Nova York: Simon & Schuster, 1987.

EHRLICH, P.; EHRLICH, A. H. *População, recursos e ambiente*. São Paulo: Polígono/Edusp, 1974.

EL-HANI, C. N.; VIDEIRA, A. A. P. (Orgs.). *O que é vida?*: para entender a biologia do século XXI. Rio de Janeiro: Relume Dumará, 2000.

ENERGY FLOW THROUGH ECOSYSTEMS (unidades 2 e 3). Producers and consumers. The Open University, Third Level Course. Londres: The Open University, 1974.

ENERGY FLOW THROUGH ECOSYSTEMS (unidades 4 e 5). Decomposers: whole ecosystems. The Open University, Third Level Course. Londres: The Open University, 1974.

FARREL, J. *A assustadora história das pestes e epidemias*. Rio de Janeiro: Ediouro, 2003.

FOUCAULT, M. *As palavras e as coisas*. São Paulo: Martins Fontes, 1987.

FREIRE-MAIA, N. *A ciência por dentro*. 2. ed. Petrópolis: Vozes, 1992.

FRICKE, H. Coelacanthus: the fish that time forgot. *National Geographic*, n. 173, p. 824-838, 1988.

FUTUYAMA, D. J. *Biologia evolutiva*. 2. ed. Ribeirão Preto: Sociedade Brasileira de Genética, 1992.

GAMLIN, L.; VINES, G. (ed.). *The evolution of life*. Nova York: Oxford University Press, 1991.

GARCIA. S. M. L.; FERNÁNDEZ, C. G. *Embriologia*. 3. ed. Porto Alegre: Artmed, 2012.

GILBERT, S. F. *Developmental Biology*. 9. ed. Sunderland (MA): Sinauer, 2010.

GOULD, S. J. *Quando as galinhas tiverem dentes*. Lisboa: Gradiva, 1989.

______. *Evolution as fact and theory*. Discover 2, p. 34-37, 1981.

______. *Vida maravilhosa*. São Paulo: Cia. das Letras, 1990.

______. *Viva o brontossauro!* São Paulo: Cia. das Letras, 1992.

GRANT, P. R. Natural selection and Darwin's finches. *Scientific American*, v. 265, p. 60-65, 1991.

GRIFFITHS, A. J. F.; GELBART, W. M.; MILLER, J. H.; LEWONTIN, R. C. *Modern Genetics analysis*. Nova York: W. H. Freeman, 1998.

GRIFFITHS, A. J. F.; WESSLER, S. R.; LEWONTIN, R. C.; CARROLL, S. B. *Introdução à Genética*. 9. ed. Rio de Janeiro: Guanabara Koogan, 2009.

GUYTON, A. C.; HALL, J. E. *Tratado de fisiologia médica*. 11. ed. Rio de Janeiro: Guanabara Koogan, 2006.

HARRIS, H. *The birth of the cell*. New Haven/Londres: Yale University Press, 1999.

HARRISON, G. A.; WEINER, J. S.; TANNER, J. M.; BARNICOT, N. A. *Human Biology*. 2. ed. Oxford: Oxford University Press, 1977.

HAUSMANN, R. *História da Biologia molecular*. Ribeirão Preto: Sociedade Brasileira de Genética, 1997.

HECHT, J. People and chimps belong together on the family tree. *New Scientist*, n. 2.396, p. 15, 2003.

HERSHEY, D. R. *Plant Biology science projects*. Nova York: John Wiley & Sons, 1995.

HICKMAN JR., C. P.; HICKMAN, F. M.; KATS, L. B. Laboratory studies. *Integrated principles of zoology*. Boston: McGraw-Hill, 2001.

HOAGLAND, M.; DODSON, B. *The way life works*. Nova York: Times Books/Random House, 1995.

HOLLEY, D. *Animals alive! An ecological guide to animals activities*. Niwot (CO): Roberts Rinehart, 1994.

HOUILLON, C. *Embriologia*. São Paulo: Edgard Blücher/Edusp, 1972.

HUECK, K. *As florestas da América do Sul*. São Paulo/Brasília: Polígono/UnB, 1972.

HUETTNER, A. E. *Fundamentals of comparative embriology of the vertebrates*. ed. rev. Nova York: Macmillan, 1949.

JACOB, F. *A lógica da vida*: uma história da hereditariedade. Rio de Janeiro: Graal, 1983.

KOEPPEN, B. M.; STANTON, B. A. *Berne e Levi*: fisiologia. 6. ed. Rio de Janeiro: Elsevier, 2009.

KRUIF, P. *Caçadores de micróbios*. Rio de Janeiro: José Olympio, 1939.

LEAKEY, M.; WALKER, A. Os primeiros fósseis hominídeos da África. *Scientific American Brasil*, edição especial: novo olhar sobre a evolução humana, n. 2, p. 16-21, 2003.

LODISH, H.; BERK, A.; MATSUDAIRA, P.; KAISER, C. A.; KRIEGER, M.; SCOTT, M. P.; ZIPURSKY, S. L.; DARNELL, V. *Biologia celular e molecular*. 5. ed. Porto Alegre: Artmed, 2005.

MADER, S. S. *Biology*. 8. ed. Boston: McGraw-Hill, 2004.

MARGULIS, L.; SAGAN, D. *Microcosmos*: four billion years of microbial evolution. Londres: Allen & Unwin, 1987.

MARGULIS, L.; SCHWARTZ, K. V. *Five kingdoms*: an illustrated guide to the phyla of life on Earth. Nova York: W. H. Freeman and Company, 1988.

MAYNARD SMITH, J. *The problems of Biology*. Oxford: Oxford University Press, 1986.

MAYR, E. *The growth of biological thought*: diversity, evolution, and inheritance. Cambridge (MA): Cambridge University Press/The Belknap Press, 1982.

______. *What evolution is*. Nova York: Basic Books, 2002.

MELLO AIRES, M. *Fisiologia*. 3. ed. Rio de Janeiro: Guanabara Koogan, 2008.

MEYER, D. E. (Sup.). *Biological science, a molecular approach*. 4. ed. Lexington: D. C. Heath and Company, 1980.

MILLER, K. R.; LEVINE, J. S. *Biology*. Nova Jersey: Prentice Hall, 2007.

MOONEY, P. R. *O escândalo das sementes*: o domínio na produção de alimentos. São Paulo: Nobel, 1987.

MOORE, J. A. Science as a way of knowing — human ecology. *American Zoologist*, v. 25, p. 483-637, 1985.

______. Science as a way of knowing — evolution biology. *American Zoologist*, v. 24, p. 467--534, 1984.

MOZETO, A. A. Química atmosférica: a química sobre nossas cabeças. *Cadernos temáticos de Química Nova na Escola*. Disponível em: <http://qnesc.sbq.org.br/online/cadernos/01/atmosfera.pdf>. Acesso em: jan. 2013.

NEVES, W. A.; HUBBE, M. Luzia e a saga dos primeiros americanos. *Scientific American Brasil*, edição especial: novo olhar sobre a evolução humana, n. 2, p. 64-71, 2003.

OLBY, R. *Origins of mendelism*. 2. ed. Chicago: The University of Chicago Press, 1985.

OREL, V. *Gregor Mendel*: the first geneticist. Oxford: Oxford University Press, 1996.

ORGEL, L. O. The origin of life on the Earth. *Scientific American*, v. 271, n. 4, p. 53-61, 1994.

PARECER, S.; AHMADJIAN, V. *Symbiosis*: an introduction to biological associations. 2. ed. Nova York: Oxford University Press, 2000.

PERONSE, L. S.; SMITH, G. F. *Down's anomaly*. Boston: Little Brown, 1966.

PHILLIPSON, J. *Ecologia energética*. São Paulo: Companhia Editora Nacional/Edusp, 1969.

POND, C. M. *Diversity of organisms*. Londres: Hodder & Stoughton/The Open University, 1990.

PORTUGAL, F. H.; COHEN, J. S. *A century of DNA*. Massachusetts: The MIT Press, 1977.

POSTGATE, J. *Microbes and man*. 4. ed. Cambridge (MA): Cambridge University Press, 2000.

RAMALHO, M.; SANTOS, J. B.; PINTO, C. B. *Genética na agropecuária*. 4. ed. São Paulo: Globo, 1995.

RAVEN, P. H.; EVERT, R. F.; EICHHORN, S. E. *Biologia vegetal*. 7. ed. Rio de Janeiro: Guanabara Koogan, 2007.

RAWN, J. D. *Biochemistry*. Burlington: Neil Patterson Publishers/Caroline Biological Supply Company, 1989.

RAW, I.; MENNUCCI, L.; KRASILCHIK, M. *A Biologia e o homem*. São Paulo: Edusp, 2001.

RAWITSCHER, F. *Elementos básicos de Botânica*. São Paulo: Companhia Editora Nacional, 1968.

RIBEIRO-COSTA, C. S.; ROCHA, R. M. (Coords.). *Invertebrados*: manual de aulas práticas. 2. ed. Ribeirão Preto: Holos Editora, 2006.

RICKLEFS, R. E. *A economia da natureza*. 5. ed. Rio de Janeiro: Guanabara Koogan, 2003.

RODRIGUES, S. A. *Zoologia*: espectro e perspectiva do reino animal. São Paulo: Cultrix, 1970.

ROSE, M. *O espectro de Darwin*. Rio de Janeiro: Jorge Zahar, 1998.

RUPPERT, E. E.; FOX, R. S.; BARNES, R. D. *Zoologia dos invertebrados*. 7. ed. São Paulo: Roca, 2005.

RUSE, M. *Levando Darwin a sério*: uma abordagem naturalística da filosofia. Belo Horizonte: Itatiaia, 1995.

SALISBURY, F.; ROSS, C. W. *Plant physiology*. 4. ed. Califórnia: Belmont Wedsworth, 1991.

SANTOS, D. Y. A. C.; CHOW, F.; FURLAN, C. M. (Orgs.). *A Botânica no cotidiano*. Ribeirão Preto: Holos Editora, 2012.

SCHMITZ, J.; OHME, M.; SURYOBROTO, B.; ZISCHLER, H. The Colugo (*Cynocephalus variegatus, Dermoptera*): The Primates' Gliding Sister? *Molecular Biology and Evolution*, v. 19, p. 2.308-2.312, 2002.

SCOTT, A. *Piratas da célula*. Lisboa: Edições 70, 1987.

SHEPHERD, G. J. *Plantas terrestres*, 2003. Disponível em: <http://www.mma.gov.br/estruturas/chm/_arquivos/Aval_Conhec_Cap7.pdf> Acesso em: jun. 2012.

SHERMAN, I. W.; SHERMAN, V. G. *The invertebrates*: function and form. The Laboratory Guide. Nova York: MacMillan, 1970.

SINNOT, E. W.; DUNN, L. C.; DOBZHANSKY, T. *Princípios de Genética*. Barcelona: Ediciones Omega, 1961.

SMITH, D.; MARGOLSKEE, R. F. Making sense of taste. *Scientific American*, n. 284, p. 26-33, 2000.

SOCIEDADE BRASILEIRA DE ANATOMIA. *Terminologia anatômica*: terminologia anatômica internacional. São Paulo: Manole, 2001. 2. v.

SPROULE, A. *Charles Darwin*. Rio de Janeiro: Globo, 1993.

STANDRING, S. (Org.). *Gray's anatomy*: the anatomical basis for clinical practice. 39. ed. Nova York: Elsevier Churchill Levingstone, 2005.

STEBBINS, G. L. *Processos de evolução orgânica*. 2. ed. São Paulo: Livros Técnicos e Científicos/Edusp, 1974.

SUZUKI, D.; KNUDTSON, P. *Genethics the ethics of engineering life*. New South Wales: Allen & Unwin Australia Pty Ltd., 1992.

TAIZ, L.; ZEIGER, E. *Plant physiology*. Connecticut: Sinauer Associates, 2002.

TORTORA, G. J.; FUNKE, B. R.; CASE, C. L. *Microbiologia*. 8. ed. Porto Alegre: Artmed, 2005.

______. *Microbiology*: an introduction. 5. ed. Menlo Park (CA): Benjamin Cummings, 1995.

VIEYRA, A.; SOUZA-BARROS, F. Teorias da origem da vida no século XX. In: EL-HANI, C. N.; VIDEIRA, A. A. P. (Orgs.). *O que é vida?*: para entender a biologia do século XXI. Rio de Janeiro: Faperj/Relume Dumará, 2000.

VINES, G. Mass extinctions. *New Scientist*, v. 164, n. 2.216, p. 1-4, 1999.

VOLGELSTEIN, B.; KINZLER, K. W. The multistep nature of cancer. *Trends in Genetics*, n. 9, p. 138-141, 1993.

WALKER, G. Ice magic. *New Scientist*, v. 178, n. 2.390, p. 30-34, 2003.

WHITFIELD, P. *From so simple a beginning*: the book of evolution. Nova York: Macmillan, 1993.

WILLMER, P. *Invertebrate relationship*: patterns in animal evolution. Cambridge: Cambridge University Press, 1990.

WOLPERT, L.; VESSELL, T.; LAWRENCE, P.; MEYEROWITZ, E.; ROBERTSON, E.; SMITH, V. *Princípios de Biologia do desenvolvimento*. 3. ed. Porto Alegre: Artmed, 2008.

ZIMAN, J. *Conhecimento público*. Belo Horizonte/São Paulo: Itatiaia/Edusp, 1979.

ZIMMER, C. *O livro de ouro da evolução*. Rio de Janeiro: Ediouro, 2004.

Índice remissivo

A

D

E

F

G

K

L

M

N

O

P

Q

R

S

Biologia em contexto

Volume único

Conteúdo do DVD

✓ **Visão do especialista**

✓ **Biblioteca do estudante**
- Ferramentas digitais: como usar
- Glossário
- Ciência e cidadania
- Amplie seus conhecimentos
- Sugestões de livros, *sites* e vídeos
- Faça você mesmo!

✓ **Conteúdo multimídia**

✓ **Listas de exercícios**

Especificações técnicas para o uso do DVD
- CPU de 1.0 GHz
- Memória RAM de 1 Gb
- Leitor de DVD
- Acrobat Reader
- Sistema operacional: Windows XP ou superior
- Resolução mínima de vídeo: 1024×768

O DVD é parte integrante do livro *Vereda Digital – Biologia em contexto – Volume único*
Não pode ser vendido separadamente.